U0110147

自由人（二十）

自由人總目錄

動盪時代的印記——《自由人》三日刊始末

陳正茂（北台灣科學技術學院通識教育中心教授）

一、前言：《自由人》三日刊創刊之背景

民國三十八年是中國歷史上驚天動地的一年，隨著戡亂戰局的逆轉，中共席捲大陸，國府敗退遷台，真是國命如絲風雨飄搖的危急存亡之秋。處此動盪時代中，除大批軍民同胞隨政府播遷來台外；尚有一部分人士選擇避難香江，南下港九一隅，這些人當中，有不少是失意政客和知識份子。基本上，當年選擇避秦來港的知識份子，其心態上有兩種，一則對國、共兩黨均感不滿；再則係看上香港為自由民主之地，較能有揮灑發展的空間。此情勢考量，誠如雷嘯岑所言：「在一九四九－五〇年之間，因大陸淪陷，香港乃成了反共非共的中國人士望門投止的逋逃之藪」。

這些投奔港九的政治難民，以高級知識份子居多；兼以香港時為英屬自由之地，所以只要不違背港府法令，一般而言從事任何活動是百無禁忌，相當自由的。不僅可以高談政治問題，甚至於從事政治活動亦不加以限制。於是，「從大陸流亡到港九的高級知識份子群，乃相率呼朋引類，常舉行座談會，交換對國事意見，而美國國務院的巡迴大使吉塞普（Philip Jessup），斯時亦在香港鼓勵中國人組織『第三勢力』運動，目的以反共為主。」在此背景下，港九地區的自由民主人士，在美國幕後撐腰下，「各種座談會風起雲湧，熱鬧非凡；而諸多以反共為職志的大小刊物，更是應運而興，琳瑯滿目了。」所以，《自由人》三日刊，就是在此大時代氛圍下孕育而生的。

二、《自由人》三日刊誕生之經過

《自由人》三日刊醞釀誕生之經過，最早鼓吹者，一般而言，說法有二，一為由王雲五號召發起。據其《岫廬八十自述》書中提及：「自民國三十九年開始以來，由於中共匪幫建立偽政權，並先後獲得蘇俄、緬甸、印度、巴基斯坦及英國的承認，於是匪幫的勢力在香港突然大振，不少反共分子漸呈動搖態度。旅港有識之士深感囂風日長，漸使全港華人隨而動搖，乃相與集議挽救之道。我因在港主辦一個小規模出版事業（按：即華國出版社），尤以一貫堅持反共方針，遂由多數參加集議人士推任領導。由臨時的集會，變為固定的座談；其地點經常利用國民黨在銅鑼灣某街所租賃之四樓房屋一層。每次參

1 馬五，〈「自由人」之產生與夭折〉，見馬五（雷嘯岑）著，《政海人物面面觀》（香港：風屋書店出版，一九八六年十二月初版），頁二一二。又此種座談會多在週末舉行，也有人稱之為「週末座談會」或「星期六座談會」。見馬五先生著，《我的生活史》（台北：自由太平洋文化事業公司出版，民國五十四年三月一日初版），頁一六一。

加座談者，多至三十餘人，少亦一二十人，皆為文化界人士，或為舊日與政治有關係者，各政黨及無黨派人士皆有之。後來我以香港政府最忌政治性的集會，凡參加人數較多，尤易引起猜疑，動輒干涉。加以如此散漫的座談，亦未必能持久，因於某次座談中提議創辦一小型之定期刊物，每週或半週出版一次，既可藉此刊物益鞏固反共人士之維繫，且刊物一經向港政府註冊，則在刊物辦公處所舉行的座談，皆可諉稱編輯會議，可免港政府之干涉。此議一出，諸人咸表贊同，遂計劃如何組織與籌款。結果決辦三日刊，定名為自由人，其資金由參加坐談人士各自量力提供。我首先代表華國出版社提供港幣一千五百元，此外各發起人分別擔任，或一千，或五百不等；並經決定撰文者一律用真姓名，以明責任。其後，又決定委託香港時報代為印刷發行。因是，籌備進行益力，發起人等每星期至少集會一次，間或二次，一切進行甚為順利。」[2]

二為眾人集議，早有志於此，雷嘯岑即主此說。雷言：「這時候，即有原在大陸上服務新聞界的報人成舍我、陶百川、程滄波，協同青年黨人左舜生、民社黨人金侯成，以及國民黨人阮毅成、無黨無派的王雲五，外加香港時報社長許孝炎、新聞天地雜誌社社長卜少夫一干人等，於每週末午後在香港高士威道某號住宅中，舉行文化座談會。大家談來談去，得到一項結論，要辦一份刊物，以闡揚民主自由思想，在文化上進行反共鬥爭。……適韓戰爆發，預料東亞局勢將有變化，刊物必須及時問世，刊物取名「自由人」，由程滄波書寫報頭兼撰〈發刊詞〉，標題是〈我們要做自由人〉。」[3]

然由當事人之一的阮毅成事後追記，似乎《自由人》三日刊能草創成功，仍是由王雲五一手主導的。阮說：「民國三十九年十二月二十日，雲五先生在香港高士威道約大家茶敘，其中特別提及『今日我約諸位來，是想創辦一份反共的刊物，以正海外的視聽。間接幫助臺灣，說幾句公道話。我們讀書人，今日所能為國家效力的，也只有此途。』」[4]由阮之記載，合理推論，《自由人》三日刊能順利催生問世，王氏為登高呼籲之首倡者，可能性是很高的！

但就在王氏積極創辦《自由人》三日刊之際，突發一件暗殺事件，則頗值得一述；且對後來《自由人》三日刊的發展不無影響。事緣於三十九年十二月下旬，王氏在《自由人》三日刊諸人集會散會後，在香港寓所遭遇暗殺，幸子彈未命中，逃過一劫，這突如其來之舉，使王氏決定立即離港赴台定居。此事來台後，王氏曾將真相告訴繼我而來的成舍我。王氏謂：「到臺以後，除將此次提前來臺的秘密暗中告知兒女外，他人皆不使知。後來事過境遷，才漸漸透露給若干至好的朋友，首先是對於不久繼我而來的成舍我君；因為他覺得我向

---

2 王雲五，《岫廬八十自述》（台北：商務版，民國五十六年七月一日初版），頁一〇四～一〇五。

3 馬五，〈「自由人」之產生與夭折〉，同註一，頁二一二～二一三。又見馬之驌，《雷震與蔣介石》（台北：自立晚報社文化出版部出版，一九九三年十一月一版），頁八一。

4 阮毅成，〈王雲五先生與自由人三日刊〉，見蔣復璁等著，《王雲五先生與近代中國》（台北：商務版，民國七十六年六月初版），頁三〇～三一。有關《自由人》之發起，另有一說為萬麗鵑博士論文所言：「《自由人》為『自由中國協會』成員所辦之三日刊。」見萬麗鵑，〈一九五〇年代的中國第三勢力運動〉（台北：國立政治大學歷史研究所博士論文，民國九十年七月），頁一六四。但根據「自由人」社發起人之一的雷嘯岑回憶說：「『自由中國協會』為當時在美國的胡適、蔣廷黻、曾琦等人所發起，胡、蔣、曾諸氏希望以『自由人』全體發起人為主幹，先在香港成立總會，台灣暨歐美各省都設立分會。嗣經提出座談會詳細研討，大家認為總會以設在台灣為妥，香港亦只設分會，庶合體制。結果不知如何，這個會沒有成立，終於流產了。」馬五，〈「自由人」之產生與夭折〉，同註一，頁二一四～二一六。故萬氏此說，恐不確。

來很少患病，在約定聯合宴客之日，我竟稱病缺席，舍我不免將信將疑。其後到我家探病，見我毫無病容，更不免懷疑。及我不別而赴臺，他懷疑益甚，所以在他來臺後，偶爾和我詳談及此，我也就不好意思對朋友有所隱瞞了。」[5]

上述言及之十二月下旬，實際上是民國三十九年十二月三十一日，除夕。阮氏說：是日「王雲五先生約在高士威道午餐，我應約前往，王臨時以腹瀉未到，由成舍我兄代作主人，謂『自由人』籌備事，大致已妥。」而四十年的元月三日，阮氏也說到是日，「應卜少夫、程滄波二兄之約，到高士威道二十二號四樓午膳。據滄波兄言，是日原應由王雲五先生作東，而王於當天上午，離港飛台，臨行前以電話托其代為主人。」[6]

王氏的不告而別倉促離港赴台，也使得後續有不少參與「自由人」社同仁跟進，紛紛來台，這對於原本人力吃緊資金短絀的《自由人》三日刊之發展，當然有不小的影響。至於《自由人》三日刊籌組的經過梗概，雖在王氏離港來台後，仍按部就班的進行。四十年元月十日下午，阮毅成與程滄波及左舜生又約至高士威道聚談。關於創辦刊物事，左舜生主張宜立即出版，卜少夫則以須現款收有相當數目，方能創刊。是月三十一日，雷震自台灣來，亦參加「自由人」社活動。會中大家一致決定《自由人》三日刊，於農曆年後出版。並在職務安排上初步有了規劃，即推程滄波撰〈發刊詞〉，以辦報經驗豐富的成舍我任總編輯，陶百川為副總編輯。又另推編輯委員十四人，分別是劉百閔、雷嘯岑、陶百川、彭昭賢、程滄波、陳石孚、許孝炎、張丕介、吳俊升、金侯城、成舍我、左舜生、王雲五、卜少夫。[7]

四十年二月九日，內定為總編輯的成舍我自香港致函王雲五，說到：「自由人半週刊已將登記手續辦妥，『館主』係由少夫出名，因渠後來未再提出不能兼任之困難，……編輯人經由弟以本名登記。股款雖交者仍不太多，但讀者則頗踴躍。……據弟觀察，維持六個月，在經濟上當可辦到。惟編輯方面，則危機太大，因主力軍如我兄及秋原兄均不在此，其他如滄波兄等不久亦將赴臺，（即弟本身亦恐將於三月間來臺）稿件來源，異常枯涸，然既已決定辦，弟亦只有勉力一試。」[8]尚未正式創刊，但資金人才捉襟見肘的窘境，已被成氏料中，這對好事多磨的《自由人》三日刊日後之發展，已埋下艱困之伏筆。

二月十四日，成舍我向雷震、洪蘭友等人報告，《自由人》三日刊已得港府核准登記，一俟台灣方面准予內銷，即行出版。二十八日，成舍我向「自由人」社同仁報告：台灣內銷事已辦好，《自由人》三日刊即將出版，並出示創刊號大樣。因與會者多係辦報老手，提供不少意見，而成舍我也很有風度，博採眾議，為慎重起見，同意改遲數日出版，以便從容改正，並呼籲社員踴躍撰稿以光篇幅。[9]可見在王氏離港後，《自由人》三日刊真正之台柱角色，已責無旁貸的落到成舍我肩上。

---

5 王壽南編，《王雲五先生年譜初稿》第二冊（台北：商務版，民國七十六年六月初版），頁七四三。

6 阮毅成，〈「自由人」參加記〉，《傳記文學》第四十三卷第六期（民國七十二年十二月），頁一四～一五。

7 見《自由人》創刊號（民國四十年三月七日）第一版的編輯委員會名單。《自由報二十年合集》（一）（香港：自由報社出版，民國六十年十月十日）。阮毅成說為十六人，疑有誤。見阮毅成，〈「自由人」參加記〉，同上註。

8 〈成舍我致王雲五函〉，同註五，頁七四六。

9 阮毅成，〈「自由人」參加記〉，同註六，頁一五。

三月七日，《自由人》三日刊正式創刊，社址位於香港德輔道中一四九號四樓。目前所知參與的發起人有王雲五、王新衡、王聿修、端木愷、程滄波、胡秋原、吳俊升、黃雪村、閻奉璋、樓桐孫、陳石孚、陳訓悆、陶百川、雷震、阮毅成、劉百閔、左舜生、雷嘯岑、徐道鄰、徐佛觀、陳克文、成舍我、金侯城、張丕界、彭昭賢、許孝炎、卜少夫、卜青茂、范爭波、陳方、張純鷗、張萬里、丁文淵等三十餘人。[10]

發刊後，一紙風行，各方咸予重視，發行之初，每期印八千份。為打開台灣銷路市場，內容安排方面，特別增加一些軟性文字，勿使論文過多，淪為說教。雷嘯岑即言：「『自由人』的作者確實很自由，各人所寫的文字題材雖相同，而見解不必一致，祇要不違背民主憲政與反共抗俄的大前提，儘可各抒己見，言人人殊，真有百家爭鳴，百花齊放的景象，……首任的『自由人』主編是成舍我兄，他包辦大陸通訊版，把大陸上的共報消息，參以陸續從國內逃到香港的難民所述情形，寫成有系統的通訊稿，可謂費苦心。」[11]

誠然如是，由於文章精彩，見解深入，內容多元，析論入理，所以出版後不久，南洋各地僑報即紛紛轉載《自由人》文章。故在香港一隅辦一刊物，無形中等於在數地辦了幾個刊物，影響所及，至為廣大。不僅如此，有關《自由人》所發揮的影響力，可以曾任該刊主編雷嘯岑之回憶為證，雷說：「自由人半週刊，頗受台灣以及海外；尤其是美國一般華僑的注意，原有的每週座談會照常舉行，參加的人亦陸續增多了，風聲所播，國際人士來到香港的，亦來參加我們的座談會，交換政治意見，如美聯社遠東特派員賓定，南韓內閣總理李範，日本工商與新聞界人士前來訪談者尤多，……唯有駐在香港鼓勵華人組織『第三勢力』的美國巡迴大使吉塞普，始終沒有接觸過，大概是他認為『自由人』半週刊這些人，多數係國民黨員，氣味不相投，我們亦以對『第三勢力』之說，不感興趣，因而絕交息游，毫無來往。」[12]

雷氏這段記載很重要，不只說明了《自由人》發刊後之影響力；也道出了《自由人》與「第三勢力」毫無瓜葛，這對坊間有不少人一直以為《自由人》是「第三勢力」刊物有澄清作用。《自由人》三日刊甫發行，負責盡職之成舍我隨即寫信給王雲五提到：「連日為自由人半週刊事，頭昏腦暈，尊函稽答，至為罪歉。現半週刊已於今日出版，附奉一份，即希鑒察。大著分兩期刊佈，並盼源源見賜。今後應如何改進之處，統希指示為荷。」[13]另針對其後外界對《自由人》諸多揣測，如與「自由中國協會」之關係等等，「自由人」社也在三月二十一日的高士威道聚會中也做出決議，大家皆一致表示，「自由人」應獨立組織，以別於其他團體，乃推定董事九人，以左舜生為董事長。監事三人，為金侯城、王雲五、雷儆寰。成舍我為社長兼總編輯，卜少夫為總經理。[14]

10 「自由人」社成員，據筆者統計為此三十餘人，且各會員加入時間先後不一，有關會員名單散見於雷嘯岑、阮毅成等人之回憶文章及《雷震日記》中。

11 馬五先生著，《我的生活史》，同註一，頁一六一。

12 馬五，〈「自由人」之產生與夭折〉，見其著，《政海人物面面觀》，同註一，頁二一三～二一四。另萬麗鵑博士論文也提到，為打擊「第三勢力」運動，「國民黨亦透過黨報如《香港時報》、新加坡《中興日報》、美國《美洲日報》，及其所資助的報刊如《自由人》報、《民主評論》等，展開對第三勢力的文宣戰，此即是《香港時報》社長許孝炎所說的以『與論對與論』的鬥爭。」萬麗鵑，〈一九五〇年代的中國第三勢力運動〉，同註四，頁一六四～一六五。又見〈許孝炎意見〉，《總裁批簽》，台（四一）央秘字第〇〇八五號（一九五二年二月二十二日），黨史會藏。

13 〈成舍我致王雲五函〉，同註五，頁七四七。

14 阮毅成，〈「自由人」參加記〉，同註六，頁一五。至於《自由人》與「自由中國協會」之關係，馬五在〈「自由人」之產生與夭折〉已言之甚

為了稿源，三月二十二日總編輯成舍我又致函王雲五拉稿，其中說到：「自由人在香港銷路尚好，一般觀感亦不錯。惟共匪刊物正以全力抨擊，弟等亦一反過去自由派刊物置之不理的辦法，強烈反攻。臺灣發行未辦好，少夫兄不日來臺，或能有所改進。同人撰稿，此間仍不太踴躍，盼公能以日撰五千字之精神，多寫數篇，並乞即賜惠寄，無任感幸。又此間稿酬，公議千字港幣十元，前稿之款，已送託香港書局轉交。此數雖微細不足道，然吾輩合力創業，知識勞動之所獲，在道德標準上說，固遠勝於以吃人為業之共匪萬萬矣。盼尊稿如望歲，望即賜寄，以慰饑渴。」[15]除簡略報告社務外，重點仍是稿源問題，而此問題也是《自由人》三日刊以後長期揮之不去的夢魘。

三、《自由人》之命名與經費及發刊宗旨

華路藍縷，創業維艱，有關《自由人》之命名，似乎是由阮毅成所起。原本成舍我欲名為《自由中國》，因與台灣雷震負責的《自由中國》半月刊同名而不獲採納。故阮毅成認為可參考台灣趙君豪所辦之《自由談》，而稍改其為《自由人》，卒獲大家一致同意，名稱問題因此而敲定。[16]其實若從五〇年代的背景去觀察，刊物取名為《自由人》並不足為奇。蓋彼時海外正刮起一陣「自由中國反共運動」浪潮，其中尤以香港地區為最。為壯大「自由中國反共運動」，於是乎，海內外的一些知識份子刻意以「自由」二字為雜誌刊物名稱，以凸顯有別於大陸的獨裁極權。職係之故，各種以「自由」為名之刊物如《自由中國》、《自由陣線》、《自由談》、《自由世界》等雜誌，如雨後春筍般紛紛出籠，《自由人》三日刊之命名，應該是在此時代背景下而正名的，且的確有其時空的特殊意義存在。[17]

至於現實的經費來源問題，早在三十九年十二月二十日的聚會中，王雲五即定調說：「我要先與諸位約定，這是一份自由的刊物，所以，一不能接受外國的幫助，二不能接受政府的支援。同仁不但要寫稿，還要負擔經費。」[18]王氏之所以要如此約法三章，是要避免外界將《自由人》視為拿美國人錢所辦的「第三勢力」之刊物的疑慮或揣測；另外，不接受政府支援，也是想以獨立身分之姿，能在言論上暢所欲言，而不受政府掣肘，更不想貼上政府刊物之標籤。揆之《自由人》草創之初，因經費來源由各會員出資，確實能夠如此。例如在籌備階段，王雲五首捐港幣三千元，各會員至少認捐港幣一千元，所以誠如雷嘯岑言：「大家分途進行，未到一個月，即籌募到港幣一萬七千元了。」[19]

創刊經費有著落，但接下來長期的經費支出，恐怕就不是由會員認捐可解決。到最後仍不得不仰賴台灣國府的金錢支助，在《雷震日記》中即披露不少箇中內幕，茲舉日記一則為證。民國四十年五月二十五日：「雪公（按：指王世杰（字雪艇），時任總統府秘書長）

詳，同註一。

15〈成舍我致王雲五函〉，同註五，頁七四七～七四八。為稿源及素質起見，成舍我亦曾寫信向阮毅成拉稿，信上提到：「在臺同人寫稿，原約每期供給八千字。希望以兄之熱忱毅力，催請同人，公誼私交，達此標準。」又說：「自由人聲譽，雖日有增進。惟經濟及稿件，均危機太大。現此間已只賸左（舜生）、許（孝炎）、雷（嘯岑），及弟共四人，稿荒萬分。如濫用一般投稿，則水準即無法維持。」阮毅成，〈「自由人」參加記〉，同註六，頁一六。可見身為主編的成舍我，為稿源及《自由人》之內容水準，真是心力交瘁，煞費苦心。

16 同註六，頁一四。

17 馬之驌，《雷震與蔣介石》，同註三。

18 同註六，頁一四。

19 同註一二，頁二一三。

來電話，可助《自由人》三千港幣，但不可明言，因《新聞天地》一再要求援助而未允許也。……《自由人》因經費困難，而負責又無專人，致有停頓之可能，由予（雷震）約集雲五、滄波、孝炎、毅成、端木愷、少夫諸君會商，由予等籌款接濟，每月假定虧二千五百元，至年底約為一萬七千五百港元，改組組織，推定成舍我為社長，左舜生代理董事長，予負臺北催稿及催款之責，總統府之三千元，由予負責，予另外再籌五百元。」[20]由《雷震日記》可知，創刊才二月餘之《自由人》，經費已拮据如此，而不得不靠政府補貼，在此情況下，其日後之文章言論，就頗受台灣國府當局之制約影響了。

另有關《自由人》之創刊宗旨，其實早在刊物出版以前，對於未來言論與編輯方針，「自由人」社同仁即做了幾點規約：（一）、發揚民主自由主義；（二）、發起人按期撰寫頭條論文，且須署出真姓名；（三）、文責各人自負，但須不違背民主自由思想暨反共救國的大原則；同時將全體發起人的姓名亦在報頭下面，表示集體責任。[21]創刊後，首由程滄波撰發刊詞，題為〈我們要做自由人〉，擲地有聲的強調：「我們今天大膽向全世界人類提出一個問題：便是世界人類，現在與將來，要不要做人？如果想做人，從什麼地方去著手奮鬥？……今天世界人類只有兩個壁壘，一個是『人的社會』之壁壘，一個是「非人社會」之壁壘。這兩個社會的磨擦，今天已到了白熱化的程度。『人的社會』中每一個人，是有人性，有人格，根據人性與

[20]《雷震日記》（民國四十年五月二十五日），見傅正主編，《雷震全集》（三三）（台北：桂冠版，一九八九年八月初版），頁一〇〇～一〇一。

[21] 同註一二，頁二一三。吳相湘，〈成舍我為新聞自由奮鬥〉，見其著，《民國百人傳》第四冊（台北：傳記文學出版社印行，民國六十年元月初版），頁二七五。

人格，發揮其個性，以增加社會之幸福與個人之生活水準，從而增進世界的和平與人類的文明。反觀『一個非人社會』中，人除了具備人的形態外，沒有思想與靈魂。『非人社會』中，人只是一群動物，既不許其有人性，亦不讓其有人格，他們是奴隸、是機器。」

程滄波言：很不幸的，今天的中國大陸，全大陸數萬萬同胞一年來，即陷入共匪的非人社會中。因此我們和全世界愛好和平民主的人們，要發動正義的呼聲，救自己，救同胞，救人類。我們要揹著自由的大纛，叫著「做人」的口號，開始「自由人」的運動。爭自由，爭人性，發動全人類自由人性的力量，去打倒與剷除共產帝國主義反人性的非人社會。不殘殺，不掠奪，在不流血革命的原則下，使人人有飯吃。本此目的，以建立新中國新世界。所以，「從今天起，根據以上主張，我們謹以此小刊物『自由人』，貢獻於全世界凡是不願做奴隸的人們，也就是我們這一群人，決心獻身於這一運動的開始。全世界和平民主的人士：我們要做人，我們要做自由人。每個人爭取了自由，世界才有民主和平，人類才有幸福與光明。」[22]我們要做人，我們要做自由人，起來，不願做奴隸的人們！程滄波這篇發刊詞，簡直是一篇慷慨激昂的宣示詞，代表全世界不願在「非人社會」生活下的自由人，向共產專制極權政權，發出堅決的怒吼。[23]

《自由人》三日刊，每星期出兩次，每次十六開一張。主編人規定由原先的「座談會」同仁輪流擔任，一年一換，為義務職，故內部人事組織極為簡單，只有一主編，一助理員和事務員，共三人而已。

[22] 程滄波，〈「自由人」發刊詞〉，見其著，《滄波文存》（台北：傳記文學出版社印行，民國七十二年三月十五日初版），頁一五七～一六〇。

[23] 阮毅成也說到，這是一篇代表知識份子愛國反共心聲的大文章，義正辭嚴，擲地有聲。同註六，頁一五。

該刊內容，第一版分「專論」、「時局漫談」、「自由談」各欄；第二版刊大陸共區消息；三版則記述港、台的社會新聞；四版是「副刊」。「專論」亦由座談會同仁分別撰寫，或徵用外界志同道合人士之作品；唯「時局漫談」和「自由談」二專欄，係由左舜生與雷嘯岑二氏負責包辦。《自由人》三日刊，因撰寫團隊堅強，且作者大多具有清望，故在海隅香港頗有號召力，銷路亦不壞；又可以銷台灣，雖無廣告收入，仍可勉強維持下去，在五〇年代的香港，可謂雜誌期刊界之奇葩。[24]

四、《自由人》的艱苦經營

平情言，《自由人》三日刊從四十年三月七日發行，到四十八年九月十三日停刊，維持約八年餘。這八年多的歲月，可謂艱辛撐持，多災多難。

首先為組織渙散不健全，於是才有民國四十年下半年的重組之舉。此中最大原因為「自由人」社大多數同仁均已離港在台，分別有：王雲五、王新衡、端木愷、程滄波、胡秋原、吳俊升、黃雪村、閻奉樟、樓桐孫、陳石孚、陶百川、陳訓悆、雷震，及阮毅成，幾乎佔了一半以上；而在港的僅有左舜生、金侯城、許孝炎、成舍我、劉百閔、卜少夫、雷嘯岑等人。其後在台參加的，又增加徐道鄰，共二十二人。為連絡方便起見，在台同仁乃公推王雲五為董事長，但又因刊物在港出版，故推左舜生為在港之代理董事長，就近處理刊物，成舍我則為社長。[25]

24 雷嘯岑：《憂患餘生之自述》（台北：傳記文學出版社印行，民國七十一年十月十五日初版），頁一七六。

25 同註二三，頁一六。

然因「自由人」社未有組織章程，也未在台辦理社團登記，所以才有民國四十一年一月十日，在台同仁在王新衡家為此商議之事。時適值端木愷甫自香港返台，報告港方同仁最近決定取消社長制，亦推左舜生代董事長，成舍我為總經理，劉百閔為總編輯。此事，在台「自由人」社同仁有不同意見，在三月七日及十五日的兩次餐敘商討論中，均決定仍採社長制，並仍推成舍我兄任社長。只是一個三十餘人的「自由人」社，就為了區區的刊物人事組織問題，港、台同仁即不同調，其他之事就可想而知了。所幸意見儘管有異，但同仁感情尚佳，阮毅成即言：「自由人在香港創辦之初，同仁常有餐會，交換意見。在臺同仁，於民國四十年七月十二日起，舉行聚餐或茶會，由同仁輪流作東，平均每兩週一次。除談自由人社各事外，亦泛論時局，交換見聞。」[26]

民國四十一年二月九日，「自由人」社在台同仁餐敘時，有鑒於《自由人》三日刊創刊已近一年，但組織與人事及編輯立論之困擾問題仍在，因此大家有必要提出意見交換，以尋求解決之道。席間程滄波首次提出編輯態度問題，但遭雷震反對。程又謂：「劉百閔不宜任總編輯，上次，此間同仁推成舍我任社長，何以改變？此間皆未知悉。」雷震與陶百川又認為，台方不宜干涉港方人事，雙方爭論甚久。最後由阮毅成提出折衷解決方案為：（一）、自由人本係超黨派立場。只知民主、自由、反共，不知其他。此後仍須守定此項立場。（二）、港方報刊如對台灣中華民國政府，有惡意攻訐，或無理批評，自由人不可自守中立，須起而加以駁斥。（三）、人事問題，另函在港之許孝炎查詢，不作決議。

26 同上註，頁一七。

眾皆贊成阮毅成之方法，並請其起草一函，致在香港之左舜生、許孝炎、成舍我、劉百閔、雷嘯岑諸人。阮函送各人簽名後發出，信中報告：「弟等今午聚餐，談及自由人編輯態度。回溯創辦之初，原屬超於黨派之外。……兄等在港主持，辛勞至佩，自亦必贊同弟等態度也。邇後港方報刊如對於臺灣中華民國政府惡意攻訐，或無理批評，自由人似不便自居中立，宜即加以駁斥。如有中國之聲作者來稿，希勿予以刊登，以嚴立場。再則，此間對第三方面各事，多持私人消息。語多片斷，難窺全貌。斯後尚懇時將各方動態，擇要見示。既可為撰稿時之參考，亦為知彼知己之一道。自由人素以民主反共為宗旨。署名：王雲五、程滄波、黃雪村、王新衡、樓桐孫、吳俊升、陳石孚、陶百川、雷震、阮毅成。」[27]

民國四十一年三月十五日，《自由人》創刊已屆滿一年，留台「自由人」社舉行全體會議。會議主席推王雲五擔任，其中：

（一）報告事項：（甲）、經費小組許孝炎報告——擬募集港幣三萬元（其中成舍我、許孝炎約洪蘭友，被分配擬向各紗廠募台幣一萬元）。（乙）、編輯小組成舍我報告：1、組織擬仍採現制，並請加推一人為必要時接替編務工作之用。2、發行擬請先行籌集基金以期達到日後之自給自足。3、編輯方針方面：積極在倡導民主自由，消極在反共抗俄，至對於台灣態度應仍許有批評，但不可損及自由中國之根本。4、在台同人集體意見推定專人執筆寄港，決登載第一版，並不易一字，如係個人稿件，在編輯方面擬請仍保有斟酌之權。5、每期需要稿件二萬四千字，在港同人無多未能盡任，在台同人時惠稿件。

（二）討論事項：（甲）、《自由人》三日刊社是否仍採社長制案。決議：仍採社長制，成舍我擔任社長。（乙）、《自由人》三日刊社費應如何加募案。決議：1、經費小組在進行籌募之港幣三萬元，於兩個月內籌足，作為基金，備日後擴充發行之用。2、另由經費小組加募港幣一萬元，作為最近數月經常費不足之需，在未募起前由許孝炎、成舍我負責維持現狀。3、加推樓桐孫、程滄波參加經費小組，並以王董事長雲五兼經費小組召集人。（丙）、《自由人》立論態度應如何確定案。決議：1、除積極的主張民主自由，消極的反共抗俄外，並須維護現行憲法倡導議會政治。2、凡外界對台灣有惡意攻擊影響國本時，應予駁斥，立場務須堅定，態度務須明確。3、除專門問題研究外，宜多載通訊及趣味性文字，理論文字及新聞性宜各佔三分之一。[28]此次會議至關重要，它為已紛擾年餘的《自由人》定調，但此為台方同仁之共識，港方同仁只是被動告知，並不見得完全同意，所以日後港、台雙方仍存有歧見。

其次更嚴重的是經費短絀，入不敷出，以至於時有停刊之議。這棘手問題其實打從創刊起即已浮現，只是苦撐待變，能維持多久算多久，但情況並沒改善且持續惡化中。四十一年六月十四日，王雲五、阮毅成與程滄波等聚會，商議如何應付《自由人》三日刊之困難。王雲五謂得左舜生與成舍我二君信，信上，成舍我堅辭社長，又每月不足港幣二千元。如無法解決，則自本月十八日起停刊。劉百閔則說香

27 〈阮毅成致左舜生諸氏函〉，見王壽南編，《王雲五先生年譜初稿》第二冊，同註五，頁七六八。

28 同註五，頁七七〇～七七一。

港紙價日跌，印刷係由《香港時報》代辦，印費可以欠付。以往亦每月虧空，並不自今日始。

對此，王雲五建議是否能改為月刊，移台出版，但眾意覺得移台出版，則《自由人》功用全失，仍宜繼續在港發行。最後決定由王雲五函復，請成舍我維持至七月底止。[29]是年十二月二日，「自由人」社同仁又再行會商，由王雲五主持，會中卜少夫表示願接辦，至少可免招致停刊命運。然未幾（十二月六日），卜少夫以有人表示異議，乃謂其《新聞天地社》同仁不贊成其再兼辦另一刊物，打消原意。王雲五即席宣布仍在港出版，推成舍我兄回港主持，並改為有給職。[30]成謙辭未果，旋即表示接受。後當場推定王雲五、程滄波、樓桐孫、胡秋原、陶百川、黃雪村為在臺撰述委員，程為召集人。另推成舍我、程滄波、胡秋原三人起草言論方針。王雲五、端木愷、王新衡為財務委員。香港方面撰稿委員，由成到港後約定人員擔任。事後，當事者之一的阮毅成，對是晚之會的結果表示很滿意，還稱為是《自由人》中興之會，同仁莫不興奮。但其後，主要的重點之一，《自由人》未來的言論方針並未草成。[31]四十二年三月十四日下午，「自由人」社同仁聚集在成舍我處，參加茶會。會中，成舍我出示香港許孝炎來信，謂自由人又不能維持。因已積欠《香港時報》印刷費港幣六千元，稿費十一期。且人力亦明顯不足，雷嘯岑將來台灣，左舜生又將赴日本旅行，主持無人，不如停刊。經同仁交換意見，仍認為不能停辦，並催成舍我兄速赴港負責。

因茲事體大，三月二十一日，「自由人」社另一要角阮毅成，也在家中約集在台同仁茶敘。會上，成舍我表示其有困難不願赴港，而港方近日來函，支持為難。眾意乾脆移台編印，仍推成舍我主持。[32]二十五日下午阮氏親訪成舍我，成表示三點立場：（一）、決不去香港。（二）、《自由人》如移台出版，願意主持。（三）、未移台前，可先在台編輯，寄港印行。同月二十八日下午，以《自由人》問

29 同註五，頁七七四。《自由人》經費之窘困，自創刊伊始至結束均如此，阮毅成即言：「我只記得在創刊第一年中，就賠去了港幣參萬參仟元。時歷八年半，為數甚為可觀。這尚是距今三十多年前的幣值，如以現在幣值計算，則更為巨大。」阮毅成，〈王雲五先生與自由人三日刊〉，同註四，頁三四。到《自由人》停刊止，其經費仍入不敷出，茲舉結束前致王雲五等人之二信函為證。四十八年九月十一日許孝炎自港來信王雲五，報告「自由人」結束時經費情況。「雲五先生並轉鑄秋舍我傚寰滄波新衡秋原佩蘭少夫諸兄惠鑒：關於自由人停刊事，前經兄等決定函達克文。兄弟回港後，復經再三磋商，始於前日由在港各有關友人舉行特別會議議決定停刊，並於本月十三日起實行。茲將會議紀錄抄奉敬祈鑒察。」「預計自由人可能收入之款（連登記費在內）約為乙萬四千餘元，支出除舊欠稿費約乙萬三千元；及克文兄之欠薪近九千三百元暫不計入外，此外薪工紙張印刷房租，今年稿費應退報費及空運費等，共計約為二萬乙千餘元，不敷之數約為七千餘元。倘預計可能收入之款有一部分不能收入時則虧欠之數將必更多，如何籌還以資結束頗費周章。而有把握之登記費乙萬元則尚待少夫兄回港簽字後始能提出備用。」又十二日社長陳克文亦致函王雲五。「岫公賜鑒：茲奉上『自由人』在港同人特別會議紀錄一份，請　察閱。『自由人』經濟情形截至本年九月十二日止，共欠債務三萬餘元，除登記費一萬元外，尚可能收回之款二千餘元，結束用費約五百餘元，並此奉告，統請轉知在台各位同人為禱。」見王壽南編，《王雲五先生年譜初稿》第三冊（台北：商務版，民國七十六年六月初版），頁一〇五二～一〇五三。

30 同註五，頁七七九。《自由人》主編是不支薪的，可見其艱困於一般。同為主編的雷嘯岑曾說：「首任主編人成舍我兄苦幹了一年之後，因為準備移家台灣，不能繼續盡義務了——主編人不支薪——大家公推下走承其乏，因係義務職，唯有接受而已。」馬五，〈「自由人」之產生與夭折〉，同註一，頁二一六。

31 同註五，頁七七九。

32 雷震日記當天即記載：「下午三時半至《自由人》座談會，阮毅成提議《自由人》表面在港，實際遷台，無一人反對。我內心不贊成，但不願表示，因《自由人》遷台完全失去效用。今日雲五未到，他們囑我報告。」《雷震日記》（民國四十二年三月二十一日），見傅正主編，《雷震全集》（三五）（台北：桂冠版，一九九〇年七月二十日初版），頁四八。

題緊迫，急待解決。「自由人」社同仁乃在端木愷家中餐敘。對《自由人》前途，共有四種主張：（一）、停刊。（二）、移台出版。（三）、在台編輯，寄港印行。（四）、推成舍我赴港主持。討論結果，決定用第四法，成亦首肯。然成謂：《自由人》除發行收入外，每月須虧四千元，此問題亟需解決。[33]

四月十八日，因港方同仁頻頻催促速做決定，眾議又思移台編印，王雲五亦同意移台出版，但謂須改為半月刊或月刊。三十日下午，成舍我與端木愷、阮毅成、王新衡、程滄波等人，又應王雲五約茶敘。時端木愷甫自港返，謂港方「自由人」社已無現款，勢不能繼續。因以由今日到會者商定：（一）、香港方面自五月十日起停刊。（二）、在台登記改為月刊，推王雲老為發行人，成舍我兄為總編輯。[34]然不久，港方同仁又變掛，五月十一日，阮毅成訪成舍我，成即謂卜少夫前日到台，攜有左舜生致王雲五函，主張《自由人》仍在港出版。

此事經緯，雷震在其日記亦提到：「見到雷嘯岑來函，對我們囑香港停刊，決議移臺辦月刊則大不以為然，來信措詞甚劣，決定去電並去函說明，以免誤會。」[35]雷嘯岑甚至為此來函欲辭去社長職務。

33 雷震日記載：「下午四時，在端木愷處討論《自由人》移台問題，王雲五、徐佛觀、端木愷及我均不贊成，程滄波、阮毅成、成舍我願移台，最後決定請成舍我至港辦至六月再說，因行政院之款發至六月底止，如停刊或移台亦須至六月底再說。」《雷震日記》（民國四十二年三月二十八日），見傅正主編，《雷震全集》（三五），同上註，頁五二。

34 這問題一直延伸至四十三年依舊如此。雷震日記：「《自由人》在港不易維持，決遷台辦週刊，由成舍我任社長，王雲五任發行人。」《雷震日記》（民國四十三年八月七日），見傅正主編，《雷震全集》（三五），同上註，頁三一四。

35 《雷震日記》（民國四十二年五月九日），見傅正主編，《雷震全集》（三五），同上註，頁七四。

《雷震日記》記載：「今日午間約來臺之《自由人》報有關各位來鄉午膳，除端木鑄秋、阮毅成、吳俊升、胡秋原外，到有十五人，即王新衡、樓桐孫、陶百川、張純鷗、陳訓悆、卜少夫、卜青茂、程滄波、范爭波、王雲五、成舍我、黃雪村、閻奉璋等及另約陳方。飯後討論雷嘯岑來函辭去社長職務一事，經決議慰留。」為此事，雷震感慨的說：「《自由人》發起人在臺者，不過十餘人，港方不過數人，兩方意見不合，終會扯垮。民主自由人士之不易合作，於此可見一班。」[36]

由於雷嘯岑堅決辭社長職務，八月一日，《自由人》在台同仁藉由茶敘機會，聽取甫自香港來台之劉百閔報告，劉謂：在港同仁意見為（一）、必須在港繼續出版。（二）、改推陳克文任社長。（三）、每月不足港幣八百元，在港有辦法可以籌得。王雲五說：「左舜生有信來，克文係其物色，本人絕對贊同。」眾亦皆表示贊成。但成舍我認為每月八百元之說，計算必有錯誤，至少每月亦需賠二千五百元，所以決定請王雲五再去函新社長，請重為估計。其實《自由人》經費之短絀，可由總其事的總編輯都不支薪一事更可看出，四十三年七月十日，左舜生自香港致函王雲五即說到：「弟意，自由人編輯者，原規定每月可支三百元，以舍我、百閔兩兄任編輯時，未支此款，後任編輯一年，亦即未支。」[37]如此窘境，要不是有台灣國府當局在幕後經費贊助，《自由人》三日刊能支撐八年餘，根本是不可能的。[38]

36 《雷震日記》（民國四十二年六月二日），見傅正主編，《雷震全集》（三五），同上註，頁八五。

37 〈左舜生致王雲五函〉，同註五，頁八二四。

38 雷震日記：「王雲五約『自由人』社在台同仁晚餐，以「自由人」在港經濟困難，重申移台出版，由成舍我任編輯之議。」《雷震日記》（民國

最後為文章之尺度問題，除上述言及《自由人》三日刊甫創刊即面臨稿源不濟的困難外，更麻煩的為自從接受政府補助後，基本上，《自由人》的言論立場在相當程度上已受政府箝制。以至於在很多議題上，不僅不能秉公立論、暢所欲言；且須為政府妝抹門面，極力辯解。稍一不慎，隨即惹禍，遭致抗議。如民國四十一年六月一日，「自由人」社王新衡即訪阮毅成，談話重點就說到，《自由人》最近兩期，刊載左舜生〈論中國未來的政黨〉一文，有人表示不滿。[39]為避免誤會，乃一起同訪王雲五，請其以董事長身份，致函香港總編輯成舍我，請其勿再刊出此類文字。[40]

雖係如此，但言論自由乃是知識份子的普世價值觀，用強制力約束是沒用的。果然到民國四十四年又發生更嚴重的文字賈禍事件，差一點讓《自由人》無法在台銷售。事緣於是年三月二十三日，王雲五即接到司法行政部部長谷鳳翔來函，表示《自由人》三日刊，登載雷嘯岑文章，影響政府信譽，要求王雲五代向該社方面解釋。全函內容為：「頃閱本月二十三日自由人刊載『自由談』及『半週展望』雷嘯岑先生文內謂，揚子公司貪污案牽涉本部，曷勝駭異，此種無稽之詞，殊足影響政府信譽，茲特寄上函稿二份，送請　察閱，並祈賜檢一份轉致雷君查明更正，仍乞代向該報社方面照拂解釋為幸。」[41]

四十三年七月十一日），見傅正主編，《雷震全集》（三五），同註三二，頁三〇二。有關國民黨高層提供《自由人》之經費支援，尚可參閱〈對港澳政治活動之指示〉，見中國國民黨中央改造委員會第一六五次會議紀錄（一九五一年七月四日）——附件），黨史會藏。

39 左舜生〈中國未來的政黨〉（上）、〈中國未來的政黨〉（下）二文分別發表在《自由人》第一二九期（民國四十一年五月二十八日）、《自由人》第一三〇期（民國四十一年五月三十一日）。

40 同註五，頁七七三。

41 雷嘯岑，〈半週展望〉，《自由人》第四二三期（民國四十四年三月

由於《自由人》所刊文章得罪當道，引起了國民黨中央黨部對《自由人》言論的不滿。三月二十六日，時任《中央日報》社長，亦是「自由人」社同仁的阮毅成至中央黨部參加宣傳政策指導小組會議時，即受到中央黨部秘書長張厲生的警告：「香港《自由人》三日刊，近日言論記載，愈益離奇，須採取停止進口處分。」幸阮毅成趕快緩頰，除報告《自由人》艱難創辦經過外，並謂：「現在台北各同仁，久未與聞港事。王雲老曾去函港方，請以後勿再刊載不妥文字。又以所載台省情形，與事實相距甚遠，曾通知港方，以後遇有記載台省情形稿件，先行寄台複閱。認為可用者，方予刊布，亦未承照辦。惟自由人參加者，多為各方知名之人。如忽予停止進口，恐反而使海外人士，對政府有所批評。不如一面先採取警告程序，依照出版法，由內政部為之。一面通知在台之董事長王雲五氏，促其改組。如再有違反政府法令之事發生，則採取停止進口處分。」[42]

為此，是晚十時，阮氏尚先訪成舍我，說明會議經過；再與成同訪王雲五，報告此事。王雲五似乎對此頗為不悅，乃決定於三月三十日下午五時，在端木愷家中，約集「自由人」社在台全體同仁會商。在三月三十日的決議中，提到《自由人》的現實問題，「本刊如不能銷台，勢必停刊。為避免使政府蒙受摧殘言論之嫌，希望政府妥慎處理，使其能繼續出版。在台同仁，願意退出。惟在港同仁意見如何，亦盼政府逕與洽商。」並推阮毅成與許孝炎二人將此項決議，轉達黃少谷，另函告在港同仁。[43]

二十三日）。雷文所寫之論揚子公司案，因涉及上海時期之揚子公司，對孔祥熙有所批評，遂奉命查辦。又〈谷鳳翔致王雲五函〉，同註五，頁八四七。

42 同註五，頁八四七～八四八。

43 同上註，頁八四九。

換言之，針對當局對《自由人》的不滿，「自由人」社在台同仁採取了委曲求全的態度，一方面願意退出，此舉可能有兩層深意，一為逼香港「自由人」社同仁，小心謹慎，莫再刊登批評政府之文章，否則與渠無關，二為多少有向政府交心之意，明哲保身，不想惹禍上身；再方面亦有請政府介入之意，希望儘量保留能讓《自由人》繼續在台銷售。[44]果然如此，四月七日，王雲五即致函總統府秘書長張群，說明「自由人」之情形，並建議將「自由人」社改組，由政府指定負責主持言論之人實行接辦。信的內容為：「惟是該刊經費本奇絀，全恃內銷而維持，一旦停止內銷，勢必停止刊行，外間不察，或不免對政府妄加揣測，弟愛護政府，耿耿此心，竊認為消極制裁，不如積極輔導，將該刊改組，由政府指定負責主持言論之人實行接辦，可變無用為有用，弟當力勸原發起各人，本擁護政府之初衷，竭誠合作。」[45]

一週後，以國民黨並無接手之意，在恐不能銷台的情況下，成舍我與王雲五、陶百川、徐道鄰、陳訓悆、程滄波、胡秋原、吳俊升、端木愷、黃雪村、阮毅成等決議：「茲因環境困難，經濟無法支持，決議停刊，由主席（王雲五）根據本決議徵求在港同人意見。」其後，在台同仁復在成舍我宅聚餐，決定在台同仁既已必須退出，而中央黨部又規定不得再與《香港時報》發生關聯，則無地可以印刷，亦無處可再欠印刷費。外界聞知中央處分，亦必不願再行認指，環境困難如此，只可宣布停刊。並請王雲五函詢港方同仁意見，如港方同仁堅持續辦，在台同仁自不能再行參加。[46]

由於文章得罪當局，以致有禁止銷台之聲，在港負責《自由人》編輯工作之陳克文旋致函阮毅成、王雲五等人，表示「咎衍實無可辭」，「自由人停止出版，唯覺可惜，形勢如此，亦復無可如何，文與左劉兩公對此均無成見，惟此間尚有其他股東，又年來出錢出力者，頗不乏人，此事似不宜由文等三人遽作決定，即為港方同人之全體意見，擬於最近邀集會議，提出報告，徵求多數意見，再作正式答覆。」[47]但不久，事情又有變化，四月二十九日，一向敢言的左舜生，終於自香港來函，明確表示反對《自由人》停刊，並謂在港「自由人」社同人決暫予維持。信中言：

「雲老賜鑒：四月七日阮毅成兄來信，並附有留台同人退出決議一紙，十八日奉　公手書，知同人復有集議，以經濟環境關係，主張停刊；均已誦悉。此間於當地環境，已洞悉無遺；對　公等所採態度，並無不能諒解之處。惟念同本刊宗旨，一面在『堅決反共』，一面在『爭取民主』，四年以來，奉此週旋，雖不無一、二開罪他人之處，但大體上並未

44 《自由人》三日刊，國民黨中央當指示「扶助」之，以批判中共，擁護政府並同情國民黨為原則。故該刊早期立場為中間偏右，後來對國民黨的批評言論日益激烈，台灣當局乃禁止其輸入，並停止所有經費資助。故《自由人》能否銷台，對該刊影響至鉅。萬麗鵑，〈一九五〇年代的中國第三勢力運動〉，同註四，頁一六四。

45 〈王雲五致總統府秘書長張群函〉，同註四三。

46 同註五，頁八五〇。有關王雲五在此問題之角色，阮毅成有相當持平之看法，阮說：「雲五先生名為董事長，出錢出力，卻不便範圍各黨及無黨人士，一定均作統一的宣傳，致反而完全成為俗套，失去向海外為政府說話的影響力。於是在發刊期中，常常發生選稿欠當的問題。每次有問題發生，雲五先生首當其衝，常為他人所不諒解，致生煩惱。臺港兩地同仁，為此書信往返，謀求各種補救辦法，效果均不甚彰。」阮毅成，〈王雲五先生與自由人三日刊〉，同註四，頁三六。

47 〈陳克文致王雲五、阮毅成信〉，同註五，頁八五一～八五二。

逾越範圍。今赤燄正復高張，而民主亦勢非實現不可；大約在二、三月內或有變化，前途殊未可知！故此間同人，經過再三考慮，仍決定暫予維持，並囑舜代為奉復，即乞轉達諸友為荷。公等即不得已而必須退出，仍望不遺在遠，隨時予以指導，除宗旨不能犧牲以外，同人無不樂於接受。海天遙望，曷勝悲憤憂念之至！」[48]

從此以後，《自由人》三日刊似乎終於渡過了這段風風雨雨的歲月，儘管港、台大多數「自由人」社同仁情誼依舊，但經費、稿源、立論尺度等問題仍在。《自由人》三日刊即帶此痼疾，跌跌撞撞的支撐八年餘，在民國四十八年九月十三日宣佈停刊。[49]

五、結論——從《自由人》到《自由報》

無論如何，在五〇年代那段風雨飄搖的歲月，《自由人》能以香江一隅之地，在內外環境相當險惡的情況下，擎起「我們要做自由人」的大旗，反抗共產極權，與中共做誓不兩立的言論鬥爭，其勇氣和決心仍另人刮目相看的。另一方面，《自由人》雖義無反顧的支持台灣國府當局，但在恨鐵不成鋼的期待心理下，對台灣當局若干錯誤的舉措，仍一本忠言逆耳之立場，毫不留情的提出批判或建言，即使在經費斷炊的威脅下，亦不為所動，這份苦心孤詣之意，也令吾人感佩。

而此即所以《自由人》在發行的八年餘中，雖屢有遷台之議，但大多數同仁始終仍以在香港立足為佳之看法，因其言論立場較客觀中立，雖稍偏向國府，但非無原則的一面倒，兼以香港為基地，較少政府、政黨色彩之觀感，且因對國、共雙方均有批評，是以其在香港作用較大之故也。當然《自由人》之悲劇，除上文已詳述之經費、稿源、言論立場受到制約等外緣因素外，尚有深一層內緣因素存在，此即中國傳統知識份子屬性使然。知識份子主性強的「書生本色」，誰也不服誰之個性，長落人「秀才造反，三年不成」之譏，因渠主觀意識強，所以容易堅持己見，是其所是，不大能夠為大局著想，且因自視太高，未能屈己就人，所以較乏團隊精神。

這情況在「自由人」社這批高級知識份子間亦是如此，雷嘯岑曾舉一事證明之，在《自由人》是否遷台之際，「王雲五以董事長資格，致函於我，囑將自由人報遷赴臺北發行，且將繳存港府的押金萬元一併匯去。旋由代董事長左舜生召集在港同仁會商，決議仍在香港出版，但在臺北的同仁，亦可刊行臺灣版，然王雲五很不高興，說我不以他為對象，悻悻然嘖有煩言，殊堪詫異。未幾，許孝炎由臺北回港，主張自由人停刊，他怕我不贊成，先囑我莫持異議，我表示無所謂，而自由人三日刊，即於一九五八年九月十二日宣告停刊了。現代中國高級知識份子之沒有團隊精神，於此又得一實驗的證明，曷勝慨嘆！」[50]所以當年左舜生在《自由人》創辦之初，樂觀的夸談「自由人」社同仁可以組織聯合政府，永遠合作無間之見解，雷嘯岑說，實係幼稚幻想。文人相輕，自古而然，《自由人》三日刊的緣起緣滅，依然落得一個「殺雞聚會，打狗散場」的結局，這也是中國現代高級知識份子的悲劇，想來仍不禁令人浩歎！[51]

48 〈左舜生致王雲五函〉，同上註。

49 雷嘯岑說為四十八年九月十二日停刊，恐有誤。雷嘯岑，《憂患餘生之自述》，同註二四，頁一八二。

50 同上註。

51 馬五，〈「自由人」之產生與夭折〉，同註一，頁二二〇。其實雷嘯岑自己亦如是，當《自由人》剛成立時，「大家的情感很融洽，精神上團結

《自由人》雖然走入歷史停刊了，但未及五個月，一份延續《自由人》餘波的《自由報》在民國四十九年二月十七日，另起爐灶又在香港創刊了。《自由報》社址位於香港銅鑼灣高士威道二十號四樓，也是採取半週刊（三日刊）的形式，於每個星期三、六發行。社長為雷嘯岑，督印人黃行奮，出版第一期有由以本社同人署名撰寫的〈我們的志願和立場〉為發刊詞。該文強調「我們是一群崇尚自由主義的文化工作者。對社會生活篤信『人是生而平等的』這項義理，珍重個人的人格尊嚴；對政治生活認定『政府是為人民而存在的』，要求基本人權之確立與保障。……我們膺受著共產極權主義的荼毒，深感國破家亡之痛苦，流落海隅，於茲十載，內心上大家不期然而然地具有強烈的愛國情操和政治理想，要從文化思想方面，努力培育民主自由精神，發揚其潛能，成為救國救民的偉大力量。職是之故，本報的言論方針是國家至上，民生第一，我們的立場是超黨派的。」[52]

簡言之，民主、自由、愛國、反共乃為《自由報》創刊之四大宗旨，嚴格而言，此宗旨仍是延續《自由人》三日刊的精神而來。阮毅成曾說：「後來，雷嘯岑兄在香港出版自由報，乃係另一新刊物，與原來的自由人，完全無關。」[53]此話恐有商榷之餘地。《自由報》在《自由人》的基礎上，發行至民國六十幾年才結束，期間刊布了《香港自由報二十年合集》、《自由報》合訂本、《自由報二十週年年鑑》，影響力不在《自由人》之下。

無間，對任何事體決無爾詐我虞，或以多數箝制少數的作風。我（雷嘯岑）當時曾聲言：假使憑這種精神組織『聯合政府』，擔當國家政務，國事沒有不振興的。」馬五先生著，《我的生活史》，同註一，頁一六一。

52 本社同人，〈我們的志願和立場〉，《自由報二十年合集》（一九）（香港：自由報社出版，民國六十年十月十日）。

53 阮毅成，〈「自由人」參加記〉，同註六，頁一八。

自由報

[illegible]

（第一一二六期）

（半週刊每星期三、六出版）
每份港幣壹角・台灣零售價新台幣弍元
社長李運鵬・督印黃行奮
社址：香港九龍彌敦道593—601號
廖創興銀行大廈八樓五座
LIU CHONG HING BUILDING
7th FLOOR FLAT 5
593—601 NATHAN ROAD,
KOWLOON, H.K.
TEL：K303831
電報掛號：7191

承印：鼎星印刷公司
地址：富成街廿九號地下
台灣區業務管理中心：台北市[illegible]一段一二九號
電話：二四五七四
台灣區直接訂戶　台灣劃撥戶
第五〇五六號帳戶（自由報會計室）
台灣分社：台北市西寧南路110號二樓
電話：三三〇三四六、台郵劃撥戶九二五二號

本報專論

談談在野黨問題

·貝世芳·

自從行憲以後，中華民國有三個合法政黨，國民黨在朝，青年黨、民社黨在野。實行多黨政治，合乎民主國家的要求。但兩個在野黨隨政府遷台以後，內部糾紛層出不窮，一直陷於四分五裂狀態，究其原因，倒不是羣龍無首，而是羣龍多首。青年、民社兩黨各以領導人物不下半打之多，互爭雄長相持不下。某一在野黨資深同志，曾很感慨地告訴筆者說，「我們的黨，誰也不服誰，誰也不能代表誰！」一針見血，道出在野黨的病根。

青年黨主席曾琦早已去世，民社黨主席張君勱也在美病故。這自然是兩黨的損失。民國五十八年七月，青年黨在台北召開了第十三屆全代會，完成全面團結。接著，民社黨也有了一個統一的局面。所有海內外知識份子，都認為這是中華民國的政治喜訊。在國家處境日益困難的今天，在野黨能夠結束分裂局面，有助於全國大團結，總是好的。

民社黨團結以後，每月向庫國支領四十五萬元，作為黨務開支。實際該黨已經決定停辦地方黨務，所以，人事問題遠較青年黨簡單。該黨領導之一蔣勻田離台赴美，優遊林下，反而能使該黨內部相安無事。

青年黨召開第十三屆全代會，實行了一種中外政黨從來未有的制度：幹事長制。也即是所謂「責任內閣制」，一切人事，經費全由幹事長負責。幹事長等於是民主國家的閣揆。包括已故的左舜生在內，該黨採五主席制，依序為：余家菊、陳啟天、左舜生、李璜、胡國偉。在新制度下，主席有崇高名位，但沒有實權。因此，幹事長工作的繁劇是不難想像的。

第一任幹事長王嵐僧，王嵐僧在青年黨一向以手腕靈活著稱，但在任內，無論是人事或經費各項措施，都引起了該黨部份人士之不滿。在幹滿一年以後，五十九年八月王嵐僧只好鞠躬下台。接任的人是陳翰珍。陳翰珍是監察委員，在該黨一向很得人和。由余家菊的支持，並有該黨立監兩院同志冷彭、劉永濟等出面幫忙，在評議會獲得了最高額同意票，順利登上幹事長寶座。陳翰珍做了幹事長以後，因為過去派系關係。對於「臨全會」一派比較接近，尤其是「民主潮」雜誌社，如：宋文伯、張希為等向他說話都有很大的影響力量。在人事安排方面，也就引起其他方面的不滿。陳翰珍是很方正的人，不懂得肆應和斡旋。本來「閣揆」是要調和鼎鼐的。反而弄得折鼎覆餗了。

在地方黨事安排上，由於陳翰珍未能捏攻中庸之道，畸輕畸重激起了該黨省籍同志的不滿，其中尤以林章、李權敏、蔡永勝、林劍秋等，更是滿腹怨氣。

五十九年十二月二日，為該黨建黨四十週年紀念，該黨國大代表張國興以及蔡永勝、林權敏在高雄市召開了「青年黨戡亂時期臨時全代會」，成立黨部，並提出政治主張。在政治主張內，以反對「台獨」最引人注意。

陳翰珍立即召開中執會，決議開除林權敏黨籍，但在評議會卻未能通過。

目前青年黨又走上分裂的邊緣。

民社黨內部能相安無事，青年黨開始不穩，其故安在？據台北熟悉政黨行情人士的分析：其最大原因是，標新立異的新制度害苦了青年黨。責任內閣制是民主國家的制度，絕不適合民主政黨。從理論上說，幹事長大權獨攬，向評議會負責，似乎也言之有物。其實，巴力門政治就是吵吵鬧鬧的政治，在這種情形下，誰做幹事長也做不好，必然與以往法國一樣，註定了短命內閣的命運。

從青年黨傳統來說，曾琦死後，陳啟天、李璜都是在黨內有重大影響力的人，現在讓他們不能過問黨事，內部難怪要發生動亂了。

青年黨在創黨初期，被稱為「國家主義派」，一向堅決反共。可見該黨是一個徹頭徹尾的右翼政黨。在反共大業日形艱難的今天，該黨應該結一致，拋棄門戶之見，善盡在野黨本份，方為正途。現在的情況，自為識者所不取。

在青年黨分裂時期，互相詬罵，互相攻打，被開除者何止一打人以上。民主政黨的每一成員，他的人格和發言權都應該受到最大限度的尊重，入主出奴甚至愛之欲其生，惡之欲其死的思想是落伍的。不知該黨主持黨務的人於意云何？

站在輿論界的立場，對於在野黨內所發生的紛爭，任何人都具有哀矜勿喜的心情，而不願作左右袒。大家目標只有一個，如何完成復國建國大業。此時、此地在野黨內部演為鬩牆之爭，實屬不智。

青年黨在反共方面有光輝的一頁。很多青年黨人，拋頭顱、灑熱血，為國捐軀。青年黨人在今天要想創造更光輝的歷史，確實不易。但如果要自毀前程，自絕於國人，倒並不太難。

為了對民主政治的堅強信念，愛屋及烏希望兩個在野黨好自為之，勿令國人失望。

（完）

恭賀新禧

自由報同人鞠躬

昨日與明日

怪哉蘇清波之所為

籌劃多年，耗資億萬的中華民國台灣省林口特定區開發計劃，經行政院民國五十九年十二月三日院會議決，已變更了，取消土地區段征收，俟將來林口實施都市計劃時，由地方政府自行建設，所以變更開發計劃，乃因土地征收補償價格，政府與地主，難獲協議。政府不得不作此決定，而所謂變更，實際就是停止。各方對於現任台北縣長蘇清波行政措施之不能符合國策，不能顧到地方利益，頗多責難；對其動機何在，更多疑問。

政府所以開發林口特定區，目的是在解決台灣北區人口激增的壓力，設計藍圖使林口將來成為僅次於台北的商業中心，交通運輸服務中心，優美住宅區，研展發展機構集中之區，教育實驗之區，觀光遊憩中心等等，預計可容納五十多萬人口，利國福民，真是值得稱頌的一項開發計劃。

然而，這一項美麗的，造福人民的開發地方計劃，竟被不肖官吏和奸猾之徒所破壞了。政府原擬優待當地居民辦法，可謂非常優厚，計有（一）業主土地被開發後，可由政府安置，儘量在開發區域內予就業，以不向外遷徙為原則。（二）農田被開發後之業主，將輔導向工商業方向轉業，如仍願耕耘者，可承領山坡放領土地。（三）在開發區內設廠之廠商，應優先容納原業主，使其有適任之從業機會。（四）開發區內政府機關晉用新人，原業主有適任者為優先，如公用事業開放民營，業主有儘先承辦權。（五）由政府辦理轉業技藝訓練，並輔導就業。（六）所有土地被征收後及開發前，仍由原業主耕作，並免除一切稅賦（七）新社區開發後之土地，原地主未超過一甲者，准予優先承購九十坪。

這真是從那兒說起？台北縣長蘇清波有何根據，作此決定？有無其他別情？炒地皮是否縣長也有份？各方紛紛責難以後，蘇清波何以始終緘默，毫無表示？都深值玩味。在台中發行的台灣日報曾分析說：「台北縣長蘇清波，是否亦為「炒地皮」者之一呢？倒是沒有聽說。有些縣民習用「慣性定律」連想，硬將林口「炒地」事件，加諸在蘇縣長頭上，這也無可厚非，因為縣農會「炒地」案，還在縣民的記憶中。（編者按語：此係指蘇縣長批准將公地賤價賣與其妻任理事長之農會，蘇因此涉訟，被公懲會停職十月，而台中市有位市長，類似情節被判作牢）」

不管怎樣，林口特定區變更開發計劃，使當地坐失開發良機，縣人無不頓足嘆息，而蘇清波之措施真是怪哉又怪，難以理解。

·鄭倫·

自由談

起碼的要求

中國傳統文化思想是講究做人的道理，這大概不會錯吧！可是，現代中國一般的知識份子，對於做人的道理卻視為迂闊落伍之談，不屑一顧，此即赤禍之所以瀰漫於中原大好河山也。

今日痛定思痛，乃倡導復興中國文化運動，可謂切中時弊，對症下藥。然按諸實際生活，多見其為徒託空言，口是心非，何以見得呢？見之於政治人物貪污盜行，肆無忌憚；見之於社會上姦、盜、搶、殺事件層出不窮，甚至於用一百五十元台幣就可以買一個兇手去殺人（十年前四海存案）；見之於負着師表人倫責任的教育界官員不知恥，不知病，毫無化民成俗的身教精神。一言以蔽之曰：大家漠視做人的道理！

儒學垂訓做人的道理，是要尊重品德，辨別義利的，今人之所為乃適得其反。只要有利可圖，有名可貪，則昧廉寡恥，放僻邪侈，無所不為，社會上許為賢豪之士，政治界稱為幹練之才，對於他的利是怎樣獲致，名是如何取得的？誰也不暇置意了。

凡為不擇手段，不恤人言，而孜孜汲汲於貪財好貨者，教他去從政，一定是個貪官污吏；教他去領兵，一定是個敗將降虜；若要他去辦教育，那就非將國脈斵喪不可！我們舉目省視，閉目沉思，這類人物之活躍於社會各界者，豈非滔滔皆是，歷歷可數乎？

今人對於品德的解釋，認為是私生活問題，與公務無關，而古人却以修身齊家為治國平天下的基本條件。其為人也，無品無德，一旦紓青拖紫，管理衆人之事，他會做出福國利民的成績來嗎？古人說「求忠臣於孝子之門」，平日若蔑視倫理，目無尊長，一旦身居廊廟，偶遇危難局勢，他會忠貞不貳，義無返顧嗎？遠者不必談，據我近四十年來觀察所得的事實證明，絕對辦不到！

時人侈言科學救國，如果把做人的道理置之不問，將見科學越發展，社會就越動亂，勢非陷於「率獸食人」的境地不可。唯一挽救之方，就在重視做人的道理，而以政治人物的影響最大。眞要復興中國文化，這是起碼要求，這點如其不能實踐，其他便是廢話而已。

馮五先生

高玉樹不是好吃的菓子？

·大萬·

在武俠片中，江湖好漢有一句口頭禪，「我也不是好吃的菓子。」表示其狠勁。這句話可能是江湖黑道上的話，照一般人說法，即「我也不是好惹的」之意。

高玉樹在政治圈中混久了，更兼佔有地利，是一個「遮奢」人物。此次監察委員對高玉樹提出彈劾案，國民黨籍監委黃寶實因情緒激動，當場昏倒，送醫院醫療；青年黨籍監委葉時修，因在國外，未簽署本案。總之，監察委員彈劾高玉樹，是很有政治意味的，過程也很戲劇化。

在彈劾案成立以後，第二天台北英文中國日報刊出了高玉樹的談話。他說：「誰來對監察委員提出彈劾？」監察委員實際變成了終身職，他們是否仍能行使監察權，是値得懷疑的。」

高玉樹的談話，是破天荒第一次被彈劾高級官員公開對監察反擊。如果說監察委員這次是才老虎，則老虎竟要咬人了！因此，立刻在監察院引起强烈反應，部份監委正醞釀再提案彈劾高玉樹。

新聞網外之言

官箴、官常敗壞已久！中國一向沿習「刑不上大夫」的陳腐，官越大，架子越大，養成了弁髦法紀，弄權虛矯的官僚作風。高玉樹做事雖然有魄力，但言行的表現似亦有跋扈之嫌。

看來本案還未到「完結篇」，監察委員大都已到了年高德劭之境，是否有氣力與高玉樹週旋到底，大家不妨拭目以待。

征公共設施保留地 政府應以市價補償

立委費希平等卅一人提案 指按公告價補償於法不合

（自由報台北消息）立法院內政委員會本會期第七次會議，討論立法委員費希平等三十一人提：爲政府征收公共設施保留地，依都市計劃法應按市價補償，今政府按公告現值補償，顯然與法不合，請行政院速予變更，按市價補償，以維護人民權益案。

記者按：都市計劃法第四十八條之「市價」，據行政解釋爲「公告現值」。但現正在立法院審議之獎勵投資條例修正草案第四十四條第二項之「市價」，係「一般買賣價格」，而非「公告現值」。這是問題的癥結。

費希平委員根據憲法第五十七條規定，說明行政院怎樣對立法院負責。他認爲：政府征收公共設施保留地，依都市計劃法第四十八條規定，政府應以市價補償，現在政府以公告現值補償，顯然與都市計劃法不符，因而使人民之權益受到重大損失。如果行政院認爲都市計劃法第四十八條窒礙難行，就應該依據憲法第五十七條第三欵之規定，呈請．總統核可，再送立法院覆議；可是行政院不此之圖，竟自曲解法令，獨斷獨行。因此，行政院對此問題在法律上必須對監察院負責，監察院就應該依法提出彈劾案；同時在政策上行政院又必須對立法院負責，立法院應該根據憲法第五十七條第二欵之規定，以決議方式，移請行政院變更其現行政策，而遵守原來立法院所通過之法案。這是立法院爲貫徹政策所必經之途徑。但是，現在有些人對立法院的職權有所誤解，以爲立法委員祇是立法而已；對政府的政策不應該多加干涉，否則，那就是侵犯了行政權。像這種高論，如出於一般人民之口，我們應該原諒他們對憲法一無所知；若是出於一位立法委員之口，那就無從理解其用意何在了。

我國行憲已經二十餘年了，在這二十多年的歲月中，我們似乎感覺到，行政權逐漸擴張，立法權日趨式微。此種演變，固然是由於當政諸公，對民主政治不甚習慣，對憲法精神不甚了解而使然；但是我們立法院本身，未能依憲法據理力爭，未能善於運用憲法上所賦與我們的立法權，也不能說這不是原因之一。據聞，最近行政院又進一步要求「立法授權」，這是否有計劃剝奪立法院的權力呢？我們暫且不談。可是我們同仁如果自我否認憲法所賦與立法院的權力，乃至甘心情願作爲行政院的立法局，豈不是令人有些困惑難解？

身爲立法委員，就應該了解，立法院所審議的每件法案，都與人民的利害息息相關。我們立法委員既是中華民國的人民，當然也和我們的利害發生關連。例如：立法院所通過的所得稅法，就和每位同仁有密切的利害關係。如果有位同仁對所得稅法發表不同意見，我們能夠指責他是爲個人利益而講話嗎？

記得十幾年前，立法院同仁會爲電力加價問題與行政院官員辯論得面紅耳赤。如人所共知，電燈是每個家庭的必需品，立法委員們的家中，自然也以電燈爲照明工具、難道行政院以此爲題，指責立法委員是爲個人利益而爭論嗎？此種初淺邏輯，即使一個高中學生也能領畧，何待深論。然而，本人之所以不吝辭費者乃在明辨是非須知，賞罰不明，是非不清，乃社會趨於紊亂，國家走向覆亡之路的重要因素，故不得不加以申辯也。

費委員並强調：行政院決議不得變更法律；假使行政院的決議可以變更法律，是根據那一條？假使行政院的決議可以變更法律，立法院的存在不是多餘的嗎？如果行政院的決議可以變更法律，則行政院豈不是集行政、立法權於一身嗎？費委員爲此，特提出下面七點理由詳細說明：

評估地價漫無標準 忽高忽低變化莫測

上下推諉實難使人心服 民主法治居然有此怪事

一、都市計劃法第四十八條規定：「依本法指定之公共設施保留地得依法予以征收；但征收地價之補償應按照市價。」高雄縣政府對此條條文發生疑問，曾向省政府請示：「都市計劃法第四十八條所稱市價，是否爲市面一般買賣價格，抑是征收當時之公告現值。」據行政院指示：「在實施都市平均地權地區，應以實施都市平均地權條例第三十九條規定之土地現值表爲準。」於是都市計劃法所明文規定之「市價」，經行政院如此解釋，竟一變而成爲「公告現值」了。我們有所懷疑的是，公告現值究竟是不是等於市價呢？如果公告現值就等於市價，高雄縣政府又何必多此一問？公告現值既不等於市價，那末，公告現值與市價比較又相差多少呢？以台中市公館段五十九號之四土地爲例，現行的公告現值每坪爲二九七七元，而實際市價每坪約一萬餘元，所以其公告現值只有市價的三分之一弱。基於上述之例證，我們不難了解行政院是如何曲解法令了。

隨便曲解法令 故意壓低補償

使所有權人受損失 怨懟之情油然而生

二、如果依行政院解釋，公告現值就是市價，就公平交易而論，人民購買政府公地，自然也應該按照公告現值了。但是，本人於民國五十七年二月間，向台中市政府申請承購住宅基地時，當時該地公告現值每坪一千二百元，而市政府評定該地之地價每二坪二千四百八十元，較當時公告現值高出一倍。據市政府官員解釋，公告現值並不是市價，其所評定每坪二千四百八十元之地價，也遠較市價爲低。同一政府，同一法令，竟而出現兩種極端相反之解釋：當人民承購政府公地時，政府官員說，公告現值並非市價；及至政府征收人民私有土地時，公告現值却搖身一變又成爲市價了。我們無從理解，一個堂堂爲民表率的政府，居然也要這種千變萬化的把戲，又怎能作到「取信於民」呢？至於所謂發揚中國固有道德也者，豈非變成欺騙人民之口號乎？

三、政府評估公告現值，也沒有什麼標準：政府準備出售的公地，往往評得很高；至於對即將征收的公共設施保留地，卻故意壓得很低。我們政府如此忽視人民的財產權益，人民還有什麼保障？及至立法院問到內政部時，內政部官員答復：「地方政府將公共設施保留地之公告現值故意壓低，並不是中央的意思，乃地方政府施政有偏差。」我們深爲懷疑，像這樣互相推諉的作風，如何能使人民心服？試問，地方政府是不是屬於中央政府管轄呢？地方政府有沒有權力隨便剝奪人民財產呢？在一個民主法治國家居然發生如此種種怪事，實在令人無法置信。

四、政府爲舉辦公共事業，征收私有土地，如確實依法處理，人民還有什麼理由加以反對？而今之所以引起普遍不滿者，在於政府隨便曲解法令，故意壓低被征收土地之補償地價，使其所有權人遭受重大損失，於是乎人民怨懟之情，油然而生。如衆所週知，都市之發展與繁榮，全體市民皆受其益；因此，都市之建設，必須由全體市民共同負担，才得事理之平，其責任似乎不應該落在少數人的頭上。現在政府爲了實施都市計劃，使保留地之地主大吃其虧，而其他地主坐享暴利，大發橫財，當然要引起社會上不平之鳴。

五、憲法第十五條明文規定，人民之財產權應予保障；可是，我們政府却在曲解法令，公然剝奪人民的財產，這究竟是不是違憲呢？大家也深爲了解，我們政府以三民主義建國最高原則，而三民主義是民生主義，也就是經濟平等主義，也就是總統蔣公所說的均富主義。然而，我們政府此種措施，不就是製造社會貧富懸殊的明顯例證嗎？難道政府所說的與其所做的就如此背道而馳嗎？

六、本年九月九日，中國時報有一篇社論，評監察院有關土地征收糾正案。茲摘錄其中一段，作爲支持本案理由之一：「就我們所知，在日本、韓國或其他國家，若政府或私人企業，要開闢新社區，在收購土地時，每以高於市價之價格，大量收買，使地主們皆樂予脫售，很少發生糾紛。從表面上看，收買者似乎吃虧很大，但由於公共設施的改善，工商業的繁榮，使得新社區地價猛漲，遠超過收購價格甚多。而新社區的開闢計劃，得以順利進行。所以，在先進國家於公於私，均屬有利。任何一種措施，使人民權利受到損害時，政府必對受損害者給予合理之補償，不使其吃虧。而我們主管人員的想法，却好相反，這種落伍的觀念，應該及早糾正。」

七、據我們了解，所謂法治國家，人民固然應該守法，政府尤要守法，惟有在政府嚴格遵守法律前提下，才能養成人民守法之習慣。如果政府官員認爲法律只是約束人民的工具，政府爲了施政方便，可以隨意曲解法令，甚至視法律爲兒戲．那末，「上所好者，下必甚焉！」如何能期望人民去守法呢？所以說，國家法治，政治才能走上軌道。同仁等根據上述種種理由以及本院議事規則第十條之規定，聯名提出本案，請行政院對被征收私有土地之補償地價，依法速予變更，以維護憲法保障人民財產權之精神。

台北傳奇錄（九五）

·陳光棟·

劉二爺氣的半晌說不出話來。喬大夫以爲劉二爺怕花錢才一個勁兒的發楞：「不要緊，打一針才四十塊，成本都要四十多塊，我這裏是以服務爲目的，你放心吧！」

「對啦！這一針打下去，病就好啦！還是健康要緊，錢算得了什麼」！護士不屑的說。

「我什麼病都沒有」？劉二爺忍着氣。

「什麼」？喬大夫扳着臉。

「賴家大小姐病啦！他媽媽託我來請你去一趟」！劉二爺氣喘吁吁。

「這種天氣，還請大夫」？喬大夫咬着咀唇。

「眞對不起，請您辛苦一趟吧！」劉二爺不想嘔氣。

「就是能去，也要等到雨停了再說，我建議你最好去找姚民規醫師，他是婦科專家，也許他願意跑一趟，不過也說不定」！喬大夫說完就又回到調藥室去配他的特效藥了。

劉二爺不得要領，只好又去找附近的姚民規，這姚醫師倒有濟世活人的精神，一口氣就答應下來，隨即換了衣服提着皮包跟劉二爺到了賴家，賴太太一看姚民規喜從天降，又倒汽水，又倒可樂，又冲咖啡。

姚大夫替賴慧美檢查的結果，斷定是急性盲腸炎，提議馬上送到醫院開刀，說完了以後拿了一千元出診費滿意而去。

賴太太送姚大夫走了，趕緊往某公立醫院打電話請派救護車接病人，醫院接電話的人問沿途的情況，劉二爺接過電話來談了半天，對方才答應派的車儘可能開到離賴家最近的地方。剩下的問題是如何把賴慧敏送到一里以外的路口上去搭乘救護車，劉二爺出主意把病人放在木板上，再蓋上塑膠布，請兩個人抬了去，至於請誰抬呢？又成了問題，劉二爺只好再冒着雨去找老邱，劉二爺話剛說了一半，老邱就連連點頭，同時又找了條手巾往頭上一紮，就算是防雨的裝備了。

軍閥政客記趣

·文滙樓主·

報章雜誌對軍閥政客趣事頗多記載，茲摭錄幾條與讀者共賞。

前山東省政府主席韓復榘，重大民刑案件常自己審理，塑成韓青天「典型」，殺錯人的笑話故多，有一次將原被告鞭撻到皮開肉裂，退庭時復召回被刑人，詢及那一位是原告？那一位是被告？

傳說張作霖當第三次入關時，傳集兵士們訓話，說：「這次入關，誰再咀裏嚷『媽的個吧子』，就得槍斃！」

胡景翼督理河南時，慷慨好客，天下之士皆歸之。然門下士亦極複雜。有人往謁胡，置大衣於客廳中，及出，大衣已不翼而飛矣。

胡景翼由河南赴京，京之河南人士開會歡迎他，大家演說，恭維胡景翼。胡體甚胖，不耐久坐，就在恭維聲中，昏昏焉睡去。

南京東南大學的前面，有一座新建的圖書館，名「孟芳圖書館」，係齊燮元捐十萬元建築的，孟芳是齊的父親的名字。當時，東南大學派人去募捐，齊燮元侃侃而談地對他們說：「學生讀書要什麼圖書館？書不在多而在精。譬如說政治罷，我平生只讀兩本書，一本『管子』，一本孟德斯鳩的『法意』。夠了，只有兩本書已夠運用無窮了，學生讀書何必要許多參攷書？」

張宗昌有一次在北京對兵士演說，慷慨激昂地說：「他們說帶兵的要大學畢業，什麼鳥大學！我老子是綠林大學畢業的！他們又說打仗要看什麼軍事學，什麼鳥軍事學！我老子全不懂得！我老子有兩句打仗要緊話，兄弟大家記着：『敵人來了，咱們就跑；敵人跑了，咱們就趕快追上去！』」

民國十三年冬，汪精衛代表孫中山先生在京津接洽事件，凡國民黨當時與段祺瑞晤面接洽各事，概由汪精衛任之。及段爲執政，一日，汪往吉兆胡同與段晤談，談了半天，段問左右說：「這位談話的是誰？」

有一天，天津的一個大學請張作霖講演，張說：「他們喊我張鬍子，這是寃枉的！我小時候曾被鬍子綁去，但我並不曾做過鬍子。他們又說我有許多姨太太。我那裏肯自己去娶這些姨太太？這都是那些臭官僚政客送給我的。不收又不好意思。」

褚玉璞爲保定河北大學校長，第一天到校，對學生們說：「做學生只管讀書好了，管什麼政治，談什麼戀愛！共產還可以，共妻萬萬不行！你們好好讀書便好，不好咱要拿來重辦！槍斃！學校解散！」

張宗昌部下以白俄兵爲最善戰，亦最殘忍。這些白俄兵只懂得兩句中國話，一句是「張宗昌」，還有一句是「大鼻子」，因軍中稱白俄兵爲大鼻子。於是遇着軍中戒嚴，這裏喊：「口令！」白俄兵便答：「張宗昌大鼻子！」

湖湘畸士楊縣仲（下）

·馬五先生·

君卽於簽名簿上書寫「本案通過，本人辭職」二語，宣告退席，囑員司準備移交。次夕，劉主席親至君宅道歉，仍請設法解決，君謂：「省庫固然有欵，但主席未依法制行事，財廳自不便處理。」劉謂「然則如之何乃可耶？」答以須由財廳以借撥名義支付之，下不爲例，方符體制，劉欣然同意，而君之强項聲名卓著矣。

對日抗戰時期，君轉任鄂省財政廳長，主席爲陳前副總統辭修先生，以君素有能聲，且係譚故行政院長畏公（組安先生別號）舊屬，頗示倚任。一日，令派趙志堯爲湖北省行總經理，飭財廳辦理公文，君以趙氏才具不宜於綜持銀行業務，乞主席可否別選幹員承其之，並聲明本人與趙氏絕無恩怨，但基於爲事擇人之意念，不得不述其所見耳。主席頷之，未幾，向中樞保荐趙氏爲鄂省財政廳長兼省銀行董事長，而君乃踉蹌去職矣。旋赴重慶入財政部任顧問，部長俞鴻鈞對君頗器重，君以吏途僉戲（兩字皆山旁），直道難容，不復作用世之想。

大陸淪陷之初，君避難香港，居羅便臣道半山間，距宅前數十步，有原任國軍華南區補給司令湘人周游家焉。周以鄉誼，常趨君許晤談，君知周因瀆職罪行，曾被中樞通緝有案，頗薄其爲人，虛與委蛇而已。時愚亦在海隅，以君寓有友人寄藏之百衲本四庫全書，每往借閱，而長沙張子羽兄常在座，相予抵掌高談，上自國家大事，下迄市井瑣聞，放言無忌，其樂融融。某日，愚三人正以落花生品茗閒話間，周游亦蒞止，方就坐，周揚聲謂：「綿老，我居住山腳，常遇鄉人擬至府上告貸者，輒告以楊公一生清廉，阮囊羞澀，不必枉事強求，隨給予數金遣去。我不知爲綿老減少若干煩擾，眞可謂德不孤，必有鄰也。」言下殊有德色。君憤然答曰：「誰不知我楊某是個窮漢，還要你這貪官汚吏爲我作說客嗎？嗣後請你少來囉嗦吧！」周自討一場沒趣，嗒然告退。愚以君未免拒人太甚，君謂：「生平就是見不得貪官汚吏，一見便要『惹他的娘』啦！」「惹他的娘」者，長沙諺語也，與北方罵人三字經同義。

君拙於私人生計之謀，然擅長爲公家理財，其術至工，初長皖省財廳之際，囊藏不過數萬金，迨交卸時，已有百萬以上之現金存儲矣。主席劉鎮華對君欽贊備至，信任甚專，劉如不以瘋疾去職，君亦不致離皖他適也。君善飲，窮且好客，途逢友好，輒邀入餐館沙酒肆約知友便餐，所費大洋四元左右，無錢支付，即脫下狐裘作抵，毫不介意，旋由其內戚某君斥資代爲贖還，其對人接物之坦率誠實多類是。

君自香港轉徙台灣後，適舊日居停俞鴻鈞長行政院，聘君爲政院顧問，俞解任，君亦同時辭職，再入財政部任顧問以迄下世。君一生窮乏，但志節彌堅，蓋讀書有得之士也。俗言「尺有所短，寸有所長」，於人亦然。世間固無完人，以君之才之品，得一知人善任如曾國藩之流者，乘短取長，資其展布，其成就必不致以方嶽能吏終，可斷言也。凡狷介有爲之士，必不屑直尺枉尋，蠅營狗苟，非其人不事，非其位不居，然今世之政壇風氣，殊不足以語此，國步艱難，動亂洊臻，有由來矣！（完）

申報館長史量才被拘記

·胡珠·

史量才到北四川路青年會理髮，被馮炳南利用蘇州娘姨冒充葉養吾太太，從電話中，向秋水夫人探問出史量才的行蹤，於是四馬路總巡捕房偵探間所派的兩名便衣探員，追蹤而至，請史量才到巡捕房一行。不但把史量才的案由落了大簿子，還要史量才打手印，這是對待刑事罪犯的一種精神上的懲罰，史量才此時，祇有指望太倉喜八郎了！

落大簿子非解案不可

話說史量才在上海四川路青年會的理髮室理髮，髮已理好，錢亦付過，準備離去的時候。此時，四馬路總巡捕房偵探間所派遣的兩名便衣探員，早已奉命在理髮室外監視史量才的行動。知道執行拘捕命令的時機已到，於是由一探員趨步上前問說：「尊駕是史量才先生麼？有一件公事在此，請爲過目。」於是揣懷就摸出一紙拘捕牌票出來，這是例行他們出示拘票，表露身份的應行手續。史量才畢竟是具有高度氣質之人，一見來人的言動氣概，早已明白來者是巡捕房派來的便衣探員。雖然，他的內心驚慌萬分，暗暗叫苦，但在外表神情還是裝成鎮定如常，若無其事似的說道：「公事已經知曉，毋需過目，我就同你一起走罷。」這樣的言態動作，使理髮室中在旁之人，竟不知道他們在搬演一場「差人捉犯人」的鬧劇呢。

史量才隨同兩名便衣偵探到巡捕房，自有經辦人員對他所有刑事人犯所必經執行手續辦理完竣，再由翻譯人員詳錄供單，並抄入一本大型簿子中，以便下午解案審訊。這種行爲他們巡捕房中人的術語名之爲「落大簿子」。大凡巡捕房的案事一經落「大簿子」以後，非要將該案中有關人等，全部解送會審公堂發落，經過審訊裁判定局，方算終結此案子。巡捕房對「落大簿子」的人犯，不管有罪無罪，決無擅自釋放之權，是以「落大簿子」一事，在巡捕房裏看得相當嚴重。其實早期時代的租界會審公堂所訂定會審現行法例的程序章則，定得相當偏差，也屬有欠公正。例如一件案事若經審訊之後，由中國的主審法官與值日的會審領事作出共同裁定，雖祇一庭卽爲定局，決無上訴請求重審之例。而所判決的是否公平，概不之理，史量才此次與席子佩涉訟失敗，損失奇重，卽受了這一庭判決之弊。

又例如民事訴訟案事，會審公堂所定審判程序，亦係一庭判決。好像經他們審理過就成爲鐵案，譬如被告未曾應訊到庭，卽可缺席判決，作爲抗傳不到論處。也不用變傳爲拘，再出拘票，卽以第一次所簽發的傳票，就可變爲拘票。因傳票上印有一條附註，凡被傳人不能應傳到庭，卽可隨時隨地，扭往歸案訊辦。所以當年租界會審公堂，對這種錢債官司，以扭交到庭的案件，爲數甚多。不過這一個法例的章則措施所定，會審公堂實留有法律中的一條大隙縫，給予會審公堂的傳票執達吏與法庭庭丁們一條生財之道。原來有的案件由原告訴人扭住被告訴人同到會審公堂的「執達室」，檢出傳票，由執達吏同上法庭交案了事。但不過一經開庭審理，主審法官勢必判爲交保釋放，而所交之保，有的是銀錢保證，有的是概須一家店舖的舖主，才有做保人的資格條件，而當庭執行交保其事的則爲庭丁。但被告於片刻間何處尋覓保人呢？於是由庭丁和執達吏爲之指點或介紹，向公堂附近開設着的小烟紙店主、或小茶館主代爲作保，蓋章具結了案。但必需要收取一筆介紹作保費，萬一案事演變到被告棄保潛逃時，這種保家也要受到牽累，甚至需要變更店名牌號，俾這案子可以成爲未了的懸案。

（未完）

紅燒鱔魚

御廚談藪

·林泉隱·

燒鱔魚，本品肉味鮮膩，有益中補氣，增加壯陽，利五臟之功能。浙江省慈谿白龍潭特產爲血鱔，其周身紅赤如血。每年出產甚稀。功能益血壙氣增氣力，壯筋骨，故昔之習武藝者，必取食之，普通者色炎黃，故稱黃鱔，田泥中產者則多褐色，味最佳，但全黑者有毒，不可食，製法購肥大約重二兩以上之鱔數條，放淸水缽中，用左手捕一條，揑緊頸部，以右手二指捋去其涎沫，在砧板上，以刀斬殺其喉頸部之半過脊骨處稍連不使斷，復以刀輕斬去尾巴，乃將提起勒血於另一缽內，後乃用剪剖開其腹，挖去肚腸務盡，然後斬成聯絡之寸長段頭，放入盛有血之缽，如是一一殺好，待用，次將豬肉片入鍋，急火熬之，見油熬出時鍋已熱極，卽倒入鱔段，急以鑊炒之，數下乃注加淸水，並火腿塊頭，合蓋用急火燒之至水滾後，改用文火，見鱔段已一一分斷時，遂加鹽醬油，蒜片大蒜諸品，再燉燒，見肉汁膩爛，酒入紹酒，燒一透，卽可食，按本品爲夏令名品，或有用千貝，或粉絲，蒲子絲作配者，味均佳，但火腿及鮮肉，爲不少之配件。

諸葛亮狂想曲（一七一）

·劉玄·

然後由花榮放箭，黃忠、花榮一同放箭，都被呂洞賓一一用劍尖將羽箭點回箭囊，呂洞賓、鐵拐李在天庭，背着寶劍葫蘆，在好人眼中一向認爲是擺擺樣子的，現在他們露了一手，立刻有了新的評價，對於八仙在天庭的地位增高很多。何仙姑十分高興，報幕也格外起勁。

「現在請大家注意，水中芭蕾舞卽將上演。這一節目是金玉枝道友担任的。」在天庭，道友是一種尊稱，並無男女之別。

台下太白星君正在閉目養神，在他的眼中，呂洞賓的劍術算不了什麼。現在聽到水中芭蕾舞卽將上演，不免睜開了眼睛，向身邊劉約翰低低說道：「是不是水中芭蕾舞就要上演了？」

「是，是。」劉約翰面露喜悅之色。

「她有把握演好嗎？」太白星君微笑着問劉約翰。

「我一再問她要不要先預演一下，她說毋需，似乎是很有把握的樣子。」劉約翰在星君耳邊低聲說話。

星君點了點頭說：「她是我魚缸中最聰明的，我相信她會表演得很成功。」

開演時台上在正中放了一個大水晶金魚缸，幾乎佔全面積四分之一。缸內滿貯靈泉，四週放了七粒像鷄卵大的五彩寶石，發出各種不同的光彩，比人間電燈還要明亮。這七粒寶石是特地從王母娘娘宮裏拿來的，可見王母娘娘對於這一節目的注視。

缸的四週站着像金剛般的黃巾力士，顯然，他們是此一節目的助手。

樂器伴奏共有三位。張素梅彈奏鋼琴，韓湘子吹笛，彌衡打鼓。

劉約翰因爲這是他的太太初次在蟠桃會演出，如果成功了，從他就能奠定他在天庭的地位。因此，聚精會神注視台上。張素梅的鋼琴伴奏，他不感興趣，並且他知道本來是要演奏諸葛亮製作的狂想曲的，後來因爲諸葛亮執意不肯，才改奏霓裳羽衣曲。至於韓湘子，他是八仙之一。何仙姑是節目主持人，有機會當然要提拔。但彌衡在天庭一向是屬於流浪漢，根本沒有理睬他，現在竟出現在台上，不能不說是一大冷門。他不禁「咦」了一聲。

「你是不是覺得彌衡打鼓有點奇怪？」太白星君智慧超人一等，一猜就猜着了。

（未完）

巨變歷險記！

分兵入寮（一八四）

胡慶蓉

原駐湄公河西岸大猛蓬地區的部隊，在移轉猛撒之外，並曾分一部進入寮國。

我上邊說過，寮國就在湄公河的東岸，與大猛蓬遙遙相對，遙遙相望，沿着湄公河的西岸，還有很寬很寬的地方是蘆葦地帶，一眼望不到邊盡是蘆葦，從大猛蓬最前邊有房子的地方前往，還有數里之遙。過了蘆葦地帶，就是湄公河，從北向南，直直的下來，不是浩浩蕩蕩的，而是平平穩穩，猛一望去，簡直如同一面鏡子一樣，幾乎近於靜止的狀態，但假若你靠近岸上，仔細的觀察，你又會發現湄公河的水不但在動，而且像箭一般，順流直下，船行其上，需要很高的技巧，很大的氣力，舵要掌得好，要熟悉水性，方不至於傾覆。最好是用機船，可惜當時沒有，當時有的只是很少數的幾隻獨木船。所謂獨木船，是名符其實的。即將一根大木頭，鑿成一條船。這船的容量是很有限的。騾馬可以浮過去，但十分吃力，稍為弱一點的，就會被衝走。

分兵入寮，是丁博士的計劃，丁博士的命令，執行是廿六軍的譚副團長曾營長等。他們都是廣東人，二次大戰時期，他們在寮國住過，因而對於寮國的地理情形非常熟悉。丁博士一開始還是跟着進去。寮國這個時候還沒有獨立，一切聽命法國，但寮國也好，法國也好，都沒有軍隊駐紮在湄公河沿岸，但那方面的我軍情形，他們還是有報告的。丁博士老留學生，巴黎大學法學博士，極熟悉國際公法。同永珍方面的軍事負責人彼此有聯繫，全用法文往來。丁博士並曾親自前往與法國的寮國軍事負責人當面用法語交涉。從湄公河，順流直下，眞是一帆風順，快速無比。法國在寮國的軍事負責人，事前有很多的法文函與丁博士交換意見，他完全以保護國的姿態，代行寮國的主權，不允我們的部隊駐紮寮國，要照國際法辦理。丁博士是學國際法的，過去幾十年一直在各大學教國際法，他深知道照國際法辦理的含意，那就如同對黃杰的部隊彭佐熙的部隊，繳械，關集中營，關富國島。這丁博士決不幹，還是駐紮寮國地，將司令部設在湄公河轉灣的角角上。這是廣東人開的一個大米店，日用百貨亦稱齊全。附近是一片大的平原，有很多的農村，物產亦稱豐富，丁博士將部隊散開，與農村打成一片。不過，由於這方面的治安情形不夠理想，年來棄鄉背井遷入泰國境內的，亦頻不乏人。本寓兵於農之意，丁博士叫部隊分別勤耕種。丁博士對於法國方面將來的辦理，還是用談判代替戰鬥。但法國有王杰彭佐熙的例，一定要我駐紮寮國的部隊同樣辦理。否則即對我實施轟炸，用武力把我們驅逐出境。談判決裂，法國的飛機果然來了，並且天天在我部駐紮的地點上空投彈，投彈的盤旋並不正確，我方不予理會。法國的投彈並不正確，我方損失甚微。但因為現在沒有絕對的必要，又為部隊的休養，還是下令撤回原地——大猛蓬，又由大猛蓬撤到猛撒。

但我雖撤，我並不放棄寮國這個地區，還是有人留守。如何鞏固寮國這個地區的這個基地，如何培養寮國的反共力量，如何與寮國的反共力量合作，如何驅逐法國帝國主義的力量，如何解救王杰部隊彭佐熙部隊脫離富國島……丁博士在嚴密注視中，加緊準備中，這是後話。現在寮國的我游擊部隊是離開寮國了，但這只是暫時的離開，部份的離開，與我毫無損失。部隊有了這次的經驗，將來再進來，那就方便多了……。

搜異錄

（十八）石頭貨幣

世界上最落後的地方，雖沒有貨幣流通，但是他們却利用物物交換的方式，約定成俗的交換，和我們古代「日中為市」一樣。但沒有聽說過用石頭作貨幣的。今天就有這樣一個地方使用石頭作貨幣的民族。

太平洋上有一個小島，名叫雅浦，在太平洋北部，島上人口不多，只有三千人左右。出產香蕉、椰子，任何的貨幣都不流通，只有島上的土著使用石頭作貨幣，這種石頭是炭化鈣質的石頭，在該島非常珍貴，不容易得到的。所以它就成了該島最實貴的東西，流通全島無阻。有了那種石子，可以買到任何東西，成為該島不成文法的幣制。

（十九）廚子學校

世界上的國家，美國才算是「無奇不有」的國家。在此是介紹一家「廚子學校」。凡是在這學校訓練出來的學生，不愁沒有工作，為一般餐館爭取的對象，而且待遇特別優厚。該校課程十分嚴格，修業時間兩年，教導他們燒出十八國的菜式，當然中國菜是菜中之王牌，但是學費也非常驚人的，每年一人要一千八百元，畢業後發給證書。

無奇不有集（六）

·恨海·

（廿）王老五公寓

在奧州的南部，奧斯他港，是世界最奇特的地方，那兒有許多建築物，樣子非常古怪，在別的地方從來沒見過，那些房子都是圓筒形，每層僅是一個房間，這些房子原來是專打獨生主義的王老五居住的。

（廿一）重婚三十六次

一個公司推銷員，經常旅行各地，為公司推銷貨品。一次他在費城遇到一個漂亮的女郎，經過閃電戀愛後，馬上結婚。過了一星期，便留下新婚太太回紐約總公司。第二天就鬧出重婚新聞來，被他的太太告他重婚，那知這一下子却揭發了三十六宗重婚案件。原來他每到一個地方，都在當地取一位女子做太太，所以他的罪名是三十六次重婚，結果被判徒刑五年又四個月。他這一次重婚的被控是偶然的。因為他自費城回紐約時，用一張舊報紙包東西，不想那張報紙上面竟刊有他結婚的消息，附有圖片。他一時不小心，却被太太發現了，久走夜路終要碰到鬼的。

（廿二）理由正大可抗法律

美國加里福尼亞洲的嘉頗城的稅局，向一位婦人發出最後通知書，限她三天之內將稅表填妥，交回稅局，除非她有更好的理由說明她要遲報，否則將向法院提出控告。但三天之後，那位太太依然置之不理。於是稅局果然採取行動，告她一狀。可是，她在法庭上向法官說明原因，法官立即判她無罪。原來她向法官說：「稅局將稅表寄給我時，我正在懷孕，我覺得是第一胎，比什麼都重要，不願為了報稅這瑣事而傷腦筋，記憶自己的入息與開銷。」（未完）

黛眉小傳

·王幻·

花蕊夫人（三）

在百無聊賴，情不能已的時候，幸而她會繪畫，遂畫了一幅孟昶的像，朝夕奉祀，以寄悲情。有一天，給太祖看見了，她他詭稱「張仙」，祝之可多子，乃被她瞞過。

她這時已是溫室裏的瓶花，憑着色秀的誘力，得到主人的任意愛憐，一旦花容憔悴，便棄之如敝屣，不稍留戀了。年華似水的飄逝，她的生命也隨之終結，終結的情形，和她心愛的丈夫一般不幸。大概是她的容顏已非昔日的艷麗，為輸入蠶室，尤悲憂抑鬱，不忘故君，卒以罪賜死。

但據「鐵圍山叢談」所載：夫人入宮後，太祖為所惑，「屢造毒，屢為患，不能遂」；太宗數諫太祖，總不忍去之。一日，太祖行獵苑中，夫人亦在側，太宗方調弓矢引滿擬走獸，忽回射夫人，一箭刺死。所謂造毒，大概是指金蠶毒，此法本始於蜀，夫人或亦習之；她死的罪名，或即為此。

或以夫人姓費氏，蜀之青城人；「能解齋漫錄」則云：「徐匡璋納女於孟昶，拜貴妃，別號花蕊夫人，意花不足擬其色，似花蕊飄輕也。又升號慧妃，如其性也，王師下蜀，太祖聞其名，命別護送。陳無已云姓費，誤矣。」這段記載甚為明顯，勿須費辭再事辯白了。

然而，宮詞原作，當時所傳，只有三十二首（或以為二十首），較為可信，其餘的是後人拉硬湊，要集成百首，故連唐人的詩也被收入。從風格上看，較好的作品多在三十二首之內，其餘的也有好的，可是詩雖好，而不像「宮詞」亦被湊入了。

我們知道：詞的風格多半是繼承「香奩體」的艷麗，而集中於浪漫的表現，形成色情文學的極致。在五代的詞壇，最能代表這種形態的，是「花間集」中的作品。同時作為五代詞壇的代表區域，不在中原，而在西蜀與南唐；因為中原戰亂頻仍，文士多避難於此，四川、江南遂成為苟安之局，加以天時和煖，物質豐饒，歌樂素稱興盛，君主又都愛好文藝，因此詩人詞客俱集在這個地方，而造成當代文化的兩大中心。

花間集的作者，或是蜀產，或仕於蜀；他們的作品，大都有一種共同的格調與作法，多數是顏色過於濃艷，太富貴氣。這類唯美文學，我們讀二三首，覺得艷麗可喜，多讀下去，反令人有一種鄙俗之感。

北窗瑣言云：「溫詞有金荃集，蓋取其香而軟也。」最後引一首溫庭筠的「菩薩蠻」，以美人香草作本文的結尾：

小山重疊金明滅，鬢雲欲度香腮雪。懶起畫蛾眉，弄妝梳洗遲。照花前後鏡，花面交相映。新貼繡羅襦，雙雙金鷓鴣。（完）

依調集

高爾夫與官運

·南雲·

古往今來，官場中利用女人關係以求倖進者，所在多有，不足為奇。此外亦有以陪伴名公鉅卿從事牌賭娛樂而得法者。如吾國北洋軍閥政府時期，中國銀行小職員李思浩，因奉居停梁士詒之命，陪國務總理段祺瑞搓麻將，終得官拜財政總長，即其一例也。

時代進化到原子世紀，社會文明亦日新月異，高度發展，官員們的日常娛樂玩藝，皆以表現豪華為主，而高爾夫球乃普遍流行，作官的若不玩高爾夫球，便不算是夠格的闊人。所以，台灣雖係狹長的島國，而高爾夫球場林立，政界要人和財務金融界的大亨，每天樂此不疲，顧盼自雄。於是乎，藉着玩高爾夫球的機會，同時唱唱黃梅調以博要人歡樂，因而升官發財的，大有人在，且有從球洞中淘得銀行副總裁地位的奇蹟發現，這比從麻將桌上撈到財政部長的故事，高雅多了。高爾夫之義，大矣哉！

第十六章　張招討敗師關陝　岳武穆怒斬傅慶

周燕謀

此四郡募集丁壯數千人，出守濟南，節制東平，稱帝大名，號爲「從雲子弟」。尊母翟氏爲太后，妾錢氏爲皇后。錢氏本宣和宮人，頗有姿色，並習知宮掖禮節，豫的妻子反立爲妾，格外加寵，即位時奉金正朔，沿稱天會八年，且向金廷奉上誓表，世修子禮。嗣因金主許他改元，乃于改次年爲阜昌元年。嗣是事金甚謹愈恆，賄遣金帥撻賴歲時不絕。撻賴心下甚歡。撻賴另外又想法子特將一個軍府參謀縱之南歸，令他主持和議，計害忠良，此人非別，就是遺臭萬年的秦檜，以後再行交待。

自徽、欽二帝被擄北行，二帝輾轉遷徙，至韓州時，秦檜尚隨從。徽宗聞康王即位，作書貽粘罕，與約和議，曾命秦檜潤色書詞。檜本長於刀筆，刪易數語，遂覺文情悽惋，詞意纏綿。及粘罕得了此書，轉獻金主，金主晟亦大加贊賞，因召秦檜入見，賜與撻賴任用。撻賴乃金主之弟，握有重權，及奉命南侵，遂任命秦檜參謀軍事，兼軍轉運使。檜妻王氏亦隨軍，也有人說王氏與撻賴私通，小子未得確證。不願採信。（說岳傳中謂王氏與兀朮私通，尤爲大謬。按秦檜夫婦並不在兀朮軍中，何從與兀朮私通？後人恨他陷害岳飛，姑作快論，更不足信）撻賴因秦檜夫婦勤勞王事，格外優待。撻賴亦因此改造了秦檜夫婦之觀念，遂與秦檜密約，縱之南還，作爲內應。關於此事：「金國南遷錄」記載得明明白白。撻賴約秦檜回宋作漢奸尚與其他諸王商議過。而且金大臣會於柳林，送別秦檜回宋。「金國南遷錄」說：

張憲正要取弓射殺之。楊再興大叫道：「楊某願見岳公，死而瞑目」，張憲見其人虎背熊腰，器宇不凡。於是擒楊再興見岳飛。岳飛見再興甚奇偉，心中暗暗稱羨好一員勇將。於是親解其縛，慰諭之道：「吾不殺汝，今後改邪歸正，以忠義許國，異日求取功名，名書竹帛」。再興諾諾連聲，再拜謝岳飛。於是桂、湖、湘之賊悉平。楊再興後爲國立功，爲時勇將，後盡忠殉國，實乃岳飛人格之感召。平曹成之役，史稱岳飛軍死亡僅十二人，賊衆以疾死者萬餘，時人以爲岳飛忠義所感。

曹成餘黨殘部竄入湖南，會合在王淵再流竄江西。岳飛旋師還屯江州。軍次永州祁陽大營，七月七日，岳飛題詞於壁。詞云：

權湖南帥岳飛，被旨討賊曹成，自桂嶺平蕩巢穴，二廣湘湖，悉皆安妥。痛念二聖遠狩沙漠，天下靡寧，誓竭忠孝。

（七十八）

（第一一二七期）

（半週刊每星期三、六出版）
每份港幣壹角・台灣零售價新台幣弍元
社長李運鵬・督印黃行雲
社址：香港九龍彌敦道593—601號
廖創興銀行大厦八樓五座
LIU CHONG HING BUILDING
7th FLOOR FLAT '5
593—601 NATHAN ROAD,
KOWLOON, H.K.
TEL：K303831
電報掛號：7191

承印：景星印刷公司
地址：嘉咸街廿九號地下
台灣區業務管理中心：台北重慶南路一段一二九號
電話：二四五七四
台灣區直接訂戶　台灣劃撥戶
第五〇五六號張萬有（自由報會計室）
台灣分社：台北市西寧南路110號二樓
電話：三三〇三四六、台郵劃撥戶九二五二號

本報專論

我們眞不能發射人造衛星嗎

——敬以請教沈君山等先生——

・張萬同・

最近由於胡秋原先生及旅美太空總署高級研究員邱魏堯博士，對於建議我國自行發射人造衛星的呼籲，引起國內若干從事科學工作人員的反對意見（見十二月五日中央日報）。人造衛星能不能發射，以及應不應從事發射的工作，這問題相當複雜。它不僅牽涉科學技術，而且與社會經濟有密切的關係，本人原攻物理，後轉而研究經濟，故對此問題略有所知，忍不住要本乎一己之認識，來說幾句話。

其實，僅就發射人造衛星之本身來論，對我國的發展並無舉足輕重的關係，重要的是它所連帶發生的作用。而此作用的大小，又依各國之情形而異，並不能一概而論。譬如對美國來說，發射人造衛星用於科學或國際通訊，都只產生了一些錦上添花的作用。而對於我國就大不同了，它不僅能幫助我國科技的研究，並能促使我國達成經濟獨立及國防現代化的目的，使我們能完成復國建國的準備。關係的重要，絕不是一枚人造衛星本身所能衡量。所們若不明白此種深意，而好像對美國的問題一樣談，那就文不對題了，何以故？請看下面的說明：

首先就一般的情形來說：今天，我們要想達成反攻大陸，復國建國的偉大使命，必先充實自己力量，培養獨立自主的實際能力，而這實際能力的起碼條件，也就是要有科學及經濟上獨立自主的能力而不須仰人鼻息，這是人人都不能否認的。但反觀我國科學與經濟的現狀，不僅是科學落伍，在國內根本無法進行高水準的研究。而且在經濟上，又由於工業界與學術界的脫節，學術上的研究成果無法應用於工業上，以改善民生，以致資本家轉而求之於外，與外國廠商合作，嚴重的影響我國資本累積及經濟成長，於是導致我國經濟發展依賴外人。我們若要打破此一僵局，雖不可說發展人造衛星是唯一的途徑，但却可說是一條極其平坦可行的大道。因爲如所週知，近代戰爭本質上就是一場科學技術的競賽。不僅武器炮火要賴以製造，就是戰爭的推進也要靠科學技術（如偵查，後方勤服，運輸……等，那一樣不是科學技術高的勝過低的），甚至，維持戰爭的社會經濟，也更要仰賴科學技術的發達。發展人造衛星，從表面上看只是「一」件事，但這「一」件事却含蘊著近代最高深的科學技術。我們如能確立這一目標而邁進，那就等於向最高水準的科學技術進軍，不論能否立即達到發射人造衛星的目的，都能毫無疑問的大大的，立即的提高我們國內科技研究的水準。而這一水準的提高，便將立刻反映到我們國防實力和經濟發展上面去，舉例來說：

現代戰爭武器之主要基礎，全建在核子武器及强力的推送系統之上，傳統武器的戰爭備負清理戰場的工作。而發射人造衛星的必要條件，也是在於强力的推送系統。因此，我們很容易將此和平用途的發展，一轉而爲國防上現代化的發展。當然，我們不忍自製核子武器對付敵人而害及同胞，但可利用人造衛星對敵人的設施活動，實施細密的偵察，藉以幫助擬定反攻計劃，並可利用此一推送系統製造飛彈，代替轟炸機的運用，此對將來在反攻大陸的戰爭中有極大的效用。

或者說，發射人造衛星既然含蘊著高深的科學技術，以我國目前的科技基礎，能夠作得到嗎？不必躭心，我們雖然科技落後，但可以迎頭趕上，因爲科學技術是無國界的，我們既可如邱魏堯博士所提示的，與美國太空總署合作（目前已有七十國與之合作），並且可以延攬在這方面有成就的人才參與計劃，尤其在這一點上我們還可以附帶的解決一個多年來所不能解決的人才外流問題，那就是延攬我們旅美科學人才的回國。根據教育部最新統計，我國旅美學人共有三千餘人，此外尚有留學生一萬六千多人，此龐大數目的我國精英，未能被政府任用，實爲我國最大的損失。他們並非不想回國効力，而是此處沒有讓他們表現才能，展其抱負的機會。我們不能只責怪他們的不回，而不反求諸己，創造他們回國服務的機會。倘使我國能決心設置研究設備，發展人造衛星，則這些學人自會回國，共襄盛舉。一舉數得其不是很好嗎？

此舉不但馬上可以解決人才外流的問題，同時至少還有兩個問題也附帶解決，第一由於此一高級科學的發展所發生對我國現有科技水準的刺探虛實作用，而可告知我們改進科技教育與研究之方向。第二由於各種人才的深入研究，往往會發現某種新技術或新產品，間接可廣泛地應用於各種工商業之上（如質輕且耐高溫高壓的塑膠合金、太空衣、袖珍救生袋，生物工程學等都是因人造衛星的發展而研究產生的新產品，新科學），使我國的學術界與工業界達成合作，加强工業實力，免除外國廠商的剝削，步入經濟獨立及工業化的境地。

由是觀之，我國發展人造衛星，不僅應該而且必要。在此力量政治的世界中，必須以此一更高的發展，來打破我國科學及工業技術停滯的狀態，澈底整理，換新原來的科技水準，完成人才內流，國防現代化及經濟獨立的大目標，以保障人民生活水準，提高我國國際聲望，阻遏姑息主義的泛濫，領導反共大潮，建立反攻復國的基礎。是以此一發射，在我國所發生作用之大，非其他國家所能[illegible]

然有人懷疑，以我國的經濟現狀來發展人造衛星，是否會危及民生。

關於經費之來源，當然以不影響國民生計爲大前題。而此項工具成本，如以日本三十四公斤的「蘭姍達」發射爲標準，爲美金三十八萬，即新台幣一千五百二十萬元，即令吾國因工業較落後，若干物件不能自造必須購買，成本必會增加，然因我們可與美國太空總署及日本方面合作，有前例可循，可減少經費的浪費，其成本之增加亦將有限矣。若政府能妥善運用國內資本，開源節流（如胡秋原先生曾建議，以零散分佈的國科會研究教授年預算三千萬元，集中於此一發展，作爲其基本經費本源之一），則雖不加重人民負担，亦能很快完成此一重要發展。

一個之決策必須「從長計議，遠大處著眼」，不能頭痛醫頭，脚痛醫脚，僅看事情之表面。由上可知，人造衛星之發展對我國能發生改善根基的作用，是以可謂爲當前之急務。當然，在我們做任何從前未做過的事時，在技術方面都會有困難，但經驗就是我的老師，它將爲我們指出改進之方。尤其處此國際間往來密切，世界一體的時代中，科學方面的人才，技術及設備，皆可延聘學習及購置之。所謂「天下無難事，只怕有心人」，我們不必妄自菲薄，畏縮不前，只要政府有此決心，立定目標，妥善地組織及管理，循序漸進，終可獲得成功。

（完）

昨日與明日

反共之第一要着

近半世紀來，中國受共黨禍害最深，因而中國學者對共黨認識也最透澈。中國大陸沉淪共黨之手後，香港的中國學人乃站在反共思想鬥爭的第一綫，這些爲中國文化而奮鬥的中國學人，每發表反共之論，均足一鳴驚人。

曾任香港新亞書院創立人的錢穆先生，最近發表宏論說：世界反共國家，不可單在軍事上反共，尤當在思想上反共，宣佈共產主義爲非法思想，此爲反共之第一要着。

共黨之爲禍世界，即由馬克斯主義而來，共黨之產生，即由思想型態而起。不宣佈共產主義爲非法思想，只着眼共黨的活動與戰爭行爲，乃爲「斬草不除根」之愚昧政策，勢必有一天會「春風吹又生」。因爲，共產主義乃糖衣毒藥，無分析判斷力之青年，最易在共黨「性的解放」口號下，假冒爲善的僞裝下，墮入共圈套中，而莫能自拔。可憐這些青年人，他們不知他們作了甚麼，孰令爲之，孰使致之？這都該由具有明知卓見的老一代負其責任。

香港大學簡又文教授，早在其「太平天國典制通考」序言中指出：「馬克斯主義產生於百年前，在全世界哲學、社會學、經濟學、歷史哲學的學術界中，久已成爲過時的落後的學說，早經貶入博物館裏去，作爲人類知識與思想的一種骨董了。只有淺學之士，狂信之徒，盲從之人或偏執之輩，纔仍然迷信其爲天經地義，金科玉律，萬能神藥，及打開古今中外一切歷史的門戶之總鑰匙。……開其倒車，欺人欺世，終不免弄巧反拙，自暴其短，自貶身價，我惟有憐其愚而笑其笨，夫復何言」！這眞是暮鼓晨鐘之論，可惜世界學界未能瞭解此中奧旨，除了亞洲反共國家中已深受共黨戰禍的中國、韓國、越南、寮國、泰國外，亞洲反共聯盟中的其他國家，如日本、菲律賓、印度等，仍然聽任共產主義的書刊在國土內流行，豈不哀哉。

・貞蒼・

自由談

政治上的人事動態，應該參加新血輪，這是對的，所謂「用新人」之說，理有固然。

不過，用新人的目的是在培養接棒者，俾得發生新陳代謝作用。舊人曾經新，新人亦必舊，爲着接棒關係，新人應以登高自卑、行遠自邇的方法，從日常工作中，累積處世接物的閱歷經驗，他日担任主管職責時，庶可望勝任愉快，而不致毛手毛脚，貽誤政事。所以，近代人曾國藩的用人八字訣——「廣收、愼用、勤教、嚴繩」，確有至理存焉，他的事業成就，非偶然也。

管理衆人之事的政治業務，需要相當的技術纔行，尤其是現代的政治工作，頭緒紛繁，關係複雜，決非僅憑規命令可以肆應得宜的，除卻智慧外，技術最關重要，然搞民主政治更非乞靈於技術，技術不爲功。然技術必從經驗得來，與智慧無關，一個學富五車或者才高八斗的知識份子，設使一步登天，躍居政治上的首腦地位，若不是好大喜功，一事無成，即將捉襟見肘，罔知所措。

談用新人

如其昧於政理與政術之義，藉着用新人的口實，毫無所擇地教一般初出茅蘆的新進少年，以及沒有一點行政經驗的所謂科學之士，隨便担當政務官，結果一定折鼎覆餗，大失所望。政治行爲貴乎穩練通達，穩練從經驗而來，通達憑技術所致，書本上找不到這種教材的。國人論政，好以美國爲圭臬，美國人對於政務官員之任用條件，注重年齡問題，認爲年事稍高者皆屬廢物，沒有利用價值了，咱們亦就效顰學步，靡然從風。實則美國只是科學發達而已，搞政治却很幼稚，試看他們國內紛紛擾擾的許多問題，如黑人暴動，青年拒服兵役，嬉痞流行，吸毒之風大作，學生動則罷課干政等等，政府當局竟束手無策，不知如何是好，毛病就在爲政者缺乏穩練通達的本領，也就是用新人而未得其道也。

目前我們必須發展科學，不成問題，科學是日新月異的，讓科學界的新人才有用武之地，固其宜也。若使科學人才來作官，使算是用新人的進步措施，那就差之毫厘，謬以千里，徒然糟塌人才，對政治革新前途，必然有損無益，謀國者幸三思之！

高雄漁會的疏漏

宇文耒

高雄漁會理事長蔡文玉，涉嫌利用職權，貪污舞弊達八百萬元之鉅。案經調查局揭發，蔡文玉也立刻被檢方扣押偵辦。

蔡文玉曾做過省議員，有很好的學歷，畢業於日本慶應大學經濟系。現在還兼任中國文化學院教授。

蔡文玉年方五十三歲，爲地方知名之士，據說，下屆高雄市長競選時，某方正在考慮讓他出馬競選。有很光輝的政治前途，現在，他自毀前程，一般人都很爲他惋惜。

蔡文玉犯了貪污案，應受法律制裁，可說是罪有應得。値得提出來談談的，是由本案所反映出來的，現代大學教育的失敗！現代各國的大學太偏重於知識的灌輸了，根本就不注意教品勵德。任何一個知識份子，離開學校，踏入社會，爲大衆服務，其才識還在其次，品德最爲重要。由蔡文玉其人其事，足爲明證。

蔡文玉生活糜爛，花天酒地喜歡亂花錢，在高雄幾乎是盡人皆知，而他的出疏漏也不過是遲早的問題。爲什麼竟仍有最高學府聘他爲教授呢？理由很簡單，目前台灣大專學校，聘請教授並不考慮品德問題。第一是學歷，在國外獲有學位的，最好當然是博士。第二是學識，尤其是理工科。只要具備上述，不愁沒有人聘請。其實，師者所以傳道授業解惑也。傳道含有以身教發生陶冶的作用意義。所謂道也即是做人的道理。像蔡文玉這種人，他的書等於是白唸了，不能正己焉能正人？在台灣，大家對於貪污案已屢司空見慣，倒是蔡文玉兼有大學教授身份，使人對今日高等教育不能不深懷杞憂！

新聞網外之言

警處提出資料顯示 少年犯罪案件增加

司法界呼籲重視此一問題 有關當局應配合予以遏止

（自由報台北消息）台灣省警務處在五十九年底發表一份台灣地區犯罪統計，分析紀錄，提供給司法機關及有關方面參考，藉以瞭解社會犯罪，研究對策，期能消弭犯罪於無形。警务統計資料中指出，五八年一年共發生三萬八千二百八十起犯罪案件，比前年增加了九百五十件，若依人口增加比例看，是近五年來最低的一年。

五八年和五九年的刑案發生趨勢，平均犯案次數最高的三個月，是三月、四月，五月；以後逐漸減少，到十月接近冬防，案件也爲之增高。

以地區而論，犯罪案件發生比例都市最高，依次是台北市、高雄市、台北縣、台南市、台中市。台北縣因與台北市密邇相接，所以高踞第三位。

去年犯罪統計紀錄中，清楚看出，少年犯罪接近全部案犯中三分之一，少年犯中，十四歲以下的比例最高。

根據台北市少年警察隊隊長王化義表示，十四歲以下少年犯，絕大多數是竊盜，以偷竊食物爲主；十七、八歲的少年，除了竊盜，傷害之外，還有恐嚇勒索、殺人、搶奪和毀損等等。

犯案人數，則隨教育程度，由國校、初中高中、大專和留學五個階段教育程度而遞減，足見防止犯罪最佳途徑應該從教育着手，纔是正途。

據一位資深的司法官指出，近年來台灣地區竊盜案逐漸增加，原因很多，其中最主要也是少年犯罪的增加。以他個人實際經驗，他在近年來受理的竊盜案件中，少年犯罪有極顯著的增加。他並且呼籲這是值得重視的社會問題。

警務處長羅揚鞭向立法院內政委員會報告中也說，就竊盜案件分析，少年竊盜犯日益增多，幾佔全部竊盜犯百分之四十左右。

依照我國刑法第十八條第一項規定：未滿十四歲人行爲不罰。所以未滿十四歲的人犯了罪，法律不予處罰，稱爲「無刑事責任能力人」，通常情節較輕的，往往姑念學業前途，交付家長領回管教，可是不久又因犯案再被警察抓到送回法院來，像這種交出又送回的循環現象，又往往使辦案的檢察官感到十分困惑。

這位司法官又指出，這類未成年的少年犯，就整個案情觀察，大半都是受不肖之徒利用法律漏洞，有計劃、有組織的支使這些無刑事責任能力人出面做案，法律規定對這些幕後主使人處罰雖重，但被查獲歸案的卻也不多。

司法行政部以責無旁貸，又爲時勢需要，配合有關機關共同達成遏止少年犯罪，於五九年十一月五日訂頒「各地方法院處理少年案件暫行辦法」一種，同月十一日特就少年事件較多之台北、台中、高雄地方法院先後成立三個少年法庭，並啟用業已建造完成的少年觀護所。其餘地區亦將陸續設置少年法庭，在未設之前，依少年事件之繁，指定會受專業訓練之推事檢察官專辦或兼辦少年事件。又呈由行政院函請立法院修正少年事件處理法，對現行法規定少年的年齡「十二歲以上十八歲未滿之人」修正改爲「十歲以上十八歲未滿之人」較原來所訂年齡降低了兩歲。據說，降低年齡，是治安機關的建議，根據統計顯示，民國五三年，十歲少年犯有八十三人，十一歲者一五二人。但至民國五八年，十歲少年犯增至一七四人，十一歲者增至二六一人。由於未滿十二歲少年犯罪率急劇增加，所以治安機關主張降低年齡，將十歲及十一歲的少年納入本法適用範圍。

立法院司法、法制、內政、教育四委員會聯席會議，審議少年處理法時，發言盈庭，多半不欲苟同，幾經辯論，終於決定維持了原條文仍爲「十二歲以上十八歲未滿之人」。

防青少年問題發生 應採積極有效措施

醫師專家神父提出意見 主張加強正當團體活動

十二月十四日有十幾位心理學家、青年活動負責人，社會學家，在台北市女青年會舉辦的座談會中，談「如何以正當的團體活動，在積極方面解決當前的青少年問題。」

歸納他們的意見爲：（一）採取座談會方式，發掘青少年問題。（二）加强家庭、學校與社會聯絡工作。（三）給青少年家長「再教育」，讓他們明白正當活動的重要。（四）培植青年領導人才，以「青年輔導青年」。（五）利用已有組織、團體，如女醫師協會、心理衛生學會，發表有關青少年問題的「專題演講」。

參加這項座談會的有張老師電話負責人史濟，台大醫院神經精神科主治醫師曾炆星，耕莘醫院心理衛生科主任徐靜女士，耕莘文教院大專學生活動負責人馮允文神父，台大社會系心理衛生、醫療社會工作講師廖榮利，長老會學生活動中心負責人張旎淑女士。他，一致認爲：青少年問題事後的解決，固然重要，但是事前如果能以正當有益的團體活動，或是正當課外娛樂，對於預防青少年問題的產生，將更爲有效。

負起教育使命 先把小學辦好

愼選校長加強職權 嚴格責成達成任務

對於青少年案件，世界各國向採「以教代刑」從寬立法的原則。因爲少年知識未充，血氣未定，既易受外力的誘迫，內心更常一時衝動。倘有不良甚或違法行爲，於法雖無可恕，於情實多可憫，若繩之以法，不獨毀壞其個人一生前途，更是國家民族的損失。有一位資深的教師曾就青少年問題，表示意見說，語云「不教而誅，爲政之大忌」，如果往久遠處著眼，應該歸咎於教育失敗。我們的教育始終沒有把握到重點，教育當局，只知抓權，拿不出「百年樹人」根本方針。總統要實施九年國民教育，在我國教育史上是劃時代的新頁，教育當局趁此製定新法令統一了事權，關於人事、經費總權，甚而建築校舍攏總一把抓，校長行政權剝削得精光。不能行使職權，何以領導校務推行？倘若有人問起，教育官們說，這是爲的防止流弊。其實這話根本說不通！又當局既然不相信，何必派他作校長？相反，爲甚麼有流弊，眞正原因是用人不當。

他又很痛心的指出，由於以上不合理的措施，結果，今天的校長都是混官作，莫說無抱負，無理想立志作個教育家，好好教育下一代。縱然有心也無法施行。

陳大慶主席就職不久，曾倡言「整體教育」，似乎主張通盤計劃，後來不復聞此調。也不知是何原因。

他強調說，要把教育辦好，就必須從小學做起，國際奧會主席布倫達治來華訪問，對訪問記者說：「提倡體育，要從小學就開始，到成年纔看出成績來。」初中免試升學，小學有充分時間訓練學生作種種有益身心正當活動。

但目前國校弄成無人過問狀態，教師無心管，校長管不了，我們教育官不想管，教育基礎沒落了，學校教育既辦不好，青少年問題，也就愈來愈多，日趨嚴重。

這位資深教師又說，要整頓國民教育，只要用心設計，並不太難，教師情緒低落，當然與待遇有關，普遍提高待遇，誠然辦不到，但在其他方面動腦筋，也未嘗想不出妥善辦法。例如籌劃財源增加教師福利，貸欵興建宿舍，使他們安居在舒適的環境裏；另訂優待條例，升學深造或出國進修保送辦法，以及兵役緩召等等，鼓勵優秀人才樂於任教，人才集中，生活安定，事業有前途，何患小學教育辦不好。而且這些辦法，都不需要增加國庫負担。

但是，先決問題，還在愼選校長；任用得人，然後授以全權負責校政；提高督學水準，加强職權，責成其嚴格督導和考核；假以時日，校長不能達成任務，立即撤換，以明責任。

人人都有榮譽感，可以辦好而辦不好，受到處分是自毀前程，今日教育當局不此之圖，專在數量上求發展，用人行政「察察爲明」，搶到了權，而把握不住大原則，拿不出政策，作官而已，教育，教育，豈易言哉。

教育官目發展，青少年得不到正確領導，出了問題，齊之以刑，太消極了，也太不著邊際了。

台北傳奇錄（九六）

·陳光棣·

「還得請個人幫助」！劉二爺說。

「這容易！我去找賣偏頭的李禿子，個小舅子，他可是有力氣！」老邱說着又把李禿子揪了來，一開始李禿子不願意，經不住劉二爺一再講好話，李禿子終于答應了，三個人回到賴家，人多好辦事，一下子便料理停當，兩個人抬起來就走，劉二爺一路招呼着，擁簇着把賴慧敏送上救護車，賴太太爲了看顧女兒也由賴小弟攙扶着跌跌撞撞的爬到車裏，老邱特別熱心，堅持陪着一同去醫院。

到了醫院，劉二爺先到急診處掛了號，接着診斷，驗血，辦住院手續，搬進病房等着開刀。賴太太掏出兩百塊錢來給老邱作爲力錢，老邱一看青筋都冒出來：「我說太太！這是賞俺的」？

「是囉！辛苦你啦！拿着吧，不用謝啦！」

「有錢就能辦事？這倒好哇，咱們這麼辦，俺給妳四百塊錢，妳把俺抬到醫院大門口就好！妳看怎麼樣啊」？老邱紅着臉說。

「你這人眞莫明其妙」！賴太太也動了火。

「老邱，算了吧！過兩天我給你道歉，你先去吧，咱們改天見」。劉二爺打圓場。老邱不高興的走了。

賴先生離開辦公室，更是大雨傾盆，汪洋一片。台北市每逢颱風或陣雨，照例有很多地方淹水，一開始的時候，只是所謂低窪的地區有水患，這原因包括下水道不通，河道淤塞，海水倒灌，濫伐濫建等諸般症候，到了這幾年有時連高亢地區也鬧水患了。主要的原因，是咱們那些二十世紀的市府官兒們治水的辦法，還是沿用的紀元前二十二世紀我們老祖宗鯀先生治水的辦法，這位鯀先生治水是用「障」，就是多築隄防，阻遏水勢，堯一怒之下，「殛之於羽山」，咱們的官兒們是用「防波堤」，以實際行動，對鯀表示抗議。鯀在泉下有知，必會大叫吾道不孤的。且說鯀先生的被殺頗值同情，但也頗具價值，因爲他的兒子禹有了前車之鑑，不再重蹈覆轍，乃改用「一」「決」「一」「排」；都是一些疏導的方法，果然很有成效，爲當時的老百姓解除了洪水的威脅。或問曰：我們難道連「前事不忘，後世之師」的常識都沒有嗎？答曰：「你說呢」？再則曰：市府的官兒們每天日理萬機，已經是夠忙的了，你還忍心再要求他們都有常識，豈非過于苛刻乎？至於有人認爲颱風來臨台北市的水患嚴重；歸咎於石門水庫的放水有火上加油的嫌疑。按：這也是沒有常識的一偏之見。應知石門水庫興建之初，即以多目標爲標榜，這多目標云云，你望文生義就應該知道那目標的範圍是很廣的。

香港學生爲甚麼吸毒？

．文匯樓主．

此間一家雜誌報導，香港學生竟然吸毒構成爲驚人新聞。「學生吸毒，在香港已不是新聞了！」

上面的句子，是醫務衛生處最近爲了勸告學生不要吸毒而發出的傳單所指出的。學生吸毒的普遍性如何？筆者沒有足夠的資料去估計，但既然醫務衛生處能夠指出學生吸毒在香港已不是新聞，則學生吸毒的人數，相信已非一二學生而已，否則醫務衛生處也不會小題大做，大量寄發傳單至各學校了。

學生爲什麼要吸毒呢？

據醫務衛生處指出：「主要還是爲着好奇，毒販們就利用青年的好奇心理，將毒害伸展到學校裏，有些無知而意志薄弱的學生，就想試試，結果，使到清白無辜的學生，在不知不覺中上癮，以後就成爲毒販們的『忠誠』顧客，永遠不能自拔！」

筆者以爲，學生之所以吸毒，除了好奇之外，還有很多其他原因，而最重要的是，他們感到苦悶，感到人生空虛，對教育制度不滿，對社會不滿，對長輩不滿，對一切不滿；於是，逃避現實，不敢在惡劣的環境中奮鬥，消極的，便以種種頹廢的行徑作爲無聲的反叛，吸毒便是這些無聲的反叛之一種。

我們不禁要問，爲什麼我們的接班人有如此不合情理的頹廢行爲呢？長久以來，不少有心人士也曾不止一次地作出嚴正的呼籲，指出應從速從各方面去搶救下一代了。這些有心人士，從教育制度、社會現象、政制改革……各方面作過有力的批判及富建設性的建議，但有關當局似乎仍是視而不見，聽而不聞。

這些年來，我們的教育制度依然故我，學生仍然在金字塔式的制度下掙扎；社會風氣越來越壞，電影片的「脫」風有增無已，報攤上絕大部分盡是黃色刊物，小報上引人犯罪的廣告滿目皆是，外圍狗馬的賭博檔攤幾乎五步一閣，十步一樓，貪污的現象依然存在……

我們眞不明白，有關當局是否有如瞎子，僅能聞而不見？如果是瞎子引路，那就太危險了！

其實，有關當局並非瞎子，祇是不大理會吧了，得過且過的苟且偷安心理，深深地種入執政者的腦海。偶爾良心發現，或因輿論的猛烈抨擊，才以頭痛醫頭，腳痛醫腳的敷衍手法去畧作更改。但，這也僅是曇花一現吧了！

假如有關當局不立下決心，從根救起，社會的壞風氣將一定壞下去，到較年青一代長成時，香港將自食惡果。這是顛撲不破的道理，望有關當局再三思之！

中國歷代幣制（一）

．文友．

（一）夏商周及列國

上古無錢幣，民各以其所有，易其所無，後以交易日繁，以物易物，値無定準，民多不便，於是龜貝金錢刀布之幣興焉，鹽鐵論曰，幣與世易，夏后氏以玄貝，正義云貝者水虫，古人取甲以爲貨，如今之用錢然，據此則知以貝爲貨幣，實始于夏，後以天然貝不敷應用，故又有石貝、骨貝、銅貝等之仿貝出焉。

錢始於有周，（見說文貝（字註））古人謂神農黃帝堯舜禹湯時已有錢者，皆瞽說也，周景王之錢，至今已不可得見，其得見者僅晚周之東周，空首布及東周西周，兩圓錢而已，當是之時，列國皆鑄錢，其權在各國地方政府，故所鑄之幣，其形式輕重大小，各有不同，有空首布，方足布，尖足布，圓足布及齊刀、明刀、尖首刀，直刀等數百種，至今流傳甚多，此外又有垣字共字，長垣一金化，共屯、赤金、濟陰、半環、四明、十化等圓形錢，此等錢幣，其通行之範圍甚小，皆限於一國一地，而不能通行於天下者也。

（二）秦

秦兼天下，政令統一，分幣爲二等，黃金爲上幣，銅錢爲下幣，質如周錢，文曰半兩，重如其文，凡珠玉龜貝銀錫之屬，爲器飾而不爲幣，秦之爲金幣，早爲後世鎔化，故不得見，若銅幣則至今流傳尙多，即世俗所稱秦半兩是。

（三）兩漢

漢初，以秦錢重難用，更令民鑄小錢，俗名楡莢半兩，呂后因莢錢太小，遂鑄八銖半兩，又鑄五分錢，文帝更鑄四銖半兩，除盜鑄令，令民自鑄，時吳王，以諸侯王即山鑄錢，宦者鄧通得幸，賜蜀道銅山，許其鑄錢，吳鄧之錢滿天下，與文帝之半兩錢至今不能有所分別。景帝時定鑄錢棄市律，武帝更鑄三銖錢，未幾即罷之，行半兩錢，後改鑄五銖錢，大抵秦半兩太重，莢及三銖四銖太輕，惟五銖爲得輕重之平，民間便之，又有一種名赤錢，制亦不善，又以錢不足，更造皮幣及銀錫白金等幣，後俱不行，武帝封川懿王子於山東益都，遂益貨，益四貨，益六貨三品，其作風與三銖錢，有郭半兩錢相同，即舊譜誤爲景王錢寶貨者也，漢錢雖比秦錢多，然亦少而貴，不如後世之賤，漢初爲算賦，每歲每人出錢百二十，七歲至十四歲來出錢二十，武帝時加三錢，以補車騎馬費，其錢値之可貴如此。其後王莽變法，鑄大泉五十，重十二銖；又造契刀五百，一刀平五千，兩品，一刀錯以黃金，故曰錯刀，後以劉字有金刀，乃罷契刀錯刀不用，更鑄小泉直一，么泉一十，幼泉二十，中泉三十，壯泉四十，與大泉五十，名曰六泉。至今大小泉甚多，其餘四泉希如星鳳，而價極貴，又鑄小布一百，么布二百，幼布三百，序布四百，（漢志誤作厚布）差布五百，中布六百，壯布七百，第布八百，次布九百，大布黃千，名曰十布，除大布外，皆不易得，又鑄貨泉布泉貨布三品，貨泉每枚直一，貨布長二寸五分，其四枚之長（宜除外邊）即漢之一尺也，每枚値貨泉二十五，莽鑄泉凡二十一種，幣制之紊亂極矣，是時公孫述據蜀，始鑄鐵錢，有鐵半兩五銖二種，頗不易得，光武中興，始復用五銖錢，靈帝更鑄四出文五銖，獻帝初平元年，董卓壞五銖錢，悉取洛陽長安銅人鐘鐻飛廉，以充鑄。文章，不便人用，至今亦僅有存者。

（四）三國

劉備入蜀，軍用不足，用劉巴言，鑄直百五銖錢，以平諸物價，令吏爲官市，旬月之間，府庫充實。其錢背有爲字者，爲郡所鑄者，又有省作直百二字者，又有五銖稚錢，背有陰文數目字者，又有五銖作傳形者，又有鐵鑄之直百五銖，又頗不易得。魏文帝罷五銖錢，令民以穀帛爲市，後以巧僞滋多，競濕穀以要利，作薄絹以爲市，嚴刑不能禁，乃復用五銖錢。吳孫權鑄大錢二品，一爲大泉五百，一爲大泉當千，權後聞百姓不便，乃止官勿復出，私家有者，幷以輸藏，平其直，勿有所枉。

（五）晉

兩晉未嘗鑄錢，至元帝渡江後，則雜用孫氏舊錢，吳興沈氏又鑄小錢，謂之沈郎錢。安帝時，桓玄輔政，議欲廢錢用帛，朝議以爲不可，乃止，按以穀帛爲市，則有運致之勞，又有朽敗之慮，此其必不可用，較然易見。前張軌時，河西悉用布，參軍張輔請復用五銖，以濟通變之用，軌納之，立制準用錢，人賴其利。石勒鑄豐貨錢二種，一有內郭，一無內郭，李壽在蜀，改國號曰漢，改元曰漢興，故鑄漢興小錢，又有太平百錢，種類甚多，有極小者，與安平一百（安舊讀作定）直百小錢，均在四川出土，審其作風，與漢興相似，故附於漢興之後。

（六）南北朝及隋

南朝惟齊不鑄錢，餘皆見於史，宋文帝四銖錢，因舊五枚鑄錢，有重至八銖者，則用時可抵四銖兩之用，故曰當兩兩五銖，遂定爲當時錢制。

（未完）

申報館長史量才被拘記

．胡珠．

這次席子佩的控訴史量才案由，爲的是追討百福堂五萬兩銀子的欠款。原本屬於錢債官司的案件，在理在勢，亦可以做到一庭定局、缺席判決了案。但在馮炳南和穆安素律師兩人於從事研商、仔細籌策之下，不敢作邁步捷徑，走抄小路的辦法行事。却是堂堂正正地順着「行必由徑」的大路方針對付，一般的說來，似乎史量才已經佔得了大便宜和大面子。按之實際史量才却一經交手的第一着，就吃了大虧，失去面子。從此一步步向對方所設的陷阱走去。這點就可知道馮炳南和穆安素兩人設計的險毒，手段的惡辣，此即老子所謂「將欲取之，必姑予之」、孫子兵法所謂「欲擒先縱」了。但是，話也得說回來，在當年當時，要同史量才打官司，在法律途徑上作周旋，實非如此做法，難以有十足的取勝之道。最低限度，就是無法使他錄大籌子淪爲刑事罪犯，充其極能在民事訴訟案件的途徑上，作互相較量而已。

須知道、一向以來在最早期上海的社會間，對三種人是可畏可怕的。尤其是一般正人君子對這三種人怕得要命，那三人是（一）昔日之所謂吃報館飯的人，即後來之所謂「報人」。（二）昔日之所謂「短筆頭」惡訟師，即後來之所謂「律師」。（三）昔日之所謂流氓，即後來之所謂「社會聞人」。至於老西門的破靴黨黨徒如黃炎培之流，在入民國以後，已經成爲「是亦不足畏也已」的人物了。現在的史量才（一）是論他身份是申報館的老板，申報是有名的一家老報館，而他屬於天字第一號的報人。（二）是論他案事屬於錢債糾紛案件，而案件的本身、是爲了五萬兩欠款銀子，這五萬兩銀子不是小數目，該是件大數目的錢債官司。（三）是論他的地位是過去的蠶桑女學校長、滬路董事、江蘇松江的松鹽局局長、滬軍都督府清理處的處長。這都是如所周知的崇高地位首長階級的職使，至於現在地位爲申報館的老板而兼總經理，而申報又是一張時代當令而又秘而不宣的共和黨黨報，儼然是位江蘇省紳士階級實力派的紳士。

安排陷阱引被告上鈎

基於上述的三項論斷，不可能在租界會審公堂一庭定局、缺席判決，防止史量才有巨大的反抗力量。於是由馮炳南細心策劃，秘密安排，必須要從他於時間上來一個措手不及的打擊。這樣就極自然地造成他抗傳不到的既成事實，好給會審公堂的中國主審法官與外國會審領事，一點不露左袒的痕跡，簽發拘票。原來會審公堂的定例、凡正式拘票的簽發不再交給本公堂的執達吏去執行，例需要交給總巡捕房派駐在會審公堂、專門管排審案的英籍捕頭惠爾斯之手。由他回轉總巡捕房寫字間登記之後，再行分發該人犯平時治事所在地的該管巡捕房偵探間，再由西探長派員執行拘捕命令。如果案情重大，案犯重要，往往中西探員同去執行。人犯一經被捕，就要進行落大籌子，淪做刑事案件的罪犯。在一向民風醇樸、羞惡心重的中國人，誌爲錄大籌子是件最可恥之事。不但有損門楣，而且遺羞子孫。是以無人不戰戰兢兢的處世爲人，循規蹈矩、安居樂業，養成良善的風俗習慣。

（未完）

諸葛亮狂想曲

（一八七）

．劉京．

「我正因此感覺奇怪。」劉約翰直言無隱。

「你眞傻，蟠桃大會是天庭一年一度的盛會，何仙姑主持節目，大小各仙當然都會去請她幫忙，目的是想在大會亮相。我想彌衡雖然是一狂士，但他自到天庭以後，根本就有香火收入，怎肯輕易放棄這一機會？他一定拼命去纏何仙姑，何仙姑被他纏得沒有辦法，只好安排他在這一節目中扮一個打鼓佬。」太白星君說的頭頭是道，劉約翰連連點頭。

星君接着又很幽默地說：「好在主角不是曹操，他不會罵人的。」

劉約翰聽了太白星君一番話，果然有理，不免向台下瞧了一下。只見，彌衡穿一件藍緞袍子，頭戴高高的儒冠，挽起兩隻袖子，正在冬冬冬，試敲着皮大鼓。彌衡面色蒼白，眼神呆滯，一付可憐巴巴的樣子。一代名士到了這步田地，劉約翰心中也感到惻然。

韓湘子剛剛表演過橫吹玉笛，現在神采飛揚，拿玉笛在手，低低在練習着。

韓湘子是八仙之一，彌衡也是三國知名之士，但現在都變成了張素梅的助手。張素梅今天穿了一襲墨綠色西式晚禮服，祖露背極具環肥之美。

韓湘子是道裝，彌衡是古裝，張素梅是西裝，同時出現在台上，確實是打破了時間和空間，這只有天庭才能辦到。

張素梅在琴鍵上叮叮冬冬（二字口旁）試彈了幾下，一面又左顧右盼向韓湘子，彌衡低聲指點。

過了不到一盞茶的時間，先由彌衡擊鼓，由慢到快，最後猶如急風驟雨，敲了一會鼓，鋼琴，下笛合奏起來，到別有一種韻味。

在樂聲中，金玉枝滿面春風，翩然來到台上。她穿一件薄如蟬翼的宮裝，肌膚隱約可見。她在台上隨着樂聲轉了幾個圈子，然後，輕輕一躍，騎在台上右邊黃巾力士頭上，一忽兒，又像蝴蝶般飛上左邊一個黃巾力士頭上。

這時音樂又變了一個樂章，四個黃巾力士疊羅漢，像一座寶塔。金玉枝由最高的一個黃巾力士頭，像花式跳水，一躍躍入魚缸中。

金玉枝躍入魚缸，等於回了娘家，眞個是如魚得水，在水中意態極妍，演出各種不同姿勢。比當年好萊塢專演水戲的泳后伊漱威廉絲精采多矣。

在事先，何仙姑已託女宮瑞鳳，注意王母娘娘是否欣賞這一節目。所以瑞鳳女宮特別注意娘娘的反應。

「金玉枝表演很好，她是那一路的？」王母娘娘問瑞鳳女宮。

（未完）

政治人物與金錢

·諸葛文侯·

海嘯樓談薈

金錢原是人人愛好的，但搞政治的人如果好貨貪財，一定沒有出息，殆可斷言。凡屬創造大事業的英雄豪傑，條件固然很多，最主要的條件即是能够用錢而不爲錢所用，古往今來，例證不鮮。

漢劉邦與楚項羽爭奪江山之終於得勝，金錢的作用最大。他教陳平担負對外「公共關係」的責任，花錢滿不在乎，要幾多就給幾多，無所吝惜，亦不詳究用途。他在「鴻門宴」中能够隻身脫險，決非專賴項伯席前掩護之力，若不是以金錢賄通項羽的警衛人員，而僅靠樊噲保駕，豈能隨便藉口「更衣」，即輕輕地走出警戒綫，悠然循小徑步行回防，亦沒人追趕嗎？又如他被匈奴冒頓圍困於平城時，如果只是陳平使用美人計，而未濟之以財貨，决沒有那末容易的就脫出重圍。司馬遷寫史記諱言劉邦對敵人的銀彈攻勢，却留下一些漏洞，使後人想像得之，因史記對於上述經過情節，惚恍迷離，未能自圓其說也。

近代政治人物之善於用錢者，首推國父孫先生。他自己不積分文的私財，而對人揮金如土，雖明明受騙亦無所惜。如民國七八年間，他居住上海策畫革命運動之際，有些落拓春申江上的窮困黨人，誇稱在某省某地有民軍若干人可以號召來歸，請總理給予名義和活動費，即可前往組織領導，從事革命，他慨然照辦，實則幷無其事。迨左右幹部廉悉其情，向他報告某人某事係騙局，他却說：「我們要革命，就不怕別人行騙，別人騙我十次，只要有一次是眞的，也就够本了。如其連行騙的人亦不見上門來，那我們的革命事業還有成希望嗎？」這是何等偉大的用錢氣魄：在政治上要幹大事業而不肯花錢，更不願花寃枉錢，終歸是失敗主義，决無倖理。

民國十九年夏間的中原大戰之役，南京中央政府與反動派馮玉祥閻錫山雙方，皆派代表至關外爭取奉張贊助。南京代表某某二人，每月交際應酬費在百萬元以上，馮閻代表薛篤弼，賈景德的活動費，每月規定五千元而已。因而南京代表可以隨時晉見張少帥言事，薛賈二人却須事先登記，靜候定期約談，結果奉張一紙通電反對內戰，擁護中央，馮閻卽狼狽下野，所謂「擴大會議」一哄而散了！

幹大事業的政治領袖人物固然不能吝惜錢財，即等而下之的一般野心家，要想創造時勢，有所作爲，金錢的關係亦極其重大。民國十四年曹錕吳佩孚挾中央政府的號令，派遣十餘萬大軍出關征伐張作霖，氣勢烜赫，所向披靡，然作霖以二百萬元賄通直系大將馮玉祥，馮夜自古北口前綫潛師突回京畿，囚「曹總統」，而吳佩孚即倉黃棄山海關以遁，全局頓告瓦解。

至於政界中的文武大員，因不善於處理金錢問題而影响前途者，更僕難數，略述一二，以槪其餘焉。民國十八九年間，川軍大將劉湘與劉文輝爭霸鏖戰之際，文輝派員策反湘部師長范紹增藍文彬，各贈大洋二十萬元，另附以擢升軍長委任令。范得賄金後，據實密報於湘，幷將原欵繳呈，湘語范：「此儻來之物，君可受用」，却勿納。藍氏則秘不以告，湘乃褫其職而幽囚之。終劉湘之身，藍無貳志也。閻錫山大將某，初至南京謁見最高統帥，甚受禮遇，公畢回晉時，統帥嘉其忠勇勤勞，饋以程儀五萬金。某回太原向閻覆命，陳述此行經過後，隨將五萬元支票奉上，閻即收交經理處，與劉湘對范師長之作風相反。嗣後某大將乃乘機脫離晉閻，輸誠中樞，數歷顯位。滇籍軍人楊杰，饒有軍事才能，頗受當道器重。民十七年奉委中央軍校教育長，以乾沒學員伙食費激起學潮，黯然去職。對日抗戰中期，奉派爲赴英國之軍事考察團團長，回國時，特有外交豁免權，英倫海關例不檢查行李，乃購買大量貴重貨品隨帶而行，企圖轉售國內，獲得暴利。然英方固悉其情。即通知駐重慶使館，將楊氏所爲向我方透露，最高當局以楊好貨辱國，大爲震怒，從此投閒置散，不加錄用。楊抑鬱無聊，乃事反動，秘密參加「民主同盟」，回至滇省策動當地叛亂，民國卅八年冬潛來香港，被人暗殺於友家。綜其一生失意招禍之由，純係貪財一念之差。

嗜財者必不仁，疏財者多仗義，人性大抵皆然，憑此說以衡量芸芸衆生……特別是政治人物……之品格與事功，殆如持明鏡以照人，嬙妍不失累黍也。（完）

巨變歷險記！

遠交越南（一八五）

胡慶蓉

部隊移駐猛撤，緬甸的壓迫日甚一日，在丁博士看來，將不免一戰。當前有一個敵國，後邊就不應再樹敵，故將進入寮國的部隊撤回，同時展開越南的友好關係。

當時被越南關起來的中國部隊，有黃杰的一部，有彭佐熙的一部。我以上說過，彭佐熙有電報給他的廿六軍隨丁博士撤向車里的部隊，叫他們不要再進入越南，無奈部隊不聽，仍然向越南走去。這一部份，同時他兩部份遭到同樣的命運。丁博士駐紮大猛蓬的階段，就開始與法國在越南的負責軍事領袖往返函商，說他把所有關在富國島的中國部隊送到緬甸邊境來，送到湄公河的兩岸。他告訴法國的軍事負責人，於其把他們關在富國島，不如送到緬甸這方面來的爲愈。按照國際法，法國軍事當局對中國部隊的處理，固不無他的根據，但中國與越南，也就是同法國，在二次大戰期間，不無相當的關係。今日的總統蔣公就是當時的中國戰區長官。所謂中國戰區，包含着整個的東南亞，越南自然在其中。二次大戰結束，彭佐熙曾被派到越南接受日本投降，當時的情景，彭佐熙還在蒙自的階段，就同丁博士談過。彭佐熙的口述，法國簡直不成個玩意，簡言之也就是力量薄弱得很。他能捲土重來，完全是蔣公總統的所賜，他當時在越南受降，法國當局卑躬屈膝，極盡諂媚之能事。此次他毅然撤軍越南，也是想到這段光榮的過去，預料法國當局必然感德圖報，對中國的部隊予以庇護，萬不料毫無顧惜的毫不客氣的將他私帶的部隊以及黃杰的部隊以及田樂天最後帶進去的部隊通通牢牢的於繳械之後予以集中關在富國島。

但丁博士還是與越南的法國當局多方交涉，叫他知道他將來還需要中華民國的時候，不要過爲已甚，北越乘機崛起，以法國當局爲敵，再加上中國共產黨的支援，法國在對付北越對付中共，萬分需要中國這個朋友。丁博士抓住這一點，就開始與法國在越南的當局往返交涉，不憚其煩的往返交涉，必要的時候，丁博士還到西貢走走。丁博士是法國留學生。在河內留學歐美預備學校法文班畢業，在上海震旦大學法學院畢業，法文極有根底，現在與法國人辦交涉，可謂非常適當。丁博士對於法國的外强中乾，知之非常細盡。所謂知己知彼百戰百勝，丁博士誠足以當之。在丁博士的預料，中國被關在富國島的部隊，早晚法國人會放的，這個力量與丁博士的力量匯合，這與建立大西南反共基地向扭轉大局邁進的基本政策，實有莫大的裨益。在彭佐熙黃杰他們也無不在迫切的希望能放出富國島，能回到台灣，或能與丁博士部隊匯合。與丁博士部隊匯合，這是丁博士所最盼望的。當然也是彭佐熙黃杰所有在富國島的全體中國部隊的希望。

幫同丁博士辦這方面外交的，還有駐居西貢的中華民國的總領事尹鳳藻，還有反共的天主教的鬥士雷震遠。尹鳳藻是丁博士在震旦大學的老同學。他同尹鳳藻在大學時期就非常要好，雷震遠是前天津益世報董事長前華北政治督導團團長雷鳴遠神父的大弟子。他在西貢，他又是吳廷琰總統的至好。有這兩位幫忙，丁博士對於越南的友好懷着很大的希望。在目前能化敵爲友，目的也就算達到了。丁博士知道爭取黃杰部隊彭佐熙部隊出來加入寮泰緬滇的游擊隊，一同爲反攻大陸而努力，那不簡單，不但需要長期的奮鬥，幷需要國際局勢的變化，尤其法國在越南地位的變化。

催眠術

動物磁氣說

催眠術也不免有幾種學說，與其他科學一樣。學說固然是屬於議論，似乎空泛。殊不知一科學的學說，必然是由先研究此一科學的人，所表示的心得形諸文字，這就可以促成我們的進步。如果抛棄我們學說，專務應用上的實習，這是不培根本而求枝葉的茂盛，豈可得嗎？世上有不識字義，不懂平仄，而去學習唱戲，咬字必然不確，聽來不悅耳，是同一道理。所以學習催眠術，必先詳細洞悉各種催眠學說。不過催眠術學說甚多，最早的學說爲「動物磁氣說」。創此一學說的爲德國人麥斯麥爾氏，亦有稱爲美士美路派者，實則就是一人。不過翻譯字音之稍有差異而已。

麥氏的說法：謂人身有一種比愛的兒更細微之流動體，催眠家於施術時，即憑此流動體逼於被術者之身，遂現催眠狀態，繼隨施術者意思，表現種種不可思議之動作，是即麥氏「動物磁氣說」之學理。何以又不叫「磁氣術」呢？而加上「動物」二字，因爲不僅人身有磁氣，貓、犬也有磁氣，所以催眠術施於貓犬、雞、蛙等各種動物。

依洞集

紀政回國了

易傳

紀政大腿有傷，但不能不在這次亞運會出賽，因爲，她是我代表團唯一得金牌的本錢；所以，當她以東方羚羊的飛躍姿態，奪取女子百米金牌以後，中華民國代表團更感高興的時候，在四百米決賽的中途，「羚羊」舊創復發，終於頹然倒地，代表團失望的情緒是可以想像的。

各項運動與農夫種田一樣，平時要不斷耕耘，才能有豐碩的收穫。老實說，台灣的運動風氣是與讀書風氣一樣淡薄的。運動員臨到國際大賽前夕才操練，是名符其實的臨陣磨槍。同時，直到現時爲止，台灣幷沒有一個合乎國際標準的田徑場或游泳池！

因此，我們除了對紀政表示敬意及慰問外，特別對於國內直接往曼谷參加的幾位得銅牌選手，林純玉、許東雄等給予由衷的讚揚。因爲他們都是在極爲窳劣的訓練條件下苦幹而有此成就的。

我們不必羨慕日本得了很多金牌、銀牌，我們要知道日本在各項運動花了如何的代價。我們要一矯過去將希望寄於一人的做法，這是惰性，要不得的。現在需要立即着手的是，增加運動費用，發展全民體育，才是唯一正途。

如果紀政在婚後退休或退步，變成了「曇花」才是中國體育史眞正的悲劇。應該使紀政成爲田徑的「種籽」，由此結出一連串的田徑果實。則紀政在曼谷的跌交，也許可以喚醒體育界的沉睡？

第十六章

張招討敗師關陝　岳武穆怒斬傅慶

周燕謀

賴社稷威靈，君相賢聖。他日掃會胡虜，復歸故國，迎兩宮還朝，寬天子宵旰之憂，此所志也。區區蜂蟻之羣，豈足爲功。過此因留於壁。紹興二年七月七日。

觀岳飛言行文字，無不以國家至上，忠君第一；言，且言行一致；迎還二聖，驅除胡虜，還我河山爲職志。平生始終如一，耿耿忠心，直可見諸神明。

天會八年，諸臣慮宋君臣復仇，思有以止之。魯王曰：惟遣彼臣先納其順我。忠烈王曰：惟張孝純可以。忠獻王曰：此事在我心裏三年矣，只有一秦檜可用。我喜其人，置之軍前，試之以事，外雖拒而心中常委曲從我。秦檜始言南自南，北自北。因說許檜得手時，只依這規模分別，今縱之歸國，彼必得志。

另外一書名「腳氣集」說：「金諸大臣會於柳林，議遣秦檜歸國，言彼得志，我事可濟。至計果得行，廢殺諸將，而南北之勢定，金亦德之。哲書有不輕易相語。檜亦發宇文虛中事以報之。」

秦檜就在金人密約利誘之下，歸宋做漢奸的。這項密約中，當然包括了秦檜的優厚條件——許秦做張邦昌、劉豫之第三。以秦檜取代宋高宗。成爲「兩個中國」，以華制華。此次撻賴南侵，就將秦檜隨帶軍中，縱之回宋。爲了使宋朝臣相信，秦檜假造了一篇謊言，稱他是殺了監學逃回來的。羣臣多有滋疑，因由北至南，遠達數千里，途中豈無盤查，任令秦檜夫婦大搖大擺奔走幾千里，縱然從撻賴軍中而來，金人爲何不留置妻小，怎得與王氏同行。巧就巧在副宰相范宗尹與同知樞密院（副宰相）李回，皆與秦檜友善，力爲解釋，並喻秦檜忠誠可任。高宗乃召入對。秦檜回來就首奏與撻賴求和書，並勸高宗屈從和議，以迎還二聖，安息萬民。高宗甚喜，顧謂輔臣道：「檜樸忠過人，朕得檜非常欣慰。既得二帝母后消息，又得一佳士，豈不是一大幸事麼？」遂拜秦檜爲禮部尚書，未久則擢爲副宰相——參知政事。

就因爲建炎四年冬，因爲秦檜南歸，得知二帝消息，特爲之改元紹興元年，朔日率百官遙拜二帝，免朝賀禮。如此一來，宋高宗似乎二帝已承認他的帝位，讓他來「紹興」。其實南宋之不能光復，就由他一人鑄定了。

（七十九）

自由報
（第一一二八期）
（半週刊每星期三、六出版）
每份港幣壹角・台灣零售價新台幣弍元
社長李運鵬・督印黃行驁
社址：香港九龍彌敦道593—601號
廖創興銀行大廈八樓五座
LIU CHONG HING BUILDING
7th FLOOR FLAT '5
593—601 NATHAN ROAD,
KOWLOON, H.K.
TEL: K303831
電報掛號：7191
承印：景星印刷公司
地址：嘉咸街廿九號地下
台灣營業務管理中心：台北重慶南路一段一二九號
電話：二四五七四
台灣訂戶直接劃撥　台灣劃撥戶
第五〇五六號張爲有（自由報會計室）
台灣分社：台北市西寧南路110號二樓
電話：三三〇三四六、台郵劃撥戶九二五二號

司法行政工作的改進

・王任遠・

本報專論

司法是法治的基礎。任遠奉命主持司法行政部部務，深感責任重大，就任以來，無時不在探求司法業務上應興應革的事項，及其切實可行的改進方法，隨時付諸實施。因此，接任以來，先後做了以下各項改進工作：

一、健全司法人事，樹立優良司法風氣

（一）建立人事評審制度：爲求人事升遷調補的合理與公平，經組織人事評審會議，由有關業務主管担任評審委員，對司法人員的升遷調補，都經由人事評審會議根據客觀而確實的考核資料，加以評審後方作決定，期以集思廣益，使司法人事能適才適所並杜絕倖進。

（二）建立首長任期制度：首長任期制度爲人事制度重要之一環，司法部依據「行政院暨所屬各級行政機關主管人員職期調任準則」，擬訂「司法行政部所屬法院監所首長職期調任實施辦法」，及「司法行政部所屬司法官遷調暫行辦法」各乙種，近月來，司法首長及部分司法官的調動，即係依照上項規定辦理。各地領導階層人士，由此耳目一新，對於司法業務之革新，當有良好效果。

（三）改進司法官考試辦法：目前各類公務人員考試辦法，僅注重考驗應考人之學識，對於其品德尚無考查辦法。司法官職司民刑審判，品德極關重要，爲求掄選得人，經建議改進司法官考試辦法，增加品德考查項目，本年度司法官考試已改爲二試辦法，第一試爲筆試，第二試爲口試。第一試不及格者，不得參加第二試。第一試及格後，即先作素行調查，如發現素行欠佳，縱筆試及格，亦在第二試中予以淘汰，使品德不良者，自始即不能入司法之門，以重登庸。

（四）加强新進司法人員品德教育：優良的司法人員，必須有崇高的品德和廉潔的操守。司法部爲使司法官訓練所，加强新進司法人員的品德教育，經訂定「加强實施學員品德教育要點」一種，已於第九期司法官訓練中實施。對於學員品德考核，生活輔導以及正當娛樂之提倡等，均有極爲周詳之規定。

（五）嚴明獎懲、查究不肖分子：司法部原訂有法院監所人員獎懲辦法。惟實施以來尚感有不能切合實際需要之處，已飭主管單位徵詢各法院監所意見，通盤檢討修正，期其切實可行，以激勵所屬司法人員責任心與榮譽感。司法人員絕大多數都是勤慎奉公，潔身自愛的，祗有極少數害羣之馬，敗壞司法風紀，對於此等不肖分子，將隨時予以查察，一經發覺，即依法懲處，絕不姑息。

（六）肅清司法黃牛招搖撞騙：社會不肖之徒，常有對訴訟當事人僞稱與司法人員有密切關係，可向司法人員活動等說詞，招搖撞騙，詐欺斂財，此等「司法黃牛」，危害司法信譽最大，司法部經責成台灣高等法院檢察處組成專案小組嚴予查察。此項查察工作，今後當更繼續加强，以維護司法信譽。

（七）鼓勵年老及健康欠佳司法人員退休：法官爲終身職，憲法有明文保障，故除自願退休者外，雖年老或健康欠佳者，亦可不必退休。究其實際情形，年老或體弱之司法官並不是不顧本身健康而留戀祿位，不願去職，實因退休金額過低，對於退休後之生活，乏之保障，司法部爲鼓勵年老及健康欠佳司法官自動退休，已擬訂辦法，提高其退休給養金。同時司法部爲調整是項年老體衰司法官担任之工作，計劃設置司法業務設計審核委員會，凡年滿六十五歲之司法官，優先遴選爲該會委員，其職掌除研究司法行政業務之改進外，並担任裁判書類之審核及調卷考查。該委員會之組織規程，已呈報行政院核定，即可依照規定實施。

（八）合理提高司法人員待遇：優良司法風氣的樹立，固應注重監督考查工作的加强，但合理調整司法人員待遇，使其俸足養廉，實爲正本清源之道。總統亦會指示「司法人員補助費，應予提高，並普遍發給。」司法部當遵照指示，研擬調整方案，甚盼能得圓滿解決。

二、改進審檢業務，提高辦案效能

（一）擬訂辦理民事案件期限規則：民事訴訟，原無審理期限之規定，當事人每以案延不結，訟累爲苦。司法部經一再研討，已決定在不違背當事人進行主義之原則下，草擬辦理民事案件期限規則一種，規定民事案件之進行與結案限期，以督促案件之迅速進行與終結。

（二）擬訂辦理民事強制執行期限規則：民事案件判決後之強制執行程序，如不能迅速辦理，裁判效力即難貫徹，當事人權益之保障亦將落空。現行強制執行法雖規定強制執行事件，應於三個月內辦結，但於各個執行程序之進行期限，尚乏規定。司法部針對此一缺陷，擬訂規則，明定每一執行程序之辦理期限，以爲督促考核之依據。該項規則業已草擬完成，不久即可付諸實施。

（三）研修刑事訴訟法及刑事案件審限規則：案件久懸不結，與法定訴訟程序之繁複，不無關係，欲求改進，當從修正有關法規，簡化訴訟程序着手。司法部現正就刑事訴訟法，研擬修正草案，一俟研擬完成，即將呈請轉送立法院完成立法程序。又刑事案件原有審理期限規則，頒行多年，其內容已不能切合實際需要，亦正着手研究併予修正，以督促刑事案件之迅速進行與終結。

（四）修訂耕地強制執行應行注意要點：司法部原頒耕地強制執行應行注意事項，因實施都市平均地權條例等有關法規之變更，已難適應當前需要，故予修正，並變更其名稱爲上述要點，本要點頒行後耕地執行事件之遲誤，當可減少，對佃農權益之保障，更爲加强。

（五）久懸未決之重大刑事案件，計劃由專責辦理：目前繫屬法院而爲社會矚目經久未能確定之重大刑事案件，爲數雖不逾十件，其久未定讞，雖均有其原因，但因迭經最高法院發回更審，有已歷時十餘載者，此對於司法威信影響甚大，現正研擬由二審法院指定專人專責辦理，期能早日定讞。

（六）加强檢肅貪污案件：貪污犯罪影響民心政風甚大。此類犯罪近年來司法部調查局與檢察官密切配合，積極檢肅，頗著績效，今後仍當繼續，加强調查檢舉，並蒐證防患防腐之職責。同時，司法部亦不斷督促所屬法院對貪污案件，儘速審結，並作適當量刑，以收懲儆之效。

（七）成立少年法庭：司法部爲配合有關機關共同達成遏止少年犯罪起見，於五十九年十一月五日訂頒「各地方法院處理少年案件暫行辦法」一種，並奉准於十一月一日擇少年事件較多之台北、台中、高雄地院先行成立三個少年法庭。在未設少年法庭之法院，依少年事件之繁簡，指定推事檢察官專辦或兼辦少年事件。今後少年法庭之作業要點爲：

1、未滿十八歲之少年刑事案件，依照一般刑事法規訴追處罰，如有刑事訴訟法第七條與少年相牽連之案件暨刑事附帶民事時，均由少年法庭審理。

（下轉第二版）

昨日與明日

高玉樹不懂民主政治

監察院於民國五十九年十二月十一日終於通過對台北市高玉樹市長違法失職的彈劾案，已送公務員懲戒委員會依法懲戒，另兩案因牽涉刑責，另送司法機關偵辦。

本案係五十九年五月由台北市議會函送監察院的，距監院定案之日，已歷時半載有餘，審查時間如此之久，可見監委對此案的重視與愼重，而半年來風風雨雨，謠傳甚多，而監委終於提出彈劾案，也可見監委們秉公認眞態度，增加人民對監委們的敬重。不過監察院決議彈劾高玉樹所付代價，乃是黃寶實委員的命一條。代議士之死於議場，猶如將士之死於疆場，黃委員之死，固然値得讚揚與欽佩，而監院所付代價，實也相當的高。

正在監察院彈劾案通過以後，高玉樹在英文中國日報上發表談話，語多不遜，不僅引起監委們的忿慨，也引起輿論界和人民的反感，在台北有家報紙，以「高玉樹市長不可向法律翻臉」爲題，加以評論。人們一直以高玉樹很聰明，很會玩政治，但由於近年來高玉樹所作所爲，不能不改變以前的看法。對於這一事件而言，實在顯示出：以「民主選舉起家的高玉樹」，完全不懂民主政治的眞諦。

第一、民主就是法治。彈劾案的要點，就是彈劾高市長種種「違法措施」。就以高發表談話而言，也是違法的，因爲公務員受彈劾，依法可向公務委懲戒委員會申辯，不應公開對外發表言論。這是一個低級公務員的常識，何以貴爲特別市長智不及此，豈非藐視法律而何。

第二，民主政治人物必須具有容納他人意見的雅量。這也是民主政治一個基本常識。他人意見如對，就應當採納，如果不對，也應讓他發表，供本人的參考，決不能自以爲是，一意孤行。可惜，高市長獨斷獨行的作風，與此正大相逕庭。

第三，民主政治的官吏，必須民意爲依歸。很顯然的，代表台北市民意見的，是台北市議會，而今日台北市議會與高玉樹市長之間摩擦以及幾不相容情形，乃是有目共覩，人人皆知。如果市議會的意見，市長能接受，何必鬧到監院去。市議會沒有辦法，乃訴諸監察院的公斷。民主政治不尊重民意，還應尊重「誰」意呢。民主政治的官吏，如不憑藉人民擁護愛戴的力量，還能仰仗外力撐腰嗎？

聰明人竟幹糊塗事，民主時代幹政治，却處處不尊重民意，眼看高玉樹市長向下坡路走，實不能不爲高玉樹的前程惜。

・千公・

自由談

愼刑與溺職

台灣報載新聞：有因不務正業而見惡於其叔，即持刀殺死叔父與嬸母的殺人犯，經過法曹十年間的逐級審判，八次定讞死刑亦未能執行，尚在「依法」纏訟中。又如十年前轟動一時的「火窟雙屍」案，至今仍然更審不輟，罔知所屬。表面看來，這是法院愼刑的表示，實則玩忽職守而已。

過去政府在大陸時期，法院對於人命攸關的案件，爲着愼刑起見，自應多方調查證據，辦明事實，而地區廣漠，周折孔多，欲期詳盡，勢須稽延時日，但亦很少有拖到十年尚難定案的。如今各級法院皆在台灣省內，而最高法院與高等法院且在同一司法大廈中，蕞爾島國，交通暢達，居民密集，無論調查任何情況，皆容易在短期間明瞭眞象，何致一椿刑事案件，竟遷延十年亦不能作最後決定呢？尤其是凶殺叔嬸案，高院經過八次更審仍維持原判，而上級法院一再藉書面裁定的理由，多所遷延。這絕對談不上「愼刑」的話，若非主持的法官智能淺陋，專在枝節問題上鑽牛角尖，即是不負責任地虛應故事，浪費時間，司法行政部應該查究其所以然吧？

我國現行法律，既繁複而多陳腐，不合國情與時代，例如刑律上的自由心證主義，即屬利少而弊多，執法者可以上下其手，振振有詞。還有所謂最高法院的「判例」也者，自從民國元年以來的作品，一律適用，凡在正視的法條中找不到根據的罪，即乞靈於判例，其作用只是爲壞人開脫罪責耳。如誣告罪一項，按照判例的詮釋，十九皆可以不成立，徒然獎勵人羣，打擊好人。再則刑律上的賄賂罪規定「與受同科」，不啻是助長受賄行爲，替貪官污吏消除證據，以致許多彰彰在人耳目的巨大賄賂事件，皆得逍遙法外，而接受了一個民衆團體公開致送的廿年紀念杯的小官吏，却以貪污罪論究，不平孰甚！這些都是促成法曹玩忽職守的因素。

若要改革政風，我認爲司法風氣乃首屈一指的革新對象。根本之計，是要解決一些不近人情、不合時宜的法令，治標之策即在健全法曹的人事，才學與品德，缺一不可。否則所謂革新司法風氣云云，不會發生絲毫實效的！

馬五先生

司法部調查局工作重心
防止腐化防止惡化 兩條戰線同時并進
維護反攻基地安全保障人民權益

（自由報台北消息）調查局創立於民國十六年原屬中央黨部，多年來，該局之主要工作任務，以從事與共匪叛亂份子鬥爭，鞏固國家安全爲職責，對國家民族貢獻良多。

該局自四十五年改隸司法行政部，根據組織條例規定，其負責掌理有關危害國家安全，與違反國家利益的調查保防事項，也就是在憲法體制之下，爲維護國家安全，保障人民權益，貫徹憲法實施，培養光復大陸的深厚潛力。

在行政方面，數年來該局局長沈之岳特別重視工作人員素質之提高，與工作活力之激發，因之，不論在工作幹部之教育訓練，年青幹部之吸收培養，及紀律之查察維護等，均予積極加强。

據悉：調查局年來延攬大專院校畢業的優秀青年，已達六百三十餘人，使全部工作人員，大專畢業者由百分之五十四，升高到百分之八十二，工作人員的平均年齡，也由四十二歲降低到三十七歲。

在業務的開展方面，該局認爲目前危害反攻基地安全的因素，主要有二：一爲共匪滲透顛覆的地下活動，一爲貪污腐化風氣對於政治社會的腐蝕，這兩者也有其互爲因果的關係；所以調查局近數年來，一直把工作重心放在「防止腐化」和「防止惡化」的兩條戰線上，同時并進。

關於共匪對我們的滲透顛覆，該局認爲目前世界局勢，正在急劇發展，反共力量的消長與姑息氣氛的滋漫，成爲强烈的對比，我們的國家正在此中艱苦奮鬥，但二十年來毛共匪幫對我們滲透顛覆，仍在積極進行，今天他們爲應付其內外交迫，日益艱困的形勢，正在妄想以外交詐術，結合着政治統戰和地下活動，來達到它顛覆的迷夢。

關於貪污腐化風氣的感染，以今天舉國上下，正在全力建設之中，絕大多數善良的國民，都在刻苦奮發，積極創造，絕大多數的公務人員，都能忠勤奉公，廉潔自持，但因工商發達，社會繁榮，生活享受不斷提高，物質引誘力量，不斷加大，已有因而一般風氣，已有漸趨腐蝕之勢，少數公職人員，意志不堅，生活亦趨墮落，甚至甘冒法紀，貪黷瀆職，而與此同時俱來的，在稅收方面，也發生了若干逃漏的現象，這樣，不但破壞了國家紀綱，也助長了共匪的滲透腐蝕，損害了人民的權益，削弱了我們動員的力量。調查局爲了執行政府維護國家安全與保障人民權益的決策，對於防止腐化，防止惡化，採取了以下的途徑和做法，并已收到了相當的效果。

第一、擴大調查資料的蒐集，由瞭解情況進而控制情況，由發現問題進而解決問題，已能達到制敵機先，自我鞏固的要求。

第二、積極推行保密、防諜、安全防護工作，并加强保防教育，擴大犯罪預防，已能防止腐惡滋長，淨化內部陣營。

加强偵辦貪污不法 深入檢肅敵諜案件
查緝官商勾結以裕國庫 調查民意了解民間疾苦

第三、加强偵辦貪污不法案件，一年來計偵辦貪污及不法案件四百餘案，其中貪污瀆職一百四十餘案，經法院判決沒收，及追繳贓款共達新台幣九千餘萬元。

關於貪污不法案件，近年來經調查局偵辦比較重大的有台北市場管理處處長等貪污案；東部木瓜林區管理處處長等貪污案，嘉南農田水利會會長等貪污案；蘇澳鎮農會總幹事等貪污案；台中高分院檢察官楊某等貪污案；高雄清果社理事主席某等勾結官員舞弊案；大專院校聯考舞弊案；僞造新台幣案；僞造證件非法出境黃牛集團案；及李某等涉嫌販毒案。

從以上案件研究分析，這些不法之徒的貪污舞弊，并非因爲待遇菲薄，生活困苦，而完全是因爲他們個人意志脆弱，廉恥道喪，生活糜爛，只知道追求高度的物質享受所致，而忽視了對於政治社會所發生的不良影響，特別是助長了敵人腐蝕破壞的陰謀。

由於這些案件的偵破，對於提高政治認識，防止社會腐蝕，澄清國家吏治，增進政府威信，以及保障人民權益，都已發生了良好的影響，其中青果合作社、農會、水利會等舞弊案件的偵破，根據調查反應，一般社團都已深知警惕，加强自律，過去任意剝削民衆權益的事件，已顯見減少，而僞造新台幣案件的多次破獲，對於穩定金融幣信，也發生了良好效果。

第四、深入檢肅敵諜叛亂案件，一年來所偵破案件，均經依法移送法辦，另辦理自首、自新、附匪登記、反共自覺表白等一百二十餘案。由於這些案件的破獲，對於打擊共匪統戰分化陰謀，消弭叛亂份子的滲透顛覆活動，提高了一般社會的政治警覺，維護反攻基地的安全，已產生了積極的作用。該局并懇切呼籲，請一致認清保密防諜，人人有責，如發現可疑人物，即向政府檢舉，同時該局并提醒爲匪工作的迷途份子及早覺悟，勇敢自首，政府決予寬大，幫助他們走向光明之路。

第五、查緝偵辦官商勾結的重大漏稅案件，并配合財稅機關勸導鼓勵廠商依法自行納稅，以增裕國庫的收益。一年來計偵辦重大漏稅案件二百五十餘案，其中經法院裁定的案件，其補稅及罰鍰金額計新台幣七千八百餘萬元，尚待裁定的補稅金額，還有半數以上，對於整飭稅風，增加國庫收益，具有顯著的成效。

第六、加强民意調查，了解民間疾苦，發掘有關問題，及時加以運用處理，并迅速予以改進，使各項措施，均能符合人民的願望，眞正做到便民利民，爲民服務。

第七、審愼理處密告投書，以達到爲人民除暴安良，洗冤白謗的熱望。由於一般民衆對於調查工作的認識和了解，日益增進，因而密告投書年有增加，自五十四年的八百餘件，增加到五十九年的八千八百餘件。一年來根據密告投書查證屬實，移送法辦的案件，計一百零九案，送請有關機關查明處理或參辦者二百五十一案，函覆投書人告以解決問題的途徑與方法者九百七十餘案，其餘均在繼續查證之中。

由於以上調查、研究、保防、破案，以及漏稅查緝，民意調查，密告投書的處理，對澄清吏治，轉移風氣，防止腐惡滋長，消弭叛亂根源，維護國家建設，保障人民權益，鞏固基地安全，培養反攻潛力等，直接間接都已發生了若干作用。

第八、在擴充科學技術設備方面，調查局對於科學儀器歷年都有增加，并敦聘專家學者，參與指導顧問，擴大研究應用，務以最新的科學技術，來强化工作的力量，使各科案件的偵辦及檢驗鑑定工作，確實做到「求眞求實，寧枉毋縱」。

司法行政工作的改進

（接第一版）2、除刑事訴訟審限規則於少年案件之偵查審判適用而外，并應切實參照「審理少年事件應行注意事項」之規定辦理。

3、爲加强保護少年，少年案件雖非法定强制辯護，亦宜指定辯護人辯護。

4、少年法庭庭長、推事、檢察官，應由對於少年犯罪問題具有研究或曾受少年法庭專業訓練者任之，期符專才專業之旨。

5、明確規定觀護人之職掌：

（1）少年刑事案件審理前應調查該少年與事件有關之行爲，其人之品性、經歷、身心狀況、家庭情形、社會環境、教育程度以及其他必要事項。

（2）有關少年保護管束之執行。

（3）有關出院出獄及保護管束處分期滿之追蹤調查及輔導事宜。少年法庭之設立，固爲遏阻當前少年犯罪之有效辦法，惟如欲宏其績效，尚有賴於社會各方面之配合與協助。

（八）研擬有效防制竊盜辦法：司法部鑑於目前竊盜犯罪之日益猖獗，爲求有效防制起見，曾擬定「有效防制竊盜方案」一種，於上月二十日上午召集各級檢察首長及一、二審法院刑庭庭長就司法機關防制竊盜犯罪問題，會商研討。警務處亦同時召集各警察局長等主管人員就同一問題會商研討。并於同日下午二時卅分在司法大厦禮堂約集內政部、警備總部、警務處及其有關主管；各級檢察首長、一、二審法院刑事庭庭長等聯席會商這個方案的執行方法與步驟，會議由任遠主持。這個方案之要點是：

1、妥適運用戡亂時期竊盜贓物犯保安處分條例對於遊蕩懶惰成習而犯罪者，儘量宣付强制工作。

2、戡亂時期竊盜犯贓物犯保安處分條例規定十八歲以下之竊盜犯免除其刑，令入感化教育處所施以感化教育，其得以保護管束代替之情形，應從嚴認定。

3、關於警察機關借提竊盜犯追查贓證事項，可適用「台灣地區檢察官指揮司法警察機關查證辦法」，以應追查贓證之需要。

4、保安處分場所，對於受執行人犯非有悛悔實據，不得在法定三年或五年期間未滿前，請報提前結訓或離院，其執行將屆期滿仍未收顯著效果者，應報請延長其執行期限。

5、由警務處、台北市警察局督導各地義警加强巡邏，協助查緝辦理竊盜案件，其詳細計劃由警務處負責研擬。

6、內政部已擬就修正當舖業管理規則條文，對當舖業加强管理，防制竊盜銷贓。

7、司法機關於竊盜犯贓物犯挾嫌誣控警察人員違法案件，應從嚴究辦。

8、竊盜犯罪與防害風化、賭博、煙毒三項犯罪至有關係，治安機關宜全力依法查究，司法機關對於上項犯罪，亦應從重懲辦。

三、革新監所設施，增進行刑效能

（一）遷建台北地方法院看守所：台北地方法院看守所因現有房舍建築逾齡，設備陳舊，已不能因應現代羈押之要求，原計劃就地重建，茲爲配合都市發展，俾市區內現址土地可有效利用，乃決定變更原計劃，將現址土地出售，以售得價款在台北郊區新建現代化之看守所。如此，不僅可改善被告處遇，且可減輕國庫負担。此項計劃業經呈奉行政院核准，將重建改爲遷建，現正勘覓遷建地點，一俟覓定，即可着手進行。

（二）設置綠島監獄：台灣綠島監獄，已於本年八月奉准成立，現正積極進行興建工程，該監建築完成後，將收容全省惡性重大之累犯，施以高度安全管理，期收隔離矯治之效果。

（三）增設監獄調查分類科：爲配合刑事政策，增進行刑績效，已於台灣各監獄增設調查分類科或設置調查員，負責辦理對受刑人調查分類事務。俾以完整之個案資料，分析犯罪原因，施以適當教誨，以達監獄行刑改過遷善，適應社會生活之目的。

（四）訓練監所管理員：司法部爲充實監所基層力量，提高管理人員素質，并培養其現代行刑羈押之知能，特於司法官訓練所附設監獄官訓練班，訓練監所管理員一期計七十五人，訓練期間特別注重品德之考核，現已結訓，分發各監所服務。

以上是司法部最近施政中，較爲重要的幾項，此外，如加强和解調解，督導各法院準時開庭，研究簡化提存手續，强化訴訟輔導等便民措施，均在積極辦理，以求司法工作之革新與進步。

（完）

台北傳奇錄（九七）

·陳光棟·

自然也包括在台北市水患期間向台北市放水的目標。興建之初，未聞有人對「洪水」的方向有什麼建議，而水庫建好之後每逢颱風，來臨向台北一放水，便七咀八舌的鼓噪起來，這公家的事兒豈不也太難辦了？以後還有誰敢當公務員？何況石門水庫不在颱風期間水量超過負荷的時候放水，難道要它在乾旱的季節蓄水的時候放水嗎？咱們縱使沒有常識的話也該問問良心不啦！

閑話打住，書歸正傳。

且說賴先生離開辦公室一看台北市，已經變成了亞洲的威尼斯城，好不快哉！因爲這種情形，太太是絕對沒辦法來辦公室了，而最開心的是可藉交通斷絕爲藉口暫不回家；趁機會可以到清湯掛麵的住處去逍遙一番，想到這裏，眞是喜在眉頭，甜在心頭，加快腳步涉水而行，轉眼之間到了目的地，這時風大雨急，眼前的違章建築已經有的東倒西歪，路上到處是漂流的炒菜鍋、洗臉盆、木器傢俱、衣飾雜物，眞是人狗齊游，婦孺並泳，軍警正在挨門挨戶的進行搶救。賴先生正在呆呆的發楞，一隻垂死的花貓抓住了賴先生的雨衣死活不放，賴先生左一拳右一腳都沒有辦法擺脫，加上大雨擾亂視綫，一時也看不清是什麼東西，這貓得寸進尺，乾脆順着褲管爬到雨衣裏面去掏賴先生的口袋，賴先生氣往上撞，舉起拳頭向自己的前胸打下，不想用力過猛，一個重心不穩倒在水裏，半晌爬不起來，雖然一身濕透，但總算把貓嚇跑了，起身之後，直奔清湯掛麵的違建木屋，用力一撞門，便隨着門板倒進房裏，本來清湯掛麵正從門縫向外面看熱鬧，不想賴先生一撞，把門撞下來，把清湯掛麵壓在門板下面，房間裏黑洞洞的，等賴先生清醒過來才知道闖了大禍，好在大街上有隨軍警同來的醫護人員，馬上替兩個人包紮停當，替他們弄好房門之後，再把他們送上救難的卡車開到安全地點。

一到了安全地點清湯掛麵就不依不饒了，說她受了內傷還不算，還要賴先生賠她房間裏的所有損失，自然也包含着被水冲走了的金塊。賴先生只好滿口答應。清湯掛麵又要住院療養，又要作全身檢查，賴先生只好把她也送到某公立醫院來。一進門就迎面碰到劉二爺往外走，賴先生畢竟經驗豐富，處事老練，乃搶先向前和劉二爺招呼：「二爺，這世界眞是太小了，在這兒又碰上，您是來代朋友？還是……」

「賴先生！你家大小姐得了盲腸炎，現在正在開刀，你太太就坐在十號病房裏等着！」劉二爺看了一眼清湯掛麵。

賴先生這一驚非同小可，馬上感到整幢建築物都在盤旋：「劉二爺，您看看，這是我班上的學生，我在路上碰到她受了傷，我能不管嗎？假如不顧而去，我何以爲人師表！」

邵逸夫求警保護

·文匯樓主·

此間快報說：邵氏公司總裁邵逸夫，傳於星期一曾向警方請求保護，據說是因爲有人「恐嚇」他。

「二百萬少生導演」王羽，前日接到九龍城警署的某幫辦電話，邀請他於昨日到警署去談談。

昨天下午，王羽由一位律師陪同依時前往九龍城警署對邵逸夫「被恐嚇」事件有所陳述。

王羽說，那是本星期日（二十日）下午的事。當時他到半島酒店地下茶廳喝下午茶，剛巧旁邊坐着邵逸夫，正和幾位朋友在談天（據說其中有一位是未來的邵氏公司總經理——邵逸夫正在物色一總經理中，如合意日內將可上任）。他喝完了茶，剛要經過邵逸夫面前，當四目相投時，他便忍不住怒冲冲地對着邵逸夫，責他何必苦苦相迫，要他走頭無路？還說過：「山水有相逢的！」

王羽解釋說，這是一般人口角上的對白，並無表示要動粗，何來「恐嚇」意味？要想想，當一個人被苦苦相迫時，這幾句話是很易脫口而出的。

王羽說：「如果要請求警方保護，那倒是我才對。」

問他爲甚麼？於是他把他在日拍片時的情況陳述如下：

當嘉禾公司與日本勝氏公司合作拍攝「獨臂刀大戰盲俠」時，王羽被邀到日本參加主演。邵氏公司曾託永田雅一勸止勝新太郎的勝氏公司聘用王羽，不遂，便在東京地方裁判所起訴，申請法院下「禁制令」，禁止王羽在日演出。

可是東京地方裁判所民事第九部裁判官大田黑晋生，研究起訴文件證據後，於十一月廿四日發下判決書，認爲邵氏的起訴沒有理由，故駁回。

此後，王羽終能與勝新太郎，順利地拍完了「獨臂刀大戰盲俠」。該片已於昨日起在全日本二、三百家戲院同時爲慶祝聖誕公映。

王羽在日拍片期間，日日都提心吊胆，原因有人告訴他有黑社會人物要對付他。此後，王羽拍片時，常常見有幾個異常人物在窺伺，所以，他除了拍片之外，總是躲在酒店裏，出外時，除跟大隊外，還帶着一枝小鐵棒，以備必要時之需，他每次坐的地方，都是靠牆的，以防被人在後面暗襲。同時，酒店的茶房常告訴他，會有人打聽他的行程時間和離開日期。他在日的行蹤很秘密，但常常都爲人所跟蹤。雖王羽日日在提心吊胆，但他還是堅持拍好該片才離開日本。

文滙樓劄記

中國歷代幣制（二）

·文友·

武帝孝建元年，又鑄孝建四銖，其後又省四銖二字，僅留孝建二字。前廢帝鑄永光錢，中廢帝鑄景和錢，二錢僅重二銖，因廢帝在位日短，故其錢甚不易得，梁武帝天監元年，鑄五銖錢，內好周郭悉備，普通四年，又鑄鐵五銖錢，世有四出文；梁敬帝鑄兩柱五銖錢，以一當十，又鑄四柱五銖錢，以一當二十。陳文帝天嘉三年，改鑄五銖錢，大建十一年，鑄太貨六銖錢，一當五銖之十，制作頗精。北朝魏孝文，至太和十九年，始鑄錢，工鑄粗備，文曰：太和五銖，宣武帝又鑄五銖錢；孝莊帝永安二年，詔改鑄，文曰永安五銖，東魏亦鑄永安五銖，至今已不能強爲分別。北齊鑄常平五銖，後周鑄布泉、五行大布、永通萬國三錢，制作皆甚精妙。戴文節公曰『古今書法，未變不足觀，已變不定觀，將變最可觀』。漢唐人碑版，不過漢唐人面目，最可觀者，莫如六朝。漢將變爲唐也，故異境百出，錢文亦然。北朝錢，上承秦相，下啟少溫，正篆法之將變，最可觀者也。余嘗集北錢各種，玩弄摹拓，意固有在隋統一南北朝後，更鑄新錢，面背肉好，皆有周郭，文曰五銖，又於各關各付百錢爲樣。錢從關外來者，勘樣相似，然後得過，輕而劣者，壞以爲銅，入官，又有一種號稱白錢者，內和錫，宛似白銅，故曰白錢。至大業之末，私錢盛行，薄惡不堪，對剪鐵，裁衣糊紙以爲錢，此則衰世氣象，眞有不可終日之勢矣。

（七）唐

唐初鑄開元通寶錢，讀爲開通元寶，亦可，錢文含八分篆隸三體，係歐陽詢所書，製法甚精，自五銖以後，此爲最善，積十枚爲唐權之一兩。一枚即爲一錢，以清之庫平秤之，其重正同。乾（音干）封元年，改鑄乾封泉寶錢，以一當舊錢之十；至乾元元年，鑄乾元重寶錢，以一當十，故曰乾元十當錢。二年，新鑄乾元重寶大錢，以一當五十，背有重輪以別之，又有小乾元錢，而背亦有重輪者，較爲少見，而以背有雲一朵者爲尤少；又鑄乾元小錢，以一當一，大曆四年，鑄大曆元寶錢，今亦不多。建中初年，鑄建中通寶錢，比大曆錢尤爲少見，每品值數百元，是時又鑄開元通寶大錢。武宗會昌年間，所鑄之開元錢，其背文皆鑄地名，有二十餘種之多，名曰會昌開元。唐末史思明據東都，鑄得一元寶錢，以一當開元之百，其後又改鑄順天元寶錢。

（八）五代十國

五季承唐末大亂之後，四分五裂，干戈擾攘者五十餘年。自梁滅唐，奄有中原，歷唐晉漢周，皆以大梁爲都，即所謂五代是也。

一、後梁，鑄開平元寶，大如當十錢，又鑄開平通寶，大如當五錢，傳世絕少；是時劉仁恭據燕，不在十國之內，故附於梁後。劉鑄永安一十，永安一百，永安五百，永安一千，此四種銅鐵皆備，惟銅少而鐵多。此外尚有鐵貨布，背有三百二字，又有鐵順天元寶，大小二種，大者背有千字，小者背有百字，又有鑄鐵五銖小平錢。

二、後唐莊宗，滅梁滅燕，鑄天成元寶小平錢，流傳極少，價亦貴。

三、後晉，借契丹兵滅唐，歲賂金帛無算，府庫殫竭，遂鑄天福元寶小平錢，許官民自由鑄造；故輕薄濫惡，然甚少。

四、後漢，入洛陽，鑄漢通元寶，亦讀作漢元通寶。

五、後周代漢而興，至世宗銷毀佛像，以鑄周元通寶錢，惜哉！致中道崩殂，

所謂十國者，一曰前蜀，王建滅唐，遂據蜀稱帝，鑄永平元寶，天漢元寶，光天元寶，王衍鑄乾德元寶，咸康元寶四種。二曰後蜀孟知祥，署有全蜀；其子昶鑄，錢二種，曰廣政通寶，曰大蜀通寶，此二種最貴。三曰楚，馬殷據湖南八州地，開天策府，梁拜殷爲天策上將軍，因鑄大錢曰天策府寶，大如當百，銅質渾厚，字文明坦，價在萬元以上，又有大錢，曰乾封泉寶，背有天字、策字、天字、天府字四種，以天策字爲最少。有銅鑄者，其價在數萬元以上，四曰吳越錢氏，未鑄錢，五曰南唐李昇，冒姓徐氏，名知誥，國號大齊，鑄有大齊通寶錢，價值數萬元，後改唐，復姓李氏，仍都金陵。及元宗即位，遂鑄唐國通寶錢，有隸書篆書眞書大小數種，又鑄大錢，文曰永通泉貨有隸書篆書二種，篆書者尤少見。又鑄開元通寶錢，使徐鉉篆其文；又鑄鐵錢，今少見。又鑄大唐通寶，亡國時，六曰南漢，劉龑即位，於番禺，鑄乾亨重寶，背有有邕字者，即鉛錢，有鉛二種。又鑄於邕州，今廣西宣化縣是也，又鑄乾亨通寶，極難得，七曰閩王審知。

（未完）

申報館長史量才被拘記

·胡珠·

在做刑事罪犯所受的精神懲罰之中，一般中國人認爲最重大一事，就是「打手印」。因刑事罪犯若經被捕，租界巡捕房方面不管刑事罪是否成立，定必要對於獲犯辦理「打手印」的一種手續。所謂「打手印」即將其人的左右兩隻拇指染上油墨印於卡紙之上，而卡紙編有號碼，詳記其人的姓名、年歲、籍貫，以及案由等情。即將這張卡紙交歸「手印間」貯藏保存、列入檔案中以便異日其人再發生疑案時作爲破案的對證指紋之助。此種「打手印」的措施行爲，度理衡情，則宜施諸搶刦偷竊的盜賊竊犯，與兇暴殘忍的殺人案犯。殊不宜施之於稍犯過失的正當商人和知識份子，以及政治人物等等。可是巡捕房當局根本不理這些細節，祇要以拘票所逮捕的人犯，一律就以刑事罪犯相處理。不知中國人民對於「打手印」一事，看得非常鄭重，若被迫至打手印，無異身受奇恥大辱。至於手印存留在總巡捕房的手印間裏，更認爲是件終身遺憾之事，綿綿此恨，悠悠千古。

馮炳南就是生有這種刁鑽促狹的心腸，他要使史量才永遠的承受精神上的懲罰，把件民事訴訟案件的錢債官司，導演成功爲刑事訴訟案件的公訴官司。他的計謀高超，他的料事如神，擺佈得史量才變爲刑事罪犯，讓他的手印永遠留在總巡捕房的手册閭裏。最使人感覺驚奇的是他對付史量才的一切行動，都像是算定時刻、佈就網羅一般。無不待時而動、舉網即得，雖屬人爲，似獲天助，是以他都能獲得如他意料中的勝利。就以他對史量才動手逮捕一事的安排來說，何等的巧妙，恰到好處，正令人拍案叫絕，據事後傳說中，史量才並非弱者，他對於「變傳爲拘」的一着棋子，他已提高警覺地謹謹防着。因此，在最近的二三天裏、就絕跡不到望平街的申報館裏去治事，只是躲在家裏、杜門不出。純以電話和各方面聯絡，一方面作準備到庭的應訊工作，另一方面則在期待傳審第二次的傳票送來。

史量才的所謂準備和期待是有連鎖性的，實是二而一、一而二，綜合起來，只是和席子佩打官司的一個問題。第一是他希望太倉喜八郎把申報向日本領事公館申請登記，改掛日商牌子一事，趕快辦理完竣，能將移轉手續的證明文件，早日發下，以便到庭提出，獲得申報所有主權的安全保障。其次，席子佩對我的控訴案，將來開庭審訊時，自有日本總領事參加會審，對申報總可獲得日商的庇護作用。再其次延聘律師陪同出庭，可以帮助我聲述第一次不能應傳到庭的理由，以期博取主審法官和會審領事的諒解。凡此種種全是史量才在作單面的理想思忖，但未曾付諸實現，只是作準備和期待而已。如果那天史量才仍然杜門不出，躲在家裏等待傳票送達在手再說，那麼馮炳南亦怕對他莫奈伊何。究竟他不是什麼罪名重大的刑事案犯，祇不過是抗傳不到，改傳爲拘的刑事案件，不可能越界捕人。這樣一來，馮炳南所佈置的策略，就要全盤改觀了！

不知史量才如何、心血來潮，忽然要想到理髮，而他的理髮又非要四川路青年會所附設的理髮室中的一個德國籍理髮匠爲他理髮不可。當在第二次世界大戰展開以後，所有僑居在中國的德國人，都被遣送回國。凡來不及撤退的則送入集中營，因爲當時的中國政府參加協約國家陣綫也對德國宣戰，在上海的德國僑民，已被遣走一空，僅大上海一共留下三個德國人，其一是安利洋行的獸皮部大班矮諾爾。（Arhold）安利洋行是英商，中有一部專營中國北方牛羊皮出口，全世界審辦獸皮本領推德國人第一，矮諾爾則爲專家，故該洋行與[illegible]。其二是西裝裁縫工場的老闆，此人沒有門市部，設寫字間於拋球場亨利達公司的頂樓，但他的主顧多數爲英商洋行的大班與高層階級人物。其三就是這青年會理髮室的理髮師了。據說德國人[illegible]顧入集中營，只要有英國人做保證，保證他不做破壞協約國家軍事秘密行動，可以不入集中營。這三個德國人，都由有英國鉅商力保，得以自由在外營生。不料這一德國理髮師的工作，却使史量才前來理髮，如自投羅網。倘使沒有這個德籍理髮師，他可以[illegible]租界的青年會裏來做投火的飛蛾了。

（未完）

諸葛亮狂想曲（一七九一）

·劉玄·

「她是由太白星君那兒來的，原居水國，修鍊已經千年。」瑞鳳女官說話很含蓄，暗示她是一條金魚。

王母娘娘微微含首。

金玉枝嬌若驚鴻，在黃巾力士的臂灣中翻滾騰拿，忽然以一個曼妙的入水姿勢，跳進金魚缸中。彌衡擂鼓，甚合節拍。以鋼琴伴奏的張素梅，向彌衡微微點頭，表示讚許之意。

金玉枝跳進缸內，隨着音樂節拍，演出各種姿勢。她本來是生活在水中的，自然與一般游泳名將不同了。

「表演眞不錯，眞虧她。」太白星君參觀蟠桃大會表演，向來不肯輕易表示讚美，這次對金玉枝是例外，因爲金玉枝和他的關係不同，一方面是由於偏愛，一方面確實表演精采。

「是，是，這都是星君的道力無邊！」劉約翰見他的眯頭人表現出，自然是喜不自勝。他是很懂得如何逢迎星君的，藉此恭維星君一番。

劉約翰到今天，在天庭才算眞正出頭了。首先，他因教諸葛亮英文暢搭上太白星君的關係，之後，又因爲好奇心變幻金魚，而獲得了一位如花美眷。現在，他竟坐在太白星君的身旁，使天庭大小各仙爲之側目，亦可謂躊躇滿志了。

金玉枝的表演時間很長，最難得的，她不像一般潛水的人，背着氧氣筒下海，也用不着浮出水面換氣。

「她叫什麼名字？」王母娘娘回頭問瑞鳳女官。

瑞鳳女官不便直說，「節目單上印的有嘛，」她知道王母娘娘在天庭是極尊貴的，有問必有答。

巨變歷險記！

部隊一駐紮到景棟的大猛蓬，緬甸就不放鬆，要我撤離。丁博士盱衡大局，任就那一方面說，決不能撤離，遂準備與緬甸。但近攻抗必須遠交，他不顧與越南寮國爲敵是這個道理，他極力與泰國交好也是這個道理。

泰國在大其力的後邊，在部隊駐紮的後面，交通，外交，補給全靠這一方面。這一方面的關係非常的重要。無論如何，同這一方面的關係要維持得好好的。從到了大猛蓬大其力後，丁博士就注意到了。在大力是沒有郵局的，只有過了大其力河，到泰國的夜柿（mesai）才可以看見郵局才可以寄信到泰國到世界各地，特別是到台灣到美國。商業方面，大其力也不行，幾家小小的商店，賣的東西非常少，夜柿則不然，雖一河之隔，景象完全不同。夜柿有大的商店大的市場，所需要的幾乎都可以買得到。至於前往清邁，前往喃，前往曼谷，前往世界任何一個地方都可以設。過到泰國，從大力，當然可以，沿着大其力河，一直到湄公河，無一處不可以拔涉，無一處不可以走私。部隊所需，幾無不取給於泰國。丁博士與李彌將軍會面是在泰國，李彌與台灣與美國聯繫也無不是在泰國。泰國是中國游擊部隊的後方支柱，也是他的後方大門，一定是維持良好的關係，這方面的關係維持得良好好，這方面至少無後顧之憂，才可以放心的與緬甸周旋。

近交泰國

（一八六）　胡慶蓉

幸好在泰國方面，我們的關係非常多，特別有我們的大使，武官署。他們隨時可以照顧。主要是泰國的國際地位，泰國的外交政策，泰國的國內需要。泰國這一個國家，研究研究他的歷史，會發現很多特別之點。過去他周圍的國家都遭到亡國之痛，但他沒有，他始終維持着他的獨立。泰國的外交政策一貫是睦鄰政策，同誰也友，同誰也不衝突。泰國的國內需要是反共。我們的游擊高揭反共的旗幟，等於給泰國反共，等於替泰國把大門，他內心是非常歡迎的。故我部隊到達大其力之後，泰國方面絕無任何不便之處，一切不聞不問，任我們自由發展。原來泰國目緬甸是世仇，泰國會遭過緬甸的侵略，緬甸的軍隊不但打過泰國，並且打進了泰國，並且打到泰國的舊都城！清邁，打到更遠的地方，南，連曼谷都動搖了。今天看見我們給他把大門，甚至給他鞏固國防，一方面對付中共，一方面對付緬甸，可能有朝一日替他報城下之盟的恥辱，他衷心是奇歡的。

丁博士對於泰國摸得非常清楚。他認爲泰國不會對我們有甚麼。泰國還有個弱點，丁博士也看得清楚，即承認現實，向現實低頭，也就是風大從風，雨大從雨，只要游擊隊能站得起站得住，他是絕對不的。在泰國，我游擊隊還有一個大的方便，那就是華僑特別多。在夜柿，在清邁，在喃，在曼谷，在所有泰國的城市，幾乎[illegible]色的華僑。游擊隊到處得到他們的幫助。在城市的華僑，以商人佔最大多數，他們注意的是生意經。這麼多的游擊隊，有這麼多的東西要供應，確是一筆很大的買賣很好的買賣，他們也樂意與游擊往來。

總之，泰國與游擊隊的關係十分密切，培養他的友好，常問他的友好，加強他的友好。必須有一個十分親密的泰國，然後才可以放手對付緬甸。丁博士的這種看法，丁博士的這種做法，可以說是高瞻遠矚的。將來的事實也會證明，丁博士是成功的。

無奇不有集（七）

・恨海・

搜異錄

（廿三）死亡的香吻

法國有一位女郎，名叫安嘉斯，二十六歲，給人賜以花號芳名「死吻女郎」。一九五六年，她被判終生苦役，因爲她在接吻當中殺死她的丈夫。在他們擁抱熱吻之間，安嘉斯掏出手槍連開三槍把情郎打死。

她說：「我已經知道我的未婚夫移情別戀，提出解除婚約只是遲早間的事」，所以提早採取行動。

另外一雙男女計劃在熱吻自殺，雙雙作同命鴛鴦。

另外一位富家子因被禁止與一僕人的女兒結婚，和家庭爭執無果，乃想起一吻之法結束兩者的性命。

大家都穿上膠鞋，女子手持無綫電機的天綫，男子則手中抓住强力電流地綫。他們作一吻別。電力交流，就在兩唇接吻之一頃刻死去，眞是快活而死呢！

不過有些人接吻無意中殺死了人。一九五三年十月，一個芝加哥的家庭主婦在用刀俐薯仔時觀電視節目。她正在看得起興，不留神她的丈夫突然撲身前來吻她，這一下子，刀子已刺死了丈夫。

在匈牙利出了一件怪事。匈牙利憲兵隊長於一九三六年十月，一個晚上比平日提早回家。他那個結婚纔兩個月的妻子，喜出望外，撲身前去他的手臂索吻。但她投身之際，一聲槍響，他袋內手槍一碰走火，竟把妻子打死。

（廿四）奇怪的證物

犯罪的物證，也是無奇不有。英國森巖錫的警方，要將證物保存於雪糕商店的冰箱內，該物是兩根屋簷的冰柱。案中被告用此以爲攻擊對方的武器。

美國麻省劍橋警察將賭具帶上法庭，那賭具原來是理髮匠剃鬚碗視。是從一個接受賭注的人屋中搜來。碗視之是用刀子劃上投注的內容敍述。

一八五○年愛爾蘭有兩兄弟對薄公庭，作貴族爵位之爭。他們搬出兩塊大基碑以爲物證，證明自己是貴族遺裔。但兩塊基碑都是假的。這兩塊假墓石現保存於下議院的維多利亞塔內，作爲英國國會紀念品之一呢！

（廿五）壯士斷臂

加拿大蒙特利爾，有個被告，被控持械行劫的匪徒歐密特，在法庭上：他曾經自己動手術將腸臟中了警察一顆子彈取出。在監獄中，他又設法將傷口割開，塞入一顆不同口徑的子彈到肚裏去，用以建立起他不是此案犯人的證據。

美國米蘇里州衛溫加士達地方，於一九五三年發生一宗交通意外案，一男子奇利爾撞了車。他的一隻手臂給夾了，血湧出來。他說：「我怕汽車着火，於是立刻拔出手上的刀子工作。」他依着折斷的部份從腕部和肘部的間割去，才能脫身。他又將那隻已割斷的手臂用布帶緊紮起來，行了一里半路，到了一間屋時，才作緊急的藥物敷治。後此他還騎馬走了三哩到達醫院。（未完）

催眠術

暗示感應說

鮑紹洲

催眠學理在廿世紀中，最占有力位置的，首推「暗示感應」說。創此說的爲法蘭西「蒙西派」——泰被隆哈馬氏與里撲兒氏，故亦名曰「南西派學說」。

此說有兩種解釋，一爲狹義之暗示感應，例如入喜慶之家，必然感覺愉快，登喪弔之門，必然感到哀慟，到戲院看戲，看電影，看到忠孝節義，令人肅然起敬，觀奸盜邪淫之徒，令人憎惡。此非別，就是因受外界的刺激而生感應是也。一爲廣義的暗示。凡人世間形形色色，謀於耳，寓於目，入於口，刺於鼻，觸於手者，皆有一種暗示。我們在精神上頓起一種感應，催眠家能使被術人在不知不覺中，表現種種狀態。如暗示道：「你的眼不能睜，你的口不能開了。」果然口眼緊閉，非令其開口張目，決不復動。

又如被術的人身患疾病，祇須催眠後暗示道：「你的某病已經完全好了，某部病痛已完全消失了。」醒覺之後，果然病體痊癒而痛止。這都是暗示感應的效果。例子很多，不一枚舉。

依稠集

美國西門大官人

・易儔・

水滸傳是才子之筆，在中國文壇有其不可磨滅的價值。在一十回中，作者很着力來塑造書中的人物，描寫武松固然有很卓越的手法，即反面角色像，西門慶、潘金蓮、王婆……等，都能躍然紙上，呼之欲出。金瓶梅只將西門慶、潘金蓮提出來杜撰一番，照樣變成一部奇書。這些且不去說它，時代輪子轉到二十世紀，人類文化所樹立的道德藩籬，無論其爲中爲西，都被現代的物慾思想衝激得無蹤無影。於是，在現代時髦仕女的心目中，西門慶、潘金蓮的人格有了新的估價。君不見，某一作家就曾爲潘金蓮大做翻案文章，而且還洛陽紙貴呢！

鄧樹勛在台北教授英話，曾對某一女同學說過一句意義深長的話：「美國男人大都是西門慶型，必須當心！」其實鄧樹勛這句話只說對了一半，目前世界各國的男人，其不屬於西門型者，恐怕不多。深一層說，如果細數各國的女人，也許「潘金蓮」亦不在少吧？

孔子有「飲食男女」之說，不愧爲先知之言。在現代物慾思想到處汎濫的情形下，男女關係在歐美若干國家，早已變成飲食一樣隨便。一飯一睡實在算不了什麼。

目前只有宗教家還在苦守古典的道德標準。佛家提出一個「空」字來唱破「色」字。天主教義說「守貞是尊貴」的。可是，這些聲音的微弱的，王婆的「潘驢鄧小閒」，在現代男女青年的心坎中已成爲「五字眞言」了。

御廚談藪

燻魚的製法

・林泉隱・

燻魚，燻魚各種大的鮮魚均可製，取鮮魚割爲兩開，更以利刀切爲薄片，放入鉢中，倒入紹酒醬油葱薑白糖浸之，浸一日撈起攤開吹乾，燒熱油鍋，將魚小心放入，炸之，見黃透，即撈起，取紅糖甘草茴香末，攤于鍋內，再將鐵架架入鍋上，將魚片擺上，遍鋪以蔴油，蓋油鍋蓋，燃燒起，大的火力，使鍋易燒熱，糖末等焦灼，烟氣滾騰上魚肉，如此燻約半小時，可食，此魚切片切塊均可，惟於時切忌菜葉，再烘魚須取肉厚者爲佳。

自由詩壇

雜懷四首

顏崑陽

一夜西風過海村。
萬壑濤吼動雲根。
衛城何計歸星使。湘澤無因喚楚魂。
三戶心悲終起勢。隻錐波冷只銜恩。
誰言生聚長無謂。文種至今名姓存。

第十六章

張招討敗師關陝　岳武穆怒斬傅慶

他却把杭州當汴京，逍遙自在，做一輩子偏安皇帝，將靖康國恥二帝拋卻九霄雲外去了。

現在回頭再說岳飛痛擊金兵。金人於建炎四年冬再犯承州，（今江蘇高郵縣）岳飛毫不猶豫的迎頭痛擊。先挑選了節鋭之士數千人，分別會於承州，與金兵連對三陣，三戰皆捷。共計俘擄女眞，契丹渤海漢兒軍高太保等，除重傷死亡外，要管女眞三人，河北里孛董、白打里、蒲速里、渤海一名李、契丹一名毛毛可　等十二人。隨即表報朝廷。高宗覽奏大喜，賜御札褒獎，（上對下之書信爲札）札曰：

「岳飛節義忠勇，無愧古人，所至不擾，民不知有兵；所向必克，寇始畏其威也。朕甚嘉焉。方今國步艱難，非卿等數輩，朕孰復與圖中土者也。奈何江表尚多餘寇，卿可竭力措置，擒獲必期盡淨，無使越境，爲吾之憂。姑賜卿金注盌一副，盞十隻，聊以示永懷也。」

岳飛破金兵於承州後，而泰州羣盜又起。王昭寇城東，張勢寇城西，岳飛乃由承州還師泰州，途經炭柴壚，與金兵遭遇，展開一場戰鬥，殺得金兵大敗，死傷枕藉。得入駐泰州伏兵。

岳飛麾下前軍統制官傅慶，此人出身衛州窰戶，生性粗暴，有勇力，驍勇善戰，岳飛甚愛之。傅慶則恃其勇，視岳飛爲平交，而邀視上司，岳飛亦不以爲忤。今岳飛已爲鎮撫使，則稍改其平交之禮，傅慶不悅。金人圍承州時，劉光世命偏將王德來援，岳飛命傅慶提兵會王德，與王德交馬共語道：「某不才願事劉公」（劉光世）。王德以此言告劉光世。這話被統領官張憲聽到耳裏，密告岳飛，岳飛未即發，戒張憲守密。

一日，岳飛命諸將比射，傅慶獨射最遠，達一百七十步。比射後大宴將士，在席間岳飛以御賜戰袍金帶賜予統制官王貴。傅慶帶了幾分酒意，以爲功不償他，不禁大怒道：「我傅慶功勞甚大，祇清水立下大功，爲何不償？」岳飛大怒道：「不斬傅慶何以服衆」！命軍士焚袍毀帶，推出傅慶斬首。

同年十一月，金兵二十萬攻通、泰二州，已經攻破了　城。劉光世違詔不援，岳飛具狀奏於朝，朝廷知劉光世驕悍，因人成事，忍之不發。（八十）

周燕謀

自由報
（第一一二九期）
（半週刊每星期三、六出版）
社長李運麟・督印黃行薰
社址：香港九龍彌敦道593—601號廖創興銀行大廈八樓五座
LIU CHONG HING BUILDING 7th FLOOR FLAT 5 593—601 NATHAN ROAD, KOWLOON, H.K.
TEL：K303831
電報掛號：7191
承印：[illegible]印刷公司
台灣分社：台北市西寧南路110號二樓

民族精神之墜失

—從紀政與瑞爾結婚說起—

·吳悟·

本報專論

記得將近二十年前，徐復觀先生曾經寫過一篇「革命精神之墜失」的悼念文字，沒想到今天我會懷着沉重的心情，來寫這篇「民族精神之墜失」的短文，來檢討紀政與瑞爾的體壇孽緣及其倫理問題。根據新聞報導十二月四日紀政在台北即會對記者宣佈因為腿傷尚不敢斷定能否參加本屆亞運比賽，但終又流着眼淚對着一擁而上的記者說：「這次，我下了生命的賭注，來換取最高的榮譽。」顯然有其不可告人的隱衷，直到十三日，這飛躍的羚羊，失足在曼谷亞運的田徑場上，面對着垂手可得的第二塊金牌；復由報導她將下嫁美籍教練瑞爾，喜劇乎？悲劇乎？如僅就其二人的表面婚姻關係來衡量，那也許是無可厚非的。

我亞運代表團楊團長對人表示：「男大當婚，女大當嫁」的輕鬆詞句，某報才有：「跑到終點，獲得歸宿」的絕妙標題，於是各方的祝福和慰問，因為亞洲女鐵人已為我們爭得一塊金牌，某晚報乃以「中國選手的運動精神」作社論：「紀政盡力而為的精神意志，實可告慰於全國同胞，而她這種精神意志的表現，所以激勵復國建國的民心士氣者，足以抵償其所失的幾塊金牌而有餘。」但是亞運「跌倒的羚羊」，將與瑞爾在曼谷舉行婚禮的消息傳出，帶給國人內心的感情，無論是祝福的，驚異的、失望的，甚而傷痛的，卻總難免有若干問號，及致形成複雜的情結，難以自解，儘管忠厚存心，衡之恕道，諸如以紀政小姐有婚姻自由，更不應有國界之別，何況「世有瑞爾，然後才有紀政」，女鐵人亦為血肉之軀，羚羊與瑞爾多年相處，日久生情，誠所謂「數載師生戀，譜成同心曲」。

然而紀政為國爭光是一回事，她處理私人的感情，乃至於婚姻則又是一回事，何況瑞爾在八年前乃係友邦派來我國的田徑教練、協助中華民國培養體育人才，這并非私人交往，同時紀政接受國家公費，是由國家派往留學，身份自與一般留學生有別，今天我們不忍心責怪當年一位未滿二十年華的少女墜入情網，但以一個已有家室的且受命其國家的人物，在八年後的今天，公然與其受托代表邦國負有重任的年輕學生，宣佈決締鴛盟，這在今日彼國的民情風俗自不以為怪，他們視婚姻為兒戲，以淫亂為愛情，乃致毀家而亂倫者，習以為常，比比皆是。惟瑞爾之與紀政，談情說愛，也許是「弄假」而「成真」，不過就兩國邦交言終屬憾事，再就我國倫理觀，尤難免為一「悲劇」。

何況前有鐵人楊傳廣的婚姻和國籍問題在先，現又有紀政不得不嫁其「恩師」瑞爾，形將涉及國籍於後，這不純是情而問題，情感問題，而是一「是非問題」，也是一在我國「文化復興運動」聲中的青年道德標準，何去何從的問題，留學生幾大半為「楚材晉用」，國家民族觀念日益淡薄，放眼「南韓的學生大都喜歡音樂、注重體育，熱心社會活動，關心國家興亡，與我們的青年拚命讀死書，搶分數，專心預備往美留學，一去不返者，也大異其趣。（而）南韓在國外的留學生大多數都學成回國、埋頭苦幹，有慨然以天下為己任的志氣，與我國老老少少的學人長留異邦，樂不思蜀，甘心為他人作嫁衣裳」者，更是抱負不同。」（見沈剛伯著「訪韓見聞記」）儘管在青年人心目中的偶像紀政她曾說：「我怎樣對得起栽培我成功的國家」、「我又怎麼向家鄉父老交代」，儘管紀政會要以「生命做賭注」，再為國家多爭幾面金牌，來彌補她在感情和婚姻上的迷失，然而她一旦與瑞爾教練結成異國情侶，不僅涉及民族精神之墜失，亦將不復再受中華文化滋潤，實有悖她往年負笈留學體育的初衷，并未能完成中華兒女堅忍奮鬥的心願。

這已不是再是紀政婚禮的時間、地點問題（曼谷台北何異），也不僅是紀政的婚姻是否徵得父母同意的問題（老母亦喜亦憂），更不是紀政與瑞爾婚齡相距的問題，（紀二十六、瑞五十六）而是今後紀政如仍能參加任何國際比賽，精神依然負担沉重，由於那些不純真的意念，非業餘，含第二目的假雜，飛躍的羚羊仍將再仆於田徑場上。至於有關主司如何改正不全力培植一二體育明星，僅為在國際體壇「為國爭光」，金得牌銅牌，如何真正培養運動風氣，提倡國民體育，服膺奧林匹克「運動在參加」，不必為獎牌，而敗不餒、勝不驕的真精神，大方針；如像本屆亞運日本、伊朗、韓國的表現，實在值得諸公改弦更轍，多方檢討！民族精神之墜失，固不自紀政始，但提高體育水準，主要還須靠自己努力。當年菲希德告誡於危亡的德意志國民，以國恥之來，不起於外而起於內，求雪國恥，不在於責人而在返求諸己，其要着則第一在乎檢點自己的過失，其次為民族自信力之提高。總統要我們「知恥知病」，才能復國建國，今後用公費單保送一二選手出國留學，大可休矣！

（五十九年十二月十四深夜於台中）

（完）

昨日與明日

為監察院進一解

·何如·

按照中華民國監察委員行使職權的「監察法」第十三條規定，凡屬糾舉、彈劾案件，在未移送懲戒機關以前，不得向外宣洩的。所以，監察院每逢召開有關糾舉、彈劾案件的審查會或院會之際，對各位委員的通知書中，祇是註明會議時間，卻不說出討論甚末問題，委員們非進入了會場，看到議事日程後，并不知道究竟是議論何事，其縝密可知也。

然而，在台灣報紙上，咱們常常見到某監察委員提議糾彈某官員或某機關違法失職事項，且在未經正式討論前即將提案內容宣佈的新聞，與論界據為批判施政得失的資料，而監察院長和委員們亦漠然不以為異，有所糾正，不亦怪哉！

記得民國廿四年春間，兩湖監察使高一涵向監院提案彈劾我「貪污暴橫十大罪狀」且請求國府作緊急處置，先把我拘禁起來，以防潛逃，表示十分嚴重——這時我担任湖北第七區行政督察專員兼江陵縣長——他將彈章原文先送武漢報紙披露，藉廣宣傳。我閱及這項新聞後，即專函于右任院長詰問這是否違悖「監察法」？并聲明將來如果查明我并無貪污橫暴的事實，我有依法反訴高一涵非法濫權，毀壞名譽的權利。當時于右老曾囑秘書長王陸一給我回信，認為高監察使的作風固屬欠妥，對我的「反訴」之說，亦指示不足為訓。但類此事情嗣後即少見了。後來經過「公懲會」一兩年時間的詳盡調查，判定我沒有「貪污橫暴」的罪行，可是，我的名譽卻因之大受損害，若不是對日抗戰發生，我一定要跟高氏在法律上周旋一番的。因為他假公濟私，濫用職權，把監察權的尊嚴褻瀆了——他過去在內政部作專門委員時，於會議席上老氣橫秋，和我發生爭辯，我指摘他不懂「行政訴願」與民刑訴訟的區別，使他下不了台而懷恨在心啊！

時至今日，這種違反「監察法」的作風，乃屢見迭出，成為言官私人沽名吊譽，譁衆取寵的法門，改革政風云乎哉？因此，我要提出來談談，希望執行國家監察權的御史先生們注意改進。又仿古人「剃頭詩」體，恭識俚詩一首，以誌吾過，詩云：「言官稱台諫，巍然踞諫台，有台即應諫，無諫不成台；諫自多方諫，台還是此台，請看台諫者，人亦諫其台！」

自由談

美式的研究法

·馬五先生·

據在美國留學的世家子弟函告：美國各大學近來研究中國法律之風盛行，但其研究對象只是毛共政權的法制，對於中國歷代相沿的一般法律制度，漠然置之。這便是美式的學說研究法，可嘆之至！

毛共根本就沒有法治觀念，他們的秧歌王朝成立以來，認為舊有的法制都是資本主義社會的產品，概予廢棄，祇頒訂了兩項新的法律，即所謂「婚姻法」與「人民共和國憲法」是也。前者除卻破壞舊有的家庭制，獎勵男女雜交外，別無作用；後者原係立國的大經大法，是其偽政權體制的所自出，然毛酋為着爭奪權力，隨便教唆青年學生藉「文化革命」口實，加以徹底摧毀，構成無法無天的混亂狀態。它目前擬訂中的所謂新憲法草案，內容更荒誕不經，等於巫師的符籙咒語而已。誠如俄共頭目赫魯歇夫在其回憶錄中所說：「毛共除卻武力和權力之外，不認識甚麼法律！」美國的學人乃不憚煩地要研究毛共的法律，未悉目的安在？作用何存？

法律是維護社會安寧秩序的共同軌範，人民生活和社會生計都有賴於法律的保障與扶持。所以，法律一經製定，即具有不可侵犯的尊嚴性，因而促進國家生命之向上發展。兩千年前，中國的創業英雄漢王劉邦，為收拾喪亂的人心，除秦苛法，另頒約法三章：「殺人者死，傷人、及盜，抵罪」，言出法隨，決無假借，民衆翕然信從，帝業因之奠定。毛共政權倡導「革命無罪，造反有理」之說，當然唾棄法治主義，這是很顯明的結論，還有甚末研究價值呢？

唯一的解釋，就是美國人素有好奇的天性，越是怪誕稀奇的事情，越就喜歡研究，但求發洩幻想慾卻不管有無意義和價值。所以，全世界所未見過的男女裸體游行與裸體結婚這類奇怪玩藝，美國人皆優為之，其心情跟那些研究毛共法律的大學教授一樣，都是好玩兒的，聊以消遣罷了，絕無學說性可言也。

美國科學技藝之所以特別發達，人士的先天好奇性，實佔主要因素，而其人文思想之幼稚淺薄，亦基於此。然乎？否乎？這是值得注意問題！

依洄集

社會小學

·易儔·

過去青年進入社會，有很多學習機會，社會是一個大洪爐，獲得鍛鍊。故有社會大學之稱。近年來世俗澆漓，人心鬼蜮，社會變成了大染缸，老實說，青年進入社會，非但找不到好的學習榜樣，純潔的本性，偶一不慎，便受到染污。

假使是熱心的青年，能夠潔身自好，分辨好醜、善惡，在今日社會，耳濡目染，又有什麼可供學習的？工業社會科技的進步，必然帶來文學思想的低落。如果文化有精神情趣之分，在人文學思想沒落下，一切生活情趣必然趨於低級。所以，還是社會小學而非社會大學。社教云云也就變成徒託空言了。

逢甲糾紛迄未解決 國代集會捲入漩渦

憤慨發言促中央予以重視 決請鄧定遠代表設法調處

（本報記者董尚書台北消息）中國國民黨國民大會代表黨部於十二月二十二日舉行黨員大會，由常聖綸、周士傑、陳卓、張拙夫、吳子貞、黃光化、譚雄、王奉瑞、鄢克昌、李宇清、武成祖、羅甸服、楊鈐等十三人提案。爲請中央重視逢甲學院糾紛之癥結，以整飭社會風氣。加强法治精神。其說明稱：近來有些代表同仁和政府機關，又接到了有關逢甲學院糾紛的傳單，該項傳單內容，有監察委員蕭一山攻擊教育當局「違法失職」的代電和函件，有僑委會設計委員許志遠指控「冒名行騙」、「未符當初協議原則」的函件，更有本會代表十人聯名指責「有失政風的文件」。七年以來，報章雜誌不斷對此糾紛予以批評和報導，政府有關院部、民意機關，甚至中央，均會受到此一糾紛之困擾，在「全面革新政治」、「復興中華文化」高唱入雲之際，竟不能對此糾紛作合情、合理、合法之處理，眞令人大惑不解。蕭一山先生是職司風憲的監察委員，也是舉世知名的清史學者，倘若其所言不實，損及政府威信，中央不但應該去其黨籍，更應去其監委頭銜，以爲不實之懲。倘若蕭一山先生所言屬實，中央應該對詐騙者，對違反法令者，對不守政信者，作適法之懲處，以符革新政治的精神。法令在未明令廢止之前，依然有效，是行政法的規定，不應以「研究中」爲推諉，以「請示中」爲延宕，以「踢皮球」爲躲閃，自毀革新政治綱領的規定，要知上述的鄉愿作風，是我們　總裁所深惡痛絕的。其辦法云：一、請中央對傳單中蕭一山先生文件所云違反行政院制止公務員，兼任私立大專董事命令，及違反大學法第九條之責任，何以五年不能執行。二、請中央對傳單中蕭一山先生文件所云：「分文不出，盡背承諾」、「隱匿文件」，及許志遠函件所云：「諸多措施未符當初協議原則」、「竟敢盜竊曉公之名以巧取逢甲之實，殊堪誌於今世之儒林外史」等言論，查明是否屬實，以明辨是非。三、第五次國民大會爲期日近，希望中央從速平息紛爭，勿使逢甲學院糾紛帶到大會上去。該案並由富聖兼、陳卓、蔣慰祖相繼發言，至表憤慨。在主席張希文女士協調下，作一決議：「由鄧代表定遠以書記長身份。調處，如近期調解不成，迅即移送中央辦理。」

某國代說：關於逢甲學院糾紛，已歷七年之久，對於世道政風，確有不良影響，據悉：

一、五十五年國民大會期間，逢甲學院第二屆董事會改第三屆董事，發生毆打事件後，嚴院長靜波曾在國民大會光復廳公開保證：「一定給陳代表一個出路」。執政黨中央谷鄭諸常委，也在會場表示「一定作合情合理合法之解決」。

二、五十九年春逢甲學院爆發出賣學籍詐財案後，文復會副主委陳立夫先生，於四月廿八日向當事人提出「應該歸還人家逢甲學院招牌」的主張，五月初又接出「逢甲學院糾紛，教育部應該處理，且易於處理」的主張。

三、五十九年八月廿二日，教育部發出（59高字第一八五六九號）令逢甲學院第三屆董事會，補選第四屆董事會缺額董事之無限期命令，蕭一山創辦人於八月廿日面向高教司長嚴正抗議，認爲命令不存在年餘的董事會選舉，何殊命令已死之公民投票。鍾部長迅即被人向監院檢舉違法袒庇鄉親，又被告發僞造文書，其內容爲利用公文書說謊掩飾任用其親外甥候煌昌爲教育部事務科長。（據說教育部前任移交人事清冊中確無候煌昌之）

我們認爲現在是復興中華文化全面革新政治的大時代，政府應該正視正一糾紛，莫教巧取豪奪之風氣，沾污了中興盛世的史頁。

發展中的正修工專

學生水準高・設備良好 與廠商推行・建敎合一

（自由報高雄消息）私立正修工業專科學校，位於風光旖旎，山明水秀的澄清湖畔，校園廣袤，學舍巍峨，莘莘學子，弦歌不綴，它不僅爲名湖添生氣，且係南部工業區培養工業人才的搖籃。

該校創校於五十四年十月，是一所五年制兼二年制的專科學校，開辦之初，僅有六班，經過六年來的慘淡經營，目前已擴展至四十五班，學生二二八六人，教職員亦達一二五人。

正修工專之五專部門，共設：建築、電子、化工、土木、機械、工業管理等六科，工專則設食品加工，工業電子兩科，均是目前熱門的科系。

正修工專雖屬私立，但亦納入「聯攷」的之列，按照教育部規定，參加聯攷之學生，最低錄取分數是二六〇分，而實際入校學生最低分數則爲二七〇分，由此可知該校學生之素質，已達相當水準。

在設備方面：電子工程科雷達設備一項，即花了六十七萬元。正以電視教學一科而言，該科擁有由荷蘭進口的飛利浦電視機九十多部，平均每一學生一部，讓學生裝配修理，由於該科的理論與實習并重，加工出口區內有三十一家廠商與正修採取建教合作，這是該校電子工程科一大特色。因此外界對該校有句評價：「北明志，南正修」！非無由也。

該校爲配合政府全民體育政策，也非常重視體育，在五十八年全國大專杯五專足球大賽，榮獲冠軍獎；復於五十九年全國大專杯，獲桌球冠軍。日本教育大學南來比賽，在高屏地區，也只有正修可與抗衡。

該校建築科學生一面讀書一面實習，他們曾經創下了一個良好的範例：建築科派了五位教師四十名學生，協助高雄市政府臨海區測量與釘樁工程，在短短的兩個月內完工，這給社會提供了一次不可多得的服務。該校畢業前，均舉行各科展覽，深獲社會各界好評。

正修工專教職員的待遇在中南部是最優的，助教每月四一〇〇元；講師五一〇〇元；副教授六〇〇〇元；教授六九〇〇元，由於人事安定，教學自必認眞，正修之有今日，非爲無因。

該校就業率已達百分之百，今年六月三四〇名畢業生，五專制服役預官攷選率高達百分之九十，係台中以南學校攷取率最高的，電子科的畢業生供不應求，經濟部高雄加工出口區內之永華木器公司與遠東電子公司，均在正修工專設立獎學金兩名，每名二千元，由此可見社會對該校重視之一斑矣！

該校董事長鄭源係本市名律師，常務董事龔金柯，李盛皆係本市知名之士，校長吳仁民是老教育家，其教授副教授多來自清華、台大、交大著名學校，好的學生好的設備，好的師資等環境之中，辦一個好的學校，自然是順理成章的事了。

據該校常務董事龔金柯語記者：本校既非學店，當然以教育爲本，培養高級技術人員貢獻於國家社會，這是我們辦教育的宗旨。同時他說正修的理想是在一二年內改爲工學院，一切基礎、設備、師資、規模皆已具備，他希望教育當局重視正修的未來，如是不僅南部學子受惠，對南部工業的強化與加速經濟的成長，亦大大裨益也。（趙家驊）

自由詩壇

雜懷四首

顏崑陽

一夕秋涼轉綠痕。重帷透曉背燈昏。
金徽供憾羞窺戶。玉枕留悲錯卜婚。
鳳去不回簫已斷，雲來無定夢初溫。
悔偷靈藥通仙籍。素女當年有舊恩。
浮夢昔曾譏蟻對。榮枯幾變小園楓。
輕拋鹿　唯知命。長贄蠟薪徒自雄。
綠柿栽成空見棄。黃芽燒出未收功。
可能借得中山酒。雲水升沈一醉同。

爲不平凡男子進一解

・宇文釆・

美國「男童俱樂部」以不平凡男子的頭銜，賦於美國副總統安格紐。這是最近很有趣味的一項國際花邊新聞。就新聞本身的意義來說，所謂「不平凡男子」這一榮銜，大約也和長堤、邁耶米選美一樣，不値多加論列。年輕的姐兒們參加選美，一旦「獨佔」，還多少有點鯉魚跳龍門的味兒。安格紐以國家副元首之尊，有無此一「榮銜」似乎是毫無影響。

但從另一角度看，此事雖小還是有其來龍去脈的。

在二次世界大戰前，美國的副總統一職，可以說是一個「閒員」，大事不管，小事也無法過問。從杜魯門起，這一閒員才逐漸變爲忙碌的。美總統副總統原來很「閒」，現在變得不「閒」，與憲法無關，這完全是國際事務日趨繁雜，美國又無法置身事外之故。明確的說，共產黨在世界存在一天，美國就一天不得安閒，不是美國要反共，而是共產黨要反美。安格紐在担任尼克遜政府副總統任內，表現很優異，這自然是被選爲「不平凡男子」的主要原因。其次，如所週知，近年來美國青年正在醞釀一股巨大的新思潮，這裏面有好的東西，也有壞的東西。美國各大學會推選五位男女學生代表與安格紐討論各項問題，安格紐唇槍舌劍，與美國這般初生之犢會過一陣，結果是雙方平手。

安格紐不用說教的方式，而採取辯論的方式來折服美國知識青年，不失爲明智之舉。也是治國安邦的大計。安格紐所以能贏得美國「男童俱樂部」「不平凡男子」的頭銜，正因爲他有平凡的表現之故。這裏面用我黃老哲理在焉，也即是人類文化思想的精微之處。

新聞網外之言

台北傳奇錄（九八）

・陳光棟・

賴先生說完了還假裝嘆了口氣，兩隻眼睛一直不曾離開遠處的病室通道。

「當然！助人爲快樂之本，再見吧！我要趕回家去看看」！劉二爺點點頭揚長而去。

「咱們再換一家醫院好不好！」賴先生和清湯掛麵商量：「這些公立醫院，病人太多，照顧的太不周到」！

「你女兒既然能住，我也可以將就着住」！清湯掛麵毫無商量的餘地。

賴先生正待分辯，這時走來一位護士小姐，原和清湯掛麵初中同班，老同學見面，自有一番親熱，護士小姐自然也特別幫忙；「妳就住在這裏療養最好，那位大夫我都很熟，包妳稱心如意！妳等着我先去問問那間病房有空」！護士小姐說完一陣風似的不見了。

「哼！我在這兒碰到同學，可眞好！」，清湯掛麵高興的跳着。賴先生急的直找地縫，可恨磨石子地面擺出一副不肯收容的神氣。

「喂！你說話呀！」清湯掛麵催促着。

「咱們還是換一家醫院比較好！」賴先生哀求着。

「有個條件」！

「我知道什麽條件」！

「你說說」。

「買房子」！

「對啦」！

「天一晴就去看」。

「眞的」！

「當然」！

「你準備多少錢」！

「買個一廳兩房，儘够妳住」！

「在什麽地方」？

「鄉下」！

「我不要」！

「鄉下空氣好」！

「我不能光是呼吸空氣」！

「交通這樣發達，城裏鄉下都是一樣」！

「既然都一樣，我要城裏的房子」！

「咱們慢慢商量」。

「又是慢慢商量」？

「這買所房子跟買個燒餅不同」。

護士小姐很興奮的跑了囘來！「喂！眞巧，十號病房有空，快走，妳先住進去，然後再辦手續」！

賴先生一聽「十號」，眞好比萬丈高樓失足，揚子江心翻船，兩腿一軟，兩眼一黑，就靠在墻上喘氣。

護士小姐一看忙問清湯掛麵：「你這位是……他是怎麽啦？」

「不要緊，他一高興就是這樣，妳陪我先到病房吧」！清湯掛麵從賴先生手裏接過手提箱說：「我先到病房，等一下你再來吧」！

（未完）

相法的新評價

・漢千・

命相與夢話

以前我對於看相，抱着是「信不信由你」的態度，而今就大不同往昔了。何以故呢？現在科學的進步，如人類學、動物學、生理學、心理學等的發現，相法上許多都有了科學根據，證明相法並非子虛烏有，由「信不信由你」改變成了「你不能不信」。舉例言之如下。

現在科學的證明，不但人類有相法可尋，而且動物、植物照樣有相法可據。古人有善識伯樂——相馬的術士，那就是看動物的相，什麼樣的馬好，跑的快而遠，富於耐力，什麼樣的馬主凶，主凶也就是馬有得失。

現在對於動、植物都講求品種，品種不一，外表就不同。好的千里馬看起來就好看，好的植物，外表一定美觀，內部充實。好的鳥兒究竟不同。如相鴿子，行家一看就知道牠能不能飛，能飛多遠。如相狼犬、名狗、耕牛等，莫不可由外表而知其爲良材，劣朽、植物如花卉、樹木，莫不有品種可尋。只要我們把眼光放大，把知識的領域拓寬，就明白人類學、動、植物學、心理、生理學等，都給我們加強了科學的論證，你不能不信。一禽一獸，一草一木，莫不有其相，萬相萬理，世界上的東西，莫不有其外表及其內涵，由外表而可內其內涵。就是在於一個知其不知。如像什麼樣的鳥叫的才好聽，什麼樣的馬才跑得遠，什麼樣的花兒才香，什麼樣的樹木才多結果實……。無不有其可尋的相法可以了解。但是了解固然不是一件容易的事情，必須要細心觀察，分析歸納，就有結果。對於某一種東西有了心得，你對其優劣一見便知。所以許多相法也都是由體察分析、歸納出來的。

所謂禽、獸、草木都有相法，而人爲萬物之靈，更應該有相法的道理的一門學問。我們把他說成是一種學問，一點也不爲過。我們不依古名「相法」及「相士」，我們不妨說那是「觀人學」或「知人學」，也可稱爲「相人學」，總之它是一門專門的學問，不是迷信了。

爲什麼我們今天仍有許多人不把它看成一門學問呢？那是因爲以前一般人深信，一些人又認爲是「迷信」，而且把「相士」視爲江湖術士，縱然有志於此，也不敢自稱教授、學者、專家，也許遠有人卑視。此乃「相人學」至今未能成爲專門學問的道理。

第二種新觀念，我們今天看相的學問擴大了，領域也擴大了。除了以上的人類學、動、植物學、生、心理學之外，還要懂得國際情勢，國內政治、社會、經濟、軍事等，另外科學新知，更不可不涉獵，而後始能運用之妙，存乎一心，每相必中，雖不中亦不遠得離譜。

因爲現在的社會每一個人，都與各方面發生關係，當然就與各方面發生關連。我們只可根據相書的原理原則去發揮，運用，我們不可以根據相書上所說的死背，以爲那些都是放諸六合而皆準的金科玉律，一成不變。我們知道相書上說的，只是前人的歸納法，也就是集合古今各項如什麼眉毛主凶，什麼咀吧漏財，什麼眼睛主滯，什麼眼睛主戀，什麼鼻子主賤等……。這都不過只是言其大概而已。

我們人之身體各部門，有如一所大學，各系功課都有，樣樣都要好，假若是數學不好，還有其他各科可以補救，並不能因某一門功課不好，就否定各科一概不及格，而抹殺其他各科的成績。也不能因一科具有一百分，而認爲其他各科均是優等。這裏面加減乘除大有學問，不能以偏概全。

現在不妨對命相說一點原則。中國許多玩藝兒，不是全無道理，只是一般人是神迷的態度視之，而不用科學的方法，科學的精神去處理。中國的東西，不管是那一樣，都必須認識干支、八卦、五行。所謂五行，就是金、木、水、火、土。八卦：就是乾、坎、艮、震、巽、離、坤、兌。干支就是：甲乙丁丙戊己庚辛壬癸和子丑寅卯辰巳午未申酉戌亥的配合。不論研究醫、卜、星、相，那一種學問，開始都要把這三件法寶——五行——八卦——干支攪清楚，然後始能着手研究。因爲這裏面有學問；這三套法寶的每一個字——而不只是一個字就了事，而是一個字是代表一樣東西，一種道理。那些道理有的相輔相成，有的相生相尅。如在醫道上，譬如心、肝、脾、胃、腎、就以金、木、水、火、土來代替，這好比數學上的X、Y代替一樣，其他卜星相也是一樣道理。

（未完）

中國歷代幣制（三）

・文友・

有鉛鑄開元通寶，小平錢，背有閩字福字及無文者數種。又鑄開元通寶，大鐵錢，王延羲鑄永隆通寶大錢，有銅鐵二種，王延政鑄天德通寶重寶大錢，重寶背有殷字，此二種皆值數萬元。此外曰吳，楊氏據之；曰北漢，劉氏據之；曰南平，高氏據之，皆未鑄錢。

（九）宋

宋初錢幣，仍仿唐制，每十錢，重一兩，每一枚重一錢。故宋權同唐，至清仍未變也。太祖建隆元年，鑄宋元通寶，亦作宋通元寶，舊譜作開寶年鑄，非是。太宗即位，改用年號鑄錢，文曰，太平通寶。其後每改元必更鑄，淳化至道，更以眞行草三體爲文。其後則有咸平、景德、祥符、天禧、天聖、明道、景祐、皇宋、康定、慶曆、至和、嘉祐、治平、熙寧、元豐、元祐、紹聖、元符、聖宋、崇寧、大觀、政和、重和、宣和，靖康等錢。各又有元寶通寶眞書隸書，篆書，小平折二折三，銅鑄鐵鑄之別。故制作之煩，種類之多，無有過於北宋者。北宋錢中當以重和靖康爲最貴，以罕見也。北宋錢，近世出土者甚多，動以千萬計，雖皆習見之品，而各錢字體不同，筆畫飄逸，各臻精妙，再神采奕奕，至今猶耐人把玩也。

南宋錢則有建炎、紹興、乾道、淳熙、慶元、嘉泰、開禧、嘉定、聖宗（旋讀）寶慶、大宋、紹定、端平、嘉熙、淳祐、皇宋（旋讀）開慶、景定、咸淳及臨安府行用之銅牌等。亦有小平，折二折三折五，折十等制，錢背皆鑄年分，自一二年至十餘年不等，考寧宗之世，國勢日蹙，府庫空虛，而銅錢愈少，乃更廣鑄鐵錢，如慶元、嘉泰、開禧、嘉定等鐵錢是也。而嘉定又有元寶、通寶之寶、重寶、珍寶、永寶、隆寶、泉寶、正寶、眞寶、萬寶、興寶、新、至寶、封寶等分別，鐵錢類別之多，莫甚于此。是爲鐵錢，最盛之時。理宗淳祐之際，又鑄當百錢，蓋斯時外侮日亟，軍用繁多，以救國庫之貧，非得已也。宋食貨志曰，宋自蔡京始以益州交會之法，引誘商賈，南度後軍需國用，上下交困，始以其法行於江淮行在，謂之楮幣，嗣後終南宋之世，凡輸納給賞，銅楮並行，而銅錢甚貴，又泄於海舶，故南宋錢不及北宋之多。蜀中爲鐵錢匯萃，南北宋鐵錢，無慮四五百種，自嘉道間，劉燕庭官蜀，鐵錢爲之一顯。同治初魚子年守夔，鐵錢爲之再顯。光緒間饒漢祥襲懷西入蜀，廣購鐵錢，爲之三顯。至近歲則藏錢家愈多，其價又日昂矣。

（十）遼金西夏

史言遼初，每年鑄錢僅五百貫，較諸宋神宗時，歲鑄六百餘萬貫，多寡懸殊，故至今北宋錢尚多，而遼錢則綦少，所以遼錢半可得，半不可得。如天贊應曆、乾亨統和、太平、天感等，不可得也。重熙、清寧、咸雍、大康、大安、乾統、天慶、壽昌等，可得也，人舉有之。自金滅遼後，適當北宋之季，故金之錢幣制度，悉仿宋制。如正隆元寶、大定通寶、泰和通寶、重寶等錢，制作措精妙。金天會八年，濟南劉豫降金，封爲僞帝。僞元阜昌，鑄阜昌錢六品、大重寶、次通寶、皆有眞有篆，制作頗精，其價極昂也。他若西夏建國之初，鑄梵文小平錢，四品，其後則有元德天盛乾祐，天慶皇建，光定等。銅錢平錢，以元德天慶爲最少，而元德尤貴。

（未完）

申報館長史量才被拘記

・胡珠・

史量才在青年會理髮室被捕，似乎已有預感。據說他於臨出門之時，只關照秋水夫人一人，說明他去四川路的青年會理髮。並叮囑着說，只有葉養吾、陳景韓、張竹坪三人打電話來，可以告訴他們我在青年會理髮，叫他們直接打電話給我。除他們三人之外，凡任何人打電話來尋我，不必告訴我的行止所在，只要叫他們留下姓名和電話號碼就是，等我回來後自當打電話和他們再行通話。是以秋水夫人後來於無意之中，洩漏了秘密行動，事後，雖然史量才得悉其情，但他對秋水夫人也抱怨不得，因爲她接得一個女人聲音的電話，而且還以葉太太自居。可是這一個女人電話，那是假冒葉養吾夫人的葉太太，而來探聽史量才的行動消息。這是於史量才在會審公堂保釋出來以後，大家研究何以巡捕房包打聽會知道史量才在四川路青年會理髮。而這個行動祇有秋水夫人獨個兒知道，連之事前他的車夫也不曉得東家出去是到青年會理髮的。

雇傭追蹤理髮投法網

原來史量才的爲人萬分機警，自從他忖想到「抗傳不到」的問題以後，從而聯想到「改傳爲拘」的這個問題。於是提高警覺，提防着巡捕房方面前來尋找麻煩，所以暫取閃避政策，一切問題，必須等待到申報館的日商牌子改易完成，再行出面對付處理。所以躲在家裏，杜門不出，自己行動採取秘密，以資安全，所以他今天的行止於臨出門時，只告訴他最親密的秋水夫人以外，對包車夫也不說明。祇關照他到法大馬路外灘，及將到老天主堂街口時，方始指揮他車夫轉彎朝北，過二洋涇橋到四川路，直到青年會門前，才命黃包車夫停輪，一下車後很敏捷的進入青年會之門。試想史量才這種行動的秘密，頗像後來特務組織的行動隊一樣，可見他的智慧之高，心思之巧一斑，所以當時他認定洩漏秘密，就在於他秋水夫人所接得的女人電話。於是，問葉養吾是否着他太太打電話，葉即否認，遂確定必爲敵方瘩子倆所爲了！

但這個女人的怪電話究竟從何而來呢？實出之於馮炳南的策謀，但他何以知道要運用葉太太的名義打電話，才可探得史量才眞確的地方所在，關於這點倒可以一半歸於馮炳南心有靈犀，億則屢中，另一半可以歸之於天意所存，命運所註，在人謀與天意配合之下，要史量才著大籌子而成爲一個刑事罪犯了。前邊不是記述過葉養吾從南通回來之日，陳景韓與史量才合宴之於四馬路一枝香的西菜社麼，在那時期寧波旅滬著名巨商朱葆三爲主體的一班洋行買辦、如陳炳謙、傅筱庵、沈聯芳、徐貫雲、凌雲昆仲等約二十餘人，每日午餐，必在一枝香，以朱葆三性喜西餐，諸人爲助此老之興，是以有此聚餐之會，當時每人每月所繳餐費，祇有二十四元而已。

馮炳南亦爲與會聚餐之人，是日他赴一枝香的時間較早，乃坐於每天進午餐的西邊地下大房間裏，適巧面對門前，凡客進入一枝香之門，都能望見，於是他見陳景韓、史量才、葉養吾三人先後進入餐樓。

（未完）

諸葛亮狂想曲（一九七一）

・劉玄・

「她叫金玉枝，是金魚仙種。」瑞鳳很恭謹地回答。

在天庭與人間不同，萬物皆有佛性，像孫悟空本來是一個猴子，因爲得了道，便被封爲齊天大聖。其地位絕不下於其他各仙。因此，王母娘娘在瑞鳳女官掀開金玉枝的底牌以後並不以爲異。

「我很喜歡她，待會加賜她玉魚一對。」

「王母娘娘今天特別高興，對於所有參加表演的人，都有賞賜，現在對金玉枝外加玉魚一對以示殊遇之恩，而以玉魚贈金魚亦屬於天庭的幽默。

金玉枝表演完畢，跳出缸外，氣不喘，面不紅，她身上所穿的絞綃官裝，果然是入水不濡。

台下爆起春雷般掌聲，連一向不喜歡鼓掌的諸葛亮，也將鵝毛扇放在膝上，拍了幾下手掌。

水中芭蕾是大軸戲，表演結束，蟠桃大會至此終了。大小各仙紛紛起身離座。

「你去，諸葛亮來，我們一起走。」太白星君吩咐劉約翰。劉約翰倒變成了太白星君的隨從副官。

但太白星君道行高遠，非張大師所能比，劉約翰當亦非丁副官之流了。

劉約翰剛要起步的時候，太白星君又開口道：「你和金玉枝是不是也和我們一起走？」

劉約翰何等機靈，他知道與太白星君同進同出在天庭是一種殊榮，自然滿口答應。

劉約翰去不多久，與諸葛亮、金玉枝一起走向星君這邊來了。諸葛亮在前，金玉枝第二，劉約翰跟在後面。諸葛亮在前，是中華文化敬老尊賢之意，讓金玉枝一步，是西方文化「女人第一」。如劉約翰者，亦可謂中學爲體，西學爲用者矣。

三人走到太白星君面前，太白星君滿面笑容，說：「金玉枝，你今天表演眞不錯，我很有面子。」

太白星君說話雖然有點老氣橫秋，可是說的倒是老實話。

「多謝星君誇獎。」金玉枝人長得漂亮，說話聲音也清脆得像銀鈴。

「今天的節目都很精采，使亮大飽眼福，當然，水中芭蕾舞是第一了。」諸葛亮也在旁湊興。

「走，你們到我家裏去，我爲你們準備了好吃的東西，這東西吃下去，可以增加千年壽數。」星君很少請客，如果請客，自然不會拿出普通食品。

「那就坐我的雲車一起去好了。」諸葛亮向星君提議。

也好，四個人坐得下嗎？」太白星君問。

諸葛亮還來不及回答，劉約翰搶着說：「諸葛先生的雲車可大可小，人多人少都能乘載。

郭子儀安內攘外（上）

・周遊・

一，李太白有眼識英雄

郭子儀是唐代中興的名將，也是我們中華民族的英雄人物。他是陝西華州人。身高七尺，生得雄偉，儀表英武。郭子儀在少年時代，熟練弓馬，喜讀兵書，由於他勤學苦練，成了文武全才的好青年。一年他以卓越的武藝，考取了武舉人，於是就在并州的軍營裏，充任小校的官兒。

玄宗開元二十三年，大詩人李太白北遊太原，認識了郭子儀。有一次，他因爲觸怒了主帥，有犯軍法，推出營門問斬。正要開刀，忽然聽得一聲「刀下留人！」原來是李太白來了。李太白知道郭子儀是一位青年有爲的英雄，有大志，將來必定是國家棟樑，爲國惜才，李太白就向主帥講情，全力担保，才把郭子儀的性命救了回來。

二，勇於公戰不懷私怨

由於郭子儀文治武功的卓越，數有戰功，深得上官的嘉獎，部下的信仰；因此他的事業，幹得一帆風順，連連升遷。到了天寶八年，就升到了橫塞軍安北都護；歷任各路軍使，左衞大將軍，兼任九原太守。郭子儀與同僚李光弼，二人曾經發生了一點誤會，李光弼記在心中，很不愉快，郭子儀始終沒有解釋的機會。

到了天寶十四年，降唐的番將安祿山造了反，要篡唐朝江山。提到安祿山，就想起了楊貴妃。安祿山本是番人投降唐朝的，因爲唐明皇很喜歡他，對他特別優厚，封了很大的官，掌握了不少兵權。後來與丞相楊國忠不合，安祿山早想造反。到了天寶十四年，終於叛亂了。安祿山打破了長安，唐明皇帶了文武百官，以及楊貴妃，往四川避難，走到馬嵬坡，大軍譁變不行，將士們請求要殺死楊貴妃，因爲禍首是楊國忠，雖然已經把楊國忠殺了，還有楊玉環在，非把楊貴妃殺了不可。唐明皇不得已，只好將貴妃賜死。這是安祿山造反中的一段插曲。

唐明皇逃難到四川去，下詔各路大軍勤王平賊。因此，郭子儀就由九原太守，升任朔方節度使，督軍東討安祿山。受郭子儀節度的一軍，就有李光弼，李光弼也是唐代中興的一員名將。因爲他和郭子儀有很久的誤會沒有解除，因此，他恐怕郭子儀對他報復，要向郭子儀辭職。郭子儀便下堂來，握住李光弼的手，誠懇的說道：「今天國家不幸遭難，朝廷播遷；東方的大亂，十分危急；事到如今，我們還可以各懷私怨嗎？」李光弼聽到郭子儀的忠言，十分感動。從這時候起，他們二人的誤會完全一掃而空，這兩位名將便携手合作，共同起兵殺賊。郭子儀這種大公無私的精神，和廣闊的胸懷，眞是令人敬佩！

三，顏杲卿常山罵賊

安祿山由范陽起兵叛亂，開始了風狂的大屠殺，人民在水深火熱中爭扎。安祿山早有叛國的計劃，陰謀很久了，所以安祿山一起事，聲勢浩大，不到兩個月的時間，叛軍已經攻到了臨潼關。安祿山狂妄已極，自稱爲「大燕皇帝」。他的下一步侵略目標，是指向國都長安；另外命令另一位著名的叛賊史思明，帶了數十萬賊兵，向東方攻打，向河北叛亂，攻破了常山，常山守將是顏杲卿，這是一位忠臣，他力戰被擒，賊兵將他綑綁起來，要他投降，他誓死也不肯降賊。大罵反賊史思明不正，賊子割了他的舌頭，他仍還要痛罵，最後把他殺害。文天祥的「正氣歌」裏面有一句：「爲顏常山舌」，就是說這個忠義的故事。如果我們讀了文天祥的「正氣歌」，就知道我們中華民族英雄實在太多了。

（未完）

無奇不有集（八）

・恨海・

搜異錄

（廿六）奇異的稅收

英國有一次徵收過「窗門稅」，那是英國皇威廉第三位在位的時候的一件壞事。

窗門稅是依民房窗門的多少及大小估價征收的。當了減輕負荷，建屋的人儘量減少窗門。結果由於人民健康的關係，迫得放棄。

一九二一年，倫敦城裏的寶拉區仍屬分區而治的地方。倫敦城議會將此區賦稅提高，超過了負荷的能力。因那時失業者衆，若加上新要求，許多家庭要被毀滅。寶拉區議局全體議員提出反對，一度被執下獄，後來起了公憤，始將議員釋放。

俄國彼得大帝開征「鬍子稅」。他本人以爲鬍子不衞生，下令任何人一律要剃去鬍子。不過十七世紀的俄國人以爲此舉近於瀆神。因爲假如上帝不想人們有鬍子，他便不在造人之際放下鬍子的。

這種論調給彼得大帝聽到了，只好撤回成命，只許人們留小撮鬍子。如果超過長度，便按照長短抽稅。

（廿七）吃人的沙

談起「吃人的沙」，就使十個世紀的英國航海人談之色變，到今天仍爲患於過往不經心的船隻。

那是一個沙堤，位於英國根德郡東海岸，其名曰「高榮沙」。在海潮高漲時，那裏的沙只低過水面十五尺。

一百多年前這條沙堤，形成爲盧美島的一部份。屬於高榮侯爵的產業，故名「高榮沙」。但盧美島是位於水平綫下的，外面築了一度海牆，以保障洪水的泛濫。

在一九七〇年，根據那時的新聞報告，一次大風暴把海牆摧毀了，盧美島便變成一連串的沙堤，當海潮便低落，沙漬突出水面，人們可在沙地上安全步行。今天此地設有三座燈船，配以無綫電聲笛和霧笛，泊在附近，以警告船隻勿近。

原來此地有旋轉的海流，時常把船隻捲入沙地範圍，發覺已遲，當潮退時，船隻便陷在一個小沙丘裏，頭首和船尾幾乎與沙岸等齊。但是經過海浪沉重打擊之下，船身越埋越低，被沙土吞下去。

在過去百年，每年平均有大艘船在高榮沙遇葬的慘事。在過去五百年中，船隻及財貨的吞噬者，不可勝數，約五萬人性命的犧牲。一七〇三年打大風，一次就有二千人性命喪生，死者分屬十三艘戰艦，只一個夜晚，全變了鬼。

（未完）

民初國會議壇（一）

・李仲華・

國會議員賣身契約：「末員某甲，今以本身所買之議員一名，因小子無能，願連皮帶骨，賣與貴黨，一毛不留，自賣與貴黨之後，任由貴黨爲非作歹，本人決不過問……」

國會議員有價有市

有位英國人曾說：我們不用和中國打仗，就能把中國土地權利完全掌握，只要由匯豐銀行一家就做得到，因爲在中國的一個縣長，僅須八千兩銀子就能買到手，這樣算起來，把全中國的縣市長全收買，至多也不過千萬元，因此，在香港的匯豐銀行隨時可以拿出這筆款來。如今，中華民國要選舉正式大總統，依選舉法，祇須四五百張票，據說每票賣一萬元，算來買個大總統，僅僅四五百萬元而已，於是掌理國家大權，豈不比買全國市縣長要廉價得多了。」

這種現象是民初政客利用議員，議員又利用政客，互相勾結，互相利用，徼遂私利，這就是民國初年政壇的風氣。光怪陸離，令人啼笑皆非，民國二年，袁世凱建立袁家憲法時，當然要拉攏國會，國會議員很多一身兼好幾個黨，今天這個黨明天便是那個黨，最奇怪的是國會議員有價有市出賣，今天賣給甲黨，明天又賣給乙黨，後天又賣給丙黨，當時情景，實在使人憤慨萬分，曾有人感慨的說：「今日共和，賣國的價錢比從前便宜多了。」

於是有人擬了一份賣身契約曰：「末員某甲，今以本身所買之議員一名，因小子無能，願連皮帶骨，賣與貴黨，一毛不留，自賣與貴黨之後，任從貴黨爲非作歹，本人無不服從。」這個賣身契約，實際乃是門外所寫，因爲這些啖骨頭的人，以一回賣掉最爲笨貨，老奸猾的多是分作好多次的零售，或同時兼賣給四五個黨，賣完後隨即脫黨，美其名爲厭惡黨爭。事實上，錢拿到手後，無不燈紅酒綠，追逐歌舞，至於八大胡同的熱鬧，也是庚子以後所鬧。名妓如金小菊、姚蓉初均被人金屋藏嬌。俱樂部適時如雨後春筍，作爲政客們應酬和團結本黨的聯歡地方。

袁氏殺王治馨洩恨

黨國元勳宋教仁被刺身亡，國民黨發動二次革命，袁世凱則派遣北洋軍向南方進攻，北京宣佈戒嚴，戒嚴總司令便是刺宋之兇首趙秉鈞，副司令是執法處長陸建章，在當時的北京城，他比趙秉鈞還紅，陸部屬有名探長郝占一，那時提起郝名確有神驚鬼泣之勢。

當戒嚴令頒發後，便不斷傳聞許許多多驚心怵目的消息來，今天聞社會黨首領陳翼龍遭槍決，議員徐秀鈞因段芝貴來電被拘捕，煙台總司令連承基爲京社黨嫌疑被扣押，國民黨員伍漢持在天津被捕，國民黨議員王以文、蔣舉清被監管，愛國報總理丁某被逮捕，國民黨報紙均被停刊。

（未完）

心理作用說

鮑紹洲

催眠術

主張催眠術爲心理作用說的，乃是法國南西市醫師——李播氏所首創。并獲得心理學家俾隆海炎氏的贊助。此說曾風靡一時，幾乎有令全世界公認爲催眠之眞正學理之權威。其說大意是：施術者能在催眠狀態中，令被術者感應種種暗示。此乃心理上感受性作用。因人身皆有趨向之機能，不過缺乏自主力，必得他人的觀念、教訓、暗示等感化引導而成傾向。此種被術人的自然傾向，即名叫感受性。此有顯在與潛在之別。例如向青年婦女說：「你的臉蛋紅紅的。」她必然雙頰緋紅（本來不紅）。此即顯在感受性之作用。

至於催眠術利用之感受性，乃是潛在感受性，所以感應的範圍與効力，比較顯在感受性更感偉大而奇妙，絕無反對不應之弊。故其因催眠狀態的被術人心中無念無想，精神潛在，無自發活動的機能與以暗示，無不感應而得圓滿之結果，此即潛在感受性傾向，亦即心理作用。

至於醒覺的人爲何感應暗示的少？不感應暗示者多？因爲醒覺的人，猝聞暗示的話，他必然加一度的思索，此思索即是反對的精神活動，心理作用易與暗示對抗，故爾有應不應，不是催眠狀態中，心如平鏡上的水，聞言不知思索，所以能一律感應暗示。此乃心理作用說之原理。

第十六章　張招討敗師關陝　岳武穆怒斬傅慶

十一月初三日，高宗有旨：「秦州可戰則戰，可守則守；如不可守，於近便沙洲保護百姓，伺便掩擊。」

岳飛以泰州無恃之險，金兵甚衆，於是全軍徙保柴墟，與金兵戰於南壩堠，殺得金兵敗退下去，擁入河中淹死者不計其數。與金人相峙於柴墟。

第十七章　岳鵬舉大破李成　宋高宗重用秦檜

建炎四年十二月七日，岳飛由柴墟渡江移屯江陰。徙百姓於陰沙。渡江時，岳飛自引軍二百斷後保衞百姓，金兵望見岳飛軍渡江，不敢逼近，望江興歎。

同年冬，岳飛長子岳雲從軍，三子岳霖生。霖字及時，號商卿。岳雲十二歲從軍，在統制官張憲部下。岳雲生得身材瘦小，但用天生神力，軍中呼爲贏官人。手使兩柄鐵錘，重八十斤，能左右手運轉如飛，有萬夫不當之勇。岳飛教訓督飭甚嚴。後來屢立奇功，岳飛因爲己子，皆不報。

由於金人幾次南侵，騷動中原，百姓深受流離殘殺之痛，使得宋室的社會基層根本動搖；强者嘯聚山林爲盜，進而乘金人南侵，在後方擴充實力，趁火打刼。所以在長江以南，多爲盜區，朝廷雖命人去征剿，但强則吞之，弱則避之，時降時叛，爲患地方。

朝廷又採取羈縻政策，令爲各路鎮撫使。有的將領頗效力王事，如翟興、薛慶、陳求道、李彥先等。能爲國捐軀。其他如襄陽盜桑仲，江淮盜戚方、劉忠、邵青；襄、漢盜張用，建州盜范汝爲，均未曾剷平。另有叛將李成，本爲江東捉殺使，建炎二年叛據宿州，爲劉光世所破，竄迹江、淮、湖、湘，橫行荼毒十數郡，勢力强大，且多能造符讖，煽惑中外。高宗命呂頤浩爲江東安撫制置使，征討李成於江西，結果被李成所敗，洪州失守。呂浩頤實乃飯桶，曾經做「一件食宰相」。由是賊勢更爲囂張。

高宗以爲賊勢日熾，後方不安，怎能攘外。於是乃命張俊討李成，授俊爲江淮招討使。張俊也無出息，親自去見高請辭，盛言李成之衆。高宗道：「李成雖衆，然皆烏合之衆；且今日諸將皆言汝無功。故朕特賜汝立功之機會」。張俊道：「何爲無功？」

（八十一）

周燕謀

自由報

（第一一三〇期）

（每星期三、六出版　每週兩刊）

港幣壹角・台灣零售價新台幣弍元

督印兼發行・黃鵬運・社長李

社址：香港九龍彌敦道593—601號 廖創興銀行大廈八樓五座

LIU CHONG HING BUILDING
7th FLOOR FLAT 5
593—601 NATHAN ROAD,
KOWLOON, H.K.
TEL: K303831
電報掛號：7191

承印：景星印刷公司
地址：嘉咸街廿九號地下
台灣區業務管理中心：台北重慶南路一段一二九號
電話：二四五七四
台灣區直接訂戶　台灣劃撥戶
第五〇五六號張萬有（自由報會計室）
台灣分社：台北市西寧南路110號二樓
電話：三三〇三四六、台郵劃撥戶九二五二號

「生為中國人不可忘本」大哉言乎，大哉言也！

・巴黎大學法學博士丁作韶

奇怪……台灣派去亞運的記者，無不為紀政鋪路，希望國內同胞不要因為她將與瑞爾結婚改變對她的觀感。紀政回到台灣，台灣的各報紙，又無不為紀政將與瑞爾結婚頌揚，什麼「有情人終成眷屬」，什麼「再向瑞爾借兩年」，什麼「這是理想的婚姻」；不一而足。自然記者有記者的看法，記者也有記者的筆法。報紙也有報紙的想法，仁者見仁，智者見智，原不必奇怪，原可以不怪，而所以怪奇者，而所以怪者，乃同一支筆，同一報紙，與幾年前渲染紀政瑞爾的新聞，攻擊他們亂愛截然不同。何以前倨而後恭如此！豈昨非而今是耶，抑昨是而今非？記者們今天的筆下，好像國內同胞全沒腦袋似的，好像國內同胞全換了似的，好像國內同胞全忘了似的。但國內同胞的腦袋還全在頭上，國內同胞並沒有全換，國內同胞也沒有全忘！不去刺激他，倒還罷了，現在去刺激他，舊賬全翻了出來，不但令人感到無聊，甚至於感到氣憤感到悲忿，並令人感到記者一手遮天，想掩盡天下人耳目，這是可能的嗎？更奇怪的是，就是紀政本人，在瑞爾宣布與她要結婚之後，也覺得不安，覺得惶恐，在返國的途中，在踏足台灣的時候，也感到不安感到惶恐，記者們反不在乎，多方鼓勵紀政。多方揭露紀政瑞爾即將結婚的消息。在這呼之欲出的消息，反而一波三折，足見內容並不簡單。原來是說在曼谷，後改在台灣，原來說在新竹，後又改在台北，今又有美國之可能。日子更是今天明天昨天，搖擺不定。這是不是記者在製造新聞，壟斷新聞，玩弄新聞？利用新聞？

、對於亞運，大家的眼睛都在睜着，一切都在心目中，毫無遁形。日內檢討之聲，不絕於耳。明星式的體育，大家都有自衛形穢之感。一個國家捧一個明星，不覺得無聊嗎？這一個明星拿了一塊金牌，只拿了一塊金塊，僅不過這一塊金牌，單單這一塊金塊，就在那里號，就在那裏喊，號個不停，喊個不停，有什麼光彩！不覺得無聊嗎？紀政一個廿六歲的青年而已，會跑，會跑得快，多得之天賦，有什麼了不起。何必這麼捧，與她有什麼益，與國家又有什麼益？跑歸跑，結婚歸結婚，何必因為她能跑，就一切在所不顧呢？真正講，紀政瑞爾的愛，由來已久，他們的結合，已履霜堅，結婚（實際上的）早已結了，現在還說什麼結婚。紀政沒有公開這個消息，是她還有一點顧面子，他的父親紀清池在今天（十二月廿三日）報（聯合）上發表的談話可稱得空谷回音，亦可謂義正詞嚴。紀清池在這千鈞一髮的時候出來，他的話是有分量的。他的話是父親教子的話，他的話也是堂堂正正中國人的話。姑不問他能不能挽回紀政的意思，紀政能不能聽父親的話懸崖勒馬，均無損於紀清池的話。不贊成紀政嫁給瑞爾，報紙大字標出。這實在令人佩服。不贊成紀政同瑞爾結婚的理由，紀清池沒有詳細的說明，但從他「生為中國人不可忘本」這句話看來，當然是他認為與紀爾結婚是「忘本」的行為。再從他「不可忘了國家的栽培」，不要辜負國人的希望的看來，當然是與瑞爾結婚是「忘了國家的栽培，……忘了國人的希望」的行為。

「生為中國人不可忘本」，大哉言乎？大哉言也。這不但是紀清池給他女兒的訓示，這也可以代表全國的父親給他們子女的訓示。「生為中國人不可忘本」，另一方面說也就是「生為中國人忘本」的現象非常嚴重，已經到了動搖邦本的地位。展以「國者家之積也，家者人之積也」，國者家之本，家者人之本，人者家之本，家者國之本，人若盡是忘本之人，家何以立？國何以立？特別在青年方面，忘本的現象最普遍。青年而去美國的，忘本的現象更普遍。紀政可稱得起當前的代表。所謂忘本，就是不要自己的國家，不作中華民國的國民？嫁給外國人，當然是忘本。嫁給了美國人，還有不入美國籍的嗎？嫁給美國人，入美國籍，乃勢有必至，亦理有固然。嫁給美國人往往為入美國籍的嬌傲，為入美國籍的手段？固然中國的國籍法並不拒絕有美國籍的中國人繼續保留中國的國籍，怎耐入了美國籍的中國人，往往自認高中國人一等，從此號於衆目之我美國人也！這也就是數典忘祖。作了美國人的中國人，往往卑視中國。國家培植出來的青年不要中華民國，這對中華民國來說，實在是莫大的侮辱，也是莫大的諷刺。紀政是國家特別培植出來的，更不應該不要國家。雖然可以強辯並不是不要國家，但這敵不過事實，事實就是不要國家，事實就是「忘了國家的栽培」，「辜負了國人的期望」。

中國青年不要中國，是中國人應該最痛心的。想大家還記得蔣副院長經國到美國去訪問遇見行刺的人，當然是福大命大沒有吃虧。當然也是國家之福，民族之福。蔣副院長回國之後，發表談話，他對於他的冒險犯難，並未感到什麼，但對於刺他的兩位青年明明是中國人而不承認中國人則感到感到當心感到無限的痛心莫名的痛心。他這種痛心，想不忘本的所有生為中國人都有同樣的感覺。據聞這兩位青年同紀政並沒有兩樣，可能所受國家的培植，國人對他們的希望也與紀政無異。

「忘本」的意義還很多，嫁給美國人，入美國國籍，作美國人，其大者也。嫁給美國人，等於一切都奉獻給美國，其他還有什麼？紀清池不贊成紀政同瑞爾結婚有他別的理由，那就是年歲。瑞爾五十六歲了，而紀政才只廿六歲。以五十六對廿六，距離太大了。中國文化自古以來都是主張年歲相當。所謂年歲相當者，年歲差不多也。今瑞爾五十六，紀政才廿六，年歲差別太大，這樣的婚姻不會有好結果的。不贊成紀政與瑞爾結婚，還有很多別的理由。我想國人不會忘記瑞爾是紀政的教練，一開始就把紀政誘引了，這樣的人是違背中國文化的，也違反了中國的法律，這樣的人如何可以屈服於他，如何可以嫁給他。儘管紀政說瑞爾如何如何，瑞爾究竟有辱師道，有辱中國文化。中國的女孩子，過去一貫的弱者，凡是被人家……總認為生米已煮成熟飯，不如從他之為愈。這是過去的想法，今天的中國新女性就不應該這樣。紀政應該是新女性，應該尊重老人言，愼重將事。

忘本不但是紀政，不但是中國男女青年，即令是年長一長輩的亦莫不皆然。紀政因不應該忘本。不屈服於強權，不屈服於脅迫，應為中華兒女應有的精神。紀政同瑞爾有沒有愛情是一個問題，紀政同瑞爾該不該結婚又是一個問題。日昨電視寫出來孟子說的「魚我所欲也，熊掌亦我所欲也，二者不可得兼，捨魚而取熊掌者也」，請參加比賽的人接着把一句背出來，惜沒有能背的，紀政是高中生吧，她應該能接着背出來，她不但應該背出來，還應該能實行，那就是「生我所欲也，義亦我所欲也，二者不可得兼，舍生而取義者也」。紀政好像對於父親還很懷念，對於父親的訓示應該再三考慮。報載，她在考慮中。我們希望這不但是新聞，這是事實。紀政對於國家，也常常的掛在嘴上，我們也希望這也是事實。是不是事實，會看他能不能聽父親的話。紀政的父親，能在紀政的緊要關頭出來仗義執言，的實非常恰當，他的話也很得體。中華兒女羣趨於忘本的這種地步，政府固應負最大的責任，家庭也不能不負相當的責任。「滔滔者天下皆是也」，國何以立。新聞記者應有一個立場，應明是非的，似不應看在金牌的面上一味的捧。廿六歲的孩子，還應該多多的教育。看來紀政是一個善良的孩子，不過在瑞爾的相處之下，有沒有拒絕的勇氣，還有給事實的證明。「生為中國人不可忘本」，大哉言乎？大哉言也！這就是孟子所謂義，紀政應該有舍生取義的勇氣。這也可以見中華兒女的氣愧。美國人有什麼了不起，瑞爾這個利用地位誘騙人的老頭兒又有什麼了不起。凡屬國人，均應鳴鼓而攻之，一致支援紀清池先生之主張。給「忘本」的「生為中國人」的當頭棒喝，作「生為中國人」「忘本」逆流的中流砥柱，則國家幸甚，民族幸甚！（完）

昨日與明日

再談高玉樹不懂民主政治

民主政治是二十世紀思想的主流，誰要違反這個主流，必將為時代淘汰。我們惋惜靠民主選舉起家的高玉樹，竟不懂這個淺顯的道理。我們對於高玉樹不懂民主，已經加以分析過，覺着還意有未盡，所以再談談這一問題。

第一、我們願意請高市長鄭重考慮一個問題：二次選舉當選，眞是由於大多數選民熱烈的擁護嗎？坦白地分析，高市長當時之所以成功，實由於對手的候選人周百鍊太弱了。周氏在代理市長手內，所作所為，諸多不符人民願望。當時市民不是贊成高，而是反對周，這樣，高市長就當選了。可見民意該如何地不可侮。像目前高玉樹在台北市的種種濫權違法（用監院字句）措施，不顧民意，那兒是民主？

第二、民主政治本身就是個教育。台灣實行民主選舉這多年，大大提高了人民民主知識和程度，大都瞭解選賢與能的道理了，所以，選出來的議員，無論在知識水準和道德水準上，都大為提高了。無疑問的，台北市改制後所選出的市議員，已大不同於以前的市議員政治魔術對於他們已經不靈了。由於高市長和新的市議員對立形勢看，以及台北市議員們代表民意，對市政措施的注重看，市議員們民主知識大大進步，而市長對民主的瞭解和實踐却是退步。

第三、民主政治是一條光明大道。民主時代的政治家，應有民主時代政治家的風度和操守，既不能走捷徑，抄小路，更不應玩權術，耍技巧。因為人民心裏最明白，議員們頭腦更清楚。口舌之辯，無法改變事實。中國傳統文化所謂忠厚傳家久，所謂推己及人，所謂夫子之道，忠恕而已等等，仍應為現代政治家的守則。可惜人們對高市長的印象，能幹厲害，還不能使人信服敬愛。

高市長究竟瞭解多少民主眞諦呢？恐怕連高市長最親信的朋友也難以回答這一問題吧。

・千公・

自由談

反共的區域性

原在俄國居住的一部分猶太人，因為要求回到以色列去而俄共政府不許可，乃發生企圖刼機潛逃事件，被判重刑，引起國際輿論上囂囂然非議譴責，美國方面反響更大，若干國會議員尤其激烈，指摘俄共殘暴不仁，蔑視人道。

同樣情形，中國大陸上的毛共政權亦不許人民前往自由地區，違者殺無赦，香港附近的海面上，即隨時飄流着大陸人民因逃亡而遭受共匪殺害的集體屍身，報紙上雖然詳細紀載這種慘狀，但西方人士却漠然不以為意，對毛共沒有半句斥責之詞，就是那以全人類救主自命的羅馬教皇，亦復視若無覩，當伊無介事。這可見所謂人道主義，所謂保障人類自由生活云云，都是以西方白種人為對象，而有色人種不在其列也。

等由准此，即知今之國際反共運動，表面上說是全人類的自由與奴隸之爭，實際乃是西方人自私自利的宣傳詞令，祇要共禍不延及歐美諸強權國家，他們就毫無所謂，還要跟那些慘無人道，殘暴不仁的共黨政權拉交情，求妥協，自難怪姑息主義泛濫於美英法各國了！

自從蘇俄共產政權實現迄於今日，世界上許多共產黨陸續奪取了政權，而自詡為眞正的民主國家。可是，數十年來，只見共產社會的人民，紛紛逃往共黨所謂「剝削人民」的資本主義社會去，却不聞自由地區的人，有公然願意前往共區求生存者，東柏林共黨政權且建造高牆以防止人民出亡。這證明人類一致的唾棄共產生活，毫無例外，也就是共黨政權必告消滅的必然現象。

可是，經常號召世人努反共的美英強權國家，對於共黨暴虐政權之存在，乃製造許多不合義公道的新名詞，作其姑息自私的口實，如所謂「承認共產政府幷非贊成共產主義」，如所謂「不能抹煞事實存在」，如所謂「毛共下一代可能採取溫和政策」這類遁詞，不一而足。美國政府對外政策的設計專家羅斯托，且創立了「未來世界不會是資本主義戰勝社會主義」，即不會是「美國戰勝蘇俄」的說法，藉以掩飾其姑息妥協的主張。似此區域性的國際反共運動方針若不改正，自由世界前途准是凶多吉少，不成問題也。

馬五先生

飛將軍李廣

周遊

一、神射世家

歷史上伐匈奴的故事，我們漢朝最多；但是匈奴最怕的一個人是誰？那就是「飛將軍」李廣。

李廣是生長在西北甘肅天水縣西南，他的家可以說是「射箭之家」，當時李家的善射是天下無雙。李廣生得奇偉，兩臂特別長，性格豪爽，因爲李家世代都是善射著稱，而李廣更是一位特出的神射手。

漢文帝十四年，匈奴人侵入蕭關，李廣就以良家子弟從軍，隨軍殺匈奴，由於李廣箭法如神，騎馬又快，奔騰如飛，所以李廣所殺的匈奴最多，功勞最大，爲漢中郎。

李廣的堂弟李蔡，也做了中郎，二人都補了武騎常侍，常常和匈奴打仗，衝鋒陷陣，敵人無人敢當。李廣力大善射，能夠用手打死猛獸。他的驍勇連皇帝都知道，孝文帝感歎的說：「可惜得很，李廣生得不是時候，如果生在高帝的時代，萬戶侯也不止！」

漢孝景帝初即位的時候，李廣做了隴西都尉，升主騎郎將，不久又爲驍騎都尉，隨太尉周亞夫擊吳楚軍，李廣一馬當先，衝入敵陣，把敵人的大旗奪得回來。調爲上谷太守，常與匈奴作戰。經常在最危險的地方出入。典屬國公孫昆邪爲國家惜才，他向皇帝哭泣說：「李廣才氣，是天下無雙，可惜這人自負他的才能，常和匈奴作戰，一旦犧牲，那眞是國家的損失。」於是調李廣到上郡去做太守。李廣在每一個地方，都專找匈奴打，奮戰不懈，英勇聞名中外。

二、射殺活捉匈奴射手

有一次，匈奴大兵侵入上郡，天子派了一個很寵愛的中貴人到上郡來幫助李廣。一次，中貴人帶了數十名騎兵，在陣前跑馬射箭。匈奴派了三名能夠射鵰的神射手，來射殺漢將，被貴人看見，拍馬上前，張弓搭箭射去，一連射了三箭都沒射中；三個匈奴手回敬了三箭，射傷了中貴人，其他的數十個騎兵也被匈奴射死。中貴人急忙奔向李廣，李廣一看，知道這是匈奴的射手，箭法神準。於是李廣帶了一百騎兵，去追趕匈奴的三名射手。三個匈奴知道李廣的神射利害，勒馬回頭就跑，李廣先射匈奴的馬，兩匹馬都被射倒，馬兒負痛，把三個匈奴射手摔下馬來，三個匈奴只好拔腿便跑，李廣用箭射倒兩個，一個被活捉。三個人果然是匈奴的射鵰的神射手。

（未完）

處理泰利鋼廠登記

台北縣長涉嫌失職

陳大榕委員提出調查報告

監院經委會決定提案彈劾

（自由報台北消息）台北縣長蘇清波處理泰利工業公司購買汐止鎮工業用地設立煉鋼廠申請工廠登記一案，案經泰利工業公司向監察院陳訴，由監院經濟委員會推派委員調查竣事，並提出調查報告經會議決定，由原調查委員陳大榕提案糾彈台北縣長蘇清波。

陳大榕委員於調查意見中指責台北縣政府所規劃汐止工業用地爲該縣府所熟知之事實，有林聚元石油化學廠等五大工廠，先後於該工業用地購地建廠，曾有佔用該計劃道路情事，台北縣政府均經查勘，未予指正，并一一爲之轉呈建設廳核准登記各在案，此次泰利工廠因增置十五噸電氣煉鋼爐，申請變更登記，并依規定檢附廠房配置圖說，台北縣政府已爲之轉呈省建設廳准予核備，亦未有所指正，迨廠房建築完竣，機器安裝妥貼，並經報請經濟部工業發展局查驗認可，通知台灣電力公司供電試車。依法申請台北縣政府轉呈建設廳核發工廠登記證時，台北縣政府紀令飭汐止鎮公所轉知泰利公司，應先行拆除佔用該工業用地計劃道路部份廠房後再行核議。就法理與事實言之，顯有未當。

調查意見認爲：該縣政府既未糾正於前（林聚元化工廠等申請設廠時期），復不糾正於當時（泰利工廠申請設立及變更登記時期），而乃迫令拆除於廠房建竣機器安裝接電試車之後，豈非設阱陷人。至「影响交通」之語，尤屬託詞。該縣政府對於工廠登記案件，僅負限期查報承轉之責任，核定之權，屬諸建設廳，依據卷載，其間經有關單位三度簽請轉報建設廳核辦，縣長蘇清波均置不理。省與該縣之專案小組人員勘察意見，省令台北縣政府迅予轉報建設廳核辦，該縣府竟拖延達五月之久，致使泰利工業公司蒙受損失，顯有違法失職之嫌。

據陳大榕委員調查報告指出：台北縣政府爲發展地方經濟，於民國五十二年八月間劃定汐止鎮中和鄉等地區內九處私有農田作爲工業用地，並繪具圖說予以公佈。其中汐止鎮工業門地，面積十四公頃餘，位於北基公路與鐵路之間，成一狹長之地形，係爲便利設置小型工廠之需，原設東西橫貫道路一條，與鐵路公路平行。惟該縣政府從未實施管制，加之自五十三年至五十六年間，先後有林聚元石油化學廠、立茂法瑯廠、台灣汽水廠、三鑫夾板廠、泰利工業公司煉鋼廠及三家小廠，於該用地內購地建廠，由於五家大廠向土地所有權人洽購之土地，其南北兩端均與公路、鐵路相連，各有其出入之路，無須再用預定之道路，以故所建廠房或圍墻均有跨越計劃道路情事。各該廠申請設立登記時，該縣府建設局亦曾依法派員實地調查工廠基地位置，核付廠房配置圖說，認爲均符合法令予以轉報省建設廳核發許可證各在案，並無不應佔用計劃道路之提示。

泰利工業公司煉鋼廠爲增加十五噸電氣煉鋼爐，於五十七年十月，依照規定申請變更登記，并檢附增建廠房圖說，該縣府簽請省建設廳轉報經濟部准予備查。該公司於奉准許可增建廠房後，即按照兩度核准建廠藍圖施工，并安裝機器及巨型電氣煉鋼爐，爲時年餘，至五九年四月建築完成，呈請經濟部工業發展局查驗認可，并通知台灣電力公司供電，試車開工。該局即依照政府頒佈工廠設立登記規則第六條：「工廠於許可設立後，應於二年內完成建築并於試車後三個月內申請工廠登記，逾期原許可失其效力」之規定，於五月十一日申請台北縣政府核轉省建設廳發給登記證。該縣府建設局工商課始於調查表：「廠房建築是否合法」一欄，簽註該廠廠房跨越計劃道路。建設局長林福老於去年五月卅日核批：「卷查原設立案，該（工商）課未查簽佔用計劃道路，不無疏忽，應另查責任憑核。」嗣由縣長室機要秘書杜明輝簽稱：「一、該廠申請設立，其建築位置係於工業用地道路上，爲何事先未經查出，應予追究責任，從嚴議處。二、該工業用地內[illegible]情形有若干？其建築位置如何？擬請建設局以[illegible]。三、該廠既經省建廳核准設立，爲解決實際困難，擬將實情報省核示。」案經縣長蘇清波於去（五十九）年六月[illegible]日核批：「第一、二兩點如擬，第三點緩議」。旋由該局建設局同月六日簽具各廠佔用計劃道路位置並自承審核泰利工業公司申請許可設案，錯在縣府，擬[illegible]建設廳核辦。該縣縣長蘇清波於六月九日核批：「應飭知各廠先行拆除後再行核辦」。

×　×　×

申請登記文書多次往返

事逾五月始獲發證

外銷訂單被迫臨時取銷

工廠損失達五萬餘美元

泰利工業公司以申請工廠登記，事隔五月餘，未蒙批復，於六月十二日派員至台北縣政府洽詢，始悉十一日[illegible]。不得已，於六月十三日向該縣府陳情，附具切結書，自願於該計劃道路開闢時，地上廠房自行拆除。蘇縣長批交建設局簽核。該局簽報署稱：「除本府失職人員遵示另行議處外，該案呈報中請工商登記證，可否函請省建設廳核辦」。蘇縣長核批：「仍如六月九日批示（應飭知各廠先行拆除後再行核辦）」，魁迅辦理」。旋即令飭汐止鎮公所轉知泰利工業公司稱：「查該廠申請設立時，明知有汐止鎮工業用地計劃道路，而故意在該道路上興建廠房致影響交通，理應飭知先行拆除佔用該工業用地計劃道路部份廠房後，再行核議，原件發還」。

泰利工業公司因領不到工廠登記證，依法不能結匯向國外購料，以致工人休閒，基本電力虛耗，外銷訂貨臨時取銷，僅就退回[illegible]方面訂單一項損失即達美金五萬五千元之鉅。該公司不甘受此損失，乃檢具申請工廠登記書件，於六月十四日向台北縣政府陳情核轉，並分向監察院及台灣省政府呈請査處。省府[illegible]同月十五日，省府派建設廳第一科科長[illegible]等三人，會同台北縣政府建設局工商課人員前往實地勘查後，咸認該工業用地計劃道路東北端已設有台灣汽水廠、林聚元石油化學廠，西南端已設有立茂法瑯廠，泰利煉鋼廠及三[illegible]夾板廠，均面臨北基公路，具有良好交通道路，原計劃道路失去利用價值，同意予以廢止，至於中段尙未利用地區之交通路可另行規劃。會勘結論爲：「泰利工業公司申請核發工廠登記證案，由台北縣政府儘速轉報建設廳核辦」。該專案調查小組隨將會勘紀錄專案呈報省府，經陳大慶主席核可，於九月一日令飭台北縣政府遵辦。該縣府延至十月十五日始呈復省府。省建設廳於十月三十日核發工廠登記證。自該公司申請工廠登記證之五十九年五月十一日起至十月卅一日頒發之日止，爲期達五個月零二十天。

（完）

平安夜的狂歡

依洞集

易俦

每年聖誕節，在歐美各國，有無數醉漢狂歡達旦，酒開汽車，發生車禍，造成死傷，平安夜變成了不平安，是常有的事。

聖誕節是基督教的節日，如果沒有基督教義，西方文化必然面臨崩潰。可是，西方社會藉着聖誕節狂歡，甚至造成死傷悲劇，是毫不足取的。說來合人痛心，我國仕女，特別是標榜西化的，每逢聖誕節，[illegible]可以不去，歸會知不能不開。他們根本就不明白什麼是基督教義，事實上，他們大都是教外人，所以要在聖誕節狂歡，就是由於一、崇洋心理，二、享樂主義而已。

崇洋心理便是月亮是外國的好的自卑心理，而享樂主義更是虛無主義昇華作用。

中國若干頑固的儒家衛道之士，甚至因基督教是外來的，要加以排斥。這是矯枉過正。事實上，中西文化各有其優劣點，應該互爲涵攝，不應互相排斥。因此，對於基督教義，我們非但不應排斥，而且更應吸取。但變質的平安夜卻是一大語病。

中國已有元宵、端午、中秋三節，並有新舊兩年，但乎歡樂的節目比一國還多。現在再加上聖誕節，豈不變成一個「享樂民族」了？享樂生活便是醉生夢死，個人尚且應該懸爲厲禁，大家如此，烏乎哉？

台北傳奇錄（九九）

陳光棣

清湯掛麵進了十號病房，看到一位滿臉搽着厚粉的太太，正在罵罵咧咧的換衣服，料想就是賴太太了，於是細聲細氣的打了個招呼，便開始整理頭髮。

「這個死鬼風眞害人，把我渾身上下的衣服都給打濕了！」賴太太看着清湯掛麵：「一條裙子，我這時才買了不到一個禮拜，就被雨水泡成這個鬼啦！」

清湯掛麵唯唯作倩，這時只報以淺淺的一笑。

賴太太又罵醫院：「這種病房眞是髒腳，要什麼沒什麼！眞是呆不慣！」

「這位太太貴姓」？清湯掛麵擦着鞋子。

「姓賴！」

「我姓[illegible]！您是什麼病啊」？

「不是我，是我女兒盲腸炎開刀」。

「您的小姐，多大啦」？

「十八歲！」

「什麼？您可眞是風趣，您也不過三十歲出頭，就有十八歲的女兒嗎？我可不相信」。

賴太太一聽就和中了特獎一樣的高興，滿臉堆下笑容：「什麼三十出頭哇，我都卅四十邊兒啦！」

清湯掛麵暗暗好笑，[illegible]兩個人越談越投機，越談越近乎，不到半個鐘點，她知道賴太太已經五十多歲了！「您可眞是駐顏有術，一點都看不出來！」

[illegible]成好相反而無話不談了。

風雨越來越大，賴先生穿住樓上[illegible]，心裏又不住的嘀咕：歸根結蒂還是醫院不好，偏什麼不多，偏偏把這兩個女人擺在一個病房，這不是誠心搗蛋嗎？賴先生究竟是作大事的人，眞個是臨危不亂，想來想去，咬牙一跺腳進了十號病房。

「艾呀！你還來呀！」賴太太正和清湯掛麵談的高興，看到自己的丈夫，馬上斂起笑容。

「我好不容易趕了來」！

「奇怪呀，你怎麼知道我們進了醫院」！

「先不說這個吧，孩子怎麼樣」？

「正在動手術，喂！想起來啦，我給你們介紹介紹，這位鄭小姐是我的乾妹妹，來，過來，這是姐夫！」賴太太拉着清湯掛麵的手。

「姐夫，你好！」

「好！好！」賴太太搭拉着眼皮：「請坐！」

「呆脊怪無聊的，你去給我們買點吃的東西來」！賴太太興奮的說：「聽說這裏頭有販賣部」。

（未完）

相法的新評價

命相与夢話

·漢玉·

相是普通人都能看，不過要他下一個正確的判斷那就難了。因爲這面的盈、虛、消、長，以及如何加減乘除的道理，有許多地方只好意會，不可能言傳。一般相士，對人滿口術語，藉以欺騙鄉愚。如說「眼」，他不說眼，他說是「觀察官」，其他各部位都照相書的術語名詞，外人莫明其妙。

其實看相的相士，對一個來人，已先知大概，他首先看看來人的體型；第一先看「三停」。所謂「三停」，上停是頭部，中停是指頭部以下，兩股以上，下停是指腹部以下，而至兩足。一個人果眞三停配合得宜，大約不會太壞。

第二再看頭部三停；上停指眼睛至髮端，中停指鼻尖以上到雙眼。下停是鼻尖以下至下巴，這三停如果長的也相配，當然只有好，很少是壞的。

一個人最重要的是一雙眼睛，關係最大，因爲兩眼好比日月，假如長得黑白不分，不光不亮，也就同日月無光一樣，還能生長萬物嗎？所以兩眼千萬不可像幾天沒有睡覺的樣子，糊糊塗塗，如像這樣，那有好的事業？

看相最大難處，就是觀人氣色，所以有的相士掛出「善觀氣色」的招牌。一個人臨時得失，要緊的是氣色。據相書上說：「氣是皮膚裏面發出來的，色是顯出在皮膚面上，氣色發暗，總不是好，必定要光亮。普通人說「紅光滿面」，「容光煥發」。但是要注意「紅」的顏色。如果一個表面發紅，並不是一件好現象，一定要從皮膚裏面發出紅中帶紫的色，也就是一種「潤」色，要紅而且潤。相書上說一年之中，只有六月色紅相宜，其餘各月發紅都不佳。因此氣色最難看。假如一個沒有經驗的相者，以爲紅的都是好的，那喝了酒也會紅，有病發燒也會紅，烤了火也會紅，因常惡也會紅，怒惱也會紅，如此許多的紅，都是臨時的，不能以相書的氣色一概而論。

再看中停以下，大概女的下停太長，中停較短，十之八九都是風塵女人，男人如果下停太長，也是操賤役者。但是這並不是定律，不過提供參考而已。

所謂「相」，必須包括一個人的坐、臥、起居，不只是只看面孔就夠了。如相書上說：「立如松，坐如鐘，睡如弓。」俗語說：「站有站相，坐有坐相」。站起來挺立如松柏，任你風吹雨打，主幹不動。坐在那裏，如像巨鐘立地的穩健。睡覺更不可仰臉豪鼾，如死屍的一般的挺在牀上，必須立身側臥，如弓一樣睡在那裏。走起路來，也要直綫前進，最忌東倒西歪，搖搖幌幌。總之一切都得合符相書上的才主貴。

再說男人上身短，下身長，大半都是做生意買賣的人。上身長而下身短，大半都是官宦爲業。面貌清秀主功名利祿，混濁的主財富考，都只能言其大概。

人的相最怕「三寒」。所謂三寒，就是眉寒，筋寒，聲寒。所謂眉寒，就是眉頭常常緊鎖在一起，筋寒就是常常把兩肩聳得高高的，頭似縮在肚裏。聲寒就是談話顫抖，好像在冰窖中出來一樣。如犯此三寒，無論你其他部位如何好，必然終身不發跡。

還有昔日相書上說的女子剋夫型有二十種之多，主淫主亂有數十種，爲什麼很少說男人主剋妻而淫亂，這就是那時重男輕女的緣故。而且相書上沒有說女好相可以做官，現在女的也可以做官了。所以幾百年以前的相書，現在只能作參考，因爲古時的相，是根據中州（今河南）一帶的人之相作標準，而今現代的人種已不論東南西北之人，都可相愛結婚。相也要跟着時代進步，絕不能墨守成規，一成不變。

相士之中，有的專看手相，而向人要錢，也有的專途手相。據說人的左掌紋是先天的，右手的掌紋是後天的。由於手上的掌紋，可以斷定一個人的得失禍福。西洋人也有什麼智慧綫，生命綫，感情綫之說。如果準此以觀，也可有二三相符之處。其實人的任何一部份，會看的都可以判斷終身，不一定要看掌紋，不過要以掌紋最爲方便而已。以後再細說掌紋吧！（下文預告：「細說掌紋」。）

（完）

中國歷代幣制（四）

·文友·

（十一）元

元代肇基之初，鑄有大朝通寶，大朝金合二錢。至世祖以後，廢錢而專行鈔票，錢或爲供養之用。故元代各泉如元貞，大德，皇慶延祐至治，泰定，致和至順，元統等大小錯出，似以意爲之，皆非正用品。武宗至大三年，鑄至大通寶小平錢，及蒙文大元通寶當十錢。順帝至正時，鑄有至正通寶小平，折二折三折五折十等錢。背盆鑄蒙文，又鑄至正之寶，權鈔錢，有五分一錢壹錢五分貳錢五分伍錢等五種。元末韓林兒鑄龍鳳通寶，徐壽輝鑄天啓通寶，天定通寶；陳友諒鑄大義通寶；張士誠鑄天佑通寶；皆有小平，折二折三三種。惟天　錢又有折五一種，其中以龍鳳天啓折二天　爲最貴。

（十二）明

明太祖起義明，鑄有大中通寶，及即位後，又鑄洪武通寶，皆有小平折二折三折五折十五種。背皆紀地，紀値，紀重。其後世則有永樂、宣德、弘治、嘉靖、隆慶、萬曆、泰昌、天啓、崇禎等錢，明錢自嘉靖而後文字呆板，制作簡陋，逮莊烈崇禎之時，國社將屋，更無論矣。後世僞造者，則有建文、洪熙、正統、成化、正德等錢，皆不足收藏。明末諸藩，及反寇，亦皆鼓鑄，魯王鑄大明通寶，福王鑄弘光通寶，唐王鑄隆武通寶，永明王鑄永曆通寶；李自成鑄永昌通寶，張獻忠鑄大順通寶，孫可望鑄興朝通寶，吳三桂鑄利用通貨，昭武通寶，三桂之孫，名世　，鑄洪化通寶，耿精忠鑄裕民通寶，皆有大小數種，亦有作篆文者。

（十三）清

滿清於未入關前，太祖鑄天命通寶，小平錢，有滿文漢文二種；又鑄滿文當十錢一種。太宗鑄天聰通寶，爲滿文當十錢，迨世祖即位後，一仍明制，鑄順治通寶。其初面用漢文，背無文，其後背以漢文紀地，又後背文兼用漢文滿文紀地；旋又易爲背，聖祖鑄康熙錢背以滿文紀工戶二局名，用順治之滿文式，外省各局所鑄，背用漢滿文式，其漢文有同福臨東江，宣原蘇　昌，南河寧廣浙，臺桂陝雲漳鞏西等，內以鞏字西字爲最貴，又福局所鑄康熙錢，其背上有紀子丑寅卯辰巳午未申酉戌亥等十二地支之一字者，其價較鞏字西字錢尤貴，若欲十二字完全眞不易得。其後世宗鑄雍正錢，高宗鑄乾隆錢，仁宗鑄嘉慶錢，宣宗鑄道光錢，文宗鑄咸豐錢。咸豐時，洪楊變起，軍需浩繁，錢制紛更，各省皆開爐鼓鑄，等差之多，蔑以復加，有小平，當二、當四、當五、當八、當十、當二十、三十、五十、以至於當百、當二百當五百當千等，又鑄鐵錢，又發行鈔票，其幣制之紊亂，實爲新莽以來歷朝所未有也。當時洪秀全鑄太平聖寶，太平天國，平靖通寶，平靖勝寶等錢；又鑄天朝通寶，背永字，皇帝通寶，背聖字，太平通寶，背文字，開元通寶，背武字，將此四錢合而讀之爲，則爲天朝皇帝，太平開元，永聖文武，此蓋開爐錢之吉語也。此四錢完全者頗貴。迨文宗殁，穆宗嗣位戢垣等。

（未完）

申報館長史量才被拘記

·胡珠·

他已心動，餐後一問侍者，證實他們三人一起進食，便即料定史量才必有事求教於葉養吾，此日此時，求救求助，無非爲席子佩的一場官司了，便因此認定葉養吾當爲史量才的貴客，要知世間以貴客之貴，最爲受人尊重，貴客之行，最爲引人注意。因此，馮炳南就揣測到葉養吾對史量才具有很大影響的力量，同時也認爲葉養吾倒是對付史量才一着有用處的棋子。

馮炳南對史量才的一件訟案，確實運用一番心機，準備於法庭交戰，一鼓而把他擒住，必使他舉手降服認輸。所以他的一切佈置，特意安排於輪到意大利領事會審之日動手。於是他如何的使巡捕房中兩探員於這天執行拘捕法令，如何的要翻譯員在午刻把「落大簿子」的一切手續辦竣，以便下午解送會審公堂由意大利領事會審。他向各方面接洽，預先一天做下這樣的安排妥當工作以外，再另外派遣一人做眼綫，於這天的清晨就到巨籟達路史量才寓所的洋房左右附近地方，遙作監視，留心察看。只要史量才一出屋門，便即暗中跟隨追蹤，等他進入英租界任何地方，就打電話通知，以便中西探員按址趕去，像甕中捉鼈似的手到捉來，這是馮炳南的一番精密佈置。如果史量才也像前兩天的安居家中，杜門不出，那麼馮炳南所定策略，全部落空，無法實現。

不知如何史量才忽然心血來潮，想着要到青年會去理髮，就叫車夫預備好車子，坐上就走。當他包車挽出大門，轉入巨籟達路，就向東邊如飛而去，上海的包車夫趕路快速，總比街頭所僱的人力車，快速到三分之一或四分之一。所以那個馮炳南所派來的眼綫，原立於史量才寓所大門外西首的馬路邊上，約有六七十步的距離。當他望見史量才坐車出門，即忙隨後追來，不過這條巨籟達路相當冷靜，路上的行人固然稀少，街車卻又絕跡，不像前邊一條馬路的福煦路，隨時隨地可以僱乘街車，隨後跟蹤得住。可是他卻又不敢明目張膽，撥開兩腿飛跑追趕。因爲他有所顧忌，第一是要經過史量才所居的大門前，那門口僱有管門巡捕，就怕引起他的注意，露出破綻。其次是怕路人起疑，橫加阻難，發生無謂的麻煩。因爲上海人頗有一種好管閒事的俠義感，一般的觀感看見有一個人在路上不是安步而行，作着狂奔飛跑，認爲這不外非盜即賊的兩種人行徑，他們做了壞事，恐怕有人追來，故而方作亡命奔跑。可是好管閒事的上海人，往往會做出「截江奪斗」的事情來，最低限度也會停止脚步，瞭望着你往那裏逃跑。所以馮炳南所派的眼綫，他只得把腳勁加緊、快步追趕。

但他追趕到貝諦鏖路的十字街口，卻看不見坐在包車上史量才的影蹤，頓使他發生躊躇徘徊的疑念起來。因爲他立在十字街口，除卻朝西的一條來路以外，其餘擺在眼前的東南北三條路，不知朝向那一個方向馬路追去，才能追得上史量才。因此他就在十字街口，站立作三面瞭望，但瞭望總不見史量才的一些影蹤。其實在巨籟達路的東邊路端，有一個臨時露天菜市場，那是菜販魚賈們在店舖門前，沿着馬路邊絡續集合而成。以便英法兩租界附近居民的採買葷素伙食的食品食物之所，擁販衆多，市面熱鬧。史量才的車夫因他主人吩咐到法大馬路外灘去，所以他挽車直穿這露天菜市場而過，朝向八仙橋方面飛跑而去。那些購買菜蔬之人，讓車子過後，重復聚合在一起，就把馮炳南所派遣的綫人視綫，爲之遮斷。追得他沒有辦法可想，祇有在就近店舖借打電話給馮炳南，把他追蹤史量才不得，失去影蹤的事實經過，詳細說明，作爲交待。

（未完）

聯想作用說

催眠術

鮑仙洲

聯想作用說，爲催眠術最早的學理。創立此種學理的，爲西方大哲學家——亞理士多德，近代又經東西洋心學家的考證，因此這種學說就成爲有力的學理。

這種學說的要旨：以爲人的思想一件事而兼及其他事，例如秋天夜裏獨行荒郊，忽然看到一條黑影，聯想到某人所談的夜行遇盜，又聽到類似鬼叫的怪聲，而又聯想到所看小說中的夜行遇鬼，而更增加其恐怖的心理。都是聯想作用。所以施術者向被術者暗示道：「你的足下有一條大蛇。你的眼前大好風景。」被術人因感應其暗示，一面則現驚恐之狀，一面則現瞭觀之狀。

又如對於身有痛苦者施以催眠時，必先設法令其發生快感的興趣，一時忘去痛苦。乘此機會施術者暗示道：「你的病痛已經除去了」。頓覺身體輕鬆，精神快樂了。被術人果因此不覺復痛了，病竟告痊癒。

這是催眠的常有的事。要知此即聯想作用使然的。此種學說大要如此。

「岳飛」作者更正

查「岳飛」一文中的張浚與俊之出現，往往將張浚誤排爲張俊。作者在文內極其注意，原稿分得清楚。可惜手民一再誤排，甚感非更正不可。

張浚爲四川綿竹人，字德遠，進士出身，初爲太常寺主簿。計討劉、苗，做關陝京西路宣撫使，又做過宰相者（與趙鼎同爲左右二相）是也。此人志在恢復，高宗秦檜主和，貶永州。孝宗時除爲樞密使，都督江淮諸軍事，封魏國公，卒謚忠獻。

張俊爲成紀人，字伯英，少年爲強盜出身，不過頗有點才氣，非一般強盜可比，降宋立功，與韓世忠、劉奇（金旁）、岳飛爲南宋建炎四帥。秦檜主和，張俊附和之，奪三帥兵柄，張俊獨擁重兵，封益國公，旋晉清河郡王，拜太師。岳飛下獄，亦由張俊助之。晚年尤爲貪婪。卒後追封循王。然與張浚相比，相去遠矣。因恐龍蛇相混，特爲更正。以後凡出現張浚與張俊之時，請特別留意。

（岳飛作者更正）

郭子儀安內攘外（中）

·周遊·

四，大敗史思明

郭子儀起義兵勤王，兵出單于府，他的號令嚴明，軍容整齊，上氣旺盛，戰志高昂，一舉收復靖邊軍，把賊將周萬頃斬首，將賊頭傳到京師，因此人心大振。由於常山守將顏卿盡忠死節，常山失守，郭子儀便推荐了李光弼為河東節度使。可見郭子儀的胸襟是多麽的偉大。

李光弼受命為河東節度使之後，郭子儀率軍出井陘，隨時機收復河北。到天寶十五年二月，郭子儀與李光弼兩軍夾攻常山史思明賊兵，史思明敗走沙河，郭子儀率軍追剿，大敗史思明於沙河，又收復趙郡，把賊兵殺得落花流水，俘虜賊兵數萬。郭子儀休兵了數天，大軍進駐恆陽。乘着勝利的餘威，不使敵人有喘息的時機，進圍賊兵史思明部於嘉山，大敗賊兵，殺得屍體堆積如山，血流成河，斬賊頭四萬多，眞是一次大勝利。史思明殘軍四處逃竄。於是河北各地郡縣，都紛紛起來反正，把安祿山的各地賊殺了來歸，因此，郭子儀聲勢浩大，他的威名也隨着勝利傳遍了天下。

五，光復河東

正當郭子儀節節勝利的時候，東方的賊寇史思明潰不成軍；可是西面的安祿山却打破了潼關，潼關的守將哥舒翰下落不明，玄宗皇帝早已逃到四川避難去了，肅宗在靈武即位，急詔在東方的郭子儀班師，命郭子儀和李光弼兩枝兵西征安祿山，郭子儀與李光弼二將率兵抵達靈武，作收復兩京的計劃。要收復兩京，必先收復河東，因為河東地界兩京之間，能扼賊兵要衝，河東賊兵的守將是崔乾佑，郭子儀暗中派了人入河南去連絡唐室陷入賊手的官員，使他們暗中作內應。內應的計劃做好了之後，郭子儀便揮軍征討，一時四方響應。崔乾佑受到內外夾攻，大敗而去。郭子儀便收復了河東。百姓扶老携幼，挾道歡呼，非常感動，有的載歌載舞來勞軍，有的殺了牛羊，提了酒漿犒餉士卒，眞是一幅感動人的場面，有的人更是高興得流下熱淚來了。為國家辛勞的民族英雄，眞是偉大極了！

六，光復長安

郭子儀光復河東之後，安祿山大敗，胡賊惡貫滿盈，為他的兒子安慶緒所殺死。郭子儀乘機兵圍長安，此時廣平王也率兵到長安會師，賊兵不敵，棄城而逃，郭子儀光復了長安。子儀以整齊強大的軍容，浩大的行列，進入長安。百姓們為了感謝這位偉大的民族英雄，全城出動，有的是携了牛酒犒勞郭子儀的士衆，有的是來看一看英雄人物的丰采，又是一幅偉大而動人的場面。

七，光復東京

郭子儀光復了長安之後，只休兵了三天，便揮軍乘勝追擊安慶緒的殘兵。安慶緒竄到新店，郭子儀大殺一陣，安慶緒敗的潰不成軍，於是又竄往相州，郭子儀大軍又收復了東京。現在西京和東京都被郭子儀光復了，他的功勞太大了，他的忠勇精神也太偉大了。他沒有一天休息，即刻奉了廣平王進入東京。郭子儀因大功而升了司徒，封代國公。子儀回朝，肅宗皇帝率了文武百官，親自到壩上歡迎他。肅宗皇帝對子儀說：「我的國家，實在是你的再造！」「再造」，就是將大亂的國家重新建立起來的意思。啊！郭子儀太偉大了。

（未完）

強制剃鬚與薙髮

·恨海·

搜異錄

巴基斯坦曾經發生過一件強迫剃鬍子的故事。

巴基斯坦回教徒阿卡巴汗，被白勒福公司解僱，解僱的理由就是不剃掉他長鬍子，他不肯剃是有理由的，也是合法從俗的。因此他的官司獲勝了，他獲得六十美元的賠償。

留鬍子人人有自由，也是個人志願及自由。尤其是回教徒為然。

前幾十年的男士，長髯飄拂，沒有誰理。大有長髯代表「風雅」或「長老資格」，「優閒生活」的閒雲野鶴。

不過你今天要是去當水手，當丘八，做探空英雄，如留有一把鬍子，那你就沒有資格。

死於一〇七五年英國和徹斯特的叫士汴主教，認為留鬍子是罪過，有長鬚的人來求他庇護，他站着等那人跪下時，手出利刃，將人鬍子割掉，還擲其人面前，大聲道：「以後剃鬚，不然就下地獄」！

一百五十年前，巴伐利亞國王下令全國臣民，不准長鬍子及留鬢，違者逮捕下獄。

征服英國的威廉大帝，所統率的諸曼軍隊，個個都留短髮，被征服的英國人則留長頭髮，唇際有髭，只替領下的鬚。

威廉大帝夠聰明，他不強迫英國人留短髮，為的是容易辨認——那些是被征服的人。

十一世紀之末，羅馬教皇禁止男子長頭髮，生前逐出教門，死後不得為之祈禱。

英皇亨利一世時代，坎脫伯利大主教亦宣告：男子的長頭髮者，逐出門去，並不得受法律保護。不過亨利一世及其朝臣，却討厭大主教之做作，一致留長頭髮。宮中小教堂的教牧師，特為此事對英王及廷臣說教，講道理，英王為之淚下，結果剪了長髮。

俄羅斯的彼得大帝的做法不同，他于一七〇五年，下詔：留長頭髮者重罪，許多人寧願納罰欵，這樣便使他成為歐洲王室中最有錢的人。

中國人最慘的就是滿人強迫留辮髮。滿清垮台，民軍強制剃髮，有「留頭不留髮」，「留髮不留頭」的警語。民軍士兵，當街為之剪髮者多多。眞是頭髮、鬍子之災歟！

民初國會議壇（二）

·李仲華·

袁並處死北京巡警總監王治馨。王治馨是當時刺宋案中兇手之一，袁為殺王滅口，便藉故貪污有據而處死刑。王是民國三年六月二十七日為被拘留在步軍統領衙門偵審，由平政院按照所揭各款酌傳要證，嚴行審理核辦。而北京各報均以顯著地位，刊登此一新聞，與論並讚揚袁之懲辦貪污，大快民心。

王是山東人，乃徐世昌、趙秉鈞所賞識者，在軍政界頗為顯赫的人物，副榜出身，曾在小站當差，遜清時歷任奉天巡警總辦，北京內城廳丞，民國以後由京巡警總監歷任順天府尹，以聲名狼藉，乃改在副統。因為王在順天府尹任內，把順天所屬二十四縣，賣了二十二縣。

王在順天府尹賣缺情況甚為趣聞，武清縣知事田載豐，經營霧子館雲香小班，對後來改營牙行，不問其經歷出身如何，政治一竅不通之人，竟然買官賺錢來了。還有三河縣知事劉其勳，其出身是個經營照相館的；為了宦途有利圖，也花錢買官做，劉有一個買官公司，五人股東，共同出資，押籤結果為當選知事，其他四人則為「帶檔師爺」。王賣缺有規價，第一等五千元，第二等縣三千元，第三等二千元，有人花了三千元買到一個二等，到任才五口，就爭到了五千多元。還有一個知事，為了急急收回本錢，乃雇了一批叫化，前往富戶索討，富戶給以黑米飯，叫化強要白米飯，大家爭吵互毆，縣知事早有預伏差役，把富戶和叫化一併拿捕入監，先將富家子監禁，判罰八百元，錢方到縣署就被帶檔師爺和門役朋分，縣太爺未得分文，乃將其父拿押，判罰一千元中飽。

天府所屬二十四縣，其所以能賣出二十二縣，因一個機會的造化，剛好碰上縣知事考試，王治馨乃把所屬知事一律送考，但又怕舊知事考取及格仍回原任，即故意把迭考公事延誤，使舊知事不能如期應考，這樣便空出了廿二縣的缺出賣營利。

當趙秉鈞死了未久，徐世昌又當國，故外間對王雖有不利，可是王的靠山太大，大家認定暴風雨亦難推動他，不料肅政史夏壽康、周登、江紹杰、張超南等一提彈劾，袁立即下令扣押。

袁拘押王的命令是在六月廿七日公佈，而王却在先前一天被拘，由步軍衙門游緝隊員張樂斌持名片晉謁，請王至步軍衙門，步軍提督江朝宗出見，把袁令給王看，王看了黯然失色，要求回家料理一下私事，江允所請，令兵警押返寓所，再帶回衙看管。

王被處死刑，民心大快，事實上袁的私心恨王入骨，是他顢頇，刺宋案發生後，王所發表言論等於承認是袁主使，因而決定殺王滅證。

曹錕賄買議員之燗帳

民國十一年，黎元洪被吳佩孚從天津接到北京，復任總統後，直魯豫巡閱使曹錕的屬下便積極的佈署擁曹當總統，壓迫內閣垮台，發動驅逐黎元洪下野，收買國會議員，準備大選選出曹錕。當時稱呼這些擁護曹錕為總統的人為津保派，主腦人物是曹錕的兄弟曹銳。

曹銳和王毓芝負責，把所有願的賣投票的議員，一律聘為直魯豫巡閱使署顧問，自元月起，按月給予津貼二百元，顧問名單是由京兆尹劉夢庚開出來的，劉兼任直魯豫巡閱使署駐京偵緝處長，所以名單由他開，他計共開了三千四百五十名，名單送到曹錕呈閱，曹嚇了一跳，因為兩院的議員不過七百多名，細問是從七百人中挑選願意投票擁護曹錕當大總統的議員。

（未完）

無奇不有集（九）

（廿八）壯哉小孩子！

甘迺迪總統時代，出了一件小人物大事。

美國俄亥俄州，有一個七歲的孩子，一天靜靜的寫好一封信後，付郵寄出。七歲小孩他有朋友通信嗎？

七歲小兒的信是寄給當今總統甘迺迪的。他告訴甘迺迪說：他的爸爸名叫佐治山打士，十一月二日是他的生日，他還說他的父親是個好爸爸。

十一月二日，佐治山打士接到一封白宮寄來的信，他覺得很奇怪，因為他不認識白宮的朋友。後經拆信一看，發信人赫然簽上甘迺迪的大名。上面這樣寫着：

從令郎處獲悉閣下生日，特此致賀。甘迺迪。

壯哉！七歲小兒！

（未完）

御廚談藪

八寶粥

林泉隱

八寶粥是用糯米三分之二，一般食米三分之一。水與米成四與一之比，即三分水，一分米。

米洗淨入鍋後，先用急火煮透，然後把桃仁、松仁、香菌、柿餅、栗子、蓮心、紅棗、茨實、白糖等料，依次放入，再用漫火煮之。這是甜食的「八寶粥」。

如果弄鹹味八寶飯，則用鴨湯、肉湯、蝦米、火腿、鴨肉、豬肉細屑等配。名為「八寶」，其實九寶、十寶的食料亦無不可。總之，無論甜八寶與鹹八寶，先用急火煮後，再以緩火為宜。

第十七章　岳鵬舉大破李成　宋高宗重用秦檜

周燕謀

高宗笑道：「如韓世忠之擒苗傅、劉正彥，卿實不如也」。張俊默然無語，只好受命而退。退而畏縮，自以為不能勝李成，他思來想去，以為諸將之中，祇有岳飛智勇將備，軍隊精銳。乃請求高宗，以岳飛為副。高宗允奏。召岳飛為副使，同討李成。岳飛奉召起兵進抵鄱陽，與張俊會師。

紹興元年二月，岳飛軍書旁午，引數十騎遊鄱陽龍居寺，曾賦詩於寺云：

巍石山前寺，林泉勝復幽；
紫金諸佛像，白髮老僧頭。
潭水寒生月，松風夜帶秋。
我未嘈龍語，為雨濟民憂。

數日後又遊鄱陽東松寺壁，寺僧慕岳飛之忠勇，請題詞紀念。岳飛題詞於壁云：

余自江陰提兵起發，前赴饒郡，與張招討會合。崎嶇山路，殆及千里，過祁門，約一舍餘，當途有庵一所，問其僧曰東松，遂邀後軍王團練並幕屬隨馬。觀其基址，乃鑿山開地，創立廊廡。三山環聳，勢凌碧落，萬木森鬱，常掩烟，勝景瀟灑，實為可愛，所恨不能欵曲。進程遄速，俟他日殄滅盜賊，凱旋歸回，復得至此，即當聊結善緣，以慰庵僧。紹興元年仲春十有四日，河朔岳飛題。

文中所稱之王團練者，即後來共同誣陷岳飛之王雕兒。因被秦檜收買，為檜之幫凶。此時則為岳飛之部屬。

岳飛離鄱陽，軍抵洪州（今江西南昌縣）。李成之軍連營西山，官軍不得渡，諸將莫敢先渡，張俊大懼，急召岳飛計議。張俊向岳飛道：「我與李成前後數戰皆失利，君其為我設計討之。」

岳飛道：「賊貪而不顧後，若以騎兵三千從上流生米渡，出其不意，破賊必矣，某雖不才願為前鋒先渡」。張俊大喜，遂依岳飛之計進兵。

生米渡在江西新建縣西南四千里，為西山之上流。西山為賊之老巢，壘壁險要，山上有一巨洞，名叫「天寶洞」，貫通西山東南西北各隘。生米渡為天寶洞之南門。西山之中有一市鎮，名叫「生米鎮」，為盜區交易之中心，為李成大將馬進據守。

岳飛準備就緒，于同年三月九日早上，岳飛身披重鎧，提槍上馬，率領本部人馬臨生米渡，揮軍渡河，身先士卒，自己首先渡，張俊諸將皆在岸上駭視。岳飛之軍渡江神速，見者以為神將，為之驚異不已。因為對岸離江不遠。

（八十二）

自由報

（第　一期）

（半週刊每逢星期三、六出版）
每份港幣叁角・台灣零售價新台幣弍元
督印兼行者・李運鵬社長
社址：香港九龍彌敦道593—601號
廖創興銀行大厦八樓五座
LIU CHONG HING BUILDING
8th FLOOR FLAT 5
593—601 NATHAN ROAD,
KOWLOON, H.K.
TEL：K303831
電報掛號：7191
承印：景星印刷公司
地址：嘉咸街廿九號地下
台灣區業務辦理中心：台北重慶南路一段一二九號
電話：二四五七四
台灣區直接訂戶　台灣劃撥戶
第五〇五六號張萬有（自由報會計室）
台灣分社：台北市西寧南路110號二樓
電話：三三〇三四六、台郵劃撥戶九二五二號

本報專論

辛亥革命的歷史評價

・侯立朝・

今年是中華民國開國六十週歲的一年，中華民國的誕生，是辛亥革命勝利的結果，因此，當我們熱烈地興奮地紀念開國六十週年的時候，辛亥革命的歷史意義，也就跟着浮現到我們的眼前，給我們增加了歷史的遠懷及生命昂揚的激動。

辛亥革命，在中國的歷史上作何評價呢？在世界的歷史上又作何評價呢？也就是說：辛亥革命的歷史地位和歷史價值應該怎樣去判斷它？以資產階級的價值標尺去測量它呢？還是用無產階級的價值標尺去測量它呢？甚或用遺老的落伍的價值標尺去測量它呢？這是肯定或否定辛亥革命的歷史價值的重要的關鍵，不同的價值基準常會作出不同的判斷，由此可以歸納出對於辛亥革命的歷史價值作不同的論斷者有四：

（1）辛亥革命早熟論：這一個說法認爲辛亥革命的前夜，中國社會尚未發展到一個瓜熟蒂落利於革命的程度，階級分列不明顯，階級壓迫不厲害，社會全民尚未覺醒，太早的催生，結果革命成效不著。

（2）辛亥革命資產階級民立革命論：這一個說法是共產黨的說法，雖然它想否定辛亥革命與同盟會的關係，但它不得不承認不論是「文學社」或「共進會」或「哥老會」的起義，都與同盟會有聯繫或組織推動起來的，同盟會對於辛亥革命是組織者，是領導者。但它肯定那是「中國的資產階級民主革命」。

（3）辛亥革命不澈底論：這一個說法是認爲在辛亥革命後，一切不够澈底，進軍閥、督軍、遺老等等都被請到革命的隊伍中來，結果反而累壞了辛亥革命。

（4）辛亥革命多此一舉論：這一個說法是沒有辛亥革命，沒有打倒專制皇帝也許中國現在不會變成這個樣子，澈底否定辛亥革命的歷史價值。

對第一個論斷的批評：歷史上的革命事件的發生，無所謂「早熟」或「晚成」，亦無所謂恰到好處的革命時機。恰到好處的革命時機論，那是「生產與生產關係」變動的假說，假說不是歷史事實，只是一個預想，馬克思的這一個假說，就十足地暴露了他也是個空想的社會主義者。美國一七七六年的革命不早熟嗎？在它革命之後有十三州的破裂和一八一二年英美戰爭，一八六一年的南北戰爭。法國一七八九的大革命不早熟嗎？在它革命之後有恐怖行動，拿破崙做皇帝，路易十八的復辟行動。列寧的「十月革命」不早熟嗎？在它革命之後，有「軍事共產主義」行動，「新經濟政策」運動。由這些史例，可證辛亥革命不早熟，雖然在它革命勝利之後，有軍閥割據、洪憲皇帝的鬧劇，但皇帝制度在這個革命運動之後，在中國歷史上永遠成爲陳跡。如就美、法、俄三個革命的歷史進程中出現的鬧劇而論，中國革命的軍閥割據及洪憲皇帝之出現，那不是辛亥革命的結果，而是世界革命史中必然出現的規律，美、法已有先例，中國亦未破例而已。

對第二個論斷的批評：第一論斷並沒有涉及到辛亥革命的性質，只就革命時機而論。第二個論斷是共產黨對辛亥革命的論斷，它在於判斷辛亥革命的性質和歷史地位的序列。在性質上它說辛亥革命是資產階級民主革命，在位列上它說這是由半封建半殖民地社會過度到社會主義革命的必經過程，即把辛亥革命放在一個過度點上。例如它說：「農民家庭出身並受過西方資產階級高等教育的知識份子孫中山先生，是中國共產黨出世以前中國先進人物中最傑出的代表。他不僅是中國舊民主義革命的領導者和組織者，也是近代中國資產階級民主革命中一位傑出的戰士。在他一生的革命活動中，不但從事了建立革命政黨，進行武裝鬥爭和革命的宣傳工作……這些特點，又同他的不怕艱難挫折，再接再厲的革命毅力和革命實踐精神相結合，這樣就使他成爲半殖民地中國資產階級革命陣營中一位偉大的革命家的典範。」共產黨對辛亥革命歷史價值的論斷，當然要比「全盤西化」的右派英美文化買辦要高明得多？這是在胡適之之後這一派學閥即永難理解的。但是，左派的「全盤西化」的共產黨，它們也蔽於一曲，即死在馬列主義的歷史框架之中，用歷史唯物論的套套去套進人類全部的歷史。資產階級是近西方商業革命後的產物，到工業革命之後，它佔領了西方社會的統治地位。西方資產階級的光榮成就是反封建制度，完成了市民民主制度之後，即對外實行殖民主義，由此使資本主義發展成爲帝國主義，這是西方文化的義子列寧分析了的。中國社會在辛亥革命的前夜，其基本性質無論如何是不能拿近代西方社會的性質或模型來套它的。當時中國社會是什麼性質呢？共產黨既然說它是半封建半殖民地社會，就不可以拿近代西方資產階級民主革命來說明辛亥革命的全部性質。可見，這一個論斷是犯了機械主義以偏概全的毛病，就共產黨的歷史套套即論它是難以自圓其說的。所謂「舊民主主義」根本是毛澤東的胡扯。

對第三個論斷的批評：所謂革命澈底不澈底，根本沒有一定的度量，殺人多的革命就算澈底？斷頭台上的頭顱如山就算澈底？如共產黨的「清算」、「鎮反」、「肅反」、「整肅」、「洗腦」、「交心」、「坦白」、「公審」、「勞改」、「下放」、「屠殺」那樣才算澈底？革命固然要有它一定的主觀的主義，但也必須依靠客觀環境的基礎。辛亥革命是中國書生破天荒地造反成功，是三千年來唯一的一次書生領導革命的成功，而不是由秀才擁護流氓革命的成功，其手段是很儒的，其力量是薄弱的，但它已經澈底打倒了專制制度，完成了它的歷史任務，這是很澈底的。因此，政治革命（含民族革命）與社會革命不能混爲一談，辛亥革命是政治革命，政治目標達到了，就是革命澈底了。社會革命是永無澈底的可能的，除非社會眞的進入到完全靜止的狀態。

對第四個論斷的批評：這一個論斷，不是立憲派，也不是指保皇黨，而是指現在留在美國不爲國家致力來說風涼話的一些老怪物和小怪物。說這種風涼話的人，雖自命是歷史學家，實際他們既無史才史識又無史德，是小人一名而已。說辛亥革命是多此一舉的人，也只有留在美國的那些文化小販子和老騙子，靠漢文之乎者也吃飯，但祖國的一切特別是辛亥革命他們都要貶抑的。風涼話不成氣候，故不再理它。

這四種論斷辛亥革命的歷史價值的觀點，以第二種共產黨的論斷最爲毒辣，其他的三個論斷都可以說是它的附從或派生的觀點，可見它的厲害。爲什麼共產黨的論斷有如此的威勢呢？第一因爲它有一套完整的歷史觀，歷史唯物主義；第二因爲它有一套狡辯的史學方法，唯物辯證法。因此，它對於每一階段歷史的評斷，陳義雖近於異端而不合於歷史的事實，但演繹却非常合乎邏輯以假相取媚於人，使一般人甚至是歷史研究者也會不知不覺的上了它的大鈎。

辛亥革命的歷史價值，中山先生在「中國革命史」中論道：「此役所得之結果，一爲蕩滌二百六十餘年之恥辱，使國內諸民族一律平等，無復軋傾凌制之象。一爲剷除四千餘年君主專制之迹，使民主政治，於茲開始。自經此說，中國民族獨立之性質與能力屹於世界，不可動搖。自經此役，中國民主政治，已爲國人所公認，此後復辟帝制諸幻想，皆爲得罪於國人而不能存在。此其結果之偉大，洵足於中國歷史上，大書特書，而爲世皆蒙其利者也。」此役是政治革命的成功，乃爲中山先生所肯定，亦爲歷史所肯定。參加革命的是那些人呢？中山先生說：「綜計諸役，革命黨人以一往直前之氣，忘身殉國；其慷慨助餉，多爲華僑；熱心宣傳，多爲學界；衝鋒破敵，則在軍隊與會黨；踔厲奮發，各盡所能，有此成功，非偶然也。」這不是單一的或以資產階級爲主導的民主革命，而是各階層各階級聯合的革命，即同盟革命。

（未完）

昨日與明日

監察院對金融問題的檢討

監察院一年一度的總檢討會閉幕了，一般政治設施檢討意見共有四十七項之多，其中關於金融部份檢討要點是：「銀行貸款手續繁雜，對於工商業資金之融通，幾視爲恩惠，自難充分發揮金融效能。現銀行法正在審議修改之際，甚望早日付諸實施。」我們願對這一點，發表我們的看法。

坦白地說，今天金融問題很多，豈祇貸款手續繁雜而已。僅指數項，以證我們所講的不是憑空虛構：

第一、銀行制度不很健全，重要幾家商業銀行的公營，大大影響它們放款業務的正常化；人事的管理，更多受政治的影響銀行本身的健全，而專業銀行之不能着重專業金融，仍以一般商業銀行業務爲重，爲專家學者所指責的事實。

第二、政府在積極推行儲蓄，可是我們迄無健全的專業的儲蓄銀行，省營和各地民營的合會公司，雖曾冠以「合會儲蓄」，實際並非儲蓄銀行，而合會方式貸款的利率，較一般商銀爲高，實是金融業高利貸放者。

第三、銀行貸款手續，確實極端繁複。有位大學教授經一位金融界大亨介紹到某一銀行請貸購屋貸款，以房屋作抵押，一切條件俱全，但他跑銀行十多次，還是沒有辦妥借款手續，他已經疲乏了，發誓今生再不向銀行借款。銀行貸款手續這樣複雜，有必要嗎？如果複雜爲求放款的安全，何以又有許多呆帳？唯其如此複什，才給與主辦行員以舞弊弄權機會。

第四、社會指摘銀行業沒有現代化，主因即在銀行主持人和金融界服務人員對銀行性質的認識不清，他們不瞭解：銀行本身是一種服務業，他們不是賣商品，而是賣服務。我們銀行不僅貸款手續繁複，存款手續也不簡單，等於專門找顧客的麻煩。現代企業那有這樣專門找顧客麻煩的服務？這般人不是糊塗，別是有目的，無論如何，他們的作風太落後了。

・千公・

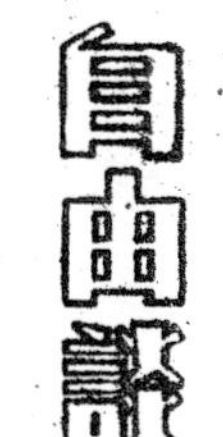
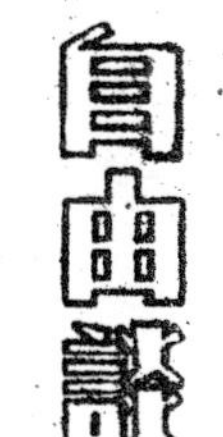

最近英國電影檢查處長約翰、特利菲力安宣告辭職，理由是看不慣色情的暴露戲，他認爲「那完全是色情販子的勾當，是借第八藝術的招牌而宣淫。」他指出西洋影片「亂世佳人」這部愛情文藝片，數十年賣座不衰，但片中幷無裸露鏡頭。這證明眞正的男女愛情戲劇，決不靠裸露色相來號召，特利菲力安的觀感絕對正確。

因此我聯想咱們中國近二十年來的影片內容，無論是表演男女愛情也罷，反映社會生活實況也罷，或者玩弄滑稽詼諧與武俠打鬥也罷，盡是些低級趣味性的下乘之作，距離文化或文學境界極遼遠。對於

談電影戲劇

歐美影片的優點，未能摹仿一二，却將西片中的低劣作風如裸露、胡鬧之類的玩藝，儘量效尤，唯恐弗及。就是日本的影片亦比咱們高明多了，十餘年前出產的「浮雲」，描述戰後日本人民生計艱難，社會道德崩潰的情況，淋漓盡致，却無色情暴露，而令人不忍卒覩的鏡頭。中國素號文物之邦，近數十年來就未見有够水準的文藝片，而不中不西，亦古亦今的所謂古裝片和武俠片，層出不窮，講歷史，則服飾道具沒有時代性，言武俠，則視江湖賣藝的技倆猶有遜色。文化精神之空虛墮落，從影片中顯露無餘了！

吾國影劇不進步的主要原因，即是缺乏足够知識水準的編導人才，而政府亦放任不管，讓一些市儈式的片商，粗製濫造，欺世詐財。西片「聖女貞德」風靡了全世界，評價甚高，然中國數千年來類似的偉大女性，何嘗沒有呢？一般低能的編者，只知道取法乎下，把好萊塢的一些低級趣味與下流表演，儘量沿襲過來，譁衆攫金，談不上絲毫的社會教育意義。

談到裸露表演，只是由文明回到野蠻生活的退化象徵，現在非洲和亞洲方面某些地區的未開化民族，男女依然赤身露體，那是進步的文明生活嗎？演電影而以裸露相號召，這與夜總會中的脫衣舞相同，連娛樂意味亦不存在，徒然教人感到醜惡而已。人的身軀有甚末好看的？我認爲今後對於國產電影片的內容，政府主管機關應予縝密審查，寧缺毋濫，凡屬低級趣味或過於誨淫誨盜的，一律不許上演，庶幾可以端風俗而正人心也。

馮玉先生

新聞網外之言

也談蘇清波

小針

蘇清波為一小學出身，區區一民選縣長，五六年來，居然在海內外報紙，出足風頭。不久前，本報專論，亦曾因泰利公司設廠道路問題，無視監委調查指責，及省政府命令，赫赫然使之名登『金榜』。而蘇某違法處理縣農會土地，被公懲會處分休職前後，台灣各大報章，社論短評，更連篇累牘，加以評騭，更使其『身價百倍』。在此之前，政論家馬五先生亦曾以『吾爲此懼』爲題，於本刊自由談，對蘇某之炒地皮案，提醒當道。然而，蘇某我行我素，第二任縣長之黨內提名，仍僥倖過關，與論之制裁，對於蘇某是起不了作用，而蘇某却也成爲『了不起』的人物了。

莫說，前台中市長張啓仲數萬元掛圖案，慣掉紗帽，即紅得發紫的台北市長高玉樹，亦恐因監院彈劾，自我動搖。蘇某則有恃無恐，在炒農會地皮之前，早已視監院省府爲無物，平溪中學校址之爭，監院及省府何嘗未糾正他；華江大橋引道，因四幢民房爲蘇某下令緩拆，延誤爲時半年才告通車，亦并未見上級政府有何處分。泰利公司設廠道路問題之抗命，曾轟動朝野，究竟如何，只有天曉得。『小人愈讓而愈妄』，旨哉斯言！

林口特定區開發計劃之被蘇某一人破壞，乃有目共睹之事實，茲事體大矣，就要看下文如何了？

林口特定區開發計劃，在征收地價協議途中，已費了九牛二虎之力，將屆成熟之際，蘇某竟無上級政府之存在，突以電台天綫場用地，以相差倍蓰之五十六萬餘元征收補償地價公告。遂使林口整個特定區地價補償問題，陷於僵局。使政府籌劃多年，花費數千萬元，功虧一簣。似此目無政府罔顧民命的驕橫，形成台北縣爲「不治之區」，一而再，再而三、四，違法濫權抗命，不一而足，上級政府亦無可奈何，難道聽任蘇清波統治台北縣爲「一個小王國」嗎？

鄭倫先生本（一）月二日在本報『昨日與明日』專欄，發表『怪哉蘇清波之所爲』，那有甚麼可怪哉。

專重科技而薄文史 教育亟應補偏救弊

省議員質詢力促設法改進 并要求當局慎選國中教師

（自由報台中消息）台灣省議員郭雨新於去年十二月卅日提出教育質詢，其要點如下：

一、如何革除教育之積弊

當前教育或由於政策之缺失，或由於教學之偏差，以致積弊日深。此次全國教育會議，集全國教育界之俊彥，各抒卓識遠謨，以謀革新教育，惟觀諸新聞報導，其所提出之革新方案，仍難使人滿意，今後本省教育上當局將如何謀求補偏救弊乎？

今日教育之急務，不在於模倣新學制，而在於如何謀求補偏救弊。何者爲今日教育之偏？在專重科技而薄文史，在專重智育，而忽視德羣體育爲虛應故事。所謂生活倫理教育，民族精神教育，徒託空言而已。即使在智育方面，亦僅重於貫輸智識，並無使之以活用之理解。至於今日教育之弊，現行聯考制度未能適時之改進，使大部份學生「學非所願」，由於聯考不與中華文化復興運動相配合，甲丙組免考本國史地，使高中之本國史地課程形同虛設，反而助長青年崇洋薄己之風，未審教育主管當局亦以爲然乎？

二、如何慎選國中教師：

目前國中教師，由於人事浮濫，早爲各方所詬病。依據新聞報導，八里國民中學家長會檢舉前科累累，冒充台大畢業生之葉某，混進該校執教，且兼事務主任，其所顯示之國中師資之低落情形，能不令人興無限之感慨與焦慮乎？

據警方之調查，葉某於民國四十五年至五十四年，在十年之間，曾犯有妨害自由，詐欺，遺反票據法，偽造文書，妨害公務及妨害風化等前科多次，其冒充並偽造台大學籍以行騙，亦非自今日始，然而何以能混進國中執教，其不使人疑問重重乎？

1、葉某之進入八里國中執教，其是憑何人事關係，而事務主任之任用，依例爲校長之職權，以是葉某與校長之關係如何？

2、國中教師之任用，均有一定之標準與程序，以葉某之品德，學識及冒充台大學籍之情形，何以能通過此嚴格之任用程序？

3、依報導，葉某自應聘到校執教，歷二學期，不但時常無故請假，對學生學業亦漠不關心，致使學生學業程度低落，經學生家長調查獲悉其劣跡，始由家長會提出檢舉，請問各級教育主管何以能聽其混跡杏壇，蹂躪教育達一年之久乎？

九年國民教育，以辦好國民中學爲第一要務，並非在形式上，以延長國民教育爲九年，即認爲滿足。葉某之事，固不能以偏概全，然已顯示教育人員之不負責任，不辨眞偽是非，僅顧利害恩怨之鄉愿習氣。本案既經警方調查，而教育主管機關亦應追究責任，認眞處理。未審潘廳長高見如何？

三、國中與私中孰優孰劣

九年國民教育雖爲進步之教育措施，惟自實施以來，造成一種壞風氣，即家長爲使其子弟能考入高中，寧願將子弟送進私立初中就讀，而使私立初中突然身價百倍。其故安在？或謂師資、教學方法，以及待遇等，在在均有問題，試問教育主管當局何以不計及此，而謀補救辦法？

曩之初中教育，包含智、德、體、羣、美等五育，已能達到今所謂四育並進之目標，如體育及操行不及格，即不能畢業，其方法實較之當前以千分計分考試法較高一籌，且羣育一項，需由學生平時之合羣活動表現，故其考核重在平時，而不能以入學考試，作一時之評定。若以高中「入學考試千分計分法」之目標而言，表面上在於消滅「惡補」，「升學主義」、「死讀書」等現象，以求四育並重，欲期藉入學考試，以提高國中之升學率，試問其有可能乎？

國中小學教師待遇應予調整 使現任人員安於位 更可聘任優良教師

四、各縣市教育局長任用資格之檢討

最近省府所擬訂之各縣市政府教育科改局後，對於教育行政人員遴用及甄選辦法與中央法令抵觸，且與事實不符。按政府規定公務員任用辦法，早經中央明令公佈實施，而今省政府所擬各縣市教育行政人員遴用辦法，頗滋疑義；

1、中央法令明白規定，凡是委任、薦任、簡任資格人員，得任省縣市廳科局教育行政人員。如依省政府所擬地方教育行政人員任用辦法，試問教育廳長及主秘暨科室主管，是否應具博士學位或專家充任？不然將何以領導地方教育行政，以及大專院校乎？

2、原有地方教育行政人員，在工作崗位上，均有數十年之經驗，對地方教育行政工作熟練，貢獻頗大，如依所訂之辦法，則大部人員必將去職，試問此非政府之大損失乎？

五、國民中小學教員待遇問題

目前國民中學教員，其待遇之菲薄，於本年度調整待遇之後，反不如地方之警員，其與稅務人員比較，相差益鉅。最近之稅務人員待遇，不獨有所調整，則稅捐稽徵津貼亦有所增加。由於國民中小學教員待遇低薄，不但無法使現任教員安於職位，更難聘派優良之師資。

基於上述情形，凡屬優良之師資，皆羣聚於台北市，因爲台北市學校較多，既可以兼課，復更可以執教於補習班，更可以在課外爲私人補習。於是好老師，幾成爲明星，各學校爭相聘任，似此情形，則優良師資，亦將變爲市儈之徒，試問將如何端正學風乎？

大專院校教授之待遇，已有所改善，並將以前之專業補助費，改爲學術研究費，獨對中小學校教員之待遇，迄未見有所改善，未審教育主管當局將如何爭取，以期提高教員之待遇。

六、對外宣傳與對內宣傳必須並重。

我國政府對於宣傳工作，似乎偏重於對外宣傳，而忽略對內宣傳，就當前之國際情勢觀察，爲扭轉美國輿論之姑息論調，以爭取國際及美國廣大人民之支持，對外宣傳，自須採取齊一步驟，共同努力。然而觀諸政府對外宣傳，並未着重於國民外交。爲恢宏對外宣傳之實效，今後尤應以人民代表之國會議員爲主要對象。同時爭取國際人士對我國之認識與瞭解，除邀請各國新聞人員來台訪問，並應擴大範圍，爭取各國有聲望，有地位且具有影響力之民間人士來台觀光訪問，始能發生宏大之效果。

至於對內宣傳，更爲重要，然而本省之對內宣傳工作，不獨未能深入民間，平時之宣傳亦欠理想。今後應如何多深入民間，或藉各地村里民大會開會之際，多向人民宣達政令政績，使人民對政府能有普遍之認識與瞭解。其職責存於本省新聞主管當局，試問將如何而收貫澈對內宣傳宏效？

飛將軍李廣

周遊

三、匈奴數千不敢捉他

李廣把活捉的匈奴綑在馬上，忽然看見匈奴數千人追來，一見李廣只有一百多人，以爲是漢軍的誘騎，驚惶不敢接近，傳令上山佈陣。而李廣的一百名騎兵，見有數千匈奴兵，都很驚怕，打算後退。李廣說道：「我們已經離開大軍數十里，現在如果後退，敵人一定追來。我們如果不走，敵人以爲我們是引誘敵人的，便不敢來追擊我們。」李廣引了他的一百騎兵逼近匈奴約二里地，李廣令一百騎兵通通下馬解鞍，表示不走。衆兵莫明其妙。李廣說：「敵人以爲我們走，我們反而不走，下馬解鞍，表示不走，匈奴便不敢逼我們了。」

匈奴一見漢兵不走，恐怕是引誘之計，不敢來打李廣。忽然有一員騎白馬的胡將，出陣監視他的兵。李廣看見了，帶了十幾名騎兵，飛也似的衝過去，一箭把匈奴的白馬將軍射落馬下。又飛快奔回來，仍然下馬解鞍，命兵士放馬吃草，人臥在地上休息。一直到天快黑了，匈奴兵始終不敢追下來。又到了夜半，匈奴以爲漢兵有了埋伏，於是便引兵退走了。到了天亮，李廣才引兵回營。可是他的部隊已經失去了連絡，結果找尋了十幾天，才把部隊找到，眞是十分危險。

四、邊疆兩名將

漢武帝時，羣臣都說李廣是名將。於是武帝就命李廣做了未央衛尉。與李廣相隣近的一位名將，名程不識，爲長樂衛尉。兩人都是守邊的名將，打匈奴的好手。但是他們兩個的帶兵打仗作風，完全兩樣。李廣帶兵很寬厚，多與士兵休養，不講求隊伍的整齊；只要能打仗就行，對於形式上的公文也不重視。所以士兵都喜愛做他的部下。不久，李廣升爲驍騎將軍兼領屬護軍將軍。單于聽到李廣做了護軍將軍，就望風而逃。

五、死裏逃生

過了四年，李廣帶兵出雁門關去打匈奴，匈奴的兵多，李廣大敗，結果被匈奴活捉去了。（未完）

台北傳奇錄（一〇〇）

・陳光棟・

賴先生巴不得出來透透空氣！「好，我去找找看」。天氣陰沉，醫院停電，走廊上黑洞洞的，賴先生正在仰着臉辨別方向，不提防一腳踏在一位太太的切菜板上。

「哎！你這人怎麼回事？沒看到我們在這兒燒飯嗎？」女太太蹲在地上仰着臉。

「燒飯」！賴太太定睛一看，果然是鍋盤碗筷樣樣齊全，幾位太太守着兩隻炭爐子，所以又找補上一句：「對不起！」賴先生一想很不對勁：「怎麼在這兒燒飯」？

「不在這兒在那兒？」一位太太跳起來，手裏拿着炒鈎擋住去路：「你給我個地方」！

「是啊！叫他給我個地方」！另一位太太助威。

賴先生一閃身閃出重圍，他不明白爲什麼病人的家屬會在病房外面燒飯，而醫院當局爲什麼又不蓋間廚房？賴先生坐在一條椅子上不住的思來想去，無非是女兒、太太、清湯掛麵的新房子，買新房子倒容易，錢在那兒？不買；清湯掛麵會再出什麼花樣？太太也太天眞，爲什麼剛和人家一看面，就拜了乾姐妹？這以後的日子可眞是要命。想到這裏，把清湯掛麵恨的牙癢癢的，眞想咬她幾口才解氣，一陣冷風襲來，不禁打了一陣寒噤。站起身來，去販賣部買東西。

賴先生走　想心事，一不注意和另外一個胖子撞個滿懷，胖子手裏一枝小玻璃瓶子掉在地上摔碎了，胖子一把拉住了賴先生：「我這瓶特效藥是借了錢買的，六百塊一瓶，你給我碰掉啦，怎麼說一？」

賴先生鼻子哼了一聲：「朋友，你認錯人了」！

「冤有頭，債有主，我就找你，不賠不行」！胖子[illegible]音。

「想訛人的話，你也把眼睛睜開了」！

賴先生毫不退縮。

「他媽的，算你狠！」胖子擼擎挽袖子：「你要是不賠，就要你好看。」

「喂！朋友！你用的這種辦法太老啦！」賴先生看到圍上幾個病人看熱鬧，就更壯起膽子來：「你要是再不讓開，我可要去找警察」！

「你想的可好」！胖子說着就要動手，賴先生怕吃眼前虧正待開溜，這時走過一個人衝着胖子哼了一聲，胖子就乖乖的收了架勢。

賴先生一看不是別人，正是住在一個弄堂裏的蔡先生。賴先生隨便應付了兩句，便到販賣部替太太買吃的東西去了。

蔡先生原來計劃偷渡出境，誰知颱風侵襲之下，機場關閉，船隻停航，經常活動的地方已被警方監視，家裏更不安全。（未完）

五十六種砂鍋烹飪序

·文匯樓主·

吳惠平博士在馬騰雲近著「五十六種砂鍋烹飪」序云：馬騰雲教授爲當代醫藥理論權威，幾年來倡導實用文學，及發揚中國固有醫藥特點，頗受社會各階層注意，其所編著各書已達十種之多，每種書的暢銷情形，如非親自目睹，幾乎使人難以置信，例如台北神州出版社發行之馬騰雲「生活漫談」，祇郵政劃撥預約，竟達六千七百餘冊，門市及各地銷數尚未在內，就一千五百萬人口的台灣來說，可謂打破出版界未有之紀錄。

馬騰雲近著「五十六種砂鍋烹飪」每種烹飪都配以中藥，且將成份藥效性能加以詳盡分析，對烹飪技術指導勝過任何名廚，難怪能式一博士與老子哲學權威張起鈞教授一致公認，就烹飪這個角度來講，馬騰雲乃「今日易牙」，國立師範大學生物學教授謝元甫更認爲「凡買馬騰雲書的人而未買馬騰雲親著「五十六種砂鍋烹飪」與「馬氏砂鍋」等於放棄應得權利，也是一種損失，」非無由也。

在「五十六種砂鍋烹飪」卡裏，馬騰雲說：「使你瞭解食在中國，使你學到吃的藝術，使你增加生活情趣，使你確可延年益壽，使你形同名廚隨侍，使你揭開吃的天地，使你營養抵抗百病，使你百病可用食療，使你瞭解組織療法並不是俄國發明，使你瞭解中華文化的偉大萬古長青，使你瞭解彫虫小技能勝過博士頭銜，使你瞭解中國的菜爲甚麼舉世歡迎。」其中以俄國發明所謂組織療法，傳遍東西歐幾十個國家，實則我國在兩千年前，早已懂得，所謂「吃心補心，吃肺補肺」換句話就是吃甚麼補甚麼。祇是沒有「組織療法」字樣而已，這一類的例子舉不勝舉，惠平數遊歐陸，看到他們對這方面的落後，連想到中華文化的偉大，眞是値得我們驕傲。

五十六種砂鍋烹飪，馬氏將人生百病盡述無遺，並指出「營養抗百病，百病可食療」雖然出自中國醫藥典籍，但於崇洋媚外，月亮是外國圓的今日社會，確含有新的意義，惠平幾年前拜讀台北中央日報，中國時報（徵信新聞報）中華日報南北版，民族晚報及近三年來香港自由報，有關馬騰雲醫藥著作甚多，欽佩無已，用爲之序。吳惠平序於台北市中國鍼灸醫院。

中國歷代幣制（五）

·文友·

輔政改元曰祺祥，鑄祺祥錢甚少，又改元同治鑄同治錢，德宗鑄光緒錢，同治光緒皆有當十錢，錢式甚小。清末帝宣統錢，光緒間，時愈後，則錢愈輕小，此乃政府貧弱之徵驗也。又鑄當十銅元，其重量僅値制錢之三枚，其値則當制錢十枚，所以各省競相鼓鑄多至數千種，於是銅元大行，而制錢遂至消滅，此乃幣制上之又一變遷也。今則銅元又少，紙幣一元，僅能買銅元一二枚，此五金之所以爲可貴而紙幣之所以日賤也。

（十四）外國

外國錢甚多，茲限於篇幅，故所收甚儉，朝鮮有海東東國三韓昊平等錢，日本有和同稱萬年通寶、神功開寶、隆平永寶、富壽神寶、承和昌寶、長年大寶、饒益神寶、貞觀永寶、寬平大寶、寬永通寶等錢，琉球則有大世，世高金圓世寶等錢，安南則太平興寶（背丁）天福鎮寶、大治元寶及通寶、天慶通寶及大寶、大和、天興端慶等，畧述一二，不能備也。

（十五）結論

余之癖嗜古泉，豈無故哉，亦以古泉之有於今者日益少也。小民或利其銅之厚而磨其鎔；或私設爐火而鎔化之，以改鑄銅器而獲厚利；或日夜流轉於市場中販夫婦孺之手；久之則銅質漸薄，日就平夷。又有偶獲一二古泉，朝夕不離於身，久衣帶，使色澤盡去，文字模　，久之則方孔變爲　圓，厚重變爲輕薄者，此愛之適以傷之，亦爲毀壞之一模，此爲燬於民者，泉爲歷代通行之寶，自漢迄今。皆新舊兼行。其廢古而專用今者，凡有五次，秦始皇兼並天下，除列國刀布而專用秦半兩錢一也。王莽以劉字爲卯金刀，故別鑄新泉，如六泉十布貨布貨泉等，而忌用漢之舊泉。二也。隋文帝盡銷古泉，別鑄五銖白錢，三也。明天啓時，廣置錢局，括古泉，充廣鑄，一時古泉銷燬殆盡，四也。清季改鑄當十銅元，其重量不過於制錢之三枚，於是鑄銅元當局，盡量收買古泉而改鑄之，各省各局，無不大獲其益，而歷代古泉已去其十之八九，五也。此爲燬於官者，除此二者之外，又有沈於水，蝕於土，燬於民居失火，爲番舶運載於海外者，每歲不知凡幾。古泉之存於今者，大都皆幸逃以上種種浩刧之所餘，此古泉之所以日少而愈貴也。漢以來葬喪皆有瘞錢（唐書王璵傳），所以古人每以錢置瓦器中殉葬，往往至千餘年後而出土，如近人發掘漢陵，得漢五銖泉數百枚，而新出於土，皆精妙絕倫，余盡數購得之，又有極小之榆莢半兩，剪邊五銖，小五銖，小直百，大平百錢，安平一百，小存建四銖等，因其形質過小，皆不易流傳至千餘年後而不壞，爲殉葬之物，幸安置瓦器中，居然可以保存至今，余收甚多，此等小泉，雖歷經浩劫，每深幸其能不自全於瓦器之中，仍不爲泥土所腐蝕也。用是吾人今日幸存之瘞泉，皆宜特加愛惜而保貴之，敬以告世之癖嗜古泉者。

統概古之錢幣，自攷據上而言，近年頗多進步，如輔幣上所鑄之貯譜譯作貝丘，近人譯作文具，皆非是，攷字乃（齊之古文）之省文，貨幣齊具者即齊城之省文，即齊刀面文之字也。古人譯作古字法字，皆失之，乃小篆之省文，太公爲周立九府圜法，乃圜流通之意也。節墨之刀，背文圜，有關邦二字，亦非舊譯。作開邦，此古文關字，說文開字也。非安陽刀，譜謂齊地無安陽，不知即史記項羽本紀所載宋義留安陽，四十六日不進者，是也。畧舉四條（其詳皆備載於古泉大辭典及拾遺茲不贅述）以概其餘。又考漢之五銖。唐之開通，元寶。輕重適宜。其制最善。故行之最久。其他各朝，不失之太重，即失之太輕，則私鑄盜鑄立法與行法之難。足見國富則幣制統一而不輕改，國貧則歷朝鑄大錢，鑄鉛錢，至數十種，朝更夕改，民怨沸騰，若金銀銅鐵鉛錫等錢一概乏而僅有不免現之紙幣，則物價日益騰貴，有民不聊生之虞矣。（完）

語慧

婚姻

婚姻係一對男女結合到一起，終身爲了解對方而掙扎。

什麼是妻子？她不過是由於婚姻關係而產生的我的親戚之一而已。

約翰遜說：結婚有許多痛苦，但是獨身却一無樂趣。

對付婚姻的最好方法，是在未結婚以前睜開眼睛細看，結婚以後就閉上眼睛什麼也不必看。

美國評論家門肯說，任何一個有思想的人，祇要他對自己的婚姻生活細看一下，便不難發現其中有若干奴役成份存在，而你自己的身份正是奴隸。

申報館長史量才被拘記

·胡珠·

婢學夫人冒充打電話

馮炳南是個萬分機警之人，知道史量才已經外出，他到何處去？別人可能不知道，他的秋水夫人不會不知道，只要打電話去問，她自會說出來。不過這個打電話的人，却非要選擇史量才所視爲最尊崇有地位之人不可。於是他就想到葉養吾身上，猜測葉養吾對他這次涉訟之事，定必作有力的支持。他即決定假借葉養吾的名義，打電話給秋水夫人，探問史量才的去處。不過他又聯想到這個電話不能用男人口音冒充葉先生，祇能用女人口音冒充葉太太，而且女人定必需要蘇州人，這是有兩點理由。（一）是怕秋水夫人聽得出葉養吾的靑浦口音，現在改用蘇州女人，便可避過此難關。（二）是葉養吾的太太是日本人，爲友輩如所周知，用了蘇州女人冒充葉太太，那要便利多多。那所謂便利之處，就是如果秋水夫人和葉養吾太太有過通家之好，雙方常在閨中、互通電話。辨聽得出葉太太那種日本人的聲調，既可說是葉太太以蘇州女人的方言問話，也可說是葉先生跟前的身旁的女傭人，看風使帆祇要自己在電話機傍指揮，自可騙過秋水夫人。

不過馮炳南當時要物色一個冒充葉養吾太太的蘇州女人，却成了一個非常艱難問題。因爲他的太太是廣東人，廣東人對同鄉的鄉情最重，鄉誼最深，所以桃源坊馮炳南公館裏的所有老少男女傭人，都是來自廣東的同鄉人；祇有在廚裏任担燒飯做菜工作的老媽子，却是蘇州人。因爲她會做廣東式和蘇州式的菜餚，而且做得風味極好。因此這個蘇州老娘姨就留在馮公館的年日久長，今天馮炳南於無可奈何之中，要派她一次用場，就叫她冒充葉太太。好在蘇州女人有天生的一種音色美，縱然是個鶴皮鶴髮、龍鍾老態的老太婆；祇要未見其人，但聞其聲，那種嬌滴滴的聲音，聽了會錯認它是出於少婦少女之口。事實果然，馮炳南把他家廚房的蘇州老娘姨叫出來，親手導演成功了冒充的葉養吾太太。於電話機上運用三言兩語，果然在秋水夫人口中，誘騙出史量才在四川路青年會理髮的那一句消息。即以電話通知巡捕房，於是中西探員乃得以按圖索驥的馳赴青年會理髮室，執行拘捕法令，把史量才像甕中捉鱉似的手到捉來，遂使馮炳南的所謀得遂、所計如願，獲得極大的勝利。

到了下午二時英租界會審公堂於未開法庭之前。四馬路總巡捕房已將會審公堂主審法官簽發下來對申報館總經理史量才予以拘捕的拘票法令，已經執行拘獲。現由中西探員挾着解案的「大箍子」，帶同被捕的史量才到會審公堂報到，準備於開庭時，向庭上陳述被告逃捕經過以後，交代清楚拘票的法令，以便清了公事手續。這樣的情況實現，當然使原告訴人席子佩內心大感喜悅，即與此案有直接利害關係的主要人如馮炳南、穆安素等，也無不暗中額手稱慶。認爲分贓勝利果實，當已在望，只待開庭審訊一遍，就可裁判定案。

柳暗花明日本人出場

不料於轉瞬之間，突有一老一少的兩個日本人先後進入公堂法庭以後，當即有人前來暗暗通知馮炳南。他們告說年紀老一些的日本人名叫太倉喜八郎，是日本太倉洋行的大班，他也是申報館的新老闆。那年紀輕的是日本領事，他此來乃是爲了參加會審申報館案件，因爲申報已經是日商牌子了。這些暗事通知的人，有的是會審公堂的法庭丁，有的是公堂訪員，那被馮炳南用小錢收買做「探子報」工作的。因爲這樣的消息報知，頓教席子佩心頭熱烈如焚的喜悅火燄，彷彿如迎頭撥下一桶冰水，就告熄滅冷卻。即馮炳南和穆安素兩人亦一樣而爲額手拭汗了。

原來這個年紀甚輕的日本人，不是正式領事，而是見習領事，換句話說，該是日本的「領事學徒」。大概這種見習領事都是在本國於大學畢業以後，因所攻讀的是外交政治一科，志在將來任做職業外交官，可能這個日本青年離開校門不久。（未完）

諸葛亮狂想曲（一八〇）

·劉玄·

「哦，這很有趣，我到要試試。」星君仍然帶着笑容。

看官，你是不是覺得奇怪，以星君道力之深厚，千萬里路途可以瞬息即至，足下始終有彩雲兩朵扈比噴射機還快，爲什麼還要坐諸葛亮的雲車呢？原來，天庭的大仙也和人間的富貴人家一樣，坐汽車坐多了，偶而喜歡散步一回，也算不了什麼。

四人登上雲車，太白星君居中，左右坐着金玉枝，劉約翰，諸葛亮權充御者。孔子說：「富貴若可求，雖執鞭之士，吾亦爲之。」諸葛亮權充御者，倒非比擬，而與西洋人開汽車的情形是一樣的。

四人在路上說說笑笑，須臾到了星君仙邸，自有鶴童上前迎候。

星君一下車，便告訴諸葛亮說：「你的雲車很舒適，下次有機會，我還要乘坐。」諸葛亮也和太白星君客氣一番。

太白星君偕同諸葛亮，劉約翰和金玉枝回到仙邸。諸葛亮、劉約翰是常客，熟不拘禮。金玉枝更有回娘家之感。

金玉枝在太白星君丹室裏，下意識地走到金魚缸旁。說也奇怪，剩下的六條金魚立刻浮到面上，似乎是向她打招呼。

「鶴童，你去拿幾顆『丹果』出來請客人吃。」太白星君一進煉丹室，斜坐在禪床上，然後示意諸葛亮、劉約翰、金玉枝分坐在左右鼓墩上。

「是，是，」鶴童唯唯連聲，然後退出。

「丹果是甚麼？」諸葛亮求知慾很強，他因爲不明白「丹果」是甚麼，所以要問太白星君。

「等一會我再說給你聽。」太白星君先賣一個關子。

鶴童進來，手中捧了一個玉盤，裏面放了三顆像蜜棗大小的黃澄澄的東西，發生耀眼的光彩。

「丹果是煉丹的副產品，這裏面含有各種的礦物質，但却是植物性的。所以，它是不是素食品。你們知道，我的丹爐之火是常年不息的。我因爲要煉各種不同的丹，丹液裏面也就有各種不同的元素。丹液在丹爐裏要經五百年才能凝固成一個「丹果」。「丹果」的功用在蟠桃之上，人參就更不必說了。」太白星君娓娓道出「丹果」的奧秘。

「星君厚賜，亮等實在不敢當。」諸葛亮最客氣，他因地位的關係，搶先道謝。

「我今天看金玉枝的表演，特別高興，所以要獎賞她，你們也就沾光了，哈哈。」星君直接說出賞賜之由，諸葛亮、劉約翰當然無話可說。

劉約翰是偕了凡胎，一見仙品，立刻拿來就往口裏送，金玉枝連忙制止：「丹果性質強烈，不可空口吃，四肢五官立刻暴長，變成巨靈神模樣。必須咬一口喝一口甕泉才行。」星君立刻解釋「丹果」食用法。

郭子儀安內攘外（下）

·周遊·

八·河南大會戰

流寇安慶緒被子儀戰敗以後，退踞河北鄴城，收拾殘部，聲勢又壯大起來。肅宗命子儀會同九路節度使發兵征討。如此衆多的節度使，沒有一個最高的統帥，各自爲陣，加上流寇史思明率領數十萬賊兵來援，大軍會戰的一天，忽然飛沙走石，面對面不見人，彼此混亂，不敢戀戰。郭子儀趕快率兵斷了河陽橋，以保東京。史思明到了安慶緒的鄴城，責安慶緒弒父的罪行，把安慶緒殺了，便引軍回范陽老巢。九路節度使各自回師，由於九路節度使的部屬兵將，沒有紀律，所過的地方，老百姓都遭了殃。只有郭子儀和李光弼兩路節度使紀律嚴明，秋毫無犯。

九，郭子儀被奪兵權

在河南大會戰時，朝廷派了一位宦官來監軍，因爲這位小人的宦官，竟忌妒郭子儀的軍功，各節度使都應負責，結果這宦官將一切責任都推在郭子儀一人身上，其他九路節度使上表請罪，監軍宦官不報，加以袒護。肅宗在朝中當然不知道虛實，聽信宦官一人的一面之詞，竟將郭子儀召回朝，以李光弼取代爲將。派子儀領[illegible]寧節度使的頭銜，不讓子儀赴任。這時候朝中有小人當道，以爲郭子儀兵權太大，怕他謀叛。這是小人不知英雄的偉大，就是以小人之心，度君子之量。子儀兵權被奪之後，他心中毫無介意，態度自若。他的志願是爲國家報效不在做官；把國家的利益放在一切之上，不計私人的恩怨。

十，郭子儀東山復起

郭子儀被罷了兵權的第二年，李光弼兵敗於邙山，河陽被賊攻破。再過了一年，河中又發生了兵變，把主帥李國貞殺死。另一位是太原節度使鄧景山，也被部下所害。朝廷這一下慌了，如果這兩枝兵與反賊史思明打成一氣，就大事不好。急速鎮撫，是一刻不容緩的事。本想派一位重臣大員去鎮撫，又找不到一個適當的人選。結果仍然只有郭子儀爲最適當的人選。只好起用郭子儀，晉封子儀爲汾陽王，駐節絳州。子儀赴任之後，把謀變的首惡捉住斬首，其餘被脅從的不究，於是一軍肅然。太原方面的軍隊，把謀害上將的魁首殺了，獻來賊頭，於是河東各鎮都平定了。

十一，打敗吐蕃

肅宗死了之後，廣平王繼位爲唐代宗。新皇帝聽信魚朝恩等人的讒言，又奪了郭子儀的兵權。不久間，僕固懷恩勾引了吐蕃人侵中華，打破涇州，又掠奉天、武功，渡過了渭河，直犯長安而來，朝廷大震。眞是郭子儀一天不在職，賊兵就猖狂起來了。朝廷不得已，又只好再度起用郭子儀，正是「國家的安危，繫在子儀一人」。朝廷任命郭子儀爲關內副元帥，出鎮咸陽。這時候吐蕃兵已經過了便橋，代宗出走陝州，吐蕃兵遂打進了長安，血洗全城。郭子儀聽到緊急軍情，急從咸陽回師。以三千騎兵防阻南山，親赴商州，收得散兵四千人，流着眼淚對將士說道：「誓雪國恥」！各將領沒有一個不感動哭泣聽命。郭子儀兵分兩路進攻，多製旗幟，擊鼓[illegible]喊，喊殺震天。吐蕃兵聽說郭子儀兵到了，大家都非常恐懼。子儀兩路夾攻，吐蕃大敗，郭子儀又第二次收復長安。於是代宗詔命子儀爲西京留守。

十二，郭子儀開誠降回紇

唐代宗三年，僕固懷恩又勾引了吐蕃、回紇的兵三十萬人，侵略中華，打破涇陽、[illegible]州、鳳翔、醴泉、奉天等地，勢如破竹，京師震動。代宗親自將禁兵下詔御駕親征。

（未完）

丁熊照及其「眞理與事實」

·張起鈞·

世間不乏託天之福因人成事的幸運者，也多的是投機取巧損人利己的大佬倌，但他們不過是本身享一點庸福，能夠作威作勢，快意於一時而已；事過境遷，終將與草木而同朽，還有什麼意義。至於眞能對社會有貢獻，德業足傳於不朽者，那勢必有待於傑出的人才。

傑出的人才是可遇而不可求的，而他們的表現也不可以一般的情形來衡，往往在一般人無辦法的環境，他們可以排紛找隙，化險爲夷創造出難能可貴的事業，貧困，失學，天災，世變……無一樣能一厄住他們的發展，無一樣能打擊他們奮鬥的意志，反之却是環境越艱難，越使他們的才幹有動人的表現，所謂不過盤根錯節，不足以顯利器者是。我平素喜歡讀偉人的傳記，也愛與有成就的人談天，除了想從他們的一言一行獲取點教訓外，就是欣賞他們精采動人的奮鬥。

遠在年初的時候，熊式一先生便和我談起他認識一位實業家，幼年並未受到正規教育，家境貧困無援，而竟赤手空拳在上海創立龐大的企業，利己利人，替國家挽回多少漏卮。大陸淪陷，一切蕩然，而又在香港重新建立龐大的事業，尤其他能有是非，有正義，痛恨共匪的暴政，立言反共，不像一般資本家，無認識，無立場，畏首畏尾，只知賺錢不問他事，我當時聽了，雖然很欣賞，但也未太注意，甚至連這位人物的尊姓大名，都未細問，因爲白手起家，以術致富的人在歷史上多的是，有什麼稀奇。至於反共也者，或許是由於沒收了他的財產而怨恨，甚至還說不定是商業上的一些噱頭，那又何必大驚小怪。

最近熊先生拿給我一本這位實業家丁熊照先生的回憶錄看，書名叫「眞理與事實」，看了後，才使我對熊先生的話有深切的了解，而對丁先生引起深切的敬意。經營事業，發財致富並不稀奇，而令人可敬的乃是丁先生上對國家抱着爭光榮，挽利權的雄心，下對工人夥友存有濟助關愛的深情，這眞是難得之至，古語說，「爲富不仁矣，爲仁不富矣」，而丁先生這種懷抱，可算是「爲富而仁」了。

尤其難得的，是其通達的識見，許多資本家，對於經營實業雖有一套，但對政治的認識，則不是腐淺幼稚，便是茫然無知，多少人受共產黨愚弄，便由此因，而丁先生却有過人的智慧，對共黨的把戲，如見肺肝然，試看他說：

「雖然鼓吹階級鬥爭，本是共產主義的基本精神所在，中共進而主張要將資產階級消滅，原非出奇之事。尤其是照近年來中共政權，種種全無是非可言，翻雲覆雨的作法，敵友之分，功罪之別，隨時可因奪權的結果，力量的消長，而有變化，在純粹是「成則爲王敗則爲寇」的不講理社會中，除了暴力之外，也別無眞理。所謂「興無滅資」的口號，祇不過是騙騙人民作爲進行黨爭的藉口，並無任何實際意義之可言」。

這對共產黨的策略，眞是一針見血的誅心之論，可歎多少西方的中共專家，竟都見不及此。

最使我佩服不置的，還是下面這一段話。他說：「……人類認識是非，與辨別是非的基本原則，總還是相同的，譬如每一種宗教，雖有教義之不同，說法之不同。但其勸人爲善則一，又譬如任何主義思想雖所主張的政治制度，各有不同，所構想的社會型式更有分別，然其終極的目標，都無非要將人類帶到合理進步的途徑去。」

試看這是何等通達的看法，想不到這種平正通達的識見，竟出之於一位終生經營實業，非僅未嘗研究哲學經義，甚且連學校都未進過的人，若不是天生具有過人的智慧，還何以解釋，他不僅有正確的識見，並且在字裏行間中可以體會到他實具有強烈的是非感，和健全正確的人生觀，因此他不同於一般流俗的資本家，只是盲目的瞎混，一味的賺錢，而是爲崇高的信念，正確的理想而奮鬥，其事業，其經營不過是展其懷抱，實現理想的偶然方式而已。所謂「偶然」者，那就是說，假如丁先生當年因緣輻湊落在政治圈中，或是落在學術圈中，他也一定會出人頭地，建立其出類拔萃的成就的，初不限於經營實業一端而已也。

孟子說：「待文王而後興者凡民也，若夫豪傑之士，雖無文王猶興」，像丁先生這樣的人物也可算是豪傑之士了，故樂爲之介紹：庶使天下的資本家都能聞風而起，不僅能富，並且能夠仁而有禮，那就天下幸甚了。

（完）

民初國會議壇（三）

·李仲華·

怎麼會超出國會議員總數五倍之多呢？這眞使人莫測高深，原來國會中有幾十個政黨，有的議員爲了投票圖利，一人而列名七八個政黨，政黨領袖當擴張勢力及權利，因此逢人就拉，只要個名字就算自己的黨羽，自己的政治資本。劉夢庚負責開列名單，爲了簡化手續，就把國會中的政黨領袖，這些領袖們各送各的名冊，加起來都是重複的，所以就變了三千五百名。曹錕看得頭暈眼花，莫明其所以焉，大罵劉夢庚糊塗，改派高凌霨，王毓芝整理這些名冊。高凌霨根據參衆兩院議員名單核對重複者除刪，這一來又引起了新糾紛，每一個政黨都不願他的名冊是算重複的，都極力爭論保持名冊原班人馬，誰也不肯少了一名。

當第一次發放津貼之前，衆議院副議長張伯烈爲了發展他所領導的新民社黨羽，先向銀行借了一百萬，發給屬於他旗下新民社的議員，同時宣稱其他黨的議員如果改投入他的新民社，則亦可享受同等待遇。這筆借款，是由高凌霨担保借到的，因此引起了各政黨的公忿，紛紛打電話責問高，高大傷腦筋，只得宣佈暫發津貼。於是議員又急急忙忙地跑到高宅來大興問罪之師，高在莫可奈何之下，只好派人携帶支票，仍交予各政黨代發，規定領欵人須在支票存根上蓋章，以避免重複和冒領。十二年元月十二日爲發欵日期，共計開了一千○四十餘賬票，多領的，留待下月扣還，支票一律蓋有檀芬堂的印鑑。事後查明了領受受賄的議員共有三百八十餘名，不過是國會議員總數二分之一強。

農曆年關，曹錕致送吳景濂「炭敬」三萬元，張伯烈一萬元。正副議長相差懸殊，張伯烈大爲不滿，曹錕只得補送了一千元。議員們因爲議長一萬一千元，而議員們僅僅二百元，待遇相差距離太遠，因而吵鬧不休。於是曹錕遂改派袁乃寬負責經手發放二月份的議員津貼，可是還未發完，就無欵可發，袁乃寬只好溜之大吉，悄悄逃往天津去渡新年。

其後黎元洪被迫出京，北京陷於無政府狀態，直系即積極籌備大選。十二月八日吳景濂向保派籌到廿萬元爲常會出席費，八月廿四日召開兩院談話會，出席者一百五十二人，通過一項支付議員費用辦法：（一）兩院在每星期開常會時，出席議員得出國會預備中，每人領取出席費一百元；（二）每次開會依會場人數發給出席證，散會時出席之直員以出席證換取支票；（三）兩院議員憑支給證於下星期一向會計科支取月費。

九月十日國會兩院召開選舉總統預備會，由主席報告在場議員四百廿八人，每位先送出席費五百元。於是十二日開選總統會，出席議員四百廿八人，依照大總統選舉法，規定需有五百八十一人始足法定人數選舉總統，四百廿六人，距法定人數尚差一百五十九人，因致選會流產。同時，幕後進行磋商票價，每投曹錕一票，致送五千元，十月五日再開選舉總統會，吳景濂和保派出動了軍警力量，軟硬兼施促使在京議員赴會，到會者共五百九十人，曹錕以四百八十票當選總統。

（未完）

第十七章　岳鵬舉大破李成　宋高宗重用秦檜

周燕謀

就是賊之大軍陣勢。岳飛之軍甫渡完畢，急速集中，一聲攻擊下令，岳飛一馬當先，衝入賊陣，部衆隨之，馬進急躍馬出陣迎敵，見是岳飛，大吃一驚。岳飛躍馬直取馬進，馬進掄大砍刀來迎，戰不數合，招架不住，拖刀敗走。岳飛揮軍追殺，但見賊兵人仰馬翻，血流屍積，不到一時，賊兵連珠營寨皆被岳飛掃平。馬進奔還筠州。岳飛趨至筠川城下，在城東安營下寨，料馬進不敢出戰。岳飛新生一計誘敵。用紅羅爲幟，中刺「岳」字其上，選騎兵二百人，擁旗巡行，以示岳飛行從。而其實岳飛却伏於城隅，令騎兵誘賊來追，然後殺出。馬進在城中瞭望，見騎兵擁着岳飛巡行，中軍又未見岳飛，以爲岳飛未曾親到此地，但遣騎兵揚旗示威，恐嚇城中。馬進料其如此，隨即引兵殺出。騎兵一見賊兵出城，立即還奔。馬進策馬力追，馳過城隅，背後忽然有人大呼道：「狗盜頭往那裏走？」馬進吃了一驚，回頭看時，不是別人，正是他的剋星岳飛。他知道不是岳飛的對手，又因岳飛阻住其後路不能回城，於是只好棄城東走。岳飛復大呼道：「不願從賊者坐下免死」！賊衆聞言，多半棄戈坐下，由此一連呼應，賊兵坐降者八萬人。岳飛均好言撫慰，老弱遣歸田里。再率兵追趕馬進，馬進拚命狂奔，不料正遇着張俊之軍殺到，前進夾攻，把馬進困在核心。馬進用盡氣力，才殺開一條血路，向南康急奔。張俊正欲揮軍追趕，時岳飛已到。岳飛與張俊會後，自請爲前鋒，張俊在後策應。岳飛連夜追趕，到了朱家山，與賊後隊相遇，賊將趙禹來迎，被岳飛一槍刺死。岳飛乘勢再追，追到樓子莊，遙見塵頭大起，李成領賊十餘萬來援。岳飛毫不懼怕，揮動鐵槍，直取賊兵前隊，槍尖到處，人仰馬翻，霎時間，岳飛槍挑數十員偏將落馬，賊衆從未見過如此勇將，都各顧性命，倒退如山崩潰一般。前隊一退，却把後隊頓挫，於是互相踐踏，亂得不可收拾，人馬雖多無用。

（八十三）

自由報

中華民國內政部登記證內警台誌字第一〇二二號
中華郵政台字第一二八二號執照登記為新聞紙類

（第一一三二期）

（半週刊每逢星期三、六出版）
[illegible]
社長李遠騰‧督印黃行寶
社址：香港九龍彌敦道593—601號
廖創興銀行大廈八樓五座
LIU CHONG HING BUILDING
7th FLOOR FLAT '5
593—601 NATHAN ROAD,
KOWLOON, H.K.
TEL：K303831
電報掛號：7191

承印：景星印刷公司
地址：嘉咸街廿九號地下
台灣區業務管理中心：台北市建國南路一段一二九號
電話：二四五七四
台灣區直接訂戶　台灣劃撥戶
第五〇五六號張萬有（自由報會計室）
台灣分社：台北市西寧南路110號二樓
電話：三三〇三四六、台郵劃撥戶九二五二號

本報啟事：

敬啓者一月二十七日為春節循例休假一月二十七日無報一月卅日照常出版敬希　諒察

本報專論

從台北市長高玉樹失態失言說起

・何維藩・

台北市長高玉樹因被中央監察委員彈劾他濫權違法，竟向英文報記者發表談話，謂監察委員是在大陸上選出來的，其意若曰，監委們的任期早已屆滿，即沒有糾彈他的資格了，因而故作疑問之詞：「監委違了法，誰來彈劾呢？」這不僅失態失言而已，根本就是目無法令，目無紀綱！

誰不知道中央級民意代表的任期業已屆滿，由於國難時期的非常事實限制，未能如期改選，而依照憲法規定，經過大法官解釋，繼續執行職權。現行的憲政體制存在一天，大法官的解釋即具有法制上的權威性，決不能否定。高氏的市長職位雖然原來是由民選的，但台北市經政府明令改為直轄市以後，民選資格已告喪失，且經政府發佈一道命令，重新任命高氏為台北市長，在此行政體系下，而他仍以「民選」市長自居，反唇譏刺監察委員了。那麼行政法規的關係重要，和法統的維持，是萬萬忽略不得的！

高氏好像并不重視彈劾案，表示滿不在乎的輕蔑之意。言官依法行使繩愆糾謬的職權，交付懲戒機關處理，他非所問，受之者是否重視，固與監委無涉。政務官的懲戒處分不外兩種，即撤職與申誡是也。將來公懲會無論作何決定，高氏能夠置之不理嗎？高氏又謂監察委員違了法，誰來彈劾？自以為說來恢詭有緻，實則這是毫無常識的話。民意代表如其不稱職守，人民可以根據「選舉罷免法」予以罷免；若有違法瀆職行為，則國法俱在，民意代表固不能逃避法律制裁，君不見已有中央級民意代表猶在服刑之中的事實嗎？違法與失職的性質大有差別，若混為一談，何其淺陋乃爾！台北市長原係憲政體制下的一名行政官員，而公然藐視監察權，肆無忌憚，我們認為此風不可長，事關政治紀綱，監察院可以優容，行政院卻不宜漠然置之，而視為無關宏旨。否則將使一般民衆產生錯覺，認為高氏的說法不無理由，因而損害監察權的尊嚴，馴致動搖整個憲政體制，烏乎可呢！

由於高玉樹之藐視監察權，說出甚末「監察委員是在大陸上選出來的」這類狂瞽之言，我們乃聯想到中央級民意代表的任期問題了。這問題之存在，原是受着國家非常時期的事實限制而然的，現行憲法如不修改，中央級民意代表的任期問題，就祇好遵照大法官的解釋辦理。國大代表的任期，憲法上明文規定「至次屆代表開會之日為止」，繼續下去，固屬無愧衾影，但歷時廿載以上，十九已屆退休年齡，人生幾何，凋謝難免，而立監委員的情形殆有甚焉。歲月荏苒，人事滄桑，勢有難乎為繼之處，原來的候補者為數甚少（監委無候補），且亦垂垂老矣，重新增補選亦無濟於事。有人主張增加這些民意機構的職員，藉資補救，這在法理上說不通，事實上亦扞格無益，絕對不是辦法。

近年來，執政黨的高齡職員，曾有自動退休之舉，我們認為中央級民意代表不妨師其意而加以考慮。如果先由決策機構擬定黨務人員暨中央級民意代表自動退休辦法，凡是年滿六十五歲而自願退休者，按年資給予退休金，以能資其老有所養為基準，相信響應的人將不在少數。關於民意代表自動退休後的補充方法，在不違背憲法原則之下，似可採取兩大途徑：一是就台灣省各縣市暨金馬兩地區的人口比例，規定名額，分別增選；二則由海外華僑團體，依據當地僑胞人數，按政府規定的名額推選之。至於全國性的職業團體代表，只可在台灣實行選舉，唯婦女若有保障名額，則原來的「婦女團體」選舉單位可以取消，而「僑民」與「內地生活習慣特殊國民」兩項，亦無必要。中央級三個民意代表的名額，除監察委員現有人數仍舊外（七十名），國大代表和立委，各依現有人數不妨遞減一半，俟光復大陸後再依原來的法定人數選舉。節省下來的薪公費，即可抵償上述諸自願退休者的退休金，而使國庫的負擔不致過度加重。這方案仍應由下次國民大會決議通過施行，至技術問題，可由國民大會授權總統處理之。這樣，則法理與事實皆能兼顧，并無損於憲政精神和體制，而中央民意代表的新陳代謝作用亦可發揮了。

反共復國是政府義無返顧的時代使命，採取這項救國救民的實際行動時間，或許就在最近的將來，也許為時尚早，一是皆須以國內和國際形勢為本，并非主觀願望所能決定的。自中樞政府轉移到台灣以來，歷時已逾廿年，縱假再過十年八載尚未還我河山，則中央級諸民意代皆已屆杖朝杖國的耄耋之齡，縱使大家健在，然精力衰憊，亦難以勤勞國事了。所以，現行憲法若不修改，中央級民意代表的代期問題，實有研討改進之必要，否則不僅給人民以「終身職」的印象，亦使國家政務陳陳相因，缺乏新興氣質。唯一可行的救濟之策，祇有鼓勵自動退休，而不讓其在無家可歸的暮年生活中，猶為生計所困。任何一個民意代表絕無貪戀棧豆的意念，迫於職責所在，欲罷不能而已，社會輿論若藉此訾議中央級民意代表之久於其任，這是極不公平的！現在關於中央民意代表的任期問題，乃是法制與事實問題，與民意代表個人無關，即不能說他們是有心戀棧，道理甚為淺明。這也就是我們相信在自願退休的號召之下，將有許多人樂於響應的根據，希望中樞決策機構注意及此，加以策劃，儘在來春國民大會時，作一妥善的決定，時機迫切，未宜遲延了！（完）

昨日與明日

老年人的反共智慧

故中央研究院研究員徐高阮應獲得對共匪文化統戰勝利的首功，政府并沒有頒獎給他，可幸的是他未竟之業，正由中國學界賡續以赴。費正清在台灣施行的文化統戰雖已失敗，但他的陰謀活動，并未就此停止。受他暗中資助的出版社會機構，仍大有人在。而且，在費某的文化統戰運動中，其接棒子的口號，已引起好高騖遠的中國青年極大興趣。

我們知道，民族生命有賴於文化生命，乃益增其光芒。民族生命則在生機之延續，文化生命則在繼長與增高。就民族生機着眼，青年活力固足珍重，就民族文化着眼，老年智慧與經驗，尤覺難得。羅馬哲人西錫樂就盛讚老年人的智慧。因為這種智慧乃從一生憂患痛苦人生中磨練而成，與其一生學識相融通。非輕易從書本中掠取而來的記聞之學而已。

半世紀來，中國受共黨災禍最烈，中國今日之老年人也瞭解共黨最深，反共意志最強，反共經驗與反共思想也最豐富成熟。共黨是靠思想打天下的，只有中國文化所孕育的反共思想，將足以致共黨之死命。這一思想，自　國父孫先生發其端，蔣總統繼其業，今天自由中國的學者各獻其學識智慧，乃使其體系燦然大備。毛共知道，此一思想如為中國青年普遍接受，共黨之敗亡則指日可待。乃透過費正清在台灣施行文化統戰，以接棒子為口號，鼓動中國青年的勇氣，逼使老一代知識份子讓座。如果青年一代上了台，他們既無反共經驗又無成熟的反共思想，毛共便可高枕無憂了。

在「接棒子」口號下多少青年上了當。當局也把高喊接棒子的人加以重用。把反共思想作戰前哨的「三民主義研究所」撤消了，使一批反共思想最成熟的學者，不能有效的從事反共思想戰，而投置閒散。把反共最激烈的學界人士的呼籲，視為個人行徑的活動。眞正的學人像方東美、徐子明及張鐵君等均被冷落。只剩下費正清的哨子，在高吹虛無人生的存在主義，向共黨投降的羅素思想，性的文化論，色情的文藝。似乎誰也沒注意「周文王，訪姜尚，周室大振」的典故。拋棄了學術界成熟的反共思想與經驗智慧，能說不是反共戰爭中最大的失策？

・貞蒼・

自由談

對憲法的觀感

一個的憲法是國家所賴以生存發展的經典，亦是全體人民共同的生活軌範，性質很莊嚴，關係非常重大。所以，在制定憲法時，必須由專家學者根據現實需要，以客觀的心情，愼思明辨，務期適合國情，無所扞格，一點亦馬虎不得的。

我國的現行憲法頒佈施行廿年了，證明有許多地方并不妥善，毛病就在當年「政治協商會議」討論憲草之際，共產黨存心搗亂，反對憲政，異議橫生，其他的在野黨雖渴望國家走向憲政之治，卻不免存着莊子所謂「有蓬之心」，既不願接受國民黨所提出的「五、五」憲草，又想限制未來執政者的權力，因而弄成現有這部既非三權制，亦與　國父遺教的五權制不相符合，且將內閣制或總統制精神混淆不清的不倫不類的憲法，以致實行起來諸多扞格難通之處。筆者曾在遼離海隅的客次中，面詢過當年參預制憲工作，且係中心人物的張君勱先生，何以會創出這樣的憲法來？他說：當時因為各黨派爭執不已，憲法會議的召集人換了三位，仍沒法順利開議，最後乃以他平日研究憲政之餘，個人憑空懸擬的憲法初稿，提供預會人士參考，纔得平息紛爭，正式討論，事實上就是以他這份初稿作藍本，斟約損益而定案的。張先生亦認為出乎他的意料之外呢！

任何一國的憲法，由於實際考驗的結果，沒有不經過修改的，修憲并不是甚末大不了的事。我國憲法之諸多缺陷，經過廿年來的體驗，大家都有同感，區區覺得，目前正是實行修憲的大好時機，與其浪費人力、財力，分別研討憲政實施的枝節問題，或擬訂光復大陸後的行政計劃和法規，到不如集中一些精研法學的才智之士，組織修憲委員會，對整憲法通盤研究鈎稽，起草一部比較完美的新憲法，交出下次國民大會愼重審議裁決之。至其實施時期，可以授權國家元首，相機決定。這樣，既不妨礙政務之進行，也不牽累反共救國的軍國大計，無論如何總比零零碎碎地設計研究工作，有用得多，對國家前途的裨益亦匪淺也。

馮五先生

依調集

赫魯曉夫的筆記

易儔

美國生活雜誌刊載的赫魯曉夫筆記，赫魯曉夫在蘇俄否認那是眞實的。其實，即使那是眞實的，赫魯曉夫也非否認不可。

蘇俄報紙對這些資料的發表曾著文譴責。蘇俄外交部在第一部連載出現後，曾數度沒法說服西方的刊物停止連載，但未獲成功。此事的內容究竟如何？是一個謎？恐怕也是永遠的謎。

生活雜誌連載赫魯曉夫的筆記，從商業眼光來看是百分之百成功的。蘇俄官方越着急，生活雜誌越賺錢，蓋可斷言。

赫魯曉夫早已是「過氣老倌」。想當年鞭屍史達林，在聯合國大會用皮鞋槌桌子，何等囂張跋扈，現在時過境遷，雖然苟全性命，卻難逃「雪藏」的命運了。

赫魯曉夫在當年鞭史達林屍時，曾引起美國的幻想，現在又使美國出版商大賺其錢，可惜他無法逃出鐵幕，不然到了美國倒能變成席豐履厚的寓公呢。因為美國人是懂得生意經的，所以史達林的女兒，赫魯曉夫都具有商品價值，這大概是克里姆林諸僧所未曾想到的。

飛將軍李廣

周遊

但匈奴王久已聞李廣之名，下令要捉活李廣，不得殺害。李廣受傷，佯裝傷病，不能騎馬。匈奴將他放在網裏睡臥，用兩匹馬把李廣抬起走。走了十幾里，李廣又裝死，匈奴將李廣的綁解了。李廣看見他旁邊有一個胡兵騎了一匹好馬，李廣乘其不備，縱身一躍，跳在胡兵的馬上，將胡兵推下馬去。取了胡兵的弓箭，猛加一鞭，策馬向南方而跑。跑了數十里，找到一隊失散的漢軍。但是匈奴大軍追來了。李廣不荒不亂，張弓搭箭，一連射倒了十幾個匈奴騎兵，乘機逃脫。

李廣回歸漢營，由於兵敗，士兵被俘很多，論罪當斬，但念李廣以前有功，免爲平民。

六、田園生活

李廣免爲平民之後，回到故鄉，在家裏住了幾年，過着飲酒射獵的生活。常常在夜半出郊外約人在田間飲酒，有一天晚上，飲醉了酒，走到霸陵亭。霸陵尉也喝醉了酒，一見李廣呵道：「什麼人」？李廣答道：「故將軍李廣」！霸陵尉呵道：「在這裏深更午夜，將軍也不得通行！你是明知故犯。」把李廣拘留了一晚，李廣深恨這樣一個小小縣尉善作威福，但是現在李廣是一個平民，沒有什麼辦法反抗，只好忍耐着。

七、漢朝飛將軍

不久，匈奴又侵佔遼西，殺了遼西太守，又打敗了將軍韓安國，韓安國原是右北平太守，因爲兵敗，朝廷把他調走了。因此天子下詔，召李廣爲右北平太守。李廣就將霸陵尉徵調入軍，不久因酒醉犯令，李廣將他斬首。匈奴人聽說了，不敢侵擾右北平一步。因爲匈奴被李廣殺怕了，所以匈奴爲李廣起了一個外號，名叫「漢之飛將軍」。避了李廣數年，不敢到右北平，右北平的老百姓得到安居樂業。

（未完）

憲政研討會提綜合意見
促修正法院組織法
并增強檢察官職權
延長大學法律系修學年限

（自由報台北消息）國民大會憲政研討委員會第五次全體會議討論「法院組織及獄制問題」一案，其綜合意見將供政府抉擇改進。

關於法院組織方面：該會認爲現行法院組織法制定於民國二十一年，自二十四年七月一日施行迄今三十五年餘，以其制定於訓政時期，憲法經國民大會制定施行，故法院組織法諸多不合憲法規定之精神及實際需要，中間雖經六次局部修正，但仍有未盡妥適之處。經研究結果，提出修正要點，其理由及辦法分述於後：

法院組織法係司法之基本法，極關重要。我國自清末採大陸法系審檢對立制度，民初仍沿舊制。民國十六年十一月改制採配置制度，併審檢廳爲法院，大理寺改爲最高法院，除最高法院之檢察署成立獨立機構稱檢察署，其首長稱檢察長外，其餘高地兩審之檢察機關附設於法院內，撤銷檢察廳，於各級法院配置檢察官，將原有之檢察廳長及監督檢察官改爲各級首席檢察官，雖仍獨立行使職權，而檢察官則爲配置性質。民國二十四年七月一日施行之現行法院組織法，仍維持審檢配置制度，將檢察部、人事、預算等項列于法院編制之內，嗣因該配置制度於理不合，易生磨擦，仍將各級檢察機構預算與院方劃分，以免糾紛，迄今仍維持審檢配置制度，此爲我國司法審檢制度之沿革。

檢方首長督率所屬檢察官，代表國家行使刑事追訴權及實行刑事執行權，其職權較審方更爲重要。但查法院組織法及刑事訴訟法，並無檢方地位，嗣因事實需要，於處務規程中規定檢察處字樣，爲別於審方書記官以下人員而設，係屬行政命令，非立法院通過經總統公佈之法律，檢察處係國家設立之機關，依民國十八年頒行有效之法規制定標準法，及中央法規標準法，明定機關組織應以法律定，應以法律規定之事項不得以行政命令定之；此項命令與當時法律牴觸，應爲無效。依印信條例規定，機關始用印信，長官祇有官章。檢察官現在所用之印信，顯與印信條例不符。至檢方首長之等級與待遇低於行政官員，亦較審方爲低，如現制最高法院檢察署檢察長監督指揮全國檢察官，其職位何等重要，而現制爲簡任，最高法院院長特任，相形之下，甚不合理。以如此不合理之制度，而欲宏揚法治，可乎！欲建立富強憲政國家，必宏揚法治，欲宏揚法治，必增強檢方職權，應先修改法院組織法制定合理之制度。

國民大會憲政研討委員會對法律系改爲五年畢業，仍嫌較短，主張法律系學年最少要六年，其理由：司法官即推事及檢察官，職司執行國家法令，維持社會秩序，保障國家安全，與人民生命、自由、財產、名譽等項，息息相關，因其職位重要，非僅讀法學課程所能勝任，在受法律教育時，除授其法學、法制史與經驗外，應特別培養品德與倫理觀念，多讀修養書籍如哲學、經書等，加強倫理教育、陶冶品德，養成高尚人格，以達成重要任務。法官有獨立審判權，長官無權干涉，一裁判定人生死，職責重大，自不能與其他科系同爲大學四年畢業，現經改爲法律系五年畢業，仍嫌較短。英、美法學院入學資格最低者爲大學預科二年級以上之程度，著名大學法學院學生，多係大學最優秀畢業生。如美國法學權威前哈佛大學法學院院長龐德博士，于三十六年來我國任司法行政部顧問時，曾建議政府將大學法律系增加修習年限爲六年，或限制投考法律系須經其他學系修習期滿，以及限制投考法官年齡須滿二十五歲以上等提高法官素質等措施，均屬至理名言。大學法律系修學年限改爲七年，最少六年。任用時應嚴格考試，並查考其行爲是否優良？選品學兼優者任之，對於工作成績，嚴加考核，並修正非依法律不得調任之限制，凡年老體衰不堪勝任之法官，應即鼓勵優遇退休。

提高法官待遇
使其安心供職
公設辯護制度應予加强
俾能保障人權弘揚法治

該會對現行法院組織法第三十七條第五款曾任立法委員三年可任特任法官之規定，於理不合，宜予刪除。如謂立法委員中不乏法學人才，則亦應規定在教育部認可專科以上學校修習法律學科三年以上畢業，曾任立法院司法或法制委員會三年以上，始得簡任官資格。

如欲培養優良法官，固應陶冶品德，亦應厚其待遇。總統昭示提高法官待遇，立監兩院委員迭次籲請政府調整法官待遇，雖經數次調整，惟所加之數極微，較之外國法官待遇相差不可以道里計。美國聯邦最高法院法官年俸二萬美元，而聯邦政府部長級官員年俸僅一萬五千美元，澳洲高等法院法官年俸五千鎊（約合美金兩萬元），而國會議員之待遇年僅一千五百鎊（約合美金六千元），其餘各國大致相同，我國財政困難固不能與之等量齊觀，但亦應給予特別待遇，至少應與研究教授待遇月薪新台幣一萬二千元相等，方爲合理，且美國聯邦最高法院之姓名列入全國名人錄中，且退休後仍照支年俸，逝世後，遺孀免繳所得稅，并年支津貼新台幣五千元，是其法官除依憲法終身受其保障外，厚其待遇，賜其榮譽，使之安心供職，貫獄司法。俾能樹立法治精神。

其次，該會主張加强公設辯護制度，保障人權，發揚法治之一有效建制，文明法治國家，無不重視。我國刑事訴訟法第四章曾有規定，但法院組織法第七十一條（律師在法庭代理訴訟或辯護案件，其言語行動如有不當，審判長得加以警告或禁止其代理或辯護。非律師而爲訴訟代理人或辯護人者亦同。）僅有簡單之條文，殊嫌不足因應需要，亟應謀求補救。關於刑事訴訟法第三十一條第一、第二兩項所指之公設辯護人，在法院組織上備乏具體之規定，目前高地兩級法院，雖有公設辯護人之設置，其資格與薪給，亦同於同級法院之推檢，但多以老弱遲除之閒曹充任，既感人力不足，更無必需支出之辦公經費，甚至辦公處所亦極簡陋狹小，形成點綴虛設之情形，允宜改進，明文訂入法院組織法，定其資格、官等，提高待遇，酌給必需經費，配置人員，庶使此一制度發生實際效果，對保障人權，宏揚法治，亦一重大革新之圖。

綜合意見主張各級法院增設副首長。其理由爲：各級法院及檢方祇設院長，檢察長或首席檢察官一人，處理公文參加會議，接見客人，及其他一切辦之事，已甚忙碌，對於審檢訴訟案卷文件，如裁判書或處分及起訴書等，實無精力與時間顧及，所有核判不過形式而已，對於推檢辦案是否妥適，殊難實行監督指揮，一任法官自行辦理。近以事實上需要，各法院首長多有指定資深庭長、推事、或檢察官代閱公文訴訟案卷，但非法定人員，且其所指定之人與其他庭長、推事或檢察官地位相等，有時不便形諸紙墨，祇能簽請首長核定，徒費週折，鮮收實效，爲應事實需要，且達合法化，名正言順，各級法院審檢均應增設副首長。

改進監獄行政
宜設專業機構
技術訓練仍應繼續辦理
充實警力增加管理員額

關於獄政方面：

該會主張設刑監局，主管獄政。監獄隸屬於司法行政部，在大陸時代，幅員廣闊，會授權由各省高等法院院長就其省區內之監獄，賦予行政監督權，以爲權宜，惟在體制學理及實際上均已不合時代刑事制度之要求，亟需設置專業機構，以利監督，而資業務發展。監獄宜改稱刑監，中央宜設刑監局，直屬司法行政部，指揮監督各地之監獄。監獄職司徒刑拘役之執行，爲獨立之刑務執行機構；看守所職司羈押刑事被告，爲屬於地方法院並受檢察官督導之刑事羈押機構，兩者性質、任務以及隸屬均有所不同，應嚴予分立，不宜兼收。監獄對於已決之受刑人，徒刑與拘役應分別監禁，使各監獄均有務役場之設置，以符功令，刑期一年以下之短期刑，盡量由法院裁處緩刑，宜付保護管束，既免短期刑執行之弊多利少，能復加強實施觀護制度，同時對於疏減監所人犯擁擠，亦有助益。

教化作業制度：

少年犯之學力甄試教育，辦理著有成效，爲達到監獄學校化之理想，應予推廣至成年犯之監獄，專列預算。本省各監獄與當地各職業學校合辦之工業、商業、農業實用技術訓練，效果良好。此項訓練頗適於短期刑之人犯，仍應加強繼續辦理。司法當局與經濟當局宜就監獄人力資源問題，予以協商規劃，充分運用，俾達到監獄工廠化的要求。

目前各監獄看守所警力單薄，尤乏機動及後備警力，一有重大事故發生，輒不能應付，而平時之管理，更具影响，證之歐美各國，一位管理員平均最多管理五名人犯，而台灣各監所之警衛人員平均一個管理員要管二十名人犯，因此，充實警力，增加管理員名額，實爲當前最迫切需要。至於現行法令規定假釋，須徒刑在一年以上，有期徒刑執行逾二分之一，無期徒刑執行逾十年後，而有悛悔實據，始由監獄呈請司法行政部，得許假釋。考之其他國家，規定執行逾三分之一，即可呈請假釋。我國之假釋制度較嚴，況就實務上各種手續，各級會議審核及公文層轉，俟假釋核准到監之日，其刑期多已達三分之二，放寬假釋尺度，應早日完成法案。

台北傳奇錄

陳光棣

（一〇一）

幸而有個同黨的弟弟是所謂住王醫院的（按即住院病患病好了以後，賴在醫院裏不走，白天外出，晚上回醫院睡覺，既不花房錢，也用不着繳水電費，一舉數得，所以有的人這樣一住就是三年五載，醫院當局也無可奈何。）一直在這家醫院保留着一張病床，蔡先生住了兩天，蔡先生就帶着兩個嘍囉來「避風」了，方才那個胖子就是蔡先生的嘍囉之一，不管什麼場合都忘不了爲非作歹。

蔡先生忽然在醫院遇到賴先生，心裏覺得很驚詫，目前被任何人發現了行蹤，都免不了是危險的信號。蔡先生看見賴先生兒，又看見賴先生向這邊走過來，回過身來，背向着他們，這時蔡先生決定離開醫院先回家一趟，然後帶着二爺家的貨物，才從醫院後門溜走，他叫嘍囉先走，他過了十幾分鐘才從醫院後面出來，誰知剛走到馬路上，賴先生便從後面追上來。

「你要回家嗎」？賴先生問。

「是」！蔡先生恨不得踢他一腳。

「咱們一塊走」！

「好，好」！

「沒有車怎麼辦」？賴先生差點被風吹倒

「這種天氣那裏還有車子」！蔡先生大吼着。

馬路上水深過膝，一片黑暗，兩個人冒着雨迎着狂風走兩步退三步，好不容易才回到各家。

蔡先生回到家裏，剛剛換上乾淨衣服，金恆貴就失魂落魄的跑了來。

「姐姐，快快，不得了啦」！金恆貴喊着大洋馬。

蔡先生從椅子上跳起來：「什麼事」？回頭對大洋馬說：「怎麼樣？我說家裏不安全吧」！

「看你們兩個人急的這個樣子」！大洋馬衝着金恆貴：「到底什麼事啊？」

「我太太要生孩子」！

蔡先生氣冲斗牛：「混蛋！這麼大的風，還生什麼孩子」！

金恆貴也感覺到太太不應該在這麼個節骨眼上生孩子，補上一句：「眞討厭」！

「不是才七個多月嗎」？大洋馬記的清楚。

「你管她幾個月哪，趕緊去找醫生，別在這兒煩我」！蔡先生橫眉立目：「我的麻煩已經夠多啦」！

「你怎麼這麼胡塗？去找醫生嘛」！大洋馬順着丈夫：「我們有什麼辦法」？

「我去找過醫生，他們說雨太大了，沒有一個肯來。」金恆貴沮喪的說。

（未完）

孝子傳奇

·塔裡·

搜異錄

萬惡淫為首，百善孝為先。這是一句婦孺皆知的名言。所謂萬惡淫為首，可能是基於獄案「十塲人命九塲姦」而來；而有謂「有奇淫者必有奇禍」，雖似吝有幾分宗教性的意味，可是睽諸史實，還是歷歷不爽。至於百善孝為先，也許是由於我國歷來崇尚孝義治天下之故。孝經曰：「資以事父以事君而敬同。君子之事親孝，故忠可移于君。」晉書曰：「忠臣本於孝子，奉上資乎愛親。」所可奇者，孝義確實易於感格神靈，而發生許多不可思議的奇異故事，今就手頭掌故，略抒各節，有關廿四孝者，因人盡皆知，則恕不贅述。

一，搜神記：東漢董永，家貧傭耕，父歿無以葬，經央同里富人裴查貸錢五千營葬。忽於道途遇一婦人，自求為永妻，偕與俱詣裴家，女月織絹三百疋，用還所貸，遂辭永去。乃曰：「我天之織女，緣君至孝，天帝令我助君償債。」言訖淩空而去。

二，南史：丘傑年十四母歿，傑以熱茶有味不敢嘗。年餘忽夢見母曰：「汝嘗生菜，多有蟲毒。牀前有三丸藥，可取服用。」傑驚起，果於牀前得藥，服後，下科斗子數升。

三，元史：劉通母卜氏，目失明，通斷酒肉三十年，祈禱不懈。卜氏年八十五，忽復明。

四、輟耕錄：陶明元母病心痛，醫治無效。一日，明元禱於神，將割股為湯以治，將引刀欲下，忽隣翁自外躍入，叱曰：「毋自傷我天醫也。」遂取案上筆書十數字，擲他仆他。隣兒蘇醒後，詢之無所知。視其所書藥方也。如其方治之，陶母終身病不再舉。

五，稗史：宋淳熙時江州民謝生，母老病，夏日思食生柑，謝生因以夜間跪拜園中柑樹下，雙膝穿裂，詰旦，視柑樹已纍纍結實，持以奉母，病果愈。

六，稗史：齊雁門解叔謙母疾，叔謙夜於庭中祈禱，聞空中云：「得丁公藤為酒便愈。」遍訪名醫無識者。乃跋涉崎嶇求訪，至宜都境，遙見山中老者伐木，問其所用，答曰：「此丁公藤，治風尤驗。」並示其漬酒之法。

七，元史：王荐父疾甚劇，荐禱於天，願減己年益父壽。父絕而復甦，告人曰：「適恍惚見神人，黃衣紅帕首語我曰：汝子孝，上帝命錫汝十二齡」。後果再歷十二年始卒。

八，人物志：漢夏侯訢侍母疾，衣不解帶者數年。一日，忽夢其父告之曰：「天帝憐汝至孝，賜以仙藥，在案後桑枝上。」訢驚起往觀，果得藥，母服病立愈。

九，北史：張元祖父喪明，元恆憂泣，後讀藥師經，見盲者得視之言，延僧燃七燈七晝夜，其夜夢一老翁以金篦療其祖目，越三日，祖父目果復明。

十，南史：劉藏哲母病，祇禱悔辜，夢黃衣老人與藥曰：「取療母。」及覺，藥在枕間，服之果癒。

十一，元史：王庸母卒，哀毀幾絕，廬坐守墓地。一夕，雷雨交加，隣人持鐙具往欲救之，見庸所坐臥地，獨不霑濕。

十二，民國廿五年間，日軍竊據東三省，長春督府門前原有一孝子墳，時總督植天謙吉令飭毀除，距幾經爆破，墳堅如磐石，無所損，反而炸傷不少施工者，植天知有神靈呵護不敢犯，索性下令止拆，並予修葺，至今該墳仍在。

（完）

看相知人

命相与夢話

漢年

看相與算命判斷人生運程之順逆，其靈驗之處是大同小異，如識得其中奧秘者，則分析吉凶禍福，是殊途同歸。其不同的是看相易懂，算命難學。因人性之忠奸善惡，在其相貌及態度有極明顯之表徵，稍為事故深點的人，便很容易「觀微知著」。

看相知人，是自古有徵。要知其人如何，我從其人之相貌入手，其次為出身環境以及經歷等等。如果從以上各節了解之後，再從面相判斷，雖不中亦不遠矣。

本文以面相為談佐，其他各部，容後再談。

研判面相最重要的是一雙眼睛。眼睛細的人，心胸淺窄；眼睛大的人，特別熱情；要是一雙眼睛未言先笑，那種特別容易偷情。一雙眼睛浮起來——眼大無神，就非壽者之相。藏神的眼睛，使人愈看愈久，則感覺他神采奕奕。至於眼睛外露，目光雖然敏銳，卻是不能容物的傢伙。但是這種人性格堅強是其可取之點。

比較差的眼睛，看來非常呆板，轉動似乎有些阻礙似的感觀；這種人的反應一定特別呆板，最容易受到異性的控。

眼睛角的魚尾紋以及眼睛下面的小丘。如果那雙眼睛還很明亮，沒甚渾濁，魚尾紋卻很深，那就表示此人經常深思，而且很多憂慮。眼下面的小丘代表肉慾旺盛的人，不分男女，那個地方必然稍為高聳。眼睛的本身以黑白分明為佳，要是黑色帶灰色，應黑不夠黑，都是病態，這是和肝胆有關。眼睛有紅筋紅點，那就是高血壓的病狀，一望而知。

鼻子在面相部位也很重要。鼻樑高的人，必然正氣。鼻頭高而有肉的人，多數沉迷酒色，最低限度也很重視肉慾。鼻孔方面，以細小而隱藏者為佳，如果鼻孔朝天，而且孔毛生得茂盛者，此必粗賤之徒。

靠近鼻子兩旁，通常是有肉的，如果沒有肉，就就反應此人肺部有些問題。

鼻下是口，口更重要。按照經驗所獲致的結論，面小而口大的人，必然大胆；反之面大而口小，也就是胆小如鼠的人。兩片唇向左右伸展得長，到了唇尾還是有肉，這是有福澤者之相；反之唇薄的人，福澤也薄。如果那兩片唇片兩端都很薄，祇是中央較厚，那種人表示是好色而體弱的人。愛情深厚的人，唇必潤濕。婦女的唇以密合為佳，下唇外傾，且又太過潤濕，兩唇相合時，並不緊密，這是性情淫蕩。要是從醫學上去觀察唇片，不妨說唇白的人缺乏胆量，唇黃的人貧血，唇灰黑的人，肺有問題。唇片經常有輕微的抽縮，這種人多數患神經衰弱。

牙齒也有相法可言。牙齒整齊潔白的人，聰明伶俐，牙乾的人，特別自私，牙齒疊在一起，或斜生者，這種人多數狡詐。

總之，看相知人，實有科學根據。我們試舉一例為證。如果一個人從小就特別容易衝動，呼吸短促，他的口鼻之間的距離，一定比普通人為短。反之，則性格柔和，口與鼻之間的距離也比較長。中國人稱為「人中」的地方，即口鼻中間距離中一條凹部，如果特別長而多肉，配上耳長面大，鼻頭有肉，此乃長壽之相。反之「人中」短而鼻乾，耳朵又細，這種人就很難活到六十歲。這些相法的論調，正與我們生理構造不謀而合。由此可知，一般相士之言，未必全屬子虛。我們由相法而去了解人，而用人，我認為很近於科學的。試觀古代許多將相，多知相法，例子甚多，在此不必細舉。

自由詩壇

感時柬前駐加拿大使館范參事

·羅尚·

四顧無聲卻有聲。昨宵秋信到瑞京。

當窗見月涼於水。別樹移蟬去絕情。

蜀路舊遊應有夢。楸棋先手儻能爭。

箕其更比蓬山遠。養拙今須問碧城。

申報館長史量才被拘記

·胡珠·

在考取得見習領事的資格以後，就被派遣到中國上海的日本領事公館來做見習領事。也可能他於學生時代的脾氣，未曾脫盡，對於做領事的門檻，也未學精。只因這天下午，日本總領事適巧要出席英租界工部局的董事會議，不可能對臨時所發生的一件到會審公堂審理申報的控案之事，前去參加列席會審。實在分身不得，於是該總領事就派遣這位見習領事前去會審，多少有些叫他抵擋一陣的救急性質。準備於下期開庭續審，再行親自出馬，萬想不到這個見習領事，竟一出馬，就栽到在意大利領事之手，使申報雖掛上日商牌子，但並未佔得日商牌子的利益，終使後來日總領事會審，見案已裁定，無法挽回，亦祇有徒呼負負。要知國際間的辦理外交事件，雖然說是要依靠本國國勢的強弱來衡量外交家才能高低，所以產生有所謂「弱國無外交」一詞。但是強國與強國之間，這外交家就得要全仗本人的聲望、資格、學問、辯才等等各種條件了。

當席子佩控訴史量才的案件宣佈開庭審理，今日法庭高坐堂皇的除會審公堂的中國主審法官外，有意大利與日本兩國的領事列席會審。於是中國主審法官按照例行的審案法例程序進行，先傳原告訴人席子佩上庭；略訊控訴案由，席子佩於隨問隨答之下。就說：「本案告訴人委托穆安素律師辦理，控訴史量才背信違約之罪，根據盤約所訂條文，將所收到的盤銀半數賠回申報，除詳呈案情於控訴狀中，現再由代表律師加以說明。」於是即由穆安素律師起立發言，把史量才背信違約的事實情形，聲述一遍以外。他還指了百福堂五萬兩銀子的欠債，強事牽引混合於盤價之中，確定了史量才對於盤價尚未付清。根據盤據契約所訂條文，應得將所收到十一萬兩銀子的盤價，以半數五萬五千兩銀子，賠回申報云云。

接着訊問史量才，並問對原告訴人的控詞，有何話說。史量才至此只有據實直供，說明他將十一萬兩盤價銀子，實已如數付清，有收欵的收條可證。對於百福堂的五萬兩銀子，都是申報所欠的借欵，不在於盤價之內。況且最近小民已將申報以三十萬兩銀子出盤於日本商人太倉喜八郎為業，所以申報已不是德商的產業，乃係日商的業產。現在申報主權人太倉喜八郎本人亦在案下，以便傳訊，可資證明。對於原告訴人的所控之詞，既與事實不符，所以欲將收得盤價半數賠回申報，亦與情理不合，為此請求庭上明鑒，將原告訴人的訴狀予以駁斥而繩以應得之罪云云。史量才的這一番答辯，驟然聽來似乎很有道理。但是不能觀看他與席子佩所訂立的那份申報盤據契約條文，要是看後便覺他的答辯不能成立了。

史量才怎能當庭供稱申報已經出盤給日本人太倉喜八郎，成為日商的報館，並且說明盤價三十萬兩銀子。這其中史量才實有兩種用意，前者乃是他如上海人口語所謂「掮牌頭」的一種行為，他就掮出日商牌子，好教主審官和會審官引起注意。隱示申報所掮牌頭的庇護者，已不是經啓戰幕掀起世界大戰的禍首國家的德國，而是威風凌厲，霸氣囂張的日本。這樣的牌頭掮將出來，好使主審官和會審官提高警覺、賣放交情、變更主見。尤其是他認為掮這塊牌子使對方席子佩可以知難而退，善事罷休。後者乃是他如上海人口中所謂「擺噱頭」的一種行為了。當他未進巡捕房之前，還未收到日本領事公館所發給申報的日商登記證件。不過他已經和太倉喜八郎幾次相叙，雙方談得頗為投機，也互相瞭解一切情形。知道日總領事對於太倉喜八郎出面，申請申報登記，當無問題，只是證明文件正在趕辦中。

（未完）

諸葛亮狂想曲（一八一）

·劉玄·

劉約翰面紅地，放下「丹果」在盤中。心裏暗想，從前在人間，專門要訕笑上包子不會吃西餐，現在到了天庭，眞是要樣樣從頭學起了。

諸葛亮也和劉約翰一樣，從來沒有吃過「丹果」，但他舉止穩重，所以沒有出洋相。倒是金玉枝，對於這些比他們懂的多。

鶴童拿來三個水晶杯子，一望而知是三松靈泉。

諸葛亮因為聽了星君的解釋，吃「丹果」那敢馬虎？先輕輕咬了一口，在咀中細嚼一會，嚥下，隨即喝了一口靈泉水。

這「丹果」拿在手中比玉石還硬，咬起來卻比水蜜桃還鬆軟，尤其甘美適口，眞是仙庭妙品。

三人將「丹果」吃完，星君開口問道：

「你們現在覺得怎樣？」

諸葛亮覺得耳聰目明，身心愉快，彷彿一下子年輕了幾十年。遂回答道：「亮感到遍體舒泰，眞是妙品。」

「大凡仙家食品，與人間唯一不同處便是能長生不老，「丹果」更是此中的極品。」

星君煉丹日久，三句不離本行。星君又看了一劉約翰連忙站起向星君稱謝致謝。

「你明天帶黃雲大仙來一趟好不好？」星君以「丹果」待客已畢，話歸正題。

諸葛亮一聽，就知道與海王星探險有關。

「日期是不是定了？」

諸葛亮問日期自然是指海王星探險。

「日期由我定奪，你帶黃雲大仙來，我們可以談一談細節問題。」星君摸了摸白鬍子，好整以暇，不愧天庭大仙的架勢。

「遵命。」諸葛亮答話簡單而恭謹。

諸葛亮等接受了太白星君隆重的招待，見時間不早，諸葛亮告辭。

諸葛亮用雲車先送劉約翰、金玉枝，然後回到住處。

「今午蟠桃會為什麼這樣晚才散會？」琴童一見諸葛亮便問長問短，這是琴童的老毛病，諸葛亮並不以為忤。

諸葛亮遂將在星君仙邸食用「丹果」之事說了一遍。

「星君待丞相眞好，劉皇叔請你走出臥龍崗，使你鞠躬盡瘁，不得長壽，想不到到了天庭，却能加倍補壽。」琴童這次嚼舌頭却涉及了劉皇叔，諸葛亮立刻制止，說：「休得亂說。」

琴童見諸葛亮面色凝重，嚇得不敢做聲，轉變話題問道：「丞相有何差遣？」

「你到二將軍那裏去一下，請他轉知黃雲大仙，明天一早到我這裏來一趟。」

巨變歷險記！

與瘴疾戰（一八七）

胡慶蓉

部隊一出雲南建水，官廳，瓜渣而下，而鎮遠，車里，現在到了邊區，這一廣大的地區，即古之所謂蠻荒不毛地，元明清以來，到了民國，雖不斷有進步，但氣候並沒有怎樣的變。這邊的氣，人稱曰瘴氣。這瘴氣，恐怕是蒸發而來。廣大的地區，幾全是山地。林木茂密，自生自滅，新陳代謝。舊的葉子，舊的樹木，自然凋謝，累積在山上，腐蝕在山上，就會變成一種氣，這種氣，也就是瘴氣。這種氣，在鄉鎮村莊，與烏烟配合，就成了烏烟瘴氣。

以猛撤來論，每天一早，一大早，就浮起來像霧一樣的瘴氣，歷久不散。這種氣與人的健康大爲不利，其產生的結果是很多的，有一種最出名的病，最普遍的的病，也是最利害的病，那就是瘧疾了。台灣對國際自豪的，是他沒有瘧疾。若是發現有一個瘧疾的病例，莫不談虎色談，認爲非常嚴重，但這在雲南邊區，却是家常便飯，最有名，也最普通。他的利害，只有親身閱歷過的，才會深深的體會到。

丁博士就是中之一。「知者樂水，仁者樂山」，丁博士既樂水又樂山的一位。任到一個甚麼地方，他一定找一個地方洗澡，他認爲走了一天路，走了半天路，身上臭汗，洗澡最舒服，洗澡最衛生，天天爬山，天天走路，但他也沒能避免害瘧病。而且這一場瘧疾幾乎喪命。地點就在大其力。整整的一個禮拜，他沒能夠吃東西。他住在廿六軍軍醫院龔院長公館，這是龔大其力河的一個擺夷房子裏，這是在這房子上邊，躺在那裏，龔太太悉心照顧。還有當地著名醫生高震飛常常的來打針常常的給藥吃。有一個時候，大家認爲不行了，合力給他預備後事。這是廿六軍九十三師的參謀長蒙振聲發起的，他起來爲丁博士募捐，募了一兩多金子。是不是天在保佑，等到棺材買到，人又漸漸的活了，又漸漸的好轉了，終至於脫離了險地。

瘧疾是醫學上的名詞，在邊區通稱打擺子。我覺得打擺子這個名詞非常逼眞，更非常普遍，家喻戶曉，婦孺皆知，其來，熱一陣冷一陣。當其熱也，熱度甚高，不斷出汗，及其冷也，則全身發抖，是名符其實的打擺子。這樣一天一次，會把人打死。

部隊的弟兄們，打擺子的，常十居八九。這對於部隊的威脅是非常大的。其中不幸死亡的，也不在少數。在各個軍營，各個連排，常不乏打擺子的人。在昔抗戰時期，我軍到緬甸來作戰的，常常死於瘧疾。據呂國銓副總指揮談，因爲打擺子，部隊死亡數很高，有達到百分之五十的時候，現在比較好了，因爲有很好的藥進去，不但有很好的治擺子的藥，並且有很好預防打擺子的藥。李彌將軍接掌兵權以後，常從泰國備辦預防打擺子的藥與治打擺子的藥。他常常的帶在身上很多，這稱之曰特效藥，粒並不大，但力量却非常之強。他常常的分給丁博士若干。丁博士一生是最不歡迎藥的，但自從打了一次嚴重的擺子後，他對於預防的藥也不拒絕了。李將軍，李總指揮並加強各級部隊的醫藥機構，加多各級醫藥機構的醫務人員。猛撒總部方面的醫務室更特別強大。但不管怎樣的預防，瘧疾在各部級部隊還是非常的猖獗。這恐怕是瘴氣的緣故？在猛撒的反共大學，在各級部隊，總常有不少打擺子的。但較之抗戰時期，死亡率已大大的減低了。

辛亥革命的歷史評價

·侯立朝·

有了辛亥革命的勝利，才有中華民國開國的成功。因此，辛亥革命已爲中國歷史樹立了大典型：

第一個典型：皇帝夢被徹底打破了，自此之後中國的歷史不會再出現皇帝，儘管有某些專制的遺跡或專政的毒害，但必會被中國人民唾棄。毛匪僞憲法規定的毛皇帝，必會被這個典型所擊倒。

第二個典型：秀才造反三年不成的觀念被打破了，在此之前中國歷史上的革命事件，秀才和知識份子都是站在附隨的地位，只敢於爭宰相做，不敢爭皇帝位子做。在此之後中國歷史上出現了一個眞正的知識份子領導的革命，由此被選舉爲共和民國的總統。

第三個典型：辛亥革命不殺人，可以說是一種很中國的很儒道的慈善的革命。法國大革命之後有恐怖的公審和復仇主義的殺人運動，列寧的「十月革命」及共產黨的所謂無產階級革命運動之後，都有整肅的大屠殺。

第四個典型：辛亥革命是醫生領導的革命，孫中山先生是一個醫生，列寧職業革命家，他以醫道的觀點去指導革命，他以醫理的觀點去醫治社會，故是和平的革命。他讓位給袁世凱，潛心於社會建設及物質建設之研究，此種偉大的革命人格，是古今中外的革命人物所無。

這四個典型，千秋不老，萬古常新。而中華民國的締造者孫中山先生，如與列寧、甘地這兩位革命人物相比較，則孫中山先生的革命人格和革命修養，實較他們更高一籌。甘地被稱爲「聖雄」，列寧可稱之爲「聖梟」，我偉大的國父孫中山先生是「聖之時者也」。甘地表現了印度文化的傳統精神。列寧的性格複雜而陰沉，亦如俄羅斯文化的風格。孫中山先生的革命人格，整個突顯了中國文化的優性之根！如堯之姿：欽明文思安安；如舜之姿：濬哲文明；如孔子之姿：溫良恭儉讓；乃能表現了大智大仁大勇的精神。這種大智大仁大勇的精神，是中國文化的涵養，亦即與其他各國革命領袖的革命人格的不同點。有了這個不同點，孫中山才是孫中山，中國革命自是中國革命，雖有其他文化的影響，而能保有這個不同點，才是主要的特點。才是辛亥革命的這個不同的基點，一般人不了解，再加上共產黨以列寧「十月革命」爲底本說辛亥革命不徹底，未能革掉封建、趕走帝國主義、使民族獨立國家獨立云云，要把辛亥革命的歷史價值一筆勾銷，這眞是「子嫌母醜」的非人思想，是中了赤色之毒與白色之毒的鴉片鬼之思想。從十八世紀的西方革命人物數起，一直到列寧，把他們一個一個提出來與孫中山對比，在知仁勇的條件上沒有那一個能夠凌駕孫中山之上，他們不是知多而仁少，就是勇大而仁小，不是三缺一，就是三缺二。列寧有知有勇而無仁，甘地有仁有勇而無知。孫中山先生一生奔走革命，夠勇矣！建國方略、建國大綱、三民主義、五權憲法，夠知矣！和平奮鬥救中國，夠仁矣！中國三達德的文化精神，他力行得恰到好處，孔子之後，孫中山一人而已。

辛亥革命的導師，中華民國的國父孫先生，在他逝世之後，段祺瑞通令全國弔唁，令文曰：「前臨時大總統孫文，倡導共和，聲興華夏。辛亥之役，成功不居。仍於國計民生，殫心擘劃，宏謀毅力，薄海同欽。」這是實話，這是公道話。

中國有孫文先生，是中國百姓的驕傲。

中國有辛亥革命，是中國文化的驕傲。

辛亥革命的歷史價值，是誰也否定不了的。（完）

民初國會議壇（四）

·李仲華·

瑞彭揭發曹錕罪狀

當時國會兩院議員共計八百七十四人，在滬議員一百七十一人，在津議員卅餘人，在奉議員四十餘人，在籍議員卅餘人。在京議員未參加投票的，有王家襄、劉以芬、黃元操、符鼎升、王正廷、張我華、焦子靜、周大烈等數人。同時還有由蘇醫齊雙元選迭來京的議員楊擇、朱溥恩等至天津中途逃走，所以出席五百九十人可能不可靠。

議員邵瑞彭爲愛國愛黨之心，痛議壇之腐敗，感國事之垂危，非採取革命手段，以揭發曹錕之賄選是繼袁氏之野心，將不足以救亡圖存。乃將賄選之五千元支票，沒有去提欵，却把天津把支票影印，散發中外，並在京師地檢所起訴，其控訴的原呈如下：

「爲告訴高凌尉、王毓芝、邊守靖、吳景濂等因運動曹錕當選大總統，向議員行賄，請依法懲辦，以維國本，而伸法紀事，竊民國總統，職在總攬政務，代表國家，地位何等重要！乃直魯豫巡閱使曹錕者，以騷擾京師，謬戴洪憲之身，不自欽抑，妄希尊位。國會恢復以來，以遙制中樞，連結疆吏，多方搜括，籌集選費爲第一步；以收買議員，破壞制憲，明給津貼，暗贈夫馬費爲第二步；以勾通軍警，驅遂元首爲第三步；以速辦大選，定期兌付，誘取投票爲第四步。近月以來，高凌蔚、王毓芝、邊守靖、吳景濂等與三五武人，假甘石橋房屋，組織買票機關，估定票價，一律給價，傳聞每票自五千元至萬餘元不等，於本月十一月一日，新設甘石橋俱樂部，竟公然發行通知，召集在京議員五百餘人至該處，表而稱爲有座談，實則發給支票，係用「潔記」字樣，加蓋「三立齋」圖記，均由王毓芝、邊守靖、高凌蔚、吳景濂等親自辦理，所簽票數，在五百張以上，而當時領票一百九十餘人，其經中間人過付持送者不在此數。瑞彭持身自愛，於此等事未敢相信，適值同鄉議員王烈將前往該院，托其向王邊探聽。王君回謂該被告等已將選舉曹錕之票價支票五千元，交我帶交，退還與否，聽君自便，我不負責等語。瑞彭當將支票留下。假此公然行賄，高凌蔚等顯犯刑律第一百四十二條，第八十三條，第一百五十九條第一項第二款之規定。瑞彭爲國家立紀綱，爲議員爭人格，不得不片言陳訴，除曹錕、王承斌、熊炳琦、吳毓麟、劉夢庚等分送軍人，當依法另向海陸軍部告發外，特檢具甘石橋通知一件，五千元「潔」字簽字有「三立齋」圖記，背註邵字之支票照片反正兩面共二紙，向大廳告發。爲此請求即日實行偵查起訴，嚴懲兇頑，民國幸甚。」

當時瑞彭爲了推翻曹賄選，揭發黑幕，誠爲爭取國家的民主，獨立與人民的平等自由，其間，進步和墮落的衝突，光明與黑暗的鬥爭，正義與邪惡的相擊，算是艱難備至，所以能擊敗專政體制和帝王統治，在澎湃的革命怒潮中土崩瓦解。（完）

郭子儀安內攘外

·周遊·

急詔郭子儀守涇陽。這時候郭子儀的軍隊只有一萬人，蕃兵數十萬，四面包圍。子儀命李國臣等各守一方。自己帶了二千騎兵殺入蕃陣中。蕃兵問那位將軍是誰？部下報告說是「郭令公」。蕃兵大驚道：「郭令公眞的還在嗎？」又問道：「天可汗也在嗎？」蕃兵道：「天可汗也安全尚在。」回紇大怒道：「僕固懷恩欺騙我：」於是郭子儀派李光瓚去回紇陣前質問道：「以前回紇幫助我們恢復二京，已相結盟好；如今爲甚麼破壞前盟，反而幫助叛賊呢？貴國輕易被人利用欺騙，豈不是太愚蠢了嗎？」回紇說道：「僕固懷恩說令公已死，所以我纔來的，否則如果令公尚在，我們是不敢來的。既然令公健在，可請令公出來和我們相見嗎？」李光瓚答道：「可以」。

於是李光瓚即刻回陣，向郭令公報告。郭子儀馬上就要去見回紇。（未完）

第十七章　岳鵬舉大破李成　宋高宗重用秦檜

周燕謀

而且後面又不知官兵虛實，因此「風聲鶴唳」，一敗塗地。李成急勒馬馳前彈壓，恰巧正碰着岳飛殺來，便舞刀來，想不到岳飛一枝槍神出鬼沒，士兵人人精銳，只三五合，殺得李成難當，看看招架不住，旁邊閃出一員賊將舞刀助戰，雙戰岳飛，岳飛左挑右撥，上下翻騰，三匹馬打成一團，那助戰賊將胆怯，却被岳飛大喝一聲，一槍刺落馬下。讀者你道此人是誰，原來就是馬進。馬進墜馬後，身受重傷，尚未斃命，却被賊兵搶走，抬回營地之後，嗚呼哀哉。李成一見馬進落馬，虛砍一刀，勒馬敗走。岳飛揮軍追殺十五里，斬首數千級，方[illegible]一乘，等待張俊後軍。

張俊、楊沂中二軍馳到，見岳飛已得勝，心中大喜。俊語岳飛道：「岳先鋒天生神力，無患不勝，但部衆未免太過辛勞，應予休息一日，待我等追殺」。岳飛駐下，讓張俊、楊沂中兩軍去追趕李成。

張俊、楊沂中兩軍追趕李成，約十餘里，爲河所阻，對岸偏立賊營的十數里。楊沂中道：「賊衆我寡，不可力敵，只宜智取。制使可令今夜我引軍從上流渡河，繞攻賊後，絕流經渡，腹背夾攻，必勝無疑。」張俊稱善。當夜沂中引軍從上流渡繞敵後，以舉火爲號，前後夾攻，鼓聲大震。李成聞鼓聲大震，忙令各營迎敵正面之軍，正在酣戰間，忽見後軍火光冲天，鼓聲大震，已知腹背受敵。張俊從正面殺來，楊沂中從後面夾攻。賊兵大驚，烏合之衆。

怎見得大戰；一遇強敵，便各自奔命，十萬之衆，兵敗如山崩潰。此一戰殺傷三萬，招降四萬之衆。李成數年來的積聚，一旦瓦解，剩下五六千騎，越江遁去。張、楊二軍窮追。賊至[illegible]州黃梅縣。本想固守，不料張字旗號大軍趕到，賊兵齊呼道：「張鐵山來了」。張俊面黑，外號人稱張鐵山。李成又敗，潰不成軍，連夜北遁，走降僞齊劉豫去了。後來仍助僞爲虐，爲岳飛所敗，此乃後話。

另外張用一股流寇，自襄，漢東下，再侵江西。張用河南相州人，此人勇力絕倫，外號人稱張莽蕩，他的妻子自號「一丈青」，（水滸傳採用此名）勇力僅次於張用，帶甲上馬，爲萬人之敵。此時進掠江西。其衆有五萬人。張俊身爲招討，欲趁此一股掃平，急召岳飛計議，張俊對岳飛道：「非公無可遣者，未知需兵多少？」岳飛道：「如令岳某前往，此賊可徒手就擒」。（八十四）

自由報

（第一一三三期）

（半週刊每星期三、六出版）
每份港幣壹角・台灣零售價新台幣貳元
社長李運鵬・督印黃行靄
社址：香港九龍彌敦道593—601號
廖創興銀行大廈八樓五座
LIU CHONG HING BUILDING
7th FLOOR FLAT '5
593—601 NATHAN ROAD,
KOWLOON, H.K.
TEL：K303831
電報掛號：7191

承印：景星印刷公司
地址：嘉咸街廿九號地下
台灣區業務管理中心：台北重慶南路一段一二九號
電話：二四五七四
台灣區直接訂戶　台灣劃撥戶
第五〇五六號張萬有（自由報會計室）
台灣分社：台北市西寧南路110號二樓
電話：三三〇三四六、台郵劃撥戶九二五二號

本報專論

檢討美國姑息思想之來源

・何維藩・

最近台灣舉行的「中國大陸問題研究會議」，美國有許多學者專家出席參加，分別發表論文，或學術性講演，這是一樁很有意義的事。我們希望中美兩國的學人，今後經常從事這種學術性的集體研究，除却中國大陸問題外，對於中美兩大盟邦在現階段担負的歷史任務，即如何維護人類自由生活的基本問題，亦須相互檢討，以期在思想上奠立共信，進而在行動上發揮互信作用。因此，筆者對於美國在戰後領導自由世界反共運動的策畧問題，亦願描述所見，藉資參考。

毫無疑問，戰後國際兩大集團之對立鬥爭，乃是一場無可妥協的思想戰，而以美俄兩國爲主體。美國不惜犧牲鉅量的財力、物力和人力，長期間支援全球各個自由國家的反共運動，目的是要維護人類自由生存，進而消除共產極權主義的侵畧威脅。藉着思想的潛力，使各個自由國家精誠團結，一致奮鬥，在美國的強大實力籠罩之下，儘可獲致「不戰而屈人之兵」的勝利成果。然而，經過二十年來的冷戰與局部熱戰以至今日，不特共產極權主義日益蔓延擴張，自由世界逐漸縮小，連美國的前後門——加拿大和古巴——亦赤燄飛揚，咄咄逼人，而美國當局因受到國內輿論界一股洶湧的姑息思想浪潮之衝擊壓迫，竟爾捉襟見肘，逆來順受，擁着舉世無匹的實力，只能被動招架，甚至向敵人告饒乞憐，改取退縮政策。民主政治就是輿論政治，美國係地道的民主國家，執政者決不能漠視輿論的趨向而一意孤行其志，尼克遜總統固然是著名的反共人物，前任的詹遜總統又何嘗不是反共鬥士？但怵於輿論的壓力，祇好對姑息思想表示顧忌了。

美國輿論界之所以表現着幾乎一面倒的姑息浪潮，是由於一般智識份子的思想左傾，而他們思想之所以普遍左傾，乃導源於文化教育的歷史因素，由來者漸，非偶然也。反共運動既是一場思想戰，然奄有國際反共鬥爭總樞紐地位和職責的美國，却有此廣泛的親共思潮出現，似乎令人惶惑而費解，若從文化思想方面作縱深的鈎稽研討，即覺得并不奇怪，毋寧認爲勢所必至，理有固然。何以見得呢？

大家都知道，馬克斯活在人間不過五十歲，大部分的時間都是住在英國過着流亡生活，窮困不堪，一個見生剛數歲的兒子死了，買個小棺材的錢亦沒有，經他的妻室向一位法國亡命客告貸了五個英鎊纔得使亡兒入土的。他親身閱歷着英國工業革命後的資本主義社會發展情形，又讀到英國學人亞丹・斯密斯的「原富論」，李嘉圖的「地租論」，馬爾薩斯「人口論」，以及歐文的「社會主義學說」等著作，乃以憤世疾俗的心情，根據英國的生產狀況，襲取英國一些進步學人的思想體系，撰寫那有名的「資本論」，成爲共產主義者的聖經賢傳，貽禍至今維烈！所以，首創立「社會主義」這一名詞的是英國人，并非馬克斯，而首先組織社會主義團體的，亦是英國人，即所謂「費邊社」是也。

費邊社成立於一八四八年——馬克斯死後一年——英國著名學者羅素，拉斯基，凱恩斯，威爾斯，蕭伯納，韋伯，勞工運動領袖麥克唐納（後來曾以工黨首領担任內閣總理）都是基本社會。費邊社的信條是實行社會主義，提倡無階段，無神，均貧富，以及組織世界性社會主義國家。這跟馬克斯的學說主張一致，只是反對暴力革命，要採取滲透顛覆陰謀欺騙這類和平手段以奪取政權，而其方針名曰「不可避免的漸進論」。實行這項社會革命任務的主力軍，就是知識份子。蕭伯納說過：

「馬克斯的資本論不是一本講社會主義的書，而是一本反資產階級的書。資本論原是爲勞動階級寫的，但工人很尊重資產階級并且想做資產階級。眞正把旗幟染紅的是像我一樣的、有革命性的資產階級的兒子。在社會裏面，中上階級是革命份子，無產階級是保守份子。」（見蕭氏所著「我是誰和我想甚末」一書）

這便是費邊主義的理論體系和革命方畧，該社在倫敦又創辦了一所「倫敦經濟學院」，以培養革命主力軍。俄共列寧領導的布爾希維克派第一次黨員大會，就是由費邊社贊助，於一九〇七年在倫敦召開的後來列寧告訴他的黨徒，對外最好是稱「社會主義者」，却莫說共產主義，以免遭人忌憚，而蕭伯納於一九三一年訪問蘇俄時，演說頌揚列寧爲「最偉大的費邊社員」，可見費邊社和共產黨是親密的同路人。

費邊社創立人之一的席德納、韋伯，藉着英美兩國開始文化交流，交換教授與學生的機會，於一八八八年到了美國。次年美國經濟學會即在哈佛大學散發「社會主義在英國」的小冊子，不久，美國各大學紛紛成立「社會主義學會」，而以哈佛大學爲首倡，舉世聞名的紐約時報左傾記者李普曼，就當過哈佛大學「社會主義學會」的會長。迨第一次世界大戰後，在美國政界，學界，輿論界竄紅的人物，都是哈佛大學出身的，如希斯，懷特，居禮，魏悌，普勒斯門以及費正清之流，即其最著者。鼎鼎大名的實驗主義哲學家杜威，亦是跟費邊主義思想同流一氣的。費邊社在美國發生聯繫最早的是哈佛大學，影響最大的亦是哈佛大學，所以，自從當朗克林、羅斯福總統以來，直到現在，在白宮爲總統作政治顧問的智囊團和國務院的外交設計人士，多半係哈佛大學畢業出來的，而以紐約時報爲首的各個較大的報社專欄作家或記者，不是哈佛的畢業生就是教授。美國開國不到兩百年，是個有朝氣的青年國家，文化基礎很薄弱，有如尚待開墾的處女地。英國費邊社的社會主義學說思想，乘機首先流入了新大陸，經過半世紀以上的浸潤傳播，乃構成了文化思想上的一種主流，馴致派生「太平洋學會」，戴着開明前進的自由主義面具，以隱形滲透的技倆，將許多共黨份子或其同路人羣入白宮和國務院，享有對外政策的設計決策權力，使美國政府在戰後廿年來，無論是全面冷戰或局部熱戰，皆居於被動的劣勢地位，既斷送了中國大陸，又在在南韓與南越戰役中，弄成虎頭蛇尾，沒法善後。當年美國應援希臘的反共戰爭，如果不是南斯拉夫的共黨政權因與俄共頭目史大林鬧翻了臉，停止對希臘共黨的軍援，美國亦就不會有迅速結束希臘戰事之可能，勢必同樣的怵於國內姑息思想壓力，假藉所謂「警察行動」名義，半途而廢，殆可斷言。

綜觀上述事實即知美國最近四十年來，哈佛大學畢業生遍佈於政治、文教、新聞界，以及各種社會團體之所以然，乃是韋伯於半個世紀之前，在新大陸辛勤播種而培養出來的費邊主義果實。這羣有如蕭伯納所說的「資產階級的兒子」，滿腦子社會主義思想，立志要染紅自己的旗幟以改造資本主義舊社會，自然而然地對共產主義表同情，因而對美國政府的反共政策，認爲是違背時代進化律的不智之舉，期期以爲不可！他們原非共產黨，但未曾嘗到過俄共集團那種階級專政的暴虐統治滋味，覺得美國共產黨就不是殺人不　眼的兇神惡煞之流。

（下轉第二版）

恭賀春釐

自由報同人謹賀

昨日與明日

對外貿易有賴促進

去年這一年，自由中國的對外貿易情況，大有進展，貿易總值達三十億零七千萬美元，是政府遷台來最多的一年，比較五十八年增加七億五千四百餘萬美元，增加百分之三二・六，其中出口十五億五千萬美元，入口十五億二千萬美元，出超三千萬美元，與民國五十八年入超九千餘萬美元相較，反逆爲順，更値得注意。由於對外貿易的順利發展，致使政府外匯底存激升，到去年底止，已達六億美元，也開遷台以來的新紀錄。

這些可喜的現象，顯示出：自由中國朝野的努力：財經主管當局的籌劃，生產部門的積極工作以及貿易商人的努力開拓市場，更重要的是全面經濟發展的成就。

國際貿易的發生，源於國際分工和比較成本利益，而國內市場的過剩生產以及入口國家的購買力，也都是對外貿易構成的要件。一般人常以爲：一種具有比較成本利益的工業產品，會自動流向國際市場，無需該國出口商的努力，這是一種錯誤的想法。因爲有利的生產量，一方面有賴於工業的生產能力，另一方面，也有賴於市場的需求。除非國外市場需求量大，則出口國家該項工業難以大量生產和發展出口剩餘。而許多產品的國外市場需求，要依賴有效的貿易增進和有的市場推銷方法求增强。

多少年來，自由中國貿易主管當局祇注意出入口貿易的管理和審議，而很少注意對外貿易的促進，無形中使貿易商損失了無數的對外貿易機會。去年，自由中國在對外貿易上另一件值得注意的事，就是國際貿易協會的創立，它的主要任務是民間組織，但由政府贊助，它的主要任務是負責對外貿易推動工作。由於台灣貿易商的規模小，資金不夠雄厚，對國外市場調查工作，更多付闕如，所以國際貿易協會的任務非常重要，應當做的工作也很多。假如朝野積極從事對外貿易的促進和推動工作，則本年自由中國的對外貿易，將必獲得比較去年爲輝煌的成果。

・千公・

自由談

破船能棄岸嗎？

第一次世界大戰後的「國際聯盟」，是由英法爲主要成員，日本與意大利次之；美國因未獲國會同意，不會加入。「國聯」對於國際爭競，完全以英法利益爲依歸，毫無正義公道之可言。四十年前日本軍閥對我東北攪出「九、一八」事變後，我國訴之於「國聯」，希望它能作公正的處理，以免破壞世界和平。當時德國希特勒會發出譏誚之詞，認爲「國聯只是一根稻草，中國乃想抓住這跟稻草渡河。」其言雖尖刻，却有至理。

二次大戰後的「聯合國」，是以美俄爲主體，英法與我國雖創建的資格，居於常任理事國地位，享有否決權，事實上，沒有美俄同意，甚末問題亦解決不了。尤其是我國，對於外蒙古領土之脫離中國，爲着「雅爾達密約」關係，連否決權亦被迫放棄了！今之聯合國固非一根稻草那樣渺少，但由於美俄兩個強權國家之不相爲謀，任何的國際爭競亦不能作公正的處理，本質上亦不過是一隻破舊的渡船，兩個榜人又像同舟敵國，互不信任，誰要依靠這破船渡登彼岸，即有葬身魚腹的危險。

因此之故，我們如果寄望美國幫忙以維護「聯合國」的代表權，實係北方話所謂「玄事兒」，非格外警惕不可。美國當局和一般鷄首頭的專家學者們，早就主張「兩個中國」之說，他們以爲祇要中華民國的會員國席位無恙，即使毛共政權加入了聯合國亦無所謂。他們一貫地要把別國分成兩半拉，便於操縱關利，根本就沒有正義公道的觀念，更不管聯合國憲章的規定如何。否則中華民國原是聯合國的創建者，憲章上沒有創建者的基本地位和職權，可以隨便改變的規定，所謂「兩個中國」，顯然是破壞憲章，談也不能談的！

有人或許認爲只要我國在聯合國的席位仍舊，未始不可將就，等到光復大陸，自然恢復原有職權了。這種苟安心理如不剷除，必然貽禍無窮。在今後的一年內，應以破釜沉舟的勇氣，採取自主外交策畧，至少亦要表現「成事不足，敗事有餘」的作爲，教那些自私自利的破船舵手，也有葬身魚腹，同歸於盡的顧慮，纔是我們的生存之道。

馮五先生

監委巡察未能深入 決設小組研究改進

年終檢討委員發言感愧怍 院長勉蹈厲奮發切實革新

（自由報台北消息）歲序更新，一元復始，民主政治表現在國會。我國國會經大法官會議解釋，立法院、監察院、國民大會同為國會，國會名分於焉確立。歲首應先談過去一年之國會情形。

（一）

監察院年終檢討會，自去年十二月五日開始，已於一月八日閉幕，為時一月有餘，在檢討會期間，許多委員發言自責，深愧表現太差，李嗣聰院長在閉幕式中致詞：希望政府本着「不貳過，惟恐有聞」知恥奮勇精神，切實革新改進。又勉勵全體監察委員：總統曾有嘉言：「千秋氣節久彌著，萬古精神又日新」，同仁應本此啟示，一致發揚「見其進，不見其止」的革命精神，蹈厲奮發，共同向復國建國大道邁進。

進了甚麼？止的甚麼？不必費詞，諒亦人所共見共知。一年一度監察委員分組巡察，是監委唯一表現機會。但在民間所獲反應，都是不滿。甚而台中縣、花蓮縣議會，正式致函監察院，要求監委們在巡察時間，與地方民意代表舉行座談會，以免只聽官方簡報，根本不能探求到民隱。類此反應給監委們帶來相當刺激。所以監察院決定成立七人小組，研究改進巡察制度。

監察委員原公布當選名單一八〇人，未報出缺二人，又增選二人，應為一八〇人，現有人數僅有一三〇人。但居住自由地區可出席的僅有七十人，所以將議事規程第三條出席人數原應三分之一，改為五分之一方得開議，以適應現狀。可能出席的七十人中，平均年齡七十五歲，內中已達八十高齡以上者已有十人。

立院會期每每延長 令人難以了解

一年兩會期幾乎沒距離 剛剛休會隨即開始報到

二、立法院依照憲法規定，每年有兩個會期，上會期自二月一日到五月底，下會期自九月一日到十二月底、必要時得予延長。

但是，有一種非常難以瞭解的情況，立法院每到正式會期二月一日及九月一日委員報到後，並不立即開議，總要拖到二十日以後，才正式開議。另一方面，卻又在正式會期之外，照例予以延長會期。

雖然有些立法委員主張既是憲法明白規定二月一日及九月一日是立法院每年兩個會期開始之日，委員報到滿足法定人數即應開議。果能依法行事，每會期就可多出二十幾天，兩會期足可多出四十幾天的日子來審議法案，即使依然需要延長，也不需那麼長久，歷年情形，會期與會期之間幾乎沒了距離，今天休會，明天就要開始報到。在程序上延長會期雖然是應行政院的要求趕議法案，但大多人為自身利益所在，所以反對延長會期的少數主張，很難獲得多數支持和通過。

立法委員總人數七七三人，增選十一人，應為七八四人，目前只有四四一人，依立法院議事規程第五條規定，出席人數三分之一方得開議，為適應事實需要已修改成出席人數為五分之一。立委平均年齡六十五歲，七十歲以上已達一〇〇人，八十歲以上者已超過十人。論年齡似亦不便作更繁重的要求了。

三、國民大會

國民代表於去年一年行憲紀念日開每年一次的年會，第五次大會期明春召開，代表們因少數熱心同仁要競選大會主席團，已在積極布置票源，隨而也都緊張起來。執政黨中央也於客秋國大黨部改選時，即着力種種部署，從各方面加強對國代協調力量，所以今秋黨委任期屆滿，進行改選，種種安排都不能稍微放鬆。

國民大會代表黨部第十屆委員會委員，共有卅一人當選，他們是熊叔衡、易大德、張旦平、鄧定遠、葉顯基、李安、高仲謙、費象鼎、趙執中、李致華、于華峰、張寶三、裴力之、張彝鼎、裘朝永、焦榮、任覺五、林耀山、丁治、葉秀峰、羅浩忠、張濟傳、邱耀東、樓兆元、袁樹芳、陳會瑞、陳士誠、吳志道、沈德亨、熊起厚、袁履霜。

中央派鄧定遠出任國民大會黨部書記長，相隔不久，又一口氣增設了三位副書記長，聲勢空前，今後中央政策，在國大方面當可獲得更有利的推動。新增的三位副書記長，係廣東籍的朱慶棠、台灣籍的鄭玉麗、山東籍的脫德榮。這三位副書記長，各有人緣，也各有一套本錢，剛柔相濟，和鄧書記長是極好的搭檔，自在不言中。

鄧定遠久在軍旅，先後担任金門防衛部政治部主任，越南軍事代表團長，經驗豐富，工作積極，到任以來，黨籍代都為國大黨部比從前是較有生氣。

國代盼開臨時大會 討論行使兩權問題

揆諸情勢難望獲得實現 契而不捨還要繼續爭取

國大代表因政治季節即將來臨，除了那些少數澹泊寧靜，修養有素的，個個都是議論風生，活躍起來。雖然他們所想的問題很多，但總括起來，卻不外召開臨時大會和行使創制，複決兩權萬變不離宗二大核心問題。

在去年十二月廿五日例行年會開會之前，中央方面曾邀請國大聯誼會各組召集人舉行座談會，對各項有關問題交換意見，有十幾位國大代表發言，他們主張幾乎是一致的，建議中央仿照四年前國民大會第四次會議的先例，在明年第五次會議以前，先召開一次臨時會，討論兩權行使問題，以及修改臨時條款問題。

召開臨時會，權在總統，憲法有明文規定，總統已經表示憲法從大陸帶出來，一定完整帶回大陸，再談修改。是以代表們希望召開臨時會，修改臨時條款和討論兩權行使這一願望，恐怕不容易獲得認可。

還有部份代表甚而說，去年辦理中央級民意代表增補選，人數並不多，為了擴大政府基礎，延攬各方俊彥，最好採取積極措施，譬如由政府自海內外各階層中，選拔優秀人才，提交國民大會行使「同意權」，任為中央級民意代表。中央出席的政策委員會代秘書長趙自齊和一組主任陳建中只能聽聽而已，當然不能作肯定的表示，他們將把代表們的心聲，轉報中央研究參考。

因為中央早有準備，所以在十二月廿五日年會，以及廿六、七兩日憲政研討會第五次全體會議，雖有爭論，並無超出中央意旨的決議。在去年八月間，他們曾提出創制，複決各四案，包括「違憲徵治案」、「司法制度案」、和「國民大會組織法案」等，但經有關方面協調，只是完成分區座談，尚未進行連署。

有些代表不是不明白，目前行使創制，複決，[illegible]很少可能，即在[illegible]內心裏也並非勢在必行。但是代表們對兩權一事已經爭取了廿年，似乎應該契而不捨，一直為這件努力，維護自身立場。

自從大法官會議解釋，國民大會、立、監兩院同為國會，代表們即躍躍欲試，企圖行使創制、複決兩權，俾使立、監兩院知所警惕。但在國民心目中，除盼望反攻大陸，其他只求安定，並不希望有其他更張，就現政府各機構，力行革新，剷除積弊，改良政風，倒是人人所企求的。

飛將軍李廣

周遊

八、精誠所至．金石為開

李廣常常騎射。一天正打獵。忽然看見一隻老虎在草叢中，李廣張滿了弓，用力一箭射去，正中老虎。李廣飛馬上前一看，原來不是老虎，是一塊石頭。李廣心中感到有些奇怪，為什麼箭可以射進石頭裏去，於是再取弓箭來射，一連射了三箭，都射不進去。這就是「精誠所至，金石為開」。因為李廣開始以為是老虎，弓箭一定可以射進老虎的身子；以後知道是石頭，石頭箭是射不進去的。所以以後李廣怎樣也射不進了。

九、與士兵共同甘苦

李廣不但是善騎騁的飛將軍，也是打虎將軍。李廣在家的時候常常打虎，做了將軍的時候，仍然喜歡打虎。有一次他打老虎的時候，不幸被老虎咬傷了，李廣大怒，就用箭把老虎射死。

李廣為人十分廉潔，朝廷賜給他的賞金，他就分給部下，飲食與部下吃的一樣。他做了將軍以後，國家給他俸祿是二千石，但是他的家裏仍是沒有財產，他一生不談財的事；只曉得打匈奴，他說匈奴不滅，有財產也沒有用。他一生最有興趣的，就是騎馬射箭。因為他天生一雙和猿臂一樣的兩臂，所以他的神射是無人可及，舉世無雙。他又不善於說話，也不愛多說話。對待士兵寬厚不苛刻，所以士兵都非常喜歡做他的部下。

十、李廣與張騫同殺匈奴

李廣以射箭為他第二生命，平日以射箭做遊戲，他射殺敵人，有一套絕招。敵人退來的時候，他不荒不忙，非等敵人到了數十步以內才發射，他射不中絕不射，他一射敵人便應絃而倒。

漢武帝元朔六年，李廣由郎中令升了後將軍，隨大將軍衛青出定襄打匈奴，大勝而歸，斬首數萬，很多人都因功勞封了侯，而李廣卻沒有封侯。

過了三年，李廣奉命以四千騎兵出右北平，與博望侯張騫一同去打匈奴，兩枝兵分道前進。李廣率軍深入匈奴數百里。匈奴的左賢王帶了四萬人馬來包圍他，他的部下駭得心驚膽怕。李廣命令他的兒子李敢，率了數十騎兵去衝鋒，探察匈奴軍的虛實。李敢奉了命令，帶了數十名騎兵，直衝匈奴敵陣，從左面衝進去，右面出來，從右面衝進去，又從左面出來。回來向李廣報告說：「胡虜容易破」。他的部下聽了，才安下心來。

（未完）

檢討美國姑息思想之來源

（上接第一版）

羅斯福總統即說過：「我和你們并不相信共產主義，但是美國共產黨并沒有甚末錯」；而華萊士副總統於一九四三年到中國訪問時，亦曾經詢問過中國執政大員：「你們為甚末害怕共產黨？美國也有共黨，我們并不怕它啊！」他們拿着美國的尺度來衡量別國人，當然不贊成政府在國際間採取軍事反共的行動，這便是美國姑息思想的根源所在，很不容易消除的。

然則美國就會被這股姑息洪流所淹沒，而有淪於赤化之境的可能嗎？是又不然。美國有兩項堅強的抗毒素，可保無虞，一是生產力發達，人民生活優裕，社會結構健全，不易為暴力革命所乘；二是言論極端自由，社會大家不致由於累積抑鬱不平之氣，憤然接受共黨的煽惑操縱，挺而走險（這道理，許多自由國家的當政者就不懂得。）但須有睿智英明的政治家，喚醒輿論，激發民心，闡明孤立主義之決無可能，姑息思想之適以招禍，人類自由生活之不可分割等真理，而以「武裝和平」的策略與俄共集團相周旋，不屈撓，不自逃，自由世界一定可立於不敗之地。假如瞻顧因循，任令姑息與論泛濫不已，腐蝕民心士氣，陷於癱瘓狀態，將使國際共黨利用美國一般染紅了自己旗幟的資產階級的兒子們，在和平民主的口號之下，循着「不可避免的漸進論」一路，藉選票以奪取政權，亦非意外之事，智利便係眼前最好的例證。那時候，美國縱有強大的原核子武力，倘使大多數民衆背拒持武器為政府効馳驅，亦就變成無用之長物了！

（完）

台北傳奇錄

（一〇二）

·陳光棣·

「對呀！劉二爺家二樓住的岳太太當過護士，就請她幫幫忙吧」！大洋馬究竟關心娘家的人：「你在家睡一覺，我跟着去看看」！

「讓他媽見鬼，自己的事情都忙不完，還去忙別人的事」！蔡先生都囔着進了臥房。

大洋馬帶着金恆貴去找岳太太，無奈岳家早在三天以前就都躲到南部去了。大洋馬敲不開門亂喊亂叫，驚動了樓上的劉二爺走下樓來察看。

大洋馬沖着劉二爺先罵醫生沒有醫德，再罵金恆貴的太太不識相，最後是擦着兩隻手向劉二爺要主意。

「不是現在就要生吧」？劉二爺問金恆貴。

「我也不知道」！

「你真胡塗！怎麼會不知道」！大洋馬設怨。

「我怎麼會知道」！

「生孩子也沒有什麼大不了的事！」劉二爺說：「蔡太太，妳先去陪陪金太太，必要時我太太也可以去照顧一下，實在有困難的時候再想辦法」。

大洋馬一聽這主意不錯，拉着劉太太到了金恆貴家。

劉二爺正坐在家裏閉目養神，桂先生冒着大雨跑了來：「二爺！對面姓蔡的又偷偷摸摸的回來了，他們放在您家的東西拿走了沒有？警方預備下手拉人了，這一次很有可能一網打盡」！

「東西還沒有拿走，這都不關緊要了，這些人作惡多端，還怕罪名不能成立嗎」？

「那倒是」！

「今天晚上你就住在我家吧，雨下的這麼大，何必跑來說去呢」？

第二天黎明，颱風臨去秋波，海水倒灌，一些低窪地區，變成一片汪洋，幸而居民早已遷到安全地帶。最苦惱的是一些高亢地區也意外的淹了水，家家戶戶猝不及防，只好倉促應變。這時家裏人口少的問題簡單，孩子多的可吃盡了苦頭，大水從四面八方擁進房了，全家在睡夢中被冰涼的海水泡醒，于是在昏暗裏，救孩子搶東西亂成一團。

趙恆惕與吳佩孚

·文匯樓主·

英雄人物吳佩孚，民國十二年（一九二三年）曹錕欲競選總統，吳佩孚不同意，力諫未果，曹左右放出謠言，謂曹吳勢將分裂，保定洛陽有各立門戶之說，曹錕特遣心腹副官長李彥淸，趕往洛陽轉達選舉總統事，吳沬表示任何意見，祇說「李副官長你來幹甚麼，大帥（指曹錕）一日不能沒有你，來此何爲，已爲你備車趕快回去。」「大帥一日不能沒有你，」這句話有語病，也有文章，曹錕有「斷袖癖」，幾乎是公開秘密，「你來幹甚麼？」意思就是你是甚麼東西，「已爲你備車趕快回去」即係怎麼的怎麼回去，對曹錕競選總統事則一字不談，待李彥淸走後，吳佩孚氣憤非常，自言自語「賄選，賄選，宵小誤國，宵小誤曹」，頓時牙疾復發。

民國（一九二一年）湖北人孔庚，蔣作賓，李書城等反對兩湖巡閱使兼湖北督軍王占元要求自治，湖南趙恆惕先生（卽今總統府資政）聯合川軍熊克武出岳聲援，王占元難立足，下台後，吳佩孚被北京政府任命爲兩巡閱使，蕭耀南爲湖北督軍，孫傳芳爲長江上游總司令，與湘軍在汀泗橋激戰，一邊包抄岳州（岳陽）湘軍被截成兩段，敗局既定，旋由趙恆惕與吳佩孚進行和談，在和談中英雄識英雄，吳與趙竟引爲知己，趙恆惕曾問：「卿本英雄何以從賊？」賊者指曹錕吳佩孚的答覆：「置身暗地出處光明」消息傳出上海報紙皆競載此項直言。

恆惕當時指出曹錕是個沒有用的人，勸吳佩孚保持距離，以策安全。民國十一年奉天張作霖擁梁士貽（梁財神）組閣，並痛詆吳佩孚力統一，乃國家亂源，謂吳挾天子以令諸侯，離間曹吳之間感情，又兼曹錕左右亦有深妬吳佩孚兵權過大，指責其開罪張作霖，招來大禍，力主張嚴辦，未到曹錕竟以中立身份調解張吳之爭，且對吳頗有微詞，這時吳佩孚語左右：「趙恆惕有遠見，趙恆惕有遠見。」

張作霖認唯一政敵是吳佩孚，曾派甚多兇手謀刺未果，有一次出巡，侍衛於路圍中搜得一人，身懷武器，自承爲謀刺者，吳親問「何不開槍？」答：「大帥身繫國家安危，故臨時不忍下手」吳一笑置之，兇手未交付審判而獲釋放。

催眠狀態辨別法

·鮑紹洲·

催眠狀態爲催眠術上第一重要的基礎，如施術結果，不成催眠狀，則暗示與命令，都成爲無效。因此練習催眠，第一必須研究催眠程度之辨別。因我們平日活動，本有一種精神狀態。催眠施術時，能休止被術者自動的精神狀態，而變成一種催眠停止活動，心中無念無想，逐漸發生暗示感應性。這種感應性，隨催眠狀態而分深淺；催眠狀態深，感應性也深；催眠狀態淺，感應性也淺。各國催眠學家對於此項深淺程度研究不遺餘力。茲將各家催眠狀態分別深淺法分述如后。

七分法：倍路漢氏爲七期：第一期，恍忽狀態期。此時方起催眠狀態。雖則耳目已經恍忽不能明察一切。不過感性淺，如果猝施以療病等重要暗示，未必定見成功。

第二期爲稍行命令狀態期。此時的催眠狀態——被術人的雙眼或開或閃，服從施術者的暗示而呈感應狀態。如暗示道：「你快緊閉兩眼」。受術便不再開眼了。然而此時催眠狀尚淺。假如被術人耳有所聞，或心一動念，卽被破壞施術者的命令及暗示，而復開兩眼。

第三期爲服從命令狀態期。此時被術人之催眠現象，與第二期稍差別。惟催眠程度已更進一步。雖然僅僅二三分鐘，而被術者感應暗示命令後，不再有被破壞的狀態，因此時已失却自由動作之能力了。

第四期爲強直狀態：此時的被術人受了感應暗示命令的約束，筋肉收縮，血行遲緩，呈現硬木狀態，此時的被術人爲充分服從命令之期。

第五期爲機械從順狀態期。在此時期被術人已能在催眠狀態中，自由動作，不過須憑暗示命令而行。如施術人給他一枝汽槍，命其射擊，被術人便能聽命射擊。命令將槍放下，被術人也能從順放下。但並不僅於汽槍，其他東西玩弄亦無不可。

第六期爲錯覺幻覺盛行狀態期。此時施術人若給被術人以幻覺的暗示，能使受術人惹起幻覺錯覺的現象，而呈種種不可思議之怪狀態。

第七期繼續暗示盛行狀態期。在此期間可施以繼續暗示的命令，被術人盛行受，醒覺後，猶記憶暗示命令的範圍而奉行不悖。

還有李樸氏的六分法。大開路氏的三分法，以及龐洛氏的二分法五種。因一般認爲七分法較爲實用。其餘不必細述。（完）

（九）嘉義開基隆（66A）次平快，嘉義中午十二時五十五分開，經海綫，下午六時五十分到基隆。

（十）高雄開基隆（54A）次平快，高雄下午一時三十分開，經海綫，晚間九時到基隆。

（十一）屏東開基隆（56A）次平快，屏東晚間八時十分開，經海綫，翌晨五時五十三分到基隆。

（十二）高雄開基隆62A）次平快，高雄晚間十一時〇五分開，經海綫，翌晨七時四十三分到基隆（其中一月廿八日一天供團體旅客用）。

（十三）高雄開台北（0B）次平快，高雄晚間十一時四十五分開，經山綫，翌晨七會四十五分到台北。

（十四）高雄開基隆（84A）次普通車，高雄晨五時四十五分開，經海綫，下午四時三十七分到基隆。

（十五）高雄開台北（62B）次平快，高雄晚間十一時五十五分開，經海綫，翌晨七時五十五分到台北，（該次加車自一月廿五日至廿六日共二天）。

三、以上加開各次臨時旅客列車之加車日期，除另有註明者外，其餘均自一月二十三日起至二月一日止，共計十天。

申報館長史量才被拘記

·胡珠·

不料他就在青年會理髮室裏遭遇被捕，但不過他對付開庭審理案件時的應付，已經過仔細思考，擬就腹稿方策。計爲（一）是申報已屬日商牌子，受着日本領事公館的保護。（二）是申報已出盤給日本人太倉喜八郎爲業，即已擁有申報所有權的報館主人。（三）是盤價定爲三十萬兩銀子，已經銀物兩訖。這盤價的故意提高，純然爲了對付席子佩，因爲他想以五萬五千兩銀子贖回申報。此策所施，無異對席子佩說：現在申報已落入於日本人之手，即使想要贖回，亦非要備三十萬兩銀子的贖金不可。這筆贖金諒亦不是你席子佩所能負担得起，籌措得成的，壓迫得只有放棄贖回申報之念。對這一個方策不能說不是好方法，萬不料意大利領事會施展出一記「翻天印」的對策。這高數額的申報盤價的最後結果，却要史量才自己來承担付出，這正是請君入甕、作法自斃了，實非當時史量才意想所及的事。

當會審公堂將要開庭之前，史量才眼看張竹坪偕同太倉喜八郎入法庭、坐於公家傍聽席的座位中。他即向張竹坪注目望着、用眼光打出一個問訊「申報登記手續辦好沒有」的問號動作。雖然，事前沒有作過接洽，但他們兩人都有高度智慧、絕頂聰明者。所以史量才以目光打問號，張竹坪立即報以頻頻頷首，等於示意：「一切準備就緒，放胆應付可也」的回話一樣。及至宣佈開庭、史量才就看見從屏後兩邊閃出，身穿法衣、升坐公堂的中外會審法官、却有四人。毋需問得中間的當然是中國中審法官、但見左右兩邊的會審法官、一個是碧眼黃髮的意大利領事、另一個是黃肌黑髮的日本領事。傍邊所坐一個法衫領色紫紅、有異於三位織錦領法衣的，該是記錄口供的書記官了。

因此眼看有保護人的日本領事在，史量才頓時精神爲之一振，胆量亦爲之大壯。所以在會審官傳審他時，就立即作肯定的語詞提供。說明他已把申報以三十萬兩銀子的盤價、投給日本人太倉喜八郎爲業，已經成了日商的申報。他之所以這樣的作供，就是在暗事通知太倉喜八郎，要他記牢中報這個盤價數字。

那知此一數字，又使史量才陷入煩惱網中，堂上那位意大利領事即刻計上心來，他不但漠視日本見習領事，而且對太倉喜八郎問都不問，一力對付史量才，要使他俯首就範。

（完）

語慧

·僞善者·

美國總統林肯說：談起僞善者，使我想起曾經有一個人謀殺了自己的父母，可是當法庭要判他死刑的時候，他却向法庭要求寬恕，理由是他現在已經是一個無父無母的孤兒了。

人世已經瞧不起僞善者，他們在天上的地位更可想而知了。

郭子儀安內攘外

·周遊·

象將建議挑選鐵騎五百人，作爲保護。子儀說：「蕃兵數十萬象之多，五百騎兵有甚甚麼用？我們應當表示誠意，如果帶兵前去，反而壞。」於是命士兵傳呼道：「令公來了！」回紇起初尙半信半疑，大家準備弓箭，列陣等待，恐怕突擊。可是回紇兵遠遠望見一位老將軍一兵一騎，馳馬而來。郭子儀把頭上的銀盔脫下，白髮蒼蒼，精神鑠，立馬陣前。回紇一見果然正是郭令公，大喜道：「啊！果然是我們父規來了」！於是一齊下馬跪拜。郭子儀請了回紇的中上級會飲酒。並當看子儀對天盟示：「共擊吐蕃」。於是各自回營，準備夾攻吐蕃。吐蕃聽到這個消息，連夜逃走。子儀統領回紇軍追擊，大敗吐蕃於靈武，殺得吐蕃四散逃命，斬首六萬級，俘擄一萬人。吐蕃潰不回軍，竄回本土，唐室得以中興。

回紇的參戰原來是受了僕固懷恩的欺騙，說是郭子儀已經死了，所以等到見到令公還在的時候，纔知道是受騙了。回紇稱「令公」就是稱郭子儀；「天可汗」，就是稱大唐天子。回紇稱子儀爲父規，可見子儀是多麼受人崇敬！

郭子儀一生征戰，安內攘外，國家安危，都繫在他一人身上；他被奪了兵權，天下又亂了。他一出來，國家又安定了。他的進退出處，光明磊落，只知有公戰，從不作私人意氣用事之爭。他始終保持偉大的大將風度。他的偉大精神，眞可爲千古軍人的模範。

（完）

諸葛亮狂想曲

（一八二）

·劉玄·

若換了往時琴童必然很不樂意去請黃雲大仙，因爲琴童最討厭黃雲大仙的體臭，此次卻欣然答應。因爲，他記得黃雲大仙曾答應送他一枚人參。可見好貨之心，人皆有之。

琴童喏喏連聲而去。

諸葛亮一人閒着無聊，翻開無字天書閱讀消遣。這無字天書是他的枕中秘籍，鑽研多年，並無太多心得，這次開卷，忽然眼中一亮，以往無法索解玄機，現在已能一一領悟。他知道這是「丹果」的功效，因此對星君更加愛敬了。

諸葛亮因受命於太白星君，派琴童到關羽寓邸去請黃雲大仙，琴童知道黃雲大仙每天要陪關羽下棋，所以不等小校通報，便一直走到棋室，但棋室空空如也，只有一個貼侍候關羽的小校在打瞌睡。他和琴童很熟，琴童便推醒他問道，「喂，二將軍上那兒去了？」

「他在後面演武場，」小校揉了揉眼睛，有氣無力地回答琴童。

「在演武場？」琴童面現詫異之色，他知道關羽掩武修文已久，爲什麼會在演武場呢？他想不透。

「你自己去看吧，」小校賣了一個關子。

琴童對羽寓邸很熟，用不着小校帶路，轉彎抹角，不多一會兒便到了演武場。

這是一大片黃沙地，方圓大約有十丈左右，四面圍着朱漆欄杆，正面有一個小看台，台上一排放着五把虎皮椅。台前樹立了一根足有五丈來高的棋杆，棋杆上面掛了一面杏黃旗，上書「演武場」三個大字，迎風獵獵作。

琴童到了演武場，只見扈衛關羽的五百名校衛，全體戎裝，弓上弦，刀出鞘，雁翅般排列在兩邊。另有十六名鼓號手則站在演武台的左右兩旁。每面有四名鼓手擂動獸皮大鼓，四名號手吹着畫角。

演武場入口處，有四名小校把守，嚴禁閒雜人等進入。琴童找到一位相熟的打問，才知道今天與二將軍比劃比劃的不是別人，正是黃雲大仙。

琴童進了演武善，站在一名鼓手的身邊看熱鬧。

鼓手兩臂粗壯，赤膊着，掄起兩個鼓槌，將龜皮鼓打得震天價響。

三通鼓罷，左面先出場的是黃雲大仙，穿一件皂羅道袍，足登黑皮雲履，腰繫一條赭色暗紅的帶子，道袍的右角曳扎在腰帶上。頭上沒有戴道冠，梳一個髮髻，當中橫插一個玉簪。上場以後，拖劍在手，一付等候廝殺的架勢。

於是，鼓角之聲大鳴，沙場之上，劍戟耀眼生光，一派戰伐氣象。

關羽青龍掩月刀在手，健步登場，琴童立睛一看，關羽穿一襲綠色戰袍，繫着獅蠻帶，頭上戴着一頂便帽，足登[illegible]戰靴，

巨變歷險記！

與毒蛇戰（一八八）

胡慶蓉

在邊區，威脅部隊的，不止瘴疾一項，其他還多，蛇也是其中之一。

蛇，這一種動物，有的說非常溫柔可愛。在電影裏，常常會看見蛇，要是印度的影片，還會看見玩蛇者，還會看見蛇是知音者，你在這邊吹笛子，牠會在那裏聽，並會聞樂起舞。又在電影裏在電視上，也會看見玩蛇的專家在拿着蛇隨便的玩，繞指柔不足以蠱之。蛇不是很好玩嗎？不是很好玩嗎？但也有衷心厭惡的，也有衷心畏懼的。

不管喜歡它也好，厭惡它也好，畏懼它也好，在邊區，在山區，是非常多的。就連猛撒已經相當開闢的墈子——蛇還是非常之多。丁博士的房子，在李總指揮的房子右邊，相距不過咫尺，平列，在忠烈祠之下，因爲是平房，離地尺許，常有蛇干擾。李總指揮房是樓房，他住在上邊，蛇干擾的不多。在山區的蛇，與我們在電影上電視上看的不同，電影上電視上多是細而不長的，一手可以抓住，一手可以握住，一手可以拿起，一手可以放下，一手可以盤起，一手可以繞身。在山區，在邊區的蛇，大大的不同；這地方的蛇，大都是巨蛇，巨蟒之類。他們的生也不知，但必有很多的年歲。往往粗若人身，長達丈餘。這人是不能抵禦的，是無法抵禦的。若突如其來，它有呼風喚雨之功，它可以把人吸住，它可以把人吞進。實則，人望見了這樣的蛇，早已魂飛天外，不堪自主了。蛇雖然沒有腳沒有手，但它的搏擊力，它的盤纏力，還是很大的。人要落在它的面前，它會很快的把它打倒很巧的把你盤起，任它去蹂躪，去吞噬。博士的房子，完全是竹子蓋成，自然漏洞很多，有一次早上起來，一條巨蟒盤在他床前，不知道這巨蟒是睡了還是有意的裝睡，他輕輕的溜出去，沒有驚動它，等他邀集人馬前來捕捉，這巨蟒已不見了！大家戲言：博士是屬大龍的，博士就是大龍，博士就是大龍轉生，剛才的巨蟒恐怕就是博士的化身！又有一次，一條巨蟒，從博士房子後邊樹上直趨而下，轉眼間落到博士的房上，轉眼間又滑落到博士房前，正要撲向博士，忽爲衛隊所見，說時遲，那時快，舉槍實彈，猛的一擊，又有拿棍子的，拿石頭的……一齊叫喊，它也很機警，沒有戀戰，竟自逃之夭夭了！那是多麼的快啊……隨坡而下，一「一出溜」（猓猓北方土語）就不見了……當博士沿薩爾溫江南下，在他駐節大崑的時期，在他回猛撒的途中，也常常遇見蛇的干擾。蛇的干擾也是常見的。但他們也都學了很多捕蛇的經驗，常能反害爲主，去從事捕蛇的工作。打蛇先打頭，擒賊先擒王。最好是乘它睡的時候，照它的頭上，給它一槍。蛇肉是很好吃的。蛇大肉，並不老。猛撒反共大學的寮國學生，常以捕蛇吃蛇肉爲樂。丁博士對於蛇肉也很感興趣。蛇肉白，並沒有怪味，也沒有特別的味，吃起來並且很可口。蛇肉的湯，博士更愛喝。博士稱之爲錦蛇肉。是不是博士讀音不正確，李總指揮常以錦蛇湯三字發音戲之。李總指揮極富幽默感，在他同人交談的時候，他常會逗人笑。故所以同他一塊吃飯最有意思。

毒蛇的並不很多，不及躲避的，常會受害。因爲解毒的辦法不多，甚至於沒有，中毒的而死亡的，也不乏其人……部隊的副食是吃野菜。野菜也要到山裏去找，到山裏常會遇到蛇。漸漸的有了經驗，蛇之爲害也，就隨之減少了。

中日修好條約一百年

·黃大受·

中國和日本的交往很早，周秦時代沒有明確定論的接觸，固不具述。到兩千多年前的漢代，即有交往情形的紀錄。漢書地理志記：「樂浪海中有倭人，分爲百餘國，以歲時來獻見云。」因爲漢武帝征朝鮮，聲威遠著，倭人使通達中國的，有三十多國，不過獻見的年代，現在已不可考。日本學家原田淑人，研究遼東，朝鮮和日本出土的銅器，便認爲在漢武帝設置朝鮮四郡以前，漢文化之流已進入朝鮮和日本等地。（後漢光武帝中元二年，西元五七年，日本垂仁天皇八十六年，據後漢書光武帝紀記：「春正月；東夷倭奴國王遣使貢獻。」幷授以印綬。清乾隆四十九年（一七八四年），日本九州福岡縣人掘地得到一顆金印，上有「漢倭奴國王」白文，經考證符合漢制，當係漢光武時封賜倭王的印綬。可見中國對四隣各國中，與日本的關係，是比較悠久的。

從漢代起，兩千年以來，除了唐代中日於朝鮮半島發生白江口之戰（唐高宗龍朔三年，西元六六三年），在明代，中日又發生朝鮮之戰（明神宗萬曆二十年到二十七年，西元一五九二年到九九年）以外，中日始終保持友好的關係，中國文化不斷輸入日本，雙方的來往非常密切。然而近一百年，卻起了激烈的變化，不但不能保持中日的友好傳統，而且演變成敵對相抗的境地，發生了無數次的衝突爭執，和兩度流血的大戰，這眞是中日兩民族的大不幸。

不過在一百年前，中日採取西方各國交往的方式，曾經訂了一個平等互惠的條約。際此中日邦交有待進一步加強之時，撫今思昔，重溫往事，或可供兩國的外交家參考於萬一。

在（清同治元年）一八六二年，日本曾向中國五口通商大臣薛煥，要求照無約小國例，到上海通商，薛煥上奏清廷，奉旨應允。兩年後，又託英國領事巴夏禮代請，允許日商來報關完稅。一八六八年，英國領事溫思達又代爲申請照料游歷的過境官紳和商民，到內地營業等事。這可說是中日關係轉入近代的開始。

在（同治六年一八六七年），明治天皇即位以前，日本的藩侯，已經派遣學生到西方留學，利用西方船炮，訓練新式軍隊。留學回國的學生，更進而改革法制，廢除封建制度，從事近代化的客卿，聘用建設，國勢日見強盛。明治天皇即位以後，用維新黨管經政治，注重維新事業，態度更見積極。

日本爲了修改和西方國家所訂的不平等條約，加強外交活動，聯絡西方國家。也對於近隣的中國，進行修訂條約和要求通商。於是在（清同治九年一八七〇年，日明治三年），派遣柳原前光、藤原義質和翻譯官鄭永寧前來天津。（九月上旬九月下旬），日使到達天津，謁見三口通商大臣成林和直隸總督李鴻章，柳原前光告訴成林，此行是奉外相之命，致送總理衙門信件，必須親自到北京投遞。總理衙門指示成林，應開導日使，不必讓他立即到京，至於所帶公文，由成林代爲轉達。日本的公文中云：「……方今文明之化大開，交際之道日盛，宇宙之間，無有遠邇矣！我邦近歲與泰西諸國互訂盟約，共通有無；況隣近如中國，宜最先通情好，結和親。而唯有商船往來，未嘗修交際之禮，不亦一大闕典也乎？曩者我邦政治一新之始，即欲遣欽差公使修盟約，因內地多事，遷延至今，深以爲憾焉！茲經奏准特遣從四位外務權大丞柳原前光……等於中國。預前商議通信事宜，以爲他日我公使與中國定和親條約之地……」。

這是很好的開始，當時的日本政府，是有意和中國清廷友好相處。然而當時清廷總理衙門的官員，對外事的認識，並不如日本官員的清楚，並認爲既然只是修好通商，不一定要訂立條約，於是允許通商，給日本的照會裏指出：同治初年，日本商人曾兩度到上海貿易，「足徵中國與貴國久經和好，交際往來，已非一日。緣貴國係隣近之邦，自必愈加親厚。貴國既來上海通商，嗣後仍即照前辦理，彼此相信，似不必更立條約，古所謂大信不約也。……似較之泰西立約各國，尤爲簡便。此乃中國與貴國格外和好親睦之意。諒貴國必明悉此情也。」中國官員是根據古訓——「大信不約」，把日本看成最親密的友國，所以立約不立約，並不重要。

但是成林把這意見，對柳原前光再四解說，柳原前光堅持立約。（十月初六十月二十九日）。（未完）

黛眉小傳

·王幻·

蕭皇后（一）

遼國的文學，本來無可稱道，又因遼王禁止彼邦文書流入中原，故在當時已絕少流佈。女性作者，如蕭皇后與蕭文妃的作品，儌倖遺留至今，當然會受到重視。而蕭皇后含冤莫白，即使在千載之後，仍令人扼腕。

凡到過北平的人，都知道「瓊華峯」這個地方，可是很少有人知道，峯上尚有蕭皇后的「妝洗樓」舊址，烟沒於荒烟殘照之中。

凡看過「四郎探母」這齣京劇的人，都知道楊延輝流落番邦一十五載，被招爲異國駙馬，仍念念不忘故國鄉邦的感人場面。

所謂「番邦」，亦即北方的遼國，又名「契丹」。那是宋太宗「雍熙」年間所發生的事，大元帥潘美引兵先遁，副帥楊業併力拒敵，且戰且讓，最後兵盡援絕，與其子延玉及麾下壯士數百人皆戰死，四郎延輝亦於是役被俘。

從此，中國北方的燕雲十六州，盡爲契丹所有；所以蕭皇后後來住在「析津府」的燕京，即現在的北平。

蕭皇后是「欽哀皇后」之弟，北面官南院樞密使蕭惠的少女，她與楊延輝的母娘「承天太后」蕭氏，有着血統的關係。相傳她的母親「耶律」氏，夜夢明月墜於懷中，後又東升，光耀絢燦，不可仰視，升至中天，忽爲天狗所食，大驚而寤，遂生皇后；時爲重熙九年（一〇四〇）五月五日，亦即宋康仁宗「定」元年。她的姿容端麗，爲蕭氏諸女之冠，能歌詩彈箏，妙解音律，琵琶尤爲當時第一。因小字「觀音」，人皆以觀音目之。二十二年，道宗在東宮，慕后賢淑，聘納爲妃。及道宗即位，於淸寧元年（一〇五五）十二月冊爲皇后。

二年八月，道宗獵秋山，皇后率妃嬪從行，至「伏虎林」，命皇后賦詩。她應聲道：

威風萬里壓南邦，
東去能翻鴨綠江；
靈怪大千都破膽，
那教猛虎不投降！

道宗大喜，出示羣臣道：「皇后可謂女中才子。」明日，道宗親射獵，有虎突林而出，他說：「朕射得此虎，才可不愧后詩！」果然一發而殪。羣臣皆呼萬歲！是年十一月，羣臣上皇帝尊號曰：「天佑皇帝」，皇后曰：「懿德皇后」。

三年秋，道宗作「君臣同志華夷同風」詩，皇后亦應制屬和。明年，生皇子「濬」，皇太叔「重元」妃入賀，流目送媚，極盡嬌奉。皇后對她說：「貴家婦宜莊，以臨下，何必如此？」妃歸，罵重元道：「汝若有志，當除此恥，笞撻此婢！」於是，重元父子合定叛謀，於九年七月，乘駕在「灤水」，起兵作亂；但不久兵潰，父子伏誅。討平此次亂事，知北樞密院事趙王「耶律乙辛」有大功，遂晉南院樞密使，威權顯赫一時，惟后家不肯相下。

咸雍初，皇子濬冊爲太子，乙辛遂決計乘間圖陷。皇后嘗慕唐代徐賢妃行事，每於當御之夕進諫。遼國風俗，君臣同獵，道宗亦長弓馬，往往以國服先驅；所乘馬，號「飛電」，瞬息百里，常馳入深谷遠林，扈從求之不得。皇后頗以爲患，上疏痛諫；道宗面上雖嘉納，心裏卻很厭煩，所以到「咸雍」末年，便不和皇后近。后因作「回心院」詞，被之絃管，以寓望幸之意。全詞如下：

（未完）

第十七章　岳鵬舉大破李成　宋高宗重用秦檜

張俊撥馬三千人助岳飛。岳飛引軍屯於金牛頓，鄉在江西永豐縣南二百里，因其山有洞名金牛洞而得名。岳飛下寨方定，即與張用作書一封，先招降之。書云：

「吾與汝同里人，以忠言相告：南薰門，鐵路步之戰，皆閣下所知。今吾將兵在此。汝欲戰則出戰，欲降則降。降則國家錄用，各受榮寵；不降則身受鋒鏑，或者累歸雖悔不可及」。

書中特別提到汴京南薰門，鐵路步之戰，是當時張用曾親自領教。張用甚懼岳飛，接書後與妻子一丈青商議道：「果吾父也，敢不降乎？」於是全軍歸降。岳飛受降已畢，飛報招討，張俊對諸將道：「岳觀察之勇略，吾與汝皆不及也。」接着岳飛又奉命召降江西賊馬進之餘黨，共數萬人。岳飛汰其老弱歸田，得精兵萬人，獻歸招討。於是江、淮之寇悉平。張俊表奏，以岳飛之功最大，償功第一。拜岳飛爲神武後副軍統制，權留洪州（南昌）鎮壓盜賊。岳飛休兵洪州，深受江西百姓之擁戴，凡有重大事故，均求岳飛題詞賦詩。先後在此題詩二首，作書三封。爲者了更明白岳飛的讀文墨思想，所以小子不敢遺漏。

題「驟馬岡」詩云：

立馬林岡豁戰眸，陣雲開處一溪流。
機春水沚猶傳晉，黍秀宮庭孰憫周。
南服只今殲小醜，北轅何日還神州。
誓將七尺酬明聖，怒指天涯淚不收。

× × ×

題「翠巖寺」詩云：

秋風江上駐王師，暫向雲山躡翠微。
忠義必須清塞水，功名直欲鎮邊圻。
山林嘯聚何勞取？沙漠群凶定破機。
行復三關迎二聖，金甌蓆捲盡擒歸。

右二詩中，可見岳飛之復中原，迎還二聖，早有成竹在胸。其他三封店某學士書，因爲不及王事，惟僅應酬之作，故從省畧。

且說朝廷之中有一件大事，不能不說。秦檜乃本書反派之主角，故其不敢忽畧檜自建炎四年十月回宋，十一月七日拜禮部侍郎，紹興元年八月，就拜尚書右僕射同平章事兼知樞密院事。按南宋的左右僕射及同平章事，或參知政事，皆爲宰相之職。如果再加上「兼知樞密院事」，則兼管全國軍事。宋制：與宰相平行的中央機關，除了「政事堂」之外，還有「樞密院」、「御史堂」、「三司使」、主官就是宰相；轄三省，門下省、中書省、尚書省。尚書省是行政的執行部門。（八十五）

周燕謀

（第一一三四期）

（半週刊每星期三、六出版）
每份港幣壹角・台灣零售價新台幣貳元
社長李運麟・督印黃行鸞
社址：香港九龍彌敦道593—601號
廖創興銀行大廈八樓五座
LIU CHONG HING BUILDING
7th FLOOR FLAT '5
593—601 NATHAN ROAD,
KOWLOON, H.K.
TEL: K303831
電報掛號：7191

承印：景星印刷公司
地址：嘉咸街廿九號地下
台灣區業務管理中心：台北重慶南路一段一二九號
電話：二四五七四
台灣區直接訂戶　台灣劃撥戶第五〇五六號張萬有（自由報會計室）
台灣分社：台北市西寧南路110號二樓
電話：三三〇三四六、台郵劃撥戶九二五二號

海洋研究與資源開發的目標

參加一九七〇年國際海洋會議的觀感

沙學浚

沙學浚先生去年應西德邀請作三個月的訪問，九月初乘機飛往西德，除參觀各大學地理研究所及公私地圖機構外，並與地理學家討論地理學思想、方法、趨向等問題，與漢學家討論中華文化價值與人類前途問題。沙先生又曾應邀參加去年十一月十日至十五日，在西德第四大城杜塞道夫舉行之「一九七〇年國際海洋會議」本文為其簡要觀感。

去年十一月下旬，沙先生專往英、美、日本三國考察，年底乘中華航空公司班機返國。

編者附誌

一、海洋研究是海洋資源開發之基礎

數千年來人類生活於土地之上，「有土斯有財」。土地的利用不論為游牧、畜牧、農耕、林業或礦業，在工業革命以前，所用的工具是原始的，技術是幼稚的，並無研究可言。

海洋佔地球表面面積百分之七十一，而且海水是立體的，海水之下有海底，海底之下有海牀，這三層空間的天然資源，遠比主要是平面利用的土地為豐富。但開發海洋資源遠比開發陸地資源為困難，必須以高深學理研究和優越的工程技術為基礎。因此，近世海洋學與海洋工程學，並行發展十分迅速，而其內容繁複。海洋研究開發所需要的各種工具和機器，包括海底乘具、礦產鑽井、浮筒以及各種觀測的儀器等，種類繁多。發明這些工具與機器需要研究與技術。製造這些工具和機器需要各種製造工業。現代的海洋資源開發與傳統的土地資源開發，根本不同之處，即在前者須用種類繁多的工具和機器，而後者則否。

傳統的土地資源開發主要由國民私人經營。近代的海洋研究與資源開發，在自由國家，雖亦由私人經營，但中央政府的指導，支援，鼓勵與經費補助具有最高重要性。去年美國聯邦政府國庫支出中的海洋研究費用，達七億美金之多，可作證明。在共產集團國家，海洋研究與開發全由政府經營，以蘇聯成就為最大。二次大戰後二十年內，蘇聯海權擴展竟能抗衡美國海權，這與其重視海洋研究及海洋資源開發，息息相關。

二、開發海洋資源的三大目標：

開發海洋資源有下列三大目標。

（一）增加人類所需的食物。目前全球三十六億人口，其中三分之二或食物不足或營養有缺點。估計三十年後，人類增加到六十億，而農牧業改進所能獲致的食物增加究屬有限，因此食物不足與營養有缺點的情形，將來更加嚴重。

不論為目前救濟或為將來謀生，海洋食物資源的開發不但有絕對的必要，而且是唯一的出路。

海洋食物資源自以漁業為重要，近世海洋漁業以捕獲魚類為主，其產量與年俱增，茲不備述。除魚類等動物性的食物資源外有海藻等植物性食物資源。據專家估計海洋中動植物食物的廣大資源如充分開發，可養活三十億人。德國專家報告，近年培植的海藻，生長期只有兩天，足夠供應一個人的全天食物，而所需費用祇有三個半分尼（一百分尼等於一個德幣馬克）合美金二分，即台幣四角。

（二）用海水製造淡水。全球陸地淡水的分佈非常不均勻。永恆的乾燥區域佔全球陸地面積四分之一，佔中國領土至少二分之一。淡水資源區域最多的在南極洲的冰原，無法利用以供人類的需要。多數國家的淡水資源已充分利用，工業國家尤感水荒，嚴重。專家估計，到二千年時，淡水供應在工業國家須增加百分之五十，在發展中國家，由於農工業迅速發展，須增加五倍。大量淡水的來源祇有取給於廣大的海洋。因此，用海水製淡水的技術與工業，對於全人類，具有最高重要性。目前已有少數國家，成立此項工業，但製造成本過高，有關工業為難發展。據報導澳洲去年發明一種製造淡水的新方法，而其成本則比以往各種方法為低。

（三）供應礦產工業原料。近年專家提出警告：由於近世的大量開採，已無他物可資代替的金屬礦產，到一九七〇年，即將枯竭，今後必須取給海洋。例如海底大如馬鈴薯的錳塊，不但含有錳，而且含有銅、鎳、鈷、鋅等；估計其礦藏約有十億噸。此外，尚有六十種原素保存在海水中，其中一部份有提鍊的價值。但已經開發利用的礦產等物產，一九六九年共值七十億美金，殊堪注意。

一九六九年世界海洋礦產等物產價值（單位：百萬美金）

（甲）海水中

鹽	一七三	鎂礦	七五	淡水	五一
臭（BROM）	四五	鎂化合物	四一	重水	二七
其他		共計四二三。			

（臭與鎂為製造飛機與汽車所必需）

（乙）海底

沙與礫石	一〇〇	貝殼	三〇	鋅	二四
重礦砂	一三	鑽石	九	含鐵的沙	四
		共計一八〇			

（丙）海牀

石油與煤氣	六一〇〇	煤	三三五
硫礦	二六	鐵砂	一七
		共計六四七八	

以上三者合計，為七〇七一百萬美金，其中七分之六強為石油與煤氣，高居第一位，次為煤與鹽分居第二、第三位。（上列統計數字採自美國海洋科學月刊，一九七〇年四月號）

三、自由國家海洋研究的費用。

近世海洋資源的開發與利用，共產集團國家以蘇俄、東德為首要，由於高度保密，其實際情形不為世人所知在自由國家，則以美國、加拿大為首要，有關資料，略如下表所列：

各國海洋研究的國庫支出（單位：美金）

美國	約七億	（一九七〇年）
加拿大	約一億一千萬	（一九六八年）
英國	約二千五百萬	（一九六九年）
法國	約二千萬	（一九六九年）
日本	約一千一百萬	（一九六九年）
西德	約八百一十萬	（一九六九年）

（註：日本的數字不包括大學的研究費用）

各國海洋研究的船隻：

國家	船隻	年份
日本	二五八	（一九六九年）
美國	二二六	（一九七〇年）
英國	五七	（一九六九年）
加拿大	二五	（一九六八年）
法國	二五	（一九六八年）
西德	一五	（一九六九年）

上項統計數字，根據西德，一九七〇年國際海洋會議專刊，一九七〇年十一月出版。

昨日與明日

為師專學生請命

五年制師範專科學校，是初中畢業生投考，畢業以後，担任國民小學教師。如果要進修，却無適當的學校可讀。假如要到國民中學任教，還要經過中學教員檢定考試。至於不是師專的五年制專科學校或是其他三年制的專科學校畢業生，到國民中學任教，反而比較方便，相形之下，五年制師專學生未免不合算之感！

假如一個人有志畢生盡瘁於小學教育，例也可以不管別種專科學校畢業生，可到國民中學任教，或是到大學插班轉學進修的情形。如果他進了師專，畢業以後，當了幾年小學教師，要想進修，却無校可進，豈不令人抱屈？無怪乎現在投考師專的學生，一年比一年減少，這不是沒有道理的。

想當年，師範學校沒有改制師專以前，師範學校三年畢業以後，既可投考師大，服務幾年之後，成績優秀的，還可以保送升師大。今天多讀了兩年師專，仍然是教小學而服務期限加長，升學無校，保送無門，實在是應有加以補救的必要。

聽說省教育廳有設立二年制教育學院的計劃，希望教育部主管單位，千萬不可拘泥法令，應該以成千的師專學生前途為重，通權達變，從速成立這一個二年制教育學院，教育由師專或五專來升造的學生，以培養國中或高職的師資。

師專生每年一批一批的畢業，前途茫茫，這一問題日趨嚴重，自應火速籌設，千萬不可像笨牛走在泥路上，渺渺無期，令人望眼欲穿。

二年制教育學院設立以後，希望：

一、以師專學生報考為主。

二、其他專科的五專生則以技藝科為限。而且將來仍要服務高職學校若干年。

三、仍給以公費待遇。

四、師專畢業生任教師者，在若干年後，成績特優者，每年應有若干保送名額，甚至規定為該院學生名額十分之一或五分之一。

五、二年制教育學院之分系，應與師範大學相同。

假如能做到以上五點，筆者相信，今後的師專，招考學生一定欣欣向榮，賢才輩出，小學教師水準提高，小學教育必有成就，對日後的國民中學，更打下良好的基礎。

·黃大受·

自由談

古今的教育觀

教育的範疇不外三種：即家庭教育、學校教育與社會教育是也。就咱們中國的情形來看教育問題，時代越進化而教育的功用就越退化，何以言之呢？

中國舊有傳統文化的家教，子弟一定要遵循父兄的指導訓誨，毋敢踰越，所謂「父兄之教不先，子弟之率不謹」的道理，彼此皆認為義所應爾，各守份際，身體而力行之。所以，凡是經過舊式家庭教育陶冶的男女們，關於立身行己與對人接物的生活動態，總不致於過份離譜的。美國人見着華僑的子弟多循規蹈矩，勤勉樂業，跟他們的兒女不大相同，表示詫異，殊不知道是得力於家教也。

吾國舊時的學塾和書院，老師除了傳道授業外，還代行父兄的職責，師弟之間，親若骨肉，弟子對老師，一輩子亦執禮甚恭，不敢怠忽。「天地君親師」的牌位，矗立於每戶人家的神龕上，朝夕瞻望崇敬，雖不喊「尊師重道」的口號，而師道之尊嚴宛然潛在於人們的心目中，永不磨滅。

我國最普及的社會教育就是戲劇，而劇情十九都是闡揚忠孝節義的。所以一般不識字的農工商賈以及少婦老嫗，因為受着戲劇潛移默化的影響，皆具有忠孝節義的心情，而隨時對自己的兒女說教，向親友說法，無形之中發抒着正人心、厚風俗的效用。

降及現代，認為西方的文化制度樣樣優勝於我，不分青紅皂白的摩仿唯恐不及，主張全盤西化——特別是美國化。美國人視青少年子弟如安琪兒，而視老年人如臭狗屎，子弟在家庭中就是天使，父兄且須遵從子弟的意旨行事。前幾年報載：美國有個十六歲的少年，向母親索錢不遂而開槍殺母，亦未受到法律制裁，家法更談不到。現代的學校教育，教師如同推銷商品的販夫走卒，學生就是顧主，顧客永遠是對的。教師按時上下課堂之外，師生殆若路人，無所謂「教學相長」的風義，更不必說精神訓練了。談到社教的戲劇，尤其糟糕。自西方的電影興，而本國舊有宣揚忠孝節義的戲劇日趨沒落，視為陳腐落伍的玩藝，代之以誨淫誨盜，或為女人與金錢而打鬥殺伐的好萊塢式電影，大家趨之若鶩，拚命仿效，絕無絲毫教育意義可言，完全瞎胡鬧耳。

教育原係立國的命脈所在，而情形如此，你能怪邪惡的共產主義乘虛而入，禍國殃民嗎？高談復興中國文化者，念之哉！

馮五先生

監院檢討政治設施
提四七點改進意見
促重視教育推行全民體育
謀改善司法保障人民權益

（自由報台北消息）監察院一年一度的總檢討會議，已於元月八日結束，對一般政治設施提出四十七點意見，其中對教育、司法特別强調。

教育為百年樹人之大計，諸如九年國民教育、大專聯考、大專院校附設夜間部，大專院校兼任教授，未依法送審、留學生回國服務，全民體育與國語推行成效等問題，尚須徹底改進。

司法是主持公道保障人民財產生命與維護社會秩序最後之一道防綫，所以監察院特別重視法院裁判評議、司法風氣、審判之正確性、判決書之送達，調用推檢辦理司法行政、增加員額與法官問案草率等諸多問題。均分別提出檢討意見送行政院改善。

一、公務人員須經考銓及格始得任用，其有聘派人員亦訂有聘派條例，以資適用，各機關均應切實遵守，不得未經考試院同意各自遴行舉行考試，以杜流弊，而重制度。

二、公務人員職位分類，政府曾經研究多年，方付實施，於今各方反應不一。對於此一新制度執行有無偏差，其利弊得失如何？政府允宜加以檢討改進。

三、都市計劃法規定：都市計劃區域內公共設施保留地徵收地價之補償，應按照市價，此項公告之土地現值，與實際市價相差甚鉅。顯與立法原旨不符，且公共設施係為謀公共利益而建設，今令少數土地所有人蒙受損失，殊欠公平，在保留期間，土地限制使用，而土地稅仍須照繳，亦屬不平；民間多有反應。亟應切實加以改進。

四、農地重劃政策，至為正確。惟查實施以來不無偏差，弊竇叢生，地方政府多未能切實辦理，貫澈政令，本院迭據人民陳情，亟應澈底檢討癥結所在，積極改進，加強監督，期收實效。有關法令如需加以修訂者亦應迅速辦理，日本、荷蘭、瑞士、西班牙等國政府補助農地重劃工程費辦法。似可酌情參考，以減農民負担。

五、近年煤礦工廠迭生災變，工礦檢查亟應加強。勞工保險投保人數已近百萬，而門診醫院不及半數，餘以衛生所代辦，人員設備均有不足，影響勞工保健至巨。亟應擴增門診醫院，增進勞工福利。

六、環境衛生空氣污染水源污染等問題，日益嚴重，應即迅行制定公害防制辦法，付諸實施，藥物藥商管理辦法業經公佈實施，而無照藥商、偽劣藥品迄仍充斥，尤應認眞取締，確保國民健康。

實施多邊外交
創造新的機運
應從文經貿易各方進行
展開國民外交爭取與國

七、創造我國新的外交機運，首應實施多邊外交，廣求與國。凡與匪未建交者，統應與之謀求加強合作；其與匪已建交者，亦應從文化、經濟、貿易各方面與之展開國民外交，從事對外交總體戰。外交人事，尤應注意加強，駐外使節務必嚴密考核，力求適才適所。

八、現行軍公教人員待遇之不平，眷舍之有無，亦為其中之一，配有眷舍者，不僅居有定所，無房租負担，更於退休時依法可以繼續住用，未配眷舍者則反是。亟應寬籌經費普建眷舍。

九、金馬為我反攻跳板，地位至為衝要，加以金門僑居南洋一帶者達十二萬人之多，國內外人士同深關注，兩地人才之選拔，忠貞人士之表揚，社會福利之增進，僑胞返鄉之便利等，亟應多方謀求改進。

十、銀行迄未能專業化，且復限制設立，以致多屬公營，復因貸款範圍、期限、以及担保品諸多限制，手續又極繁複，對於工商業資金之融通，幾視為恩惠，自難充分發揮金融效能。現銀行法正在審議修改之際，甚望早日付諸實施。目前各銀行保守作風，及其所易導致之流弊，財政當局尤應切實糾正，俾金融能促進經濟發展。

十一、各縣市財政困難者，例由上級政府予以補助，為避免長期依賴，應積極督導其培植財源，逐年減少其補助比例，促進其自足自給。

十二、政府現在積極推進高級工業，以加速國家工業化，其在籌劃中之大鋼廠，實為發展上述目標之關鍵，尤宜迅速付諸實施，而有關基本工業之機械工業，雖訂有輔導辦法，但監督審核，仍應加強，以策成效。

十三、獎勵外人投資或技術合作，以不妨害國人投資之工業發展繼續及不影響國貨內外銷市場為主，政府年來致力改進，不無成效，仍應審慎選擇，切忌浮濫，並須嚴防變質，影響民族工業。

十四、加工出口區管理處對勞工福利應予設法增進。

十五、發展國際貿易，首應建立國際商譽。今後對於市場調查、品質管制，商品檢驗，均應切實辦理。駐外經參處及其他有關商務人員尤須加強聯繫，以宏績效。

十六、實施九年國民教育，瞬屆三載，雖云年有進益，仍多待檢討改進之處，諸如師資、課程、課本、圖書儀器、運動場所、衛生設備等，均須亟謀進一步改善與充實。至國小一、二年級仍為二部制，尚缺教室四千餘間，本年國中應屆畢業生之升學就業問題尤應妥為籌劃，迅行辦理。

改進大專聯考
應早設立機構
各級學校教師待遇
仍應再作合理改善

十七、大專聯考行之有年，業已取信社會，然以考生歷年增加而錄取比率減少，試務工作益趨繁雜，發生命題、閱卷、評分、覆閱、以及志願選擇等技術上之困難及錯誤，招致紛議，政府既已決定常設機構研究改進，亟應早付實施。

十八、大專院校附設夜間部，因須自給自足，教職員多由日間部人員兼任，影響教育效果，亟應明定編制。確立經費預算，以利教學。

十九、教育成敗，首重師資。近查大專教授兼任而未審定者，遠較專任合格者為多，私立學校尤甚。亟應限令依法送審，並嚴格規定專任教授標準，督同各校逐年增加專任人員比率，提高學術水準。各級學校教師待遇難以養廉，亦為兼課風熾原因之一，現雖提高其專業研究補習費，惟以數額有限，仍應統籌再作合理改善。

二十、年來留學生多屆回國服務，惟各大專院校及研究所限于教授名額，難以盡量羅致，亟應增加員額，以資爭取，各企業機構亦宜協同致力，予以延攬，以加速科學之發展。

二十一、體育關係民族健康至鉅，如何發展全民體育，實需社會與學校齊頭並進，政府並應統籌計劃，寬列預算，廣闢體育場所，增加運動設備，減免體育器材稅負，以及發動社會工商界之有效支援，以利體育發展。

二十二、台灣光復以來，國語推行成效卓著，近年有對各級國語推行委員會倡言裁撤者，偏遠地區學校教職員亦有以方言教學者，可見對國語推行日漸忽視，而電視公司競以大批方言節目播出，更多影響，均應及時注意改善，以利國語推行。

二十三、政府獎勵私人興學，成效已著，近年私立學校財務時有糾紛，應即督飭依法分別成立財團法人，納入正軌，現行私立學校規程內容過簡，不合現實需要，亟應制訂私立學校法，加強管理。

二十四、電信建設，需要鉅資不宜專賴貸款及電話裝機費以為挹注，裝機費現仍偏高，應酌量減低，以廣民用。至於電信器材，亦應加強輔導國內電機電纜等工業，增進生產，力謀自給自足。

二十五、政府有關機關合資創辦財團法人中華顧問工程公司，旨在吸收國外技術專才返國服務。提高技術水準。惟究其實際，多由國內各機構現職及退休人員充任，待遇又形偏高，不無影響公務人員退休制度，更足招致一般技術人員之不平，主管當局亟應審慎研討其有關章則，嚴加監督，納入常軌。

各級法院案件日增
人手不足多有延壓
亟應隨時調整推檢員額
增派人員辦理以免貽誤

二十六、年來各法院受理民刑事案件日見加多，此固由於人口增加，社會經濟繁榮所發生之現象；亦由於司法風氣不良，訟不得直，更有原屬簡單案件，因承辦推事未能迅速合法審慎裁判，以致枝節橫生，遷延纏糾，紛擾滋多，主管當局應予督促改善。

二十七、法院書記官因庭期匆促，各案之平均審問時間過短，訊問筆錄過於簡單，案情記載不詳，影響判決，因之上訴及發回案件愈見增加；且對上訴案件及裁判書類多有延壓，現司法行政部已試行速記及錄音，亟應加強訓練，以期筆錄之詳實，並希嚴予督促不得延壓訴訟裁判書類。

二十八、目前各級法院案件日增，人手缺乏，其調用推檢辦理不屬推檢業務者，應即歸還建制，以資調節人力，增進效能。

二十九、台北地方法院民刑推事每月結案折計件數，超過部定標準一倍以上，而力有不勝，望能一面盡量疏減訟源，一面訂定最高結案標準；如各該法院推事，檢察官收案超過標準時，司法行政部應隨時調整推檢員額，增派人員辦理，以免積壓貽誤。

卅、台北地方法院法庭現雖已增加，但推事開庭審理均集中於上午，恆有多達十餘案者，下午則多數法庭關閉不用，以致訊問過於匆促，草率難免，據稱因檢察官人數過少，無法蒞庭，始有此種現象，司法行政部應督促改善訊問時間，並規定一法庭應全日開審，以期審理案件之詳盡正確。

卅一、全省各監所收容受刑人過擠，管理、衛生均成問題，應速設法改善。

卅二、蒙藏邊疆資料應廣為蒐集研究編印參考，現行教科書及有關蒙藏邊疆之書刊間有謬誤失實，亦須隨時考證修改，以期正確。

卅三、華僑遍佈全球，忠貞愛國，向具熱忱，惟匪偽利誘威脅不遺餘力，處境艱困，僑務機關應設法加強領導，團結奮鬥，推展國民外交。

卅四、華僑投資各廠產品，甚多新品類，外銷退稅標準，常經年不決。原料進口手續繁難，年來雖有改進，仍未澈底，應再設法簡化，以利僑資事業之發展。

飛將軍李廣

十一、李廣生不封侯

周遊

第二天，李廣擺了一座圓陣，匈奴大軍猛攻，箭如雨下，漢兵被射死一半，而且李廣軍隊的箭快完了。李廣對部下說：「將箭搭在絃上拉滿不要射，等我命令再射！」於是李廣用箭射匈奴裨將，一連射死了幾名裨將，匈奴不敢逼近。看看天快黑了，士兵更加驚怕，而李廣談笑自若，治兵陣如常。部下無不服其神勇。到了天明，李廣揮軍力戰匈奴，張騫的大軍也殺到了，兩軍夾攻，匈奴軍大敗。因為張騫的軍隊來得太遲，誤了約定日期，因此張騫被免為平民，李廣無罪。

李廣的弟弟李蔡，能力才幹名氣，都遠不如李廣，而李蔡的官位却比李廣高，爵封安樂侯，官拜丞相。而李廣的官位不過九卿。李廣的部下都封了侯，他仍未封侯。一次，李廣請教一個看相的王朔道：「自從我朝打匈奴以來，而我李廣沒有一次不參加，我的部下才能不及我，都封了侯爵，我李廣一直未封侯，這是什麼道理呢？這是我的命運相貌不當封侯嗎？」王朔說：「將軍詐殺了匈奴的降卒八百人，大概是因這件事而不當封侯吧？」（未完）

台北傳奇錄

（一〇三）

·陳光棟·

劉二爺起的早，站在洋台上一看，馬路對面的住宅都困在水裏，劉二爺從行軍床上拖起桂先生趕出大門，又喊上老邱和老邱隔壁的二禿子，打算到災區去救人，走近了一看，都不由的倒抽一口冷氣，大水總有五六尺深，沒有工具根本一籌莫展，一些住戶有的困在房頂子上，有的撤在二層樓上，呼天搶地一籌莫展。劉二爺馬上叫桂先生去通知防颱中心，又回過頭來問老邱會不會游泳。老邱的答復是脫去了上衣跳進水裏，一下子工夫就推過兩隻洗澡盆來，盆裏坐着驚惶失措的小把戲。

從此劉二爺負責接應，二禿子管背孩子，救難工作開始了以後，弄堂裏的一些熱心人士也都趕來出力，步成材怕劉二爺事後罵他，所以也跟着大家沒頭沒腦的瞎忙合。防颱中心得到了消息，也馬上派來了大批人手，駕着橡皮艇熟練的操作，救難的成績尤其顯明。

金恆貴的太太肚子痛了一晚上，到了天亮才生產，劉太太跟着忙了一晚上，回到家裏已是筋疲力盡，剛躺在床上休息，老邱就把劉二爺攙回來。

「劉二爺一不小心，沒有站穩，撞到牆頭上，俺一把才把他老人家找住」。老邱頭上冒着汗。

「不要緊，碰破了淨面」。劉二爺倒在床上喘氣。

「年紀大啦！還不小心點！」劉太太趕緊找藥箱：「這麼大風還出去幹什麼」？

「大奶奶！妳是不知道，對面鬧大水呀，他奶奶的！我們忙合了一大清早啊」！老邱給劉二爺不停的捶背。

兩個彪形大漢來到劉二爺家，說是電力公司的要查電綫，說完了就進了厨房，老邱站起來要說話，桂先生搖了搖頭。兩個大漢不一會兒的工夫從厨房出來，匆匆的離去，桂先生到厨房看了一下，轉回身來向劉二爺點點頭。

「我去找蔡太太，把雨傘還給她」，劉太太告訴老邱：「一下子我就回來」！

蔡先生整晚上沒有睡好，正在沒好氣的時候，大洋馬拖着沉重的脚步回了家：「可累死我啦！媽的！好不容易才生下來」！

「又不是妳生孩子，妳瞎張羅什麼」？蔡先生瞪着眼睛。

「你這麼兇幹什麼」？大洋馬肝火也旺：「老娘可不怕你」！

「妳眞是沒有腦筋，這是什麼時候，妳還有閑心去忙別人的事情」！

兩個大漢敲門進來，蔡先生把他們領到裏面房間，說了幾句話，兩個大漢又匆匆離去。

蔡先生臉也沒洗，就穿好衣服：「我出去一下，有人找我就說我到士林去了」！

（未完）

中華民國六十年二月三日　自由報　星期三　第三版

介紹「怪病奇治探源」

·文匯樓主·

馬騰雲主講之「怪病奇治探源」從民國六十年二月份起，將在香港自由報連載，根據馬騰雲研究中醫藥廿餘年很多心得，已對社會有相當貢獻，此乃無可否認的一件事實。

社會上奇奇怪怪的事，無一不有，（如子殺父，友分屍。）社會上怪怪奇奇的病，也無一不備。有怪病遇不到奇治的人，沒有方法彰其怪，有奇治而沒有怪病的人求診，沒有方法顯出甚麼叫作奇，怪與奇相激相蕩，奇和怪相利相濟，馬騰雲在他的著作裏謂：「我國醫藥開化最早，由於神農奇怪的品味，而鑽出百草藥性，黃帝發現怪怪奇奇的服飾，寫出一部內經。直到扁鵲，華陀等，無不以怪病奇治留傳千古。

很多人，尤其西醫與一部份假洋鬼子，開口就指責中醫不科學，實在是以管窺天之論，他們那裏會知道中醫用醫，君臣佐使，貫徹達幽，怪病而治怪，奇病而治奇。呂氏春秋說：「良醫，病萬變，藥亦萬變」祇這簡單幾個字，可謂將思想完全搞通了，也行醫的基本原則。

馬騰雲原習農化，後又攻讀新聞，近卅年博覽百家，熟讀諸子，看得多，知道的也廣，稱得上年力既富，學驗又豐，其允在香港自由報主講「怪病奇治探源」乃認爲天下式事萬變莫測，未可一概而論，比如大家對世界局勢非常非常悲觀的時候，他反表示樂觀，指出台灣爲大陸七億人民爭取自由生活方式希望所寄，美國人民要想不被共黨奴役，則非支持中華民國政府不可，如果將七億人民希望斷絕後，必由仇恨，變成眞實反美力量，那是一件不可想像的悲劇，馬騰雲用看病的邏輯分析天下事，用天下的病態濃縮說病情乃前人所未有。

馬騰雲的讀者遍佈海內外各階層，有馬騰雲熱，也有馬騰雲迷，馬騰雲每出一書，踴躍預約情形，超出人的想像，非親眼目睹，幾乎難以使人置信，郵局職員爲預約劃撥熱潮而奇怪，奇怪的是郵局職員很快的也變爲馬騰雲忠實讀者，從預約單上給計，馬騰雲讀者中，有上千數的知名學人，可證明其對醫藥研究的成就與受社會重視情形，茲以「怪病奇治探源」即將在香港自由按連載，馬騰雲對病理藥物亦怪亦奇之論，勢將不斷推出，特爲介紹，敬希廣大讀者注意。

文滙樓隨記

從「大學」「中庸」論道統

·任卓宣·

引言

道統之說，在古書上有明白表示的，當推「孟子」而外，「中庸」。其第三十章，明言「仲尼祖述堯舜，憲章文武」。這兩句話明孔子是繼承堯、舜、文、武之道的。對於韓愈在「原道」文中所說的堯、舜、禹、湯、文、武、周公七人所形成的道統，已有四人，僅禹、湯、周公來說及耳。但其所表示的堯、舜、文、武、孔子之相傳授和繼承，已形成一個道統了。所以那兩句話，可視爲道統之雛形。

那末「中庸」在研究道統上就爲應注意之書了，是的。「中庸」除說到堯舜文武外，還說到周公。對於孔子言論亦多。同時，對於道亦說得不少。例如第一章經文中說：「道也者，不可須臾離也，可離非道也。」又如第四章載孔子之言：「道之不行也，我知之矣，知者過之，愚者不及也。道之不明也，我知之矣，賢者過之，不肖者不及也。」這樣一來，「中庸」還不是研究道統應該注意的書嗎？

說到「中庸」，就使人想到「大學」。這是程子朱子以來好幾百年的事實。我在從前讀私塾時就常聞人言「「大學」「中庸」」。二書是相提並論的。而要讀「中庸」，就要先讀「大學」。程子說：「大學，孔氏之遺書，而初學入德之門也。」1那末「大學」中就包含有孔子之道在內了。而且「大學」中也論及堯舜之道，如「堯舜帥天下以仁而民從之」2是。它也論及湯和文王，並徵引武王之言。這樣，「大學」就是研究道統所應注意的古書了。

當然，古書是很多的。研究道統只能就有關的古書而言。古書自然是很多的。但在這裏，只就「大學」和「中庸」兩種古書而言。茲從「大學」開始。

一「大學」與曾子

「大學」是「禮記」中的一篇。其作者爲何人，於古無徵。程子以爲是「孔氏之遺書」，但未嘗及作者。朱子在第一章經文之後加一按語說：「右經一章，蓋孔子之言，而曾子述之。其傳十章，則曾子之意，而門人記之也。」於是「大學」就視爲曾子所作了。這種見解甚爲流行，已成定論。

但是戴震幼年讀「大學」後便問塾師：「孔子曾子爲周時人，朱子爲南宋時人，周宋相去極遠，然則朱子何以知其然？」3塾師不能對，將伯潛代答曰：「朱子以「大學」嘗引曾子之言，具以其言及「心」，「論語」、「大學」、「中庸」、「孟子」恰可代表孔、曾、思、孟學說，且係師生相傳，一脈相承，足爲「道統說」之根據，故定爲「四子書」爾。」4這些道理，當然不是幼年的戴震和塾師一類人所能了解。

不過蔣伯潛卻提出了另一問題。他說：「如朱子所度爲不謬，「大學」爲曾子所述，曾子門人所記，則其成書之年代，當與子思作「中庸」相先後（此指「中庸」章句」所分第二章至第十一章成書最早之一部份），而早於孟子。但以「論語」之後，戰國諸子文體之演進衡之，則殊不然。「大學」首舉三綱領（明明德、親民、止於至善）八條目（格物、致知、誠意、正心、修身、齊家、治國、平天下），而後加以申論，爲一篇綱舉目張，首尾完具、組織嚴密之議論文，不但與「論語」、「孟子」完全爲記言體者不同，且與「中庸」全篇之半爲記言體，半爲議論體者殊異。戰國初年不能有此種作品也。」4

那末「大學」究成書於何時呢？依蔣伯潛底研究，「大學」原爲「禮記」中的一篇，且與其「學記」一篇有同句同意之處。「「學記」所言爲大學教育之制度，方法，「大學」所言爲大學教育之原理，目的。二書並爲儒家論教育之書，其關係甚密切也。「續禮記集說」引清人陸奎勳論「學記」年代之言，以爲「王制」略言建學之法，「學記」言學之更詳，似繼「王制」而作。「王制」爲漢文帝時博士所作，「學記」似當更出其後。「學記」引「說命」者凡三。「說命」爲僞古文「尙書」之一篇，西漢初年學者未嘗見古文經，則「學記」之成書當在武帝設庠序興學校之後云。今按「大學」與「學記」關係極切，且亦嘗引古文「尙書」之「太甲」篇，則其成書年代當與「學記」相同矣。」5

這些見解，我都不贊成。蔣伯潛要在朱子以「大學」爲曾子及其門人所作的理由之外另提理由，必將朱子所持理由加以非難，而他沒有這樣。現在我有一理由可以支持朱子之說。朱子以「大學」首舉三綱領八條目的經文爲曾子所作。而從其「成爲一篇綱舉目張，首尾完具，組織嚴密之議論文」4觀之，皆非曾子莫能作。因曾子在孔門是造詣甚高的人。子貢以爲孔子是「多學而識之者」。孔子說：「非也。予一以貫之。」6及孔子告曾子：「參乎！吾道一以貫之。」「曾子曰：唯。」6可見曾子之造詣勝過子貢，且爲孔門中獨得一貫之傳的人。所以曾子能作出「大學」經文來。（未完）

說曹操

李漁叔

十一、繼承問題

（三十五）

曹操於漢建安十八年五月，以丞相受爵爲魏公，加九錫，位在諸侯王上。到了二十一年五月，又進爵爲魏王，設天子旌旗，出入稱警蹕，已超過了人臣的範圍，是否纂漢自立，只是有待一聲令下而已。

曹孟德自己說過：「天命在吾，吾爲周文王矣。」從這句話分析，他本身是不會作皇帝的，而是想把帝位給他的兒子。以那時的情勢看，漢朝已經名存實亡，大家都趨奉大魏新朝，惟恐不及，如王朗鍾繇們早已沒有了故國的觀念，又如夏侯等人　甚至恥爲漢官，求受魏印。至於他的太子曹丕，覬覦皇位，更是躍躍欲試，迫不及待。據魏志載，曹操於建安二十五年正月逝世，曹丕便於這一年的十月，推翻漢室，自立爲帝。

曹丕雖也有文才，但其人賦性陰險刻薄，一旦得勢，更顯得異常凶狠，絕不是他的兄弟曹子建那一類型的人。他在建安十六年起，做五官中郎將很久，一直到二十二年方才正式立爲魏太子，這中間經過甚多風險，費盡無數心機，甚至不惜使用極極卑鄙的手段，最後終於達到目的。

曹孟德一共有二十五個兒子，大兒子曹昂子修，在南征時，死於張繡軍中，其次是曹丕子桓，曹彰子文，曹植子建都是卞皇后生，算是同胞親兄弟。還有一個曹沖，是環夫人生，其餘碌碌不足稱述。諸子中武勇以曹彰爲第一，文章以曹植爲第一，智慧以曹沖爲第[illegible]係不出世的人才，萃於曹門，確屬罕見！。曹彰是有名的黃鬚兒，少年時膂力過人，手格猛獸，在軍中身先士卒，屢建奇功，雖爲伊父寵異，但終究是一個將才，繼承人選，還沒有被考慮過。至曹沖就不同了，沖字倉舒，幼年時即有奇智，歷史上有個有名的故事，見魏志鄧哀王沖傳，故事是這樣的：

「時孫權曾致巨象，太祖欲知其斤重，訪之羣下，咸莫能出其理。沖曰：「置象大船之上，而刻其水痕所至，稱物以載之，則校可知矣。」太祖大悅，即施行焉。」

要求得一頭大象的重量，以那時代度量衡設備的簡單，是無法得到確實數目的。把這頭大象擱在一枝大船上，記下了吃水的深淺，再將其他的東西裁上去比較，不就是那頭象的全部體重麼？這種設計，出於一個六七歲孩童，不能不說是一種超人的智慧。可惜曹沖到十三歲就因病逝世了。孟德哭之甚哀，曹丕從旁勸慰，孟德說了兩句話：

「此我之不幸，而汝曹之幸也。」

曹沖於建安十三年病歿，那時曹公的後嗣還沒有立定，「汝曹」是指曹丕和曹植，意思是說曹沖如不死，繼承人是輪不到你們頭上的，可見曹沖地位的重要。

曹沖既死，曹丕和曹植在他們父親的心目中，分不出高下來，以人才看，曹丕並非無能之輩，而且善於僞裝，和收攬人心，據魏志陳思王曹植傳上說：（未完）

管仲　李聃　莊周　曹操　華佗　包拯　朱熹　朱元璋　戚繼光　李鴻章　段祺瑞　胡適　楊振寧

安徽十三傑

諸葛亮狂想曲

（一八三）

·劉玄

面色紅潤，灰白色長髯飄過腹際。三國名將威風不減當年。

二通鼓罷，關羽與黃雲大仙先禮後兵，互相拱手致意。黃雲大仙左手捏訣，右手高舉寶劍，挫身下腰，取個門戶，果然是名家身手。

關羽站丁字步，橫刀胸前。這一功架是有路數的，叫做泰山壓頂。

交鋒之前，雙手蓄勢以待，黃雲大仙像螃蟹般橫走了幾步，然後疾如鷹到，直取關羽咽喉。這一招既狠且準，人到劍在，琴童在旁看了替關羽捏一把汗。但關羽是三國名將，當年百萬軍中取上將首級，猶如探囊取物，豈是等閒之輩，一見黃雲大仙寶劍點到，不慌不忙，用青龍掩月刀一格，只聽叮噹一聲，劍鋒刀鋒相碰，迸出燦爛的火花。這還不算，關羽用刀格開劍鋒，順勢向黃雲大仙當頭一刀劈下，黃雲大仙就地一滾，用劍向上一架，化險爲夷。

此時鼓角之聲大作，襯着一片黃沙地，果然是戰場氣象，關羽與黃雲大仙刀來劍往，大戰百餘回合不分勝負。關羽鬥到分際，忽然倒持青龍掩月刀，延着演武場邊疾走，琴童在旁看得明白，這是關羽的絕招——拖刀計。黃雲大仙不顧死活，拚命追上來，關羽喝聲「着」。反手一刀。猶如切西瓜般，將黃雲大仙的頭齊頸砍下，黃雲大仙立刻身首異處，陳屍沙場。

琴童在旁觀戰，看到此處，不由得大聲驚呼，「啊，不好了。」

琴童的驚呼立刻引起關羽的注意，回頭一看，見是琴童，連忙吩咐小校拉琴童進前。

關羽在「演武場」力斬黃雲大仙，邁開虎步走上演武廳，坐在當中虎皮椅上，一見琴童遂開口問道：「請葛先生有什麼事找我？」

琴童沒有立刻回答關羽，眼望着場內黃雲大仙的屍體，期期艾艾地說：「丞相要我來找……來找黃雲大仙，現在……」

「你去回稟丞相，黃雲大仙已經被我殺了。」關羽若無其事地說。

「這……這……」琴童言下似乎有難以回報諸葛亮之意。

「你以爲他真的死了？貓有九條命，黃雲大仙那裏會死。」關羽也懂幽默，他分明在暗示黃雲大仙明黃鼠狼。

「是，是，」琴童對諸葛亮說話，有時還很隨便，但懾於關羽的威儀，說話卻不敢馬虎。

琴童正在與關羽說話，不知何時，黃雲大仙已經走下台來，嘻嘻哈哈說道：「將軍好刀法，這一刀殺得我好痛快。」

關羽聽了，也湊趣說道：「幸虧你能還原，我看諸葛先生正在等你着急，……」

（未完）

巨變歷險記！

與猛獸戰（一八九）

胡慶蓉

危害部隊的，除了癩病，毒蛇，還有猛獸。雖然猛撤是一個廣大的平原，在萬山包圍之中，在這廣大的平原，也還有三分之二的面積沒有開闢，更談不到開墾。坐在總部五華山上向外望，這未開闢的地方是在他的左上方，茫茫無際的都是稠密的森林，這裏邊還隱藏着各色各樣的野獸，如野牛野豬之類，如鹿，如麂子之類，還有猛獸，如虎，豹之類。野牛，野豬，爲害於人不大，其實人要不去犯他們，他們是不犯人的。他們與人同是猛獸的對象。猛獸吃其他的野獸，同時也吃人。常常有弟兄們出差走在路上爲虎所噬。那現象是很慘的。往往吃的連骨頭都不存在。丁博士常到出事的現場去視察，爲死難的弟兄致祭。連他本人也遇見過不少次老虎，幸衛隊弟兄眼快手快，得以化險爲夷。丁博士出去，隨從的弟兄，常常是掛着刀，手持鎗，彈上膛，作射擊狀，望見老虎前來，即對準開鎗。弟兄們的鎗法是很好的，往往會一彈正中要害，一彈畢命，但也有時候發生恐慌，不大準確，聞鎗聲老虎奔來，於是很多鎗並發，這樣才可以把牠擊倒。老虎眞可稱得上猛獸，不顧生死，直衝向前。老虎的形狀我們在畫上看的一樣。身上的毛色，黑條條黃條條，黑黃相間，兩眼炯炯有光，令人望見生畏。在猛撤五華山的背後，有清松，也有溫泉。這是猛獸習慣往來的地方。他們需要到此地飲水。往往是在夜間。丁博士有個牢不可破的習慣，那就是每天早上要到這里洗澡。所謂早上，是指天還沒亮的時候，約雞叫兩遍的時候，大約四點半的光景。有時候會碰到月光，有時候還碰見孕星，萬籟俱寂，野獸猛獸的聲音特別聽的清楚。博士夫人常勸他不要去，但他總不能改。幸吉人天相，有一次遇見野獸猛獸都化險爲夷。

虎肉不好吃。他的肉人是不吃的。寢其皮則是貴的。丁博士的客廳就鋪着虎皮，他的坐位上也鋪着虎皮。虎的肉雖然不好吃，但虎的骨却可以熬成藥，名之曰虎膠，以虎膠泡酒，可以治不少的病。撤退來台的弟兄們還有不少帶着虎膠的。雖不能說奇貨可居，但價錢很不錯。豹打死只取其皮。野豬野牛，不但可取其皮，亦可食其肉。肉，最好的，是鹿子的肉。從表面上看，鹿子的肉同牛的肉並沒有什麼不同，但吃起來，不同可就大了。鹿子的肉，在獸類的肉其實是數一的，任什麼肉都沒有比鹿子肉再好的。其嫩，英文所說的TENDER，是無比的，滋味非常正，沒有腥，沒有膻，也沒有別的味道，麂子在野獸中，可以說是最馴良的一種。其形，尤其可愛，非常[illegible]。其性非常良善。[illegible]麂子非常容易。其爲獸也[illegible]，其聲音也易[illegible]，無他的聲音所在，就可以一網[illegible]。

這是就猛撤一調來論，部隊駐在猛撤以外的，在猛撤的山區以外，林木茂密的程度，若遠過之。在這些區域，野獸猛獸更多，更要日夜的提防，尤其在夜間，老虎可能就到你什的地方，他是不客氣的，但無論你如何的提防，還是防不勝防，不少被他吞噬。尤其出差，在深山裏邊旋轉，碰見老虎，若沒有防備，是很容易受他的害的。一度丁博士到三島（雲南邊上，佛海南嶠下面），相傳丁博士被老虎吃了，丁夫人非常傷心。又有一次，是在走開猛撤，他沒有跟隨人，也相傳丁博士被老虎吃了。後來發現也並非眞實，丁博士是不是命大？他能脫離虎口，無不驚奇，亦所謂仁者壽歟！

中日修好條約一百年

・黃大受・

成林函告總理衙門說：「該差官等持論甚堅，一若不允所請，難以回國銷差。」並謂中國商民在該國貿易者甚多，該國與泰西各國通商，各國無不立約。中國因未立約，故諸事得形掣肘，常爲泰西各國所欺淩。該差官來時，泰西各國復謂西邦各小國向係邀我等大國同往，方得允准。如逕行前往，中國必不即允；今果不允，必將爲所恥笑。其意甚堅，其辭甚婉。」成林因而贊成立約。

柳原前光又向直隸總督李鴻章陳述：「英法美諸國，強迫我國通商，我心不甘，而力難獨抗。……惟念我國與中國最爲鄰近。宜先通好，以冀同心合力。」這話說得很懇切。李鴻章也深感英法的壓迫，以爲「縱不能倚作外援，亦可以稍事聯絡。」寫信給總理衙門，主張訂約。總理衙門的大臣，因日使堅持，衆議贊成，也就改變態度，爲了表示對近在東洋的日本，和西方國家一視同仁；「與其將來必允，不如此時即明示允意，以安其心。」於是照會允許。如日本明年特派大員前來，當可奏請欽派大臣，和前光得到這樣的答復，表示滿意回國。總理衙門大臣恭親王奕訢等，即在（十月十八日十一月十日）上奏，請准許與日本訂約。

當時督撫中惟一的滿人，安徽巡撫英翰，對於和日本立約通商一，表示反對。他在（閏十月二十六日十二月十八日）所上的奏摺裏說：外國犬羊之性，惟利是圖，惟威是懼，專視中國之強弱，因利乘便，固日幸我之有事，以遂其憑陵跋扈，是以天津洋案一起，即有日本通商之請。……何況「日本即倭國也，有明一百年以市舶受倭之患，不減於今日之英法，一經縱入腹地，是於英法之外，又添一大患，不可不深思而遠慮也。且海外尚未通商之國，如日本者指不勝屈，其窺謀未發，全視中國此舉爲輕重，若准應之則紛至沓來，應接不暇；有不應，則積弱已形，兵端方始。」他認爲日本是一大患，或不爲無見；但應援不假的遠慮，則殊欠高明。而且他對付日本要求立約的辦法，是當做區區之國，折之以理，嚴加拒絕。他對當時的大勢，是一無所知。清廷[illegible]約，但仍然持他的奏摺，寄諭館臣，諮詢訂約的意見，於是有李曾二人主張訂約的意見上奏。

同治九年十一月初一日（一八七一年一月二十一日），協辦大學士直隸總督李鴻章上奏說：……咸豐以後，……蘇浙閩商民往日本長崎島貿易寄居者，絡繹不絕；日本商人游歷中土亦多。……既然援例前來立約通商，自在情理之中。該國向非中土屬國，本與朝鮮琉球越南臣服者不同。若拒之太甚，勢必因泰西各國介紹，固請，彼時再准合約，使彼永結黨援，在我更爲失計，自不如就其求好之時，推誠相待，俯允立約，以示羈縻。……他認爲日本應和西方各國不同，因爲「日本近在肘腋，永爲中土之患，聞該國自與西人定約，廣購機器兵船，仿製鎗炮鐵路，又派人往西國學習各色技藝，其志固欲自強以禦侮，究之距中國近而西國遠，籠絡之則或爲我用，拒絕之則必爲我仇。」所以在定約之後，他應由南洋通商大臣，派員到日本駐紮，一方面管束商民，一方面以偵探彼族動靜，而設法聯絡牽制之，可冀消弭後患，永遠相安。」李鴻章的見解，比英翰高明多倍。他明白國際大勢，對日本有認識，知道日本自強銳意，必有前途。因爲近在肘腋，將爲中國大患，所以要加意籠絡，以求消弭後患，永遠相安！

同治十年正月十九日（一八七一年三月九日），大學士兩江總督曾國藩的奏疏裏，也認爲「援例而來請，即關而那辭。」一是可以准許通商立約的。」不過日本離中國近，雙方商賈來往必多，所以中國應該在日本設官管理商民，可照西方各國辦理，以免日本「將謂厚滕薄薛，積疑生釁。」當時中國對西方各國，只收百分之五的最低稅率，這對中國的財政經濟，有莫大的損害，是由於戰敗被迫而如此的。爲了對於同文之邦的日本，具有發揚的曾國藩，竟顧以如此重大的國家利益，來換取日本的友好，這一建議後來竟訂入條約，可見中國對日本的友好意願，是具有無比的誠意。

曾國藩又說：「但條約中不可載明比照泰西各國總例辦理等語，尤不可載後有恩渥利益，施於各國者，一體均霑等語。」他認識片面最惠國條款的弊害，特別提出此點，正是他高明之處。「總之，中國之處外洋，禮教不妨謙遜，而條理必極分明。……果其百度修明，西洋東洋，一體優待；用威用德，隨時制宜。」（未完）

蕭皇后（二）

黛眉小傳　・王幻・

掃深殿，閉久金鋪暗。游絲絡網塵作堆，積歲青苔厚階面。掃深殿，待君宴。

拂象牀，憑夢借高唐。敲壞半邊知妾臥，恰當天處少輝光。拂象牀，待君王。

換香枕，一半無雲錦。爲是秋來展轉多，更有雙雙淚痕滲。換香枕，待君寢。

鋪翠被，羞殺鴛鴦對。猶憶當時叫合歡，而今獨覆相思塊。鋪翠被，待君睡。

裝繡帳，金鉤未敢上。解却四角夜光珠，不教照見愁模樣。裝繡帳，待君貺。

疊錦茵，重重空自陳。只願身當白玉體，不願伊當薄命人。疊錦茵，待君臨。

展瑤席，花笑三韓碧。笑妾新鋪玉一牀，從來婦歎不終夕。展瑤席，待君息。

剔銀燈，須知一樣明。偏是君來生彩暈，對妾故作青熒熒。剔銀燈，待君行。

爇薰爐，能將孤悶蘇。若道妾身多穢賤，自沾御體香徹膚。爇薰爐，待君娛。

張鳴箏，恰恰語嬌鶯。一從彈作房中曲，常和窗前風雨聲。張鳴箏，待君聽。

惟時諸伶都不能奏演此曲，只有伶官趙惟一能奏演。有宮婢「單登」，本是「重元」家婢，也善於彈箏及琵琶，待與惟一爭能，怨皇后不知她的本事，皇后乃召她來，和她對彈四旦二十八調，待不及皇后，單登始媿服。有時道宗召她彈箏，皇后陳道：「此叛家婢，女中獨無豫讓乎？安得輕近御前！」因遣值外別院，由是她更怨皇后。單登有妹清子，嫁爲教坊朱頂鶴妻，時方與「耶律乙辛」狎，單登每向清子譖皇后與惟一淫通，盡爲乙辛所知，乙辛正欲害皇后，聞知此事，恰中心懷，猶恐不能證實，乃請人作「十香」詞，因爲讒案。此詞不知出自何人手筆，的確豔非常，也可算得傑作。詞云：

青絲七尺長，挽出內家裝；不知眠枕上，倍覺綠雲香。

紅綃一幅強，輕闌白玉光；試開胸探取，尤比顫酥香。

芙蓉失新艷，蓮花落故妝；兩般總堪比，可似粉腮香。

蝤蠐那足並，長須學鳳凰；昨宵歡臂上，應惹領邊香。

和羹好滋味，送語出宮商；定知郎口內，含有煖甘香。

非關兼酒氣，不是口脂芳；却疑花解語，風送過來香。

既摘上林蕊，還親御苑桑；歸來便攜手，纖纖春筍香。

鳳靴抛合縫，羅襪卸輕霜；誰將煖白玉，雕出軟鈎香。

解帶色猶戰，觸手心愈忙；那識羅裙內，消魂別有香。

咳唾千花釀，肌膚百和裝；元非噉沉水，生得滿身香。

十香詞成，乙辛乃陰囑清子使單登乞皇后手書。其時登雖外值，仍常得見皇后，乃詭言道：「此乃宋國忒里蹇（皇后）所作，若更得皇后御書，便稱雙絕。」皇后取讀，頗爲讚美，即爲手書一紙。紙尾復書所作「懷古」詩一絕云：（未完）

第十七章　岳鵬舉大破李成　宋高宗重用秦檜

下面轄了六部（吏、戶、禮、兵、刑、工）及諸寺、諸監。樞密院是掌軍國機務兵防邊防戎馬之政令，出納密令以佐邦治，凡侍衛，內外禁兵，招募閱試屯戍賞罰皆掌之。主官就是樞密使。等於今之國防部長及參謀總長之權。樞密使直接受命於皇帝，與宰相同位，爲正一品。

三司使乃掌全國財政大權。御史台掌監察權，諫議權，彈劾權。主官皆直接受命於皇帝，集諸權於皇帝一人。

秦檜爲尚書右僕射同平章事兼知樞密院事，就抓了軍政大權於一身。這是宋高宗特別賞識他。在此之前，范宗尹爲相時，高宗不太滿意。當此之時，歆物色宰相，對秦檜非常有興趣。秦檜在外大放空氣說：「若用我爲丞相，有兩件大事可哄動天下：一則南北士大夫亟通音訊，一則統率山東、河北之人還回北方」。這就是漢奸秦檜的傑作。也就是他回來的一貫論調：「南自南、北自北」。他主張與金人要求的一樣文章。就是山東、河北的人在南朝的放歸北方，北方的南人回南方，分成「兩個中國」。當時大多數朝廷的人都是北方人，連宋高宗在內。秦檜的陰謀，宋高宗執迷不悟。宋高宗以秦檜爲宰相後，檜草了一道詔命，其內容就是「兩個中國」。幸好高宗未發，因爲他本人是北方人，有些不便。秦檜此項陰謀，正與金使李永壽、王詡所議和條件不謀而合，如出一人。故秦檜爲金人收買，已鐵案如山。只可惜宋高宗一意怕欽宗回來帝位不保，而苟全於兒皇帝者，正爲此也。岳飛一心一意打到黃龍府，迎回二帝，宋高宗豈肯容得！

第十八章　岳武穆收復襄陽　宋高宗御駕親征

周燕謀

張浚經營關陝三年，頗有規劃。以孤臣孽子之心，訓練新集之兵，當方張之寇，造成和尙原、仙人關兩次大捷。重用劉子羽、吳玠、吳璘兄弟、趙開等忠勇之士。關陝雖敗一陣，但吳氏昆仲扼住入蜀咽喉之地「仙人關」。使四川安堵；且以形勢牽制了金兵二十萬於西北，東南因此安定了半年。然因張浚爲人耿介，對於鄉黨親舊皆不私，有所求者，皆不稱意。故謗議起於朝廷：說張浚「喪師失地，跋扈不臣」。高宗召張浚回臨安，又遭御史中丞辛炳彈劾。高宗遂免張浚之職。

（八十六）

自由報

（第一一三五期）

（半週刊每星期三、六出版）
每份港幣壹角・台灣零售價新台幣弍元

社長李運鵬・督印黃行齋

社址：香港九龍彌敦道593—601號廖創興銀行大廈八樓五座
LIU CHONG HING BUILDING
7th FLOOR FLAT '5
593—601 NATHAN ROAD,
KOWLOON, H.K.
TEL：K303831
電報掛號：7191

承印：景昆印刷公司
地址：高威街廿九號地下
台灣區業務管理中心：台北市延平南路一段一二九號
電話：二四五七四
台灣區直接訂戶　台灣劃撥戶
第五〇五六號張萬有（自由報會計室）
台灣分社：台北市西寧南路110號二樓
電話：三三〇三四六、台郵劃撥戶九二五二號

本報專訪

不信書・信運氣——我的經驗談

・雷嘯岑・

我在中年時期，決不相信命運之說，雖偶爾遇着星相家而并非江湖術士人物，每為我推論命理與相法，預卜休咎，皆以「姑妄言之姑妄聽之」的情心，視同神話，不予置意。迨中年以後，證之本身經歷的各種事實，乃覺得星相家的預言，每多奇驗，即知賢達如曾國藩，晚年亦有「不信書，信運氣」的說法，非偶然也。試述數事，藉明吾說之有徵。

（一）易學者談言皆中

民國十四年秋間，我從日本早稻田大學卒業歸至北平，執教鞭於私立民國大學，下榻該校教職員宿舍內，隣室有國文教師彭先生（已忘其名）居焉。彭氏年齡大過我二十歲，兼任農商部參議之職，治易經殊精湛，常為同寅以易卦卜命運，頗有信譽。是年冬臘某晨，我在他的居室閒話，適閽人送來北政府農商部公文一件，上書「右給本部彭參議某某」，彭視之，并不拆閱，隨手擲入字紙簍中，我詫詢以政府正式公文為何不省覽而棄置之？彭謂：「不必看，免職命令也。我早已占知自身現階段的命運蹉跎坎坷，理有固然。」我以好奇心，急想檢出原封公文拆閱內容，果係裁撤農商部參諮議人員的通令，甚佩彭氏先見之明，即乞其為我試卜命運如何。彼詢明生庚後，再翻閱一本手寫的易卦辭句，笑謂：「你在百日之內將離開北平，且將經過天羅地網的艱危生活環境，然後否極泰來，將在政界頗能得意。」我告以決計教書兩年後，再作他圖，不願離開首善之區。彭謂「由命不由人，且看未來的演變吧！」但我心中仍不謂然，祇是姑妄聽之而已。

越旬日，學校正放寒假，某天下午，李烈鈞將軍自張家口乘專車來到北平西直門外，派參謀陳德修（福建人）至民國大學邀我赴車上一談。李言此行赴天津，係應直隸軍務善後督辦老同志孫岳（禹行）招邀，為其綜持對奉軍戰役（時奉軍李景林張宗昌正進攻河北境），約我同去天津，權任記室之勞，我表示一心要在民大教書，無意作政治活動，敬謝不敏。李謂：「學校正放寒假，不妨乘暇赴津沽一游，戰事亦不會持久，一俟終結，仍可回校教書，決不強留。」我以情不可却，祇好隨節前往下役。

逾月後，國民軍（馮玉祥所編第一軍與孫岳之第三軍協同作戰）敗績，決定撤退至北平。孫督辦與李將軍即備專車，於某夕十二時出發，命我用手提箱攜帶督署印信和密電本等，與李將軍的副官田師程隨車同行，距津站兵車擁塞，等候到深宵二時，專車尚無法開動，而市郊已有奉軍便衣隊出沒騷擾了，孫李二公改坐小包車而去。我與田君即走下火車，準備赴天津日本租界暫為躲避，而然市街已無車輛可雇用，祇得徒步行進，人地生疏，路徑又不熟悉，兩人惴惴然瞎跑亂闖，到黎明之際，纔走近日租界方向。這時奉軍便衣隊四出開槍濫射行人，有一中年婦女提着書包往學校教課，在距離我數十步的路邊，被亂鎗擊斃了！我睛狀惶駭，拚命狂奔，幸而走到了日租界入口處，但鐵絲網層層佈置，日軍持長槍裝上刺刀守衛着，不許中國難民進去，我搶步向前，用日語對日軍說：「我是剛從東京回來的早稻田大學學生，請讓我進入吧！」日軍見我帽沿間綴有一枚小型的「早大」校徽，信以為眞，乃允許我的要求。是時租界外立鵠着成千的難民，被便衣隊射殺不少，生者呼號四散逃命，慘不忍睹，我若不能走進租界，手提着的印信與密電本亦不知棄去，倘被便衣隊搜及，準死無疑也。

在天津日租界住過一星期後，報載國民軍已撤往居庸關外，北平秩序暫告恢復。我悄悄回到「民大」宿舍，準備繼續教書，這是民國十五年三月末的事，此時張作霖吳佩孚的軍隊控制北平，段執政祺瑞宣告下野了。張吳命令京畿軍警搜捕同情國民軍的革命份子。我是國民黨員，又曾在直隸軍務善後督辦署任職，民大的同事們都認為我有離開北平之必要，那位過去為我推論命運的彭老師，尤其贊成我速去為佳。民大有位東北籍女生袁世樹，經常聽我講哲學概論，她原係國民黨員，且係參加「翠花胡同」黨部的左傾人物（另有南花園黨部是反共的），聽說我要出走，她願意偕行，我怕她是個共產黨，婉予謝絕（後來據說此人在廣州事變中，被反共的軍隊捕殺了，確否待證。）我在朋友勸說之下，默念北平環境惡劣，未可久留，乃懷着一種沉重的心情，決計暫且投奔張家口，倉皇到西直門車站購買京綏鐵路車票，迨行過天橋時，奉軍飛機來襲，一枚炸彈落在天橋前面，炸片橫飛，我被震得知覺全失，木然站在天橋中，幸未受傷，但身穿貓皮大衣被炸片燬裂了，大節，片刻後甦醒，急至橋下登車，剛到車門前，右　纔踏上小梯，敵機又來投彈，火車匆遽駛出，幾乎把我彈落路軌中，我以雙手緊握住車門兩旁鐵欄杆，兩足宛若打秋千然，稍一鬆手，全身粉碎矣！如此駛行了一站，我纔得進入車廂，馮軍的師長兼前敵總指揮張之江向我驚呼云：「好危險呀！我怕你上不來了」。

在張家口受任「西北邊防督辦公署」參議，仍為李將軍作秘書，到是年八月中，南口被奉直聯軍攻下，西北軍撤往綏遠包頭一帶。我和民黨前輩皖人張秋白暨蘇俄軍事顧問十餘名，乘坐大卡車經內蒙前往庫倫，然後從西北利亞鐵道赴海參崴，繼遵海道至廣州。旋去廣州，一口氣從極北走到極南，歷時兩三個月，沿途經過的危難情形，不勝縷述，而以在海參崴所遇到的一回事，險些兒送了命，至今難忘。原來我在當地停留時，曾向中國商店定刻了一盒名片，某夕飯後，前往商店擊取名片步行回寓，正慢行一條小街道中，忽有中年而高大的俄國婦人，面罩黑紗，從黑巷內走出來，一把揪住我的右手，嘴裏嘰哩咕嚕說俄語，我聽不懂，她同時用勁強拉我進入黑巷，我掙扎不從，但她的氣力大過我，沒法抗拒，路上又別無行人。正在此旋進旋退的危急之間，即有唱着日本歌曲的人在街口漫步，我用日語大聲呼救，那人聞聲急足前來，覩狀即對俄婦說了幾句俄國語，那婦人纔放手了。我跟這位日本人一道走開，他向我說：「你的運氣眞好，今夜湊巧遇到我，否則你沒命了！」我問是怎末回事？他告訴我：「此地的白俄人極貧苦，飢寒交迫，每於夜間教婦女到住所附近黑暗處佇立着，見有外國人單身過路的，即強拉到她家去，把衣服財物搜掠後，予以殺害，而於深宵將屍體投入海中滅跡，誰也不知道啊！」吾聞其語，毛骨竦然，慶幸死裏逃生，永矢弗忘也。我感謝他搭救，詢明姓名住址，次日特往拜訪，懇談之下，他知道我是從馮玉祥軍中來的中國國民黨人，毫無隱諱地說他是日本反政府派——實際就是共黨——在海參崴居留有年了。

（未完）

昨日與明日

三談高玉樹不懂民主政治

對於以民主起家的自由中國台北特別市市長高玉樹，不懂民主政治，我們曾兩次評論，仍覺意有未盡，因而三談。

一、民主政治基本原則是為民服務，而高玉樹在為民服務這一點上，却傷透了市民的心。與台北市民生活最有密切關係的，莫過於公共汽車和自來水兩項市營企業。台北市公共汽車之擁擠和車掌司機服務態度之壞，早為市民所詬病，而公共汽車變為公共「氣」車，公共「擠」車的譏誚，却始終引不起高市長的注意。公車這樣「擠」，年終結算却虧了九百多萬元，更使市民疑惑。談到自來水，更使台北市民氣惱，不僅夏天缺水，冬天也感不足。市長對人民如此服務，焉能使人民信服。

二、民主政治精神之一就是自由競爭，有自由競爭，社會才有進步。最近報載：台北市府限制私中隨意增班，這項規定違反民主政治原意，也違反自由競爭精神，更違反憲法上獎助私人興學的規定。況且都市人口增加，學生人數增加，應該鼓勵私中增班，而不應限制增班。如果市中辦得好，人民又怎會多花金錢讓子弟讀私中。這種違反民主精神的行政措施，眞是太缺乏民主常識了。

三、民主政治與公眾輿論是分不開的。任何一位民主時代的行政人員，沒有不重視輿論的。台北市政府本身出版一份市政公報，常常對各報與各雜誌的評論市政意見，予以反批評。這種不重視輿論的作風，一方面顯示台北市政當局沒有接納他人意見的雅量，缺乏民主人物的風度，另一方面，這種自以為是，剛愎自用的態度，也正顯示不求改進，不知檢討，如此又何以談政治革新？更何以配談民主作風。

四、市銀行之創設，主旨在促進市經濟的發展，進一步說，也就在增進全體市民的利益。據市議員在市議會的質詢：市銀行的職員幾乎被市府高級職員眷屬所包辦，（關於市銀行種種，以限於篇幅，當另為文評論）果爾實在，則市銀變為市府職員銀行了，民主政治之下能允許此種「特權」現象乎？

我們想來想去，不禁惋惜地說：聰明幹練如高玉樹者，竟以如此不識民主政治。

・千公・

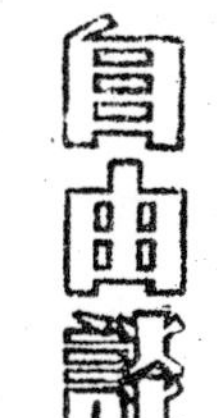

必須與民更始

中華民國實行陽曆紀元已有六十年了，民間固然陰陽曆併存，你過你的年，我過我的年，而且依然重視舊年關，沉醉習俗，牢不可破；即負有移風易俗之職責的政府官員，亦復泥古不化，託名「春節」，大事休假，殊堪詫異。

在農村中，由於耕種收藏的節氣關係，注重陰曆時光，無怪其然。若夫生活在工業社會的都市中人，實行公元并無不便之處，為甚末亦要固守舊有習俗，而以農曆年關為一年之計的重要階段呢？五十年前，是日本明治維新，改行公元已屆周甲的期間，當時我在日本讀書，眼見該國各個都市中，一律遵行陽曆，毫無困難，原因就是政府積極提倡，樹之楷模，一切公私銀行暨工商企業機構的年度收支結算，皆限定陽曆年終清理之，對於陰年自無重視的必要了。

轉移這種習俗并不難，但須由官府首倡，祇要公私銀行結帳按照陽年處理，尤其是關於放欵事宜，只在陽曆年關加以限制（如抽緊銀根之類），使社會上對於陰年不發生緊張心理；同時取消各行政機關之所謂春節假期，更嚴禁止公務人員於陰年元旦彼此登門拜年的陋規；這對工業社會年計與民眾生活，決無妨礙，難道行不通嗎？

咱們開國改用公元亦六十年了，今天朝野間依然視陽年為虛應故事，而以陰年為眞正的歡樂時節，行政機關與民間工商界的休假亦比陽年的期間為多。憑這項小事，即表現全民的惰性深沉，沒有迎頭趕上的勇氣和幹勁，自難怪天天喊「超越前進」，而實際是徒託空言，故步自封啊！

所謂過年過節也者，除却浪費財力物力以外，本來就沒有甚末意義可言，而咱們朝野間還要鬧兩次過年的玩藝，唯恐浪費不够，何其儍也！本諸春秋責賢之義，我們認為政府尚未能做到「與民更始」的革新結業，非特別注意不可！

馮五先生

厲行革新簡政便民 達成復國建國使命

省議員在質詢中提出建議 指台省黨政雙方合作良好

（自由報台中消息）省政總質詢，原是省議會重頭戲，往往發生震驚遐邇的爆炸性新聞，也常使省級各單位首長抱着緊張心情列席大會，但此次台灣省議會大會卻風平浪靜，若干省議員對省主席陳大慶極爲讚許。由台北縣選出的省議員李秋遠在質詢時提出了聯合國問題，革新政治發展經濟等問題，茲誌如下：

自從聽到主席您就任第一次施政報告後，本席就認爲本省同胞很幸運能有這樣一位誠懇、篤實、有魄力、有抱負的父母官，本會全體同仁與全省各界同胞也都確認主席您是一位對省政最關心與最有貢獻的長者，至於本省之黨部李主任委員錫俊先生，爲一位精明能幹愛國志士。由其主持黨務，而使黨政雙方獲得充分合作，實使省政前途更爲光明。目前我國於國內，國外尚有若干重要問題，需要有非常的毅力與決心來改革，才能履過困境。希望主席能將本席所提出的意見，有關省政方面，本於職權範圍加以採用，有關中央方面，向中央反映。

（一）我政府應該決心即刻退出聯合國。

（1）我政府爲聯合國發起人，所以也就愛護聯合國，並維護聯合國的長大，在過去這二十年來，我們基於傳統固有道德，就未免過於重視聯合國的席位，但這是絕對錯誤的。

（2）在聯合國一百二十餘個會員國中，就當前的情形而論，有那幾個國家能堅守國際道義？主持公理正義？

從歷史上觀察，凡不能主持正義者都不能長久存在，所以聯合國的組織與過去國際聯盟會將無兩樣，終會消逝的，所以我們不應再浪費時間與財力而留戀它。

（3）目前西德、韓國雖然不是聯合國會員國，但他們由於經濟的發展，政治的革新，已使他們在國際上握有舉足輕重的力量，所以我們應向西德、韓國看齊。

（4）我們應重新檢討外交政策，並探討各國外交政策的動向，才不致再受欺騙，此次中非共和國總統十月份來台作友好訪問，我朝野人士無不熱心招待，然想像不到中非共和國在聯合國重要議案表決時棄權，在「排我納匪」案竟投棄權案，在聯合國竟有這種缺少教養與不顧道義的國家，我們實恥於爲伍。而我們外交部與所在地使領館對中非共和國這種行爲，事前竟毫無所聞？實令人感到意外。

（二）在目前環境，政府各機構應暫行精簡編縮，以利政治革新。

（1）在目前戡亂期間，以及台灣地區狹小，政府組織實無須如此龐大，實有精簡必要，在中央方面似乎只須設立總統府，來兼理國防與外交事宜。其他政務似可分別與省市政府合併辦理，這種組織已足夠發揮政府的治權。如政府組織可以精簡，不只可以達到事權統一，簡政便民，並可節省經費。

（2）在政府組織精簡之下，所有過去對國家有功勳，有貢獻的年高議員、國會議員等，應由總統府查明，按月發給榮譽俸，使其安心退休，酬報其過去對國家的辛勞。

（3）我政府似可學習韓國政府政治革新精神與魄力，大力推行革新工作，才能完成復國建國的艱巨使命。

（三）台中港興建應即停止，以免浪費國幣。

政府擬在台中梧棲建港，用意固然良好，但按梧棲地理環境，土質以及在經濟價值上，均缺少建港條件。實不值得政府投下如此巨大經費，而增加人民負擔。目前以花蓮港爲例，政府在花蓮港耗費如此龐大經費，開闢花蓮爲國際港每日有多少外國輪船進出停泊？客貨運輸究有多少？如梧棲建港將發生同等情形，所以本席建議政府目前財政困難情況下，梧棲建港應暫行停止，待將來財力充沛時再進行，而應將這部份預算移作改善軍公教人員待遇，更爲適當，更爲迫切。

整飭吏治革新內政 發展經濟拓展外銷

創造就業機會安定社會 修正法令簡化行政手續

（四）改善軍公教人員待遇，實爲當前急務。

由於社會進步，一般生活水準不斷提高，以當前軍公教待遇的菲薄，實難應付當前生活需要，因之一般優秀人才不斷外流或轉入民營企業，或發生兼差，不肖者則接受紅包，造成不良風氣，如政府能將待遇提高一倍，並採取同工同酬，定可提高行政效率，改善社會風氣。

（五）爲爭取國際地位，安定社會，今後惟有圖謀經濟發展，與革新內政，整飭吏治。

（1）在經濟方面應簡化投資手續，積極創造就業機會，對於新投資種類與技術設備，應有嚴密審查與輔導，對於外銷產品應嚴格檢驗，以免影響外銷，財政方面，應研究支出效果，凡無經濟價值對社會無益開支應予限制，以防通貨膨脹安定物價，而一般稅課的征收，應以便民減少苛擾爲主要原則，此次行政院賦稅改進委員會對賦稅的改進毫無貢獻，該會所草擬「加值銷售稅」，其征收手續比之所得稅還要繁雜，目前所得稅的征收，由於各種條件不足，要達到建制的目的，尚有一大段距離，在所得稅尚未奠定基礎之前，如再征收「加值銷售稅」，將增加擾民機會與社會不安。由於一般商品稅普遍提高，且將引起物價波動，這種不利於民於國的稅課，實不值得採用，賦稅改進委員會如此不明白當前環境，而主持的劉大中博士遲妥受動，這實是民間茶餘飯後的笑話。

本省農村經濟仍甚困疲，雖然國民黨五十九年二中大會通過農村建設綱領，試問目前推行如何？至於一般企業如水泥、紙業、夾板、五金、建築、紡織等業都感覺到經濟的困難，主管當局應該從速檢討革新辦法予以扶助，以免使經濟發生嚴重衰退現象。

（2）在革新內政方面，應先整飭吏治，政府務須選擇操守優良人員担任行政工作，對於不法人員應嚴格制裁。其次應修正各種法令，簡化各種行政手續，凡有互相抵觸或已不符合時宜法令，應重新修正，以免爲不法者所玩弄。修正法令在文字上應力求大衆化，通俗化。並加以標點，使人民閱讀後，便可瞭解，不肖官吏便無法藉法令以玩弄舞弊。減少政府推行法令，革新內政的阻力。其三推行專家政治，各種行政或業務機關其主管人員應選擇專家担任，主管人員非專家担任，必須惡補一、兩年之久對業務才能了解，這樣豈不妨害政務的推行麼？這對政府極爲不利。其四應加強各機關的權責，以避免互相牽扯推諉，就實際情形而論，各機關都有組織規程，法律上確付相當職權。但結果東一個會議，西一個專家小組，終日開會協議，最後仍無結論，同時各機關互相推諉或互相牽制的公文多過其業務上的公文，在這種怪現象之下，行政效率如何提高，這必須切實改進。

飛將軍李廣

周遊

十二、迷失了道路

漢武帝元狩四年，大將軍衛青帶了大軍出擊匈奴，李廣請求武帝准他去參加。武帝以爲李廣年紀老了，不准李廣去打匈奴。李廣一再的請求，朝廷就升他爲前將軍。李廣隨大將軍衛青出塞擊匈奴。因爲武帝恐怕李廣年老，不能敵匈奴，不要使李廣與匈奴接戰。暗中告知大將衛青，令李廣避實擊虛。因此將李廣軍合併與右將軍韓食其部，一同出東道去。因爲衛青知道匈奴的主力都在正北方。故意把李廣調開。可是李廣不知道朝廷的用意。出來與大將軍力爭說：「我李廣自幼年時候便開始了和匈奴打仗，打了一生，還未碰到匈奴王。今天正好碰上了單于，我要作先鋒軍，消滅匈奴，殺死單于，以了却我的心願」！可是衛青是受皇帝之命，不得讓李廣出戰匈奴。所以衛青不准。即刻傳令到李廣的幕府。李廣不得已只好回部，氣憤已極。後來和右將軍韓食其一同出東道，大軍迷失了道路。衛青與匈奴大戰，大敗匈奴而歸。而李廣的一軍迷失道路，就延時日，因此落在大將軍之後。班師回防之後，大將軍追究李廣失道的責任，派了長史查問李廣的幕府對簿。李廣素來對待部下寬厚，有責任由自己一個人承担。於是李廣對長史說：「這此校尉沒有罪，失道是我自己迷失了方向，與校尉無關。」

十三、氣憤自殺而死

李廣對於大軍錯失道路的責任，由他一人承担之後，感到氣憤不已。於是對他的部下說：「我從幼年就開始和和匈奴爭戰，大小七十餘戰。這次正好碰到了單于；可是大將軍偏把我調開，故意使我軍迷失路迷。我今年已經六十多歲了，不必和刀筆之吏爭論。」說罷，拔刀自殺而死。他的部下一見大驚，全軍都痛哭不已。老百姓聽說李廣自殺了，無分男女老幼，都爲我們這位民族英雄痛哭，感歎萬分。後來李廣的兒李敢，孫子李陵，都是打匈奴的名將，箭法如神的好手。

（續完）

新聞綱外之言

十六枝裝的新樂園

宇文釆

據台北報載：公館鄉農會職員古某說，一月三日他在館中村第二市場內鏡梅商店購買一包新樂園，因感該烟包裝有異，乃當場拆開，經清點結果僅有十六枝。雖然損失四枝烟事小，但對公賣局信譽影響很大，因此希望公賣局多加注意云。

公賣局包辦全省烟酒生意，自然是獲利甚豐，公賣收入一向是國庫歲入預算的一項重要項目。可是，公賣局因爲無人競爭，在出品方面未能力求精進，亦是無可諱言的事實。前此不久，監察院曾指出該局出品五加皮酒採用與人體有害的色素。一般愛喝幾杯的人，都不敢再喝五加皮。直接受損失的是公賣局，間接受影響的是國庫。

現在十六枝裝的新樂園又赫然出現。誠如古某所說短四枝新樂園其事甚小，可是由此所暴露的該局業務的顢頇，卻未容忽視。

英國香烟，法國酒是世界有名的，他們的產品能夠歷經百年而維持一定的標準。公賣局既是一個營業機構，就應該在商營商，短少四枝新樂園證明該局官僚習氣之深已到了必須改善的時候了。

台北傳奇錄

陳光棟

（一〇四）

「隨你死在什麼地方」！

「妳說的什麼混蛋話」！

「你一天到晚鬼鬼祟祟，這種日子怎麼過」？大洋馬堵着門：「今天得把話說開嘍」！

「媽的！妳誠心搗蛋是不是」！

劉太太拿着雨傘來解了圍。蔡先生衝出家門走進弄堂，踏到冰涼的雨水裏，感到全身一陣舒暢，又回頭看看自己的房子，還是住了十幾年的地方，沒想到從此不再回來了，不禁心裏升起一絲悵惘。蔡先生頂着雨走到弄堂口，看到兩個人對面走來，他一眼就認出是警察，只好抹抹腦袋往家走，不料想迎面碰到賴先生。

「早啊！蔡先生！」

「早，早……」蔡先生有了主意。

「您怎麼又往回走哇」？

「我忘了點東西，你跟我一起回家，拿了東西，咱們再搭着伴兒走」！蔡先生假裝着輕鬆。

「好哇！」賴先生正發愁一個人走着悶的慌：「有個伴兒最好，反正也叫不着車子」！

兩個人進了蔡家，大洋馬正和劉太太訴苦，賴先生剛坐在沙發上，就有人叫門。

「開門，我們是警察」！

「誰」！大洋馬看着蔡先生。

「什麼事」？蔡先生面色蒼白。

「開開吧！你跑不掉啦」！

「天哪」！大洋馬扎着兩隻手。

蔡先生掏出手鎗來，比着賴先生：「你站在門口」！又指着劉太太：「妳好好坐着別動」！

「快開門」！又是一陣捶門聲。

蔡先生逼着賴先生：「你告訴他們趕快離開這裏，不然我就開鎗打死你」！

賴先生早嚇的眞魂出竅，只得衝着門縫大喊：「我是賴有爲，里長！蔡先生手裏有鎗，你們……」

蔡先生把窗戶推開一條縫：「聽明白了沒有？趕緊退後，不然我先殺了這個姓賴的」！外面一陣沉寂過後，便是腳步走開的聲音。

「找兩條繩子來」蔡先生瞪着大洋馬。繩子很快的找來了，蔡先生逼着兩位女太太先綑好賴先生，再叫大洋馬綑好劉太太，兩個人質被推到沙發上。

「姓蔡的，快點舉着手出來，你已經被包圍啦」！外面不停的喊話。

「你再不出來，我們就衝進去啦」！

蔡先生一面逼着賴先生應付喊話，一面打主意逃走。

「你快出來！你沒有機會！何況你的兒子蔡百順在我們手上」！一陣沉默之後，是蔡百順喊媽媽的聲音。

如何稱女老師之夫

・文匯樓主・

國立政治大學教授周世輔先生來函，討論如何稱呼女老師之夫，事雖不大，確是一件值得注意的問題，茲將周教授原函錄後：

「憶民國五十一年，作者任政大訓導長，奉命倡辦新導師制，每週由導師上課（實際輔導活動）二小時，以生活教育與道德教育為範圍，除個別談話，生活報告，自我檢討、演講、作文比賽、參觀、旅行、康樂活動等外，有時還要閱讀親友稱呼，並作測驗。

關於一般稱呼大致可在應用文一類書中參照編印，惟學生問到女老師之夫應稱甚麼？這個久懸未決的問題，在我腦海中成了一隻無法達到彼岸的孤舟。

目前閱中央日報副刊載陳如一先生對於女老師之夫如何稱呼？提出了下列幾項：（一）師傅、（二）師伯、（三）師公等。他以為上列幾個稱呼都不大妥當，希望有其他稱呼出現。

目前已有人稱女老師之夫為師公，（或許已相當通行），我以為戲稱則可，若正式見諸文書，似值得研究；因為「公」字多用於比「父」字高一輩，如父之父稱公公（爺爺、祖父），母之父稱外公（祖父）推此，則女老師之「父」方可稱師公（師祖父）。

師傅另有所指，尤其過去的宮庭。現在剛放映的電視劇清宮殘夢中，光緒不是稱翁同龢為老師傅嗎？

我以為女老師之夫應稱師父。為甚麼？男老師之妻可以稱師母，女老師之夫便應稱師父。這既合乎推理邏輯，亦不妨男女平等之原則。

我可惜沒有女老師之夫在台，如有，我便稱他為師父，同時稱女老師之內外兄弟為師伯師叔……鄙見如是，是否合理？尚祈讀者先生指教！

從「大學」「中庸」論道統

・任卓宣・

或許人要說：曾子所了解的一貫之道，不過『忠恕而已矣。』6，並非三綱領、八條目那種一貫的思想。這是不明白聖人教人之法而言。程子在『忠恕而已矣』一句下解釋道：『聖人教人，各因其才。『吾道一以貫之』，唯曾子為能達，此孔子所以告之也。曾子告門人曰：『夫子之道，忠恕而已矣』，亦猶乎孔子之告曾子也。』7各因其造就之程度以教之或告之。所以忠恕而已矣』，乃曾子對門人言，非即曾子所了解的一貫之道。此一貫之道，即「大學」經文，其內容稍後論及。

從文體上看，「孟子」「論語」完全為記言體』『「中庸」全篇半為記言體半為議論體』4但是「大學」之內也有記言的，如傳之第四章便是。那末「大學」『成書之年代，當與子思作「中庸」相先後。』4因此，『「大學」為曾子所述，曾子門人所記』4之說，便信而有徵了。同時，「孟子」雖為記言體，然與孟子同時的莊子，其所撰述，如「逍遙遊」、「齊物論」、「養生主」乃至「天下」諸篇幾全為議論體，而較「莊子」為早的「老子」，皆通以為其成書於「論語」之前，則完是議論體。孔子說他是『述而不作』8可見當時已經有作了，只是他自己『述而不作』罷了。因此，記言體與議論體縱有先後之分，其連接之時，亦有錯雜並存之可言，並非截然分開和突然連接的。

至於「禮記」中體各篇，雖不能說全無漢初作品，然大體上應為孔子及其弟子和再傳弟子所記和所撰，而成書於春秋戰國時代。司馬遷說孔子『年少好禮』、『道周問禮』，後來脩「詩」「書」「禮」「樂」弟子彌衆。』又說：『孔子之時周室微禮而樂廢，詩書缺，追迹三代之禮，序書傳上紀唐虞之際，下至秦穆，編次其事。……故「書傳」「禮記」自孔氏。』9按論「論說」，這是對的。孔子能言夏禮、殷禮、周禮10！並對弟子雅言「詩」、「書」、「禮」、「樂」11。錢基博說：三禮之中『獨「「禮記」自孔子，門人弟子著所聞見，微言授受，……』12司馬遷曾說：『高皇帝誅項籍，舉兵圍魯。魯中諸儒尚講誦習禮樂，弦歌之音不絕。』13因此，說「禮記」各篇如「學記」、「大學」等必成於漢代，那末孔子及門人弟子就是無所『授受』述作，魯中諸『又講誦習』甚麼呢？

因此，「禮記」中的各篇，均非漢代之作。以「王制」為例。固然『「王制」畧言建學之法』5，但是『建學』不始於漢代，夏、殷、周皆有其事。孟子說：『設為庠序學校以教之。夏曰校，殷曰序，學則三代共之。』14因此不能以『「王制」畧言建學之法』，遂以『「王制」為漢文帝時博士所作』5。何況「王制」言『建學』極小，所言其它則大多為西周之事呢？於是由「王制」以推論「學記」之成於『漢武帝設庠序興學校之後』5，就不對了。那末『按「大學」與「學記」關係極切』而斷定「大學」『成書年代當與「學記」相同』5，又能說是對嗎？因此，「學記」與「大學」不是漢代之作，而如前說，包括它們的「禮記」，確成書於春秋戰國時代。兩篇皆引古文「尚書」，是自然的事。

到這裏，朱子以「大學」經文為曾子所述，傳文為其弟子所記，就可成為定論了。照通常的話，就是「大學」為曾子所作。

二、「大學」中的道

經文底三綱領和八條目，乃曾子得自孔子底一貫之傳。關於這點，只須以三綱領和八條目之內容與「論語」所記錄的孔子思想一加比較，便可明白。

先說三綱領：「明明德」，「親民」，「止至善」。

（未完）

說曹操

李漁叔

（四十五）

「植既以才見異，而丁儀丁異楊修等為之羽翼，太祖（操）狐疑，幾為太子者數矣。而植任性而行，不自雕勵，飲酒不節。文帝（曹丕）御之以術，矯情自飾，宮人左右，並為之說，故遂定為嗣。」

「宮人左右，並為之說」，這是曹公受蒙蔽的由來，也正是立嗣的原因之一。而子建仁愛，沒有奪位之心，尤為最大癥結所在。以文才論，子建才高八斗，下筆成章，自然高出阿哥很多，但曹丕的文章，也自雍容典雅，妙絕一世，如他所著的「典論」，及幾篇尺牘，和那首自然超妙的七言燕歌行，却也不在子建之下，所以在兩人中，究竟立誰為嗣，委實是不易決定的。

在選擇繼承人的過程中，曹丕弟兄似乎有一段時期發生爭競，但只是一些門客們所為。還有；就是曹丕這一方面，時常使一些陰謀詭計，陷害自己的兄弟；而子建則不僅沒有奪宗之心，亦且率性而行，對這位陰險邪惡的兄長，毫不設防，以致常常墮其術中，最後幾乎送了性命。

約當建安十四五年至二十一二年之際，是曹子建最被寵愛的時期，丁儀丁異和楊修都在子建的門下，經常為他謀劃，而曹丕那一方面，則有一個吳質，論智畧似是要高過楊德祖和丁氏兄弟，且看他們兩次的鬥智，可以約畧分出高下。

「修（楊修）年二十五，以名公子有才能，為太祖（操）所器，與丁儀兄弟皆欲以植為嗣，太子（指曹丕）患之，以車載廢簏內（音納，安放的意思）朝歌長吳質與謀。修以白太祖，未及推驗，太子懼告質，質曰：『何患，明日復以簏受絹車內以惑之，修必復重白，重白必推而無驗，則彼受罪矣。』太子從之，修果白而無人，太祖由是疑焉。」（世語）

這是第一次楊修被吳質所擊敗，還有另一回，經過於下：

「魏王（曹操）嘗出征，世子（丕）及臨菑侯植（這時子建封臨菑侯）並送路側。植稱述功德，發言有章，左右屬目，王亦悅焉。世子悵然自失！吳質耳語曰：『王當行，流涕可也。』及辭，世子泣而拜，王及左右咸歔欷！於是皆以植辭多華，而誠心不及也。」

皆是反敗為勝，可見吳質智計高出一籌，後來這位朝歌長卒為文帝曹丕的重臣，名高爵顯，備受尊寵，實由於此。而楊修和丁氏兄弟俱被殺戮，眞可以說是有幸有不幸了。

在曹公選擇繼承人，躊躇不定之際，以丁儀兄弟建議最多，按魏畧：

「儀與臨菑侯親善，數稱其奇才，太祖既有意欲立植，而儀又共贊之。」

又魏志陳思王植傳注引文士傳：

（未完）

台南市稅捐稽征處公告

（60）、1、5、南市稅二字第05127號

事由：公告提示申請減免地價稅事項由。

一、查土地賦稅之減免申請依照土地賦稅減免規則第廿二條規定應於減免原因發生之當期土地賦稅開征前四十日提出。

二、茲本市五十九年下期地價稅訂於六十年三月廿日開征，凡合於減免要件之公共用地，道路，騎樓走廊及工業區領有工廠登記證之工廠用地，自用住宅用地等請依照上開規定檢具有關於本年二月以前提出申請（申請書用紙請向本處第二課索取）。三、特此公告。

處長魏建言

諸葛亮狂想曲

（一八四）

・劉玄・

「琴童哥，你幾時來的？」黃雲大仙知道琴童在諸葛亮面前說話頗有份量，所以很親密地稱呼他為琴童哥。

「黃雲大仙，丞相請你明天一早到他那裏去一趟。」琴童聽見黃雲大仙稱呼他為琴童哥，心裏很舒服，也就稱他為黃雲大仙。

「你知道為什麼事？」黃雲大仙問琴童。

「還不是為了海王星探險的事。」琴童一面回答，一面下意識地看黃雲大仙的頸項。

「你看吧，我的頸子一點都沒有傷，」黃雲大仙歪着頭，讓琴童看。琴童一看，他的頸子只有暗暗一道紅綫，果然沒有傷痕。心中對黃雲大仙的道法，加深佩服。

關羽與黃雲大仙比武，黃雲大仙被關羽一刀削掉腦袋，仍然可以還原，琴童看了大為驚異。但當着關羽的面，却不便問長短問。

「你的劍術很高，不用拖刀計還很難贏你。」關羽面帶得意笑容，稱讚黃雲大仙。

「二將軍太客氣了，我那裏是二將軍的對手？」黃雲大仙很會逢迎，難怪關羽喜愛他。

「諸葛先生既然有事找你，你隨他去吧。」關羽用手指了指琴童。

黃雲大仙與琴童辭別了關羽，一同赤出演武廳。

「琴童哥，先到我住的地方轉一下好不好？我有東西送你。」黃雲大仙所說的東西，自然是人參。琴童一聽就明白。

「你住的地方遠不遠？」

「琴童也和美國人一樣，最怕走路，一動就要坐汽車。

黃雲大仙並不答話，從袖子裏掏出一塊黑色的布，約有五尺長五尺寬。他將布鋪在地上，請琴童站在上面，他也站在琴童的旁邊。

黃雲大仙口中唸唸有詞，喝聲「起」，這塊黑布騰空而起，像直升飛機般向前飛去。

「眞好玩。這塊黑布叫什麼？」琴童問黃雲大仙。

「叫『黑烏鴉』」，它比印度魔氈飛得更輕快。」黃雲大仙向琴童解釋。

琴童坐過諸葛亮的雲車，現在覺得黑烏鴉比雲車更快，心中對黃雲大仙又增添幾分敬意。

「黑烏鴉」飛了很久，看看將近南天門，這是天庭的邊界，風很大，但並不圓冷。

「你住得這樣遠？」琴童偏着頭問黃雲大仙，滿面稚氣。

「就快到了，這兒比較清淨。」黃雲大仙回答琴童。

「黑烏鴉」飛了一會，像一片烏雲冉冉降落。琴童睜眼一看，奇花異草紛然羅生，一條山路直通到山腳下，這條山路大概只有二三十步。琴童隨着黃雲大仙走到山腳，抬頭一看，上有三個篆字「別有洞」。他立刻想。黃鼠狼的[illegible]能像這樣講究的畢竟不多。

巨變歷險記！

與螞蝗戰

（一九〇）　胡慶蓉

危害部隊的，除了瘴疾，毒蛇，猛獸，還有螞蟥。螞蟥，在猛撤，在整個的邊區，都是有的。螞蟥不是甚麼毒蛇猛獸可比。但危害部隊為害部隊，較毒蛇猛獸殆尤過之殆遠過之。毒蛇易防，猛獸亦易防，而螞蟥卻不易防。毒蛇容易看得見，猛獸更容易看得見，而螞蟥則否，螞蟥的體積則非常之小，小到你幾乎看不見。因為他的顏色與草的顏色幾乎一模一樣，你不留心看，是看不見的。又因為有草的地方就有螞蟥，螞蟥之為數，恆河沙不足以盡之。正因為如此，常常是防不勝防。

螞蟥，從表面上看，絲毫沒有可怕的地方，甚至於可以說他連惹人注意的地方都沒有。殊不知他的利害，就在你不注意，甚至你沒法注意，你注意不到。這個你不注意的小動物，線形，極細，細得像一條綫，像一條綫，像一條細細的綫，幾乎引不起人注意的一條極細極細的綫，長寸許，或者多達兩寸。但這個小動物，具有極大極大的敏感，極大極大的似不似可以說知覺，極高極高的速度，一匹馬經過他的旁邊，一個人經過他的旁邊，他會很快的跑到馬的身上，很快的跑到人的身上，他會很快的貼在馬的身上，很快的貼在人的身上，這裏說的快是實在的快眞正的快，即刻，馬上，都不足以形容，甚至於閃電也不足以形容。眞是說時遲，那時快，快得你沒法防。假若你注意他走，注意他跑，注意他貼，你會嘆為觀止！螞蟥之為螞蟥，猶不在此，尚有其更神奇者在，那就是他的咀了，他的咀，不曉得是怎樣構成的，諒必是細細的一個針，他刺入馬的皮膚，刺入人的肉體，馬毫不感覺，也毫不感覺。我眞不知道世界上是不是還有別的小動物也有這樣的技巧。普通任甚麼樣的針打進皮膚裏打進肉裏都會感到痛的，蚊子其著者也。但螞蟥不然，螞蟥的咀刺入人的皮裏肉裏，人絲毫沒有感覺！這太神奇了。故丁博士稱之曰神奇的小動物。這神奇的小動物還有更神奇者在，那就是他的咀，刺進到人的皮裏肉裏吸取人的血，人也沒有絲毫的感覺，他無聲無嗅的在吸人的血，無聲無嗅的在吸：吸：吸吸人的血：你剛才看見那僅只寸許或者兩寸的神奇小動物會變成長達五六寸甚至尺許的像筷子狀的血筒筒。這神奇的小動物更神奇的是血筒筒裝滿了會自動的掉下來，你還是毫無知覺！……

因為丁博士常常在外邊，常常奔走於山林之間，他吃螞蟥的虧也最大。常常披星戴月，櫛風沐雨，是螞蟥的好對象，常常回來帶着很多的螞蟥而不自知。有一次在五華山與李總指揮各副總指揮各軍師旅團長吃飯，剛進到裏邊，就從他的褲腿裏拍拍掉下來幾根筷子粗的肥肥的圓圓的紅紅的吃飽了的大螞蟥！李總指揮注意到，他很幽默的叫大家來看：……舉座為之駭然！這吃飽了的大螞蟥，像腸子裏出來的回虫，實在醜惡無比，令人嘔心！又有一次，他實在累了，躺下就睡，同房的人又看到幾條吃飽了的大螞蟥從他褲子裏出來，但他卻處之泰然。

整個的部隊，在行軍中，在活動中，同樣的部隊會受到螞蟥的侵害。這螞蟥一方面看固然神奇無比，但從另一方面看，吸人的血，吸馬的血，其對於人的健康，對於馬的生存，都有很大的危害。但在這山區，也只有同他戰鬥。我應該再說一遍，螞蟥是神奇的，正因為他神奇，他為害於部隊者亦最大最普遍。

中日修好條約一百年

·黃大受·

使外國知聖朝馭遠，一秉大公，則萬國皆亮其誠，何獨日本永相安哉！」曾國藩主張一秉大公，誠懇相交，實具有中國大政治家的傳給風範，與國際間一般朝三暮四的政客相比，奚啻天壤之別！

清廷接受了李曾二人的意見，諭令李鴻章預先籌劃，以使來年談判。李鴻章於是就柳原前光來天津時留待的議約底稿，和天津海關道陳欽逐條簽註意見，另行擬訂章程。同時鈔咨曾國藩，請他督飭蘇滬的洋務委員，盡心酌核。於是由江蘇按察使應寶時，和江海道徐宗瀛，合擬了一份「日本通商條規」，送給李鴻章參考。

同治十年六月（一八七一年），日本特命財相（大藏卿）伊達宗城為正使，柳原前光為副使，來到天津商訂條約，先照會李鴻章，商請開議。清廷於是派李鴻章為辦理日本通商事務的全權大臣。李鴻章又奏調江蘇按察使應寶時北上，清廷並派應寶時和津海關道陳欽為幫辦。

雙方在天津談判，日使的要求，竟包括西方與中國所訂條約的好處，片面的最惠國條款，和內地通商，一律在內。日本自己也受到不平等條約的束縛，卻要把這些不平等的權利，加之於中國，實在不是友好的舉動。李鴻章等人自不允應。至於中國所提的約稿，柳原前光在六月十八日（八月四日）寫信給應陳兩幫辦，表示仍要求改成和西方一樣。他信中說：「日前伊欽差發東都時，各國公使有來送行者，詰以此行將與清國結盟連橫等說。伊欽差應之曰：『但看他日約成，便知其實。』……今觀來稿，將其條款，錯綜叠脫，令人大費解說；方知事例大約與西人同，而其不同者亦復不少。與伊欽差擬議所望，大相徑庭矣！……交際之道，祇可遵一，不可特異開例，……其條規章程，斷斷不可輕重之於西例，欲重之也，西人妒而分之，欲輕之也，西人侮而詆之。……當今之計，惟有互相切磋琢磨，內求富強，外禦其侮而已。……條規章程，不若姑從西人痕跡，無事更張，不露聲色，治隱其心之為愈也。」雖然提出要「互相切磋琢磨，內求富強，外禦其侮」，但要和西方各國一樣取得權利，未免言行不符。

、李鴻章對柳原前光的意見，不肯接受。六月二十一日（八月七日），由應陳兩幫辦寫信回復，誠懇地指出「貴國特派大臣前來，原為通兩國之好，若以跡類連橫，則處處招西人之忌；伊大臣不來中國，西人跡全無，更可周旋西人，豈非上策？何計不出此，乃於到津後始總總過慮耶？貴國與中國相去較近，非但貴國市舶絡繹前來，即中國置帆亦聯翩東渡，迴異泰西遠涉，有來無往，故措施均用綜括，以昭平允。……總之，中國與貴國不能有來無往，則西約斷不能盡同。……夫中國非有所希冀欲與貴國立約也，特因去歲情詞懇切，並送來十六條，均以兩國立論，其中雖有數件，未能洽妥，餘尚可採，是以我中堂奏准派使前來會議章程，此次尊處送到章程，全改作一面之詞，薈萃西約，取益各款，而擇其尤，竟與去歲擬稿，自相矛盾，翻欲將前稿作為廢紙，則是未訂交先失信，將何以善其後乎？我中堂又將何以覆命乎？」由於日本的要求太大，竟要廢棄初次約稿，使得李鴻章堅決表示，這談判是難以繼續下去。

柳原前光等人接到這信，躊躇了十多天，為了達成訂約的目的，只有接受採取平等互惠的原則，於七月初四日（八月十九日），重行開議，逐條討論，雖大致援照西方條約成例，卻不背中國原則。不過通商章程裏聲明，「不准運貨入內地，不准入內地置買土貨」，日使仍以和西約不同兩事，和西約不同，為言，不肯應允。李鴻章說：「華人前往西國，隨處通行，並無限制；今日本以八口岸與中國通商，華人既不能到內地貿易，日本人豈應入中國內地貿易！此係兩國從同，確乎公允，何得援引西約為例？」中國方面是始終願以平等相待，以求永遠相安的。

到了七月，方告定議，訂立了修好條規十八條，通商章程三十三條，七月二十九日（九月十三日）簽字，這條約沒有「一體均霑」的條款，不過領事裁判權，關係協定，兵艦停泊商埠權，都包括在內，但是根據平等互惠原則而定的。所以是一個平等的條約。

中日修好條規，一共十八條，這是中日第一次的平等條約。中國表示要與日本和睦相處，所以在條文的第一條規定：「嗣後大清國、大日本國倍敦和誼，與天壤無窮，即兩國所屬邦土，亦各以禮相待，不可稍有侵越，俾獲永久相安。」說明彼此不可侵佔對方的邦土，以求永遠相安。

為了表示將來互相幫助，在條文的第二條規定：「兩國既經通好，自必互相關切，若他國偶有不公及輕藐之事，一經知照，必須彼此相助，或從中善為調處，以敦友誼。」說明兩國應該休戚相共，敦睦友誼。

為了表示雙方應互相尊重，在條文的第三條規定：「兩國政事禁令，各有異同，其政事應聽己國自主，彼此均不得代謀干預，強請開辦。……」（未完）

黛眉小傳

蕭皇后

（三）

·王幻·

宮中只數趙家妝，
敗雨殘雲誤漢王；
惟有知情一片月，
曾窺飛燕入昭陽。

單登既得皇后手吏，持出與其妹清子道：「老婢淫案已得，況可汗性忌，早晚可見白練掛上粉頸了！」乙辛遂構詞命單登與朱頂鶴赴北院，陳述伶官趙惟一私侍懿德皇后，有十香詞為證。是年為太康元年，乙辛即據以密奏；原奏敘寫趙惟一與皇后私通情形，備極淫褻。道宗得奏大怒，即召皇后對詰；皇后痛哭轉辯道：「妾托體國家，已造婦人之極，況誕育儲貳，近且生孫，兒女滿前，何忍更作淫奔失行之人？」道宗出十香詞，道：「此汝親手所書，還有甚麼話說？」皇后道：「此宋國忠里蠻所作，妾從單登處得之，就寫來賞賜她，且國無親蠶事，妾作那得有親蠶詩？」道宗道：「詩正不妨以無為有，如詞中『合縫靴』亦非汝所著，而為宋朝服耶？」道宗怒甚，以鐵骨朵擊皇后，后幾殞；遂命張孝傑與乙辛治其事。

乙辛乃繫械趙惟一，箠楚翻訊，加以釘灼鍛鍊諸刑，皆為誣服。獄具將奏，樞密副使蕭惟信馳書請反案，不聽，遂具獄上聞。是時，道宗忽躊躇起來，指紙後「懷古詩」道：「這是皇后罵飛燕之詩，如何會再作十香詞？」張孝傑進奏道：「此正乃皇后懷趙惟一所作。」道宗問故？孝傑道：「『宮中只數趙家妝，惟有知情一片月』，二句中正有着趙惟一三字。」道宗意遂決，即日族誅惟一，勅皇后自盡。時皇太子及齊國諸公主皆披髮流涕，求代母死。道宗道：「朕親臨天下，臣妾億兆，而不能防閑一婦人，更有何面目靦然南面乎？」皇后乞更面陳一言而死，亦不許；乃作「絕命詞」，遂悶宮以白練自縊，時年三十有六。聞者莫不被冤！道宗怒猶未解，命裸屍以葦席裹還后家。皇太子投地大叫道：「殺吾母者，耶律乙辛也；他日不門誅此賊，不為人子！」明年，亦為乙辛構陷死。

這樁暗無天日的冤案，在當時竟不聲不響地過去了。直到「大安」二年（一〇八六），皇后第二女趙國公主以匡救中央，遂誅乙辛，時張孝傑已卒，剖棺戮孝傑屍，人心大快。

清代大詩人朱彝尊有「台城路」詞，詠其事云：

層闌不厭波光冷，明霞遠稍尾魚；細草含茸，圖荷倚蓋，猶如舞衫相似。採藍片水，會撲蝶涵紅，影蛾描翠。錦石秋花，當時穩貼阜羅髻。

春城幾番士女，縱嬉遊元夕，沙界烟寺。黃面瞿曇，白頭宮監，也說千年遺事。「回心院」子，問殿脚香泥，可留「蕭」字？懷古情深，焚椒尋隱紙。

今日從舊紙堆中，重讀這段悲劇故事，彷彿窺見遼宮那迷濛的暗影，縱非「懷古情深」，仍不免牽引一些惆悵的情緒。（完）

第十八章、岳武穆收復襄陽
宋高宗御駕親征

周燕謀

任劉子羽為川陝宣撫使。御史中丞辛炳則挾公報私。昔辛炳知潭州時，張浚檄辛炳會師關陝。辛炳不援，張浚劾奏之。張浚敗師關陝，辛炳任御史中丞，劾張浚以報復。

岳飛奏朝廷恢復中原，先復襄陽六郡。高宗以此事諮於宰相趙鼎、朱勝非。朱勝非道：「襄陽為江浙上游，不可不急取」。趙鼎道：「知曉上游利害者，莫如岳飛。」當令岳飛專任此事，必能有濟。」高宗允二人之奏，詔命岳飛兼荊南制置使，進圖襄陽。

岳飛揮軍渡江，至中流，岳飛語僚佐道：「岳飛不擒此賊（李成），誓不還渡此江！」勝過祖逖擊楫中流之豪語。於是晨驅以抵郢州。時郢州已為劉豫所有，為偽齊京超把守。京超有勇力，稱萬人之敵。岳飛兵來登陣守禦，自恃其勇，不嚴加戒備。岳飛觀察了形勢，下令道：「先登者賞，後退者斬」。於是部將王貴、牛臯等奮勇登城，岳飛揮眾隨之，前仆後繼。霎時間拔去了偽旗、換了宋幟。京超開城逃走。岳飛派兵追之甚急，京超被迫無路可走，投崖而死。郢州收復，岳飛安民已畢，次日即驅兵向襄陽。李成率眾迎戰，分步騎為兩隊，步兵列於平野，騎兵臨襄江。岳飛瞭望後，微哂道：「步兵利於險阻，騎兵利於平曠。今李成用兵與此相反，顯違兵法。雖有眾十萬，何足畏哉！」遂在馬上舉鞭指示王貴道：「王將軍可用長鎗步卒，擊他騎兵」。又指示牛臯道：「牛將軍率騎兵擊他步卒。」二將奉命，分頭前進。王貴殺入敵騎陣內，專用長鎗，刺敵坐馬，馬中鎗即倒，賊紛紛落馬，刺死無數。其餘被逼入江中，多半溺死。牛臯殺入步兵陣中，怒馬馳騁，銳不可當。步兵在中原佈陣，早被騎兵衝殺的七零八落，有的被踏死，傷亡慘重，步騎兵皆潰。李成一見情況不對，逃命至上，飛馬奪路走脫。岳飛遂克襄陽。劉豫部將駐在新野，收拾李成殘兵敗將，準備捲土重來。

岳飛入了襄陽城，休兵一日，即分遣諸將：命牛臯攻打隨州，王貴攻打唐、鄧二州，張憲攻打信陽軍。自領裨將王萬，分作左右兩翼，掩擊新野。李成之眾已如「虎口餘生」，早知岳家軍利害無比，一見岳字旗號，早已魂飛魄散，逃的不知去向。此外偽齊士兵自覺形勢惡劣，紛紛潰散。被岳飛、王萬兩翼兵痛殺一陣，徒落得屍橫遍野，血流成渠。待岳飛回師襄陽，牛臯、王貴、張憲等陸續傳到捷，所有隨、唐、鄧、郢、信陽軍，一律收復了當。於是襄、漢既平，岳飛移兵屯於德安，軍威大振。岳飛申報朝廷大捷。（八十七）

自由報

（第一一三六期）

（每週逢三、六出版　半週刊）

社長李運鵬．督印黃行蕃

社址：香港九龍彌敦道593—601號 廖創興銀行大廈八樓五座

LIU CHONG HING BUILDING
7th FLOOR FLAT '5
593—601 NATHAN ROAD,
KOWLOON, H.K.
TEL: K303831
電報掛號：7191

台灣分社：台北市西寧南路110號二樓
電話：三三〇三四六、台郵劃撥戶九二五二號

不信書．信運氣

——我的經驗談——

·雷嘯岑·

是歲十月下旬我和張秋白先生由海參威同到上海，身穿着一套在俄國購買的「列寧裝」，頭戴鳥打帽，另携有俄製的中國各行省全幅地圖，投宿跑馬地「一品香」大旅社。詎經過三數小時後，旅社的帳房來對我下逐客令，說我全身裝束奇特，令人一見即知其爲革命黨，滬上公共租界當局跟南京五省聯軍總司令孫傳芳訂有協約，允許「孫聯帥」隨時派人在租界內緝拿革命黨人，萬一我出了岔子，勢必連累旅社老闆，教我非搬走不可！一時走投無路，旋由秋白先生帶我去拜訪民黨同志楊虎（嘯天），楊介紹我住在法租界鈞福里一個姓劉醫生療診所的亭子間，另給我一件短棉襖，教我出門時穿上，領扣鬆着，左袖口翻折寸許，在市街上若遇意外，會有人來應援的。如此這般地旅居上海十多天，心神不安，隻身南走粵，因李烈鈞將軍亦已回到廣州也。迨抵粵，而李將軍以母喪去滬轉贛執役了。在廣州舉目無親，既囊亦羞澀，深感淪落之憂，幸遇湘軍總部秘書長沙舒之鑑君，慨然贈我大洋廿元，再溢返上海，得晤李將軍一面，次日他即回里矣。是時革命軍已克復武漢，十六年一月，我到了漢口，寄居吾黨同志陵鐵庵先生家，某天在馬路上偶遇着原在日本相識的跨黨份子鄂人馬念一（又名馬哲民），彼此頷首而別，此人在東京時，爲着國共問題常跟我爭辯衝突，素無好感。越數日，即有武裝工人糾查隊到陵家找我，幸我外出了。自忖這是噩耗，黃夜買舟逃赴南昌投奔李將軍，此時他已出任江西省主席，正需要我來服役呢！」

南昌設有國民革命軍總司令行營，蔣總司令已東下督師，行營職務初由總參議張羣先生代理，繼而張氏亦去滬，乃由李將軍兼理，他派我在行營担任機要秘書。這時共匪頭目朱德是南昌公安局長，南昌警備司令是滇軍朱培德所部師長王鈞，共黨釀亂甚亟，工人武裝糾察隊橫行無忌，隨便捕殺反共非共人士，而王鈞坐視不問。十六年三月中旬某日午間，江西省教育廳長程天放來行營晤李主席後，走出街上即被一羣暴徒拘捕以去，李主席以兼行營主任的身份亦無法營救。迨下午六時，我從行營提着機要文件回寓之際，剛走到中門，即有新來行營守衛的士兵把我拘捕，幽囚在後院小屋中，禁止向外通訊，士兵操雲南口音，問他們爲何逮捕我？答言「奉命令」，別無所知云。我被囚到夜間十二時，饑餓不堪，身冒冷汗，忽覩一穿中山裝的青年人行過窗前，胸前綴有「連黨代表」橫布條，姓張，我向他招手請進來談談，他不拒絕，問他拘捕我的原因，他吞吐其辭，說不出所以然。隨即跟我談革命理論，且以戴季陶先生所寫的「國民革命與C．P．」小冊子作話題，詰詢我的意見，我知道這是測驗我是否親共人物，乃大聲答道：「那是反革命的言論思想，素來不屑寓目」，他欣然色喜，贼我「雷同志」，態度非常誠懇，談到深宵三時，送我走出行營大門，幷告知是夕的特別口令，我纔得脫出虎口，回到狀元井李主席公館，第三日淸晨，即隨李公離開南昌向贛東而去。假使我不是在行營拘留中，對那位連黨代表故作親共的言論，必無幸理，很可能喪失生命。

從民十四年冬臘離開北平，到十六年三月在南昌罹難出亡，整整一年餘時間，我乃跋涉國內外不歇，且遇若干危難，身歷若干險境，適如彭老師所預言，經過了天羅地網，絲毫不差，這能說不是命運註定的嗎？民十六年四月以後，生活即告安定，再無奔波之苦，初任南京國府秘書，旋受命爲安徽省府委員兼教育廳長，此又與彭老師指說「將在政界頗能得意」的預言相符合。當時回憶前情，四處打聽彭老師的行蹤，旋知他在江西鄱陽縣作縣長，即致函問候，幷欽感他爲我預卜命運的靈驗情節，盼望今後多指教，他復書謙遜不遑，謂偶爾「談言微中」而已，老輩人的風範固自不凡也。」

（二）星相家一語破的

凡是在對日抗戰之前到過武漢的人，大概都知道漢口有個著名的星相家川人胡紹陶吧！我認識的當代顯要人物如何成濬、夏斗寅、錢大鈞、徐源泉諸先生，皆對胡氏的相術極爲信任。民國廿二年我在鄂西作行政專員時，陸軍四十師（徐源泉所部）旅長黃新——即民卅八年在徐州碾莊剿共之役殉職的兵團司令黃伯韜——亦駐防鄂西，彼此朝夕過從，交誼甚篤。黃氏常對我稱道胡紹陶的相術高明，教我去漢口時可訪晤談一次，我問他有何證據？黃說：民國廿一年夏間，他奉命率部進剿「洪湖」共匪賀龍部衆，出發之前，曾在漢口向胡氏試談命相休咎，胡預言他是歲將有受傷之虞，他心裏不免嘀咕，臨陣時乃教副旅長稍前指揮，自己騎着馬殿後，相距一里之遙，以便用電話通問戰況。距於攪發進行之際，一顆步鎗子彈飛來，擊中右踝骨，他從馬上跌落地面，治療月餘纔復原，但在前綫作戰的副旅長和團長們，幷無負傷者，因此他很相信胡紹陶的相術神奇。我以疑信參半的心情，即於赴漢述職時，喬裝商賈模樣，叩訪胡氏談命相，胡端覩我良久，詢問職業，答以經商，胡大笑道：「你根本就不是商場中人，目光有殺氣，最近就殺過不少的人吧？」我一怔，因爲不久之前，曾在鄂西任所鎗斃了十多名土匪啊！於是，我據實以職業相告，且詢政治生涯終非正業，將來擬改行作生意，胡正色而言曰：「你一輩子亦莫想營商，否則一定傾家蕩產，毫無疑問。」然我對他的忠告仍不相信，抗戰復員後，眞正準備改行，在南京嘗試商業行爲，果然一敗塗地，幾乎餓飯，不亦怪哉！

我於對日抗戰前，曾在北平東四八條購置了一座前後兩四合式的住宅，準備舉家落籍故都。未幾，「七、七」事變作，華北被日寇侵佔，成立僞政權，指我是「蔣××走狗」，把我的房產沒收，撥作僞兵醫療所。抗戰勝利後，我費盡心力纔將房產收回，但華北的共匪勢力猖張，終非樂土，乃托朋友把房產售賣掉，代價爲當時（民國卅六年）的法幣四百餘萬元，可抵值黃金四十六條，然幣值甚不穩定，而政府禁止黃金公開買賣，我不敢犯禁。這時我供職南京和平日報總主筆，一家生活維艱，決意用這點資本經商，藉博蠅頭之利，以贍全家衣食之資。眼見一些軍政界朋友——特別是軍需人員——利用幣值變動不居的機會，在上海從事囤聚居奇，大有收穫，我也到上海去嘗試。適有內戚沈志行君在上海「中央電工器材廠」任總務科長，他是蘇州人，熟悉商情，主張我將四百多萬元的法幣，掃數向該廠囤購電燈泡，用他的名義作買主，可按八折付款，即已賺得二成，而幣值亦不愁貶降。這是卅六年四月間，他認定過了夏季後，電燈泡銷路必然激增，中央廠的產品又比較優良，一定大量傾銷，獨佔市場，獲利必可觀也。我認爲他的說法有道理，馬上照辦。到八月間，我回家鄉競選國大代表，因存貨尚無漲價消息，不願出囤，我是[illegible]人子，只好向友人借貸一筆競選費，先行南歸，在家鄉又借了親朋不少的錢，預計到選舉完畢，回至京滬時，存貨必可高價出售，不愁無法還債。」

（未完）

昨日與明日

僑生可保送研究所深造

海外華僑，統計有三千多萬人，有些地區，辦了小學中學，至於辦了中文大學者，僅有香港一地爲數較多，新加坡有一南洋大學，菲律賓有一中正學院而已。所以僑胞子弟，升入大學實在很不方便。近十幾年來，僑生來台升學，以進入大學爲數最多，專科學校或中學次之，歷年以來，畢業生有一萬多人，回到僑居地以後，學有專長，成爲僑社的領導人才，對團結海外僑胞，發揚中華文化，有極大的成就，尤其是在台數年，耳宣目染，對於大陸的毛共暴政，有清楚的認識，能夠不爲毛共匪帮在海外的宣傳所惑，明辨是非邪正，對當地社會成爲安定的重要力量。對國際的抗共陣營，也發生極大的影響。

不過是學無止境。海外僑生在大學畢業以後，如欲深造，常常到歐美澳洲等處。如果經濟能力較差，或是受環境限制，不能或是不願到歐美澳洲等處作更高深的研究，則就深造無路了。

我中華民國近年來高等教育突飛猛進，大專院校，到五十八學年度已達九一所，大專學生在十八萬人以上。研究所也設立約近百所，其中碩士班計一八五六人，博士班一三八人。此一數目，與大學生數目相比，實大相懸殊，應該積極增加，以應本國學生深造的需要。

更有進者，大學的各研究所，應該在規定名額以外，應該設置僑生保送名額以供有志深造僑生，作高深之研究。尤其是關於中華文化有關之學科，豈可令大學生向外國去深造？

倘僑生在大學畢業後，能進入中華民國設立之研究院所深造，對中華民國在海外之影響力，必更加大。形成學術交流，對僑居國家與中華民國之關係，必更加强，利莫大焉；而且在事實上，筆者已經鼎到不少大學畢業的僑生，或在外國讀華大學的華裔學生，有這一願望，筆者特爲寫出，提供我教育當局的注意。僑生到研究院所深造，可採自費方式，既不增加政府負担，又何不下决心立即實施！

·黃大受·

自由談

衰老的美國共和黨

美國共和黨人艾森豪競選總統時，以結束韓戰爲其首要的政見，因而迎合一般只望安居樂業、害怕從軍作戰的民衆心理，獲致了勝利。他作了八年總統，一心一意地對國際共產集團政權進行妥協勾當，大呼「原子僵局」口號，比他的前任民主黨杜魯門總統軟弱多了。

尼克遜沿襲老長官的衣鉢，亦以結束越戰爲競選總統的宣傳資料，終得如願以償。他就任後，照抄艾森豪的老文章，對越共採取妥協政策，提倡巴黎和談，片面實施撤退在越南作戰的美軍，爲的是要聯任下屆總統，這亦比他的前任民主黨詹遜總統更爲怯懦，詹遜爲着貫徹出兵越南的既定政策，不惜聲明放棄下屆總統之競選，表示其尊重國家利益的政治家風度，尼克遜先生却沒有這種氣魄呢！

從第一次世界大戰以來，到今天這半個世紀中，凡是基於美國的立國精神，領導人民幷援助友邦對極權專制國家作戰，終使美國日臻富强，躍居民主自由世界盟主地位的白宮當局，都是民主黨人士。誠然，民主黨人杜魯門總統亦曾使中國大陸河山淪於毛共之手，但他於失策貽禍之後，尚知補救——對中華民國政府恢復軍經援助。反觀共和黨總統艾森豪，既與毛共談判台灣問題，且不使中華民國參預；又眼見俄帝以大軍血洗匈牙利，漠然無動於衷，連精神支持的言論亦不肯說一句；英法進軍蘇彝士運河之役，他竟以停止石油供應的威脅手段，迫使英法退兵，致令俄帝勢力乘機進入中東，構成今日這種危機四伏，沒法善後的烽火瀰漫局勢。綜觀這些史事，即知民主黨人士尚有些朝氣與衝勁，共和黨人却老邁衰頹，專顧眼前的政權得失，沒有政治理想了。

所以，我於尼克遜當選總統後，即在本欄提醒吾國人，切不可對尼氏抱持過份樂觀的希望，認爲共和黨政府就會援助我們反攻復國了。此無他，共和黨政治人物在十九世紀下半期還有幹勁，現在共和黨老大了，又沒有傑出的政治家，像尼克遜這類人才，已算是表表者。因此，我們今後的外交策略——不是基本國策——應該重加檢討，有所去取爲上。

馬五先生

新型屠宰場形成壟斷 立委朱如松提出質詢
所謂民聯公司是甚麼性質組合 看情形是在做無本生意的買賣

（自由報台北消息）立法委員朱如松為特許私人建設新型屠宰場形成壟斷市場，影響民生而向行政院提出質詢：「民聯公司自取得新型屠宰場特許權後，遲遲未見竣工，但近月來卻在台北市劃分十區，計每區設肉庫一所，每所由包商一人經營批發，因所定批發利潤高達百分之五，所以出面承包者甚多，每承包商規定付出保證金一百零四萬元，預繳肉庫建設費半數之二百八十萬元。合計每一包商需先付新台幣三百八十四萬元，因此台北市業者，簽約者有十家，所以該公司已收取上項預付金計三千八百餘萬元。該公司目前正在向基隆市、台北、桃園、新竹、苗栗等市縣進行簽約收款中。如果按照計劃收齊，其預定金可達新台幣一億元以上。該公司與各包商所訂合約，所列潤金為百分之五，每頭豬如以二千六百元計算，則包商潤金為一百三十元，再加該公司利潤及運費，將來每台斤上等肉約要提高三元以上，因此與政府穩定物價政策，不無影響。於是，朱如松委員提出三點，質詢行政院。

第一、所謂民聯公司是什麼性質的組合？是公營？是民營？抑是公與民聯營？是華僑投資？是外人投資？抑係外資與國內民間資本之組合？不過，無論該公司是何種方式的組合，然其措施是在做着無本生意的買賣，可以預言。因為該公司自取得新型屠宰場特許權後，遲遲未見竣工，這就可以斷定其資金不夠！何況它在屠宰場興建期間，即分向北區六市縣假建造肉庫之名，招商經銷。復以百分之五的優厚利潤，誘使每一經銷商預繳保證金一百零四萬元，肉庫建築費二百八十萬元，何以該公司對於承銷商敢於提出如此無理之要求？因為它握有獨占六市縣的新型屠宰場的特許權，能使商人就範。承銷商何以敢於投下如此鉅額的資金？他們認為此項獨占的承銷，可以確保獲得厚利。因此，請問此項攸關人民日常生活與健康的獨占的屠宰事業特許權，政府是依據何項法律授予的？該公司又以何種方式取得的？

第二、國父遺教規定，凡有獨占性的事業，或是與人民日常生活有密切關係的事業，應為國營或公營；憲法亦有類似的規定。經濟部五十八年二月十四日公告，台灣地區新型屠宰場設置標準第二條規定，新型屠宰場之設立，應劃分地區，每一地區，以設置一個為原則。且對台北市與台灣省劃分為台北、台中、台南、台東等四個屠宰場區，此項新型屠宰場建築完成，開始營業後，則各該區內屠宰業務，全由各該場負責處理。如果另有屠宰情形發生，勢必成為私宰。所以這種措施，在業務上言：是進步的，是科學的；但在政策上言，是由民間的自由的屠宰，而改為托辣斯的，獨占的屠宰場。這種獨占，是由政府的授權；這種授權，是限制了，甚至剝削了人民職業上和工作上的自由。請問政行院何以不遵行國父遺教？奉行憲法？

第三、談新型屠宰場，既係地區的獨占事業，而所謂民聯公司又以高利作餌，搾取承銷商之鉅額資金，則將來該屠宰場作業後的肉價，必較現在的自由市場為高；不僅普通增加人民日常生活費用的負担，而且影響所及，難免不危害國民健康？請問行政院，在授權該公司之前，對於此種必然發生之後果，有無考慮？其對策如何？

本報記者按：民聯公司申請設立的資本為新台幣三千二百萬元，但公司除匯進美金五十四萬元（折合新台幣二千一百六十萬元），輸入物資美金二十六萬元，尚未正式申報。經濟部次長張研田說：該公司收保證金是不合規定，已通知縣市政府加以制止，令其退回。並將依法處理。

大專聯考增減數的經緯

一知

一個外間不甚明瞭，各大報不甚登載的消息，就是聯考三民主義已定為一百分，後又為什麼增為一百五十分呢？據確息：聯招會經技術委員會建議，遂請教育部部務會議議決，六十年度聯考計分，改總分為一千分，計國文、英文、數學各增加為二百分，生物、物理、化學任選考兩種（甲組選考物理、化學，丙組選考生物、化學。）增為一百五十分，中外史地（乙、丁組）增為一百五十分，惟三民主義一種不增分，仍為一百分。查原來（五十八、九年度）生物、物理、化學任選兩科為一百分，英文、中外史地及三民主義亦各為一百分，甲組數學加百分之二十五，計為一百廿五分，乙組國文按同比例加為一百廿五分，丙、丁兩組不加分，國文、數學各為一百分。單就三民主義計分論，原為六分之一左右，今降為十分之一，自五十九年十一月二十一日台北市各報刊登此一消息後，大專國父思想及高中三民主義教師為之一驚，台北市各大補習班三民主義教室聽課人數突然減少，國、英、數補習班馬上生意興隆，國父遺教研究會，五權憲法學會等學術團體的會員都表示憤慨。大華晚報讀者園地有「一羣參加六十年大專聯考同學」投書反對。聞遺教會常務理事周世輔等特向該會提議，請中國國民黨中央黨部及行政院予以糾正，經一致議決，當即行文向以上兩方面呼籲。同時，有崔載陽、王大任兩先生向中華文化復興運動委員會建議反對，王大任且在立法院向教育部列舉六點理由提出質詢。彼等意見，大致為三民主義載在憲法，為立國之基礎，為復國建國之指導原則，為對敵思想作戰的基本武器，萬不可在此時降低三民主義的聯考計分比例。聞中央議策機關，接到國父遺教研究會文件後，于十二月十四日由某會及某組會合提案，請改正三民主義計分標準。當經原始提案人加以說明後，由教育行政主管報告變更標準經過，討論約一小時之久，一致認為聯考三民主義計分不應由六分之一降為十分之一，遂決議應維持六分之一之原則，交由教育從政同志加以改正。（十二月十五日中國時報稍有披露）教育部長鍾皎光乃於五十九年十二月十九日向聯招會提出，聞各大專校長多認為三民主義分數應予提高，否則將引起學生誤會，認為三民主義不重要。乃決議由原定一百分改為一百五十分，與中外史地、生物、物理、化學同分。六科合計由原定一千分改為一千零五十分。復經教育部十二月二十日部務會議通過，教育部鍾部長乃向中央決策機關報告備案。這就是聯考三民主義分數始降為一百分，後增為一百五十分之經過情形。惟十二月廿七日國父遺教研究會邀集台北市各高中三民主義教師座談會時，仍有人主張要將三民主義計分增為二百分。又十二月二日台北市教育局召集各高中三民主義教師講習時，亦有同樣建議。聞國大代表李士濞及立委王大任等對英文數學都增為二百分，仍持異議，亦主張三民主義增至與國文同分。但有人推測聯招會最近之決定，可能不會再有變動，結果如何？且看將來有無演變。

新聞網外之言

「會計管理化」與我國主計革新

李先庚

一、前言

前在拙作「管理會計」序當中曾提出：「欲求管理之能具體而微，非數字之高度運用而莫屬；欲謀會計之精當有效，非管理之全能推動不為功。」此「管理會計化」，「會計管理化」之所由始也。現任我行政院主計長周宏濤先生亦曾於上年在中華計政學社理監事聯席歡宴席中發表：「為求主計業務之革新有效，非作高度之「管理，配合不可」」，所謂「會計管理化」云者，實乎言之也。

二、會計的時代任務

過去的一般會計學者，都認為會計的三大任務是：一、完成數字的有效記錄。二、完成數字的合理編組。三、完成數字的應有分析。現在呢，新的任務，正被人重視，吾人可稱為：「完成數字的管理應用。」（摘自拙作管理會計）何謂數字的管理應用呢？說來可話長了，近四十萬言的拙作管理會計一書，亦僅及皮毛！但吾人每讀至繫詞傳第五章：「知幾其神乎」：……君子知微、知彰、知柔、知剛，萬夫之望。」一句；及繫詞傳十一章：「夫易，何為者也？……是故吾人以通天下之志，以定天下之業，以斷天下之疑。」的，不禁拍案叫絕！「眞能知就能行」。但如何才能達到：「求知而領悟知之領域，知之境界」呢？會計而何？蓋會計也者，計實數字之最高應用者，知微知彰之最高境界也。借世人每不了會計之眞正任務，然流於世俗，可慨也夫！

眞正說來，會計的功能，記錄外必求有效，編組外必求合理，分析外必求本能的發掘（應有），以「天下為已任」的應用發展，已屬難能可貴；況乎，由通志而步，定業，斷疑，而步入知幾，如目前衛語解釋，則一般商場上的所謂：市場調查，市場了解，市場研判，市場分析，決策，無一而非會計所有，會計任務之繁重，安可等閑視之！故檢討過去，針對現實，決策未來，乃會計之任務所在，亦即其時代任務所在。

三、由會計管理談到主計革新

財務生活，為人類生活主要之一環，故傳統被重視之所謂：「財務管理」，當形為人類生活中的一主要條件而無可置疑了，但為無財務管理之能具體而微，「數字」乃應運而生，吾人可稱之為：「財務數字化。」但數字則又繁複無比，欲求數字之能精簡有效，則數字之編組排列，非作有系統有制度的配合不可，吾人可稱之為：「數字制度化。」「數字經編組排列，制度化了，但欲求其永恆有效，則理則之發掘與高度研判，尤屬一不可或忽之重要措施，吾人可稱之為：「制度理則化。」由數字而制度，由制度而理則，為財務管理在數字配合上三部曲，吾人必經再強調者：即數字與會計之不可分性，蓋數字乃會計之形成，會計乃數字之結果，為談會計管理者所不可須臾離也。

我國主計制度之建立，乃係含：會計、歲計、統計、合而為一之一特定體制，會計固離不開數字，歲計也離不開數字，統計亦然，故我國所採行之主計制度，實為數字管理之最大發揮，故談主計管理者，不能不談數字管理，更不能不談主計革新，不從數字上了解、分析、研判、着手、乃事所必然也。

四、主計革新，何去何從。

主計革新，不應該祇是口號，確應該走上實踐階段才是。但如何是實踐呢？吾人確應從理論上及實質上分析探討，藉明所以，而免流於空泛。

理論上的主計革新

主計既與數字不可分，故數字之正確性如何？當為主計革新措施中首要之着，我這是無可諱言的，多少年來，主計制度推動，重點一直放在人事的編組上，主計業務，倒屬次要，難怪數字的正確性，一直建立不起來，不僅預算上的數字與會計及統計，甚至預算數字與預算數字之間會計數字與會計數字之間也難得碰頭，影響所及，眞是一言難盡！當然談到數字本身，理論上確也難得絕對一致，一加一等於二，這固然是屬於數理上的結果，但一加一可能等於三，可能等於四，等於五，這又是屬於物理上的結果了，但一加一可能就等於一，這也是站在哲理研究上，也是無法否定的，但無論如何，一加一究竟等於幾，在財務管理上，必經確取答案，這不僅是業務所需，在電腦計算普遍被推動的今日，談主計革新，在理論上，這確是毫無旁貸的事。（未完）

台北傳奇錄（一〇五）

陳光棣

大洋馬趕到窗口，伸長了頸子往外看着：「你看這怎麼辦！他們捉到我的兒子！你快想想辦法」！蔡先生無動于衷。

「這種拖油瓶我不希罕」！

「你這狼心狗肺！」

「妳活的不耐煩啦」！

大洋馬一屁股坐在地板上哭起來。

「妳再跟着瞎起鬨，我先打死妳」！

「蔡先生！咱們大家都是好鄰居，你何必連累我呢」？賴先生央求着：「我有高血壓的毛病，身上又沒有帶着藥」！

「你死了血壓就不高啦！」蔡先生白了賴先生一眼，一副吃人的樣子，嚇的賴先生一哆索。

這情形，一直僵持到下午，賴先生忽然從沙發溜到地板上，滿臉通紅，冷汗直流，呼吸急促，心臟病發作了。

劉太太第一個看見：「蔡先生！你要趕快想辦法救賴先生，他要是死在這裏，你就有殺人的罪名」！

蔡先生拿手鎗比在賴先生鼻子上：「你要再裝蒜，我就讓你回姥姥家去」！

「你沒看到他那個樣子嗎」？大洋馬抓着頭皮：「趕快給他找個醫生來瞧瞧吧，眞要死了，可怎麼辦」！

蔡先生走近窗戶：

「你們聽着！姓賴的得了急病，快找個醫生來，不要玩花頭，來的醫生不許帶皮包，只能帶聽筒和針藥，聽明白了沒有？你們要想打歪主意，我就先把這兩個人質打死」！

十分鐘以後，警車就載來了姚民規，警官喊話要蔡先生開門。

蔡先生掀開窗簾，大雨濛朧看不清楚：「叫醫生走近點我看看，別人不能湊過來」！

「我是姚民規」！姚大醫師聲音發抖，一步一步不情願的往前磨。

「什麼！要命鬼！」蔡先生一楞。

「姓姚；叫民規！」大洋馬解釋着。

「喂！你舉着手進來，你敢和警方串通一氣，我就先打死你」！蔡先生嚷完了示意大洋馬開門。

姚民規從門縫擠進來，脫了雨衣，躺着賴先生把脈，蔡先生乘勢翻姚大醫師的口袋。

「我先給他打一針，可是不保險，他非送醫院不可！」

「他不送醫院，要你負責，他要死了，你也活不成」蔡先生嚴厲的說。

姚大醫師打開小鐵盒子準備注射，回頭對蔡先生說：「你別瞪着我，我害怕，這是靜脈注射，手不能發抖」！

蔡先生哼了一聲走到門邊，點上支香烟，揚着臉過癮。姚民規迅速的從盒子裏拿出一把小裁紙刀來，塞到坐在沙發上的劉太太屁股底下，劉太太不動聲色的看着賴先生。

好一個「智取威虎山」

・文匯樓主・

好幾個月來，毛共一直大力的宣傳他們的新影片，「智取威虎山」，——當然不能不大力宣傳，因爲這是毛妻江青親自指導的，誰敢不宣傳，不捧場，但是醜婦終於要見公婆面。等到最近在香港大規模聯映（當然都是仰毛共鼻息的影院），於是此醜態終於揭穿了。

除了湊熱鬧的庸夫愚婦外，沒有一個好奇的觀衆不是乘興而去，敗興而返。劇中人穿着八路軍裝，大唱其京戲，（這如山水畫中穿西裝一樣的不調協）只此一點先就使人倒盡了胃口，至於拿着步槍打出手，雪中行軍翻跟頭，……種種電影的寫實與京戲的象徵之不調諧，更是使人笑破了肚皮，說句天津的土話，眞是「糟改」。

但是也有使我們欣賞的就是這影片裏把毛共一貫的傳家秘密，忠忠實實的向世人招供，原來這故事的「智取」，並不是如我們所謂解以用計謀用韜略戰勝敵人，反之卻指的是派遣間諜到對方潛伏，冒充忠實份子，承歡取寵搏得人家的信任，而竊取大權，遂行奸計。等到人家眞正忠實份子起來認出他是間諜時，反而指白爲黑，倒咬一口，說人家的奸賊，並且就在糊裏糊塗下，把這眞正的忠實份子處死，而達成其行奸目的，顛覆人家，裏應外合，把人家消滅，並且在反叛時翻臉無情，把賞識他，授他大權的主子，殘酷的置之死地，——這一連串的故事，發展已超出了一個影片，而實是共諜肆行侵略滲透，顛覆別人的一個典型例子，不料這個「不傳之秘」，竟在江青得意忘形下，公諸於世，我們吃過共諜苦頭的人，苦口婆心，諄諄而言，但許多執迷不悟者，竟然指爲讕言，不予置信，現在有毛妻這一「傑作」，當可證實不誣，而勝過我們千千萬萬的反共言論了。

毛共大力宣傳，要世人看這部電影，以爲毛妻捧場。我們也同樣的竭誠呼籲世人，一道去看看這部毛共不打自招的影片，以認識毛共的眞面目，提高警覺看看自家身邊有無間諜，能夠清楚深刻的分辨敵我。

從「大學」「中庸」論道統

・任卓宣・

「明明德」爲何？朱子註曰：「『明』，明之也，『明德』者，人之所得乎天，而虛靈不昧，以具衆理而應萬事者也。但爲氣稟所拘，人欲所蔽，則有時而昏。然其本體之明，則有未嘗息者。故學者當因其所發而遂明之，以復其初也。」這樣的「明明德」，實從孔子告顏淵的「克己復禮爲仁」來。朱子解「克己復禮爲仁」說：「『克』，勝也；『己』，謂身之私欲也；『復』，反也；『禮』者，天理之節文也；『爲仁』者，所以全其心之德也。蓋心之全德莫非天理，而亦不能不壞於人欲。故爲仁者必有以勝私欲而復於禮，則事皆天理，而本心之德復全於我矣。」這不可見「克己復禮爲仁」是「明明德」底思想淵源嗎？

「親民」是原文，朱子改爲「新民」，亦可從原文。王陽明即以原文爲是之著例。「親民」思想在孔子有很多類似之處，如「汎愛衆而親仁」15；如「其養民也惠，其使民也義」16；如「博施於民，而能濟衆」17。這些話都含有「親民」底意義，或都可以得出「親民」底結論，都可以概括爲「親民」一語。凡此皆不必解說，即可明白的。

「止至善」，朱子註云：「『止』者，必至於是而不遷之意；『至善』則事理當然之極也。言明德、新民皆當止於至善之地而不遷。蓋必其有以盡夫天理之極，而無一毫人欲之私也。」這樣的至善，非孔子之仁而何？因孔子之仁爲道德之極則。能仁就成聖了。所以孔子以聖與仁並論。他說：「若聖與仁，則吾豈敢？抑爲之不厭」18而已。那末仁不就是至善嗎？所以從仁可以得出至善的觀念來。

現在說八條目：「格物」、「致知」、「誠意」、「正心」、「修身」、「齊家」、「治國」、「平天下」。

拿「格物」來說。朱子在「格物」下的註解：「『格』，至也，『物』猶事也，窮至事物之理，欲其極處，無不到也。」這樣的「格物」是從孔子來的。孔子說：「思而不學則殆」（十九）。朱註云：「不習其事，故危而不安。」可見思要以事爲據。所以孔子主張「多見」，「多聞」（二十）。見甚麼？聞甚麼？外物而已。看孔子論知人之道吧。要知人必須「察言而觀色」（廿一）。且須「視其所以，觀其所由，察其所安。」（廿二）「色」是物，「所以」、「所由」、「所安」是事，亦即物。「思」、「見」、「聞」、「觀」、「察」是「格」之，合而言之或總括言之，就是「格物」。此合而言之或總括言之，亦爲一貫之意。

拿「致知」來說，我以爲「致知」就是求知。孔子主張學，要人「博學於文」（廿三）；稱許孔文子底「敏而好學，不恥下問」（廿四）；並說：「我非生而知之者，好古敏以求之者也。」（廿五）凡此都是「致知」。如果依照朱子對於「致知」的解釋，「『致』，推致也，『知』猶識也，推極吾之知識，欲其所知無不盡也。」那末「致知」就是推理，亦從孔子來。他說：「舉一隅不以三隅反，則不復也。」（廿六）子貢「聞一以知二」（廿七），孔子稱其「告諸往而知來者」（廿八）。顏淵「聞一以知十」（廿七），孔子甚爲稱許，期望很大。能如此，就能所知無不盡了。所以「致知」從孔子來。

拿「誠意」來說。朱子註解「誠意」說：「誠，實也；意者，心之所發也，實其心之所發，欲其必自慊而無自欺也。」這樣的「誠意」與孔子說的「主忠信」（廿九）無別。朱子對於「主忠信」的註解是：「人不忠信，則事皆無實，爲惡則易，爲善則難，故學者必以是爲主焉。」程子底註解是：「人道惟在忠信，不誠則無物。」可見「忠信」是誠。「中心爲忠，言實爲信」，正是「實其心之所發，欲其無自欺也。」此非「誠意」而何？「主忠信」就是「誠意」了。

拿「正心」來說。朱子對「意誠而后心正」（卅）一句解道：「意既實則心可得而正矣。」可見「正心」從「誠意」來了。但是孔子思想中含有正心之意。他說：「詩三百，一言以蔽之曰：『思無邪』。」朱子解云：「凡『詩』之言善者，可以感發人之善心，惡者可以懲創人之逸志，其用歸於使人得性之正而已。」心爲思官，亦視作思。「思無邪」則心正或正心也。將伯潛用孟子底「格君心之非」和董仲舒底「正君以正朝廷」爲「正心」之所本，（卅二）顯然不當。「大學」底「正心」並不限於「君」和「朝廷」，乃就人人而言。何況「正君」不就是「正心」呢？

拿「修身」來說，它從孔子來。孔子之學在於修己安人。所以他以「修己以安人」（卅三）一說告子路。所謂「修己」就是「修身」，非常明白。蔣伯潛反以「修身」來於孟子底「誠身」（卅[illegible]）一說，就不很明白了。爲甚麼不以「修己」爲「修身」[illegible]由來，而必以「誠身」爲「修身」底由來呢？

拿「齊家」、「治國」、「平天下」來說，亦從孔子來。記其言行的「論語」，其「八佾」篇載孔子說的「三家」，是魯大夫孟孫、叔孫、季孫之「家」；「邦君」就是「國」君；「知其說者之於『天下』也」，就含有「家」、「國」、「天下」之三級。這是根據三章來說。在一章中，即第二章，使有此三級之意在。那章載孔子說：「相維辟公，天子穆穆」，朱子註曰：「『辟公』，諸侯也，爲『國』之君；『天子』爲『天下』之王；『三家』爲魯國內三大夫之『家』。」可見家小於國，國小於天下。如果孔子無家、國、天下三級底思想，而能像那章樣地說嗎？所以家、國、天下之三級。

（未完）

說曹操

李漁叔

（五十五）

「丁巽少有才姿，博學多聞，建安中爲黃門侍郎，巽常從容謂太祖曰：『臨淄侯天性仁孝，發於自然，而聰明智達，其殆庶幾。至於博學淵識，文章絕倫，當今天下之賢才君子，不問少長，皆願從其游，而爲之死。實天之所以鍾福於大魏，而永受無窮之祚也……』太祖深納之。」

丁氏兄弟資望年輩均較低，當然沒有左右曹公的力量，而當時一般老宿，倒是主張立長的成份爲多，例如崔琰毛玠皆是曹公舊交，他們俱曾先後建言。按崔琰傳：

「魏國初建，未立太子，臨淄侯植有才而愛，太祖狐疑，以函令密訪於外，唯琰露板答曰：『蓋聞春秋之義，立子以長，加以五官將仁孝聰明，宜承正統，琰以死守之。』」

露板答卽公開答覆，毛玠則是密諫，據玠傳稱：

「時太子未定，而臨淄侯植有寵，玠密諫曰：『近者袁紹以嫡庶不分，覆宗滅國。廢立大事，非所宜聞。』後羣僚會，玠起更衣，太祖目指曰：『此古所謂國之司直，我之周昌也。』」

崔毛外，還有賈詡，也參加過這種謀議，魏志賈詡傳載：

「時文帝爲五官將，而臨菑侯植才名方盛，各有黨與，有奪宗之議，文帝使人問詡自固之術，詡曰：『願將軍恢崇德度，躬素士之業，朝夕孜孜，不違子道而已。』文帝從之，深自砥礪。」

這是爲曹丕一種切身的策畫，還有直接影響曹公的，則是十分有力。

「太祖又嘗屏除左右問詡，詡默然不對。太祖曰：『與卿言而不答何也？』詡曰：『屬適有所思，故不卽對耳。』太祖曰：『何思？』詡曰：『思袁本初劉景升父子也。』太祖大笑，於是太子遂定。」（賈詡傳）

曹氏繼承人最後的決定，當然還另有原因，而這次的談話，在曹公內心中佔有極大的份量，是無可置疑的，因爲賈詡素有良平之才，爲曹公智囊團人物之一，其地位不在荀彧荀攸之下。曹公平生親自見到袁紹諸兒互相攻擊，以及劉表因擇嗣非人，前後走上滅亡之途，而常心懷恐懼；更害怕曹丕弟兄們彼此爭奪，重蹈覆轍。對於賈詡的話，很容易聽得進去，何況賈詡說話的技術，又確實高明呢！

曹丕和子建兩人，一是陰險成性，一是心地光明，前者對於繼承人的位置，志在必得，後者則是一派文人氣質，詩酒風流，意不在此。我們從這裏看後來的結局，儘自一目了然。似乎在命運上，早已注定了子建這一方的失敗。

（未完）

諸葛亮狂想曲

（一八五）

・劉玄・

黃雲大仙走到洞口，琴童一看根本沒有門戶，整整地一塊山石，正詫異間，黃雲大仙向洞口哈了一口氣，山石居然開朗。琴童進得洞來，看的是別有洞天。裏面很寬敞，完全是道家的佈置，有禪床，有丹爐，八仙桌上燒了一爐檀香，氤氳滿室。琴童明白是黃雲大仙有體臭，所以屋子裏非燒香不可。

禪床旁邊有兩個玉石鼓櫈，比太白星君仙邸的要小一點，式樣相同。黃雲大仙很客氣的請琴童坐下，從丹爐上拿了一把古銅茶壺，倒了一杯飲料給琴童。

琴童道了謝，喝了一口，覺得其味鮮美而甘香，但決非人參茶。遂問黃雲大仙道：「是不是雞湯？」

「是雞汁，裏面有一百種名貴草藥熬煎成功的，功能順氣提神。味道好不好？」黃雲大仙已經修成正果，對於吃雞自然與一般同類的生吞活剝，大異其趣了。

「眞好吃，我從來沒有吃過這樣鮮的雞汁。」琴童一面嚥着雞汁，一面稱讚着。琴童抬頭一看，牆上掛有三把寶劍，遂又問黃雲大仙道：「你的劍術最高，我正忘了問你，你怎會和二將軍比武較量的？爲什麼你死後又能復生？」

「哦，是這樣的，二將軍和我下棋，下膩了，要和我比劍。你知道他是武聖，當然最愛動刀動槍。本來他提議用木刀木劍，以免誤傷。倒是我要用眞刀眞槍，比較過癮。至於你問我爲什麼能死而復生，在我們修仙煉道的人，不要說頭砍了不會有礙大雅，就是大斬八塊，也能復原的，這算不了什麼。」黃雲大仙說完，打了一個哈哈。

琴童聽了連連點頭，但意猶未足，又問道：「爲什麼你有四把寶劍？」琴童見牆上掛着三把，桌上放着一把，故有此一問。

「一把是用來降魔斬妖的，一把是用來醫病的，一把是用來作法施術的，」黃雲大仙指着牆上三把寶劍分別解釋。「至於這一把，」黃雲指着桌上，「你剛才已經看過了，是用來比武較量的。」

「眞有趣，你再說說看，四把寶劍有何不同。」琴童遇着問題，喜歡打破砂鍋問到底。

「從表面上看並無不同，煉劍的時候，鑄造的方法不一樣，行家都懂得的。」黃雲大仙說完，從禪床背面的壁櫥裏拿出一個紅緞包的錦盒，遞在琴童的手中，說：「這是我上次答應送給你的人參。」

琴童跟隨諸葛亮這樣久，還是第一次接受別人致送的禮品，連聲道謝，接受了，放在懷中。

琴童喝完了一碗雞汁，又吃了兩顆「心菓」，覺得意高興。「心菓」是一種野生菓實，形狀長得像心型，只有深山裏才採得到。在天庭少有，人間就不必說了。

巨變歷險記！

大皇蜂的釘（一九一）

胡慶蓉

危害部隊的，自然環境中，除瘴疾，毒蛇，猛獸，螞蝗外，還有皇蜂。

蜂，是國人所熟悉的。但國人所熟悉的蜂，恐怕是釀蜜的蜂。小時讀三字經，我已經讀到「犬守夜」，「蜂釀蜜」。這蜂是可愛的，這蜂奔走於花叢之間，不辭辛苦，在一星一點的做他釀蜜的工作，對於人只有益處沒有害處。他不問人要甚麼，只願為人釀蜜來吃，這種只盡義務不講酬謝的精神，值得欽佩。

在邊區的蜂則異是，在邊區的蜂，是一種野蜂，又稱之曰皇蜂。皇表示他們之個子。他們的個子要比一般蜜蜂要大得多，有轟炸機之稱。他們藏在草木之間，極不容易發現，因而不知道怎樣往往就會遇見他們，就會驚動了他們。他們起來，當然不能像蝗虫一樣，但數目也大有可觀。此蜂也富於團結性，非常合羣，并富於戰鬥性，一經衝擊，彷彿怒馬奔騰，有義無反顧的樣子。若集中在一個目標，往往措手不及，極易為他們刺傷，甚至於刺死。他們往往沒頭沒臉的上，沒頭沒臉的刺。這突如其來的襲擊，實在難於招架。因為他們的個大，他們襲擊的力量也就非常強，要是幾個幾十個一齊上，眞是像重轟炸機一樣，來勢凶猛，怒不可當。有人說這是因為他們性情不好。為甚麼他們性情不好，則不得其詳。於其說是重轟炸機，倒不如說是自殺飛機。他們撲到人的頭上來，撲到人的臉面來，簡直是抱着必死的信心，任你怎樣打怎樣拍，他們也不後退。因為他們突如其來，因為他們來勢強大，人往往打不勝打拍不勝拍，你還沒有舉起手來，他們已經倒把你釘倒了。他們的刺入你的肉中，使你痛得馬上會倒下來，使你痛得打滾，使你痛得失却抵抗力，使你痛得失却知覺，會讓他們刺，讓他們釘。若是沒有周圍的人替你解圍，你會被他們刺死釘死，這被皇蜂野蜂刺死釘死的時有所聞。

就有這麼一次，丁博士出猛撒在快到爬坡的途中，皇蜂一羣突然從天而降，好不令附近的人着急！大家四面八方齊集來撲打，但說時遲那時快，他已被刺得釘得倒下地了。這又不是在雨後，山地的路難走的異常。丁博士騎着大象，其他很多人騎馬，也有步行的。路壞得非常，簡直就是泥窩，深可沒脛，人走起來，很是艱難。同時很多人都被刺到都被刺倒，痛得丁博士滾下象來。幸得周圍的幫助，才逃出現場。休養了半個多月才恢復原狀。

被皇蜂刺萬金油很有效。這眞是走路必備之物。第一他可以止癢，第二他可以消腫。因而萬金油為部隊進軍中最需要的藥品。山區的人都非常的崇拜它。最好是戴猴頭帽，整個的頭只有兩個眼睛微微的露出來，這最保險，但那裏沒有這麼多的猴頭帽！最好穿長袴，最好打綁腿穿襪子穿鞋。

中日修好條約一百年

・黃大受・

說明兩國不可干涉對方的內政，以下第四條到第十八條，則是關於修好的一般規定。

通商章程計三十三款，中國計開放沿海沿長江和台灣及瓊州島的商埠共十五處，日本計開放商埠共八處，雙方的關稅，均是值百抽五。兩國人都不准將貨物運到對方內地。

訂約以後，伊達宗成回國，日本政府頗不滿意。伊達宗城不久因事免職。同治十一年三月末（年五月初），日本外相副島種臣，又派柳原前光到天津，照會李鴻章，意欲改約，被李鴻章拒絕。柳原前光堅請進見，李鴻章才在五月十五日（四月初九日）接見，柳原前光面呈外相的照會內有，「擬議改換正約事宜，使令參述解說」等語。李鴻章告以「約已議定，何可遽改？柳原係原議之人，何須解說？……既經定議，斷不能遽然改悔！」李鴻章為了免傷和氣，要他帶因照會，柳原前光也自覺無理，但言「惟回國不能銷差，乞將照會暫存。」李鴻章仍不肯接受，柳原前光只好離去。再找陳欽等人轉圜，以便銷差。李鴻章只得將照會收了，同一照會駁覆。柳原前光回去時，聲明要等往歐美各國修約的大臣巖倉具視等人回國後，才能派員來中國換約。因為日本打算以其所得結果，來做修改中日條約的根據。

這時日本人士已有覬覦朝鮮和台灣的言論。一八七二年十二月，外相副島種臣向日廷建議：「欲制列國覬覦台灣野心，欲收生番之地於版圖，欲得土地於清廷，欲收中國之民心；此數者非臣莫任，臣請自赴清國，藉交換條約之事，以入北京，遊說各國公使，以絕妬嫉之念。然後與清政府議謁清帝之禮，質以朝鮮之關係，告以征番之理由。」這樣一來，日本換約的事，並不要等巖倉具視回國。日本政府於是決定派遣副島種臣出使北京，暫時放棄修約的要求。

同治十二年三月（一八七三年四月），副島種臣經上海到天津換約，同行的有柳原前光，美國顧問李仙得和陸海軍將領多人。三月二十八日（四月二十四日），拜見李鴻章。第二天，李鴻章回拜。四月初四（四月三十日），正式換約。副島種臣表示暫時不談修約，等巖倉具視回國後，再行商辦。日皇換約諭文，只蓋太政官印，諭書則用國璽，含有不大重視條約的意思。李鴻章詢問日朝交涉情形，副島種臣回答，現在仍派使臣勸諭，毫無動兵的意思。李鴻章勸日本不必在北京駐使，副島種臣應允。換約以後，副島種臣因為帶有國書，要到北京覲見穆宗。四月十一日（五月七日），到達北京。這時各國公使因為覲見清帝問題，爭執很久，經副島種臣堅持的結果，他以頭等使臣資格，於六月五日（六月二十九日）單獨首班覲見，副島種臣使命，圓滿達成。

總觀第一次中日簽訂條約，除了雙方遵守平等互惠的原則以外，條約的第一條到第三條，則是既明義，對中日的永久邦交，指出正確的方向和具體的原則，如果中日邦交，能循此不變，則近一百年來，何至於接二連三的發生衝突和興起戰爭？那末，大陸淪於暴虐極權的共產黨統治，不會出現！東亞的種種困擾、韓戰、越戰，也不會出現！

（完）

黛眉小傳

李清照（一）

・王幻・

宋代是詞的黃金時代，無論是貴婦和一般民女，能詩作詞的很多；而最著名的女詞人，有李清照、朱淑眞、吳淑姬、張玉孃，被稱為詞壇四大家。

李清照，又名易安居士，山東濟南人。她生於宋宗元豐五年（一〇八二），父李格非，官禮部員外郎，母為狀元王拱辰的孫女，均工於文章，當時頗有文名。她幼年即受家庭教育的陶冶，植下詩文創作的慧根。當她二十歲（宋史作十八歲，此據她自作的金石錄後序）的那年，便結束了少女時代，和太學生諸城的趙明誠結婚。明誠之父趙挺之，那時官吏部侍郎，所以他們婚後的生活很好。由她早年所作的詞裏，可以看出她婚後的愁緒：

絳綃薄，冰肌瑩，雪膩酥香；笑語檀郎：「今夜紗櫥枕簟涼。」（采桑子）

繡幕芙蓉一笑開，斜偎寶鴨襯香腮；眼波才動被人猜。（浣溪紗）

怕郎猜道，奴面不如花面好，雲鬢斜簪，徒要教郎比並看。（減字木蘭花）

詞中顯示：這位少婦人的嬌媚可愛，而且認為自己的容貌較花還艷麗，定要明誠比並着看，眞可說閨房之樂甚於畫眉。

婚後未久，明誠遠爾出遊，這對新婚夫婦自然是難分難捨的別離；她有一首善寫相思的「一翦梅」，便是在此時寫在錦帕上送給明誠的。詞云：

紅藕香殘玉簟秋，輕解羅裳，獨上蘭舟。雲中誰寄錦書來？雁字回時，月滿西樓。

花自飄零水自流，一種相思，兩處閒愁。

此情無計可消除，才下眉頭，却上心頭。

又曾填「醉花陰」詞，函寄明誠：

薄霧濃雲愁永晝，瑞腦消金獸；佳節又重陽，寶枕紗廚，半夜涼初透。東籬把酒黃昏後，有暗香盈袖；莫道不消魂，簾捲西風，人比黃花瘦。

明誠得詞，想在才思方面勝過她，於是杜絕交遊，廢寢忘食三日夜，得五十餘闋，把清照所作，雜抄一起，請友人陸德夫品評，德夫玩誦再三說：「有三句絕佳」，問：「那三句」？德夫說：「莫道不消魂，簾捲西風，人比黃花瘦！」這三句剛巧是清照所作，明誠自此便收起爭勝之心。

明誠本有金石的癖好，在太學讀書的時期，時常典衣質物，購買碑文果實歸，夫婦相對展玩咀嚼，自謂「葛天氏」之民。後來挺之升擢宰相，竭力排斥「元祐」黨人，格非因黨籍被罷官，清照上詩挺之，有「何況人間父子情」句，這兩位兒女親家，因政見不同，未能顧全平日的交情，使子女難堪，委實令人惋惜。

崇寧初，明誠出仕，便有飯疏衣練，窮遐方絕域，盡天下古文奇字之志，後或見古今名人書畫，三代奇器，亦復脫衣市易。有一次，有人拿着徐熙的「牡丹圖」，要賣錢二十萬，他們已經承受了，但因為沒有錢，只好退還，為了這件事，夫婦相向悵惋者數日。此後十年，明誠連守青州萊州兩郡，竭其官俸所得，考證金石書畫，著「金石錄」三十卷；自以為「樂在聲色狗馬之上」，完成金石錄之著作，明誠得清照之助最多。清照在「金石錄後序」寫他們這時的生活道：

（未完）

御廚談藪

八寶飯

林泉隱

八寶飯也是一種美餐，比蛋炒飯更高尚。材料用糯米為主，佐以豬油，白糖，蓮子，桂圓肉，葡萄乾，南棗，桂花，紅絲等。

做的方法：先把糯米用水洗淨下鍋加水，用急火燒，但不可太爛，燒好盛在盆中；然後將所配的物料，平均的攤在碗底。再把盆中的飯，加上豬油，白糖，攪拌均勻，盛入碗中，與碗署平為度，然後蓋好瓷盤，放在蒸籠裏面蒸。蒸籠入鍋注水超過蒸籠寸許為度，再用急火燒蒸。待各種物料爛熟時為度。吃的時候，將碗翻扣盤中即可。

第十八章

岳武穆收復襄陽　宋高宗御駕親征

周燕謀

高宗聞報大喜道：「朕素知岳飛行軍有律，不料他還能破敵，竟成大功。」因下詔襃獎。岳飛疏陳恢復事宜，大意略道：

金人所愛惟子女玉帛，志已驕惰。劉豫僭偽，人心終不忘宋。如以精兵二十萬，直搗中原，恢復故疆，誠易為力。襄陽、隨、郢、地皆膏腴，苟行營田，其利甚厚。臣候糧足，即過江北伐，以慰宸衷，謹聞。

高宗因岳飛成此大功，令學士院草詔獎論，遣中使傳宣至軍撫問，賜銀及茶藥稿勞將士。自襄陽收復，川陝走廊打通，糧秣運輸暢通無阻。高宗覽了岳飛之奏，有意經營關陝，支援進取中原。乃命趙鼎知樞密院事，兼都督川陝荊襄諸軍事。趙鼎以不才力辭。高宗面諭道：「四川全盛，財富半天下。朕盡以付卿，可便宜黜陟，朕不遙制。」趙鼎條奏便宜行事等項。高宗頗欲聽從。偏朱勝非從中沮抑，有意牽制。趙鼎乃上疏直陳。疏上却未報。

岳飛收復襄陽，高宗詔授岳飛為「荊南、鄂、黃、復、漢陽、德安府制置使」。（德安府即今湖北漢陽縣治）岳飛力辭制置使之重任疏云：「……竊念臣人微望輕，難任斯職……」按宋制：制置使多為朝廷重臣出任。岳飛功勞甚大，但資歷尚淺，比起張俊、韓世忠、劉光世差得甚遠。高宗不允。張俊、韓世忠、劉光世三將，乃是高宗即位時的基本隊伍將領。因此岳飛現在已與三人同列，恐有人未服。高宗亦能破格擢任岳飛。詔書中有云：「……荊楚之郊，自昔用武之地，以卿有憂國濟時之志，御衆却敵之威。故以專制西南，深入盜區，所向必克。輿圖所復，闢千里，朕方圖爾之功，以觀厥成……。」

岳飛至今，方二十八歲，已晉入重臣之位，為一方面之統帥，實乃出類拔萃人物。此項任命頒佈不久，宰相趙鼎以為「湖北鄂、岳為沿江上流扼要害之地，此不惟江西藉其聲援，可保無虞，而湖南二廣，江浙亦獲安妥……。」因此改授岳飛為襄陽、鄂、隨、唐、鄧、信陽制置使。詔命下達，移屯鄂州。（即今湖北武昌縣治）岳飛的爵位是「武昌開國子」。在鄂州休兵。一日登黃鶴樓，有感作詞云：

遙望中原，荒烟外，許多城郭，想當年，花遮柳護，鳳樓龍閣。萬歲山前珠翠繞，蓬壺殿裏笙歌作。到如今，鐵蹄滿郊畿，風塵惡。

（八十八）

自由報
（第一一三七期）
社址：香港九龍彌敦道593—601號
廖創興銀行大廈八樓五座
LIU CHONG HING BUILDING
7th FLOOR FLAT '5
593—601 NATHAN ROAD,
KOWLOON, H.K.
TEL: K303831
電報掛號：7191
承印：景星印刷公司
地址：嘉咸街廿九號地下

本報評論

痛悼「台灣文獻叢刊」停刊
「浪費公帑」四字，何以服天下

·黃大受·

在前十年，被人識為「文化沙漠」的台灣省，出現了一株奇花，那就是台灣省銀行經濟研究室的「台灣文獻叢刊」。當其時，坐擁書城的公立研究機構，他們為了控制學術界，以唯我獨知的姿態，是不肯公開研究資料的。然而台銀經濟研究室的主持人周憲文先生，他的見解，却正好與此相反。

民國四十六年八月，「台灣文獻叢刊」第一種出版時，他在「為什麼出版台灣文獻叢刊」一文中說：「研究歷史，一要有史料，二要有史觀；前者有賴公開資料的風暴，後者得憑個人獨特的修養。……因為有了充分的資料，社會上自然會有高明之士運用其正確的史觀，深入研究，有所造就。……我們固亦從事個別研究，但願與大家在同樣的資料基礎上進行。我們堅信，個人的能力畢竟有限，資料的公開是學術進步的條件。」基於此一見解之下，到去年底為止，這一叢刊，已出書二八三種，共五四三冊，凡四四、四〇一、二〇〇字。成績斐然可觀。

叢刊的內容，不僅包括台灣內涵的歷史、地理、文物風俗、人情，而且外延到直接與台灣有關的史地背景，特別着重鄭成功光復台灣故事；近且擴展到明崇禎朝以及南明史事，論其體裁，則上自唐、宋、元、明時期之文，下逮日據時期之作，舉凡詔諭、奏議、採訪冊、方志、書牘、日記、碑傳、文集、詩詞、雜著、輿圖、記事本末、官修史署、私家修史、野史、雜史、制度考、檔案、交涉紀錄、職官印錄、私法例編、建築範式……對於明末和清代有關的台灣文獻，幾乎包羅無遺。

由於叢刊中有不少是平常難以看到的，而且不乏「孤本」，歷經費盡心力謀求而得的，史料價值極高。而且是重新標點排印，版式劃一，用紙堅美，既利保存，又便研究。所以雖僅印了千部。國內外公私重要學術團體及個人，莫不搜求珍藏。研究者也得擬此極完備的資料，予取予求，得出正確的論斷。筆者及友人在探訪國外各大學圖書館時，莫不看到這一叢刊，可見其流傳之廣泛，受人之重視。也是台灣銀行及台灣省政府乃至中華民國的莫大光榮。

從這四千多萬字的資料中，可以註明台灣省的同胞與大陸各省同胞是血肉一體，聲氣一致，不折不扣的是一家人。每一位學者研究台灣省史料時，誰也無法否認這一事實。所以台灣文獻叢刊，出版得愈多，發行得愈廣時，對造謠中傷挑撥的外國人如化名李善和的費正清之流，以及數典忘祖，甚至不認父母的少數受人挑撥分化的野心分子，實在是揭穿他們毒計和陰謀的照妖鏡。

這一套叢刊的出版，不但對學術界有了很大的貢獻，而且對中華民族的融合，做了極清楚的確證。實在應該長期地廣泛地加強地出版下去。所費款項有限，而所得代價極高！

但不幸的當我和我的朋友們，從民國五十九年台銀研究室出版的「匆匆廿四年」一書中，才知道這叢刊的印行，除了搜求資料是費盡心力以外，而且在出版之初，就頗受責難，指為「浪費公帑」，幾乎「朝不保夕」。到了民國五十八年，責難又起。民國五十九年「則更厲害，嚴令停止，不復通融。」

據說：台灣省銀行的毛總經理松年，對這一叢刊有深切的瞭解，勇於負責，希望這一叢刊能有始有終，以免遺憾，雖經其一再疏通，本有維持停刊原則，放寬執行尺度之意。但後來又起了變化，放寬執行，似亦不可能了。

「台灣文獻叢刊」，終於在「浪費公帑」罪名之下停刊了，我和朋友及有心人聽到此一決定，不禁放聲痛哭……不知道是誰下的此一決定，下此命令的人是有關行政首長抑或是科員政治下的科秘。我想作此一決定的人，僅僅是着眼於每年數十萬元新台幣的預算（印刷由台灣省政府承印，外加紙張裝訂費，至於原著並不需要稿費的），對台省總預算相較起來，只是九牛之一毛，任何一個機關的交際應酬費，也不止這一區區之數，陳陳相因印刷些無意義的表截所浪費之錢，又何止此數？收買補償唐榮公司，殷台造船公司……所之籌乃白白損失的數目是以億萬論計，其他尚有為人所不知浪費。而印行此一叢刊，每年不過數十萬元，就構成「浪費公帑」的罪名。何況這一叢刊還可以公開發售，收回成本。如果是加以推銷，還可以賺外匯美金。如今竟嚴令停刊，誠不知是何居心？

我想這一叢刊的被嚴令停刊，純從節省公帑的觀點來看，這只是表示此公算盤打得不精，顯出他的才幹不夠，其害猶小。如果此公是洞察這一叢刊，對於團結融洽中華民族為一體，使外人知道台灣省同胞並不是另一民族，有意給費正清暗中幫忙，加以「浪費公帑」之罪名，而嚴令停刊的話，其用心實在陰險狠毒，值得大家注意重視，並應加以查究到最後的主使人！我想絕不至於有此一情形發生！

我們今天內外需要團結成一體，一切團結融洽的工作，加強惟恐不及，何以容忍外在的破壞之下，再容忍這一內在的打擊舉動！

「台灣文獻叢刊」在「浪費公帑」的四字罪名之下，嚴令停刊，何以服天下？何以對得起中華民族？何以服愛國家愛民族的有心人士？

（完）

昨日與明日

海外的怒吼

有一位法國留學生，很坦白的說：「我們法國人很怕你們中國人。你們中國的種種事情從文學到政治，我們都感到迷惘難懂，你們中國人那麼多，又聰明，又勤奮，因此我們都直覺的感到終有一天中國人會來侵略我們法國的。」——這話之不正確：不理智，自匆結論，但在實際上，却不止是法國人，而是許多白種人的共同恐懼，甚而影響到他們的國際政策。多少年來，白種人的政略家，特別是英國的政治家，却儘量設法打擊中國，使中國永難翻身，其動機即是受了這種「恐懼幻覺」的影響。

近些年國家多事，外國人就利用這時局勢，儘量打擊我們。尤其我們自退守台澎以來，天時地利，兩雖利用，唯有發展人和，敦睦邦交，甚至有不惜委曲求全之勢，眞是作到了「亡人無以為寶，仁親以為寶」。但是講力求利而昧於禮的外國人，非僅不了解我們謙讓仁和的作風，反之却認為可欺。琉球可以不須我們的同意，而讓給日本，試問這與當年日俄戰爭的俄讓旅大，歐戰後的轉移青島，……有什麼分別！不僅如此，還更進而變本加厲的產生出釣魚台事件，這眞是欺負人到頭上來了。

我們政府本着一貫息事寧人，委曲求全的態度，對此諸問題，全都隱忍不言，並禁止報章雜誌報導談論，這在政府，固是識大體敦邦交了，但中國人的民心，怒火是壓不住的，中國人雖然不如那位法國人所說的可怕，但是也不是好欺負的。因此在政府不能阻止勸導的地方，中國人便發出了抗議的怒吼。

這一怒吼正在美國境內醞釀。在美的華人對於釣魚台事件，引起了「一致」的憤慨。他們籌劃在二月間舉行遊行示威，據聞有些激烈一份子，還在策動搗毀日本駐美大使館。美國當局雖也在竭力設法防範，避免不法情事的產生，但對這怒火的燃燒却是難以遏止。也許在本文見報時，抗議的壯舉已經亮相。這不禁使人聯想到昔日巴黎和會的惡訊轉到北平後引起全國學生的怒吼，所以不同的是前次是在我們自己國內，而今天的怒吼，却發生在別人的國內，眞是令人不勝感慨系之。我們謹以虔敬的心情，註視這一事件的發展。

·成公·

自由談

美國的一大隱患

報載：中國大陸上的毛共政權，每年製造純精的海洛英傾銷海外，可淨得美金四億元。既有毒化自由國家的功用，又能賺取外匯，尤屬惡毒之至！

銷傳這種毒品最多的地區就是美國，美國青年嗜好此道者益夥，而駐在東南亞一帶的美軍士兵，更容易沾染這種毒劑。據說，在泰國購買海洛英一兩，代價不過二十美元，然在美國本土的市價為二千元以上相差十倍有奇。因此，該國政府儘管嚴禁海洛英輸入，仍有本國人以種種方法走私漁利。這與百年前英國人把印度出產的鴉片烟，從澳門香港海面運至廣州推銷的情形相同，當時滿清政府亦曾嚴厲查禁，但地方奸商串通貪官汚吏，鴉片依然源源進口，終致引起中英戰爭，迫使中國簽訂了不平等條約，流毒貽禍，迄今未盡。鑑古觀今，不禁為咱們的友邦美國前途，殷憂無已。

若論天道好還，百年前西洋商人以鴉片毒化中國，百年後中共匪幫以嗎啡毒化西洋，因果報應，昭然可覩，祇可惜膺受這項流毒最深的不是大不列顛，而係對中國素無侵略行為的北美合眾國耳。

要想禁絕這種比鴉片更酷烈的毒品，非嚴刑峻法不為功，尤其對於受賄走私的關津胥吏，懲處必須特重，庶有肅清之望。可是，美國人民的自由權利格外充分，憲法賦予人民許多的特權，所謂嚴刑峻法，政府不能隨便施行。看來嗎啡、海洛英之行銷美國社會，勢將氾濫成災，最後恐亦難免要訴之於軍事手段，纔可望消除這種危害國家民族的大患呢！

美國領導民主國家的反共運動，是為維護人類自由生存，現又增加了一種時代使命，為維護本國人民的健康生存，更非反共不可，未審美國一般姑息主義者亦見及此否？

馮五先生

左宗棠的氣魄

子餘

「治世重文，亂世尚武」，這是歷史過程中的通常現象。然重文時的文人往往輕視武人。而尚武時的武人，亦往往瞧不起文人，也是一般社會的習見之事。武人之瞧不起文人，乃基於現實。因文人多脫離生產，而又缺乏百技藝之能，若不能得功名而榮華富貴，誠所謂「肩不能挑，手不能拿，又不能買賣作生涯」。所以朱買臣在未做官時，連老婆也離之而去，何況他人？因此亂世文人，多只好依附有權有勢的武人，以資存活。而文人在有權有勢時，則又先天的就輕視武人，這也許是深受孟子思想的影響罷。孟子說：

「……有大人之事，有小人之事。……故曰，或勞心，或勞力。勞心者治人，勞力者治於人。治於人者食人，治人者食於人。天下之通義也。」

是以，文人多視武人為兵頭，為老粗，除交鋒打仗外，他無所能；而交鋒打仗的事，也等於是勞力的事，亦即等於是小人的事，理應治於人，即屬被治者，自然被文人所治。雖然羣雄並起，天下必然是由武人打下來的，但「乃公以馬上得天下」，能以馬上治之嗎？故敵人倒下之後，治天下必然仍要文人，此文人之所以依然輕視武人也。這在過去教育不普及，而又不實行徵兵制的國家，文武分途，往往如此。若近代英、美諸國，原則上例屬文人主政，武人則以服從為天職，至於若干國家迭有軍事改變，乃屬例外。

（上）

俄指日本重整軍備擁有强大軍事潛力

目前雖只有廿六萬防衛軍 但在短期可動員數百萬人

（自由報香港消息）據莫斯科消息報說：日本擁有亞洲資本主義國家中最强大的軍隊，雖然數量上祇有廿六萬，但其火力已遠較戰前為强。日本的所謂「防衛軍」擁有最新式的武器，包括軍事火箭、導向飛彈、遠程轟炸機和深水潛水艇等。防衛軍的人數逐年有增加，其特色之一，是軍官特別多，差不多兩三個士兵和一個伍長之上，便有一員軍官。專家認為此不相稱人數的軍官，意味着日本在很短的時間內，便可動員和組織一枝數百萬的軍隊。另外，它那雄厚的經濟潛力高度發展的，化工、電子、造船諸工業，隨時可資軍事之用。它的核子工業，如需要的話，可以在數月中製造出一個原子彈來。

更令人憂慮的，是日本當局的政策，正在向進一步的重整軍備方向邁進。在一九七二至七六年的五年計劃中，國防費用將較現時增加兩倍半。那時，日本的防衛軍不難成為地球上最强大的軍隊之一。

這些趨向的矛頭直指向在巨變中的遠東和東南亞政治形勢。一些政經界重要人物已公開宣佈建立一個由日本領導下的「東南亞共榮圈」的需要。並指出今天日本的影響範圍已伸延至馬六甲海峽，在此後數年中，日本將更積極地在東南亞地區投資和擁有物業，故需要一枝更强大的軍隊來保護由此得到的利益和權利。這使我們想起一九六九年底日本首相與美國總統尼克遜會談後發表的公報，把南韓和中華民國的安全，說成為與日本的安全息息相關。日本重整「東南亞共榮圈」的野心，不是昭然若揭了嗎？

（自由報香港消息）一些美國的銀行家和工商鉅子正在瞻望此區的前景——把現時美國西岸最發達的城市洛杉磯發展成一個類似紐約的商業中心，而東京則成為倫敦似的一個國際金融市場。這並非遙遠渺茫的夢想，而是個相當實際的預測。許多人更認為五年內便可成為事實，現正在發展中的超音速飛機，到時正可把太平洋地區那廣闊的空間縮小。

與此同時，我們不得不考慮一個較為現實的難題。太平洋區的商業、旅遊、工業和各種行業的發展潛力固然已無須置疑。另一更引起美國人關心的問題是：美國在未來的發展中，是否能從中得益呢？美國和遠東的經濟巨霸——日本的競爭，勝負將會如何？

「美國參與亞洲事務的各項政策是基於對日本的力量和意圖的誤解。」這是某些持悲觀論調人的意見。這些人認為美國總有一日會給日本踢出亞洲。

另一種人却有不同看法，正如美國經濟事務處助理處長那樣，認為日本成為一個競爭者是件好事，他說，「如果日本像馬來西亞那樣一貧如洗，亞洲會成為什麼樣的一個市場呢？」

的確，六〇年代日本經濟突飛猛進是亞洲整個地區經濟繁榮的一個重要因素，也是整個太平洋地區受世人注目的唯一原因。在過去十年中日本平均每年國民經濟增長率為百分之十二。去年的總值達到一千七百五十億，在一九七五年，估計會達到四千億。（同時間的美國則分別為九千七百一十億和一萬四百億。）如從分配率的觀點來說，距離是更近了。現在日本每人的平均收入為一千六百九十二元，是美國人四千七百卅四的一半不到。但在五年後，日本人的收入會達到美國人的三分之二。日本很有信心在一九八〇年可追及美國。

日本工業迅速的發展，的確刺激和推動了鄰近國家的經濟發展，譬如澳洲，就是因為與日本簽訂了一紙原料供應的合同，才把美國的資本吸引過來，使得世界最富庶礦產之一有機會開掘出來。換句話說，日本的經濟擴張主義為美國的公司提供了良好的機會。而美國不止是在此種投資中得到應有的利益，而且，因為澳洲的經濟發展了，人民也自然更富了，無形中大大加強了購買力，美國對澳洲的輸出也從一九六〇年的四億二千萬增加至去年的十億元。

同樣的，目前發展神速的南韓也成為發展中的美國市場——去年輸入達七億美元，而五年前還祗有二億七千萬多點。總的來說，在過去的五年間，美國對遠東的出口貿易每年增加百分之十强。

然而這祗是一面的情形，從另方面來說，美國從此地區的輸入增長率還超過了出口增長率，差不多完全是因為與日本的不正常貿易所致。許多美國人所憂慮的，是太平洋觀念是一個隱患，而非是個機會。

市議會蒙上陰影

小針

院轄市的台北市議會，成立至今，雖為時尚淺，但所表現的，頗多為人稱道，而可圈可點；尤以調查高玉樹市長的濫權違法案，在中央政治革新，高唱入雲之際，做得有聲有色。

據北市某週刊載稱，謂市議會第十一次臨時大會，對於瓦斯加價一案，居然不顧增加市民負担，未曾博採周諮，遽予通過，使此一獨佔企業，更加賺錢，不知所為何來？實令人弗解。

據說：大台北瓦斯公司去年已盈餘數百萬元，照理，此種公用事業，政府應該更有義務督促其加强為市民服務，增添設備及安全設施，不應以加價是務；但台北市議會計不及此，却由原訂每度二元四角九分，提高至二元六角，為數雖微，却并不是合理的。而且，在討論加價的時候，會為不少議員反對，不料，林挺生議長却發了脾氣，指反對的議員為「胡鬧」，要臨時換個主席，引起了一場無謂的誤會，遂使市議會蒙上一層陰影。以林氏的隆望，及各方對市議會好評，實在是很划不來的。

議會議事，固然是採取多數決的，但亦要尊重少數人的意見，這是民主政治的基本精神，相信林氏是不會不懂的。

過去，省轄市的台北市議會，對於增加市民負担的議案，都非常慎重，如公車多次要求加價，當時的市議會，便不敢貿然決定。難道，今後的市議會，由於瓦斯的加價案，便將每況愈下嗎？

新聞網外之言

「會計管理化」與我國主計革新

李先庚

在傳統上任何書面上的表達數字，大部是以成本支出為表達依據，不僅一般上的會計紀錄是採行成本支出基礎為記帳依據，甚至預算表達及統計彙編，亦莫不以成本支出為表達根據，易言之，以往傳統數字的表達，均為靜態的，書面的。但財務的任何轉變或行進，莫不為動態的現實的。以靜態的書面表達，用以衡量動態的現場變化，斯難怪其格格不入，而難保其數字之正確性者，迨事所必然也。主計革新之道，當從數字之正確性着手者此也。

復有言者，泰勒氏倡科學管理，曾盛倡標準之說，近代會計之新成本觀念，亦以標準成本之說，為成本管理上之一重要工具；成本既可談標準，則吾人於數字管理上談「標準數字」，自非標新立異可比。但果何為「標準數字」乎？曰：合數理上之數字，哲理上之數字，鎔而為一之標準數字是也。上述之標準數字，不僅可經得起數理上之測驗，甚至可通過哲理上之檢討，研判。如用我主計上用語解釋：即會計上的數字——數理的，預算上的數字——物理的，與統計上的文字——哲理的，如一旦合而為一，則所謂標準文字者，庶幾近之矣！

回憶第二次大戰末期，我中美、英、印、盟軍，完成由印度直達雲南省會昆明之中印油管，工程浩大，油管輸通後，為我中國戰區氣油供應之主幹，時作者任後勤司令部經理處長，油料供應之帳審工作，而該自屬份內工作，作多由美籍同事主持，而主持該油管之美籍同事，從未建立所謂帳籍與審計資料，驚問之餘，該主持人向作者婉釋曰：上級每月有固定額不變之撥油預算數，吾人即遵照預算數不折不扣的全數撥入中國戰區使用，撥輸足額後，承辦人憑單簽署後即完成結報，夫復何需帳籍與審計資料哉？作者為之驚服不已！於此，吾人確可獲致一項重要啟示：即財務管理上之標準數字為何？曰：「預算數字」是也。申言之，眞正的預算數字，就是會計數字，也就是統計數字，審計數字。近代工商先進國家之學術界，工商界之所以盛倡：預算管制為財務管理與財務管制之工具者，迨有自也。談主計革新者，焉可忽乎哉！主要理論及實務，詳拙作預算管制。謹從略。

實務上的主計革新

年來由於電腦計算，快速發展，過去數字上無法解決之數字問題，一掃而空。人類之所以順利登陸月球，如非以電腦計算之為助，曷克臻此！上文吾人曾提及：合數理上的，物理上的，哲理上的數字上統一問題，由於電腦計算之倡導，得以全能的有效的完成理想上的成果，但如何將此的成果，即前所提及之標準數字，如何全能的運用在我主計革新上，固不僅理論上之所應有，實務上固亦舍此莫從也。

實務上的主計革新，說來固亦經緯萬端，就以我目前政府所主持之主計業務論，由中央以至地方，歲計及會計業務，遍設有會計處所主其事，統計有統計處所主其事，審計有審計處所主其事，其業務之廣，其業務處理人員之繁，迨無出其右者！談革新？眞是談何容易！我主持主計業務之周主計長宏濤所談到的：「主計革新應由管理方面着手，」確似有感而發，實亦針對時弊之談，惜周宏濤先生語焉不詳，作者謹不避冒昧，將以闡釋，諒為我主計友好所樂而賜教也。

甲、主計革新非從預算革新做起不可

本文所談的預算觀念，決不是我傳統所談的預算觀念，也不是近年來國內外所盛倡的績效預算觀念，而是上文所談到的「標準數字」，也就是作者在拙作：預算管制一書中所倡的「標準預算」觀念。換言之：「我們所要求的預算數字，必須是經得起會計上的折衝，統計上的支持，及審計上的認定者方可。

當然我們不否認，我國多年來在預算數字方面，年年有推展，年年有進步，但離我們預算條文上的要求，相離尚遠！

預算法第廿五條曾稱：「中央主計機關，審計部，及財政部，應於籌劃概算前，將財務上增進效能與減少不經濟支出之辦法，及其他可供決定下年度施政方針之參考資料送行政院。」決算法第廿四條亦稱：「審計人員及審計機關審查各機關或各基金決算報告，應注意左列事項：……三、施政計劃，事業計劃，或營業計劃，已成或未成之程度。四、經濟與不經濟之程度，五、施政效能，事業效能，或營業效能之程度……。」同法廿五條更强調：「審計機關審查政府編造之年度決算，應注意左列各事項；一、歲入歲出是否與預算相符，如不相符，其不符之原因。二、歲入歲出是否平衡，如不平衡，其不平衡之原因。三、歲入是否與國民經濟能力相適合，四、歲出是否與國家施政方針相適應。五、各方所擬關於歲入歲出應行改善之意見。」我們細看這幾項條文所有，與我們所提出的「標準預算」觀念，實有異曲同工之效，再看預算法卅七條稱「各機關應按其法定預算之數額，歲入依來源別科目，歲出依用途別科目，編造分配預算，分配預算屬於經常門者按月分配，屬於臨時門者按計劃實施期分配，均於施政計劃實施前分配之。」又審計法卅條稱：「各機關應依限將核定之施政、營業、或事業計劃及分配預算送審計機關，其與法定預算不符者，審計機關應糾正之。」這幾條的條文，實又將近代管理上所編重之責任管理觀念之精神所在，有所表達，再查統計法施行細則第廿一條稱：「各機關公務人員工作之統計，包括各個公務人員辦理各項職務之成績效率與所覺……」則工作衡量之表達與標準時間，標準工作之配合及其與預算觀念之吻合部份，似亦有確切規定，統計法第十一條復規定：「財政統計之科目及單位，應與預算上及會計上所用者相合。」更可是示其作用所在。（未完）

台北傳奇錄（一〇六）

・陳光棣・

「打過針了，不要動他，也許等一下會恢復過來，我要走了！」姚民規站起身來。

「你也坐下！」蔡先生喊太太：「把他也綑上」！

大洋馬本來坐着發楞，趕緊站起來把姚民規綑好。

外面又傳來喊話聲：「我們進去兩個人，把人質換出來，可以不可以」！

「不可以！誰一走近我的房子，我就先殺要命鬼……姚民規！」

劉太太兩隻手在背後偷偷的掙鬆了繩子，費了好大力氣摸到裁紙刀，反着手割繩子。外面的警察不停的喊話，來分散蔡先生的注意力，這辦法果然有效，劉太太不到半個鐘點就把綑手的繩子割斷，仍然筆挺的坐着。

「弄點吃的來！」蔡先生告訴大洋馬。

大洋馬打開冰箱，端出兩盤小菜，拿出一瓶啤酒，擺在沙發前面的矮桌上，蔡先生坐下連吃帶喝，把手槍放在下巴底下。

劉太太一腳踢翻了桌子，霍的從腰裏抽出小白朗寧手槍來：「舉起手來」！

事情發生的太快，蔡先生直覺的舉起手來，外面聽到摔東西的聲音，警察們衝開門一擁而進，蔡先生束手被捕。押上了警車，和金恆貴一起關在拘留所裏。

劉太太回家看完了劉二爺的傷勢，就趕到警察局去寫報告。

桂先生興高彩烈：「劉太太眞太冒險了！」

「要叫劉素馨」！

劉二爺改正着說：「她是警官」！

「什麼」？桂先生瞪大了眼睛。

「警方為了捉姓蔡的，費了不少安排！」

「你們結婚總是眞的」！

「假的」！劉二爺爽朗的笑着：「我一直把他當女兒看待。」

「二爺！說眞的，誰能相信呢？你們同居了這樣久！」

「將來他丈夫會相信」！劉二爺深沉的說：「你把姓錢的那小伙子找來，我有話跟他說」。

「您可眞行」！

賴先生打過一針，在混亂中清醒過來，滿腹狐疑，也來找劉二爺。

「您太太是怎麼回事？眞沒想到」！賴先生問劉二爺。

「劉太太，啊不；劉小姐，劉小姐是警官」！桂先生說。

「我就聽我女兒說她是大學生」！

「她本來晚上讀夜間部法律系深造」。劉二爺說：「我們結婚是警方安排的，不算數」！

「我不懂」！

劉二爺又解釋了一陣，賴先生才摸着下巴離去。

（全文完）

三分錢一塲的官司

・文匯樓主・

一位馬騰雲的讀者，嘉義某君，曾向香港自由報預約了一本「道家秘術五百種」，該書出版後，照例依序寄出，某君謂未收到，馬上又再補寄一本，且在封面寫明「第二次寄」，照台灣郵政進步情形，很少有收不到的郵件。

「道家秘術五百種」，預約價為新台幣十六元，照我國幣制穩定時期銀元折算，還不到三分錢，為三分錢而行騙，中外古今恐怕很少有這樣的先例，何況一個有廿年歷史政論性的報紙，而這張報的組成份子又率多為國際間知名報人學人，我們平常標榜發行本位，就是怕因招攬一點廣告去打擾人，報社印書目的，也是圖謀經濟自給自足，不願向政府請求津貼，乃為了保持幅度比較稍寬言論自由，講實在話自由報不僅受到廣大讀者熱烈愛護，本港政府及本報發行區域各國政府，尤其祖國！——中華民國政府當局，都相當尊重這張不黃不黑唯一富政論性的華文報香港政府與美國駐港機構，更按期將自由報譯成英文，供其政府作參考資料。

某君者真正未收到書，或而收到了書硬說未收到，乃至於懷疑報館向他騙三分錢，其實這種戶頭報館也常碰到，俗話：「偷書不算賊」，捉到打三棍」讀者們堂堂正正的買書，凡未寄到者，習慣上照例再寄一次，這位可能是律師出身，竟然不分皂白為三分錢具名告上一狀，公文書行到台北，城中警局也就出了一張傳票，函知郵政劃撥戶主應詢，被告因公去美，無法為三分錢的官司趕回台灣出庭，又勞城中分局兩位警員親自跑了一趟，當發現書是報館發行，報館的書堆積如山，非如某君所指的「騙局」，又查明是三分錢的狗屁官司，也異口同聲的認為太可惡了，太無聊了。

報館對這件事的處理，自願犧牲已寄出的兩本書和郵政劃撥兩元的手續費，把劃撥來的十六元新台幣原數退給購書人，並請求某君勿再劃撥欵來購書，（不用拒絕往來戶字樣，因為這名詞很難聽）第二個辦法是將書交給警察局寄遞，再收不到書的話，那就是警察局與某君之間的事了，結果採取後一辦法，因之連想到各地法院門庭若市，也社會亂源因素之一，「好訟者，非善類」有其至理焉，有其至理焉。

不信書・信運氣
——我的經驗談——

・雷嘯岑・

到了卅七年二月，我由湖南遄返上海，閱時經年，貨價依然分文未漲，而且滯銷，中電廠的人亦深感詫異，教我再等候一些時日，但各方債主紛紛索逋，使我心緒煩燥不安，而市面的電燈泡價且逐漸下跌，延至七月間，我受不住債務的壓力，忍痛照市價轉讓給中電廠，蝕本了六十多萬元。不料經過一個月之後，電燈泡的市價竟漲了兩倍！我萬分懊喪之餘，前往滬上查詢原因，唯有自認晦氣。原來抗戰結束後，上海商賈勾結日本人設立了許多小型的電燈泡製造廠，燈泡中最重要的材料就是鎢絲，戰後的日本資源雖然缺乏，但鎢絲還可以輸出，他們乃大量向上海走私。中電廠所用的同樣材料是美國貨，成本貨高多了，那些使用日產鎢絲製造的燈泡，售價低於中電廠的出品三分之一，這類民間產品乃得大量傾銷，抵塔了中電廠品的市場。當初中央方面不明瞭情形，經過長時間的調查，知道癥結所在，才由戴笠領導的緝私機構，嚴密堵塞了日貨走私路徑，於是乎，中電廠的燈泡乃大行其時，市價直線上昇了。

我剩下的那一點資金，由於幣值貶落之故，這時候買不到十根金條了。再與同鄉友人合夥，向湘西採購木材，運來京滬出售，計算有利可圖，而且不致發生風險。朋友親自赴湘西購運，他對湘省軍政當局的門路都走得通，更不愁有意外的障礙，致慮甚為周詳。迨第一批木材運到南京下關九伏洲江面時，已是卅七年冬間，政府已改行「金元券」幣制，木材產地的商人鬨風觀望，不肯繼續交貨，稽遲了若干時日後，湖南的局勢起了變化，程潛通令禁止本省米糧暨一般物資出境；京滬一帶又發生了搶購物資的大風潮，中央政府宣告將南遷廣州，人心惶惶，越卅八年一月，我亦離開南京赴上海中央日報工作。湖南的情況更混亂，原在常德採購木材的朋友渺無消息，打電報去詢問亦沒有回音，繼而上海危急，我南下赴廣州，臨行時的飛機票錢亦係向老友陸京士兄挪借的。至於做木材生意的資金，從此即化為烏有了！星相家胡紹陶警告我的話，完全實現，不由我不相信命運之說，冥冥中早已安排好，非人力所能轉捩也。

再就政治生活而言：我根本不是學教育的，對教育工作既不感興趣，也不夠料，但在政治上竟被動地担任了兩次獨當一面的教育行政官，甚覺別扭。我原係文弱書生，而居然作過保安司令，殺過不少的人。就我想幹的事業，曾經多方營謀，亦難如願，這除却歸之於運氣外，實在想不出正確的答案來。曾國藩說是「不信書，信運氣」，確係甘苦有得的至理名言，普告世人，牢牢講記罷！

（完）

從「大學」「中庸」論道統

・任卓宣・

不必待請孟子，蔣伯潛以孟子說的「人有恆言」，皆曰「天下、國、家」。天下之本在國，國之本在家，家之本在身。」為家、國、天下三級觀念之所由來（卅二）。不知家、國、天下三級為春秋時代底事實，到孟子已成人底「恆言」了。作「大學」的曾子，繼承孔子思想，身處於春秋戰國時代，那有根據孟子之理？孔子以老安少懷朋友信為志，當然要「齊家」「治國」「平天下」纔行。曾子不過以「齊」、「治」、「平」三字分別言之耳。

以上說明三綱領八條目之思想皆本於孔子，曾子不過一貫之而已。這裏要把「大學」經文底朱註引出兩句：「修身以上，明明德之事也；齊家以下，新民之事也；物格知至，則知所止矣，意誠以下，則皆得所止之序也。」這就「止於至善」了。於是三綱領便可貫注於八條目之中。

八條目底格物，致知，屬於知識，誠意、正心、修身，屬於道德；齊家、治國、平天下，屬於能力。這就與理智主義、道德主義、德治主義、民本主義有關了。而這些也從孔子來，為孔子之道底若干部份（卅四）。

這樣一來，朱子說「大學」經文「一章，蓋孔子之言，而曾子述之。其傳十章，則曾子之意，而門人記之也」（卅五），是很有道理的。不過我以為經文不是孔子之言，而是孔子之意，由曾子一貫而成。於是通常遂以「大學」為曾子所作了。「漢書」「藝文志」載「曾子十八篇」，足見他是有著述的。「學」為其著述之一，只是被編入「禮記」之中去了。程朱將其取出，特加序言和按語，並斷定其屬於曾子，為功不小。

三：「大學」底道統觀

前節把「大學中的道，即大學之道，說了一個大概。現在進而論「大學」中的道統觀。

經文之三綱和八條目，是孔子底思想，為曾子所一貫化和系統化，可說是曾子所傳的孔子之道。但孔子有所承，其道亦成統，周公為孔子所欽崇，周公以前有文、武、禹、湯，以至堯、舜，形成道統。「大學」對此說了甚麼呢？這是應弄明白的問題。

（完）

說曹操

李漁叔

（五十六）

子建的失寵，大部分是門下客楊脩等人，太過於取巧貪功所致，楊脩雖是才士，但却喜賣弄聰明。例如他和賈逵王凌與子建友善時，他們揣摩曹公的意旨，擬好問題的答案許多條。等到曹公發下問題來討論時，他們立即把擬好的答案，以子建署名送上去，因為答得過分快捷，引起曹公懷疑，經過推問方始發覺。還有一次是曹公命令曹丕和子建，各出鄴城一門，而豫先密令守城門的不放他們出去，看他們怎樣處理，先是曹丕到城門，守門人不許出去，曹丕就乖乖的回來了。而子建呢？在動身前，楊脩教他說：「你有王命在身，如果門者不聽出，你就斬了守門人。」子建也竟照計而行。不料這事觸犯了曹公的忌諱，猶恐自己逝世後，留下此人，煽動他們兄弟相互鬥爭，藉口洩漏軍情，殺了楊脩，實際只是這個緣故。以此看，答案事太率，斬門者事又太狠，楊脩的才智，實遠遜吳質，都給子建幫了倒忙。

最大的原因，子建失掉父愛，據魏志陳思王植傳所記：

「植嘗乘車行馳道中，開司馬門出，太祖（操）大怒，公車令坐死，由是重諸侯科禁，而植寵日衰。」

曹公為了這事，一連下了幾道命令，譴責子建，平常最心愛的兒子，到此竟一點不留情面了。據魏武故事轉載令文，第一道還說：「始者謂子建，兒中可定大事。」第二道竟說：「自臨　侯植私出，開司馬門至金門，令吾異目視此兒矣。」第三道命令又更加嚴厲，說是：「從子建私開司馬門來，吾都不復信諸侯也。」「吾都不復信諸侯」，意思是說從此諸侯人人可以犯令，那子建負的罪責，就太重了。

行馳道中，和開司馬門出，是兩回事，而都是犯了違禁的重大過失。按秦本紀「始皇二十七年，治馳道。」注曰：「馳道，天子道也。」蔡邕曰：「馳道，天子所行道也。」又：三輔黃圖云：「漢令，諸侯有制，得行馳道中者，行旁道，無得行中央三丈也。不如令，沒入其車馬。」有制，是說，負了天子的使命，才得走馳道的兩旁。至司馬門是皇宮的外門。按史記張釋之傳：

「釋之為公車令，頃之，太子與梁王車入朝，不下司馬門，於是釋之追止太子梁王，無得入殿門，遂劾不下公門，不敬。薄太后聞之，文帝免冠謝曰：「教兒子不謹。」薄太后乃使使承詔赦太子梁王，然後得入。」

由此可見司馬門的重要，凡是經過此處的，必須下車致敬。無論何人，皇太子親王也不能例外。漢制：「經司馬門乘軺傳者皆下，不如令，罰金四兩。」（見史記集解如注）這兒依法只罰金四兩，與行馳道中違令的也只沒收其車馬，算不得犯了什麼大法，不過，此種制度，必須共同遵守，曹公的着眼處，是國家訂下了的規矩，絕對不可觸犯。子建雖是沒有受到什麼嚴厲的處分，而公車令是主管司馬門的，就難免要處死了。

（未完）

中文地位與翻譯人才

（本報資料室）

一，新攷驗與新課題

近年來的中文地位，在世界範圍內有全面提高的傾向。各國學者，愈來愈重視中國語文的研究；有些國家，特別如美國，在大學課程以至於中學課程中間出現了愈來愈多的中文科系。至於在香港，中文法定化的呼聲，更高唱入雲。這一切都說明：具有深厚歷史並以強大的文化力量為基幹的中國語文，已為並世各國所認識。這是值得每一個以中文為母語的黃帝子孫，引為欣慰的。

但是，中文地位在中國境外的不斷提高，自然而然地引起了大量翻譯人才的需要，這却成了今日生息於中國境外各地的華人社會的一個新攷驗以及新課題。為了要使中國語文及其所含孕的中國文化，能為並世各國所了解、所吸收，同時也為了要使中國語文與現代的各種科學技術及專門業務充分結合，中國境外各地都需要有大批的翻譯人才，出來做中國語文與當地語文的溝通工作。這一批批的翻譯人才，自然得由各地以中文為第一語的華人社會提供出來。若就香港來說，假使中文在香港行政、立法與司法事務上的使用進一步普遍化或法定化，則執行中文與英語互譯工作的大批翻譯人才也只能從香港的中國居民中間培養和選拔出來。

二，兩個實際辦法

翻譯工作雖然不能說是絕頂困難，但也不能說是輕鬆容易。就拿中英互譯來說：一個翻譯者必須具備三種條件，才能把工作做好。這三種條件就是：第一、中文流利；第二、英語暢通；第三、對於所譯文件的內容，能有透徹的認識。要達到這三個條件，自然需要有長時期的培養與系統化的訓練。

怎麼叫做「長時期的培養與系統化的訓練」呢？是不是需要在現行的教育體制以外，另設系統，專門從事翻譯人才的訓練呢？當然。

（未完）

巨變歷險記！

小黑虫（一九二）

胡慶蓉

威脅部隊生存的，除了癘疾，毒蛇，猛獸，螞蝗，大皇蜂，還有小黑虫。

語云：明槍易躲，暗箭難防，明槍之所以易於躲，是由於槍在明處，槍看得見，可以採取安全的措施，由暗箭則不然，暗箭，箭看不見，不知道甚麼時候射來，也不知道從那裏射來，這就難於防了，毒蛇，猛獸，螞蝗，大皇蜂，都可比之明槍，現在所要談的就是小黑虫了。

小黑虫之得名，以其色黑，又以其體小。他的顏色是不是眞黑，黑到甚麼程度，以其體積非常小，故很難辨別得出。以其不是白的，又不是甚麼花花碌碌的顏色，故以黑名云。小黑虫之小是名符其實的小，到甚麼程度？小到你看不見。即令特別的注意，也不過發現很小很小的點點而已。就是說很小很小的小點點，也是恍恍惚惚的。

這，小黑虫，在邊區是很普遍的，是非常普遍的，普遍得簡直可以說像空氣一樣。這也就是說小黑虫是非常普遍的，即無處無之，無地無之。有人的地方，有牲口的地方，特別夥的地方更多。多到可以看得見，密密的，黑黑的，一團一團的，在空中蠕動。若是遇到晴天，更遇到有太陽的天氣，透過陽光，更看得清楚。

小黑虫雖然小，但他的威力却非常之强，强過蚊虫，强過跳蚤，强過臭虫。蚊子有聲，其來也，如噴射機然。他的聲音遠遠的就會聽見，雖然來勢往往很驟，但還是可以採取預防措施，甚至於可以將他捕捉過來，將他置之死地，對小黑虫來說，就做不到。小黑虫之來也無蹤，去也亦無蹤，只有他釘你的方便，你設法子還手，你更無從去捕捉他去打死他。再小黑虫之來也無聲去也亦無聲，不可能採取預防措施，這是突然的話，假如在平時，預防的措施還是可以的，那就是坐在蚊帳子裏。再這蚊帳並且要稠密的，否則蚊帳也沒有用。

我說小黑虫强過跳蚤臭虫者，是說跳蚤雖小，但體積比小黑虫要大過十百倍，捕捉他亦非沒有辦法。臭虫的積就更大了，因爲他笨重，雖然曉得躲藏，他也跳不出人的手。他們均不如小黑虫往來自如，俯仰由己，目空一切，身輕如風。其賽過蚊子，臭虫，跳蚤者，還有他給人的痛苦給牲口的干擾。沒有從顯微鏡裏分析過，他用甚麼釘人的，他釘的是那麼的痛，他給人的痛是痛不可當的是痛難忍的，令人焦躁，令人徬徨！而且這個痛相當的持久。其次是他的無孔不入。蚊子，臭虫，跳蚤是不進人的眼睛的，不設人的耳朵的，更不進人的：：小黑虫就不講求這些，到處亂鑽。進人的眼睛，人還有法可想，若進了馬的眼睛，進到象的眼睛：：他們就不好防了。

丁博士無數次遭到小黑虫的圍圍包圍多方襲擊，部隊全體更是暴露在他的公開侵害之下。但常了也好了，也就習慣了。當然還是很痛苦，但痛苦要比較好了一點。

談春聯

東仙

春聯又稱春帖，始於何時，說者不一，大抵濫觴於古代桃符版。山海經：「東海度朔山大桃樹，蟠曲三千里，其卑枝向東北門曰鬼門，萬鬼出入也，有二神曰神荼鬱壘，主領鬼之害人者，執以飼虎，黃帝法而象之，乃用桃符版畫二神於門上，以禦兇鬼。」俗稱門神。荊楚歲時記會記載：以桃木設二版於門旁，謂之桃符。蜀檮杌：歲除日蜀主孟昶題桃符版於寢門云：「新年納餘慶；嘉節號長春。」此殆即題春帖之始。宋蘇文忠公題王文甫桃符聯云：「門大要容千騎入；堂深不覺百男歡。」賈似道題臨帖云：「威行塞北幾千里；春滿淮南第一家。」眞西山朱紫陽亦皆有聯語傳世。是宋時士大夫多爲之。後於除夕用紅紙書春聯以代桃符；嘗見春聯云「爆竹一聲除舊；桃符萬戶更新。」即是此意。簪雲樓雜說：「明太祖都金陵，除夕忽傳旨公卿士庶門上須加春聯一幅。」或謂此爲春聯之始，非也；不過於此時以命令行之，較爲普遍而已。

明淸以來，此風大盛，閥閱之家，每藉春聯以敷家常——明嚴訥官大學士題云：「堂上雙親壽；朝中一品家。」淸阮芸台題云：「三朝閣老；九省疆臣。」淸孫家鼐咸豐狀元，曾爲穆宗德宗師傅題門聯云：「門生天子；天子門生。」翁同龢亦有門聯云：「父子宰相；叔姪狀元。」凡此皆寫實之瑰語，而足以自豪者。又文人學士隱者則多以門聯騁才明志——明王百穀武進布衣門聯云：「豈有文章驅海內；漫勞車馬駐江干。」淸朱彝尊罷官後題云：「聖朝無棄物；餘事作詩人。」明蔣陽萬玄題草堂云：「心懸魏闕三千里；身在匡廬第一峯。」等作，則有嘯傲林泉，又隱「處江湖之遠而憂其君」。或寫格言以砭俗，如梁同書聯云：「能受苦方爲志士；肯吃虧不是癡人。」類皆意境高超，對偶工整；或氣魄雄邁，或詞藻雋永，皆膾炙人口。有人一生只作一對好聯，便傳諸千古。西湖岳墳鐵檻有鑄秦檜跪像，憑弔者加以鞭踢唾溺，淸松江徐氏女題聯云：「青山有幸埋忠骨；白鐵無辜鑄佞臣。」不用典而對仗工，雖有春秋筆意，至今傳誦。

在印刷傳播事業未發達時，門聯實足以遣懷抒情，藉資表達。新年期間，行人莫不注目各處春聯及其書法，加以品評——某也工，某也拙，某也雅，某也俗，傳爲佳話或笑談。宋趙更夫歲除詩云：「桃符詩句好，恐動往來人。」即咏其事。凡胸無點墨者，自不敢出醜。間有富豪之家，思附庸風雅，請人代筆而被譏諷者——吳門某富翁，其祖曾爲僕，楊南峯爲題門聯云：「家居綠水靑山畔；人在春風和氣中。」冠以家人二字，爲識者笑，而富人不知。降至晚近，家家戶戶多貼春聯，以示吉慶，不能自題者，多市坊間現成春聯，貼在門上，嘗有左右倒置，亦有錯字白字者。抗戰以後，多用標語口號作春聯，所謂對仗平仄，已少有人嚴格推敲，視爲歲時年節應景罷了。

然而一般楹聯之應用，仍爲今日社會所重視，似乎比詩詞歌曲更便更廣，除春聯外；諸如慶吊、投贈、宮宅、第宅、祠墓、園林、亭榭、市廛等，無不有聯。蓋由於行文不拘長短，三，五，七，八字或數十字皆可爲聯，可以直舒胸臆，使讀者易於感受。故造句宜雅健簡鍊，對仗應力求工整，平仄也要調和，在寥寥數字中能涵蓋許多意思，不容着一字浮詞方妙。精於此道者，必字斟句酌，推敲洗鍊。尹文端公嘗云：「夜琴知欲雨；晚簟覺新秋。」一聯，「欲雨」對「新秋」，有半個字之差，應改爲「晚簟恰宜秋」始對，可謂嚴格之至。故凡對偶及平仄，除因成語或出於天成而無法更易者，絕不隨便。必如是，方可稱之爲聯，臻於上乘作品。

教育部文化局鑒於民間春帖，頗多文句有欠雅純工整，而且不合時代要求；爲響應　總統提倡中華文化運動，有利於社會教育旨趣，曾於近兩年先後舉辦兩度公開徵求春聯，今年更以中華民國建國六十年爲題。（未完）

黛眉小傳

·王幻·

李清照（二）

……每獲一書，即枝勘整集籤題；得書畫彝鼎，摩玩舒卷，指摘疵病，夜盡一燭爲率。故能紙札精緻，字畫完整，冠諸收書家。余性偶强記，每飯罷，坐歸來堂，烹茶指堆積書史，言某事在某書某卷第幾頁第幾行，以中否決勝負，爲飲茶先後；中即舉杯大笑，至茶傾覆懷中，反不得飲而起。甘心老是鄉矣！故雖處憂患困窮，而志不屈。……收藏於富，於是几案羅列，枕席枕籍，意會心謀，自往神授，樂在聲色狗馬之上。……

這是何等豐闊而富於藝術趣味的生活？今日思之，也不禁稱羨不置。

金兵揮兵南侵，爲宋朝帶來災禍，也爲淸照帶來厄運。當她四十六歲的那年，明誠因奔母喪至金陵，是年十二月金人陷青州，將她們預備於明年運載南來的十餘箱珍貴的藏書燒毀了，從此以後，明媚的故鄉已成爲猩腥的異域。在此一時期，明誠曾在江寧做了七個月官，就被免去。淸照雜志載：

在江寧日，每値天大雪，即頂笠披簑，循城遠覽，得句必邀賡和，明誠苦之。

明誠罷官後，時局日趨緊急，他們想到江西去，依故舊定居，雇船上駛，已到池陽，明誠忽又奉旨召知湖州。她遂留在池陽，明誠則從陸路隻身赴任；臨別的那天，明誠捨舟登岸：「葛衣岸巾，精神如虎，目光爛爛射人，望舟中告別。」淸照看這神情，不覺惡心。她因呼問：「如傳聞城中緩急，奈何？」明誠戟手遙應道：「從衆，必不得已，先棄輜重，次衣服，次書冊卷軸，次古器，獨所謂宗器（或作宋器）者，可自負抱，與身俱存亡，忽忘也。」這幾句話，好像遺囑一般，遂馳馬而去。後來果在途中受了暑，到行在時，就病倒了。淸照聞訊，急解舟東下，一日夜行三百里，比至，病已危，還是蕭索的深秋，淸照終於袂別了結褵三十年的丈夫。」嗚呼！白日正中，歎龐公之機敏；堅城自墮，憐杞婦之悲深。」我們讀了淸照的祭夫文，不禁一掬同情之淚；明誠死時，尚有書二萬餘卷，金石刻二千卷，可見收藏之富，爲淸照逆往洪州（今江西南昌）；這年冬末，金人陷洪州，遂盡委棄。

從此，淸照便成了人間孤侶了，一生心血，盡付東流，悲痛餘生，又歷遭變亂。在建康既染沉痾，爲「玉壺」事又幾罹身牢獄；悲憤之餘，只好往台州依其弟。適台州亂，守官已遁，乃泛海由「章安」至越州，復至衢州。其後，又避亂西上，過嚴子陵釣台。最後與其弟李遠卜居金華，其時淸照已五十二；生活甫告穩定，便爲她丈夫寫金石錄後序，從字裏行間可以看出她淒苦的心情。次年癸丑（一一三三）五月，她有「上樞密韓公工部尚書胡公」兩首詩。給胡松年的一詩有句云：

趙家父祖生齊魯，位下名高人比數。

當時稷下縱談時，猶記人揮汗如雨。

子孫南渡今幾年？漂零遂與流人伍。

欲將血淚寄山河，去洒東山一坯土。

更令人不忍卒讀了。

不幸的顛沛流離的生涯，雖然增加了她心身上的辛楚，但也擴大了她作品上的意境。在她晚年的作品裏，如「武陵春」詞云：

風住塵香花已盡，日晚倦梳頭；

物是人非事事休，欲語淚先流。

聞說雙溪春尚好，也擬泛輕舟；

只恐雙溪舴艋舟，載不動許多愁。

（未完）

依調集

挽救片商厄運

·何如·

近來中華民國的電影製片商，由於影劇業漸趨式微之故，大感恐慌，呼籲政府設法援救。這固然是受着時代進化律的影響所致——電視劇應運興起——而國產影片內容之庸俗低級，粗製濫造，亦應負相當責任。

戲劇係文化事業，自不宜聽其萎縮沒落，漠然置之。政府設有文化局，職責所在，義不容辭。我們認爲文化局對於國產影片業，必須加以整飭，從劇本，導演以至攝製，皆得具備一定的水準，方許上映，經費方面可予分別資助。據說文化局現有一千七百萬元的影片業欵項，並未動用，即不愁無米爲炊也。

最近文化局擬設置「電影製片諮詢委員會」，用意甚是，但望對劇本和導演方面多多注意，凡論條件不夠而知識俾騙的片商，一律加以淘汰，非如此即不足以挽救影片業的厄運，賢之高明以爲何如？

第十八章　岳武穆收復襄陽　宋高宗御駕親征

周燕謀

兵安在？膏鋒鍔；民安在？塡溝壑。歎江山如故，千村寥落。何日請纓提勁旅（勁，亦作銳），一鞭直渡（亦作指）淸河洛。却歸來，再續漢陽游，騎黃鶴。

按此詞爲岳飛「登黃河樓有感」，調寄「滿江紅」。其墨蹟向藏金佗後，並摹勒刻中，後有李兆洛跋。在是時又塡「小重山」詞，詞云：

昨夜寒蛩不住鳴，驚回千里夢，已三更。起來獨自繞階行，人悄悄，簾外月朧明。白首爲功名。舊山松竹老，阻歸程。欲將心事付瑤琴，知音少，絃斷有誰聽？

岳飛之詞，皆卓然可傳，有軍人之氣魄，有詞人之雅麗，以上二首，旨趣幽閒，頗似詞家手筆。

紹興四年十月，還岳雲武翼郞。岳雲立戰功，岳飛因爲己子之故，不報其功。岳雲每戰鬥時，必先諸將登城，破隨州、鄧州、平襄陽，功皆第一。岳飛均不敢報，這年之後，曹鋒辨之，始還武翼郎。岳飛精神之偉大，實古今鮮有。

劉豫聞岳飛收復襄陽，十分恐懼。因向主子求援，說「宋自大梁五遷，皆失其土，若金假兵五萬，下兩淮，南逐五百里，則吳越又將棄而失之，財貨子女不求可以自得；然後擇金國賢士有德者爲淮王（三個中國），王盱眙，使山東成唇齒之勢，到時則無南顧之憂，兩河亦自安定」。這是劉豫向主子求援的建議。劉豫自己做了兒皇帝尚不夠，他竟獻媚主子，以兩淮之地另立一王，都於盱眙，使金、齊、淮成爲唇齒，使金人無後顧之憂，兩河安堵。進而可以共圖南宋，瓜分中國，使整個中國全爲金之藩屬。

金主吳乞買以爲茲事體大，召諸帥計議。粘罕、兀朮以爲此計難行。獨窩里溫則主張支持劉豫之議。撻賴也贊成窩里溫。金主吳乞買就以窩里溫爲元帥，撻賴權左右副元帥。調渤海漢兒軍五萬以應劉豫。粘罕、兀朮因此失柄。但因兀朮常渡江南侵江淮，地情諳悉，因使兀朮將前軍。窩里溫、撻賴下命燕雲諸路漢軍皆須規行，不得募人代替。

劉豫命長子劉麟，姪劉猊各將兵一路南下。且下了一道「僞詔」點綴僞朝。由是僞齊騎兵由泗水攻除州（今安徽　縣），（步兵由楚州攻承州。這是金人南侵及北歸的老路。楚州守臣樊序棄城而走，韓世忠自承州退保鎭江。金兵連同僞齊之衆號稱七十萬，大有氣吞江南之慨。驚報傳抵臨安。

（八十九）

自由報

（第一一三八期）

（半週刊每星期三、六出版）
每份港幣壹角・台灣零售價新台幣式元
社長李運鵬・督印黃行寶
社址：香港九龍彌敦道593—601號
廖創興銀行大厦八樓五座
LIU CHONG HING BUILDING
7th FLOOR FLAT '5
593—601 NATHAN ROAD,
KOWLOON, H.K.
TEL：K303831
電報掛號：7191

承印：景星印刷公司
地址：嘉咸街廿九號地下
台灣區業務管理中心：台北重慶南路一段一二九號
電話：二四五七四
台灣區直接訂戶　台灣劃撥戶
第五〇五六號張萬有（自由報會計室）
台灣分社：台北市西寧南路110號二樓
電話：三三〇三四六、台郵劃撥戶九二五二號

從西德、日本經濟發展經過看今後我國經濟發展

・陳宗悌・

一、西德、日本、和台灣經濟發展過程極爲相似

二次大戰以後，歐洲之西德與亞洲的日本均爲戰敗國，其原有經濟基礎和結構，均遭受重大破壞，但該兩國經過戰後二十年的奮鬥經營，經濟發展均極成功，目前已躍登世界經濟大國，我中華民國雖列爲戰勝國，但以共匪叛亂政府暫時遷台，而台灣省在戰時遭受破壞之情形，與當時德、日相若，經過二十年雪恥復國之努力，在經濟成長方面，亦獲致輝煌的成就，邁向加速工業化之大道。我國與德、日都是從戰後殘存的基礎整理復興，雖環境不完全相同，但經濟發展的過程，以及依賴發展產品輸出，擴展出品以支持國內經濟建設的需要，大致均相類似。

先就復興工作而論，日本、西德、台灣，同受戰時盟軍的轟炸，生產設備毀壞殆盡，工業生產一時陷於停頓，如日本在戰後第一年（一九六四）的工業生產指數，僅及戰前水準（以一九三四、一九三六年均爲基數）之二二%，農業生產指數爲戰前之七七%。西德遭受戰爭之破壞更甚於日本，台灣光復時到處頹垣殘壁滿目瘡痍，如同一轍。此一階段日本先獲美國之援助旋受韓戰之惠，恢復各項經濟建設，重建工業與生產改進。西德則接受馬歇爾復興計劃的援助，自一九四五年至一九五〇年間，賴美援及貸欵支持進口貨品及勞務。台灣光復後於民國卅九年下半年起開始接受美援，迄民國五十四年六月終止，賴以維持國際收支平衡，安定民生，供應經濟建設所需資金進口資本設備。

此一階段之初期，三國雖均面臨大量入超，資金匱乏，但均能獲得迅速進步，其成功因素主要在於政府領導正確，全國人民節衣縮食之主觀勤奮努力，配以有效利用外援之客觀條件所獲致。前者爲其基本條件後者爲加速發展條件，德、日如此我國亦如此。此處不得不說明稍有不同者數點：（一）我國可利用之人力、資源較德、日爲少，故成就規模較小。（二）我國防衛負担較重而完成時間稍緩。（三）德、日原有工業基礎佳，且被破壞程度更澈底，故大部份工業均重建而較理想，而我國則大部份經恢復後再行發展而有所牽制。

經過一段艱苦的整理階段之後，由於有效的運用外援，發展生產事業，引用新技術，大量投資現代設備，新工業卽形迅速發展，經濟因此快速成長，日本在戰後二十年間經濟成長率平均在九%以上，西德平均在七%左右，台灣自四十二年起十七年間平均在十%左右，而最爲突出者爲出品增加，由大量入超逐漸減少逆差乃至出超，如日本在一九六一、一九六七年出口由四十二億增至一〇四億美元，進口也由五十八億增至一一七億美元，逆差由十六億減爲十二億美元，中間一九六五、一九六六，且已畧有順差。西德在一九五〇年進出口逆差尙達七億二千餘萬美元至一九五二年卽開始畧有順差。自後卽一路大量順差。我國在這一階段的出進口情形亦有滿意的進展，在民國四十二年（一九五三）至五八年（一九六九），出口由一億二千九百餘萬美元增至十一億一千餘萬美元，進口方面由一億九千餘萬美元增至十二億零四百餘萬美元，雖然仍有逆差，但差額不大，且係採取加速工業化措施輸入資本設備的用途居多，而且輸出額激增，收支逆差額並不相對增加，爲一種良好的現象，在這一階段內，三國共同特質爲（一）外援逐漸減少至終於完全自立，如我們台灣在五十四下半年美援宣告結束。（二）外匯逐漸充裕，已由節約支出階段發展至有效運用階段，分別用於投資生產，改進人民生活，放寬進口限制等等，故均能順利進展。（三）目前情勢德、日已至大量出超階段，如日本近十年來輸出値綫上昇，自一九六五年起呈貿易順差，歷年互有升降但其出口增加率却在繼續發展之中。估計一九七〇年出口總値一百六十億美元。西德較日本更爲明顯，自一九五二年起畧有順差，至一九六一年達十六億六千餘萬美元，一九六八年達三十七億美元，一九六九年估計出超可達四十億美元，估計一九七〇年出口總値可達三百一十餘億美元。因此，西德與日本的經濟呈空前繁榮，充分就業，人民生活水準提高，外匯積存大量增加。爲維持收支平衡發展，不得不尋求對外投資及對外援助。

至於我國因採取民生主義的經濟政策，開始以發展農業爲基礎，然後轉向輕工業、基本工業、高級工業的順序發展，以穩健的方法和步驟，謀農、工、商的均衡發展，促進社會的安全和繁榮，雖然尙未達到大量出超地步，但從上述發展的型態和過程，台灣經濟基本存在海島經濟特質，經濟的結構自五十年代下半期已有明顯的轉變，雖然今後仍求農工之均衡發展，但加速工業化已不可避免，且積極正向高級化現代化邁進中，據初步統計，本年一至九月出進口貿易總値已達二十二億多美元，比去年同期增加百份之三十三，出口値十一億二千九百餘萬美元，增加率高達百分之四十，進口値十一億零四百餘萬美元增加率百分之二十七，貿易順差二千四百餘萬美元。如果環境沒有特殊的變化，此種情形繼續發展，而且，台灣受地理條件所限制，人口增殖的壓力，加速經濟發展，一定要繼續集中力量獎勵生產，拓展對外貿易。因此，像西德、日本所面臨的問題，今後我國亦將顧慮而早作籌謀了。

二、從西德、日本所面臨的問題今後我國應有的顧慮

目前德、日所面臨的問題發生在出口繼續的增長，進口的增長率又趕不上出口增長率因而形成不均衡發展，國際收支長期順差，外匯資金大量積存，終於呈現通貨膨脹勞力不足，工資提高物價上漲等影響繼續發展之不良因素，而正在設法克服之中。

（未完）

本報專論

本文旨在說明將來的一個問題，目的無非想提起大家對於這個問題的研究興趣。

在未討論問題之前，首先我想講一個有趣的故事。

在漢宣帝的時候，有一位很有名的丞相叫做丙吉，有一天丙吉帶了很多隨從出巡，到了城門附近，看見一羣老百姓聚集在那裏吵吵鬧鬧，從人把車駕停下查明究竟，原來發生了殺人的事情，那還得了，趕快向丞相報告，但丙吉聽明後却叫開車繼續前進，不加理會。不久，在路上看見了一個農民在趕一頭牛走路，那頭牛一路吐舌氣喘，可能很痛苦，丙吉卽刻停車，向那位農民詢問那頭牛爲什麼喘氣，是不是走路太遠，或者還有其他的原因，問了很久才離開。事後，隨行的官吏覺到很懷疑，可能心中還有些不大滿意，爲什麼發生了命案，丞相不加過問，却關心一頭牛的喘氣，那不是有些糊塗嗎？那時候，丙吉告訴他們，發生了命案，雖然很重大，但那是地方官的職責，有他們去處理，但現在正是春天的時候，按理牛隻不應喘氣，如果係因爲天氣很暑熱而喘氣，表示氣候失常，對來年農事將有重大影響，恐怕會發生災歉，此乃關係國計民生的大事，做爲一個的丞相，調和陰陽、職所當憂，怎可不關心呢！這個故事，說明對於未來可能發生有關國計民生的問題，才是比較重要和有意義的事，値得關心國事者注意研究，作未雨綢繆之計。

昨日與明日

注意到社會性物品增產沒有？

中華民國五十九年的經濟建設，又有了顯著的進步。據主管部門報告：民國五十九年的自由中國經濟成長率爲百分之十，國民平均所得折合美金約爲二九二美元，比較五十八年的二六一美元，的確增加多了。同時，美哈佛大學經濟學教授柏金斯曾分析中共經濟的現狀是：農產品增加甚微，工業生產陷於停滯，人民普遍困窮，日用品實施嚴格配給，例如肉類配給，每月四到八兩、食油二到四兩、布類最高每年七尺，因地而異甚至火柴也配給，和自由中國人民豐衣足食，隨意取捨相比較，眞是天上和地獄之別了。

進一步地檢討，自由中國的經濟發展，雖有顯著成就，但整個人民福利着眼，政府的經濟措施，仍應百尺竿頭，更進一步。所謂經濟成長率提高百分之幾？國民平均所得增加若干？都是很抽象地顯示，實質上並無具體的意義。最値得注意的，國民生活水準有沒有提高？達到現代的標準沒有？如果國民生活水準，仍然很落後？國民生活情況，仍然沒有顯著的改善，經濟成長率縱然提高百分之百，國民平均所得增加若干倍，又有何意義呢？

試舉幾個最簡單的事例：

一、大台北市的水荒問題，始終沒有圓滿解決，不僅影响人民基本生活，也危及市民健康。

二、都市交通的擁擠問題，構成對人民「行」的問題之危脅。

三、都市住宅的擁擠和不够現代化問題，使人民住的問題未能合理解決。

四、都市的髒污和鄉村的不衞生情況，構成人民環境衛生的嚴重問題。

五、交通幹線的暢通問題，如台北鐵路、公路候車的時間太久，通往各地路綫的擁塞，不知犧牲多少時間，浪費多少人力，給人民多少不便。

六、最令人難解的：台北以首善之區，朝野大力提倡觀光事業之際，台北市的大南門和大西門，却陳列着兩個大垃圾堆：永和鎮和三重市。這兩個密隣台北的外圍地點，其髒其亂，簡直難以形容，而高談經濟發展的人士，却未曾注意。甚至台北市的髒亂，也正構成經濟發展的一個諷刺。

我們要請問：各主管部門的官員，你們祇顧到提高國民生產和國民所得，曾經注意到：增加社會性物品的生產沒有？

・千公・

自由談

談退休制

今時政治場中之「退休制」，卽吾國舊有的所謂「致仕」方法也。不過，致仕幷無年齡限制，也沒有一定的法規，官吏自己認爲不宜繼續任職時，卽申請去位，名曰「致仕」；君主對某個官員不滿意時，卽勒令「致仕」。二者皆不給致仕金。

如今的退休制是舶來品，硬性規定年滿六十五歲的必須去職，且按年資給予退休金。這樣可使政治上發生新陳代謝作用，亦使退休者老有所養，當然是進步的措施。可是，如果要奠立退休制的信譽而發揮預期的效能，卽應該健全人事制度，凡是新進人士，亦須有法規可循，不能隨便。如事務官必由考試而來，政務官應有相當的資歷，都屬必備條件。假使一方面對於用人漫無標準，完全憑「人事關係」以爲去取，結果是「所識窮乏者得我」，一人得道，鷄犬皆仙，小圈子主義與派系作用油然興起，而退休制乃不啻爲排除異己的一種手段了！

退休制在文教界——卽學校方面是否可以實施，似乎値得考慮。學問之道，越老越有成就，所謂老師宿儒，份量自然不同，祇要精力未衰，能够傳道授業，雖髦耆庸何傷乎？例如台北市立第一女中校長江學珠，大家公認她辦學的成績優異，聲譽卓著，何必强迫她退休呢？政治上亦有年過七十的人幷未告老還鄉，何以張校長卽非去不可？這在教育上是一大損失。我在日本讀大學時，一位政治學教授浮田和民，年近八旬了，另一位政治學講師大山郁夫，靑年英俊，且係留洋回來的，然浮田的講座每次擠滿了學生，而大山授課時聽衆却寥寥可數。校長高田早苗的年事亦很高，然學生和教授們都對他十分敬仰。所以，退休制在學校實行，必卜得不償失，未宜一窩風地講求時髦，邯鄲學步！

馮王先生

邊界糾紛仍在有增無已
俄加緊訓練飛行員
向毛澤東對症下藥
柯酋表示願助美結束越戰

（自由報香港消息）蘇聯總理柯西金一月二日稱，蘇聯「將願協助美國人離開越南」，作為解決印支衝突之一個政治安排。他在其罕有的一項報紙談話中發表意見，但並未作明確的說明，他又說：蘇聯「將歡迎在非單方面性質之限制戰略軍火的範疇，達成一項合理的協定」。他之所謂非單方面性質，乃指不僅在赫爾辛基進行之美、蘇兩國限制戰略軍火談判而言，而是更廣泛的裁軍之各方面。柯氏解答日本「朝日新聞」所提出各點問題，謂「我們將願協助美國人離開越南，但畢竟是何事拖住他們在越南呢？我想，此無非有等美國人士意欲在南越保留反人民的傀儡政權，退出越南之路，正開放給美軍，蘇聯準備進一步協助獲致印支之政治解決」。

不過，柯氏表明蘇聯並未改變其基本立場，此即充份支持北越與越共之要求，作為獲致和平之一法。他說：「無可置疑的，不論是美國公然擴大其在印支之侵略，抑或戰爭越南化，總不會給美國帶來勝利。長此下去，美國遲早仍須自南越撤走其全部軍隊。」

柯氏對於未來對毛共友誼的問題，亦有所談及。經過蘇共喉舌「眞理報」發表一篇攻擊北平政權的社論之後，柯氏今天的話調，又回復蘇聯一年來所依循的修好路線。他說：「甚至在最複雜的時期——蘇、毛關係最惡化之際，蘇聯仍一定不變地遵守要與中國恢復善鄰關係之既定原則方針，並且表現談判之準備。」蘇聯是懷着好意，在平等基礎上，來解決毛蘇糾紛，「可是，我們雙方之間的關係正常化，祇可能是雙方皆對此目標共同努力之結果」。

（自由報香港消息）據美國官方消息說，蘇聯正加緊造就軍事飛行員，其着眼點以毛蘇之鬥爭為主。據五角大廈專家們說，在過去一年內蘇聯在史坦羅波爾及沙拉托夫爾地各成立了一所空軍飛行員訓練學校，又將五十年代後期因着重導彈而停辦之波拉斯奧格里布斯基之高級空軍學校重新辦起來。蘇聯將四年制之飛行員訓練課程縮短四五個月是為了配合加緊造成空軍飛行員，以應付毛蘇邊界之需要。造就更多直升機駕駛員也是蘇聯擴大飛行員訓練之目標，於必要時，準備與毛澤東攤牌，傳林彪會就俄加緊訓練飛行員事與周恩來數度密談。

「會計管理化」與我國主計革新

李先庚

吾人細讀上述條文，莫不以求，預算數字之能與會計數字，統計數字，審計數字之合一，為處理上的最高要求，即重視預算為主之要求，實已全能的洋溢於條文中，是則我國所謂：「主計革新。」之要求與構想，條文中實早已具備，所可惜者！文而不言！言而不行！為今之計，除條文中繁複不切實際之條欵，酌將刪正外，預算為主之管理觀念，非澈頭澈尾的貫澈不可。意即我主計革新，必須先求預算之能配合時代之預算第一做起，追成定論。

乙、主計革新非從管理革新做起不可。

上文所談：預算法規，會計法規，統計法規，審計法規，無一而非我主計事項之工作領導，年來，我主計業務，由於遵循以上法規之引導而完成之財務管理日入佳境者，誠功不可沒。但時代是進步的，條文之不能墨守成規，正如我們人類衣着，必須能配合人類慾望而有所更張者一樣，況乎，主計工作之重要搖籃，已全部由機械——電腦——操持后，過去成十成百之人士操作之工份能量，電腦上早可瞬息而完成，程序之報簡或代替，在管理過程上，已進入一個新的境界，但新的所謂「會計管理者，云何？新的境界又何屬哉？是又不能不理解者。

所謂：「會計管理。」的眞諦。

現任台北市會計處處長老友何大忠兄，於到職之初，會有一新構想：「台北市政府的會計處理，期能管理會計化。」作者以担任各大學之：「管理會計」課程有年，睾相質問，惟茲事體大，當非三言兩語所能盡其事，惟所可告者，摘述於次：

A、管理會計化之會計處理，應由預算管制着手，即預算確定后，會計紀錄上祇有預算數，及預算分配數，與明細預算分配數，直至使用之基層為止。

B、預算分配后執行預算之事業或事務單位，應按預算作責任執行，不可偏高，也不可偏低，萬一執行有偏差，即應由執行單位作責任處理，主計單位儘量避免事后認定，即不作預算追加，也不作預算遞減。

C、主計單位為預算彙擬及執行單位，其任務有同國外之CONTROLER

其任務有同國外之CONTROLLERSHIP。

D、預算之彙編分析，應全部經過電腦處理，（由資料之儲存至資料之處理）

E預算之表達數字會計之記錄數字與審計結果，期能與市場之表達數字合一，如有差異亦應自行調節或自動調節。

以上之假想答案，雖不能代表將來走上管理會計化后之所有會計處理必備的條件，但就業務之精簡論，就電腦設備廣泛的應用論，似非書生之談。

所謂：「會計管理」的電腦化措施之配合。

在過去我們談精簡會計措施，往往限於計算法則之不能深入，祇能做到表面上的精簡，回憶作者在抗日期中，為主辦軍中帳審工作，帳表之繁複驚人，第一次不得不應戰爭需要，改採戰地巡審，作為主持西北各戰區是項巡審工作達兩年，頗感不便。抗戰末期，配合盟軍作戰，毅然決定廢止原始憑證之送審，改為表報逐審。三十八年奉命來台担任東南軍政長官公署主辦經理補給後，更進一步採主動補給體制，軍中稱便，是又進入以預算為主之主計體制矣。邇來電腦漸於國內展開運用，由原始憑證以至帳表彙辦，已至非革新不可之階段，但衡諸我主計法令，出入何止天淵，醫諸會計法第三條所載：「各級政府及其所屬機關，對於下列事項應依機關別與基金別為詳確之會計：……及歲計餘絀之計算。及第五條所載：「……因處理收支而發生之債權債務及計算政事費用，其歲計餘絀之會計事務。及決算法施行細則十六條：「各機關單位之主管機關編造決算各表：……。」類似的不少條欵，表面上雖僅就會計，及其表報作處理依據，不能不謂精簡，但如透過電腦處理，確已無一「是」處，故今日不談主計革新則已，談主計革新，則全部之處理電腦化，即主計法令之如何配合機械措施，而必有之全面修正，迫又刻不容緩矣！

丙、主計革新，應先從加強績效預算之推展做起。

這是無可否認的，績效預算之推進，確替主計革新，即替會計管理化鋪了路。考績效預算一詞，雖係於第二次大戰后，由胡佛委員會提出，但該項觀念，確導源於第二次大戰期中，美國工業界及學術界，於研究第一次世界大戰后經濟不景氣之動機而揭諸於世，繼自泰勒氏等倡科學管理之說後，工業勃起，迨第一次世界大戰期中，因各方過份重視科學管理之倡導，加強生產，竟想不到於戰后，卒導致大量生產過剩，而迫使工廠停工，工人失業，僉認為第一次大戰后之是項不景氣，純係受科學管理之重視行動而生之影響，故於第二次戰事末期，提出一重要修正之管理觀念，各為作者於揣作工廠管理一書中，將譯為良知良能管理，譯名雖嫌冗長，但該制確具有良知良能之管理因素存在，因該制必須於每一工作面內，須有效的完成以下四個步驟：

1、計劃的。

2、組織的。

3、行動的。

4、管制的。

上述管理體制內的第（3）第（4）兩步驟，因為科學管理步驟所有；而第（1）第（2）兩步驟，則為重點所在，即任何業務的推動，必須本諸計劃。由計劃推演為數字時，即預算是也，但是項預算必須藉諸良好的組織，有力的動作，澈底的管制實施，方克有成！是項預算禮制，非績效預算而何？蓋績效預算也者，合計劃的，組織的，行動的，管制的，表裏為用，密切配合者是也。

績效預算，既導源於良知良能管理學說，其為管理之工具者，迨為定案，故吾人推動「會計管理化」措施，績效預算之配合與加強，實為重要，惟所感遺憾者，目前國人表面上雖積極推動績效預算體制，而實質上仍以各年來使用成習之傳統預算之程規為藍本，成果之不是顯著意中事也，作者在本文所提出之預算為主之主計革新，固又不僅求績效預算之全能推動而已也。

五、結論

談主計革新，決不是一言兩語所能盡其事，眞是千頭萬緒，好文章，好制度，如不力行，也等於紙上談兵，徒增困擾，但作者總認為：目前是機械化的時代了，精簡之外，如何經得起市場考驗，即如何面對現實，才是一切力行的重要步驟！

預算管制，乃為既談預算，又談管制之一新境界，吾人不僅求預算之能檢討過去，針對現實，切合未來，而達成數字上的合一——精簡——為已足，同時如何有效的，不折不扣的把數字納入管制體系，經得起考驗，面對着現實，我主計革新之道，舍此夫復何從？（全文完）

立即設立中國語文學校
——為海外僑胞及華裔子弟請命

清末為了學外國人的新技術，政府設了同文館和廣方言館，來學習外語外文，以接受外國的新知識，後來有了不少的成效。

我僑胞散居海外漸漸有三千數百萬人，近來由於受到僑居地種種的限制，漸漸難以接受中華文化，為家長的莫不視為隱憂。有若干僑居地尚有教授華文的小中學設置，可是沒有設立華文小中學的地區更屬不少，家長想令子弟學華文華語，眞是如同難上青天。

試觀近幾年來，青年救國團，在每年暑假，招收在美加等處，中國人士的子弟，來台北接受短期的祖國教育，自備旅費，那種踴躍參加的情形，不禁令人欽佩。雖然只有短短的數週，也發生了不少效果，甚至啓發了他們熱愛祖國的心靈。

所可惜者，這暑期訓練，對在外國的華裔子弟的中華文化教育，時間太短，範圍又狹，而且是臨時性的。海外華裔人士，都認為不夠。東南亞的華裔子弟，却沒有機會參加，他們深以為憾！

筆者與不少的海外華裔人士或華僑華旅升學人接觸時，他們很希望中華民國政府設立中國語文學校，既不是小學、中學，也不是大學，而是一個專門訓練中國語文的學校，就如同清末的同文館，或是美國在加州所設的外語專門學校一樣。比現在國立台灣師範大學國語中心要大，要有規模。而是不折不扣的是一個正式學校。進入這個學校，以後完全住校，一切生活，完全使用中國語文，半年之內，就可收到相當效果，一年之內，也許就可以相當方便的使用中國語文了，這學校可以分為初級、中級、高級班，每級各以一年結業，全無華僑基礎者，進初級班，略通華語者進中級班，通華語略通華文者進高級班，隨就學者之興趣能力而定。就是外國人士，願學中華語文者，也可進入這個學校。

這一學校，完全採取自費性質，如果政府能撥一筆開辦費，則易於開辦。假如政府無意及此，希望社會有心人士，聯合僑胞，共同集欵籌設，這一學校的設立，筆者相信，對團結海內外華人，加強自由反共陣營，是有其極大貢獻的。

·黃大受·

新聞網外之言

縱橫談當舖

·萬念健·

當舖是一項特殊的行業，通常分典、當、質、按、押五種，大抵以資本大小，取利厚薄，期滿長短，納稅多少四者為區別。本文為簡單統一起見，一律稱之為當舖。當店與民生經濟關係重大，它可以濟人之急，解人之圍，它是窮人的親戚、後門，上海人稱之為「娘舅家」，粵語稱之為「二叔公」，法國稱之為「姑姑家」，蓋娘舅、二叔、姑姑都是遇到手頭拮据或有所急需時可以掉掉頭寸的近親，又因其為中國所首創，另外有一個名字叫作「亞細亞式金融機構」。（原文摘自大人雜誌）

最早當舖　始自僧寺

當舖業始於何時，無從確考，但在中國至少有一千年以上歷史，而首創此業則為僧寺廟宇，文字對於典當的最早記載，是南史循吏甄法崇傳所記，有一個名叫梁彬的人，以一束苧麻向長沙寺質錢應急，開佛門貸欵於人之先例。其後大抵一因僧寺廟宇，廣貯財帛，必須善為運用，二因濟人之急，也是「為善」之道，就逐漸成為一種行業。我們從史書上看到，南北朝時代即已有了典當，其後盛於唐代，連綿不絕以迄於今。因其手續簡單，官賠不多，無中無保，小大由之，取欵贖物，立等可待，遠較新式銀行為方便，故不論銀行業務如何發展，都不能取當舖而代之。

當舖的最早名稱，叫作「質庫」，白居易的弟弟白行簡所作「李娃傳」，記「天寶」年間事，裏面寫那荒唐的鄭公子，吃着嫖賭，用光了錢，沒有辦法，只得把衣服送到「鋪子」裏去押點錢來使用，這種鋪子，當時就叫「質庫」。

歷代當舖　名稱不同

到了宋朝，據「東京夢華錄」載，京師汴梁的當舖已被列入「士農工商」諸行百戶之門，成了一個大行業。當店的伙計「朝奉」稱作「掌事」，穿着特定的衣帽。南宋時，典當業更見發達，「夢梁錄」中說杭州城內外質庫不下數十家，收解以千萬計。」當舖生意愈好，也就說明了當時貧富分化的加劇，與階級矛盾的加深。

宋元小說也常常提到當舖，那時民間稱當舖為「解庫」，當出來的錢，叫「解錢」。」

水滸是元人之作，相信它可以較準確地反映宋元時代的社會生活。書中寫那坐梁山第二把交椅的玉麒麟盧俊義，在還上梁山之前，家裏就是開有一間「解庫」，靠此營生過日子的。

（未完）

一代怪傑李福林

·文匯樓主·

有署名「半閒翁」者，談廣州「福地」奇人，怪傑怪事頗値一記。

民國建立後，廣州人無不知有「福軍」，此卽李福林旗下軍隊之簡稱。李福林久駐軍於穗市之河南區，由民國初年以至抗日戰爭爆發，「福軍」之名不衰。迨廣州爲日軍所陷，惠福路一帶則被稱爲「福地」。兩個福字均與政治變動有關，「老廣州」每引爲話柄焉。

惠福區所以名爲「福地」者，蓋以其時西關及內城均曾遭火洗，惠福區獨以福字當頭，未被波及，全市商賈雲集於此，大路兩旁擺列攤檔售物者甚繁，所售皆爲富家刼餘舊物，賤價沽出，藉以維持生活者，其中不乏羊城世家之珍貴文物，能欣賞者不多，吃香者乃滿旗故家之錦繡綾羅而已。買者賣者每於市散時，赴巧心茶樓品茗。此爲市中氣派最大的老式茶樓，茶客無不識李老師其人。李爲廣州淪陷時期，能以智術牢籠日軍，且藉其術以救濟貧苦之江湖奇人。直至光復以後，「福地」居民猶有稱道其功者。

李老師不知何許人，設熟藥店回春堂於惠福西路，每有日本商人與軍人登門訪問，敬禮有加。惠福區居民遇有人事困難，輒向彼請敎，李亦善爲調解，故能使一隅粗安，免於災厄。

其藥店樓上設有東密法壇，日本軍人多篤信密法，故請敎求禱者甚衆。李頗懂日本軍人心理，出售符咒以應其所需，如是者兩年，一方咸受其庇焉。

當地居民且傳言，李老師有絕技，能以三指捏銅圓數枚，一捏卽兩斷，遙擲空中，能使飛鳥立墮。此當是故神其說。而宵小之徒，亦聞其名而遠避。其時全市秩序甚亂，刼案頻生，獨此一帶從未發生刼掠事件，其號爲「福地」者以此。且巧心茶樓營業特盛，不似戰時，亦絕少有「吃霸王茶」者。此種情景，維持至日軍潰敗，市區光復之時，而李老師亦隱遁不知所終。其獲稱「奇人」者亦以此。蓋其志不在名利，唯欲爲留市之苦難同胞，効其微勞而已。說者云，李老師亦解音律，曾有亡清將軍後裔容某，窮甚，抱五絃古琴求售，市人無識之者，抱琴登巧心茶樓，應茶客之請，彈奏一曲，解音無人，咸嗤之；獨李老師激賞之，察其琴，有龜甲紋，知爲珍品，介使售與日人，得善價，容遂賴以營生，一家得免於飢寒，視李老師猶如生神仙。予於戰後返廣州，獲聞其事於容氏家人之口，遂知江湖術士之中，其行誼亦確有可取者也。

左宗棠的氣魄

子餘

（續上期）

清朝濡染華夏文化，初亦頗重文而輕武，各級官吏，固多由文人主政，而非兩榜之正途出身者，則絕不能入閣拜相，尤其對於漢人爲然。其間只有一個例外，就是左宗棠以舉人特任大學士，然而還是經過先由皇帝賞給翰林的一種手續，雖曰虛應故事，總算猶存典型。而左氏也是以軍功顯赫，方能躋此高位的。但當其在湖南巡撫衙門做師爺時，却因輕視武人的習性，大發脾氣，竟幾乎闖下了殺身之禍。

左宗棠飽讀詩書，胸懷大志，然中舉之後，三次會考落第；遂灰心功名，回到湘陰家鄉種田，頗有諸葛亮躬耕南陽氣概，而左氏生平亦素以諸葛自比，且湖南的士大夫，莫不知左某其人，因之連皇帝也久聞其名。及郭嵩燾出使英國回來的時候，陛見咸豐，於報告政情之餘，帝乃垂詢左氏爲人，並囑郭催其出仕。又經後來湖北巡撫胡林翼助以川資，力促其行，左乃赴長沙佐湘撫張亮基爲幕賓。那時候太平軍已起事於廣西，進圖湖南，省城危殆，左氏出奇制勝，大顯才能，張巡撫交付大印，委以專責，長沙賴以轉危爲安。其後「內定湖南，外援五省」，太平軍頗受牽制，旋張撫調升，駱秉章繼任，仍邀左爲幕賓，信任亦如張撫。

那時太平天國定都南京，湖南已由前方變爲後方，兵源餉精，供應浩繁，駱秉章「垂拱而治」，百事不問，左宗棠大權獨攬，日夜忙碌。因爲巡撫大印已交左手，故許多事，都由左做了再報與駱知，或竟作了不報。相傳有一次駱撫正在會客時，忽聞轅門炮聲，客問何事？駱答不知，問左右，始知是左師爺發軍報奏摺上京，例須鳴炮也。因爲駱撫是由右副都御史調任湖南巡撫的，於是有人就戲稱宗棠爲「左副都御史」，職權在右副都御史之上，以調侃之；但亦可見賓主相得之深，駱氏雅量，左氏才氣，均不可及。

某次，永州總兵樊燮，因軍務晉見駱巡撫，爲宗棠所辱。其情節有兩種傳說：一是說，樊見駱撫，執禮甚恭，而對於這位左師爺不大理睬，左已心中不悅。及與談論軍務時，又發生爭執，左氏暴怒，順手打了樊一個耳光，且罵他目不識丁，胸無點墨等語，樊恨恨而去。另一則是說：樊謁巡撫談軍務，駱撫吩咐他與左師爺去談，樊似乎不明瞭左氏當時的權威，而以普通幕僚視之，談時彼此爭執甚烈，而左又怪他見面時未曾請安，乃厲聲併責之。樊抗聲道：「朝廷體制，未定武官見師爺請安的條例。武官雖輕，我也是朝廷二、三品的官呵。」左氏益怒，起欲以脚蹴之，作勢而止。大聲呵斥曰：「王八蛋，滾出去」！樊亦惱極而退。不久，樊卽被駱撫以「驕倨不法」四字考語參革了。當然是左師爺的手筆。

（完）

「八紘一宇」之淵源及其含義

·嘉行·

「八紘一宇」爲第二次世界大戰中，日本所宣揚的口號。也就是表示他們要侵畧中國，攫取東南亞，和進軍太平洋種種，無非都是爲了達到這項「八紘一宇」的神聖目標，而採取的行動，故名之曰「聖戰」。

究竟，「八紘一宇」的意義是甚麼？戰後一度被美佔領軍部提出責問。驚動了數位學者出面解釋，方告無事。

最近好友李君爲了集郵，囑我查查這個成語的淵源。我查了許多日本辭典，辭林。可惜沒能找到太平洋戰爭時期出版的辭書。直到太平洋戰爭前出版的辭書上，「八紘」和「一宇」。「根本就沒結合在一起八紘」和我們的辭書上解釋的一樣，源出淮南子」：「九州之大，純方千里。九州之外，乃有八寅（歹旁）外，亦方千里。八寅之外，而有八紘，亦方千里。注：紘，維也。維絡天地，而爲之表，故曰紘也。」而某日文辭典，更錄出「淮南子」中的地形訓詁：「東北、荒土。東、桑野。東南、衆安。南，反戶。西南、火土。西、混野。西北、沙所。北委羽。」至於「一宇」一辭，我們的辭書上沒有。而日文辭書也沒引出處，想係出在日本成語裏頭。其釋義爲：「一家」、「一家舍」、「一雄舍」、「一寺、廟，廳、堂」、」等。戰後的日本辭書，大多是以下的解釋：「八紘、八方之隅，地之境界。紘、界也。八紘爲宇——八紘一宇：天下爲一家之義。天下四海如一家族然。」

（未完）

說曹操

李漁叔

（七十五）

雖然如此，曹公到頭還是愛眷子建的，據陳思王傳：

「二十四年，曹仁爲關公所圍，太祖以植爲南中郎將，行征虜將軍，欲遣救仁，呼有所勑戒，植醉不能受命，於是悔而罷之。」

這是說子建因酒醉誤了大事，但另據魏氏春秋說的，就不一樣了。

「植將行，太子飲焉，逼而醉之，王（指操）召植，植不能受王命，故王怒也。」

這是曹丕慣用的一種陰險而卑劣的手法，知道父親對兄弟的恩眷猶存，如果讓兄弟獲得了兵權，那還了得，於是就不得不出此下策了。考建安二十四年，曹仁被關公所圍，是這一年，九月間的事，到第二年建安二十五年春正月，曹公就在洛陽去世了。前後不到三四個月的事，直到最後，曹公仍繫心於子建，讀史的人可以從另一件事證明之。按魏志任城威王彰傳：

「太祖東還，以彰行越騎將軍，留長安，太祖至洛陽，得疾，驛召彰，未至，太祖崩。」

又魏畧載：

「彰至，謂臨菑侯植曰：『先王召我者，欲立汝也。』植曰：不可，不見袁氏兄弟乎？」」

如果曹彰在曹公去世前趕到，另外有一番部署，那局面又會改觀，然而時不假人，曹公既歿，曹丕繼承人名位已定，就不甚容易變更了。

曹丕繼位以後，幾件切身大事，必須趕着做的，第一，就是篡漢。漢朝憑仗曹公的力量，在滅亡邊緣，重復延長了二十五年，雖然已經名存實亡，但這一個正統的帝位，曹丕豈肯輕輕放過。曹公於建安二十五年正月逝世，到了這一年的十月丙午，便急急通知漢室禪位。奉漢獻帝爲山陽公，待以天子之禮，上書不稱臣，而且總算饒了那山陽公一條性命。從此國號易漢建魏，正式於十一月起改元爲黃初元年。第二，就是剪除異己。曹丕最畏忌的是曹彰，而最妒恨的是子建。一登帝位，卽盡力擺布他們。

上面說過，曹彰曾奉父親急召，史稱：「太祖至洛陽得疾，驛召彰，未至，太祖崩。」驛召是命曹彰馳驛前來，魏志曹彰傳沒有說明爲了何事。但諸以前述魏畧、彰對子建說過：「先王召我者，欲立汝也。」的話，並參照魏氏春秋和魏志賈逵傳所錄，大概不難全部明瞭：

「初，彰問璽綬，將有異志，故來朝不卽得見，彰忿怒，暴薨！」（曹彰傳注引魏氏春秋）

「太祖崩洛陽，逵典喪事，時鄢陵侯彰行越騎將軍，從長安來赴，問逵：『先王璽綬所在。』逵正色曰：『太子在鄴，國有儲副，先王璽綬，非君侯所宜問也。』遂奉梓宮還鄴。」（魏志卷十五賈逵傳）

璽綬就是那顆魏王的大印，曹公將死，不召太子曹丕，而馳喚曹彰，並推測曹彰的行徑與語氣，似已畧窺其父意旨，或先有所稟承。很難說是曹公最後仍想傳位子建，恐其過於文弱，不是曹丕的對手，故想以遺命授彰而立之。所以曹彰一到就要大印，意思是給子建了。事雖不成，而在曹丕的意想中，如曹彰不除，終究是一個心腹的大患，以他的凶狠成性，也就顧不得什麼同胞手足之情了。「疾病暴薨」，離不了是出於毒斃或殺害的手段。陳壽作魏志，本春秋「內大惡諱」的例子，對曹丕殺害曹彰，和殺死他的妻子甄氏，皆不曾明書。曹彰事，只記載他於黃初四年朝京都，疾薨於邸而已。

（未完）

安徽十三傑

管仲　李聃　莊周　曹操　華佗　包拯　朱熹　朱元璋　戚繼光　李鴻章　段祺瑞　胡適　楊振寧

中文地位與翻譯人才

（本報資料室）

假使能夠有這樣的計劃和這樣的經費，那對於翻譯人才的培養，自然會有一定的好處。但由於翻譯工作有其特殊性，而且現代的翻譯事務，幅度極廣，翻譯人才的迫切需要，不單出現於學術文化領域，也同時出現於日常生活、社會活動、行政事務、技術合作、工商管理、公共關係等各方面，就算是最有能力的翻譯人員，也不可能件件皆精、樣樣都懂。因此，卽使眞有專設的機構，也未必訓練得出許多出色的翻譯人才，而大批優秀的翻譯人才，也不一定出於這些專設的機構。所以，對於翻譯人才的長時期培養與系統化訓練，與其在現行的教育體制以外來想辦法，實不如因利乘便，就與現行的教育體制結合起來進行。

最近香港中文大學校長李卓敏，建議香港的中等學校增授翻譯課程，並主張英文中學會考恢復翻譯一科的考試。這兩個辦法，都是非常實際的。因爲在中學裏講授翻譯知識並在中學畢業會考中考試翻譯能力，正是因利乘便，與現行的教育體制配合起來進行翻譯訓練。

三，基礎翻譯訓練

在現行的教育體制之中，可以配合進行翻譯訓練的學程，包括中學和大學這兩大階段。在中學階段，本來就有一定的中文課程和英語課程，只要按着各級學生的不同程度，給以適當的講習與訓練，就可以替學生打好語文方面的基礎，使各級學生掌握到一定程度的翻譯能力。這一階段的工作，可以稱爲「基礎翻譯訓練」。

在中學階段進行基礎翻譯訓練，主要的目的應該是爲學生的翻譯能力奠定基礎。但是，怎樣才能達到這個目的呢？過去香港的中學裏也曾有過一個時期，在英語課程中教授翻譯，但是因爲「翻譯」這一門功課，當時尚未受到適當的重視，而且「翻譯」到底應該怎麼教法？古今中外，尚無先例可援；那些負責講授「翻譯」的老師們，一方面既找不到完整的教科書，另一方面也缺乏有系統的練習資料，自然十分頭痛。結果只有隨便找些英語作品或者中文篇什出來，叫學生試行翻譯。其中比較負責任的老師，遇到學生有問題，還會隨時指點，但有些老師忙得不可開交，也就無暇及此。光靠這種沒有系統性和計劃性的翻譯練習。（未完）

巨變歷險記！

馬蠅

（一九三）　胡慶蓉

除了瘧蚊，毒蛇，猛獸，鱷魚，人皇蜂，小黑虫，威脅我們隊外，還有馬蠅。

蠅子，對於我們來說，並不陌生。我們在大陸上看見的，大都是屬於蒼蠅之類。這類的蠅子並不可怕；其色蒼蒼，也就是說白不白，說黑不黑，看起來並沒有什麼可怕，更並沒什麼可怕。有一類是綠頭的，那就可惡了，也可怕；其頭綠色，特別綠的發光；像北平的琉璃瓦一樣。但北平的琉璃瓦，帶瓦（虫旁）子的琉璃瓦並不可怕；不但不可怕已也，而且非常的可愛，綠蔭蔭的令人有深遠悠厚之感。而綠頭蠅之綠，不但令人可怕，簡直令人嘔心。綠頭蒼蠅給了博士的印象遠在日本佔據華北之後，當時日本實施毒化，到吸食鴉片的人無錢可敲的時候，就在雨後拉到太陽下叫綠頭蒼蠅吃。綠頭蒼蠅之凶惡，令人不寒而慄。牠們一窩一窩的向屍奄一息的人身上眼上鼻上嘴上耳朵上衝，吸他吃他最後的一滴血一點肉，真是慘不忍睹！現在說邊的馬蠅，形式比綠頭蠅還大得多，其凶狠更遠過之。色並不綠，頭是黑的，但還是令人望而生畏。

何以名之曰馬蠅，乃由於他們最歡喜吃馬的肉喝馬的血。馬非常怕他們，遇他們來吃來喝，馬會叫起來會跳起來，疼痛之狀，難以言宣。人騎在馬上，遇馬蠅來襲，是非常危險的。馬跳起來，人往往會抖下來。在懸崖陡壁的地方，粉身碎骨都是可能的。就有這麼一次，在快到猛撒的一個山邊，丁博士騎的馬遇馬蠅來襲，有如一陣猛雨，不轉眼間，馬的全身都被馬蠅佔領了。馬在萬箭穿心之下自然又叫又跳，幸丁博士早有準備，手執樹枝紮捆成的把子，如掃帚一般，沒頭沒臉的到處猛拍猛打，再加上馬的馬僕衛士等，他們也都早有準備，一齊下手，才把馬之圍解去，才得脫離險境。

這馬蠅的咀特別利害，其實並不是咀是頭上的觸角，頭上的刺簡直像槍上的刺刀一樣，而且是兩刃的，且尖無比，其利也無比。很快很快，只要並（一王旁，以下同）上馬的皮膚就可深深的刺下去，把血吸出來。故所以打死的馬蠅，個個都是飽飽的血。人爲財死，鳥爲食亡，現在我們可以加上：蠅爲血喪命。拍他們，打他們，要特別的用力，否則是拍不下打不下的。就是有人拍打，馬已大受損傷。在沒有準備的地方，或準備不充分的地方，或防不勝防的地方，馬就會活活的被咬傷被咬死，嗚呼痛哉！

大家知道馬在邊區是了不起得了的交通工具，也是戰鬥的主要力量，他們的損失也是部隊的損失。馬有馬幫，動以數百騎計，他們載人，載槍彈，載貨物，用處非常之廣。但危害他們的，卻非常之多，馬瘟其大焉者也。馬蠅散佈的面積是非常廣的，有時候會並見，有時候也會並不見。但一並見就糟了。馬也有很多病，被馬蠅咬了後常會病下來，往往有一病不起的。丁博士在邊區，換了很多的馬，也有很多死去的。馬太令博士愛了，往往不言不語的，一天一夜的給你奔馳。

馬蠅不但吃馬，馬蠅並且吃象。象那麼大，馬蠅那麼小，怎能把象吃掉？豈非聳人聽聞之詞？何況象的皮是那麼的厚！象的皮雖是那麼的厚，馬蠅依然會刺進去會刺出血來。其所以能把象吃掉，是賴他們的「人多勢衆」。不過象也有他們的防預方法。象比馬凶。象有他的大鼻子，可以橫掃上掃下掃，力量強大，非馬蠅所能匹敵；再加上幫忙，危險比馬要小。馬只有尾巴而已……

談春聯

東仙

延聘專家學者評選，凡入選者，每幅獎金五百元，佳作二百元，若論字數，可謂稿費最高之一格。如今年入選一幅「重逢辛亥；再造乾坤。」八個字得五百元，較普通稿費每千字僅五十至一百元，則超出六百至一千倍，可見對聯身價高貴如此，其評選亦必從嚴無疑（今年應徵者一萬一千餘幅，入選及佳作僅各一百幅）。去年錄取者已印成專冊，分贈各界採用，其作品優劣，曾有諸葛廬先生於去年二月廿五日在自由報第一〇三七期第四版「談談廣徵春聯」大文批評，確具卓見。今年入選者百幅，已在中央日報披露（五十九年十二月廿九日第一版）。大體說來，比較第一次選品進步，其中不無出於高手之傑作，如「重逢辛亥；再造乾坤。」，「春風駘蕩三千里；國運宏開六十年。」，「願借春風蘇禹甸；好邀明月醉秦淮。」；「芳辰書寫中興頌；花甲重逢首義年。」「東海壯春潮，放眼舳盧（舟旁）千里接；南疆揚漢幟，歸心父老九州同。」，「南來春又歸，喜見梁間乘燕，海上騰龍，國祚衍無疆，剛初度六十年艱難歲月；北梟賊猶在，相期武昌食魚，長城飲馬，生民原有自，必重整百萬里錦繡河山。」（本聯末句一連六字仄聲稍差）諸幅，或簡鍊工整或俊逸清新，或慷慨雄邁，意境深入而淺出，不可多得。

但是大醇小疵，仍觸目可見，是否品審放寬尺度？抑一時忽略？從聯學觀點，頗值得研究。如第卄六幅「甲辰歡騰開國慶，春雷響徹反攻聲。」按六十爲周甲，甲辰就不是六十；且甲辰如何歡騰？意殊牽強；又「開國」對「反攻」，亦不相稱，因國爲名詞，反攻乃動詞之故。選品中有多幅以「反攻」對「復國」，皆同一錯誤。由於反攻復國是大家習用語詞，又何必強要分開對對，第五十四幅「三民主義，長照人寰，歷史寫中由世紀；開國精神，永留大壤，今年慶花甲生辰。」此幅初讀之，似乎言之成理，但細研詞意，則大有問題，尤以中華民國已屆六十之年，是活生生之國體存在於天地間，非僅精神而已，若係指開國之革命先烈精神而言，則下句接「今年慶花甲生辰。」又何以自解？其以「三民主義」對「開國精神」與「人寰」對「大壤」，皆欠工穩，大有推敲之必要。第五十六幅「辛亥革命，又辛亥重逢，締造頤齊心再造；一人爲大，更一人有慶，新年祝元首萬年。」此幅以兩個辛亥對兩個一人，兩個造字對兩個年字，又以心對首，頗爲巧妙。但從聯學言，以「革命」對「爲大」，或自對「重逢」，措未工穩；又以「齊心」對「元首」，亦不相稱；尤其是「一人爲大」，「更一人有慶」，兩詞連續同時並用，頗有問題。第七十七幅「大陸起龍蛇，義幟高搴，應奮起四郡良家，五陵年少；炎州沛霖雨，貞元劉復，待長驅千乘鐵甕，萬艘樓船。」此幅語極豪邁，但上聯大有頭重腳輕之勢；其首句「大陸起龍蛇，乃指大陸同胞奮起抗暴，第二、四句「四郡良家」（當爲六郡，考漢書地理志：「漢興六郡良家子」，及庾信華林園馬射賦：「六郡良家、五陵豪選」，皆作六郡），「五陵年少」，其區域僅限於西安附近及甘肅部分地區而已，用典宜求得體。又「義幟高搴」亦對不過「貞元劉復」，不待推敲而知。末句「萬艘樓船」，艘與船皆平聲，亦欠洽調。又如第四十七，九十一兩幅下聯末句「重整九萬里錦繡河山」一連六字皆仄聲，亦不好讀。第八十八幅「緬懷辛亥武昌城，義氣撼堯封，血染大江紅，國魂是江聲喚起；終是羽千文德事，謳歌同禹甸，梅先南海白，天心海色昭回。」此幅有若干問題：（一）首聯第二句「撼堯封」，用撼字欠當，韓愈詩云：「蚍蜉撼大樹」搖不動之意，不如用震字佳。（二）末句「國魂是江聲喚起」，不知何所指？（三）下聯第三句「梅先南海白」，按梅花典實有六帖之「庾嶺上梅花，南枝已落，北枝方開」之語，與陸凱江南一枝春之詩，而「南海白」不知有何出處？（四）「海色昭回」意亦費解。（五）對偶方面，以堯封對禹甸，紅對白，江聲對海色，均甚工整，但以「辛亥武昌」對「羽干文德」，則大不相偶。凡作長聯，首在相對，其次自對，應謂之聯也。此外如第二幅「江漢」對「九州」；第三十六幅「歡洽」對「心香」；第四十二幅「民國」對「鶯花」；第四十七幅「歷史」對「河山」；第五十三幅「花甲」對「河山」；第六十一幅「宏基」對「甲子」；第六十七幅「春明」對「棨洲」；第六十八幅「星霜」對「道統」及「中華」對「盛世」；第七十六幅「艱難」對「無恙」；第七十九幅「奏凱」對「屠蘇」；第八十三幅「正朔」對「收京」及「天下樂」對「中興年」：第八十五幅「一家」對「全盛」及「新世紀」對「大同篇」等，或一串對雙平，或名詞對形容詞及動詞，極欠工整。其次犯有語病者如第七十五幅首句「開正朔於六十年前」與八十七幅首句「迎紀元而後六十個春天」，一個「前字」，一個「後」，都將今年寫作六十一年；第九十二幅下聯第四句「樓船會東指」之「東指」，亦找錯方向，其餘尚有數幅稍有語病，從略。凡此種種，於品審時第一次就應予淘汰，而竟置之高第，誠屬美中不足。還有若干幅，雖然平平，可以入選，但與建國六十年及春聯之題目，毫無關聯，若以之參加考試，則必被批爲文不對題，給予零分。如第八幅「大漢聲威九萬里；」「中華道統五千年。」之類，入選者不一而足（「聲威」對「道統」仍有問題），可謂太寬了。

筆者於拜讀之餘，不揣淺陋，舉較明顯者數幅，妄事推敲可否，實非無病呻吟，詳就正於高明之士。事關中華民族文化，而且入選者即將印成書，分贈各界，以作範本，其影響所及，實非淺鮮。倘蒙邀可采，諒文化當局暨評審先生與作家必能虛心接受，加以潤色，并藉以引起研究聯學之興趣是幸！（完）

李清照

（三）

很深惋的唱出往事的哀吟。再如那首最著名的「聲聲慢」詞云：

尋尋覓覓，冷冷清清，悽悽慘慘戚戚。乍暖還寒，時候最難將息。三杯兩盞淡酒，怎敵他晚來風急？雁過也，正傷心，卻是舊時相識。

滿地黃花堆積，憔悴損，而今有誰堪摘？守着窗兒，獨自怎生得黑。梧桐更兼細雨，到黃昏點點滴滴。這次第，只一個愁字了得！

起句一連疊了十四字，可說是一字一淚，以歟當哭了；末尾更拈出「點點滴滴」四字，古今詞人，斂手拜服。張正夫嘗譽爲「公孫大娘舞劍手，無人可及。」自宋迄今，七百年間，無嗣響者，洵屬千古絕唱。惟有喬夢符不自量力，效顰學步，作「鶯鶯燕燕春春，花花柳柳眞眞；事事風風韻韻，嬌嬌嫩嫩，停停當當人人。」之句，俚俗不通，徒爲士林所笑。

因爲生活和環境的改變，把她整個的人生截成兩片不同的顏色。以她四十六歲的那年爲分界：在前半期，那是童年的憧憬，少女的情懷，初婚的幸福；在後半期，那是流離的孤苦，孀居的淒涼，頹唐的晚境。前者是喜劇，後者是悲劇。所以在她的作品裏，也顯然劃成一道鴻溝：如「見有人來，襪剗金釵溜；和羞走，倚門回首，卻把青梅嗅」；「繡幕芙蓉一笑開，斜偎寶鴨襯香腮，眼波才動被人猜」；「怕郎猜道，奴面不如花面好；雲鬢斜簪，徒要教郎比並看」；是何等的情致而「物是人非事事休，欲語淚先流」；「只恐雙溪舴艋（舟旁）舟，載不動許多愁」；「梧桐更兼細雨，到黃昏點點滴滴，這次第，只一個愁字了得！」又是何等淒涼！

清照不但善於作詞，詩與四六駢文亦所擅長，且工書善畫，她曾將白樂天的琵琶行，圖而書之，還有自畫的墨竹和自書所作的「一翦梅」詞，後人都目爲瑰寶。她又創作一種名叫「打馬」的遊戲，曾著「打馬賦」一卷，說明這種遊戲的方法。可能由於山川靈秀所鍾，多才多藝，集於一身，宜乎她的盛名，歷數百年而未衰了。

據「苕溪漁隱叢話」載有她的一篇文章，評當代詞家，柳永、蘇軾、秦觀、歐陽修、晏殊等，更可見出她的大胆和卓識。她說：

……本朝柳屯田永，變舊聲作新聲，出樂章集，大得聲稱於世；雖協音律，而詞語塵下。又有張子野、宋子京兄弟；沈唐、元絳、晁次膺輩繼出，雖時有妙語，而破碎何足名家。至晏丞相、歐陽永叔、蘇子瞻，學際天人，作爲小歌詞，直如酌蠡水於大海，然皆句讀不葺之詩耳。又往往不協音律。……王介甫、曾子固文章似西漢，若作小歌詞，則人必絕倒，不可讀也。乃知詞是一家，知之者少。後晏叔原、賀方回、黃魯直出，始能知之；而晏苦無鋪敘，賀苦少典重，秦少游專主情致而少故實，譬如貧家美女，雖極妍麗豐逸，而終乏富貴態；黃即尚故實，而多疵病，譬如良玉有瑕，價自減半矣。

由此可知她對於音律學亦有深湛的研究，否則，亦不敢直言無隱，逞一時之快的。就因爲她生性勇於批評，並確諷譏，故恨她的人很多，於是，李心傳「建炎以來繫年要錄」根據鄙俗小說之言，說她晚年改嫁張汝舟了。後來又不堪張之虐待，和張仳離，並作有「離婚啓」，因此鐵案如山，已無置辯的餘地。

（未完）

黛眉小傳

·王幻·

第十八章

岳武穆收復襄陽　宋高宗御駕親征

周燕謀

高宗又十分緊張。値趙鼎出任都督川陝荊襄諸軍事，面帝辭行。高宗道：「金、齊連寇，國勢險危，卿豈可離朕遠去？當遂相卿。」趙鼎只好留下。越日即拜趙鼎爲尚書右僕射兼知樞密院事。另以沈與求爲參政。趙鼎決意主戰，沈與求正與趙鼎意合。於是趙鼎勸高宗特頒手詔，促韓世忠進屯揚州，此時的韓世忠已官拜太尉，功高望重，既奉高宗諭詔，便感泣道：「主憂如此，臣子何可貪生！」遂自鎮江濟師，進屯揚州，留統制解元守承州，防金步兵，親提騎兵入駐大儀，抵抗騎兵。伐木爲柵，自斷歸路，誓與金人決殊死戰。適吏部員外郎魏良臣奉使入金，途中與世忠相遇，世忠知良臣乃主和派人物，故意撤去炊灶，然後與良臣會敘。且佯言已經奉詔移屯平江，良臣頷首，匆匆離去。世忠待良臣離去，即奮然下令軍中道：「視吾手中鞭，鞭指何處，即向何處，不得違誤」。將士應命，隨世忠出發。世忠勘察地形，因地設伏，少者百人，多者千人，自大儀以北，設伏兵二十餘處，自置五座營柵，令各伏兵聞營中鼓聲，一同出擊，違令者斬。措置已定，專候金兵，（大儀鎮在今江蘇江都縣西七十里）

金前將軍聶兒孛堇，正擬派遣偵騎，刺探宋軍動向，恰巧魏良臣馳至，即問明宋軍消息。良臣自述所見。孛大喜。即引軍至江口。

（九十）

自由報
（第一一三九期）
（半週刊每逢星期三、六出版）
每份港幣壹角・台灣零售價新台幣弍元
社長李鵬運・督印黃行
社址：香港九龍彌敦道593—601號
廖創興銀行大廈八樓五座
LIU CHONG HING BUILDING
7th FLOOR FLAT '5
593—601 NATHAN ROAD,
KOWLOON, H.K.
TEL: K303831
電報掛號：7191
承印：景星印刷公司
地址：嘉咸街廿九號地下
台灣區業務管理中心：台北市重慶南路一段一二九號
電話：二四五七四
台灣訂閱直接訂戶　台灣劃撥戶
第五〇五六號張萬有（自由報會計室）
台灣分社：台北市西寧南路110號二樓
電話：三三〇三四六、台郵局劃撥戶九二五二號

本報專論

台灣東部的交通問題

・郭雨新・

台灣鐵路交通，歷經多年來之改善，西綫鐵路，確具輝煌之績效，但是對東綫鐵路，始終停滯不前，不獨東西兩綫不相銜接，即軌距亦不相同，造成交通之混亂與滯運之現象。近據新聞報導，興築環島鐵路經費，將由省府自籌，能不使人歡欣鼓舞乎！

大家知道，興築環島鐵路，不僅是着眼於經濟與軍事之價值，更重要者為東部有廣大之土地待開發，以緩和本省西部人口之壓力。然而開發東部，最大之阻碍即在交通。至此一關係本省今後經濟發展之重大工程，其建築經費，經初步估計北迴鐵路約需二十一億元。依據計劃，準備在第一個四年計劃中，先行興建北迴鐵路，及改建拓寬花蓮至台東之鐵路，第二個四年計劃中，繼續興建南迴鐵路，其計劃亦屬正確。

查籌建環島鐵路，早於十六年前即有擬議，惟有關人士始終認為環島鐵路計劃，最大之困難，仍是財務問題。筆者認為近年來所舉辦之重大工程，遠者有石門水庫之興建，繼之興築曾文水庫，以及正在積極規劃開闢之台中港，其工程費無一不在數十億元，而所策劃興建之南北高速公路，其建造經費高達一百八十七億元之鉅。何以對此具有重大經濟價值之環島鐵路，總以財務困難，而再一延誤。能不使人百思莫解乎？

由於時至今日環島鐵路之興建，已屬勢在必行，陳大慶主席的英明決斷經省政府表示支持，但以省方之財力，仍然有限，必需仰賴外資。如衡量鐵路財務狀況，由於鐵路局已分別向世銀借貸相當鉅額之資金，以是世銀已為鐵路局之第一債權人。假此情形，鐵路局如另舉他債，試問世銀能不過問否？

筆者認為鐵路交通，係屬公衆之建設，亦為國家經濟之開發，深望省政當局積極爭取中央之支持，以促及時實現。

南方澳為台灣省三大漁港之一，每年生產魚貨，全部運銷於台北市及中南部，倘能開闢南方澳鐵路，不獨利於運銷，且可降低成本。何況即將成立之南方澳新港碼頭，可停泊二萬噸商船，如所生產之魚貨以及所卸貨物，仍由貨運卡車搬運，不僅運輸遲緩，且使交通擁擠。

再就南方澳之工商業情形而言，除生產魚貨之外，並有加工廠十餘家，工商業已日形發達，然而公路局所行駛之班車有限，往返商旅已至擁擠不堪，且南方澳對外出口僅靠公路，一遇颱風豪雨，則告坍方，而成為交通阻隔之孤島。

增闢蘇澳至南方澳鐵路，亦屬急要之舉，未審鐵路主管當局是否有所策劃，或予興建北迴鐵路之時，同時闢建南方澳鐵路。

台省鐵、公路雖在不斷改善與養護，然而每遇颱風豪雨，即交通寸斷，顯示台灣鐵路，鐵路養護不足之現象，以輕度颱風過公路而言，雨雖較平時為大，而風並不强，何以本省中北部交通，不論公路，鐵路運輸均告混亂不堪，路基流失，坍方，淹水接踵發生，能不使人嘆息乎？

交通為現代經濟發展中，最為重要，一旦交通阻隔，影響之鉅，不言可喻。然而鐵、公路何以不能隨時養護，而致處處毀損之後，始予全力搶修，不獨公財私產均遭重大損失，則無形之損失，更不堪計，實在使人百思莫解，未審交通主管當局將如何加强對鐵、公路平時之養護工作。

鐵路局向國外標購車輛，係用國際貸欵，依世銀之規定，必須開國際標，但是鐵路局一再標購印度車輛。按印度為落後之國家，其機器並不精良，且聞印度之廠商曾違反契約，阻止我國派員監工，以致進口之車輛不合規格，必須整修才能使用。而鐵路局向國外標購車輛，為何一再由印度得標，其故安在？

近據報導，一位受國際推重之聯合國經濟運輸專家普雷斯來華時，向我政府提出研究報告中，曾指出台灣各港埠管理組織及經營，應實施企業化，以達經濟上更大之效率。

據悉研究實施港埠經營管理企業化，我國早於七八年前，即着手擬訂商港法草案，然而時至今日，何以不能實現，其困難何在？

按現行港務局之組織，確有諸多繁雜問題，如不謀求改進，其能革新乎？筆者認為目前各港局之航政管理，確實應予劃分，而其他部份，在今日專門人才缺乏情形下，雖不一定即予劃分，但為使港埠經營，能走向企業化，似應先成立財團法人，然後逐步解決，以謀革新營運，未審交通主管當局高見又如何耶？

近依新聞報導，高雄港務局人員向引水人公會領取「誤餐車資」、「誤餐費」而涉嫌貪污者幾達二百二十餘人，是否事實？惟是本案事關政治風氣之革新，未審交通主管當局是否作深入之調查，予以處理。

（完）

輿論精華

大陸「無聲革命」在進行中

早幾年，毛澤東如瘋如狂的大搞文化革命，鎮日披髮跳叫「愈亂愈好」，唯一目的是要打倒劉少奇，但劉少奇實在沒有甚麼「滔天罪行」，至少在迫害幹部殘殺人民的血腥紀錄上要比毛澤東少得多，於是毛澤東便給他多上一個「修正主義」的罪名，或稱之為「劉修養」，但不管「劉修正」也好，「劉修養」也好，這祇是對共產主義解釋或路綫觀點的不同，並不能據此便可判定劉少奇為「叛逆」。而且，劉少奇靠工運起家，在中共黨內久被稱為「共產主義的理論權威」，他後來的「天下」，也可算是靠筆桿子弄出來，而不是靠槍桿子打出來的，否則，他怎會沒有一兵一卒的當選為「人民政府」的「主席」？在這一點上，劉少奇以黨馭政，以黨治軍的身份，也沒有違反了共產國際的傳統，更可說是維持中共「法統」的執行人（這種傳統和法統，即「黨指揮槍」是也）。也許由於這點關係，所以當時中共內部對「反劉」之風並不起勁，毛澤東急得雙腳直跳，於是又振臂大呼：「革命不是請客吃飯，不是繡花繪畫，不能那麼溫良恭儉讓」。結果靠了紅衛兵之力，流了許多青年的血，更把許多權力讓與軍人，才把劉少奇「拉下馬」。

時至今日，毛澤東倒劉的目的已達，並在現定「憲法草案」中自封為「國家元首」，在表面看來，「懷仁堂」上的虎皮交椅，毛澤東是好像「坐穩」了的。可是，如果留心大陸情况和對中共能深入了解的人，他們將會很容易發現，中共現時正在進行着一種發展迅速的「無聲革命」，而其革命對象不是別人，正是毛澤東，那些主持「革命」的分子，也不是劉鄧派，而是地方軍閥。具體的證據，就是幾個已經宣稱成立「黨委會」的省區，都全部落入軍人之手，而所謂「革命幹部」「革命群衆」等等，却無人能夠分到一杯羹。唯一的例外是上海市，但要知道，上海原本沒有設立軍區，張春橋由「革委會」主任當上市委會第一書記，應該沒有問題，但毛澤東還要派出姚文元去當第二書記，把兩個「政治局委員」安排到一個市委會，彷彿比任何省區都要重，可見問題仍不簡單。如果我們沒有估計錯誤，這當是由於大陸軍人勢力空前膨脹，毛澤東不能不把上海市留作最後「退路」的一着，否則姚文元的被派到上海當「副車」，是說不出道理來的。

照目前情勢的發展，所有各省軍區司令或政委，都將相繼成為省委會頭頭，第一步的結果是「槍代表了黨」，互相割地稱雄，把省區作為「獨立王國」，第二步的發展是軍人割據不能沒有利害衝突，其結果將由幾個省區結成「聯盟」，捧出其中最具勢力的一人為「大阿哥」，到了這個地步（估計不出三、五年），大陸的割據局面已全面形成，中共的「亡黨、亡頭」也完全實現，如果毛澤東幸運的是「萬壽無疆」，「有眼睇」，否則他的命運，即不能不受各大「軍區」軍閥所支配。由歷史上看，「殘唐五代」都是由軍人專權演變出來的，由此推知，毛澤東將來的下場，也必和五代之君同樣的悲慘。

（摘自快報）

自由談

崇洋心理

偶閱陳立夫先生在一本台灣出版的針灸醫書上所作序言，認為中國醫藥并不是不科學，只是故步自封，未求進步而已。然一般人由於崇洋心理作祟，乃指中醫為落伍不科學的玩藝，詆毀備至，且强分中醫西醫壁壘，相互排抵，其情殊堪悲歎云。他以針灸醫術為例證，醫師就人身的生理機能及脈絡關係，針對竅穴而施術，病乃告愈，這能說非科學方法嗎？陳先生這項言論，不僅是吾國醫學界的暮鼓晨鐘，亦可作政治界的箴銘寶鑑。

咱們中國人的崇洋媚外心理，肇端於滿清末葉的一般官吏，而盛行於民國以來的洋場買辦階級，再經一些認識中國字甚少、閱讀外國書亦有限的留洋學生變本加厲，集其大成，乃使崇洋心理根深蒂固，至今依然存在。這些不中不西的半瓶醋留洋學生，又多在政治上僭竊高位，他們非西洋之言不言，非西洋之衣不衣，非西洋之食不食，政治上的一切措施，皆力求西化，唯恐弗及，却不問本國的文化基礎如何，社會結構怎樣，生產力的發展情況是甚末程度，一是皆以剽襲西方國家的皮毛制作為本。動則說美國如何，英法如何，却不知本國應該如何，甚至把外國在工廠裏管理工人作業的方法，拿來管理本國的行政人員，亦恬不為怪。政治上的風氣如此，自難怪醫業界之鄙視本國醫道，而尊奉西洋醫學為萬應靈丹了。崇洋媚外的心理不改，則政治改革云云，永遠是可望而不可即的幻景。蓋成見既深，觀念僵化了，改來改去，總是襲取外國的皮毛，而且橘逾淮即成枳，結果是四不像。

東鄰日本自明治維新以來，很快地成了現代化國家，日臻富强，二次大戰遭到亡國之禍後，短期間即告復興，追溯根源，實得力於一般留洋學生在政治上的發揮貢獻，舍己之短，取彼之長。吾國却異是，除養成一種普遍的崇洋心理外，別無所見，不亦大可哀乎！

馬五先生

漏網新聞

大陸突出現早婚的浪潮

（外電）北京人民日報一篇文章，顯示早婚的浪潮，在大陸突出現。

該文由十三名正在河南省貧農地方工作，接受「再教育」的學生署名，於昨日發表。

文章中未說明這種急於結婚的思想，是局限於他們所在的地區，或者是擴及較大範圍。

中央民意代表增補

各方關注議論紛紜

年歲已老大須補充新血輪

問題重心以何種方式產生

（自由報台北消息）本報一一三二期報導中央級民意代表年齡及新陳代謝問題，引起各方面人士興趣，紛紛探詢究竟。特再作進一步分析。

去年十二月十九日國民大會印行的一本刊物中，首頁前言說：「立監兩院補充新血輪問題，應根據 國父遺教建國大綱之規定，由總統於原任立監委之外就各政黨，國內外僑團及合法團體中遴定優秀人士提出國民大會選舉之。」國大聯誼會幹事會認為「上項意見，在此時此地，不失為合理解決立監委員任期，及擴大政府基礎之辦法。」並主張應從增訂臨時條款着手。

由國民大會選舉立監委員，這是國大代表們自說自話，有關方面及全體國民不可能接受。因為這樣做，不僅涉及整個憲政體制的變動，更重要的國大代表本身同樣也需要新陳代謝。

監察委員陶百川在監察院一年一度的年終總檢討會上曾就政治革新提出若干意見，其中關於增選立監委員問題，主張由國民大會第五次會議增訂臨時條款，由自由地區的人民及海外僑胞，增選一部分民意代表，同時規定今後中央民意代表出缺，不論其省籍，一律由自由地區的人民及海外僑胞選舉補充。

民社黨籍監委劉行之，對陶百川建議的增選立監委主張表示支持，他并且就立監委產生之區域、方式及對象等問題提出補充意見說：他建議產生區域，除自由地區外，應增加廣大的敵後地區的工作人員。關於產生方式，他建議全用遴選，並授權總統辦理，因選舉易生糜擦，易滋糾紛。關於立監委員的對象，他希望不論黨派，只要他擁護憲法，為國家所需，就應列入遴選名單。

陶百川也在會中表示，他堅持增選立監委，能自由選舉的地區則採選舉方式，無法舉行投票選舉地區纔採取遴選方式。

監委王樹霖指出，僑居海外三位國大代表，回國參加國民大會，未經投票即行開溜，他建議行政院應研究注意這類問題，他並建議國大代表之缺額，政府似應儘速遞補大陸國代選舉的候補人員。

增補選的技術問題

監委國代各有主張

如使國會功能不致萎縮　必須探究妥善補救辦法

陶百川、劉行之的意見，雖不能代表監察院，但和國大代表們主張的產生方式卻大相逕庭，也許是對國大代表們意見的反應，也許是一種巧合。

就客觀事實而言，技術上還有不易解決的問題存在，例如海外僑胞選舉，就實施不易，前年政府辦理增補選時，也曾考慮海外同時舉行，後因涉及外交上的問題，因而放棄。

客冬台灣大學法學院的班級代表會，曾邀請陶百川演講，同學提出了三個問題，其中第二個問題就是「中央級民意代表的任期和新陳代謝。」

據說：西德有一位教授金德曼年前來華訪問，曾專誠拜訪某政論家，一見面就提出「中央級民意代表的任期如何解決」的問題。

日本駐華大使館的一位館員，有一次晤台北新聞界某人士，談話內容，主要是瞭解前年政府舉辦那次增補選和中央民意代表新陳代謝的關係。

根據這幾項事實，中央民意代表的任期和新陳代謝問題，不只已為民意代表本身所憂慮，並且引起了一般青年學生的注意，甚而國際友人也在關切。

依憲法規定，監察委員及國大代表任期均為六年，立法委員任期為三年。但根據憲法第二十八條條文的解釋：「每屆國民大會代表之任期至次屆國民大會開會之日為止。」因而也可以認為國民大會代表任期尚未終了。同時根據憲法實施之準備程序規定：「首屆監察委員之任期以各省市正式議會選出監察委員之日為止。」因而現任監察委員，也可繼續執行其職務。立法委員雖也明定任期三年，既與國民大會監察院同為國會，立委任期也就不成問題。儘管中央級民意代表，繼續行使憲法賦予之職權，並不牴觸憲法；但一箇現實問題卻不能不加解決。

假如不是國家遭逢大變，在正常情況之下，國大代表和監察委員應該已經四度改選，而立法委員則是已經八度改選了。大陸淪陷，無法改選，為免法統中斷，不能不繼續行使職權，情勢使然，這是無可奈何的事。

所以現在來討論中央民意代表的任期問題，又於事何補？

任期問題，雖可不談，在平均年齡已接近六十五歲的立法委員與國大代表，及平均年齡已超過七十歲的監察委員，何況有些人又健康欠佳，對所擔任的工作，欲求稱職，已是力不從心，不必奢望有特別表現，如何使其「繼續行使職權」的功能不至萎縮，則是一箇值得探討的現實問題。無可諱言，如果沒有補救辦法，祇有年復一年，更加嚴重起來。

十八世紀的奴工制度

宇文釆

新聞網外之言

中壢某紡織廠以質押方式，僱用一批阿美族未成年少女充當童工，除供應住宿外，不再支付工資。最近這批少女想回家探親，但卻無錢購買車票，與廠方發生糾紛，為警方發覺，於是揭開了這一人口質押事件。

在十八世紀，歐洲的童工制度，是資本主義初期一大詬病。我們可以從「塊肉餘生」這部電影中，看到那時英國童工的悲慘處境。馬克斯的共產思想，受那時資本主義發展形態的刺激最大。深刻一點說，假使資本主義仍照十八世紀的情況演變下去，今天世界上還有沒有資本主義的存在？恐怕大成疑問。

台灣工業正在急速發展中。基於民生主義的構想，理應比現代開明的資本主義更開明。現在中壢某紡織廠以質押方式，僱用未成年少女做工，不啻是變相的奴工制。其在人權與物權的觀念上發生混淆，觸犯法律還在其次，思想文化開倒車，竟出現在工業界，實在是對反共國策的一大諷刺。發展工業的目的何在？政府當局似乎應該使工商企業界有一個正確的觀念。

強制執行法應速修訂

·王爾晉·

談起強制執行法有漏洞來，有些人就批評我說：「你不懂法律」。我回答說：「我雖不懂法律，但我卻懂得是非善惡，法律者所以明是非，辨善惡也。欠錢還錢，這是最基本的強制執行法；殺人者死，傷人及盜者抵罪，這是最基本的刑法，我想任何腦筋正常的人都會明瞭的」。不過這些最基本的法律，往往因案情之複雜，條文之隱晦和兩可，程序之繁複，執行人員有意無意之疏忽曲解，往往可能失卻其原意，甚而走向相反的意義上去。刑法民法有無漏洞，我們暫且不談。只就強制執行法，以我目前所見，其漏洞甚多，而且有些漏洞可說深不見底。有些債務糾紛，原告在民事庭上雖然勝訴，但到執行庭上，往往糾纏數年，花錢，費時，勞神，到最後不但一無所得，且倒賠老本。像這種法律不惟不能保障善良者之權利，且適足以助長騙徒之橫行無阻。因此有些人最怕打民事官司，被騙之後或是隱忍下去，或是向騙徒直接行動，造成不幸後果。茲將強制執行法幾點漏洞述明如下，請教高明指導：

一、強制執行法第三十一條規定多數債權人得參與分配，立意上不使有厚此薄彼之嫌，大家都分一點。原無可厚非。但實際上實行起來卻等於給騙徒開闢了許多條逃避的出路，使他從任何一條道都可從容逃避、無法予以阻止。因為騙徒騙人時大半是用他的財產釣餌，如持屬於自己名義的房地產所有權狀，或以屬於自己名義的商店，到處借錢，除欠或徵股，或亂開支票，趕騙到相當數目欵項時，就把自己所有的動產不動產向親友抵押或過戶，然後宣告破產，欠別人的錢一文都不還，如果你向他要賬時，他說「幾時有錢幾時還」，那就等於說，一輩子沒有錢，一輩子也不還。如果你不甘心被騙，到法院控告他，他也不在乎。因為你在民事庭上就是勝訴，到執行庭查封他的財產時，他一提出屬於他的財產都已經抵押或過戶，名義上不屬他所有，法院就不能查封。如若你要求參與分配，但在拍賣前，他可趨使那些有抵押名義的親友以巨額債欵參與分配，如若你的債額少於他們時，可能一文都分配不到，你的執行費，鑑定費等於白花，你的勝訴也等白勝訴。你若抗告，聲明異議可說都沒有效用，法院接受不接受還是一個疑問，就是接受，債務人拿不出錢，有何意義。最後沒有辦法時，法院發給你一張債權憑證，等他有錢時再請求法院強制執行。實際上這張債權憑證可能等於一張廢紙，拿到手裏毫無用處。因為騙徒有錢時，他同樣可用抵押、過戶、串通等方法把財產轉移或隱蔽，使你一輩子都討不到一文錢。你也不能罵他打他，你罵他，他可能告你誹謗，你打他，他可能告你傷害，法院反而要判你的罪。你告他詐欺，他在庭前向法官說，他並不是欠錢不還，等他有錢時一定還，你的告訴可能不成立。你眼睜睜地看到他拿你的血汗錢吃喝玩樂，你卻對他毫無辦法，你說氣不氣死人！

二、強制執行法第七十一條條文為：「拍賣物無人應買時，執行處應作價交債權人收受，債權人不收受時，應由執行法院撤消查封，將拍賣物返還債務人」。這一條法律可給狡猾的債務人大開逃脫的方便之門，因為他可趨使其他眞的或假的取得執行名義的債權人以多數債欵參加分配，使原告分不到幾文，或是招呼鑑定機關負責鑑定人把拍賣物底價提高些。在這種情形之下，原告債權人對於拍賣物收受與否，當然要加以考慮，他可能不願收受。他不願收受，其他的人也不願承買時，法院執行人員是不是可以將拍賣物交還債務人或減價再拍賣？這本是不成問題的問題，參照強制執行法七十條及專家如莊柏林等的解釋，拍賣物第一次拍賣不成，第二次第三次減價再拍賣，本是毫無疑義的，但有的法院執行人員堅持本條條文拍賣債務人動產時，第一次拍賣不成就撤消查封，將拍賣物交還給債務人。這一處置甚為不妥，因為債務人都很狡猾，他在被人控告之前可能把自己的財產都抵押過戶，原告辛苦尋得一件財物查封，這一撤消可能使原告債權人永遠得不到抵債。我曾質問該執行處執行書記官「為甚麼不二次三次減價再拍賣？」他把本條文念給我聽過之後向我說：「你不懂法律，你所說的減價再拍賣是指不動產拍賣而言，動產拍賣，我們按這一條辦是沒有錯誤的」。不過我看的法律書太少，不知道專家們還有沒有其他解釋，但我覺得不動產與動產拍賣程序應當相同。

三、強制執行法有拘提管收條例，這一條例規定對防止債務人逃亡，隱匿，反抗的軌外行動是必需的措施。不過管收條例規定債務人因管收而支出之飲食及其他必要費用應命債權人預納，這又是對債權人不利的一條規定。債務人有財產可拍賣時，當然可以追還，如無財產時，不是又使債權人倒賠一筆錢。債權人從訴訟到執行已花了不少錢，現在又要花一筆沒有把握追還的錢，不是賠倒底，誰願意堅持債務人被管收呢？還是讓他自由自在的好。

（未完）

縱橫談當舖

·萬念健·

「聊齋」、「紅樓夢」和「儒林外史」中，也屢屢提到當舖，「聊齋」中稱「典肆」，「儒林外史」中稱「典舖」和「當舖」。「紅樓夢」寫薛蝌的未婚妻岫烟，悄悄的把棉衣當了幾吊錢作盤纏，寶釵知道了問她當在哪裏，回說：「叫作恆舒典，是在鼓樓西大街。」寶釵說：「這鬧在一家子去了！」原來那間當舖就是她家開的，稱「典」，稱「當」，已不同於宋元人的叫法。

計算利息　高低不一

江南素稱「魚米之鄉」，當地人民生活應該過得很好，尤其是吳興養蠶產絲，尤稱富庶，但乾隆「湖州府志」說：「湖郡典息，向例（白銀）十兩以上者每月一分五厘起息。一兩以上者每月二分起息，不及一兩者每月三分起息。貧民衣飾有限，每票不及一兩者隔一兩年不能取贖，每多沒入。」不僅江南如此，「津門雜記」載：天津城鄉，典當凡四十餘家，年冬有減利之則，由藩司出示……。平時利息，綢布衣服金銀首飾每兩二分，羽紗呢絨皮貨每兩三分，若銅錫器具，無論十兩內外，概收三分。」由於利息高昂，開當舖自然而然的成一條致富捷徑，據說廣西省貴縣的林羅兩姓，在嘉慶道光年間，都以經營當舖為業，積貲紋銀二百萬兩以上。

官民勾結　斂財捷徑

據清「續文獻通考」所載統計，清光緒年間，我國全國共有當舖七千餘家，其中廣東一省，即有一千餘家，官民勾結，合營當舖以貿利，尤為常事。官府的稅項收入，待發餉銀，常以各種手法，貸作當舖資金，營私貿利。乾隆末年，滿州人和坤，官至大學士，弄權好貨，吏治大壞，致釀川楚教匪之禍，嘉慶四年為王念孫等糾參奪職下獄，罪狀之一便是貸公欵十餘萬兩與通州某當舖，從事斂財。抄家時又發現其本人開有當舖一十二間，本銀達八十餘萬兩，最後賜自盡。

又據調查，北京的當舖在庚子（公元一八四〇年）拳匪之亂時共有三百餘家。亂中經搶劫損失，多不能開門營業。但當舖主人攀連權門，竟有辦法由戶部撥借紋銀一百萬兩，幫助他們復業，而他們更藉口經營困難，將滿當期由三十個月縮短至二十四個月，更將月息由二分以內提高到三分。

江南農村中，有一種半公開的小押，秘密經營，不為官府所知。押者都是赤貧之家，連鞋襪等低值物品，都可以押借小額現欵，月息三分，期限最長三個月。

民國以後，北方的當舖常有得力後台支持，以前天津最有名的「寶成當」和「萬成當」，就是做過總統的曹錕出貲開設的。

（未完）

「道情」中的「勸孝歌」

．文匯樓主．

讀金城先生「徐靈胎的道情」，其中以「勸孝歌」，在這汚濁末世，人慾橫流社會裏頗值一讀：「五倫中，孝最先，兩個爹娘又是殘年。便百順千依也容易周旋，為甚麼不好好的隨他願？譬如你詐人的財物，到來生也要變豬變犬。你想身從何來，即使捐生報答，也只當欠債還錢。那裏有動不動將他變面？你道他作事胡塗，說話欹偏，要曉得老年人的性情倒像了個嬰年。定然是顛顛倒倒，倒倒顛顛。想當初，你也將哭作笑，將笑作哭，做爹娘的為甚麼不把你輕拋輕賤？也只為愛極生憐，到今朝換你個千埋百怨。想到其間，便鐵石肝腸怕你不心回意轉？」可謂人人能讀，個個可懂。

清代善唱道情的文人，以鄭板橋最著名，另外一位就是「勸孝歌」的作者徐靈胎（大椿），不過徐靈胎以醫學著名，他的文學天才反為醫術所掩，知道的人還不多。

道情是散曲中「黃冠體」的別名。內容分二種：一為超脫凡塵；一為警醒頑俗。任訥「曲譜」說：道情一體，明人之中尚未見有專作，今世但知鄭板橋有眞詞，而不知徐靈胎實定其製。

鄭板橋的道情，全部只有十首，盡是寫榮華富貴之不能常保，和人生之乏味，以歸之於漁樵農牧及山僧野叟的閒適快樂，深得道情的本意——這就是所謂「超脫凡塵」。但未免是消極的。假如一個社會裏盡是這班「超脫凡塵」的高雅之士，個個都高臥南窻下做羲皇上人，那麼，這個社會還會有進步，人類還會有幸福嗎？

徐靈胎的道情叫「洄溪道情」，共三十八首，載於任中敏的「散曲叢刊」中。徐靈胎的道情固然是能夠「超脫凡塵」和「驚醒頑俗」，但他最大的成就却是能「廣道情之體」，將「一切詩文皆以道情代之」，而為道情闢一新天地。他所寫的道情，採用最通俗的文字，還常常以俗語入文中，使人們讀起來只覺得眞切生動。他的自序說：「半為警世之談，半為閒游之樂，總不離於見道之語。若古人果如此，則此音自我續之；若古人不如此，則此音自我創之。」

因為「黃冠體」到了清代多已散失，只存下一些鄙俗不堪的「耍孩兒」、「清江引」等曲。道情一體，在元明已有，其句法與修詞又和曲體全同，音調則變為北曲仙呂入雙調，故徐靈胎有上文所說的話。

從西德、日本經濟發展經過看今後我國經濟發展

．陳宗悌．

（續上期）

台灣會遭遇到西德和日本所面臨的困難嗎？是否可以避免或者緩和問題的嚴重性，是頗值得我們運用智慧作未雨綢繆的課題。

根據國際貿易局統計資料，台灣的輸出貿易，在民國四十八年至五十八年間，由一億六千三百餘萬美元，逐年增加至十一億一千餘萬美元，指數為六七八，輸入貿易由四十八年二億四千四百餘萬美元增至五十八年十二億零四百餘萬美元，指數為四九三，歷年雖有逆差，但輸出的增加率較輸入的增加率為高，本年一至十月已略呈順差。如繼續發展下去，可預見：因輸出的增漲率較入增漲率為高，如不另作適當措施，外匯如存積增多，將有導致通貨膨脹與物價上漲之虞。

雖然台灣在整個國際收支上所佔比重甚微，呈現出超可表示經濟發展更堅强，但從發展趨勢上看，如今後出口一直超進口順差日增，若不早謀補救，設法求「穩定的經濟成長」則繁榮繼續之累積以致陷於相隨蕭條的危險，恐將難於避免。

政府有見於此，故在經濟建設計劃中，即以求穩定物價為經濟發展之前提。通常對於此一問題一般採取的辦法可歸納為：

（一）金融上的措施。如對外投資，計劃援外，緊縮信用，獎勵儲蓄，貨幣升值等。我國負有反攻復國，建設大陸的神聖任務，故較大規模的對外投資與援外，為時勢所不許，緊縮信用雖可收效一時，但相對會影響生產與經濟發展，互有利弊，而貨幣升值似屬言之過早。

（二）社會政策方面的措施。如提高國民一般生活水準，投資社會福利建設等，均屬可採取或已採取之措施。但以上屬於促進國內消費之各項措施並不能有效改善即將來臨之出進口貿易之不平衡，如紡織品幾達百分之八十以上用於外銷，而提高國民生活水準，投資社會福利建設，雖可運用部份外匯，但亦消耗國內資源與通貨。

（三）貿易上的措施。如放寬進口與信用輸出等，雖已在逐步推行，欲期普遍有效尚屬有待。

（四）農工業發展改進措施。如吸收新技術，提高生產力，減輕生產成本，增強國際貿易競爭力量等，亦在推動中。

以上各點，無論採取任何一項措施，均免不了會影響到其他方面，尤須從方面同時配合進行，始能發揮最高的效果。因此，希望社會賢達，在共同目標之下，劃一觀念，互相合作，並研究達成上述目的之具體辦法，俾有利於今後經濟之繼續發展，求進步與繁榮。（完）

×　×　×

說曹操

李漁叔

（五十八）

世說新語是宋（六朝的劉宋）臨川王劉義慶所作，他與魏晉兩朝相隔很近，常在篇中紀述建安黃初間的軼事，保存許多珍貴資料，可備正史所不及，如任城王曹彰死事，便記得甚是詳盡：

「魏文帝忌弟任城王驍壯，因在卞太后閤共圍棋，並噉棗。文帝以毒置諸棗蒂中，自選可食者而進，王弗悟，遂雜進之。既中毒，太后索水救之，帝預敕左右毀缾罐，太后徒跣趨井，無以汲，須臾遂卒。復欲害東阿（子建），太后曰：『汝已殺我任城，不得復殺我東阿。』」（世說新語尤悔第三十三）

子建之不肯攘奪其兄的地位，留心讀史的人，可隨事見之，如像曹公正在一心想傳位給他，他却就在此時「飲酒不節，不自雕飾。」那就是說故意出錯。文中子事君篇云：「陳思王可謂達理者也，以天下讓，時人莫之知也。」又在魏相篇說：「陳思善讓，能汚其迹，可謂遠刑名矣。」皆能曲曲道出子建本心。至開司馬門一事，應該是子建故意如此。朱緒曾撰的曹集考異曾說：「子建私出門者，特所謂任性而行，以犯禁自晦，使魏武不能改嫡耳。子建讓兄之心，雖魏武亦知之，蓋非此不能讓也。」朱緒曾所著和丁晏的曹集詮評，所論各點，大半迂闊不達事理，丁著尤劣。但前引緒曾所說，自亦不無理由。不僅此事為然，我們亦可推想曹公最後召見，曹丕迫飲，子建爛醉，似亦出於他本人有意為之。一直到了曹公逝世，曹彰趕到，如子建同意繼立，一方面曹彰這時尚有兵權，又加上驍勇剛嚴，為人畏憚，一方面在親信的文武將吏中，左袒子建的，恐亦不在少數，仍可放手與其兄一爭，至少亦可形成另一股力量。但他遏止曹彰，念念以袁氏兄弟爭位，恐蹈覆轍為辭，極見子建始終一貫的本意。

子建對兄長曹丕是向來十分恭順敬愛的，但對於纂漢這一件事，却表示不同意。按魏志卷十六蘇則傳：

「初，則及臨 侯植，聞魏氏代漢，皆發服悲哭，文帝聞植如此，而不聞則也。帝在洛陽，嘗從容言曰：『吾應天受禪，而聞有哭者，何也？』則謂為見問，鬚髯悉張，欲正謂以對，侍中傅巽掐前曰：『不謂卿也。』於是乃止。」

又，本傳注引魏畧：

「則在金城，聞漢帝禪位，以為崩也，乃發喪，後聞其在，自以不審，意頗默然。臨 侯植自傷失先帝意，亦怨激而哭。其後文帝出遊，追恨臨 ，顧謂左右曰：『人心不同，當我登大位之時，天下有哭者。』時從臣知帝此言，有為而發也。而則以為為己，欲下馬謝，侍中傅巽目之，乃悟。」

兩書參看，情事宛然，蘇則的事，為曹丕所不知，也幸虧傅巽從旁照應他，不然的話，這亂子就大了。至子建聞漢亡而哭，那是一種對故君的懷戀，絕不如魏畧所云：「自傷失意怨激而哭」，這樣，就把子建看得太低了。明婁東張溥撰陳思王全集題辭，說是：「禪代事起，子建發服悲泣，使其嗣爵，必終有臣漢。」等語，亦不失為一種較合理的臆測。

（未完）

漫談中國戲劇

．雷震遠．

我初到中國是一九三〇年，居住在中國年間，最使我深深感動的是中國人不分貧富，都熱愛着他們的古典戲劇。我在河北省安國縣與農民們共同生活了將近二十年，踏遍這個縣的每一個村落，有時在村中留駐旬日。看到每個村莊都設有神廟，廟前就是戲台。安國縣舊稱祈州，有一座大廟名叫藥王廟，中國各地的藥材都運到安國銷售，同河南的小禹州都是有名的中藥集散市場。這裏每年都要在藥王廟舉行敬神儀式，同時在廟前大戲台上平劇達一月之久，求神降福，使各地運來的藥材具有治病特效，販藥商人必須等待祭神儀式完畢後，才將藥材售賣。這是那裏演戲敬神的傳統習慣。

為了吸引觀衆，我們也常常先演出一齣平劇，然後再向觀衆佈道，就是在這段歲月中，我才開始徹悟到中國戲劇對于鄉村窮苦的老百姓的影響是如何深刻。雖然是沒知識的農民，他們從戲劇中却能清楚中國古代的歷史，中國傳統的忠孝節義，英烈佞臣，以至皇朝中的爭權奪利，勾心鬥角的事象，都要在戲台上演活了。中國戲劇有取之不盡的史事題材，分文武兩種戲劇。戲目之多，總數約在五百齣以上。武戲以歌功頌德為尚，多記述忠將、英主、名臣、巨奸等的蹟。文戲則為悲歡離合的家庭倫理、貞女節婦的傳記、及人鬼相互關係的故事。人故與人物有一些都是喻戶曉的稗史，但中國人仍然百看不厭，與西方人之愛看西方歌劇有同樣的理由。

中國戲劇的統一性

中國土地面積等于整個歐洲大陸，人口佔全球四分之一。同一文化的國家，在世界上再沒有比它更大的了。（未完）

中文地位與翻譯人才

（本報資料室）

要想替學生的翻譯能力，奠定基礎，自然十分困難。所以過去英文中學裏的翻譯課程，結果證明失敗，英文中學會攷中的翻譯一科，最後也只好撤消。

事實上，要在中學階段培養學生的翻譯能力，斷不能單靠練習，尤其不能依靠千篇一律的呆板練習。要知道現在的中學生，課業本已十分繁重，如果一碰上翻譯課程就是練習，怎能不教人望而生畏？其實，翻譯課程如果安排得好，應該是十分有趣的。因為中英兩大語文都擁有深厚的歷史與文學背景，把它們拿來一一比較，會發生無窮的興味，足以引人入勝。假使從這樣的觀點出發，則中學階段的翻譯訓練，首先應該從喚起學生的翻譯興趣着手，從而引導學生認識兩大語文的文化背景，同時把兩大語文的語法結構進行比較，使之與當代生活的最新情況互相結合。像這樣的翻譯訓練，按着各級學生的實際程度推行起來，自然可以收得事半功倍之效。

四，五級訓練方案

要使中學階段的基礎翻譯訓練達到預期的目的，我們需要有一個具體的方案，作為教學安排與教材配置的依據。這個方案，必須照顧到下列四個原則：第一、要能引發學生的翻譯興趣；第二、要能照明兩大語文的實際背景；第三、要能協助學生掌握兩大語文的常用規律；第四、要給學生以充份的練習機會。同時，為着配合目前香港以及海外大多數地區所用的中學學制，這個方案可以就用中學從第一年級（F1）到第五年級（F5）的五級編制，作為規劃的標準。

要作出一個五級編制的具體課程規劃，事實上是一件複雜而困難的工作，今後仍有賴於文化、教育、翻譯各界的賢達之士，共同努力。筆者不敏，願於此提出一個粗畧的綱目，一來是就正於高明，二來也算是「拋磚引玉」之意。這個綱目，謹列如下：

五，翻譯共通課程

（一）精讀資料——選取現代英語優秀作品及重要英語名著中的精粹部分，運用譯讀或英漢對照的方法，分組配成教材，指導學生進行精讀、比較與欣賞。由第一級至第五級，程度逐級提高，每級最低限度應進行此項精讀二十四次，各用教材二十四課。

巨變歷險記！

螞蟻（一九四）

胡慶蓉

在威脅部除生存的，除了瘧疾，毒蛇猛獸，大皇蜂，小黑虫，馬蠅，馬虱，我還願再擧出一種——螞蟻。

螞蟻，也是我們大家最熟悉的小動物。一般都是小的，除了偷吃東西而外，並沒有爲害於人的地方。大的螞蟻，不是絕對的沒有，但總是很少見。對於這些小的螞蟻，不但不討厭，他們的奮鬥合作，而並且都很欽佩。

邊區的螞蟻，首先令人驚駭的，是他數目之多。簡直是無處無之，無地無之。凡是有草的地方有樹的地方都有螞蟻。因爲邊區到處都有樹到處都有草，螞蟻可以說是遍佈了。特別是他爲數之衆更令人驚駭。其中最不得了的是白螞蟻，其次是黃螞蟻。個子都很大，爲我們所未見者。

白螞蟻的蛀食力特別強，住的房子，常常會被他吃垮，不曉得爲什麼這麼多！一個新房子蓋起來，不久白螞蟻就會到來，而且會很快的遍佈。表面上你可能沒有注意到，但若貼近樑柱以及木頭做的東西，你會聽到「胡拉」「胡拉」饕食的聲音。但沒有有效的對抗方法。灌開水，算是最利害的，但這也並不發生嚇阻的作用。眼睜睜的看着房子快要被人吃倒，這是多麼令人難過的啊！丁博士在蚌八蓆住的總指揮官邸，情形就是這樣。蚌八蓆的總指揮官邸，全是弟兄們用木頭建築的。丁博士同他的夫人住在裏邊，就身臨其境的看見白螞蟻吃垮大褸。衣服，白螞蟻也歡喜肯（口旁）。丁博士有一件烤雲紗，掛在牆上，不幸爲白螞蟻光顧，白螞蟻過處，烤雲紗也就報結了。

白螞蟻凶則凶矣，但只是對東西凶，對人並不凶。從沒見白螞蟻咬過人。黃螞蟻就不然了，黃螞蟻專門同人過不去。他們在樹上在草上，人不去動他們，他們倒也與人相安無事。假如人碰到了他們，不管有意的也好，無意的也好，必遭到他們的痛擊。就有這麼一次，丁博士騎在大象上，沒有注意，頭碰上了一個樹枝，想不到這上邊淨是黃螞蟻，說時遲，那時快，無數的黃螞蟻就一鼓而下，立刻散開，分別進擊，裏外夾攻，無空不入，登時間，丁博士的頭上身上，偏佈了黃螞蟻，丁博士的眼睛，鼻孔，耳朵裏都被他們侵入，又一大股侵入衣服裏褲子裏襪子裏，侵入了後門，侵入了兩腿中間……上邊，……皮上，……口上……無不爲他們佔據，即刻進行攻擊……只咬得丁博士疼痛難忍。丁博士本能的用力到處拍到處打。在他請求援兵之下，象僮轉過頭來也加入拍打，到處搜索，經了很長的一陣激烈戰鬥，才算把丁博士之圍解除。黃螞蟻眞是勇敢，當其攻擊也，眞是個個爭先，個個恐後，及其遭受反擊，又寧死不屈，寧死不退。咬住那里，就釘在那里，死在那里。「大戰」過後，只見得「屍橫遍地」。黃螞蟻不但對人富有戰鬥性，他們彼此之間，也常有激烈無情的戰鬥。在丁博士猛撒房子旁邊兩棵古老的大樹上，就發生過這麼一場極其激烈的戰鬥，這棵樹上的螞蟻到那棵樹上去偷營，那棵樹上的也到這棵樹上來，恐怕是戰了一個整夜，到早上兩棵樹下死亡纍纍，倒不如說死亡堆堆，帶傷的更不計其數……

催眠療病法

·鮑紹洲·

人的病症有別，催眠治療病固然也有不同，但藥物療病，可由醫生處方，而催眠治療的先決問題，却在病者感受性良好，被治者終得入催眠狀態中，施以對症療法。倘病人感受性弱，更因身患痛苦，心切疑慮。所以施術人者縱有千方百計爲之施術，均屬徒勞。因此，在施行療病各法之前，必先使其安全入於催眠狀態，但是若果遇到患外腫痛諸症者，或精神病或神經病的人，欲感應催眠，固非易事，因此在未講如何催眠之前，先說療病催眠之初步施術法。

安頓病體法：病人身體必然不舒服，必在施術前愼重安頓，當然以臥爲主，預設一半截鋪床，夏鋪涼席，冬鋪極柔軟褥，一端洋枕二個，室中光綫宜適中，嚴寒天氣宜熾炭於牆隅，距離榻位三四尺，必令病者仰臥於榻，必須身心安適，袍褂宜除，嫌冷以薄架被覆之，但既用火爐，不蓋被子亦，會受冷。施術檢察後，始暗示道：「現在爲你治病，一會兒就會好些。請你閉上眼睛，雙手合掌，心中無念無想。」說完爲之診脈，或用手指，或用聽診器，隨術者之能力而定，診脈後命病者兩手握拳垂直於腰際直伸，足尖用力，足根貼褥，約五分鐘。這是第一步。

凝視催眠球：患有外腫痛症的人，不必用撫下法，開始使用凝視法。預先將普通用的催眠球，懸在臥榻中央，自上下垂，適當病人之胸部，距離尺許，必須與仰臥者的眼光成一水平綫，令其張眼凝視球體，摒除雜念，閉口行深呼吸，由鼻慢慢吸氣入丹田，凝下腹凸出爲度，默計一，遂慢慢由鼻呼出，以下腹凹入爲度，默計二。吸氣宜長，呼出宜短，連續行之。施術人特別注意，爲了計準呼吸數，至二十次仍不閉目催眠，即使偶然因眼疲而閉目，旋又張目凝視者，可以改行下面蒙首靜呼吸法。

蒙首靜呼吸法：此法爲强有力之催眠法。如見被術人不感應凝視催眠，即以此法行之。用潔淨稀薄的新白絲巾一塊，蒙被術人的頭，而與之暗示道：「你想病快好，快閉目行靜呼吸，心中無念無想。」如此反覆暗示十幾次。然後再暗示道：「心平氣靜，漸漸進入自己的呼吸也不自覺」。再反復數遍，靜察其呼吸漸變徐緩，知已感應了。然後慢慢除去絲巾，再施以各種辨別催眠狀態之檢察法，若仍然不感應，乃是「病入膏肓」，故不感受催眠，惟有謝絕。然在經驗豐富的催眠家，事前早經檢查，不治之症，早已推絕，如認爲可治之症，逐步施以上列各法，不感應的人，是很少有的。

上列各法向病人依次實施，如用甲法，即感應呈催眠狀態，以下諸法皆可不用了。以下是以備不感應而設者。

凝集心力法：病人已閉目靜臥，術者獨立榻旁，統一精神，目專注病人，心中祇想催眠病人。這種觀念，一刻不能除懷，時時向他施術時，也須時時默念催眠，要待病人感應而呈催眠狀態，方可去此觀念。易注意心力於療病法。因本法祇憑術人的精神感通病者，故有精神療法與心理療法等公認之名稱。

全身撫下法：上述二法，都是療病催眠之預備，準備功夫。準備已畢，實施催眠，第一步行全身撫下法。施術與普通撫下催眠彷彿，不過這項撫下法自額中起，由施術人兩手分開，由病人耳前及兩肩，從背而達手指爲止。再由腰下撫，經兩腿而達兩足根，爲一遍。由此周而復始約六次，最多以十次爲限。初撫用力宜輕，逐漸加重，由重輕減，到絕不用力，僅僅手觸皮膚爲止。

其所注意的：四肢生有腫痛之外症，撫的時候宜讓避，因如撫下而增加痛苦，斷難望其感應催眠。故寧可不用此法，開始即行下面凝視催眠法。

幼兒病催眠法：對於小孩有病的催眠，比成人容易。如在哺乳期中，臨時須餵乳，兼須大小便，然後將小孩仰臥床上，墊以枕頭。施術者右手持催眠球，放在小兒目前，距離半寸，不可過遠，不可左右動搖，靜待約十五分鐘，小兒眼光必定注意球體，瞳孔逐漸放大，施術人始緩緩將球移開，約尺半距離，復又緩緩移近眼前。

（未完）

李清照（四）

但從清照的歷史來看，她四十九歲死了丈夫，後卽依弟以居。在她五十二歲寫「金石錄後序」時，尙自稱「易安室」；五十三歲「上樞密韓公工部尙書胡公」詩時，尙自稱「趙家」；及至晚年住在金華填詞遣懷時，仍念念不忘她死去的丈夫；甚至到她六十一歲時，還有人稱她爲「趙令人李」（見兪正燮所說謝伋「四六談麈」自序）；而且淳佑元年（一二四一），張端義作「貴耳集」，尙稱「易安居士趙明誠妻」，則淸照之以寡婦終老無疑。

可見清照名滿天下，謗亦隨之，其改嫁之說，遂愈傳愈確。直至清代兪正燮「癸巳類稿」，替她編排事實，作「易安居士事輯」，辯無其事。李慈銘而作輯補，指出李心傳的「繫年要錄」所載張汝舟妻李氏告她的丈夫「妄增數擧」，在紹興二年九月朔；而淸照作「金石錄後序」則在同年十月朔，尙自稱「易安室」，「豈有三十日內忽在趙氏爲嫠婦，忽在張氏訟其夫」之理？其實改嫁在當時，都視作平常的事，像范文正公之母謝氏，改適朱氏，程明道的子婦亦改嫁，不一而足。然而淸照沒有改嫁，誣之爲改嫁，殊亦太無意義了。

造誣淸照改嫁之說，發生的經過是這樣的：趙明誠從池陽到行在之時，學士張飛卿（卽汝舟）以玉壺示明誠，相語久之，仍携壺去。時建康置防秋安撫使，擾攘之際，或疑其饋璧北朝，言者遂列以上聞，有人主張趙張皆當置獄。那時明誠已死，淸照遭遇喪夫之痛，驟至大病，僅存喘息。聞玉壺事大懼，盡以其家所有，於建炎三年冬赴越州行在投進，時金兵進犯臨安（杭州），而高宗已浮海奔明州（鄞縣），有中書舍人綦崇禮爲明誠辯護，事實眞象乃告大白。淸照因與綦有舊親，這回又極得其幫助，因作啓謝之。原文有句云：

素習義方，粗明詩禮。近因疾病，欲至膏肓。牛蟻不分，灰釘已具，豈期末事，乃得上聞。取自宸衷，付之廷尉。序欲投進家器，曰抵雀捐金。……

繫年要錄卽望風捕影，却謂淸照旣改嫁張汝舟，不睦請離，是綦崇禮爲之處理的。並把淸照謝綦崇禮的信竄改如下：

牛蟻不分，灰釘已具。弟旣可欺，持官文書來，輒信身幾欲死。非玉鏡架安知呻吟未歸，彊以同歸。猥以桑榆之末景，配茲駔儈之下才。……視聽才分，實難共處，惟求脫去，決欲殺之。遂肆欺凌，日加毆擊。豈期末事，乃得上聞；取自宸衷，付之廷尉。……

據李慈銘說：也許張汝舟妻亦姓李，或竟是淸照一家，與夫不睦，訐訟離異。後人因其適符李姓，遂牽合到淸照了。

淸照的晚境，可說是在淒涼中渡過，不知她是否終老金華？或在戰亂中到處流徙，由於史料闕之，便不得而知了。依各家記載，她生於一〇八二年，卒年雖是不詳，當在六十歲之後，似可認定的。

（完）

小黛眉傳

·王幻·

「八紘一宇」之淵源及其含義

·嘉行·

此外値得一提的，日本讀音「八紘」與「八荒」相同。故日文辭書上這兩個辭，也正是緊隣。所引出處和我們的辭書一樣：「八方之荒遠也。」（賈誼過秦論）有席捲天下，包擧宇內（請注意此「宇內」二字），囊括四海，併吞八荒之心（請注意此句）。」於此可以看出「八紘一宇」的眞正淵源在此而不在彼，其做爲「聖戰」目標的基本企圖，也就可想而知了！

日人對名詞的「移花接木」，把不雄的詞改變爲「悅耳動聽」的方法，是研究有素的。如台灣的「雞籠」爲「基隆」，「打狗」爲「高雄」（日音近似），而大連附近有個小地名「臭水子」改爲「周水子」，負傷戰士爲「白衣勇士」，運回戰士的屍體或骨灰爲「無言凱旋」。等不勝枚擧。至於何人首先把「八紘」和「一宇」結合在一起，容後查出，再另文報告。

（完）

第十八章 岳武穆收復襄陽 宋高宗御駕親征

周燕謀

距大儀數里，別將撻不野擁着鐵騎躍馬上前，經過世忠五鶯東首，世忠早已瞧着，下令擂鼓，鼓聲響起，各自奮力突入金陣。撻不野雖然驍勇，怎奈一人不能四顧。霎時四方八面滲入了宋軍旗幟，目眩神迷，幾無法指揮。瞥見一隊健卒，橫入陣之，人各持長斧，上砍人胸，下砍馬足。眼見金騎紛紛被大斧砍倒，人馬大亂，人跌馬仆，撻不野到了此時，也選擇了「走爲上策」的好計；躍馬數丈，馬陷入泥淖中。宋軍四面包圍，所有金虜將兵，全部被擒，撻不野也被宋將活捉，世忠再遣兵援助解元，解元到了承州，也四面設伏，一面決河阻碍金兵。金兵涉水攻城，將至北門，解元命放起號炮，呼召伏兵。伏兵聞聽訊號，一湧殺出，金兵快退，既而又至，再戰再却，却而又進，一日至十三次。至元自以爲疲憊，但總不敢退却。忽然聽得東北角上鼓聲大震，一彪軍遠遠殺來，解元以爲金兵增援，未免大驚，忽見金兵陣脚動搖，似有慌亂跡象，解元登高瞭望，見是「韓」字旗號，便大呼道：「太尉兵到了」。士衆聞聽韓元帥大以動帝親征，但謀事在人，成敗在天，非我所能逆料」。喻雲（木旁）道：「如此說來，公應先行退步。張德遠（浚）有重望，若令宣撫江淮荊浙福建，蓐請道兵赴闕，他的末路就是朝廷的歸路了。」趙鼎聞言，不禁點頭稱善。乃入奏高宗，請起用張浚。高宗准奏，召浚爲資政殿學士。張浚奉旨入朝，高宗與語親征之事，張浚極力贊成。乃下手詔爲張浚辨誣，復知樞密院事。張浚拜命退朝。

往見趙鼎，與鼎握手道：「此行擧措，頗合人心」。鼎笑道：「此乃喻子才之功。他尙思推賢任能，難道我尙敢蒙蔽麼」？趙鼎將此事歸功喻子才，眞有宰相之度。張浚遜謝。趙鼎又道：「公旣復任，應即執殳赴敵，爲王前驅。」張浚道：「明日卽當陛辭，出赴江上」。趙鼎大喜，撫張浚之背道：「如此才可以杜人之口呢！」越日，張浚辭高宗卽往平江視師去了。

宋高宗的宰相，只有此時趙、張二人爲一時之選，可謂戰鬥內閣，但却遭到不少人之攻擊。趙張二相的職務，都不太長久。詔命下達之後，果然遭遇到韓世忠及劉光世二帥之反對。劉光世諷道：「相公自入蜀，何幸爲他人任患？」這是諷張浚的話。韓世忠道：「趙丞相眞敢爲者！」二帥反對御駕親征，不知趙鼎如何解決，請看下章分曉。

（九十一）

自由報

（第一一四〇期）

（半週刊每星期三、六出版）
每份港幣壹角・台灣零售價新台幣弍元
督印黃行寶・社長李運鵬
社址：香港九龍彌敦道593—601號
廖創興銀行大廈八樓五座
LIU CHONG HING BUILDING
7th FLOOR FLAT '5
593—601 NATHAN ROAD,
KOWLOON, H.K.
TEL：K303831
電報掛號：7191

承印：景星印刷公司
地址：嘉咸街廿九號地下
台灣區業務管理中心：台北重慶南路一段一二九號
電話：二四五七四
台灣區直接訂戶　台灣劃撥戶
第五〇五六號張萬有（自由報會計室）
台灣分社：台北市西寧南路110號二樓
電話：三三〇三四六、台郵劃撥戶九二五二號

建立司法威信與尊嚴

・丁作韶・

本報專論

一年一度的司法節又過去了……

年年喊進步，年年喊革新，今年又在喊再進步再革新，明年想一定會更進步更革新。

在進步革新之中，建立司法威信與司法尊嚴，想為司法當局追求的一個目標。

我讀過了司法節前後司法行政部王任遠部長發表的大作。我並且聽過台灣高等法院台南分院洪壽南院長的高論。我本人也發表過一點愚見。這是說在南區司法節慶祝大會上。在這大會上，我還聽過台南高分院首席檢察官劉賢年的專題講演。此外台南縣劉縣長的講演，台南市林市長的講演，不期然而然的，殊途同歸的都集中在司法威信與司法尊嚴的建立上。

聽到大會主席洪院長的報告，我個人感到無限的沉痛，想所有在座的貴賓在座的南部司法首長以及司法工作人員想無不感到沉痛。洪院長在司法首長中，算是資格最老的一位，也是經驗最豐富的一位。他從台南地方法院院長到高雄地方法院院長，到台灣高等法院台南分院首席檢察官，現在是台南高分院的院長。以他在司法方面負責人的地位，發出建立司法威信司法尊嚴之呼籲，足見他對於司法威信司法尊嚴之注意。其所以如此的注意，他必然是感覺到司法威信司法尊嚴受到大大的損害。誰損害了司法威信司法尊嚴？洪院長洪主席公然提出來「司法黃牛」，而且連提了幾遍。「司法黃牛」這個名詞本來是民間用語民間俗語，為司法首長所採用，是不是前台北地方法院檢察處焦首席沛澍開其端，他不但喊出「司法黃牛」，並且想出來很多治「司法黃牛」的法子。

「司法黃牛」一詞，在台北司法方面倒不稀罕，但在台南，出諸司法首長之口，我敢說這還是第一次。我四十六年回到台灣，一直在台南，每年的司法節大會，我都很榮幸的參加，並很榮幸的叫去講話，但從未聽到有「司法黃牛」字樣，今天竟出諸洪院長之口，可見司法黃牛之不平凡，足見他們為數之多，足見他們的猖獗，足見他們為患之烈。他們貌示柔順，其破壞司法之大，令人切齒。「司法黃牛」的戢止，確切是司法威信司法尊嚴一個極其嚴重的考驗。

在洪院長的報告中，其最為突出之一點，為對於律師再三懇懇致意，認為他們是司法工作人員，希望他們能協助掃清司法黃牛。這對於律師來說也是一種極寶貴的意見，為聞所未聞者。實在，在我過去參加的司法節慶祝大會中，我很少幾乎沒有聽見過司法首長談到律師。律師在美國，地位是崇高的，今日之尼克森總統，他以前的詹森總統，再以前的杜魯門總統，威爾遜總統……也無不是律師出身。律師事務所，就是競選的大本營。不聞他們黃牛，更不聞他們有助於黃牛。這實在太渺少了，太不相稱了。治國經邦之才，何能做出此蠅頭小利之事；不過台灣有台灣的環境。在台灣，學習法律的並不算多，但因為出路窄狹，過問律師者，殊不在少數。單單以台北一市來論，在昔鼎盛時期，幾不下千人，即在今日，也在五百以上。他如台中，台南，高雄……登記有案，執行律師業務的，都有一兩百之數。名為代書，暗操律師業務者，數目之衆，較律師殆尤過之。他們有門面，他們是專業，其影響司法，較律師殆尤過之。政府曾數度取銷，但因其根深蒂固，也只有任之聽之。他們最接近當事人，他們能協助律師協助司法建立威信尊嚴，作用至大。

新聞與司法威信司法尊嚴影響亦大。台南中華日報孫午南主任已經看到。與孫主任同感的為數想極多。台灣的報紙都有他們的生意經。即在社會版在社會新聞方面盡量暴露社會的弱點，黃牛在司法方面之活動即其中之一。有損司法威信司法尊嚴之事，往往繪形繪聲。問他們為什麼登這一類的新聞，他們千篇一律的總是一個答案，為爭取讀者爭取更多的報份。在報館因達到他們的目的，但在司法威信司法尊嚴的損失就太大了。

也有人主張建立司法威信司法尊嚴是大家的事。這也是不錯的，司法與大家都有關係，大家都能協助司法不隨便批評不散佈謠言不損害司法威信不損害司法尊嚴，那當然再好沒有。但這能做到嗎？防民之口甚於防川，是一件極不容易的事。欲使人不知除非己莫為，最好的辦法還是己莫為。若是本身健全，那怕人家說？說又有何損。洪院長在他的報告中呼籲人民信賴司法，是非常正確的。人民能信賴司法，那怕造謠生事，其過也如日月之食也，並無損於司法之威信與司法之尊嚴。人民能信賴司法，任何司法黃牛也無所施其技。如何能使人民信賴司法，乃建立司法威信司法尊嚴之要圖。

今日司法威信司法尊嚴不如理想，不一定就是司法本身之過。威信的問題，尊嚴的問題，不單單是司法的問題。而是政府一個普遍的問題。如若說司法沒有威信沒有尊嚴，難道政府其他的部門都有威信都有尊嚴嗎？天地君親師，在今天親有威信有尊嚴嗎？師有威信有尊嚴嗎？君有威信有尊嚴嗎？君可以代表整個的行政，師可以代表整個的教育，有行政的黃牛，教育也有教育的黃牛，幾無不有黃牛。春節快到了，大家都忙着回家過年，因為車票難買，大家不又在喊交通黃牛嗎？相信政府機關，不管那一部份，恐怕都有黃牛在活動。昔季康子問政，子曰：「政者正也，苟子之不欲，雖賞之不竊。」黃牛活動是不是「子」有所「欲」？「子」有所「欲」，黃牛就乘虛而入大肆活動。戢止黃牛活動，要在「子」「不欲」上着眼。

建立司法威信司法尊嚴不能單單在司法上着眼。這是台灣整個的問題。這是台灣整個行政的問題。可不可以考慮司法官待遇之提高。司法官待遇一度提高過，但還不夠。司法官在美國在日本待遇都是很高的。在科學化工業化現代化之口號下，生活普遍的提高，加上幣值低落，收入有限，以戔戔之數，實難應付。孟子曰：「無恆產者無恆心，苟無恆心，放辟邪侈，無不為矣」。政府一定要為司法官着想，大量的提高其待遇，使他能夠豐衣足食。古人云儉以養廉，現在應該是富以養廉。日昨有機會同一位在中央任部長幾度的老兄閒談，他說的幾句話，似乎很有道理。他說富有與一個人的威信尊嚴很有關係。一個富有的人，腰常常會挺起來，這也就是管子所說的名言：「衣食足而知禮義，倉廩足而知榮辱」。一個窮的人腰是挺不起來的。窮與酸常常會連起來，人窮必然酸。北平還有酸溜溜的這句話。人到酸溜溜的。酸溜溜的與窮分分的是結不解緣的，「餓死事小，失節事大」，不能說沒有，但少。不可望之於現在的人。昨又有一位歷經變亂的朋友，他述說他如何逃離廣州。他說他帶的金圓券全不作數了，他攜家帶眷沒有飯吃，他有一個時候準備去參加暴民集團去搶糧食。這話現在聽起來好像很刺耳，但在當時，並沒有考慮志節。

對於法官的自尊自信，對於他個人的威信尊嚴也要培植，凡百措施，萬不可以使他感覺到有損他的自尊。用人不疑，疑就不要用。既用又疑，再加上種種事後的措施，往往會使他失望，忿恨，消極，不願負責，不敢負責。不願負責，不敢負責的判決，往往不得其平，如何能使人民信賴！司法威信司法尊嚴的喪失往往就在這一些不負責任的判決上。這並不是司法黃牛活動的結果，而是另有原因在。這個原因我覺得特別重要。惟有法官負責任獨立裁判才能適法，才能公平，才能使人民心服，社會翕服，才能使人民社會信賴司法，才能建立司法的威信建立司法的尊嚴。

王部長，洪院長以及其他所有司法首長維護司法威信司法尊嚴之苦心，吾人謹表示無限之欽佩。在進步又進步更進步之中，在革新又革新更革新之中，着眼在推檢之負責上，以促進推檢之自尊自重負責依法獨立審判來建立司法之威信司法尊嚴。司法黃牛何足道哉！所有的律師一定衷誠的追隨司法當局之後，與各方面合作來完成司法威信與司法尊嚴之建立。

（完）

自由談

釋語彙

有些慣用的語彙，字句沒有甚末差別，但在話意上却不大相同。

例如：「有飯大家吃」和「大家有飯吃」這兩句俗語，若就政治觀點而論，其涵義即迥不相侔。前者是統治階級在現有的局面之下，不將政權視同私產，而以所識窮乏者得我的英雄主義為用人標準，隨時為事擇人，使一般智勇辯力之士，皆有陳力就列，隨份報國的機會，因而弼成政通人和的太平景象。這可說是消極性的求治之道，所以，庸碌無能的民國總統黎元洪，亦曾經提倡這句俗語，博得國人的好感。後者是統治階級憑着崇高理想和雄才大畧的創造精神，革故鼎新，發展生產力，使國家日臻富強，人民安居樂業，不虞匱乏，而鰥寡孤獨者皆有所養。這是積極性的建國方畧，在中國歷史上的大人物中，只有國父孫中山先生有此抱負和作為而已。

因此，政治上要做到「有飯大家吃」的情況并不難，統治者能夠去私去蔽就得了，實行眞正的民主政治，即庶幾近之。欲求「大家有飯吃」却不簡單，既需要切實的計劃。又必持之以恆，契而不舍，顛沛必如是，造次必如是。矚觀世界人類進化史，尚未見有一個國家做到了「大家有飯吃」的景況，美國號稱為超級的富強之邦，然其人民仍有貧富懸殊之病。實行共產主義的蘇俄，表面上標榜着均貧富、無階級的「大家有飯吃」的建設方針，實際連「有飯大家吃」的程度都不存在，人民啼飢號寒之外，經常奴役勞動，到死方休，這亦就是共產政權必然潰滅的基本因素。

假使統治階級能以「大家有飯吃」為其治國平天下的最高原則，而以「有飯大家吃」為最低的實施政界，亦可以獲致國泰民安的績效，而眞民主與假民主生活之分野，即基於此也。

馮正先生

昨日與明日

台北市府機構又一大舞弊案

在本報三次談論台北特別市市長高玉樹不懂民主政治以後，曾有位某方人士向本報表示：高玉樹市長能幹，有魄力云云。實際上，本報評論家也並不否認高市長的能幹，但能幹而不守法，畢竟是反民主，而能幹究竟如何解釋，也並不簡單。這幾天，台北各報盛載台北水廠大舞弊案，水廠官員十三人涉嫌集體貪污，被台北地方法院檢察官下令收押。由於台北水廠屬於台北市府機構，竟發生如此重大舞弊案，我們對高市長是否眞的能幹也發生懷疑了。

市府直營企業的自來水廠，在性質上是公益事業，事關人民基本生活，甚至生存，何等重要。不幸大台北市民，却為水的問題所苦。缺水，缺水，幾乎常年發生水荒，熱天缺水，冬天還是鬧水荒。市民為了飲茶，深夜起來收接，甚至為爭水而鬥毆吵架。每年都大肆宣傳：擴建工程如何如何，結果，每年水荒如故。這人民生活基本要求——喝水與用水，都不能滿足，還談什麼能幹和有魄力？因為用水不足而影響市民健康與生存，在講法治國家的人民，都可以告市長一狀，至少，這樣的市長，不是市民所歡迎的。

大台北市，水的問題所以不能澈底解決，由於這次水廠人員大舞弊案之被揭發，總算找出答案了。自從本案爆發以後，市民對自來水廠舞弊事件，紛紛檢舉，在二月十一日一天以內，刑警大隊就收到數以百計的檢舉函件，可見市民對偵辦本案的支持以及對市府官員如何忿恨。

台北自來水廠的官員，不是高玉樹市長所派的嗎？竟發生如此舞弊案件，顯示高市長用人不明，對部屬監督未週。無數市民主張嚴辦水廠失職人員，澈查水廠內各種積弊，更應追究高市長的行政責任，都是很正確的。

・鄭異・

交通罰鍰分配辦法
監委指為於法無據
不獨對多年積弊未能革除
反將解繳國庫比例更減少

（自由報台北消息）台灣地區交通機關提成分配各項罰鍰，未能涓滴歸公，掃數解繳國庫。久為人民所詬病。

監察院交通委員會第二五九次會議討論：關於交通部訂頒「道路交通管理罰鍰處理分配辦法」於法無據，內容欠妥，流弊滋多一案，經決議：提案糾正。

交通部三十六年十月二十日奉准公佈實施「公路行車違章罰鍰處理辦法」，規定「各項罰鍰概按十成支配如左：（一）解庫五成，（二）提解主辦及協助機關出力人員五成。經舉發而處罰之案件，應於罰鍰中先提三成獎給舉發人。餘額仍按前項規定處理」（第二條）。同時規定「第二條提獎主辦及協助機關出力人員部份之分配細則，由主管機關另訂之」（第五條）。省公路局據此規定於五十五年擬訂「公路行車違章罰鍰提獎分配細則」，規定罰鍰應提之五成獎金，分配於（一）主辦機關二成半（包括交通部、省交通處、公路局、監理所等機關）；（二）協辦機關二成半（交通稽查、警察、憲兵機關等）。

省公路局五十五年九月開始，依據前項分配細則就主辦機關提百分之二十五獎金部份予以再分配。近三年來，公帑流入私人荷包情形如下：

五十七年一至十二月全年，省公路局經收罰鍰總額為新台幣四千三百〇四萬元（按：台北市自七月起劃開），主辦機關應提百分之二十五獎金計新台幣一千〇七十六萬元，分配於：

交通部得獎金新台幣一百零七萬六千元。省交通處得獎金新台幣一百〇七萬六千元。省公路局長得獎金新台幣一百二十九萬一千元。省公路局員工福利委員會得獎金新台幣二百十五萬二千元。

各級監理人員得獎金新台幣五百十六萬四千八百元。

五十八年一月份省公路局經收及支配違章罰鍰總額新台幣五百七十五萬二千元，除解繳省庫二分之一計新台幣二百八十七萬六千元外，其餘由下列各單位分配：

協辦憲警單位得獎金新台幣一百零一萬八千餘元。公路警察除得獎金新台幣三十萬零九千餘元。交通部得獎金新台幣十五萬四千餘元。省交通處得獎金新台幣十五萬四千餘元。公路局長得獎金新台幣十八萬五千餘元。公路局員工福利委員會得獎金新台幣三十萬九千餘元。各級監理人員得獎金新台幣七十四萬三千餘元。

五十九會計年度省公路局經收及支配違章罰鍰總額新台幣八千七百三十五萬九千元，除繳省庫四千三百六十七萬九千餘元外，其餘按照「公路行車違章罰鍰提獎分配細則」規定主辦機關分配獎金如次：交通部得獎金新台幣二百一十八萬四千元。省交通處得獎金新台幣二百十八萬四千元。省公路局長得獎金新台幣二百六十二萬餘元。公路局員工福利委員會得獎金新台幣四百三十六萬八千元。各級監理人員得獎金新台幣一千零四十八萬三千元。

此外，台北市監理所五十九會計年度經收行車違章罰鍰新台幣四千四百八十三萬七千餘元。

、民國五十七年二月，道路交通管理處罰條例公佈實施，則交通部三十六年頒行「公路行車違章罰鍰處理辦法」理應明令廢止，但未廢止，由於該部主管單位以本身利害相關，對罰鍰之執行，更變本加厲，致造成上下爭取分配獎金之糾紛及勒索行賄之惡例，迨至監察院調查之後，交通部雖於五十九年二月另訂「道路交通管理罰鍰處理分配辦法」一種，核其內容，不獨對多年之積弊，未予革除，而反將繳庫之比例更為減少，且因循延誤，致使罰鍰收入中大量公帑，繼續流入私人之手。

就「道路交通管理處罰條例」立法意旨言，該條例為維持公共秩序，保障社會安寧不得已之措施，要與以期刑期無刑，獎勵緝私稅收之性質迥然有別，此一觀念，必先澄清，且該條例中並無執行人員得在罰鍰中抽取獎金之規定，從而罰鍰收入，乃屬公帑，即應悉數解公庫，不得提充個人之獎金，處理違章罰鍰各級公務人員，自不應亦無權從中截留分配，影響國家財政收益，乃交通部未察此旨，誤認為處罰違章亦如查緝走私，辦法之足以裕益稅收，應予提獎鼓勵，因而援例以罰鍰百分之四十為可分配之獎金，更使被處罰者誤認執行人員係為本身獎金而遭取締罰欵，心懷怨恨，曾有司機蓄意駕車撞傷警員之慘變發生，不為無因。

罰鍰收入乃屬公帑
應悉數解公庫
不得提充獎金
分得獎金亦未繳所得稅

按照預算法第十一條規定：「政府一切歲入及一切歲出均應編入其預算」。依據「道路交通管理處罰條例」之罰鍰收入，乃屬公帑，其收入應依預算法第十一條規定編入政府預算，交通主管機關不但未列入預算，竟擅自頒佈辦法逕行截留部份罰鍰，予以分配，如此破壞預算法破壞主計制度化公帑為私欵，實為變相之集體貪污公開分贓，交通機關各級主管及處理違章罰鍰各級公務人員所分得獎金，亦未按所得稅法繳納綜合所得稅，例如，歷任公路局長於五十七年全年所分得獎金新台幣一百廿九萬餘元，五十八年每月所得獎金新台幣十八萬餘元；五十九年全年所得獎金二百六十餘萬元，繳納所得稅沒有？監察院為什麼不追查？

× × × ×

論道德與倫理之重整

我們知道，中國近百年來，舉國若狂的偉大任務，是爭取民族獨立，民權平等，民生樂利，因而不斷發生革命運動，這一運動，是歷史賦予的大事，原是人人應盡的天職，無如這一運動充沛在思想界，便引起了某些領導革命的思想家，認為中國一切古老文化与失時效，乃東抄西襲，為求達目的而不擇手段，因而治絲益棼斷送了無數有為的盲目青年，橘逾淮而為枳，使我們不能不興起左道旁門之感了。

中國的「五四」運動，原是一般思想界所標榜的啓蒙運動，且比擬於歐西的文藝復興運動，但「五四」運動要把孔家店打倒，把國家民族精神所繫的倫理道德綱紀，一鼓腦兒推翻，把幾千年來奉行不渝人性藩籬拆除，也就是人與獸分野的範圍完全拋棄，因此就搞得天下大亂了。當時一般新思潮的創導者，活生生的把四維八德三綱五常，認為是吃人的禮教，把綫裝書全都扔到毛坑裏，這樣一來，等於將人性恢復到獸性，人類在心理上的堤防完全潰決了。焉得不天下大亂？中國的聖哲孟子會說：「人性猶水也，決諸東方則東流，決諸西方則西流。」禮教被廢除後，人性便像決了堤的洪水，洶洶湧湧，奔騰澎湃，攪了幾十年，弄到今天，大陸上全部籠罩在紅禍之下，子弒其父，弟鬥爭其兄，妻清算其夫，無奇不有，無所不為，直應了古人所說：「洪水橫流，泛濫於中國，草木暢茂，禽獸繁殖，獸蹄鳥跡之道，交於中國」。老實不客氣的說：我們尋根究底要知道，中國的倫理社會，是經過許多先聖先哲用盡心血絞盡腦汁，憑幾千年的歷史背景和經驗建設起來的，而且是鑑於人性之可怕，為防微杜漸纔，一點一滴堆砌起來纔合龍的。雖在近百年間，不斷受歐風美雨所冲擊，但它的基本原則仍能毫不受搖撼震蕩，還是一成不變。

國父孫中山先生提倡革命時期也曾說過：「他的革命思想基礎：是繼承堯舜禹湯文武周公孔孟的道統而發揚光大」。他只主張推翻不良的專制政體，改良不平均的經濟制度，同時也主張廢除列強干涉我民族獨立自主之權，并不主張廢除中國道統內的精華——倫理道德，甚至積極提倡「忠、孝、仁、愛、信、義、和平」等項倫理教育，而五四運動以後，有些人硬以「外國月亮比中國的圓」的自卑心理，將孔家店不惜打倒，做率獸食人的罪魁，檢討起來，大陸今天的災禍，「我雖不殺伯仁，伯仁由我而死。」五四運動者是首開其先河的。因為布爾塞維克主義者，陳獨秀、李大釗之流，不僅會使五四運動的歷史內容變質，而且使五四運動的領導者，充當他在中國的儈子手，也做了他們的代表人——傀儡。

（未完）

·劉韻石·

强制執行法應速修訂

·王爾晉·

現在實行的強制執行法似嫌過於寬縱，有些空隙可使狡猾的騙徒藏身，使債權人和法院無法掌攤。因而人與人間都存有戒心，甚致有時使至親好友都不能互相信賴。我的一位朋友把打民事官司視為畏途，他曾被人騙過一次之後，他下定決心不借錢給任何人，也不和任何人合夥做生意。他說：「凡至親好友真正有困難時，我可送他們三兩百元，但叫我借錢給他們或合夥做生意絕對不能幹」。當然不借錢給任何人，不合夥做生意，是唯一防止被騙的方法。但人在社會上不能不交往，有交往就不能不有金錢來往，尤其工商界的人士全靠金錢交往以維持其業務的。如若大家都不借給任何人錢，不和任何人合夥做生意，那不是又返回老死不相往來的上古社會了麼？金錢來往當然重信用，主要還在法律嚴密不嚴密，執法人員公正不公正。如若法律嚴密，使騙徒無法鑽漏洞，執法人員公正無私，緊抓騙徒財產，我想社會上債務糾紛會減少些，因討債而發生的暴行事件也會少些。關於防止騙徒行騙，我認為應修正現行強制執行法：

1、財產過戶或抵押以在法院公證者為有效。

2、凡債務人在法院公證過戶或抵押其財產時，公證法庭應先調查其全部財產總值及欠債多寡。如他欠債過多，財產總值不足抵償債務時，應不准他辦理過戶或抵押手續。如他的財產多於欠債數，辦理過戶或抵押之數亦不得超過其全部財產三分之一，如過戶抵押超過其欠債之數，被任何一債權人控告，勝訴之後無財產可查封時，執行法院應主動以詐欺罪送刑庭審判。其最後過戶抵押之名義應視為無效，執行法院同樣可查封拍賣其最後過戶抵押之財產。

2、參與分配之債權人應以原告勝訴之債權人為優先，多數原告勝訴之債權人即有多數優先分配權，拍賣物所得欵數先清還原告勝訴之債權人債欵，餘數始准中途請求參與分配之債權人分配。否則原告勝訴之債權人花錢、費時、勞神始獲得查封債務人財產時，突出現一羣有債權名義的人請求參與分配，其結果原告勝訴之債權人不是得不償失就是一無所得，豈謂得乎。

3、拍賣債務人財產，若無其他財產可供查封時，應執一物緊抓不放，無論動產不動產應絕對按照第一次拍賣不成，第二次、第三次減價再拍賣之程序。第三次拍賣不成，應將拍賣物交法院保管，直至債務人清償債務之後，始將拍賣不掉之原物發還債務人。

4、債務人違反管收條例時，應視為刑事犯，刑事犯被扣押監禁有囚糧可吃，被管放之債務人飲食費用亦應照例辦理。

5、法院執行人員故意曲解法律，查封拍賣債務人財產不按程序，若被任何一債權人揭發，或被上級查出，即變為債務人，直負賠償之責。

上述五個意見我希望有關方面慎重考慮採擇，因為我認為社會的基礎在人羣，人羣的基礎在互相信賴，信賴不足時，則靠法律來維持。如若法律有漏洞可使騙徒逃脫責任，則社會基礎很難穩固。因此強制執行法的漏洞亟應填補，以穩固社會基礎。尤其盼望立法委員們，如果司法主管方面提出修訂強制執行法，應即盡速修正，我提起這幾項原則。希望引起人們的注意，是我的唯一目的。

（續完）

縱橫談當舖

·萬念健·

高牆大門　有若官衙

抗戰前之上海當，舖主要由徽州及潮州兩幫人士經營。前者多大當，厚牆高櫃，如入衙門，月息分八，十八個月滿期，堪稱公道；後者多小押，不設遮欄，沿街交易，利息高至加一，滿期短至六月，但因對大當不接抵押之西裝、照相機、望遠鏡、墨水筆、麻將牌等物品一律接受，所以生意依然不惡。人所共知。全上海生意最好的當舖是靠近回力球場的那一家，蓋因回力球賭徒忽輸忽贏，每日進出回力球場不知多少次，手上所戴金錶，身上所穿皮大衣，忽有忽無，每日進入當舖亦不知多少次，當舖以一筆本錢，於短短一日之內，連做幾單生意，收幾筆利息，生意之好，可想而知。

特種營業　與衆有別

經營當舖是一項特殊行業，當舖本身也有許多地方和一般商店頗為不同。舊時國內大當舖，建築往往特別雄偉，形同堡壘。高牆之上，寫一碩大無比之「當」字，高可及丈，三百六十行中，與此類似者，唯有醬園，也是在整幅牆上，寫一個「醬字」。

當票上的字蹟寫得特別潦草，尤甚於醫生所開之藥方，但是也都有來歷，絕非毫無依據。有人收集了北京的當票加以研究，方知乍看起來筆劃繚繞不清，有如張天師所畫符籙，細加觀察，原來是用草書而加以變化，並且雜有破體俗體，目的不在給外人認識，可是同行却一眼可知，坐上賑台寫當票的人，自然也會經過長久訓練，看來是從一條根上流傳下來的。又為了避免店方遭受損失，一隻錶，明明是十八K金錶，當票上必須寫作「銅錶」，任何其他物品，祇要署見殘舊，必須註明為其「破爛」。

攀上交情　特別優待

當舖門口有特別標識，以免進當舖的人為人所見。一般說來，進當舖總不算是體面的事，我們常在小說和電影中看到描寫進當舖的情形。魯迅小說和電影「阿Q正傳」中寫阿Q去當東西，先是在當舖面前四面張望一看有無熟人，然後一掩而入，把東西送上櫃面，當舖的櫃面通常有一個人那麼高，這樣纔顯得朝奉高高在上，以不屑的表情和偵探的眼光向下看一眼，看看物主的來路是否正當，以及究竟窮到何種程度。典質者則以被告身份低低在下，仰着高高在上者的鼻息，聽上面發付可以打發多少便多少。

但也有人以經常往來之故，和朝奉有了交情：十多年前，有一個住在九龍的男明星，拿着一對刻有他自己姓名的六十一型派克筆去押。

（未完）

毛共又轉入緩和時期

·文匯樓主·

毛共自一九四九年竊據大陸，政策一馳一張凡數變，概言之如左：

（一）自一九四九年到一九五三年是鞏固政權時期，一般說來政策比較緩和，到了一九五五年由於毛澤東的強橫要求，加快農業集體化的速度，曾一度發生緊張和震蕩，但是在劉少奇等阻止之下，並沒有發展為全面的冒進。

（二）一九五七年十一月毛澤東在莫斯科吃了赫魯曉夫的霉頭回來之後，十二月發動「大躍進」，一九五八年五月搞出「社會主義建設總路綫」，八月再搞出「人民公社」，於是「三面紅旗」出齊，進入全面冒進的階段。結果「大躍進」一跌斷了腿。毛澤東被迫自動下台，由劉少奇、鄧小平出頭收拾殘局。乃有第二個緩和時期。從一九六一到一九六五年大陸局勢在極端艱苦的情況下，逐漸恢復。

（三）毛澤東不甘大權旁落，自一九六五年十一月掀起「文化大革命」，經四年的混亂，為中共第二個大震蕩。自一九六九年四月「九全大會」之後，毛澤東在文革後期失勢，從當權派手中奪來的權力，大部被實力軍人集團所據。他們和周恩來，李先念等携手，於是產生了新當權派。去年九月十一日周恩來、柯錫金會談以後，路綫益趨緩和，但仍時受毛派牽制與破壞。到了去年五月路綫才趨於穩定。在經濟上不避資助「軍國主義」之嫌，與日本大作入超買賣，與毛的死對頭「蘇修」恢復互派大使，後更以「放棄台灣」的條件，與加拿大和意大利相繼建交。積極想加入毛澤東所公開否定的聯合國（一九六四年，毛澤東對美國左派記者艾德加·史諾說，中共本身包含很多少數民族自治區，已經是聯合國了，還有亞洲新興國家運動的集團，也等於聯合國，而侮蔑聯合國是美蘇的工具）。

以上種種跡象顯示，中共正進入第三個緩和時期。這個緩和時期能繼續多久，毛澤東什麼時候再發神經，都不得而知。很可能毛澤東在去見閻王之前，已經沒有機會發神經了。因為有前車之鑒，新當權派不願再作劉少奇鄧小平之續。直到去年上半年度，毛派還顯示了相當的攻擊力量。這包括一部分共軍，一部分幹部，一部分羣衆。這些死硬的毛派力量是否已被打碎，是今後新當權派能否大步緩和的關鍵。

照大陸邊境各省人民逃亡怒潮情勢看來，不緩和也得緩和，毛澤東說：「人民的眼睛是雪亮的」，人民雪亮的眼睛將看到毛共政權暴起暴落與暴亡。

談文言翻譯

·葉經柱·

清代翻譯大師嚴幾道（復）先生認為翻譯有三個原則，一是信，二是達，三是雅，外交翻譯成中文固然要這樣，文言翻譯成白語也應該這樣。

這三個原則，次序是不能顛倒的，必須首先求其信，再求其達，最後才談到雅的問題，不能為求典雅，而弄得辭不達意，隱晦費解；也不能為了通達，弄得嚕嗦拖沓，無中生有，違背了原文的旨意。

外文譯成中文，固然難譯得恰如其分，盡善盡美；文言譯成白話，也很難譯得不蔓不支，自然明白。讀魏子雲先生的大作「談國文的注釋與語譯」，曾談到孟子滕文公篇所謂大丈夫章的翻譯問題，我認為很有商榷的餘地。魏先生認為「譯得無懈可擊」的，是謝冰瑩教授等四人合譯的「四書讀本」。譯文是這樣：「那公孫衍和張儀，到處去逢迎諸侯的意旨，才能討得尊位，怎能算得是大丈夫？……一個男子漢，居心在仁道裏，那是天下最廣的住宅；立身在禮法上，那是天下最正大的位置；依照禮義去行事，那是天下最寬大的道路。……」就前述三個原則來看，這段譯文是達了，雅却不見得，信尤其談不到，為甚麼？原文「是焉得為大丈夫乎」一句，簡單明白八個字，譯文變成了三十一個字，我覺得「那公孫衍和張儀」是贅詞，那「逢迎諸侯」「討得尊位」幾句，都是無中生有的話，這那能算得「信」？景春的問話中說到公孫衍和張儀，孟子立即回答，實在沒有再說這兩個人名的必要。「這那兒能算是大丈夫呢」，這樣譯成話就够了，明白此話，小學生也可以懂的。

下面「居天下之廣居」三句，同樣有無中生有的毛病，是不「信」的。「仁道」「禮法」「義禮」（禮字似應為理學）都是原文所沒有的啊。要知道孟子講性善，強調仁義禮智四端是人所固知的，並不諱言仁義禮。現在孟夫子並沒有說明仁義禮，我們為甚要加強上去呢？孟子能言善辯，最會用比喻，他說「廣居」「正位」「大道」，明明是比喻。比喻甚麼？正是朱子所說的「仁」「禮」「義」。比喻的好處，比喻的可貴可愛處，全在一點「言外之意」，令人心領神會，令人細細咀嚼，越嚼越有滋味，越想越覺回味無窮。現在你把這點「餘味」和盤托出，嚼也不用嚼了，想也不必想。（未完）

說曹操

李漁叔

（五十九）

曹丕開始要害子建，先從丁儀丁異兄弟下手。因為雙丁素來主張立子建為曹公後嗣，故全家男丁俱被慘戮。按陳思王傳：

「文帝即王位，誅丁儀丁異並其男口。植與諸侯並就國。黃初二年，監國謁者灌均，希指奏植醉酒悖慢，劫脅使者。有司請治罪，帝以太后故，貶爵安鄉侯……」

並按魏志卷五武宣卞皇后傳注，引魏書：

「東阿王植太后少子，最愛之。後植犯法，為有司所奏，文帝令太后弟子奉車都尉蘭，持公卿議白太后，太后曰：『不意此兒所作如是，汝還語帝，不可以我故壞國法。』及自見帝，不以為言。」

子建的罪行，是灌均們順着曹丕的意指誣奏的，魏書所記，亦是卞太后一時憤語，從魏志看，卞太后似是極不歡喜曹丕，母子們感情亦很淡薄。有一次曹丕以舊怨要殺曹洪，而曹洪曾經救過曹公的性命，羣臣並救莫能得，還得卞太后向曹丕寵幸的郭后說道：「假定曹洪今天死，我明天就下敕書給皇帝廢了你。」這樣才勉強救了曹洪。還有世說所語載：

「魏武帝崩，文帝悉取武帝宮人自侍。及文帝病困，卞太后出看疾。太后入戶，見射侍多是昔日所愛幸者。太后問何時來耶？云：『正伏魄時過。』因不復前，而嘆曰：『狗鼠不食汝餘，死故應爾。』至山陵，亦竟不臨。」（世說賢媛篇）

曹丕把父親的姬侍，都據為己有，蔑棄人倫，這一着傷了母后的心，「狗鼠不食汝餘，死故應爾」，憤極而罵。可見其內心的激動。

子建傳注引魏畧云：

「初，植未到關，自念有過，宜當謝帝，乃留其從官著關東，單將兩三人，微行入見清河公主，欲因主謝，而關吏以聞，帝使人逆之不得見，太后以為自殺也，對帝泣。會植科頭負『夫質』（金旁），徒跣詣闕下，帝及太后乃喜，及見之，帝猶嚴顏色不與語，又不使冠履，植伏地泣涕，太后為不樂，詔乃聽復王服。」

如果沒有母后從中保全，子建可能隨時被誅死，按世說新語文學第四：

「文帝嘗令東阿王七步中作詩，不成者行大法，應聲便為詩曰：『煑豆持作羹，漉（水旁）菽以為汁，萁在釜中燃，豆在釜中泣，本自同根生，相煎何太急。』帝深有慚色。」

這詩明萬曆程氏曹集刻本只有：

「煑豆燃豆萁，豆在釜中泣，本是同根生，相煎何太急。」

四句，兩下比較，似以後者為勝，因其語簡而意足故耳。還有唐人小說獨異志載：

「魏陳思王曹植與文帝不協，文帝即位，嘗欲害之。又以思王太后之愛子，不敢肆心。因召植遊華林園飲酒，酣醉之，密遣左右縊殺，使者以弓絃三縊不死，而絃皆頓絕，植即驚覺，左右走白帝，帝自是後，不復敢害植。」

則是近乎荒唐，不足取信。（未完）

漫談中國戲劇

·雷震遠·

中國雖然是八方異俗，語音有別，而文字却是一系相同，故能上下統一，萬民同化。因之，中國的宗教思想、社會觀念、音樂戲劇的欣賞標準都是一元的，這更使得中國文化異常牽固，民族性也格外單純。

在亞洲人中，中國人是在外國最常見的，在東南亞地區及世界各大商埠居住的中國人為數實在不少。無論留落到何方，中國人總表現出祖國文化的偉大和特殊，在一些華僑衆多的城市裏，中國戲劇演出也十分活躍，總顯示了突出的風格。在西貢自然也不例外。在越南堤岸，華僑戲台很多。就是在美國紐約的中國城也有中國式的戲。不久前，中共便曾派出文化代表和演員花旦等中國戲團做環球演出，他們一面演戲，一面進行共產主義的宣傳，這是用中國戲劇藝術散布赤化影響的勾當。

中國戲劇影响的範圍

就廣義的文化形式來看，亞洲分為中國與印度兩個文化區域。在印度，惟有舞蹈能符合印度教的古老哲理、宗教意味及藝術性的祭獻儀式。二千年前，印度小乘佛教傳入中國及隣近國家，在文化藝術上的影響，可以從中國各地的莊麗寺上看出。但是中國的藝術特點，在骨子裏却是始終地道的。

中國人富有戲劇意識，酷愛沒有舞蹈的戲劇，極欣賞故事情節。中國僅幾個地方有土風舞。故此中共赤化中國，不得不把新疆的「秧歌」舞「輸入」國內，把這種秧歌舞傳授給青年作為歡迎外國來賓時的獻演。在中國只有非漢族人的少數民族才傳習舞蹈，如西藏人、蒙古人、高麗人、以及苗、瑤、黎等少數民族。

中國人不愛好舞蹈，但他們愛好戲劇程度的深切和普遍，在亞洲民族中再沒有能出其右的了。中國古劇以音樂為基礎，融會唱曲、雜技、啞劇及高深演技于一爐。要鑑賞中國戲劇的美和眞實感，我們必須牢記一般戲迷的基本認識：戲劇充其量不過是現實生活的幻象。（未完）

中文地位與翻譯人才

（本報資料室）

（二）比較語法——將中英兩種語文所用語法中的重要共通點與分歧點，製成精簡的測驗或練習，作為翻譯作業，使學生在不知不覺間，熟習兩種語法結構的交相配搭，養成潛在的翻譯能力。此種作業，由第一級至第五級，程度逐步提升，每級最低限度應進行十二次，各用教材十二課。

（三）中國歷史譯讀——選探中國歷史中的有趣資料，進行英語譯讀，以便熟習各種中國人名，地名以及常用專有名詞的英譯方法，並加深對中國語文背景的認識。譯文的複什程度，逐步加强，由第一級至第五級，各用教材十二課。

（四）中國文學譯解——將中國歷代文學的大要趨勢，用淺易的英漢對照方式，進行講解。其年代分佈，由今溯古；程度由淺入深。第一級講述現代與清代；第二級上溯到明代、元代與兩宋；第三級進入隋唐與南北朝；第四級由魏晉而至兩漢；第五級則為「詩經」、「楚辭」以迄於遠古。這種文學發展的歷史回溯，一方面旨在提高學生對中國語文背景的認識，另一方面則在加强其對中國各種書面語文的翻譯能力。這一方面的教材，由第一級至第五級，各佔六課。

（五）翻譯指導——就翻譯上的各種技術問題，如長句縮短、短句伸長、缺語補足、冗語刪除、結構改造、語序顛倒、詞性更易、語感傳達等等，分別輕重難易，按五級不同程度進行指導。由第一級至第五級，各佔教材六課。

六，翻譯課程分級

第一級（F1）——除共通課程外，本級特別講授下述兩項課程：（一）新聞英語，引導學生接觸實際生活中常用之英語及領會其譯方法。（二）西方成語，指導學生認識各種西洋典故及英語中的習慣用語，進行翻譯。兩項課程，各佔教材六課，共為十二課。

第二級（F2）——除共通課程外，本級繼續講授下開課程：（一）新聞英語，重點置於現代科學技術之最新發展與國際重要事務之特殊變化。（二）西方成語，擴大學生視野，加強其對西洋典實與英文成語的系統認識與翻譯能力。兩項課程，共佔教材十二課。

巨變歷險記！

我游擊隊一進入緬境，進入緬，滇，寮，泰三角地帶，就震動了新獨立不到一年的緬甸政府。緬甸的報紙，如（民族報），（緬甸新時代），（緬甸人報），以及其他緬文報，無不作爲最重要的消息，天天在大登而特登，有如大禍之來臨。丁博士不但熟悉法文，也熟悉英文，所有東南亞各國中英法三國文字的報紙，每日都匯集在手上，晚上是他讀報的時間，也是他思考的時間。就緬甸而論緬甸——英文報紙都來自仰光，透過華僑，由飛機運到景棟，然後轉到大其力丁博士手上。大家都知道緬甸在英國統治之下，奚只百年，英文是緬甸的國語，因而英文報也就是緬甸的大報，就中The Nation更是大報的大報，他的報導，他的社評，常足以左右緬甸政府，他的報導，他的社論也可以看見緬甸政府動向。緬甸的報紙一致給我們的部隊一頂（國民黨軍）的大帽子，這頂大帽子，緬甸上上下下始終不放，並且給戴的緊緊的，而且彷彿孫悟空的金圈箍咒，給戴的越緊越緊。這樣一來，我游擊部隊就變成了中華民國的正規軍，就變成了外國的部隊，再加上是在所謂緬甸的領土，那麼我游擊部隊也就是侵略的部隊了。

緬甸壓迫撤離

（一九五）　胡慶蓉

現在話說回來，我軍進入緬境，震動了緬甸全國，緬政府不得不採取步驟。首先，增加景棟，然後派軍到大其力。一方面監視景棟王對我軍友好，一方面壓迫我撤離緬境。這是他的目的。但他並不即刻使用武力，他還是先禮後兵。所謂先禮，那就是用外交的方法，以武力作後盾，壓迫我們撤了。

丁博士首當其衝，丁博士也責無旁貸。丁博士的政策，游擊隊也無不熟悉，那就是法國霞飛將軍在德軍壓境之頃所採取的政策：戰！戰！戰！戰到最後一個人……這也就是說：不撤！不撤！絕對的不撤！……在這個時候，是沒人樂意聽的。現在是休養生聚的時候，那里能談戰！何況力量保存非易，又如何可以輕言犧牲！但丁博士則以爲不一定要戰，而且最好不戰，但卻不能不有戰的意思，不能不有戰的決心，更不能不有戰的準備。丁博士對部隊卻只言和，只言不撤，不撤，絕對的不撤。這是目的。如何的不撤，那就是北京話：走着瞧！看緬甸來勢，看緬甸手法，再作決定。不撤！不撤！絕對的不撤！這一個目標！是上下一致的，全體一致的。試問撤到那裏？那裏能撤？前前後後，左左右右，都不能撤。撤就是死，不撤就是活。不撤的一個基本目的，是游擊隊全體所一致擁護的。

但緬甸則非要我游擊部隊撤離緬境不可。緬甸剛剛獨立不久，他的武力是不足的，但他的外交，則殊有注意的必要。緬甸很會運用。丁博士料定緬甸對我必是先用外交手法，武力非不可用不願用，但必於不得已時。緬甸既要先用外交，丁博士亦以外交對之。丁博士深悉緬甸人的性格，緬甸的國情，他決定同緬甸拖，他不說撤，他也不說不撤，打定主意同他拖。只要能不撤，丁博士的目的就達到了。於必要用武力時，游擊隊也不惜一戰。眼下要培養部隊的戰意，戰的決心。古所謂哀兵勝矣，丁博士要運用外交培養哀兵。他不惜以他的犧牲來培養部隊的鬥志。此所謂激將法。從以下種種步驟，就可以知之。但丁博士苦矣！他並不以爲苦，以他的苦，以他的犧牲，能換取部隊的不撤，能培養部隊的戰意，在丁博士說來，於願足矣！

催眠療病法

·鮑紹洲·

如此六七次，再將催眠球遠離寸許，慢慢繞作圓圈，圈形只在兩目之上，圓徑不得過二寸。手法宜緩慢，須引誘其眼珠隨旋轉，以十次爲限，將球停止於兩肩之間，距離半寸，慢慢下移。小兒的眼光，亦隨球下閉，球即停住於眼上。檢查小兒已感受暗示如何，若是不能說話的小孩放其催眠球，向之行離撫法，倘係五歲以上的小孩，宜施行全身撫下法，而暗示道：「眠！催眠！」撫下落手，宜輕於常人，半數的八九次，再暗示道：「催眠！深深的眠！」小兒必然漸呈深眠狀態，然後施以適當療法。

其他不須手術之症亦可治療。不過有效與否，要視病人的性質而定。故有同一病症，甲受術可告痊癒，乙受術而無效。其原因有四：

病人不了解催眠之理論。

對於催眠術不信任有療病之效力。

病人精神雜亂，感受性愚劣。

病人無耐久性，一次施術後不再求術。

以上四者缺點，雖能強受催眠，終無療病之效果。

療病前的檢查，必在事前詳細行之。如問病者的姓名，住址、年齡、籍貫、職業、病起月日，病中經情形，向來身體如何。諸如關於病之遠因近因，均須詳細問及，曾經受催眠者，必問其施術人的姓名，及所用方法如何，有無效果。如病人答「毫無效果」，並譏笑前次施術人，可以爲之解釋其疑心。謂我的施術與彼完全不同，所以彼不能治療之病，一經我手，必能治癒。總之必先釋其疑心，加強其信心，引發預期作用，乘機引入施術室。

療病催眠法之種類，療病催眠法有下列各種，這是世界各家所公認者。

（一）呼吸器病：氣喘，氣急，呼吸困難，咳嗽，咽喉炎。

（二）視覺器病：近視，斜視，色盲，失明，迎風淌淚，眼睛疲勞。

（三）腦充血，腦貧病，耳鳴，頭痛，頭眩，失眠。

（四）神經病，神經衰弱，神經過敏，憂鬱，疑心，驚怖，痙攣，脚氣，癲癇，多汗症，失戀（相思病），知覺異常，半身不遂，各種麻痺，僂麻質斯，歇斯的里，羊癲瘋。

（五）精神病：花癡，文癡，武癡，躁鬱狂，妄想狂。

（六）胃腸病：消化不良，食慾不振，胃呆，嘔吐，腹脹，腹痛，便閉，痢疾，各種胃病。

（七）皮膚病：濕癬，頭癬，腋臭，奇癢等。

（八）血行器病：心悸，心痛，心跳，貧血。

（九）男女生殖器病：陽萎，遺精，早洩，夢遺，經痛，赤白帶，經不調。

（完）

黛眉小傳

·王幻·

朱淑貞（一）

凡提到「漱玉詞」，的作者李清照，我們便會聯想到「斷腸詞」的作者朱淑貞，遙遙相對，並稱雙絕。只是她的聲名在當時既遠不及清照，王唐佐替她作的小傳又逸失不傳。近人輯的宋詞媛朱淑貞事略，又不如「正變輯的易安居士事輯的可據；我們只能根據她的遺集，推測她的一生，雖然能見度很低，猶似霧裏看花，雲中窺月，依稀仍可瞰見她的朦朧的暗影。

朱淑貞，自號幽棲居士，她的生平，大約在宋室南渡以後，較李清照要晚一百餘年，錢塘下里人，世居桃村，不知在那一代，遷居於湧金門內的寶康巷。梁小玉「古今女史」以爲她是海寧人，朱文公（熹）的姪女，然朱子自爲新安人流寓閩中，考生譜世系亦別無兄弟著籍海寧，疑係依附盛名之詞，恐怕不確。她父母的姓氏都不可考，但王士禎「池北偶談」記載其父官浙，紹定三年（公元一二三○）二月，淑貞作「璿璣圖記」有云：「家君宦游浙西，好拾清玩，凡可人意者，雖重購不惜也。」可見她的家庭也是一般官家通有的環境，而且她家裏有東園、西園、西樓、桂堂，依綠亭諸勝，決非普通家庭所俱有的。

淑貞從小就聰明美麗，喜歡讀書，才色冠絕一時。她的少女時代，的確充滿着溫馨和愉快；終日盤桓在家園裏，花卉的代謝，蝶鳥的飛舞，星月的輝映，都充實了她的詩料，使她的詩才大進。例如「春半」、「墨梅」詩云：

拭目憑闌久，柔風拂面吹。
鶯花爭嫵媚，詩酒鬥清奇。
已近清明節，初過上巳時。
莫縈尋俗事，隨意樂春熙。（春半）

×　×　×

若個龍眠手，能傳處士詩。
借他窗上影，寫作野中枝。
頃刻回春色，輕盈動玉卮。
不能殷七七，橫笛月中吹。（墨梅）

這兩首小詩，文詞清婉，有關關之致。而這種輕吟淺唱的少女生活，在她出嫁之後就宣告結束了，代之而起的是些離情和愁緒。如「恨春」五首之一云：

一瞬芳菲爾許時，若無佳句紀相思。
春光正好須風雨，恩愛方深奈別離。
淚眼謝他花放抱，愁懷惟賴酒扶持。
鶯鶯燕燕休笑我，試與單棲各自知。

又如「睡起」二絕句云：

起來不喜勻紅粉，強把菱花照病容；
腰瘦故知閒事惱，淚多只爲別情濃。
懶對妝台拂黛眉，任他雙鬢向煙垂；
侍兒全不知人意，猶把梅花插一枝。

所謂「鶯鶯燕燕休笑我，試與單棲各自知。」不耐閨房獨守，諳盡「單棲」滋味，此乃少婦的情懷，以是可知伉儷之間，尚稱和諧。關於她的丈夫姓氏也失考，從前人只說她「所偶非倫」，這可能受了魏仲恭斷腸集序」所云：「觀其詩，想其人，風韻如此，乃下配一庸夫，固負此生矣。」的影響，遂以訛傳訛，有的說她「嫁爲市井民家妻」，近代小說家竟說她「嫁個紫傘釘木屐的粗人」，皆不足採信。雖然淑貞有「愁懷」詩云：

鷗鷺鴛鴦作一池，須知羽翼不相宜；
東君不與花爲主，何以休生連理枝。
滿眼春光色色新，花紅柳綠總關情；
欲將鬱結心頭事，付與黃鸝叫幾聲。

（未完）

雍正皇帝與禪宗文字獄

南懷瑾

（一）

紛紜萬象，勞碌人世，衆生以得解脫爲樂。爲解脫故，有求道之事。爲求道故，有禪等諸學之作。有禪之學術故，於不落言詮，不立文字之餘，有諸經語錄之積。語錄之作，本於無說無法中強示言說，使會者捨指見月，得魚忘　。孰意一落象，即有承虛攝影之輩，執文言情境而覓禪機，如癡似粟。於是建立門庭，聚訟堅口，不一而足。降至今世，談禪稱爲專門之學，齊魯道變，還珠買櫝而說空蕉鹿夢者，朋從爾思，多如恒河沙數。自由出版社蒞于大石，適際此時，景印雍正御選語錄與心燈錄二書，囑以爲言，騎牛覓牛，雖有畫蛇添足之嫌，亦當勉起爲其點睛，冀使二書再度問世，使禪之爲學，從此破壁飛去，返還本來面目。

讀書不難，讀書不爲書困，不爲目瞞，入乎其外，別具隻眼爲難。禪宗諸經語錄，爲天下奇書之首，亦爲世上最難讀誦書之冠。唐、宋以還，宗門語錄叢，有讀擁其書，視如無書之上，摘其精英，集其簡要，使後之來者，易於出入慧海，涵泳性天風月者，乃有編纂禪宗叢書之作，如傳燈錄、人天眼目、五燈會元、指月錄等纖集成風，皆此類也。要皆匠心獨運，各自甄揀先哲，以示異同。雍正手自編撰語錄，　亦爲抒其見地，剖陳珠玉以示世，以顯其磨穿磚鏡，咬破鐵饅之能事。心燈錄則列爲禁書，且山中林下，參究宗乘之上，亦視爲毒藥，信爲魔說。何以故？此中隱有清代歷史文化之另一巨案，素爲通儒碩學暨禪門衲子所忽略，幾已不知其究竟之因緣矣。

（二）

愛新覺羅氏崛起滿洲，以孤兒寡婦率三百萬之衆，席捲華夏，臣服五族，歷年二百六十餘載，代更十帝，終以孤兒寡婦畢其社稷。撫今追昔，覘帝王之尊榮，浮雲太空，逝如春夢。然其入關之初，乘時繼統之命世帝才，如康熙、雍正、乾隆三代父子，雖上溯漢、唐隆盛，並無愧色。後之論史者，每見其武功之烈，或統馭之嚴，而忽略其砥定有清一代文治之懋也。康熙以幼沖繼位於未定之局，創平諸藩於內憂外患之際，內用黃老，外崇理學以勵精圖治。躬親力學，曉暢天文、曆算，擅長中外文言。頒行聖諭廣訓。

（未完）

第十九章　吳玠大敗金兀朮　岳飛桂嶺破曹成

周燕謀

紹興元年十月，朝廷授岳飛爲親衛觀察使。時岳飛兵屯洪州鎮寇。建州有流寇一股，賊首范汝爲，率衆叛亂，攻陷江西撫武軍。江西安撫使李回，以檄文傳令岳飛，分兵三千保建昌，二千人保撫州。岳飛奉命之後，他並不照李回的計劃分兵鎮守，只派了少數騎兵前往張貼佈告就安定了。佈告上寫着簡單的五個字：「賊入此者死」。貼在城外及各鄉鎮。又在城樓上樹了「岳」字旗。賊游騎兵見了，紛紛相戒道：「岳爺爺在此，勿犯」。自是建昌、撫州之地人民採樵交易如故，「民不知有兵」，亦「不知有盜」。岳飛的威望如此。

另外一些賊寇亦相繼爲諸將剿滅。如邵青一股，被劉光世部將王德所擒，獻詣行在，奉旨特赦，編入御前忠銳軍。范汝爲部，後被韓世忠討剿，五日破滅，范汝爲自焚而死，東南既定。下面且表金人動向。

金帥撻賴自攻陷楚州，進窺通、泰諸州，適有武功大夫張榮，在興化縮頭湖畔，建舟作寨，爲自守之計。撻賴欲渡江南侵，必先破張榮寨，張榮率水師迎戰，見敵艦不多，亦用小舟出擊。時值天旱水涸，敵舟爲泥淖所阻，不能前進。張榮分軍爲二，一半用舟，一半登陸，舟師大呼前進，衝擊敵艦，敵舟不能行駛，而陸上之兵四至，只好從舟中躍出，濕衣登岸，急不暇擇，手忙腳亂，有的溺死水中，或陷入泥淖，不能自拔，即遭斬殺。幸而爬上陸地，又被張榮之兵截住，亂砍亂殺。撻賴揮卒衝開血路，方才走脫。張榮收軍回營，檢點俘虜首級，奉表告捷。張榮本梁山泊漁人，聚舟數百，專劫金人。杜充駐師江淮，曾借補爲武功大夫，金人屢攻不克，至是以殺敵揚功，遂擢榮知泰州。

撻賴奔至楚州，聞劉光世引軍來攻，遂不敢逗留，退屯宿遷，未久北遁。劉光世遂復楚州，不戰而獲。

高宗又欲起用汪伯彥爲江東安撫大使，旋經侍御史沈與求論劾，始將汪伯彥解職，勒令回原籍。此時江東已無金兵。只有　西一帶，有兀朮之兵盤踞，連破鞏、河、樂、蘭、鄜、積石、西寧諸州。熙河副總管劉惟輔，被執罵賊遇害。兀朮又進陷福津，蹂躪同谷，入逼興州。宣使張俊退保　州，令張深爲四川制置使，劉子羽同趨益昌。王庶爲利夔制置使，節制　西諸路，兼知興元府。用吳玠爲　西都統制，且召曲端至閬州，仍欲重用。端與吳玠、王庶均有宿嫌，吳玠入告張俊，謂用端必不利於公。且在俊手中寫下「曲端謀反」四字，密示張俊。（九十二）

自由報
（第一一四一期）
（半週刊每星期三、六出版）
每份港幣壹角・台灣零售價新台幣弍元
社長李運鵬・督印黃行舊
社址：香港九龍彌敦道593—601號廖創興銀行大廈八樓五座
LIU CHONG HING BUILDING
7th FLOOR FLAT '5
593—601 NATHAN ROAD,
KOWLOON, H.K.
TEL：K303831
電報掛號：7191
承印：景星印刷公司
地址：鴻成街廿九號地下
台灣區業務管理中心：台北重慶南路一段一二九號
電話：二四五七四
台灣區直接訂戶　台灣劃撥戶
第五〇五六號張萬育（自由報會計室）
台灣分社：台北市西寧南路110號二樓
電話：三三〇三四六、台郵劃撥戶九二五二號

太平天國失敗的原因（一）

·黃大受·

前言

在中國近代史上，太平天國的崛起和潰敗（一八五〇——一八六四），是一件極重大的史事。洪秀全、楊秀清等人，本是失意的平民，在廣西一隅起事，不三年竟能佔據富庶的江南地區，建都開國。後來其兵力竟遍及長城以南的十九省（包括後來的西康省在內），實在是令人驚異的。

當太平軍崛起之初，淸廷的兵力不足與抗，太平天國幾乎推翻了淸朝的統治權。可是十多年後，太平天國終於被曾國藩、李鴻章所領導的湘、淮軍擊破，而趨於潰敗。其中的原因是值得檢討的。雖然不少的學人，對太平天國的潰敗，曾各就自己的觀點，分析其原因，却未必能指出其失敗原因的全貌。筆者願在這簡短的篇幅中，對太平天國潰敗的原因，來作一次全面的檢討。其中筆者自認爲基本的原因，給與較詳細的說明，直接的原因，則簡單的說一說，藉以就教於研究中國近代史的學人。

甲、基本的原因

筆者以爲太平天國失敗的基本原因，一是違背國族觀念，二是違背傳統的民族文化和當時的社會心理，因而招致了全國大多數人的反感，曾國藩遂能因勢利導，以其精鍊的湘軍，加上後來李鴻章所練的淮軍，擊潰太平軍，茲就這兩方面分別加以說明。

一、違背國族觀念　我先要解釋一下國族這個名詞，國族是指一國之全體人民而言，在中國國土內的全體人民，即是國族，現在名之爲中華民族。在中國近代史上，中華民族之下的漢族、滿族、蒙古族、藏族、維吾爾族、苗族……等等各族，均爲構成國族之一份子。比如美國的人民，除印第安人以外，多數是從歐洲、少數是從非洲和亞洲移來的，現在已成爲美國民族，他們雖然說英語，却是美國的英語，和英語有許多地方不同。我們可以說美國民族是國族。其下有所謂英裔、法裔、德裔、義裔、俄裔、華裔、日裔、非洲裔等等各族的不同。

然而在中國歷史上，中華民族的主幹爲華夏系（漢族），其他各系則逐漸與華夏系混合而消滅其自身，或以一部分加入而同化於華夏系，保留其未加入之一部分。華夏系隨時間的延長而不斷的擴大。（在漢代以後，吾人即可稱華夏系爲漢族。）因而養成中國人視「天下」爲一家的觀念。「普天之下，莫非王土，率土之濱，莫非王臣。」從上古到近古，中國人的天下，也就是中國勢力所能到達的地方。如果中國內部分裂，四面其他各系的人侵入中國，於是以漢族爲主體的民族觀念抬頭，發生抵抗異族的戰爭。如果中國是大一統的強盛時代，於是以中華民族爲主體的國族觀念抬頭；唐太宗所謂「朕視天下如一家」的觀念，就是以國族爲中華民族的好說明。可以說：以中華民族爲主體的國族觀念或以漢族爲主體的民族觀念，常隨中國的強盛與統一或衰弱與分裂而爲轉移。

中國的紀傳體史，稱爲正史。歷朝繼續撰作，從未間斷。宋代有十七史之名，其中北魏北周爲鮮卑族所建，而北齊之建立人高歡一家，則是漢族鮮卑族混合的家庭。五代的後唐、後晉、後漢，則爲沙陀人所建。明代加上宋遼金元史，成爲二十一史，遼爲契丹族所建，金爲女眞族所建，元爲蒙古族所建，此等非漢族所建朝代之國史，均未排除在正史之外，全是站在國族立場，以其爲國族中之一份子，所以列入正史。撰史者即使是漢人，對鮮卑、契丹、女眞、蒙古人的皇帝的豐功偉績，莫不備加贊許，從各史帝王本紀及其論贊，均可看到。這可以說明在以國族爲主體的原則之下，鮮卑人、契丹人、女眞人、蒙古人與漢人，是視爲一家如同兄弟似的。

唐代的韓愈有言：「中國而夷狄則夷狄之，夷狄而中國則中國之。」能與中華民族同化的夷狄人，就視爲中華民族。若有中國人與夷狄人同化，就該把他們看成夷狄人。宋代的史家歐陽修等人所撰的新唐書卷二一八沙陀傳贊，稱後唐滅後梁，是替唐朝雪恥。而且說：「使克用稍知古今，能如齊桓、晉文，唐遂亡乎哉？」對沙陀族的李克用，頗加推崇。因爲這些史家把沙陀族看成國族的一份子，所以不把李克用當做異族。

至於淸代，康熙帝六次南巡，每次均親臨明陵，祭奠明太祖，並親製祭文，即以中國當代帝王的身份，來祭中國前代帝王。雍正帝更親作大義覺迷錄，及多次頒發詔書，說明「惟有德者可以爲天下之君。」「本朝之爲滿洲，猶中國之有籍貫，舜爲東夷之人，文王爲西夷之人，曾何損聖德？」「從來華夷之說，乃晉宋六朝偏安之時，彼此不相尙。……不務德行，徒事口舌相譏。」「自我朝入主中土，君臨天下，蒙古極邊之部落，俱歸版圖。中國疆土開拓之廣遠如此，乃中國臣民之大幸，何得有華夷中外之論乎？」雍正帝自認淸帝爲中國之主，淸帝爲中國開拓疆土廣遠，對中國功勞極大，同爲中國人，豈能有華夏族或夷狄之分？

在淸乾隆嘉慶年間，有一位精於經學和史學的學者凌廷堪（一七五五——一八〇九），在論史時，就放棄狹窄的民族觀念。對於在中國大陸上的其他種族所建立的皇朝，只要政治淸明，他就加以讚許，荒唐不振的漢族政權，則加以斥責。他曾說：「尼父之作春秋，亦書荊楚，左氏之撰國語，不遺吳越。」並有詩敍述其主張：「史以戡治亂，學者資考究。胡爲攀麟經，師心失所守？拘拘論正統，脫口既比（絲旁）繆。拓拔起北方，征誅竊華寇，干戈定中夏，豈曰無授受？蕞爾江介人，弒篡等禽獸，荒淫無一可，反居魏之右。金源有天下，四海盡稽首，世宗三十年，德共漢文懋，南渡小朝廷，北面表臣構，奈何紀宋元，坐令大綱覆？兔園迂老生，永被見聞囿，安得如椽筆，一洗陋儒陋。」在中國歷史上，這一類對中華民族內各族平等看待，以中華民族爲國族的觀念，是被不少的知識份子所重視的。

太平天國的起事，實含有民族革命的意義。一八五二年（咸豐二年），東王西王頒佈的奉天討胡檄，充分強調站在漢族立場的民族主義，却不是純粹的民族主義。因爲洪秀全等人，竟信仰中國以外的異國宗教——基督教。洪秀全未建立太平天國之前，創立拜上帝會，他這時是教主的身份。後來建立太平天國，以教主而爲天王，變成了政治領袖。他們指出「天下者上帝之天下」。而又奉耶穌爲天兄，耶穌爲中國以外之猶太國人，基督教及上帝之觀念均來自外國，特別是中英鴉片戰爭以後，開放五口通商，基督教始再度來華傳教，西方傳教士繼西方的大礮兵艦的轟擊之後而來中國，中國人對基督教焉有好感？當中國人未能對西方宗教有徹底的認識以前，中國人自然對之有所疑懼。所以傳教士到處傳教，便常常發生衝突。到二十世紀年初中國人仍未能放棄對基督教的疑懼心理。洪秀全雖然將基督教加以改造，但在基督教再度來華開始之時，中國人對之疑懼是很深的。衡以「中國而夷狄則夷狄之」的觀念，中國知識份子對政教合一而以外國的基督教爲國教的太平天國，自然視之爲西方侵略勢力的先驅。而淸朝皇帝則爲中華民族範圍之內的滿人，他們讀中國書說中國話，崇拜孔子，遵奉中國舊有的文物制度，完全是中國人，只是保存了一些狹隘的部族觀念，除服飾外，幾與明代皇帝無異。將兩者加以比較，當時的中國人，處在以中華民族的觀念之下，自然地擁護淸朝而不支持太平天國。如果洪楊等人採用純粹的民族主義來號召；並不夾雜西方基督教的成份，則其前途，大可以如朱元璋之推翻元朝而推翻淸朝了。

（未完）

昨日與明日

江學珠氏退休

台灣教育發達大中小學校無慮千計，教育從業人員多以萬數，而要推選「一」位最可敬的教育家，縱不能公認是江學珠，大概也將會是得票數最多的一位了。

江氏在大陸辦教育，即卓著聲譽，來台後即接辦北一女，當時與江氏一同接辦學校若干所謂大牌校長，黃金鰲、賀翊新、王亞權……等，無不改業或升遷，唯獨江氏，二十幾年一貫到底，主持北一女直到最近退休爲止。

二十年來，北一女的成績昭昭俱在，有目共睹，教學認眞，學風良好，而升學率之高，更是一枝獨秀，台灣的風氣，學生們都以投考台灣大學爲榮，紛紛列爲第一志願，台大每年錄取新生一千名有奇，而北一女一校即獨單包辦四百多名，而大專聯考的四組榜首，北一女一校包辦三名，成爲大家艷羨的對象。這固然也由於北一女學生素質好，但這些好學生紛紛投入北一女，也正是江氏辦理良善的後果，而這「得天下英才而教育之」正是江氏應享的樂趣。

我們並不抹殺，許多其他校長，教育家的貢獻，但像江氏這種家室之樂，又無利祿之圖，把整個生命拚在教育事業，全心全意就辦「這個」學校。——恐怕還不多得。江氏自己有國大代表的待遇，從不支領學校薪金津貼，這還不算，而江氏接事後，即將校長官舍改爲教員子女的托兒所，而自己搬到校內一棟小房子住，以校爲家，杜絕了全部私生活，這種「有校無己」的精神，實非一般人所能作到，以是江氏乃普遍的受到全校師生的愛戴，退休時三百多教職員聚資宴別，竟致泣不成聲，致辭者不能畢其辭，飲宴者不能享其宴。

像這種純潔奉公，對社會立德立功者，我們站在輿論的立場，應該予以表揚，正如對那些有虧職守的壞人應該指斥一樣。

今天江氏雖是依照法令退休了，但我們深知江氏的體力精神都不獲老。不論從尊敬的觀點，還是從利用的觀點，都不應該放棄他。我們希望社會上還能找出適當機會發揮他的能力；而江氏也應當仁不讓，覓取機會本其經驗才識繼續爲社會服務，我們虔誠的希望，江氏能以其餘年，在北一女之外再開第二朵花。

·起鈞·

自由談

人理與政理

人身的生理機能，必須有排泄作用，循迴無已，生生不息，否則一定發生毛病，乃至於喪失生命。例如性的機能若禁制其發洩，結果不特妨害健康，且可使整個社會秩序趨於崩潰。所謂禁慾主義或獨身主義云云，都是不近人情、不切實際的瞎扯談而已。

生理如此，政理亦然。人是政治動物，又爲萬物之靈，而政事對於每個人的現實生活，息息相關。一個具有相當知識的人，自然而然地關心跟自己有切身利害關係的政治問題，隨時表示批判性的見解，說的對與不對，皆無所謂，却不能不許他說，這等於人的生理機能不可不排洩也。

民主社會生活必然允許言論自由，凡屬民主國家的憲法，沒有不規定言論自由是人民應有權利，而不特別加以保障的，祇要動嘴不動手，儘可放言無忌。英國是君主制，但人民不僅可以批評負實際政治責任的內閣總理以及一切官員，即對皇家事宜亦言者無罪，至於美國人民隨便批評「總統先生」的一切措施，更係常事。民主社會如果沒有言論自由，即係「封閉的社會」，非由衰敗而歸於崩潰不可，這與人身不發生排洩作用的道理幷無二致，古今來的專制極權主義者終告敗亡，良有以也，豈徒然哉！

近閱台灣出版的「大學雜志」，內有談青年人說話問題的文字，認爲青年人幷不是對國事不說話，一是不敢說，二是怕說也無用，反而招來「思想有問題」的麻煩。這是知識份子的心聲，也是很實誠的表示，值得同情。在現階段的國家環境之下，除却宣揚違背國策的共產主義思想的言論，應予查禁外，[illegible]見，決不宜妄加「思想有問題」的考語，否則不成其爲民主國家了。至於害怕說也無用，那倒無關宏旨，個人的見解并不一定盡是對的，說出來雖不發生作用，亦可供參考，總比大家沉悶抑鬱而不能發洩的情形，對於人理和政理爲有益啊！

馮乙先生

崔小萍其人其事

有署名「太行山」者頃在本港「萬人雜誌」發表一篇共特崔小萍往事，特輯誌之：

「崔小萍（紹萍是錯的）約五十歲左右，山東濟南人，抗戰時在重慶劇校畢業，是五期還是六期記不清楚了。她是那時加入共黨的，她哥哥崔起，姐姐崔夢湘，姐夫齊恒（即夢湘之夫）全比她早加入。抗戰初期，以上之三人已去了延安，他們都是在戲劇界潛伏。大陸陷共後，只有崔小萍到了台灣。崔是國防部演劇總隊，演劇一隊的人員，到台灣後改為康樂總隊，她為編導「中校」階。山是民國四十五年認識她的，因是同隊工作，我記得崔小萍在生活上很節儉，不修飾，工作很努力，我和她同隊工作數年。

民國五十年她退役，轉業中廣公司幹導播工作，專導廣播劇。據台灣來的友人說：她是在廣播劇裏利用音樂的「音符」和大陸連絡，這情報是由大陸反情報人員反映去台灣的，說是中廣內部有問題。安全機構對中廣內人員加以調查，並且有幾次是當崔小萍撰好配音唱片時，故意在無意中把那張唱片打破，為了這她會改節目的，對聽衆說：因故障改節目。

當政府安全人員確定她有問題，據說：她在追求一個比她年青廿歲的男播音員，安全人員對他說明，這位播音員很快即和她同居，她也很快的吸收他，事情就這樣揭發的，她怎會想到枕邊人是個有心人呢？

崔小萍曾演過不少電影，我忘記是「颶風」還是「懸宕」是得過一次亞洲最佳女配角。而她自己還為了討好她的小丈夫，自資、自編、自導、自演拍過一部影片「意外」，由這位播音員任男主角，但那部片成績很壞，上映兩天即割片了。

據我所知，崔小萍並未結過婚，與播音員是同居。我記得那時同隊有不少人問她，何以不結婚呢？（那時她已快四十了）她說：不光復大陸不結婚。

傅作義演打鼓罵曹 指毛澤東不是東西

降將的悲哀受到非人待遇 甕中之鼈竟向魔王討自由

（自由報香港消息）經常有獨家報導之某報載稱：通常可靠大陸消息來源稱：一九四九年投降共軍的北平守將傅作義被推舉為民主黨派的一個發言人，在一次與毛澤東會議時發表意見。這次會議是毛澤東召集他們來各抒已見，以便籌備三月二十日召開第四屆全國人民代表大會。

傅作義曾當着毛澤東之面說：劉少奇並未有做錯，毛澤東錯了。

他指責毛澤東將廿一年前協助中共的民主黨派降為丑角。有些作風簡直不把人當作人看待。

他稱文化大革命一事無成，全國各地被搞得烏烟瘴氣，因為毛派今天又再走着劉派的老路。

他又認為備戰對付蘇聯是過份些，只有使老百姓貧困。直到如今老百姓沒有好的吃，沒有好的穿。

傅作義又稱：前國民黨代總統李宗仁返大陸後待遇不好，受盡窩囊氣。導致心臟病而死。

「某報」消息來源稱：此等民主黨派堅決支持傅作義對毛澤東的「死諫」，據稱，毛澤東對傅的勇氣與愛國大為感動。

傅作義還指出：所謂保護他的衛兵實則是監視他的，有時連起碼禮貌都沒有，李宗仁亦遭同樣命運，在其住宅內形同幽禁，與坐監沒有兩樣，來訪者必須先獲中共批准。

傅因此要求中共給民主黨派人道上的自由，讓他們在治理國家中發揮真正的作用。

據稱：毛澤東答應了在人代會後，給他們有限度的自由來表示政見，在此次會議後，毛澤東邀傅作義詳談達三小時。

傅作義在會議上又稱：毛澤東對許多情況並不盡了解，為他信賴與保護的人所欺騙。

七十二歲的傅作義於一九四九年以「不欲北京毀於砲火」為名，以北京獻予毛共。

「傅作義」這三個字，在近代青年心目中，非常陌生，但是在廿一年以前，他却是一個炙手可熱的人物，尤其是在國共戰爭中，甚至可以說是由於他的一個決定而亦決定了勝敗。

傅作義本為閻錫山的舊部，但在軍閥統治之下，他却是有比較開明的頭腦，所以後來參加了國軍的革命行列。民國十六年在守涿州一役，名揚國內，此後在抗戰中，即扶搖直上。抗日戰爭中，更以在百靈廟大敗日軍而名噪一時。在國共戰爭初期，又收復了張家口重鎮，大敗聶榮臻，於一九四八年十二月十六日，發表為「華北剿匪總司令」，總管華北五省軍政，對付共黨，但次年二月下旬，共軍大軍在林彪指揮之下，直壓北京，完成了大包圍，傅作義在各方壓力之下，不得不派由親信鄧寶珊與葉劍英接頭，訂下了「和平協定」，宣佈「起義」，讓出北京，整個華北就在他手中斷送，僞人民政府成立後，他受委為水利部長，他拒絕「上辦公」後受命為「綏遠軍區司令員」，又再被解除職務，只留下一個「政協委員」的空銜。正如他自己所喜歡唸的杜詩「魚龍寂寞秋江冷，故國平居有所思」，苦悶多年，現在於垂死之年，竟敢對毛出以「死諫」也算是有點「軍人本色」了！

蘇聯毛共難動干戈

美與毛共談判迄無結果

靜之摘譯自泰晤士報

在中蘇共之間，從來不會有過一種認真的勾結，因為，這兩個共產黨之間的衝突，往往牽涉到一些基本問題。事實上，莫斯科在這方面並沒有任何轉圜的餘地，在與美國交援時，蘇聯在一般爭執焦點如中東，非洲和柏林等，能夠以一種權宜之計來行施，但中蘇共之間的衝突，往往以蘇聯的國家安全所繫，任何重大讓步，顯然為蘇聯不能，也雅不欲致慮，如此，彼此間和衷共濟，合作無間，也從此倍覺困難之至。

最近，蘇聯顯然已不復視中共為其頭號敵人，似乎克姆林宮對中共的觀點，已經有了一種基本上的轉變。這在中蘇共恢復正常外交關係，尤足以窺出一切，但這絕不意味着這兩個共黨從此將冰釋前嫌，重修舊好的，甚或結為同盟，無論如何，毛共對蘇聯政策的抨擊，仍舊不遺餘力，幾乎其措詞的發表，與往昔無異。

關於中蘇共的關係，勢將有所改變，那就是說毛共可能有一天與蘇聯爭一日之短長，甚至在目前來說，蘇聯對美國與毛共的外交政策，顯然十分微妙。克姆林宮在嘗試與華盛頓就歐洲問題達致一種協議的同時，又在以各種手法，來與北京達致一種政治諒解。雖然，這兩個共黨之間的歧見，仍舊存在如昔，但蘇聯這種實用主義派外交政策，顯然基于兩種基本因素，那就是美國在政策立場方面的保守，與毛共軍事實力的脆弱，但這種國際政治現實，勢將以毛共軍事勢力的強弱而有變。屆時，一般國際局勢，將必發生一種重大的轉變。

畢竟毛共的外交政策如何改變？這是一個非常微妙的問題，回答起來，倍覺不易，但就一切跡象顯示，在毛澤東去世後，毛共可能試圖與蘇聯改善關係，但克姆林宮仍需作出一種重大的讓步。這在中蘇邊境爭執方面尤甚如此，但這似乎仍是一個遙遠的問題，在可能的將來，毛共顯然仍將以一種若即若離的態度與蘇聯處之，既談不上和平，也無戰爭可言。

從中蘇分裂開始，莫斯科首先指控毛澤東為「美帝」的政治應聲虫，繼之則加諸其以毛共與美國相勾結的罪名。但克姆林宮所稱的「美國與毛共」勾結，顯然指的是毛共對「美帝」的侵畧政策妥協。

關於蘇聯所提出的「美國與毛共」相勾結的指控，並非完全為一種無的放矢的說詞，但毛共與美國之間的外交發展，顯然為一種政治策畧的運用，並不可能有任何重大的發展。雖如，毛共與美國大使於一九六九年初在華沙的外交接觸。顯然為蘇聯揮軍入侵捷克的後果，至於這兩國大使在一九七〇年元月間舉行的華沙談判，當然為中蘇共在烏蘇里江與新疆邊境的火拚所使然。但使蘇聯惴惴不安地是：毛共與美國外交談判，絕對不容忽視。其次，這也可能行是一種警告：任你蘇聯的軍事挑釁，將可能造成一種毛共與美國勾結，也可對付蘇聯的嚴重後果。

從華盛頓的觀點來說，美國與毛共改善關係，在抑制蘇聯勢力擴張方面，雖具有一種作用，但絕對說不上舉足輕重，特別是蘇聯軍事實力的擴增，已使美國在一般國際問題解決方面，必須爭取這個共黨國家的合作，由于此種因素，毛共與美國大使，曾在華沙頻頻接觸，但迄無任何一種具體的結果。

論道德與倫理之重整

我們知道：中國社會所遵奉的修身、齊家、治國、平天下之大道，是天經地義的準繩，也是幾千年來講求富強康樂的基本原則，也是每個人求發展求進取的程序與方針，而修身齊家一節，尤為作人處事的起碼工夫，吾人因涵泳於古聖先賢之化育中而不自知，一旦放棄了原則出了大毛病，纔知道他的寶貴。不是麼？請看近幾十年，英、美、法的自由民主放任主義，德、意、日的法西斯軍國主義，蘇俄的布爾塞維克極權主義，以及世界主義無政府主義……等等學說與思想，都從歐洲大陸橫渡大洋繞好望角以東漸，或從帕米高原飛越萬里長城而南下，佔有了中國思想文化界的領域，進而闖入了我們的黌宮，成為教育界的伴侶，浸假之極，遂使中國變成思想鬥爭的戰場，四十年前，我們既遭受了德、意、日運用的法西斯鐵蹄蹂躪得體無完膚，二十年前，整個大陸又被俄帝運用布爾塞維克的魔掌掃蕩得民無噍類。直到現在，僅留台灣這海天一隅，纔在提倡文化復興運動，欲挽既倒之狂瀾，真等於牛下了水，拖住牛尾不放，總可以把牠救回來。但還有嬉皮、流氓、太保之風，在社會中不斷搗亂，還有淫靡之聲，貪墨酖毒在人羣中作祟，因此我們要大聲疾呼：「楊墨之道不息，孔孟之道不著」。我們在痛定思痛之後，要趕快做闢邪說，放淫侈，摒諸四夷，不與同中國的工作，這是我們的責任，也是我們起死回生的寶筏。我們更要羣策羣力從提倡倫理道德着手，我們要求文化界教育界的先生們，趕快返求諸本而回到儒家學說來。重整漢室家風！

中國文化并不空虛，只是思想界沒有用全力去發掘深藏的寶庫，沒有把中西文化澈底的的對照交流，用思想體系和科學方法把頭緒清整出來。好在有英明的 總統領導，也有少數先覺先知的先生們在提倡，在未來的年月裏，在否極必復的定律下，我們的文化會復興的！我們的道德倫理也會走上康莊大道的。謹以虔心向道的心情，致以馨香禱祝。

（續完）

·劉韻石·

縱橫談當舖

·萬念健·

可以[illegible]押十五元至二十元，並且寬放期限。一位畫家在青黃不接之際，可以用他自己的[illegible]幅畫，押上兩三百元，因為店中人知道他不久就開畫展，這批畫雖非出於畢加索或張大千手筆，却也非贖不可；另外「一個黑社會人物則更為瀟洒，他可以搖一個電話到當舖，關照他們把他那套只穿過一次的新西裝拿出來熨平掛好，等他前往贖取，屆時則將身上脫下來的那套交上櫃面換一張當票，把熨好的一套穿在身上搖搖擺擺的到大酒家去飲茶去矣！

港九新界 兩大不同

香港之有當舖，約在香港闢埠十餘年之後，至今也有一百七十多年的歷史。目前全港共有當舖一百七十家左右，此數約為香港銀行總數之半，都領有正式牌照。港九市區當舖和新界當舖有兩點主要不同：（一）港九當舖牌照費每年二千五百元，新界一千元；（二）滿當期限，港九為四個足月，新界為六個足月。港府規定，日期均以農曆計算，不計陽曆。

戰前本港當舖分三種，一種三年滿期，一種一年滿期，最短的也有半年。但目前港九市區當舖，限期都是四個月，如有特別情形可以另議。利息高下，視所當物品而定，黃金最低，以每月分八計算，其他鑽石珠寶高者五分，低者三分，相熟者可以講價。名牌墨水筆祗收兩分，手錶百元以上者五分，其他如照相機、打字機、衣車、電單車、衣服等一律加一，女式時裝旗袍之類一律拒收，金飾手錶等，附有原發票「出生紙」者當價可以略高。利息按月計算，過三天作另外一個月計，如四個月滿期不贖，可將全部利息繳清，延期四個月，亦即等於再當，名曰「轉利」。如到期不贖，又不轉利，作當斷論。斷當之貨物，則由當舖另尋出路及買主。例如中區襟江酒家的手錶市場，便全部都是斷當貨品。斷當的故衣集中於九龍山東街與北河街，其中不乏佳品，有人買來自用，也有人以炒賣這些斷當貨品為業。

朝奉之名 來自唐代

香港當舖的櫃面也高與人齊，上有鐵柵，朝奉居高臨下，以防意外。當物者有「舉獅觀圖」之稱，櫃內有帳枱，有專為摺疊衣服雜貨的「摺貨床」，床上暫貯當日典押物品，晚上纔搬到樓上的架上，對各物分門別類，按月按日，排列整齊，以求取贖方便，樓上貨庫空氣必須保持乾爽流動，以防霉爛損失，火燭尤須小心，所以他們有一條行規，必須嚴格遵守，便是當舖裏的工作人員，從東主、經理、帳房、朝奉、店員、以至學徒，一律不准吸烟。

張起鈞戲答戴東原問（上）

·文匯樓主·

檢視舊報讀張起鈞兄「戲答戴東原問」，頗饒風趣，特節錄以饗讀者。再下期樓主可恢復筆耕，寫「台北五位萬能官員」，作六十年度開鑼戲，這三個月來因腿折臥床，蒙友好們頻臨慰問，今假文匯樓一角表示誠摯謝意。

昔戴東原兒時讀大學至：「右經一章，蓋孔子之言而曾子述之；其傳十章，則曾子之意而門人記之也」，而問其塾師：朱子於一千七百年後何以知之。師莫能答。此蓋非塾師所能解，即考據家亦無從得而知也。

嘗論中西學術，各有所長，大抵西學之精在於「方法」（如其綿密深微之邏輯……等是）與「材料」，而中學所重則在「境界」。唯其重點在方法與材料，故事理詳論平舖，人人得循軌而明。堆其重點在境界，故學有深淺高下，不能人盡皆知。苟不達其境界，雖窮年累月諷詠推敲，莫知其所云也。譬夫奕棋，棋力差者縱將棋譜反覆背誦，而於高手著子佈棋之意，實莫能知，更無論其技藝之微妙矣。考據家每於訓詁、訂校工力極深，而反昧於經義之旨者，其弊坐此也。反之若能與原書作者達同一境界，則其所言自能心領神會，甚且可校其失誤，補其缺略。蓋樓上風光，非樓下摸索能得，登樓眺望，則一目瞭然矣。

「大學」一文瑕瑜並具，原非成熟之作。殆猶票友唱戲，雖有一二精采動聽之處，而荒腔走板不合曲調者，實所在皆是。是以在唐代以前，始終閒列禮記之中，沒沒無聞也。及韓愈排佛，始加標榜，宋儒踵起極力美化，持為儒學理論根據，身價之高，至與論孟並稱四子，然其本身良莠不齊之弊，固不可掩也。是以朱子析之為二：一曰：「右經一章」，一曰「其傳十章」。經者聖人之言，傳者賢人之語。是殆明言為水準不同之兩部份，特其措辭婉約，世人不察耳。

此經一章，體大思精，以「一」套工夫，兼行聖王內外之道，非大智大慧，具有聖人懷抱者，思不及此。編查古代聖哲，老莊道家之士無此思想，墨子熱誠之流無此智慧，周公以前之聖王無此文化學術訓練。同時能提出此種思想者亦必不致與世隔絕而為湮沒無聞之士。依此而論，則能為此文者，捨孔子外殆絕無他人也，故乃歸之於孔子。然以時代情形及文體論之，又絕非孔子自成其文者，故推斷其必為孔子之言而由門人述之者也。至其傳十章非僅文體為詮釋「經」文之義，且水準甚低，即傳經之門人亦必比較為高。故假定為傳經門人之意，而又由其再傳門人筆之於文也。

然則此傳「經」之門人，又何以知其為曾子耶？此蓋依其思想脈絡而推定者也。孔子而後，儒家以孟荀為著。孟倡性善，荀主性惡，而大學思想，首標明德，復講誠正，是殆性善之說，而必歸於孟氏之學。循孟氏一支上溯源流及於孔子門下，則又寧非曾子其人乎？蓋孟子受業於子思之門人，而子思則正受業於曾子也。

（未完）

談文言翻譯

·葉經柱·

原文的深味被破壞無餘，原文的神彩被斷喪淨盡，說來真有些罪過。好比吃東西吧，你吃乾飯，細細嚼，慢慢嚥，很有味道。你喝稀飯，呼嚕呼嚕三大碗，肚子是飽得發脹，心裏卻真不是味道，你吃橘子，一瓣一瓣地擘着吃，吃得津津有味，你弄一大杯橘子汁，領子一仰，下去了，卻老覺夠意思。

究竟這三句怎麼譯才好呢？我覺得陳立夫先生在「四書道貫」中的譯法是很好的：「住的是天下最寬廣的宅子，立的天下最中正的位置，行的是天下最闊的大道路。」說來也許好笑，我認為這是譯得「無懈可擊」的，魏先生卻認為「孟子這些話中的淵深含義，豈不盡失！」究竟失不失，我覺得問題在你自己，用孟夫子的話說：「求則得之，舍則失之」。也許這和信耶穌是不是神有些相似吧；真是「道心惟微」啊。

進一步看，孟子還有些說法可以拿來作證，離婁篇自暴自棄章說：「吾身不能居仁由•，謂之自棄也。仁，人之安宅也；義，人之正路也。曠安宅而弗居，舍正路而不由，哀哉！」

在告子篇求放心章他又說：「仁，人心也；義，人路也。舍其路而不由，放其心而不知求，哀哉！」

在盡心篇士尚志章他又說過：「居惡在，仁是也；路惡在，義是也。居仁由義，大人之事備矣。」

含義深遠的話，乍看似不容易領會，多想想，也並不難了解，不僅文言文要思考，白話也要思考，比方說「大丈夫能屈能伸」，比方說「大丈夫要坐得正，立得正」，比方說「大丈夫要提得起，放得下」，比方說「大丈夫坐不改姓，行不改名」，意思並不是說屈腿伸腿，坐正站正，把漢鼎提起放下，永遠不更改姓名，而是要正大光明，「居仁由義」，我們能把這些話再翻譯成更白的白話麼？

當然，我們可以把「能屈能伸」「坐得正，立得正」這些話再解釋一下。同樣，我們也可以把「住的是天下最寬廣的宅子」等三句再說明一下，說文含有「仁道」「禮法」「義理」是可以的，教學時這樣解釋給學生聽是可以的，在注文中這樣解釋是可以的，講翻譯，為了求「信」，絕不應放進一些無中生有的話。有不少學生，常是把注釋和翻譯弄不清，常出現可笑的句子。如李密陳情表中的「庶劉僥倖，保卒餘年」，「僥倖」的注釋是不當得而得」，學生就譯成「那麼我的祖母劉氏才能夠不當得而得的，安度她的殘年」。又如袁宏道（中郎）先生的「晚遊六橋待月記」一文中，有「然杭人遊湖，止午未申三時」一句，我曾看到某大學大一學生翻譯這篇文章，不少人這樣寫：「然而杭州人遊西湖，僅在上午十一時到下午一時，一時到三時，三時到五時的三個時間」。在教學時，我一再提醒學生注意這一點，教師如果不注意注釋和翻譯的分別，要想學生能把文言譯成流利的白話，那就有此緣木求魚了。

（完）

依洞集

法治與特權

·李槃·

法律是政府所賴以約束全民生活行為，維持社會秩序，保障人民正當權益的典範，任何人亦不能在法律之前，享有特權。尤其是在政治上具有地位的顯貴人物，更須以身作則，守法不渝，纔足以奠立法律的神聖不可侵犯性，而為全民所尊崇。

倘使有人倚仗特權，弁髦法令，肆無忌憚，法律便如同安置在神龕上而日夕受到人們信奉的菩薩，就一度被人摔落地下踐踏之後，再拾起來供奉如儀，也就沒有人相信它的神靈，不存敬畏之心了。

台灣有家民營的人壽保險公司，由於違法經營投機事業，以致周轉不靈，宣告停業，使若干升斗小民繳納的保險費，遭受損失。政府主管機關曾再三飭令依法清理，毋得因循，而該公司特有國會議長作護符，始終漠然置之。最近監察院看不下去了，正式予以糾舉，希望政府主管當局迅速處理，以維「保戶」權益。這是一項關係國家法紀的大問題，個人的利害得失尚在其次，法律的尊嚴性被特權階級破壞摧殘，影響人民觀感至為深鉅。此而可以縱容，則許多因違背法令而被政府依法懲罰，乃至於沒收其財產的民營工商業機構如「大同公司」等，即應該提起反訴，要求冤獄賠償。最不可恕的就是該公司的後台老闆乃係中央立法機關的首長，他要人民遵守他們製訂的法律，自身卻知法犯法，滿不在乎。蔣總統教政府公務人員要「知恥知病」，該公司的主持人卻自外生成，言諄聽藐，法治云乎哉？

政府主管機關如不便執法以繩，表示法律之前，人人平等的精神，即不妨用公帑替該公司料理債務，以息民怨，二者必居其一，纔是道理。立法院長的本質，原係政府官員，主管官署長此瞻顧徘徊，豈能免「官官相衞」之嫌？我們既未曾向該公司保過壽險，亦與該公司負責人素昧生平，只是不忍使尊嚴的國家法律，竟為特權份子負之以趨，因而斷喪政府威信，降低人民向心力，故不能已言如此，知罪非所計也。

漫談中國戲劇

·雷震遠·

要靠演技的刻劃，音樂的暗示，以及觀象的想像力來喚起興趣。

京戲

中國的戲劇實際上應稱為歌劇，但也有一些學者表示反對，認為歌劇一詞不能包括對白。如稱為「音悲劇加插喜劇對白」則較為恰當。京劇演員多是唱家。比較起來，印度的音樂舞蹈太豐富反使劇情變質，中國戲劇則特別發揮劇情和音樂，甚至把舞蹈置之分外。以音樂舞蹈為主的印度戲劇顯然帶有宗教色彩。中國文化缺乏濃厚的宗教情緒，只注重儒家的人生哲學。孔子是絕口不談鬼神的，只專心致意於道德價值與倫理標準。當然，中國戲劇中也有鬼神故事出沒，然而陰陽交錯，總是從天到地，從神到人；人是中國劇材中心，人物性格的表現是中國戲劇的主題。

中共對戲劇的影響

在未離開大陸前，我曾目睹中國古典戲曲對士兵及共產黨員的影響。當中共頭佔據大陸時，我幾乎相信中共必將中國戲劇視為封建時代的象徵而加以取締。因為在中國的古典戲劇裏，妻妾制度、封建國王、貴妃艷史、暴徒奸詐等都是重要的戲劇題材，這一系列的人物事象，都是中共反對的對象啊。結果，中共只作了幾個限制的條例。按限制戲劇的措施，在中國歷史上已是屢見不鮮的事，便是孔子相傳也曾勒令處死一班演員，因為他們演出不合道德原則的戲劇。

中共限制戲劇純然是一套政治手腕而已。他們也知道戲曲是中國人的主要娛樂，而中國人愛好之甚猶如生活。

（未完）

催眠術

生理作用說

·鮑紹洲·

此一學說創自生理學家龐初沙氏，龐氏常研究催眠術有年，結果發明此說。其學理頗為複雜。其大要說：

人們日常動作，全憑大腦所支配，而大腦之支配能力，全憑由血液之給於腦筋而來，若腦血之供應量少，則自然活動停頓，非至感應他人注意力暗示，決不活動，亦猶如汽車之缺乏拿士令不能自動，必經人力推移，同一道理。施術人所以必令人深入催眠狀態，然後發言暗示，被術人果能感應其暗示而動作，亦即利用腦血供給量少，停止自動，感應暗示而活動的結果。

此種生理作用的理解，極易明瞭，因人身呼吸，所以吸養氣吐炭氣，輔助血液循環全身之速力，故醒覺時呼吸力強而腦血供應多，使人活潑而能自然動作。睡眠中呼吸力弱而腦血供少使人潛在精神感應暗示而作。由此說來，則催眠術為生理作用的學說頗有價值了。

中文地位與翻譯人才

（本報資料室）

第三級（F3）——除共通課程外，本級配授下列課程兩項：（一）西方成語，繼續提高學生對西洋故實與英文成語的判斷能力與翻譯能力。（二）英語名著譯讀，以節略方法，譯讀英者重要名著，以加深學生對語文背景之認識。兩項課程，共用教材十二課。

第四級（F4）——除共通課程外，本級配授下列兩項課程：（一）英語名著譯讀，繼續以節略方法，譯讀英美重要名著。（二）中文成語翻譯，指導學生翻譯中文成語之系統方法。兩項課程，共用教材十二課。

第五級（F5）——除共通課程外，本級配授下開兩項課程：（一）英語名著譯讀，（二）中文成語翻譯，均用以繼續加強對英國語文的背景認識及對中文成語的翻譯能力。兩項課程，共佔教材十二課。

七，教學時間與作業時間

這一個基礎翻譯訓練的五級方案，由第一級至第五級，每級均配教材七十二課，每課佔用教時一節及作業時間一小時。假使現行學制結合，每週授課兩節，則每一級的訓練均可於一個學年之內完成；如果每週授課增至四節，則每一級的訓練可於一個學期之內完成。假使正規教學時間不敷分配，亦可由教師編就教材，指定學生撥出課外時間自習，由教師從旁輔導。

假使採用通訊教學方式來執行這一個訓練方案，而每一學生能於每日撥出一小時又半至兩小時的作業時間，則每一級的訓練可於二十四個星期之內完成。即是說：每半年可以完成一級的訓練。

八，高級翻譯課程

在中學階段推行基礎翻譯訓練的目的，乃在提高學生的中英語文水準，奠定一般的翻譯能力，使學生將來在自己的本位工作中間，可以應付普通的翻譯事務。至於把翻譯工作當成一種專業訓練，那還得與現行學制中的大學階段相配合。這就可以稱為一種高級翻譯課程。

由於大學程度的學生，本身已在大學體制裏接受各種現代化的專業訓練，對其所擇專業範圍內的翻譯題材，自有一定的認識）

巨變歷險記！

大其力談判（一）

（一九六）　胡慶蓉

緬甸壓迫我游擊部隊撤離，他用的方法是一面準備武力解決，一面談判解決。當然在談判沒有結果的時候再使武力。景棟，是一個司區的名子，也是一個城市的名稱。實際上，景棟也就是景棟的首府景棟的都城，景棟城雖距離大其力約五十公里，有公路直達。這公路向後延長又可以到達臘戍與滇緬公路需多公路聯繫，滇緬公路北通昆明南通仰光。緬甸準備以武力作他的外交後盾，先運兵到景棟。仰光與景棟有公路可達，仰光到景棟邊上，到曼德里，即瓦城，並且有火車，仰光運兵到景棟也用飛機也走公路並且坐火車。緬甸一面運軍隊，一面即與我開始談判。

第一次的談判在大其力。在大其力的縣公署上邊，在大其力縣公署的招待所。我好像說過，這招待所在一座小小的山上，大其力河的右岸，泰國夜市的對面。以大其力來論，這是最高的地方。招待所是一座西式的平房，有一個很大的客廳，也都是西洋式的佈置，一圈的沙發，中間是一張長方形的會議桌，環境寧靜肅穆。我方的代表是丁博士一個人，我方的部隊，駐紮這會議地點的附近，即左邊的山上，在那里嚴陣以待。丁博士在出席談判前，曾冒雨趕到山上，與全體弟兄講話，向他們說明當前的局勢及我應有的決心。當時韓戰還沒有大的爆發，聯合國也還沒有派兵加入戰鬥，丁博士告訴大家，這是有擴大可能的。並告訴大家：若韓戰能擴大，與我游擊隊的前途大大的有利。我們要迎接韓戰，我們要健全本身，我們決不撤離，我們要有不惜任何犧牲以換取空間的決心。現在緬甸要我們來談，最好不過。緬甸要什麼時候談，我們就什麼時候談。緬甸要在那裏談，我們就在那裏談。談一個月，談一年，談十年，在大其力，在猛叭，在景棟在仰光，在聯合國，俱無不可。我們當然不願意同緬甸戰，但假如緬甸要同我們戰，我們也決不退縮。回憶同緬談判撤離前前去山上同弟兄們會面是在一個下午，是五月的天氣，已經很熱了。時黑雲已經密佈，隆隆的雷聲不絕於耳，兼之閃電交加，空氣極爲低沉而悶，顯然是暴雨欲來風滿樓的景象。暴雨要來，丁博士已經感到，但他還是出發。在半路上，忽然傾盆大雨，雨之大簡直難以形容，一下子丁博士就變成了落湯鷄，恐十倍百倍於落湯鷄。他還是不顧一切向前奔，向兵營方面奔。終於冒着傾盆大雨到了兵營，大家都等待的流下眼淚。第二天一大早集合隊伍訓話。弟兄們都高呼不撤，不撤，絕對不撤！誓作丁博士後盾！不惜任何犧牲！情況之熱烈得未曾有，丁博士培植將士的戰意是成功的。第二天下山出席談判，他並未帶人，有如郭子儀單騎見回紇之風度。弟兄們都爲他躭心，但丁博士毫不在乎，還是照約定時間到了。丁博士一路奔波，再加上大病剛過，滿面清癯，穿的也沒有，還是他路上的一套，他也不在乎，昂藏五尺之軀，昂然進入會議室。緬方參加談判的是緬甸駐景棟的最高指揮官（COMUNCUDAR IN CHIEF）看來像個印度人，面黑黃，軀粗大，魁梧，孔武有力。對於面前的丁博士，不免感到奇特。但還是很有禮貌。他帶來的隨員有一卡車，會場的前後左右都佈得滿滿的。個個戴軍帽，短袴，毛襪，大皮鞋，短袖上身，看起來，儀容甚盛。看情形，有劫持丁博士的企圖。雙方用英語，緬最高指揮官英語非常流利。他一定是緬甸靠印度方面的人民。

雍正皇帝與禪宗文字獄

南懷瑾

集孔、孟人倫孝弟之義於篤行，以弭明末諸大儒履踐忠君復國之學於無形。且著述羣典，網羅思辨學徵之士，盡粹於博學鴻詞之間，固亦有功文化學術於來世，然持弄先王仁義之說，爲當時統治之權宜，使前明遺老，失據於素王聖賢之域，不入於醇酒美人，即遯於叢林布衲，友躬誠明於法王覺海，而淡薄其憂憤。遂使元、明已來敝禪，稍振儒佛不分之宗風。康熙遊刃於黃、老、孔、孟仁慈之術，而闊於方外，致使逃禪韜晦者，得以濟養其興復機運。

雍正蟄居藩邸，屈志潛飛，初則以宮庭崇信佛道，紹其尊悅，而從遊性音禪師與章嘉呼圖克圖志學禪密，得識儒沫江湖者之用心利弊。故登極以後，不惜以九五之尊，躬自昇堂說法，秉拂談禪，謙居爲宗門伯匠，與諸山長老較一日之短長。從學之徒，近有王室宗親，遠有比丘禪和，黃冠羽士，遂使山林沉濳之耳目，盡入轂中。其壓詔削滅漢月藏法裔，嚴令盡入臨濟宗乘，既以澄清王學末流蠶蝕宗門之頹風，復塞前明非常之士隱淪山嶽，逃跡湖海之思路。

輕舉無爲而無不爲之旨，活用於禪機道佛之間，可謂瞞盡天下老和尚眼目。雖然，雍正自於宗門作客，並非徒作口頭禪語，搜弄空花陽燄於野狐隊裏，固已爲踐眞參實悟於行證之途，迫出一身白汗，深得拈花妙旨。其開示三關見地，印以唯識知見，迥出常流。且選輯語錄，揭標肇論，永嘉爲先，以寒山，拾得爲輔，誠爲獨具隻眼，昭示釋迦心法東來之禪宗，實受中國文化儒道學術灌溉而滋茂也。至於唐、宋以來宗門，則以溈、仰、趙州、雲門、永明、雪竇、圜悟克勤爲主，以清初禪門宗匠玉琳琇，卯（草頭）溪森爲殿，過此以往，則目視雲漢，自許荷担禪宗開繼之任，即自稱爲圓明居士住持之當法會而已矣。而揀擇禪門宗師之外，於道家，則獨崇張紫陽爲性命圓融之神仙眞人。於淨土，則推尊蓮池大師爲明末郢匠。且撈庭（手旁）歷代禪師之機鋒轉語，以自標其得正法眼藏之妙用。寡人位置大雄峰頂，氣吞諸方，直欲踏破毘盧頂上，會法王人王之尊於一身，抑使儒冠學士與方外緇素，鉗口結舌，無敢與之抗衡，狂哉豪矣！可謂匯萃魔佛內外之學於一爐，繼康熙定鼎之後，滿廷帝子英才，捨此其誰？

（三）

但自清初以後，禪宗之徒，別持三世因果之論而作異說，傳稱雍正爲明末天台密雲圓悟禪堂之轉世。密雲悟者，宜興蔣氏子，幼時不學而慧，長事耕稼樵蘇，偶讀六祖壇經而策心上宗，年二九，棄家披剃，得臨濟宗傳。密雲高弟漢月法藏禪師者。無錫蘇氏子，爲明末儒生，剃染後，初從密雲受其心印而名噪一時，於是明末清初，避世入山與逃儒入佛之文人志士，皆入於漢月藏之門，師弟承風，互相標榜。侯密雲發現漢月知見未臻玄奧，且薄視師承，常以實法予人爲禪宗授受，即力斥其非，著闢妄之文以開示正見。而漢月弟子，固多明末宿儒名士，習於儒林鄙見，素視其師翁密雲悟出身寒微，不足爲齒，復著闢妄救一書以力維師說。密雲鑑於其已成之勢，乃密以臨濟法統轉付破山海明禪師，破山亦避亂返蜀，隱於其皈依弟子秦貢玉之戎幕。迨張獻忠之攻渝州，破山曾不辭腥穢，化導草庭，救免傷殺著，存活無數。從此禪門知見之爭與文字之訟，未因明清代而稍戢。及雍正出而鼎擊密雲法統，力滅漢月一支爲魔外之學，掃穴犁庭，方致銷聲匿跡。上諭二則，皆切中僧伽流弊，無可厚非。故宗門相傳雍正爲密雲悟後身之說，言之鑿鑿矣。自清初至今二百餘年，漢月之禪與學，已不得而見。漢月其人其事，稽之逸史，亦付闕如。意爲逃儒入佛之明末名士，洵無可疑。今所僅存者，唯漢月遺緒湛愚老人所著之心燈錄，猶得見其概要。民國二十餘年間，有湖北萬氏倡心燈錄之禪爲極則，爲之梓版而廣流通，而著者湛愚老人之事蹟，猶茫然未詳。書中厎稱三峯，即漢月往昔處山隱居之別庵，由此而窺漢月知見傳承，亦足多矣。

心燈錄之禪說，首標釋迦「天上天下，唯我獨尊」之宗旨爲直指，輔以○圓相爲眞詮。世尊說法，於般若而標無我、無相、無說爲依歸。於涅槃而揭常樂我淨爲圓極。於華嚴、唯識而立非空不有之勝義。如珠走盤，無有定法可得。而心燈錄建立獨尊之「我」爲極則，以○圓相爲玄奧，予人有法，立我爲禪，故具透關手眼而留心宗乘如雍正者，寧不顧揀而無容其流衍耶？稽之心燈錄之見地，實從明末陽明學派心性之說與禪學會流，亦即援儒入佛之異禪也。立○圓相以標宗，蓋取諸道家與宋易太極之學說。指一我爲究竟，蓋取諸大學愼獨與王學良知良能知見。循此以往，分梳歷代禪師公案、機鋒、轉語之斷案，一使讀者聞者即知即得而爲之首肯，適與般若實相無相。（未完）

黛眉小傳

・王幻・

朱淑眞（二）

使牽強附會，說她丈夫是一個「市井細民」，而她自己則是一個宦家小姐的論據。在宋代門第觀念仍然存在，一個宦家小姐即使嫁與市井細民爲妻，也不可能有侍女陪伴的。如「夢回」酒醒嚼盃冰，侍女貪眠喚不應。」「侍兒全不知人意，猶把梅花插一枝」，即是很好的說明。從她的作品中，可以知道她的丈夫也是個讀書人，而且曾應試禮部，後來作官江南。試看：「賀人移學東軒」詩云：

一軒瀟灑正東偏，屏棄囂塵聚簡編。
美璞莫辭雕作器，涓流終見積成淵。
謝班難繼予慚甚，顏孟堪希子勉旃。
鴻鵠羽儀當就養，飛騰早晚看冲天。

此詩淑眞自嫌文才不及謝（道蘊）班（昭），但以顏（回）孟（軻）勉勵她的丈夫，人皆可致身聖賢之列。而且女人讀書不定在自己的家鄉，有時游學或應試又需要分別一段時間，多愁善感的女詞人，不免又吟出「分明此去無多地，如在天涯無盡頭」的感喟了。又如「送人赴試禮部」詩云：

春闈報罷已三年，又向當風促去鞭。
屢鼓莫嫌非作氣，一飛當是卜冲天。
賈生少達終何遇？馬援才高老更堅。
大抵功名無早晚，平津今見起　川。

詩中「賈生少達終何遇？馬援才高老更堅」之句，可知她對丈夫愛之深則勉之切了。淑眞婚後幾年依然住在自己的鄉里，可從「約遊春不去」二首詩中見出：

隣姬約我踏青游，強拂愁眉下小樓；
去戶欲行還自省，也知憔悴見人羞。
少年意思懶能酬，愛好心情一向休；
若到舊家游冶處，只應滿眼是春愁。

此後，她伴隨着丈夫「從宦東西」，別離了自家的故園，別離了年高的父母，往來於吳楚之間，在「斷腸集」裏，有很多思親懷鄉的句子。以「春日書懷」可爲代表。全詩是這樣的：

從宦東西不自由，親幃千里淚長流。
已無鴻雁傳家信，更被杜鵑追客愁。
日暖鳥歌空美景，花光柳影謾盈眸。
高樓惆悵憑闌久，心逐白雲南向浮。

他如「舟行即事」：「舟欲扁發意如何？回望鄉關萬里餘；誰識此情腸斷處，白雲深處有親廬。」「滿江流水萬重波，未似幽懷別恨多；目斷親幃瞻不到，臨風揮淚獨悲歌。」「歲暮天涯客異鄉，扁舟今又度瀟湘；顰眉獨坐水窗下，淚滿羅衣暗斷腸。」另有「寄大人二首」五律云：

去家千里外，飄泊若爲心？
詩詠南陔句，琴歌陟岵音。
承顏故國遠，舉目白雲深。
欲識歸寧意，三年數歲陰。

×　×　×

極目思鄉國，千山更萬津。
庭幃勞夢寐，道路壓埃塵。
詩禮聞相遠，琴樽誰是親？
愁看羅袖上，長搵淚痕新。

時間過的很快，「欲識歸寧意，三年數歲陰」思親之情，與歲月俱增。偶而，接獲一封家信，雖非「烽火連三月」，但亦「家書抵萬金」。且看她的「得家嫂書」一詩：「聲聲喜鵲報溫柔，忽接芳函自便鄉。一尺溪籐連錦帶，數行香墨健銀鈎。傾心吐盡重重恨，入眼翻成字字愁。添得情懷無是處，非干病酒與悲秋！」由此可見一斑。「非干病酒與悲秋」句，乃借淸照「非干病酒，不是悲秋」詞語而來，亦可見出她對易安居士的景慕之情。（未完）

岳飛

第十九章　吳玠大敗金兀朮　岳飛桂嶺破曹成

周燕謀

王庶亦上書勿用曲端，謂端常作詩題柱，有「不向關中爭事業，却來江上泛漁舟」，意在諷刺高宗避難海上。張浚乃下曲端於恭州獄。適提刑康健，曾因事忤端，被曲端鞭背。至此正好因公報私，命獄吏把曲端綑住，用紙糊口，外爇（火旁）以火，曲端口渴求飲，給以燒酒，遂致七竅流血，死於獄中。曲端有馬名「鐵象」，日馳四百里，曲端愛如子息。及被逮下獄，間康健提刑，呼天長歎，自知必死，又連稱鐵象可惜。及曲端死，鐵象不食草料而死。

此時關隴六路均破，止剩下階、成、岷、鳳、洮五州，以及鳳翔境內的和尚原，隴州山內的方山原而已。吳玠扼守和尚原，積粟繕兵，列柵固壘，爲死守計，金兀朮遣部將設立，自鳳翔出兵，烏勒折合自大散關出兵，會師和尚原，夾攻吳玠。因金兵三路來攻，有人勸吳玠退屯漢中。吳玠慨然道：「我在此，虜不敢越，保此即保蜀也」。立即蒐集兵甲，準備死戰。旋有偵騎來報：金將烏勒折合已抵北山。烏勒折合下書請戰。吳玠不慌不忙，分軍前後二隊，逕逼北山。金兵沿山列陣。見吳軍逼近，便揮兵出戰。吳玠怒馬突出，正遇一員虜將迎來，吳玠手起刀落，砍落馬下，金兵爲之奪氣。吳玠率隊殺入，兩軍酣鬥，自巳至午，勝負不分。兩軍同時鳴金收軍，回陣午餐，食畢復戰。吳玠令前隊休息，抽出後隊迎戰，與敵再鬥。金兵上午戰得力疲，不知吳玠之生力軍勇敢，殺將過來，猶如生龍活虎，抵擋不住，遂漸不支後退。吳玠督兵逼，烏勒折合料難抵敵，回馬奔走。主將一退士衆大潰，被吳玠追殺數里收兵。又殺敗設立。金之兩枝兵終不得會合。急報兀朮，兀朮大憤，會集諸將兵十萬人，親自督戰，就渭水之上架起浮梁，陸續渡兵，進抵金鷄。從寶鷄起，築紮連珠砦，壘石爲城，夾澗與玠軍相距，進薄和尚原。吳玠聞金兵大至，恐部衆駭怕，遂召集將士，勉以忠義，並咬臂出血，與設盟。衆皆感泣，願盡死力。吳玠弟吳璘亦在軍中，吳玠對璘說道：「今日乃我兄弟報國之日，萬一兵敗，寧我弟兄先死，決不使將士先亡」。吳璘奮然應諾，諸將亦齊聲道：「將軍兄弟報國，我等亦報將軍。」吳玠大喜，遂挑選勁弩，與諸將輪番更射，連發不絕，勢如雨注，號爲駐隊矢，金兵小却。吳玠又分遣諸將，從間道繞出，斷敵糧道，命吳璘引了弩手三千人，埋伏神岔溝。

（九十三）

自由報

（第一一四二期）

（半週刊每星期三、六出版）
每份港幣壹角・台灣售價新台幣弍元
社長李運鵬・督印黃行憲
社址：香港九龍彌敦道593—601號
廖創興銀行大廈八樓五座
LIU CHONG HING BUILDING
7th FLOOR FLAT '5
593—601 NATHAN ROAD,
KOWLOON, H.K.
TEL：K303831
電報掛號：7191

承印：景星印刷公司
地址：鵝城街廿九號地下
台灣區業務管理中心：台北重慶南路一段一二九號
電話：二四五七四
台灣區直接訂戶　台灣劃撥戶
第五〇五六號張萬有（自由報會計室）
台灣分社：台北市西寧南路110號二樓
電話：三三〇三四六、台郵劃撥戶九二五二號

太平天國失敗的原因（二）

・黃大受・

本報專論

曾國藩致友人長函，勸彼等從軍。函中有言：「若論古今通義，則我國家深仁厚澤，吾輩之高曾祖父，久食昇平之福，而席詩書之榮，此豈得秦越視之，而置國事於不聞不問之列?」其所言國家，一方面是指滿廷，同時也是指中國。又說：「逆匪崇天主之教，棄孔子之經，但知有天，無所謂君也。但知有天，無所謂父也。蔑中國之人倫，從夷狄之謬妄。……秦燔經籍，而儒生積怒以覆其國。今以天主教橫行中源，而儒者或漠然不以關慮，斯亦廉恥道喪者矣！」顯然曾國藩認為太平天國是效法西方人的行為，而使西方宗教流行於中國，根據「中國而夷狄則夷狄之」的觀念，知識份子保衛中華民族，自然應該過問中國的國事，如果漠不關心，那就是無廉恥之人了。

函中又言：「是以致書同志，不以為下走私聘，而以為國家之公義；不以為兵家討伐之常，而以為孔門千古之變，則天下萬古之幸也。」他勸知識份子從軍，只是為了國家公義，也就是國族大義。所以曾國藩要提倡國族觀念，以排斥外國勢力的進入。

在曾國藩所寫的「討粵匪檄」，又重申前義說：「粵匪竊外夷之緒，崇天主之教，……凡民之父皆兄弟也，凡民之母皆姊妹也。農不能自耕以納賦，而謂田皆天主之田。商不能自賈以取息，而謂貨皆天主之貨。士不能誦孔子之經，而別有所謂耶穌之說，新約之書。舉中國數千年禮義、人倫、詩書、典則，一旦掃地蕩盡。此豈獨我大清之變？乃開闢以來各教之奇變。」指出洪楊等人以外夷之法，改變農商士人的生活，不獨對當時的大清挑戰，簡直是對中華民族數千年的歷史挑戰。

檄文中又說：「倘有抱道君子，痛天主教之橫行中原，赫然奮怒，以衛吾道者，本部堂禮之幕府，待以賓師。」強調外國的天主教橫行中國，中國的知識份子必須起而制止，以保衛中華民族的歷史，不致中斷。

湘軍名將李元度，曾有長函招降翼王石達開，其內容所說英國之事雖有錯誤，但可以看出其指責太平天國崇奉英夷天主教為荒謬：函中有言：「爾等僞示，每以夷夏界之，毋論舜生東夷，文王西夷，古有明訓。且爾等所奉乃英夷天主教，不相矛盾？英夷之俗，生女為重，生男反嫁人，舉國皆雜種，無一世眞血脈。爾等皆從其教，肯相率為雜種乎？且天主教有兄弟而無父子君臣，以妻為妹，母為大妹，敗滅倫常，眞無人理！中國能行其道乎？……眞夷鬼尚不能猖獗，假夷鬼獨能成大事耶！」眞夷鬼是指英國人，對太平軍則斥之為假夷鬼，女夷豈能把夷人之道，行於中國？

他又斥責太平軍「所說天父下凡，及六日造成山河等語，皆醜怪荒誕，從古未有。」「今欲以耶穌之教，壓孔孟而捲其席，此乃古今未有之奇變，既為天地所不容，即為人心所不服。」他處處對「天父」「耶穌教」加以斥責，在以中華民族為國族的觀念之下，這些知識份子，自然要對效法外夷崇奉夷教的假夷鬼加以攻擊，而來從事保衛國族（也就是中華民族）的工作。

李元度在函中又指出滿朝有七點超越前代的理由：得國之正，幅員之廣，享國之長，家法之善，武功之盛，政治之隆，人心之固，皆為前代所未有。完全是以中華民族為國族的立場而言，拋棄了以漢族為主體民族觀念。

所以當時的知識份子，在曾國藩等人保衛國族——中華民族的口號之下，從軍為將，而農民則從軍為兵，組成湘軍。他們有主張，有理想，為保衛國族及保衛傳統文化而戰，百折不回，竟成為擊潰太平天國的主力。

近人蔣廷黻在中國史大綱裏說得好：「曾國藩怕滿清的滅亡，要引起長期的內亂，他是深知中國歷史的，我國幾千年來，每次個朝代，總要經過長期的割據和內戰，然後天下方得統一和太平。在閉關自守，無外人干涉時代，內戰雖給人民無窮痛苦，尚不致亡國。到了十九世紀有帝國主義者環繞着，長期的內戰就能引起亡國之禍，最要的理在由此。」

近人毛以亨在赫德傳裏也說：「當時（同治帝初年）盛傳英國欲控制中國陸海軍權，勸用戈登、李泰國分統陸海軍，挑撥滿清感情，以冀再師其在印度以本地人效忠英國而亡其本國之故智，幸慈禧果斷（當英人欲控制中國陸海軍統帥權時），竟答以『這天下咱們不要了，送給漢人罷！』而中興諸將懷於外侮之急，不敢輕談排滿與革命，故均能不受外人利用，肅團結以圖存。」兩害相權取其輕，與其因不支持雖原為他族，但漸已同化的滿廷，而讓當時的外國異族坐收漁人之利，以亡中國，以滅中華民族。曷若維持滿廷，再除圖改革之道，以求復興。這是曾國藩的識見過人之處，也是當時知識份子要領導農民來攻擊太平天國的主要原因。

所以太平天國以漢族立場來提倡民族主義，卻加上濃厚的外來宗教色彩，在當時外患嚴重的情況下，是完全違背了國族觀念。太平天國初期雖得到若干人的支持，肯參加攻擊清朝。但一經曾國藩等人提出保衛中國（也就是國族，中華民族）及傳統文化的口號後，士農商羣趨於湘淮軍的旗幟下。支持太平天國的人不再增加，自然無法與勢力日擴壯大的湘淮軍抗衡了。

二、違背傳統文化和社會心理　太平天國，雖然只有短短十五年的歷史，但它的文物制度，幾乎無一而非創設。中國歷史，從秦朝統一以後，雖然經過若干朝代的更易，然而政治制度，和其他組織，仍是前後相因，沒有多大變動。然而發難於地處偏僻廣西省的洪楊，竟然推翻兩千年來的陳套，全部更新。太平天國當時的目的，是在推翻清朝，所以一切設施，力求與清朝相反。但是對於宗教、風俗習慣以及制度等等的改良，無論在理論上其本身是何等的完善，若完全違背傳統的民族文化和當時的社會心理，是絕對不能成功的。何況太平天國的所作所為，大多數都是違背傳統的民族文化，也不是社會所習見，而仍然大刀闊斧，不顧一切的做去，勇氣雖然可佩，但變革太驟然，惹起了世人的駭異，失掉了社會的同情。太平天國在建國之初，對於宗教、政治、社會等的改造，只求與清朝的不同，便不計好壞的實行起來，有時且不免自相矛盾，所以其徹底改造的目的，不一定是求建設新的，多數是注重反對舊的。這類違背傳統的民族文化和當時的社會心理的做法，使成為太平天國潰敗的另一基本原因。茲將其違背傳統民族文化和當時社會心理的現象作為，分述如後：

（一）創行新教——太平天國以宗教立國，可說是神權政體。雖然所奉行的基督教與西方的基督教不同，其信仰熱忱也逐漸減弱，可是卻始終保持宗教色彩。太平天國的宗教義，是從基督教採取的，可見於天國所頒行的官書，計有太平詔書、太平天日……英傑歸眞等四十二種與中國當時所有任何一種宗教的教義不同。宗教儀式，也模仿基督教，而略有變通，全國民眾，每七天有一禮拜日，都要去禮拜上帝並聽講道理。十款天條則相當於摩西十誡。至於通俗宣傳教義的書有兩種，一種是幼學術，五言但言，一種是三字經，這兩種和其他的宗教官書一樣，都談到有關上帝、天父、耶穌的事情，且含有不少神話的成份，在知識份子看來，既為外國之物，是不值得相信，在一般民衆看來，既與舊有宗教完全不同，便不敢去相信。（未完）

昨日與明日

「你丟我檢」？

台北最近常看到穿着白大褂子寫着紅字的人在街上走。遠遠看去以為又是基督教會的人士在傳教呢，走近一看原來紅字寫的是「你丟我檢」，手裏則拿着個夾子檢地上的紙屑雜物。原來是推行清潔的運動。

台灣，特別是台北市，是在急遽的往近代化的旅程上邁進。許多懶散落後的舊習慣，無法與工業社會配合的，勢必要革除改進，即如紙碎烟頭之類在往昔隨地亂抛，固欠整潔，但也沒有多大關係的。往日的「敬惜字紙」，把字紙從地上檢起，其動機實在道德的考慮。但今天在一個工業化的近代都市中，大家若再隨地抛紙烟碎頭，則勢必使都市成為垃圾堆，不僅影响市容，並且妨害衛生和健康。因此台灣方面最近發起了這個「你丟我檢」運動，不僅有關方面嚮應支持，同時還有許多學生利用寒假的時間協助推行。例如松山國校便會發動一百多學生在工展會場中，冒着雨檢紙碎。我們對於這種精神十分敬佩。尤其這一主旨，更是十分贊成。但是這種作法是否妥當呢？那就值得討論了。

我們若從春秋責備賢者的觀點來立論，這種作法只是自我陶醉，甚至是自我炫耀的宣傳而已。根本談不到解決問題，甚至可說是根本未曾存心解決問題。即請推動這工作的執事先生們自己來說，你相信這樣「你丟我檢」一番人們今後便不再隨地丟紙碎嗎。人雖向善，恐怕不如是之甚吧？學校教員不是已經一再教導不要隨地丟紙碎的幾十年了嗎？

政治之可貴，即在能建立規矩（法令），管理衆人之事；國家之可貴，即在能有權力執行要推行的法令。假如我們眞要取締隨地丟紙，為什麼不由政府嚴格規定禁令，禁止人民亂丟呢？例如新加坡境內即絕無亂丟烟頭的，因為他們政府規定隨地扔烟頭的要處罰五千叻幣的重罰，試問還敢亂扔。並且法律之前人人平等，誰都如此，不因身份高低而有例外。假如我們也照着辦，那只要一紙法令頒行，豈不就可，還何必要許多小學生冒雨去檢。

或者說我們中國的情形不同，既不能雷厲風行的規定重法嚴罰，而在法令的執行上又不能不講人情，難道一位大人先生碎烟頭，我們還眞敢罰嗎？——假如這樣，那還說什麼，那就也只好穿着褂子在街頭表演，表演了。

・成公・

自由談

談減輕農民負担

台灣省政當局近在「農民節」致詞，表示今後要改進農業生產，提出三項計劃，中有降低生產成本、減輕農民負担這一項，尤屬切中肯綮的當務之急。

台灣自從實施土地改革後，耕者有其田，赤貧農民已不存在，農村生計應該日趨安定繁庶了。然據實地調查結果，農民生活未有多大的改善，竹籬茅舍，故爾依然，最大原因即係生產成本過高，農產品的收入所得，大部分都化為肥料與水利的消費代價了！據說，在國內製造的肥料價格，要比由日本輸入的昂貴三倍，而水利費亦不輕，農民頻年胼手胝足的耕耘收穫，除卻支付這兩筆費用外，所餘無幾了。加之以工業日益發展，所需勞力不少，工資亦較優厚，因而農民每將自有的耕地，租借或委托別人經營，離開農村，投入工業勞動行列去者。長此下去，農村的勞力必告缺乏，土地勢將發生兼併集中現象，重踏日本覆轍……日本在盟軍佔領期間，亦曾實施土地改革，現在又逐漸回復原狀了。所以，台省當局主張降低生產成本，減輕農民負担，可說見其大，此一着辦不到，其他的兩項計劃即無成效可言也。

台灣的肥料工業是公營的，為甚末台肥價格竟比日本產品昂貴幾倍呢？我們對此道雖屬外行，但憑常識來研究，似乎太不應該，政府對公營事業有管制的職權，自不宜置之不問，為着降低肥料售價，嘉惠農民，雖由國庫補貼，亦所弗惜。至於水利亦係公用事業，更不能聽其隨便增高費用，剝削農民。

經過了數十年來的事實證明，我們對於國營和公營事業的信用，實在低劣，最大的毛病就是衙門化，浪費多，而又以賺錢為目的，根本喪失了國營的意義，祇是與民爭利而已。若要降低農業生產成本，肥料與水利費必須作大幅度的削減，否則徒託空言，不會有實效的。

馬五先生

序五六種砂鍋烹飪

吳惠平

馬騰雲教授為當代醫藥理論權威，幾年來倡導實用文學，及發揚中國固有醫藥特點頗受社會各階層注意，其所編著各書已達幾十種之多，各種書的暢銷情形，如非親自目睹，幾乎使人難以置信，例台北神州出版發行之馬騰雲「生活漫談」祇郵政劃撥預約竟達六千七百餘冊，門市及各地銷數尚未在內，就一千五百萬人口的台灣來說，可謂打破出版界未有之紀錄。

馬騰雲近著「五十六種砂鍋烹飪」每種烹飪都配以中藥，且將成份藥效性能加以詳盡分析，對烹飪技術指導勝過任何名廚，難怪熊式一博士與老子哲學權威張起鈞教授一致公認，就烹飪術這個角度來講馬騰雲乃「今日易牙」國立師範大學生物學教授謝元甫認為「凡買馬騰雲書的人而未買馬騰雲親著「五十六種砂鍋烹飪」與「馬氏砂鍋」等於放棄應得權利，也是一種損失」非無由也。

在「五十六種砂鍋烹飪」卡裏，馬騰雲說：「使你瞭解食在中國，使你學到吃的藝術，使你增加生活情趣，使你確可延年益壽，使你形同名廚隨侍，使你揭開吃的天地，使你營養抵抗百病，使你百病可用食療。使你瞭解組織療法並不是俄國發明，使你瞭解中華文化的偉大萬古長青，使你瞭解雕蟲小技能勝過博士頭銜，使你瞭解中國的菜為甚麼舉世歡迎。」

其中以俄國發明所謂組織療法，傳遍東西歐幾十個國家，實則我國在兩千年前，早已懂得所謂「吃心補心，吃肺補肺」換句話就是吃甚麼補甚麼，祇是沒有「組織療法」字樣而已，這一類的例子舉不勝舉。惠平數遊歐陸，看到他們對這方面的落後，連想到中華文化的偉大，眞是值得我們驕傲。

五十六種砂鍋烹飪，馬氏將人生百病盡述無遺，並指出「營養抗百病，百病可食療」雖然出自中國醫藥典籍，但於崇洋媚外，月亮都是美國圓的今日社會，却含有新的意義，惠平幾年前拜讀台北中央日報、中國時報（徵信新聞報）、中華日報南北版、民族晚報及近三年來香港自由報，有關馬騰雲醫藥著作甚多，欽佩無已，用為之序。吳惠平序於台北中國鍼灸醫院。

教育發展數量驚人 論成果久為人詬病

民族精神教育實在太馬虎 尊師重道應形成社會風尚

（自由報台北消息）台灣教育發達，學校數量之多，學生人數之衆，若如大陸各省情形相較，固為教育當局所自豪；即以日本佔據台灣時期今昔相比，昔日更是微不足道；就是目前和我們的隣邦來比較，他們也是瞠乎其後。

但就素質來看，以所費代價論成果，久為時人所詬病，徒呼負負。薩本炎先生於半年前在中副寫方塊，也慨乎言之。薩先生就很不以徒拿數字來嚇人為然。根據台灣省教育廳五十八年度統計分析光復前後教育比較：

大專學校：共九十一校，學生人數為十八萬四千二百二十二人，日據時期（民國廿三年）全島僅五校，學生二千一百七十四人。

中等學校：共有八百三十七校，學生達一百零二萬四千二百九十八人，日據時期全島公私立共四十五校，學生僅二萬九千零五人。

國民小學：共有二千二百四十六校，學生人數達二百四十一萬一千七百二十五人，學齡兒童的就學率達百分之九七、六；日據時期全島公私立共一、〇九七校，學生八十九萬四千八百二十四人，但畢業學生僅有十萬零八千餘人，其就學率為百分之七一、三。

補習學校：全區一百廿七校，學生達七萬四千六百八十九人。（補習班未計入）

幼稚園：三百四十五校，學生七萬四千八百零七人。

特殊教育學校：全區共五校，學生二千六百五十四人。（包括盲、聾及肢體傷殘學校）

目前政府所負担的教育經費，每年用於每一學生的數額是：大專院校：一〇、七三六元，師範學校八、二四一元，職校四、二六三元，高中二、六三三元，中小學一、四九四元。

有些今日是台灣社會上顯赫人物，當年曾就讀日據時期小學，他們回憶說：「因為本質上的不同，固然與今日無法相比，但是却也有值得今天教育當局參考的地方。例如在日據時期小學裏所設的「修身科」，和教師在社會所獲得的崇高地位，就是昔日之所長，而為我們今日之所短。當時的修身課，除教學生洒掃應對之外，更著重於日本歷代偉人故事，他們以圖畫和通俗故事，把他們的民族英雄，豐功偉績，深深的灌輸在兒童心裏，目的在使台胞忘記自己是中國人。其用心誠然可誅，但在方法上是可取的。因為我們今天各級學校民族精神教育實在太馬虎，教育方法太刻板，所得效果自然不大。」

他們又回憶日據時期教師的地位說：「當時的教師，無論在學校或社會，都有極崇高的地位，這種尊師重道的習尚，今日尤有必要。」他們更強調說：「教育是神聖的千秋事業，而有些人把從事教育看成職業，這可能是提高教師地位的關鍵。」

他們也承認：養成學生良好的生活習慣，日據時期也很成功，今天有些學生家長反對學校要學生做清潔環境的工作，這項觀念值得重加考慮。

××××

一味誇耀數量 實則誤盡蒼生

遴選校長應加慎重 整飭風氣刻不容緩

「學生」二字，顧名思義，應該是學習生活，聖人說：「五穀不分，四體不勤。」無異禽獸。足證聖人並沒有教人養尊處優。

今日教育當局不會把「教育」的意義搞清楚，一味以量多為榮耀，實則悞盡蒼生不知自愧。

單就尊師重道而論，教育當局對這一觀念根本就沒有那回事，把教師當成屬員，招之使來，以為施惠；揮之使去，棄之如蔽屣。不講是非，賞罰不明，好的得不到保障，壞的任其橫行無忌。偶有一二害羣之馬作出有愧為人師表的事，當局不分良莠動輒公開一竿到底，理直氣壯的高唱實則敗壞教育風氣，教育風氣需要整飭。追源禍始，還是責在當局。教育重心既然放在學校，首先應從愼選校長起始，若以純教育眼光來看，今天的校長嚴格考核至少應即撤換一半，試想校長人選不當，何以領導一校進步？教職員無信仰，不會認眞教導學生；學生無信仰，也不會認眞學習，學校在這種情之下，教育如何辦得好？這是婦孺皆知最淺顯的道理。教育當局為甚麼如此？還不是無能加自私，有以致之。

總統手訂國民生活須知，教育當局下達一紙命令，呈報了事，並沒有認眞推行，今年學校放寒假，台北市國民中學響應「你丟我撿」清潔運動，效果良好，當局如能製訂詳細辦法，不分假期與平時認眞執行，列入考績，這個運動必然立竿見影。青少年好勝心强，如果賦以使命，精力有所歸，他們自然不會流入太保太妹。

社會上對學校觀感，又是怎樣呢？最近一年不會看見，在以前每屆寒暑假開始，警方便發布新聞呼籲學生家長注意在學子弟行動，勿使感染不良行為，好像學校放假就如毒蛇猛獸出籠一樣，應該嚴加戒備，張網捉賊，以免擾社會。今年寒假警方一改過去態度，新年過後，少年隊長發表新聞說「今年寒假期間，學生沒有滋事」云云，大加讚許。

教育當局對過去警方所為，任其臧否，視若無睹。教員調遷升補「紅包」盛行了多少年，當局非不明知，有人道及，輒要「你拿證據來」。其實防微杜漸應從主管人員著手。只要「事出有因」，如果相信不過，雖無實據，就應更調其職務，操守廉正的人，在任何情況下，不可能貪贓枉法，生就的貪夫，除非不得機會，否則，防也不勝其防。當局如果沒有魄力愼選用人，整飭人事，徒託空言而已。

評介「中華民國史事紀要」

—民國六十年開國紀念之偉大獻禮

民國五十九年中國歷史學學會年會中，國史館長黃季陸先生發表了一項偉大抱負之驚人消息，即準備着手編纂中華民國六十年大事記，并希史學界為之襄助。斯日會員之午餐即為國史館所招待，黃先生并趣云：食其食者終其事。各位自是不得拒絕本館之邀請矣。

年會開會後，劉世昌兄告訴我，彼為此一計劃策動執行者之一。談及民國八年五四運動，彼堅要我寄彼「五四運動徵實」一冊，以為五四運動存眞史。劉兄并告訴我：中華民國史料研究中心已由國史館主持成立，中華民國史事紀要編輯委員會已開會多次。之後，我曾協助一位業師編輯有關開羅會議部份之史事。歲末，已見及「中華民國史事紀要」中華民國元年元月之部印行問世。照封面所載字樣，此雖為「初稿樣本，僅供研究參考，并請指正」。因其為集合中國當代史學家智慧「集思廣益」之作，確非市面一般書籍可比。茲特就所見評述於后：

一、體例獨創　中國史書體裁，大別有三：一曰編年體，本於春秋。二曰紀傳體，本於史記。三曰紀事本末體，本於尚書。中國歷史自竹書紀年記夏代之事，已達三千七百多年。自周共和行政以下，明白有年可考，史紀之諸侯年表自此始。自魯隱公元年以下，明白有月日可詳，春秋編年從此始。唐以前之史書，盛行編年紀傳二體，宋代學者特重紀事本末體。然紀傳之弊，詳於狀個人，而疏於談羣治；編年之作，便於檢日月，而難於尋始終。本書以史事為經，以編年紀傳為緯，融編年紀傳而成整體系統之史事，融狀個人，談羣治、檢日月之優點為一體，故有體例獨創之優點。

二、事理雙融　歷史者，國家隆替分合之樞軸；制度文物得借之以資考鑑。而為人類進化比較之學問。歷史之要義，在於鈎稽人類陳迹，以發現其進化次第，務令首尾相貫，因果畢呈。所謂「彰往以察來」，非歷史知識不為功。歷史知識來自歷史材料，一民族之活動，是為歷史。其經記載流傳於世者，即為歷史之材料。材料累積愈多，知識則與時以俱新。中國有世界最長之歷史，埃及雖擁有PALERMO STONE之石刻帝王年表為五千年以上之最多史料，然不若中國歷史自殷墟商代列王刻詞以下，三千數百年來，源遠流長，從未間斷。以中國史料之豐，及考古學之興起，當前治史者可分為「史實派」與「史觀派」，史實派重在史料，此中分為傳統派與科學派，傳統派熟諳典章制典制度，多識前言往行，博洽史實，稍近人事，縱無補於世，亦將有益。科學派往往割裂史實，為局部窄狹之追究。與傳統派同偏於歷史材料方面，缺乏系統，無意義，純為一種書本文字之學，與當身現實無與。

（未完）

·李霜青·

縱橫談當舖

·萬念健·

朝奉是一種專業人員，他們必須能辨別珠寶眞偽，金銀成份，以及一切其他貨物的等級價值，以便估價，俾能兼顧到一方面不致得罪顧客，另一方面不至令店方遭受損失。講到「朝奉」這個名稱，不僅古雅，而且頗有來頭。原來唐朝時代，朝奉是六品官員，高於知府、縣丞。此種官職多係富人捐官得來，目的只在提高身份，裝點門面，並不眞正担任公職，但當地官員，却得看他三分眼色，給他一分巴結，所以也是地方上一個有權有勢的人物。

行規嚴謹 名目繁多

舊日當舖，規則甚嚴。東主稱「員外」，經理稱「掌櫃」，「朝奉」的眞正身份為首席櫃面，每舖都聘一老於此業之前輩担任此一職位，如儕友對於質品不能定值及辨別其眞偽時，一言取决，無異為一營業顧問。人事以「掌櫃」為首，下分內、中、外三缺。外缺負責營業，有首、二、三、四櫃的分別；中缺負責寫票、清單、捲包與掛牌；內缺負責管理之責，其下除「學徒」外，更有「上灶」、「下灶」、「更夫」等雜役。同業行規，各店須一體遵守，犯有過失，須揭示牆上以資警惕。人事進退須論工作時期和資格，必須循序漸進，不能越級而升。犯規立遭斥黜。所以有人服務逾十年，却因過失太多，身份仍舊只是一個「學徒」。

東主辭退人員，例在農曆正月初五及初七兩日間當日必須離店，不可留宿。平時有眷在當地者不得在外留宿，至遲晚間十二時必須歸店。學徒除三節假日，不得離店。遇家有要事，須家長親自領歸。關防森嚴，携物外出須加檢查。店員待遇於民國初年時，經理月薪約二十銀圓，學徒月貼僅銀毫四角或五角。贏利則採東四夥六分紅，所有「存箱」、「公抽」、「使用」、「包皮」、「當厘」、「贖厘」都是夥計的收入。至於當票的寫法，也有一個原則，例如「金」不曰「赤」而曰「淡」，「銀」曰「鋼」，銅錫器皿曰「廢」，綢布羔裘衣服，則以「被碎」、「潰爛」、「虫蛀」、「光板」等字形容，旨在減輕保藏責任，以免取贖時引起糾轕。

當舖革命 未能成功

在許多行業中，當舖是保持最多傳統風貌與最少改革的店舖，那高高的櫃枱，森嚴的門禁，冷冷的面孔，潦草的字蹟，予人以一種咄咄迫人之感。所以在一九六三年時，當舖業的一部份開明人士，建議協商，從事改革，改革要點凡三：（一）將高高在上的櫃枱取消，改用普通櫃使朝奉不致以居高臨下的姿態，令顧客感受精神威脅；

張起鈞戲答戴東原問（下）

・文園樓主・

由是觀之，其間理路脈絡實甚明顯，而朱子之按語蓋爲至確之論斷也。

中庸卷首，亦有類似之按語曰：「此篇乃孔門傳授心法，子思恐其久而差也，故筆之於書，以授孟子」。若本乎戴東原之精神，必亦將問朱子何以能於千餘年之後知之也。今試論之。

中庸一書，宋儒持爲儒學最高至深之原理。此書若與孔子無關，則顯見其爲後儒所造，而非儒家之本旨。若竟奉此孔子未談之言爲儒家最高哲理，則將置孔子於何地？儒家又究何所本？此其難之一也。若謂此即孔子所言者，不僅無佐證之據，且書中文體思路亦不類孔子之語。此其難之二也。爲排二難，而明此書眞乃儒家崇奉之最高原理，故乃創爲「孔門傳授心法」之說焉。此「心法」一辭顯然係受禪宗影響而生者。二氏昌盛之前，吾人不信能有此種說法也。

既曰「心法」，則此「中庸」又何從而來耶？故曰：「子思恐其久而差也，故筆之於書，以授孟子」也。個中委曲婉轉之處，亦具見朱子解決思想問題用心之苦矣。

然則又何以知其爲子思所撰以授孟子耶？此蓋又爲驗以性善之說也，中庸開篇即云：「率性之謂道」，荀子主性惡，則率之而將成「魔」矣，尚何「道」之可言？是以中庸亦必由孟子一派傳衍而來者。且依情推斷，此「筆之於書」者，必距孔子甚近（否則，久而差矣），絕不在孟子之後。蓋孟子之後尚無如是理醇思深之大儒；如有之，則必顯於世矣。（按：凡此皆係推測朱子之想法，而並非作史實之考證也。）同時亦絕非孟子本人所爲者。蓋孟子乃所謂外向型之人也。且志在大張旗鼓，闡揚儒道，此書苟係彼所爲，則必將宣講發揮不遺餘力。今考孟子七篇中，謹離婁上之「居下位而不獲於上，民不可得而治也……」章，與中庸相呼應。此外絕無道及者，孟子豈含蓄自隱如斯之人哉？是可知絕非孟子所爲也。經此分析後，有執筆可能者，僅餘三人，即：孟子之前，子思及曾子是也。此三人中，孟子之師沒沒無聞，當非其人（說見前）；而中庸一書，妙得玄理，境界極高，又絕非篤實魯重之曾子所能爲。且曾子去聖未幾，亦不致有「久」而將差之慮。是以推來推去，捨子思又復何求？集此諸緣，乃使朱子斷言：「此篇乃孔門傳授心法：子思恐其久而差也，故筆之於書，以授孟子」。

（完）

漫談中國戲劇

・雷震遠・

大老倌的名字是婦孺皆知的，可知戲劇的影響力如何深入了民間。中共不敢漠視這件事實；實則便是中共的高層人物也愛看戲劇。

當上海淪陷之初，梅蘭芳尚準備在該地作一星期的演出。結果沒有臨場觀衆，這在梅蘭芳的戲台生涯裏還是第一次。數日後，毛澤東到達上海，親臨戲院觀賞這位名伶的演出。毛曾的妻子便是名旦之一，可見毛澤東本人也是戲迷。

一九五四年中，中共有五十三隊劇團巡遊全國，向農民及工人演出達一千四百場之多。中共宣稱有三十五萬多人，獲得黨的批准從事各種戲劇工作。無疑的，這就是中共的宣傳隊，藉戲劇而將他們的共產主義灌入人民思想。過去在中共勢力下的時候，也曾看過他們幾次演出，不是京劇，而是帶有濃厚主義色彩的現代劇，可見中共也知道戲劇對一般人民思想生活的影響。

中國戲劇的重要性

從歷代留下的文件，我們可以將中國古今戲劇寫成一部完整的歷史，但這項工作在亞洲其他地區是無法做到的。在中國，像印度式樣的石砌古寺猶如鳳毛麟角，只有幾個知名的石洞。但中國歷代留傳下來的手稿、書卷、檔案、圖書室等則可溯源上至古時代。這些文件都證明戲劇與舞蹈有明顯的分野，舞蹈是易變的、不能紀錄的，但戲劇則純然是寫作的藝術，故此演技縱然失傳一時，戲劇本身卻經久不滅。唱曲與表情並重是從商代的宗教儀式演變而來的。在那時代，人民以之討好神鬼，驅病消災，並求賜豐收等。樂手與演員組成一隊，代表人民舉行宗教節目，於是戲劇與宗教儀式便由此發生關聯。

演變至漢代，宮廷置有專門藝人如力士、雜技、歌女、樂師等。南北朝期間，西方部族入侵中原，也曾將他們的音樂和舞蹈帶入中國。但現時流行中國的戲曲則是直接發源自唐代，唐玄宗（公元七一三至七五六年）酷愛藝術，曾設立戲劇太院，故此今日仍有人稱伶人爲「梨園子弟」，梨園即是當年傳授演藝的太學名稱。戲曲到了元朝爲全盛時期，許多不朽佳作都是這個時期的產物。其中一個原因是因爲蒙族入主中國後，大部份漢族知識份子無官可做，又備受異族壓迫，怨氣無機可出，乃從事戲劇寫作以消遣時光，藉抒寃抑，其中不少成了戲劇傑作，所以現代的中文大學仍把元曲當作文學專題來研究。到了清朝中葉（十九世紀），中國戲曲才臻入爐火純青的階段。滿朝是滿族，蹈蒙族後塵，對漢人實行高壓政策。滿洲國王曾下令禁止任何朝臣離開京城六十里。這項禁令對於劇院不啻是一個恩賜，於是公私舉辦的戲劇演出如雨後春筍，格外蓬勃。北京許多皇族宮殿都置有戲班，王侯貴族對戲班伶人還特別加以庇護和優待。清末的慈禧太后雖然反對購買戰艦，卻不惜金錢興建頤和園以資娛樂，裏面的大劇場十分壯麗，我曾參觀過幾次。

中國京戲的中興大臣梅蘭芳

毫無異議的，中國京戲之蜚聲國際，確應歸功於梅蘭芳。三十五年前，他便率領戲班在歐美等地作旅行演出。數百年來在中國，舞台生涯是一項危險的職業，常與賣淫行爲相提並論。故此乾隆王嚴禁婦女登台。一般意見咸認爲當戲子與當娼妓、當理髮匠、或當浴室侍者等工作同樣是下賤。直至一九二四年，不許女伶登台的禁例才被取銷，但男女仍然各有不名的戲班，老死不相往來。當然，現在解禁了。

（未完）

療病催眠法

鮑紹洲

療病催眠法，精神療法：此種催眠法，全憑施術人的精神，感通病人，而達治療之目的。原來催眠治療，以精神作用爲主旨，不過本法絕無其他副作用相佐，只憑精神能力以療治之，更較普通統一精神法奇妙多多。此法施於精神病患者及腦病患者最爲適用。例如有患失眠症的人，施術人統一精神，增進催眠程度，不用手術（如撫下法）與器械（如催眠球），促其入眠遊狀態中，倘不能成功，只得變換其他方法，本法也不適用。惟初步感應者，可實施本法。

施行時，術者立在病人前面，距離四五寸，眼光直視患部，統一精神，凝集心力，默念我之精神已貫通病者。我的腦筋甚強健，病人因腦弱而失眠，今因感通之精神，所有失眠症必然痊癒，腦筋必然痊癒強健。思想到此，凝集心力而暗示之道：「你的腦筋漸漸變爲強健了，十分強健了」。再暗示道：「你的腦筋更強健了，晚上睡眠，必能再熟睡了」。病人因感受精神治療的結果，腦筋強而失眠痊癒。其他各症僅變換病名暗示即可。

曹公之文學與技藝（十六）

說曹操

李漁叔

孟德臨終，對他的兒子們寫了一紙遺命，現錄在漢魏六朝百三家魏武帝集中，那遺命是：

「吾死之後葬於鄴之西岡上，與西門豹祠相近，無藏金玉珠寶。餘香可分諸夫人，不命祭吾。妾與伎人皆著銅雀台，台上施六尺床，下繐帳，朝晡上酒脯食品之屬。每月朝十五，輒向帳前作伎，汝等時登台，望吾西陵墓田。」

這樣一個身經百戰，號稱一代梟雄的曹孟德，臨死的時節，對其身後姬妾，卻是這樣戀戀不捨，一再丁寧囑付，可見曹公的天眞及其情感之豐富。

明婁東張溥撰魏武帝集題詞云：

「聞讀本集苦寒，猛虎，短歌對酒樂府稱絕又助以子桓子建；帝王之家，文章瑰瑋，前有曹魏，後有蕭梁，然曹氏居最矣。孟德御軍三十餘年手不捨書，兼草書亞崔張，音樂比桓蔡，圍棋埒王郭，復好養性，解方藥，周公所謂多才多藝，孟德誠有之，使彼不稱王謀篡，獲與周旋，晝講武策，夜論經傳，或登高賦詩，被之管絃。又觀其射飛鳥，擒猛獸，殆可終身忘老，乃竟甘心作賊者，謂時不我容耳。」

又云：

「漢末名人，文有孔融，武有呂布，孟德實兼其長，此兩人不死，殺孟德有餘，述志一令，似乎欺人，未嘗不抒序心腹慨當以慷也。」

張溥以上所說，對孟德十分神往。愈思是這樣一位多材多藝的人，如果能與他奉手周旋，談文論武，眞可以終身忘老。這是對的；我想任何人也都會有此種感想。不過張溥說到孔融呂布兩人不死，殺孟德有餘，就是迂儒之論了。孔融志大才疏，智不足以保其身，呂布更是一勇之夫，貪戀酒色，終取敗亡，均遠非曹公之敵。

三國志魏志武帝操傳裴注引魏書云：

「太祖……御軍三十餘年，手不捨書，晝則講武策，夜則思經傳，登高必賦，及造新詩，被之管絃，皆成樂章。才力絕人，手射飛鳥，躬禽猛獸，常於南皮一日射雉獲六十三頭，及造作宮室，繕治器械，無不爲之法則，皆盡其意。」

還有張華博物志說：

「漢世安平崔爰（王旁），爰子實，弘農張芝，芝弟昶並善草書，而太祖亞之。桓譚蔡邕善音樂，馮翊山子道王九眞郭凱等善圍棋，太祖皆與埒能，又好養性，亦解方藥，招引方術之士，廬江左慈，譙郡華陀，甘陵甘始，陽城郤儉無不畢至。又習啖野葛至一尺，亦得少多飲鴆酒。」

這眞不簡單，本來才兼文武，爲人所難，所以說是「絳灌無文，隨陸無武」，曹公除開登高賦詩，手格猛獸之外，還會草書，僅次於草聖張芝，音樂又比美名家，圍棋復埒能國手。野葛係一種蔓草，吃下去大概是不易消化。鴆酒則毒酒，玉篇：「鴆毒鳥，食蛇，其羽畫酒，飲之即死。」

（未完）

安徽十三傑

管仲　李聃　莊周　曹操　華佗　包拯　朱熹　朱元璋　戚繼光　李鴻章　段祺瑞　胡適　楊振寧

中文地位與翻譯人才

（本報資料室）

同時也自有一批專家與學者從事指導，所以高級翻譯課程的重點，不在處於理門類紛繁的各種專門題材，而在於進一步鞏固中英兩種語文的表現能力，使受過這種高級訓練的學生，能在翻譯工作中應付艱巨，發前人所未發，爲中英兩種語文溝通有無。以下這一個課程綱要，就針對着這一原則而設計：

（一）翻譯研究——講授翻譯工作的原理、剖析各種翻譯上的問題，編成教材二十一講。

（二）翻譯技巧——剖析翻譯工作中所用到的專門技巧，編列教材五十三講。

（三）翻譯實務——就中英兩種語文結構中的共通點與歧異點，配成實際的翻譯材料，藉以養成學生處理實際翻譯事務的能力。編列教材二十二講。

（四）成語認識——分門別類，就深廣的規模引導學生認識各種西方成語的構成方法及其翻譯實例。編列教材三十二講。

（五）成語會通——就中文成語以及各種虛字的運用，析論其翻譯方法。編列教材三十八講。

（六）英國文物——介紹英國的歷史文物與古典名作，進行譯讀，藉以加深對於英國語文的背景認識，編列爲教材二十四講。

（七）中國歷史——選取中國歷史上的珍聞逸事，運用中英對照的方法，加以介紹，從而照明中國語文的歷史背景。教材編列爲中文四十講、英語四十講，合爲八十講。

（八）文藝翻譯——講授文藝作品的翻譯方法，以期提高一般的翻譯水準。編列爲教材十六講。

（九）實用翻譯——就商業貿易與科學技術方面，檢討翻譯上的有關問題，以加強翻譯各種實用資料的能力。編列爲教材十二講。

（十）公務文件——探討各種行政事務文件的翻譯方法，編列教材十講。

（十一）法律文件——研究有關法律文件及法律問題文字的翻譯方法。編列爲教材十講。

（十二）電子翻譯技術——探究現代各種電子機械翻譯技術，使學生得以認識未來機械翻譯的一般原理與操作方法，編列教材十二講。

巨變歷險記！

大其力談判（二）

（一九六）　胡慶蓉

大其力談判

一方面是緬甸景棟指揮官，一方面是丁博士。從形式上看，緬甸氣勢都很強。緬甸居於主的地位，是在他的領土上，是在他的縣公署招待所。在服裝方面，在面色方面，也是緬甸的氣勢強。緬甸的軍裝，我上邊已經說過了。他們以逸待勞，而且吃的好，保養得好，直是滿面紅光，自然是有威可畏，有儀可相。再加上緬方有十幾位之多，自然是氣勢強而且是氣勢盛，丁博士單人獨馬，而且無邊幅可修，自然是不免塞酸。有人稱我游擊隊爲叫化子隊，丁博士爲叫化子頭，詢問丁博士，丁博士也沒有法子不首肯。但丁博士主張的却並不弱，眞是如長虹一般，毫沒有弱的表示，任緬甸如何的說，撤離是決不撤離的。緬方的基本出發點，是我游擊部隊所在的地方是緬甸的領土，而丁博士則堅持是中國的領土是中華民國的領土。緬方主張是緬甸的領土並沒有什麼證據，假如有的話，恐怕也是唯一的，那就是過去爲英國人所管。緬甸獨立，即以印度爲榜樣，主張繼承英國人的權利。這是說不通的。因爲在英國管的時期，緬甸的地位與景棟，我游擊隊駐紮的地區地位是一樣的，詳言之，同在英國統治之下，但英國人一走，彼此的地位就完全相同。其次，在英國統治之前，景棟自景棟，緬甸自緬甸，是井水不犯河水的。英國人退出以後，當然景棟與緬甸都恢復了原狀。還有，景棟自古以來就是中國的一個司區，他的統治完全憑北洋政府的頒發的一顆印信，是與中國不可分的，是中國的一部份。從實際上，更是千眞萬眞。景棟那自有絲毫緬甸絲毫的氣息。即在地理上景棟就是中英的未定界的一部份，而且是最靠近中國的一部份。在英國統治的時候，中國固沒有喪失他的主權，現在英國人走了，主權當然要完全歸於中國。我游擊部隊是駐中國領土上，我爲什麼要撤？撤要緬甸撤！

這一套話，丁博士講來，如數家珍，頭頭是道，但在緬甸談判的官員講來，極不順耳。在丁博士講的時候，他們就不斷表示驚訝之色。緬甸指揮官說：聽了丁博士的話，等於上了一課，可惜過去聽的，都不是這樣說的，過去上的地理課，都說景棟是緬甸地，我率隊到景棟來，是把景棟當作緬甸地來處理，你們在景棟，我就認爲在緬甸地。你們的隊伍，我就認爲是外國的隊伍。你們必須撤離景棟，緬甸指揮官又說：景棟是緬甸地，是中國地，是可以成爲問題的。但這個問題是國與國的問題，不是你（指丁博士）同我所能解決的。這要等本國政府與中國政府去交涉，現在我不問這些。我要你們走路。我要你們離開。你們到那里去我不管，回大陸也好，回台灣也好，去泰國也好，去寮國也好，他們同也好，去：，任責那是我們不管，但不能在我們的景棟。

丁博士答：我游擊隊是不能離開景棟的！我游擊隊不打算回大陸，也不準備去寮國，更不準備去泰國或其他的國家。緬方指揮官、聽到這里，非常不高興。怒氣冲冲的說：這還有什麼可談的？我們談，是要談你們的如何走，你們不走，還有什麼可談的？我們同你們談是客氣，也希望你們客氣，否則我們就不客氣了。但丁博士並沒有爲緬方嚇倒，他還是說他的，他希望緬甸不爲已甚，給我游擊隊以生存的空間。我游擊隊是不惜一戰的？我游擊隊是從戰鬥出來的，他並不怕打仗。緬方指揮官聽到這里，反而頓了下來。爲他自己留一個下台階，連連說：可以談下去，請回去想想，下次再談。

雍正皇帝與禪宗文字獄

南懷瑾

涅槃妙心之旨背道違緣不知其幾千萬里。雍正拈提肇論，當可以救其偏。雖然，道並行而不悖，孟子非楊、墨，而楊墨得以顯。孔子殺少正卯，而少正卯因仲尼而並彰其名。時異勢易，何須雍正之斤斤，但留爲後之具眼者，揀其染淨，參其幾微，庸何傷哉！

（四）

異者有曰：雍正既趨誠禪道，何其心之忍？而其行之殘耶？此蓋囿於稗官野史之說，謂其奪嫡與血滴子之傳聞，及其被刺而不保首領之言耳！奪嫡一事，亦爲清廷疑案之一，確證爲難。然例之唐太宗，宋高宗處骨肉間事，古今中外權位攘奪之爭，常使智者慧珠晦客，理難焚欲者，數數如也。雍正參禪雖已具透關之見，而身爲帝室貴冑，乏良師鍛煉於造次行履之際，雖自號圓明，實明而未圓，極高明而未道中庸，此爲其病耳。大丈夫若無泥塗黃屋，遠志山林之胸襟，不淹沒富貴尊榮者，甚爲希有。至於統馭過嚴，邏察以密，乃局限於當時種族私見之治術，昧於禮治之本。而觀其著大義覺迷錄，以抗汪景祺、曾靜、呂留良等民族志士，作文字之爭，則知自康熙以還，清廷治權，遍佈思想障碍，雖枝葉茂盛而根基未穩，故一變羅致安撫之策，而爲鋤芳蘭於當門之計，其未臻君子大人明德之度，虧於王道之政，過無所逭也。然其覺迷錄泯民族之歧見，如易時易位而處，用之今日五族平等之說，又何足爲罪。且其除弊政其振乾綱，著黨論而督誡廷臣之阿私，更考試舊制而責成循私取士之宿患，革側隸籍與山西樂戶以除奴隸之陋習，升棚民惰民於編氓以持平階級之善政。在位十有三載，而使中外臣伏，平民感德，濟康熙寬柔而以剛猛，故有乾隆坐享六十餘年昇平之盛世，微雍正，豈偶然可致哉！此以降，清室帝才，卑卑無所建樹，乾隆以後，衰亂已陳。論清史者，每比雍正爲漢景之刻薄，覈實言之，漢景碌碌，不足爲埒，未必可爲定論。殆其生死之際，事涉臆測，抑猶仇者之詛咒，蓋吾漢族先民所期望殺之而甘心之說歟？霸才已矣，王業不足憑，英明如雍正者，孰知知於一代事功之外，獨以編著禪宗語錄而傳世未休，於此而知學術爲千秋慧命大業，非畢世叱咤風雲之士所可妄自希冀也。若使雍正有知，當於百尺竿頭，廢然返照，更求向上一著，輸誠解脫於禪心乎！

（完）

諸已解

葉經柱

袁子才祭妹文，標準本高中國文改編時，選錄此文，且列爲精讀範文之一。中央副刊前曾發表李詠湘、伏嘉謨、朱文長諸先生之大作，對祭妹文之文字及注釋，提出不少高見，足資參考，私衷至佩。惟於「強應曰諾，已予先一日夢汝來訣」二語之句讀及解釋，仍有未能盡愜人意之處，爰本多年教學時探索玩味之心得，略抒淺見，以就教於碩學通人焉。

查標準本之句讀如下：「及至綿惙已極，阿嬭問望兄歸否，強應曰諾已。予先一日夢汝來訣，……」如此斷句，十分精當。李伏二先生均以爲宜自諾字斷句，已字屬下句，將「已予先一日夢汝來訣」，解作「予已先一日夢汝來訣」。如此倒裝句法，歷覽古今名家之文，未之或見，讀之殊覺不順，句讀不當，強爲解釋，是則惡乎可耶？朱先生引羅爾綱先生文以爲標準本句讀正確，深獲我心。

雖然，標準本之注釋，則大有問題在。諸已一詞，教科書中之註釋，與辭海中之註文同，作「休矣」「完了」解，羅爾綱先生作「罷了」解，均有未安。此種解釋，係自春秋公羊傳來，殊不知適於彼者，未必宜於此。孟子有言：「盡信書則不如無書」，如必拘於成說，勉強求通，恐難免食古不化，膠柱鼓瑟之譏矣。

祭妹文中之諸已一詞，絕不可引公羊傳之文以爲解釋。母問女曰「望兄歸否」，女應曰「休矣」「完了」，衡之情理，是答非所問也。諸已之義，但就尋常之解釋可矣。諸者，應辭也。已者，用如矣字，語助詞也。如「滋可痛已」（國父黃花岡烈士事略序），「雖欲無王，不可得已」（孟子離婁篇）之二已字均是。諸已一詞，即俗言「好罷」之義，「強應曰諾已」，易爲今語，即「勉強地答應說：好罷。」

按諸原文，始則曰：「汝之疾也，予信醫言無害，遠弔揚州。汝又慮戚吾心，阻人走報。」繼則曰：「及至綿惙已極，阿嬭問望兄歸否，強應曰諾已。」終則曰：「予先一日夢汝來訣，心知不祥，飛舟渡江，果予以未時還家，而汝以辰時氣絕，四支猶溫，一目未瞑，蓋猶忍死待予也。」阻人走報二語，是表明其有望兄歸之意，但又不欲令兄過於憂戚也。及至病危，其母問望兄歸否，是時命如游絲，自知不起，精神已失，故勉強應之曰「諸已」（好罷）。蓋兄妹情深，盼晤最後一面，不再「阻人走報」也。死後已歷巳午未三時，而「四支猶溫，一目未瞑」，是表明雖死猶不瞑目也。此其望兄歸之意至切，不獨死者莫大之遺恨，亦作者子才先生莫大之遺恨也。前後呼應，筆法謹嚴，實不應有任何誤解，聚訟紛紜，亦可以「休矣」夫。

此段文字，爲全文最動人心弦文字之一。發乎至情，斯有此至文，伏先生曰：「余每讀袁先生祭妹文，輒嗚咽流涕。」是眞性情中人，讀之未有不感極泣下者，豈僅伏先生一人而已哉？

（完）

朱淑眞

（三）

幾年宦遊之後，淑眞思親日切，便回到自己的家鄉，這時她寓居在當時的首都「杭州」，她的丈夫雖然在外爲官，在每年總要回來一兩次，此時淑眞的生活頗爲稱心寫意。「元夜」詩云：

闌月籠春霧色澄，深沉簾幙管弦清。
爭豪競侈連仙館，墜翠遺珠滿帝城。
一片笑聲連鼓吹，六街燈火麗昇平。
歸來禁漏踰三四，窗上梅花瘦影橫。

×　×　×

壓塵小雨潤生寒，雲影澄鮮月正圓。
十里綺羅春富貴，千門燈火夜嬋娟。
香街寶馬嘶瓊轡，輦路輕輿響翠屏。
高掛危簾凝望處，分明星斗下晴天。

×　×　×

火燭銀花觸自紅，揭天吹鼓鬧春風。
新年歡樂愁忙裏，舊事淒涼憶夢中。
但願暫成人繾綣，不妨常任月朦朧。
賞燈那得工夫醉，未必明年此會同。

這是帝城中的元夜情況，街上花燈如海，鑼鼓喧天。此時淑眞已是著名的女詩人了，而且隨着生活面的擴展，結識了許多貴婦人。斷腸集裏，有「宴謝夫人堂」詩及「會魏夫人席上，命小鬟妙舞；曲終求詩於予，以飛雪滿羣山爲韻，作五絕。」全詩如下：

管絃催上錦茵時，體段輕盈只欲飛；
若使明皇當日見，阿蠻無計況楊妃。
香茵穩襯半鉤月，來往凌波雲影滅；
絃催緊拍捉將徧，兩袖翻然作迴雪。
柳腰不被春拘管，鳳轉鸞回霞袖緩；
舞徹伊州力不禁，筵前撲簌花飛滿。
占斷京華第一春，清歌妙舞實超羣；
只愁到曉人星散，化作巫山一段雲。
燭花影裏玉姿閒，秋水分明帶遠山；
猶恐趙家飛燕妒，無言小坐斂雙彎。

這五首絕句，每首嵌着「飛雪滿羣山」中的一個字，以是顯示她的才思敏慧之一般。至於這位魏夫人是否朱文公所說：「本朝婦人能文者，唯魏夫人及李易安」的魏夫人也就是大文學家曾鞏的弟婦，丞相曾布的夫人，司農曾紆的母親呢？因爲時代不合，相差約五百年，當係後人的附會之詞。

淑眞的丈夫即使平時不回來，過年必定回來的，新年之後，接着是元宵，這是杭州帝都最歡樂的一段時間，也是江南草長鶯飛的季節；所謂「春暖花開」，他們時常攜手湖濱，飽覽西子秀色。她作有「清平樂」云：

惱烟撩露，留我須臾住；
攜手藕花湖上路，一霎黃梅細雨。
嬌癡不怕人猜，和衣睡倒人懷；
最是分攜時候，歸來懶傍妝臺。

她又有「清平樂」一首，乃是送別之詞。詞云：

風光緊急，三月俄三十；
擬欲留連計無及，綠野烟愁露泣。
倩誰寄與春宵，城頭畫鼓輕敲；
繾綣臨歧囑付，來年早到梅梢。

（未完）

黛眉小傳

·王幻·

第十九章　吳玠大敗金兀朮　岳飛桂嶺破曹成

自度敵衆糧盡且走，縱兵夜擊，連破敵營十餘座，兀朮倉皇敗走，奔至神岔，忽聽一聲炮響，矢如飛蝗，兀朮抱頭前竄，身上中了兩箭，耳邊所得有人喊叫「兀朮休走」！此時天色未明，不辨左右，朮恐被認出，急把鬚髮薙盡，脫去紅袍，飛馬遁去。可以媲美「三國演義」中的「曹孟德割鬚棄袍」，令人稱快。

紹興元年十二月十四日，遷岳飛爲神武副軍都統制，兵屯洪州。但除此職時，却引起了軒然大波。當朝命下達之後，岳飛據聞朝報此事乃由於他的甥壻高澤民向朝中請求而來。岳飛大怒不已。即日自陳不受，同時請高宗治高澤民罔上之罪，岳飛親自去見宣撫使李回說明不受此職的原由。而李回又上奏說：「岳飛一軍，自從討賊，服勤職事，忠勇之名，聞於江右；紀律之嚴，信於疲；留屯洪州，聲勢甚盛。江湖羣盜，率皆逃避。近遷神武副軍都統制，士論皆謂稱職。及得其外甥壻私書，乃知此除曾經樞密院陳允。岳飛小心惶懼。累與臣言，實非本心所取僥望。」

高崇賜李回御札云：「岳某勇於戰鬥，取衆有方。昨除神武副軍都統制，出自朕意，非因陳乞，可令安職。」岳飛再三辭之，上不允乃罷。由此足見岳飛之不苟取一官半職，全憑功績，尤爲難能可貴。

紹興二年春正月，高崇幸臨安，詔岳飛以本職知潭州，兼權荊、湖東路安撫都總管。因爲潭州及洞庭湖附近州縣羣盜又起。上知岳飛善於剿寇，調往剿撫。潭州屬長沙郡。岳飛由江西南昌起調湖南長沙。朝廷復賜岳飛詔，命湖南東路副總管馬友，及諸將李宏、韓京、吳錫等各路人馬，皆歸岳飛提調節制，以便圍剿曹成。

朝廷感覺湘湖方面尙缺少，一員重臣坐鎮，因此又詔觀文殿大學士李綱兼任湖廣宣撫使兼知潭州。此時曹成已犯賀州、道州。宰相呂頤浩，秦檜因陳天下大計：謂用廣東，廣西之財力，支援荊、湘兩路軍資，以打通西京走廊，上接　右。以此爲天下右臂，如京東諸州爲叛臣所據，正如宋初河東，且留以蔽敵，諸路先定，他日併力圖之，似未爲晚。秦檜企圖染指此一方面重任，欲期外調此路，擁兵自重。效晉代羊祜襄陽之故事。幸高宗未許，留秦檜居中樞機要，因此乃命李綱前往。令韓世忠所部統制管任仕安三千人撥歸李綱到任。李綱以兵少，遲不受命。

（九十四）

周燕謀

自由報

（第一一四三期）

（半週刊每星期三、六出版）
每份港幣壹角・台灣零售價新台幣弍元

督印黃行寰・社長李運鵬

社址：香港九龍彌敦道593—601號
廖創興銀行大廈八樓五座
LIU CHONG HING BUILDING
7th FLOOR FLAT '5
593—601 NATHAN ROAD,
KOWLOON, H.K.
TEL：K303831
電報掛號：7191

承印：景星印刷公司
地址：嘉咸街廿九號地下
台灣區業務管理中心：台北市重慶南路一段一二九號
電話：二四五七四
台灣區直接訂戶　台灣劃撥戶
第五〇五六號張萬有（自由報會計室）
台灣分社：台北市西寧南路110號二樓
電話：三三〇三四六、台郵劃撥戶九二五二號

太平天國失敗的原因（三）

・黃大受・

（二）攻擊佛道教——洪秀全既信仰基督教，只信奉一神，他從開始宣傳新教起，即實行打倒偶像，以後太平軍所到之地，無不燒廟毀像。曾國藩討粵匪檄文中說：「自古生有功德，沒則爲神，王道治明，神道治幽，雖亂臣賊子，窮兇極醜，亦往往敬畏神祇。……凡是所過縣，先毀廟宇。即忠臣義士，如關帝岳王之凜凜，亦皆汚其宮室，殘其身首。以至佛寺道院，城隍社壇，無廟不焚，無像不滅，斯又鬼神所共憤怒，欲一雪此憾於冥冥之中者也。」

太平天國的破廟宇及神像，一是爲了信奉一神打倒多神之故，二是爲了取得磚石木材，以建造王府，三是爲了取得銅鐵，用以鑄錢造礮。所以破壞廟宇神像不遺餘力，因而引起崇拜多神的一般民衆的反對。

（三）攻擊儒家——太平天國攻擊儒家，一方面是攻擊其類似宗教的文廟和神位。所以曾國藩討粵匪檄文說：「粵匪焚郴州之學宮，毀宣聖之木主，十哲兩廡，狼藉滿地。」後來在其他地方，也有燒官署、學宮、考棚等舉動，並且到處毀孔廟，燒牌位。另一方面是排除儒家思想，禁止民衆讀儒書，稱儒家之書爲妖書，天國的刑律六十二條中規定：「凡一切妖書，如有敢念誦教習者，一槪皆斬。」爾等靜候刪改鐫刻頒行之後，始准讀習。」

太平天國更進一步攻擊孔子本人，以消滅其崇高的地位。在「太平天日」一書中，記洪秀全「昇天」時，見上帝斥責孔子。記云：「又推勘妖魔作怪之由，總追究孔丘教人之書多錯。……天父上主皇上帝因責孔子，孔丘曰：「爾因何教人糊塗了事，致凡人不識朕？爾聲名反大過朕乎？」孔丘始則強辯，終則默想無辭。天兄基督亦責備孔丘曰：「爾造出這樣書教人？遮朕胞弟讀爾書？亦被爾書教壞了。」衆天使亦盡歸咎他。主（洪秀全）亦斥孔丘曰：「爾作出這樣書教人，爾這樣會作書乎？」孔丘見高天人人歸咎他，他便私逃下天，欲與妖魔頭偕走。天父上主皇上帝即差主同天使追孔丘，將孔丘綑綁解見天父上主皇上帝，天父上主皇上帝怒甚，命天使鞭撻他。孔丘跪在天兄基督前再三討饒，鞭撻甚多，孔丘哀求不已。」在這一書裏，人人敬仰的孔子，不僅直呼其名爲孔丘，受罵捱打，而且一被形容成一個小丑式的人物。

儒家是傳統民族文化的代表，孔子是全國知識份子最景仰的大宗師，四書五經等經籍是全國知識份子的必讀之書，而且是學術思想的重要典籍，甚至是立身處世治事的規範。而太平天國竟以孔子爲小丑，儒書爲妖書，侮之毀之，棄之燒之，焉然不激起全體知識份子的反感？爲了保衛傳統文化的代表——儒家，焉然不羣起而攻擊太平天國？太平天國簡單的宗教思想，怎能與之相敵，豈有不被傳統的民族文化擊敗之理？

所以曾國藩的討粵匪檄文裏說：「舉中國數千年禮義人倫、詩書典則，一旦掃地蕩盡，此豈獨我大清之變？乃開闢以來名教之奇變。我孔子孟子之所以痛哭於九泉，凡讀書識字者，又焉可袖手安坐？不思一爲之所也。」這可以代表當時全體知識份子的集體呼聲。

（四）更改考試內容——太平天國在天京建都後，十年之內，無一年不舉行會試、鄉試及縣試。而且只要是太平軍所到之地，都舉行考試。雖然仍是做八股文，可是試題出自旨准頒行的各種太平天國官書，全屬基督教教義，不准用四書五經出題。其目的在打擊儒家。由於太平天國打擊儒家，侮辱孔子，結果知識份子都拒絕參加考試。在武昌開科取士時，竟規定「家有應試者不殺」以資鼓勵。

賊情彙纂，記述天京第一次舉行之東試云：「先期出示，令士子於試期前十日，各赴『典詔命』衙報名。來者不及五十人。於是展限十日，嗚鑼傳令，不應試者斬。屆期應試者士及官員，仍不及三百人。」在死刑威脅之下，士子仍不應試，與清朝之科擧盈千累萬人來參加者，實不啻天壤之別。

考試時有士人爲詩斥責東王，另有士人撰對聯諷東王，均被殺。若干被迫參加考試者，多改易姓名，知識份子對天朝的科擧，不肯擁護，實因太平天國違背傳統民族文化，考試內容與歷代不同之故。

所以日本學者稻葉君山說曾國藩的湘軍，不是勤王之師，其目的全在維持名教，實無異於宗教軍。近人簡又文也說：「考吾國之士紳階級，有兩個特性。一則其人素具文化的傲性，常以繼續中國（儒教）的道統及維持傳統的禮教爲己任，而極端反對洋化，使中國變爲夷狄。次則此輩把握着特殊力量——中結同類，下則領導民衆，而於此時期則更主辦團練，擁有武力，故其力量充實，誠爲不可侮者。（按曾國藩可稱爲此階級之總代表）」也就是說曾國藩等人，是要保衛儒家，由於儒家自漢武帝時起，近二千年一直成爲中國思想界的正統，也可說是傳統民族文化的代表。因此也可以說，曾國藩等人，是爲了保護傳統的民族文化，而來對抗太平軍。

（五）創新國號——中華民國自夏商周秦漢以至於明清，不論統一及分裂時期，每一朝代或每一割據勢力，均以一字爲國號，例外的只佔少數。但太平天國則爲四字，而且只採用國字不用國字，與歷代所建國號全不一致。由於洪秀全等人以太平天國爲國號，遂產生許多特別的專名，如天王、天朝、天京、天將、天條、天曆……等稱呼，實令人有奇特古怪之感。

（六）創新王制——歷代開國君主，夏商周稱王，秦以後再稱帝。即使是篡位割據之人，也大多稱帝，稱王者甚少。而洪秀全稱天王，與史家尊稱周王爲天王的含義不同。洪秀全的天王，意思爲天父之子，人間天國之王，含有宗教的色彩。洪秀全且以前代帝王均屬僭號，惟有彼一人爲天父所封，因而擅改前代帝王爲「方」爲「狂」，後來又盡貶爲「侯」，如稱漢高侯、唐太侯，過去之帝王已死，任意改貶，不知有何意義？至歷代帝王所稱之后妃，洪秀全則改稱爲「正月宮」、「又正月宮」，奇怪的王妃名號，亦爲歷代所未有。

且太平天國初建時，所封東南西北五王，初雖有尊卑上下，但五王均可分別成立政府，各設六部及其他官職，並各別舉行考試，政出多門，不合治理之道，亦爲歷代所未有。

太平天國所封王爵極多，曾國藩於一八七三年奏報稱：「賊中羣醜受封至百九十餘王之多，各爭雄長。」而昭王黃文英供辭：「起初是有大功的才封王，到後來就亂了。由廣東（西）跟出來的都封王，本家親戚也都封王，竟有二千七百多王」天王本身是王，而封王如此之多，流於濫雜。爲歷代所未有，至於政府中職官之層級多而濫雜，亦爲歷代所未有使人有不成體統，不足重視之感。

（完）

昨日與明日

高玉樹的官司

台北市最近熱門新聞，除了台北水廠大貪污案、海關人員涉嫌瀆職貪污案等等，就屬高玉樹市長被監察院彈劾的新聞了。用一般白話來講，高玉樹被市民代表機關的市議會控告，經監察院決議彈劾，移付公務員懲戒委員會辦理，這叫做高玉樹吃官司，第一回合是市議會勝利了，高玉樹失敗了。由於這場官司和最近的事情發展，我們對於這一事件有如下幾項觀感：

第一，自由中國各方面確是向法治之途邁進。作爲原告的台北市議會對於高玉樹的檢擧，詳述事實，有根有據依法向行政院陳情，向監察院糾擧，顯示對人民權益的維護和對民主政治精神的重視。

第二，高玉樹被彈劾，依法提出申辯書，對被控違法攬權，損害市民權益各點，提出辯白意見，而監察院對高玉樹申辯書，逐項核閱，並提出核閱意見，都足證明：當事各方依法辦理，愼重從事，符合民主政治的常軌。

第三，公務員懲戒委員會，爲處理高市長被移付懲戒案，特組織四人小組，親赴市府及有關單位調查，可見對此案的重視以及所持態度的謹愼。

不管將來高玉樹官司是贏是輸，而台北市議會各議員們不顧私情，毅然對市長提出控告。以及監察院對高玉樹付了最大的代價（委員黃寶實性命一條），予以彈劾，不僅拍着蒼蠅，還打老虎的作風，都代表自由中國民主政治的光明面。眞理越辯越明，是非自有公準，我們且靜觀這場官司的結果吧。

・千公・

自由談

西化主義的缺陷

咱們國家的制度文物，力求西化久矣，但有一樣尙付之缺如，未免美中不足。究係那一樣呢？就是未曾見有婦女作特任官的！

錫蘭，印度，以色列各國，已有女性的內閣總理，美國有女性作部長和駐外大使。尤其是印度和以色列的尼赫魯，梅爾這兩位女總理，作得有聲有色，政績斐然，這證明婦女的從政能力并不低於男子。咱們國家既然事事要效法西洋，就應該讓婦女在政治上跟男子享有平等權利纔行，我認爲在現階段中，至少亦可產生一位女性的部長，包管錯不了！

依我的愚見，如果任命名教育家江學珠這類女性作教育部長，教育前途可望大有起色，必不致像現時這樣一團糟。何以見得呢？

第一，她眞正懂得教育是怎末囘事，不像多年來那些半瓶醋式的留洋學生濫竽部長職位，學非所用，莫名其妙。若說她并非學理工科出身的，不能致力於科學教育，那便是瞎話三千！部長是綜持該管政策的政務官，需要通才乃可勝任愉快。事實擺在眼前，凡屬學理工的所謂科學人物担任教育部長的，不但成績毫無，而且弊竇叢生，笑話百出，他們根本不知教育二字作何解釋也。

第二，她不會幹出貪污舞弊行爲，如僞造河南大學畢業生和台北醫學院入學生學籍，如大專聯考出現槍替，如對私立學校申請立案或增設夜間部之徇私作弊，如悍然破壞教育法規，派官吏作董事以強奪民間財團法人的教育產業等不法措施，必不願見。至於行政效率亦不致列入最差的單位，殆可斷言。

我希望中華民國亦有女性的特任官，以向西方各國看齊，尤其贊成以女性的教育家担任教育部長，使百年樹人教育事業獲致實效，何勝企幸！

馮正先生

少女服迷幻藥　親生母不認女

一個十七歲少女因服食迷幻藥而赤裸昏倒招待所，其母在法庭表示不願簽保，反映出一般人對迷幻藥這種東西是深惡痛絕的，爲人父母者無不愛其子女，但爲人父母者不愛子女與迷幻藥爲伍，迷幻藥足以引至親情斷絕，一般青年對此應知所警惕。

因服食迷幻藥而產生悲劇，本港先後已發生多宗，但不少青年仍嗜之如故，顯出大家對其毒害程度依然認識不深，祇見其利，未見其弊，貪圖一時之快而罔顧後果，是時下大多數青年人的缺點，政府、學校及家庭三方面俱宜加強指導。

迷幻藥雖屬違禁品，但警方一直未有採取積極之取締行動，每次出動亦僅爲雷聲大而雨點小，於事無補。茲將毒害日深之際，警方宜作積極處理，學校方面，應對學生加以指導，使學生們對迷幻藥有起碼的認識，家長則更應注意兒女生活，若發覺有服食或藏有迷幻藥者，則立即向當局舉報，請求協助處理。

五十六種砂鍋烹飪

馬騰雲

（一）砂鍋猪腦

猪腦治風眩、腦鳴、喉痺、痔瘡，並治皸瘃。一個砂鍋用半斤豬脊髓與半斤排骨熬湯，加一兩高粱酒、一塊老薑、兩根葱、一小塊陳皮、幾粒胡椒，待排骨爛熟爲度，將兩副豬腦下去，豬腦血絲必須挑去，用淸水洗滌泡兩小時，且須不斷換水，藉以除微毒。

吃猪腦的作料，和吃螃蟹時一樣，用上好的米醋及生薑屑，沾猪腦吃，這樣可以預防不生惡瘡，不生癩癬，這是南京名醫張簡齋傳受，猪腦富磷質故補腦，動物中豬的聰明僅次於猴，祇是牠生得一副笨像，被人指爲大笨豬，如果不相信，你到養猪人家去看看，客人一敲門，牠就知道有好事來臨，耳朵直着聽，鼻空放大，尾巴搖的特別快，恨不得立即能夠上車，這能算笨嗎？

瘍醫大全處方有二猪腦膏，用公猪腦一副，陳年米醋或麥麵醋泡透，文武火煑成膏，隨瘡大小貼之，功能療潰瘍，及無名惡瘡，在貼前得用小米甘水洗淨瘡穢，待生肌斂口，再用小米甘水洗，但忌房事，勞動，平常不可多食，因這種東西能損壞男子陽道，致臨房不能行事，有一次筆者與公論報副社長程曉華同在重慶北路攤販上宵夜，看到一位汽車階級的朋友，用猪腦下酒，他可能認爲酒可將藥力引發到高度，殊不知自己正在作不用刀割式的宮刑安排。

彈劾高玉樹案難結
公懲會將再作調查
四人小組要徹查事實眞相
案情牽涉甚廣結案尙無期

（自由報台北消息）監察院彈劾台北市長高玉樹案，司法院公務員懲戒委員會，對這件移付懲戒的案子極爲重視。該會委員長馬壽華原先批交吳則韓委員承辦，吳委員已達八十四歲高齡，受命未久，忽因高血壓突然病逝。二月初又改派新任委員張文伯接替。張文伯是司法行政部前任常務次長，另又加派資深懲戒委員何政涵、陳珊、徐鼐僖共同組織成四人小組，張文伯爲承辦委員，何政涵等三人爲協辦委員，以昭愼重。

當事人高玉樹的申辯書，以及監察院提案委員的審閱意見，都已送達公懲會，並經該會送交中央社公布（見十四、十五兩日各報）立即引起各方重視，街談巷議也隨之而起。

公懲會四人小組十五日開始親往台北市政府及有關單位進行調查工作，徹查事實眞相。他們將於調查完畢後向公懲會提出調查報告，然後開會審議高玉樹是否應受懲戒。

監察院提案彈劾高玉樹的三位委員（原爲五人，黃寶實逝世，葉時修出國，現吳大宇、陳志明、王文光三人），以該院過去曾彈劾行政院長及若干部會首長，公懲會從未成立專案小組加以調查。此次獨對高案採取調查措施，于公懲會決定調查之初，曾集會研究。

依照公務員懲戒法第十三條規定：「懲戒機關于必要時，對于受移送之懲戒事件，得指定委員調查之。」公懲會對于高案的調查，顯然于法有據，只是關鍵在於有無「必要」。因爲懲戒法第十一條規定：「各部會首長及地方最高行政長官，對于荐任以上官員違法失職，應移送監察院審查。對于荐任以下官員，得逕送公懲會審議。」懲戒第十三條所指的「必要時」，似指荐任以下官員而言，因荐任以上官員移送監察院後，必須經過調查才能提案彈劾。

提案委員認爲監察院的調查權爲憲法所賦予，似高於懲戒調查權，應該受到尊重。幾經研究，爲使社會明瞭，監察院對高案的處理大公無私，對于公懲會的調查只好表示歡迎，並不反對。

由于高玉樹是一位政務官，依照懲戒法的規定，對政務官的懲戒只有「申誡」與「撤職」兩種，當然也可以不予懲戒。

監察院自是關切這件彈劾案的發展，台北市議會更是不放心，不免引起社會上一般人士茶餘酒後的談話資料。

公懲會四人小組第一天調查後，中央社透露消息說：「由于市議會該案會經行政院糾正處理，部份重要卷宗仍留在行政院，四人小組認爲這些卷宗都有參考的必要，將向行政院調閱。同時市府部份卷宗仍存留在監察院未隨同彈劾案送公懲會，四人小組也將調閱這批卷宗。

四人小組將先整理調查所得資料。因案情繁複，牽涉甚廣，短期內將不易結案。四人小組於初步整理完結後，再決定第二次調查時間，內容及對象」云云。

高山霜露不可知
玉樹臨風笑人忙
猛獅搏兎結果難預測
街頭巷尾紛紛說高案

日前有一飯局，在座的人物有教授、記者、醫生、律師、工商鉅子，話題不自覺的也集中到高玉樹彈劾案。

有人先請教律師對高玉樹申辯書及提案委員審閱意見的看法。這位律師首先聲明他不懂政治，但這件案子政治成分居多，所以不能用法的眼光來衡量，報紙公布的以上兩項文件雖曾看過，但未加研究，只能就原則談一談，前者雖被提案委員指爲故意歪曲，甚而指摘高「有跡近自我標榜而欲混淆視聽之用心，但不足以掩蔽彈劾之事實，無用駁斥」，但就申辯書本身而言，卻也自圓其說，言之成理，使看的人反而同情，高市長用心良苦。這證明市政府確有刀筆，高玉樹本人也頭腦冷靜，沒有衝動而感情用事。至於提案委員審閱意見，文章自然作得好，說它像一篇報刊星期論文，而用字遣辭，除氣勢雄壯，其中又不乏上級官腔語句，令人感覺打擊力未免薄弱。

記者說，眞正內幕，無法得悉，所可知者，誠如中央社消息，結案不會太快，至少需要兩個月時間。年前謠傳高玉樹已有把柄被人抓到，兩個月內一定下來，此說似乎無法證實，只能說說而已。

最後有人請教授發表他的觀感。他說：想打倒高玉樹的人，是用獅子搏兎的威力出手的，高玉樹孤軍作戰，沉着應付，而且在彈劾案提出以後，一般人推想高市長或者引咎辭職，避免正面衝突。事實證明，他不但不辭，反而工作態度更趨積極，除了準時上下班，平日不出席的會議，現在也要親自主持；今天一道命令限期拆除違章建築，明天一道命令開闢某條道路，再一道命令成立內湖開發處，每一項計劃差不多都需要幾年時間才完成，他是在等候撤職，不會自動辭職。

這正合了杜詩「皎如玉樹臨風前」句。看樣子玉樹臨風，越吹他表現越强，因此我們爲台北市建設着想，不希望公懲會迅速結案最好，調卷公文旅行來上三五年，豈不更能加速完成大台北市現代化的建設。

他並說出有人作了一副對聯，「高山霜露不可知，玉樹臨風笑人忙。」意思是說在高山上是降霜或露不可能推知，玉樹雖遇風險卻笑別人瞎忙。對仗雖不工穩，卻也寫實。

他又講出一個「巧合」，提案委員之一黃寶實，於彈劾案通過後，在休息室突然腦衝血昏倒，急送醫院不治逝世。懲戒委員吳則韓受命承辦該案，將彈劾文送市府中辯，回文尙未收到，吳委員也因血壓高而逝世。好事者便說如何如何，其實這是一種「巧合」而已，怎有那些鬼話。律師先生早說本案政治成分居多，照目前形勢看，曠日持久可能是大事化小，小事化無。雖有人焦急，但於事無補啊！

評介「中華民國史事紀要」
——民國六十年開國紀念之偉大献禮

· 李霜青 ·

科學派較之傳統派，博給有所不逮，而精密時或過之。史觀派均以革新派自居，彼等之長處，則爲治史有意義，能具系統，能把握全史，注意民族文化之評價，使史學與當身現實相綰合。其弊則爲急於求知識，而怠於問材料。終其極，多流於惟物論之狂悖，於政體言，彼輩謂二十四史乃帝王家譜。於學術思想，則高呼打倒孔家店，倡廢除中國文字之論。於社會經濟型態，彼輩謂自秦以來皆一封建社會，黑暗專制而已。甚且狂言，大禹非人，乃一大爬虫。直視中國歷史不值一顧而已。統觀史實派與史觀派各皆陷於一偏，殊不知，史實固當出於實證，亦當出於推理。史觀固當有其理論，亦當顧及實證。蓋實證與理論，本是相輔相成。僅重實證，病在空疏；僅重理論，病在附會。反觀我古代史學，「詩既亡，春秋作，寓褒貶，別善惡」，此重史觀也。「讀史者，考實錄，通古今若親目」。此重史實也。孔子作春秋，入周觀書，并使子夏等十四人搜求史料至百二十國。足見其融實證與史觀爲一體。今我國史館所編民國史事紀要，其引錄史料除公私之已出版著述外，其未印行於世者，如「宣統政要」「臨時政府公報」，皆爲外界難見之秘件，自足糾外界傳聞之訛。（未完）

衞生署兩位副署長無一人是中醫
與立法院原意大相逕庭
國代曾函政院深感遺憾

（本報通信員柳一權台北消息）此間行政院頃通過任命張智康、王金茂爲衛生署副署長。該署署長已決定由顏春輝担任。

在行政院未開會前，台北聯合報消息謂：行政院衛生署副署長以下主管人員，大致已內定，其人事命令將於近日發表。

據悉：副署長二人將分由現任內政部衛生司司長張智康及省立台南醫院院長王金茂出任，其他主要的主管人員爲：主任秘書陳寄禪、醫政處長吳金鑾、藥政處長許鴻源、保健處長謝玉輝、防疫處長林朝京、環境淸潔處長許整備、企劃室主任王惟。

行政院衛生署刻正積極籌設中，該署的辦公地址，經多方尋覓後，原則上已決定設於台北市忠孝西路一所新建的大厦內，如果此一辦公地址的有關問題獲得順利解決，該署可望於三月上旬正式成立。

關心中醫界人士國大代表裴鳴宇等閱報悉衛生署人選，悉由西醫充任，與立法院通過案大相逕庭，乃馳函行政院長陳述原委，原函云：

靜波院長經國副院長勛鑒：頃閱本（十七）日聯合報消息，得知衛生署人事已內定，此項新聞是否意圖造成輿論左右人事或有其他作用不得而知。惟查其中竟無中醫一人，殊有失立法原意，國代建議以及全國省縣市公會暨學術團體之反應，深感遺憾。對於職位分類專業之人事制度，似不能任人破壞。領袖復興中華文化發揚中國醫藥之政策，尤不可任人違背，今日衛生行政者，竟完全採用請牧師（西醫）唸佛經（中醫）之作法違反現代人事制度及發揚中醫藥政策，諒貴院亦不會予以放任，敬請乘時策進說服顏署長，破除中西門戶之見，遠處着眼，從此領導中西醫藥同仁在領袖偉大號召下負起承先啓後之時代使命。耑此順頌政安。裴鳴宇敬啓，二月十七日。

按關於「衛生署設副署長二人，應遴選對中醫藥有研究者充任之」，在第一讀通過時，曾硬性規定於條文內。復因尊重行政院人事政權，乃於二讀時爲會議紀錄，復於三讀時，法制委員會召集人張子揚委員曾公開說明：「爲重視立法原意，將來任用衛生署副署長時，遴選對中醫藥有研究者充任，以符合職位分類專才專業之人事制度，行政院應予愼重參考」云云。

縱橫談當舖

· 萬念健 ·

（二）將當舖店堂改作客廳佈置，置沙發坐椅等物供顧客坐候，不再企縮企立，形同被告，甚至畧備茶烟，加以招待；（三）將原有的當票改爲支票形式，並於票上註明日期利息等等，以便顧客一目瞭然，不像原有當票寫得如同符咒天書一樣，不知其內容竟如何。但研究之下，因各種顧客未便一視同仁，而又無從分別其等級，又因「天書」式的當票，對當舖本身具有某種保護作用，多年傳統，豈能毀於一旦？所以弄到後來，還是有建議，未成事實，結果一場當舖革命，無形擱淺，但是近年以來，較爲表面上的改革已畧有一二，例如以前當舖向不刊登廣告，近年來居然也發現了有一家當舖，在電影院裏刊登銀幕廣告，而灣仔有兩家當舖，居然在店舖門口裝起霓虹或塑膠燈飾來，入晚時五色繽紛，大放光明。

實際上晚間的燈飾，對於當舖的廣告作用不大，因爲香港當舖以前同業公議，晨早八時開業，晚間八時休息，但不久前已把夜晚休息時間提早一小時爲七時。

當舖在香港，是一年中休息日期最少的行業，即祗有端午、中秋、和陽曆元旦，陰曆新年初一這四天，它不受勞工法規定每月必須休息四天的限制，關於這一點，該業賓主之間，當然另有協議安排。但每逢陰曆大小除夕，必須開至午夜爲止，以便撲水過年之人。但年終減利的古風，則已不再存在。

去年四月重訂法例

千百年來當地對於調節民間經濟緩急，確有相當作用，但世事有利必有弊，就是對雞鳴狗盜之流，對於他們不法得來的財物，卻多了一條出路。

什麼叫「大時」「小時」？

·溫大雅·

中國古代以「干支」中的十二支計時。什麼是「干呢」？就是：甲、乙、丙、丁、戊、己、庚、辛、壬、癸。這叫「十干」，一共十個；「十二支」是：子、丑、寅、卯、辰、巳、午、未、申、酉、戌、亥。古人以「十干」與「十支」合起來紀年，例如「甲子年」（最近的一個甲子年是民國十三年，一九二四年），就是拿「十干」中集一個「甲」字，「和「十二支」第一個「子」字合並起來，由甲子起，到癸亥止，為六十年，又再從甲子起，所以稱六十年為一甲子。

現代人以一個鐘頭為「一小時」，一時就是一時了，為什麼偏要在「時」之上加個「小」字呢？這是有原因的。

古人以一日分為十二時，與現在的鐘表分一日為二十四時有別。三百年前，歐洲的鐘錶傳入中國，是一日二十四時的，但中國人慣於用十二支計時，為了分別之故，稱西洋鐘表的時為「小時」，以別於中國的「大時」。中國全日的十二時，每一個時辰就等於現代的兩個鐘頭，這就是「大時」，而西洋的時辰則為「小時」。

現在把十二時辰和鐘點的計算，列表如左：

子時：晚上十一點、十二點。
丑時：早上一點、兩點。
寅時：早上三點、四點。
卯時：早上五點、六點。
辰時：早上七點、八點。
巳時：早上九點、十點。
午時：早上十一點、十二點。
未時：下午一點、兩點。
申時：下午三點、四點。
酉時：下午五點、六點。
戌時　下午七點、八點。
亥時：下午九點、十點。

中國古代沒有時鐘報時，白天看天看太陽以測知時刻，晚上前聽更鼓。以我個人所知者而言，三十年前我在廣州居住時，除大馬路外，其他街巷都有人打更，一來報時（當時已經鐘表盛行，但打更仍有報時的意義，老一輩的人一聽到更鼓，就知道是幾點鐘了），二來防盜。打更的人叫「更練」，在未有警察之前，更練類多精壯的青年，有能力巡邏，後來有了警察，負責治安之責有人，更練只是打更報時了。）

打更之法，夜時分五更，即初更、二更、三更、四更、五更。每更為一時，即今日的二小時。戌初（即晚上七點正）為初更，亥初（晚上九時正）為二更，以下類推。（記得小時候晚上溫習功課，一聞打二更之聲，就可以向媽媽說句「晚安」，上床睡覺了）到了清晨四點鐘，已是寅時之末，五更已完，卯初（早上五點正）即為「散更」，表示五更已打完了。

更又分點，這就是報時的作用。更練有更樓，每晚戌初（七點正），更練就要報時，他在更樓擊鼓不停，人們聽到了就知是「起更」了。起更之後，鼓聲改為間歇作，一擊之後，暫停再擊，二更則二擊之後，暫停再擊；三、四、五更可由此類推。人們在晚裏總是聽見無數的擊鼓聲，就知道是「轉更」，在轉更之後，就要注意到它擊鼓的數目，這樣就可以辨別為二更抑三、四更、五更了。一到了卯初（清晨五點正），又聽到擊鼓之聲無數，這就是「散更」，表示夜時已完，不再報時了。

研究中國古代歷史或文學，一定要懂得什麼是天干、地支，否則見到「戌時」、「亥正「甲午」、「乙丑」這些字樣，就莫名其妙了。試舉一例，南亭亭長李伯元的「文明小史」是清末一部著名的小說，它的四十六回有幾句道：「便把安徽黃撫台要聘他去做顧問的話，子午卯酉，訴了一遍。」所謂「子午卯酉」，椿椿件件也。子午是子時、午時。子夜在夜間十一時開始，子午即由子時至午時，是從半夜以至第二天日中的十二時。「卯酉」是從日出到日落。卯時是清晨五點，太陽出了，酉時是下午六點正，太陽下山了。「子午卯酉」者，言包括一切，亦即從頭到尾之謂也。（完）

中文地位與翻譯人才

（本報資料室）

上述教材十二項目共為三百三十講，假使分配於大學三個學年中間，每一學期應佔五十五講。若以通訊教學方式講授，每一個學生假定每日撥出閱讀時間及作業時間兩小時至三小時，則每週可以完成六講或七講，五十二個星期，可以修畢全部課程，即為期一年。

經過這樣一個長時期培養與有系統訓練之後，由現行教育體制中間畢業出來的學生，應該具有相應於其所受教育程度的翻譯能力，而成為可用的翻譯人才了。（完）

漫談中國戲劇

·雷震遠·

因此，在京戲中的花旦角色惟有以男性扮演，而梅蘭芳便是男裝女的天才，看他的演出令我為之讚嘆不已。他把戲劇與藝術溶於一爐，從此中國戲劇，尤其是比京劇更高雅瑰麗的「崑曲」，便走上中興大道。崑曲屬於抒情歌劇，京劇則是大歌劇。

梅蘭芳之名早已是有口皆碑。現在大陸的京戲班之所以獲得優待，大抵是靠梅蘭芳留下的不可動搖的名氣。可以想見的，中共反對男裝女的傳統，以為乖誕猥褻，提倡女性扮演女性的角色。數年前，中共副議長也是現代劇作家的郭沫若曾展開抨擊在上海演出的一齣京戲，有意導發一項運動，把京戲打入冷宮。他針對的那套京戲內容講述一個惡人把新生的嬰孩藏起來，把一隻貓弄給皇帝，誣說皇妃生下了怪物，皇帝果然信以為眞。郭沫若認為這種無稽的劇情對于一個正在建設中、進步中的現代中國委實太兒嬉了。進一步又攻擊京戲的技巧，認為侮慢而不合理。他說：戲子表示悲情時所唱的曲，與表示歡喜時所唱的曲僅有歌詞上的差別，而且戲子照樣高聲么喝，樂隊照樣大擂大鼓，與表示戰爭、强姦、火燭或地震時的鼓樂毫無兩樣。維護京戲者的答辯是：戲子的表情能使劇情合理化、合邏輯，只要戲子演悲情時的情感逼眞，觀衆同樣受到感動。于是他們便舉出梅蘭芳為左證。中國人愛好京戲之深終是反對不了的，所以這項運動只得不了了之。中共後來還將梅蘭芳最膾炙人口的十大演唱拍成彩色電影。

中國劇場內的氣氛

中國劇場別有一番風味。戲院在黃昏後便開鑼，但最先出台的戲子不外是屬于四五流的，觀衆邊談，品茗啜酒，有的男女老幼舉家同觀。戲院內不分貴賤，雅俗共賞，商人邀顧客同來，一面看戲，一面談交易。

台上演戲越出越佳，等到入夜時分，場內談話聲漸漸消失，觀衆全神貫注，期待大老倌登台。（未完）

台北五廉官之一——沈之岳

·文匯樓主·

我不知何為君子，但看平常肯吃虧的人便是，我不知何謂小人，但看平常每事好佔便宜者便是。

司法行政部調查局長沈之岳，在台北官場中是最能吃虧的一個人。他能將自己應得的每月相當數目特支費，全部作為員工福利。還不止此，調查局去年興建大廈，可謂主管官千載難逢的機會，九千萬的工程，習慣上被公文壓一壓，就可撈到百分之點五，能抽到四五〇萬，減一半也有二二五萬，再減一半也成為百萬富翁，沈之岳從未向這條路上想，可能是「不信書，信運氣」的人。他不僅不去沾染錢的邊，相反的他將涉及錢的一些問題，統統推得乾乾淨淨，自己祇負監督責任，連驗收工作，都會同各單位辦理，在行政官首長中開下可圈可點的善良先例，因之我們要特別指出。

調查局原是一個黑衙門，一般人已往對特工都是「敬鬼神而遠之」，幾乎是越少沾邊越好，於今竟完全改觀。

據說調查局最近幾年來都公開招考人員，第一年報名的只小貓三只五只。錄取一名，錄取了之後，其父跑到調查局找到沈之岳再三哀求，不要讓他的兒子當特務，弄得沈氏啼笑皆非，只好讓他走了。可是以後招考一年比一年報名人數多，五九年度招考報名的竟達五千多人，清一色大學畢業生，尚有一部份是研究院或留學生，目前想考進調查局，可不是一件簡單的事了。

樓主在國外時間較久，往來的朋友也是國外佔多，他們對沈之岳的看法歸納起來可分為三類：一、沈的決心就是力量，信心就是成功。二、沈的成功就是每執行一件事，必提前下手，即所謂爭取先機。三、沈的成功有勇氣與信心，勇氣和信心的產生，乃由健全的心理，崇高的品格，和健康的體魄而來。

國民黨的馬五先生，中國青年黨左舜生，都是很少歌頌人說好話，出口就是批評，也是政論家本來面貌，而老獨對沈之岳非常欽道，「請沈廉潔，苦幹，謙虛，聰明，公正，咸認中國國民黨最有希望的第二代是沈之岳。

文滙樓劇記

不過話又說回來，蔣經國先生幾位得力的幫手，好像對錢都沒有甚麼興趣，這是樓主回到祖國後的直覺。「一個老鼠壞一鍋湯」的事不能說沒有，那究竟是極少數中之少數。絕大多數「都是作好的搞」。「報紙是世界的鏡子，報人是一個鳴不平者，上列一段話乃經過考慮，用天平稱了又稱而發，事實如何？留待讀者們去求證。

說曹操

李漁叔

曹公之文學與技藝（六十一）

這類要命的東西，尋常人都不敢近，而曹公天稟特異，又學得許多藥方，故而可以拿來開玩笑。

曹公的武藝，據孫盛異同雜語，記載他少年時曾私入中常侍張讓室，讓覺之，乃舞手戟於庭，踰垣而出，才武絕人，莫之敢害。還有世語載他過成皋故人呂伯奢家，手劍夜殺八人而去。以上都可見曹公的勇武，至於那些小說所述被呂布和馬超追殺等驚險故事，想來也非盡出虛構，不過曹公不是那樣一個純文人氣息而已。當時的人，大致都練習武藝，尤其是將門之子，多屬武術不凡，例如曹丕在所著的「典論」上，曾自述他的劍術：

「糸又學劍術，閱師多矣。四方之法各異，唯京師為善。桓靈之間，有虎賁王越，善斯術，稱於京師。河南史阿言：「昔與越遊，具得其法。」余從阿學之精熟，嘗與平虜將軍劉勳，奮威將軍鄧展等共飲，宿聞展善有手臂，曉五兵，又稱其能空手入白刃。余與論劍良久，謂言：「將軍法非也。余顧嘗好之，又得善術。」因求與余對，時酒酣耳熱，方食竿蔗，便以為杖，下殿數交，三中其臂，左右大笑！展意不平，求更為之，余言：「吾法急屬難相中面，故齊臂耳。」展言：「願復一交。」余知其欲突以取交中也，因偽深進，展果尋前，余卻，腳梢正截其顙，坐中驚視。余還坐笑曰：『昔陽慶使淳于意去其故方，更授以秘術，今余亦願鄧將軍捐棄故技，更受要道也：』」

右所敘述：很生動有致，曹丕的話，好像自己吹捧太過，雖不一定可靠，但是古代戰爭極多，人人留意武技，那是實在的。

曹公的長處，除軍略外，出色的還是他的文學，詩與文皆非尋常人所能及，其詩尤以為歷代評詩家所推。鍾仲偉詩品云：「曹公古直，甚有悲涼之句，叡不如丕，亦稱三祖。」「這是說曹氏三祖（操稱太祖，丕稱世祖，叡稱烈祖。）中，明帝叡還不如文帝丕。敖陶孫詩評則說是：「曹孟德詩如幽燕老將，氣韻沉雄。」升庵詩話云：「孟德樂府如苦寒行，猛虎行，短歌行膾炙人口久矣。其稀辭罕傳者若：『不戚年往，憂世不治，存亡有命，慮之為蚩。』又云：『壯盛智慧，殊不再來，愛時進趨，將以惠誰。』不惟句法高邁，識趣近於有道。」如此略見一斑。

孟德的四言詩最佳，宛轉眞摯，氣象開闊，不僅子桓父子不及，即子建亦遜其勁直之氣，四言中最為世人傳誦的，就是那篇短歌行：

「對酒當歌，人生幾何，譬如朝露，去日苦多。慨當以慷，憂思難忘，何以解憂，惟有杜康。青青子衿，悠悠我心，但為君故，沉吟至今。呦呦鹿鳴，食野之　，我有嘉賓，鼓瑟吹笙。明明如月，何時可　，憂從中來，不可斷絕。越陌度阡，枉用相存，契闊談讌，心念舊恩。月明星稀，烏鵲南飛，繞樹三而，何枝可依。山不厭高，水不厭深，周公吐哺，天下歸心。」（未完）

巨變歷險記！

猛叭談判

（一九七）胡慶蓉

是不是感於丁博士強硬的態度，感於在大其力談判的安全有問題，緬甸指揮官在六其力會議後，就連夜的帶同所有隨員，全部趕回景棟。但這在丁博士看來，這並不能看作是談判的決裂。丁博士想他還會找着來談的。他找着來談是不撤，他不找着來談，也還告不撤。不顧撤離現在緬甸的地點，緬方參與會的人想會有這麼一個感覺。我游擊部隊就聚集在附近，隨時有行動的可能，他會知道的。緬方部隊的情況，丁博士是知道的，他可能作出很多的姿態，眞正的打，他們還要考慮。緬軍的歷史，若從他獨立算起，僅不過一年，他是一九四九年一月五日才獨立的。一九四九年就是我中華民國三十八年。我們的游擊隊到達緬甸是在一九五〇年年初

當然這個時候的游擊隊是叫化子部隊，吃的穿的都不好，但是哀兵，有人要趕他們出去，他們是願意拚的。丁博士以爲士氣可用，故對緬採取強硬的態度。緬甸的軍容固然甚盛，但部隊不是玩具，講什麼漂亮好看，部隊要的是能打肯打不怕拚命。這些因素，緬甸是極其缺乏的。一來基於緬甸是一個佛教國家，戒殺生，都養成一種怕死的習性，二來緬甸的天氣熱，人生來就懶，不愛動，但打戰是要動的並且要艱苦的動拚命的動，三來緬甸在英國統治之下在百年以上，就根本不願意在緬甸有任何的武力，就是不無一點點的武力，這武力根本就不能打。故所以緬甸雖然獨立了一年，不管他有無進步，也不管他是如何的進步，我們的游擊隊是可以應付的。

是不是基於這種種的考慮，大其力的緬甸指揮官就很快的離開了大其力。我部隊是沒意思同他爲難的，假如有的話，在他們同丁博士談判以前，以及在談判的時候，毫不費吹灰之力的儘可以把他們一網打盡，甚至於派弟兄到景棟將所有緬軍消滅，並根據阻止他們空運部伍或陸運隊伍。我部隊保持忠厚沒有這樣做。但緬指揮官不能不有戒心。他於是就倉猝的離開了大其力，停留在大其力景棟間的猛叭，猛叭同大其力景棟都在公路綫上。他到了猛叭，又邀我游擊隊派代表前往談判。

在他的邀請中，他希望我游擊隊另派人前往，或者要以同丁博士好談些。我游擊隊也沒有另外的人可派，還是請了博士這張王牌出馬。丁博士有大其力的經驗，更沒有對緬代表懦弱的道理。他還是單槍匹馬前往。丁博士這時有千萬人吾不畏焉的神氣，緬代表也不像與大其力的那樣驕傲，由原來的態度一變而爲懇求的態度。但在丁博士，緬甸[illegible]也好，懇求也好，他的[illegible]是不變的，即不撤就是不撤。緬甸處此，不能不作困獸之鬥。丁博士的心[illegible]是非常悲哀的。[illegible]在猛叭的談判，緬方的代表沒有變，我方的代表也沒有變。

地點變了，改在郊區的一座房子裏。這完全是擺夷式的房屋，諸葛亮帽子式樣，下邊空着。在帽子裏有很大的外房，人家席地（事實上是竹子地板）而坐，中間是火，好像是火邊閒話。緬方代表，軍人派頭腦，想的是我軍撤離，說的也是我軍撤離。他們只希望我照辦，我若不照辦，將如之何？他們表示願意再談。他們願意在景棟談，在仰光談，甚至於在聯合國談。丁博士也願意奉陪。丁博士決定以時間換取空間，只要能不撤，只要能長久駐下來，在丁博士看來，是有代價的。丁博士也料到緬甸會有鬼主意，但丁博士決不惜一切，以換取部隊之不撤。

年輕博士賈太傅

賈星源

賈誼是漢代一位大政治家，同時也是一位大文學家，雖然他僅僅活了三十三歲，可是他的政治主張，對于漢代的內政外交，都有很深遠的影響，於文帝六年，他看到「天下之勢，方病大腫，一脛之大幾如腰，一指之大幾如股」遂倡議：「衆建諸侯而少其力」的策略；又如課農桑，禁侈靡暨私人鑄錢，懷柔匈奴等等，洵爲當時之急切要政。至於其文學作品，如弔屈原，惜誓，鵩鳥賦各篇，上乘楚詞格調，下開漢賦風氣，在文學史上，自有其極高的評價。

賈誼洛陽人，生于漢高祖七年，（西元二〇〇年）。天賦頗高，年十八，以誦詩書能屬文，聞於郡中。時當焚書坑儒未久，學絕道喪，有這樣的青年讀書種子，誠屬難得，河南郡守吳公，聞其天才，召置門下，愛護備至。吳公與秦朝名相李斯同邑，且曾師事之，故頗具政治才能，治績爲天下第一，蓋非偶然。賈誼出自吳公栽植，自必領悟頁多，對荀卿，李斯的治術，賈誼當有深刻的影響，雖然，他後來還是很非薄秦政（見過秦論）。

漢文帝正位于治亂甫平，社會粗定之際，望治心切，求才若渴，獲悉吳公治績優良，遂召徵他到中央任廷尉。吳公最賞識賈誼，即保荐他爲博士。這時賈誼才二十二歲，乃博士中最年輕，最有爲的一位，學問淵博，精通諸子百家，能解答諸老先生所不能解答的問題，於是文帝特別器重他，在短短一年中，提升到太中大夫，掌諫議，備諮詢。賈誼志大才高，入朝之初，即請上「改正朔，易服色，制法度，興禮樂」。欲展其抱負，文帝也很想破格重用，任爲公卿。無奈一般武夫大臣如絳、灌、馮敬之徒起而反對，甚且短之曰：「洛陽之人，年少初學，專欲擅權，紛亂諸事。」而文帝爲彼輩所迎立，雖明知爲惡意中傷，但不得不曲從，而暫時疏遠賈誼，乃外放他爲長沙王太傅，而不息之。當時長沙地方荒僻，氣候濕熱，文化又低，賈誼非常抑鬱失望。過湘水，爲賦以弔屈原，蓋自比賢者而見嫉，而被放。繼作鵩鳥賦，無非强作達觀，善自排遣而已。

賈誼謫居長沙年餘，文帝使召他回京，仍欲畀予重任，可是入見之後，却談論些鬼神，難怪後人有詩慨歎曰：「可憐夜半虛前席，不問蒼生問鬼神」。殆有不得已之苦衷吧。不過文帝還是很讚佩他，曾曰：「吾久不見賈生，自以爲過之，今不及也。」旋拜賈生爲梁懷王太傅，梁懷王名揖，是文帝最寵愛的小兒子，他喜歡讀書，所以特令賈誼傅之。文帝十一年，懷王不幸墮馬而死，賈生自傷爲傅無狀，哭泣歲餘亦卒。享年三十又三，世稱賈太傅或賈長沙。

賈誼的著作，歷代各家書所載繁簡不一，如漢志儒家載「賈誼五十八篇」，賦家「賈誼賦七篇」，隋書經籍志子錄家類載「賈子九卷」，集錄別集類有「賈誼集二卷。」新唐書藝文志所錄儒家類載「賈誼新書十卷。」清四庫提要子部一錄四，前漢書卷四十八。清江都汪容甫有賈誼年表一卷，見顧亭林文合編本，又附入續粵雅堂叢書述學內篇。王耕心編賈子年譜一卷，附入其所著賈子次詁中。

（完）

朱淑真

（四）

而後她丈夫的消息漸疏，不知是他的薄倖，還是別有原因？由她的：「一夜涼風動扇愁，背時容易入新秋；桃花臉上汪汪淚，愁到更深枕上流。」一詩而言，當係被棄無疑。於是她只有以淚洗面！一部「斷腸集」，大半在「秋扇見捐」的環境裏寫成的。試舉數首，以供共賞：

年年玉鏡台，梅蕊宮妝困；今歲不歸來，怕見江南信。歡從別後疏，淚向愁中盡；遙想楚雲深，人遠天涯近。（生查子）

山亭水榭秋方半，鳳幃寂寞無人伴；愁悶一番新，雙蛾只暗顰。起來臨繡戶，時有疏螢度；多謝月相憐，今宵不忍圓。（菩薩蠻）

獨行獨坐，獨倡獨酬還獨臥；佇立傷神，無奈輕寒著摸人！此情誰見，淚洗殘妝無一半？愁病相仍，剔盡寒燈夢不成。（減字木蘭花）

斜風細雨作春寒，對尊前，憶前歡，曾把梨花寂寞淚闌干。芳草斷煙南浦路，和別淚，看青山。昨宵結得夢因緣，水雲間，悄無言，爭奈醒來愁恨又依然！展轉衾裯空懊惱，天易見，見伊難。（江城子）

她在這樣的況味中，追索自己所以有此的原因，雖覺悟到「女人弄文誠可罪」，及「始知伶俐不如癡」，但爲時已晚。不過，她並不怨天尤人，仍以「寧可抱香枝上老，不隨黃葉舞秋風」自誓。且作詩「自責」道：

女子弄文誠可罪，那堪咏月更吟風；磨穿鐵硯非吾事，繡折金針却有功。

悶無消遣只看詩，又見詩中話別離；添得情懷轉蕭索，始知伶俐不如癡。

古今多少聰明人，在無可奈何的時候，都借酒澆愁，這位雅潔如蟬翼般的女詩人也未能免俗。且聽她的「圍爐」詩云：

昨夜霜風透膽寒，圍爐漫憶昔年歡；如今獨坐無人說，撥悶惟憑酒力寬。

大多數的女性「近之則不遜，遠之則怨」，過了悒鬱的冬天，又到元夜時節，可是這年的元宵夜，天公又不作美，春雨連綿像剪不斷，理還亂的愁緒。她在「元夜遇雨」哀吟道：

烟火笙歌是處休，沈沈春雨暗皇州；危樓十二闌干曲，一曲闌干一曲愁。

由於悲傷過度，淑真終於病倒了，她父母獲得消息，把她接回家中療養，在病中她又寫了很多令人讀之斷腸的詩詞，最後「春蠶絲盡」，「蠟炬淚乾」，在一個「清明時節雨紛紛」的前夕，她便香消玉殞了。她的遺體和身邊的詩詞文稿被她的父母一起焚掉。所以魏仲恭在「斷腸集序」說：「其死也，不能葬骨於地下，如青塚之可弔，並其詩爲父母一火焚之」。又說：「比往武陵，見旅邸中好事者傳誦朱淑真詞，每竊聽之，清新婉麗，蓄思含情，能道人意中事，豈泛泛者所能及？未有不一唱而三歎也！」由這段話，可知她的詞在當時已很盛行。淑真詞以「有新意」，「有實境」見稱，「清新婉麗」是有新意的縮影，「蓄思含情」則是有實境的寫照。

今本斷腸集，共有詩集十卷，詩後集七卷，詞一卷，別有「璇璣圖記」一卷行世。

創作量如此豐富的女作家，在元代以前，委實找不出第二人！

（完）

黛眉小傳

·王幻·

物心平行說

催眠術

鮑紹洲

物心平行說，此說脫胎於哲學派之平行一元論，後經日本吉田鐵石氏之修正。

此種學說，出，幾有一登龍門，聲價十倍。因此世界多數學者崇奉爲催眠術之準確學理，所持主旨，蓋謂物質活動必與精神平行，精神活動，亦必與物質活動平行，兩方進行[illegible]，在同一軌道上，絕無前後與強弱之分，例如，頭腦有之感覺，一方面起於物質的腦筋變化，一方面遂起於心力的精神活動。這就是物心平行說的標準。不過在催眠學上所謂物質，是廣義的，而不是限於人的腦筋與肉體，故催眠之精神活動，亦可分離腦筋與肉體，而能得和其他目所視，耳所聽的一切物質爲緣，誘起一種波動，宛若電流一樣，亦有傳達遠方的能力。此一說決，驟聽之下，殊難令人盡信。其實即千里眼及透視之學。所以遠客思鄉，請求催眠術的人，爲之施術催眠，雖家鄉遠隔千里，亦能目睹家人近日活動。此即物心平行說之學理的實例

第十九章　吳玠大敗金兀朮　岳飛桂嶺破曹成

周燕謀

岳飛到達潭州，所以招撫爲第一，用兵其次。朝廷亦派員招撫，[illegible]金字牌及黃旗示信，如有盜賊改過自新者，以金字牌及黃旗示信。[illegible]甚少，而且多係老弱殘兵，[illegible]一千人，[illegible]淘汰老弱，只留精壯。

曹成聞岳飛至，乘其未定大加劫掠，[illegible]湖南、廣西境內人民遭此洗劫一空。[illegible]

[illegible]

[illegible]紹興二年閏四月[illegible]六日，岳飛在[illegible]桂嶺[illegible]湖南江華縣及廣東連山縣接連[illegible]與臨賀五嶺，爲兵家必爭之地。

（九十五）

自由報

（第一一四四期）

（半週刊每星期三、六出版）
每份港幣壹角・台灣零售價新台幣弍元
社長李運鵬・督印黃行寔
社址：香港九龍彌敦道593—601號
廖創興銀行大厦八樓五座
LIU CHONG HING BUILDING
7th FLOOR FLAT '5
593—601 NATHAN ROAD,
KOWLOON, H.K.
TEL：K303831
電報掛號：7191

承印：聚星印刷公司
地址：嘉咸街廿九號地下
台灣區業務管理中心：台北重慶南路一段一二九號
電話：二四五七四
台灣區直接訂戶　台灣劃撥戶
第五〇五六號張萬有（自由報會計室）
台灣分社：台北市西寧南路110號二樓
電話：三三〇三四六、台郵劃撥戶九二五二號

大專聯考計分法應該改變嗎？

・黃大受・

中華民國六十年一月八日報載，省議員因大專聯考實施新計分辦法，距聯考日期太近，促請省政府建議教育部暫緩實施，經教育委員會通過，將送大會促請省府建議教育部研究辦理。這一新聞，只是以極小的地位登出，未必引起讀者的注意。

當去年冬季大專聯招會的校院長，突然宣佈改變歷來大專聯招的計分方法，將多年來的六科考試每科用一百分計分的方法，以高中授課的時數多少爲理由，將國文、英文、數學定爲各二百分，生物、物理、化學、中外歷史、中外地理各一百五十分，三民主義一百分，各組的六科合計，整整爲一千分。這一宣佈，居然成了定案。後來因爲中央決策機構，認爲三民主義乃立國之本，單獨定爲一百分，未免太低，於是再改爲一百五十分，總分於是成爲一千零五十分。

考試的六科既定爲一千零五十分，考試的時間，起初決定不改變，仍爲每科八十分鐘，後來又把國文、數學兩科各定爲一百分鐘，其餘四科則仍爲八十分鐘，至於每一科的內容是出題目以二百分或一百五十分計算，抑或是仍以一百分再乘以二或一點五來計算，這一點大專聯招會並未說明，也許是筆者未從報上看到。

大專聯招，由於投考人數的日趨龐大，責任日見加重，而問題也愈來愈多。如有差失，因影響之大，各方不免責難，因此每年大專聯招會的主任委員一職，每一校長莫不視爲畏途，只有採取輪流担任之一法。

聯招辦法，在目前不得已情形下是比較可行之法，因爲它可以杜絕人情舞弊關節等大害。也就因爲過去是單獨招生，發生不少弊病，加以研究而後出現的。即使聯招有若干缺點，今後也只可就其缺點方面，加以改進，斷不能輕言廢除，新計分方法的產生，或許是大專聯招會認爲這是改進的一步吧。

當聯招計分辦法公佈的時候，我和朋友們熱烈地討論這一問題，都很佩服大專聯招會這一決定的勇氣，一個如此重大的問題，影響到日夜間部多十萬考生命運的舉動，在一次會議席，就告決定，不免使人有博採衆議之未用，思慮未必全周之感！筆者覺得這計分方法之實行，實在有重新考慮之必要！

第一、有關大專聯考的問題，不應該在學年度將及的一屆突然宣佈立即就實行。最低限度本屆宣佈，也只能在下一屆實施。當年高三的學生，因平日對聯考課目的準備方法，是以過去的標準爲依據的。這一改變，使不少的學生很受影響，未免失去公平。

第二、聯考改變辦法，是件大事，談民主罷！應該先徵求各方面的意見！至少也該徵求教育界或大學方面的意見，有沒有必要！就是應考的學生就讀學校以及考生的家長的意見，也値得重視。現在連民意機構的意見也沒有徵詢，似乎有點說不過去！因爲這不是件小事；後來這一件事，竟然受到最高決策方面的重視，就可以證明是件大事了。

第三、聯考是大專入學考試，不是高中會考，既然聯考科目的計分，參照高中授課的科目多少計分，就不免有以聯考代替高中會考之嫌。高中上課，雖有主科副科之分；主科的時間較多，是因爲主科需要更多的時間，促使學生去瞭解，加强認識。聯考是爲大專測驗新生的程度，而考試與入校後學習有關的科目，所以有的組只考中外史地，而不考理化生物，有的組只考理化或生物，而不考中外史地，而不考理化生物，有的組只考理化或生化，而不考中外史地。顯然地是認爲大專聯考與高中會考無關。既然二者無關，那麼，大專聯考的計分方法，爲什麼又要和高中的上課時數扯在一起呢？

第四、假如眞的說計分法，是依上課時數及其重要性而定，那末，國文就再加一倍成爲四百分也不妨，因爲這是人人一生派得上用場的。至於英文是將來的工具書，也承認加一倍爲兩百分，有其理由。而數學呢！將理工商科以及經濟、財政社會等組科系，將來要學微積分或高級數學加一倍爲兩百分，也有理由。但學中文、外文、哲學、歷史、教育、法律、外交、政治、民族社會、美術、音樂、戲劇、體育、圖書館學……若干系科，進大學以後，實在不見得需要學高深的數學。試問大專校院長先生們，請你們把大專聯考的數學試題，做一次，看有幾位能得到六十分？如果有半數能得到六十分，那就證明你們的主張可行。如果有一人得零分，那就證明你們的主張不可行。我敢相信，恐怕得零分的還不止一人吧！如果連大專校長考試聯考數學都會得零分的話，又豈能拿兩百分的高門檻來打擊對數學無興趣而對文史哲藝……等科系有興趣的學生？今天我們的考試已經對大才是大加限制，又何必再加高這一限制呢？

第五、我們天天談發揚民族精神，復興中華文化，照理說，中國史地是應該普遍要考的。現在不但不加考中國史地，反轉而例弱其重要性，減低其比重。三民主義是立國之大本。民族主義與文化和倫理教育有關，民權主義與法律和政治教育有關，民生主義經濟和社會教育有關。與大學裏許多課程有關聯，豈可減低其比重！難道大專院校長，居然不識三民主義和中國史地的重要性？眞令人浩歎。講演時說民族精神最重要，中華文化該復興；今竟然如此，不是言與行違嗎？

第六、也許大專院校長，說新計分法可以使考生拋去偏重副科而放棄主科的做法，其實這理由是說不通的。因爲一般智慧高，國英數基礎好的學生，他在學校中成績好，其成績是平均發展的：樣樣都好，根本無放棄副科遍重主科的情形。國英數三科不是臨時可以準備的，要在平日長期準備，根本無放棄的可能！國英數成績較差學生，多準備對三民主義或中國史地的功課，難道這是壞事？如果逼迫他們連這些課程也不去充分準備，那就無異迫使他們不得進入大專？難道這就算是公平？筆者眞要爲這一方面的考生，高聲喊冤枉。就退一萬步說：偏重三民主義和史地等副科，與國英數同等分數，是不公平，可是十多萬考生，人人都考三民主義，考乙丁組的八九萬考生，人人都考史地，機會均等，又有何不公平之可言！

第七、一般人都以爲自己是中國人，國文人人都懂，很難準備十全十美，在國英數各是二百分情況之下，都只有全力去準備英數，君不見現在的報紙上，已有二百分英文，二百分數學補習的口號了嗎？（二百分國文補習卻沒見到）於是全部的時間都集中到英數二項。有的也還注意理化。而三民主義主義和史地更不必注意了，利未收而害已見，何苦如此？各學校的應付聯考的準備工作，也是如此。英文嗎？進學校還有用；而數學呢，那學文法科的學生，把文法的基礎科目也忽畧了，進校以後，再也用不到的數學，卻費盡了心力。

第八、實際上把計分法更改，是多此一舉之事，因爲現在各學校無不注重英文，要考理工科系的學生，在中學時卽早已重視數學，試看報上補習班的廣告，都是以補習英數理化爲主，國、義、史、地，只是附帶補習，而大多數的學生，都是補習英數理化，只有極少數的學生，連帶加補國文或再加主義史地等科而已。假如怕數學程度低的人考進理工科系，那只要定個數學最低分的標準就行了，不過分發時要多麻煩辦事人員。英文國文也可定個最低分標準。就算這三項是以十分或十五分做最低標準，不就可以達到避免程度過低之病嗎？又何必把整個的計分法來改變，影響到幾十萬中學生和老師，甚至影響了高中老師的數學法，轉移補習班的風氣。改變計分法，只是在不齊其本，但齊其末方面下功夫，怎能解決問題？而且會帶來新問題。與其將來蒙受大害後再行改變，不如及早不實施爲妙。

最後：筆者願意代表高中老師和師生（根雙方的意見），求求最高決策當局，最高民意機構，教育部以及大專院校長先生們，請你們把這一新計分法，來個暫緩實施。先行研究一番，研究得認爲實在有理，而且大專院校長能把聯考試題做一下，無人得零分，且有二分之一的人能得六十分的話，那就悉聽尊命。

否則，就從這一屆起，暫緩實施。要不然，就保留國文是二百分，以挽救國文程度日見低落之病，其他各科仍是一百分，共七百分，也仍然保留了大專院校長主張的一部份，大專院校長先生：筆者並非要諸公朝令夕改，而是要諸公三思而後行，「芻蕘之言，聖人擇焉！」願各位聖人高抬貴手，筆者在此馨香禱告以祝！

昨日與明日

欣聞在美籌設中文學校

成公

正在本報爲海外僑胞及華裔子弟請命，而呼籲在國內設立正規中國語文學校的時候（請參閱二月十七日黃大受教授文），欣聞中美教育基金會決定在芝加哥北部籌設中文學校。這兩個消息一在國內，一在海外，幾乎同時發生，可見這一問題，已是大家共同感到，急需解決的了。

自古以來，我們便一直流傳著狐死首丘，葉落歸根的思想。所以許多別的民族，遷徙到異鄉，一兩代後，便與故國了無關連。而中國人則十幾代之後，仍然不忘源流，若說中國人是世界上最愛國的民族，也不爲過，但愛國情緒是需要有其表達的方式的，起碼也要有共同表達意見，彼此溝通思想的工具，而這勢必要訴之於本國的語言文字了，而這一點正是僑胞們在海外最感到的精神痛苦，不是本身無從學習祖國的語文，便是眼看著下一代要和祖國脫節。因此縱有滿腔愛國的熱忱，而見著祖國同胞，竟張不開口，最後只有求之於別人的語言，試問這是多麼尷尬的事。

這種問題，按說政府早就應該出而負責解決，但由於頻年多故，始終未能計及於此。現在海外學人，竟然負起責任，爲僑胞子弟籌設中文學校，這眞是意義深長而又最具體的愛國表現，學校雖是打算設在芝加哥北邊，但其意義卻不限於「美中」（美國中部），凡我中國人民，都應該一致出錢出力，切實支持，使這一學校順利完成，並進而擴展到美國其他各地，甚至世界各地。

我政府有關部門，尤其應該深體自己的責任，而對此事，採取積極有效的支持，此種學校在海外，又在正規學制之外想來與政府甚少交涉，但萬一如有公事接觸，我們希望經辦人員，千萬不可妄以「事無先例」、「不合規章」、「經費無着」……等官腔濫調來搪塞，尤其經費方面應該想盡方法找錢去支持，花這種錢，至少總要比支持一兩個特殊運動員更有價値，更有意義吧！

自由談

復興文化的關鍵

今日眞要復興中國文化，首先須從教育着手，毫無疑問。

要想憑教育的力量以復興中國文化，必須從事教育工作的人士——特別是教育行政人員——對中國傳統文化有相當瞭解和鑑別，換言之，卽須要多認識一些中國文字，稍爲讀過一些漢文書籍的，纔知道何以要復興固有文化的道理所在，而不致於祇是以喊口號、說空話爲能事。

今也不然，一般搞教育行政事業的人，乃將中國文化與現代科學視同相反相尅的學術思想，認爲要發展科學，卽應唾棄中國固有文化，二者有如冰炭之不相容，所謂「打倒孔家店」與「全盤西化」運動的始作俑者，都不是共產黨人，而係掛着博士、碩士頭銜的一些留洋學生。這些人，在文化思想上，只懂得西方功利主義的一點皮毛，而震眩於西方物質文明之發達，個人生活享受之優裕，便以爲祇有科學萬能，其他皆不足道，而中國文化更是發展科學的障碍物，非棄置不可！目前由於國家元首提倡中國固有文化，號召復興，他們爲要作官，口裏不得不隨聲附和，表示擁護領袖，心裏卻不是那末回事。何以知其然耶？試舉一例以明之。

現行教育法規規定，中學教師依法退休後，凡是教國文、歷史、地理的，不管智能如何，也不問精力怎樣，一律不許再作兼任教師，然英文暨自然科學的教師退休後，依然可以在各個學校兼課，理由就是尊重科學，鄙視中國文化。他們根本就不知道文化與科學的關係如何，學術思想是怎樣的涵義，中國書固然一竅不通，外國書亦只是一知半解，卻奮緣有術，拔茅連茹地僭居教育首長職位，此卽復興中國文化運動之所以難有實效也歟？

馮五先生

五十六種砂鍋

馬騰雲

(二)砂鍋牛肚

牛肚就是牛胃，洗淨用文火燉三到四小時，清燉或紅燒詳見砂鍋牛肉。

照中國醫典記載，牛胃補中益氣，養脾健胃補五臟（即心、肝、肺、胃、腎）前清陝、甘總督林之望家藏秘方，用麥麵醋煮牛肚，可治頭風病、消渴病，兼解諸毒，其哲嗣會以此處方傳給筆者家父，果醫癒好幾位患有初期糖尿病的人，拙作「怪病奇治探源」不日將交由香港自由報連載，其中對醋煮肚牛可治糖尿病，有詳盡分析，以石斛一兩（金石斛）台灣產者藥效較差，黃豆芽三斤，牛肚兩斤同熬三到四小時，待牛肚到極爛取出，石斛與黃豆芽撈出不要，再以此湯加配料置砂鍋與牛肚同燉，不僅可治胃病，其味之鮮美，營養價值之高，雖牛羊肉亦望塵莫及。

吃齋的人是將黃豆芽湯當作雞湯的，會做素席的人，都懂得這些，黃豆不僅蛋白質豐富、脂肪、醣類、纖維、灰份，含量也多，菜蔬中除肉類外沒有比黃豆再營養的了，黃豆為清涼性滋養強壯藥，有解毒利尿之功，係維生素B的關係，石斛入胃，功能促進胃液之分泌，可使腸加強蠕動，積糞容易排出，又為強壯劑，鎮靜劑、清血熱，治陰萎，如患關節炎疼痛，連食砂鍋牛肚數次可愈，久用不傷胃且養胃，筆者勸年紀老的人試用，（牛肚可不吃）步履無力，可幫助健步，四肢痿痺及衰弱，很快可以改觀。

台北「海外雜誌」為文 向老教授及中醫挑戰

主張李熙謀等教授一律退休 把中醫與中藥批評得如廢料

（本報通信員柳一椿台北消息）此間「海外學人」雜誌頃發表一篇「我們的信」有「爭取人才與中醫問題」內容廣泛的向台灣資深而孚衆望的老教授們與中醫界中藥界挑戰，說一些非常幼稚而數典忘祖的話，該文作者署名黃毅軍，茲將原儘轉載如後：

最近看了台灣寄來的報紙，有幾件事讀者覺得心中納悶，也很感慨，特冒昧地寫出來，是否有參考價值，尚請先生有以指正之。

（一）美國NASA因聯邦政府預算縮減，員額一裁再裁，原從四十萬裁至二十五萬，今再從二十五萬裁減至十五萬。其他航空工業亦然。據吳大猷先生說，將有三千人回台灣找飯吃。說政府將容納不了云云。

讀者認為在NASA工作的中國科學家直接有關的大概不會超過二百人，其他間接在各大學受NASA委託做研究工作者總在一千以上。此批人大致說來都是學有專長的人，均都有實際研究的經驗。這批人若果不是NASA裁員，政府花多少錢都請不回來。現在他們願意回國，政府應排除萬難，全部接納。其他無眞才實學者，可以不必委用。但中國人要回國，政府沒有理由阻擋。讀者主張全都接納之理由如下：

（1）如果眞有三百名眞才實學的科技人才回國，眞是大好消息，不必憂慮。即使政府全部委用，每人每年以薪金十二萬元計，三千人一年只不過三億六千萬（合美金九百萬）。這三千人可以安插在：A、中山科學院、中央研究院，專做研究。B、各大學研究所：作教育及研究雙重工作。

（2）現今大陸共匪積極發展太空航空科學，這批人如果有十分之一去了大陸，眞是如虎添翼，後患無窮。

（3）如今政府每年預算以三千萬美金發展科學，今以其中九百萬元支付此三千人之薪金，另以二千一百萬元添購研究設備，如此配合眞是一支強大的科學隊伍，對國家命運前途，有百利而無一害。因此，如有三千科學人才回台灣，不必懷疑，要趕快聯繫歡迎，早作安排。

（4）現居高位的一批老人，應予以退休或改聘顧問，如陳可忠、李熙謀、王成椿、戴運軌，諸位老教授，一律退休，改為顧問，所有重要科學職務，全改用三十至四十五歲之青年人担任。如此方有朝氣猛進的精神。

（5）除以上諸學校機關需人外，另外如電力公司，預計十年內將裝五部核能電機，需用大批核能科學人才。派老人出國實習，固是辦法之一，但遠水難救近火，不如高薪應聘在美學有所成的科技人才，回國，便捷省力省時，特優人才不妨出個台幣二萬以上的薪水。

（6）中山科學院應擴大組織，精密分工，如能集一千名以上的眞正科學家有計劃的展開研究工作，必有所成。據英國有關方面透露，中共研究火箭的科技人員，也不過一千人左右。

（二）報載行政院最近經立法通過成立衛生署。副長一人要由中醫担任，另成立中醫研究所，也要聘請中醫担任研究工作。這眞是胡扯談，開倒車。庸人誤國，莫此為甚。

總統三番五次提出要復國建國，必須科學化、現代化。什麼是科學化、現代化？現在連婚配、個性性向測驗、職位分類，都要用科學方法安排。如今要研究任何事物（務），離開了科學方面，事倍功半恐怕還不能形容，祇可說「費力而無效」。中醫中藥是一件多麼深奧的東西，其研究工具方法，恐怕要用（1）電子顯微鏡，（2）精密控制的動（生）物實驗，（3）化學分析，（4）農藝土壤科學的栽培法，（5）精密控制的臨床試驗。能夠担任此項工作者，必須具有下列資格之一：

（1）醫學院（西醫）相當優秀的生理學教授，生理統計學教授。

（2）醫學院（西醫）相當優秀的病理學教授。

（3）醫學院（西醫）相當優秀的藥理學教師。

（4）動植物及園藝學家協助以上（1）（2）（3）類人員。

讀六七年以上剛剛醫學院畢業的醫生、助教，如沒有名師從旁指導策劃決沒資格，作以上的研究工作。

現在讀者要問台灣的中醫師中：（1）有幾個會顯微鏡，觀察細菌、細胞對藥物的反應？（2）有幾個會作化學分析？（3）有幾個懂得臨床試驗，觀察和科學的研究分析？讀者敢肯定的回答說，台灣現在像這樣的中醫一個也沒有。中醫界絕沒有這種人才。

至於副署長一職，協助署長掌管衛生行政，衛生企（計）劃及國民保健等預防醫學方面的工作，其學識除了基本醫學知識（七年醫學院畢業）之外，衛生預防醫學方面至少在公共衛生二至五年專門研究（如公共衛生博士、碩士學位）再加數年的實際工作經驗方可。讀者試問一個中小學畢業程度的中醫師，連基本的現代醫學常識都不夠，他們懂什麼叫預防醫學？威脅全民健康幾種大傳染病，如天花、鼠疫、霍亂、黃熱病等等，及空氣污染、癌症、心肌血管疾病等等的，如何控制，如何預防，在在都需要專門的知識，請問台灣中醫有無一人具有此項學識？

一口咬定中醫不行 過去貢獻一概抹煞 硬說沒有存在實用價值

有人說中醫在我國行之數千年，救人無數，有繼續發揚之價值。這眞是以訛傳訛，人云亦云。中醫純係中世紀的落伍醫學，不但對現代醫學沒有直接的大貢獻，就是在古時（過去）對國民健康的貢獻也不大，與其他世界各國中世紀的醫學幷無顯著的差異。此可證之於過去大瘟疫、高死亡率，如傷寒、痢疾、瘧疾、鼠疫中醫對之均束手無策。因此讀者可以肯定的說：

（1）過去（民國三十八年以前）大陸瘟疫橫行，國民壽命短，嬰兒產婦死亡率高。證明中醫不行，不能解決國民保健問題。

（2）台灣自民國三十九年以後，疫疾、傷寒、鼠疫、霍亂等流行病逐被消滅，國民壽命大大延長，嬰兒產婦死亡率顯著降低，人民安生樂業，是現代醫藥之所賜，決不是中醫之功勞。

（3）中醫中藥在現時代中，除了可供醫學家作純科學的研究之外，決無存在實用的價值？此好比台大考古學家挖掘東台灣先民所使用之陶器、石器，其目的在研究先民文化，探求人類進步（化）的軌跡。決不是要大家再仿造先民陶器、石器，作為現代日常生活的器具。

如今有許多人，把「復興中華文化」與「復古」兩種觀念混淆不清。認為復興中華文化，必須復古制。以中醫中藥在中國行之數千年，必須恢復以與現代醫藥幷行，則八人大轎向為過去中國政府官員之乘輿，是否要現代政府高級官員揚棄現代汽車代步，改乘八人大轎上下班，以省政府購車保養的大批經費，又可增加國民就業機會。其荒謬的程度，幷無軒輊。

總之，「中醫」、「西醫」孰優？孰劣？早成定論，根本沒有爭論的餘地，也沒有討論的價值。讀者無意再掀起一場與此有關問題的論戰，在此願重申以上的主張：

（1）中醫中藥對少數特殊病例（如癌症、關節炎）有療效者，應由政府成立專門機構（如中國醫藥研究所）聘請醫學、科學家從事研究實驗，或指定各醫學院校專案研究外。對現代全民醫藥保健方面，中醫中藥沒有利用的價值。

（2）基於上項理由，衛生署副署長沒有中醫担任的必要。衛生署也沒有聘請中醫師成立「中醫研究委員會」的必要。以免浪費國家公帑和官職。（神器）

（3）教育部醫學教育委員會中醫委員名額應予剔除。一個根本不懂現代醫學教育為何物的人竟担任國家最高醫學教育指導機構的委員眞是「國家現代化」的大諷刺，大笑話。

（4）政府應限制中醫師執業，使「癌症封鎖療法」的癌症「博士」詐騙案件，不再重演。

黃毅軍於倫敦

評介「中華民國史事紀要」

——民國六十年開國紀念之偉大獻禮

．李霜青．

其中評述部份如言民元「內閣之總長、次長人選中，武漢首義人物，竟無一人入選，其隱伏後來章炳麟、孫武另組中華民國聯合會」云云，頗具春秋言理之史觀筆法。既去唯物史觀之弊，復得事理雙融之長。

三、評鑒卓越

史實紀要，首重史料之搜集。國史館佔地位之利，其於故宮檔案，國家典藏，均為獨佔之保存者。美國史學家江森（A. B. JOHNSON）分史料為三大類：（一）記載：如公私文件、法律、命令、條約、史傳、檔案、圖表等。（二）遺物：如陵廟、房屋、器械、工具、器皿、衣服、錢幣等。（三）傳說：口傳之逸事、古典等。史料在價值等級上，又可分為：（一）原料：乃指最初之材料，即指由此以上不能再追索其根源者。（二）次料：即指由現存的或可尋的原料之中變化而出者。今人嘗言第一手史料，即指原料而言，第二手史料即指次料而言。孔子作春秋，分材料為「所見」「所聞」「傳聞」三種，與今人所言直接、間接、又間接之分法相似。直接所見者即第一手史料。間接所聞者為第二手史料，又間接之傳聞者為第三手史料。民國史事紀要所採史料多為第一手史料，如親與其事者之記載，實錄類之資料，均為市面難見者。尤如「宣統政要」「臨時政府公報」等，均為實錄。蓋「實錄者，直載其事與言，而無所增飾者也。因其世以考其事，覈其言，而平心察之，則其人之本末，十得八九矣」。

（未完）

縱橫談當舖

．萬念健．

香港法律，規定當物之人，必須報其姓名地址，以便查究根底，但許多所報的姓名地址是假的，結果此一規定，作用全失。一九七〇年四月一日起，港府實施「新當押業法例」，具體規定押物之人年齡須滿十七歲，押物時須出示身份證或護照，俾店方將該項證件號碼，詳細註明當票及帳簿之上。此一辦法，目標乃在進一步防止以來源不明及非法得來的物品，典取金錢。但一般市民，因此一手續相當麻煩，又須暴露本人眞實姓名，因而盡量避免前往典當物件影响所及，當舖生意為之減少甚多。

警方對於盜竊案中的失物，常向當舖查案，法庭審理的盜竊案件中，許多贓物已被典質。遇到這種情形時，法官可以根據法律明文，參照失主與當舖接受典質情形（是否事先知其來歷不明），決定是否判令當舖將贓物無條件交還失主，或者判令失主具欵贖回。法律規定，向當舖典質非法得來的物品，一經定罪，可判罰欵五千元或入獄六個月。事實上若係偷盜來必予另案辦理。

賽馬季節 生意最旺

當舖典出去的欵項有實物作抵，有時也有蝕本的時候，例如有人於黃金三百元一兩時，將黃金典與當舖，得價每兩二百七十元，後來黃金跌了一個九折，押物者等於已經十足收欵，自然不會再行取贖，在這種情形之下，當舖便非蝕本不可。還有一種情形，事例雖少，卻已足令當舖頭痛，那就是由於當舖對典來之物收藏妥當，於是也有人利用當舖作為倉庫，冷天來當風扇，熱天來當棉被，並將典質的數目特別抑低，例如祇當五元十元，這樣每月利息不過五角一元，而當舖卻要特留倉位來容納這些存貨，並且還要代為負責保管。

本港當舖生意，平均每天都在三數千元間，典質最多的時間是每月下旬，而取贖最忙的時候是每月上旬。前者是為了時近糧尾，小市民青黃不接，非請二叔公幫忙不可，後者是為了月底月初發薪出糧，可以贖取的便在此時贖取。一年之中，生意最旺的時候是賽馬季節，或者是賽馬時尚未發薪，或者是輸完了急於翻本，於是自己的手錶也好，太太的金飾也好，都可以先典押若干頂住再說。

台北五廉官之二——蕭政之

·文滙樓主·

芝蘭生於深林，不以無人而不芬，君子修道立德，不以貧困而改節。這是樓主初次見到蕭政之的印象，後聽到包遵彭，南懷瑾，張起鈞諸教授談到蕭的為人，蘇如我的看法，可惜我未吃江湖飯，否則可大吹特吹一番。「靈不靈當場試驗，信不信事後方知。」

上篇已經說過，將經國先生幾位得力助手，好像對錢都不感覺興趣，主管國防部總政戰部所有心戰經費的蕭政之就是其中之一，每年經他手簽字發出去的錢，幾乎上億，祇要對推動領錢工作的幹部，稍為這個……那個……考慮考慮……誰敢不買這壺酒，但蕭政之不僅不在這方面動腦筋，連他的部屬都不敢有一點歪想，這是他們內部有關人員談出的機秘。

蕭公館住在一條非常簡陋的巷子裏，絕對看出不是一個高級住宅區，甚至連中級也趕不上。客人到家時，自己斟茶奉客。他的所謂客廳，要擺一桌麻將都成問題，最奇怪的是沒有一張沙發只有幾把籐椅，在台北到任何人家客廳，幾乎都走向現代化，沒有沙發的可能祇有蕭府一家，完全合乎心寬勝過屋寬的道理。也就是儉以養廉。

節儉本是人間的美德，明代的開國皇帝朱洪武就認定：「金玉非寶，節儉是寶。」英國人的格言：「積蓄一分錢，等於賺來一分錢」，尤其做官的人，更應該做到節儉，一般的朋友都以為吃吃咖啡，飲飲老酒，逢場作慶崩尺崩尺，衣服穿考究一點，偶而來幾圈衛生麻將，將這些當作都無傷大雅，殊不知「聚沙成灘」，雖然是小小的漏洞，一隻大船往往會因此而沉沒。樓主舉出這段例子，乃因睹到蕭政之常年着一件破夾克有感而發。

蕭政之的節儉是律己，且甚孝，對朋友則又相當慷慨，他認為使自己獲得愉快最好的方法，是將好處施諸別人，即：「見利不前，見義恐後。」如果中華民國的大小官員，都能這樣想，都能這樣做，政治上的太極拳及貪污的壞風氣固可撲滅，社會上各形各色奸狡詭詐也自然而然減少，末了，我們謹建議國民政府凡財務主管，事務主管，事業單位主管，一律要向蕭政之看齊，用以洗刷若干年來「紅包」帶給公務員們的恥辱。下篇談現代剛直公谷正綱。

太平天國失敗的原因（四）

·黃大受·

（七）創新禮儀——晚輩對長輩，屬員對長官請代行跪拜稱但未聞王與王之間行跪拜禮。然太平天國則有數等，下級王須行跪拜禮。既同為王，應平等行禮，此種王對王要行跪拜之禮，則王有何可貴之處？實為歷代所未有。使人對王不予重視。下級對上級禮節的繁複，亦為歷代所未有，使人無法實行。

（八）為上帝創造家庭——洪秀全自稱為上帝次子，因而稱上帝為「爺」，耶穌為「長兄」或「太兄」或「哥」，又有「天母」、「天嫂」、「天媽」等等的稱呼。為上帝建立家族，外國人視為褻瀆神聖」（BLASPHEMY），在中國傳統民族文化中，亦視為空前絕後的怪事。

（九）過分重視稱謂及避諱——天王被稱為萬歲，以下東西南北翼王各遞減一千歲，後期所封之王，則在王號之外，加一榮寵之號，如忠王榮千歲，干王福千歲，此種稱呼，極為繁複。從天王以下各種稱呼，有「太平禮制」一書，加以嚴格規定，其中稱謂極端繁雜，且毫無根據，全屬新創，批評者謂自古所未聞。如果手中沒有拿一本「太平禮制」，筆者相信太平天國的官員，彼此之間，對稱呼決無法一一合乎規定，此種繁雜的稱謂，實際難以施行。

中國過去對皇帝或尊長的名字，均要避諱，以示尊崇之意。因為所避僅有數字，尚屬簡單可行。太平天國開國時，凡天父、上帝、爺和華、天主、秀全……等字，都要避諱，如上海改稱尚海，王姓改為汪姓或黃姓。後期干王執政時，並頒佈「欽定敬避字樣」，避諱之字凡數百個，行文稱呼，既不方便，且易錯誤。

（十）分隔男女——在中國傳統民族文化之中，極端重視家庭。太平天國在起義之初，因參加者多係合家從征，抵達金田村後，以防止姦淫為理由，將男女分隔。男子編為男營，女子編為女營，專事作戰，担任軍事及有關工作。分隔的執行，極為嚴格。夫妻父女母子，都不能團聚。這在起義之初，為求作戰便利，事出不得已。以後到達長江一帶及江南，把沿途所擄得男女，仍然分別編入男營女營。在天京之中，男女分別居住，自十多萬人達五六十萬人之多。其他太平天國所屬城市，無不如此，家庭為之拆散，中國傳統所重視之合家團聚天倫之樂，竟蕩然無存，自為民衆所普遍反對，一有機會，不是逃跑，便是投身湘淮軍，來參加攻擊太平天國的工作。（未完）

陳思教授談「新聞？」

·小記者·

我看過羅素的哲學大綱，他說他並不想替哲學下什麼定義。二十年前，我在江蘇社會教育學院和暨南大學新聞系講授新聞學，擺在我們面前就有什麼是新聞的課題，我也不知怎樣下定義才好。

在我們這一輩從事新聞工作的，太多是半路出家，從來沒想過什麼是新聞的問題，也沒見過新聞學，採訪學這類的書，要說摸索到一些寫作新聞的路徑也只是無師自通的。不過，什麼是「新聞」的課題，畢竟擺在我們面前；我也時常想到這一問題。大概，十九世紀後期，報紙剛出現時，我們就聽到「有聞必錄」的話，好像「新聞」只是一堆社會生活的「垃圾」，或者是一隻「字紙簍」罷了。後來，大概從西方來的說法，我也曾用那個說法下論定義，說「新聞」（NEWS）乃是N（北）E（東）W（西）S（南）的種種記錄。後來呢，又接受了另一定義，說「狗咬人不是新聞，人咬狗才是新聞。」這就成為西方新聞事業的總路向。可是，「新聞」就只是一種滿足讀者的好奇心嗎？我在教室中對同學們就不想這麼說。

在新聞界，我也[illegible]了二十多年，慢慢地了解一些內[illegible]，南來以後，也看種種形式的報紙。我[illegible]說過：這兒的報紙，有的是大麻，有的是香烟，有的是糖菓，也有的是米糧。這樣，雖同是白紙印黑字，但「新聞」之為「新聞」，本來不會相同的，此中甘苦，倒不妨提出來談一談的。究竟什麼是新聞呢？我舉一個例子來和新聞系同學反復討論過。我是研究歷史的，有人說過：新聞是今日的歷史，歷史乃舊日的新聞。湖南的陶菊隱先生，朋友們稱之為舊聞記者，因為他所寫的，正如新近逝世的約翰根室，以寫內幕新聞著稱於時。但仔細分析一下新聞，畢竟算不得是歷史，稱它是史料吧，也只是一種無頭無尾的粗糙的史料。且說，十年前，香港發生過一件社會大新聞，一位醫生吳鎣堅在診室裏奸了一位女病人，因而被控判刑，入獄五年之久，坊間還出版了一本吳鎣堅案的專集。但是，這位醫師，有妻有子女，他既是婦科醫生，裸體女人對他並非什麼秘密；這麼一位又醜又笨的，怎麼會激起他的情慾呢？在我總覺得是不可解的。可是，他在反覆研審之下判處了五年徒刑，可見此事決非虛妄。因此，這是一件大新聞。若作為傳記掌故來說，必得重新搜集史料，把當日案卷再看一番，才可以着筆追記的。至於讀者心理上又如何呢？幾年前，吳鎣堅已經出了獄，又重新掛牌做醫生，大家已經不很注意這回事了。前幾天，這位醫生病逝了，各報本埠版只刋了短短幾行小新聞，一般人當然不再注意這回事了。要把這新聞當作史料來看，那眞漏洞百出，簡直不成話呢。（上）

漫談中國戲劇

·雷震遠·

當一流名伶像梅蘭芳出台時，全場一片肅靜，鴉雀無聲，只有在劇情發展到高潮時，觀象才齊聲喝采，大聲呼「好」。中共一度將京戲加以改良，音樂較為柔和，劇情和人物減少前後矛盾之處，而同時亦加上寫實的及帶有共產主義色彩的題材和故事。中共雖然容許舊京戲與「改良京戲」並行演唱，却積極鼓勵新京戲，然而中國人對傳統藝術的鑑賞力是很難改變的，尤其是在目前當人民都撫今追昔，不勝懷古的時候。其中有一套「改良京戲白毛女」確曾轟動一時，甚至獲得一九五一年史達林歌劇獎。故事敘述一個大地主向一個老佃農的女兒，明眸皓齒的村女强婚不遂，于是施毒手姦污了她。老佃農憤而自殺，村女羞而出走，流落荒山。不久她的頭髮竟因受苦過甚而變白。農民不平，羣起抗暴，最後「白毛女」終于獲得「解放」普天同慶封建勢力的末日。所有的「改良京戲」不外是這一類，多少傳染上共產主義的彩色，故此這種「宣傳性京戲」無論如何總不及舊京戲傳統劇目更受民衆歡迎。

中共於是改變政策，一面用「改良京戲」作國外宣傳，表示他們仍保存着古典戲劇和固有文化的價值。出國的演員都受過黨訓，故此戲劇雖然沒有共產主義氣味，演員本身也可作政治宣傳。

現代中國戲劇

中國人很善於演戲。記得過去我在安國西關修道院任院長時每逢大慶，修道生以極其簡陋的配備，能演出十分良好的效果。中國人在公務上嚴刻拘禮，在私人生活方面却是非常閒適不羈，富有人情味和幽默感。因此中國人是頂優秀的商人，善於推荐自己的產品，他們有天賦的演技，能在大街上展出戲劇式的售貨方法。在中國，東西南北隨處都見到劇場，裏面有各種娛樂，從比拳、角力、擺龍門陣以至於現代劇和各種戲曲。中國人沒有病態自卑感，工作、吃飯、娛樂、休息對他們是同樣的重要，也無須有招人笑的恐懼心理。中國的現代劇稱為「話劇」，以示別於歌唱的京戲；亦稱「西劇」，因為是由西洋戲劇脫蛻而來的。現代劇最初提倡時不大受歡迎，因為白話向被視為俚俗，不登大雅之堂，但自從胡適發起白話文運動以後，俗字俗語便開始成為新文學、新戲的工具。有了白話文，翻譯西洋著名劇本，更不成問題了。於是，現成地從西方搬過來的有：現代劇本、現代衣飾、現代佈景。學生是當年的拓荒者之一，其時部份學生已經受了西方共產主義思想的影響。（未完）

說曹操（二十六）

李漁叔

曹公之文學與技藝

這首詩的佳處，就是能傾寫自己的眞實感情，這裏面的感情，異常複雜，從開始想到個人生命的脆弱開始，以及多憂的身世，一再縈念不已。其次想到要治理天下，不須求得賢才，因而憶及從前受過人的提拔知己之感，至今念念不忘，這些大半指的是漢太尉橋玄等人，孟德於橋公獎拔之恩，始終銘感，本傳載其於建安七年破袁紹之後，猶曾以太牢祀橋玄，並親自為文以祭，即是所謂「契闊談讌，心念舊恩」的由來，末尾歸結到他作漢丞相，現處的地位與責任。四言詩質直而字少，不如五言的從容唱嘆，使轉如意，而曹公此篇則特別有一種提控自如之妙，而隨手掇拾詩經陳語，一似純出自然，至於通篇音節之妙，猶為餘事。

四言詩還有碣石篇也極妙。

「東臨碣石，以觀滄海。水何澹澹，山島竦峙。樹木叢生，百草豐茂。秋風蕭瑟，洪波湧起。日月之行，若出其中；星漢燦爛，若出其裏。幸甚至哉，歌以詠志。」（其一）神龜雖壽，猶有竟時，騰蛇乘霧，終為土灰。老驥伏櫪，志在千里，烈士暮年，壯心不已。盈縮之期，不但在天，養恬之福，可以永年。幸甚至哉，歌以詠志。其二

第一篇四日月之行四句，寫天空海色，融為一片。大氣磅礴。　道元水經注卷三十八湘水篇；「洞庭…湖水廣圓五百餘里，日月若出沒於其中。」杜甫登岳陽樓詩有：、「吳楚東南圻，乾坤日夜浮」之句，論者以為杜取水經注語，而不知道元特拾曹公句耳。從這裏也可以想古今辭人運用詞語之妙。第二首老驥等語，也是千古名句。

曹公詩有一種雄直古勁的味道，五言詩苦寒行也很出色。

北上太行山。艱哉何巍巍。羊腸坂詰屈。車輪為之摧。樹木何蕭瑟。北風聲正悲。熊羆對我蹲。虎豹夾路啼。谿谷少人民。雪落何霏霏。延頸長嘆息。遠行多所懷。我心何怫鬱。思欲一東歸。水深橋梁絕。中路正徘徊。迷惑失故路。薄暮無宿棲。行行日已遠。人馬同時饑。担囊行取薪。斧冰持作糜。悲彼東山詩。悠悠使我哀。（未完）

管仲　李時　莊周　曹操　安徽十三傑　華佗　包拯　朱熹　朱元璋　戚繼光　李鴻章　段祺瑞　胡適　楊振寧

國父之創見與中華文化之必然復興（一）

陳立夫

二十世紀的下半期，是人類史上變化最大的時期。由於自然科學無論在理論上或應用上，均有突飛猛晉的成績，使人類對於大自然的認識益加清楚，控制益加確實，因之人類對於宇宙奧秘的探索，更增強了自信。原子能之被控制，是證明人類已掌握着宇宙間最大的動能，可用以建設或破壞；合成化學之種種發明，是證明人類有了取之不盡用之不竭的資源。人類既能創造或控制宇宙間之動能和物質，還有什麼事做不到呢？唯一可慮者，為人類壽命有限，難以長享此類成果，但是醫藥方面也借了各方面科學進步之光，加以本身也有不少驚人的發明，使人類死亡率逐漸下降，平均年齡有顯著的延長。將來即使地球上有人滿之患，也可用電腦計算方法，登陸月球技術，移民到其他星球。所以「科學萬能」的觀念，已經深深地印入人們的腦海中了。

不幸地在這個科學時代中，人忙於研究物質，自己反而在物質文明中被遺忘了。科學不斷底在洩漏天機，侵犯了神的境界，在神的庇護下的道德信仰被動搖了。人被物質所誘惑，所陶醉，所催眠，他除了物質之外，不再對其他感到興趣，結果，人類心靈之產物，而為普通動物所無者，例如理知性（或稱理解力）道德性形而上的神性等，非但沒有進步，反而較前矇昧起來，正如吾國祖先所警惕我們的話，所謂「良知為物欲所蔽」「利令智昏」等。」人，心目中時時念着物，追求物，縱慾以獲取物，就不知不覺地陷入物的陷阱，成為物質世界的奴役，把自己以往已經獲得的自由失去了，於是智慧不再向最高度之形而上領域發展，人生之理想境界不再存在了。於是精神生活從內部腐亂，人格隨之而瓦解。造成人類幸福的物質文明，竟成了人類文明的尅星，使人類生活走向枯燥，厭倦，甚至於恐怖，精神生活終至喪亡而後已。

不獨此也，人們竟認為人文科學亦應和自然科學一樣地日新又新，因此對于以往數千年教育家和宗教家本于人類生存的經驗，苦口婆心以身作則所定下來的「人之所以為人」的種種教條，企圖一律予以推翻，美其名曰「回到自然」。其結果，宗教更失去信仰，道德愈日趨墮落，人慾橫流無阻，青年意志頹喪，人類之前途，慘淡無光矣。誠如吾國祖先所稱：「愚而好自用，賤而好自專，生乎今之世，反古之道，如是者災及其身者也。」

在世界另一方面，有一個國家名叫中國，他的精神文明到今天還沒有受到物質文明的壓迫，正在努力對物質科學迎頭趕上，他在二千五百年以前，已經重視倫理，不依賴神來維持道德的信仰，他的一切研究，都以人為中心，他認識了宇宙是一個「生生不已」的大動體，共生共存共進化（道）乃是人類歷史進化的重心，天地間一切物質和法則，都是為民生（多數人共生共存）而開始發生效用的，所以詩經裏有如下的說法：「天生蒸民，有物有則，民之秉彝，好是懿德」，他從動變不已的宇宙中發現了一個最大的真理，作為傳國之寶，這就是堯帝（二三二〇──二二二〇BC）開始拿來傳給他所禪讓帝位的舜的四字訣「允執厥中」，這個「中」字，代代相傳，一直到孔子的孫子子思才筆之于書稱為「中庸」以授孟子，後儒釋「中」為「天下之正道」，並釋「庸」為「天下之定理」。

何以「中」成為如此的重要呢？因為在動變的環境中，時時調整是最重要的，否則失去了平衡，就會影響生存，「中」是調整的動作，也是調整的目的，調整而恰到好處謂之「和」，所以說：「致中和，天地位焉，萬物育焉」。

今天人類文明所遭遇之危機，顯然是精神與物質失却平衡，西方國家所犯的錯誤，與吾人以往所犯的錯誤，同為失之過偏，我人之所犯者為過分重視精神而忽視物質，彼則適得其反，二者均違反人類生存之原理也，吾人之祖先所見甚遠，謂修身始于格物，止于正心（見大學）；視盡人之性與盡物之性同等重要（見中庸），盡人之性非人文科學之所為事而何？盡物之性非自然科學之所為事而何？又謂「天生蒸民，有物有則，民之秉彝，好是懿德」（見詩經），是指物質與法則，宜並重視；又謂「民之為道也，有恆產者有恆心，無恆產者無恆心，苟無恆心，放辟邪侈，無不為已」，蓋無往而不以心物並重為訓。不惟此也，有治國平天下之九大條件（九經）中，列修身為第一經，列「來百工」為第七經。來百工者，即謂鼓勵及招徠各種技工之意，（在今日即指工業及工程人才），且說明來百工之目的在富國，所以說：「來百工則財用足」，並接着說「日省月試，既稟稱事，所以勸百工也」。換言之，「天天要省察，月月要試驗，待遇要與工作相配稱，才能做到鼓勵及招徠之效果」，此類原則方面之指示，與現代工業方面所重視者幾無差別。以二千五百年以前的孔子，在集大成的工作中，提及此一原則，則顯然遠在此以前已獲此結論。照例吾國之科學與工業，應遠在他人之前，而今竟落人之後，其故何在？惟一之答案，誠如大思想家斯賓塞所云：「文化有醒覺時，有睡眠時」，過去兩世紀，他人對于自然科學突飛猛進之時，吾人正在熟睡耳，吾人方醒、而彼等又開始睡眠而已。睡眠並非謂喪失民族之卓越智慧，因為精神與物質失去了平衡，生命力減退而入于睡眠狀態矣。一旦覺醒，急起直追，迎頭趕上，當非難事也。

（未完）

巨變歷險記！

投諸大牢

（一九八）　胡慶蓉

我部隊同緬甸的撤軍談判，由大其力，而猛叭，而景棟，漸漸的進入緬甸的勢力圈，特別到了景棟，破裂情形已非常顯著。我雖欲與緬甸談，不斷的談，無限期的談，無奈緬甸已感覺不耐，準備施用壓力，迫我撤出緬境。

緬甸施用壓力，第一將丁博士軟禁在景棟緬甸的軍營裏，斷絕他同他的隊部聯繫，並同外邊的華僑聯繫。丁博士被囚禁的地方是一個小小的竹子蓋的房子。看樣子非常新，牆完全是竹子的，稀稀疏疏，編織而成。沒有窗戶，只有兩個門。上邊塔蓋的是新的草排，地還是土地。有一張牀，一張竹子牀，牀前有一個茶几，這仍然是竹子編的。茶几上放着一個暖水壺，兩個茶杯。不准出外，專人把守。這樣有兩天，來了一位楊慕時先生。他是雲南邊上鎮康縣的黨部（中國國民黨）書記，一見就知道是飽經風霜的人，土裏土氣，惟兩目烱烱，黑黑的濃眉，襯出極為堅忍的一個人。緬甸想運用楊先生對丁博士做說服的工作，楊先生年事尚輕，浙江人，浙江諸暨人。以一位魚米之鄉的青年能到雲南邊境來，已不簡單，到邊區而能作黨的工作更不簡單。楊先生並且擅長詩文，出口成章。他對丁博士一見傾心，相談之下，對丁博士五體投地，不惟不勸丁博士改變初衷，而且堅強起來丁博士的意志。他也認為我部隊在我們自己的領土上，我無撤離的理由。在事實上，整個大陸淪陷，已無去處。若為扭轉大局，更不能離開。緬甸計不得售，又把丁博士改囚禁在景棟大華僑鼎鼎大名的馬興臣家。馬家距兵營不遠，靠近宮城，他經營特產，他也經營茶葉，他製造茶，專運到西藏行銷。馬先生雖是商人，有弦高之風。他對於丁博士的主張，也表示極端擁護，他甚至主張收復失地，主張還我故土，將緬甸全部趕回仰光。他也不勸丁博士撤離。

緬甸眼見華僑也都站在丁博士的立場，他認為他們同丁博士一樣違反緬甸國家的利益與緬甸為難，一怒之下，大舉逮捕華僑，一個早上，就逮捕了一千多人，全部送到景棟監牢，景棟的大牢。丁博士同時也被投諸大牢。這是一個很淒慘的局面，緬甸的兵像趕豬仔的一樣趕着中國的華僑，也就是中國人一羣一羣的進入了景棟大牢。妻子兒女不忍分離的，往往哭着送到大牢的大門。這是在很早很早的時候，天還沒大亮就動手了，緬甸的部隊，荷槍實彈，聲勢洶洶的樣子，趕着被逮捕的人，一條條道路通大牢，景棟歸於一杰，一時景棟大牢擁擠不堪！景棟自有歷史以來，也沒有像今天押這麼多的人。景棟大牢四面圍着高高的紅牆，裏邊是一棟一棟長方形的大屋，中間是一條路，兩旁是兩條長長的亢，長長的牀，一個人緊近一個人，到處是滿滿的。門鎖上，窗戶閉上，小便桶，大便桶放在裏邊，臭氣薰天，令人實在難以忍受。丁博士放在左手邊第一棟房的左邊第一位。對他同對所有的人一樣，沒有絲毫的優待，正相反的，丁博士被看的更特別的認真。吃飯也是同一般的犯人一樣，沒甚麼菜，單單粗糙米也吃不飽。丁博士常常被提出來問，看他是不是屈服了，看看是不是同意撤離？但大牢的苦，並不能使丁博士屈服，或者倒不如使丁博士更堅強了。在丁博士，不撤就是不撤，任緬甸怎麼樣，他也不承認撤。就在這個大牢，他發出同緬甸戰爭的「衣帶詔」。這以後再談。緬甸既迫我部隊撤離緬甸，我既不能撤離，我既不願撤離，戰爭是無法避免的了，只有以戰爭來鞏固自己的地位。

黛眉小傳

• 王幻 •

吳淑姬（一）

女詞人吳淑姬的身世，較之朱淑真尤為悲涼，委實令人惆悵不已。中國婦女文學史及中國人名大辭典都說她嫁給士人楊子治外，其他便不可考了。但據南宋人洪邁的「夷堅支志」庚集十卷所載：

湖州吳秀才女，慧而能詩詞，貌美，家貧，為富民子所據。或投郡訴其姦淫，王龜齡為太守，逮係司理獄；既伏罪，且受徒刑。郡僚相與詣理院觀之，仍具酒引使至席，風格傾一座。遂命脫枷侍飲，諭之曰：「知汝能長短句，宜以一章自詠，當宛轉白待制，為汝解說。不然，危矣！」女即請題，時冬末雪消，春日且至，命「道此景作長相思令」；捉筆立成曰：

烟霏霏，雨霏霏，雪向梅花枝上堆；春從何處回？醉眼開，睡眼開，疏影橫斜安在哉！從教塞管催。

諸客賞歎，為之盡歡。明日，以告王公，言其冤。王淳直，不疑人欺，亟使釋放。其後無人肯禮娶，周介卿石之子買以為妾，名曰淑姬。王三恕時為司戶掾理，正治此獄，小詞藏其處。

由於上述，可知她的遭遇了，誠如她在「惜分飛」詞中所云：「斷腸遙指苕溪路」，一如這位女詞人身世的象徵。她有着美麗的姿容，藝術的天才；但貧苦的境遇，似已預兆她將來不幸的命運。當她由垂髫的孩童，變成盈盈的少女，正似潔白的苕花，開始在溪流飄低拂；因為她頗負才名，就成為當時一般男性追逐的對象。於是她受了誘惑性的獎導，開始和男士們此唱彼和的擒縱生涯。為了她欵待或有偏過、遂引起他人的嫉妒，就加以「宣淫」的罪名，被告發而捉將官裏去。以後的遭遇或盡如「夷堅支志」所載的。最後她被正人君子視為蕩婦淫娃，又掙不過金錢的屈服，只好賣給人家做妾了。其中稍有矛盾的，就是她的丈夫一說姓周，一說姓楊；不過她的丈夫是誰？在當時的人似亦不敢確定。我們只要從宋詞人黃昇編的「唐宋諸賢絕妙詞選」所載女作家，他在魏夫人的名下注道：「曾子宣丞相之內子」，在李易安的名下注道：「趙明誠之妻」，獨於吳淑姬的名下加以「女流中慧黠者」的考語，而不注明是誰人之妻。橫豎我們所着重的是作者自己的身世，至於她的丈夫究竟姓甚名誰，知道與否，似乎無關宏旨了。（未完）

第十九章　吳玠大敗金兀朮　岳飛桂嶺破曹成

周燕謀

桂嶺之上又有一嶺名「北藏嶺」，「上梧關」、「蓬嶺」，三者合稱「三隘」。曹成先引軍佔據三隘以待岳飛，以為萬無一失。盡得地利，後來者不能奪。岳軍一到，曹成即命都統領王淵迎戰。岳飛尚未安營，即刻下令就地迎戰，不待佈陣。所謂臨機應變。岳飛令出必行，不遵必罰，有功必償。故一聲令下，士卒無不用命，不陣而鼓，殺得王淵賊兵大潰。乘勝殲滅其守隘之軍，連奪賊之二隘據之。曹成一見三隘已失其二，不敢與爭，連夜遁去。

同月十三日，曹成再選銳卒悍將自北藏嶺來攻，岳飛已經休養三日，士氣大盛，一鼓破之斬首一萬五千人，獲其兵器無數。曹成接連敗陣，士氣大喪，又欲作困獸之鬥，又從桂嶺移兵至北藏嶺，綿亘六十里，所據寨柵皆為山險河澗，人馬不得並行。曹成自守蓬嶺，嚴加戒備。岳飛只有八千人馬，集中一點，逼近嶺下。至未時，岳飛下令猛攻，士卒無不爭先而登，一處潰敗，動及全綫，曹成兵多，乃是烏合之衆，一潰便不可收拾，擁墜入澗谷死者不知其數。曹成用繩自縋吊下嶺去，奪得駿馬逃逸。岳飛盡據寨柵，俘獲數萬人，刀槍旗幟無數，生擒賊將張全。曹成收拾殘兵，竄往連州去了。岳飛命張憲、王貴、徐慶三將道：「曹賊敗走，黨羽各奔一方，必須盡行招撫了良民從脅，深可痛憫；然縱其所往，則大軍班師，復聚而為盜。今命汝等分三路招降，若再抗拒，殺其賊首而撫其衆，慎勿妄殺，以累主上保民之仁。」岳飛真是「儒將」。於是張憲入連州，徐慶入邵州、道州，王貴自柳州入桂陽。三路共招降二萬之衆，會師連州。岳飛縱其脅從歸田，精壯留之為兵，用其降將，人民大喜，深佩岳飛之仁厚。曹成不得已，向宣撫司李回請降。

曹成另一部賊兵，由賊將郝政率領，流竄沅州（湖南沅陵）士兵以白布裹頭，自稱要為曹成復仇，謂之「白頭巾」。但被張憲所擒。另一賊將楊再興被圍，躍入澗中，兵到了，個個躍雀，人人振奮，精神百倍，氣高萬丈，鼓勇殺上，前後夾攻。金兵腹背受敵，那還支持得住，見了韓字旗號，人人大驚，各自逃命至上。解元揮軍追擊，正遇援兵。解元仔細一瞧，原來是統領成閔，解元便問道：「元帥到了末？」成閔道：「元帥親追金兵去了，特派我前來應援」。解元方知成閔乃是假冒韓元帥威名前嚇恐金人的。於是遂與成閔合軍，追蹤金兵。沿途俘虜甚多，一直追了三十里方收兵計功。（九十六）

自由報
（第一一四五期）
（中四刊每星期三、六出版）
社長李遐齡・督印黄行寶
社址：香港九龍彌敦道593—601號廖創興銀行大廈八樓五座
LIU CHONG HING BUILDING 7th FLOOR FLAT '5 593—601 NATHAN ROAD, KOWLOON, H.K.
TEL：K393831
電報掛號：7191
承印：景星印刷公司
地址：嘉咸街廿九號地下
台灣區業務管理中心：台北重慶南路一段一二九號
電話：二四五七四
台灣區直接訂戶　台灣劃撥戶第五〇五六號張萬有（自由報會計室）
台灣分社：台北市西寧南路110號二樓
電話：三三〇三四六、台郵劃撥戶九二五二號

温故以知新與研新以証故（上）

陳立夫

溫故固可知新，研新亦可證故，蓋眞理不受時空之限制也，何況宇宙萬物，莫不在動變，動變的過程，必為一波浪形，一起一伏，此消彼長，為必然的趨勢，此易經之所以有物極必返無往不復之定律也，故最新者與最古者其形相離殊，而原理則一，固無足怪，楊振寧博士於獲得諾貝爾獎金後，發表談話，自承其所發明，曾得易經之啓示，可以為證，近更在紐約華埠發表演說，奉勸大家重視本國歷史文化。當有所領悟。其要在吾人對於祖先之智慧不予低估，對於民族之歷史文化不予蔑視，以科學方法研究其盛衰起伏之眞因，而分別予以改進與發揚，民族必因文化復興而復興，勢所然也。

眞正有學問的人，不會有成見的，眞正愛國的人，不會損害民族自信心的，讓我來舉幾個近例，以作證明。

（一）香港報紙曾載過：諾貝爾獎金得主，世界傑出物理學家李政道博士，在香港中文大學接受榮譽博士的學位典禮儀式中致詞，談到近代物理學與中國古代易學的相同處，他說：「牛頓力學」已被「量子力學」來代替，在「量子力學」中有一條很基本很重要的定律叫做「測不準定律」。這條定律說，我們永遠不能測準一切，任何物件假如我們能完全測定它在任何一時間的位置，那在同一時間，它的動量就無法能固定。對普通一般物件而論，動量不固定，就是速度不固定，既然速度不能固定，那也就無法完全預定這物件將來的路綫了。從哲學上講，「測不準定律」和中國老子所說：「道可道，非常道，名可名，非常名」的意思，頗有符合之處。所以近代物理學有些看法，和中國太極和陰陽二元的學說有相似的地方。因此量子學的創造人，丹麥大物理學家寶雅教授，在他被封為爵士的時候，選了中國的太極圖案，作為他的徽章，象徵着中西文化的融合，這正和香港中文大學的宗旨不謀而合」。

上述是以證明吾國最古的易經哲理與現代最新的物理學頗有相似之處，而此一融合，竟出諸兩大物理學家之口，假定這兩位能對易理再作進一步的研究，我想中國文化之復興，必更可得有力之引證。

（二）台灣新生報曾載黎凱旋先生一文，名曰：「中國民間算學記趣」，說明易經數學的實用若干例子中，有一節標題為「樂煞了飛將軍」，其文如下：「在半個月以前，有一批在美國學過最新飛機駕駛技術的飛行員，集中在某一基地訓練，當我談到易經時，曾信手在黑板上寫了一個洛書九九方陣，沒想到有很多人竟不約而同的跳躍和歡呼起來……我於是問他們究竟是怎麼一回事，並指定一人答話，據答話的飛行員：「現在美國最新式的飛機上，都有一種小型計算機的裝置。這種機件，無論在「數」和「事物」的排列組合上，都和洛書九九方陣的排列組合原理十分相似，因此他們便禁不住歡欣鼓舞起來了，我更要求他們說得更具體明白一點，他們的綜合說明是：（一）九九方陣很像一部小型電子計算機。（二）方陣的「1」正像管制電子計算機開啓的「1」；「81」正像關閉的「0」。（三）方陣的紅綫（用以表示數字排列路綫）正像電子客管。（四）兩者的數字排列組合都是採用一種兩進位的排列組合法。（五）一個很簡單的九九方陣，可以用於計算解答各種算術甚至於數學上的問題，並且非常迅速而合於邏輯，這也很近似電子計算機的功能」，為了要知道這批飛行員是從那裏聽來的這一套易數知識，我就追問他們，才知道他們在美國某地受訓時，有一位日本教官講解電子計算機組合原理時，曾將洛書方陣配合講解並懸掛了一組從三三方陣到十三十三方陣的圖表，但是他們並不知道源自中國易經。由於上述我覺得欣慰而又慚愧，他國學者都在為我們祖先的偉大智慧和發明找到了科學的證據而予以闡揚，而我們少數學者（？）還在用盡方法駁斥易經之無用與自毀其歷史，非將我們的祖先弄到與世界上文化最落後的民族的祖先等量齊觀才稱心願，不亦愚而可悲乎。

（三）享譽國際的日本天文學權威荒木俊馬博士於兩三年前來華訪問，發表了學術演講，引經據典，指出遠在四千年前中國帝堯時代，中國的自然科學是最發達的，中國天文學家就已觀察天象，制定四季，他引證了尚書堯典有這麼一首歌：

日中星鳥，以殷仲春。日永星火，以正仲夏。
宵中星虛，以殷仲秋。日短星昴，以正仲冬。

荒木博士說，這首歌的意義是說明這四星——鳥星、火星、虛星、卯星的位置變化，來決定春夏秋冬四季的天候，這四顆星叫四中星，堯帝時候的學者已有詳細研究。由於地軸與太陽運行的黃道，有廿三度半的偏差，所以「堯典」寫作的時候，其天象的變化，與現時有很大的差異，但是根據這些變化的判斷，我們可推論那時候的天文概況，他又說：不管年代計算是否十分準確，中國古籍所記載的堯舜是確有其人的，因為連天文情況都能據實記載如此之詳，則記載一個人當然不虛。

他又說，中國近一千年科學雖落伍，但在四千年前科學卻非常發達，尤其在春秋時代中國天文學為最發達，譬如「禮記月令天象」中有孟春之月，日在營室，昏參中，旦尾中……仲春之月，日在奎，昏弧中，旦建星中……」這是將一年分成十二個節月，再分廿四節氣，與現代天文學所推算的完全一樣。他又說，春秋典籍記載當中共發生日蝕卅七次，據現代天文學家往前推算，僅有四次有些差誤，可能遇到陰天，觀由不實之故，這次推算，是極為正確的了。

荒木博士以科學家的觀點作如下之結論「中國的精神賴中國文化，而中國文化所依賴的便是中國文字是中國文化的精華，其象形文字所代表的意義至為深刻，五千年來已匯成一股巨流，源遠流長，光輝燦爛，他深深憂慮大陸毛匪正進行着消滅中國文字之陰謀，勢將使中國五千年文化蕩然無存，他希望早日反攻大陸以拯救吾國文化」。

由於上述荒木博士的話，更使吾人十分慚愧，他從天文學本身用科學方法往後推算，證明了堯典裏所講的四顆星用之以計測春夏秋冬四季的天候及日蝕次數與現代天文學完全符合，並且證明吾國歷史所記載的祖先堯舜確有其人，而吾國之所謂學者反將禹湯置之於懷疑之間，豈不太缺乏研究精神？他明白指出中國文字是中國文化之精華，不容毀棄，且期望吾人早日反攻，以救其厄，而吾人猶有主張羅馬化本國文字者，其短見不亦可笑而可悲耶。

（四）最近南洋大學教務長鄭亦同先生化了十多年的功夫研究易經，發明了易經中許多名詞，為後來學者所不能解答者，盡是天文學中的星的名稱。據他推計所得天文方面種種數字的結果與現代天文學所載者完全吻合，這書不久可以出版。

總之，一個國家遭受了外力之侵凌，其最大的損失，莫過於歷史文化之被毀棄，在心理方面失去了自信心，產生了自卑感，一切以主子的意志為標準了。西方考古學家人類學家從未想到四千年前中國的文明竟有如此之高，當然在科學的觀點上來說，證據是最重要的，他們既不懂得中國文字和歷史，又看不起中國人，自然會武斷的說，中國歷史是不可信的，讓我們自己懷疑自己的祖先，未必有如此超卓的智慧，因此淺薄之士隨之而胡說道，大禹這個人並不存在，那幾部分經書是後人偽造的，易經是卜噬之書，禮記是漢人托古改制的，使幾千年已成立的信仰，為之動搖，殊不知侵略者所最忌的，是被侵略的國家，其文化高過於自己的文化，否則不能引用達爾文的學說，以證明自己是強而優，應該侵略你們的弱而劣者，即使不能證明自己是優，亦至少可把你們的歷史拉後千百年，這種陰謀，國人不察，而竟被崇洋者所接受了，因之為虎敷翼，不以為怪，苟非北京人頭骨之出土，殷墟甲骨文，及古代銅器之發掘出來，吾人猶在拾人唾遺，繼續自毀其歷史呢。

（未完）

昨日與明日

值得讚美的一位女性

本報立場嚴正，對人從不阿譽，惟獨對江學珠女士卻無限地欽佩。

江學珠女士從北一女校長任內退休，構成自由中國一項大新聞。北一女的老師，學生和家長，表示惋惜，社會人士表示欽敬，新聞記者在報紙上紛紛發表讚揚的言論，高玉樹市長在公開集會上為之褒揚。無數海外人士也知道自由中國有這樣一位好校長。由此可見：是非究有定論，正義眞理永存，好人是決不寂寞的。

說老實話，江學珠校長可以說是獨樹一格的人物。她終生獻身教育，沒有結過婚，也從沒有叫說過：她有男朋友。她沒有家庭，祇有學校，她沒有愛人，祇有學生。她寧願住小屋，而把學校配給她的校長官舍，改建為教員宿舍，容納教員多家居住。她在錢財處理上，絕對清廉無私，一文不苟。她不善言辭，一切身教，苦幹實踐，澈底做到犧牲自己，福利他人。因此她的同事們和學生們敬她也愛她。在這舉世擾攘，極大多數人無不自私自利的社會裏，江學珠校長的作風，怎能不令人欽佩。

有了好校長，纔能請到好老師。當今公教人員待遇菲薄，北一女的教師們能夠多年施教，自甘菲薄，使無數青年受惠，社會上對北一女的教師們也無不另眼相看，表示尊重，都不是沒有原因的。

雖然江學珠女士年已古稀，而身體倘健，本可再做幾年校長，據說：高玉樹為尊重人事上的退休制度，乃不能不對江校長限齡退休。代表民主輿論，我們很高興聽說高市長尊重制度。江校長去了，誰來接任這樣著名學校的校長呢？想高玉樹市長一定在愼重考慮之中。希望高市長的未來決定，不使一女中師生和全體家長，甚至社會人士失望。

・千公・

自由談

知恥知病

時代無論怎樣進化，道德標準不管怎樣變遷，人類只要有政府組織以管理衆人之事，必須具備着一種為大衆所遵從的法制與紀綱，任何人亦不能自外生成，蔑視不顧，如或上無道揆，下無法守，政治生活即未有不趨於腐化惡化之境地的。

要維護法制與紀綱的尊嚴性，端賴一般從政人員以身作則，毋稍侵犯，偶有無心的過失，即自省自勉，示天下以共信，政風自然嚴肅，國事隨之向上發展，郅治之隆，可立而待也。所以，蔣總統訓誡文武百官要知恥知病，實為求治的金科玉律，永垂不朽。

知恥知病是自發的良知作用，誠於中而無待於外，求心所安，有所不為，夫是之謂政治節操。設有觸法犯紀的行為，受人指摘而後悚然警惕，自怨自艾，雖能悔改，亦已落入下乘。如其笑罵由人，我行我素，悍然實行厚黑主義，而將法制與紀綱負之以趨，那便是孟子所謂「無恥之恥，斯無恥矣」！

今有人焉，身居國家選任官職，公然非法營商，詐欺升斗小民的保險費，雖引起輿論抨擊與官府查究，醜聲四播，而漠然無動於衷；亦有特任的達官顯宦，因失職而遭受懲戒處分者，靦顏好官自為，恬不知羞；這都是敗壞法制與紀綱的顯著行為，而與知恥、知病的義理相悖謬，此風不戢，尚何革新政治之可言呢？

法制與紀綱只是求治的工具，需要人來運用而維護之，養成凜然不可侵犯的尊嚴性，古人所謂「信賞必罰，虛偽不齒」，此物此志也，謀國者豈可忽乎哉！

馮[illegible]先生

征公共設施保留地 未能按照市價補償

立委以情理法向政院質詢 要求執行公務應遵守法律

（自由報台北消息）內政部長徐慶鐘說：關於政府征收公共設施保留地補償問題，依照都市計劃法規定，應按市價補償。惟其價格之計算係採區段方法，亦即以區段數宗土地交易價格之平均值爲其征收價格，惟因該區段交易市價不一，故平均價值常不如某一宗較高價格土地之地價，因而市價補償就低。這是徐部長列席立法院第一屆第四十七會期首次會議答復立法委員費希平質詢所表示的。

費希平委員質詢時表示：「政府征收人民土地未依法補償。」他說：關於政府征收公共設施保留地，未依法補償問題，立法院同仁，在上一（四十六）會期曾經聯名提出一篇書面質詢。據內政部書面答復稱：「政府征收公共設施保留地之補償標準，依照都市計劃法第四十八條規定，應照市價補償。關於市價之產生，現行法尚乏明文規定，同時土地價格之形成，除與一般商品一樣，決定於供需關係外，又因爲土地具有固定性，不能毀滅性及位置優劣之差別，因而地方政府不但感於市價之標準難以訂定，而且最易引起紛爭。台灣省政府曾爲此擬具意見，擬請行政院謀求補救。行政院於將該項意見發交本部會同財政部、司法行政部等有關機關研商，並經專案審查後，提第九九九次院會決議，略以：都市計劃區內公共設施保留地得依法予以征收，征收地價之補償，依都市計劃法第四十八條規定，應按市價；此在實施都市平均地權地區，應以實施都市平均地權條例第三十九條規定之土地現值表爲準。」

一、以法而論，我要向嚴院長有所請教的是，行政院的決議案，有沒有權力變更國家的法律？如果你認爲行政院有這種權力，那是根據中華民國憲法那一條？請問，行政院以行政命令變更法律，是不是一種越權違法的行爲？作爲一位民主法治國家的行政首長，在法律上應該負什麼責任？對立法院而言，行政院這種獨行以行政命令變更法律的作風，是否侵犯了立法權？在此種情況下，立法院存在，除了作爲政府的橡皮圖章及民主花瓶外，究竟還有什麼意義？就行政院而論，像這樣集立法與行政大權於一院的政府，豈不是一個不折不扣的極權政體？

我在第四十三會期所提出的一篇書面質詢中，曾經說過這樣一段話：「所謂國家法治者，人民固然應該守法，政府尤要守法，惟有在政府嚴格遵守法律前提下，才能養成人民守法的習慣；如果政府官吏認爲法律祇是約束人民的工具，政府爲了施政方便，可以隨意曲解法令，乃至視法律爲兒戲，那麼，上所好者，下必甚焉！文如何能夠期望人民去守法呢？所以說，國家法治，政治才能走上軌道。」假如有人認爲，政府官員執行公務，不必拘泥於法律條文，那豈不是等於讓州官隨便放火？這是一個多麼危險的落伍思想！今天，我以立法委員身份，提出這篇質詢，除了爲人民爭取合法權益外，更具有維護法律尊嚴的意義。希望我們同仁，能堅持立法院的立場，共同爲「護法」而奮鬥。

征收私地公價補償 出售公地市價計算

眞像大秤買進小秤賣出 這樣的作風實在要不得

二、以理而論，現在政府征收人民土地，按公告現值補償；但政府出售公地，就以市價計算。試問，民生主義的平均地權，是不是如此規定的呢？如果在平均地權中，眞有這種辦法，三民主義還有甚麼價值可言！但有人認爲，政府這種措施，乃是取之於民，用之於民，並沒有甚麼錯誤。但是，我們必須知道，取之於民，應該取之有道，像這樣以大秤買進，以小秤賣出，豈是一個爲民表率的堂堂政府應有的作風？前山東省主席韓復榘，固然是個行伍出身的老粗，頭腦也十分簡單，可是他如果發現像這種不規矩的商人，一定要科以重刑，由此可見，在他的單純頭腦中，尚有是非觀念存在。今天在座的袞袞諸公，自然都是學貫中西的飽學之士，你們的學識和見聞與韓青天相比，猶如天壤之別；但非常可惜的是，諸位先生的是非觀念，卻被你們的高深學識給冲淡了。所以古人主張「歸眞返璞」，也許就是這個道理。

現在讓我舉一個例子，來印證我的說法。最近，我接到一件人民請願案，據請願人說：「國防部三軍總醫院，由廣州街，遷至水源路，征收我們的土地，按公告地價每坪以一千元至二千元補償；而三軍總醫院將廣州街舊址公開標售，每坪高達二萬六千元，竟超出公告地價若干倍。政府爲甚麼不取之於民，還之於民，把廣州街舊址，按公告地價，讓售給我們這些蒙受損失的老百姓呢？」像這種情形，政府不就是以大秤買進，以小秤賣出的明顯例子嗎？這與北洋軍閥的強取豪奪相較，也不過是五十步與百步而已。

三、以情而論，這些請願人多半是工人、小商人、以及退役軍人。他們家無恆產，祇靠勞力維持生活。可是我們政府竟置這些升斗小民的生死於不顧，將其土地強制征收，就是在人情方面，能夠說得過去嗎？我曾聽到有些政府官員這樣說：「政府從事於都市建設，乃是爲人民謀福利，人民就應該犧牲小我，把自己土地捐獻出來修馬路，不應該斤斤計較地價之補償，以致影響地方建設。」這一番話，聽起來眞是冠冕堂皇，好像也有一點兒道理；但一仔細玩味，又覺得他們有慷他人之慨的嫌疑。談到犧牲小我，我認爲應該由富人做起，似乎不必在升斗小民的身上打主意；尤其是那些大唱高調的政府官吏，首先應該以身作則，將自己所有的土地都捐獻出來，然後再講這一番大道理，才使人覺得理直而氣壯。若是這些官吏由於近水樓臺，把都市計劃圖模得清清楚楚，並且在計劃路兩旁事先購買了大宗土地，準備大發一筆橫財；同時這條馬路因地價補償問題，遲遲不能開工，在情緒上，他們自然有些迫不及待，於是乎他們口不擇言，對這些保留地的地主大聲怒吼：「你們不顧犧牲小我，完成大我，簡直是阻撓地方建設。」嗚呼！此所謂大我者，不就是這些抄地皮的政府官吏嗎？

征收土地補償 依法應按市價

保障人民財產責無旁貸 地方建設應該多闢財源

四、我們再就事實而論，也許有人這樣說，費委員所講的理由都十分充足，但是，台灣省公共設施保留地約一萬餘公頃，如果依法按市價補償，政府的財力無法負担，所以只能按公告地價征收。現在我們再進一步加以檢討，關於公共設施保留地的補償，究竟是政府眞的負担不起呢？還是在觀念上有偏差呢？

（一）我們都十分了解，權利與義務是相對的。政府征收人民土地，依法應按市價補償，這是政府對人民應盡的義務，也就是在憲法上所規定，對人民財產權的保障；反之，人民向政府納稅，是人民應盡的義務。如果人民對政府說，在政府的稅捐太重，我們負担不了，請打個對折繳稅吧！政府是否也可以通融呢？我想，這個答案必然是否定的。那麼，人民對政府應盡的義務既然不能不盡，政府對人民應盡的義務，爲甚麼要大打折扣呢？

（二）政府官員說，公共設施保留地太多，如果按市價補償，政府的財力無法負担。可是，我要問一問，現在政府究竟有多少公有土地？其價值是不是超過了公共設施保留地的總值？政府爲什麼不以出售公地的價款，作爲公共設施保留地的補償呢？

（三）政府所征收的土地稅，如地價稅、土地增值稅、空地稅、以及工程受益費等，按理都應該用土地改良方面，也就是應該用在地方建設上。若是這些稅收都用在這一方面，我想，對公共設施保留地的補償，大概是不會發生問題的；而今之所以成爲問題者，乃是這些應該用在地方建設上的財源，已經移作別用了。

（四）如衆所週知，當一條馬路修通之後，兩旁土地之地價起碼上漲一倍。爲甚麼這條馬路兩邊土地之地價如此上漲？是不是因爲修通了這條馬路的關係呢？如果因爲修通這條馬路，而使兩旁土地之地價上漲，那又爲什麼不多徵收馬路兩邊土地的受益費或土地增值稅，以補足馬路中間被征收土地的地價呢？試問，政府何以坐視這些既得利益者大發橫財，而忍心讓那些保留地地主傾家蕩產呢？這究竟是什麼道理，我眞是百思不得其解，還是請嚴院長給我一個明白答復吧！

所以每當跑馬之日，當店無不生意滔滔，灣仔一帶的當舖，因爲地位接近馬場，生意特別興隆，一天典出三萬元左右，事所常有。而且這種顧客，往往三數日間，即來取贖，而當舖所收的利息一樣十足。

泰國政府 曾來考察

當舖歷史雖以中國爲最久，卻並非我國所特有，富庶地區如美國、英國，法國和日本也一樣因有此需要而能存在。一九六二年時，泰國政府曾派一個當舖業代表團，考察亞洲各地當舖業情形。這個團體在香港曾逗留五天，觀察實際情形，並與香港同業交換意見，結果認爲香港當舖的制度和業務情形，與泰國不相上下，利益較泰國高百分之三，但較日本及台灣爲低。印尼於一九六一年起將全國當舖改爲「國營」，原因是不欲押當商人對窮人剝削過甚。以目前來說，這是全國當舖悉屬國營的唯一亞洲國家。

和中國當舖起原於僧寺一樣，押當在歐洲，最早也是一項教會活動，以無息貸款借與窮人，俾渡難關，所以稱作「教會銀行」。後來有人加以商業化，從中牟利，逐漸變成了押當。

縱橫談當舖

·萬念健·

歐洲當舖 英國最多

英國的銀行組織與管理向來有名，近兩百年英國的經濟發展，與銀行有不可分的關係。他們曾以航海經商稱霸世界，他們作戰的先頭部隊是銀行，他們作戰的主力部隊，也是銀行，以香港來說，匯豐銀行就是一個最好的例子。不但政府依賴銀行。在世界各地進行經濟發展，一般商人也習慣於銀行往來，從事業務發展。可是當大多數的小市民手頭不方便時，他們所光顧的也不是銀行而是當舖。

英國是歐洲當舖最多的國家。一九三〇年時英格蘭、威爾士兩地就有三千餘家。現在全英當舖共有六百家，其中一百五十家在倫敦。最大的一家在白金漢宮轉角，招牌叫作「塞頓」，門口懸有二個銅球，規模雄偉，是紳士們和貴族常到的地方。這些主顧，有時是坐着羅斯萊斯汽車而來，車上司機，穿着整齊漂亮的制服。

（未完）

台北五廉官之三——谷正綱

·文滙樓主·

我如為善，雖一介寒士，有人服其德，我如為惡，雖位極人臣，有人議其過。（格言）

谷正綱先生，即雖一介寒士，有人服其德，當然得歸功於他一生的做法，大陸未淪陷前，紅到發紫的張治中，看到風向不對，馬上開洩門，很快「進前」轉舵，谷正綱舉起椅子要打張治中，「國鳳」×××都出了籠，發言寧做史可法，不做洪承疇。

民國三十八年仲夏，谷正綱令尊翁憂國逝世，樓主曾與毛康文（對日抗戰時第六戰區副司令長官）等前往貴州安順悼唁，未料谷氏昆仲行的是我個古禮，逢人叩頭，弄得有些客人驚然手脚無措，民俗孝子以磕頭鋪路，從小的地方看出，忠臣多出於孝子之門非訛，同時孝而不忠的人也很少聽到，樓主提筆常罵銀行界幾個氣死乃父的逆子，道理在此。谷氏尊翁篤實儉樸，教子甚嚴，常訓誡谷正倫，谷正綱，谷正鼎謂：「妄取一文，不值一文。」谷氏昆仲幾十年在政治舞台的表現上，就是最好的佐證。

今日政府裏像張治中型的人物，大大小小多得可以用鞭子趕，不到末了很難發現，「三花臉」的眞面貌。最可怕的有些都盤據在要津，本領雖然沒有，始終做大官搞大錢，蒙上欺下，害國誤民，這種人每主持一個部，必將所主持的部務，弄得天昏地暗，民怨沸騰，直到千夫所指，指到沒有立錐之地時，才肯稍稍冷靜，且認「君子報仇三年」，期待再舉禍國，不過話又說回，錢都早搞飽了，眞做到「貪官門第，鈔票家聲」。

像谷正綱這樣的人就很難找了，忠於國家，忠於主義，忠於最高領袖，坦率耿直，忠義自任，幾年前的台北盜豆案，被繩之以法的立監委員一大羣，谷正綱發問，「現在所辦的都是從犯，主犯為甚麼不辦？本案有沒有主犯？」主管部門沒有方法答覆這個問題。假定谷正綱自己不廉潔，「不乾淨，除非吃了老虎心豹子胆，能敢這樣的發問嗎？敢這樣發問的人政府又有幾個？

大陸救災總會，本是一個人民團體，由於蔣總統的正確指導，經過谷正綱的經之營之，變成為一個世界有力的反共組織，除共黨與其同路人外，誰也難以抹滅。谷正綱的豐功偉績，樓主自認識谷正綱起，感到他的成功乃有敏感的頭腦與勤勉的手脚，所以能將一個空空洞洞的機構，搞得有聲有色非無由也。據說谷府上對孩子們的教育方式都是本着谷府家訓，使兒女養成勤勉的習慣，勝過留給他們財產，也即我國讀書人的傳統，先修身而後齊家。

安順谷府一門三傑，老大谷正倫是當年的貴州省政府主席，老二谷正綱是國民政府全盛時期的社會部長，老三谷正鼎是國民黨中央組織部長，三位昆仲在安順的住宅與樓主現在台北住的九百元房租沒有押金的一房兩廳大不了兩倍，祇內地鄉下院子稍寬廣而已。谷氏有這樣節儉的良好習慣，才能養成「無欲則剛」的爽朗個性，我們譽之為現代的剛直公（彭玉麟）不算是過份吧！

太平天國失敗的原因（五）

·黃大受·

乙、直接的原因

太平天國的潰敗，除了由於上述兩個基本原因，招致全國大多數人的反感以外，還有其本身，所發生的許多原因，促成了太平天國發自內部的崩潰。加上對方的若干優點，更加速了這崩潰局面的出現。茲將這些原因，簡單地分述於後：

一、學識素養的欠缺：這是內在的先天原因，難以補救。太平天國的領袖，大多學識欠缺。雖有少數如石達開、何震川等飽學之士，但在上者不能重用，亦無從施其才智。所以他們的多種錯誤措施，引起全國知識份子及一般人的反感。近人蕭公權說：「天王洪秀全及干王洪仁玕均生貧家，曾讀書而屢試不第。今觀天王所作文字，頗近鄙俗，實不足預於『士大夫』之別。東王楊秀清『在家種山燒炭為業』。西王蕭朝貴亦為耕種之農人。北王韋昌輝監生出身，曾出入衙門。忠王李秀成曾幫工就食。天官丞相秦日昌曾與人做工。惟翼王石達開『家富讀書，文武備足。』為其中最特出之人才。西人游天京者稱之為『苦力王爺的城』，雖譏而近虐，亦足為天國人物出身卑下之一證。苦力王爺固自有其特殊之美德。然學識欠缺，殆為無可隱諱之事實。」忠王李秀成為天國後起之秀，今觀其親筆供辭，文與字均不佳，也可為天國領袖人物缺乏學識的證明。

二、措施的不合人情：太平天國在起事時，定下拆散家庭的男營女營辦法。當太平軍把武昌女營的婦女，帶向南京東下時，陳徽言的武昌記事說：「驅火巷女館婦女概行登舟，人衆舟不能悉載，有坐江干凍餒徹夜者，有登舟奮身擲入江濤者，有死力挽賊婦共入水死者。」定都天京以後，仍然繼續這一措施。謝介鶴金陵癸甲紀事畧說：「男館既立，賊又趕女子出，不准私住。於是扶老携幼，背行李，悽惶道路，得間投水無算。賊驅之東，復驅之西，不得哭，哭則為妖，非鞭既殺。」至於在江南勒令女子不准裹足，違者處罰。可是已裹者無法放大，弄得婦女步難行。並且迫使弱女做工，無法担任，苦不堪言。到後來因為天京糧食缺乏，和舊日黨羽私逃，才解散女館。於是丞相可許配女子十二人，國京配女子八人，其他依次遞減。亂點鴛鴦譜，婦女從牢籠式的女館出來，却變成了配給品，比買賣式更無自由的配婚，以致自殺的婦女，數以千計。至於高級官吏的家屬，也不能在一起，東王楊秀清不以為然，曾向天王奏報說：「女官理天事甚苦，旦不是功臣忠臣之妻，即是功臣忠臣之母。……為君者自當體彼一念之忠忱，或准其一月而半。」（未完）

漏網新聞

·韋來厚·

大阪博覽會結束 未婚懷孕女增加

（外電）在一九七〇年大阪世界博覽會一帶執業的醫生們對未婚懷孕女子請求墮胎之事繼續增加感到驚異，大阪附近之醫師公會副主席齋藤（五十一歲）對記者稱，自去年春天以來附近各城鎮中懷孕婦女人數已有增加，到秋冬兩季已達頂峰人數，他們說現在還有許多年輕的有工作中的女子，大學生及高初中學生請醫生替他們「搞掂」，他說，請求墮胎者多屬未婚女子，他說，「我相信博覽會之無拘束，浮華，及都會氣氛使年輕女子疏於約束及隨便交朋友。

英汀杜爾夫人 飲七八杯紅茶

現代的女人眞的不是弱者，她們也要在各方面的競賽，破吓紀錄，英國的汀杜爾夫人在一次喝茶比賽中，飲了七十八杯紅茶，打破珍[illegible]夫人以前創下的紀錄，男人恐怕也無此飲茶的發達吧。

新德里前焚燒 毛澤東紙札人

（外電）新德里市中心區有一個紙紥的中共主席毛澤東假人被焚燒，以表示印度人對國家獨立領袖甘地紀念碑上出現有毛澤東的標語，作出抗議。該次的示威行動，適為不流血革命先師聖雄甘地被行刺的廿三周年紀念，是由右翼黨發動的，在甘地火葬的占拿阿兩岸周圍圍牆上，周四曾發覺塗滿毛澤東的標語：其中「毛主席是我們的主席」和「中國人的做法便是我們的做法」等，官員們發現標語後，隨即以水洗去。

漫談中國戲劇

·雷震遠·

民國二十年間，現代劇運動第一次遇到障礙，政治改革和文學改革對青年的鼓動結果導致思想的衝擊。知識份子、理想家各自形成兩條背道而馳的路綫，愛國青年與共產信徒處於相互敵對的狀態中。

中日戰爭使中國人重新團結起來抵抗外侮。當時的民情至為激昂，洶湧澎湃，大凡抗日宣傳都能使聽衆格外激動，故此在抗戰時期產生不少抗日劇本。政府大撤退到重慶後，軍政學界薈萃於此，使這個戰時首都一時成為抗日戰鬥戲劇創作的中心。

新創作不斷出現。環遊各省演出的劇團有二十組之多。愛國劇本數以百計，而最膾炙人口的有「從軍去」；及「放下鞭子」。新劇產生良好的結果，故此當時大部份的軍隊裏都附設有宣傳劇團。

另一方面共黨亦藉現代劇進行大規模宣傳。我住在他們勢力範圍內，曾幾次被邀參觀他們的演出。大體上，劇本都很低劣，但由於抗日情緒貫穿其中，竟也能吸引許多愛國青年投入共黨的軍隊裏參加抗日戰鬥。（未完）

御廚談藪

林泉隱

蒸藕肉

將藕洗淨，用刀削去皮，切成塊，再將肉切為排骨塊，同放在碗中，下以黃酒、食鹽，上鍋同燉，等到爛了可口些。

臘肉

在立春以前，把豬肉用食鹽、花椒、茴香、硝、醃好之後，放入缸中，用石頭壓住，起缸後在太陽下晒，色鮮紅，不遜火腿。有茭白時，或有筍時，可以同蒸。

烤猪

將小豬宰洗乾淨，另將鹽、醬油、蔴醬、酒五香末等物混和，用力揉擦在內的裏面，用大鐵叉叉住。先在皮面滿塗一層蔴油，然後到炭火上，緩緩反復燒烤，頻烤塗以蔴油，見皮已鬆脆香紅即成，吃時切成條塊或薄片，佐以香菜，蘸以蔴油醬，味以香脆為主。烤大豬方法相同，惟須用快刀在皮上刮之，刮薄為度。

蜂巢肉

以肥肉切成方形大塊，用沸水畧加變硬，每塊肉上，剜一孔，塞入蝦仁一隻，然後用肉湯並加紅米，黃酒，醬油等，上鍋用文火燉之。

陳思教授談「新聞？」

·小記者·

或許有人以為這是社會新聞，因此壽命很短，內容也很粗糙。我且找一件有關現代交通的大新聞，那是一八七四年十二月至一八七六年二月間的事，（同治十三年——光緒二年）距今不過九十六年。我一到上海，便知道從上海河南路到吳淞那條淞滬鐵路，乃是中國第一條鐵路。我當時知道這條鐵路是英國人所建造，因為行車時輾死了行人，犯了衆怒，便拆毀掉了。後來我又知道，這條鐵路拆掉了，便遷往台灣去，今日從基隆通往台北的鐵路，便是這一條鐵路的舊料。可是，這條鐵路眞的犯衆怒嗎？據一八七六年七月四日上海申報所載，鐵路在中國本屬創見，大家以為新奇，一聽到鐵軌已經鋪到徐氏花園附近，已給有一輛運輸車在上面往來運輸木石，大家都來看看這究竟是怎麼一種東西。不但本埠人士歡喜看，連幾十里甚至百里以外的人也都趕着來看。可說是前所未見的盛况。

從上海到江灣那一段，七月三日正式通車，車票分上中下三等，每天開行六次。據申報刊載：「下午一點鐘，男女老幼，紛至沓來，大半皆願坐上中兩等之車，頃刻之間，車廂已無虛位，儘有買到上中之票仍坐下等車者。迨車未開行，而來人尚潮湧至，蓋皆以從未目睹，欲親身試之耳。」（原來，上海人把遊鐵路當作一件大事，即是住在城內，幾乎終年不出門的人，聽到這種新奇東西，也都携老扶幼到那兒去看熱鬧了。）那位申報記者也就報導自己的經歷。「予於初次開行之日，登車往遊。惟見鐵路兩旁，觀者雲集，欲搭坐者，紛至沓來，不可勝數，所備客車，不敷所用。火車為華人所未從見，亦不知其危險或安全；而乘客之中，婦女小孩竟居其大半。先聞搖鈴之聲，蓋示衆人各就其位，不可奔走往來。繼以汽笛數聲，即聞索索（口旁）作响，火車隨即吹號，車輪即慢慢前駛，隨即加速快駛。坐車者皆面帶喜色，旁觀者亦歡聲雷動。頃刻間，車行疾馳，身覺搖搖如懸旌矣。此時，最有趣者，乃在田間鄉農；上海至江灣間偶有稻田，大半皆棉花地。其間素僻靜，罕見過客；忽有火車飛馳而過，但見白烟直冒，又見六輛客車滿載鮮衣華服之客，莫不詫為奇觀，莫不停鋤呆視。或有扶杖張口仰望，或牽牛驚視，欲逃又止；究言之，未有不面帶喜色者。車近江灣，汽笛復鳴；車行漸緩慢，停於站左。兩旁觀者又如堵……」這樣，大衆熱烈歡迎的空前盛况，這和後來所傳上海市民疑懼交幷之說，絕不相同。（中）

巨變歷險記！

景棟談判（一九九）

胡慶蓉

緬甸要求我游擊隊撤離的談判，從大其力談到猛叭，因為得不到結果，又由猛叭轉移到景棟。景棟距離大其力就更遠了。緬甸的用意，丁博士是知道的，那就是脫離我軍的威脅，增加對我軍的壓迫。丁博士決心以時間換取空間，求我軍的休養生息，以便向扭轉大局邁進。他個人的吃苦犧牲是沒有關係的。

景棟，我上邊說過，是景棟地區的首府，景棟土司的所在地。聽起來，非常的有名氣，但若實地觀察，實在沒有甚麼。面積並不大，有一個湖，景棟的人口集中在湖的一旁，有兩所房子，也就是兩個樓，矗立在湖邊，矗立在湖旁，異常的惹人注目。湖邊的一所，據說是土司的叔父所在，旁邊的一座，那就是土司所在。人稱之曰宮，並不是宮，孤零零的一座三層樓的洋房，連院落都沒有了。土司，人稱之曰趙發龍，即王的意思。當時的趙發龍還是一個小老弟，年歲不會超過廿四五。生活完全是歐美的派頭。沒有穿西裝，但是深藍色的短裝。吃咖啡牛奶，西餐麵包，還有汽車代步。但若一到樓上，一進客廳，擺設却又是一副中國的派頭。登甚的紀念還掛在客廳的正面，完全湘緬，一共有八億，登甚的龍座也還保存着。土司雖然英國派頭，但對中國，他並沒有忘本。對於丁博士非常有禮貌，對游擊隊他也非常支持。但是景棟的談判，並不是土司署。土司公署前面就是土司先人之墳墓。形同台灣地上壘的防空壕。墳墓外邊，一段中國式的城牆，左轉上一個坡坡，那就是緬甸軍營所在了。

景棟談判的所在並不是景棟司署，而是緬甸的軍營。營房看來都是新搭蓋的。這也並不是緬甸人所搭蓋，而是中國華僑給搭蓋的。綠銀銀的竹子牆，倒襯托得很美麗。會在軍營的會客室，坐的撓子，擺東西的桌子……一概竹子編成。有好的英國洋酒喝，有好的牛奶咖啡喝，待酒快灌醉了，才開始談判。丁博士有把握，他決不讓他喝醉，他決不辜負游擊隊全體對他的希望。還是緬甸的指揮官先說話。他的態度突趨強硬，完全是一副壓迫的派頭，有談不到結果別想出去的意味。丁博士並不示弱。緬甸想從丁博士口中得到撤軍，那是萬萬做不到的。丁博士決不發脾氣，丁博士聽緬甸人的便。

在同緬甸指揮官談不下去的時候，景棟土司來了。丁博士認為這是緬甸做的圈套，他也不會上套的。緬甸談判人員一概離場，只有丁博士同景棟土司。景棟土司雖然生活是英國的生活，但心還是中國的心，還是衛護中國的心。土司知道他的祖先全聽命於滿清政府，英國勢力剛一伸展到景棟的時候，土司曾到北京去請求援兵，無如路途遙遠，援兵未到，而景棟全入於英國人之掌握為英國人所控制矣。迨緬甸向英國人請求獨立的時候，景棟，亦稱單邦，也去向英國人請求獨立。無如英國人只以緬甸為對象，不理會單邦，單邦也就又淪入緬甸人統治之下矣！（註：「單」手旁）

景棟土司雖然在緬甸統治之下，但心還是在圖謀單邦之獨立。此心此意，丁博士明白，緬軍本來希望景棟土司誘導我游擊隊撤，結果正相反。在這里丁博士答應單邦，願為單邦之獨立而奮鬥。丁博士並向景棟土司保證決不撤退，任緬甸如何的壓迫！等到緬甸談判人員回來座位上，丁博士還是堅持不撤退，緬甸就將丁博士送入一個小小的竹子房休息，實際就是把他囚在那里。周圍警戒起來，禁止交通……

國父之創見與中華文化之必然復興（二）

陳立夫

所最幸者，吾人所偏重而未失去者為本，所疏忽或遺忘者為末，補救不難：彼等則適得其反，欲求補偏救弊，合事倍而功半，總之本末倒置，先後錯亂之結果，使人失去了生存的正道，如為過份偏重于物質方面，更可失去了人之所以為人的特點，而復回到禽獸之林，成為物質之奴役而不自知，重返認識人類生存進化，以及人之所以為人的道理，實為當務之急。

但是認識人，確是一件極難的事，我們若僅憑科學方法去研究他，祇能在物質一方面去衡量他的某些幅度，而其他幅度，則僅能感受而無法衡量。我們對于一個人的身高，體重，晉響，視力，體溫，病色等等，雖能衡量得之，但無法量出他道德的感召力，人品的高度，理想的深度，愛心的強度等等，因為這些都屬于性而不屬于質，但是誰都會承認這些屬于精神方面的特點，常于人之所以為人的重要性，乃是遠勝于物質部份。我們所看見的一個人，在形體方面來說的，一切似乎都是定型的，其實無論在生理上或心理上的一切，無時無刻不在動不在變，一面在流逝，一面在化育，雖然他的生命是在有限時間中存在，但是他身上却遺傳下來人類整個的過去，也種因下去人類悠遠的未來。科學研究至多能抓到他始終在蛻變的一剎那，而無法得到其全貌。他雖然佔領了形體所需要的空間，渡過了生命所需要的時間，但是在心理上或精神上，他有他自己的空間和時間，不受牽制于一般所了解的時空，而能超脫或趕上他，而且也不受任何自然力所支配，他在宇宙間是萬物之一，在動物中是動物之靈，自然他和物質世界的一切息息相通，相依為命，却又可以完全不受其支配。他的某一部份官能，可以遠不及某一動物之優越，但是他憑他最發達的腦，和最靈活的手，能創造物，能發掘能，來控制了大自然的偉大力量，繼續不斷創化他自己的前程。

我們若憑動物學一般分類標準來處理人，是不妥當的。人的特徵若僅從外而來舉例，已屬不少。例如：人的直立姿態，能以手取物，能取火熟食，能手拿刀斧砍物，言語之外能用文字等等。但是這些還不足以作人獸差異的標準，其最足以顯示人為萬物之靈處為：（一）人能不憑本能（性）而生活，而能以意識或理智控制及導引其本能，以達致人類共生共存共進化（道）之目的，（二）人能發現比他個人生存更崇尚更偉大的生命或世界，而能不顧一切向前去追求，甚至于犧牲一己之生命亦所不惜。前者是控制其本能，後者是超越其本能，這才是人之所以為人的特徵，而具有宇宙之寵兒的資格。

從十九世紀末葉起，人類的進化，受了嚴重的打擊。達爾文經過了二十多年用科學方法去研究和觀察，著作一書名曰「物種由來」（後人譯為天演論），發明了物競天擇之生物進化理論，這不能不算是科學家從物質的研究進一步作生物的研究，他的結論為優勝劣敗，弱肉強食，因為是創作，竟成了風靡一時的真理。這時候正是帝國主義者逞強欺弱，處處發展他們的殖民地政策，達爾文的理論恰好成了他們的出師表，名正言順底以強凌弱，侈言強權就是公理，不啻體天行道。而不知這一說法，竟將人類進化的原理推翻了，因之使人類進化倒退了一世紀之久，使人類復歸于獸化。國父於以下兩段話，最能表達達爾文的謬誤。

「循進化原理，由天演而至人為，社會主義實為之關鍵，動物之強弱，植物之榮衰，皆收于物競天擇優勝劣敗，進化論者遂舉此例，以例人類國家，凡國家強弱之戰爭，人民貧富之懸殊，皆視為天演淘汰之公例，故達爾文之主張，謂世界僅有強權而無公理，後起學者，隨聲附和，絕對以強權為世界唯一之真理。吾人訴諸良知，自覺未敢苟同，誠以強權雖合于天演之進化，而公理實難泯于天賦之良知。故天演淘汰，為野蠻物種之進化，公理良知，實道德文明之進化也。社會組織之不善，雖限于天演，而改良社會之組織，或者人為之力尚可及乎！」（社會主義之派別及批評）

國父「以進化之時期有三：其一為物質進化之時期，其二為物種進化之時期，其三則為人類進化之時期。元始之初，太極（此用以譯西名以太也）動而生電子，電子凝而生元素，元素合而成物質，物質聚而成地球，此世界進化之第一時期也，今太空之天體尚在此期進化之中，而物質之進化，以成地球為目的。吾人之地球，其進化幾何年代而始成，不可得而知之也，地球成後以至于今，按科學家據地層之變動而推算，已有二千萬年矣。（按最近國際各學會用種種科學方法測量計算地球之年齡為四十五億年）由生元之始生以至于成人，則為第二期之進化。物種由微而顯，由簡而繁，本物競天擇之原則，經幾許優勝劣敗，生存淘汰，新陳代謝，千百萬年，而人類乃成。人類初生之時，亦與禽獸無異，再經幾許萬年之進化，而始成長人性，而人類之進化，于是乎起源此期之進化原則，則與物種之進化原則不同，物種以競爭為原則，人類則以互助為原則。社會國家者，互助之體也，道德仁義者，互助之用也。人類順此原則則昌，不順此原則則亡，此原則行之于人類當已數十萬年矣。然而人類今日猶未能盡守此原則者，則以人類本從物種而來，其入于第三期之進化，為時尚淺，而一切物種遺傳之性，尚未能悉行化除也。然而人類自入文明之後，則天性所趨，已莫之為而為，莫之致而致，而以互助之原則，以求達人類進化之目的矣」。（孫文學說第四章）

國父將人類進化與物種進化兩大不同之原則闡揚出來，使人類別于禽獸，異于物種。（未完）

黛眉小傳

王幻

吳淑姬（二）

吳淑姬是浙江湖州人，舊府治就是現在的吳興縣；東苕出天目山之陽，西苕由天目山之陰，湯湯東來，在城中交會，由此流入太湖。相傳溪上夾岸多苕花，秋風一起，落花飄散水上，如棉如雪，故名「苕溪」。她的生年不詳，可能是生於北宋而歿於南渡以後的人。原有「陽春白雪詞」五卷，現存僅有三首，黃昇贊許她的作品：「佳處不減李易安」，可為最允當的評語。她有慧柔的心性，創作的天才，和不幸的身世，猶如易散的彩雲，稍縱即逝，令後人憑弔無從。也正因為她有着不幸的身世，才能感起她多方面的情緒，增加她的作品內容，不致於孤負她的創作天才。如其單單吟風弄月，是建不起恆久的文學聲譽的。現將她僅存的三首詞錄后，以供欣賞：

謝了荼蘼春事休，無多花片子，綴枝頭。庭槐影碎被風揉；鶯雖老，聲尚帶嬌羞。獨自倚妝樓，一川烟草浪，襯雲浮。不如歸去下簾鈎，心兒小，難着許多愁！（小重山）

岸柳依依拖金縷，是我朝來別處。惟有多情絮，故來衣上留人住。兩眼啼紅空彈與，未見桃花又去。一片征帆舉，斷腸遙指苕溪路。（惜分飛）

粉痕銷，芳信斷，好夢久無據。病酒無聊，欹枕聽春雨。斷腸曲曲屏山，溫溫沈水，都是舊看承人處。久離阻；應念一點芳心，閑愁知幾許。偷照菱花，清瘦自羞窺。可堪梅子酸時，楊花飛絮，亂鶯啼催將春去。（祝英台近）

詞句清麗婉轉，決非無病呻吟，確有實際生活做背景的，自富情趣，自極動人。如：「心兒小，難着許多愁！」「斷腸曲曲屏山，溫溫沈水，都是舊看承人處。」似這類獨得的佳句，與「漱玉詞」比較，正似春蘭秋菊，各有千秋；在文藝的園地裏，散發着沁人的芬芳。（完）

第十九章　吳玠大敗金兀朮　岳飛桂嶺破曹成

成閔已自往世忠處報捷，世忠已至淮上，大敗金將聶兒孛堇等，金兵渡過淮河遁去。世忠大勝回營，成閔面報承州捷狀，遂將捷狀申奏朝廷。宰臣相率稱賀。高宗道：「世忠忠勇，朕知他必能成功」。沈與求奏道：「自建炎以來，我朝將士未嘗與金人迎敵；今世忠連捷，功勳卓著，要算是中興第一大功了」。高宗道：「朕當重賞」。高宗大加償賜。趙鼎更勸高宗親征，藉作士氣。高宗至此，也自然膽大起來，居然下親征之詔。命孟庾為行宮留守，親自臨平江督師。趙鼎退朝後，僚屬喻語道：「六龍臨江，兵氣百倍。但公自料此舉果否萬全？還是孤注一擲？」趙鼎道：「中國累軍退避，士氣不振；敵情亦驕，義不可以更屈。」

第二十章　三泉關子羽退金兵　固石洞岳飛擒玩寇

三泉關子羽退金兵　固石洞岳飛擒玩寇

岳飛旋師江州，師甫抵江州境界，忽奉宣撫使李回命，命岳飛招討筠州流寇馬友、郝通等。按馬、郝二將原為官軍，值岳飛討曹成時叛變。岳飛奉到命令，即命改道發筠州討馬友，郝通。郝通在筠州城聞岳家軍來到，十分惶懼，郝通料非岳飛對手，率一萬八千之眾投降。馬友不知郝通已降，從外圍前來援筠州，及抵筠州城下，一見皆是岳家軍旗號，已知大事不妙，連夜遁去，於是筠州悉平。岳飛軍還屯江州。

岳飛還屯江州不及一月，流寇劉通擁四千之眾犯湖北蘄春、廣濟。劉通本人已受招撫，惟其部眾四千人竄據司公山中，不肯出降。因此李回令岳飛招撫。賊兵聞岳家軍到，乃全部出降。蘄、廣悉平。於是李回以舒、蘄、光、黃四州，連接漢陽、武昌，此數州時多盜賊。乃奏請朝廷，此四州悉委岳飛招討，岳飛之軍負責剿討四州流賊，致是已全部剿滅。

却說金兀朮自和尚原被吳玠兄弟痛擊之後，不敢再行問津關陜。諸將以兀朮為怯。至兀朮援劉豫，吳玠聞訊，留弟吳璘守和尚原，自率軍駐河池，一面檄熙河總管關師古收復熙鞏諸州，金帥粘罕得報大怒，即命降將李彥祺駐秦州，進窺仙人關，牽制吳玠，復令游擊出熙河，牽制關師古，自統兵從商於進發，直搗上津，攻打金州。金、均、戶三州鎮撫使王彥，迎戰敗績，退保石泉，三州均陷入金人之手。粘罕乘勝而進，直趨洋漢。（九十七）

周燕謀

（第一一四六期）

（半週刊每星期三、六出版）
每份港幣壹角・台灣零售價新台幣弍元
社長李運鵬・督印黃行齋
社址：香港九龍彌敦道593—601號
廖創興銀行大廈八樓五座
LIU CHONG HING BUILDING
7th FLOOR FLAT '5
593—601 NATHAN ROAD,
KOWLOON, H.K.
TEL: K303831
電報掛號：7191

承印：景星印刷公司
地址：富成街廿九號地下
台灣區業務管理中心：台北重慶南路一段一二九號
電話：二四五七四
台灣區直接訂戶　台灣劃撥戶
第五〇五六號張萬有（自由報會計室）
台灣分社：台北市西寧南路110號二樓
電話：三三〇三四六、台郵劃撥戶九二五二號

忠告美國（上）

谷正鼎・

當前在整個的反共鬥爭中的確存在着幾個嚴重的問題，但這些問題，不在於敵人外交攻勢的凌厲，而在於自由國家對共黨的認識不清和步驟的混亂。

首先，在衡量當前形勢的時候，不要只看表面的情況，而且還要看到鐵幕後面廣大人民的志願和力量。鐵幕後面人民的行動和表示，雖不容易爲一般人所了解，但它在敵我力量的消長上有着決定的作用。自由世界政治家最大的錯誤，就是他們沒有把這一個因素經常的列入他們的考慮之內。例如美國國務院助理國務卿葛林有關美國對華政策之聲明，就犯了這樣的錯誤，他雖承認大陸上「跡近瘋狂」的「騷動」幷未平息，他雖承認毛共內部還有嚴重的分歧，但是他還是把共匪政權和中國大陸人民劃了一個等號，視爲一體，意思就是表示他安撫共匪政權就是安撫中國大陸的人民。這種觀念是當前自由世界最大最危險的一個錯誤，我們可以說，共匪政權是中國大陸人民之敵，是自由世界之敵，是美國之敵，而中國大陸人民却是自由世界和美國的朋友。他們與共匪對抗，他們積極的運用公開和隱蔽的手法破壞共匪的一切設施，這是共匪統治大陸廿一年而騷動，始終不能平息的原因。這種騷動終將匯成革命洪流，毀滅共匪政權。這種騷動不僅存在於中國大陸，在所有共產國家都是普遍存在的，只是形式和規模有所不同而已。如波蘭最近兩次工人暴動事件，以較接近西方才能傳播於外。自由世界應重視鐵幕內人民這種冒生命危險所表示出來的對共黨反抗，也應重視他們的行動所起的作用。這不僅是道義的問題，而且是現實利害的問題。他們從共黨的內部破壞共黨，牽制共黨，消弱了共黨集團向外擴張的力量，們就是自由世界反共的先遣隊，和同盟軍，自由世界絕不該出賣他們，挫折他們而與他他們的敵對的殘暴統治者——共黨政權拉關係，講交情，以鞏固延長共黨的統治。所以基於視共黨政權爲其人民代表的這一觀念所產生的行爲是一種嚴重的傷害鐵幕內人民與自由世界的行爲，「助紂爲虐」的罪行。尤其是對共匪這種失去理性的瘋狂殘暴的野蠻政權，而猶抱此觀念，其所造成的危險後果，對自由世界將有無可估計的後患。

葛林認爲七十年代的共匪對外擴張侵畧的威脅已較大減，「它只將煽動所謂的『人民戰爭』。它的政策是不把軍隊駐紮在它自己的國境之外，它今日並不認爲對其隣邦構成滅亡性的威脅。」這簡直是聽信共匪的虛僞宣傳，完全忽畧了共匪狂妄好戰的侵畧本質。試看共匪近年來在大陸上積極動員備戰的情形，即可明白。越戰之持續與擴大，完全是匪在操縱指使，它已公開聲明以中國大陸爲東南亞戰爭的大後方，已將越、寮、高、泰的侵畧戰爭置於其統一指揮之下，喬裝參戰之匪軍，不計其數，其所以未公然大軍參戰者，一是限於戰爭的需要，二是深恐其軍隊在外境作戰，倒戈起義。韓戰反共義士冒死奔向台灣的教訓，匪是深以爲懼的。葛林認爲共匪「獲致核子能力幷不一定更趨於侵畧性。」殊不知毛匪的言論，現已成爲共匪的行動準繩，共黨章及僞憲草內均已明白規定。毛匪曾說：中國最適於原子戰爭，六億人口死了三億還剩三億，要在「原子廢墟上建設社會主義。」我以爲，如有可能，則先發動核子進攻者一定是共匪。葛林說：「世界上一些最迫切的問題若無中華人民共和國的積極參加與合作，勢難達成明確的解決。」這是故意抬高共匪的身價，顯然對共匪本質無知。我以爲世界迫切問題無共匪參加，也許可能局部解決，假使有共匪參加，全部都不能解決，即局部解決都不可能。因匪係在企圖以暴力赤化世界，並製造各國間的矛盾，惟恐天下不亂。世界迫切問題，只有摒除共匪，才能有解決的希望。葛林一面說：「遵守對中華民國的條約承諾，並且繼續跟中華民國政府聯合，追求我們所堅持的共同目標。」同時希望在這基礎上說服北平「把台灣問題擱在一邊，俾能探索排除……各種緊張根源和改善關係之可能性。」這是「兩個中國」的政策，素爲中國人所反對而決不可能實現的。美國既云要尊重條約承諾，而中美防禦條約之訂立，係美國承認中華民國爲中國惟一的合法代表，且該約中所稱之「潛在敵人」，即係共匪。今美國政府對共匪修好的行爲是與條約精神違反的。最重要者是葛林認爲過去二十一年中，在中國在整個亞洲已有基本的改變，所以美國考慮「中國問題」的方式要改變。查共匪的好戰侵畧與韓戰時仍然一樣，而越戰乃爲匪所一手製造。共匪的笑臉外交攻勢是一時的策畧運用，而侵畧好戰乃爲其本質，我們不能爲其一時的策畧所蒙蔽愚弄，而忽畧了對它侵畧的戒備防範，致貽禍人類。近年來中國大陸與亞洲均在變，但是在向反共方面變，如高棉、印尼之由共產附庸變爲堅決反共，中、韓、越、泰，日益強大發展，日本反共勢力之興起，均是明證，至於中國大陸人民反共之英勇，更爲明顯，中國大陸隨時都可能發生反共的鉅變。美國應當把握此種向反共變動的方向，加以協助推動，以恢復亞洲人民的自由，萬不可與亞洲人民的反共自由願望走向相反的方向，而企圖與共匪交好。因如此必爲亞洲人民所痛恨，且與美國立國精神是違反的。美國是自由世界的領導者，美國的決策，應當以自由世界的共同利益爲標準，而不應只顧遷就其國內一部份姑息主義的叫囂。因爲現在自由世界的利益與美國的利益是一體而不可分的。中美兩國必須密切團結合作，來維護人類自由。我以爲針對近年來亞洲的反共形勢發展，美國應當：

（一）協助亞洲反共國家從速建立集體安全組織，並與精誠合作，共維亞洲及世界和平。

（二）積極援助中國大陸人民的反共自由運動，並支持中華民國光復大陸。

（三）澈底放棄兩個中國的幻想，維護聯合國憲章，堅決反對共匪進入聯合國，並維護中華民國在聯合國之合法權益地位。

（四）澈底放棄與匪修好的幻想，因爲對匪修好，即是與中國大陸人民爲敵。而且共匪對美的惡劣反應，美國是自取其辱。

（五）勿存「以匪制俄」的迷夢，對匪俄衝突應採超然中立態度，任其演變。美國此時對匪示好聯絡，蘇俄當然洞悉此中權謀，即會放鬆對匪的壓迫，轉而仇視美國。美國要想緩和美俄緊張關係即難有可能。而共匪期待挑動美俄核子大戰，以坐收漁利。

除葛林外美國務卿羅吉斯及其聯合國代表飛利浦亦有類似主張，倘任其發展，勢將損害亞洲人民的利益與中美的邦交，我要問我政府對此種錯誤主張，爲何不提出嚴正的抗議？我認爲美國政府外交官員，雖自願向共匪強權低頭屈服，儘可自爲，而不應歪曲事實，爲共匪僞裝和平面貌，以影響國際輿論，更不應曲解亞洲及中國大陸的反共變化，以打擊亞洲的人心士氣。因爲如此是對美國與世界均有損害的。

其次，當前各國的姑息主義者相當猖獗，他們掌握了若干大衆傳播工具，幷利用少數的感情衝動的靑年作工具。他們製造出來的聲音相當喧囂。但是不管怎樣喧囂，他們究竟只佔人民的極少數。絕大多數的人民，是反共的。自由世界的政治家們當考慮重要政策的時候，不要被喧囂的聲音所迷惑，應當把大多數的反共人民團結喚起，應當以國家的長遠利益，全體人民的利益爲依歸。我們看到若干國家的政府——如日本等，目光短淺，依違於姑息與反共鬥爭之間，搖擺不定，雙方取巧，以我們的經驗而言，這種態度對他們自己的國家，對整個的自由世界，都只有害而無益。

（未完）

昨日與明日

從美參院被炸談起

美國雖是當今最強的國家，而爲民主國家的盟主，但是，內部的問題，却多得難以勝數！以前還不過是經濟上的消長盈虧，政治上的明爭暗鬥等等潛在問題。而近些年竟釀形成社會上的紛擾暴亂。始而是種族糾紛，黑人暴動燒搶；繼而竟有整批在古巴受訓歸來的白人，投擲炸彈製造恐怖。去年三月十二日一天，紐約市內即有I・B・M總部等三大機構被炸毀。一時風聲鶴唳，此炸彼驚，市人無不談虎色變。往往一個電話，虛聲恫嚇，即可將樓走避一空。其社會擾攘，人心不安之況可見一斑。後來雖經政府力爲疏導，鎭壓，但是始終未趨平靜，去夏還有人不惜炸毀威斯康辛的科學大樓，將專家學人的辛勤研究成績付之一炬，這已到了失去理性的程度。

最近花樣更是翻新，而把國家的心臟機關國會大廈炸毀，使得舉國上下震驚。尼克森總統，稱爲是「一項令人震驚的暴行」，這事將激起所有美國人的憤怒」。足見事體之嚴重，但是憤怒有什麼用？應該認淸事實的眞相，拿出眞正的辦法才對。

回想美國當初建國是由一羣奮鬥向上的淸教徒們建立的，這些人們都有獨立自尊開疆闢土的精神。因此才有尊重個人、崇尙自由的民主傳統；因而不僅對每一國民都寛大、放任，若成好人，甚而國家的機密也不太戒備。例如白宮，和五角大厦，老百姓都可隨意入內參觀，這固然是民主的美風。但流弊却不勝言，在往日世局簡單，民風淳樸的時候還可以。今天時移事異，老百姓固已良莠不齊，問題多端，而國際陰謀的操縱，破壞更是險惡萬端。這時仍然要固守昔日的作法，那就是食古不化了。尤其美國上上下下都諱疾忌醫，明明知道，越戰的背後，是共匪指揮，明明知道國內的暴亂是共匪策動，而偏偏不肯承認，不敢面對事實，去撲滅病原。却只作些隔靴搔癢的補苴工作，試問這怎麼不治絲益紛，問題愈來愈嚴重？

唯今之計，美國應該坦率誠的認識內病外病的眞病原，並應該拿出堅定的立場，作通盤的打算。果能如此，不僅國內暴亂能夠制止，國外的戰爭也會獲勝。反之，若像現在這樣枝枝節節的應付下去，並且生怕觸及病原，那不僅定時炸彈早晚會出現在白宮，而敵人的炮彈也早晚會從亞洲打到華盛頓哩。

・成公・

自由談

所謂部務會議

台灣報載：教育部的「部務會議」久已停止舉行，原因是參加人員衆口沸騰，難以獲致結論，徒費脣舌，無裨事實。旋由行政院頒訂「部務會議」規則，減少出席人數，如參事、督學祇限於值日人員參加而已。但對於所謂部務會議的性質，仍無明白規定，似乎美中不足，蓋這種會議在其他各部亦皆有之也。

所謂部務會議，不過是諮詢商討本機關對行政上興革事宜的一種例行措置，旨在集思廣益，聊備首長採擇，幷不發生拘束力，可否之權仍由部長掌握着。如果「部務會議」決定的事項，部長即須遵守，那就變成了部內的「立法院」，寧非奇談！若使部務會議變成「立法院」的所以然，不外兩種情況；一是部長庸愚無能，尸位素餐，聽由僚屬擺佈玩弄；二是上下通同舞弊瀆職，大家心照不宣，因而遇事各有所恃，非把言語拿順，集體負責不可；二者必居其一，否則決不致產生停止會議的咄咄怪事。卅餘年前，筆者亦做過五年的中央某部參事，且兼任過常務次長，經常參加部務會議，却未見有因此而使部長感到困擾者，會議中決定的事項，部長雖力排衆議而作相反的處置，僚屬亦怵於職權所在，從無異言。時至今日，這項內部的處務方式，竟構成套在長官頭上的鐵箍子，虎兕出柙，圭玉毀櫝，是誰之過歟？若說這樣纔算實行民主政治，可謂放屁放屁，眞正豈有此理！

行政院既頒訂部務會議規則，就應該將其性質明白釐定，限於集思廣益，最後的抉擇權歸諸部長，且可使一些官僚主義的人物，無從諉卸責任，這纔是促進行政效率的要訣。

不過，話又說回來，癥結仍在人才問題，所謂部務會議也者，固屬無關宏旨，祇要首長是賢能之士，勇於負責，於會議乎何有呢？

馬五先生

蘇聯內部情勢不穩
知識份子普遍不滿
蔑視共產制度所存偽善 躭心蘇聯社會將會瓦解

（自由報香港消息）據來自華府報導：蘇聯當局雖實行嚴格的管制和壓制，但「公開的不滿情緒已在蘇聯優秀知識份子中蔓延，而且已經首次出現不是信奉馬克思主義的反對派。」

這是著名蘇聯問題權威及多倫多大學社會學教授非勒的結論。他的分析文章（題目為「知識份子的反對黨」）載於「共產主義問題」——在華盛頓出版的雙月刊。

非勒寫道，這種反對有異於一九二〇年代或一九三〇年代的所謂偏差反對，亦「不以馬克思或列寧的著作為依據」。這種反對拒絕整個思想辯證法，「其主張為科學方法，配合大同倫理學，兩者均超越所有階級，社會制度及種族。」

非勒說，在今日的蘇聯，最不滿的兩個集團是科學界及文學界。他在文章中，分別討論這兩個集團。

這位多倫多大學教授寫道，蘇聯科學家各種問題之發生，遠在卅多年前開始，當時「蘇聯科學近乎屈服於史達林主義的可怕摧殘。蘇聯科學家曾多年不獲准與外國科學家接觸，並往往被驅進行軍事性的研究。蘇聯物理學會會長卡比薩曾反抗這種工作，因而被軟禁七年，其他科學家則遭到更淒慘的命運。」

非勒指出，卡比薩目前是「抨擊馬克思主義思想侵入物理學最烈的人。他曾在一九六二年寫道，如果蘇聯科學家信從馬克思派哲學家，那麼征服太空是不可能的事，因為馬克思主義者不信腦電機學，而核子物理學方面的進步也會停止，因為馬克思派哲學家反對相對論。」

卡比薩的同僚薩卡羅夫，也是「科學界反對派主要發言人」之一。據非勒稱，薩氏及其同僚「完全藐視馬克思的資本論，不相信辯證法中所謂資本主義制度必因其牟利的必然後果而沒落之說」。薩卡羅夫本人曾寫道：「像教條那樣肯定資本主義生產方法會把經濟帶到絕路，是沒有理由的，肯定資本主義生產方法顯然劣於社會主義勞動生產方法，也是沒有理由的。」

非勒教授指出，迄今為止，蘇聯科學界的反對派仍「甚少與人民大衆接觸」，但文學界的反對派則可能沒有這樣孤立，無論如何，這反對派正衝破種種障礙，進行多年來（亦即自托斯基時代以來）的第一次真正努力，以喚起蘇聯人民的自覺。」

最近獲得諾貝爾文學獎的蘇岑尼辛，是文學界反對派的先鋒，非勒教授稱讚這位著名蘇聯文學家為「具有巨大道義力量及文學天才的人物。」他說：「他毫不掩飾的蔑視蘇聯社會制度所存的偽善。」

非勒教授說：在今日的蘇聯，「就知識界的發展而言，最明顯最異常的事實便是：蘇聯知識份子正在討論（多年來第一次）下述問題：蘇聯社會不穩定的演變情形如何？這個社會會崩潰嗎？若然，則將於何時及如何崩潰。」

非勒教授稱：「前此被認為『不成問題』的（以馬克思主義的術語來說，就是『蘇聯社會中固有的『矛盾』』），現在已成為真正的問題。蘇岑尼辛就是深信那制度終將瓦解的人物之一。他又深信那種制度的幸運兒將在那種制度瓦解後立即試行把他們之所以在新史達林主義文件中簽名一事，予以辯白。」

在非氏看來，蘇聯領袖們最担心的，是一種社會主義式的疲憊，將彌漫於蘇聯人民中，而經濟將因而開始大沒落，一如在同樣情況下的捷克所發生的現象。然後，科學家及知識份子的結合，可能會因官僚、工會會員、集體農場的農民及少數民族等的反叛而加強，如果發生這種事情，那麼布格拉的春天可能成為莫斯科的夏天。

「共產主義問題」本期所載的其他文章，包括：「來自地下的叙事曲」，由米薩・艾倫選登及翻譯的：「蘇藉猶太人的苦況」，由費里堡撰文，以及「捷克：回復『正常』」，由塔波斯基撰文。艾倫是加拿大的蘇聯文化及民俗專家，翻譯家及教師。費里堡是美國印第安納州立大學蘇聯及東歐學院院長，塔波斯基是德克薩斯州立大學政治學教授，其著作曾刊載於許多學術雜誌。

溫故以知新與研新以證故（下）

陳立夫

曾憶有人問英國某一政治大家，以莎士比亞及印度二者之中必須選擇其一時，君將以何者為選？答曰「莎士比亞」，蓋莎雖僅為一文聖，然而足以代表英國之精神，較之侵略他人所得之一大塊土地為更可貴也。而吾國則不然，對於全世界所崇敬之至聖先師孔子，誣蔑詆毀，唯恐不及，於其所言，則處處懷疑，竟不及出土之一片殘破甲骨文字為可信，其主要目的為使人由不信孔子進而不信孔子以前之歷史而已，在物質文明極度發展之世界中，只信物而不信人，原無足怪，獨吾人有此文獻足徵之歷史，而自毀損之，不亦愚乎，夫孔子為一嚴謹之史學家，文獻不足之史實，不敢輕於下筆，所謂：「知之為知之，不知為不知，是智也。」故其所言，均足為信，後人復妄自批評孔子之好古，謂其有碍於進步，而不知孔子生于周末，中國七百餘年大一統之黃金時代方才過去，在禮壞樂崩每況愈下之情形下，誰不懷念已往，以孔子之大智，亦只能好古敏求自稱述而不作了，在世界歷史中，何時何處，可以找到文物之盛，制度之備武功之烈，統制力之大而且久，有如周代者？則周代及周以前之文化如何，自可推想得之，若僅從物質方面而觀出土之周代及周以前之銅器，其藝之高，其技之巧，即今之習鑛冶者，尚自嘆不如。

鐵器久埋土中，由氧化而腐解不易保持，指南針及指南車之遺跡何在？由于堯舜時之長期洪水大氾濫，更增速其毀滅，而今人強謂鐵器時代在銅器時代之後，不亦武斷之甚耶，此正視古籍為托古改制為同一之謬誤武斷，蓋始終以為古人不如洋人，乃有此種偏誤耳。再觀今之美國中央政府，設有專部管理食品及藥品，倘為不久之事，而吾國周禮早有醫官食官設置之記載，其重視人民健康之設施，豈待科學之發展而始有此制耶？

自然科學誠可稱為今不如古，而人文科學，則未必如此。觀於孔子集吾國以往數年文化之大成，會作一番整理之大工夫，在彼時實可稱為極合科學之方法矣，其經籍中文義之淵深，說理之詳明，定義之精要，適應性之久遠，雖時經二千五百餘年，誰能及之，故能稱聖，惟孔子之時者而無愧，為以往中國文化之遺產，而非孔子創造中國文化也，有孔子，中國文化乃能維持而光大，及國父乃有第二次之集大成，則無疑義。

再看與孔子同時之老子以及孔以後之諸子，其思想既廣大而又精緻，苟以往無普遍之高深文化為背景，吾人於此，訴諸常識，亦可自己承認吾祖先智慧之高超，豈民族歷史之久遠，外人之所能想像得耶？他人無久遠之光榮歷史足與吾人比美；自無好古耀古之可能，我則有此史績，而不足為自信之基礎，而不知以科學方法研究之證實之，而竟漠視之甚或毀棄之，以取好於外人，其愚倘可及乎！

真理永不毀滅，代表人類生妹的真理之中國文化，亦將永存，欲圖毀滅之者，必將自遭毀滅，觀於上述所舉之數例，更信吾國文化之闇然而日章，其復興也必矣。

五十六種砂鍋烹飪

馬騰雲

（三）砂鍋豆腐

用黃豆芽兩斤，黃酒二兩，葱、薑適量，兩砂鍋半的水量熬煮成半鍋汁時，撈去豆芽配以豆腐、冬菇、火腿片、開洋蝦米、冬筍、金針、木耳、青菜心同烹，上桌酒以胡椒粉、水蒜花，能吃辣椒的加點辣油，這是一道非常別緻而又便宜的菜，用在筵席上勝過羅漢齋與奶油白菜之類。

有關豆的功用，茲將豆腐的未成品豆漿的效力加以叙述：一、豆漿的滋補，比飲牛乳多一倍，與牛乳同功，對人大有補益，兼可嫩肌駐顏。二、因多食鹼味而引起的哮喘，用豆漿加白糖少許，早晨服一大碗，一百天可癒。三、痰火哮喘，用飴糖二兩，豆漿一碗，煮化燉服數日自癒。四、婦人血崩，尤以老年婦女，口咬牙，冷汗如雨，用生豆漿一碗，加韮菜汁半碗，入豆漿內空心服一次或兩次自癒。五、產後虛弱用豆漿一碗，二十片桂圓肉，豆皮一張，生鷄蛋一個打碎充入豆漿，滚服食用，補力渾厚。六、中國古方，有肺病，咳嗽痰紅，或吐膿痰，及至肺葉潰爛，用生豆漿，冲陳芥菜鹵半酒杯，服後可感覺胸中有一塊塞上塞下，塞至數次，方能吐出惡膿，漸漸自癒。

佛教吃齋的人，把豆腐當作肉類非無由也，泰國華僑王普淨與筆者在曼谷談天時，他說人為甚麼都喜歡吃動物的屍體？一個人能養成這樣一種觀點，自然不會以吃素為苦事。

評介「中華民國史事紀要」
——民國六十年開國紀念之偉大獻禮

李霜青

然記載非皆可靠者，萬斯同有言：「一家之事，言者三人，而其傳各異矣。……言語可曲附而成，事跡可鑿空而構，其傳而播之者，未必皆直道之行也。其聞而書之者，未必皆有裁別之識也。非論其世知其人，而具見其表裏，則吾以為信，而人受其枉者多矣」。揆之民初段祺瑞電請清廷速行共和一事，近世治史者如李劍農氏，猶因溺於袁世凱之梟雄名號，誤為袁之授意，自民國史事紀要一二九頁中可見出：實乃出於段氏默察時局而自動為之，袁氏則為受枉者矣。然實錄亦非完全可靠者。萬斯同又云：「言之發必有所由，事之端或有所起，而其流或有所激，則非他書不能具也。凡實錄之難詳者，吾以他書證之。他書之誣且濫者，吾以所得於實錄者裁之。雖不敢謂其可信，而是非之枉於人者鮮矣」。英美人士多注重史料之內外考證，外考證者，乃決定某種材料之真偽，以究其來自何處？作於何人？成於何時？內攷證者，乃決定某種材料之陳述，是否可信或可能，以究作者所言真意為何？彼是否有理由以自信所言？彼是否自信所言？民國史事紀要對實錄之難詳者，多以他書證之，如國旗事，既以「臨時政府公報」之咨文為依據，復以居覺生先生全集及國父全集中之文補證之。對同性質之材料，每皆從內外攷證上定去取，如武漢擁黎元洪發起「民社」事，既依謝彬之民國政黨史，復繼以章炳麟自定年譜，又補以上海民立報所載緣起。類此皆其評鑒卓越之處。

四、範圍博大：治史範圍，見解不一。德國學者主張歷史有五種見解，即：智力、工業、美術、宗教、政治。英國學者則主張有三：德義、智力、生產。我國學者主張有五項。即：民族、地勢、國統、學術、社會。民國史事紀要統此諸端兼而有之。讀者可一目而見其範圍之博大。且以時間為叙述之先後，條貫脈絡，均可瞭然。

歷史既為國家隆替分合之樞軸，制度文物之攷鏡，撰述者豈可不具備相當修養？唐代劉知幾特標才、識、學三者為史家必備條件，才本於天賦，學本於力學，識賴積學以增進之。元代欄奚斯論作史，謂「有學問文章而心術不正者，不可與」。清代章學誠本之作史德篇。可知史才，史學、史識、史德，四者不可缺一。昔皮錫瑞著今文尚書攷證，引列子楊朱篇「周公居東」，而不知楊朱篇非真楊子。清人閻若依呂氏春秋而證尚書為偽，遂撰古文尚書疏證。殊不知彼於天子九廟、諸侯七廟、大夫五廟之說，懵然不知，致而妄誣古人，今有劉善哉氏證其非。此皆史學不足，致而史識亦短，差錯生焉。妄誣古人則史德亦有虧欠矣。今我國史館所邀編纂「中華民國史事紀要」諸學者，均皆史學界卓然有成之士，且集合衆智而成偉業，實已兼備史才、史學、史識、史德四者。此書恰於民國六十年開國紀念日出版首冊，云為六十年開國紀念之最佳獻禮，不亦宜乎。

（完）

縱橫談當舖

・萬念健・

英國的當舖利息每月二厘一，加上朝奉的鑑定費，存倉費等，合共四・二厘左右。為了不欲每次交易數目過於瑣碎，通常價值五鎊以下的東西拒受，押期最少兩星期起計，最多六個月滿期。顧客多數是中上之家，典押品包括金銀珠寶，名貴皮裘及各種傳家之寶，那些東西因原值頗高而當價不高，所以很少有當而不贖，也有來來去去當當贖贖的。這種顧客，多因一時週轉不靈，而又覺得自己想辦法好過開口向人借錢，今天當，過不了三五天便贖回去，不足為奇。

邱公吉爾 名人軼事

過去，婦女們因私人用途而抵押結婚戒指，常預先將銅製的戴上來遮掩她們丈夫的眼睛，丈夫真的看不出還是裝作不知那就不大清楚。有一點是沒有問題的，即從前當舖裏有堆積似山的抵押品，要有許多人料理照顧，現在可以進當舖的東西，祇及從前的十分之一，因為以前有人當大件笨重之物，現在都祇當細軟，他們往往為一時急需而要錢，並非為了吃飯而典當財物，而最受歡迎的典質品則為鑽石。

英國的當舖都重視為主顧的姓名保密，但有些人卻不在乎此。邱吉爾年輕時，在艦隊報當記者，沒錢時常去典質他的手錶，當贖不止一次，因此而認識了一個朝奉。多年後，邱吉爾官運亨通，扶搖直上，有一次在公開場合，遇到了那個熟識的朝奉。邱吉爾非常幽默的對他說：「××先生，今天相當幸運，我還是第一次看到你的脚呢！」原來英國當舖也是高櫃枱，朝奉的雙足被櫃枱擋着，不易看到。由於邱吉爾是舉世皆知的名人，這故事也成為了名人軼事。

巴黎當舖 都係市立

法國的當舖有將近兩百年的歷史，當舖數目雖然不及英國那麼多，但亦有其特殊風貌。

巴黎第一家當舖是「市立」的，後來的巴黎當舖都是它的分店。（未完）

台北五廉官之四——王化行

·文匯樓主·

讚美像黃金與寶石，只因稀少才有價值——西國人的格言。

香港自由報廿餘年的過程中，批評與讚美如作百分比的話，批評人的文章佔百分之九十五，讚美祇佔百分之點五，比如上期本報讚美谷正綱，在讚美谷正綱文章內，批評政治敗類與貪官污吏，又作內容的過半，這說明香港自由報在傳統上就是這麼一個態度。

樓主原來對王化行（昇）將軍印象並不十分好，這可能是受到左宗棠思想的影响，多多少少總有一點瞧不起武人，待回到祖國與王化行交談幾次後，竟然對他的觀感變了，變到一百八十度的大轉彎。第一發現他不僅是不折不扣的文人，而且是文人中的達人，高雅的風度，象徵着豐富的涵養。第二、他對窃據大陸的毛澤東政權，有眞眞實實的研究，與一些扯卵談的中共問題專家，背背「人民日報」，炒炒「新華社剩飯之輩，截然兩途。第三、對美國的瞭解又極富深度，很顯然的在訪美期間他提醒美國，不要在看不見的戰場上打看得見的戰爭，換句話就是要認識政治戰與軍事戰。毛共早將美國全境變成前方「罷工」「學潮」「騷亂」「色情」率多爲共產黨人所開拓的戰場，王化行將軍指出美國當前情况和民國卅六年七年中國大陸未淪陷前的遭遇一模一樣，未幾果得到美國學者泰勒等共鳴。第四對國父遺教，總裁言行非常有研究，講課像點穴，能指出重點，這是他的高足們李文健，王耀華，羅斌等所講出。

因之樓主對王化行將軍的看法，廿幾年來他能盡量發揮自己的能力，智慧，和創造力，面向着大風浪中搏鬥，不過話又說回來，祇有大風浪始利於有才能的航海者，老子權威張起鈞兄與樓主閒談時謂：「王執行官招數多，總在找事情做。」這也就是革命哲學。政府不少腦滿腸肥的官員，停滯在滿足的，高傲的，老大的圈圈裏，講話時用鼻音，處世學鄉愿殊不知自己早被時代的巨輪推到後面去了，這種摧枯拉朽型的疝氣人物，實在應該及早淘汰或割去，否則有一天會墮到政府任何事無法推動。

樓主爲蔣經國先生祝，祝他能有這樣好的助手，我們也爲王化行將軍頌，頌他貪德而讓名，辭完而處缺，祇知耕耘，不露角頭，做到了孔子謙己，嘗自附於尋常人，可謂完全懂得做人的道理了。

太平天國失敗的原因（六）

·黃大受·

歸其家省視，……或准其一二禮拜日排班輪流而歸其家省視，以哺其稚子，以待其舅姑，或以事其丈夫，使彼亦得盡其先顧國後顧家之誼。」對於男子，也設立男館，將男子編入軍營，一齊做了聖兵。武昌紀事說，在武昌參加拜上帝教的人，都是聖兵。張汝南金陵省難紀畧說：「其男行法，男子無論老少，曰新兄弟。……自十七日北賊進城後，令各軍丁壯出城紮營。十九日，東賊進城後，便有驅新兄弟寇鎮江揚州之說，人皆惶惶，求死不得矣。」這種對待民衆的措施，以及大規模的裹脅行爲，實在是違背社會心理，被迫參加太平軍的男女，豈是心甘情願？

三、城池的不守和戰畧的失計：太平軍當清朝盛極而衰的時候起義，聲勢甚銳，清軍竟無法抵抗。然而他們缺乏遠大的戰畧，首先攻下武漢，卻又放棄。後來雖兩度再加攻佔，但未能確保。清軍深知武漢安慶的重要，清將胡林翼建平吳必先保鄂之策，力爭此地，擊敗太平軍。後來干王洪仁玕雖建議忠王李秀成，爭奪武漢安慶，實爲要着，但那時未必有力量去攻取。至於長江沿岸城池，及由廣西北上時所攻下的地方，也都是隨佔隨棄，太平軍始終在清軍的包圍圈內，沒有後方，支持作戰，自不容易。就是天京重地，也被清軍江南江北兩大營控制。王韜建議太平軍進攻上海四策，可惜未能採用，坐視上海的財力，成爲清軍的餉源，這也是失着地方。林鳳祥的北伐，無强有力的後援，功敗垂成。英法聯軍的進攻北京，忠王李秀成却要先行西征，才肯北伐，錯過再度北伐的時機。翼王石達開大軍轉戰西南，始終不佔領一處做根據地，成爲流寇式的隊伍，終實力消耗殆盡，被擒身死。這些都是太平軍戰畧失計的地方，也阻碍了他們成功的可能。

四、封建思想的作祟：洪楊等人爲了歷史的環境所限，所以仍保持封建思想的作風。洪秀全的反清，並不是爲了復明，而是要創新朝，取而代之。因此在佔據永安州時，天王諭通軍大小衆兵將詔中，追封陣亡將士功臣爲職同總制、職同將軍、職同侍衛等世襲官職，並云：「上到小天堂（南京），凡一概同打江山功勳等臣，大則封丞相、檢點、指揮、將軍、侍衛，至小亦軍帥職，累代世襲。」便確定了官爵世襲制度。接着又封東西南北翼五王，同時又頒佈詔令，嚴定上下各將之稱呼，更是充滿了封建氣味。此外，並且規定「內外强健將兵不得潛分干名」的條律。至於諸王駕出，侯、丞相轎出，凡朝內軍中大小官員兵士，如不迴避或不跪道旁者斬首不留，凡檢點指揮各官轎出，小官和兵士，也要迴避或行禮，可見太平天國的重視名分等級。後來濫封官職及王爵，弄得人心不服，反失去了封賞的本意，這都是受了封建思想流毒之害所致。

五、領袖們的腐化：領袖們選取王妃，固然是受了封建思想的影响，但領袖們的徵歌選色，廣蓄姬妾，這正是腐化生活的開始。金田起義時，洪秀全的天王妃，卽已有十五六位姑娘。洪大全供詞說天王洪秀全在永安州，就有三十六個女人，這供詞未必可靠。但一到武昌，東王則公開强迫挑選十餘齡殊色女子六十人。到天京以後，天王妃加到四十多人，天朝末期加到八十八人。李圭金陵兵事彙畧卷一則謂「僞王娘以下備媵妾者一千二百餘人，而侍女不與焉！」天國領袖普遍實行一夫多妻，楊秀清假託天父下凡詔命各王多納女子。據外人報告：「天王詔定東王西王各娶十一人，南王至豫王各娶六人，高級官三人，中級二人，低級一人。「天京解散女館時，丞相國京各配十二人或八人。太平天國革命史記東王的荒淫無道，眞是腐化之至。而天京各王府及各地王府官衙，無不極盡壯麗的能事，沒有一點創業艱難的作風。後期各王及地方官，荒淫腐化者甚多。所以賊情彙纂的僞朝儀裏說：「夫首逆數人，起自草莽結盟，寢食必俱，情同骨肉。（未完）

編者播音

「番治桑外傳」與「台北傳奇錄」皆已登完，僅向張大萬，陳光棣兩作者致謝。

「諸葛亮狂想曲」作者劉玄事務繁忙，稿子常不能按期寄來，決定暫停。

李漁叔教授表示「說曹操」這次準備一口氣寫完，即期起恢復刊登，敬希廣大讀者注意。

「安徽十三傑」中之華陀，待「說曹操」刊完後推出，本文係由華陀小同鄉龍鳳翔先生執筆，內容豐富逾常，頗值一讀。

馬騰雲著：「五十六種砂鍋烹飪」即期起在本報第二版連載四版，「御廚談藪」暫停，馬氏爲當代醫藥理論權威，對吃的藝術可謂臻於至善，用爲介紹。

本報二版增「漏網新聞」由韋來厚主持舉凡中外大小報「漏網新聞」皆爲其採輯對象。

張起鈞教授頃由澳洲歸來撰長篇報導一則在本報獨家連載張教授爲國際知名學人，其文筆生動早爲本報廣大讀者所欽道。

文匯樓主因左腿跌傷臥床兩個月，於舊曆年前恢復健康，日內將又開始筆耕生活，着編者代向關心他的讀者們表示謝意。

黃大受、李洛九、侯立朝、陳邁子、李霜青、黃公偉、何維藩、柳一樵、李燊、諸先生，希繼續源源來文，藉光篇幅。

陳思教授談「新聞?」

·小記者·

原來，在江灣北首軌道上，一位士兵不知躲避，給火車輾斃，乃於八月三日的事；已經通車一個月了。至於中英雙方在南京會議，由中方籌欵買斷，那是十月二十四日的事。會議中准許英商鐵路公司再駛行一年，到一八七七年十月二十一日爲止，並非立卽拆除的。那一年中，營業很好，一八七七年春天，滬人到吳淞郊遊的，天天滿座。那一年中，搭客十六萬一千三百三十一人次，營業可說很不錯了。不過，這條鐵路終於在一八七七年十月二十日收回，拆毀了。但這條鐵路究竟下落如何，一般人實在一無所知。我上面說過，當局決定把這部份器材運到台灣去敷設的話，也沒有眞正的下文。所謂「新聞」，大體是這麼有頭無尾的。直到我看了梁士詒年譜，才看到了如次一段話：

「……初，英商怡和洋行，以上海吳淞間商務繁盛，因謀築輕便鐵路，是年潤五月開車，爲鐵路見於我國之始。六月，我國士兵一人行經鐵路，遭輾斃。蘇淞太道照會英領事轉飭公司停止開車，英領不允。再由南洋大臣沈葆楨照會英領，亦不允。繼由總理衙門商之英使威妥瑪，又不允。詔北洋大臣李鴻章，與議。英使允由我國備價購回。李乃奉派盛宣懷等，與英訂約買斷，價銀二十八萬五千兩，限一年半，分三期攤付，全價未付清前，該路仍歸公司經營。至光緒三年冬，付清路價，卽將鐵軌掘起，擬連同所有材料運往台灣。以台灣有擬築鐵路貫通全島之計劃也。尋以籌欵無着，卒將淞滬全路鐵軌車輪沉諸打狗港中。」

可是，陳恭祿中國近代史，又載：

「……會丁日昌奉旨准於台灣試辦鐵路電報，乃將其拆運台灣，其一部分材料，成爲廢物。台紳林維源捐欵五十萬元建築鐵路，而朝廷將其改作賑欵。台灣鐵路，後由劉銘傳辦理。」這段新聞，究竟該怎麼來作交代呢？從一八七七年到如今，快一百年了，而且有官方的正式文件可以考查，可是這件新聞或史事，終究還沒弄完整出來。

要我舉這樣無頭無尾的新聞例子，幾乎俯拾卽是，在這兒，我只舉一個身經的實例。不久以前，因爲要表揚一位在考城的殉職工作人員，有人提到了抗戰初期的黃河決口的往事。這件事，當時刊在我們報紙上的，說是日軍轟炸，堤破，洪水泛濫。而日方的通訊社電訊，說我方挖掘黃河堤防，潰決花園口一帶。這兩種新聞，其實都是不眞實的。我是親與其事的，河堤原是我方挖掘的，但河水並不泛濫，也未成災。從花園口流出來的水，每小時只流五華里，簡直泛濫不成，河岸一帶，也沒什麼災民。我們隨着黃河救災委員會屈映光委員長到鄭州一帶去放賑，眼見實情如此。至於河決賈魯河泛濫成災，那是第二年夏天的事，不能算在決堤舊賬上的。新近的報告，也是不合事實的。

我是從事新聞工作的人，我都時時提醒讀者，得明白任何報紙上的新聞，其眞實性都是很低的；我再三說了「新聞」都是很粗糙的史料，各人得自己去加工的。我曾經指出，一個新聞記者，一面是史學的研究者，一面又是社會科學的研究者。史學家沙耳非米尼說過：「假使史學家是過去的再造，那末，卽令是我們當代的事實，也是屬於過去的。昨天在國會中的演說是屬於過去的。一位新聞記者在演說時所做的筆記，也是這個過去的記錄。利用這些筆記的人，無論他是史學家或社會科學家，必須研究新聞記者是否對演說作了一種忠實的記錄；換言之，就是在筆記的時候，及整理筆記準備刊行於報紙上的時候，他是否誤解了；或甚至於有意的誤報了演說家的演辭，而將他從來所未會說的話，塞列他的演辭中。這種考證的工作，是必不可少的；無論我們是研究昨日發表於華盛頓，而今日刊載在一份日報上的一篇演說，或是研究雅典政治家德漠斯哲尼斯的反馬其頓王的演說。」

（未完）

漫談中國戲劇

·雷震遠·

共黨作家中的郭沫若是頗有名氣的。他是詩人，又是史學家、劇作家。早年他以寫歷史劇聞名，多取材自中國上古歷史。但他的劇本有太多的現代語，與古代歷史背景大相徑庭，曾受到批評家的苛評。國民政府方面也認爲他的劇本有誣蔑古人之嫌，引以爲悲。抗戰勝利後郭沫若旋卽動身赴蘇，後來又自願留落香港，直至大陸易手後才受任中共人代會副議長。

同時齊名的劇作家還有曹禺，他的三部曲：「雷雨」、「日出」和「原野」，無疑是中國現代劇本最成功的著作。曹禺曾訪問過美國，但十多年來他在中共的監視下噤若寒蟬，毫無新著作。

一九四八年北平耶穌會神父合力出版了一本書評，將五百本中國近代劇本和小說作一概論。在該書首頁引言中可以讀到以下一段文字：「中國現代作家的思想形態是無神的、唯物的、實際的、唯理的、虛無的、淫虐的；他們是懷疑的、泛論的、瀆神的一羣人。」差不多所有的青年作家都被共黨牽着鼻子走，受恫嚇或利誘而做了紅朝高官。至於較爲老練出色的作家，多是受不了恫嚇而變志崇奉共產主義的信條或則虛與委蛇以苟延殘喘，竟無一人敢於挺身而出，發表相反的主張。由是中國的文藝運動實際上是共黨的專利。顯然的，這本書評舉出的作家及其作品不過是左派文學的回顧。我們無意在此貶抑中國近代文學，但在一九四八年的中國，事實確是如此。其時中共已滲透入每個知識份子和學生的思想裏。

（未完）

巨變歷險記！

專機解苗（二〇〇）

胡慶蓉

丁博士被緬甸囚禁投諸大牢的消息很快的就傳遍了遠近，我游擊部隊聆悉之下，無不義憤塡膺，怒不可遏，兩國交兵，不斬來使，緬甸囚我代表，並大舉逮捕華僑，這實在蠻橫不講理之至！士氣激昂，民心可用。有老楊者，川人，隨丁博士的伙食挑子，以唱金錢板馳名，把丁博士的當代表種種，編成金錢板詞，到處的唱，日夜的唱，於鼓舞民心士氣者至大。老楊的裝束，完全四川派，袍哥派，白布裹頭，破布大衫，手持金錢板，以滿腹的眞誠，發出我們救領袖要代表的呼聲，一時戰爭的氣氛非常濃厚，適値丁博士要求部隊準備戰鬥的「衣帶詔」也到了，到處傳誦，士氣民心之振奮益加高昂。

緬甸在大其力談判之後，對於我軍虛實，有所調查，以爲這叫化子部隊諒不敢出而應戰，氣燄就漸漸的高起來。在猛叭談判之後，已經表示不耐煩，及至景棟談判，便露出猙獰面的目，對於丁博士就不禮貌了，以至於囚之禁之，並進而投諸大牢。在大牢中，更暗無天日，設法請人帶出一個小小的紙條，這紙條就是有名的「衣帶詔」。是寫在舊報紙的白邊邊上，大意是「我們決不撤離，我們要準備戰鬥！勝利一定屬於我們！萬勿以我爲念！」這小小的字條發生了很大的作用，個個讀了之後，都流出淚來，不由的都呼出：「我們要救丁博士」！「我們不惜一戰」！「我們服從博士領導」！「我們決不撤離」……

緬甸在將丁博士投諸大牢之後，其以武力驅逐我游擊隊出境的政策已定，但仍不放棄談判。爲表示他將以武力驅逐我出境的決心，更進一步的壓迫丁博士，叫他寫信給部隊，叫部隊離開緬境，但丁博士怎樣也不寫，丁博士寧死不屈。他揚言景棟談不好，還繼續移到眉苗MAYMYIU談。眉苗住於景棟城，曼德里MANDALY亦稱瓦城即緬甸故都之間，爲英治時代總督避暑的勝地，緬甸獨立後，即成爲緬總統的及政府要人的避暑勝地。緬甸決定一面打一面談的政策後，即將丁博士專機解到眉苗去。

這是一天的早上，丁博士在大牢裏半個月之後，突然傳出緬甸要提出丁博士，一時人心非常激動，都認爲拉出去槍斃，同監的人，都爲丁博士嘆息，甚至爲丁博士涕泣。在人家勢力之下，有什麼辦法！丁博士在進大牢以前，就是在大病之後，面色已經蒼白得很了，這半個月來沒有理髮，再加上前半個月，而髮也已經長不得了，澡也沒得洗，臉也洗不好，蓬首垢面，狀至狼狽。在他離開大牢以前，就帶上腳鐐手銬了，走起來，瑯鐺瑯鐺，現在不是萬人空巷，現在是萬目相送，丁博士還很鎮定的用他微弱的目光向全體難友還禮。這是只有溥士瑯鐺瑯鐺的聲音，耳也聽不見什麼……假若還有的話，那恐怕是涕泣聲了，一片沉寂，備極淒涼……有四棵槍夾着，四個緬甸的兵都非常緊張，雙手托槍，作射擊狀。丁博士默默不語，慢慢的前進。及至到了大門口，看見緬甸駐景棟總指揮官站在一輛吉普車前，注視着丁博士的出來，他沒什麼禮貌，沒什麼話，丁博士也一語不發，任其擺佈。他在司機台，叫丁博士坐後邊，兩邊都有監視的人。車向那里開，丁博士毫不知情，但到了飛機場，看見停着的一架小飛機，他好像意味着可能不是槍斃，而是到那里去。

這小小的飛機，除載丁博士兩個監視的武裝緬兵外，還有大僑領馬鼎臣，上了飛機，一陣綑綁索綁，將丁博士綑得牢牢的，有就刑前的樣子……

國父之創見與中華文化之必然復興（三）

陳立夫

而復還于人，這是在二十世紀學術史上最大的創見，因此在民族主義光芒之下，帝國主義氣餒了，殖民地紛紛起而獨立了，人類之自由平等向前復邁進了一步，今後人類能不能向正當途徑進化，全在于人能否眞正自覺，具有人的自尊心，而于反「回到獸化」的戰鬥中，永遠不投降。確認一切對于物慾，或肉慾無勇氣去制勝都是摧殘人類精神，文明的邪說，妨碍人類進化的罪惡；反之，其能勇敢的在時代之前大步向精神自由、理智復活方向邁進的，都是人類文明的救星，領導大家從肉體和物質的束縛中解放出來。

馬克斯又是一位以科學方法作長時間的研究，其所得之結論，認定了人類文明史，祇可說是隨物質境遇的變遷史，所以物質是人類社會歷史進化的重心，而階級鬥爭是社會進化的原動力，這一理論，顯然是用以對付對外的帝國主義和對內的資本主義，于是又風靡了一時，以後竟成了共產主義者美其名爲解放人民之世界革命，實則用以作奴役人類的理論基礎，將人類蘊藏而不敢發作的獸性復活起來，又將人置于物質桎梏之中而不能自拔。這顯然又將人的地位抹殺了，將人的創造能力遺忘了。所以國父予以批判，其言如下：

「照歐美近幾十年來，社會進化的事實看……社會之所以有進化，是由於社會上大多數的經濟利益相調和，而不是由于社會上大多數的經濟利益相衝突，社會上大多數的經濟利益相調和，就是爲大多數謀利益，社會才有進步。社會上大多數的經濟利益之所以要調和的原因，就是因爲要解決人類的生存問題。古今一切人類之所以要努力，就是因爲要求生存，人類因爲要有不間斷的生存，所以社會才有不停的進化，所以社會進化的定律，是人類求生存，人類求生存，才是社會進化的原因。階級戰爭是社會當進化的時候所發生的一種病症。這種病症的原因，是人類不能生存，因爲人類不能生存，所以這種病症的結果便起戰爭，馬克斯研究社會問題所有的心得，祇見到社會進化的毛病，沒有見到社會進化的原理，所以馬克斯只可說是一個社會病理家，不能說是一個社會生理家」。（民生主義第一講）

「再照馬克思階級戰爭的學說講，他說資本家的盈餘價値，都是從工人的勞動中剝奪來的，把一切生產的功勞完全歸之于工人的勞動，而忽略了社會上其他各種有用份子的勞動：……由此可見所有工業生產的盈餘價値，不專是工廠內工人勞動的結果，凡是社會上各種有用有能力的份子，無論是直接或間接，在生產方面或者是消費方面，都有多少貢獻，這種有用有能力的份子，在社會上要佔大多數……就令在一個工業極發達的國家，全國的經濟利益不相調和，發生衝突，要起戰爭，也不是一個工人階級和一個資本階級的戰爭，是全體社會大多數有用有能力的份子和一個資本階級的戰爭，……所以馬克斯研究社會問題，只求得社會上一部份的毛病，沒有發明社會進化的定律」。（民生主義第一講）

國父發明了社會進化的定律，是人類求生存（民生），而不僅是物質，所以馬克斯以物質爲社會進化的重心，顯然是錯誤的，階級戰爭，更是進化過程中的病症，不能當作進化的動力，生存當然應該包括精神和物質，物質何能單獨成爲進化的重心呢？他將人類向上向善的人性去脫，而鼓勵向下爲私的獸性復活，使社會充滿了仇恨、殘暴、殺戮、鬥爭、恐怖，而無絲毫的生氣生存。（未完）

潛在精神說

催眠術

鮑紹洲

創潛在精神說之催眠學理者，爲美國心理學大家——看莫司氏。其學說大意：說人的精神，有顯在與潛在之別，例如作書、繪畫、運用精神等，這是顯在的。又如步行還家，只是低頭思想不易對付的難事，不注意途徑，仍能步入家門者。又如唱歌教員的足踏琴口唱歌，而能合拍，兩無差懊，此乃潛在精神作用。所現動作，常不自覺，施術者能够使受術者表現各種狀態，而被術者都不自覺，亦卽潛在精神感應施術者的暗示，故無自覺與自主力，全憑施術者的命令是聽。

醒覺以後，爲何不復感應暗示？因爲潛在精神已潛伏不動，惟有顯在精神主持身體動作的緣故。

·王幻·

張玉孃（一）

張玉孃，字石瓊，號一貞居士，浙江松陽人，大概生於宋末元初之際。父親名懋，字可翁，號龍巖野父，舉孝行，仕爲提擧官。母親劉氏，善治家，年將五十，始生玉孃。玉孃生有殊色，聰慧異常，因此益爲父母所鍾愛。祖父繼燁，字光大，由貢元仕爲登仕郎。曾祖父再興，字舜臣，登淳熙八年進士，仕爲科院左迪功郎。高祖父如砥，字京固，以慶恩詔下爲承務郎。她家世代書香，所以玉孃自幼耽好文墨，尤擅長詩詞，當時一般人曾將她比擬漢代的班姬。她有侍婢兩人，名紫娥、霜娥，（松陽縣志作輕紅、翠紅），都有才色，亦擅文墨；又畜一鸚鵡，辯慧能知人意，因號爲「閨房三清」。

玉孃有表兄沈全，是「宣和」對策第一人沈晦之後，俊茂不羣，不同平常的紈袴子弟。她們因中表姻親的關係，時常有會晤的機會，於是便發生了愛情，並獲得雙方父母的同意，進而訂了婚約。少年男女相戀是甜美的，但分離時，又不免生起淡淡的輕愁。從她的作品中，可以看出她少女時期所流露的心緒：

門外車馳馬驟，繡閣猶醺春酒。頓覺翠衾寒，人在枕邊如舊。知否，知否何事黃花俱瘦？

這首「戲和李易安如夢令」的小詞，大概因竭力模仿「易安體」，所以在她全部詞中別具一格。另有「浣溪紗」一首，亦不亞於「漱玉詞」的清新婉麗：

玉影無塵雁影來，
繞庭荒砌亂　哀；
涼規珠箔夢初回。
壓枕離愁飛不去，
西風疑負菊花開；
起看淸秋月滿台。

她的「蘭雪集」中共有詞十六闋，首首都是她生活的寫照，也是她生命的所寄。後來，玉孃的父母不知爲了什麼，忽有悔婚之意，因此引起她深切之憂傷。如「雙燕離」云：

白楊花發春正美，黃　簾垂低燕子；雙去復雙來，將雛成舊壘。秋風忽夜起，相呼渡江水；風高江浪危，拆散東西飛！紅徑紫陌芳情斷，朱戶瓊窗旅夢違；憔悴「衛」佳人，年年愁獨歸。

玉孃與沈全原是靑梅竹馬，一起長大的小伴侶，本來是愛情的結合，雖也會憑父母之命媒妁之言做過形式上的訂婚，究竟與雙方一面未識，毫無情感者不同；從此，她便開始墮入愁網了。

在悔婚之事還未解決，沈　隨父遊京師；突然的生離，更使玉孃有說不出的悲痛。且看她的「水調歌頭」寫道：

素女煉雲液，萬籟靜秋天。瓊樓無限佳景，都道勝前年。桂殿風微香度，羅襪銀床立盡，冷浸一鈎寒。雪浪翻銀屋，身在玉壺間。玉關愁，金屋怨，不成眠。粉郎一去，幾見明月缺還圓。安得雲鬟香臂，飛入瓊台銀闕，兔鶴共淸全。窃取長生藥，人月兩蟬娟。

她此時的襟懷，似欲突破「金屋」，效嫦娥之奔月，以尋找他們的自由天地。可是「粉郎一去」，此願難賞，惟有堅定意志，誓死不變，以俟機會。「山之高」三章，就是她的誓約：（未完）

第二十章　三泉鬨子羽退金兵　固石洞岳飛擒玩寇

周燕謀

時劉子羽調知興元府，聞王彥敗退，急命改嚴守饒鳳關，並遣人召吳玠入援。吳玠自河馳救，一日一夜强行軍三百里，至饒鳳關，用黃柑送金將，且致書一封道：「大軍遠來，聊用止渴」。粘罕大驚，用杖擊地道：「爾來何速！眞令人不解」。」當下督軍仰攻，一人先登，二人擁後，前仆後繼。更番迭上。吳玠令軍士用强弓亂發，兼用大石推，相持六晝夜，屍積如山，關仍立不動。粘罕更募死士，由兼道出祖溪關，繞到吳玠背後，乘高俯瞰饒鳳關，諸軍支持不住，相繼潰去，金兵入洋州。吳玠邀劉子羽同去守定軍山。吳玠以爲定軍山難守，竟退保西縣。子羽亦不得已，焚去興元積糧，退屯三泉。粘罕遂入興元，進兵金中鎮，四川大震。劉子羽從兵只有三百人，糧食已盡，士卒取草芽木甲充飢，一面致吳玠書一封訣別。此時吳玠已往仙人關，得子羽書，尙無行意，愛將楊政大呼道：「使節不可負劉待制，否則政亦舍使節去也」楊政義正詞嚴的說。吳玠感悟，乃從間道往會子羽，子羽因留吳玠同守三泉。吳玠答道：「關外爲西蜀門戶，不應輕棄」。乃留兵一千人，助子守三泉，自己仍回守仙人關。

子羽與吳玠別，卽巡閱形勢，設計保守。見附近有潭毒山，峭壁徒絕，山上寬平有水，乃於山上建壘，壘方築成，金兵大至，相隔只數里。子羽因兵少，不敢與之對陣，新生一計，自己獨自坐於壘口胡床之上，外貌鎮定。諸將泣告道：「此地不是待制坐處呀！」子羽道：「死生有命，子羽命中該死此地，就死在這裏，汝等不必吃驚，要死一齊死，但未必死呢！」諸將無可奈何。金兵蟻附而來，但猛見子羽戎服雍容，安然獨坐，因此反令金人莫明其妙。粘罕親自來看。疑子羽誘敵之計，不敢近前，况見山勢陡絕，不使攀登，使用箭射，又不能及，因恐中伏，下令退兵。子羽見金兵退去，方回營。諸將至此乃服其胆識，益加敬佩。劉子羽乃是劉韐長子，劉韐爲國殉節。有其虎子，死而無憾。

粘罕還至鳳翔，復使十人往招子羽，子羽斬其九人首級，留一人回去報信，且告其使者道：「歸語爾帥，要來就來，我願與死戰，豈肯降賊」！使者赫的心胆具裂，抱頭馳還。粘罕終不敢再進。又因糧餉不繼，殺馬以食。子羽與吳玠復屢用游騎兵四擾，弄得粘罕日夜不安，只好還軍。子羽復約吳玠出師掩擊。（九十八）

自由報

（第一一四七期）

（半週刊每星期三、六出版）
每份港幣壹角・台灣零售價新台幣弍元
督印兼行黃・李運鵬社長
社址：香港九龍彌敦道593—601號
廖創興銀行大厦八樓五座
LIU CHONG HING BUILDING
7th FLOOR FLAT '5
593—601 NATHAN ROAD,
KOWLOON, H.K.
TEL: K303831
電報掛號：7191
承印：景星印刷公司
地址：嘉咸街廿九號地下
台灣區業務管理中心：台北重慶南路一段一二九號
電話：二四五七四
台灣區直接訂戶　台灣劃撥戶
第五〇五六號張萬有（自由報會計室）
台灣分社：台北市西寧南路110號二樓
電話：三三〇三四六、台郵劃撥戶九二五二號

尼克遜總統的實用主義觀

・何維藩・

本報專論

美總統尼克遜最近對紐約時報記者發表談話，說明他的對外政策是基於「實用主義」的理由，必須跟共產世界從事談判，特別對中國的毛共政權要「打開合作之門」；因而不惜襲取美共份子費正清之流的姑息思想，認為毛共對外的冷淡猜疑和敵意，乃是歷史上的外力干涉所形成（見尼氏的國情咨文）。尼氏否認他這樣做法是基於對內的政治作用——即為要爭取下屆總統聯任，而是在「造成一個比較太平的世界」。先生之志則大矣，先生之言亦甚甘，其於事與願違何？

毛共不放棄反美政策

我們是中國人，自然注意尼氏對中國問題的「實用主義」是否有效？尼氏的作法不外兩項：一是邀請毛共政權進入聯合國，進而與毛共結交，二是搞成「兩個中國」的局面，然後以談判手段來解決一切爭端。可是，今日毛共政權所恃以苟延殘喘者，即為拳打「美帝」，腳踢「蘇修」，一面表示它纔是馬列主義的忠實信徒，有資格領導世界革命運動，而妨碍世界革命運動的唯一勁敵就是「美帝」。同時利用反美反俄的手段和理由，以鉗制大陸人民的背叛思想，認為中國人民翻了身，不復受國際帝國主義的侵畧壓迫了，也就是對尼克遜總統所謂「歷史上的外力干涉」的反動意識，可以麻醉一般中國人的觀感於一時。如果毛共跟「美帝」携手合作，它根本就喪失了與「蘇修」爭奪共產世界領導權的立場，亦就沒有理由反對俄共，充其量只能向南斯拉夫的狄托政權看齊，毛共決不出此下策，殆為常識所能理解的事。反美纔是毛共的續命湯，它現在以「一窮二白」的經濟能力，拚命製造火箭衛星和中程飛彈，用意即在向「美帝」與「蘇修」示威。美國越想妥協，它就越要猖狂，非如此，即無法苟延殘喘，內外形勢所在，我若是毛酋，亦不能放棄反美政策以自陷於崩潰的命運。

談到聯合國的席次問題，毛共更不在意，它不加入聯合國，可以毫無顧忌地為所欲為，而操縱着聯合國的西方國家向它獻媚巴結之不暇，對毛共政權并無損失。一旦進入了聯合國，若不能把聯合國搞垮台，就得接受一些會員國的義務，如禁止核武器擴散條約之類，自非參加不可，且必受制於「美帝」與「蘇修」的強大壓力，無異作繭自縛。所以，西方國家視聯合國的席次為香餌珍品，企望毛共欣然接納這份厚禮，在毛共心裏認為土苴之不若，暗自竊笑呢！聯合國成立以來，對國際爭端未曾發生過一點撥亂反正的作用，時至今日，已成強弩之末，距離「收檔」的時間不遠了，毛共對於進入聯合國與否，認為毫無關係，西方國家敝帚自珍，要拿聯合國席次來博取毛共的歡心，期待它改頭換面，跟「美帝」與「蘇修」携手合作，而放棄現有的立場，可能嗎？

所謂兩個中國問題

所謂「兩個中國」之說，自一九五〇年以來，英美政治人物的口頭上即已隨時流露着，但欲言而訥訥吞吐其詞，意在試探中國人的反應，於今乃明目張胆，見之於美總統尼克遜的國情咨文了！這種想入非非的玩藝，中華民國政府固然嗤之以鼻，毛共政權亦必表示否認的。中國人都不贊成，我們不知尼克遜先生的實用主義如何「實用」法？若謂可由聯合國決議施行，則中華民國代表擁有法定的否決權，美國再沒法如當年對外蒙加入聯合國的把戲，勸告中華民國代表棄權不問。若謂等到美國與毛共妥協後，依談判方式來決定，漫說毛共必不會向「美帝」低頭，即使它利令智昏，接受美國的實用主義，那便是賣國行為，中國人豈能嘿爾忍受？最近有美國方面的某政治要員發表意見，說是戰後既有兩個德國，兩個韓國，兩個越南，自不妨再有兩個中國。他忘記了兩個德、韓、越之所由來，原係西方列強以武力壓迫該國人民的帝國主義作風，戰後世界秩序之愈演愈亂，即基於此也。美國除非用武力來製造出「兩個中國」，尼克遜先生的實用主義即永遠是虛無主義而已。

記得一九五〇年美總統杜魯門即說「台灣地位尚待國際決定」云云，這便是進行「兩個中國」的伏筆，而先行自我製造法理根據。我們姑不談開羅會議宣言與中日和約都明白規定台灣交還中華民國這些法律問題，今日要想搞兩個中國，既不能以力征經營的帝國主義手段促其實現，而須循談判方式以求解決，誠不知美國將找誰來作談判對象呢？在華沙舉行了百多次的美、毛大使秘密談判，美國只希望毛共答應對台灣海峽不採取軍事進攻行動，其他皆好商量，然毛共始終不認可，它就是看透了美國色厲而內荏的匡（心旁）怯心情，滿不在乎。現在美國震驚於毛共的放射人造衛星與發展中程飛彈，自我恐慌，急求妥協，還能夠談「兩個中國」的話嗎？

關於越戰問題

尼克遜總統的越戰措施，算是獲得了相當的績效。但怵於國內一般姑息份子恐嚇宣傳，唯恐毛共介入戰爭，乃不惜再三地信誓旦旦，聲明決無威脅毛共的意念，只在維護駐越南境內的美軍安全，俾便逐步撤退而已。這當然是由衷之言，毛共亦心知胆明的。可是，毛共對東南半島的擴張行為，是其政權所賴以生存的要素，不管美越軍在高棉、寮國的進展，是否對它有威脅，而其盡力支持越共的政策，絕對沒有改變的，美國這項「實用主義」的表示，除却暴露自身弱點以外，別無作用。毛共是否直接介入戰爭，關鍵在其內部的困難問題，與「美帝」不相干，這情形却非西方人士所能瞭解，而誤認毛共的統治權已告穩固。實則美越軍如果以速戰速決的行動，一口氣攻下了河內，統一全越，毛共在現狀之下，亦祇是叫嚣一陣「美帝侵畧」而已。尼克遜先生想以談判方式，恢復兩國越南的原有態勢，決無可能，將來美國的地面部隊逐漸撤出越南後，若無強大的空軍力量為越南軍後盾，不特「胡志明小徑」必然得而復失，即越南現有疆土，亦難有安全之日，因為毛共大力支援越共，俟機進襲，戰爭永無止息，而美國亦不能再度派遣大軍來越南參戰了。職是之故，尼克遜今日的「實用主義」，很可能自貽後患，將有噬臍莫及之憂，尼氏乞靈於談判方式以解決越南問題，更屬一廂情願的渺茫構想，離「一個比較太平的世界」，遼遠極了。

我們認為尼克遜的實用主義在理想上未可厚非，然實際此路不通。二次大戰以前，國際上何嘗不是競作和平談判之舉呢？結果招來一場大戰。在強權主義支配國際問題的態勢中，希望藉談判以建立世界和平秩序，雖非神話，亦屬夢想也。（完）

昨日與明日

一教廷動態堪虞

天主教，由於是「一神教」的原因，一向精摯專一而中古的「不容忍」為其突出的表現。降及近代，世界局勢大變，諸邦共聚，萬里同風，若再嚴格的執行往昔政策，不僅難以行通，且勢必將會處處與人衝突，這不僅不是國際共處的正軌，恐怕也不是上帝的眞意。因此教廷便逐漸採取適應近代環境的措施，而最近這次召開的「梵蒂岡第二屆大公會議」，更是具體的表現出教廷的開明精神。在這種精神下，教廷不僅承認基督教的新舊教各派，並且承認佛道、回、印……等宗教，甚至對所謂「無神論」者，也不惜與之交往接觸。這種決定既充分表現了「容忍」和合羣的精神，同時也就教廷本身說，是擴大了傳教的範圍，眞可說是高明偉大兼而有之。

但利之所在，弊也往往存焉。教廷若能把無神論者感化為天主教徒，自是善舉好事，自然應該去和他們打交道；但這應該限於有自由思想的個人為限。要是與有組織窮兇極惡的共產黨徒，就又當別論了。他們有組織無誠意，善鬥爭、尚欺騙；認為欺騙敵人就是道德，而又把一切異己的都列為心中遲早要消滅的敵人。與這種黨徒組織去傳教論道，那不僅是與虎謀皮，簡直是燈蛾撲火。自找苦吃，而不幸，現在教庭的動向，正使我們耽心這一點。

方今教皇保祿六世即位後，不僅蕭規曹隨賡續前教皇若望廿三世的精神；並且更進一步採取排除往例的實際行動，他不惜紆尊降貴去與東正教的大主教相會，最近又開史無前例之端，離開梵蒂遠赴亞洲，這種精神，實令舉世皆欽，但是就在對付共產黨徒方面發生偏差的決定，而竟想與中共打交道，幸虧以于斌樞機主教為首，極力諫止，才阻止了這一重大錯誤。我們姑不論對世界人的惡劣影響，即以教廷本身而論，只要想一想，英國承認中共後的慘況，便思過半了。

但教廷與共產黨徒打交道的想法，似乎並未因亞洲教士們的一致反對而覺悟，最近教廷又宣布：「一名高級的羅馬天主教教士，將首次正式訪問」，這位主教即是卡薩洛利，要在莫斯科停留，並與蘇俄官員舉行會談，我們不知能會談出什麼結果。反之教廷這種一再想與共產黨徒搭關係的意念，眞使我們不寒而慄！教廷之見重於世人，乃在其為人類精神的領導力量，這一力量，必須嚴格的站在正義的立場而不能絲毫向邪惡勢力低頭。

・成公・

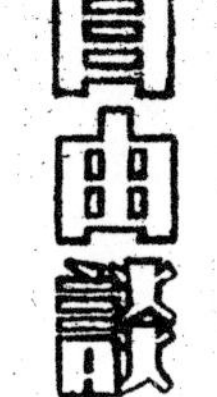

民主政治與法紀

台灣高速公路第一期建築工程計劃，早已釐訂進行，乃因台北縣所屬林口地區的土地徵收價格問題發生阻礙，以致決定變更原案，改道設施。這不特稽延時日，虛耗財力人力，更嚴重的問題是損害政令威信，不足為訓。

據說，林口地區的公用徵收地價，台省府評定每百坪為新台幣卅二萬元，而台北縣政府擅自改定為五十萬元，影響原訂的工程預算甚鉅，經由行政院明令撤消縣府私擅評價之舉，然縣府抗不遵從，託詞地方各界人士的公意，依然公告為每百坪五十萬元。於是乎，高速公路只好另行改道，不經過林口，事實上，第一期建築工程即宣告停頓了！

我們對於築路的工程問題是外行，應否改道，不欲置喙。所可詫異者，一個縣政府竟敢藐視省府與行政院的功令，阻撓國家路政建設，有若「獨立王國」的作風，是誠匪夷所思也矣！若論行政責任，省府當局似亦不能辭其咎。蓋台北縣府第一次擅自提高地價時，省府就應該立予糾正，藉維政令威信，不此之圖，迨行政院明令撤消此項非法的評價後，而台北縣長悍然我行我素，抗不奉命，省府何以不採取斷然的處置，對該縣長有所懲罰呢？

民選縣長的職責，與政府委任官并無二致，只是政治地位取得的方式不同而已。台北縣長蘇清波，前有以其妻室名義套購地方公產的行為，曾被言官糾劾，受到懲戒；繼有非法查禁民營鋼鐵公司建廠事宜，經省府糾正在案；現在又有此破壞國家路政建設的動作，其顢頇跋扈，目無法紀的情況，雖撤職猶有餘辜，省府究何所忌憚而放縱不問耶？民主政治固然尚寬容，但不能瀆廢法紀，否則難免姑息貽害的後果，而政府威信隨之瓦敗，其將何以求治呢？為政之道，嚴酷原非所宜，姑息更屬失策，不能尊崇法制，即無民主憲政之可言，我們希望政府不要忽畧民主眞諦吧！

馮乘生

囘鄉探親港客 脫衣盡贈親友

（香港消息）到廣州省親渡歲的人昨晚囘到香港，縮瑟如寒鶴。原來他倆夫婦把手上可携，肩上可担及身上可穿的東西全部給廣州家人，每人祇穿一件破爛補貼衣服及舊而破的冷衫囘來。所幸囘程時火車沒躭擱，從廣州起程由晨迄暮囘到香港。若在半路滯留多一兩天，定必冷死無疑。

他們於除夕起程，在深圳費盡唇舌才能把身上所穿棉毛衣服七八份的理由解釋清楚，獲得通過。至於食物包括臘味在內也獲得通過，留在深圳「寄倉」的只兩瓶驅風藥油及一對新的中童皮鞋。

他又說，廣州人今年過年的情形比以往各年佳勝，豬牛肉和紅棗，片糖雜貨都有配售，至於生熟藥材及製成品的某些藥物，有錢仍可買得到。

但是載為貴重的藥材，仍付如厥如。參茸自然沒有，即如用以治癒孩子生癩的猴子棗，到今天仍未有得賣。廣州孩子生癩者多，未蒙祖國照顧，可是香港的國貨商場及由藥材行放給熱藥店的猴子棗要幾多有幾多。

裕隆受到過份扶植
立委主張收歸國營
製造汽車仍停滯裝配階段
外殼鋼皮亦不能造眞洩氣

（自由報台北消息）立法委員徐中齊對經濟部答覆其質詢行政院過份扶植裕隆公司案，表示不滿，因此，在立法院本屆第四十七會期第二次會議上向嚴院長再度提出質詢，除指責經濟部之答覆全部規避重點，並提出三點理由，主張收歸國營。

徐委員於上（四六）會期就政府過份保護裕隆公司裝配汽車之措施，提出義正詞嚴的質詢，其內容刊於五十九年十月廿四日本報台北消息。國內外轟動一時。而這次質詢，立刻傳遍此間各階層，尤其計程車駕駛員至表興奮。下面就是徐委員的質詢內容：

裕隆汽車公司，原爲資金不超過五萬美元，（經濟部登記有案）之紡織機械零件製造廠，祇以四十六年首次裝配幾部吉甫車之故，政府遽准其與日本日產自動車株式會社，簽定逐年增加自製率百分之廿之合作合約，其間政府不但給與壟斷市場之過份保護，且給予超過高利貸十數倍之駭人利潤，並有膽請貸予五百萬元美金低利巨欵之說，全不考查其工廠設備，製造技術，及完全自製之可能性。此種措施，可謂全部符合導致大陸失敗之「官僚資本」典型，實深遺憾！

倘在如此破天荒優厚待遇之下，裕隆公司眞能做出全部國產的一兩部汽車，爲國家爭點顏面，縱令其私人暴富數十億，全國司機用戶所忍受十幾年的剝削，尚屬情有可原。

不意迄今該公司之汽車，仍停滯於裝配階段，徒爲「日產」之特權專一推銷商而已。據經濟部之答復書所指，「因小轎車外殼需要高噸位之油壓機設備及金屬模型，鋼皮尚須進口，在台自製，殊不經濟，故目前外殼亦係由日本進口」。根據此一答覆，裕隆公司連汽車外殼亦不能自製，不免令人洩氣。

依照政府核准的裕隆公司與日本「日產」自動車株式會社，四十七年所訂的合約，是逐年增加自製百分之二十，依此計算，五十二年便應該有能力全部自製了，如今逾期八年，獲得暴利極多，尚不能自製外殼，政府也不問其違約之罪，發展工業云乎哉！上下欺騙云乎哉！

「裕隆」與「日產」簽定技術合作合約之後，政府初則核定「公務汽車管理辦法」（四十七年十月）以規定採購其產品，繼則頒佈「國產汽車工業辦法」（五十年）以便利其壟斷，三則公佈「促進機械工業，推行方案」，（五十一年）以限制他家設廠及進口，「保護」眞已做到「嚴密」。吾人深感嚴密已達過份程度了。

裕隆公司自知雖獲暴利，却無法於五年限期之內，完成全部自製之承諾，乃於限期即將屆滿之時，先發制人，反咬一口，說「政府各方輔導不力」，人之無良，曷勝浩嘆！於是呈請按照實際自製率辦理，而政府官員很快的自認錯誤，一面將其自製率自百分之百，降低爲百分之六十，自製進度，改爲逐年百分之十，一面將「發展汽車工業辦法」，和限制進口，限制設廠的方案等，均延長至五十七年，另一方面，還給予鉅額低利貸欵。

按照現行一般官員的慣性，凡有指責其錯誤者，一定要設辭狡辯，甚至反唇相譏。下屬倘若指責上級，切責之後，還要加以刁難，修理。即令民意機關指明其違法之條文，違令的字號，還要以研究中、請示中，來推拖一番，躲閃一陣，自認過失者極少。獨對「裕隆」之反咬，却一反慣性，奉行唯謹，有人認爲故弄玄虛，以掩飾官商勾結，亦有人認其確有對官府頤指氣使之潛力。

計程車司機們經常抱怨：「裕隆公司所以敢於大胆的壟斷和剝削，全仗着他們老闆有強力的後台爲之撐腰，我初聽之下，誤認是故意破壞政府威信的謠言，自從了解上述事件，及頒發各項規則、辦法、要點等之後，亦感覺到他們所說的「不無蛛絲馬跡」可資尋覓。

裝配汽車變成國產
工業起飛豈不笑話
所有計程車限用裕隆貨
如非官商勾結其誰能信

在政府官員的訓詞裏，經常標榜着「我們工業起飛了」的口號、但民間閒話，却普遍有「我們經濟是日本附庸」的說法，究竟熟是熟非，「工展會」便是官方的證明。

在工展會場陳列的國產物品裏，絕大部份是中日技術合作的結晶，如電冰箱、電視機、冷氣機、計算機，甚至小型的錄音機，晶體收音機，莫不以合作產品爲精良，（重機械全是進口貨不陳列）。其中列爲工業魁首者，厥爲「日產」、「裕產」合作的青鳥牌轎車，「究竟我們的合作技術佔了幾分之幾」？被問的人莫不搖首歎息！民衆參觀者敍述當年抵制日貨的往事，和政府官員參觀者眉飛色舞的表情，恰成強烈的對比。

青鳥轎車不但主要機件是由「日產」在日本製成，由裕隆運回國內裝配，即其外殼也是由日本製成運來，這是不爭的事實。日本第三流的汽車——日產的機件——經裝配噴漆之後，變成了「國產」，掛了裕隆的頭牌，如此工業起飛，豈不成爲笑話。

（一）經濟部汽車工業發展報告書說：「「公務汽車管制辦法」，只規定各機關購置新車限用國內產品，「汽車運輸業管理規則」，也只規定營業小客車採用「國產」汽車，其對象均爲國產汽車，而非某一家之產品」。表示並未對裕隆公司作官商之勾結。

姑勿論交通部將「營業小客車應使用節油小型六座以下轎車」之條文，修改爲「應用國產新車」不知是根據何法何令？請問政府頒佈上項辦法規則的當時，在政府限制設廠限制進口的政策下，「國產」汽車除裕隆外，還有那一家？就當時而言，「裕隆」汽車是唯一的「國產」，「國產」即是「裕隆」，這種掩耳盜鈴的自辯，想不到經濟部的官員竟能在公文書上寫得下字，說得出口，而竟不怕面紅！

（二）台灣所有計程車全用裕隆貨，是根據四十七年和五十三年政府頒佈保護裕隆的辦法和規則，五十七年上項保護期限屆滿之後，直到現在裕隆公司依然獨佔計程車，不准及早開放汽車進口，政府不積極鼓勵競爭，以求改進品質，反而五十八年七月二十五日頒佈「取締破舊汽車及改善汽車整潔執行要點」。所有十四條條文，除第三條前段「營業小客車使用年限已超過五年者，不得作爲營業車用」，以故爲裕隆車汰舊開闢國內市場外，其餘條文均爲由「道路交通法規」中抄錄而來。

講非官商勾結，其誰能信！

（三）經濟部報告書說：「我國產製汽車之售價，如不計及附加貨物稅，其出產價與日本同型車售價之比，約爲百分之一百五十」，換句話說，即比日本售價高出百分之五十。

姑勿論日產的青鳥牌車與裕隆計程車的品質，是否可以相提並論，即就報告書所列價格而言，裕隆計程車的售價是一二六、一〇〇元，「日產」青鳥車之輸出價，包括其本國貨物稅在內，是五四、〇〇〇元（折合美金一、三〇五元）一二六、一〇〇元比五四、〇〇〇元，是只貴百分之五十嗎？倘若和西德甲虫式轎車的品質售價相比，相信其差別更大。

何況裕隆計程車，是進口「日產」機器和外殼，在國內裝配的，並非全爲自製，在一般人的常識裏，進口裝配貨，總要比原裝貨要便宜些，照經濟部的算法，變成了一乘一等於三，豈不是一篇官商勾結的糊塗賬。

老百姓的眼睛是雪亮的，請看聯合報五十九年十二月九日，南部四縣市特種汽車客運商業公會理事長劉力勤等，拒絕裕隆等公司函邀的謝啓，請求其「對於品質、售價、服務，今後做到合理的要求」，便是一個顯明的諷刺。

（四）經濟部報告書又說：「依照公司法第一五六條，規定汽車業之股份有限公司，最低資本額爲新台幣一億元」。可是裕隆公司核准設廠之初，資本額是新台幣二百萬元，也是該報告書敍明有案的，爲什麼當時可以核准如此低資本的小廠，並且專案制定辦法予以「嚴密保護」。而現在爲什麼又不可以呢？難道是新台幣貶了值？四十七年的二百萬元即等於五十八年的一億元呢？還是裕隆公司後台太硬，不得不違背法令曲予核准呢？抑另有不可告人的官商勾結的因素存在？

經濟部的報告又說：「汽車公司之經營，必須具備相當之資力，與規模」。準此以論，經濟部核准裕隆公司，以新台幣二百萬設廠，是認爲其已具有相當之資力與規模了。既然已具規模，何以任令其將不能自製的零件報低，自製的零件報高，並套購外國零件冒充自製，提高自製率的數字，玩弄魔術數字呢？難道也有不得已的苦衷嗎？

憑藉法令壟斷
售價高於外貨
主管部報告似在代辯護
說裕隆的成就實非易事

（五）報告書又說：「裕隆公司的資本，已自初期二百萬元，勉力增資爲現在的三億一千六百萬元」，認爲「其經營之難更可想見」。

若以「裕隆」裝配車，高於「日產」原裝車的單價差額而計，乘以歷年出車之數字，加上利潤再投資的所得，其賺錢遠高出現有三億餘元的十數倍，據說裕隆能以所賺的錢轉投資於紡織工業，即因賺錢太多之故，獨家裝配而坐享厚利與暴利，眞想不出「其經營之難」，「難」在那裏？

經濟部一再說汽車工業需要巨大資力，爲何不對「裕隆」以利潤轉投資於其他事業，加以干預。即使令其買一台高噸位的油壓機，也可以自製外殼提高自製率。竟不此之圖，莫非也另有苦衷？

觀乎經濟部報告書之口吻及內涵，似乎專爲裕隆公司辯護而寫作，一則曰「年有增進，實非易事」。再則曰：「汽車工業之發展，能有目前成就，已非易事」。三則曰：「本部對於汽車工廠之設立，從未有限制之政策及措施」。四則曰：「各國對於我國內發展中之工業，莫不予以嚴密之保護」。對於其質低貨劣，獨佔計程車和違背五年全部自製承諾各點，文字不提，雖粉飾過份，不免有抹煞事實，自相矛盾之處。就其忠於「裕隆」之精神而言，則殊堪玩味！我想裕隆，維護者，不僅會心微笑，還會高聲叫好，裕隆的老闆，總不該再罵政府輔導不力」了？

汽車工業，關係國防，平時可以製客轎貨運車輛，以利便民行，如有餘力出口，更可爲國家爭取外匯，戰時可以轉製裝甲車輛，用以確保台灣及反攻大陸。倘落入私人資本家之手，雜有國際間之合作契約關係，改制運用，諸多不便，此應收歸國營理由之一。

三民主義節制資本之措施，載在憲法，列爲國策，政府縱不能交付執行，亦不宜製造私人資本家以剝削國人，[illegible]賈民怨。鑑於裕隆汽車公司憑藉法令壟斷所獲之暴利，實不宜再予遷延。此應收歸國營理由之二。

經濟部認爲「製造汽車爲一種精密性之綜合工業，必需具有巨大之資力與規模。」私人經營，鮮符條件，借助外力，往往辱國，政府既貸與裕隆十倍其初期資本之鉅欵，何不逕以國力經營。此應收歸國營理由之三。

計程車司機們說：「裕隆公司以高於外貨數倍之售價，剝削我們，倘若盈利歸公，用以反攻復國，我們將樂意接受，毫無怨言，如今暴利歸私，實在心有不甘」，爲了體天心而順輿情，汽車工業亟應收歸國營。

縱橫談當舖

·萬念健·

這家市立當舖的創設，始於一七七七年，再隔六年，便是它的二百週年紀念。開始的動機完全是慈善性質，便利那些借貸無門的市民，免受高利貸者的重重剝削，後來其他法國城市，如法泡製，陸續設立，而且也都是「市立」，禁止私營，一八四〇年，亦即巴黎第一家「市立當舖」成立六十三年時，忽然得到了「姑母家」這個雅稱。事緣法王路易，菲立浦的兒子佐因・維利，平時揮金如土，手頭經常拮據。該年有一次用光了錢，借貸乏門，便拿了自己的東西到姑母家去暫押。不知消息如何走漏出來。於是當舖便得到了「姑母家」的別稱。這名稱，恰巧相當於我們的「娘舅家」或「二叔公」，而我們自己「娘舅家」與「二叔公」的別名來自何處，倒反而不可考了。

目前巴黎全市當舖，共僅七家，但規模都很大，每家資本在美金一百餘萬至三百萬元之間。每一家當舖都向保險公司購買保險，以避免受押賊贓時蒙受損失。據營業統計，「斷當」的百分比僅百分之五，比日本的「斷當」率百分之十八低得多了。

規模組織 有若銀行

巴黎中央當舖，是一座五層樓的建築物，共有職員四百人。這間當舖對前來押當的物品，採取分類辦法：地下是停車場，不少主顧係乘坐自備汽車前來，二樓專門受押珠寶鑽石、金銀首飾、名貴相機，三樓受押一切電氣器具、文房儀器、家庭用品，四樓受押皮裘、衣料、服裝等等，五樓是倉庫。

每一層樓都設有鑑定、文書等科，組織上與銀行頗爲相似。鑑定科，是當舖中最重要的一個部門，都由專家主持，爲了代顧客保守秘密，鑑定科設有十餘個小室，分別接見和談判。我們可以說，當舖在法國，差不多已成爲一種類似信託公司的金融機構，與日本台灣香港當舖之專門剝削升斗小民者大不相同，一般顧客也很少來自赤貧之家。

兩百年來 顯著改變

兩百年來，巴黎市立當舖所當的東西，有一項逐漸開始而終於顯著改變，即押當的東西越來越是值錢，這些東西的面積也越來越小。一八七〇年，市立當舖押進的床單達一萬三千九百張，這是歷來的最高數字。現在，以笨重的家庭用品如傢具、衣車、鋼琴等物前往押欵者，雖非絕無，却已僅有。

巴黎當舖對於當價，約爲物品原值的四分之一至三分之一，利息爲百分之五至百分之七。滿期不贖，則公開拍賣。拍賣所得之價，通常可比當欵多一倍左右，當舖取回本利，餘欵便交還押當原主，可謂公平之至。

台北五廉官之五—李惟喬

·文園樓主·

從前的相府，乃至於狀元府，家遇紅白大典，門口常掛出一塊製作好的木牌，上書「書班差吏，禁止往來」所指的是替人寫訟狀的人，衙門裏站班的人，警員，（現在本港警局仍稱爲差館）稅務人員等一律不准上門，這種封建意識演變的結果，暴發了辛亥革命，結束了兩百幾年一代王朝。

於今不同了，律師是高級職業，警員與稅務員都是國家的委任官，社會地位與經濟收入，也都不亞於任何中上級職員，照道理他們都應當格外的奉公守法才對，因前者是知法，後者是與人民最親近的基層官員，從台灣社會輿論和上列人員事實情形來說，須得百尺竿頭加緊改進萬不可以到了不可收拾時，再用大刀闊斧去整理，亞里斯多德有句名言：「革命並非瑣小事物，但它卻起源於瑣小事物。」這句話含有很深的至理。

台灣警界中的好官很多，樓主根據幾位稱得上有份量的廉能政治首長及學人們的意見，欲提出一位從不要錢的警官來談談，本文所指即現任台灣省公路警察大隊長李惟喬，李曾任台北市警察局經濟科長，高雄市鬧區的警察分局長等總之，都是肥缺，但未聽說李惟喬要過不能見天的錢，眞做到一塵不染，不僅如此，將自己應得的辦公費公開公佈，「也算是創舉。台北的奸商指責李大塊頭「不識相。不懂得搞政治資本。」「北方老幾究竟很笨」。光棍不擋財路，設法使他（指李）下台。」但正當的工商人士則譽李惟喬爲標準警官或模範警官，其實一個官員的好與壞，很容易得到結論，查詢他的部屬就行了。還有就是被告會提出很多寶貴資料。據李惟喬的好朋友語樓主，李的日常生活守則。一、節儉爲所有道德之母。二、勤勉能使所有工作容易推動。三、懶惰會產生困難，苟安會產生痛苦。由於他的這種正確觀點，所以他能做一個一乾二淨的警官，使全省公路車禍銳減，這是值得大表揚而特表揚的，也是台灣警察界的無上光彩。

台北五廉官寫完後，接着要寫的是「貪官與惡官」待資料經過正確審查後付排，樓主寫台北五廉官的心情，像是覲賢如就芝蘭。寫「貪官與惡官」剛提筆腦子裏竟然彷彿就要與猛獸蛇蠍交戰。同時感到這年頭有些人因罪惡而能飛黃騰達，有些人因修德而永遭失敗。眞是要「不信書，信運氣」了，但爲文執筆，則非本春秋責備賢者的態度不可。否則就有辱了這張廿一年富有政論性的華文報了。

太平天國失敗的原因（六）

·黃大受·

今……今據江寧，爲繁華迷惑，養尊處優，專務於聲色貨利，往之倚爲心腹股肱者，今乃彼此睽隔，猜忌日生。禁令則徒立科條，軍務則全憑文告，氣脈不通，已成痲痺不仁之象。賊之滅亡，可燭照而數許矣！」領袖腐化，政治也就痲痺，焉得不敗？歷史上的開國人物，豈有這樣的做法？

六、楊秀清的專權！一八四八年（道光二十八年），在廣西紫荊山計劃起事時，馮雲山被捕下獄，洪秀全到廣州營救，楊秀清便僞稱上帝降托己身傳言。洪秀全回紫荊山後，知道非楊秀清不足以維繫會衆，即使明知其詐，也不得不承認他是代眞神傳言，從此楊秀清便取得宗教上超越一切的地位，以挾制洪秀全。洪秀全爲天王後，也只得敷會其說。在攻下永安州以後，楊秀清封爲東王，又從天王手中取得主帥大權。天王在一八五一年八月十五日（咸豐元年七月十九日），從桂平紫地所發調兵的加註裏，便說「今宜聽東王將令」。詔封各王時，也規定各王俱受東王節制。東王的權力是大極了。定都天京後，天王更是垂拱深宮，政務全由東王把持。因此，東王是目無天王，竟公開以「四海之內有東王」爲試題，其拔扈可知，天王也無法抵制。每當東王假託天父下凡傳眞言時，天王也要跪地聽命，甚至受東王的鞭打。如一八五三年（咸豐三年），東王假託天父下凡怒責天王，被責之後，天王還要詔告羣臣說：「爾爲官者須知爾東王所言，即是天父所言也，爾等皆當欣遵。」天王無法拆穿東王的詭計，內心必然痛苦之至。天王既然如此，北王以次各人，更是要惟命是聽。如這次天父下凡前後，天父下凡詔書裏說：「北王韋正，頂天侯秦日綱及丞相等官同到東王府請安，並議國政事務，議畢，跪呼千歲，請東王安福，各回衙府。等天父下凡傳言以後，北王等送東王回府，東王昇殿諭衆官曰：「本軍師今日將天父聖旨啟奏我主二兄，未知是否？」北王等對曰：「東王所奏者，乃奉天父聖旨，皆合天心，無有不是。」：：北王及衆跪呼千歲後，即退出東府。」連同時起事的北王，都俯伏跪拜，不能坐談，東王的專權跋扈，可想而知。

七、領袖們的內訌；東王的專權，自然是遭遇到天王北王翼王以及大小臣僚的反感。忠王李秀成親供說：「東王自己威風張揚，不知自忌，一朝之大，是首一人，韋昌輝與石達開秦日昌，是大家一心，在家計議起首共事之人，後東王威逼太甚，此三人積怨於心，口順而心怒。」特別是北王恨東王更深。賊情彙纂韋昌輝傳說：「昌輝下楊賊一等，其奸詐相似，陽下之而陰欲奪其權，故楊賊加意防範。咸豐甲寅（一八五四年）四月，楊賊命昌輝赴湖北安徽，行次采石，楊賊復下令調回，改遣石達開往，張子朋激變水營，楊賊杖昌輝數百，至不能興；又詐稱天父德體，時挫折之。楊賊與昌輝互相猜忌，似不久必有併吞之事。」這書編於天京政變之前，編者張德堅判斷不錯。到一八五六年九月（咸豐六年八月），天京內訌，事前有東王要封萬歲之說。北王韋昌輝及夏官副丞相賴漢英，秋官正丞相羅瓊樹用計刺殺東王楊秀清，此後連日殺死東王親戚屬員文武大小男婦，約二萬多人。十月，翼王石達開與丞相曾錦謙、張遂謀從武昌洪山營中趕回天京，指責北王濫殺，勸免殺東王親屬部黨。北王頓起他心，又要殺翼王，翼王得到消息，弔出城而逃走，前往安慶，計議復仇，此時北王將翼王全家殺了。據李秀成供稱：北王在朝，不分青白，亂殺文武大小男女，勢逼太重，各衆內外，並合朝同心，將北王殺之，人心乃定，後將北王首級解至寧國。（未完）

中國哲學史自序

·周世輔·

著者幼時曾讀私塾，對古書稍有涉獵。民國二十年聽李石岑先生講授中國哲學史，發生研究興趣，即注意搜集資料。三十七年起在國立師範學院及長白師範學院先後授此課程，四十五年開始撰中國近代哲學史，於四十八年十月出版。以後在國立政治大學續講中國哲學史，稍有心得。三年前，因三民書局劉經理約著本書，乃將已印講義加以修正補充，於五十九年五月中旬完成。全書計分四章：第一章爲古代哲學思想，第二章爲中古哲學思想，第三章爲近代哲學思想，第四章爲現代哲學思想，合計四十節，另有緒論及總結論，約四十餘萬言，可作大學用書，亦可作研究者之參考書。如採作大學用書時，可選擇重點講授，附錄及次要哲學家見解可以畧講，重要哲學家者則應稍詳。又前後四章，何章應詳，何章應畧，亦由講授者自定。

坊間已有之中國哲學史，編輯方式不一：（一）多數採用編思想史或學術史之方式，（二）少數採用編哲學史之方式。本書爲了使內容與名稱切合起見，特採用第（二）種方式，即採用西洋哲學分類法，將各哲學家思想，作統一性之分項（如人生觀、道德觀、宇宙論等），凡與哲學無關之言論，一概畧而不述。

哲學的分類，計有三分法和多分法等，本書採多分法；並將西洋哲學的派別擇要附錄於緒論之後，以供初學者參考。

本書文字力求深入淺出，期使初學者容易看懂，惟各哲學家言論原文不得不引，以免敘述失眞。又第一章自孔門哲學思想講起，至春秋前未成體系之哲理，他書多另列一節，本書則從畧。如講授者有興趣，可自增授。

他書講孔門哲學，多就孔門弟子而言；本書講孔門哲學，乃就孔子師生而言。

著者撰中國學史的目的：乃在探究固有哲學之起源與演進，並以之與西洋哲學作對照之比較，期窺測中國哲學之未來趨勢，而促進中華文化之復興。上項目的能否達到，不敢妄斷，惟「心嚮往之」而已！

本書搜尋資料之時間雖長，但整理編著之時間甚短，錯誤之處，諒亦不少，尙祈海內外讀者書面指教，俾再版時予以修正。中華民國六十年一月周世輔序于國立政治大學。

編者按：周世輔教授所著中國哲學史一書，業已由台北市重慶南路三民書局出版，內容豐富，編排新穎，深入淺出，文筆流利。每册定價七十五元，可打八折。

漫談中國戲劇

·雷震遠·

中共加劇竄改京劇

現在大陸上的京戲究竟變質到什麼程度？這是最後値得特加檢討的問題。儘管中共在國外宣傳「改良」京戲，其實只是竄改與破壞而已。其第一階段的竄改，正如前面隱約提及的，是不容易看得出來的，因爲他們起初從一九四〇到五八年，只是做局部的，或相關的竄改，小量的，以免引起人民驟然的直覺嫌惡。這時期正當中共新政權開始實行激烈鬥爭階段，故其竄改乃以灌輸共產主義鬥爭毒素爲目的。譬如「祝家莊」，添入祝、扈、李三莊開會，商討壓榨農民，並將祝家子弟描述爲腐敗無能之輩。又如「坐地分贓」相關的改爲「除暴安良」，俾能配合中共假口所謂「惡霸」以行鬥爭的毒計。

進一步的竄改始於一九五八至五九年，除了繼續行鬥爭詭計外，並配合公社運動，勞動改造，等目標。所以對平劇的詞句及情節，不是重加改編，就是重新竄改。由於這種大膽的改頭換面，出來的作品，反而荒謬，引起觀衆的厭惡。譬如「玉堂春」，加入主行兇，賣女交租等情節；「四郎探母」，當場把楊四郎槍斃；「牛郎織女」，牛郎參加集體農場，織女參加生產競賽。其他例劇不必贅述。不過，中共於這第二階段的後期，已注意吸收地方劇、民間故事、小調、及民歌，並以人民平常慣熟的內容，以京劇的形式表演之，使觀衆接受共產主義思想及政治意識而不自知。（未完）

陳思敎授談「新聞？」

·小記者·

這時，我不期而想起了四十年前，第一次世界大戰時期的事來，那位由於暗殺奧皇太子而爆發大戰的塞爾維亞青年，前年才逝世呢！不過，四十年前國際間的恩恩怨怨，早已了結了。許多史學家曾經從當時報紙上的新聞，找尋這歷史上大事的綫索，有過如次的觀感：「我們翻開當時的美國報紙，好似德國使用潛艇戰術，乃是促成美國參加大戰的主要因由。對於這樣的說法，在今日，我們該如何下斷語呢？當一個人說：「假使德國政府不發動潛艇戰，美國必不會參加第一次世界大戰。」而另一人反唇相稽道：「即使德國永不使用潛艇戰，美國也會參加那場世界大戰的。」這兩個人都在其心意中做了一次實驗，那就是說，兩人都在他們心中復演一九一四——一九一八的大事件，然後他們除去其中事件之一（即潛艇戰）而重行思考，他們要觀察在刪除那事件之後，有什麼結果會隨之而至的。他們兩人之中，只許只對了一部分，也許都不對。」

於是歷史家會把美國參加第一次世界大戰的種種因素列舉出來：（一）作爲美國對英法借款中間人的銀行家，及投資於此類借款的投資家的壓迫；（二）其他祖德的銀行家和德國證券的投資家相反的壓迫；（三）祖協約國的宣傳，在耶穌教徒中，在自由思想的中產階級中，和盎格魯撒克遜血統的公民中極多歡迎；（四）祖德的反宣傳，亦爲德國與愛爾蘭血統的公民和羅馬天主教徒所樂於接受；（五）和平主義的宣傳和列寧式的革命宣傳，在動機上雖完全異於祖德者的宣傳，也企圖使美國不參戰；（六）德國外交的錯誤；（七）潛艇戰術；（八）威爾遜，他的幕僚們及其他美國領袖的先念、殷愛，希望和幻想；（九）其他種種因素，有爲我們不及知曉的。這場世變早已過去了，和我們的利害關係也很淡了，而且時間距離並不很遠，有着充足的史料足供研究，可是要將這些因素，置於一種包括一切的因果系統中，使各得其所，卻也不是一件容易的工作。

那時，我年紀很輕，還在中學讀書；那位有名的政治家、史學家——梁啟超，他們那一顧問團，到歐洲去訪問戰後的德、法、英各國，他那部「歐遊心影錄」在當時的確迷醉了我們。他那枝帶感情的筆，把塞爾維亞青年刺殺奧皇太子事，及巴爾幹半島風雲所激起的世界戰爭的大局面，渲染得如火如荼；讓我們看了，有如讀三國演義的赤壁之戰，眞的不忍釋手。可是，我後來用史人的眼光來追尋那事件的綫索，已明白世界大戰之形成，並不如梁氏所說那麼簡單。「事實上，戰禍乃是過去二十年中，各大工業國在世界各地不斷衝突所必來的後果。戰禍並非由個人或某民族的野心所引致的，乃是列強的某種政治和經濟制度所惹起的。——主因乃在於經濟的。」這麼一說，急就章的報載新聞，其正確性，更是低微了。

（全文完）

巨變歷險記！

緬甸將丁博士提出景棟大牢，內外一時都非常緊張。牢裏邊的人並不知道提出丁博士爲什麼。這突如其來的提，連丁博士本人也不知道。看提出去的情況，大有拉出去槍斃的樣子。故牢裏的同人，無不掩面而泣，有許多禁不住的在痛哭流涕。這一面已經交代過了。飛機起飛前的一刻，也非常緊張，是不是恐怕我游擊部隊已經到達景棟前來刼走丁博士？飛機場裏三層外三層全都是崗位，個個荷槍實彈，如臨大敵。是不是怕丁博士跳機，機裏邊的防衛也特別的嚴格。丁博士被綑綁的簡直連動都不能動。繩子是粗粗的麻繩，上身下身纏來纏去，脚手連動都不能動……

在機上，丁博士的眼，還沒有被蒙上，還可以向外看，只見在山上飛，在森林上飛，沒有雲彩，下邊看的非常清楚，但究竟往那里飛，飛到那里，則無所知。丁博士在想，我部隊與緬恐怕已在開火了。緬甸的目的在將丁博士遠遠的隔離開，以減少我游擊隊作戰的力量。這是他的如意算盤，這他錯誤了！事實上是正相反的，丁博士離開越遠，游擊隊的作戰將愈强。我游擊部隊個個志氣高昂，勇不可當。關於戰爭情形，容後補叙。

改押軍營（二〇一）

胡慶蓉

且說解丁博士的專機到一個地方降落，這地方是什麼地方，丁博士還是不知道，只見在翠山包圍之中，但天氣却比較凉爽。機場還是佈滿了崗，怕人有刼機場的意外發生。在警衛保護之下，匆匆登上一輛吉普車，但這吉普的窗戶是封閉的，丁博士也看不清是到那里去。在下車的時候，丁博士看清楚了，那是一個大的軍營。丁博士住在最右邊的一小間房，與丁博士同房的還有馬鼎臣。從他的口中，丁博士才知道這是緬甸的眉苗，在臘戍以南，在曼德里以北，在翠山環抱之中，是緬甸的避暑勝地。緬甸在英國的統治時期，緬甸總督常到這里避暑。這里的天氣宛如雲南昆明的天氣，不熱不冷令人感到無限的舒適。

丁博士押在軍營，常常可以看見緬軍在操演，看見緬軍從面前來往的通過。緬甸的軍樂是蘇格蘭的軍樂，重笙重笛，沒有大號大鑼大鼓，故聽來非常悅耳。

在營房前，樹木多，小鳥也多，一早一晚，鳥兒都在唱歌爲丁博士聽。丁博士那有心腸去聽，在考慮將來的演變。在房子裏，不准寫字，不准讀書，不准看報，閒來只有與馬鼎臣窮聊？馬是個信佛的人，而且非常篤實，每天在作他的禱告，口中唸唸有詞。看樣子非常着急。

看守的人，經常有一名站在門前，一天二十四小時，分秒都不疏忽。每四小時一班，每四小時換人一次。值班的人都是充滿精神的，緊緊的站着。我們常說老虎都有打䀹的時候，在丁博士看來，緬兵是無懈可擊的。裏邊的窗子緊閉，對房門有一盞探照燈，直對着丁博士的床。這探照燈，並不是常在開着，而是時關時開，一夜之間，都要開一二十次，看丁博士是不是還在，看丁博士是不是走了。大便小便在房間，有馬桶之類的東西，早上丁博士要親自拿到厠所自己倒。白天到厠所，常有兩棵槍前後監視着。丁博士進入厠所，前邊把着一個，後邊看着一個。

飲食與士兵同。緬甸軍營，一片英國派頭，吃的是西餐，喝的是咖啡牛奶。兩餐，實際上就是土餐，但還是西餐的吃法。土餐就是印度餐，一切菜重加哩，有如中國之四川菜然，早上的一大杯咖啡，下午四點的一大杯咖啡，丁博士還認爲不錯。

國父之創見與中華文化之必然復興（四）

陳立夫

因爲誤認重心不是生存，而是物質，爲物質而爭鬥而又忘了爲社會最大多數人的利益着想，徒知一己之私利是圖，上下交征利而社會危矣。

達爾文與馬克斯都是在十九世紀用科學方法，費了二十多年的功夫研究進化論者，前者是將人類和禽獸等量齊觀，鑄成大錯，使帝國主義者憑藉其學理，以奴役弱者，自命優者，使全世界弱小民族，在殖民地制度下受了一世紀多的痛苦；後者是將人類置之于物質桎梏之下，爲爭利而互相殘殺，再度鑄成大錯，使共產主義者憑藉其學理，造成鐵幕以奴役人類，「以暴易暴兮，不知其非兮」，可見一種似是而非的錯誤思想，可以領導人類進入悲慘之境地，其浩刼不知伊于胡底也。

由于此類錯誤所發生之世界思潮，有似吾國過去戰國時代之情況，正如孟子所謂「天下之言不歸楊則歸墨」。一方代表資本主義者之思路，另一方面代表共產主義者之思路。前者是崇拜金錢萬能與武力萬能，由於富甲天下，於是任性縱慾，誤解民主自由，儘量發展個人主義，由於科學技術之突飛猛進，盡物之性之成效顯著，因此凡帶有迷信色彩如宗教等均受其侵凌，道德之憑藉一失，法律之基礎動搖，社會秩序難以維持，少年犯罪與日俱增，酗酒吸毒漸成普遍，未來一代，紀律堪虞，政府既不知防患于先，亦無力禁止于後，其結果祇能向罪惡低頭，反一一使之合法化，民氣士氣，于焉消沉，危機四伏，進退維谷矣。後者深信唯物主義，崇拜武力，認定個人爲國家之工具，無絲毫之自由，利用組織之嚴密，恬作欺騙之宣傳，祇求目的能達，任何手段可用，認爲欺騙作僞，並無礙于道德，爲減少青年對暴虐政治之不滿，亦不惜使之縱慾，於宗教則無所不用其極，對于鄰國，可消滅則消滅之，否則供以金錢武器使之互相殘殺，以期坐收漁人之利，以上二者均擁有極强大之武力與財力，其一言一行，影響殊大，傳染亦速，故其播惡之範圍亦廣。雖二者之思想路綫顯然不同，甚或相反，而其對于人類倫理道德之毁壞與人性之戕喪，則初無二致。（未完）

張玉孃（二）

山之高，月出小；月出小，何皎皎！我有所思在遠道。一日不見兮，我心悄悄！采苦采苦，於山之南。忡忡憂心，其何以堪！

汝心金石堅，我操冰雲潔。擬結百歲盟，忽成一朝別。朝雲暮雨心去來，千里相思共明月！

她每日都在盼望她的未婚夫回來，可是有時魚雁浮沉，連消息也隔絕了。誠如她在「玉蝴蝶」所說：「薊燕秋勁，玉郎應未整歸鞍。數新鴻，欲傳佳信；閣兔毫，難寫悲酸。到黃昏，敗荷疏雨，又幾度，銷魂。」正象徵她的愁腸百結，難以排遣！她又在「蕙蘭芳引」詞中，低吟道：

星轉曉天，戍樓聽，單于吹徹。擁翠被香殘，霜杵尚喧落月。楚江夢斷，但帳底暗流清血。看臂銷金釧，一寸眉交千結。雨阻銀屏，風傳錦字，怎生休歇？未應輕散，磨寶簪將折。玉京縹緲，雁魚耗絕。愁來休，意外未敲黃葉。

過了不久，沈全因「積思於悒」，而感寒疾，諸醫束手。松陽離京都並不遠，於玉孃遣使問候，往來不絕於道。後來病篤了，玉孃知其病係爲婚事而起，不覺大慟。遂又寫信給她的未婚夫，立誓道：「穀不偶於君，死願與同穴！」於是沈全的心大安，乃答以詩云：

隔水度仙妃，清絕雪爭飛。
嬌花羞素質，秋月見寒輝。
高情春不染，心鏡塵難依。
何當飲雲液，共跨雙鸞歸。

可是過遲的安慰，已不能挽回他深入膏肓的危疾，他終於在獻歲長潛中逝世了，年僅廿二歲。玉孃得獲噩耗，眞是痛不欲生！從此以後，春花在她的面前不再姣艷，秋月只能照見她晶瑩的淚光。生離已難忍受，死別更何以堪！童年過多的幸福，化作笄年過多的悲傷，人生恨事，至此而極！她作詩哭道：

中路憐長別，無因復見聞。願將今日意，作化陽台雲：仙郎久未歸，一歸笑春風。中途成永絕，翠袖染啼紅。悵恨生死異，夢魂還再逢。寶鏡照秋水，明此一寸衷。素情無所著，怨逐雙飛鴻！

當春天來時，新燕雙雙飛翔，已是觸目傷心；忽然又憶起她已嫁的女弟京孃，此時也正雙宿雙飛，極盡「畫眉」「舉案」之樂。於是，她的宿恨與新感齊集，不禁又吐出她的企羨。如「新燕憶女弟京孃」詩云：

三月江南綠正肥，陰陰深院燕初歸。
亂銜新絮營新壘，閒逐花香避繡幃。
却笑秋風紅縷在，獨憐舊事玉京非。
蘭閨終日流香淚，愧爾雙飛拂落暉。

天上的牛郎織女，又到了秋天，在銀河耿耿的七夕，雖然是一年一度，却有固定的時間，決不會使他倆失望。可是人間的玉孃，伊人已逝，永無會期；當此良夜，如何消度！且聽她譜出的「瑤琴怨：」云：

涼蟾吹浪羅衫濕，貪看無眠之延立。欲將高調寄瑤琴，一弦彈斷霜風急。鳳膠難續令人傷，茫然背向西窗泣。寒機欲把相思織，織又不成心愈戚。掩淚含羞下階看，仰見牛女隔河漢。天河雖隔牛女情，一年一度能相見。獨此弦斷無續期，梧桐葉上不能悲。抱琴曉對菱花鏡，重恨風從手上吹。

（未完）

黛眉小傳

·王幻·

療病催眠法

鮑紹洲

聯想療法：此法含有聯想作用的暗示，使病人感應而起聯想，病症因而逐漸痊癒。不過此法只適用於輕病，重病實難見效。今試舉例說明了。

例如病者左足損傷，行動不便，（胎生跛足及斷骨中彈等重傷除外）可於眠遊狀態中，予以暗示道：「你的右足可以自由動作，你試動足前後搖動，定可隨意活動」。病人即舉右足試動，果然活動自如。然後令其右足踏在地上，再暗示道：「你的左足也可以前後動，隨意動，不信你抬左足試試，必定與右足一樣自由動作」。

病人即舉左足試動，果能前後運動，然後令其停止動作踏地，而又暗示道：「你兩足可隨意活動，請睜開眼睛起立。」施術人即叫以口令道：「踏步—一—二—一—二」、第一次施術踏宜慢，約七八次，即令停止，口令道：「停步、安步、閉眼休息」。旋爲之醒覺法，左足必定不復如前舉步，但欲健步欲飛，必在三日內連續施行，方法與第一次同，惟踏步逐日加速，最後須施「開步」之口號，以增進其健步的能力，此乃舉例，其他類此足病，全身病，皆可援用此法，惟暗示各別，由施術人診斷病狀，須先酌定。

又如一身兼患數種不甚危險之症，如頭痛、牙痛、耳鳴、腹脹、腰痛、背痛同作、兼發，亦可聯想療法治之。不過暗示與上法不同。例如一人兼患頭痛、牙痛、耳鳴三症，先行頭痛治療法（見後各療病法）果然一次施行（此症聯想法）頭痛痊癒，其他之症依然存在，則於病者醒覺後，留其休息一小時，再爲之治療頭痛、耳鳴，或在第二日施行，亦可，拖延過久，則不適用聯想法。最好是同日施行，因剛才治癒頭痛，病人心理已具信仰預期作用，投以聯想法，可收事半功倍之效。不過第一次施行，須先向病人說明，謂君兼患三種病症，余當分兩次治療，首次應治某症，次治某症，若不說明，病人容易誤會無能力一起治療，反足以引起疑慮，而失却信仰，甚至有不再接受的，此點關係重大。暗示語時，只有病名的不同而已。

第一二十章　三泉鬧子羽退金兵　困石洞岳飛擒玩寇

周燕謀

金兵久思歸計，無心與戰，士氣低落，被宋軍追擊，瘋狂奔命，落澗死者不可勝數，所有輜重全棄。王彥亦驅兵掩殺，收復金、均、房三州。

張浚鎮守關陝三年，因劉子羽及吳玠兄弟之善戰，贊襄軍務，雖未能規復關陝，但全蜀賴以安堵；且以形勢牽制東南，江淮亦少紓敵患。同時有暇剿綏後方。但朝廷的宰臣呂頤浩與秦檜却認爲張無功，讒言張浚，秦檜更專主和議，嘗以「將河北人還金，中原人還劉豫」。在此反金復國聲中，竟敢倡議此論；如果不是宋高宗一心偏安，何以不殊譴奸秦檜？高宗竟以呂頤浩主治外，秦檜主內。呂頤浩請高宗移蹕臨安，自移鎮江開府，都督江、淮、荊、浙諸軍事。高宗准如所請，移蹕臨安。秦檜召胡安國爲中書舍人，兼官侍讀，專講春秋。秦檜欲攬名士，布列清要，藉作揄揚。既召胡安國入用，遂與之虛心論交。押安國爲所籠絡，竟極力稱許，說秦檜人品學術，在張浚諸之上，高宗更寵幸秦檜不已。

呂頤浩還臨安，又荐朱勝非代任都督，高宗遂起用朱勝非。胡安國却不快朱勝非，劾他以前附和汪伯彥、黃潛善，辱視張邦昌；及苗、劉叛逆，又貪生怕死，辱及君父。此等邪臣，豈可復用？高宗乃收回成命，改任朱勝非爲侍讀。胡安國爲中書舍人，呂頤浩復持詔不下。特命檢正黃龜年另行草詔，均不見報。侍御史江躋，左司陳吳表臣等二十餘人，上疏言朱勝非不可用，胡安國不稱職。結果這二十餘人均遭秦檜落職，台省爲之一空。呂頤浩又使黃龜年等劾秦檜專主和議，爲相一年，毫無建樹。黃龜年三居正皆力，劾之，言秦檜專主和議之實，訕撓恢復遠圖，且偏植私黨，專權誤國，罪應黜逐。高宗已知秦檜之奸，乃罷秦檜相職，榜示朝堂，永不錄用。（可是因高宗的政府因素相苟合，後來又起用秦檜專相十九年）黃龜年等惡秦檜，說他徇私欺君，合正異型，投諸裔士，「以禦魑魅」，彈章三上，高宗之意始決，除秦檜爲觀文殿大學士，提舉江州太平觀。「永不錄用」「以禦魑魅」，因此乃召直學士綦崇禮，告以秦檜之事，及黃龜年、王居正所劾。崇禮奏請「制詞」榜諸朝堂。其詞云：

自秦檜得權而舉事，謂當聳動於四方，逮茲居位以陳謀，乃首建明於二策，罔燭厥理，殊乖素期，念方委聽之專，更責宣恭之效。而乃憑恃其黨，排擠所憎，豈實汝心，殆爲衆誤。顧竊弄權柄。慮長於奸服。（九十九）

自由報

（第一一四八期）

（逢星期三、六出版）（半週刊每星期三、六出版）
每份港幣壹角・台灣零售價新台幣式元
督印兼社長李運鵬・督印黃行賓
社址：香港九龍彌敦道593—601號
廖創興銀行大廈八樓五座
LIU CHONG HING BUILDING
7th FLOOR FLAT '5
593—601 NATHAN ROAD,
KOWLOON, H.K.
TEL: K303831
電報掛號：7191

承印：景星印刷公司
地址：嘉咸街廿九號地下
台灣區業務管理中心：台北重慶南路一段一二九號
電話：二四五七四
台灣區直接訂戶　台灣劃撥戶
第五〇五六號張萬有（自由報會計室）
台灣分社：台北市西寧南路110號二樓
電話：三三〇三四六、台郵劃撥戶九二五二號

我對于中西醫藥的看法（上）

・陳立夫・

編者按：

最近因教育部主辦的「海外雜誌」把國醫與國藥批評得不值一文，大發謬論，盡情侮辱，台灣有好幾位名醫一致認為「海外雜誌」對於文化精深繁難非經十年以上的研究，不能畢業的中國醫學，憑甚麼理由反對，既然公開反對國醫藥，自己已否拿出幾年時間作分別的研究，再以幾年的時間作比較的研究，才會瞭解國醫的優點和缺點，西醫的長處與短處，然後講出的話，才不至表現出胡說八道，如果僅憑個人簡單的直覺，寫出一些不三不四不負責任的話，那就變成亞亞汚了。

本報今天特選登總統府資政陳立夫先生「我對于中西醫藥的看法」用以同「海外雜誌」解釋國醫與國藥不僅不能廢除且指出須發揚光大的眞實道理。同時有感找尋眞理，乃人生最高目標之一，本報自三月廿日起到四月廿日截止，歡迎海外名流學者專家討論有關國醫與國藥的存廢問題。輿論是由愚蠢、偏見、錯覺、懦弱、正義、固執、智慧、眞理及報紙學者所組成應徵文皆由一流學人評閱，除在本報發表外集印成冊，用以參加中國文化復興行列。

來文寄香港九龍彌敦道六〇一號廖創興銀行大廈八樓五座自由報。國內可直寄台北重慶南路一段一二七號香港自由報。

為中醫中藥　大聲疾呼

今天兄弟很高興能有機會和大家談談復興中國文化運動中，個人對於中西醫藥問題的看法。首先我們對於文化二字應有一個共同的觀念，我以為凡是人類在精神方面或物質方面一切創造，或發明，都稱之曰文明。此種創造或發明其有影響於人類之生活、或生存者，則稱之曰文化。文化顯然是具備了天下為公的本質，無中西之分，無古今之別，祇要對於人類有益，都應該大度採納，無益始可拒而不受。國父對於中國文化，亦有同樣的指示說：「自己的，好的應該保存，不好的，纔可以放棄。」並且指出「對於吾國固有的道德智能，應從根救起；對於西方的物質科學，要迎頭趕上。」我對於國父的訓示，認為方針十分正確，所以遵守不渝，對於中國醫藥學問題所採的立場，亦無例外。

有存小異的雅量　乃進世界於大同

人類的進化為的是求生存，所以民生才是社會歷史進化的重心。所以我對於殺人的工具和方法，求其愈少愈好；活人的工具和方法，則求其愈多愈好。因此：在醫學方面如果中醫和西醫均有治一種病的特效藥和特效治法的發明，我們應該使其並存。又如中醫有桑葉、薄荷發汗，西藥有阿斯匹靈發汗，就不必用阿斯匹靈來打倒桑葉、薄荷，使鄉間病者非走十多里路遠去買西藥不可。二者不可互相詆毀，互相排擠，愛其所同，敬其所異，原是中國文化的特長，故有「道並行而不相悖」之信念產生，有存小異的雅量，乃能進世界於大同。

我國醫藥　體系完整　怎能以不科學三字來抹煞事實

科學無論是自然科學或社會科學，都不能離開事實的，無數次同樣的事實，給於人們的經驗和統計，再證之以實驗而不爽，才產生了定律和公式，蓋事實勝於雄辯，所以幾乎每一個人對於中醫和西醫難免帶些偏見。因為如有他的家裏人被西醫醫錯了，險些把命送掉，而被中醫醫好，他一定從此信仰中醫，反之亦然。但是人體的構造是最複雜不過的有機體，科學雖然天天在進步，但是不知道的部份還是太多，同樣的藥用在不同的人身上，其效果未必同，有時候並且會有奇異的反應，由於科學方法的進步，天天繼續不斷在研究，所以漸漸深入其堂奧，但是距離目的地還太遠哩！舉個例子來說：「卅年前西醫都相信小孩的扁桃腺有種種壞處，非乘小的時候把他割去不可，所以醫院中會看到小孩們排長龍等割扁桃腺，以後復發現了扁桃腺是人身體第一道防綫，不能割去。好扁桃腺割去了，壞處更大，於是再也沒有小孩把好扁桃腺割去了。前面是科學研究的結果，後面也是科學研究的結果，而後者與前者的理論完全相反，這是從人體實際試驗一段較長時期獲得了經驗後，才有一百八十度的轉變。那麼中國醫藥經幾千年用人體實驗所獲得的經驗統計，難道就可以用「不科學」三字抹煞一切嗎？醫學確是一種最難的學問，必須要極聰明而又好學的人，才有資格學醫啊！

醫學本身方面　有待研究發明

西方醫學由於自然科學的突飛猛進，繼之而迅速進步，是衆所周知的。但是如果沒有物理學家發明X光及顯微鏡，人體內部情形看不到，細菌學無法得到實證，生物化學如果不進步，各種藥物的實驗無從實施，藥物的製造亦難順利進行，其他如電氣、電子、機械、化工，甚至鑛冶等專門學問及工程部門對於醫學都有不少直接間接的貢獻。但是到了今天，許多疾病的原因，或還沒找到，或還沒有根本治法。據一位外國有名的醫生告訴我：內臟的病在西方已經有把握能醫治的至多百分之二十五，所幸外科進步的快，五臟中不健全的部份，可以動手術割去，若是僅靠藥物來治療，那就時間等不住了。所以在醫學本身方面，有待研究發明的太多了，我們應該多麼虛心才對啊！

中國理論以易為基　該屬自然科學範疇

中國醫學的理論基礎是易經，他是分析宇宙間的象、理、數的一部鉅著。應該屬於自然科學的範疇。因為他所用的都是符號，後人漸漸不懂了。自從四書五經被剔出學校教程外，其中最難懂的一部易經，自然更沒有人去讀而漸漸失傳了，這是一部中國文化精神之所寄的最重要著作，為四大聖人智慧的結集，是合天道人為一原更之鉅著。

致中和　是中國醫學最高的原理

其中所稱陰陽五行之變化，盡合力學之原理，從永久在動在變的宇宙中，尋求出不變和應變之道理，而以卦爻釋之，此種道理，可用之於人生社會，是為孔學與老莊之學；用之於軍事，是為孫子兵法；用之於治病，是為醫學。其他如名家、陰陽家等等學派無一不源於易經，中國醫學最高原理，即「致中和」三字而已。人體內一部份機能失去均衡（中和）即是病，藉外力「藥物」之助，使之復返中和即是健康，由此原理以研究各種藥物之特性及其所屬於五種基本動力（五行）中為何一種，與其影響者為體內何種機能。

昨日與明日

鴿子變成了烏鴉

近年來，美國內反對越南戰爭的聲浪洋洋盈耳，而參議院外交委員會主席富爾布萊德為領導人物，隨聲附和的政客有前任「巴黎和談」首席代表哈里曼，曾任參議院民主黨副領袖愛德華甘酒迪，現任參議員薛明敦、麥加文……等等，他們都是民主黨人士，除哈里曼外，也是當年在國會通過決議案，授權詹遜總統派兵參預越戰的重要份子。如今共和黨尼克遜當政後，主張越戰「越南化」，陸續撤減在越南的美軍，預定到明年二月只留下美軍五萬人左右駐在越南。但這些所謂「鴿派」人士也者，又以反戰姿態嘵嘵譁咋，既說尼克遜這項越南化計劃是「暴力政策」，是「導致戰爭及越來越多的戰爭」；又說必然迫使毛共直接參戰，教美國從事全面大戰；更謂切斷北越「胡志明小徑」的軍事行動，是在擴大越戰，與減少駐越南美軍的威脅無關。總之，在這些傢伙的心目中，尼克遜政府對付亞洲共黨的政策，有百非而無一是，而中越共卻有百是而無一非，鴿子變成了烏鴉，經常在人們的屋簷上聒噪不休，噪聲煩擾四鄰，不祥之至！

這情形，跟一九四六——八年間，中華民國政府正在戡亂剿共時期的所謂「民主黨派」言論，如出一轍。那時候以「民盟」為首的自命民主人士，對國共戰爭即專門為毛共張目助勢，盲目攻訐政府的戡亂措施，不遺餘力，唯恐國軍佔取勝利。現在美國這羣和平派的烏鴉，亦唯恐美國在越南獲得反共的勝仗，為着黨派的爭權奪利的目的，竟不惜置國家安危前途於不顧。若說這便是民主政治的常軌，那我就不得不詛咒民主生活，痛惡政黨政治了！

染紅了翅膀的烏鴉

美國這般所謂反戰的和平主義者，都是些高級知識份子，對於常識性的問題——如越戰的是非與毛共何以視「美帝」為死敵的理由，他們未必搗昧無知吧？其所以有此超乎理性之外的見解，實係受到英國費邊社創立人之一的韋伯，以文化交流名義，到美國傳播費邊社的社會主義思想，而以哈佛大學為大本營，現時由哈佛出來的人物，佈滿在政治、教育和新聞界。

費邊主義的著名學人蕭伯納早已指出：馬克斯以工人作為打倒資本主義社會的主力軍，是錯誤的。眞正能夠從事社會主義革命運動的，是一般資產階級子弟的知識份子，先把自己的旗幟染紅，避用共產主義名詞，而自稱為社會主義者，並反對暴力革命手段，從思想上養成「不可避免的漸進論」的信念，必卜成功。目前美國這羣烏鴉式的反戰人士，多屬哈佛出身的，或是哈佛大學的教授和研究員，他們深中了費邊主義的思想毒素，先把自己的旗幟染紅，對社會大衆灌輸社會革命的漸進論，因而不惜為共作倀，拚命地抨擊本國政府的反共政策，這眞是美國的一大危機啊！

・何如・

自由談

人心與國運

國運之隆替，基本原因就是人心的高下問題。如果朝野人士皆具有向上發展的心理，自信任何困難都能夠克服，無所畏思（草頭），大家的意志自然堅強，隨時隨事表現着公爾忘私，先天下之憂而憂的精神，國家即未有不興隆的。例如對日抗戰時期，政府偏促巴蜀一隅，敵寇曾經東陷宜昌，南入桂林而進薄貴州，形成夾攻四川大後方之勢。但一般官民的意志堅定，信心高昂，認為最後勝利必屬於我，毫無驚懼之情，更不作私人謀生或逃難的打算，帽幅無華，隨份報國，至於個人生活之艱苦，安之若素，滿不在乎。

迨抗戰勝利後，國土光復，國力強大，非復當年偏處巴蜀一隅的環境了。然人心偷情，民氣萎靡，政風泄沓，大家講享受，逞私慾，一是皆以扒錢為急務，而各大都市間的腐爛生活，日益發展。睢着共匪到處釀亂的情形，即失去信心，相率後天下之憂而憂，不顧一切的攘臂奮起以爭取不義之財，而美其名曰「奠立經濟基礎」。於是乎，各大都市盛行囤聚居奇的投機業務，官民一致樂此不疲，而視國家興亡與己無關。一般在位的政治人物，中下級官吏乘機弄錢，他非所計；達官顯宦則以混差事為服務之本，如脂如韋，不負責任，而將平日貪瀆所得的財物連同妻室兒女，潛送異域，預作逃難之所。人心之趨於下流若是其普遍，自難怪戡亂的軍事一有不利，即出現土崩瓦解之情勢，無可挽救呢！

目前咱們國家的危難情況，固不亞於對日抗戰之秋，但內外形勢以及物力財力，皆較抗戰時期優越多了，就看人心是醉生夢死的低沉情落呢？抑係先優後樂的高昂奮發？特別是一般官吏的公私生活，能否廉幹自愛，樹之楷模，激起民衆取法乎上的心情？盛衰興亡之道，基於是也，其各勉旃！

馬五先生

立委質詢大聲疾呼 阻止共匪入聯合國

聯大投票出現逆差應警惕 兩個中國陰謀須堅決反對

（自由報台北消息）外交部長魏道明告訴全體立法委員們說：「在反共的過程中容或有一時一地的挫折，但若從遠大之處着眼，反共的前途是絕對樂觀的，因為共產主義是違反人性的，而匪的倒行逆施，正如我們古語所示『多行不義必自斃』。不過對於目前一時姑息氣氛的瀰漫，我們不能不特別提高警覺。」這是魏部長在立法院答覆谷正鼎委員質詢外交問題時的公開表示。

谷正鼎委員曾就「我國在聯合國應取之策略與態度」提出質詢，谷氏主張：「非到最後關頭，決不輕言退出聯合國。」谷委員說：聯合國第二十五屆大會對排我納匪案之投票表決結果為贊成者五十一，反對者四十九，（上屆大會為五十六比四十八）首次出現兩票的逆差，從上屆大會助我之國家本屆轉而棄權者竟有九國，其中與我有邦交者七國。對排我納匪案棄權者共廿七國，（上屆大會廿二國）其中與我有邦交而棄權者竟達十六國（上屆大會十二國）這表現我國外交努力不够，值得吾人警惕。但在姑息氣氛如此瀰漫下，而匪較上屆大會僅增加三票，亦不能謂匪有若何大的收穫。

重要問題案之表決贊成者共六十六票（上屆七一票）反對者五十二票（上屆為四八票）贊成者多十四票與上屆大會比較共匪增加五票，損失一票，淨增四票，由四十八增為五十二票。我方損失八票增加三票淨失五票，由上屆的七十一減為六十六票。重要問題案之作用是在以到會投票國過半數之簡單多數來確定變更中國代表權需要三分之二的票以達到阻止共匪入會的目的。下屆大會為保衛我代表權仍以採用重要問題案最為適宜，且亦符合憲章之規定。廿五屆大會表決助我而贊成重要問題案者較反對者仍多十四票，較之一九六五年時只多七票之形勢為佳。局勢尚有可為。今後只要美、日等友邦與我協力，則爭取過半數以維持重要問題案是不成問題的。至於共匪方面正積極企圖擠入聯合國，只問目的不擇手段，縱使是在兩個中國的情況下，共匪表面反對，而實際是要走入聯合國。它想入會後再從事進行排我。看匪在與加拿大建交中為求加國助其入會，對其所謂台灣主權問題，都可讓步，足見其急於入會的迫切，共匪入會的目的乃在：（一）排除中華民國。（二）團結「第三世界」的小國，以反對超級強國（美、俄）。（三）為以建立反美統一戰綫為號召，以與蘇俄爭取共產集團及不結盟國家之領導權，并將要求聯合國裁定美國為侵略者。因蘇俄勢力日益擴張，咄咄逼人，美國人中認蘇俄為第一敵人，而想「用匪以制俄」者，頗不乏人。殊不知無論共匪或蘇俄在聯合國中均將以反美為號召，狄托雖在與史達林衝突白熱化之時，在聯合國內亦與蘇俄站在一起以與美國為敵。美國外交決策現受季辛吉權術外交之影響，抹殺正義，敵友不分，彼輩不知今日為羣眾反共時代，首重思想分野與正義號召，與十八世紀奧國梅特涅封建時代的宮廷外交，徒尚權術者迥然不同。捨正義而專重權術，其結果一定墮入共黨謀陷阱，并將導致戰爭，張伯倫姑息納粹的結果，可為殷鑒，有人主張策動他國提出類似兩個中國案（即容匪入會保留我在聯合國權益）。以分散排我的納匪的票，殊不知兩個中國案一提，則適反而減少對重要問題一案的贊成票，動搖其基礎。而對排我納匪案之影響甚小，是不可不顧慮者。又有人主張：「阿爾巴尼亞的排我納匪案之前，先在聯合國大會通過一個確保中華民國在聯合國的權益案，以後阿國的提案，至多能包括納匪而不能排我，倘如此就能達到『有漢無賊』了。」此案似難通過，並將影響重要問題之維持，且此案不反對匪入會，係容許兩個中國。誰能担保在此情形之下共匪不入會？

我國在聯合國應以阻止共匪入會為第一要義，重要問題案，即有此作用，故必需堅決維持，至於兩個中國案為他國宰割中國的陰謀，我們必須堅決反對，斷無策動他人提案，自甘承受之理，因如此不僅斷送我光復大陸的希望，并將危及現在中華民國生存發展的精神基礎。

我決與敵作殊死鬥 促美放棄姑息幻想

下屆聯大仍然大有可為 非到最後關頭勿輕退出

重要問題一案以十四票的順差來說，下屆局勢尚有大有可為，今日對本案之動搖乃是美國等先懷有兩個中國的方案，想撤除阻匪入會障碍，以示好於匪。假使無美國代表飛利浦在聯大暗示兩個中國之荒謬主張，則排我納匪案之表決可能不會出現逆差，我們如默認而不加阻止，則今後的發展將更惡化。我們應正告美國希望他們放棄兩個中國幻想，不要再作「中共已趨向和平」「歡迎中共進入國際社會作建設份子」的主張，否則我國代表將公開在大會指名美國，違反道義，加以駁斥，訴諸於美國人民及世界輿論。

我係聯合國的創始國，非到最後關頭，決不輕言退出。因為漢賊不兩立並非敵來我走，而係要與敵作殊死鬥爭，務須戰勝敵人，決不與敵人和平共存之意。但我亦決不在聯合國內靦顏苟存。倘使聯合國違反憲章第十八條及二十三條的規定，通過了排我納匪案，並危害中華民國在聯合國之合法地位時，我國即應當堂正正，毅然決然的退出，並宣佈聯合國違憲，自趨滅亡。我國應以護憲為號召，團結主張正義之國家，為維護聯合國憲章精神，重組織國際正義和平組織而奮鬥。

至對國內而言，吾人應先作精神準備，不要太對聯合國席位過份重視，不可將我國家前途與聯合國席位混為一談。今日之聯合國已失去其生存價值，中華民國之生存發展與在聯合國與否無關，萬一退出聯合國我亦應有自存之道。惟對外國在我國境內策動之分裂運動，應予以防制鎮壓。駐我國之外人，如有策動分裂叛亂者，應依法懲處，其有外交豁免權者，亦應宣告其為不受歡迎之人。在自由國家內部製造分裂運動乃共匪的一貫陰謀。共黨也正在美國內部多方面的從事毀滅國家的分裂運動，以破壞美國國家的團結。我們須知製造所謂「台獨運動」的美國姑息份子，也就是在美國內部搞各種分裂運動的人，他們的後台，就是共產黨。

美國國務院因另懷兩個中國的陰謀，並欲「以匪制俄」，故對重要問題案表示消極，以示好於匪。我們應向美國說明共匪入會對美國之害。因為共匪一旦入會，為與蘇俄爭取左傾國家的領導權，一定以「反美」為第一號召，一定會糾合若干國家要求聯合國裁定美國為侵略者。如此不僅聯合國精神蕩然無存，而美國在世界尤其在亞洲將信譽掃地，自由美國有被逐出聯合國的可能。故有匪入會的聯合國，將成為美國的枷鎖與刑場。且共匪勢將以聯合國為煽動戰爭的場所，而人類核子浩劫勢將來臨。至於匪利用聯合國議壇以煽動美國內亂，利用其代表團人員外交權之掩護，進行對美國內部顛覆及販毒之擴展，更是意料中的事。故拒匪於聯合國之外，就猶如檢疫機關對帶有惡性傳染病菌——霍亂、鼠疫、麻瘋——的病人，必須予以隔離，以免危害社會的道理是一樣的。

普遍爭取與國 忠告近鄰反邦

闡明騎牆投機必受宰割 并促亞太國家防匪侵略

聯合國之事不決定於聯合國本身，而決定於國際外交形勢。我們除對非洲、拉丁美洲及歐洲應予以普遍的努力爭取外，在亞洲方面我們應與日本力求合作，應與亞洲反共國家堅定日本反共的態度。我們要忠告日本，它想在七十年代由經濟大國成為政治大國，應有立國之道，日本對亞洲的和平自由負有保衛的光榮責任，因此必須堅決站在自由國家的一邊，與中、美、韓、越等反共國家團結合作，則日本自有光明前途。倘如騎牆投機親匪媚匪，則日本勢將成為共匪的附庸，受其宰割。自由或奴役日本應知選擇。

共匪入會對亞洲國家安全是一大威脅。我對亞太理事會應加強推動，以防匪侵略。務使亞太反共國家對拒匪入會及維護我在聯合國合法地位事，有積極的了解與表示，發出正義呼聲，以影響國際輿論。二十五屆聯大會議，亞洲反共友邦態度，不甚積極關切，我們的工作容有未到之處。今後亞洲問題，當以亞太理事會為解決中心，提出討論。

盧沙卡不結盟國家第三次會議於去年九月中召開，決定支持共匪進入聯合國，對匪在聯合國聲勢大有幫助。查參加不結盟國家會議的國家，亦有與我友好而反匪者，我們當設法努力，破壞匪對不結盟國家會議的陰謀。不結盟國家會議，表面上標榜不結盟，而實際上偏袒共匪，與匪聯合行動，實有失「中立」本意。昔年亞非國家會議，一度曾為匪所利用，但其後因蘇俄之破壞而瓦解。事在人為，切勿讓不結盟國家會議為匪所操縱指使，以危害世界！自由國家當有同感。

五十六種砂鍋烹飪

馬騰雲

（四）砂鍋淡菜

以豬腳兩只，（廣東人稱作豬手）淡菜二兩、當歸三錢、絲子三錢、黃酒三兩、葱薑適量，以文火慢熬到透熟為度，此物最益陽事，對虛勞、吐血、腰痛、精血衰少，毛髮不潤，尤著卓效，如果用像形角度去判斷藥性，此物最適宜於婦女作補劑。

婦女因經期過多，以致體溫下降，以淡菜與黑豆煮酒飲用，有些醫理不太深的醫生，認經期過多，再用酒刺激怎麼可以呢？殊不知凡是經期過多的婦人，她的子宮多是溫度不足，因宮冷才失去收斂力，演繹成經期過多或血崩的情況，淡菜煮酒，可增加子宮的溫度，黑豆功能溫腎補腎，故食後可止血，用淡菜燉豬腳，少加海帶，經常食用，可吸收這種菜裏的豐富軟骨素，可使老年人減少皺紋，有恢復青春的功能。

淡菜又有補肝作用，對肝虛血少的朋友，可用淡菜常燉湯和煮飯，如果你身體是寒底的話，略加薑汁或胡椒粉，淡菜對性機能有很大的幫助，凡患有性神經衰弱，食之有良好的功能，最好亦加黑豆同煮湯或飯，台灣人最懂得吃烏豆酒，可惜不曉得吃淡菜飯，新鮮的淡菜功力更佳，台灣沿海巖石亦有淡菜出產，祇是不太多，故市上很少見到鮮淡菜。

專家提出警告

避孕丸不可亂服

採用口服避孕丸是否有危險問題，年來世界各地曾引起不少爭論，專家警告婦女們不可胡亂在市面購買避孕丸。

專家並指出：所有婦女在服用避孕丸前必須接受醫生檢驗，因有些婦女不知不覺已患有避孕丸引致的疾病，而她們又未接受不可服用這些藥丸的勸告。

世界許多地方，口服避孕藥是受管制的，這些藥丸祇可在接受醫生檢驗後方可配用。

縱橫談當舖

·萬念健·

當舖拍賣，事前必先公開宣佈拍賣物品價格。押物時，店方為避免收入贓物，對來源有時會加以盤問，贖回時一概不問。當舖職員對顧客和對百貨公司的顧客一樣彬彬有禮，市民出入當舖亦不覺其有失體面，與香港當舖之特設橫門，台灣當舖之垂以竹簾，以便閃入閃出者不同。

歐洲當舖最進步的事實，是共同市場，各國的典當都已聯合起來，成立聯合組織，經營公益性的典當，抑低利息，規定滿期時間為六個月。各當舖雖然參加聯營組織，但仍採取獨立核算制度。當舖資金或由政府撥付，或由銀行借出，不能由私人經營，共同市場國家當舖的聯合機構設於羅馬。

最大當舖 在維也納

世界最大的當舖應是奧地利國王約瑟夫一世於一七〇七年撥資在奧京維也納開的那家「魯非館」。這間當舖業權威，兩百七十年來，一直在政府贊助下，經營押當業務，不論物件價值高下，體積大小，來者不拒，一律接受。該店除維也納總店外，在其他城市還有分店多家。斷當貨物，公開拍賣，無形中也成為了一間極具規模的拍賣行。一九七〇年間，總支各店曾舉行公開拍賣數百次，拍出物品五十二萬件，總值七百萬美元，規模之大，可見一斑。總店經常備有巨額現欵，從一副太陽眼鏡到王冠珠寶一律歡迎，歐洲末代王孫和破落巨戶，不少是魯非館有面子的主顧。

美國當舖 又有不同

美國的當舖又與歐洲不同，他們在形式上都是些舊式的商店，櫥窗中擺設些貴重金飾或者是高級皮裘，另外豎着塊招牌「有錢出借」。看到洛史德加主演「血印」一片的，大概對於美國式的當舖會有一點印象。

美國當舖，數目也很不少。當舖老闆都知道每年四月十五日以前這一段日子，必須準備鉅欵從事營業，因為四月十五是美國政府徵收稅項的最後一天，不能令顧客失望。每年聖誕節時，大部份的抵押品都被贖出，原因在這吉日良辰的假期中，個人或者家庭都要體面闊綽，而一過新年，許多贖出去的東西又重新入當回籠。對於這種顧客，當舖老闆，向來不勝歡迎，因為這樣一來，他已做了兩筆生意。

美國當舖均為民營，利息凡六個月以內二百元以下月息百分之三。典當者都是中下層的受薪階級和小市民。

（未完）

馬騰雲怎樣支持自由報

·文滙樓主·

搞醫藥理論的馬騰雲，在台灣擁有若干萬基本讀者，很多年前他在徵信新聞報寫了一篇白髮變黑的文章，每天報館轉給他的信有百封以上，他後來又在中央日報寫了一個時間，很多讀者到中央日報去求見馬騰雲，中華日報南北版民族晚報等也登過他很多文章，當然也有同樣情形。

就懂得辦報的人來說，像馬騰雲這樣爬格子的朋友，應當視爲報界一寶，例如一篇文章能引來讀者上百封千封讚美和討論的信，乃一家報紙無上光榮。還有，徵信報連載的馬騰雲「生活漫談」，由神州出版社出版了一本小冊子，郵政劃撥預約竟出六千七百本（現統歸自由報出版），加上門市一萬幾千本，在台北出版界裏，很少有這樣情景。但台北的報老闆們絕對不會注意這些，因台灣辦報等於專利。

馬騰雲約定爲自由報寫文章後，據自由報正確統計，祇台灣一省，一年間帶來了三千戶馬騰雲基本讀者，國外各地尚未包括在內。一個以發行爲本位的報紙來說，關係非常重大，還有自由報的讀者率多高級知識份子與領導階層，非亂吹亂騙所能達。這些讀者對社會對政府都是有很大影響力的人。自由報自民國五十六年改組鄭重宣佈經營方針爲「以報養報自給自足」，用正當業務收入，培養正當輿論，用培養出的正當輿論，促進政治社會進步。當時就得到于斌，熊式一，沙學浚，侯璠，郭垣，張起鈞，曹敏，洪因，李寶和，王靜芝，葉祖灝，張翰書，雷嘯岑等幾十位大學校長階級的學人們一致表示熱烈支持。

不過自由報有一點與台港各報不同的，就是各報都是作一種大的實業經營，或用廣告挹注。而自由報原則上是文人論政的機關，不靠賺錢發財，不靠找路昇官，這一點是自由報落後，也可以說是自由報的特色。假如說自由報尚有一點渺小價值，就在於循商業經營，但仍能保持文人論政的本來面目。自由報第二個特色爲正統報人與學人們的精神產物，本錢很少，性質簡單，沒有干預言論的老闆，也不受外間任何勢力支配，因之言論獨立，良心可置在中間講話。自由報同仁絲毫沒有政治上，財富上甚至名望上的野心。

自由報年來直接發行馬騰雲實用書，不批發，不寄售，不欠。對自由報赤字彌補上貢獻相當大，這是出乎一般意料之外。自由報經營二十一年了，股東中宰相人物就有好幾位，如王雲五，左舜生，張君勱等，從創刊到現在，言論方面，差能自守尚無大過。經濟上廿年來從未擺平，所謂寅支卯糧，朝不保夕，也算是自由報的特色。這一無底洞，竟被我們塞住了，做到收支平衡，現在自由報可「以報養報自給自足」，於本月份內將遷入新廈辦公，擴大營業與社會服務。眞乃言之非艱，行之維艱。哲學家張起鈞在府訓誨兒女時說：「馬伯伯賣實用書，平均每個月可賺港幣七千元，他竟將全部收入悉數移作支持自由報，而自己則克勤克儉，住的形同違章建築，乃至於衣履都欠週，像這樣富理想，有魄力的怪人，今日社會能有幾個？」樓主謹借這幾句權威學人的話作爲本文結束。

文滙樓劄記

忠告美國

谷正鼎（下）

再其次，我們在外交政策方面有許多的觀念，也有加以澄清的必要，即：我國的外交政策，須遵循正義的原則呢，還是遵循現實利益的原則？有人以爲當今國際政治，沒有什麼道義，完全唯利是圖，我們講正義，講原則，是一種落伍的做法。照這一觀念推演下去，即是正義與現實是對立的，講正義並不符合現實的利益。我們知道，我們的外交政策一貫以維護正義爲原則，是與一切反共非共的國家團結合作，共同爲捍衛人類的自由與拯救大陸上水深火熱中的同胞而奮鬥。這一原則不僅不妨害現實的利益，而且爲維護現實利益所必需。今日我們如果自毀立場，到處投機，脚踏兩隻船，見風轉舵，這樣不僅不能維護我們現實的利益，却必爲國際現實的政治漩渦所淹沒。在歷史過程中正義才是主流，當以現實爲借口的姑息邪說盛行之際，也正是導致戰爭爆發之時，張伯倫借口和平，在慕尼黑姑息希特勒，使正義淪亡，終致第二次世界大戰的爆發。而羅斯福、邱吉爾之扭轉危局，如大西洋憲章、開羅宣言，以至於聯合國之成立，都是以正義爲號召。中國國民革命在求中國的自由平等，其間會推翻滿清，消滅軍閥，擊敗日本帝國主義，廢除不平等條約，無一不是以正義爲依歸。今當消滅共匪，光復大陸，拯救同胞之時，我們的任務更爲艱巨，更爲光榮，我們當繼續不斷的堅持正義，努力奮鬥，一定能得最後勝利，倘捨正義而趨現實，是自毀立場，自絕生路，何況且今天大陸及亞洲的現實，是反共的呢！

我們不是弱國，我們的台灣有一千五百萬堅強的軍民同胞，我們有一千七百萬散佈全球卓然自立而且絕大多數都是忠貞愛國的僑胞，我們在大陸上有億萬不屈不撓堅決反共並等待我們去解救的同胞，我們有正在遭受共匪嚴重威脅與我們休戚相關的盟邦。並有全世界愛好自由，反對共黨的廣大同情者，我們在外交上的潛力非常深厚。我們的弱點是我們的努力不够，沒有把潛力充分動員，充分發揮出來。今日的外交，是戰鬥的外交，而不是宮廷的外交。是全民的外交，而不是少數外交人員的外交。我們的外交應是內政的延長，內政與外交絕不應該對立。儘管今天世界上有許多國家外交親共，內政反共（如埃及），這是不足爲訓的，因爲客觀的說，這些國家正在受着共黨的毒害和利用而無法自拔，是等於飲酖止渴。我們的內政與外交應該互相配合，互相協調，互爲後盾。我們的外交人員不只是禮貌的使者，而是戰鬥的使者，外交人員在那裏，戰鬥就在那裏，他不是個人去作戰，而是動員當地一切可應用於反共外交作戰的條件。現在我們還沒有做到這一點。這是我們忽畧了我們自己的條件。我們面對當前的形勢，絕不應該悲觀，絕不應該自餒。若干年來我們外交當局艱苦奮鬥，盡了很大的努力，我們在外交上也的確獲得了若干的成就。但是我們必須有勇氣自我檢討，力求放進。尤其在外交陣容方面要力求刷新。須知今天是反共的外交，是組織戰、思想戰、宣傳戰、羣衆戰、經濟戰、文化戰、的總體運用。我們要根據此需要來刷新外交陣容，淘汰愚弱。並廣納人才，以增進外交戰的效率。

原則上，我主張；我們要堅持正義立場，堅持反共的外交方針。但是如何實踐我們的方針，做法上必須求變。我們要向戰鬥的方面變，要向積極主動的方面變，我們在任何方面不是要等待而是要推進，不是要防守，而是要進取。在爭取與國方面，我們要團結一切利害相同的盟邦，加強各方面的連繫與合作。對盟國的態度有支持，有反對，支持它正義的行動，反對它不正確的謬說，並協同政治、經濟、文化各方面的政策配合予以防阻和抑制。我們須知謬說的容忍，是對反共團結有害的。我們要在全球各地歐、亞、非洲、拉丁美洲去爭取能與我們爲友的人。一切反共與非共的人都是我們的朋友，我們團結一切朋友，爭取一切朋友。是我們外交的潛力，盡我們的智慧，動員出我們的潛力來，我們定必有輝煌的前途的。

曹公之文學與技藝（三十六）

說曹操

李漁叔

我常讀此詩，以爲句意雖然很好，但總嫌篇中同時連用四個何字，即何巍巍，何蕭瑟，何霏霏，何拂鬱等，未免於句法有礙。後來才知道曹公妙解音律，這詩是拿來歌唱的，應該分作五部分，即五解。如果一分爲五，那何字句就可以單獨成立，而不發生防害了。

苦寒行於樸拙中帶着一股雄直之氣，爲子桓子建所不及，而尤以音調最妙，那是可以拿來合樂歌唱的，漢魏六朝百三家魏武帝集中將這首歌辭，作另一種排列：

「北上太行山。艱哉何巍巍。太行山，艱哉何巍巍。羊腸坂詰屈。車輪爲之摧。（一解）樹木何蕭瑟。北風聲正悲。何蕭瑟，北風聲正悲。熊羆對我蹲，虎豹夾道啼。（二解）谿谷少人民，雪落何霏霏，少人民，雪落何霏霏。延頸長歎息，遠行多所懷。（三解）我心何怫鬱。思欲一東歸。何怫鬱，思欲一東歸。水深橋梁絕，中路正徘徊。（四解）迷惑失徑路，暝無所宿棲，失徑路，暝無所宿棲，行行日以遠，人馬同時飢。（五解）担囊行取薪。斧冰持作糜。担囊行取薪。斧冰持作糜。悲彼東山詩。悠悠何我哀。

這樣一個形式，是在歌唱時改變的，凡是配音機的五七言詩，一定要把它變成長短句，才可以入樂，因爲五七言詩形式呆板，沒有襯字泛音，卽生硬不易成腔。

如古詩十九首「生年不滿百」那篇，中間的：「爲樂當及時，何能待來茲。」及：「仙人王子喬，難可與等期。」等句，樂府改爲：「夫爲樂，爲樂當及時，何能坐愁怫鬱，當復待來茲。」「自非仙人王子喬，計會壽命難與期。」句子拉長，而原意不變，也正是爲了歌唱的原故。淸初朱竹宅（土旁）說古詩十九首是僞造的，他舉出「生年不滿百」這首，以爲是裁剪樂府長短句而作五言，並移易其前後而成。且斷定出於文選樓諸學士之手。即是說這種把戲，是梁昭明太子編撰文選時，叫他的秘書們變的。竹宅這種說法，有兩點應該糾正，第一，他沒有懂得由短變長，由五言詩變成不規則的句子，完全是爲了歌唱的緣故。第二，他要把古詩十九首說成僞作，就不得不持後來樂府歌變成眞，而從前的原作倒反變成假。怪不得稍後於朱的錢竹汀半開玩笑似的說：「或疑古詩『生年不滿百』一篇，乃括古樂府而成之，是猶讀魏武『短歌行』，而疑『鹿鳴』之出於是也，豈其然哉？」以這一比方來駁朱，語氣十分尖銳，讀者自易了解。我們看前面所引曹公短歌行，裏面不是有「幼（口旁）鹿鳴」等句麼？須知鹿鳴等句原是曹公借用詩經的成語；如果說詩經是抄襲曹孟德的，那不是天大的笑話嗎？現代一些攛文學史的人，如像劉大杰郭紹虞陳鍾凡等人，胡說一陣，原不足責，至於朱竹宅號稱通儒博學，也有此嚮壁虛構，違反傳統的說法，就不可思議了。（未完）

安徽十三傑

管仲　李耼　莊周　曹操　華佗　包拯　朱熹　朱元璋　戚繼光　李鴻章　段祺瑞　胡適　楊振寧

太平天國失敗的原因（七）

·黃大受·

翼王看見，果是不差，後翼王回京。」頂天侯秦日綱，因曾追趕翼王，北王被殺後，因翼王的要求，也被處死。翼王既回天京，主持政務，天王又怕翼王變成東王第二，很是猜忌，陰命長兄仁發次兄仁達掣肘他，翼王因而和他結怨，被忌只得出京遠征，不再回來，起事時的五王，到這時非死即走。領袖們的內訌被殺，是天國解體的表現。自後太平軍的大將，便不斷有投降清軍的事情發生，當年有江西袁州李能通的投降，一八五八年（咸豐八年），李昭壽的獻除州。第二年有薛之元獻江浦，名將韋俊獻池州，到了末期，除了少數廣西隊伍以外，兩湖三江一帶之羣衆，都大批的投降清軍。據李秀成親供所記，當時人心已有散意，若不清軍將帥對太平軍的廣西人只殺無赦，太平很可能早瓦解了。

八、天王的用人不當：翼王石達開執政時，天王胞兄安王洪仁發，福王洪仁達，都掌握大權，據李秀成親供所記，天王用二位胞兄，朝中人都不高興，因安王福王無才情，一味固執，又無算計，既排擠翼王，翼王被迫出走以後，天王因朝內無人理政，才挑選出陳玉成、李秀成、蒙得恩、李世賢等出來助國。蒙得恩是個庸才，在朝中並無建樹，陳玉成等三人却在外統軍作戰，當時李秀成「見國亂紛紜，主又蒙塵，盡臣心力而奏諫，懇我主擇才而用，定制恤民，申嚴法令，肅正朝綱，明正賞罰。（未完）

催眠療病法

氣合療法

鮑紹洲

氣合術本爲催眠學上極有價值之秘法，凡大喝一聲，能令人立呈催眠狀態的，都稱爲合氣法。此法已詳於普通催眠法中，茲將不再多言。

合氣療病法之實施方法，再加以說明。施術之前，預先告知病者道：「我爲你行合氣法，祇要大喝一聲，病魔即刻遠避，你便立即恢復平日健康。」說完，使病人閉目靜坐，無念無想，遂先用合氣催眠法，病者果然立呈催眠狀態，則施以本法，成功可操左劵。倘因感受性弱而不感應者，當可更換其他方法治之，惟一喝即眠者，俟其深入眠遊狀態中。施用本法，與病人對立精神，充實丹田，集注心力於病者之患部，運用腹力，以極雄厚之聲音喝道：「你的病可應聲而愈，體溫合度」。此爲有寒熱之暗示，若無寒熱而有腫痛者，下句當換以「腫痛消矣」，總之上句百病通用，下句各病各別，由施術人隨時酌定，以簡潔而有愈病之表現者爲合用。暗示語言，愈短愈好，倘若一次不感應，亦可再喝三次，至六七次必能成功。因其已感應合氣催眠，定能感應合氣療病也。間有預告於催眠中特施以本法，是必術者有堅決之信心方可。

巨變歷險記！

轉押醫院（一〇二）

胡慶蓉

丁博士押在營房，除了吃飯，如廁、洗澡，日夜全在屋子裏邊。如廁說過了，兩棵槍跟着，吃飯、洗澡也是兩棵槍跟着。飯上邊說過了，辣味非常多。丁博士雖然民國廿一年去過四川一次，在國立四川大學任教，又抗戰時期在國立四川大學任訓導長，但對於辣子還是不習慣，太辣了他不敢吃他不能吃。是不是吃辣子的關係，丁博士突然病倒了，情形異常嚴重，於是兵營派帶棚的中型吉普送眉苗的軍醫院。護衛的人達六名之多。

車經過眉苗街上，丁博士始知道眉苗只是一條大街。實際上這條大街也就是北通臘戌南通曼德里的大道，兩旁舖面倒還整齊。在車上，一晃就過去了。還看見一個教堂。丁博士不由的心響往之。他估計緬甸與我游擊隊應該已經開火了。他想到緬甸與我一開火，對他本人會有很大的幫助。若是緬甸出師不利，對丁博士的待遇會更好些。

眉苗到處都是森林，一切都在森林包圍之內，軍醫院也是一樣。現在丁博士還記得眉苗的緬甸軍醫院範圍雖不大，但還乾淨，丁博士住在房間，四面都是玻璃，任從那一方面都看得見丁博士在不在。監視的人改穿便裝都在外面，丁博士獨自一個人睡在裏邊，白被單，白舖蓋，外邊還罩着綫蚊帳，對於一切丁博士感到滿意。醫生特別問到吃的東西好不好，丁博士答好！醫院的飯不是西餐，不是緬餐，也不是印度餐！而是中國餐，廣東餐，不但豐富，而且可口。吃的好一點，丁博士的病也就好了大半。據醫生檢查，丁博士的病是腸胃病。其次是瘧疾復發。這比較嚴重。一直在醫院住了兩個多月。

在醫院，不像在軍營，丁博士可以看報了。醫院裏所有緬甸出版的英文報都有。最使他振奮的消息有二；一是韓戰有爆發之可能，一是緬與我游擊隊之戰已經爆發了：還是一天的下午，約三四點鐘的時光，丁博士首次看到韓戰的消息，頭號大標題：全世界集中視綫在高麗，聯合國大會決議出兵，美國杜魯門總統登高一呼，麥克阿瑟被派作聯合國軍的總司令。這在當時實在是驚人的消息。丁博士展閱之下，身上驟然感到無比的輕鬆愉快，好像世界都在變了，前途突然大放光明。特別是我游擊隊與緬甸大戰的消息，更使丁博士振奮。他很感激全體官兵對他的擁戴。我游擊隊作戰的目的，骨子裏是不撤，但表面的理由，正面的理由，還是還我代表。兩國交戰，不殺來使！諒緬甸也不敢對丁博士怎樣。以救丁博士為目的，可謂師出有名。對於戰況，緬甸報紙的報導，常常是反面的。丁博士肚裏有數。在說緬甸勝的時候，丁博士則認為是緬甸敗了。從他對丁博士的待遇，就可以測知緬甸的勝敗；緬甸敗就對丁博士好，緬甸愈敗，則對丁博士愈好。緬甸人非常滑的，很會運用外交。今日聯合國秘書長宇譚就是緬甸人。緬甸常常以外交補他們種種的弱點。在押在軍營的時候，有幾次在半夜或晚上或早上突的就把丁博士提出去，壓迫他如何如何，否則即予槍決，但由於丁博士堅定，緬甸之計終未得售。

在軍醫院的這一段，丁博士收穫甚多，大局已臻開朗，如何開展，如何釋應，如何……丁博士都有計劃。

丁博士的病好了，軍營又把丁博士提回原處。這以後准許看報了，也准許寫字了，同外面的交往也沒有從前的嚴格了。

國父之創見與中華文化之必然復興（五）

陳立夫

所幸　國父以天縱之聖，不但能徹底瞭解吾國文化之精髓，且能指出西方文化之缺陷，指出達爾文之進化原則，祇能適用於物種進化之時期，而不適用於人類進化之時期。物競天擇用以闡明禽獸及其他生物之進化原則則可，人類之進化應以互助為原則，而以道德仁義為用者也，　國父復批評馬克斯之錯誤謂人類求生存，才是社會進化的原因，而不是物質，階級鬥爭是社會當進化的時候所發出的一種病態，而不是促進社會進化的原動力，而且人類生存所需要的不僅是物質，更需要的是精神，所以　國父批評馬克斯為一個社會病理家，而不是一個社會生理家，　國父這兩點創見，是將人類別於禽獸，出於物階，而復歸於有人性的人，　總統所倡導中華文化復興運動，首重倫理並及民主與科學，其意義至為顯著，茲述之如下：

（一）倫理被毀棄、人與禽獸不分。

人類一如其他生物具有天賦的生存本能(性)，知「求食」以維持其生命，知「求色」以延續其生命，不待學而能，不待教而知者也。唯人所不同者，以其更能知「求仁」以光大其生命。所以說「仁者，人也」，義為仁之行，所以又說「人之所以異於禽獸者為知義也」，易經更有「立人之極，曰仁與義」的昭示。因為有了仁義本能，人類對於其上下左右前後的人，能發揮他的同情愛，依照親疏遠近公私的各種關係，分別歸納之成為五大類，稱之曰五倫或人倫。而以君（長官）仁，臣（部屬）敬，父（母）慈，子（女）孝，兄友，弟恭，夫婦和順，朋友信義，為實行之準則，而稱之曰倫理。有此則人人具備集體生活之條件，有團結互助之基礎，無自私自利底個人主義產生之可能，無偏信唯物主義之錯誤。因之，社會有秩序，家庭享和樂，國家致安寧，所稱德治或禮治者，意即指倫理發生偉大作用之之謂，非指國家不必有法也，夫法原本乎禮，禮本乎德，德本乎道，若舍道德而言法，則又舍本而遂末矣。

今人以為人民衣食足即能知禮義，而不知衣食足而無教化，則有犯「飽暖思淫慾」之過，所以古人垂誡後人者如下：「飽食暖衣，逸居而無教，則近於禽獸，聖人有憂之，使契為司徒，教以人倫，父子有親，君臣有義，夫婦有別，長幼有序，朋友有信」（孟子）。

求偶（色）既為人類本能之一，而為利己之衝動，在人類初生時即開始發展，固不必多加鼓勵，惟求仁之本能，則待進入人類進化時期，始行發展，故猶待於教，今大眾傳播工具之前目，若多誨淫而不誨仁，不亦本末倒置乎！人倫進化之順序，易序卦傳有云：「有天地然後有萬物，有萬物然後有男女，有男女然後有夫婦，有夫婦然後有父子，有父子然後有君臣，有君臣然後有上下，有上下然後禮義有所措」，小戴禮記有云：「男女有別而後夫婦有義，夫婦有義而後父子有親，父子有親而後君臣有正，無別無義，禽獸之道也」，由此可知五倫始於男女有別，一旦男女關係混亂，家庭基礎勢必動搖，則其餘之四倫自亦隨之而崩潰，大亂之起，勢所然也。故曰「男女居室，人之大倫也」。

觀於今之富強國家，莫不盡情縱慾，一經縱慾，男女關係紛亂，家庭基礎動搖，夫婦之一倫，失其正常，其首先受害者為女子，父母各為個人之自由與享受，隨時可以離去，子女目睹並身受父母之殘忍與不慈行為，父母子女之間，已無情愛之可言，則安有父子之一倫存在耶？孝道淪亡，誰之過歟？查少年犯罪者，大都為失去家庭溫暖之人，事實俱在，無庸詭辯，及男女之貞一觀念一失，夫婦與朋友已不復可分為兩倫，青年男女，既可縱慾，何必成家，於是未結婚者不思結婚，已結婚者，時思離異，家不成家，國不成國矣。（未完）

黛眉小傳

王幻

張玉孃（三）

玉孃的父母看她長日悒鬱，已數年之久，便擬另卜佳婿，使她不致辜負了青春，原是一番好意，但使她尤其煩怨了。她對父母說：「女所以不死者，因有雙親耳……」一夕，夢沈全駕鸞相迎，便披衣起坐，對侍婢們說：「我意已決！」遂不食，未逾月而卒，時年二十八歲。明人王詔的張玉孃傳，寫她夢人沈全一事，尤使人臨風殞涕，深感悼惜。原文如下：

時值元夕，父媼出觀燈，呼詔女伴強之行。不可，托疾，隱几。忽燭影揮鶴下，見沈郎宛若，屬曰：「若瓊自重！幸不寒夙盟，固所願也。」張且驚且喜，往握其衣，不相迎。顧覗影，以手擁，悽然泣下，曰：「所不與沈郎者，有如此燭！」語絕，覺，不見。張悲絕，久乃甦，曰：「郎舍我乎？」遂得疾以卒。

她的父母哀憫其志，遂請求沈氏，與沈全同葬於附郭的楓林，侍婢均哭之甚哀。後霜娥以憂卒，紫娥自經死，明日，鸚鵡亦悲鳴而殞，父母并以殉葬，名曰「鸚鵡塚」。

著有「蘭雪集」兩卷，清初孟稱舜為之刊梓，得以流傳。（完）

談財神爺沈萬三

・范正儒・

舊時中國人過農曆年，家家戶戶貼出了紅紅綠綠的年畫，其中多數有一張沈萬三。畫中人方面大耳，錦衣幅巾，面前放着一個聚寶盆，傍邊站着幾個俊秀清麗的男女。聚寶盆中堆着八寶，那就是黃金、明珠、珊瑚、瑪瑙、犀角、象牙、寶玉、銀錠，盆上寫着「一本萬利」四個字。此外像道書上也有聚寶盆的繪畫，它是一件民間想像中的寶物，有取之不竭、用之不盡之妙。形態似盆而鼎，乍看起來頗似一個大墨洗，又像一個栽着盆荷的黑瓷盆，但是非瓷非石，非金非玉，也不像竹木雕成，却溫潤黑漆，閃閃生光，上面還刻着細緻的花紋。裏面空無所有，却能生聚金銀寶物，你投了一個元寶下去，就滿盆都是元寶，所以叫「聚寶盆。」

聚寶盆如何能聚寶呢？民間的傳說附會上一段美麗的故事，必需要用玉獸沉入水裏，方能引得聚寶盆來，相傳是玉獸是月華所變。當年，沈萬三就在玉獸上繫了一根粗繩投向水底去，停了一會，拉起來覺得很沉重，等到拉出水面，却是隻舊鉢頭，又難看又骯髒，他拋掉了。這樣五六次的放玉獸下去，拉起來總是那隻舊鉢頭，姑且拿回家去，它就是後來傳說中的聚寶盆。

沈萬三的姓氏及籍貫

明代小說「金瓶梅」的女主角潘金蓮在該書中引了一句諺語說：「南京沈萬三，北京大枯樹，人的名兒，樹的影兒。」可見得沈萬三這個人，在明代初年是赫赫有名的人物。

關於沈萬三的名字與別號，有許多不同的說法。據張三丰先生全集內載：「三山先生姓沈名萬三，一名萬山，自號三山道士。」清人周廣業著的循陔纂聞則說：「南京沈萬三，名富，字仲榮，行三，人因呼為萬三秀。」董漢陽著的碧里雜存加以解釋曰：「沈萬三秀，不知其名，蓋國初鉅富者謂之萬戶。三秀者，國初每縣人分為五等，曰哥、曰畸、曰郎、曰官、曰秀。哥最下，秀最上。洪武初，家給戶由一紙，以此為第，而每第中又各有等，沈乃秀之三者也。」另有一個沈萬四，名貴，是他的兄弟。

原來明初社會將有錢人分了許多等級，沈萬三不過是沈萬戶以及秀中之三等人物而已，但後來他的家財之多，似乎明太祖朱洪武都比不上他。此外，沈萬三姓沈，諸家記載都同，似無疑問，但循陔纂聞根據秀水縣志說：「萬三父陸道判，遊蘇州，贅於沈氏。」這樣看來，沈萬三的父親是姓陸的，入贅沈氏，就變成姓沈了。（未完）

第二十章

三泉關子羽退金兵　固石洞岳飛擒斫寇

周燕謀

並將此「制詞」播告中外，人皆知之奸。

紹興三年，岳飛年三十歲，填「滿江紅」詞。詞：

怒髮衝冠憑欄處，瀟瀟雨歇。抬望眼，（亦作抬眼望）仰天長嘯，壯懷激烈。三十功名塵與土，八千里路雲和月。莫等閒白了少年頭，空悲切。靖康恥，猶未雪，臣子恨，何時滅，駕長驅踏破賀蘭山闕。壯志飢餐胡虜肉，笑談渴飲匈奴血。待從頭收拾舊山河，朝天闕。

此詞乃為岳飛三十歲，駐江州時所作。忠君愛國之思，充份表露無遺。數千年中華歷史，只見岳飛一人。

紹興三年春正月，亡將李宗亮，誘惑張式所部叛變。襲犯筠州，焚毀百姓房屋，殺戮慘酷。岳飛命部將徐慶引軍剿滅之。

同年二月，高宗賜岳金焦酒器，又召岳飛赴行在，覲見高宗。

同年三月，虔州、吉州境內盜賊猖狂，吉州以彭友、李洞天，十大王等為首；虔州為陳顒、羅賢十等為魁。共連兵四十萬衆。各位讀者！為什麼南宋盜寇如此猖狂？動輒數十萬。此正與後漢黃巾之亂相似。其中並非全是盜賊，大半皆屬流亡無業無食之飢民，多數皆為賊兵所裹脅。因此動即數十萬，但經官軍一剿，皆以數千之兵，招降數萬，一敗十萬之衆，就是這種原因所在。

虔、吉等州賊寇十餘萬，築寨五百餘所，表內相接，捍禦官軍，分路劫掠，循梅廣、惠英、南雄、南安、建昌、江潮、邵武諸郡，縱橫不法，兇燄萬丈，民心徬徨。安撫使李回，奏請朝廷，吉、虔賊寇，請專委岳飛討伐。同時廣東宣諭官明橐亦奏，江西賊寇為患兩廣。請調兵剿滅，以靖地方。朝廷採納各方輿論，皆言岳飛之軍最為整肅。所過不擾。若朝廷矜憫遠人，須遣岳某之軍來剿，不惟可除盜患，更可招降叛將，收編散卒，繩之紀律，以為國用。知梧州文彥明表奏言：虔州盜寇為患廣東，乞朝廷遣岳飛剿討，乃能濟事。劉大中亦以岳飛之軍為請。因諸路流寇，惟怕岳飛之軍，地方官皆稱岳軍「所過不擾」，「民不知有兵」。因此朝廷專委岳飛征討。

江西宣撫使李回，是年邁無能。他的部下毫無紀律，擁兵數萬，聽任部下擾民，對於剿賊黨無辦法。因此宣諭官劉大中奏請專委岳飛剿吉、虔二寇。同時朝廷以李回「老而無能」，「紀律廢弛」免職，除為提舉江州太平觀。

（一〇〇）

自由報

（第一一四九期）

（半週刊每星期三、六出版）
每份港幣壹角・台灣零售價新台幣弍元
社長李運鵬・督印黃行寶
社址：香港九龍彌敦道593—601號
廖創興銀行大廈八樓五座
LIU CHONG HING BUILDING
7th FLOOR FLAT '5
593—601 NATHAN ROAD,
KOWLOON, H.K.
TEL：K303831
電報掛號：7191

承印：景星印刷公司
地址：嘉咸街廿九號地下
台灣區業務管理中心：台北重慶南路一段一二九號
電話：二四五七四
台灣區直接訂戶　台灣劃撥戶
第五〇五六號張萬有（自由報會計室）
台灣分社：台北市西寧南路110號二樓
電話：三三〇三四六、台郵劃撥戶九二五二號

我對于中西醫藥的看法（中）

・陳立夫・

有組織有系統就是科學

再研究人體內部各部門相生相尅之道，然後能對症下藥，使復中和，是一套極完整體系的醫學及藥物學。假定人們沒有成見，不誤認為中國文化不值一文錢的話，你一定承認在中國學科中，醫學及藥物學均為自成體系的一門科學，再不會妄以「不科學」三字抹煞一切。如果我們認為國父的科學定義（凡是有組織有系統的學問就是科學）沒有錯的話，藥物學分類之細，說明之詳，不亞於今日之生物、化學。所不同者其用詞不同，不合乎時代所習用之名詞而已。合動植礦物有七百餘種之多，可謂洋洋大觀了。

黃帝為醫學專家　神農為藥學專家

有一位懂得醫學的美國傳教士和我談起：他說他很驚奇中國一般老百姓對於醫學常識何以如此普遍地豐富，對於某種食品對某種病可食或應忌食，亦多說得出。我告訴他：（一）我們都是黃帝神農的後代，前者是醫學專家，後者是藥學專家，我們對於藥學智識是應該豐富的。（二）和美國今日一樣聯邦政府有專管藥品食品的機構，在三千年前的中國周朝已經有了，在周禮有醫官食官之設置專管民間醫藥及食物的記載。（三）中國醫藥距今一千七百多年前，不獨內科已高度發展，外科亦極其進步，後漢書卷八十二華陀傳（約當西曆一一〇——二〇七年）已有如下之記載「……若疾發結於內，鍼藥所不能及者，乃令先以酒服麻沸散。既醉無所覺，因刳破腹背，抽割積聚，若在腸胃，則斷截湔洗，去除疾穢，既而縫合，傅以神膏，四五日創愈，一月之間俱平復……」查麻醉劑在西方，一直等到一八四七年才由英國單伯森氏所發明。（四）生理和心理的關係，中國醫書早有詳盡說明，例如息妄念以養心氣，絕躁怒以養肝氣，寡言語以養肺氣，節飲食以養胃氣，淡色欲以養腎氣等。在西醫方面對於此類問題之研究，尚為不久之事。

鍼灸為中國獨創　醫案為完善講義

（五）針灸為中國獨創的一種醫學，完全用物理方法治療。而且製有銅人，以示穴道所在，若非精於解剖學何克臻此。（六）中國食品大都涉及到藥理方面，尤其是補品，所以幾乎每日都有聽到醫藥教育及常識的傳授。食物種類與各種的禁忌，在西方尚為新的學問。（七）其最主要的是中國醫生開方必寫脈案，首先說明症象，次涉其診斷，再次說到治理方法，最後列舉藥味其份量。故每一藥方，是一份完善的講義，流傳於民間，其不能寫出脈案者，稱為庸醫。西醫則無此辦法，祇寫洋文藥味，誰都看不懂。多問問還惹他發脾氣，由上述可知道中國人對於醫藥常識豐富的原因了。彼始恍然大悟而去。

中國醫師為行道　美國醫生半猶太

中國人很看重醫生，良醫恆與良相並稱。中國醫生認為行醫不是為賺錢而是為救人，和西方醫生看法完全不同。在美國行醫的中國醫生，個個賺大錢，因為他肯詳細答病人之問，半夜三更肯出診，「德本財末」之古訓還未全忘。美國醫生多半是猶太人，他們重利觀念是世界聞名的，中國醫生將來如有過剩，還可以出洋呢？最有趣的消息，是舊金山市政府主管藥物的美國人，他全家人有了病，都非吃中藥不可呢？

中藥既靈　中醫尤神

中國有些西醫往往對人說：「中藥還可以，中醫是不成。」因為他們聽得有人因應用科學方法提鍊麻黃中藥以治氣喘症，在外國享大名、發大財，所以就作這種斷語。我聽了真是好笑，試問藥能自動治好人的病麼？何況在二世紀時張仲景書上早已有麻黃能治氣喘的詳盡記載呢！中國常用藥物，約七百餘種，其藥性功效已有一百餘種為世界醫藥界所公認，所缺的是中間這一段化學分析和說明而已。希望這一種大寶藏，有多人去發掘，對於世界人類必有鉅大的貢獻。

中醫視人為人　西醫視人為物

總之中西醫學有其基本不同點，一則視人為人，為一小天地，人自身隨時具有調整的功能。一旦均衡失調太過時，祇要稍得適當之外力（藥物）之助，可以回復中和。天地有四時季節，人亦宜與之配合，必要時亦可以為方法（用涼藥或熱藥之助）強之春行秋令或冬行夏令，使體內毒素（即細菌之別稱）因環境突變盡歸消滅。戰事一了，和平又現，體內某一部有病，其原因或在另一部份，所以應通盤計劃對症下藥，故症有虛實而治法各異。西醫則視人為物，體內各部份無一不是物，一物有病則治之，不能則割去之，當然頭痛則醫頭，脚痛則醫脚。根據自然科學及機械科學原理，這是一點也不錯的，血液中發現有外來強盜（毒菌）則注入警察（抗毒物）以捕殺之，此亦不失為方法之一種也。

贊天地之化育　則可與天地參

由於中國文化偏重於人的研究，故一切都從盡人之性入手；而西方文化則偏重於物的研究，故一切都從盡物之性入手。若雙方能相互其所同、敬其所異，則必有一天能雙方碰頭，同為參贊天地之化育而盡力。醫學者，乃參贊天地之化育之重要工作也。舉中庸云以證明之：「惟天下之至誠，為能盡其性，能盡其性，則能盡人之性，能盡人之性，則能盡物之性，能盡物之性，則可以贊天地之化育，可以贊天地之化育，則可與天地參矣。」盡人之性，何以不能進而盡物之性，則盡物之性，何以不能進而盡人之性耶！二者即可貫通，自能互相發明，惟在人之誠與不誠而已！

胆大妄為　自己不配作科學醫生

回憶民國十九年中央國醫館在南京成立後，焦易堂先生為館長，本人即被該館理事推選為理事長。當時有不少人問我：「你是一個學科學工程者，何以竟對這種不科學的中醫，感到興趣，你不怕人駡你思想落伍嗎」？我說：「我不怕，因為科學二字照國父的解釋，凡一切有系統、有組織的學問都可稱為科學。何況中國醫學藥學經幾千年以人體作實驗所得的統計結果呢？如果他是精通自然科學又明中國易學來向我證明它是不科學，我可以佩服他。否則，自己既不明科學及易學而又妄指它為不科學，我祇能向他笑笑！一個學西醫的寫的是洋文，說的亦是洋話，對於中國經籍及醫典很少讀過，居然敢以「不科學」三字抹殺中醫，我祇能說他胆大妄為，自己不配作一個科學的醫生！

張簡齋能起死回生　不是上帝不要他死

民國二十六年，有一位同事在漢口天主堂醫院患腹膜炎症，發高熱。醫生束手，診斷祇有六個鐘頭可以維持生命，方巧名醫張簡齋先生來訪，我就一把拖他去醫院，他說尚有一綫希望，開了方煎了藥，我就用熱水瓶帶藥給他吃，居然熱度降下來了，連服一劑，熱度回復正常，不必送太平間而準備出院了。次晨我去醫院，醫生很奇怪，我向他報告經過，並向他道歉的說：我不應該將中藥帶進醫院，不過救命如救火，死馬當活馬醫罷了。你們猜猜這位醫生怎麼說？他說：「這不是中醫的效果，是上帝不要他死罷了！」

（未完）

昨日與明日

魏道明退休

台北中央社電訊：外交部長魏道明以健康關係，申請辭職退休。這當然是官式詞令，但我們贊許魏氏的去志，因為他表示着政務官的責任感。

由於國際間對毛共姑息逆流突然氾濫之故，中華民國的外交情況一時陷於低潮，身當折衝樽俎之任的外交部長，自凜職責，引咎求去，這是應有之義。

外交行動原係騙術，靠實力作後盾。美國對華外交騙術最近洩了底，公開聲明要搞「兩個中國」，在這種情況下，除非我們憑實力反攻大陸，光復中原，粉碎「兩個中國」的陰謀，任何人做外交部長亦難以阻止國際間的姑息主義，所謂正義，公道以及日常的「親睦邦交」，都是些騙人的廢話！所以，魏道明之申請辭職，是一種責任心的表現，尤屬良好的政風，以視那些笑罵由人，好官自為的政務官僚，高明多了。

弱國必須有外交

近半年來，國際間發生若干涉及中華民國主權的問題，我們的反應似乎都太過冷淡了。琉球分明是我國領土，暫由美國佔領的，而美、日私自談判，定期交給日本，然我政府未曾作嚴正的聲明。釣魚台羣島亦然，法理事實昭然可據，而我們對日本的無理要求——中、日、韓聯合開發海底資源協議，未予斷然拒絕而表示同意。日前吾國旅美教育界科學界同人王濬霖、李卓皓等數百學人，聯名電呈蔣總統，請保持堅定立場，在釣魚台主權問題未解決之前，堅拒參加中、日、韓聯合開發海底資源協議。這項民意決不能漠視。況且日本方面由於藤山愛一郎等左傾政客訪問中國大陸歸來後，日政府人士亦表示要暫緩參加上述所謂「聯合開發海底資源協議」之舉，唯恐因此開罪於毛共，我們更不必再跟日本談釣魚台的問題了。

弱國並非無外交，但須有辦法與作為，而不能專以敷衍因循為策略，只要抱着「不為瓦全」的決心，督勵全民，一致奮鬥，至少要表現着「成事不足，敗事有餘」的作法，強權主義者亦就有所忌憚而不敢隨便胡來。有人說，現階段我們需要美國支援，然美國就沒有需要我們的地方嗎？至於日本，它根本就是在國際外交矛盾環境中討生活，需要於我們的地方更多。光是一味遷就，俯仰由人，決非自立自強之道。

外交部長用甚末人來担任，皆不相干，問題在有妥善的外交策略，纔可以抵擋國際姑息逆流之沖擊！

・何如・

自由談

治亂的現象

根據歷史紀錄的循環律，人類社會總不外一治一亂，交互演進，而一般生活現象亦迴然不同。

在治平之世，人性的發展都很正常，正義公道在社會大眾中昭然可覩，善惡與是非觀念支配着每個人的日常活動，因而在政治上卽表現着清明興隆氣象，社會秩序隨之安定進步。人與人之間，多見其為互助合作，而不尚鬥爭傾軋，所謂患難與共，疾病相扶持的心情，隨時隨地皆充分流露着。這其間雖不免亦有陰賊險狠，奸詐冥頑之輩，為非作歹，但在輿論制裁與法律約束之下，終難得逞，凡是利用不正當手段，而以昧靡寡恥的行為取得富貴者，必為社會大眾所不齒，永遠抬不起頭來。

若夫喪亂之世，情形卻恰恰相反了。人心多不正常，劣根性極端發揮，整個社會充滿着乖戾之氣，正義消滅，是非混淆，無論公私生活，皆以個人利益為中心，無所謂國家民族觀念，更談不到品德與節操問題，為着私人的利害關係，任何卑劣手段亦不惜採取。對人則忌嫉為懷，睚眦必報；對事則見利忘義，無所不為；甚至犯上作亂，賣國通敵皆優為之。這類人物在社會上被譽為名流賢達，在政治上被視為忠良楨幹，而天下從此大亂矣！

職是之故，每逢撥亂反正之秋，必有命世英豪崛起，振衰祛弊，舉措非常，毅然掃蕩積習，開拓新境界，明是非，嚴賞罰，藉以轉換頹風，消弭社會大眾抑鬱不平之氣，而使天下歸心，蔚成新興局面。這在歷史上係屢見不鮮的事實，觀乎六朝之可易為唐，五代之可易為宋，即可證明，就看當國者的智慧與魄力如何而已。

馬五先生

進口日片轉手圖利 有如市場買空賣空

立委質詢猛烈抨擊文化局 賣日片所獲利潤擅自挪用

（自由報台北消息）立法委員楊致煥抨擊教育部文化局進口的日片，半係武俠神怪，誨淫誨盜，大悖國策破壞，且標售日片所獲利潤一千七百餘萬元，未經行政院核准擅自違法挪用。行政院對楊委員的質詢，將以書面答覆。下面是楊委員質詢摘要：

蔣總統，特于民國五十五年，接受各界人士的請求，明定國父誕辰紀念日，為中華文化復興節。這不但宣示 國父的誕辰，乃是中華文化復興的信號，並提示我們要衛護中華文化，藉以對抗共匪在大陸上破壞我國固有文化的暴行。主要的藉此文化復興運動，加強我們全民復興中華文化的責任，以期能達成反攻復國之目的。文化局既負有提倡領導的重責大任，其成立已三年於茲，對于工作的進展，國策的推行，有什麼輝煌的成果，他只有與民爭利和進些誨淫誨盜的影片而已，這豈是原來設立的用意？尤其今年是中華民國六十年，亦即國民革命繼往開來的年代，文化局應如何的努力推行，此一重要國策，領導復興基地的全體同胞，共挽狂瀾，而作一中流砥柱。試問文化局自成立以來，對於社會不良風氣轉移，中國固有人倫道德的倡導，以及文藝影劇大衆傳播事業健全發展，有無輝煌的成果表現，和全力推行的策劃，實應有檢討之必要。

文化局，自五十六年度起，實施日片標售辦法，根本就是標售日片配額權利，有類一種市場上的買空賣空，轉手圖利，遠不如請願影業商當時所指的自購影片進口標售辦法，較為合理，而文化局，現在所實行的標售辦法，不僅是剝奪影片業商應有的權益，且視為該局應享的公實專利，簡直是與民爭利的行為，「上下交爭利，則國危矣」！此豈復興中華文化之道？

依據影片業商請願書所指，該局進口的日片，半係武俠神怪。誨淫誨盜者，不惟不能轉移社會邪淫風氣，挽救世道人心，且大悖國策，違反總統手令的。「加強推行社會教育，實行國民生活與倫理，復興中華文化，發揚我國固有公民道德，喚醒民族傳統革命精神」的指示：其不遵國法，破壞體制，莫此為甚。以致引起社會人士，交相指責，及影片業商團體的請願反對。而文化局既負有偉大時代的使命，理應要全力輔導文藝電影電視戲劇等，大衆傳播事業的健全發展。以期能轉移社會不良風氣，挽救世道人心，使他們走向光明大道，日進其德。而文化局不此之圖，反而倡導邪淫影片進口，其違反國策及總統手令，至為明顯。

自行放寬檢查尺度 邪惡影片竟能上映

實屬敗壞人心荼毒社會 應採有效措施予以遏止

現在最惹人注意的，就是自行放寬影片檢查尺度。例如美國影片「外科醫生」，在台北上演，其內容除描寫韓戰期間，聯軍野戰醫院中，醫師與護士間的調笑淫穢情節以及黃色對話外，且諷刺反共戰爭，瓦解觀衆反共信念，此種主題。不無寓有替共產主義宣傳之嫌，竟能在反共復國基地台灣上映，未悉文化局，用心何在？此確值得教育當局，嚴加糾正者也。

現在上演的國語片「太太回娘家」，說意破壞家庭倫理，鼓勵丈夫於太太不在家時，得與其他女人勾搭，而不必負責，無疑的引人趨於邪淫，而為罪惡。此類影片，既與文化復興旨趣精神向背，竟能准其在自由基地台灣上映，亦屬令人費解，情同監守自盜，實屬貽害國家民族，違反國策，敗壞人心，荼毒社會，不無誨淫誨盜之嫌。教育當局，若再不加以遏止，深恐十年之後，台灣既無可用之兵。更無反攻復國之希望。

文化局，由五十六年度起，實行日片進口標售辦法，所獲之利潤，一千七百餘萬元，未經行政院核准。擅自坐抵運用，經過立法委員張希之、張志智、張光濤、張子揚等四委員，先後提出質詢，而該局為諱飾擅自坐抵之罪，于去冬始補辦列入六十年度追加歲入手續。「依照國家總預算法施行條例第二條之規定，各收入機關，應依法編造歲入分配預算，經核定後，切實繳收，所有預算外之收入及預算內之超收，應一律解庫，并列入決算，均不得逕行坐抵，或挪用，於事後補辦追加手續，皆是違犯國家總預算施行條例第二條之規定。」

本席基於赤心碧血，革新社會，貢獻國家，復興民族的觀念，與早日完成復國統一的大業，河山再造的希望、繼以沉痛的心情，為民呼籲，希望教育當局，依照行政院，革政治風新氣，維護機關紀律，加强行政處分。執行原則，與公務人員，違法失職的規定。對於以上的質詢，務請切實負責，予以撤查，并希望採取有效的措施，厲行整頓違法營利的頹風，以期革新文化教育，放出光輝異彩，績效顯著，挽救世道人心，樹立社會優良風氣，不但是為我們打倒奸匪毛賊有效的武器，且為我們中華全民，反攻復國，安身立命的大本。這就是我們朝野上下一致的殷切渴望。

仲張正義力闢邪說 我應重視國際宣傳

立委促加強培養新聞人才 運用生花妙筆闡揚我國策

（自由報台北消息）行政院新聞局長魏景蒙說：我國現有新聞從業人員中，能以外國語文寫作者為數不少。但就整個世界的新聞工作而言，人才仍有待加強培養。現我國許多大學都設新聞學系及研究所，有關學術機構亦正計劃辦理新聞從業人員之再訓練，以加強培養在國際新聞輿論界之地位。魏局長在立法院答復黃強委員質詢，作上述說明。

黃強委員就「怎樣加強培養外事記者」向嚴院長質詢，他說：最近由於董顯光先生逝世，使國人想起外國語記者之凋謝，不勝慨嘆！人海芒芒，我國還有在國際上出色的記者麼？還有多少人呢？現在國際新聞，愈競爭愈激烈，我們是否應該後起有人？本席擬就此一觀點，請 貴院指正：

反共鬥爭，方式極多，新聞理論之批判，確為有利武器。一篇好的報導，令讀者不忍釋手，動人心弦，影響力之偉大，有時可以勝過十萬雄兵。現在彼此雙方，對於新聞宣傳，無不各逞智慧，出奇制勝。紐約各大報，皆有專欄作家，獨擅妙見，消息之靈通，觀察之精微，在在引人入勝，其中如「美國新聞與世界報導」等雜誌，其所論斷，尚未到發表日期，已早為各通訊社，電佈全球，閱者先讀為快。

至於莫斯科，更顯手法。有路易士者，本為法國人，却為蘇俄所重用，更兼倫敦晚報記者，他的電訊與專欄，居然在全球各地，發生政治影響，舉世各報，多為轉載。

舉目斯世，國際新聞鬥爭，日新月異，反顧我國，則如何？相形見拙，言之茲愧！世界各大報，有我們可以插足之餘地麼？我們究竟有幾個專欄記者，可以在世界各大報，發表一篇有份量的文章？

立法院平時質問科學建設，答覆者動不動就是經費困難：現在質詢專欄記者的問題，難道又是礙於經費困難麼？老實說：造就專欄記者不是經費問題，是才質問題，是怎樣培育的問題，是如何運用的問題？國勢至此，我們不欲多言，多言亦無益，亡羊補牢，或未為晚。

我國現在需用懂外國語之記者，實百倍於往日。我以為：在國際場合，「漢賊不兩立」，當然是國策，無可變易；毛共打入聯合國，我們必須將他打出去，這是正當的解釋。按聯合國憲章，重要問題，須三分之二始能通過，但「重要問題案」之本身，是否成立，僅需過半數表決即可。萬一重要問題案無法提出，美日諸國，一面保持我國地位，一面准許毛共入會，我若本於「漢賊不兩立」之義，自動脫退，下旗歸國，豈不正中「毛共」之下懷。

[illegible]要憑各種謀略去鬥爭，在聯合國，我們有憲章及種種條文為根據，「賊來，我們當然不退；賊未來，我亦不退。」我們要發動種種潛在之力量，與國之周旋，需要大量外國語專欄記者，而對各國民衆，各種傳播工具，據理力爭，作外交上的白刃戰。

我不是說：僅憑一些外國語記者幾篇專欄，便足以挽回天日；我只說：宣傳重過作戰，我們過去太沒有重視國際宣傳，沒有遠見，[illegible]不能克制機先。處處失敗，遇事落伍，我且舉兩個例證，來補充我的見解：

一、聯合國秘書長宇譚，去年夏季明言「中共參與聯合國活動，不會早於一九七二年」，[illegible]給人一種暗示，[illegible]我們如有一流的專欄作家，就要問他何所據而云然，駁他一個先聲奪人，體無完膚。

二、阿爾及利亞代表在安理會於一九六八年[illegible]我國代表全權證書提出問題，[illegible]我們如有一流的專欄作家，就該根據聯合國憲章第廿三條「中華民國為安理會常任理事國」之明文規定，痛加斥責，務使國際陰謀者，無所遁形。

我國有不少觀察者，認為各國有各國之國策，他們基於本國之利害關係，[illegible]無法爭取，其實不然，若果這樣想，那我們也不用外交，不用宣傳，更用不着專欄作家，只好聽天由命，由毛共宰割罷了。我以為：儘管各國有其自己的利害關係，但正義在我們這邊。人類最大的利益和幸福，莫過於自由。[illegible]

[illegible]政治之國家，前後主張，並非永久一成不變，如加拿大，如智利，[illegible]反共風雲，變化莫測。來日方長，[illegible]依本席看見，政府立場，固不宜與毛共建交者，發生關係；而民間來往，[illegible]所謂「藕斷絲連」，則運用之路不斷，各種活動，仍可依計而行。[illegible]

五十六種砂鍋烹飪

馬騰雲

（五）砂鍋牛尾

吃牛尾始於西菜中牛尾湯，照組織療法的原理，當然有其補養價值。強筋益骨無疑。

牛尾很難煮，如欲使牛尾很快爛，其訣竅：一、稍加稻草。二、或稍加杏仁幾粒。三、或稍加蘆葉數片。很快就會煮爛，煮爛後將加的東西撈去，配以蕃茄、胡蘿蔔、蘆筍之類，葱、薑、胡椒粉、黃酒。上桌前加水蒜花、香菜、辣油等，西國人之喜歡吃蕃茄，因蕃茄裏含維生素A、B、C非常豐富，胡蘿蔔則為賤物之中的殊品，惜一般人不太注意，就其所含的成份來說，計有精油、胡蘿蔔色素、脂肪、蛋白質、糖、失水戊 、維生素A、B、C、蘋果酸、粘液汁及胆鹼等，任何蔬菜都不是牠的對手，載於藥典的，胡蘿蔔功能健胃消化，並治久痢，安五臟，調整腸胃機能。蘆筍的功用最清胃火及止咳解毒，砂鍋牛尾裏的「三友」，對我們的貢獻太大了。眞正稱得上是「益友」。

除回教外，中國人最愛吃豬肉，豬肉之可愛是隨和，牠可以與任何蔬菜同燒無忌，牛羊肉就不同了，（詳見生活漫談不贅）今天祇研究牛尾，處家常或請客吃飯・單燉牛尾湯，或燒牛尾一樣菜的很少，再簡單也從四菜一湯，這四菜一湯中，豬肉必然參予，有了牛尾問題就來了，因牛尾和豬肉之混，吃了會使腹內產生出一種叫作「寸白蟲」，一個月後肛門癢，（詳見藥典）如果我們吃砂鍋牛尾，最好與豬肉隔離，赴宴更得注意這些。中國菜中牛肉很少入正式場合，可能就是這個道理。

縱橫談當舖

·萬念健·

美國最大一間當舖的招牌叫作「卡斯利」，它是著名的「富人當舖」，開設已逾八十年。該店接受的押品範圍很廣，除了金銀珠寶之外，如中國古代的藝術品、帝俄時代的王室珍藏品、手槍、機器、名貴傢具等，但典質物體積愈大，所收利息也愈高。

押業公司 美洲第一

加拿大的「麥唐尼押業公司」是美洲最大的當舖。該公司擁有一座四層大廈，每年顧客六萬人，營業額近一千萬元。由於它資本雄厚，吐納多較大的押當交易，[illegible]所以生意特別興隆，有客似雲來之盛。

這家大規模的押業公司，原由莫里斯和蘇德兩兄弟合資經營，現在已經到了第三代。他們的經營手法，的確與衆不同。對於顧客的禮貌，十分週到，受僱職員，均須接受嚴格訓練。主人對於店務，經常嚴密注意，[illegible]務求顧客滿意，以是營業蒸蒸日上，不但成為美洲最大押當之一，而且獲得「窮人之友」的美稱。

每年年尾，是當舖營業最旺的季節，在贖之間，忙碌不堪，本文還於此時，蒐集古今中外當舖的史實花絮，拉雜寫來，無非為了時應景，供作消閒談助而已（待續）

先替中醫中藥界講幾句

·文匯樓主·

最近香港台灣的報紙雜誌對中國醫藥好像很過不去，有的謂從加拿大投稿，有的謂從倫敦投稿，有的稿說來自東歐，像煞有介事，幾與中國有不共戴天之仇，好像非這樣做，便對不起所受的西洋教育。乃至於奴化教育，與已死去的漢奸汪精衛隔着陰陽兩界遙相呼應，汪先生如果地下有知，對這種德不孤必有鄰焉，當引爲知心。

教育部「海外雜誌」指出中醫中藥形同廢料，對兩廣醫藥盛世從不提及；對近代東方國醫國藥的改進工作也封着口不談，祇夾着中間一條狠勁的咬，（中古落伍醫藥）。又本港某雜誌謂：「中醫裏的金、木、水、火、土，完全胡扯……」樓主引證現代醫藥理論權威馬騰雲「生活漫談」，「中醫五行之氣淺釋」裏的話，作對「完全胡扯」一個側面答覆：「中醫的所謂五行者，乃金、木、水、火、土。其實祇不過用作代表心、肝、脾、肺、腎、五臟的一種符號而已，符號的本身並沒有甚麼特別意義，更不是中國醫學的基本要點，何况進步的中醫，早將金、木、水、火、土廢除不用，而直接用心、肝、脾、肺、腎五臟的本名，恐怕攻擊中醫的人，還未注意到這些問題。

五行者，雖然是一種符號，但也不是憑空亂取，進一步研究的話，出自陰陽五行，陰陽來自易經，易經是中國一切哲學之源，易經所指易的狀態，認爲天地萬物的變化，都起於一個動字，因天地之間，有兩種動力，一是陽（屬剛性），一是陰（屬柔性），由於剛柔兩種動力互相衝突，生出種種變化，是謂之道，電學常識裏，有陰陽兩種相等的電子，互相吸引，就是這個意思，人身各部，不斷的新陳代謝，就是陰陽兩原力爲其動力，違反這個自然規律，人就要生病，人之有老態，就是因新陳代謝機能衰減。

上面說過，五行者，代表心、肝、脾、肺、腎、五臟的符號，另一意義，甚麼叫作五行，五行乃五種行動之謂，金代表鎮靜，木代表滋長，水代表下行，火代表上升，土代表漲縮，宇宙萬物一切行動，沒有辦法離開這五種方式，人體更難例外，如果其中一種行動過度或不及，就會引起生病，醫生的任務，就是糾正人體中不正常，怎麼能指陰陽五行謂之完全胡扯呢？」

末了，樓主再引證馬騰雲的話，欲先替中醫中藥界向欲廢除中醫中藥的朋友們講幾句，中國有很多不學無術的俗醫，念了幾句湯頭歌，或自稱癌症專家，即「封鎖癌症」之謂，就隨便替人看病，這和在各大醫院裏當過幾天看護，出來之後就開設診所，更是所在皆有，均不能代表中醫或西醫落伍，這是政府衛生行政問題，而非中西醫藥本質有甚麼毛病。

太平天國失敗的原因（八）

·黃大受·

據古制而惠四方，求主禮而卹下，寬刑以待萬方，輕世人糧稅，仍重用翼王，不用安福王。」但天王不聽他的意見。「我王重用者，第一幼西王蕭有和，第二王長兄洪仁發，王次兄洪仁達，第三千王洪仁玕，第四駙馬鍾姓黃姓，第五英王陳玉成，第六方是秀成也。」就是對忠王李秀成也是不放心，怕他叛變，可見天王之不能用人。忠王出征江西時，在天京勸衆人買糧以防包圍；可是「那時洪姓出令，非洪姓之票不能出京，要票出京者，亦要銀買，方得票行，衆欲買糧者，無票不能買也。得票買糧回者重稅，是以各不肯買糧入京，今日之國破，實洪姓之自害也。」忠王到蘇州主政時，天王見他兵多將衆，號稱百萬，聽奸臣弄權，封其部下陳坤書爲護王，以分其勢。忠王力奏改革朝政，天王並不相信，反降忠王之職，暗中削革忠王權力。忠王慈愛軍民，王次兄及洪姓，反說他有害國的陰謀。他出京時，洪姓在城內各處搜括銀米，全城男女不安。忠王後又回到天京，由於天京被曾國藩包圍，城內糧食缺乏，忠王把私人錢米救濟，仍無濟於事，於是請求天王准許放人出城逃生，天王也不允許，忠王只得私自放出，「不意巡各門要隘，是洪姓用廣東之人，將出城男婦所帶金銀取淨，害此窮人，我聞甚怒，親往視之，果有此事，當殺數人然後各出城門，而可暫安。「朝廷內贊王蒙得恩死後，其幼子贊王蒙時雍，只是二十歲左右的青年，天王叫他繼任父職，以執王少年而掌國家大政，實在是以國事爲兒戲，天王的昏憒，於此可見。

九、天王的迷信和顢頇：天王的宗教熱誠，到後來竟變成了迷信狂，於是忠言逆耳，一意靠天。茲就李秀成親供所記，畧述一些以證。忠王在攻破江南大營和春人馬以後，天王「亦未令外官見覲，朝臣亦是未見，我主不問政事，只是教臣認實天情，自有昇平之局。」忠王出征江西，奏勸天王買糧，天王罵他：「爾怕死，朕天生眞命主，不用兵而定太平統一。」會國藩包圍天京，忠王建議棄城別走，不可死守，天王又譏責他：「朕奉上帝旨，天兄耶穌聖旨下凡，作天下萬國獨一眞主，何懼之用？政事不出爾奏，政事不由爾理，爾欲出外去，欲在京，任由於爾，鐵桶江山，爾不扶，有人扶，爾說無兵，朕之天兵多過於水，何懼會妖者乎？爾怕死，便是會死，政事不與你相干，王次兄勇王執掌，幼西王出令，合有不遵西王令者，朝誅之。」後來城圍過久，糧食缺乏。忠王奏請天王應如何籌謀？以安衆心。天王卻把地上所生之物，稱爲甜露，叫大家喫甜露，朝臣說不能喫。天王竟命令天京之人依行冊遵。忠王批評天王：「自己不肯矢志，鼎實於天；不肯信人，萬事俱是有天。」天並不能幫助天王解決困難，所以政事越來越壞。爲了防止李秀成有他心，才封爲忠王，以後封越多，「因封他有功之人，又恐前有勞之人不服，故不問何人，盡亂封之。有人保者，有些錢者，俱准司任，保官之部，得私保之，無功偷閒之人，亦各封王，外帶兵之將，日夜勤勞，觀之怨望，不肯出力戰守，各不爭雄，有才能而主不用，庸愚而作國之棟樑，主見失算，封出許多之王，有如箭難收，又無法解，後以封王俱爲列王者，因此之山來也。後列王封多，又無可改，王字加頭上三點，以爲羔字之封，人心更不服，多有他圖，人心由此兩舉（另一指重用宗室）而散多也。」這種顢頇不問是非的作風，結果是治絲益紛，更加速了天國的解體。（未完）

蝴蝶魚

御廚談藪

林泉隱

蝴蝶魚，草魚一名軍（魚旁）魚，味甚美，有暖中補腎之益，其胆能治喉中骨梗，于臘月收取陰乾，用時以酒化呷吞服，燒法，將此魚剖洗淨後，切片，鋪入豆粉，用小木槌槌之使薄成爲蝴蝶狀，並用香菇去柄浸湯，切細絲，下鍋中同時加以肉汁湯或鷄汁湯，急火燒之，待湯滾，乃放下角肉，合蓋再煑，撒些食鹽，畧傾醬油與紹酒，又放些薑片，復煑片時，即可起鍋，盛碗時撒些葱屑，以引香味，若煑時加配火腿片與筍片。香味尤佳，本品爲閩省中之特別名菜。

漫談中國戲劇

·雷震遠·

詞與第一階段的手段有異曲同工之妙。如柳蔭記梁祝故事，翻改越劇；「多沙寨」，雲南女土司故事（中共自我創作）；「望江亭」，翻改元劇；「生死牌」（中，王玉環爭認罪）（中共自我創作）。其他例劇不勝枚舉。這時期還有所謂「百花齊放」，就是中共吸收地方劇的把戲，也正是中共吸收地方劇的把戲，也正是中共以竄改之毒素打進民間的詭計。這第二階段的竄改方式最爲陰險毒辣，有時能影響一般人民的善惡思想，破壞社會秩序及人心世道。

中共還有三階段的竄改野心，從一九六二到現在，直接爲配合所謂「偉大的」社會主義革命及社會建設，乃推行其「京劇現代戲」運動，這完全揚棄了平劇的傳統，只是利用平劇的規律，所表演的却像話劇一樣不倫不類的東西了。至此，大陸上的平劇命運，已喪失本來的面目與價值。這種舞台式的「京劇現代戲」，如紅娘子軍，奇襲白虎團（寓意抗美援朝），戰洪峯、延安軍民、強渡大渡河等等，簡直是變成了共產政權的刻板工具。像這種政治色彩太濃的「現代化」之京戲，自然不易滲透自由國家及華僑社會。

結語

今天大陸的人民已嘗盡共產主義的滋味，逃避現實，回頭重覓舊戲劇的人一天多似一天。在劇院裏，在京劇中，他們的想象可以飛翔，他們至少可以嚼取片刻的自由滋味。我們希望，在不久的將來，他們不但在戲院裏在想象中才能呼吸自由空氣，希望在現實生活中也能獲得完全自由民主的生活。

說曹操（六十四）

曹公之文學與技藝

李漁叔

除詩以外，曹公的文筆，也極爲沉著老練，他在少年時，以明古學而徵拜議郎，（見魏書）可見其本來學有根柢，再加上他「御軍三十餘年，手不捨書」，所以一直不曾荒疏，而更有進境。他的文集中，如述志令，文字十分優美，算是在古今令文中別具一格的東西，因爲命令只是命令，如果以令文而宣述自己的意志，就很少見了。曹公這篇述志令，倒是十分坦白的。令文的首段如下：

「孤始舉孝廉，年少，自以本非巖穴知名之士，恐爲海內人之所見凡愚，欲爲一郡守，好作政教，以建立名譽，使世士明知之。故在濟南，始除殘去穢，平心選舉，違忤諸常侍，以爲豪強所忿，恐致家禍，故以病還。」

其次，敘述世亂歸隱田園，文氣作一反跌：

「去官之後，年紀尚少，顧視同歲中，年有五十，未名爲老。內自圖之，從此却去二十年，待天下清，乃與同歲中始舉者等耳。故以四時歸鄉里，於譙東五十里築精舍，欲秋夏讀書，冬春射獵，求底下之地，以泥水自蔽，絕賓客往來之望，然不能得如意。後徵爲都尉，遷典軍校尉，意遂更欲爲國家討賊立功，望封侯作征西將軍，然後題墓道，言漢故征西將軍曹侯之墓，此其志也。」

以文句推之，「同歲」是指舉孝廉的同年，有年齡高達五十歲的，並不算作老，而曹公自忖還只有三十，再等二十年，天下太平，還不過和他們一樣年紀，所以暫時動了還鄉讀書射獵的念頭。而在徵爲都尉後，文勢又一振。

他在敘述滅袁術，破袁紹定劉表以後，接着說：「遂平天下，身爲宰相，人臣之貴已極，意望已過矣。今孤言此，若爲自大，欲人言盡，故無諱耳。設使國家無有孤，不知當幾人稱帝，幾人稱王。或者人見孤強盛，又性不信天命之事，恐私心相評，言有不遜之志，妄相忖度，每用耿耿。」

以下索性把自己的本意說明：

「然欲孤便爾委捐所典兵衆，以還執事，歸就武平侯國，實不可也，何者，誠恐己離兵爲人所禍也，既爲子孫計；又己敗則國家傾危，是以不得慕虛名而處實禍，此所以不得不爲也。」

（未完）

安徽十三傑

管仲　李聃　莊周　曹操　華佗　包拯　朱熹　朱元璋　戚繼光　李鴻章　段祺瑞　胡適　楊振寧

催眠療病法

鮑紹洲

手電療法

就是用手電治療患病者的病。每個人的手掌中，人人都有一種天然的電，我們合掌磨擦，掌即發熱，再用力磨擦數百次，嗅掌中便有硫磺氣，這就是有電的證明。

本法即利用此手電，可以治療四肢麻木，腰酸背痛，頭痛便秘等症。施術須在眠遊狀態中，先用右手掌壓病人患部，五指顫動，須迅速微妙，使病人如感受電然。若治麻木，則血脈流通，漸漸可以活動。若治便秘，則可助蠕動，漸至大便通暢。如治手足，全部麻木，遍按四肢，太覺麻煩，可以先用手持病者雙手，微微震動，然後再持病人兩足震動，也能迅速感應。不過一次施術，震動最多三十分鐘，病可去十分之三，須連續三天實施此法，方可全部痊癒。

惟施術時，須暗示道：「我用手電爲你治療某病，使你精神非常愉快，肉體所受病痛，便漸漸消失」。最後一次當與暗示道：「你的病經過我手電療治，已有十去六七，此次療治，必定完全痊癒，恢復健康。」如此功效特見而迅速。

國醫眞要廢除了嗎？

幸超羣

教育部是爲發揚民族文化，研究高深學術養成品德高尚之專門人才，促進國家發展爲宗旨而設立之最高教育行政決策機構，其一言一行，均足以影響全國人民之意向與行動。今教育部部長鍾皎光先生發行之海外學人第七期（五十九年十二月一日出版。）第二頁載有「爭取人才與中醫問題」一文，其中向曾對國家發展有過功績之前輩陳可忠、李熙謀、王成椿、戴運軌諸位先生不敬之處甚多，此種跡近公開侮辱師長，殊失我國倫常，然因事關私人，未便多所論列。惟該文對於摧毀中醫部份，輕視立法建制，以一從業人員之立場，似亦不應緘默。該文竟謂：「（1）全民醫藥保健方面，中醫中藥沒有利用價值，……。（2）衛生署副署長一人，沒有由中醫充任的必要，……。（3）中醫藥委員會委員，聘請中醫師担任研究工作，是胡扯談，開倒車，庸人誤國，莫此爲甚，……。（4）教育部醫藥教育委員會之中醫委員名額，應予删除，以免浪費國家公帑及官職……。」此種侮辱十全大會之提案，國民大會之建議，立法院之立法，行政院之建制以及輕視發揚中國醫藥之政策與違背復興中華文化之號召之惡劣言論，竟然在教育部部長發行之刊物上發表，殊感失望之至。這種責任應該誰屬？我要請問：對教育的影響責任誰負？對行政的影響責任又誰負？我更要請問：這是教育部代表行政院之政策意見和作法之表示？抑或係其個人對立法之輕視？對制度之違背？對人權之侮辱？如果不是，則對上述言論應請行政院飭令教育部從速更正，除向曾對國家有所功績之陳可忠、李熙謀、王成椿、戴運軌諸位先生表示歉意外，並應將言論而形成之後果速求補救。茲分別列舉數例如后：

一、當此衛生署成立之初，即未能重視立法原意與國大建議，以及對全國省縣市中醫國藥公會暨學術團體四十二單位自動一致公推之人選毫不參考，而盡用西醫人士爲衛生署副署長一舉，似欠合理，此種措施，關係個人之成敗榮辱事小，有失國家法制民意事大，爲正法統，應予檢討，以勵來茲。

二、教育部最近將醫學教育委員會之中醫委員名額完全删除，僅存有中醫資格之立委一人，不知是何用心？今日中醫中藥世界重視，惟我教育部，輕視如此，苟無其他原因，應請速予補救，增加中醫名額。

三、教育部職掌全國教育，對於所有教育法令以及現有學校，自然瞭如指掌，今大學法之修正案中，有牙醫系、獸醫系，竟無中醫科系或課程之條文列入試問現有之中國醫藥學院將何以存？未來擬設之中醫學院將何以立？置立法院四十五年三月院會咨請政府設立中醫學院之決議於何地？姑無論此種措施是否有意抑或疏忽，應請行政院速賜查究，並請立法院立法諸公嚴明審核，依法列入。

四、我國大學除文、理、法、商、農、工、醫等均有國立之學院外，尚有國立復興劇校、國立藝專、國立體專等等，獨我立法院十五年前即已咨請政府設立國立中醫學院，始終無人過問，迄今不獨無一設立，且所有醫藥學院，亦無中醫科系或中醫課程，請問我們的教育部爲甚麼不執行既定的決策設立中醫院校或科系？爲甚麼不設學校研究就漫罵中醫不科學呢？爲甚麼在我們的國家內辦教育一定要辦完全的西醫學院？爲甚麼我國的教育行政措施永遠跟着外人走？爲甚麼我們不辦一所取人之長，補己之短，融合中西，獨樹一幟，標榜天下的學院呢？難道全世界正在研究的中醫中藥我們自己不值得研究嗎？難道要讓我們的兒女去法國日本韓國學中醫而不知恥嗎？

國步艱難，匹夫有責，賢者主政，職無旁貸，幸勿以個人之好惡而左右國家發揚中醫國藥之決策，應以國家之利益爲立法建制之依據。區區之見，耿耿之心，是在對事，而非對人，尚祈主政諸公，大度包涵。敬請海內外中醫藥公會暨學術團體負責先進，根據上述種種事實，電請有關當局，從速飭令糾正。並請立法院立法諸公，提出嚴正質詢，以正法統，而維制度，則國家幸甚矣！

國父之創見與中華文化之必然復興（六）

陳立夫

此種情況，於女子爲最不利，因年齡爲重要之因素也，遊蕩生活，不可以久，曠夫怨女，均無益於社會，其隨聚隨分之家庭，更使兄弟之一倫爲之亂，若再惟金是拜，人與人間之情感，所存無幾，則朋友之一倫，僅存利害之關係，毫無道義之可言，有等於無。君臣一倫，原屬於公的關係，僅賴法律與金錢爲之維繫，忠國愛民之信念，亦不復存在矣，五倫盡喪，人各爲私，於是父母不能管子女，長官不能管部屬，教師不能管學生，社會成爲一盤散沙，其所異於禽獸者幾希矣。所以孟子說「無父無君，是禽獸也」。

由此吾人應曉然於倫理之建設在德，而其破壞在淫。德之本在仁，仁之本在孝悌，吾祖先以「萬惡淫爲首，百善孝爲先」爲訓者，蓋欲維繫倫理於不亂，而使人別於禽獸耳。

（二）本末倒置，人爲物之奴隸

吾祖先眼光遠大，知「物有本末，事有終始」，其要在「知所先後則近道矣」，所以說「有德此有人，有人此有土，有土此有財，有財此有用，德者，本也，財者，末也，外本內末，爭民施奪」，先正其德，後利其用。庶能人盡其才，地盡其利，財盡其用，以厚民生，此「正德，利用，厚生」之原意也，後世違此旨，故凡管人教人之「士」，有以身作則之責，莫不以「安貧樂道」爲信條，而以先天下之憂而憂，後天下之樂而樂爲自得，蓋人民盡富則己何以會例外耶。惟以商業爲重心之國家則反是，人人以發財爲目的，政府用人才，亦以有發財之能力者爲先選，久而久之，雖三尺之童，亦知如何發財矣，教堂原爲講道之所，亦漸漸成爲聚賭之處而不以爲怪，一切以成本計算，雖父母子女之間，亦無例外，及習慣成爲自然，視同居之父母亦同房客，財與德已倒置其本末矣，於是凡有利可圖者，雖毀道敗德之事，亦必爭先爲之，新聞事業之發展，輒與商業成正比，充滿黃色新聞廣告，隱善揚惡，以吸引讀者而謀其利，電影廣告與電視，更有誨淫誨盜之專門節目或表演，而無所禁，青年日受其害，徒爲商人飽私囊而已。政治原爲管理衆人之事，余嘗譏於彼邦，魚肉市場有不新鮮之貨物，政府隨時派員檢查禁其銷售，以其物品之有毒耳，今於有毒於青少年思想之書刊及大衆傳播之節目，獨任其自由映播，誠爲不可思議者，蓋其一向所注視者爲物質，而所遺忘者爲精神耳。及至中毒已深，則挽救之術，蓋拜金縱慾誨盜誨淫之結果，必致男盜女娼而後已。盜與娼爲物質之奴隸，社會之賊蠹而已。

吾祖先預先警誡後人者，無異爲子孫注射防疫針，雖被傳染，病可減輕，此吾國今日之現象也。而他人以不知而盡犯之，我將效法之乎？抑峻拒之乎？抑更以我之所信者以之救助他人乎？此則有待於我人之自擇耳。否則「天作孽，猶可違，自作孽，不可逭」矣，我人若一任其罪惡之傳播，而不敢言，且不願以身作則，以挽此狂瀾，則吾人以往盡心竭力所造成之建設，終將受人性之戕喪而毀滅，此則可以預測也。

（三）文化復興，旨在自救與救人。

文化復興以倫理民主科學三者爲綱者，蓋欲以己之長貢獻人羣，以人之長補己之短，惟不欲以人之短毀我之長耳。則今日我人負科學發展民主習練與工業建設者亦應同時爲倫理建設盡最大之努力也。夫以倫理爲基礎之民主，則政治制度不再是機械論的民主，而是有人性的，自主的，而且是本然的，自發的，向上的，爲中華民族所追求的「導之以德，齊之以禮」的民主理想，而又可防止現代西方民主偏差之弊。有了倫理基礎的科學，則一切生產建設，不但表現人類的創造才能，足以主宰物質，克服自然，亦且使人人獲得生活之幸福和自由，邁向天下一家的文明世紀，進入天下爲公的大同世界，不致以科學的成果導引人慾之橫流，造成罪惡之瀰漫，終至使人性戕喪，與禽獸不分，並成爲物之奴役而無以自拔，中華文化既爲順乎天理，應乎人情，適乎世界之潮流，合乎人羣之需要，則其必然復興，尚有何懷疑之可言？己立立人，己達達人，原爲仁之定義，仁者必有勇，吾人應有仁者之自信，而從自身做起，發揚吾民族固有之道德智能，崇尚倫理，習練民主，提倡科學，以挽救被戕喪之人性，俾促進文化復興，立夫願與諸君共勉之。（續完）

談財神爺沈萬三

・范正儒・

沈萬三的籍貫問題，在明人筆記的記載裏也是傳說紛紜。張三丰先生全集說他是金陵人，孔邇的雲蕉館紀談却說沈是蘇州東蔡村人。明史高皇后馬氏傳，說沈是吳興人，但循陔纂詞根據秀水縣志，則說沈之原籍是浙江嘉興縣，可是他久居金陵。一個人的發達了，自有許多同鄉親友來攀龍附鳳，也是無足爲奇的。

沈萬三暴富傳說不一

沈萬三既是中國歷史上出名的豪富，那麼他是怎樣起家發跡的呢？說來却又頭緒繁多了。一說沈的富有由於父業遺產的關係。如循陔纂詞根據秀水縣志說：「萬三父遊姑蘇，於廢宅中得數罌黃白，遂用饒富。」雲蕉館紀談則有兩個傳說，一說是「沈萬三夏夜仰臥漁船上，見北斗翻身，俄有老者挑籮担至，三啓視之，皆馬蹄金也。」又一說是：「沈萬三家貧無活，以漁爲生。常於吳淞三泖之間，撒網捕魚。一日，於水邊撩得石彈纍纍，光澤異常，乃盡其所有而取之，然不知其何物也。有識者異之，謂之曰：此烏鴉石也，一枚可易錢數萬。沈秘而不言，乃變爲海賈，遍走徽、池、寧、太、常、鎮諸地，轉輾貿易，致金數百萬，因而顯富。」

堅瓠集引挑燈集異：「明初沈萬三微時，見漁翁持青蛙百餘，將事剖刳，以鏹買之，縱於池中。嗣後喧鳴達旦，聒耳不能寐，晨往驅之，見蛙俱環踞一瓦盆，異之，持歸以爲浣手器。萬三妻偶遺一鋜記於盆中，銀記盈滿，不可數計，以金銀試之亦如是，由是財雄天下。」王肯堂鬱岡齋筆塵則記：「俗傳萬三家有聚寶盆，以物投之，隨手而滿，用以致富敵國。」

蘇州人的傳說：沈萬三初時在當地大戶陸秀道家中幫助經紀，很獲信任。陸秀道送給他許多田地，於是沈萬三租田給佃戶，做了地主。後多又當了運糧官，差使，往來南北，也趁便隨地做些買賣。當時運糧是個好差使，在糧食中摻雜些細石碎沙，浮報數目，祇要賄賂上官，更可尅扣運伕口糧。這樣上下其手，每年可賺不少的錢。

張三丰授以鍊金銀術

沈萬三之致富，乃由爐火術點鐵成金而來。張氏全集上有：「沈萬三者，秦淮大漁戶也，心慈好施，其初僅溫飽，至元十九年（順帝年號），忽遇一羽士，神采清高，龜形鶴骨，大耳圓目，身長七尺，修髯如戟，時戴偃月冠，手持刀尺，一笠一衲，寒暑皆然，不修邊幅，日行千餘里，所歎升斗，輒盡，或辟穀數月而貌轉豐，萬三異之，常烹蟹燙酒，邀飲蘆洲。」

「偶於月下對酌，羽士謂曰：子欲問吾出處乎？萬三啓請，羽士掀髯笑曰：吾張三丰也。萬三聞言，五體投地，稱祖師者再，並乞指教。曰：塵愚願以救濟，富壽非敢望也。祖師曰：雖不敢洩其傳，亦不欲緘默閉道。予己深知子之肺腸，當爲於作之。於是置辦藥材，擇日燒煉，七七啓視，祖師嗟咄不已。萬三自謂機緣[illegible]盡所有。」

「迨下手及半，忽汞走如焚，爐蓋盡毀。萬三深歎福薄，祖師勸其勿爲，夫婦毫無怨意，苦留再煉，資財已罄，議鬻幼女，祖[illegible]知，竊喜其志堅，一任所爲。令[illegible]汞，招其夫婦至前，出藥少許，指甲挑微芒，乘汞熱投下，立時凝爲土，復以死汞點銅鐵，悉成黃白，相接長生。祖師遂收丹頭，臨行囑曰：東南王氣大盛，當晤子於西南也。」（未完）

第二十章

三泉閘子羽退金兵
固石洞岳飛擒玩寇

岳飛親自提兵往吉州剿殺，生擒賊首羅誠等二百餘人，其餘聞風早已連夜遁走他竄。復又旋師虔州。因賊寇大本營集中虔州，虔州成了盜賊之淵藪。在軍次獲知軍情，彭友等立大寨於固石洞，積糧甚豐。岳飛往趨固石洞。彭友聞岳飛軍來，連夜竄往雲都集中，準備與官兵決一死戰。在雲都宣稱：「人言岳飛智勇天下第一。我今破之固石洞，他人豈奈何於我！」吏民有將此言告知岳飛，飛大笑。旋命辯士二人前往，開諭禍福，說之招降。

彭友對辯士道：「請告知岳承宣：我寧敗不降，請勿虛聲恐我」。辯士還報岳飛，於是約期交戰。屆日，彭友驅象佈陣，賊將躍馬馳騁，以示軍威。岳飛出陣，以鞭一揮，一字長蛇陣擺開。彭友專挑岳飛親自見陣。岳飛一馬飛出陣前，彭友恃勇來迎，更不答話，兩馬相交，只戰一合，彭友被岳飛擒住。賊兵一見主將被擒，不戰自亂。岳飛揮軍掩殺，士卒爭先立功，殺死賊兵滿山塞谷，奪獲衣甲器械無數，俘降老弱飢民二萬餘人。岳飛放歸田里，其餘之衆竄保固石洞。

岳飛每次行軍，必自引十數騎，周圍巡視，糾察不守紀律者。時統制官王貴，怒一卒擅離隊伍。王貴治軍甚嚴，大怒，竟令將該卒斬而尸之，卒尚未死。被岳飛察知，岳飛急往巡視。果見王貴烹卒，以爲擅離隊伍之罪，已不當死，乃解左右救之，已不及，以衣爲殮。召王貴斥道：「擅離隊伍，罪不至死，汝當以死償之。」王貴倉惶不能對。諸將羅拜代乞請罪，乃免。岳飛軍紀嚴而不苟，由此足見一般。（一〇一）

周燕謀

自由報

（第一一五〇期）

（半週刊每星期三、六出版）
每份港幣壹角・台灣零售價新台幣弍元
社長李運鵬・督印黃行寶
社址：香港九龍彌敦道593—601號
廖創興銀行大廈八樓五座
LIU CHONG HING BUILDING
7th FLOOR FLAT '5
593—601 NATHAN ROAD,
KOWLOON, H.K.
TEL：K303831
電報掛號：7191

承印：景星印刷公司
地址：嘉咸街廿九號地下
台灣區業務管理中心：台北重慶南路一段一二九號
電話：二四五七四
台灣區直接訂戶　台灣劃撥戶
第五〇五六號張萬有（自由報會計室）
台灣分社：台北市西寧南路110號三樓
電話：三三〇三四六、台郵劃撥戶九二五二號

為台灣省籌設教育學院向當局進一言

•侯璠•

一、由統計數字看教師之需要

政府自遷台以來，教育在量的發展方面，尤為顯著，以中學的校數而論，民國三十九年僅有一百二十八所，到了五十八年則有七百零二所；以教員人數而論，三十九年為三千七百七十人，到了五十八年，則為三萬二千二百十四人；以班級數而論，三十九年為二千七百十三班，到了五十年則為二萬零四百二十三班；以學生人數而論，三十九年為七萬九千九百四十八人，到了五十八年，則為八十七萬三千二百七十七人。更因台灣人口出生率甚高，自然增班，為數可觀，就五十七年小學畢業生三十八萬零二百一名來看，若全部進入國中，以五十人一班計，共有七千六百餘班，即以升學率百分之七十計，尚有五千三百餘班，每班教員二人，共需一萬六千餘人，除去同年中學畢業生一萬八千八百一十二名，以五十人一班計，共為三千七百六十三班，抵補之後，尚須增加一千五百五十九班，即係增聘教員約三千一百餘名。由此可知國中教師之缺乏，至為嚴重，據說台灣省政府有鑒於此，已計劃在彰化設立教育學院一所，專為培植國中師資，這可說是極為明智之措施，可為台省教育前途慶幸也！「凡事預則立，不預則廢」當此計劃着手之際，為將來收良好效果，願向台省當局進一言，提供參考。以盡芻蕘之義。

二、鄭西谷先生之寶貴意見

中國時報，於民國六十年三月十五日第二版，登載了鄭西谷（通和）先生以「彰化教育學院與國民中學前途」為題一文，筆者閱讀之下，至有同感，鄭先生是我國教育界的先進，曾担任過教育廳長教育部次長等重要教育行政職務，兩年前曾率團赴台灣各地視察國中開辦後之各種情形，其後又赴歐美考察教育，返國後之考察報告，據說　總統極為重視。鄭先生曾組織教育考察督察團，考察國內各級教育之實施，並督導九年國民教育之推行，對九年國教提出重要問題四點：「一、經費不足；二、師資缺乏；三、教材不適合；四、學生程度參差不齊」，各附改進意見並擬具培養師資方案，呈報行政院轉會教育部及省市政府導辦。上述一、三、四，三點，各級有關機構或學校均努力改進，獨對二點培養師資一項，或因經費無着，或因教部無主辦單位，致擱置未能實施，故鄭先生更進一步地感覺到培養師資工作，再不可遲疑，他說：「過去國中教師，多係應徵而來，教非所學，雖受短期訓練，但功效甚為微末。今聞台灣省政府決定，就彰化原有中等學校在職教師進修之機構，擴充為省立教育學院，招收專科學校畢業生，專為培養國中教師，同時仍繼續舉辦在職教師進修，雙管齊下，以期提高國中教師素質，培養優良教師，善哉斯舉！」鄭先生最後擬出四點意見：第一，所有學生一律給予公費待遇，我國自開辦培養師資學校以來，所有學生一律給予公費待遇，俾畢業後，分發學校服務，第二，招生時以各系主科成績為錄取標準：國民中學係分科教學，每一教師以担任一科功課為主，如國文，英語，數學，理化等，教育學院設立科系，應以國中所開學科為準，各科系所招新生，應以各該系主科成績為錄取標準，以代替各科平均成績。第三，各系畢業班學生，應研讀國中有關之課本：教育學院畢業班各系學生，應詳細研讀國中相關之三年的課本。第四，附設實驗國民中學：培養師資之學校，必須附設實驗學校，作為畢業班學生之實習場所。實驗中學之教學設備必須充實，延聘教師必須為中學教員中第一流人才，方能指導畢業班，收到良好效果。

三、願盡芻蕘之言

看了鄭先生所提供之意見後，覺得所提各點，對於培養師資之新設機構，極具高度價值。新設立之學校，沒有舊惡習，不若改造一個已有舊惡習學校之困難，筆者，除同意鄭先生所提各點外，願多提供兩點參考意見：第一，應供給學生宿舍：學生往校，節跑省道學生之時間，可有較多時間讀書，第二，學生行為在校易於管理，住校學生，不受外界之不良影響，第三，師生共住校內，學生可收教師潛移默化之效。

除住校外，另有一點意見，就是在規定學生畢業後之出路問題，一面須要學生盡分發任教之義務，一面顧及學生將來之升調深造問題。省立教育學院之設立，原為培養國中教師，但青年人均有上進之心理。應規定在國中任教幾年之後，有資格改任高中教師，並規定有保送到國內外研究所深造，以免學生在投考時，在心理上先起了一個沈重的問題，認為「將來畢生只能在國中教書而無升級深造之機會」，新設學院，如能寬籌經費，多方顧及，則所設學院之前途，必有莫大之貢獻，對我教育前途，定放異彩也！（完）

自由談

廖化作先鋒

具有被推舉為民主黨下屆總統候選人資格的美國參議員麥加文，最近宣稱他要建議美政府承認中國的毛共政權，且以毛政權為中國唯一的政府云云。吾聞其語，齒冷者久之。

記得杜魯門在白宮主政時，佔有國會參衆兩院多數議席的民主黨議員們，曾經建議召開兩院聯席會議，一致通過決不承認毛共政權的煌煌議案，說是要對民衆洗刷民主黨人被譏為親共媚共者的惡名。如今為着內政上爭權奪利關係，又由民主黨麥參議員——且係抱有競選總統之大志的麥加文，提出上項違反兩院決議案的主張，怎能不教人齒冷肉麻呢？

凡屬號稱為政治家的人物，對政治技術固不必拘泥於一格，因時因事而有所變化，但對政治理想與原則，決不能暮四朝三，失其所守，否則便係一個低能淺陋的無聊政客官僚份子而已，以之担當國家大任，沒有不敗壞政事的。民主黨若要擁戴麥加文這類小政客來作總統候選人，眞是「蜀中無大將，廖化作先鋒」，可憐亦復可哂也。

民主黨的政治人才，自從富蘭克林、羅斯福總統於二次大戰末期逝世後，如杜魯門、約翰甘迺迪、詹遜等聯袂主持國政，然才幹遜羅氏遠矣。降及今日，一般嶄露頭角，問鼎白宮的人，如韓福瑞、穆斯基、愛德華•甘迺迪、麥加文之流，又視杜魯門更平庸多了。現階段的美國乃尋不出一個像樣的政治家，共和黨的艾森豪與尼克遜亦高明不了多少，可謂人才寥落已極，一蟹不如一蟹。但美國內的困難問題卻日趨惡化，除卻姑息親共的逆流氾濫外，還有黑人問題，青年人普遍頹廢惰落問題，盲目的反戰問題……等等，不一而足，如果沒有雄才大畧的政治家綜持國事，而以高瞻遠矚的手腕，衡繁劇難，有為有守，則美國這個富強甲於全球的超級大國，勢將有自行崩潰之虞，而自由人類前途，亦將不堪設想矣！

禹王先生

昨日與明日

美國對毛共的「統戰」作用

美總統尼克遜最近對中國大陸上的毛共政權，竭力表示「犯而不校」的友善態度，希望毛共不要視美國為「魔鬼」，可謂其言也哀。

毛共的反應如何，尚不可知，或許根本就沒有反應。因為「美帝」越對它示弱，它即越要擺架子，藉此可以跟「蘇修」較量聲勢，爭取共產集團國家的領導地位。如果毛共有所反應的話，那就是廣東諺語所說的「唔駛問阿貴」，一定教「美帝」先行停止越戰，撤退在越南和台灣海峽的陸海空軍，並聲明不復干預亞洲地區的「人民解放運動」，纔有商量之餘地，否則便係「美帝侵畧好戰的陰謀」。

尼克遜先生為着安撫國內的反對派，企圖博得總統選舉的聯任勝利，不得不作此委曲求全的表示，用心良苦，祇怕毛共不肯合作，徒勞無益耳。當年尼氏與約翰•甘迺迪競選總統之際，曾要求蘇俄釋放被俘的美空軍人員二名，而赫魯歇夫置之不理，迨尼氏競選失敗後，赫魯曉即將此二名美俘釋回了。他認為將美俘提早釋放，至少可使尼克遜多獲得五十萬張以上的選票，所以置之不理。這點道理，毛會亦必然懂得的，因而我預料尼氏這次對毛的「統戰」作用，十九是白費氣力也。

美國亦另有所獲

毛共早已拚命宣傳「蘇修」違背社會主義革命利益，與「美帝」妥協勾結，共同對付毛共，走入「社會帝國主義」路綫了。現在蘇俄亦連續由黨部和眞理報發表文書暨評論，指摘毛共與帝國主義國家——即指美國——妥協勾結，陰謀不利於蘇俄，說毛共表面上攻訐帝國主義者的言論，乃是討價還價的一種手段而已。我們認為毛俄彼此互指對方勾結「美帝」的說法，都是潑婦罵街之詞，並無事實根據。唯美國卻可引以自豪，證明世界上兩大共產政權，對美國的強大國力皆深為畏懼之心，唯恐對方眞與「美帝」合作，那便是了不得，不得了的禍事，美國人見此消息，不亦快哉！

平情酌理而言：俄帝如共眞是實行「和平共存」政策，它對美國採取談判方式以期解決國際爭端，並非違背共產革命利益的行為。毛共果有爭奪共產革命領導地位的雄心，它即一貫地非反對「美帝」不可。美國一日存在，共產主義者要想完成世界革命的目的，即永遠是夢想一場，甚至被「美帝」所擊潰。這也就是當年史太林與托洛斯基反目成仇的基本因素，史太林的「一國社會主義建設」，托洛斯基的「不斷革命論」，跟今日俄毛互相指斥的情形，本質上是舊瓶新酒，味道並無兩樣。

•何如•

用水代替汽油

曼如

汽油漲價嗎？唔使啫驚，不久之後，扭開你的自來水喉，就流出可以代替汽油做發動引擎的「燃料」，那時莫說是三元一下加侖食水無所謂，恐怕卅元一下加侖亦不貴了。最近有一個研究家在南非角城的後園工場內曾利用普通自來水，發出的「氫氣」燃料，發動了一具二五〇CC的汽油引擎。

這項突破障礙的發明，是三個人窮五年研究的成果，用清水啓動引擎系統的發明人，是電子專家史特明及機械工程師薩比亞。三個人都是居住在角城的義大利人，現已把這個驚人的發明，送去註冊專利了。自來水發動引擎的系統，由一個普通的大牛奶瓶，兩個菓古瓶，一個氣體錶型的瓦斯貯藏器組成，還有幾碼的塑膠管組成，所發動的是一部二百五十CC的汽油引擎。

薩比亞把數大玻璃盅的清水，放入大牛奶瓶內，瓶內已放置了少量的普通家庭化學物與金屬片，暫時來說，對於放置的是什麼化學物及金屬片，要保持秘密，因為引擎動力就是由此而來的。

當把自來水放入牛奶瓶內，立刻產生化學反應，薩比亞將蓋子用「士巴拿」扭緊，瓦斯即「滾起」升出，通過進個蓋口兩入瓦斯容器內，使壓力從而增加，由這個容器內再透過這個不會使氣體回頭的蓋，至一條有流動調整器的管內為止。

當建立足夠的壓力時，把管子的末端，納入那一個二百五十CC引擎頂蓋的其中一個洞內，使瓦斯進入汽缸中。史特明拉一條繩，使活塞開始郁動，引擎燃着響了，就是憑發明家所說的那種「氫氣」而啓動，這個原理，與用蒸汽使機器啓動有些不同，因為，那一瓶清水不要加熱，秘密就在不透露的片狀化學物及金屬上。

當使用自來水發動引擎，再進一步研究，能作擴大的用途時，世界的動力供應，從此一勞永逸，獲得充份解決，不愁來源斷絕了。

民食為天民生為本
增產糧食刻不容緩
立委認目前偏重工業發展
反對農地被改為建築用地

（自由報台北消息）由於政府首長「答非所問」，致引起立法委員們的不滿。由於官員們不重視質詢，使憲法賦予立法委員的質詢權行使失去意義。

立法委員程烈以程序問題來檢討並表示不滿意政府首長的答覆。他在立法院第四十七會期第二次會議上，當着行政院嚴院長及各部會首長的面，心平氣和而又理直氣壯的檢討此一問題：「依照憲法規定，立法委員提出質詢，由行政院答，這是既莊嚴而又隆重的事情。不過，這種莊嚴與隆重之維持，必須立法委員本身與行政院雙方互相尊重才能實現。假如任何一方忽視此一立場及精神，而使立法委員的質詢變為無意義，甚至於有相反作用之表現，那便覺得很遺憾了。

他希望質詢與答覆表現得特別好起見，建議：當雙方有問有答時，立法委員的質詢，自己要有一個理想回答的標準，而行政當局對於立法委員的質詢，必須要仔細的聽，妥慎的答覆，絕不能閃爍其詞，虛一槍，三言兩語的加以說明，就算過去了。也就是希望這個憲政精神，實驗二十年後，其前途將更有表現。

程委員對經濟部長孫運璿答覆有關台糖鐵路拆除的問題，及財政部長李國鼎對其質詢財政政策問題未作答覆，表示不滿。他質詢的重點是：台糖鐵路之拆除，除經濟政策以外，另與國防、治安、內政及交通均有很多牽連，政府當局如此辦理，是否經過全面考慮？可是，你們（指說政院）竟然避而不答，如再這樣一問一答下，實在沒有多大意義。

另一質詢是：我們今天所依靠投資的資金，其來源有二：一是國際貸款，二是靠國內之儲蓄。就國際貸款來說，我們所作之努力，顯然一天比一天的艱苦。因而國內自己的血汗積蓄，便一天天的顯得重要。可是政府對於儲蓄的利率，却逐漸降低，這到底是刺激儲蓄呢？抑是另有其他想法？不得而知。根據世界上理財的理論及實務方面的做法，都覺得非常奇怪。財政部長（李國鼎）對於此項質詢，既未作答，主席亦未特別提出來請財政部長答覆。似此草草了事的下去，徒然躭誤大家的時間，殊屬不值。因此提出這個程序問題（石旁）來，希望站在雙方的立場，彼此予以尊重。程委員一共提出下列六個問題，向行政院質詢。

農業政策問題：程委員認為我們今日處於台灣特殊環境中，人口已增至一千四百餘萬之眾，基於「民生為本，民食為天」之考慮，不問在平時或戰時，對於改進農業，增產糧食，均是一個非常急迫的問題。近年以來，農業趨於萎縮，實為不爭的事實，幸而當局已有新方案，欲加補救但是，又採偏重工業發展的策政，則在工農互相抵銷的作用下，勢將對農業發生不利的影響。政府對於農業應特別加以重視，其經常居於穩定狀態，不為其他問題所沖淡，而改變了基本重視農業的政策。可是目前我們可以見到的實際情形是：許多農地都被改為工業用地和建築用地，為什麼不仿許多國家將山地村莊發展為新都市的計劃？在發展農業的口號之下，也未見當局有若何具體的方案。

台碱生產大量氯氣
廢棄不用浪費公帑
產銷無計劃竟更新設備
如此耗損不知伊於胡底

工業政策問題：台碱公司新設備裝就後，尚未開工，舊設備所產氯氣，約值新台幣一千九百萬元，因無用途乃予廢棄不用，公家損失甚鉅，何以事前已知氯氣無市場，竟然大量生產？又知無銷路，竟然又搶建新設備，如果不是投資錯誤，就是投資浪費！故該廠有無存在必要？程烈委員認為實應加以考慮。其他各廠，亦紛紛改裝新設備，對舊設備多棄而不用，還說慢慢研究辦法，對於產銷又無整體計劃，如此下去，國家財力之損耗，不知伊於胡底？真是令人痛心疾首！希望主持工業政策者，加以注意，究竟台碱公司生產氯氣之損失，是否不可避免？抑是設計上的錯誤？還是對洋文書籍沒有研究徹底就開始去做？

外交政策問題：程委員以為「工欲善其事，必先利其器」。所謂「器」，是包括「知識」與「金錢」，尤其要能夠「知己知彼」如自己對於人家不能做到「知彼」，而人家對於自己倒能夠做到「知己」，則求外交之成功，難矣哉！因此，關於外交經費問題，最為重要，以數年來審查預算所知，外交預算經費，均仍維持舊有數字，並未有所增加。立法委員不能為增加經費支出之決議，故為「未雨綢繆」計，在六十一年度國家總預算正在編製，尚未送達立法之前，望行政院考慮增列外交經費，以應付日益加强外交業務之需要，否則，換了十個外交部長，也是辦不好外交的。

司法政策問題：程委員說：司法方面有兩個口號：一為「崇法務實」；一為「亂世用重典」。崇法務實自應重視；亂世用重典雖對犯罪者具有嚇阻作用，但不應同等加以強調。這位東北籍的立法委員反對「亂世用重典」。他說：對於亂世用重典一點，是不能表示贊同的。無論在三權或五權的國家中，由於各權之間，要有制衡作用，立法有立法政策，行政對立法負責，也可依據立法來制定其行政政策。但是司法則不能有司法政策！因為司法應本諸客觀的法條之規定，不能有主觀好惡觀念之取捨。在法條規定的範圍內，對於量刑之輕重，固可斟酌加以決定，但決不可依據「亂世用重典」的原則，隨心所欲，將應判三年之刑期，自由增加為五年，更不能將應判五年之刑期，擅自改為死刑之處罰。既然司法上一切必須依法，則司法即無政策可言。如能切實注意此點，則我國法治前途，才有光明的希望！

司法行政部長王任遠回答：「程委員所說的「崇法務實」，並不是一種政策，而是成們辦事的一種方針。至於「治亂世用重典」一點，本人從未如此說過」云云。

按：司法行政部透過行政院新聞局於今年二月七日發表「治亂世，用重典」之談話。據新聞局新資料特稿第一二七期載：司法行政部發表談話如下：「本部曾迭令所屬法院……並曾協調最高法院，促請共同體認「治亂世，用重典」之原則，必須力求貫徹，今後當再加强辦理」云。

天下雜論
徒自取辱——美國

成公

不論是受國內政治的壓迫，還是另有不得已的隱衷，反正事實勝於雄辯。尼克森是向共黨軟化了。在他致國會的世局咨文中，居然對毛共改了稱呼，而公然稱之為「中華人民共和國」。好像竟把聯合國的制裁決議，和韓戰等事實一筆勾銷了一樣，不僅「不念舊惡」，甚且還要替中共的罪行打圓場，而說：

「我們瞭解，中國的悠久歷史經驗對現在中國的外交政策有很大的影響，中國從事基於國家主權平等的外交經驗很少，中國在文化上和政治上曾左右其隣邦，達若干世紀之久。而在過去一百五十年期間，却遭受巨大的外來干涉。因之中國對外國的態度乃保持有冷淡，猜疑和敵意的成份」。

試看這是對中國人的心情多麼了解，多麼同情，但錯就錯在把這一筆歷史的大帳誤掛在不能代表中國人的毛共頭上了。

尼氏送了這麼一筆厚禮，毛共是否感謝呢——凡是明眼人都知道共黨對敵人的讓步，只有恥笑而從不感謝。果然共黨繼起的反應乃是周恩來在河內對美國的攻擊與咆哮，周說：美國擴大印度支那的戰爭，已對彼等構成嚴重的威脅，尼克森政府，必須對其嚴重的後果負責。

我們借箸代籌，替尼克森打算，果真美國從中南半島全部撤退，是否即可邀得共匪的諒解而與美國和好呢？那叫作夢，到那時共黨一定只要開出更高的條件，甚而會叫美國與中華民國斷絕一切關係，甚至幫助他，把台灣送到北平，美國果真惜出賣靈魂，那樣作了，是否即能獲得毛共的青睞？當然不會了，經濟學上有一個公認的事實，即是「一個慾望的滿足，是另一個慾望的引起」；而對共黨的交往，則是「一件讓步的所得，乃是另一進攻的鼓勵」。美國果真一定要獲得共黨的和平與友誼，其最後的條件勢必是由尼克森率同文武百官，覲到北平肉袒請罪（雖則不知犯了什麼罪），呈上美國的版圖領土，並願為毛共效命前驅，征服世界的其他部份，只有這樣才會博得毛共的滿意。試問尼克森總統，你能作到這一步呢？大概不會吧？要不然你能作到這一步，那麼就回頭是岸，勇敢的站起來，堅強的來反共吧！

五十六種砂鍋烹飪

馬騰雲

（六）砂鍋黃芪鴨脚

以黃耆一兩、黨參五錢、鴨脚十只（火腿爪一隻先鴨脚半小時燉）加廿粒白胡椒、葱薑適量，燉到鴨　筷子一撥就能離骨就行了。

這篇東西可說替胖人準備的，十個胖子九個中氣不足，砂鍋黃耆鴨脚是補中氣的神方，有關減肥問題，也順便談談，偶翻名醫雜論，發現減肥秘方一則，後又查醫典也有該秘方記載，即每天早晨用兩到三個皮蛋代替早餐，飯後用棗樹葉代茶葉飲用，十天之內可見效果，著者是以報導和研究的心情，提供讀者作為參考，同時六年前在台北日晚報裏曾討論到減肥問題，特再稍加補述，連同新發現之皮蛋棗樹茶減肥法，對減肥朋友可能或有小助，棗樹葉既列入中國醫典，自非捉風捕影之論。

身體太胖，可能導致高血壓，和心臟不正常，走路比一般人多負担幾十磅或者百磅的重量，弊多利少，這是一個事實，如果沒有上列痛苦，祇是感覺胖得難看，一定强去減，大可以不必，在中國的傳統上，胖是一種福氣，如果不相信的話，請查一查，中國唐朝、宋朝、明朝等開國的皇帝，都是胖業界的同人，再去瞧瞧敦煌壁畫中的美女，都胖得有一個雙下巴，雍容華貴，碩豔富態，從前的文人描寫楊貴妃的美麗謂：「肌肉豐滿，精華充溢，如出水荷蓮……」同時中國醫學史上，記載減肥的藥方比較少，以證明中國人的心目中，胖是福的象徵。

減輕體重，減少身體上負担，是正確的，用鍛鍊的方式不必强制執行，比如多走路，少坐車，多勞作，少睡眠，久而久之身體自然結實，再能常食砂鍋黃耆鴨脚，可除去胖人內顧之憂。

（七）砂鍋山藥

山藥野生在山谷者入藥，為滋養强壯藥，對於虛弱者消化不良引起之慢性腸炎有效，他如遺精、盜汗、夜尿、强陰、益氣力、補筋骨等。

用一斤菱角殼熬水，以這種水製作山藥為糖尿病有效藥物，配料雞雜兩副、豬胰一條、冬菇三只、冬筍三兩、馬蹄三兩、玉蜀黍三兩切成碎丁投入砂鍋用菱角殼水將雞雜豬胰煮熟後，再和以山藥丁（約半斤）同煮，上桌前豆粉為糊，洒胡椒粉、水蒜花、香菜，味既美、價又廉，食療價值之高，驗過血糖就可知之。

患糖尿病的人必腎虧，故補腎最要緊，腎虧百病生，當然還不止糖尿病，說好聽些，夫婦感情太好，容易導致腎虧，說不好聽的話呢？腎虧起自好色，糖尿病多數因為腎虧而起，汪精衛五十歲左右，糖尿病趨於嚴重，這是其妻陳璧君狼虎之年使然，歷史上文人司馬相如患有糖尿病（那時叫作消渴症），無疑的得歸功於新寡文君，例子太多舉不勝舉。補腎問題談的很多，不贅。

除上列食療外，水蛇為治糖尿病有效藥物，據九江吃水蛇的朋友談，水蛇不僅治糖尿病，水蛇肉吃了補腦及能使腦筋靈活，兼有强壯作用，水蛇肉煮稀飯，可療皮膚病，鄉下人都知道，其實就是水蛇有一種抗毒作用，對人的分泌機能，可以促進，并能使各種腺體分泌正常，潔淨血液，加强抗毒能力。清燉水蛇可治風濕骨痛，患有皮膚敏感及台灣癬的朋友，不妨一試。

戲集花延年室詩句呈漁叔師

張夢機

不將冷抱乞餘溫。贖記輕帆入海門。
已是聞歡非往日。更思啜茗聽微言。
風鎔細麥流離夢。紅粉偏多丐來恩。（目旁）
還數芳辰最惆悵。蒼龍闕角看鴉翻。

少歲清狂贖有詩。會隨飛將逐胡兒。
覃覃古誼藏心久。歷歷紅桑掛夢時。（酉旁）
病樹已先春雨治。幽懷剛被暗蟲知。
一經傳業情如昨。說士頻聞及項斯。

風鬟裊茗自添薪。海未全枯夢已塵。
長向昏衢燃智燭。贖從微諳託孤呻。
寶刀尚有飛騰思。野角徐吹破碎春。
薄酒帶糟供晚飲。疏蟬應識舉家清。

似墨寒鴉噪冷紅。洞雲經宿斂還封。
危心欲叩天何意。萬幻從知病亦空。
但許蛾眉消霸氣。旱持弱羽寄衝風。
閒筎草屋懷歸遠。板閣燈殘句未終。

談工業家丁熊照

·文匯樓主·

熊式一博士與哲學家張起鈞兄介紹丁熊照著的一本「眞理與事實」給樓主，且囑最好能寫一篇書評，我的答案是：所有不實行的「眞理」都是靠不住的，「事實」的建立，三幾個好證據，比千言萬語有效。待「眞理與事實」拜讀後再說。

「眞理與事實」用一個多月的時間空當，從頭到尾看了一次，發現丁熊照是一個信眞理、愛眞理的人。還有他的觀點；常認為虛假不但與事實不符，而且他們之間也互相矛盾。這本書給樓主帶來的第一印象，丁熊照是一個有事業理想，國家理想的人，一個人或一個國家如果對將來沒有一個理想，個人固然不會成功，國家也不會受到尊敬。

「眞理與事實」第十一頁「中共『興無滅資』論之違背人性。」第十四頁「資產階級與剝削」。第十七頁「共產黨要消滅資產階級的陰謀與目的。」如果將這幾頁的理論作一個政治結論的話，引用蕭伯納的一句名句，「人可以攀至顛峯，却不能在那裏逗留太久。」換句話就是由於許多野心家企圖一躍至頂，才會在這世界上造成許多災難。當前大陸秦始皇翻版政治如果不消滅，人類的災難也祇有這樣拖下去。大陸暴政壽命究還有好久呢？照馬克思主義的精華：「凡一件事物發展至其極，即被其自己含有之否定所否定。」也就是老子哲學的「物極必反」「反者道之動也」毛澤東政權早已被其「自己含有之否定所否定」，怎樣否定和怎樣垮法，我們可拭目以待。丁熊照著：「眞理與事實」的精華，應當是「努力奮鬥由窮變富」這一段。他從窮人出身，到事業成功，愛國家、愛社會、辦教育、幫助窮人，扶植社會文化事業，丁熊照的做法，永遠不會至其極！永遠是愉快的、年輕的、尤其他有許多智慧極高的朋友，如熊式一、張起鈞與樞機主教于斌等，相信他們的智慧有一天對丁氏的事業會產生如虎生翼的力量。

樓主有一個構想，中國歷史上有三十幾個祖師爺，如魯班為水木作的祖師，杜康為酒業祖師，蔡倫為紙業祖師，螺祖為絲業祖師，管仲為樂戶祖師，蒙恬為筆業祖師，神農氏為藥業祖師，如果能將這些百業祖師，也即中國歷代的發明家，分配在公園或紀念堂，學校圖書館供奉，同時附設各行業現代的成就供遊人研究觀摩，其不是非常有意義嗎？如果可行的話，末了我建議每個朝代都能增添幾祖師，像明代以打漁起家的沈萬三作漁業祖師等，近代發明藥沫滅火機的薛霍祥（江蘇人）作滅火機祖師，中國的電扇創製人楊名川（江蘇人）作電扇業祖師。中國工業界權威丁熊照（江蘇人）作電池業的祖師。

太平天國失敗的原因（九）

·黃大受·

十、愚人的神話巫術：洪秀全馮山在織拜上帝會時，利用宗教，製造神話，作為政治運用的工具宣傳手段，用以增高加強洪秀全的地位，並加強會衆對教主的信仰，使之忠勇效命，死而無悔。對洪秀全幻夢昇天，受命下凡為人王，得異人傳授天書等事，盡量宣傳。又傳洪秀全在家睡覺時，其長女進房見有蛟龍在床。洪秀全在紫荊，也故製造在睡覺時使身體發光，他人在壁間偷看，始可見到。又有去世教徒降靈在童子身上，預言洪秀全要當人王情形發生。又拜上帝會會衆在祈禱時，常有人昏倒，如神靈附體，發言奇奧，成為神話。楊秀清並於一八四八年（道光二十八年）的舊曆三月初三日，製造出天下凡的奇事，降附在楊秀清身上，教導上帝會衆，並差秀清代世人贖病。同年舊曆九月初九日，楊秀清的內親兼隣居蕭朝貴，耶穌也初次下凡，降附在他身上，教導上帝會衆。後來這兩天定為「爺降節」及「哥降節」，楊蕭二人隱然掌拜上帝會的宗教大權。從此拜上帝會成為政治組織，這種類似巫術的活動，更加積極，無知識的人自然深信不疑，知識較高頭腦清晰的人，則自然生出懷疑之感，被擄的文士筆記中，即有人對此種巫術認為是欺人的騙術。

十一、役使民衆的過勞：天國定都南京後，名為天京，大興土木，改建宮殿。據張德堅賊情彙纂說：「日驅男婦萬人，併力興築。……以金陵文弱之人，逼令挑磚運土，稍不遂意，則鞭撻立下，婦孺慘遭凌弱，亙古罕聞，茹苦含寃，天地慘變。」江南女子纏足，不良於行，要做種種苦工，更覺慘痛。當時大建天王宮東王府及各王府。天王宮造成即遭火燒，重建時拆附近民房店舖萬餘間。後期王府，李秀成的忠王府最壯麗。由工人千餘工作，數人站在一旁拿着籐鞭，鞭打懶惰者，工人都係強迫而來，不發工資。為了王爺們的享受，大量役使民衆，竟成為風氣，太平天國的失民心，此事亦為原因之一。

十二、軍紀的敗壞：太平軍初起時，只一萬多人，軍紀嚴明，軍中易犯的姦淫行為極為少見，偶一發生，也處以極刑。至於勒令當地民衆貢獻，以及打先鋒時的擄掠，沒人所得，都繳入聖庫，並非私有。所有初期勢如破竹。由廣西進入湖南湖北以後，因精銳損失，就地補充，裹脅羣衆為兵，並有土匪、地痞、會匪、下層級、民衆加入，訓練不精，軍紀漸難維持。到楊、韋內訌，天王不理政事，重用洪姓以後，除了忠王李秀成等少數的部下，仍盡力維持優良的軍紀以外，其他太平軍紀，多是江河日下，李秀成親供說：「我國壞者一是李昭壽，二招得張樂行之害，三是廣東招來這幫兵害起，惹我天朝之心變，劉古、賴三將楊輔清害起，百姓死者，此等之人。主不問政事，不嚴法章，不因明才佐政，故而壞由此等之人壞起。後壞民是陳坤書、洪春元之害。」事實上忠王部下號稱百萬之衆，他一人也難維持部下優良軍紀。在一八六〇年（咸豐十年）忠王部下佔領無錫時，施建烈紀縣城失守克復始末說：「賊入城後，即出示各鄉，言弔民伐罪，秋毫無犯。越日而四出剽掠，謂之打先鋒。婦女被擄，更迭姦淫，多或十餘人，少或四五人，謂之打水泡，死則棄諸道路，其不死者，藏諸密室，幽而姦之，或擄為妻。」可見軍紀的敗壞。同年常熟被太平軍佔領，海虞賊亂志說：「拘農民，具限期，每畝賦役折價，漲價至二千零六十文，農民何力完辦？到麥熟有未清者。偽職代坐天父堂，着司馬伍長交出欠戶，當堂行杖；命聽差隨至其家，將所收麥子蠶豆，盡行拿出，作價抵償。老幼男女，見此情形，泣淚如雨。……今被拳去，奚能種熟田畝？是以不勝哀戚。更有貧戶無春熟者，責成司馬伍墊賠，不足，關鎖黑牢。……俟他熬苦不過，送信到家，將衣服器皿抵償賠數，再出差錢，及開鎖之費。」忠王李秀成率部將，在一八六一年，攻佔江西瑞州，據瑞州府志說：「至辛酉逆首李秀成至，而禍斯極矣。蓋此次復陷郡城，分擾各屬，放手焚殺，恣意淫掠，各鄉勇男婦死者不下數千百人，所過成焦土，丁壯老弱被擄者不可勝計，甚至有一村餘丁一百一二十人。」「李秀成極重視軍紀，其部下如此，他人所部的軍紀，可想而知。太平軍軍紀先好後壞。但當時清軍的軍紀，也是有好有壞。如果太平軍軍紀能長期維持優良，則對清軍打擊必大。

十三、殺戮官民過多：太平軍起事不久，攻桂林不下北路上過全州，因城上守兵開炮，南王馮雲山受傷，遂猛攻全州城，破後，下令屠城三日，被殺被燒死者數千人。陳徽言武昌紀事說：「初五日，殺人盈街。……賊三五成羣，入人家搜括財物，加刃於頸，逼索金寶，如是者累日。

（未完）

讀者投書

女老師的丈夫稱謂　蘇友仁主張呼師爹

女老師之夫的稱謂問題，頃有讀者蘇友仁先生來函提出意見，原函披露於后：

逕啓者：在倫理社會中稱謂是否適當？殊堪重視，前讀中副陳如一先生對女老師之夫稱呼提供三種，誠如貴樓主所云；皆未妥當。本人當時即有此同感，擬提出管見而未果。茲讀二月六日自由報貴樓主以為可稱作「師父」，從稱男老師之妻為「師母」推論，固屬順理成章。但尚不能無議者；因「師父」為徒弟直接對老師之稱，如出家人及習藝者皆是，久已通俗化了。今若稱女老師之夫為「師父」，危無與直接師徒關係混淆不清。本人認為不如稱「師爹」以別之，與一般稱姑父為姑爹，意思相同。未審高明以為然否？

此致

文匯樓主大手筆

讀者：蘇友仁手上

二月七日

談財神爺沈萬三

·范正儒·

「祖師遂入巴中，萬三以之起家立業，安爐大煉，不一載，富甲天下。凡遇貧乏患難，廣為周給，商賈貸其資以貿易者，直遍海內，世謂其得聚寶盆，故財源特沛者，以此也。洪武二十年，太祖徙萬三於滇上，忽有弓長翁者傳言踐約來會，萬三請見，則三丰祖師也。因與同錬天元服食大藥，明年始成，萬三與全家餌之，皆能冲舉。」是則沈萬三全家後來都成仙去了。

又據宋長白柳亭詩話：「金陵水西門有豬龍為患，相傳明太祖以沈仲榮聚寶盆鎮之乃止。」所謂聚寶盆即是煉銅成金的鼎器，後人附會為能生發財物的聚寶盆。

當年，萬三丹室有聯云：

「八百火牛耕夜月，

三千美女笑春風。」

沈萬三的女婿也是闊人。張氏全集說：「余十舍者，沈萬三弟子也，少好施與，萬三以幼女妻之，傳以丹砂，點化豐饒，與婦翁相頡頏。其女余蕙剛為西平侯沐春繼室，亦善黃白之術，蓋家傳也。」所謂「黃白之術，」就是燒煉丹藥化為金銀之術，沈萬三且以煉金銀之術傳之其婿，和世俗所稱的「傳子不傳婿」者大不相同。

（未完）

曹公之文學與技藝（六十五）

說曹操

李漁叔

這就是述志令的重點，說出騎虎難下的苦衷，前後文字頗極跌宕之致。

曹公殺了楊修（德祖），那時修之父太尉楊彪還在，曹公寫了一封信給彪，照說，殺了人家的兒子，還要寫信說明，是頗難措辭的。不過曹公位相國上公，生殺予奪，高下在心，毫無所謂什麼顧忌，要怎樣說便怎樣寫，我們且看那封信：

操白：與足下同海內大義，足下不遺，以賢子見輔，比中國雖靖，方外未夷。今軍征事大，百姓騷擾，吾制鍾鼓之音，主簿宜守，而足下賢子恃豪父之勢，每不與吾同懷，即欲直繩，顧頗恨恨，謂其能改，遂轉寬舒，復即宥貸，將延足下尊門大累，便令刑之，念卿父息（與子同）之情，同此悼楚，亦未必非孝也。謹贈足下錦裘二領，八節角桃杖一枝，官絹五百匹，錢六十萬，四望通幰七香車一乘，青牛二頭，八百里驊騮馬一匹，赤戎金裝鞍轡十副，鈴苞一具，驅使二人。並遺足下貴室（指彪的夫人袁氏）錯綵羅衣一領，織成靴一量（量與兩同，即一雙）有心青衣二人（有心青衣大褰是很聰明解事的丫頭），長侍左右，所奉雖薄，以表吾意，足下便當慨然承納，不致往返。

先說楊修倚仗豪父的勢力，違反軍令，繼說殺了他，免得日後連累楊氏的全家，一杜其口，一加恐赫，出筆狠辣之至。後面送的這份禮，倒着實不薄。

楊彪的答書，文選不載，而在唐人所編的「古文苑」裏面，則錄存其辭，章樵序文說是：「史傳所不載，文選所不錄之文。」確是值得珍視的。答書的全文是：

「彪白：雖顧隆篤，每蒙接納，私自光慰。小兒頑魯，謬見采錄，不能期効，以報所愛。方今軍征未暇，其備位匡政，當與戮力一心，而寬玩自稽，將違法制。相子之行，莫若其父，恆慮小兒，必致傾敗；足下恩怨，延罪至今，近聞問之日，心腸酷裂，凡人情誰能不爾！深惟其失，用以自釋。所惠馬及雜物，自非親舊，孰能至斯，省覽衆賜，益以悲懼！」

文中除表示哀痛，並沒有告哀乞憐的話，這是否楊彪的親筆，則不可知，漢人文章樸茂渾厚，大致如是。曹公的箋函，或有少數出於幕僚代筆，如與少府孔融書，便是路粹代作。曹公雖不必以文章見長，而成就卓然如此，也算難能可貴了。

（未完）

安徽十三傑

管仲　李斯　莊周　曹操　華佗　包拯　朱熹　朱元璋　戚繼光　李鴻章　段祺瑞　胡適　楊振寧

巨變歷險記

提回兵營（二〇三）

胡慶蓉

丁博士押在醫院的一段時間，是他感到優待的一段時間。這時候的緬甸軍醫院，確實維持得不錯。第一是乾淨，特別丁博士住的那間房是整個醫院的第一號房，非常非常的乾淨，地板耀眼淨光，床也是一片白色，桌椅等等傢伙，無不是一塵不染。飲食起居，護士小姐都顧得週週到到。醫生更是按時檢查，按時吃藥打針。丁博士還記得針打得非常高明，在談笑之中，在你不注意之中，針已經打過了。醫生的態度也是非常的好，任你怎麼樣，他們總是和顏悅色，令病人有忘却病痛之感。據說這軍醫院已有幾十年的歷史，爲英國總督所首建，在緬甸未獨立前，這個醫院在緬甸就大大有名，設備一切也都是上選。

把丁博士提回去之後，住的還是老地方，床還是老床，加上了一個蚊帳。這是美國軍用的蚊帳，深綠色，看着非常可愛，實際上這蚊帳並沒多大的用處。因爲眉苗天氣特別的好，終年不熱不冷，蚊子幾乎沒有，蚊子可以說沒有，但加上一個蚊帳總算表示一分優待。丁博士躺在裏邊，好像多了一層保護似的，心中的安慰也多了一分。但綠色的蚊帳並擋不住門外的探照燈，一夜之間，還是無數次的探照。這給丁博士無窮的干擾。但他漸漸的習慣了，他還是能睡得着。准許用筆寫字，這給丁博士很大的消遣，他就一天到晚的瞎寫。他編了一本小冊子，題名窮開心，但他寫成之後，他又整個的付之一炬了。他恐怕爲緬方人員搜了去，與他不利。與外邊的隔絕如故，絕對不准外邊的人與丁博士見面。但因爲准許看報，丁博士也感不到太寂寞了。從報上，他所要知道的消息，也差不多都可以得到了，向我游擊隊取得聯繫，已經沒有問題了。我游擊隊常有人來眉苗，常帶去丁博士的指示。

中緬的戰事已經發生，我軍一直的居於上風。軍營對於丁博士逐漸趨於優待，恐怕是這個原因。洗澡是丁博士的特別嗜好，這一點也放寬了，原來一個禮拜一次，現在可以一天一次了。洗澡在外邊，因冲冷的辦法；用勺子沒頭沒腦的向下倒。看守的人在旁邊監視，也沒有橫加干涉了。緬甸的隊伍，白天一隊一隊的不斷的從他門前經過，舉槍敬禮或舉手敬禮，丁博士不知道爲什麼，他還是對他們注視，彷彿看見自己的部隊似的，心情非常愉快。緬甸兵的操練也在他的面前。這看起來很好玩。都是一些最簡單最基本的動作之稍息，立正，開步走。我們有坐大廈而誦詩書之樂，現在緬甸士兵是在大樹之下而從事操練，形同兒戲，非常好玩。緬甸軍隊不能打，於此亦可見一斑。軍隊貴於吃苦，緬甸的軍是不能吃苦的。看緬甸兵的操練即可以斷定。難怪不利緬甸軍的消息紛紛到來。緬軍越不利，對丁博士的待遇就會越好。他不放棄他的希望，還是逼迫丁博士命令我游擊隊停戰。這丁博士絕對不肯。他反而請緬甸罷手。緬甸雖然獨立了，緬甸的軍制還是英國人留下來的，一天的飲食都相當講究。軍隊准帶家眷，這也是很特別的。這與作戰力也很有影響。

緬甸的國旗就在丁博士房子前面，每天早上有升旗，每天下午有降旗，升旗的時候奏樂，降旗的時候也奏樂，這也與我國無異。升旗降旗，丁博士在屋內不動。他的房子前面有一道鐵門，他的房子的門又是一度鐵門。這門的鐵，一根一根的，都非常的粗，鎖尤其大，恐怕比巴掌還大。想打開實在沒有辦法。後牆靠牆有一個小小的窗戶，外邊也都是鐵窗，開來也不容易。

我對于中西醫藥的看法（下）

陳立夫

嗚呼！世界上竟如此不重事實的醫生，成見之深竟至於此者，有了事實而不肯進一步去研究實驗，才眞是反科學，阻碍科學進步，爲科學界的蟊賊，就是這種人，我當時又氣又怒對他說道：「你是科學的罪人。我才是上帝呢！」所以我不怕人家駡我思想落伍，自反而不錯，雖千萬人吾往矣！不過這還不是我支持中醫的主要原因。

我是要打不平　莫任中醫自生自滅

主要原因我是革命黨員，看不入眼社會不平的事，尤其是假外人的勢力來壓迫中國人，我是要「打不平」的。那時候衛生署成立了，他們的做法是要用政府的力量來壓迫及消滅中醫。後來國醫館成立，他們看消滅不了，改採任其「自生自滅」的政策。他們根本不明白甚麼叫「政治」，國父稱管理衆人之事就是政治，若是把百分之九十以上的老百姓的事放棄不管，僅管極少數老百姓的事，這能稱爲好政治嗎？何況這是一種有關人民生死存亡的事！那時候西醫僅集於少數大都市，祇有少數有錢有勢的人（當然連政府官員在內）才請得起，其餘所有的老百姓，都靠中醫在招呼他們的保健。是在「任其自生自滅」的中醫政策保護下苟延殘喘着，到現在主持衛生行政的人，依然沒有放棄這種觀念。

我當時激於義憤，大聲疾呼，勉強減輕了中醫所受的政治的壓力。但是問題的中心，是要靠有足夠的醫生，來担當七億人民的保健工作才對，即使全用西醫，再加一百倍還是不夠，何況要培養成個醫生，從大學一年級算起，需要十年，我們不能久待，須得面對現實，所以我在担任教育部長任內，每省設法建立一個醫學院，培植人才，以應急需，所遺憾的未能同時多成立中醫學校，使中醫有同樣培植的機會。中醫師檢定考試，已經考試院舉辦，但是中醫師始終在「妾身未分明」的地位下受罪。

共匪萬惡　惟有一善

一件奇特的事在大陸出現了！十餘年前毛匪有病，史達林派了醫生來爲他診治。毛匪怕蹈捷克共酋被史藥死的覆轍，說他祇信中醫，不信西醫，爲理由以作搪塞！這話傳出，中醫得救了。現在匪區每一角落裏，凡有醫務所，就一面中醫一面西醫，而讓人民自己選擇。而對於中醫研究，亦頗有成績，文化大革命也沒有把中藥革去，這果然是由於匪區缺乏外匯向外購置西藥所致，但是事實的需要，使他們不得不在萬惡中做了一件惟一的好事來，我們聽了不免有些慚愧。

中醫中藥科學化　政府須出資維持

我一向希望西醫中有志之士挺身而出，將中醫中藥科學化，我更希望中醫不要故步自封，將凡可有助於望聞問切的科學工具先去學會，用熱度表總比用手摸摸頭要準確得多。用科學方法查血糖，量血壓，檢查內臟功能總比憑猜度要精密得多。人類爲生存的一切發明，是供人類無條件享用的，知己知彼，才能進步，才能勝於人。但是後來我發現我錯了，中醫和西醫個個都對於其本身業務已忙不過來，那有時間來做這些極艱鉅的工作呢？除非拿一筆大經費來養若干專門人才專做這事才行。

某教授見利忘義　研究癌症給告吹

有一件事刺激我最深的是當我在紐約長島住家的時候，左右前後的鄰居都曾患癌症而亡，因此我去買了許多有關癌症的書籍材料來研究。我聯想到中國醫藥方面對此問題或可有所幫助，我於是想自己去下番苦功，把匹林斯頓大學圖書館裝的中文圖書館名曰Geet Library中收藏最豐富的中國醫藥圖書用科學方法整理一下，這是一位被中國定川眼藥醫好了他的眼病的一位美國工程師所出的一筆錢收聚的中國醫藥書籍，在自由世界中爲首屈一指。我的計劃被一個基金會通過了，我同一位教授連署允許第一年補助我兩萬美元，結果那一位幫我申請的教授，見了錢眼紅了，想撿去獨自辦理，結果基金會不肯給他，就告吹了。這是十分可惜的事！但是我並不灰心！我現在決定從研究易經做起，希望能寫出一部使人人能了解的易學，則中醫的理論基礎，亦可因之建立起來，將來天如能多假我數年，當能再來辦一個私立中西醫藥研究所，使世界兩大醫藥學體系能融會貫通，希望你們不要笑我多事呢！

五點希望

（一）衛生行政機關，要扶掖中醫不再採用任其自生自滅政策。

（二）教育行政機關，不要將唯一的中國醫學院變成了一個西醫式的醫學院。將唯一的中國醫藥研究所充實其經費與人才，使中醫藥能向前進步。並須布中醫學校課程標準，并希望在所有醫學院課程中加入中國醫藥史一門功課。

（三）希望社會上多幾位如顧文霞女士之流研究中藥；更希望多幾位如許鴻源先生之流改良中藥製法。

（四）希望各基金會對於中醫中藥之研究者予以獎勵，對於有價值之著作如謝阿才、楊再義兩先生的合著「台灣植物名彙」及甘偉松先生所著之藥用植物學等書，予以獎助印行。

（五）希望每個中醫暫時多收若干學生，多寫幾本中醫書，多看幾本西醫書。

我深信現在世界上不治之症，將從中國醫藥書中找到藥物和方法而醫治。我們不必等人家來向我們求，我們應以自己研究之所得，以貢獻於人類「從根救起吾國固有的道德智能」，不專爲自救，而且爲救人，「迎頭趕上西方的物質科學」，亦是爲的是同一之目的啊。（完）

黛眉小傳

·王幻·

唐婉（一）

自古風雅之士，莫不多情，然而天下不如意事，十常八九；情場便是恨場，只要身入情網，便覺情絲黏附，擺脫無從，一任造化播弄了。往往還珠有淚，破鏡難圓，往日的歡娛，都成眼前的悲哀。

南宋大詩人陸游在少年時代，風流豪俠，也是個多情種子，無奈護花乏術，倩女離魂，使他抱恨終身。雖然「夢斷香銷四十年」，但他的心裏纏綿悽愴，固結不解；因爲他與表妹唐婉之間一段哀艷的軼事，委實教人迴腸盪氣，感慨萬千。常言道：「天若有情天亦老，月如無恨月常圓。」可作爲寫照。

陸游字務觀，越州山陰人。宋徽宗宣和七年（一一二五）十月十七日生於淮水船上。他的高祖名軫以進士起家，仕至吏部郎中；曾祖名珪，官國子博士；祖父名佃，是王安石的弟子，官至尚書左丞，贈太師楚國公；父名宰，作過京西轉運副使等官，母親唐夫人也有文學修養。生陸游前夜，夢見蘇門四學士之一的詩人秦觀。秦觀字少游，因而命名爲游，字觀。陸家是江南有名的藏書世家，蒐集典籍很多，南宋政府就曾從他家鈔過大批書。他早年有這種良好環境和家庭教育，十二歲已經會作詩文以蔭補登仕郎。十六歲初赴舉場與陳公實及從兄伯山、仲高、葉晦叔、范元卿同場屋，交結一班名士詩文遂爲藝林所重。由於此時金兵南侵，天下大亂，他又學劍術、讀兵書，爬山探險，鍛鍊體魄，準備爲國家效力。他有詩描述這時的生活道：「十年學劍勇成癖，騰身一上三千尺。」「刺虎騰身萬目前，白袍濺血尚依然。」「夜出馳獵常半酣，玄熊蒼兕橫如阜。」其果毅勇敢，可以概見。他於十九歲，赴南省，至臨安，舉進士未中，下第歸里，便到雲門山裏，攤開經史，苦讀兵書，「孤燈耿霜夜，窮山讀兵書。」立志要學萬人敵了。然而，時勢限人，文章憎命；直到他二十九歲，即紹興二十三年兩浙轉運使陳阜卿爲考試官，秦檜孫「埍」以右文修撰就試，直欲首選，嗣得陸文，擢置第一，秦埍次之，檜大怒。次年應禮部試被黜，陳阜卿亦幾得禍。因此，爲秦檜所忌，許久不能出頭，及至檜死，他卅四歲時，始以恩蔭任被建寧德縣主簿；三十八歲才受知於孝宗，賜進士出身。而孝宗賞識他也只在詩文方面，他却熱談大計，高倡伐金，多所攻詰，不能縝密，所以旋起旋退，不易有所表現。范成大帥蜀，游爲參議官；以文字交，不拘禮法，人譏其頹放，因自號「放翁」。

（未完）

第二十章

三泉閘子羽退金兵　固石洞岳飛擒玩寇

周燕謀

固石洞在山之巔，三面有水，登山只容一人一騎，形勢險阻。岳飛軍屯瑞金縣，自引千餘騎至固石洞，再命辯士說之使降。賊衆恃險不肯投降，大言道：「如果能夠攻破山寨而降，吾等雖死何憾！」

固石洞爲賊之老巢，賊在山上紮寨，懸崖百刃，登山必躋山而上。以前官軍往剿，皆因山險，勞而無功。甚至官軍登山，賊憑高據險，投刃轉石，士卒皆重傷而退。岳飛一夜自引千騎抵固石洞，與賊砦相對而營。賊畏岳飛威名，不敢下山。岳飛偵察山勢，一日下令道：「來日當破賊」。諸將不知所謂「破賊之計」。次日凌晨，令諸軍佈陣於山下，與賊砦相距甚近。岳飛亦登另一小山指揮之。賊在山上，見岳軍逼近，亦整頓以待。固石洞有一女賊，名叫廖小姑，驍勇冠於賊衆。見岳飛軍逼近，乃出山前喝道：「今日官兵要破我砦，除非是岳飛來不可」。岳飛聞言，顧左右傳話道：「我即岳飛也」！於是賊將喪胆。岳飛下令擊鼓登山，鼓聲方合，有衆先登。岳飛望其旗，乃是前軍第三隊。岳飛道：「先登者立奇功。」諸軍競進。賊兵見岳家軍一個個不怕死，如狼似虎的攀登，早已喪胆。不知如何是好。岳飛死士三百人已登上山，賊兵潰退，無人敢戀戰。傾寨棄山而下，皆爲山下列騎所圍捕，賊衆疾呼饒命，倉惶墜崖而死者不可勝數。岳飛急下令軍中，勿得擅殺一人。因此賊衆紛紛下山投降。諸將以爲說之不降，應予屠之。岳飛喟然良久，宣諭諸將道：「此輩雖然頑強，然皆一介愚民，殺之何益！且主上已赦其人，否則何成聖上之美？」於是皆不殺降。將所獲金帛，盡入償庫，以壯勇者分隸諸軍，其餘放歸田里，令各安生理，於是逃亡之民紛紛返鄉。是役生擒將賊廖小姑，十大五等五百餘首領。又招降流散於八縣之賊。岳飛旋師，欲進兵虔州，軍次雲都寺。賊將彭友又集兵力於雲都。岳飛聞報，驅兵掩殺，彭友又大敗而竄。岳飛題詩於雲都寺云：

手持竹杖訪黃龍，
舊穴空遺虎子踪；
雲所斷崖無覓處，
半山松竹撼秋風。

（一〇二）

自由報
（第一一五一期）
（版出六、三期星每刊週半）
元式角港幣叁角・台灣零售價新台幣伍份港幣每份
社長李鵬運・督印黃行富
社址：香港九龍彌敦道593—601號
廖創興銀行大厦八樓五座
LIU CHONG HING BUILDING
7th FLOOR FLAT '5
593—601 NATHAN ROAD,
KOWLOON, H.K.
TEL: K903831
電報掛號：7191
承印：景星印刷公司
地址：嘉咸街廿九號地下
台灣區業務管理中心：台北重慶南路一段一二九號
電話：二四五七四
台灣區直接訂戶　台灣劃撥戶
第五〇五六號張萬有（自由報會計室）
台灣分社：台北市西寧南路110號二樓
電話：三三〇三四六、台郵劃撥戶九二五二號

如何解決嚴重的農業問題

丁作韶

有關台灣農業，至少就我個人見聞，從來沒有像近來各方面所予以注意。以農民節爲出發，台灣省陳主席首先發其端，行政院嚴院長以副總統的身份也有書面致辭。行政院副院長蔣經國先生也發表了他的高見。隨着經濟部孫部長也有他的主張。中國國民黨中央黨部秘書長張寶樹，並且一馬當先深入農村，同時也有很多的高見。此外民間言論，更俯拾皆是。我也願意畧抒所見。

在現代化工業化科學化高唱入雲之際，在現代化工業化科學化大力推行之際，舉國上下能注意到台灣的農業，這是值得慶幸的事。由空前未有的熱烈上也可見到問題的嚴重。光復後，台灣農業太被忽視了！亡羊補牢，或未爲晚。

關於解決的方法，似乎千篇一律的在農言農，就農業的本身而論農業，就農業的本身條陳救濟之道。像什麼肥料的價格降低，換取的方法改變；又什麼各種的稅改減低，可能的話減少；又什麼在貸欵上放寬，利息儘量的低；又什麼促進機械化，又什麼……又什麼……你八點，我八條，眞是意見多多！但仔細考慮之後，覺得在農言農，就農業的本身而論是解決不了台灣嚴重的農業問題的。不唯不能解決台灣嚴重的農業問題，恐怕還要加重台灣已經嚴重的農業問題。台灣的農業問題不是農業本身，他的解決，應從農業以外求之。外在的因素重於本身。

台灣農業的問題，現在看起來好像是數不勝數，令人感到千頭萬緒，千孔百瘡，若歸納起來，想不外勞力少，收益少。何以勞力少？三尺童子想都會答：因爲鄉村的人向城裏擠。再問爲什麼鄉村的人向城裏擠？因爲城裏的生活比鄉村好？再問：爲什麼城裏的生活比鄉村好？因爲城裏的生活沒鄉村那麼苦，因爲在城裏掙錢容易掙錢多。再問鄉村的人向城裏跑，誰使爲之？誰令致之？第一是教育的提倡，第二是工商的提倡。教育與工商應該是農村的兩個勾死鬼。

在古老的城隍廟，一進門，就會看見一個衙役，戴着拉皂帽，伸着長長的舌頭，手裏拿着一條鎖鍊，兩目圓睜，猙獰可畏，前面寫着：「我來也」！誰見了不害怕！台灣的教育，台灣的工商，就是這樣的兩個衙役，把台灣的農村勞力像兩條大河似的引到城市裏來。這兩大河流，日在擴大，已經氾濫成災。但政府不察，社會不察，還在揚湯止沸，氾濫之勢，有增無減。鄉村的人到城市，加重了鄉村的問題，也加重了城市的問題，加重了城市失業的問題。據報載，從今年起？從明年起，台灣每年從學校出來的人達廿六萬之衆！……輔導……輔導！向那裏輔導？軍公教雖厲行退役退休，以便利新陳代謝的正常進行，但試問能代幾個？那些大的失業羣，向那裏代？有多少工業在等待，有多少商業在等待？工業能容多少，商業又能容多少？現在距離已經很大，將來更一年比一年嚴重。

爲政在識大體。什麼使民利民，喊得響徹雲霄，但能使多少？能利多少？能解決問題嗎？政治的事不是孜孜爲仁孑孑爲義的事，而是要從根做起。於此有河焉，還是把每一個背過來背過去？還是築一道橋給來往的行人？假若不戢止鄉村的人流到城市，假如不在這上面打主意，不在這上面想辦法，日復一日，年復一年，鄉村的勞力將更加少，城市的失業將更加多。問題將一天比一天嚴重，一年比一年嚴重。民生主義是三民主義最主要的主義，如何維持民生也應該是政府最重要的工作。「國以民爲本，民以食爲天」，任你玩什麼花樣，喊什麼口號，九九歸一，還是非吃飯不行。不錯世界是變了，但不管怎樣的變，吃飯並沒有變。大亨，大資本家，有錢有勢的人，看不起吃飯，但茫茫者衆，誰不在爲吃飯忙，爲吃飯担心。政治是有時間性的有空間性的，人尤其重要，一定要因時制宜，因地制宜，因人制宜。這才能解決問題。

普及教育，教育普及，是台灣常常以此自豪的。動則說已達到百份之九十幾又小數點多少。外國賓客也有以此誇揚台灣的。但這個普及的趨勢還應該繼續下去嗎？是不是應該考慮收縮？我在教育部黃部長的時代，我呼籲；我在閻部長的時代，我呼籲；我在鍾部長上台後，我還是在呼籲。我知道這不一定是他們的能力所及。但他們也應該有這樣的認識。在閻部長幹教育廳長的時候，他已經告訴我台灣就學的青年已達到兩百五十萬，自國教延長爲九年，台灣就學的人數已達到四百萬了！三分之一的人口在學，三分之一的人口向城市裏擠，難怪農村勞力少勞力缺之。勞力缺乏是台灣農業問題所在，應從這裏研究。

台灣缺乏鑛產，台灣不能有重工業。台灣又何嘗能有輕工業。所有的都是同人家所謂合作的。但這發展也是有限的。就辦一個加工區，辦兩個加工區，甚至於三個四個，勞力任人家剝削，換得一點點的唾餘，又能養活到幾個人？教育配合經濟，台灣經濟的需要非常有限，教育不斷的普及下去，不能給城市製造失業嗎？工商與我們有多大的好處，姑不具論，工商是不是便利資本主義帝國主義的侵略？工商是不是在製造社會貧富大大的懸隔？工商是不是消滅了中國的文化腐化了一切的風氣，工商是不是消失了全民反攻復國的鬥志？工商給我們帶來的什麼？是不是給政府贏來很多的外匯？外匯與全民的生活有什麼關係？我們不需要表面的繁榮進步，我們不需要便利少數人發財的工商。我們需要吃飯的農業。

我們常常聽到經濟的均衡發展。但實際上是這樣麼？實際上能這樣嗎？實際上，年來農業處於極不利的地位，處於四面楚歌，已經快被教育拖垮了，快被工商拖垮了。爲工商而教育，爲教育而犧牲農村的勞力而犧牲農村。現在台灣的台灣，中央的政策（假如有的話）顯然是工商至上，教育次之，農業最下。所有受過教育的人，都不願意再回農村，即令讀農業學校的亦然。農業學校招不到人，這是多麼嚴重的現象！說東說西，台灣的農業，是我們的生活所繫，教育應不妨害他，工商應不妨害他。在今天農業嚴重情形之下，請大家攷慮攷慮應不應限制教育與工商之發展，以保留農村的勞力，以保留農村的財力。

在今天一般趨向繁榮進步與普及教育的情況之下，或不免說我迂腐我落伍。但台灣的生活總不能不顧慮。自美國總統尼克遜發表世局咨文，我舉國上下已感到外交方面的生活已到了嚴重的關頭。但在內政上在經濟上的生存，又何嘗不嚴重！建設台灣，復興中國。但所謂建設，不應該單在科學上工業上商業上，不應該今天在一個什麼高速公路，明天一個水庫，後天一個什麼……動則六七十億，一百多億……這不是什麼必要的東西，爲今之計，莫要於農業。農業應爲台灣立國的根本，一旦到了農業垮台，大家吃飯都成了問題，一切的一切，都會暗淡失色，甚至於暗淡無色。最嚴重的莫過於人民沒有飯吃。

我們不能以趨時髦的腦筋去看農業，更不能以工商科學的頭腦去解決農業的問題，我們要拿出政治的頭腦，獨立的精神，因地因時制宜的方法來解決台灣的農業問題。我很欽佩中央黨部張秘書長不辭辛苦的深入農村，也很欽佩陳主席，孫部長，李部長……普遍的注意到台灣農業問題的嚴重。現在要在政策上打主意。政策的決定要從整個的台灣看，頭痛醫頭，脚痛醫脚，固然不是辦法，在科學言科學，在工言工，在商言商，站在本位主義，也不是辦法。一定要糾正教育方向錯誤，限制工商，在不妨害農業原則之下進行。一切以農業爲中心，凡有妨害他的，則予以改革，務必將已離開農村的盡力的拉回去。還沒有離開的儘力防止再離開至少也要儘可能的少離開，愈少愈好。這要求之於農業以外，要從外在的因素着手，要本着獨立自主的精神。質之高明，以爲何如？

（完）

昨日與明日

人權的區域性

有個姓刁的中國留美學生，誤信毛共宣傳，以爲毛共政權之下的人民，眞是過着天堂生活，貿然棄學回到大陸去爲「人民」服務。經過年餘的實際體驗後，最近逃返美國，在衆議院安全委員會作證說：中國大陸上的人民絕無絲毫自由生活之可言，早上出門去，晚上是否能夠回來而不遭受逮捕？殊不可知。這證明美國人素所尊崇的人權思想，在毛共區城內完全不存在，也就足以增進美國號召自由人類反抗共產主義的堅强信心，應引起社會人士廣泛的同情共鳴。

然而，美國輿論界對於刁君現身說法的證詞，毫無反應，相反地指稱毛共政權控制了七億民衆，已臻穩固，朝野人士相率主張不妨承認毛共政權，更要請它進入聯合國。這表示毛共的血腥統治，在美國人看來，並無不合！

可是，美國人對於亞洲自由國家—特別是台灣的中華民國政府，爲着自己國家的安全利益，對共黨同路人或共諜有所究處時，即以紐約時報爲首，不分青紅皂白地譁然指摘，認爲「蹂躪人權」的專制措施，提出抗議，而且說出許多違悖事實的攻訐之詞，表示着萬分尊重人權的態度，像煞有介事。此外還要以非法手段，把那受到懲處的叛亂份子，偷渡到美國去。事證孔多，不遑枚舉。

所以，美國人士心目中的「人權」，是有區域性的。在共產區域內，儘可摧殘人權，視人民如奴隸牛馬，任意屠殺，亦認係鞏固統治權的應有之義。若在自由國家，即使從輕究處一個罪證確鑿的共諜或叛國之徒，即指爲無可諒恕的漠視人權之舉，中申而詈，不遺餘力。

美國不能領導反共運動

二次大戰後，美國一躍而居於自由世界盟主地位，領導全球反共運動，有聲有色。時至今日，乃一變而爲對共產國家實行姑息妥協主義的倡率者，國內充溢着親共媚共的氣氛，莫可究詰。十年前，俄共頭目赫魯歇夫在美國公開聲言「我們將要埋葬你們！」美國輿論界泰然不以爲意。現在證明赫酋這項預言的可能性很高，試看最近美國對越戰的措置，即思過半矣。

亞洲自由國家如不願爲共黨所吞噬，即須自求多福，棄小異而就大同，齊心協力，共同奮鬥，採取自主外交政策，而揚棄唯美國馬首是瞻的僞觀念，庶幾有豸。否則終難免於給美國作「殉葬品」的危險，可不愼思而明辨之哉！

・何如・

自由談

徒善不足以爲政

香港與九龍地區，由於歷年來人口日益激增之故，所謂黑社會份子與「阿飛」——台灣叫作太保——式不良少年，常在市面上滋生事端，如聚衆打鬥、持械尋釁之類的行爲，層見迭出，影響社會秩序殊甚。

最近有行年不滿十九歲的阿飛哥，聚衆行兇，以木棍傷人致死，香港高等法院經過陪審員的多數同意，判處該不良少年以極刑。法官認爲非從重處斷，即不足以維護社會上大多數人士的安寧生活；同時又考慮今後對這類阿飛份子要加重笞刑即對犯罪者施以籐鞭。

英國早已由國會通過廢除死刑的法案，笞刑在香港亦很少使用了。於今基於港九地方的現實情況，對那未足法定年齡的不良少年，亦斷然置之大辟，而由地方各界代表人士担任的陪審員，亦無異議，可見「徒善不足以爲政」與「治亂世，用重典」的說法是正確的。假使拘泥法例而煦煦爲仁，孑孑爲義，在人口充斥到了爆炸點的香港地區，政府即難以維持社會秩序，貽患將不可勝言也。

因此，我聯想到台灣的幫會份子與不良少年，亦常有聚衆械鬥仇殺情事，然法院拘泥「未成年」的法例，多予以「感化」處分，最重亦只是送赴外島管訓若干時期而已。他們感化或管訓期滿後，還我自由，故態復萌，照樣爲非作歹者，時有所聞，而眞正從感化或管訓中，能够改邪歸正，重新做人的，十不及一，即證明撥亂世而談仁政，效用甚微，無裨治道。咱們過去祗是鈔襲外國法規條文的各種國內法，多屬不切實際的官樣文章，實有重新改造之必要。古人說：「法令者，治之具，而非所以求治之道」，吾國現有的民刑法，尤其 漏更多，而所謂感化管訓的律例，亦無撥亂反正之功用可期，非改革不可！

馮五先生

檢查影片兼營標售
何異鼓勵監守自盜
立委徐中齊向行政院質詢
指文化局標售日本片不當

（自由報台北消息）「士大夫無耻是謂國耻」。這是立法委員徐中齊引用古人之言來質詢行政院。他指出文化局無標售影片之職掌，其組織法中列有明文，行政院命令檢查者兼營標售而不提防其利用職權，上下其手，何殊鼓勵監守自盜。

行政院對徐委員質詢，將以書面答覆。徐委員指出：教育部文化局以買空賣空方式，委託中信局標售日本低級影片配額牟利，（非實物）已盈利一千七百餘萬，本擬坐掯運用，經人多次質詢，始於去年冬補辦追加歲入手續。見本年二月廿四日大衆日報之報導。

文化局是職司檢查影片的機構，而日片進口，政府尚未明令實行公賣制度，即令實行公賣，也應該由經濟部外貿局進口，（貨品分類列號八二二〇——一一）由海關收稅，（稅則列號七三七B.3 iy）並完成立法程序，始爲合法。姑勿論文化局變更行政院「統購統銷」之命令爲「不統購而銷」，是否違令。即就行政院「統購統銷」之命令而論，授權檢查機構兼辦營利事業，於國家之經濟制度，亦有未合。

文化局職司影片之檢查及輔導，並無標售影片之職掌，其組織法中列有明文，行政院命令檢查者兼營標售，而不提防其利用職權，上下其手，何殊鼓勵其越權，鼓勵其監守自盜。

陳立夫先生以文復會副主委的身份，最近呼籲大家傳播事業，勿誨淫誨盜，其所謂誨淫誨盜，當然也指着部份的黃色電影片和變態的武俠片而言。

電影業人士的說法：「教育部文化局是應該清高的衙門，他尚且買空賣空，他標售的日本片更問題重重，他已經沒有資格管製片者誨淫誨盜，那有只准州官放火，不准百姓點燈的道理」。「己身不正，安能正人」，本席深爲教育前途憂！

在文化局官員的想法：「行政院要「統購統銷」，又不給統銷的資本，不得不標售日商的影片片名，（實際并未標售片名所標售者祇是「片額」而已），反正剪刀在我手裏，伸縮自如，少剪一點，便多賺一點，管他什麼黃色黑色」。

在日本影片商的想法：「你們文化局不拿現款買貨，連訂金都不付，還要我們登記候標，高級影片誰會給你，暫時拿點銷不掉的低級影片應付應付吧，管什麼黃色黑色，害也害不着我們大日本皇民」。

在國內影片商們的想法：「文化局執掌剪刀大權，用買空賣空的辦法剝削我們的利益，訴願力弱不受理，上映片昂沒錢賺，正希望你來點黃的黑的，投人所好，多演幾場」。

在國內製片者們的想法：拍電影這一行，受電視的影響，已經漸不景氣，花大本錢拍巨片，怕賺不回來，正好文化局也買空賣空，標售低級日本片，不好意思管我們，因此乘勢多拍幾部像「太太回娘家」之類的廉價時裝片，賺點鍋鍋吃飯，管他什麼黃的黑的。

假設上述四種想法都融匯貫通了，則「文化復興運動」垮矣！

標售日片未經立法
顯係越權超出職掌
對「制衡」之義亦有未合
亟應停止買空賣空行爲

近百年來，國人喜歡以「升官」「發財」作爲頌揚之詞，而且把「發財」放在「升官」之上，認爲只要「升官」便易於「發財」。此種觀念的來源，起於清末之官吏貪墨，和軍閥時代的政治腐敗，此種觀念的實踐，平添了上下交爭利的風氣，粉碎了知恥知病寶貴。近來不斷發生官商勾結紅包橫行等事件，大都是由此種觀念在作祟而來。

不論滿清末年是如何的賄賂公行，不論軍閥時代是如何的官佔民產，就其學官而言，雖至覆亡之際，大部份尚能保持清廉的作風。不謂我政府正高唱「文化復興」之今日，而學官們卻首先唯利是圖，讀古人「士大夫之無恥是謂國恥」之句，令人興斯文掃地之感！

民主政治之所以可貴者，在能制衡，議會控制預算，爲納稅人謀求利益，政府尊重立法權，爲人民服務。三權分立，五權分立之精義亦在此。

教育部文化局之標售日片配額，顯爲變像的公賣制度，由於事前並未完成立法程序，於「制衡」之義已有違悖。且集檢刪權標售權於一身，於政府內部「制衡」之義，亦有未合，越權而至於超出其職掌，殊爲智者所不取。

請行政院尊重立法程序，依文化局組織法職掌範圍之規定，停止其違法標售日片買空賣空的行爲，俾能使文化局官員們發揮其「無慾則剛」的精神，充份利用其剪刀，剪掉黃色黑色的劇情，爲文化復興多盡點力量，幸甚。

立委力促政府調整公教待遇
嚴院長說經費籌措困難
普遍調整當續不斷研究

（自由報台北消息）行政院長嚴家淦說：「六十一年度軍公教人員待遇，只要財力許可，應予調整，這是行政院的既定方針。」

他回答立法委員成蓬一等質詢時說：「由於六十一年度各級政府預算收支初步估計均有差距，尤以中央政府及台灣省縣市政府的差距爲大，籌補彌平，甚感不易，況且六十年度軍公教人員之待遇甫行調整，其幅度較以往歷次爲大（全年計列有經費二十四億三千八百五十八萬元），台灣省及所屬各縣市因財力支絀，其所需調整待遇經費尙感無法籌措，六十一年度倘再普遍調整，當更不能支應。現各級政府預算尙在籌編中，初步考慮似只能就改善國軍士兵生活，補助公教人員購置住宅，貫徹退休政策等方面，儘力優先列入預算外，關於軍公教人員待遇的普遍調整，行政院當繼續不斷研究。」

立法委員成蓬一首先就軍公教人員待遇問題，向行政院提出質詢。他說：在六十年度，政府對軍公教人員待遇有很大的調整，對於那次的調整案，相信全國軍公教人員都是非常感激的。可是在六十一年度總預算編列前，嚴院長的施政報告中，對軍公教人員待遇調整問題，卻隻字未提，爲此而感到很大的困惑。

成蓬一委員是立法院預算委員會召集委員，對政府財政瞭如指掌，據他指出：行政院施政報告中，關於五十九年度之決算，歲計剩餘達十六億九千八百萬元之多，如果再翻開中央銀行帳簿與國家總決算帳來看，歷年累積到現在，歲計剩餘，現在還有四十餘億元，既然存有四十餘億元的歲計剩餘，何以對軍、公、教人員待遇不予調整？對於這個問題，相信立法院有許多同仁都認爲應請嚴院長、蔣副院長要特別加以考慮。

記得在六十年度軍、公、教待遇調整之後，政府對稅務人員的稽征津貼也有所調整，其調整額除薪俸外，最高者爲四千三百元，最低者亦在一千一百元至一千二百元，易言之，每一稅務人員除其原有之工作補助費外（以最高額四千三百元爲例，扣除原有之八百四十元工作補助費），亦增加三千四百餘元。政府何以對全國軍、公、教人員之工作補助費竟不作任何調整？軍公教人員平均之數額，約估其薪俸的三分之一，爲了振奮人心起見，希望在六十一年度總預算內，利用歲計剩餘，對軍公教人員之工作補助費酌量予以調整。如全面調整，所需經費亦不過八至十億元而已，希望嚴院長、蔣副院長爲了將士用命，幹部竭智盡忠起見，對工作補助費給予適當的調整。

胡鈍俞委員對公教人員待遇之調整，亦有質詢。他認爲調整公教人員待遇係一最基本的問題，此一問題如不獲圓滿解決，政府推行任何行政、任何建設，均將大打折扣，甚或落空，故不容忽視。據統計，物價上漲率爲百分之四至百分之五，實際上一般消費品上漲率爲百分之十至百分之廿，換句話說，政府調整公教待遇所增以後的部分，已完全爲物價上漲率所抵消。物價上漲程度既如此之高，而本（六十一）年度新預算如將這一個問題略而不談，將是很大的漏洞，故本年度預算應列若干款項，作爲調整公教待遇之用。至於所謂「重點主義」，已無濟於事，毫無效用，長此下去，徒然增長不平。

黃煥如委員列舉兩點理由，認爲政府應調整待遇，否則將失信於民。他質詢說：嚴院長爲謀徹底解決待遇問題，曾決定實行單一俸給制，分四年全面調整，每年調整百分之廿五。去年已開始實施，今年施政報告，對待遇問題僅謂：「當視國家財力，繼續謀求改善。」嚴院長答質詢謂：「尙在研究中」。今之國家心理建設、精神建設重於一切，仍應權衡輕重，勻支照列，至少亦應列半數，藉以安定人心，鼓舞士氣。

黃委員說：去年修正獎勵投資條例時，政府將營利事業所得稅稅率由百分之十八提高到百分之二十五，據說明係爲寬籌調整軍公教人員待遇財源，現該條例已照案通過，稅率提高，稅收增加，應該財源有着，如果完全不列，豈不失信於民？

五十六種砂鍋烹飪

馬騰雲

（八）砂鍋鰻魚

鰻魚產於淡水河或池沼，狀如蛇，有膠質之黏液，大者長至三尺，含滋養料甚豐，「肉」「血」「頭」「骨」皆可療疾。

砂鍋鰻魚的烹調，豬板油一兩，切成碎塊，火腿一兩切成碎塊，香菇五隻（中等）用水發開切成碎塊，薑葱適量，高粱酒一兩，先將這些配料煮好，然後將活殺鰻魚洗淨剁成小段，入沸湯中以文火煮到爛熟連鍋上桌，臨時加鹽、胡椒粉，鰻魚味顯得更外鮮美。

鰻魚功能補虛起陽、殺蟲、暖腰膝、去濕、治陰瘡、陰戶蝕癢、小兒疳疾、瘰惡瘡，解諸毒，台灣人、潮州人、日本人最嗜此物，安徽淮河流域八百里皆盛產，每斤豬肉的錢可買鰻魚四斤，因爲太多，不三不四的話跟着來謂鰻魚吃死人，又謂是蛇變的，故高級人家甚少問津，大陸變色後，共匪將鰻魚大批輸出，目的地日本和泰國，每年賺到的外匯數字驚人，淮河流域的老百姓再想吃鰻魚，恐比龍肉還難了。

鰻魚的骨燒烟薰室內，可使蚊子化成水，薰竹木箱避蛀蟲。鰻魚有五不食，一、腹下有黑斑者不食，二、昂頭游水者不食，三、四個眼睛者不食，四、背有白點而無鰓者不食，五、孕婦不食。

天下雜論
要自己站起來

千公

自從尼克森總統外交咨文發表以後，引起全世界反共人士的異論，對自由中國而言，顯然是一個刺激和一個警惕。

忿慨儘管忿慨，事實不容抹煞。我們必須澈底認識：一個國家的外交政策是基於本身的認識和本身的利益，而一個國家的生存決不能倚賴於另一國家的政策，更不應當存着這種思想。明乎此，權衡國際現勢，尼克森的言論便不值重視了。

自力更生是我們國家在對日抗戰時期的國策指導方針，今天，我們還應牢守自力更生原則。一個國家必須自己首先站起來，健全自己，壯大自己，然後才能在這強權世界，繼持自己的生存。就國民來講，所有國民必須人人振奮，奮發圖強，對前途充滿信心，對國家盡忠報効，對社會嚴守本份。世界上、歷史上，沒有一個健全的民族會使國勢衰微的。

就政府來講，必須善盡領導的職責，澈底刷新政治的風氣，任用有風骨、有品格的人才，實施廉能服務的各項政治措施，讓人民對政府敬愛信服，如此則上下齊心，一致對外，何懼國際局勢的驚濤駭浪？

我們很惋惜地講：總統對政治革新雖不斷指示，而各高層人士則多奉行不力。朝中大官大多缺乏責任感，更少踐履篤實的作風。譬如凡事都要會議決定，機關首長便天天開會，會議之多，充分顯示我們政治缺少官吏負責作風。又如工作不力或不能完成任務，便應引咎自責，像我們隣邦日、韓，學生遊覽車失事，教育部長便引咎辭職，我們有這樣的部長嗎？知恥近乎勇，我們的勇士在那兒。因爲不用賢，在政治上便出現人才反淘汰，「惡幣驅逐良幣」的貨幣法則便應用於政治現象上，政治革新云乎哉？

風雨如晦，鷄鳴不已，我們再不奮發圖強，必將悔之晚矣。

球王比利月薪
平均美金四萬

△巴西山度士球會爲了防止人們對世界球王比利的月薪諸多揣測，星期六把他的月薪公佈，比利的「正式」月薪爲美金二千六百元，另出場費每場美金五十元。人們一向估計比利在山度士球會每月賺一萬五千元美金，加上他的私人生意，平均月入美金四萬元。

父是大名詩人
女小電影主角

△三藩市「小電影」（色情影片）女主角琴莉・雷克斯羅夫是著名的詩歌評論家堅尼斯・雷克斯羅夫的女兒。二十歲的瑪莉在「交合」一片中任主角，該片現風靡三藩市。父親對女兒的這一新事業，用哲學的眼光看待，含笑評論說：「她是一個優秀詩人和演員！」

開封名勝古蹟

開封本春秋戰國時文化發達之區，至宋朝結束五代十國分割局面，建立統一政權於此後，經濟文化尤超越前代。所有名勝古跡，本是數不勝數，但以代遠年湮，景移名易，或因桑田滄海，名實不符。即宋徽宗勞民傷財，用人工造成之峯巒嶂岳，洲渚池沼而名爲「壽山艮嶽」的御苑，自金人入侵後，便將其中雕梁畫棟之華陽宮等景物，拆遷至燕京，僅存土阜供人憑弔。

「禹王台」、即春秋晉樂師師曠「吹台」之故址，因其位於「牧澤」之畔，故漢梁孝王就其地建立「梁苑」。梁園雪宴，是後世好客者之美談，唐李白有「十載梁園客」之句即指此而言。明代又就其廢址建立「禹王台」，以紀念大禹鑿龍門治水之功。台基兩層，第一層築有「御樓」，是清乾隆帝遊「吹台」賦詩之處；再進爲「禹王台」，在四方殿院中，花木扶蘇，芬香四溢。有一梁架於「牧澤」畔柳蔭深處，橋南有壘土之山，一亭巍然，可以登臨眺遠。下山有曲橋流水，和古柏森森之勝。

「萬壽宮」、俗稱爲「龍亭」，建築地址是明代周王府遺留之煤山。清康熙帝曾駐 於此。此紅牆黃瓦之宮亭，位於風景幽勝之「潘」、「楊」湖畔，宮亭築於巍然高達八十尺白石台基上，登石階及宮殿四周，有雕刻龍鳳之白石欄干，憑欄俯瞰，全城盡在眼底。殿後巨大黑色玉石曰「龍墩」，是明周王府遺物，四周雕有雲龍，栩栩如生，有脫石飛去之勢。而「潘」湖、「楊」湖爲行道開成東、西二湖，爲宋將潘美、楊業的私園池沼。東湖是潘園遺址，住宅環繞，故水濁；西湖是楊園遺址，地近曠野，故水清。而民間以清濁之分，是潘、楊二氏忠奸之表現。此種野語竟千年而不變。其實，潘美、楊業與趙匡胤同事後周，匡胤假陳橋兵變黃袍加身奪得政權時，陝西守將袁彥不滿此種欺騙孤兒寡婦手段，經美往勸說，始免兵戈相見。美後來逾嶺表滅南漢，定江南，征太原均出力，封魏國公，逝後諡武惠。業於征太原戰役中遇伏陣亡；雖然是馬革裹屍，完成軍人高尚美德；但美之蓋棺定論，亦是宋趙不貳之臣，一部楊家將小說，將美、業判成奸忠，千年猶受其影響，可見稗官野史力量之大。

「鐵塔」，是黑陶磚砌成之佛塔，因色與鐵相似故名。陶磚上有依佛典雕成各種圖案，如坐、立佛像及龍鳳麒麟五十八種，是雕繪細緻的藝術傑作。塔形八角，高十六丈，分十三層，每層均有門窗，可遠眺黃河如帶。塔身雖屬陶質，較諸易被銹蝕之鐵質更久遠，迄將千年，猶巍然矗峙。在抗戰時曾遭敵炮，仍挺立不倒，修繕後更加壯麗。

「陳橋驛」、在城北郊二十里，爲宋太祖黃袍加身以奪得北周政權之發祥地，且是開封軍事要隘。宋咸平間，契丹南寇，帝親禦之，車駕次陳橋，寇聞風而退。明洪武初，大將徐達定山東，引軍攻開封，佔陳橋後，守開封元將左君弼等迎降，不但清除北伐之障碍，且恢復淪陷二百年之宋代京城，使人心振奮，故明太祖有詔改爲北京之議。

「瓊林苑」是宋太祖所建苑囿，至宋太宗復於苑北鑿池，並引金水河流入，曰：「金明池」。據石林燕語云：「每年春二月開放，任士庶遊覽，謂之『開池』，至上已車臨幸即閉」。每屆會試入選新進士會宴於此，謂之「瓊林宴」。科舉制度在宋代極爲重視，宋制地方官非科舉出身者莫任，入閣議者非經過地方官階段難入選，故宋代政風初期比較清明，變法圖強之宰相王安石便是曾任鄞縣令者。「金明池」後又成爲宋代演習水軍之所。據宋史：「祥符六年詔諸軍選江淮習水卒於金明池演試。」此習武修文之「瓊林苑」和「金明池」，早已苑毀池淤矣。

「朱仙鎭」，在城南四十里，於於賈魯河畔，是許昌至開封要隘，古代南北商旅，以此爲匯集之場，南舟北軍運輸之貨物由此交換，是河南經濟重心。南宋紹興十年岳飛大敗金人於 城，進駐朱仙鎭，大捷傳到臨安竟釀成「莫須有」之三字獄。

（琴聲）

王道先生逝世哀悼辭

・顧翊羣・

香港人生雜誌創辦人王道貫之先生於本年三月六日因積勞逝世後，自由中國喪失了一位最堅强的文化學人，青年學子等失去了一位端方績學的導師，本文著者亦不復再有機會向這位直諒多聞之知交友人請益。昔人所謂，「人之云亡邦國殄瘁」，以及「黃壚重過邈若山河」之痛，當非僅是我個人之私見也。

近二十年以來，王先生與其夫人沈醒園女士懷抱着愛國家民族與中華文化之熱忱，以「任道眞成蚊負山」（「心聲集」中句）之精神，在僑居地香港刊行人生雜誌，從事於弘揚儒學與昌明詩教。此刊物歷盡艱辛終卓然有成，而獲得東南亞與美洲各地喜愛中華文化及哲學與文學之讀者等之衷忱贊助，並實行以文會友，形成了一股巨大力量。

在此廿歲期間，老師宿儒如錢賓四、唐君毅、牟宗三、徐復觀、謝幼偉等，青年績學者如劉述先、張康、林艾山、黃伯飛、潘慕和、黎仁厚等，詩學名家如梁寒操、詹勵吾、何敬羣、易君左、吳萬谷等，以及甚多的其他學者，均喜以「人生」爲其園地，而對自孔孟以降之儒家學術與思想，以及中國古今來之文學與文藝，還有現代文人之科學與社會問題等等，作多方面的探討，正如王先生在「人生總目錄編序文」中所言，諸作者「言其歸趣，或妙思六經，逍遙百氏，或收文武之將墜，振微言之未絕；或求中外古今之融通合流，或求儒道佛耶之並行不悖，或爲釀百花以成蜜，或爲導百川以歸海；或爲開拓學術思想之理路，或爲發抒家國天下之情懷；或直證道體或獨遊玄津，或潔靜精微，或疏通致遠；或表現爲理智之俊逸，心靈之超脫，或表現爲性情之溫厚，道德之莊嚴。其千狀百態，允可稱爲千巖競秀，萬壑爭流，或者千慮一致，殊途同歸；而人生師友之用心所在與人生雜誌之宗趣所在，蓋亦可於此通觀其大體矣。」

多年以來，當我在華府一國際組織任職時，久已成爲「人生」之讀者。某歲我曾與港地友人通信，對「人生」內容表示讚佩，被王先生獲知後，來函盼我爲該刊撰寫論文，並報告西方文化動蕩之情態。我曾將我所欽佩之西方學者等對當前世界所懷抱不安之感撰文報導，就中如美國文學批評大師克勒區氏、粵佛氏、德國經濟學者儒伯克氏、哲學家伏格林氏，與法國哲學家馬理旦氏等人，均爲有眞知灼見超越流俗之學者。他們所言，有時與中國學者之議論可互相啓發。

據個人管見，二十年之人生雜誌，已爲了保存與光大中華文化，以及如何因應廿世紀世界文化之變動，提獻了甚多有價值之文章，此種備憑貫之兄個人熱忱與毅力所收穫得來之成就，幾乎近似於奇跡，而只能以歷史上之中華文化每於運丁陽九時會，便有類似如此一般人物之出現，以爲解釋。

過去我在旅途中曾兩次過港，與貫之兄伉儷把晤。五十五年退休來台後，因年老習靜久未旅行。貫之兄則因體力較前爲遜，不克來台訪問。噩耗傳來，竟幽明永隔了。

貫之兄雖撒手塵世，但他的音容將永久存在他的友朋之心中，更因他將一生心血灌注於廿年來之人生雜誌，而遺留土他所撰著之「去國集」、「心聲集」、「人生之響往」等不朽的詩文作品，故他的造詣與成就堪稱爲偉大的。他的不伎不求，安貧守道之胸懷，他之爲了學術與正氣而艱苦備嘗死而後已之意志，他之如光風霽月般待人接物之襟抱，處處證明他的修養已抵達到了聖賢境界。當前世界仍然有如他一般人物之存在，足以證明中華文化生命力之偉大。

過去承他不棄，引我爲知己中之一人，謹追步顏延之誄陶徵士靖節先生之意，敬撰玆短文，以誌對他逝世之哀心，悼念之忱云爾。

談財神爺沈萬三

・范正儒・

宅第華麗與服御奢侈

再據雲蕉館紀談，說沈的金銀寶物盡屬女子扳環的。紀談上說：「初，萬三富時，一日，有一婦流徙道路，婦懷孕十月已足，適至萬三之門首而產時將夜半矣。進退無所，不得已，以手扳門環生一女，因名扳環。是夜，萬三得一夢，一老人謂曰：汝金盡是扳環者，今當還之，不相負也。萬三驚起，收其女爲子婦，並養其父母，自女來後，家益殷富。」

紀談又云：「萬三既富，衣服器具，擬於王者，後園築垣，周迴七百二十步，垣上起三層，外層高六尺，中層高三尺，內層再高三尺，闊並六尺，垣上植四時野艷之花。每及時花開，望之如錦，號曰繡垣。垣十步一亭，亭以美石香木爲之。花園則飾以綵帛，懸以珍珠，萬三攜杯挾妓，遊觀於上，周旋遞飲，樂以終日，時人謂之磨飲。」垣外以竹爲屏障，下有田畝十頃，鑿渠引水，種稻以供酒需。垣內起高牆，高出裏垣之上，以粉塗之，繪禽奇獸之狀，雜隱於花間。牆之裏，四面疊石爲山，內爲池，山蒔花卉，池養金魚。池內起四通八達之樓，面山瞰魚，四面削石成橋，飛青染綠，儼若仙區。勝景樓形，飛簷接翼，製造精巧。樓之內，又一樓居中，號曰寶海，諸珍異皆在焉。」

「萬三閒居則必處以自娛，樓之下爲溫室，中置一床，制度不同凡等。前爲秉燭軒，取何不秉燭遊之義。軒之外皆寶石欄杆，中置銷金九朶雲帳，四角懸琉璃燈，後置百諧桌，義取百年諧老。軒後兩落有橋，東曰日昇，西曰金明，所以通洞房者。橋之東有青箱，乃置衣之處，夾兩橋而長爲翼寢，妾婢之所居，後正寢曰春宵洞，貂鼠爲褥，蜀錦爲衾。」

沈萬三的居室之美，既如上述，再看他的珍寶服用。據秀水縣志：「沈萬三宅在周莊，所藏之瑪瑙酒壺，其質通明類水晶宮，有紫葡萄一枝，五猿爭食。家有瓷器十三桌，每桌放羊脂玉二枚。宴時皆金銀器皿，以綢絲鋪筵席，行酒用白瑪瑙盤。服御華貴，超於王侯，宜其後日賈禍焉。」萬三弟沈貴嘗諷以詩云：「錦衣玉食非爲福，檀板金尊可罷休，底事子孫長久計，瓦盆盛酒木棉裘。」

明太祖與沈萬三門富

沈萬三當年以聚寶盆起家，有類乎西洋神話中的魔瓶。後人在聚寶盆上堆置八寶，也是取之沈氏服御豪奢器物貴侈之意，故以爲名。鴻書上說：「明太祖時，蘇民沈萬三家有聚寶盆，置少益多。上問之，取視無驗，仍以還沈。」接煉丹之鼎未經爐火燒煉，宜乎明太祖取視無驗也。

又云：「太祖築應天城，終疑此盆之異，復命取鎮觀音門下，因名聚寶門，並徙沈於雲南。」鬱岡筆談說，這盆被「高皇帝碎而埋金陵門下，故名爲聚寶門。」張氏全集又有一種不同之說法：「帝召沈萬三謂曰：爾家有盆能聚寶，亦能聚土築門乎？萬三不敢辨，承命起築，立基即傾者三，乃暗投丹金數片，築之始成。所費鉅萬。」

（未完）

催眠療病法

鮑紹洲

口頭療病法

口頭即指語言而言。催眠療病所恃有的利器的，只有語言的暗示，如果語言含混不清，病人聽了不懂，不論你療法如何神妙，也無成功可期。

口頭療病法，着重暗示語言，以收治病之功。此種方法造語結構宜簡單明白，語意又很淺顯，不論婦孺、兒童都一聽了解。至於文言，似可視對方程度而定雅俗，如非同鄉，不可雜以鄉音。例如戒烟、戒酒、戒嫖、戒賭，全憑暗示語言，將害處簡要說明，使聽者警惕，深入腦海，醒覺以後猶能記憶，收效必宏。

又如妄想、狂想等語言，亦最關緊要，屬於前者，說透其無益，形容妄想之害，言簡而意賅，使病人聽了覺悟，狂妄必然漸減。屬於後者，說透憂鬱之原因，極言憂鬱攪人，不過須病者了解語意者，方可採用，若已成狂癡病，醒時不辨黑白，不適本法。

劉半農記賽金花

賽金花小史

賽金花係清代某顯宦之後，姓曹，乳名「彩雲」姓「傅」和姓「趙」都是假冒的；冒姓傅的時候，因要去酬應客人，爲自己體面起見，不好說出眞姓氏，乃取「富貴」的意思，便冒姓「傅」了。原籍徽州，生長姑蘇，小時極聰慧，到十餘歲，生得沉魚落雁，羞花閉月，俊俏非凡，又性喜妝飾，喜歡擦脂抹粉，穿好衣裳，打扮起來，人人都同聲讚美，都說：「這小妮子，不知將來要被那位有福的情哥娶她，」後來蘇州城內沒有不知道周家巷有個美麗的姑娘了，有時閒立門口，撫台學台們經過，都凝目注視伊之芳姿。十三歲時，被誘爲娼，在那時，認識了洪鈞，大爲賞讚，至明年，就正式嫁給洪狀元了。她在七八歲，就喜吃「狀元飯」，親戚們都說她將來嫁個狀元，果然如此，豈非前生註定嗎？嫁給洪狀元的來年，就隨洪狀元出使歐洲，十七歲在柏林，產一女，名德官；後洪狀元回國及歿，乃被洪家所逐，流淚到滬，重張艷幟，於每禮拜六禮拜日兩天見客，用「趙夢蘭」名字，車馬盈門，一時滬上名妓林黛玉等，均相與聯絡矣。至光緒廿四年：至天津，開「金花班」，自己也出去應客，「終金花」之名，就膾炙人口，後還至北平，組南班。至廿六年，義和團作亂，結識聯軍統帥瓦德西時聯軍在北平橫行無忌，肆意虐待人民，賽時勸瓦制止。又開和議時，德公使克林德夫人，因其夫被戕，提出種種苛刻條件，李鴻章無法可施，乃請賽金花相助，克林夫人經賽竭力勸慰，始允建克林德碑了事，和議亦因之順利進行，皆賽之功也。然和議成後，亦不得獎，爲維持生活起見，在滬上重張艷幟，民國七年，賽已四十五歲，嫁魏斯靈長居北平，近年來貧病交迫，生活十分困苦，在今盛演「賽金花」劇時，不幸逝世惜哉。

自述身世

我本姓趙，生長姑蘇，原籍是徽州，家中世業當商。我的父親就生在徽州，十二歲上，因鬧長毛，（即太平天國，以其披髮，俗皆呼曰長毛）我們徽州很受蹂躪，家人都四散奔逃了，他隻身便跑到蘇州找我祖父。那時我祖父正在蘇州與一個叫朱爾子的合夥開當舖。後來亂事平定，也沒有回本鄉，就在蘇州落戶了。我的母親是蘇州人，姓潘，容貌長得很美，性子又溫和，親友們都稱她賢惠。生我那年是同治末，她整整三十歲，這時候，我家住在蘇州城的周家巷。

巨變歷險記！

移曼德里收押（二〇四）

胡慶蓉

不知道緬甸是什麼意思，突又把丁博士從眉苗移轉到曼德里收押？

曼德里，亦名瓦城，緬甸的故都。他的形勢與中國的北平十分相象。北平後邊有山，有萬里長城，有古北口，有居庸關，曼德里後邊，整個的邦都是山、臘戌、眉苗、密支那、八募、星羅棋佈。北平的前面一片平原，一直到長江，曼德里前面也是一片平原，一直到新都仰光。從北平有鐵路直通廣州，曼德里也有火車直通仰光，坐北平的火車南行，右邊會看見山西陝西的山，綿延不斷；坐曼德里的火車南行，在左邊也會看見綿延不斷的山，山的那一邊就是吉倫族，與緬甸爭政權。

就曼德里而論曼德里，曼德里與北平也常相象。不過具體而微。

曼德里舊皇城式與北平的紫禁城一模一樣，外邊是護城河，裏邊並且栽種着荷花。護城河裏邊是城牆，不過是土的，四角都有小樓，但非常簡陋。皇城牆裏的皇宮已蕩然無存矣！銅駝荊棘，古今同悲……。

曼德里與北平還有更相象的，那就是火車道了。北平通綏遠有火車，是上山；曼德里通眉苗也有火車，也是上山。而且火車的裝置也並沒有兩樣，彷彿坦克車，有索逮子幫助，上山的時候，彷彿香港的纜車。

丁博士在眉苗軍營押有四個多月，不能說是暗無天日，但一天到晚在小屋子裏精神也不免感到苦悶。現在把他提出來，登上火車，極目遠眺，有心曠神怡之感。丁博士平素很歡喜花木，關在軍營，花根本看不見了，今天到達車站，很多賣花的，而且是很好的花，丁博士喜不自勝，就買了一些。華僑也帶來很多花給他。眉苗也是緬甸的大花園，有緬甸花園之稱，他的牡丹花是特別著名的。紅的發紫，好好看啊！

眉苗在高高的山頂上，曼德里在平平的地上。一到山根，一到平原，就望見一座一座佛塔，不計其數的佛塔。押丁博士的有四個人。他們把丁博士送到曼德里的警察局。警察局並沒有把丁博士送到什麼拘留所，送到什麼監牢，送到一個人家看管，這大大的改進了對丁博士的待遇。丁博士住的這個人家，後來才知道就警察局長的家。局長給丁博士一個房間，非常寬敞舒適。吃飯，吃早飯，吃中飯，吃晚飯，局長都陪着，緬甸對於洋蔥有一種特別的偏愛，每頓飯都有洋蔥。他們的吃法很簡單，不用炒，也不用煎，是把皮子剝了，切成一片一片的，沾點醋，或滴點檸檬精吃，清脆可口。初吃，覺得有點衝勁，但吃下去，卻很舒服，緬甸產生，緬甸米做的飯，也是非常好吃的。

在曼德里的期間，丁博士有很大的自由，只有一個人在跟着，隨便到那里，都可以去。皇宮只有個外貌，因爲被禁的地方就是皇城的旁邊，差不多天天就皇城護城河邊坐。裏邊荷花開的非常美麗，一朵一朵的浮在水面，大大的葉子鋪在水面。但昔日的繁華，而今安在哉！人世滄桑，令人慨然。皇城的西山，矗立在皇宮之旁，隱隱可見，上邊的佛廟，金碧輝煌，同着將落的太陽，慢慢的步入黑暗。這又令丁博士想着北平的西山，北平的頤和園。「向扭轉大局邁進」，但幾時能到北平，幾時能痛飲黃龍呢？

天黑了，該吃飯了，丁博士照例回到局長公館，照例吃他的洋蔥。他在睡的時候，他在醒的時候，他在念念他的游擊隊。緬甸能隔離他們的身，但不能隔離他們的心，他們是永遠結合在一起的。

青年的楷模—愛迪生

愛迪生是世界發明之王，是我們青年人的模範。

當他未成名前，在火車上販賣報紙，每天從晨七時直到晚間九點回家，從休倫到底特律返三百八十多里，嘗盡了風塵的勞苦，始終不懈。

在他第一次在火車中實驗時，因傾倒失火，被車守掌摑竟至耳聾，猶不屈不撓繼續研究，並更堅定必成功的信念，增加試驗的興趣，這是常人所不及的。

十五歲，奮身救了克勒門茲山站站長麥肯基的幼女，麥氏感激之餘，教授他鐵路電報術，學會機械修理，獲得了紐約金價通信所的高職，不久就發明了一種精巧的四重電報。

留聲機笑話

一八七七年秋季，與助手克魯西發明留聲機，轟動紐約華盛頓，這其間爲了研究忙得一連五晝夜沒有睡覺，可算是一生之中最值得紀念的事。

本來一個耳聾的人，怎麼可聽出距離留聲機三呎遠的聲音來呢？據愛迪生自己說：

「我現在用腦袋聽，用牙齒。平時把腦袋接觸着留聲機可聽清楚，倘再遇到低微的聲音，就得用牙齒咬着機器匣子，方可聽個明白。」如此艱深困難，眞個談何容易！

電燈照耀古今

翌年，電燈發亮了，愛氏此一成功，不祇是帶給了全世界的人類以光明，同時也照耀了古今。

現在我們所用電燈爲鎢絲電燈但最初是棉紗綫灼炭絲，愛氏試驗炭能耐熱，呆坐在旁一連看了四十五個鐘頭，有時祇喝二杯牛奶代替一日三餐，而且經過十三個月的功夫，費銀四萬餘元。他又研究用紙，竹來代替棉紗燒成炭絲做燈心，先後十年間到世界各地採蒐竹子達六千多種，那時整個地球上共計也運了不少去。

原來他曾取各種金屬做絲，將所有礦物一共試驗過一千六百多次，不幸每次結果都失敗了。

創造活動電影

現代盛行的活動電影，是愛迪生於一八八九年發明的。又二年，發明有聲活動電影，這是把留聲機和活動電影合而爲一，使形像與聲音同時生起，經過無數次的試驗和研究，歷時達廿餘年。

在研究中最困難的過程，是收取遠處的細微聲音，那收音器一定須特別靈敏，故此他又造出了配合電影攝製的收音器。

發明二千種

由一八六九年至一九一〇年，他創造了一千三百廿八種發明專利權，平均每十一日即有一種新發明品貢獻於世，他把發明品分門別類，如電燈一項，就有一百七十種，發電機九七種，電表廿種，蓄電池廿種。

據估計，愛迪生的發明品總數在二千種以上，因爲還有好些秘密而不願公開的，有些是和大衆共享而沒有專權的。

成功的秘訣

愛氏在世界科學家的陣營中首屈一指，不但種類繁多，而且新奇特出事業之偉大，宇宙間獨一無二，他這種創造的精神是常人所不能望其項背的。然則他爲何能有如此偉大的成就呢？換句話講，有什麼成功的秘訣呢？

第一是對工作的熱心，其次是耐勞吃苦的精神；再是抱着愉快的心情，最後是健康的身體。

他自少到老，過着事繁睡少的生活，竟不妨礙健康，因他珍惜工作，工作即是他的娛樂，是他的安慰，乃至認爲是自己的生命，在連續近卅年的奮鬥生涯裏，全不感覺到什麼叫做「疲勞」。

然而對發明品而言，何嘗一件不是絞盡的腦汁，又那一件是從傀偉中得來的。

（文輯）

黛眉小傳

・王幻・

唐婉（二）

放翁二十歲時，娶舅父女唐婉（父母早故），相愛極篤，因陸母恐其惰於學業，數譴婦，放翁不敢逆尊者意，甘作孝子，忍痛離異。三十一歲在禹跡寺南沈園，故人重逢，作釵頭鳳詞，血淚交流。未久，唐氏怏怏而卒。放翁於六十八歲，七十五歲，八十一歲時，均有遊沈園回憶追悼詩。續娶蜀郡王夫人，生六子，於放翁七十三歲時卒，壽七十一。文集有令人王氏壙記，語極簡括，起以「嗚呼」，不及百字。大概一談到婚姻問題，就有「錯錯錯」「莫莫莫」，永久無話可說的感慨。

南宋周密「齊東野語」卷一云：「陸務觀初娶唐氏，閎之女也，與其母夫人爲姑姪，伉儷相得，而弗獲於其姑。既出而未忍絕之，則爲別館，時時往焉。姑知而掩之，雖先知挈去，然事不得隱，竟絕之。……唐後改適同郡宗子趙士程，嘗以春日出遊，相遇於禹跡寺南之沈氏園。唐以語趙，遣致酒餚，翁悵然久之，爲賦釵頭鳳一詞。題園壁間云：

紅酥手，黃藤酒，滿城春色宮牆柳。東風惡，歡情薄，一懷愁緒，幾年離索。錯，錯，錯！

春如舊，人空瘦，淚痕紅浥鮫綃透。桃花落，閒池閣，山盟雖在，錦書難託。莫，莫，莫！

香東漫筆載有唐婉和放翁釵頭鳳詞，詞又見御選歷代詩餘卷一一八引夸娥齋主人說，林下詞選亦有此詞。文云：

世情薄，人情惡，雨送黃昏花易落。曉風乾，淚痕殘，欲箋心事，獨語斜闌。難，難，難！

人成各，今非昨，病魂常似秋千索。角聲寒，夜闌珊，怕人尋問，咽淚裝歡。瞞，瞞，瞞！

溫柔綺麗的往事，如夢如烟，淒迷無憑。放翁是孝子，當時雖然爲了母愛，犧牲了妻愛，但是其間是非曲直的良知感觸，卻不能磨滅；而且那忠貞不移，纏綿委婉的感情，久而愈深了。譬如：紹熙壬子，放翁六十八歲，復有詩序云，禹跡寺南沈氏小園，四十年前，嘗題小詞壁間；偶復一到，園已三易主（沈園後屬許氏，又爲汪之道宅云），讀之悵然。詩云：

楓葉初丹槲葉黃，河南愁鬢怯新霜。
林亭感舊空回首，泉路憑誰說斷腸。
壞壁醉題塵漠漠，斷雲幽夢事茫茫。
年來妄念消除盡，回向蒲龕一炷香。

放翁晚歲隱居鑑湖之三山，每入城必登寺眺望，不能勝情，又賦二絕云：

夢斷香銷四十年，沈園柳老不飛綿；
此身行作稽山土，猶弔遺踪一泫然。

城上斜陽畫角哀，沈園非復舊池台；
傷心橋下春波綠，曾是驚鴻照影來。

是爲慶元五年（己未），放翁已七十五歲了。至開禧元年（乙丑），陸年八十一，歲暮，夜夢遊沈氏園，又作二絕云：

路近城南已怕行，沈家園裏更傷情；
香穿客袖梅花在，綠蘸寺橋春水生。

城南小陌又逢春，只見梅花不見人；
玉骨久成泉下土，墨痕猶鎖壁間塵。

查劍南詩稿卷七十有「禹祠」詩云：

「祠宇嵯峨接寶坊，扁舟又繫畫橋旁。豉添滿筋　絲紫，蜜漬堆盤粉餌香。團扇賣時春漸晚，夾衣換後日初長。故人零落今何在？空弔頹垣墨數行。」是爲開禧三年八十三歲詩。詩稿卷七十五又有「春遊」詩云：

沈家園裏花如錦，半是當年識放翁；
也信美人終作土，不堪幽夢太匆匆。

是爲嘉定元年八十四歲時，就是放翁逝世的前一年。所謂「春蠶到死絲方盡，蠟炬成灰淚始乾」，使人不忍卒讀了。

（完）

御廚談藪

林泉隱

椒鹽肉

喜肥者用肋條，喜瘦肉者用腿部。肋條切方塊，腿部不必方形，洗淨後，用熟火腿約三分之一，切成細末，準備冰糖，將鍋燒熱，放入肉塊與酒，蓋好，待透滾一次，即揭開，充以合度之清水，以急火燒之，兩透之後，改用緩火，將熟時將火腿冰糖倒入，再以猛火燒之，糖汁透膩而成。

蹄筋

將蹄泡軟，入於鷄湯或火腿中，加料煨爛，或加筍片火腿片等炒之，如先放炸後亦可。

第二十章　三泉關子羽退金兵　固石洞岳飛擒玩寇

同年五月，岳飛移師虔州，因奉高宗詔「屠」虔州州民，無論賊寇人民，一概血洗之。因此，岳飛惟念天地有好生之德，不忍屠戮百姓，故兵屯離虔州三十里不進。向朝廷爲賊爲民而請命。虔州盜民全城生靈性命，只在岳飛一念之轉。未知虔州生靈性命如何，請閱下章分曉。

第二十一章　岳飛爲賊三請命　吳玠仙人破金兵

虔賊寇頑強，一連經過三次招降，皆不願降。以隆祐皇后震怒，詔命屠城。隆祐一婦人，何得爲一州之賊而震怒？原來高宗南渡時，后及宮人經虔州，隆祐被虔州賊掳掠，因化裝爲平民婦始得免。因此乃有屠虔之詔。諸將亦以三次招降不降而憤怒，紛請屠之。岳飛語諸將道：「此等草寇乃無辜之愚民耳！何必妄殺？」諸將爲之歎服。岳飛在虔州三次請求朝廷命特赦虔州之賊，只誅元兇。三請乃得准「便宜行事」。岳飛乃引軍入虔州，親自審訊賊首。結果僅誅賊魁數人而已，其餘從民皆以朝命赦却。「虔州市肆不易」，人民歡聲雷動。虔民爲崇德報恩，家家戶戶畫岳飛之相而膜拜之。以後岳飛被誣罪下獄死，虔民仍不改其俗。公道自在人心，由此可知。岳飛生前受人膜拜，死後神化，豈偶然哉！

虔州論囚之後，岳飛分遣戍衛諸將守禦，佈署已畢，岳飛遊新淦「伏魔寺」，題詩於壁。詩云：

膽氣堂堂貫斗牛，誓將直節報君仇；
斬除元惡還車駕，不問登壇萬戶侯。

我們觀岳飛詩詞，無一不是忠君愛國；驅逐韃虜，迎還二聖。由詩詞而見其情操志節。

紹興三年六月，岳飛遣部將王貴討殺叛將高聚於袁州。王貴生擒高聚及其黨羽二百餘人，降其衆三千人。有流寇張成集有三萬人來犯袁州，攻破萍鄉。岳飛又遣王貴討之。王貴與賊見陣，大敗張成之衆。王貴揮軍殺進賊寨，用火焚了寨柵，俘虜五百人；次日賊衆再戰，王貴生擒張成，其餘拜倒請降。王貴因岳飛有令，不敢妄殺。至此江西盜賊大致掃平，因岳飛分兵駐紮，地方尚稱安堵。

從紹興三年七月至年終，這半年之中，金人未見進犯，南宋在此半年中，剿撫後方，收效極大。此以岳飛的功勞最著。

（一〇三）

周燕謀

自由報

（第一一五二期）

（半週刊每星期三、六出版）
每份港幣壹角・台灣零售價新台幣弍元
社長李運鵬・督印黃行寶
社址：香港九龍彌敦道593—601號
廖創興銀行大廈八樓五座
LIU CHONG HING BUILDING
7th FLOOR FLAT '5
593—601 NATHAN ROAD,
KOWLOON, H.K.
TEL: K303831
電報掛號：7191

承印：景星印刷公司
地址：嘉咸街廿九號地下
台灣區業務管理中心：台北重慶南路一段一二九號
電話：二四五七四
台灣區直接訂戶　台灣劃撥戶
第五〇五六號張萬有（自由報會計室）
台灣分社：台北市西寧南路110號二樓
電話：三三〇三四六、台郵劃撥戶九二五二號

一篇為民請命的大文章
——聽教授們漫談綜合所得稅——

英敬民

編者按：綜合所得稅法立意雖佳，然施行以來，反應極劣。至有人譬之於王安石青苗法，某大學教授休息室中尤為議論紛紛乃將衆意綜合推由英敬民教授執筆，投交本報發表，此實真正之民意，務請當局切實考慮為荷！

這兩天大家都在忙着辦理申報綜合所得稅，於是談話資料也就轉向這一問題。前天偶然的一個機會中，正好聽到幾位教授在師大教員休息室中熱烈討論這個問題。雖然大家意見很多，可是其中有幾點大家的看法都是一致的。筆者謹將這幾次意見提出可供政府財稅機關主管官員作為參攷。

第一大家認為綜合所得稅申報及計算方法過於複雜，非一般公教人員及老百姓所容易瞭解及接受。人民為國家納稅乃應盡之義務。近來我國經濟繁榮，人民收入增加，生活水準提高，國家需要建設，人民為國家多納一些稅乃是理所當然，絕無怨言。可是國家讓人民納稅所採用之方法應力求簡易，以省時省力而獲得充裕之稅收為原則。但目前之綜合所得稅申報起來令人頭痛。不僅填寫費時而其計算方法更是繁雜異常。甚至在大學任教之教授都感到非常困難。有些教授更須向人請教託人計算才能申報。請想國內最高知識份子教授都感到困擾的事，若給一般老百姓來作豈不是更傷腦筋了嗎？所以他們的結論是大家願給國家納稅，可是厭惡這緊複的手續及計算方法，他們的感覺是納稅就是納稅，不要再麻煩人，更不應麻煩所有的納稅的人。

第二點他們認為綜合所得稅實行以來國家的稅收不一定會增加。在表面上看來，一般人都是補繳稅的多退稅的少，國家稅收會增加的。可是實際上，稅收一點也未增加。原因是國稅局機構越來越大，用人也越來越多。其分枝機構遍佈各市縣鄉鎮。也正因稅法緊複而難為人瞭解需要大批用人來輔導，核算，審查。因此國稅局本身所耗費之經費龐大驚人。如果仔細計算起來，國家每年稅收除去了國稅局的鉅額開支外，其真正稅收恐怕未必比以前用舊方法所收之稅為多。唯一有利之點只可說維持一些人有了職業而解除一部失業問題。再想一想在人民報完綜合所得稅後，其堆集如山之稅單，需要有萬千位稅務人員，花費為時將近八月之久的時間來審查、核算、查對、糾正、清理，這是不是有點浪費人力物力呢？所以用遠大的眼光來衡量，國家的稅收實無增加之可能，蓋以其間無味之消耗過多也。

第三點大家認為稅率因收入多累進是很合理。可是在執行起來並不是那樣簡單。稅法雖然如此，誰知法外又有許多例外。像有些待遇高的機關和民意代表們。他們的收入有許多項目諸如車馬餐費及其他名目的津貼等，時常不列在所得總額之內，因而享有免稅之優待。結果他們每年實際的收入遠較公教人員多，可是納稅反倒少，這怎麼合理呢？他們這些收入不列為所得額，教師們的學術研究補助費怎樣應該計入所得額呢？此外收入最多的人莫過於醫師，律師會計師，影歌星等。他們月入幾十萬，年入更至百萬千萬。據聞他們並不據實申報，而稅收機關也無法對付他們，只有可憐的公教人員，是納稅的忠臣，絕跑不了的。納稅事小、不平之感令人難受。

以上三點是討論中最重要的。至於稅法中寬減額所列七千元台幣是否夠一個配偶一年的生活費六千元是否能養一個子女。我們不願再繁說，因為大家根本就不喜歡這樣的說法。倒是有一位教授所說的一句話頗值得我們注意。他說：『我們總統是英明的。假如您老人家要知道。申報綜合所得稅這樣麻煩。連教授都感困擾。他是愛民如子的。早晚一定會廢止的。』是的，這樣的稅法既繁雜不為大家所愛而又不公更不能增加稅收，只是費時費力並擾人，相信不會久遠的。我們希望將來政府修改稅法時一定本着簡而明的原則，能使國家真的增加稅收，而能徵收到有大收入的商人，醫師，律師等，而不是專對薪水階段的公教人員。

據說這綜合所得稅法乃是一位歸國學人費盡心力參照外國稅法所編擬。其本人回國係以專家身份享有相當於美國待遇之薪津。不知道這位專家住在國內時是否也依法納稅。或另享有免稅特權。無論如何伊人已去美，不再為祖國納稅矣。（完）

昨日與明日

美國專在亞洲製造禍亂

・何如・

中國大陸之淪於共黨，多半是叨着二次大戰後美國對華政策之光，這原是無可爭辯的明確史事了。沒有中國的毛共政權，就不會有韓戰；沒有韓戰的虎頭蛇尾結局，就沒有越戰發生，這也是不爭的事實。

當年英法為着越南戰爭而搞出「日內瓦協定」，邀請毛共參加，不啻開門揖盜。美國務長官杜爾斯憤不能平，毅然倡組「東南亞公約」，藉以維護東南亞地區的安全，厥後美軍毅然參加越南討共戰役，即為履行「東南亞公約」的義務。然美國竟採取「不求勝」的奇怪戰畧，曠日持久，師老無功，又實行退縮主義，而美其名曰「越南化」，且聲明亞洲人應該自己解決自己的問題。果若是，戰後美國對中、韓、越的動亂，何以又要一馬當先，而以救世主自任呢？「剛方健兒好身手，昔何勇銳今何愚」，不亦憤乎！

最近美越軍進攻寮國境內的「胡志明小徑」，事前并未向「日內瓦協定」的各國有所咨商，迨美越軍半途撤出寮國後，白宮又盼望英俄去這些簽訂「日內瓦協定」的主要國家，調處越共與寮國的戰事，自難怪英國嘿不作聲，法國置之不理，蘇俄要美軍完全退出越南後再說呢！

近來泰國的共禍日趨激化，美國務長官羅吉斯又大言炎炎，聲稱美國一定履行條約義務，派兵赴泰協助戡亂。假使寮國淪陷於共黨後，泰國緊隣中，寮共地區，美國縱然派軍入泰國助戰，只要毛共表示介入，美國又要嚇得發抖，急忙提倡和談，不惜再搞出「兩國泰國」完事。

亞洲的共禍有如火警然，美國鬨訊馳救，以為星星之燄，不難撲滅。迨火勢蔓延不熄，乃害怕惹火上身，趕忙打退堂鼓了！所以，亞洲共禍之所以猖獗，美國要負很大的責任——初時要作英雄，最後自認「衰仔」！

中東局勢必然惡化

中東原無俄帝插足之餘地，只因美國不願與英法合作，獨行其是，纔使埃及投入俄帝懷抱，接受俄援，今日阿拉伯集團皆在俄帝勢力控制之下，俄共不點頭，中東問題即永無和解之望。加之以美國當道怵於國內猶太裔民衆的金錢與選票力量，對以色列不能不表示袒護，而中東問題的和平解決希望更渺茫了。

美國對於處理亞洲的禍亂問題，總是以主動始而以被動終，要想檢便宜，又怕費氣力，充分表現着商業主義立國精神，寧有悖理？尼克遜總統的「兩個中國」主張，中國固然不理睬，決無實現可能，但因此將使亞洲乃至全球的自由國家寒心喪氣，對美國發生離心傾向，殆屬必然的結論，這不是徒然製造禍亂嗎？

自由談

民族思想一例

十餘年前，我在西德旅行時，當地各電影院上演的英美法各國影片，一律改為德語發音。我就詢其理由，據該國政府新聞部人員說：外國影片既到德國來放映漁利，即應該給德人一些生活上的帮助，以資互惠。影片發音須改成德語，勢必雇用德人翻譯，無形之中為德國知識份子闢下了一道謀生之路，此其一也。德國雖然戰敗了，但民族自尊心并未消沒，外國影片若不易為德語發音，而在德國到處放映，德意志不啻是各國的殖民地，烏乎可呢，此其二也。

近年來，香港電視公司播出的影片，都是英國產品，但上演時亦一律改為粵語發音。蓋港九居民百分之九十五以上都是中國人，改用當地大多數中國人的方言，使觀衆徹底瞭解劇情，專就生意經設想，這亦是對的。目前香港居民熱烈地要求港政府在公文上以中文為合法文字，市議員在議會發言亦可用華語，港政府并未表示否定之意。

可是，外國影片在中華民國政府肇轍之下的台灣上演，以及在電視台播出時，盡係用英語發音；還有些行政機構的表冊和報告書，亦附以英文對照；甚至中華民國代表在聯合國會議中發言，亦多用英語。若夫市面上的招牌一律附有英文，更為普遍流行，分明是供應市民閱覽書報的地方，門口不寫中文而只寫「Reading Room」。一股崇洋媚外的氣氛，視舊時的上海租界情景，有過之，無不及也。民族意識如此淡薄，從那裏去培養民族精神呢？我們是以三民主義立國的，沒有民族精神，倘何民族主義之可言耶？看別人，想自己，我不知主持國家教育文化事業者，對此作何感想？

馬已先生

記鐵幕裏的地下教會

・魏恩波牧師・

如果各位在自由世界裏的基督徒肯支援的話，地下教會總有一天把共產黨的人給感化過來的。到時候，整個世局當然也就會有改變。這不成問題，因為共產主義壓根兒就是一種違反人性的制度。共產黨的人明知那一套是假的，又硬得要裝模作樣一番，其實心裏老早就在造反。

他們認定唯物論。人在他們看來只不過是一堆化學成份的排列組合而已。死後剩下一把元素，再也沒有別的了。不過，你只消問那麼一句話，就夠使他啞口無言的了：「看你們有那麼多的人在那兒賣命苦幹的，說是為了要實現你們的理想。難道「一撮化學品」會有「理想」？會有什麼犧牲自我造福他人的？」

再就是共產黨的暴虐無道，要知道，人不是定規下來當兇手的，所以一個人即使狠心，也撐不久的，就如納粹垮台的時候，有的人自殺，也有的悔改了。

共產國家裏面醉酒的人很多。這不是沒有原因的。正表示在共產黨壓制之下，人心的嚮往自由。一般說來，蘇聯人的胸懷豁達而又深沉。他們受不了共產黨那種膚淺的人生觀；在窒息中，就只好以酒澆愁。藉杯中物來發洩他們對暴政的不滿。酩酊中尋得暫時的解脫。

蘇聯佔領期間，我在羅馬尼亞首都布加勒斯特，有一次忽然心血來潮，很想進一家酒吧間看看。我叫我太太跟我一道去。進到裏面，正好看到有一個蘇俄軍官手裏握着一枝槍，嚷着還要喝，原因是，店裏的人看他已經醉得不像話，所以不肯再賣酒給他。裏面的人，個個給嚇得什麼似的。我跑去找老闆——他認識我——，請他拿酒來，讓那個軍官繼續喝下去。我說，我要坐在那個軍官旁邊陪他，想辦法讓他安靜下來。於是我們坐在一道。酒一瓶又一瓶地上來。桌上擺了三隻酒杯，他每次都很客氣地一一把它們斟滿……然後自己把三杯統統喝掉。我跟我太太坐着沒喝。他雖然已經大醉，但是腦筋倒並不糊塗。酒喝慣了，對酒精的抵抗力也就大了。我跟他談信仰；沒想到，他居然很留心地在聽。

末了，他說：「你已經告訴我你是誰，現在且讓我來告訴你我是什麼人。我本是東正教的一個神甫。當史太林開始大迫害的時候，我最先背了道。我到各鄉鎮公開演講，否定神的存在，說我以前當神甫都是騙人的。我告訴他們說：『我以前騙人。別的什麼牧師之類的，也都是騙人的。』由於我非常之前進，於是大得黨的青眼，一躍而為秘密警察的軍官。於是，連施刑殺害基督教徒這種事我也得幹。我現在拼命喝酒，想忘掉這些事情，但是沒有用。」

很多共產黨的人自殺了。他們最偉大的詩人，愛省寧以及邁雅可夫斯基，都是自殺死的。他們的名作家法狄，也是一樣。當時他剛寫完一本小說，叫做「幸福」。書裏表明唯有死命地為共產主義賣力才是幸福。完了之後，他大概覺得自己太幸福了吧，竟然吞彈自盡了。我們說他撒了這麼大的一個謊，良心上過不去倒是真的。

（未完）

對外貿易發展協會抽取推廣費不合法

爭取生意多爲民間老主顧

立委促政府注意并加監督

（自由報台北消息）立法委員黃信介就經濟發展的問題，向行政院提出質詢，抨擊「中華民國對外貿易發展協會」對外發表談話說，每一美元的費用成本，可獲得三百三十美元的生意。黃委員認爲「這實在是騙人的，該協會所爭取的生意大部分是我國民間自己的老主顧，本來就有訂單」，非該協會所爭取的，「該協會對外銷每新台幣一千元抽取千分之零點六二五作爲出口聯合推廣費用」，「憑行政院一紙命令向出口商要求的」，「根本違法」。

黃委員質詢說：

中外經濟專家都認爲我國在經濟發展中，對於經濟成長率所訂的標準或目標都是不合一般的常態。經濟成長率訂的相當過低或保守，這是不應該的做法。對於經濟成長率之標準或目標率可訂的高一點，就是不能達到那個標準或目標（差一點也沒有關係），不可訂的太低，而容易達到那個標準。因爲國家在發展經濟中，其通常是有關措施要互相配合來做，如成長率訂的太低，則一部已達到所規定的標準或目標、其他措施就難配合。我國行政機關其負責制定經濟成長率的單位，每年對於其所要做的工作，都表示有達到或超過所訂的成長率以上，這都是由於我國的經濟成長率訂的不高或保守。

外國經濟發展的國家，其對於制定經濟成長率之標準或目標都是訂的太高，要求也很嚴，就是不能達到那個標準或目標，差一點也沒有關係，通常達不到標準或目標較多，以後又容易配合有關措施。我國爲通常都把經濟成長率訂的太低或保守，所以容易達到標準或目標，而以後往往不能配合有關措施。

國家要經濟發展，全國的人民都有責任，我國政府對於經濟有關的資料、統計數字除非絕對機密的部分外，應該經常刊印對外公開發表，儘量把過去的資料（如糧食資料或統計數字的資料）由政府或授權給私人出版對外公開出售，目前主持經濟的官員不一定都是內行或專家，經常要接受外界的監督或指導才對。現在有許多對於全國經濟有研究的人想對我國的經濟發展提出改進的意見，一方面苦於不能獲得有關資料或數字，無法對有關當局要求改進。另一方面要做研究的工作也沒有辦法，除非透過有關人士才能獲得資料。

美國的經濟發展是世界第一，其關於政府機關或公營事業的有關經濟的資料或統計數字，政府每年都出版對外公開發售，每本美金二元五角。尤其是民主國家，政府一切的施政更應該要對全國的人民負責，難道要把資料保密嗎？假如行政機關無能，人民也不知道，所以今後行政機關及其所屬的事業機關形，應該將其經營的情形，印成刊物由政府或委託私人團體公開出售，不知行政院是否同感。

今後發展經濟勢以外銷爲主

駐外商務人員加强推展如無成效可以調回撤職

台灣是一個海島，內銷市場狹小，今後發展我國經濟，勢必以外銷爲主，始能有成。所以今後不加强對外貿易是不可以的。去年七月一日在民間有成立一個中華民國對外貿易發展協會，該協會對外發表說：該協會在國外設立了幾個辦事處，並派遣事業人員分赴各國，已經爭取到美金將近三千萬元的外銷機會，等於每一美元的費用成本，可獲得三百三十美元的生出，就我所知這實在是騙人的，該協會所爭取的生意大部分是我國民間自己的老主顧爲多數或有的本來就有訂單，所以政府對於該協會不可不加注意及監督，何況該協會對於全國每筆外銷每新台幣一千元抽取千分之〇・六二五作爲出口聯合推廣費用，而這些出口聯合推廣費用也不是大多數經營出口工廠商所同意，只是憑行政院一張命令來向出口廠要求的，也沒有完成立法手續，根本違法。

據悉，今年輸出總值預計將可達到十八億美元，如以此作標準，則對外貿易發展協會，可得的出口聯合推廣費用是一筆驚人的數目，行政院不能不注意，不可使該協會以廠商自己爭取來的生意，認爲是該協會所努力的結果。

我國政府派到國外的商務人員，如經濟參事，不知在大使館裏做什麼？爲什麼對於外銷都沒有幫助，今天使民間再來成立一個中華民國對外貿易發展協會。現在的國際貿易局又在做什麼？今後對於駐外的商務人員叫其加强宣傳商務，並要定期加以考核，看其是否有推展我們外銷，如無則調回撤職。今天的外交與經濟最有關係，這可從加拿大與義大利承認北平共匪僞政權可得證明，今後派駐外國的大使也要加强其推展我國的商務爲第一。

政府發行公債以投資生產建設爲原則，不能只拿彌補財政上的赤字才能發揮公債的功能。政府目前發行公債過多，而公債之利率又比存款之利率爲高，所以有錢的人寧可多買公債，而不把錢存在銀行，這樣使銀行之存款數目不能增多，故銀行就不能比例增加放款，最後受影響最重就是一般商人沒有資金週轉。另一方面阻礙國家的經濟發展。政府從不發行短期國庫券，短期國庫券利率可與存款利率競爭，對於政府也有利，又不打擊一般商人的資金週轉，政府爲何不發行短期國庫券，以資調度，避免債券發行過多，使民間的中小企業也受嚴重的打擊。

目前銀行對於工商界或中小企業資金融通，都是以抵押放款爲主。而中小企業（公司、行號、工廠）有百分之九十九其往往不能提供抵押財產的能力。我們的中小企業是國家整個生產體系的骨幹，其資金週轉困難，政府爲什麼不想辦法幫助。中小企業其發展關係一般大衆的生活，應該是政府最爲急需解決的問題，這是金融政策與經濟的最大失敗。如不設中小企業銀行，也應創立中小企業貸款保證制度，使信用好的中小企業可以不提供担保而得資金之週轉。

我國對外貿易都集中於美國、日本，對美國貿易佔百分之四十，對日本貿易佔百分之三十三，我國對美國貿易都是順差，而獨對日本是逆差，而且對日本貿易之逆差一年比一年嚴重，我國就日本貿易去年逆差爲三億四千萬六百五十萬美元，前年逆差三億一千萬美元，這個情形相當嚴重，迄今沒有看到政府當局對日本貿易之逆差提出改善計劃，請行政院提出報告及說明。

天下雜論

教育部何可如此

千公

教育部呈院核定的各級私立學校辦理財團法人登記法中，第八條曾規定：「私立學校因辦理不善，經主管教育行政機關派員整理者，其整理期間之聲請變更登記，應由整理人爲之。」

這一條的規定，引起私立學校之普遍不滿，認爲教育部違法濫權，曾由以輔大爲首的全國著名九大私立大專院校長，向立監兩院陳情，請求糾正，同時立法院立委張志智在院會也提出質詢。各私立院負責人所持的主要理由是：

一、根據民法第六十二條之規定：「財團之組織及其管理方法，由捐助人以捐助章程定之。如章程所定之組織不完全，或主要之管理方法不具備者，法院得因利害關係人之聲請爲必要之處分。」依上開規定，僅能由捐助人聲請法院爲必要之處分以改善。何能由主管教育行政機關派員整理。

二、其次根據民法第三十二條規定：「受設立許可（教育行政機關核准立案）之法人，其業務屬於主管官署得檢查其財產狀況及有無違反許可條件與其他法律之規定。」

私立大專校長認爲即使根據上項規定，私立學校辦理不善，教育行政機關僅能檢查其財產有無冒濫侵佔及飭其依法令規定予以改善。其有違反許可條件者，最重得撤銷其許可。不能由教育行政機關派員接管整理。

同時，根據監院之研究，依民法第二十七、三十二、三十六條等項之規定，以及教育部四十二年修正私立學校規程第十條，就私立學校辦理不善或有不遵守教育法令情事時，主管教育行政機關得視情節輕重，分別予以左列處分：（一）限期整頓及改善。（二）令飭暫停招生切實改進。（三）撤銷立案令飭停辦。

依上列法律及命令，私立學校如因辦理不善，或撤銷其許可令飭停辦並無派員整理之規定。董事會如發生糾紛至不能行使職權時，亦祇能調處或令飭改組，並無派員整理之規定。

記者翻閱我國憲法第十五條，明載：人民之生存權、工作權及財產權，應予保障。私立學校之財產及權利，屬於私人團體，應受國家之保障，何容政府接管。如果可以接管，則我國將成何種經濟制度的國家。政育部如此規定，不僅違反民法，也違憲。智識份子精華所集的教育都何能有如此荒謬決定，眞是匪夷所思了。

追究原因，乃科員政治之過也。我們政治上最大的毛病，是：大官作小事，小官作大事。擬方案，訂政策，都是小官執行，大官祇管蓋章簽字、開會、講演、飛機場送往迎來，他們忙得昏頭轉向，很少有時間仔細考慮過問題，結果，政治上所訂各種辦法，荒謬錯誤百出，因爲科員知識有限，又太本位主義。教育部就是這樣的扮演怪劇。

我們覺得：立監兩院不僅要糾正教育部這次的違法失職，也要糾正目前流行的科員政治之偏差。

發展精密工業必須加强職教

最近工業展覽顯示經發展還難樂觀

看看我們最近的工業展覽會，就可知道，我們經濟發展還是不能樂觀，相當落後，實在令人驚懼。只有在機械的展覽，機部初級工業的機械（如車床、鑽床等），對於要製造精密工業的機械（如鐘錶、儀器、電子）可以說是沒有一部，這怎麼能說是我國工業有發展。主持全國經濟工業發展的主管人員於參觀後，對外發表說，我國工業是發展，這實在是說外行話，不可信賴。像這些人負責主持全國的經濟、工業的發展，我國怎麼能進步呢？我國有名經濟學者對我表示，我國的工業實在太落後，根本不能說有點成就，也許向來負責全國經濟工業發展的人，根本不懂什麼叫做工業發展。行政院對於負責主持全國經濟發展的有關人員如有缺點或非專門，應該及早換人才好，以免影響國家的發展及進步。

政府要發展精密工業，應加强職業教育，尤其是目前五年制專科學校多，要訓練學生畢業有謀生能力，而目前專科學校根本是小學的設備，中學的師資，大學的收費，有的科根本與職業教育無關，將來恐怕有四分之三以上的青年要遭受失業。所以對於專科學校要加强職業訓練，如訓練製鐘錶、修理汽車、木匠，使其一畢業就有一技之長可謀生，目前西德工業發達，就是如此之訓練。所以政府只光說要發展精密工業、高級工業、重工業，如不從大量五年制專科學校着手訓練，是不可以的。

五十六種砂鍋烹飪

（九）砂鍋三元鷄

馬騰雲

砂鍋三元鷄所指的三元是紅棗、桂圓、荔枝，如果爲了療病，紅棗可用二兩，桂圓一兩，荔枝一兩，桂圓爲滋養强壯藥，對神經衰弱、失眠、健忘等有著效，含維生素A、B及葡萄糖甚多，中醫用爲開胃益脾，補虛長智。荔枝養血止渴，疔瘡惡腫，治頸淋巴腺結核。平日當作滋養劑食用，口臭的人含荔枝可解，傳楊貴妃嗜荔枝即因口臭關係。

紅棗很多種，本省最近也有相當的產量，不過還在供不應求的階段，品質上亦有待改進。

中國人最懂得用棗治病，古人方藥中，都常用棗。我們平常食用的棗，大約分爲三種：紅棗、黑棗和蜜棗。這三種棗的營養成份，紅棗水份二六・九，蛋白質二・六，脂肪〇・三，無機鹽一・一，粗纖維質二・三，含水炭素五川・九；黑棗水份一二・七，蛋白質六・一，脂肪〇・三，無機鹽二・五，粗纖維質五・七，含水炭素五八・二；蜜棗水份一七・六，蛋白質一・三，脂肪〇・一，無機鹽〇・六，粗纖維質二・二，含水炭素七三・〇。三種棗都含有豐富的各種維生素。中國安徽、何南、河北、山東等省，從前每到結棗的時候，新鮮的紅棗比雜粮還便宜，每斤祇賣三到五個小銅元，兩個小銅元可買一根油條，因此農民都用棗去做糕、棗子飯、棗子粥，幾乎成爲短時間的家常副食品。

紅棗有很好的補血作用，對食用和藥用都有良好的功效。台灣市面上有一種棗脯和黑棗，都是盒裝從美國運來的：另有一種金錢蜜棗和大蜜棗，則來自香港。如果當作藥用食品，還是棗脯和紅棗比較好；但棗脯與紅棗又比不上黑棗。長期食用黑棗，滋陰養血，功力可靠，無任何不良的副作用，以黑棗浸酒，强壯益氣，對虧損的人甚適宜；婦人於產後飲用，能很快地幫助身體復原。砂鍋三元鷄的烹飪方法詳見砂鍋鷄各條不贅。

迎春菜譜

年夜飯和春茗，有着許多不同之處，前者是平津江浙人的，後者是廣東人的，年夜飯的最後一度菜必然是火鍋，春茗的第一度菜必然是「髮菜蠔豉」。年晚飯是在歲晚年尾的一個十二月中，春茗是在歲首年初的一個月正中。這便是兩者不同的地方。但有一樣却可以說是完全相同，這便是年夜飯和春茗都有着語貴吉祥、巧立名目的菜單。

「新正頭」和「好意頭」，都是廣東話。新春正月初十五前這一段時間，便稱爲「新正頭」。一般吉利的話，便稱爲「好意頭」。本篇這些「好意頭」的菜名，全是在「新正頭」春茗或普通人家中得見的，這便是「新春頭好意頭」菜譜。列舉如下：

發財好市：這是春茗中必然的第一度菜。粵菜開席，先上「兩熱葷」，「發財好市」是熱葷之一。「新正頭」講「好意頭」，春茗大都是生意中人的酬酢，因之便以「發財好市」爲第一個熱葷。這個菜好吃而又好看。把乾蠔豉一隻隻排好，下面墊着髮菜，調好味後「扣」到爛熟。由於是髮菜和蠔豉，粵語口音說起來，正好諧「發財好市」的音，好意頭得很。

滿地金錢：一種不大不小的冬菇，一般稱爲「金錢菇」，是像形的名稱。用上湯「煨過，然後以蠔油來「扒」，正名是叫「扒金錢菇」。但在春茗筵席中便得改上個吉利名稱爲「滿地金錢」。也是熱葷之一，跟着「發財好市」作爲第二度菜。

花開富貴：熱葷中除了第一度菜必然是「發財好市」外，其餘第二度菜的熱葷就有多種，都是「好意頭」的。這個「花開富貴」是用椰菜花，和西蘭花來炒好，或油泡好，上面鋪上一個蟹黃「獻」而成。另一名爲「花團錦簇」。

三羊開泰：响螺片和鷄片同炒，加上炸鷄肝在碟邊團團圍着，這菜是一個很名貴的熱葷。但菜名却賦得個「玄字。」

錦繡羅衣：油泡响螺片，和「石榴子」蟹黃同炒。這些粒形的蟹黃便是「錦繡」，螺片便是「羅衣」了。

錦上添花：响螺片鷄片同炒，另以蟹黃鋪在上面。這些蟹黃既非糊狀，也不是粒形，而是拿生蟹黃攪成糊，蒸熟後成一塊糕似的，就用這「蟹黃糕」切成一朵朵花形，密密排在炒好的螺片鷄片上。

生財大利：上面說的都是名貴的熱葷。也有些比較平價一點的「好意頭」熱葷。像這個「生財大利」便是。廣東人稱舌作脷，拿豬舌炆到爛熟，先把生菜炒好放在碟子上面。豬舌切厚片，鋪在生菜上，淋上原汁。生菜便是「生財」，豬舌便是「大利」。

年年大利：蓮子和豬舌便是「大利」這個菜，近年來酒家比較少見。除非是自己厨房的厨子才會燒出這個菜罷。

雙合利錢：廣東有一種介殼的水產，名蜆，黃色，新年市上有售，叫「黃沙大蜆」。元旦許多人家、商店都少不得這個菜。拿來放在鑊裏炒。熟了，便兩個殼都開了。在炒熟時打一個酸甜「獻」在上面。以所炒的蜆，隻隻全開爲吉利。而這個炒蜆便稱爲「雙合利錢」，是一個新年普遍的菜式。平時這蜆的價錢很平，在新年可就身價大不同，爲的這是新年中家家戶戶都備的一個「好意頭」菜式。

堆金積玉：粵菜最重魚翅這一個菜，兩熱葷上過後，便上到這一個大菜了。魚翅的製法有多種。其中一個是「蟹黃大翅」，是用糊狀的蟹黃放在一盤翅中，蟹黃和魚翅打成一片，但見色如黃金中却有一條條白色的翅絲，前者便是「堆金」，後者便是「積玉」。它是繼兩熱葷後一個「好意頭」的大菜。

大地春生：這個菜，平日是叫做炒鵪鬆，琢爛鵪鶉和切得很碎的冬筍、冬菇同炒。炒好後上面放上一些炸香研幼的「大地魚」。用生菜葉包着來吃。「新正頭」的菜單便改稱這個菜爲「大地春生」。「大地」便是大地魚，「春」便是鵪鶉。

如意吉祥：這是一個湯，也是個名貴的湯菜。以榆耳和龍腸泡湯而成。龍腸是日本的鱘（魚旁）鯊腸，成爲乾貨運來，但經過泡製後是爽的，而榆耳也是很爽，但都無味，因而非用上湯不可。經過了上湯泡成，便成爲一個又可口而又很名貴的菜式。以榆耳諧「如意」，「吉祥」便是指這些龍腸。

脫衣換錦：這又是一個名貴的湯菜。以竹笙包着原隻蟹拑（龍）肉，蟹拑肉可以百花（琢蝦肉而成的蝦膠）包裹，會以上湯。由于竹笙就像編織品的衣，吃去竹笙便是百花和蟹拑。因此便改上「脫衣換錦」這名。上面這十幾個菜式，都是「新春頭」的「好意頭」菜式。掛一漏萬，在所不免，但也應有盡有。

（大人）

太平天國失敗的原因（十）

·黃大受·

南京之滿城破，殺滿人三萬餘人。張汝南金陵省難紀畧說：「城初破，屍橫滿街，而偽示則猶日不殺也。……其他土民自盡，或全家或數口，不下十數萬人。」周邦福蒙難述沙記安徽廬州城破情形說：「二十日……（其他男女自盡者約共三四萬人。被殺之官兵勇及會參戰者亦數萬，被擄者萬人。）太平軍北伐時，曾屠殺滄州城，死者萬人以上。施建烈紀縣城失守克復失守始末說：「守賊黃和錦上表於洪逆：……打破無錫金匱，計城廂內外離城五里之地，共殺男婦老幼賊民十九萬七千八百餘口。」其他城市失陷時，也常有殺人事，以上僅舉數例而已。事實上戰事發生，平民被殺必不可免，但屠城殺人，盈千累萬，則非必要，此等行動，自爲民衆所畏恨。各城市因風聞太平軍殺人之舉，自殺者更多。歷史上開國之君主，多以愛民去殺是務，故終能有天下。太平軍初期軍紀雖然優良，但在全州屠城之舉，實足激起以後各地民衆畏恨之心，所失民心極大。

十四、缺少行政效率：根據天朝田畝制度，每五家設旅師，五旅師上設師帥，五師帥上設軍帥。每軍凡一萬三千一百五十六家。設軍的基礎以家爲單位，所以太平天國的社會組織，是兵農合一的。其基層政治社會組織，以二十五家爲單位，由兩司馬負責。軍帥之上，有監軍、總制、將軍、指揮、檢點到丞相多級。自丞相到兩司馬伍長的官職，始終不變。自丞相以上官階甚多，且時變更。下屬如有事上達，層級之多，繁瑣不堪。無行政效率可言。太平天國所規定的選舉和黜陟辦法，富於平等精神，能者爲官，不能爲民。爲民者或農或兵，爲官者由伍長到監軍等職。天朝田畝制度規定的官民升降黜法，凡天下之民，每歲保舉一次，天下諸官，每三歲陞貶一次，各伍的卒民逐級向上級保舉，而達丞相，丞相稟軍師，軍師啓天王，然後降旨，分別授官。監軍以下官俱由上級者保陞或奏貶下屬，手續畧同保舉。「天國登庸黜陟之制，雖意本大公，合於尚賢之義，然其法煩瑣，難行。一命之微，須歷十餘級之保核，始得天王旨授。其制果行，恐民遺有用之才，官無可負之責。」舉此例以概其餘，天國政治之無行政 率可知。

十五、糧食缺乏：太平軍進入南京之初，糧食豐富。到四年後（一八五四）糧食遂告不繼。謝稼鶴之金陵癸甲紀事畧說趕女人九萬出城至鄉墟割稻，藉此逃脫者數萬。」「城中男館，于閏七月亦不發米，悉使出城割稻自食，入多逃散。」賊情彙纂也說：「甲寅（一八五四）四五月間，江寧賊糧幾盡，故下令除偽王外，食概涼糜（粥），有敢喫飯者斬首。」以後太平軍兩度攻破江南大營，並向安徽省發展，始解决糧食問題。一八六一、六二年，太平軍在安徽省上游軍事失敗，但江浙和天京各方面糧食尚豐。以後則因天朝土地喪失，各地也缺少米糧，天京糧斷，遂無法支持。天朝所制各地，自安徽、江蘇、浙江至江西、河南、陝西一帶，也無處不缺糧，餓死之人甚多，且不少地方公開出賣人肉，悽慘之至。曾國藩在一八六三年，從安慶出巡，三月到南京雨花台，察看情勢，奏報清廷說：「今則民開賊至，痛憾推心，男婦逃避，烟火斷絕，耕者無顆粒之收，相率廢業，賊行無民之境，猶魚行無水之地，賊居不耕之鄉，猶鳥居無木之山，實處必窮之道，豈有能久之理？」果然一年之後，天京即不守。國以[illegible]爲本，民以食爲天，糧食問題不能解决的政權，是難以長久的。

本報內容局部調整

·文匯樓主·

香港自由報原是學人們一個組合，也可說是一個「宰相結團」，因股東中十有六七都可以爲相，也有做過宰相的人，可以說都是國際間有份量的政論家，自由報廿年來承國內外同胞熱忱愛護，財富方面雖沒有甚麼成績，但言論上已在廣大羣衆中生了根，乃無可否認一件鐵樣的事實，凡此皆得歸功於各界權威不斷提供救國高見必然的結果，自由報能受到自己政府與友邦的重視因素也在此。

樓主是自由報的一員，民國四十七年第二次回到祖國，被政府邀請環島講學，講學的對象包括有國立政治大學，司法部調查局陸軍官校，金馬澎湖地區防衛部，及各地有關大專學校與新聞同業機構共約五十幾個單位，講演中每涉及到辦報時，則力主張報紙要與智識權威充份合作，辦出的報紙纔能使各界讀者充分受用，換句話就是做甚麼事皆得竭盡心血，全力以赴，當作一回事去幹。

我們常稱自己這張報叫作巴掌報，形容這張報祇有巴掌那麼大，奇怪的是凡在巴掌報上寫文章的人，率多中華民國名流學者，二十年來風格始終未變。還有一點不指出不會被人注意的，就是在自由報爲文的人，有一個不約而同的志向，即「爲善不爲惡，從正不從邪」，是反共的自然因素，也是中興大業的正確守則。朝着轉移社會風氣，發揚時代使命的路上走，一般的說做一個報人起碼得這樣纔行。否則即等有辱職守，如果再而下之的話，不管你聽到多少財富或昇多大的官，那只代表借這塊「社會公器」向社會與政府敲了一筆而已，基於我們不罵我們所看不起的人，寫到這兒爲止。

從四月份起，本報內容局部調整如後，第一版恢復漫畫「昨日與明日」由何如執筆。其餘仍舊。第二版增「天下雜論」，由干公與成公兩位教授輪流執筆。增社會資料小說，第一篇推出爲：「劉半農記賽金花」二版同時增加「梨園往事」及「漏網新聞」，其餘仍舊。第三版增「大陸分析」與「人物春秋」由國立台灣大學，國立師範大學，國立政治大學，國立清華大學七位教授輪流撰述。「低調集」「新聞網外之言」移載第四版，「搭飛」從下期起暫停，騰出的空位載「諸聯選」「一笑記」「搜異錄」等小品，其餘仍舊。第四版中繼登「香港滿

任的大學校長，三位現任大學系主任，一位現任大學研究所所長，五位港台國學權威，一位現任大學教務長，兩位現任大學訓導長，兩位現任大學夜間部主任，兩位從前的教育廳長，五位國內外各大報總編輯與總主筆，其餘皆一流國際知名教授及學人出身的立監委員等，其陣容之堅強超過任何一個國家內閣名單，這裏所指的知名教授乃教授博士的教授與審查博士資格的教授，樓主指香港自由報爲「宰相結團」，非過甚其詞吧。（下期載台北五廉官補遺——焦沛澍該文由張起鈞執筆。

劉半農記賽金花

我的祖父叫趙多明，人極忠厚，篤信神佛，天天燒香磕頭，求着多子多孫。後來果然求得八個兒子，但不幸因鬧長毛都流離失散了，以後也迄無音訊，不知死活，膝下的祇有我父親一人。

我的祖母是一位很有才幹很有經驗的人，家務都歸她主持，只是脾氣太大，約束家人嚴厲極了，偶犯小過，便遭申斥，家裏人沒有不怕她的。惟獨對於我却特別鍾愛，從未打過一下，罵過一句，一切飲食服用，也都很精心細意的給預備。這也是因我小時就很聰慧，會伺候她的緣故。她的身體原來很健康，因我嫁了洪家不久，便要隨洪先生赴歐洲，她着實捨不得叫走，却又無法攔阻，心裏總是在罣念。到了歐洲，我又不能常寫信給家裏，因此使她漸漸的竟憂慮成了病，以致不起，臨危時，還叨叨絮絮的說：盼望見我一面，這樣遙遠的路程，怎麼容易回來呢？

成還有一弟弟，中年病歿，已娶妻，無子。

「彩雲」是我的乳名。姓傅是假冒的，因那時常常出去應酬客人，爲顧全體面，不好意思露出眞姓氏，便想得一個富字，取「富而有財」之意，後來人們都把它寫成人傍的傅字了，嫁了洪家。洪先生給取名「夢鸞」，「脫離洪家後，又改爲「夢蘭」。

我們趙家在徽州也是大族，人口繁殖。後分二支：一曰千戶堂，一曰積禧堂。有兩個祠堂，修蓋得都非常壯麗。

附言：或謂伊之姓趙，也是冒出，實乃姓曹，爲清代某顯宦之後。

幼小時代

我小時就很聰敏，什麼禮節全懂得。也會欵待人。家中有親友來，總是先打招呼，裝烟倒茶，陪着人家談話。親友們因此都很喜歡我，一到我家，便忙着打聽我，我祖母本來是個講究體面的人，見我如此，便對我疼愛，常常聽到她在人前誇讚她的孫女如何如何的好。

我到了十幾歲，出落的俊俏非凡，又天性喜歡裝飾，就愛擦胭脂抹粉，穿好衣裳，打扮起來，人都說好看，都說：「這小妮子一：不知將來要被那個有福的娶了走呢！」漸漸蘇州城內沒有不知道周家巷有個美麗姑娘的了。有時我在門口閒立，撫台學台們坐着轎子從我跟前過，都向我凝目注視，常常弄得我很害羞的跑進家去。

我們徽州有一種食品，叫「狀元飯」，是用紅莧菜加豬油拌飯，我小時最愛喫這個飯，後有人便說我：「將來必定要嫁個狀元。」後來果然嫁了洪先生，（名鈞，同治戊辰科一甲一名進士）這也是前生註定的姻緣罷！

巨變歷險記！

又押回眉苗

（二〇五）　胡慶蓉

丁博士在曼德里有兩個多月，突又被押回眉苗。

在曼德里，已令丁博士深深的感到他的情況大大的有了改善。這反映甚麼呢？這應該反映緬甸對我戰事不利，爲他的談判撤離留下餘步。但在曼德里住了三個多月，又把丁博士押回眉苗。這又是爲甚麼呢？何去乎？何去乎？

在丁博士想，是前往仰光，緬甸的首都，繼續與緬甸政府談判。緬甸景棟軍事指揮官不是說過景棟再談不成，移到仰光去談吧？仰光再談不成，移到聯合國去談吧！但一出曼德里，他就看出來並不是去仰光而是回眉苗的路綫。他很感謝曼德里對他的招待。曼德里的風光使他非常的懷念。假若能回到北平那該是多麼的好！

現在向眉苗的方向去，丁博士已分辨出來。是否回眉苗，那還要待事實證明。是不是去到中共的那一邊！緬甸在全世界是第一個承認「中共政權」的，中共政權與他早有交往。中共政權向緬甸政府要求引渡丁博士。中共政權要求將丁博士交給他，丁博士亦微有所聞，緬甸把博士交給中共政權，也未始沒有可能。這眞的交嗎？這也是在丁博士肚子裏盤旋的一個問題。沿途還是坐在小火車北上欣賞自然風光。到了下火車，丁博士熟悉這還是眉苗。他心想可能還是留在眉苗。

果不其然，緬甸把丁博士還留在眉苗。並沒有送他回軍營，送他到了柯阿道高特。這是眉苗最好的地方，也是全緬甸最好的地方，這是英國統治者的別墅，這是英國統治者避暑的勝地，我說過眉苗彷彿昆明，但眉苗的天氣似乎比昆明還要好，不熱不冷，是再沒那麼適中的！丁博士在昆明，遇見過一雨成冬的天氣，還穿過他的蠔絨大衣，但在眉苗一年的期間，始終沒有碰見這麼變化大的天氣。眉苗的天氣，一年到頭，好像都沒有甚麼變化，一年到頭，眉苗總是在光天化日之下，不熱不冷，不冷不熱。眉苗有一個公園，眉苗公園有一個小湖。眉苗有游泳池，眉苗各色各樣的商店。

柯阿道高特位於通曼德里大道的右邊，大公園的後面，佛塔的前面，佔地遼闊，主要的建築，原來有四座大樓，第二次大戰期間，前排右邊的一座被炸壞了，其他三座沒動，前排左邊的一座留作政府要員前來避暑，一切設備全盤西化。後邊的兩棟，一棟丁博士同雲南盈江（亦名干崖）土司刁威伯賢伉儷帶着小孩住，又其市土司方御龍賢伉儷帶着家眷也住在這座樓下。另外一座是雲南龍陵土司綫光天住。有一段時間他同丁博士住，刁土司，綫土司，方土司都是反共的，爲中共所驅逐，現在被關在這裏。他們同當時緬甸總統蘇瑞泰，外長蘇昆雀都是親戚，蘇瑞泰，蘇昆雀過去是靠近中國所謂緬甸地的土司，一度會到這裏，與丁博士三土司聚談非常快樂。某一次開大會，並且把丁博士放在前排作上賓作國賓看待，緬甸政府大權握在緬甸之手，當時總理即鼎鼎大名的宇汝。在丁博士被押眉苗柯阿道可高特大院的期間，總理宇汝也到過柯阿道可高特與丁博士談判。惟均未達到預期的目的。此由於丁博士堅持不撤之故。不撤，就是不撤，基本上決不能遷就。

柯阿道可高特，院裏有很多棵櫻花樹，在開花的時候，非常美麗，刁土司擅長詩文，他寫了不少的詩，塡了不少的詞，投登仰光自由人辦的自由日報。我還忘了說柯阿道可高特在四座大樓之間，還有一座吃飯的房子，大家都在這裏吃飯。我還忘了說押在裏邊的還有雲南麗江設治局長金樹華和他的太太小孩。

彭全方先生輓詩

·萬驥·

彭全方先生，名國鈞，湖南安化人。以諸生而就讀明德學堂，適先烈黃克強先生主講於此，器其才識，介入中國革命同盟會。從此，追隨黃先生致力革命，黃先生不幸早世，先生乃參加譚組菴（延闓）先生戎幕，歷有年所。嗣回湘先後任長郡中學，修業高級農校校長，春風化雨，成材良多。民國十七年奉命與張星老（炯）王鳳喈、李叔唐諸先生領導湖南黨務，以擁護中央統一爲職志，致與地方政府頗不協調。同時，創辦省黨校，培育青年幹部，奠定湖南黨教合一之基礎。隨後當選中央監察委員，兼任湖北省黨務特派員。抗戰軍興，爲團結湖南兵力，共禦外侮，返湘任臨時參議會參議員。未幾，當選國民參議會參議員，獻替國事，共仰老成。自程逆潛在湘倡導局部和平，先生知大禍已至，在長沙修業小學後進堅築圍牆，布室數間，日事禮佛，余嘗造訪，勸先生作速離湘。先生曰：「余雙目朦朧，血壓又高，不論舟車飛機，祇要登臨，便生頭暈，惟有死在此處耳！」言下嗚咽！當辭別時，先生復握手而言：「後會無期，願君保重！」余以共匪必滅，用相敬慰！入台後，即不獲先生消息，民國五十二年遇先生同鄉張希聖兄，告以先生被長沙匪共解送回籍鬥爭，行至益陽，跳水而死，一代黨人，千秋忠烈，余爲之痛哭不已！最近曾省齋先生影印先生遺像，分贈至好，道貌尊嚴，銀鬚飄拂，一如生時。瞻仰之餘，爰賦俚句，藉申敬悼之忱，兼志平生知遇之感！

筆者附註

君子與小人，兩極無中道，君子安拙誠，小人競淫巧，拙誠聖之基，硜硜仁義表，在天爲日星，光明徹幽冥，在地爲河嶽，經緯宏大造，淫巧亂之階，桀紂罪惡藪，在天爲浮雲，蔽昏曉，在地爲污萊，荒穢恣糾紋，冰炭不相容，冬夏嚴寒燠，君子固有窮，窮則更夭矯，屈原沉汨羅，萬古留芳草，文山死幽燕，丹心照太昊，小人緣得時，得時弄牙爪，曹瞞號奸雄，富貴兼壽考，秦檜諡繆醜，元輔到終老，始知天命奇，世事常顚倒。

如公間氣生，惟賢爲國寶，卓犖自不羣，志豈在溫飽，蚤歲隸同盟，秀才役征討，後樂啓先憂，飢溺縈懷抱，南北歷栖皇，勳華動京鎬，俯拾皆功名，祇薄人爵小。丹鳳翔九霄，簫韶元音嫋，虞廷歌薰風，醴泉飲碧沼，燕雀效高飛，窺寫簷下鳥，風月慕清輝，詩書敦夙好，桃李蔭宮牆，舞雲樂品藻，隱然儒者宗，並世仰師保。

衡嶽鐘靈氣，長虹犯星昴，蛇鼠漸橫行，燎原著形兆，桑麻巢虎狼，曷敢謀粱稻，風雨思雞鳴，起舞恥不早，金石契同心，氣誼敦管鮑，志士一歸仁，願將楚天掃，道尺魔更丈，流言惡緇縞，門戶壁封疆，跋扈尾不掉，綱維賴挈持，清議懾悍慄，巖巖民具瞻，黨人碑獨峭，精誠感召難，憂心但如擣，中樞重老成，借箸籌廊廟，八年事征倭，力痛屹不撓，江漢振雄風，險難獨相拗，巴渝繫興亡，翊贊得竅要，勝利慶還都，初服歸山徼，野鶴愛閒雲，一代樹風教。

金陵王氣秋，狐鳴又梟噪，猾夏有蠻夷，竊運興寇盜，洞庭八月波，鱗介作龍嘯，黠者甘帝秦，覥顏妾婦笑，強者乘桴浮，忠貞相詩耀，獨公病侵尋，雙目已云眇，蹦山跋涉難，閉戶若灰槁，頃禮古佛前，但求生事了，有賊叩以來，稱制屬文稿（郭逆沫若訪公，屬草中國共產黨與中國國民黨一文，爲公所拒。）松柏勵嚴霜。牛驥豈同皂？去去勿復言，激怒無情惱，高台多悲風，赤幟如喪旐，威逼蚩蚩民，門爭故齮齕，長子罹慘刑，師地塗肝腦，（公長子先澤，經營茶場，首先遇難。）忍痛抱西河，炮烙加老叟，性命安可懷，罵賊不絕口，赭衣塞道塗，如魚穿細柳，行行重行行，湘濱疏監守，縱身葬江流，鴟夷有比耦，節烈炳日月，千秋長不朽。

憶昔慕仁風，摳衣謁元龍，黃蔡餘墓木，嶽麓烟雨中，人自分甲乙，道各別西東，（何鍵主湘，別黨內爲甲乙兩派，互爲水火）尊周申大義，油然興景從，秉命效驅策，一德矢耿忠，不知避斧鉞，奚暇顧童蒙？悠悠四十載，所志愼始終，原自甘淡泊，罔敢矜寸功，濯足清流裏，狂歌意氣雄，也曾寵嘉勉，華袞榮厥躬，（公承命視察衡陽黨務，以余工作成績卓異，報請中央明令嘉獎。）賦性本戇直，斐語聳神聽，賜書諄教督，感紉篆初衷，（余在省臨時參議會時，有石某等向公攻訐，余過此，承賜書教督，長達千餘言。）深維德業薄，悚然愧負公。烽火籠大地，孤城纍卵危，拜別深堂奧，未語淚先垂，竭誠報黨國，殷殷相厚期，重門揚手送，遲遲復遲遲，說到國後會，嗚咽不成辭，豪言赤匪滅，祇在旦暮時，非關醉酒後，欲以慰深悲，海天成契闊，惟有夢追隨，毛髮苦日短，鬱鬱何所爲？招魂思所賦，和者問阿誰？不堪話舊雨，吁嗟獨支頤，拙誠不可見，淫巧奚足疑，朱門酒肉臭，生活爛如泥。相樂今富貴，頓忘昔風儀，（湖南受公培育之同志，而在台居高位者不少，生活糜爛，早忘公昔日之教導矣。）孤燈愁不寐，忍淚成此詞，死生喪道義，從古已如斯。

談財神爺沈萬三

·范正儒·

相傳明太祖因沈萬三「富可敵國，」想殺掉他，但沈萬三的財力已滲透宮廷；沈走的路線是「皇后大道」，所以馬皇后力爲奧援，據明史一百十三卷馬皇后傳：「吳興富民沈秀者，助築都城三分之一，又請犒軍。帝怒曰：匹夫犒天子軍，亂民也，宜誅。后諫曰：妾聞法者，誅不法也。民富敵國，民自不祥，不祥之民，天將災之，陛下何誅焉。」

雲蕉館紀談卻說朱太祖重稅課其田九斗十三升，但沈萬三的財源滾滾而來，還是難不倒他。紀談又說：沈萬三爲明太祖築城，並不是三分之一，而是對半而築。書上說：「我太祖既克金陵，欲爲建都之地，廣其外城，時兵火凋殘之際，府庫匱乏，難以成事。萬三恃其富，願與太祖對半而築，同時興工，先完三日，太祖酌酒慰之曰：古有白衣天子，號曰素封，卿之謂矣。然心實不悅也。」相傳明太祖還因此事有一詩寄慨曰：

「百僚未起朕先起，百僚已睡朕未睡，不如江南富足翁，日高五丈猶堆被。」

詩中的「江南富足翁」，就是指的沈萬三。

一文傾家仍不失鉅富

張三丰全集中說：「帝嘗欲犒軍，召萬三貸之曰：「吾軍百萬，但得一軍一兩足矣。萬三如數輸之，帝瞰其無困苦狀，由是欲誅之。罪以他事，議流放嶺南，萬三遂輕身攜妻挈去，而委其家貲。未幾，命再徙於雲南。」

最有趣的是，碧里雜存提起明太祖和沈萬三鬥寶的一則故事：「太祖高皇帝嘗於月朔召秀，以洪武錢一文與之曰：煩汝爲朕生利，只一月爲期，初一起至三十止，每日取一對合。秀忻然拜命，出而籌之，始知甚難。蓋該錢五萬三千六百八十七萬〇九百一十二文。按洪武錢每一百六十文重一斤，則一萬六千文爲一石，以石計元，亦該錢三萬三千五百五十四石四十三斤零，沈雖富有，豈能遽辦此哉！」屆時明太祖派人向沈萬三收賬，要他把那一文洪武錢連本帶利全部交出來，沈萬三不敢抗命，祇有叫賬房如數支付。及至賬房計算清楚，沈萬三大驚失色，竟至一文錢傾家，所有在江南的家當，都被明太祖籍沒了。

張三丰全集又指出：「太祖以兵圍其家，盡抄沒之，家財入官。…以床施周普寺爲觀音床，沈香胚，象牙格，八寶欄，又金留殿十二隻。床乃萬三妻所用者，皆極精巧。今南京城會館即其故居，玄武湖乃其花園故址。」日下舊聞引耳談：「光祿寺鐵刀木酒榨，相傳爲籍沒沈萬三家物。每榨用米二十石，得汁百甕。又江南有銅櫃四，一在節愼庫，高可過人，亦傳是沈萬三家物。」即此，可見沈萬三之豪奢一斑了。

然而，這位一代豪富的沈萬三，他的財富並不限於江南，雖然抄了家到雲南去，結果仍不失爲鉅富，原因他的行業早已隱姓名，改字號，遍及長江上游，以迄滇黔川陝一帶。他到雲南之後，成爲當時明太祖的義子黔寧王沐英的上賓，因此民間傳說沈萬三赴滇後，金錢皆隨之飛去。他幫助沐英在滇大興鹽茶販馬之利，使得雲南藩府富甲於各省。

（未完）

第二十一章　岳飛爲賊三請命　吳玠仙人破金兵

周燕謀

宋金兩國言和，使者往返於道。金人也在此一時期，利用和談烟幕，養精蓄銳。金人一貫策略，並不是要入主中國，是採取「以華制華」政略。在軍事方面：是窮時南侵；掠飽而退。每次南侵，均大肆虜掠，滿載而歸。等到消耗將盡復來。因此弄得南宋民窮財盡，盜賊羣起，飢民載道，爲寇所裹脅，因此動輒數萬。

朝廷因岳飛已剿靖江西羣盜，因召赴行在覲君。行前岳飛的佈署如下：

虔州屯兵五千人。

廣州屯兵三千人。

江州屯兵一萬人。

九月十三日始入覲高宗。在未覲見之前，帝命岳飛繫金帶上殿。高宗慰勉再三，御賜：衣甲、馬、鎧、弓、箭各一副；及金綫戰袍、金帶、手刀、銀纏鎗、海皮馬鞍各一，親書「精忠岳飛」四字，織成一旗，行軍時必建此旗。又賜長子岳雲弓箭戰袍銀纏鎗各一，犒償甚厚。

九月十五日，高宗授岳飛爲「鎮南軍承宣使充江南西路沿江制置使，依前神武副軍都統制成江州」。制文有云：「……若時名將，爲國虎臣：……千里行師，見秋毫之無犯，百姓安堵，犬吠之不驚……。」千古惟岳飛足以當之。十七日，朝命授岳飛長子岳雲爲保義郎閤門祇候。十八日，詔諭岳飛三事：

一、令岳飛之軍分屯江州、興國、南康等地，江西諸路軍馬，得遇緩急抽差。

二、江上有軍期，急速與制置使會議，不及許可隨宜措置。

三、舒、蘄二州改隸岳飛節制。

二十日，高宗賜銀二千兩，犒償所部將士。

岳飛以爲朝廷償賜太厚，再三辭免「鎮南軍承宣使」，一連上了三章，詔皆不允。其章畧云：

竊念臣將天威而遠討，致賊穴之一空。妙策奇謀，悉遵聖訓，破堅卻敵，咸得士心。臣實何能，輒膺殊償，既慚過量，復付重權。是誠叨冒以踰勳，非謂堅辭而避寵。況九江乃控扼之重地，連武昌爲襟帶之要衝；用得其人，周瑜所以敗曹操於赤壁。御失其策，隨何所以取鯨布於江。難使非才，濫膺此寄。伏望客此咽喉之付，以屬大臣。……所有上件恩命，乞賜寢罷。……

（一〇三）

自由報

中華郵政登記認為第一類新聞紙類　中華民國內政部登記證內版臺誌字第〇〇一二號

（第一一五三期）

（半週刊每星期三、六出版）
每份港幣壹角・台灣零售價新台幣弍元
督印黃行寶・社長李運鵬
社址：香港九龍彌敦道593—601號
廖創興銀行大厦八樓五座
LIU CHONG HING BUILDING
7th FLOOR FLAT '5
593—601 NATHAN ROAD,
KOWLOON, H.K.
TEL: K303831
電報掛號：7191

承印：景星印刷公司
地址：嘉咸街廿九號地下
台灣區業務管理中心：台北重慶南路一段一二九號
電話：二四五七四
台灣區直接訂戶　台灣劃撥戶
第五〇五六號張萬有（自由報會計室）
台灣分社：台北市西寧南路110號二樓
電話：三三〇三四六、台郵劃撥戶九二五二號

本報專論

從國文課本的錯誤，談到敷衍塞責的風氣

趙鶴巖

三月一日在「中副」拜讀悠然先生題為「挑國文課本的錯」一短文，筆者深具同感。恰好最近筆者執教的學校當局，囑筆者將中國第四冊國文第八課（楊繼盛：書付尾箕兩兒）及第九課（蔡元培：舍己為羣）的作者、題解、分析和提示中的生字、詞、語、難句等加以注釋，課本中有應予注釋而課本原注釋未列者，也酌予補注，以作初教國文的同人們參考。（其餘各課則由本校及本市其他各校同人分別担任注釋）因此發現課本原注釋頗有些值得商榷的地方，而作者、題解、分析和提示部分，也有些未盡妥善之處。因限於篇幅，不便一一詳談，僅畧舉數端，簡陳鄙見，以就教於方家。

一、第九課「作者」部分，講到楊繼盛的事蹟，有「後鸞伏誅」一語，鸞即是明世宗時建議開馬市以和韃靼的仇鸞。仇鸞是怎麼死的？正史中未見有仇鸞傳，但明史楊繼盛傳則謂仇鸞係「疽發背、死」又有「戮其屍」一句。伏誅是刑之於生前，戮屍是刑之於死後，其義不同。如知之不詳，不提也無不可；要說，則總以根據正史為宜。這類史事並非無可稽考，也許是課本的編者不肯多費力去查考罷。

二、同課原文有幾句：「你兩個是一母同胞的兄弟，當和好到老。不可各積私財，致啓爭端；不可因言語差錯，小事差池，便面紅耳赤。」課本對「差池」二字的注釋是：「差池：是『錯誤』的意思。差，音ㄔㄚ」。按「差池」一詞出於詩經國風的「燕燕」一詩。原詩第一章：「燕燕于飛，差池其羽。之子于歸，遠送于野。瞻望弗及，泣涕如雨。」「差池」原說的是「羽」，有參差不齊之義。此處似宜作「不齊」、「不一」解，因此「差」字自以讀「　」為妥。再看原文，既云「言語差錯」，不可能又加一句小事錯誤；蓋上句說的是言語不合，下句說是意見參商（對事物的看法不一致），語意固甚明顯。今以「差池」解為「錯誤」，「差」字雖有「錯」的意思，「池」字又應如何交代？難道不能多查考一下？「非不能也」，只是不為而已。

三、第十課原文第二段：「舍己為羣之理由有二：一曰：己在羣中，羣亡、則己隨之而亡。今舍己以救羣，羣果不亡，己亦未必亡也。即羣不亡，而己先不免於亡，亦較之羣己俱亡者為勝。此有己見存者也。一曰：立於羣之地位，以觀羣中之一人，其價值必小於衆人所合之羣；犧牲其一而可以濟衆，何憚不為！……此無己之見存者也。見不同，而舍己為羣之決心則一。」

這段文章說理明順，辭意顯豁，似無難懂之處。其結論是不論心存「有己」之見，或心存「無己」之見，都應舍己為羣，也就是「其舍己為羣之決心則一」。但是課本的注釋是這樣的：

「此有己之見存者：這是有個己見存在心裏的人。」

「此無己之見存者也：這是沒有己見存在心裏的人。」

這樣一注釋（實際上是語譯）便把「有己之見」當做「有個己見」了，「無己之見」就成為「沒有己見」，於是原文的意思也就講不通了。原文所謂「見不同」的「見」，就是觀念之意，如果把「有己之見」解為「有我觀念」，「無己之見」解為「無我觀念」，全句譯為「這是心中存着我觀念的人」和「這是心中存着無我觀念的人」，似較妥切，學生也易於領會而不會感到困惑了。如此解釋，不知對原文有無誤解之處，尚希高明賜教。

為免佔寶貴的篇幅，不擬多舉。即此兩課之中，隨手翻檢，便可發現不少問題；六冊國文的課文、語文知識及閱讀舉隅，共計一百八十六課之多，以平均每課有一個問題而論，已甚可觀，何況實際還不止此數而已？所謂專家精編的國中國文，其內容精到如何程度也就可想而知了。

筆者學識淺陋，無意吹毛求疵，更不敢揭人之短以自炫淵博，所以不憚辭費者，想藉此提出一個值得重視的問題，就是今日國人大多存有一種通病：凡事敷衍塞責，缺乏一種敬慎的態度，亦即缺乏實事求是的精神。就以初中國文課本為例，四十六年修正一次，五十二年修正一次，改為國中，又重編一次。實際從事教學工作的教師們以及報章雜誌提出很多寶貴的意見，幾如石沉大海；最多也不過是留備參考而已；而每次修正，縱非每況愈下，至少也是依然故我。不論選編的課文有何不同，注釋等有無修正補充，而其敷衍的基本精神始終如一，大而化之的作風根本未變。所以枝枝節節的提出些問題或改進意見，並不能獲致甚麼結果。

若以國中課本編審委員會的主任委員、編輯小組以及總訂正而論，眞可謂鑽石陣容，令人懷疑的不是陣容不夠堅強，而是這些課本究有幾位委員會經寓目。範文的取捨是誰決定的？那些注釋、作者、題解、分析、提示、語文知識以及習題究竟是那位先生的手筆？如果能得到正確的答案，到今日國中國文課本的問題何以如此之多，也就思過半矣。

總統蔣公一再剴切指示要求新、求行、求本，國中國文的改進，如何求新、求行、求本，自然也不難由此找出一條道路來。

編國中課本如此，從政、為學、作人、乃經商，又何獨不然？二十年來每見國人只求形式，不認眞、不求實的作風，覺得實在可怕；近幾年這種風氣還有繼長增高之勢，電視、廣播、報紙、雜誌等大衆傳播工具也不例外。（此種情形容當另文一談。）長此以往，對於復興中華文化與發展國民教育，實有不良之影響。教育為國家的百年大計，國文之重要更不待言，倘不及時挽救，我們這一代豈不成了國家民族的罪人？

再說下去就越扯越遠了。在此筆者願再申明：此文之意不在消極的批評，而想藉此提出癥結之所在，引起有關人士尤其主管當局的注意，面對現實，解決問題，力求徹底改進。管窺之見，不敢自是，竭誠企盼方家匡正。

再者，悠然先生「挑國文課本的錯」文中，有「訛字衍文極為常見，（例如該課題解中竟有美『輪』美奐之成語）令人啼笑皆非」一句，悠然先生在輪字上加一引號，似以輪字為訛字。按禮記檀弓下（第六十四章）：「晉獻文子成室，晉大夫發焉。張老曰：美哉輪焉，美哉奐焉！……」原係「輪」字。字典、辭書對輪字均有「大也」或「高大也」的解釋，（奐，大也，又文采燦明貌。輪奐，高大華美之意。）則輪字似非訛字。未審悠然先生以為然否。

本文到此已可結束，今天在「中副」又看到國立編譯館來函一則，除一、二、四項對悠然先生的修正意見表示已予修正或當於再版時修正外，第三項對「美輪美奐」的答復有「亦已於再版時改為『美侖美奐』」一語，似乎認為「輪」字應為「侖」字。國立編譯館從善如流，至為欽佩。不過筆者所見各書均作「輪」，且有注疏；如改為「侖」，則此「侖」字有何根據，作何解釋？倘祈國立編輯館及方家賜教，以便向學生說明，而免困惑，不勝企盼！

七〇、三、六

昨日與明日

美國自討苦吃

美國朝野各界人士為着越戰問題，嘵嘵（二字口旁）譁咋，舉國騷然，是非各執，罔知所屆，這眞是可憫而又可悲的鬧劇！

美軍之參加越戰，原係民主黨佔着多數席位的國會議員，授權詹遜總統進行的。今日共和黨人尼克遜當政後，他主張「越南化」，逐漸撤回留越的美軍，而民主黨的議員們亦認為非是；尼克遜曾表示他不願作「失敗的總統」，下令美軍協助越南軍隊進入寮國，摧毀越共補給要點「胡志明小徑」，而民主黨議員和一些輿論界文教界的人士，又羣聲反對，指為「擴大越戰」，這不是瞎胡鬧嗎？

這場無謂的鬧劇之所以演出，基本原因是由於所謂「不求勝」主義。既要打仗，又說不求勝，不知所為何來？韓戰的教訓猶新，依然甘蹈覆轍，自陷泥淖，這只有美國這個超級的富強國家才產生此種莫名其妙的戰畧，不亦怪哉！

政黨政治的把戲

美國兩黨競爭總統選舉的題材，素來就是利用外交問題——尤其是亞洲問題。一因兩黨所標榜的內政政策，大同小異，民衆一目了然，沒有可以欺騙選民之處，二則亞洲地區離美國甚遠，這地區的一切事務，不特一般選民茫然不曉，即那些每天爭論亞洲問題是非得失的國會議員和專欄作家與大學教授們，亦一竅不通，如經常對越戰暨中共問題七咀八舌，議論孔多的參議員富爾布萊德，就不知道東南亞半島和中國究竟在那個方向呢！

所以，兩黨為爭奪總統大選的選票，只有藉亞洲的外交問題作武器，欺民衆以無知，騙取勝利之果。這便是美國所謂兩黨政治的把戲，說穿了，不值半文錢！

越戰前途不樂觀

儘管美國當局誇稱越南軍隊已告強壯，可以單獨跟越共作戰了。但看看越南進入寮國的軍隊，於佔領「胡志明小徑」衝要地的車邦後，因抵不住越共的大力反攻，即迅速撤退的情形，所謂「越南化」的實力，相差尚遠，而美軍又勢須按期撤退，越戰勝負之數，實在難以估計。

現在越共正對着寮、越境內加緊反攻，而美總統尼克遜為着內政關係，決定按照原定計劃撤退駐越南的美軍，誰敢相信越戰會有「勝利的和平」奇蹟出現呢？

・何如・

自由談

談嗜好

人類基於個人的天性，在日常生活中總不免有某種嗜好，如好色，好貨，好烟酒，以及其他各項消閒娛樂之類。若說毫無嗜好。那便是僞君子，假道學，決不可信也。

個人的嗜好對其事業前途，直接間接都不無影响，但多屬無關宏旨，有些且可以促進事業的發展。例如：英國的大政治家邱吉爾，雪茄烟早晚吸着不離口，沒有它，精神就提不起來；吾國近代名人段祺瑞，每天非玩八圈麻將牌消遣不可；著名學者辜鴻銘，他在覃思寫作時，如果不嗅到女人脚趾上的氣味，靈感即告閉塞。至於女色對人生事業前程關係之大，更不待言了。

凡是有事業心的人，只有一種嗜好絕對沾染不得，否則決無發展希望，甚至於一事無成，落得身敗名裂的下場。是那種嗜好呢？對曰：好貨貪財！

古往今來的英雄豪傑，其成功的因素固然很多，但揮金如土乃係必備條件。歷史上寫着大人物的勝利事功，表面上好像是他天縱英明所致，實際上多半得力於銀彈作用。漢高帝劉邦在鴻門宴與遠征冒頓之役的危難境遇中，若不是張良陳平用巨額金錢賄通敵人，寧有倖理？作史者怵於統治權威，不敢直書罷了。等而下之的政治人物，因好貨貪財而失敗者，更僕難數。

所以，我對於一般世俗之所謂名人——不管他是搞政治的，或是幹文教事業的，首先即以其人是否好貨貪財為評價標準，如果發覺他有愛錢的癖性，就肯定其沒有出息，不足道也，儘管他一時得意，終歸是要失敗的。但對工商業者觀感卻不同，商人嗜利貪財，天性使然，希望若輩疏財仗義，等於要娼妓重視貞操，太不近情了。

錢貝原是可愛之物，然愛之必以其道，用之必無所惜，而不以貪圖個人享受為主，具此胸襟與作風，才有創進事業之可能，信不信由你！

鳥五先生

魏道明辭職

天下雜論

成公

魏道明辭職了，辭的漂亮。

魏道明辭職的官方理由是說年齡已大，已屆退休之齡不勝繁劇工作，而要「致仕」了，但明眼人却知道是由於半年來外交發展的不如意。聯合國投票竟然少了兩票，加拿大、意大利又先後承認毛共，這一連串的外交逆勢，使魏氏不能不去職了。

平心而論，我們撤離大陸之後，在台灣所推動的外交工作，非僅無罪，實則奇蹟，勿庸諱言，今天國際上是一片唯利是圖，唯力是視的局面，尤其身為自由國家的盟主美國又只重近利而無遠見，更使國際局面陷於繁雜，在這種講強權，昧道義的局勢中，苦撐二十年，實非易事，說句不客氣的話，國民政府自民國十七年統一全國中經抗戰到三十八年撤退來台，全部歷程不過二十一年，而我們今天竟已在毛共竊據大陸二十二年之後仍能維持聯合國的席位，仍使大多數的國家與我維持友好關係，而不承認毛共，試想這不是外交的奇蹟嗎？因此我們論功行賞眞要對參與外交工作的人員致無限的敬意。即以半年來外交上的逆勢來論，我們若平心靜氣而論，也不能全把責任放在外交人員身上。今天已不是戰國時代，蘇秦、張儀一套三寸不爛之舌的辭令可以改變友邦的政策的。他們既然放棄道義不顧，而持媚共諱衆的政策，叫我們的外交人員有什麼辦法。

雖然，今天魏道明的引咎辭職，我的還是雙手贊成大聲喝采。因為這究竟還表示對自己的崗位負責任，假如魏氏是被迫辭職的，那表示政府中還是功過分明，這樣的作法才有前途。假如是魏氏自動辭職，那眞不愧為政治家的風度，而這種負責任的風度，正是今天我們所最需要的。尤其今天有許多大員甚至許多為人師表的校長，硬是把崗位為私產，任憑指責笑罵，都會本着唾面自乾的精神，賴着不走，寧可使學校，使機關，同歸於盡，也絕不退位讓賢。在這種外行己「無」恥的世風中，居然能有魏氏的引咎辭職，我們縱不敢奢望貪夫聞之而廉，懦夫聞之而立；但最少總還在沙漠中看到一株鮮草，使人眼光一亮，而有清新之感啊。

尊重法治改善政風

切實負責實事求是

立委促政府官員不能泄沓

為官幹不好可以掛冠而去

（自由報台北航訊）民主國家當然要以法治為基礎。這幾年來，行政院一向朝此方向去做，今後還要更加努力。行政院長嚴家淦在答復鄧翔宇委員質詢說：「鄧委員談到要實政。就是實事求是，實實在在的去做。鄧委員對於這一點，語重心長，這也是我們所應該做的事情。」

鄧翔宇委員認為：「行政院要以政治為號召，不要以號召為政治」。鄧委員的質詢是有深度的，有份量的，在立法院也是實力人物。他提出五點很具體的質詢：

第一點，本人認為最重要崇法治，我談崇法治並不是說現在政府不講法治，我的看法是法治的程度還不够，政府的法治觀念還不够理想，法治關係國家的前途太重了，任何政府若要求其國家統治有秩序，行政有效率，非崇法治不可，「法」可以說是統治國家的法寶，因為國家的事情多麼紛繁，如果各單位各自以意為之，而不以法作為共同標準，結果終不能如理想的有秩序、有效率，所以任何國家要治理得有效率，非得尊重法治不可，即使在戰時也是如此，我們談到民主法治，當然這是今天政治的最高原則，但是民主的程度有時候可以拉緊一點，而法治是不能放棄的，乃至於戰時雖可暫時凍結民主，還是不能離開法治，我們在戰時有總動員法戒嚴法，還是有法的，所以希望政府特別重視法，我聲明我並不是說現在政府不注意法治，我是說程度不够，據聞有某一個機關首長在平時對屬員講話時會說過，你們拿出幹勁放胆做，不管法不法，我們處處受法的拘束，就沒有辦法辦事了。這種勇於負責的精神是可佩，但是治理國家，如果將法丟開，這個影響太大，假如有某一部份這樣辦，就影響各方面的配合，影響政治的遠景，所以這個關係太大，我希望我聽到的傳聞不確，如果這個傳聞有幾分眞實，希望在職人員的這種觀念要改正，希望以後政府對於法治觀念更要加重，我們要做到百分之百的法治才能符合我的期望，這是第一點。

第二：負責任，國家設官分職，各有專司，給一份事情要你做，就要做好，要負責達成任務，官可以不做，事非要做好不可，否則不能達成任務就是溺職，一部份做不到就誤一部份事，我們在職人員要以國家的成敗利鈍為己任，不要以自己的窮達榮辱為懷，官幹不好可以掛冠而去，要幹就要竭股肱之力，繼之以忠貞，不能泄泄沓沓，尤其今天我們的處境這樣艱危，政府高級人員尤應有這樣抱負，負起責任，試看我們的鄰邦韓國這幾年來在政治上、經濟建設上都突飛猛進，固然他們的方法我們不一定應該完全效法，但他們的幹的精神，勇於負責的精神，值得我們欽佩，試看他們，大學方面出了事，教育部長堅決引咎辭職，交通方面飛機失事，交通部長堅決引咎辭職，在他本管範圍的出了事，去職也應該。反觀我國，我不講某件事情，我舉一例，本屆聯合國大會投票的結果發現了逆差，固然國際環境是有許多困，但是在職的人總是沒有盡到責任，城池雖然沒有丟，還保持着，但總是吃了敗仗，應該有吃敗仗的責任，但是我們沒有什麼表現，在上面的人沒有責難，負責任的人也沒有自己責備自己，我們這種不黑不白的政治作風，與我們的鄰邦韓國相比，我不敢說怎麼責備我們自己，我祇好加倍敬佩韓國的大員，這一點希望嚴院長多多領導，希望我們的官員應該有抱負，有風度，應該切實負責，這是第二點。

第三點，重體系，一個政府猶如一整套機器，一定要系統分明，責任分明，不要枝枝節節的增加一些駢枝機關，依法應由某機關主管的事，不交給他辦而叫其他的人辦，這種作風影響行政效率很大，並影響政治體系，過去行政院設許多駢枝機關，將主管部的權分開，照體系講是不合的。完全由旁邊人代他們想，結果[illegible]沒有做到，我們要想政治辦好，要責成各級政府，不要分他們的權，不要代為做之，要完全尊重體系，這是第三點。

第四點：要行實政，我覺得政府的措施有些是從報上看到的多，而從事實上看到的少，當然政令的推行要靠宣傳，但有些宣傳是事實做不到的，有時常常明知做不到，可是宣稱這是政治號召，個人記得在十幾年前在某一場合討論某些問題，本人多半持不同的看法，可是主持會議的人就說鄧某人，這是政治號召啊！當時我就說我了解這是政治號召，但我的解釋與你們不同，你們所說的政治號召是給人家看，祇是號召而已，而我說的政治號召是要幹到那裏給人家看，是要以政治為號召，不要以號召為政治，這一點無法舉出具體事實，行政當局如果看法相同當然頂好，如果看法不相同，我希望平時多加注意。

立委指出政府措置

報上看到的多　事實上看的少

明知做不到還是要宣傳

近年來行政院已有許多改進，因為有許多事情祇有主管才能够辦好，不能叫旁邊的人辦，不能由上面的人取下面的職權而代之，也不能由旁邊的人取主管的職權而代之，像現在情形有許多事是中央代地方辦事，譬如革新便民，誰也不能說不好，又譬如我們派大員深入地方考察，尋求民隱，這也是好事，但這個作法偶一為之則可，如果各級政府主管人員都不能考察，都不能發覺，都靠中央派大員考察，這就是整個政治祇有中央沒有地方了，就失去效率了，所以許多事情要責成主管有自動自發的精神才能够讓他們負起責任來，如果中央代地方辦，譬如最近報紙上登載關於戶口謄本的統計，中央代為設計廢除了幾百種，但是統計的結果，這一年內所用的戶口謄本數量還增加了，可見得我們所看到的便民、革新都是從報紙上看到的，事實上不是這回事，所以不如責成戶口謄本主管機關去做，

兼職問題太大

一人兼六七職

法治國家不應有此現象

取締兼職不要光喊口號

第五點：關於取締兼職，兼職的問題太大了，執政黨——中國國民黨現行政策是厲行一人一職，行政院嚴院長也曾下命令取締兼職，但是事實上兼職甚多，本院上次會議審查國際貿易局組織條例費九牛二虎之力才去掉了二、三個兼職人員，但現在兼職的人還多得很，據我初步的調查所得財經兩部兼職的最多，經濟部工業局局長、副局長、組長副組長，以及若干高級人員由經合會現職人員兼任的有二十六人之多，財政部方面錢幣司長趙既昌是經合會參事兼任；主任秘書王昭明是經合會簡派秘書兼任，財稅資料中心副主任陸潤康是財政部參事「兼」賦稅署副署長。經濟部商業司長武冠雄是經合會專門委員兼任；高雄加工出口區管理處長吳梅邨是經合會專門委員兼任，證管會副主任委員胡祥麟是臺銀業務處專員兼任，交通部常務次長是由電信總局長方賢齊兼任。電信在今天甚為重要，尤其電信不僅之行政，許多工程設施都是交通部直接辦理的，今天的電訊、傳譬、傳眞、都已是無遠弗屆的，有待專才專職努力之處甚多，而這位局長，到交通部任常務次長，以專才辦事務的事。這樣做法，既違反了人事制度，亦糟塌了專門人才，尤其本院審查國際貿易局組織條例時認為汪彝定不可以兼經濟部次長，方賢齊就可以以次長又兼交通部電信局長麼？這一點請政府特別注意。再還有閻振興先生，曾任教育部長多年，與本院委員常接觸，可以說是老朋友，他兼的職太多了，過去兼六、七個，現在還兼四、五個，據我知道他是台灣大學校長，原子能委員會主任委員、中山科學研究院院長、『國家科學指導委員會』主任委員，還有其他職稱，我不清楚。一個人兼職這樣多，這不是法治國家應有的現象？因為兼的機關太多，汽車都沒有方法使用了，據傳說自己坐一部，秘書坐一部，太太坐一部，這種情形是不可以的，我們今天要號召海外人才回國，要學者、專家、留學生回國後服務，但他們回來後無處安插，却有人身兼六、七職，今天民主政治是希望年輕有為人士參加政治工作，以充實政治力量，擴大政治基礎，但老而有權的人將地位都佔完了，這怎麼辦呢？這一點希望行政院切實注意，不要光喊口號取締兼職，尤其一個人兼這麼多職，經合會有二十六人到工業局兼職，豈不是人才外流？這種情形太反常了，希望切實改正。

整飭司法風紀

首須改善待遇

立委質詢力促政院

（自由報台北消息）關於司法官待遇調整的問題，行政院正在研議會商中。這是司法行政部長王任遠答立法委員趙石溪質詢時說的。

趙石溪委員為提高司法人員待遇問題提出質詢說：「司法行政工作重點」之施政報告，並無隻字涉及提高司法人員待遇問題，則所謂司法行政之「革新」，「整飭」，必將事倍功半，甚至，徒託空言」。

趙委員質詢說：行政院書面施政報告，關於司法行政部份，臚列司法行政工作重點，在於保障人民權益，維護國家安全，提高司法人員素質，并加強監督考核，改進審檢業務，革新監所措施，以及增進行刑績效。並無隻字涉及提高司法人員待遇問題。嚴院長口頭補充報告，就司法行政之革新，及司法風氣之整飭，表示決心，對於敗壞司法風紀之不肖份子，表示定必依法嚴懲，絕不姑息。惟亦無一語涉及司法人員待遇問題，本席認為提高司法人員待遇，為謀求革新司法行政及整飭司法風紀根本要圖，此一問題如不獲適為解決，則所謂「革新」「整飭」，必將事倍功半，甚至徒託空言。

總統於五十七年十二月十八日在國家安全會議第十五次會議指示：「司法人員所負任務與政治風氣乃至人心之維繫關係密切，應優先提高其待遇，使其足够養廉」。此一指示透闢扼要，必須切實奉行，始能有效解決有關司法行政及司法風紀之種種問題。

依照三十二年間在大陸時期，行政院令准備案之「各省司法人員支給補助俸規則」之規定，凡在各省市法院監所服務人員，以薦任待遇為限，普遍支給司法補助俸，三十七年底因法幣貶值停發。此項補助俸在政府遷台後即予停發，四十一年三月間，總統關懷司法人員生活清苦，特飭將司法人員待遇予提高，並恢復此項補助俸，惟改為「司法人員補助費」（後改為「一般補助費」）。支給對象，以司法官與辦理記錄、執行之書記官等部份人員為限，支給數額僅二百元。經迭次調整，至五十九年七月，計司法官簡任級現支二、五○○元，薦任級現支二、○○○元，書記官簡任級現支一、七○○元，薦任級現支一、四○○元，委任級現支一、○○○元，並均以原奉准支給人員為限。此項補助費額應其本人及其家屬用以支應日常生活必需之費用，尚嫌不足，遑論「養廉」！

在五十一年五月間，本院通過行政院函送政府提案「戡亂時期罰金罰鍰裁判費執行費公證費提高標準條例」，就法律所定應處罰金罰鍰者，依其原定數額，提高一倍至二倍。當時政府代表闡明提高標準之目的，在於將提高增收數額，全部專作為調整司法人員待遇之用，藉以符合總統指示，而求根本解決司法上種種問題。惟在該條例施行後，行政院藉口統收統支，竟對調整司法人員待遇之承諾，完全翻異前！查在該條例未通過前，罰金等四項規費歛額僅實收四千餘萬元，而在該條例公布施行後，至五十九年度，實施數額已高達一億九千餘萬元，預計以後每年尚可陸續增加。由此可見，若果行政院踐行提案當時之諾言，則司法人員待遇之調整，並不發生財源問題。

台北五廉官補遺——焦沛澍

張起鈞

一味的歌頌，和一味的指責，都不値錢，只有「是者是之，非者非之」，才是眞正的輿論，才是春秋之筆。最近文匯樓主一連串寫了台北五廉官，社會的反應非常良好，都說公道正直，言人心中之所欲言，對於本報的聲譽又增上了一層。不過我想還有一位廉官也應該同樣的表揚，那就是台北地方法院院長焦沛澍，未知樓主意見如何？

我不否認我和焦沛澍是多年的老朋友，但這些清廉的事實却是從旁觀的立場得來的，絕不敢以樓主的神聖地盤來阿其所私，說起老朋友，那已是三十年前的事了，那時是通過一位共同敬仰的老大哥屈凌漢先生而相識的，大家意氣相尙，頗爲投契，尤其民國三十年夏天，日本疲勞大轟炸的期間，我們正好同在郊外一起住，彼此對榻而眠，同聽炸彈之聲，共論天下之事，至今思之，尤爲神往。

未幾即勞燕分飛。各奔前程，勝利後雖同至北方，然除參加其婚禮外，並未再謀面，接着大局變動，也就失去聯繫。不想避難來台，卜居台中後，聽說台中地檢處的首席就正是焦沛澍兄，眞是異地相逢，喜處望外。這時雖往返較多，但對他的業務情形並不清楚。他那清苦的生活，在窮教員眼中，看着很自然，並未覺得有什麼可貴，尤其我們夫婦常帶着孩子到他家中去，他們夫婦也到我們家來，更未想到他是劃地自守，從不與一般人來往。直到有一天偶然到鹿港去，碰到當時鹿港警察局的局長老友李維喬，才知道焦沛澍原來是那樣一位値得驕傲的明友，李維喬又說：許多法院中的低級人員，他們作壞事，瞞的了別人，瞞不了我們作警察的，像焦首席這種廉潔自持，守正不阿的法官，實在難得，中部四縣市的老百姓都管他叫「焦青天」，我眞沒想到小時看小說中的名詞，居然在實際的生活中遇到，並且這位青天大老爺還就在我的眼前。

後來又碰到一位崔蘊蘭先生，崔氏是在吉村死守德惠的縣長，忠貞骨梗，爲東北人士所共敬。來台後在台中執行律師業務，他說我們律師都歸首席監督，許多壞的首席，照例是與我們律師勾結，或在律師身上打主意，只有焦沛澍首席，不僅不與我們聯繫應酬，就是看看他，都不見，這種分際清操，只有我們當律師的，看的最明白，知道得最清楚。

後來調升台北首席後，情形複雜，有些兼操律師業務的中央民意代表，頗不自愛。往往以民意代表的身份去拜訪，談着談着，掏出案子來了。多少法官都在這種威脅利誘，而又無可奈何的情形下就範。而焦氏遇到這種場合，則嚴辭拒絕：甚至厲聲斥責對方來意，毫不寬貸，爲國家維護了多少尊嚴，爲人民主持了多少正義，而有名的黃豆案，就正是焦氏不避權勢大快人心的傑作，可惜由於實際政治的影響，未能作得徹底，而最令焦氏遺憾的，恐怕是一件涉及國際性的案子，焦氏少年即參加革命，爲「打倒帝國主義，取消不平等條約」而奮鬥，當然要本乎法理爲國家爭權利，不想竟遭外人勾結些高官之輩，興風作浪，而使外犯逃出法網，焦氏氣憤塡胸，胃病爲之爆發而住院，其愛國家，維正義之熱情可見一斑。

嘉義地區，在台灣向稱複雜。焦氏任嘉義地方法院院長時，數次調職，皆因百姓挽留而作罷。最後調升台北時，嘉義萬民空巷相送。百姓何愛於焦氏；愛其清廉公正。大抵一個政權，最親民的官員，莫過法官，警察，和稅吏，古今多少政權的覆亡，都是由於這三種人的魚肉人民，爲淵驅魚，而倒很少是爲了政策。假如警察都像李維喬，法官都像焦沛澍，天下還有什麼問題？

催眠療病法

鮑紹洲

心理療法

這種方法，效用廣而能力大，乃是催眠療病的唯一良法。因上列各種催眠療法，莫不含有幾分心理作用。本法則純用心理療病之具，宜見效特別宏大，凡是精神療法所不能治者，施以本法，獨能成功，並且還有隔地療法的神妙奇效。即病者不必與病人相見，而可用電話或通信，傳達術者的暗示，使病者感應而達成功之目的。

不過此種傳達，只許病人一人知道，如有他人所窺破，在旁說笑，或冷言誹評，便足以惹起病人的疑慮。而減少信仰，能使治好的病復發，不僅妨礙第一次成功，此等障礙，凡當面療病，與隔地療病，均須掃除。至於心理療治之實施的暗示，隨在有心理作用，例如因感受酷暑，致患頭痛，當暗示道：「你的腦筋健康，雖感受暑熱決不頭痛」。

又如因居地潮濕而發腳氣病，則暗示道：「腳腫已退，腳氣全消，雖受潮濕，也不再發」。此種暗示有治病的能力。因爲語言中含有心理作用之故也。不過施術宜連續三四次，若是感受潮濕病，須即日更換居室，否則只能一時痊愈，不致再發。

至於隔地治療法，與遠隔催眠相同，只多加一種同上的心理療病法的暗示，此乃指通信而言，若用電話，只可用一喝催眠法，趁其聽筒未放手前，立即施以暗示道：「你因爲感受我的隔地療法，病痛立即消失了」。暗示的話越簡單越好。

太平天國失敗的原因（十一）

·黃大受·

十六、曾國藩等人的堅毅：終於擊潰太平軍的清方統帥，是曾國藩，若無曾國藩的領導，及其左右的一心一德，太平軍是大可以擊敗清軍的。曾國藩少年力學，二十八歲即中進士（一八三八年），任京官十多年，一八五二年因母死奔喪回籍。一八五三年奉旨到長沙辦團練。他在北京任京官時，多交益友，研究理學，努力於克己改過修養德性的功夫，更留心研究國家政治大計與經濟得失。由於十多年來的刻苦自勵，精勤不倦，學養大進，對待家人孝友，待人誠懇，處世謙抑，治事恭謹，立身廉潔，求知虛心，思慮周密，而不屈不撓百折不回的堅毅精神，更是其大過人處。平生所賞識提拔人才以百計，即使有人對其非難交惡，亦能推誠相與，不以私廢公，知人之明，氣度之大，並世無兩。招募湘軍時，禮賢下士。初練成之湘軍，原僅欲保衛地方，屬鄉勇之性質，後因剿匪有效，又見綠營腐化無用，遂擴大其範圍而練成新軍。湘軍的精神是不怕死，不要錢，重訓練，重團結，人人重視忠義廉恥。兵將如同一家，糧餉接濟充裕，有一錢則練一人，練一人則得一人之力，敗必相救，不辭千里赴援，官死不潰，兵敗不散，成爲有紀律之師。這枝軍隊，便成了擊潰太平軍的主力。其他將領，如江忠源、羅澤南、李續宜、李續賓、胡林翼、彭玉麟、左宗棠、沈葆楨、曾國荃、李鴻章……等人，無不忠於所事，堅忍不拔，艱苦奮鬥，初起時雖無錢無根據地，但能逐漸擴大戰果，得清廷之信任，授以權責，如火燎原之太平軍，終被消滅。

十七、失去外人的同情：太平天國的領導人物，對於國際知識，了解不多，認爲外國人都是崇拜上帝，信仰耶穌，所以稱外國人爲洋兄弟。在太平天國是政教合一，因而誤以外國也是政教合一，對於國際外交應有的辦法和知識，與清朝早期的人物，同樣的一無所知，而不求了解。

當時英美兩國若干人士，都耽心俄國勢力，趁中國內戰之機會南下，而侵佔中國。一八五三年美國政府派來的專使馬歇爾抵華，就有如此的見解，他主張支持清政府，以安定中國。但彼時上海外國人的一般輿論，對太平軍都表同情，且認爲他們的起義，是中國人對滿清政府的政治改革運動，多主張支持他們。英國全權專使兼香港總督文翰，在一八五三年五月由香港到上海，轉往天京，擬訪問天京，隨員們曾上岸，並與太平天國官員晤談。文翰且與之通函。說明英國採完全中立政策，並知道太平天國對外人無敵對之意，暫時不會進攻上海，不承認清朝與英國所訂之南京條約，嚴禁鴉片。所信奉的基督教，爲新的教派，有迷信和荒謬的成份。根據英國承認事實的外交政策之下，英國大有承認太平天國的可能。但太平天國東王西王致彼函中，有統治世界，視英國爲來朝的藩屬的話句。使文翰不滿，會加以抗議。不過英國當時是守中立政策的。法國公使布爾布隆，在一八五三年十二月，也訪問天京。對太平天國所信奉的基督教，認爲太平天國一旦成功，天主教將被驅逐。因而使法使對太平天國也漸漸採取敵視的態度。一八五四年五月，美新任公使麥蓮，訪問天京，以太平天國官員妄自尊大頗有惡感，於是願支持清廷。一八五八年十一、十二月，英國公使額爾金曾率艦隊巡視長江，由上海經天京、蕪湖、安慶、到漢口，到次年一月一日，返上海，與天國人士有所接觸。此行印象甚壞，知道天國人物妄自尊大，宗教是荒誕不堪，看清太平天國沒有組織和紀律，必難成功。

一八六〇年春天，忠王李秀成東征大勝，直趨上海，法公使布爾布隆和英使普魯斯決議聯合防守上海，與太平軍發生戰爭，忠王失敗而退。寫信指責上海英、美、衛國領事，並以斷絕外人之通商爲威脅的。自然更引起外人的疑忌。

天王洪秀全的宗教師羅孝全牧師，於一八六〇年十月，由廣州經上海到天京，天王派爲外務大臣，幫助干王洪仁玕處理外事。最初他極贊美太平天國，號召美國人來華援助太平軍。不幸到一八六二年一月，與干王發生大衝突，竟逃出天京。（未完）

談財神爺沈萬三

·范正儒·

雲蕉館紀談又說：「太祖欲殺之而無由，適萬三築蘇州街，以茅山石爲心，上謂其有謀心，將爲逆，遂收殺之，血流盡白。」

人死後的血，豈有白色之理？這裏不可忽畧的是沈萬三曾師事張三丰，得到張三丰的眞傳。張三丰是元末明初武當派的開山祖師，相傳太極拳就是這位祖師爺發明的。一說：張三丰祖師與沈萬三全家在雲南同煉大藥，至明成祖時始成，於是拔宅而去，或隱天目，或隱武當，皆無定所，最後則與三丰先生隱顯度世，被勅封爲宏願眞人。

聚寶盆的傳說，愈來愈盛！道光年間，更有一則幽默趣話：「道光年間，京師大夫公讌林則徐，林久不至，衆人飢甚，索食頗急。時座客有祝衢睦者，喜諧，謂衆人曰：公等亦知沈萬三家有聚寶盆乎？衆曰知。知沈萬三之隣人乎？衆曰不知。曰：沈萬三之隣人，窶人子也，卒歲無以爲活，謀之於妻曰：沈家有聚寶盆，試以比隣之誼借片刻，即足吾欲矣。妻然之，而沈固不肯，強而後可。」

「聚寶盆以類爲招，投以少許金銀珠寶，頃刻滿盆，然環顧四壁無可投者，其妻大急。以所抱兒投之，俄頃之間，滿盆皆嬰兒也，呱呱而泣，爭相索食。妻頓足曰：聚餓鬼於一堂耶？衆雖知爲被謔，然皆爲之絕倒！」

沈萬三並爲多情種子

相傳沈萬三有妻妾十三人，最得寵的一位叫麗娘。萬三曾與她同登後樓觀花，兩人在探香亭畔喁喁情話。亭畔有古梅花一株，白蕚鮮美，香氣馥郁，麗娘因脫所着的金翡衫加在樹頭上，對沈萬三說：「這株樹是香極了。只是缺少如此的艷色而已。」聽了作會心的微笑。

不久麗娘得病，藥石無靈，香消玉殞。沈萬三的家人常在月夜中看到那株梅樹下，立着一位絕色佳人，而其穿着正是那件美麗的金翡衫，大家都說是麗娘的精魂所化。萬三想念死後的麗娘，眞是廢寢忘食，甚或夜宿古梅樹下，希望與她夢中相見。沈萬三不但是一代財神，而且是位多情種子，不過他的多情之名，爲多財之名所掩，於是人們祇知道他是位財神，而其餘的故事，也就湮了！

（完）

劉半農記賽金花

我從小就說蘇州話，官話是後來纔學的。我家裏人都說徽州話，只有我母親，因是蘇州人，她說蘇州話。

這時候，我家的經濟狀況已漸漸感覺困難，祖父同朱翁子合夥開的當舖，已因賠累不堪倒閉了，父親是沒有什麼能力出去作事的，家裏又沒有多大積蓄，差不多全靠着借債典當度日，我祖母整日價愁得什麼似的，但爲顧全體面，還竭力支撐着門面，不願意顯出困窮的樣子，叫人家知道笑話。

忽忽一年的買笑生涯

我家有一使女，名喚小阿金，是我母親陪嫁過來的。後來家裏的環境越來越窮，就把她打發走了。她出去先跟了別家，後又歸一姓金的，名叫金石泉。金有一妹子叫雲仙，當時在蘇州很出風頭的一個拉牽的，交際很廣，蘇州的闊人差不多她都認得。她久已聞知我的艷名，想着引誘我爲娼，從中圖利，只苦於無法着手，小阿金一到她家，她有了法子，就投命阿金托詞來我家閒玩，尋機會先把我誘到她家，俟慢慢的熟了再下手。

這時我纔十三歲，雖然聰明，究竟幼稚，又從小便喜歡同小阿金在一塊，現在她能常常來我家伴我嬉戲，更邀我出去遊玩，心裏怎不願意？每次都是瞞了祖母偸偸的走，她若知道了，是不會叫我出去的。

有一天，是個春季，小阿金把我領到金家，金雲仙道：「今天天氣清爽，我們一同到外邊逛逛，好麼？」我是貪玩，那裏都願意去。我們就出了城，見河裏有許多隻船，佈置的全很講究，船上人有的在那兒豁拳喫酒，有的唱曲，煞是熱鬧。一會兒，船上有人向我們打招呼，金雲仙就領我上了那船，坐下後，船裏的人都和我攀爭鬥笑，我覺得這很好玩，也不害羞，在一般上坐了功夫不大，又到一船，也是這樣說說笑笑，一連串過有十幾隻船，纔同她們回家。心裏只知道這是玩，那曉得原來這是她們假詞遊逛，騙我到花船上去「出條子」。當時每一個清倌條子是給四塊銀圓，這次金雲仙借着我憑空的賺了好幾十圓錢。

以後，便連着同她出去過幾次，家裏人全不知曉，一天，又隨她到一處，恰巧有本地官員在座，一瞧我，驚訝道：「這不是周家巷裏的那個姑娘麼？」我聽着暗笑，心裏說：「怎麼不是。」

漸漸外邊人們有些說閒話的了，家裏也是知道，我祖母很難過了些時，還是我母親竭力的勸解，說：「家裏的境況，這幾年很是困難，叫彩雲出去賺幾個錢回家，多少總能有些補助。過一二年再給她物色一個才貌兼全的夫婿，好好的嫁了也沒有什麼不對。」祖母想了想：家裏也實在是沒有辦法，只好答應。

巨變歷險記！

與緬總統會談（二〇六）

胡慶蓉

丁博士押同眉苗，改禁柯阿道高特，情況大大的改善，住的是前英總督避暑的別墅，也是今緬總統避暑的勝地。這也是緬政府招待貴賓的地方。一共四座大樓，右前方的一座：二次大戰時期被炸壞，其他三座都保持的非常良好。丁博士與我綫土司，方土司，刀土司住在後邊的兩座，我上面已經說過了。左前方的一座是緬政府要人來往避暑之地。院落非常大，裏邊樹木多，花也多，很有東方的氣息。相傳蔣總統在二次大戰期間任中國戰區司令也會一度到眉苗，住緬政府要人住的那座樓房。這座房更特別講究。飯廳、客廳、會議室、會客室、套房，應有盡有。房子的建築，大體說來，應屬於西式，但外面上半黑白相間，又有中國四川的味道。四川的房子，一進巫峽，舉目向高處望，覺得很美麗。旁邊還有假山還有水。假如眉苗的氣候好，眉苗的水也好，眞是清澈到底，喝起來異常舒適。丁博士的生活，每天起的非常早，是他自修的時間，七點早飯，飯後一直到中午是讀報聽收音機的時間，下午寫東西寫信，有時候接談，晚上又是聽收音機的時間。這時間非常長，可能聽到十二點才安寢。秀才不出門，便知天下事。有今天的收音機，實在名實相符。在韓戰期間，韓戰的消息最多。也最令人興奮。台灣的廣播也聽得到，不過聲音小得很，有時候甚至於一點也聽不到。美國之音，也非常清楚。

在丁博士再到眉苗的時候，適緬總統蘇瑞泰也到那裏避暑，彼此住在一個院子裏，又都比較的閒，遂常常找機會談談。緬甸的種族很複雜，但大而言之，有緬族，有吉倫族，有單（旁手、以下同）族，有蒙族，他的國名是，英名是Union Burma，緬甸聯合國。聯合只是一個表面，實際是緬族大權獨攬。總統推上緬甸單邦的土司蘇瑞泰担任。緬甸是眞正的責任內閣制，由宇汝任總理。宇汝是緬甸人。總統蘇瑞泰則是單邦人。單邦是我們的老名，英國稱之為Shan States。就是單邦的音譯和意譯，單，States音同；邦，Shan意同。單邦位於雲南之下，位於雲南之南，與雲南實在是一塊土地。雲南之西南部與單邦同是中國的土司區域，同在中緬（實際是中英）未定界，這里一共有三十六土司，與威乃其中之最大者。蘇瑞泰原就是這最大區的土司。雲南土司，緬甸土司，同是一家，是不分的。他們彼此之間自古以來，互通婚姻，因而他們彼此之間都有姻親關係。也就是這個緣故，緬總統同我刁土司，方土司，綫土司……都有親戚關係，一見面，彼此都是舅舅外甥等相稱，至為親切動人。

蘇瑞泰，舉止言談，完全中國派頭。他的這個人也完全是中國人。在服裝方面，緬甸國中國也是大同小異的。比方中國的衣服，襯衣也好，大褂也好，棉袍也好，都是帶領子的，但緬甸的會不帶。下邊的褲子，單邦與中國完全一樣，但緬甸人則穿「龍及」，實際就是中國的裙子，穿龍及就不要穿褲子。今天丁博士與緬總統晤談，緬總統穿的全是緬裝了，他下邊穿着龍及。中午他說吃飯，方、刁、綫等土司都在座。方土司的太太和他們的公子也都在。他們交談，本可以用緬甸話的，或者用單語。單、歹、泰、擺夷都指的一樣。單有他們的話，也有他們的文，一般的還在用的，上層都不用了，說英文是最漂亮的，其次是緬甸。但我們在一塊兒談，還是用中國的國語。都非常欽佩蘇總統，並祝他健康。

三國志中的「倭」與「倭人」考

——魏志倭人傳之我見——

日本著名推理作家　松本清張

前言

最近再版的藤間生大氏著「埋藏的金印」一書，新版副標題改為「日本國家的成立」書中，在舊版的原有解釋上，採用了最近考古學上的研究成果，以東亞史為其背景，增補、加強了一番。本文之作，乃新版書中提及拙著「古代史疑」之小部分，而觸發我欲將最近注意到的「倭人傳」中的新解釋，簡單地說明一下。

一、距離與日數之虛妄

從來，倭人傳中的難題，是「方向」「距離」與「日數」等三事。我在拙著裏說過：「方向」一事是「對」的；但距離與日數則全屬『虛妄』。虛妄的意思，是指三國志編者陳壽的虛妄。」我還說過，倭人傳是「魏之使者自伊都國以還，並未旅行其地，全靠詢問毫無道里常識的當地土著，而得來的記錄。所以，把茫漠非常的距離，可能依照陰陽五行思想，以七・五・三・去歸納出一個數字來的。

成為其顯例的「由郡至倭國，萬二千餘里」，與「前漢書・西域傳」描繪遠道諸國的方法——其城概距洛陽「一萬二千×百×十×里」簡直如出一轍。（限於篇幅關係，此處不便多舉例，盼讀者參看拙著「古代史疑」。）我想：陳壽對這類距離的描寫方法，都是師承自漢書的。」

二、毫無意義的爭論

如果連「萬二千餘里」是虛數，那麼共他的里數更是虛數。因此，我想要說，從虛數中去蒐集虛數的歷來的努力，以及諤諤侃侃的爭論，都是毫無意義的事情。

藤間氏的新版書中說：「由帶方郡至狗邪韓國的里程，顯然是有意虛構的。至帶方郡止的這一萬二千里，只怕是中國人憑使用慣了的七・五・之數，將韓與倭作機械式的分配，而產生的數字吧？」他其所以西這樣說，蓋欲避免他在舊書中所作的里程論等予人以「烏烟瘴氣」之感。我想解釋說，這是將我的說法去支持的結果。

但是，藤間氏卻莫名其妙的說：「萬二千餘里」是陳壽對北越徵氏姊妹抗拒後漢戰爭（按：二徵姊妹世稱北越的聖德）有印象，受了「後漢書・郡國志」的洛陽至交趾間距離——「一萬一千里（按：對一萬二千里還差一——里還差一千里不足呀！）的暗示，而推定的。」這眞不知從何說起。若謂陳壽爛熟前漢書的書例，無寧以我在前面說過的看法更能使人感到爽意些。

陳壽之視國為柔順之國，可由此類文字知之，例如他說「其國風俗不淫」，敬大人，婦人無嫉妬，不盜，訴訟少，民多長壽至八九十或百歲者。」可，這些話都很明顯地受自漢書：「東夷天性柔順，異於三方之外」。陳壽不過在這句話裏加上些論語作註釋罷了！換言之，意即是說，陳壽在陰陽五行的思想影響之下，將國的距離還七・五・三之數分配的這回事，是應充份受到考慮的。

三、同一國名決不重出

其次，在倭人傳裏看得出「倭」與「倭人」是有區別的兩件事。我今天要寫這[illegible]東西，也就是想對這椿事加以說明。（未完）

管道昇（一）

黛眉小傳

王幻

道昇字仲姬，一字瑤姬，她是春秋時代齊國大政治家管仲的後裔；為了避亂始遷居於浙江的吳興，據傳吳興的棲賢山便是因此得名的。吳興本是人文薈萃的地方，唐代有李治，宋代有吳淑姬，元代有管道昇，在中國女性文學史上，後先輝映。

大概在蒙古陷濟南的那一年，即元朝還都大都（今北平）稱帝定年號的前兩年，我們這位女藝術家便誕生了。

她的父親名伸，字直夫，生性倜儻，以任使名聞鄉閭；母親周氏，賢淑而美於姿容。因為她是獨生女兒，所以特別為父母所鍾愛。道昇幼承庭訓，稟質聰慧，尤雅好詩畫，具有她父親伉爽的性格，落落大方，一派雍容風範。可能由於她系出名門，又是才女，遂構成遲婚的因素，直到二十八歲那年，她才嫁給同郡趙孟頫為妻。

孟頫字子昂，號松雪道人，為宋之宗室，太祖十一世孫。他的才氣英邁，神采煥發，詩文清遠，書入逸品，乃當代的書畫家。宋亡後，元世祖實施籠絡手段，命程鉅夫求訪前朝遺逸之士，孟頫亦在被推薦之列，奉召赴闕，以布衣擢奉訓大夫兵部郎中。他與道昇婚後不久，即相偕至京師，又除直集賢同知濟南路總管府。成宗時，召入史院；後來孟頫以病辭官，同歸吳興。旋又提舉江浙儒學，任滿，還泰州尹。在這十餘年間，可說是夫唱婦隨，道昇一直陪伴身側，過着美滿的幸福生活。

至大三年（一三一〇）冬，皇太子遣使召孟頫，除翰林侍讀學士；明年，仁宗即位，特授孟頫集賢侍講學士中奉大夫，道昇封吳興郡夫人。這是她已是四十餘歲的人了，即使「徐娘半老，風韻猶存」，究竟不如青春少女的亭亭可愛。況且又子女繞膝，不能長居任所，有住在吳興家中；於是，孟頫便想納妾，作了一首曲子寄給道昇，以窺探她的意思。原文如下：

我是學士，你做夫人，豈不聞王學士有桃葉桃根，蘇學士有朝雲暮雲？我便多娶幾個吳姬越女無過分！你年紀已過四旬，只管占住玉堂春。（未完）

別字先生

錢一釗輯

訓蒙先生愛讀別字。東家議明，每年租谷三石，火食四千，如教一個別字，罰谷一石；如教一句別字，罰錢二千。到館後，與東家街上閑走，見石刻「泰山石敢當」，先生誤認「秦川右取堂。」東家說「全是別字，罰谷一石」。回到書館教學生讀論語，「曾子曰」讀作「曹子曰」，「卿大夫」念為「鄉大夫」。東家說「又是兩個別字，三石租谷全罰，只剩火食錢四吊」。一日，又將季康子」讀作「李麻子」，「王曰叟」讀作「王四嫂」。東家說「此是別字兩句，全年火食，一併扣除」。先生作詩以嘆曰「三石租谷着教徒，先被『秦川右』取堂。一石輸在『曹子曰』，一石送與鄉大夫」。又曰「四千火食不為少，可惜四季全扣了；二千贈與『李麻子』二千給與『王四嫂』。」

五十六種砂鍋烹飪

馬騰雲

（十）砂鍋胡桃

用四兩胡桃肉，四兩牛骨髓，二錢天麻，三錢兔絲子同熬，一砂鍋水熬到半砂鍋時，用砂鍋豆腐配料照烹飪砂鍋豆腐烹飪即可。

西醫對失眠症，大多採催眠藥，其作用在抑制視丘內之睡眠中樞，使感覺能力減少，因倦而易入睡，睡眠之調節中樞，既在視丘，這個部門的病變或損傷，也會影響睡眠，中醫認為用催眠藥使人睡眠，與西醫外科所用之痲醉藥相似，所不同的，用藥的輕重，當然與這些看法，也有其部份理由，不過中醫對失眠症的醫療，沒有西醫那樣迅速兌現，可是中醫對失眠症的診斷，是多方面的，時代性的失眠，感情引起的失眠，是採「心病還得心藥醫」，換句話就是藥物治療沒有什麼藥物特效，但用食療方法，對各種失眠症頗有幫助，此項王道的食療，值得向讀者們介紹，就是多吃胡桃即砂鍋胡桃，胡桃也可用油炸，糖製及炒菜的配料，中國的大江南北，糕餅店製糕餅，多採用胡桃，如五仁月餅，桃片糕、八寶菜、椒鹽桃仁、蜜桃仁等，因胡桃仁，裏含有旦白質、脂肪、糖類、灰份、磷、錳、磷酸鈣、及鐵，維生素A，B，C，D，E等，為有效的補腦緩和安眠劑，假如說海參壯陽，淡菜滋陰，都是因像形而研究出來，那麼胡桃酷似人腦縮小，巧得很，胡桃恰為補腦重要藥物，滋養強壯，兼有鎮靜收斂之功。

第二十一章

岳飛為賊三請命　吳玲仙人破金兵

周燕謀

朝廷所賜予岳飛者固厚，而所除岳飛之任亦重。南由九江及於江西全境，北至黃，西至武昌，惟長江一條防綫已數百里。而岳飛之軍隊甚少，雖稱精兵，然與敵相較，實乃太過懸殊。但岳飛措置得宜。不久即將恢復襄陽，北窺中原。

紹興三年九月二十四日，朝廷以四將劃分為四路，各負綏靖之任，這四路態勢如左：

劉光世為池州制置使，置司池州。

韓世忠為鎮江制置使，置司鎮江。

王懷為鄂州制置使，置司鄂州。

岳飛為江南西路舒，　制置使，置司江州。

即長江東游為劉先世，其次為韓世忠，再次為岳飛，最西為王懷。就是東自長江出口，西至漢水，以長江為天然防綫，沿江分部軍馬防守。而關陝方面江有張浚及吳玠兄弟扼守入川之咽喉。即由漢水以西為南宋扼控之地，以東北為劉豫及金人侵窃之地。而首都設在杭州。這條數千里之防綫實乃太長，最大缺點仍以中央指揮系統不靈，補給不易。但除了此一佈署之外，也實在沒有更好的方法。最好出路就是要收復襄漢，遷都襄陽，北向中原，才能光復舊地。岳飛在收復襄陽之後，便有請朝廷遷都襄陽之議。可惜高宗苟安成性，置若罔聞，令人惋惜。

岳飛奉命為江南西路舒　制置使之後，內求安定，迅速肅清境內盜賊，此為第一要務。如吉州賊彭鐵大等，嘯聚吉州，岳飛先行招安，賊不聽命，岳飛分佈軍馬進剿，一股剿滅，生擒彭鐵大等數百人。

興國縣有賊王彥、鍾超、呂夭、羅賢十、陳容、藍細不、謝畝、鍾大牙、劉八大王、盧高等，在衣錦一帶擄掠，岳飛遣軍分頭破滅，王彥以下衆賊，完全消除。

朝廷因岳飛長子岳雲，每戰有功，岳飛以為己子不報。朝廷明知，授岳雲為保義郎閤門祗侯一節，岳飛力加辭免。按岳雲在張憲軍中，從征討賊，驍勇善戰，屢立戰功，全軍皆知。而岳飛則謂「……臣男雲備從伍，未立寸效，豈足仰副異眷，實不惶安，伏望特賜寢罷，以安愚份。」岳飛之偉大者，莫之能比，臨觀古今，實又何如？當時將相恐亦無第二人想。

紹興三年九月二十九日，詔命岳飛「神武副軍都統制江西制置使」，改為「神武後軍」，其餘如前。

（一〇四）

自由報

（第一一五四期）

（半週刊每星期三、六出版）
每份港幣壹角・台灣寄售價新台幣弍元
社長李運鵬・督印黃行寶
社址：香港九龍彌敦道593—601號
廖創興銀行大廈八樓五座
LIU CHONG HING BUILDING
7th FLOOR FLAT '5
593—601 NATHAN ROAD,
KOWLOON, H.K.
TEL: K303831
電報掛號：7191
承印：景星印刷公司
地址：嘉咸街廿九號地下
台灣區業務管理中心：台北重慶南路一段一二九號
電話：二四五七四
台灣滙直接訂戶　台灣劃撥戶
第五〇五六號張萬有（自由報會計室）
台灣分社：台北市西寧南路110號二樓
電話：三三〇三四六、台郵劃撥戶九二五二號

如何消弭社會不安因素

·丁作韶·

社會不安因素有如上述，消弭的對策，依愚見：

切實認眞實行社會均富——這是當前消弭社會不安因素最主要的政策之一。道也不是什麼最新調，這在我們最高領袖　蔣總統早已耳提面命。無如並未見實行。關於此中的道理，用不着說了，我想讀者想會意識得到，現在要說的是實行，是切實的實行，認眞的實行。雖茲事體大，牽涉廣闊，沒有大的毅力是做不到的。本來均富政策早在三民主義之中，民生主義的平均地權，節制資本，本來就是均富政策。不過均富政策並不只是平均地權，節制資本，應該因地因人因時制出更多的辦法。均富的意義，說起來好像很容易，然若實行起來，可就不容易了，三七五減租，耕者有其田，不失為辦法之一，這只是就農業而言。更必須推到工業，推到商業，推到其他任何一部份。都要想辦法。所有的軍公教人員待遇，也要一律拉平，決不准有高與低的，澈底消滅貧富的差距，以達到國父所要求的經濟平等。

經濟自足自給保護國產——不要羨慕人家的科學化工業化現代化，要度德，要量力，量體裁衣，力求自足自給。廢除消滅與日本帝國主義美帝國主義工商方面的合作，杜絕他們的經濟侵略。不把本身需要的東西運到外國以博取少數資本家的利益。儘量的減低國民的消費，以增加他們的節儉儲蓄。對於自己的生產，不管什麼，不管怎樣，自己買，自己用，儘量的減少漏資。

確立農業為主——現在政府動則說經濟均衡，均衡發展，自然是農工商並重的意思。但因為台灣根本沒有鑛產，不能有重工業，也不能有輕工業，所謂之衡發展是做不到的。現在的平衡發展，害了農業，犧牲了農業，這好有一比，這也就是國父在他的三民主義上所說，彩票沒有得到，原來手上的小棍棍却摔掉了。現在已經到了回頭拾自己的小棍棍時期，甚望能從此把握台灣經濟的重點，台灣的農業，竭力求農業的穩定，求農業的增產，對於工商，不去強求，任其自然。凡有害於農業的，務必大力糾正。什麼都沒有吃飯要緊。農業是台灣的經濟基本，只有靠他來養活這衆大的民衆。

廢除義務教育——我們的教育是科學教育，技藝教育，其理由是該配合經濟的發展，詳言之，就是配合工商的發展。但事實上台灣工商的發展是有限制的是受限制的，工商沒有多大的需要，而教育則在開足馬力，大量的製造技術人才，以致人浮於事，大大的超過了工商的需求，現在大家已經感覺得到，但大家沒有勇氣說，若照現在的步調循環不息的年復一年的製造，社會上的失業羣將不斷的大大的無止境的增加。現在已經是收縮的時候了廢除義務教育，上不上學，聽人民的便，不加勉強。這樣留在農村的人或許逐漸的多些。這也可以解決一部份失業的問題。現在台灣人口號稱一千二百萬（也有說一千三、一千四的），在學的有四百萬，這數目太大了。這個數目非大大的減低不可。

提早反攻大陸——這本是旣定的國策，無如年復一年，迄無進展。這是安定台灣社會最重要的一點。前陳副總統說：能反攻一切都有辦法，不能反攻一切都沒辦法，旨哉言乎？旨哉言也！現在外交方面的嚴重局勢，內政方面，經濟方面，總而言之社會方面的嚴重局面，人心惶惶，社會不安，都隨之不能反攻而產生而日形嚴重。反攻越遲，問題就越多，而且就越難解決。

由前面所說的看來，社會不安因素雖然很多，但生計困難必然是最主要的最重要的，好像大家都快到飢餓邊沿或已到飢餓邊沿的樣。最成問題的是大陸淪陷來台的二百多萬人口，這二百多萬可能已變成四百多萬甚至五百多萬。這些人是沒田沒地的，在工在商也很少有辦法子的。國大代，立法委，監委得天獨厚，退役的軍人，落魄的已經在在皆是，公教收入，已不足應付，捉襟見肘，外強中乾雖還沒到無米之炊的地步，人心已惶惶不安矣！

中央還在喊政治革新，但今天普遍生計困難的情形之下，什麼都好像欲振乏力，本來是應該沒有問題的。從大陸上來的人，經過抗戰八年的，誰不知今天台灣的生活比那個時期好不知道若干倍。但大家也奇怪，為什麼那個時期大家不鬧今天大喊大叫呢？這是不是政府提倡工商獎勵合作的結果？

不管怎樣，生計困難已成了普遍的問題，隨着幣值的低落，物價的高漲，這個普遍的問題更會一天比一天的嚴重起來。這個普遍的問題已不是什麼便民利民所能解決的了，也不是這服務非那服務所能解決得了的。如何創造新社會立法，確為切要之圖。社會福利也成了政治的詞令，但這還是小焉者，不是以解決大問題。創新社會立法確為切實之圖。如何去創？我感得責在政府，只有政府，有能力有權力。

社會組織，談起來，眞是經緯萬端。但家庭，人民的各種會社，像什麼水利會合作社，不竟是最主要的最重要的。來中國的家庭，在這個工商的社會，受歐風美雨的襲擊，已招架無力。這會那會，常常發生事端，對他們的影響也是非常大的。高雄的香蕉合作社，就是一個最好的例子。

香蕉對內對外都是一個了不起的營業，每年出入都有若干億。在他廿週年，以金盤金碗……等作紀念品贈送各方面，原算不了什麼，但却成了個大案子，轟動中外，其對於工作人員的打擊是非常大的。在外銷方面，也受了嚴重的影響。這對各方面來說，損失却太大了！

鞏固社會組織確為確保社會安全之要圖，如何去鞏固？要政府多多的去保護，多多的去培植，非萬不得已，決不可以去打擊！凡有危害家庭的措施，應力求避免。計劃家庭，即其一端。對於子弒父子打母……傷天害理的案件，要從嚴辦，以儆效尤。貧賤夫妻百事哀，人窮不得，家更窮不得。屋漏又逢連夜雨，是今天家庭的寫眞。如何鞏固他們的經濟組織，也是鞏固社會組織之道。

自由談

國運隆替觀

國運隆替的象徵，從社會人心與政治風氣中，昭然可覩，用不着細心考察，即可以得到正確的答案。在國運興隆之際，朝野人士無不精神煥發，意志昂揚，遇着任何困難，皆沒有沮喪的心情，大家相信光明就在眼前，萬衆一心，努力奮鬥。人與人之間，多表現着親切和諧氣氛，排擠傾軋，修怨尋仇的行為，雖不是絕無，亦只係僅有，且難逃輿論的譴責而自慚形穢。若夫一般公務人員，個個朝氣十足，必求有以自見，遇事不特不願推諉，還要自動的找事情做，偷惰貪污之風，大家深惡痛絕，有所不為的。

國運在走下坡路的時候，情形卽恰恰相反了！正氣消沉，公道不彰；人與人相處，爾詐我虞，專講利用。社會生活是笑貧不笑淫，政治生活是偷惰而貪污，大家殫精竭慮於如何追求個人的安樂享受，而置國家命運於度外。馴致衾影干戈，是非泯滅，對人毫無信心，對事只求應付。尤其是政治人物的表現，更為突出，有權利，你擠我奪，有責任，此推彼卸，私人派系林立，功過賞罰錯亂，一是皆以邀寵固位，混事扒錢為本。

這些象徵，我們不必引述歷史例證，祇就近四十餘年來親身經歷的情形而言，便足以徵信了。民國十六年大革命時代和對日抗戰時期的國運，視今日更危殆，個人的生活亦更艱苦，但社會人心與政治風氣，却與今日大異其趣。近有號稱在海外從事統戰工作的政治人物，因其作風頹唐偷惰，受人指摘，竟發言「我是混差事而已，國內的官員們還不是實行混混主義！」卽此可知現時國家的大患不在外侮，而在內憂，將何以振起疲憊的人心，培育一般政治人物的廉恥觀念，實為當務之急。這却非喊口號、貼標語、下命令所能濟事的，貴在開誠心，佈公道，正是非，明賞罰，而以事實來號召，庶幾有豸！

馬五先生

昨日與明日

標準的孤立主義

美國參議員富爾布萊德最近又發「高論」，指摘若干弱小國家是「以共產黨為餌的騙徒」，要拖美國介入戰爭。他之所謂「騙徒」國家，除越南、泰國、高棉、寮國以外，以色列亦在其內。

按照富氏的主張，美軍應該從越南全部撤退，不復過問亞洲東南半島的事；以色列若不接納聯合國特使賈林提出的和談建議，即可由各強國——暗指美、俄、英等國——合力予以強制執行，因而他詛咒「絕對的國家主權獨立」之說，作其立言的理論根據。這便是左右美國對外政策的參議院外交委員會主席的政見，嗚乎哀哉！

可是，最近美國通訊社消息，說越南沿海地區發現豐富的石油藏量，已有二十幾家美商在越南爭取油礦的開採權，却不聞富爾布萊德有所非議，而視為「騙徒」國家的「盜泉」，不屑爭飲呢！

可哂的孤立主義思想，可鄙的暴發戶（Parvenu）人物的嘴臉！

孤立主義者的如意算盤

在孤立主義者的心目中，所有未被共黨控制的弱小國家，由美國供給一些軍經援助，藉以防守自衛，却不許對共黨發動戰爭，只是安定內部，好讓美國的工商業者，挾其特權，把一切剩餘物資自由傾銷於當地的每一角落。受援國家如有甚末貴重的產物蘊藏着——如石油、鈾、黃金之類，當然亦由美商專利開採，不成問題。這樣的自由國家，纔是美國眞正的「友邦」，纔值得美國援助，而不是「以共產黨為餌的騙徒！」

孤立主義者的如意算盤若是，誰如不同意，而要爭取本身的自由生存，反抗共黨侵略威脅，不惜訴之戰鬥，那便是違背美國利益的「騙徒」，是可詛的國家獨立主權，非唾棄不可！

古往今來的暴發戶，本質上[illegible]之文化休養，性情粗魯，主觀強烈而卓具優越感，我慢自專，認為「老子天下第一」，莫之與京，一切跟他論交的個人或集團，都應該聽從他的擺佈玩弄，不能有二話。富爾布萊德之流，即係典型的例證，你說他幼稚無知，他却自命為超人，尼采所謂「百事皆有說詞，而百事皆不知其所解」，這兩句話，作為富氏一流人的評判詞，恰當之至也！

·何如·

人肉市場調查　港有娼妓兩萬

▲立法局秘書費敦昨日謂，本週內交與立法局的一份報告透露本港有一萬八千名娼妓，最多有四千名是受到別人控制的。這份報告是用中文寫成，現正由翻譯員翻譯為英文，方便各議員閱讀。

這份報告是由一位神職人員施應恩撰寫的，相信是對這問題最深入的一份報告。

六十一歲的施應恩謂大約有二千至三千名娼妓是由她們的父母以三千元賣給妓寨的，有些年齡只有十二三歲，多數是居於離島的漁民。

香港莘莘學子　滿脚都是狗屎

▲幾個人茶敘，無意中談到狗屎問題。某君大發偉論說：「從前的人謂目不識丁的鄉下佬「滿脚牛屎」，現在應該說莘莘學子，「滿脚狗屎」！」

衆問其故。某君解釋說：「清早狗屎滿街，學生忙於趕路，最易誤踏狗屎陣；昨日我班四十二人中，有十三人滿脚狗屎，佔全班人數百分之三十二，問你怕未？」（煊）

內閣局部改組

天下雜論

成公

醞釀多日的內閣人事更迭，終於揭曉，除了本報上月廿七日社論談到的魏道明氏外，辭職的還有教育部長鍾皎光。而遺缺則分別由駐美大使周書楷及成功大學校長羅雲平兩氏繼任。

這一改組的消息，不但來得並不突兀，並且已是傳聞很久的事了，魏氏之由聯合國投票而起，前已報導，茲不贅述，而鍾氏的去職亦早為識者所預料，鍾氏為一學者，歷年從事教育工作，聲譽原本不壞，但不料在山容易出山難，接長教部後，剛一亮相，就令人失望，首先清一色的出籌了一大批梅縣人氏，縱使所用盡是人才，也不無瓜田李下之嫌，因此三朝未滿，蜜月即逝。接着又一再頒佈許多行不通的辦法，喪失威信鬧盡笑話，實為教育部多年所鮮有之事。而那莫名其妙的全國教育會議（請問會議閉幕到今天執行了幾件決議）更是除了靡費國帑，擺擺場面外，實在看不出有什麼召開的必要，因此識者早知鍾氏之去職只是遲早的問題而已。

至於這兩位新任的人選，一般說來，人望都很好，並且對於行將執掌的業務都很熟悉；例如周氏曾任外次，在部服務有年，現又身為駐美大使，對於內外情勢均極瞭然，羅雲平氏則歷任大學校長有年，並曾在教部任高級司長，對於教育業務以及當前實際問題，當然都有清楚的認識，尤其羅氏這幾年在成功大學校長任內，禮賢下士勵精圖治，頗著成效，按照常理，應有良好的表現。不過兩氏今後，究竟成績如何？我們尚願能有事實的說明，本報此處不願作過早的評論，唯願代表人民的意願，祝望好自為之，而給我們帶來歡慰的成果。

國際局勢極為險惡 反攻復國責任艱鉅

本事在人為精神放胆去作 立委主張組團訪中東地區

（自由報台北消息）立法委員李公權對當前「國是」問題，提出具體的積極的意見。他主張「由立法院組織一個訪問團，主動的積極的向中東地區的國家，來一次全面訪問，加強此地區的國家對我們的支持」。

行政院院長嚴家淦答覆：「對於這個問題，我們兩院（行政院與立法院）尚須再進一步來研商」。「李委員的意見比較積極，如果組織訪問團，或者是用另外方式訪問，在技術上尚須再作研究」云。下面是李公權委員的質詢：

第一點：最近我看了一篇關於石達開西竄的文章，尤其這半年以來，無論國際、國內以及公私所給予我個人的一個總的感想，總認為事在人為，石達開太平天國是一可為之局，但因人謀不臧而失敗了，同樣的，太平天國時代，清朝應為不可為之局，而因有曾國藩諸人，變為中興之局。三國劉備時代，棄新野走樊城，無立腳之地，本是一不可為之局，然有諸葛亮出來三分天下就成三國之局，因此今天我們國家反攻復國的責任是非常之艱鉅，國際形勢亦非常險惡，但是歷史告訴我們「事在人為」。加拿大承認共匪之後，有關人士曾舉行了一個座談會，當時本席就說了一句話「事到萬難須放胆」，愈是艱難的時候，我們的胆量應愈大，愈是艱難的時候，我們愈要拿出事在人為的精神，我想嚴院長，尤其我們蔣副院長，有這個精神，今天再強調「事在人為」，反攻復國的前途充份的掌握在我們手裏，我願意貢獻這四個字給行政當局。

第二點：這半年、一年以來，我們行政有若干進步與革新，特別顯著的是司法方面，絕不是因為王部長是立法院同仁去的，而就阿其所好，實在在這半年、一年以來，司法方面的進步特別顯著，因此在這方面我不提什麼意見，祇是支持好多位同仁對司法方面所提的意見；希望司法方面還要百尺竿頭更進一步，由司法業務的改進，也證明我前一段所說的；是事在人為。何以若干年來認為不能改的事項，而今天可以改了呢？這完全是應了「事在人為」這一句。

爭取反共非共國家 積極推行主動外交 國民外交活動亟應加強

第三點：是比較具體的，行政院施政方針一再強調，要積極推行外交，致力團結反共與非共國家，在外交部分又謂：要積極展開外交奮鬥。在嚴院長的口頭報告內，有一段話：「當前的外交業務必需基於總體戰的觀念，作積極與主動的展開，應知今後的重點將在政治、經濟、文化……各方面一切配合之下，致力於加強與各友邦的合作與聯繫，各方爭取與國。」在施政報告的書面裏面，特別提了一個事實，是說國與國間的相互訪問，這裏面又特別說明許多國家的高級官員，國會議員紛紛訪華。再看一個事實，去年聯大表決，我舉中東的一個例子來說明，伊朗、約旦、黎巴嫩、希臘、沙烏地阿拉伯、高棉、泰國、土耳其、以色列、寮國十個國家，這十個國家一致贊成重要問題案就是支持中華民國。反對排我納匪案的有七個國家，就是伊朗、黎巴嫩、寮國也棄權，對排我納匪案棄權，也就是間接支持中華民國，尤其以色列與我們毫無邦交，況且有以、阿的矛盾，然而在這兩個案子裏，均採取鮮明的支持中華民國的立場。這是非常難得的。

行政院的施政報告說：許多國家的高級官員與國會議員訪華，中國話：「禮尚往來」，「來而不往非禮也」。本席認為對這個地區的若干國家，除了泰國我們有較多往來外，其他則很少往來，特別的一個印象是：土耳其國會議長率其國會訪問團，正式訪問中華民國，然而迄今仍未見回訪，因此本席建議：基於外交總體戰，希望能夠由立法院組織一個訪問團，主動、積極的向這個地區的國家，來一次全面的訪問，加強此地區的國家對我們的支持，並表示對他們的感謝，但是祇由政府表示是不夠的，立法院是國會中心，假使考慮這件事，無論這個訪問團由院長或副院長領導，均應有立法委員三、五人參加，表示我們的全面性。其人選要顧到政黨、地域，特別在我們中央政府現階段所在！——台灣，要有立法委員參加。同時尚有好幾位委員提到發動國民外交，加強國民外交活動，然而大家却未提出具體主張，因此本席重複說：基於總體戰的外交觀念，希望由立法院組織一個訪問團，初步先到中東地區，不必等別人請，我們應自己表示要去拜訪、答謝。由院長或副院長領導，並有委員三、五人，包括政黨、地域各方面，表示中華民國的全面性，以加強我們國家的團結和與國的團結。

世界珠寶中心——仰光

緬甸政府設立珠寶市場公開拍賣，吸引全球各地商人前往爭購，今年的拍賣生意興隆，為緬甸爭取二百餘萬美元外匯。

（自由報仰光消息）緬甸的珠寶，自一九六四年起，緬甸政府設立了珠寶拍賣市場，每年舉行一次公開拍賣，吸引世界各地珠寶商前來爭購後，已名聞遐邇，譽滿全球。

今年緬甸第七屆珠寶拍賣市場，於三月十八日起至二十五日止，在仰光之燕子大酒店舉行，為期一週。前來參加之世界珠寶商，超過預期人數，前來參加珠寶拍賣市場的珠寶商人數，以香港為最多，達一百多人。（未完）

蘇聯中共對罵不已 邊境情勢又趨緊張

（自由報香港消息）許多迹象顯示中蘇共之間的緊張，又趨嚴重，過去幾個月來，雙方的外交關係，是曾經一度有輕微進展的。

在見之于白紙黑字的宣傳攻勢上，蘇聯最近着着採取主動，對毛澤東的思想和作風，進行了猛烈的抨擊。二月十八日，包括蘇共真理報在內的莫斯科各報章，都刊載一篇抨擊中共「五、七」幹校的文章。其要點是：根據一九六六年五月七日毛澤東給林彪的信中的指示，而在整個大陸普遍設立的「五、七」幹校，雖有學校之名，實際都是使數約九萬的老共產黨員，受盡一切思想凌辱和體力消耗，除非答應做毛澤東思想的奴隸，否則便不能給「解放」，便要老死在「千山鳥飛絕，萬里人踪滅」的荒涼地區的幹校中。

一艘在香港進行修理的蘇聯船隻，也在船上向中國工人散發攻擊毛澤東的小冊子。這小冊子是由陳紹禹（王明）寫的，印刷的地點是莫斯科，文章的主題是：毛澤東實行的不是「文化革命」而是反革命政變。

文內列舉了毛澤東的十大罪狀，說他用毛思想去代替馬列主義，摧毀中共，實施個人反動的軍事恐怖專政，把解放軍變為反人民的工具，以反動的紅衛兵紅小兵代替共青團和少先隊，分裂工人階級，迫害勞動農民，摧殘歧視和保護民族資本階級。

這些跡象顯示出北京和莫斯科的某些領袖，雖然認為中蘇之間的爭執，可以用政治的方法去防止其變得壞，但雙方的另一些高級官員，卻認為遲早還是會發生軍事衝突。簡言之，便是在北京的禁宮，莫斯科的克姆林宮裏，都有鷹派和鴿派，聯合同聲氣的其他派系，謀求自己的政策能夠實現。

中共頭目認戰爭可能再起 十五萬大軍北調增強防務

最令人感到興趣的，是中共的一種安排，是最近仍恐怕中蘇邊境的戰事，有再度爆發的可能，因而把超過十五萬人的四個至五個軍，由華中及華南北調至中蘇邊境的第二線上。此舉的目的，顯然是想加強中共的備力量，以支持佈置在接近蘇聯邊境第一線的、民兵、邊防軍及別的特種部隊。

這次大軍北調，是一九六二年春大量開入海岸前線地區，以防國軍反攻以來最大規模的一次調動。當前，北京勢雖然十分緊張，北京電台雖然天天在喊一定支持三國人民作戰到底，但卻並未見他們向西南地區的廣西和雲南兩省增兵，顯而易見，北京的事頭目們，始終認定廣西和雲南，只不過是供應物資到印支去的大後方而已。

北調的大軍中，大部份是在中南各地協助恢復文革動亂以來的秩序的。其中的一個軍，已證實是四十七軍，其司令員黎原，曾總統治三千八百萬人民的湖南省革命委員會的主任。正由于黎原北調，所以去年十二月四日第一個成立的中共湖南省委，書記由華國鋒担任。

為了配合大軍北調，中共也沿着四千二百哩長的中蘇邊界大力增強其空中防衛力量。除了更多飛機已調往北方之外，新的雷達和地對空飛彈，據說亦已在這些地區佈置。同時，中共的宣傳一直在吹捧毛澤東的「人民戰爭」理論，說一誘敵深入，然後把敵人淹沒在人民戰爭的汪洋大海中」。因此，中共的軍事頭目正加緊努力分散全國的資源，至各地區，使在戰爭發生時，各地都可以獨立作戰。

中共重作戰略部署 蘇俄陳兵七十五萬

珍寶島事件隨時可重演

認定中蘇之間難免一戰的中共鷹派，顯然是躲在幕後主持戰略新部署的，最初是慢慢地進行，最近則見調動頻繁，顯示中共的領導層，對此曾進行過多次辯論，但不管進行得多麼秘密，敏感而情報靈通的蘇聯領導人，亦很快作出了相等的反應。

在蘇聯邊境內，他們現在最低限度已有七十五萬大軍，進駐沿高加索，蒙古至西伯利亞的戰略要點。在兵力上，七十五萬的蘇聯軍隊，是比不上中共的，但在火力上，由于配有複雜的戰鬥機，新式的坦克，甚至配有戰術性的核子炮彈的重炮，所以火力要比中共軍大很多倍，至于工業支持作戰的軍事力量，蘇聯也是比中共佔優勝的。

克姆林宮的鴿派，雖然贊成繼續進行的外交措施，使公開衝突，能夠避免，但西方的專家多半認為，克姆林宮內主張的鷹派，都一直主張趁中共的核子和飛彈力量羽毛未豐之前，先下手為強，以突然的行動，去徹底加以摧毀。這兩派之間的歧見，不難在蘇共代表大會中，看到一些兒蛛絲馬迹。尤其是東北的漫天風雲，已到了快要雪融的季節，一九六九年的珍寶島事件，便是在目前這個季節中發生的。

有一種傳說，是在文化革命後影響力大為增強的中共軍人，正針鋒相對的打算地增強對蘇聯的作戰，以提防蘇聯方面的可能性反擊。

當前，在北京間歇地舉行的邊界談判，蘇聯和中共的外交雖然在談着這些或那些提案，但沿中蘇邊境，雙方扣着扳機（槍擊）的手指，却顯然越來越癢，沒有人知道誰會發第一槍，何時會發這第一槍，但卻不可以完全抹煞再次引起珍寶島式新疆裕民縣那樣事件的可能性。

孝道的宏揚與光大（一）

·李宗黃·

前言

中國「道統」至孔子而集其大成，孔子曰：「吾志在春秋行在孝經」，所以中國家庭，以「孝」爲首要，中國社會以「孝」爲骨幹，中國文化，以「孝」爲基石，中國政治，以「孝」爲根本。自漢唐以來，每一個朝代，沒有不倡行「孝道」獎勵孝子，甚至元清入主中國，以及五胡亂華時期，亦多同化於中國倫理道德之中。

不料「五四運動」以後，蘇俄赤色帝國主義，以唯物邪說流毒中國；我國無知和忘本的學人，如陳獨秀、李大釗、胡適之流，竟盲從附和，有所謂全盤西化，打倒孔家店之妄爲，朱毛倡亂後，並有非孝之邪說，將中國文化根本推翻。

所幸　國父在三民主義，民族主義第六講說：「孝經所講的孝字，幾乎無所不包，無所不至，現在世界中最文明之國家講到孝字，還沒有像中國講得這樣完全」。

又說：「國民在民國之內，要能夠把忠孝二字，講到極點國家便自然可以强盛」。這兩段話，不僅可挽狂瀾於既倒，且可作中流砥柱。

不意中國國民黨執政後，適逢我國多災多難，內憂外患紛至沓來之會。乃以極大部份時間從事平定兩廣，率師北伐，抵抗日本諸次戰役，未能殫精竭慮，盡力於倫理道德之宏揚。到抗戰時期，始有「爲民族盡孝」之標語與警覺，本人根於天性，不自奪量，毅然決然，起而响應。乃於民國廿九年十一月十一日，在所主持之行政院縣政計劃委員會而有「孝的道理」之演講，以資倡導，內容分爲概論，孝的本質，孝的淵源，孝的方法，孝的功用，結論六段。細加研究，當此　總統提倡文化復興運動進入高潮之際，仍具有深切無限的意義，最後附加結論，敷陳我們新的見解，創造新的文化，以適應新時代之要求，予以充分的宏揚與光大。茲先將原文敘列如左：

（一）概論

我們在研究大學的時候，已經好幾次講到孝字，如「爲人之子止於孝」，「上長長而民興孝」等。中庸上所提到的孝字，比大學上的還要多，即如第十九章所講的是舜的「大孝」，今天講的第十九章是講武王周公的「達孝」，以後還有不少提到孝字的地方。孝字在我國民間最爲普遍，並且常常用他來做衡量人的標準。因此常說：「萬惡淫爲首，百行孝當先」。但是徹底明白孝的道理的人，實在不多。正如古人所說：「行之而不著焉，習也而不察焉，終身行之，而不知其道者，衆矣」。我想今天乘這個機會，將歷年以來體驗及實踐孝字的結果，再證以古今聖賢之名言，以爲大家身體力行之根據。（未完）

記鐵幕裏的地下教會

·魏恩波牧師·

他們沒有喜樂。連那些大頭子們也不例外。史太林就是一個！他幾乎把所有的老同志們都殺光；弄得日夜提心弔胆的，怕人暗算。他的臥房有八間之多，裝上像銀行保險庫的那種門。沒人知道他當天夜裏究竟是睡的那一間臥室。還有，不管他吃什麼，都必得先讓廚子嘗一口，然後他才敢吃。

在匈牙利，有一個蘇聯陸軍軍官來見一位牧師，要求跟他單獨在一起談談。這軍官看起來非常之年輕，性子很急，而且在態度上總以征服者自居。牧師把他帶到一間小會議室裏，把門關上。這個軍官朝牆上掛的十字架見了下頭說：「你明知那玩意兒是騙人的。你們做牧師的利用它來騙騙窮人，弄得他朦朦憧憧的，好讓那些資產階級過得安逸些。好了，好了，趁現在沒人的時候，你就乾脆認了吧，告訴我你從來就沒打心裏相信過耶穌。」

牧師笑着說：「但是，我真的信仰基督。」

軍官大叫：「你不要跟我玩這一套了！我可不是跟你開玩笑的！」說罷，掏出手槍往牧師身上一頂：「你如果不承認的話，我可要開槍了！」

牧師說：「這我辦不到，因爲我相信基督。」

軍官聽了，馬上把槍往地下一扔，伸手抱住那位忠心的神僕。他的眼眶裏滿了淚水，喊着說：「是眞的！是眞的！我一直也是這麼信的。但是，我就不知道是不是眞有人會信到連命都不要了，所以我決定試試看。啊！謝謝你！你堅門了我的信心，給了我一個好榜樣。從今以後，我也要抱定一個爲基督捨命的心志來跟隨他。」

我也聽說過一些類似的情形。在蘇聯佔領羅馬尼亞期間，兩個蘇聯兵提着槍跑進一間教堂，說：「我們不信你們的教。你們中間如果有人死心眼，要信到底的話，馬上槍斃！凡是決定離教不信的人，可以站到右邊去。」有的人站到右邊去了。兩個兵就叫他們同家去。在這些人拔腳逃命離開教堂之後，俄兵在親切激動的情緒中會見了剩下的基督徒，說：「我們也是基督徒。但是我們只想與那些把眞道看得比生命更重的人有交道。」

這些人在鐵幕後，正在爲福音爲自由而奮鬥。

很多西方國家的基督徒常常花很多時間在家裏聽屬世的音樂。在鐵幕國家，信徒的家裏有時候也放放大聲的音樂；但這只是爲了掩護談道是工作會議，免得讓隣居聽到，跑去報密。

作者本身不過是個無足輕重的人。我只是聲音，替那些沒法出聲的人說話；做那些與外界隔絕、被封住咀的人的出口。我代表他們請求各位在信心上不要馬虎，在處理基督教各種問題的時候便不可隨便。我代表他們請各位用禱告和物質來支持共產國家裏忠心受苦的地下教會。

（完）

大陸河山憶舊

千古名樓岳陽樓

·楨·

岳陽，是湖南省洞庭湖濱的歷史名城，千古名樓岳陽樓便雄踞在岳陽的西門城上，這是一座古老的建築物，紅牆碧瓦，飛檐層疊。因爲前面是汪洋浩瀚的洞庭湖，所以登樓四顧，可望盡湖中烟波變幻，風帆漁舟的景色。後邊則枕着九華與金鷄兩座山，形勢險要，難怪早在一千七百多年前的三國時代，與國的魯肅就選了這裏作爲訓練水兵的地方，因爲閱兵點將的需要，還建了一個簡陋的檢閱台。這便是岳陽樓的前身。

以後，過了三百多年，到唐中書令張說守岳州時，才在魯肅所留下的台基上建成這座岳陽樓，不過最初是叫做南樓（因爲在郡署之南），直到後來，在杜甫、李白、韓愈、白居易等大詩人的詩中才見到岳陽樓的名字，後來一直便叫岳陽樓。

不過岳陽樓之成爲千古名樓，似乎受了范仲淹的「岳陽樓記」的影响，這篇古文，只有三百多字，而且所記的是洞庭湖的景物以及早晚晴雨各種不同的感觸爲多，對於岳陽樓本身的記敘却很少，但因爲篇名叫「岳陽樓記」，容易令人記着，所以岳陽樓聲譽之隆，同這篇古文的宣揚一定有多少關係。

岳陽樓在宋仁宗慶曆五年（一〇四五）滕子京謫守巴陵時，曾重修過，以後歷元、明、清各代，重修重建，不下二十多次，其中被燒掉的有四次，被洪水冲塌的有二次。較後一次大修是光緒六年（一八八〇）。一九五七年又再大修一次，每次修築，都是依原來的形式，沒有變更其結構和原式。因此，迄今仍可看到它原來面貌，而成爲遊覽的勝地。

岳陽樓高達十五米，分爲三層重叠，建得非常富麗堂皇，四角的飛檐好像襯託得像展翅欲飛的鳳凰。樓前的兩邊有三醉亭和仙梅亭，相傳神仙呂洞賓過岳陽樓時必要買醉，所以有望仙亭之築。樓中仍有呂洞賓石刻畫像。樓的中層和低層，各有木刻字屏六幅，刻的是清人張照所寫的范仲淹「岳陽樓記」。此外樓上還掛了滕子京給范仲淹的索稿信抄本，那封信當時是派專人送到陝西去的。信上寫得委婉曲折，相當得體，信長七百多字，比之他後來得到的稿子，幾乎長了一倍。這些文物，多少都反映了岳陽樓的歷史和故事。

未到岳陽樓一遊的人，讀到黃山谷詩「未到江南先一笑，岳陽樓上對君山」，不免神魂飄忽，恨不得立刻到岳陽樓上，欣賞那一碧萬頃的洞庭湖風光。

太平天國失敗的原因（十一）

·黃大受·

乘英艦到上海。撰文攻擊天王，斥爲狂人及愚人，說天王反對通商，妄殺臣下，藐瀆神聖，妄擬其父子二人與上海耶穌共治天下，借宗教爲宣傳工具，不許外國教士傳眞道。干王不許他及助手離京，形同强盜。此文對太平天國自有壞影響。他後來又撰文更正，冲淡此事。但雙方無法相處，則是事實。

太平天國人物，由於國際知識的缺乏，未能運用當時英法等國對清廷的惡感，而爭取承認，反因所作所爲，致失去外人的同情，陷於孤立狀態，實爲不智不幸之事。

十八、外人的協助清軍：外國人既不願同情太平軍，爲了早日取得天津條約及北京條約上的通商權利，和傳教的便利以及保衛上海的商務及外人，遂轉而幫助清軍。所以李秀成首次進攻上海，被英法聯軍擊退後，一八六一年三月廿八日，英國駐滬海軍司令何伯，經過天京時，警告天朝，稱英法政府已明令；將以武力阻止太平軍開入上海或吳淞地區。一八六二年一月，忠王李秀成自杭州領大軍北上進攻上海，英法聯軍與清軍及洋槍隊聯合防守。二月中，因上海陷於太平軍的大包圍中，英法聯軍遂積極向上海外圍進攻，到十月止，奪得上海郊區及外圍的嘉定、青浦、奉賢等縣，穩定了江南戰區。

一八六一年，太平軍進攻浙江全省，十二月，攻佔要地寧波，寧波爲通商口岸。一八六二年五月，英法軍攻下寧波，交與清軍，後來並幫助清軍奪得附近的慈谿、餘姚、上虞等縣及紹興府城。

英法軍除在上海外圍及浙江直接參戰外。另外，有美國人華爾於一八六〇年六月，在上海招募二百外國人爲兵，英軍官敬人爲教官，使用新式武器，由上海道吳煦文支持經費。初度攻松江失敗。後又重募菲律賓人，加以充分訓練，配以大炮，但仍遭敗績。到一八六一年春間，改以英美人爲軍官，中國人任士兵，並得到英駐滬海軍司令何伯的支持，與英法軍聯合作戰，一八六二年二月，名稱亦改爲常勝軍。由起初數百人，漸漸擴充到四、五千人。一八六三年三月，由英人戈登統率，一八六四年五月解散。

一八六一年九月，湘軍攻下安慶。因在滬士紳請曾國藩派兵東下援滬。曾國藩派李鴻章招募皖北鄉勇，並雜以湘軍，成立淮軍援滬。計六千五百人，於一八六二年五月由船運到上海。使用新式武器。李鴻章亦出任江蘇巡撫，與英法軍常勝軍聯合作戰，攻得許多地方。後來，常勝軍也受李鴻章指揮。

至於浙江方面，一八六二年五月，英法軍攻下寧波後，英艦長刁樂克，與清吏商議，仿上海常勝軍制，招募華人千名，由英軍官訓練，頭戴綠巾，分爲常安軍及定勝軍，經過一個月訓練，即在浙東各地作戰。寧波海關稅務司，法人日意格，也在一八六二年七月，編練常捷軍，約一千多人，隨左宗棠在浙江作戰，頗有成績。太平軍方面，雖然也有外國軍官投效，並使用新式武器，只是屬於個人行動，自然非正式法軍的敵手。

結語

細微的分析，可得到對事件的細節的透徹的認識，綜合的研究，對事件的演變，可得到全面的了解。有了細微的分析，可以奠定綜合研究的基礎。相反地，在綜合的研究中，可以提出問題，作進行細微分析的綫索。所以在學術的研究中，這兩種方法，都是值得重視的。

在中國近代史上，當許多學者專家對太平天國的許多問題，有了細微的分析以後，再來對太平天國潰敗的原因，作一次綜合的研究，是有其意義的。

本文所述，都是列舉事實，或根據前人研究的成果，而加以綜合研究。至於太平天國及清方的是非得失好壞，均不加批評，因爲本文的目的，只是在研究太平天國的潰敗原因而已。

（完）

劉半農記賽金花

我是只作清倌人，應酬條子。蘇州那時候也沒有「花捐」。妓女在家裏不招待客，多半都在花船上，或邀到客的宅裏。

到了五月裏，因有個吳三大人，脾氣太倔傲，一日招我侑酒，嫌我對他太不客氣了，大鬧一頓，摔毀許多器皿，把我嚇壞了，從那次就沒有敢再出來。後來還是洪先生派人來叫我說了好些謙遜話，纔又出去的。

這時候，蘇州的花船很多，停泊地方，都在倉橋濱一帶，往來於閶門虎邱之間。這種船都是雙開門，四面有玻璃窗，外邊周圍帶欄干，彩繪很精麗。船裏面也夠寬敞，能擺下兩桌筵席。一切的佈置，講究極了，掛着很多的華燈，還有茉莉花穿成的花籃，桌椅全是紅木花梨嵌大理石的。

當時最著名的花船，是焦八、張大魁及石姓各船。這些船自己都帶幾個姑娘，叫作「坐艙姑娘」。又有些船不帶姑娘的叫作「清船」。客人若不願意要艙姑娘，也能隨意到外邊去叫。花船生意最好的時候，是在六月。這時老爺們都出了場；普通是在進場以前就把船預定妥的。

叫「條子」的規矩是：誰叫的條子，姑娘就搬個櫈兒坐在誰傍邊，船上侍役便過來給姑娘倒上一盌茶，都用蓋碗，這是專爲給姑娘喝的。姑娘陪客不許吃酒，可以吃水果，嗑瓜子。這時候還沒有紙烟，雪茄烟倒有，但吸的人很少，普通都是用水烟，也有很多抽鴉片烟的。

姑娘們也有些隨身應帶的東西，如粉盒，檳榔盒等等，尋常都是銀質的；闊一些的還有用金質的或鑲寶石的。粉盒是爲預備隨時傅面用，檳榔盒裏裝着些檳榔荳蔻等物，客人在飯後，可以隨便取食。姑娘出門都帶着娘姨。

條子錢，清倌四圓，紅倌五圓，但實收却是一樣，因姑娘臨走時必須賞給下人錢，清倌一圓，紅倌兩圓，這叫「坐艙裏。」（未完）

巨變歷險記！

丁博士專機解苗之日，也就是我游擊隊與緬甸軍開伙之時。關於戰爭的情況，容後補述。惟這一場戰鬥與丁博士關係非常密切。丁博士代遇之改進，代表着我的游擊部隊之戰況，詳言之我游擊部隊越打的好，丁博士的待遇也就越改善。緬總統已經把丁博士由階下囚待為座上賓了。接着緬外長又到眉苗，住在柯阿道柯高特前排左邊的房子裏。在他在眉苗的期間，也有多次的接觸。

緬甸外長名叫蘇昆雀，也是上緬甸也就是單（手旁、以下同）邦的一個土司，與總統蘇瑞泰同。土司土皇帝，原來是關起門來坐的，現在一躍而為緬甸的外交部長，自然名義上很好聽，但實際上與總統蘇瑞泰同是緬政府的兩個傀儡，都是徒具其名，並沒有實權。拿這兩個名義給上緬甸給單邦，很顯然是在籠絡他，希望他不要高唱獨立。但單邦的獨立運動還是在醞釀，幫助他們獨立，然後重回中國祖國懷抱，這是丁博士剛一進到寮泰緬三角地帶就定下來的政策，對於緬甸的吉倫族、蒙族，以至於對於寮對於泰對於越，他都是採的這樣的一個政策，在猛撒的反共大學訓練的就有東南亞各國的反共青年，也就是獨立運動的青年。

與緬外長晤談（二〇七）

胡慶蓉

緬甸現政府的外交，據蘇昆雀說，很顯然是親共的外交，他的第一炮，非常響的第一炮，那就是第一個承認大陸上的中共政權。他說：緬甸與大陸，特別單邦與大陸關係太密切了，那簡直是手連指，指連心。從地圖上看，緬甸好比是一個人，他的腿伸到馬來亞，但他的臉面卻全對着大陸。是不是在那裏聽訓？是不是在那裏肅立？但緬甸首先承認中共，但還是防他的，因而對於我游擊部隊也還是利用的心，他倒很希望能有一天作緬甸的長城。因而我游擊隊實際上也並不是沒有利用的價值，何況實際上也趕不走我們，為什麼不落個順手人情呢？這在丁博士看來，我游擊部隊可以不必撤出緬甸了。但表面上緬甸他還是不放棄對我撤軍的要求。這只是一個面子問題了。在他感到趕不走我們之後，他也落得送我游擊部隊這個人情。

緬外長自然不能放棄緬甸國家的立場，他希望丁博士能限制游擊部隊在緬甸的活動，不要與緬甸反政府的力量合作，這表面上丁博士自然答應，但實際上還是與他的政策違反的。丁博士是要團結所有東南亞的力量，建立大西南反共基地，向推動大局邁進的，這也是後話。

緬甸鬧獨立不久，台上的領導人物都乏之政治經驗，他的軍隊更缺之軍事經驗，軍事上緬甸已經對游擊隊失敗了，他的外交也是要對游擊隊失敗的。但還是覺得有把丁博士作人質押在眉苗的必要。在緬甸看來，這或許是一個很好的修證的。

台灣中華民國外交部在葉公超部長時代，曾屢次透過美國向緬政府要丁博士出來，但緬甸始終不肯。中共要求緬甸引渡過去大陸，緬甸也幸而沒有接受。在游擊部隊方面，則莫不希望「他們的家長能趕快回到部隊裏」與他們繼續奮鬥，來眉苗來設法的不絕於途。丁博士也當然希望能早回到部隊，以慰游擊部隊全體的弟兄。在韓戰進行之際，丁博士對於游擊部隊的前途更充滿無限的希望。

丁博士在押前後歷時一個整年又八個月。與蘇昆雀外長晤談是在他快出去的時候，他同蘇外長一塊兒吃飯，他還記得。那是很好的洋酒。丁博士飲興甚豪，幾乎喝了大半瓶，但他並沒有醉，如何變整個的東南亞為反共的東南亞？還在他腦中活動！

三國志中的「倭」與「倭人」考

【魏志倭人傳之我見】

日本著名推理作家　松本清張

倭人傳中的「倭人」與「倭」，在文字上，從來就把它當作同一事物去看。故所以此二者，有時當作「倭國」的國名解，有時又解作「倭國人」。但，這只是讀史的會錯了意；陳壽却是把「倭」與「倭人」從意義上分別得淸淸楚楚的（按：牧健二氏雖也提到過這一點，但其解釋與我的不同）。「倭」是住了倭國人的南朝鮮一處地方；「倭人」是海峽那邊的一個國家的名字。（按：即日本。）

三國志，東夷傳，各國列傳所冠的稱呼中，雖有「夫餘」、「高句麗」、「挹婁」、「[illegible]」、「貊」、「韓」、「馬韓」、「辰韓」、「弁韓」等這麼多，但這些名稱，無論哪一個都是國名。在各國的記事之中，冠了名稱的同一國名決不重現。如果再現的時候，必說「其地」或「其國」——把它變成代名詞。若作避免誤解們的書寫，必在國王或官銜稱呼上附其國名，以此用來表示「某國的」之意。

倭人傳也是這樣的。「倭人」是國名。在它那一節中「倭人」字樣並未重出。那就是說，它是指「倭國」，「倭地」，換言之，它是國名；也就是說它成了地理上的名詞；並沒有將「倭人」這兩個字當人的意思用在這裏。

四、依韓傳也解釋得通

再說，倭人傳中「倭」這個單字，除了一個字例外之外，其餘都沒有用過。雖然，傳中提到過「倭王」，那是說「倭人王」或者「倭國」之王的意思，而不是指倭王他本人。尤其難解的還有「大倭」一詞：

「倭」之名，僅在韓傳裏出現過。例如：「韓在帶方之南，東西以海為限，南與倭接。」又「國（弁、辰）出鐵，韓、[illegible]、倭皆從而取之。」又「（辰韓人）男女與倭近。」又「與倭境相接。」……等皆是。

從來，這些「倭」字都解作分布在南朝鮮的倭國之人，我以為並不是的；應解作倭人聚居的地方（部落）。如果不是的話，那麼，一個叫做韓的「國家」，怎麼會與一種叫做倭的「人種」做隔壁鄰舍，隣近在一起呢？豈不是太笑話了！同樣去取弁辰之鐵的外國人，却只有韓、[illegible]兩字是指國家，而獨倭不是指國家，這又那裏講得通呢？豈不更可笑嗎？辰韓人的男女，喜與倭近，這句話，當倭是地方部落走好了；如果不是的話，那麼，弁辰國之一的「瀆盧國與倭人境相接」，便成為不可解的妙事了。

如果在南朝鮮的「倭」，擁有倭種的居住地帶（更假定他們建某種程度的自治力里，也在治政上擁有的話），那麼，韓之東西，以為海所限，為什麼會與南與倭接；恰似飛越了朝鮮海峽，將兩地連接在一起，那樣的現象，自然便可加以解釋了；取辰韓之鐵的「倭」（部落），怎麼會與其他二國併記在一起，也可以明白了；瀆盧國在陸地上，居然會與倭境相接，那樣的敘述方法，也可以瞭了。

這樣看到這兒，誰也會注意到「倭人傳」中的「從郡至倭，循海岸水行，歷韓國，乍南乍東，到其北岸——狗邪韓國——七千餘里，始渡一海，——千餘里，至對馬國。」這一段文字了（漢文註記，是依岩波文庫本）。僅僅在這段文字裏出現的一個「倭」字，是「倭人傳」中惟一的倭字，不過，這個「倭」一，還是指前面說過的在南朝鮮境內某倭種種住的部落地帶；而不是指「倭國」。故所以這段文字，可作如下解釋：「由郡至南朝鮮的一處倭種地帶，（以下概從原譯，至）其北岸——狗邪韓國——已歷七千餘里，從此再渡海千餘里，到對馬國。到此為止，因為這一段一向作「由郡至倭國」，故所以混亂叢生。

五、我贊成藤間氏的說法

北岸的「其字」，從文意看來，假若是指南韓的倭種地帶，相當於金海，（釜山附近）南接巨濟島的話，那麼，狗邪韓國正當其北岸，地理上也無矛盾；至是，成為難題的議論也迎刃而解了。這個「倭」，便是後來成為任那的原始（部落）狀態。

就這一點，我頗持同藤間氏在新版書中將「大倭」分解為：「以大人監其地，委而治之……」的「外科手術」。

我與藤間氏在別的場合對談時，還沒有留意到上述的事態；寫「古代史疑」時，不消說，更沒有考慮到。——對此一得之愚，倘能獲大方諸家批判，實為榮幸之至！（完）

管道昇（二）

這正是一般男人的通病，飽暖之餘，不免慕戀少艾。前有司馬相如，後有趙孟頫和關漢卿；可是他們都是文學家，較明事理，一經老妻的反對，就把欲望壓下。道昇讀了丈夫的詞，也作了一首曲子回答說：

你儂我儂，忒煞情多，情多處，熱如火。把一塊泥，捻一個你，塑一個我。將咱兩個，一齊打破，再捻一個你，再塑一個我。我泥中有你，你泥中有我；與你生同一個衾，死同一個槨。

詞中「把一塊泥，捻一個你，塑一個我」；和「我泥中有你，你泥中有我」之句，是何等的溫柔敦厚，而且毫無怨懟，只以深情動人，很能表現出道昇的人格及素養。孟頫得詞，便停止納妾的念頭。

皇慶元年（一三一二），孟頫請假歸里，為先人立碑。道昇亦因管氏無後，欲命繼又無其人，乃就舊居作「管公樓孝思道院」，使道士奉父母祭祀。孟頫并著有「管公樓孝思道院記」以紀其事。

次年，使者來召，夫婦倆又至京師，她的「漁父詞」四首，大概是此時所作。詞云：

遙想山堂數樹梅，凌寒玉蕊發南枝；山月照，晚風吹，只為清香苦欲歸。

南望吳興路四千，幾時閑去傍水邊；名與利，付之天，笑把漁竿上畫船。

身在燕山近帝居，歸心日夜憶東吳；斟美酒，膾新魚，除卻清閑總不如。

人生貴極是王侯，浮利浮名不自由；爭得似，一扁舟，弄月吟風歸去休。

從上舉四首詞中，可以看出她不慣居官的束縛及思鄉的心情。此後數年，孟頫宦途頗為得意，更因他與道昇擅長書畫，長子雍亦善此，曾奉旨各書千字文，詔語有「令後世知我朝有善書婦人，且一家皆能書」等語，推崇備至。道昇又嘗畫墨竹及設色竹圖之奉，得蒙賜內府上尊酒；又曾謁興聖宮，與見皇太后，命坐賜食，奉旨寫梅花。並命題詩其上云：

雪後瓊枝嫩，霜中玉蕊寒；前邦留不得，移入畫中看。

綜觀道昇的一生，從事於文學似不及她從事於書畫的努力，所以詩詞的成就，遠不及她寫的金剛經及畫的墨竹梅蘭。她夫婦都篤信佛教，因此寫金剛經至有數千卷之多。（未完）

黛眉小傳

·王幻·

五十六種砂鍋烹飪

馬騰雲

十一　砂鍋冬菇

以冬菇二兩發開洗淨，加天麻二錢、鴨頭帶頸兩個、雞爪三對（又名鳳爪湯），同入砂鍋，文火燉四小時，連菜與湯佐飯，可治偏頭風、頭痛等症。

磨菇、冬菇、草菇、香菌，都是「香菇」族類，它們的系統很複雜，品種很多，顏色亦有多種，生長各有不同，有毒無毒，大小不一。至於平常一般人所食用者，多為上列數種。磨菇產量少而價高，不是普通人家所能食，大家認為最普通，而又喜愛者則為「冬菇」，香菌科各種菌類植物，多含維生素A及B二，暨白質和糖質等。成熟的香菌（菇類），含有多量的「麥角固醇」，據科學實驗的證明，這種物質，經太陽紫外綫照射，可變為維生素D。故食「菇類」可以補助體內維生素D的消耗，又可預防軟骨病，也可以治貧血。本編則偏重於冬菇，因它最普通而大家最常食，有病無病食之，都沒有副作用。

冬菇在藥用上，似無甚麼顯明的記載，民間雖有用以幫助痲疹的透發，但有些人又謂凡出痲疹者不宜多食。筆者對於冬菇在藥用上的價值，曾查過幾部醫書，其中謂：冬菇煮酒食之，可治婦女頭風，男人的頭部常有疼痛，食之也有功用。民國三十年筆者在第九戰區轄內，主持某大報，有一位同仁，終年頭部不適，醫生說他患了頭風，醫無效。其後有一位雜貨小販介紹他用冬菇煮酒食用，並聲言食十次八次頭風頭痛就有痊癒的希望，這位同仁試後，效果奇佳，後竟康復。廣東北部一帶的土人，凡有頭痛病（不是外感的頭痛），必以鮮菇燉粥食用，認為是一種有效的治療劑，因該地是出鮮菇的地域，當採用鮮菇烹飪。乾的冬菇效力當然亦有效，醫界有很多人用以治頭痛，均著功效。又聞用冬菇熬飯可以止夜尿，加入薑汁同熬可以治風疾，方法簡單，食時有味，在熬製飯粥前先將冬菇浸透，切碎，以油鹽和勻，加薑汁亦可，待飯滾時，將冬菇放在飯面上，飯熟撈勻食之，其味香美而又不膩滯，多夜尿，不妨試試用。

第二十一章

岳飛為賊三請命　吳玠仙人破金兵

周燕謀

却說巨寇李成，自從被岳飛打敗，投降偽齊之後，就依附劉豫為將，深獲信任。至同年十月二十二日，李成就奉命南寇，攻陷鄧州。襄、鄧、隨、郢等州鎮撫使李橫，不知偽齊虛實，以為劉豫遷都汴京，大軍不可當，便引軍棄城而走，奔往荊南，因此李成便不戰獲得數州之地。劉豫以其將王嵩知隨州。李橫奔荊南依解潛，解之參謀官直龍圖閣趙去疾，屬官右宣教郎閻大鈞等，勸李橫回朝請罪。李橫道：「我有烏合之衆，所到自可謀食；萬一人以我為賊，諸郡不納，又將奈何？」解潛道：「我等皆為官軍，何可相拒！」李橫從其言，不料果為湖北安撫使劉洪道所拒。李橫大怒，欲殺二人，諸將道：「江西帥趙樞密可歸也」，趙樞密即趙鼎。李橫猶豫不決。幸而此時趙鼎糧舟到湖北，李橫派人相洽，果為趙樞密所收容。

權蔡、號二州鎮撫使董先，蔡州信陽鎮撫使牛皋，先已在偽齊大軍攻圍時，奉命撤退，已到了洪州。趙鼎遂以銀數千兩犒李橫之軍，一面令知黃州鮑貽遜，迎李橫之軍於境上。至此李橫之軍心始安。

自從偽齊劉豫遷都汴京之後，相繼侵佔了襄陽、蔡、鄧、郢、隨州地，皆為偽齊所有。因此諸州將領有李橫、牛皋、董先、翟宗、李道等，皆無所歸屬。幸為趙鼎招安於洪州待命。此時岳飛上章奏請將襄陽鎮撫使李橫，及刺史翟宗、鎮撫使董先等兵馬，留漢陽屯駐。（一〇五）

自由報

（第一一五五期）

（半週刊每星期三、六出版）
每份港幣弍角・台灣零售每份新台幣弍元
社長李運鵬・督印黃行賓
社址：香港九龍彌敦道593—601號
廖創興銀行大廈八樓五座
LIU CHONG HING BUILDING
7th FLOOR FLAT '5
593—601 NATHAN ROAD,
KOWLOON, H.K.
TEL: K303831
電報掛號：7191
承印：景星印刷公司
地址：嘉咸街廿九號地下
台灣區業務管理中心：台北重慶南路一段一二九號
電話：二四五七四
台灣郵政劃撥訂戶　台灣劃撥戶
第五〇五六號張萬有（自由報會計室）
台灣分社：台北市西寧南路110號二樓
電話：三三〇三四六、台郵劃撥戶九二五二號

現代中國知識份子與中國固有文化

・黃彬・

由於中國的固有文化思想重視儒行的關係，所以歷代士大夫多講求氣節，尊崇正義，認為無是非、惻隱、羞惡之心，非人也。士大夫創造事業的途徑，亦多係從事政治活動，抱着「致君於堯舜」的大願，本着行己有恥，有所不為的精神，非其位不居，非其人不事，非其祿不取，絕不以攘利不先，赴義恐後為職幟。對上知無不言，言無不盡，雖賈禍殺身亦無所憚，却不願受辱；對下獎掖策勵，信賞必罰，却決不徇私。如李膺號召太學生伏闕上書，挽救顛危的國運，如魏徵對唐太宗說，「願陛下使臣為良臣，毋使臣作忠臣」，便是讀書有得的君子儒的風格表示。國家凡有多數君子儒從政者，國運卽日趨興隆，反之卽告衰亂。無論在任何時代，祇要有政府組織，就有政治活動，而政治崗位卽少不了知識份子。政治之隆汚，國運之興替，就看從事政治生活的讀書人，是君子儒得勢呢？抑係小人儒行時？古今一揆，歷歷不爽。所謂「百無一用是書生」，「秀才造反，三年不成」這些說詞，是對小人儒的論斷。若夫君子儒，不特可以致君於堯舜，亦足以綱維社稷，變易神器，試看歷史上許多興亡成敗的事蹟，何一不是由知識份子佔着主要因素呢？幾曾見有「馬上得之」，而又能「馬上治之」的創業垂統者？知識份子之所以被輕視乃至鄙視，責在本身，於人無尤，最大原因就是沒有一點骨氣，罔知自愛。

現代知識份子之自覺

孔子有言：「古之學者為己，今之學者為人」。為己是以學識來充實自己的智能，以期創造事業，利濟人羣；為人就是藉着讀書人的地位以弋取聲譽，貪圖利祿。在產業不發達的農業經濟社會中，士大夫多是無恆產的，除却「學而優則仕」，向着政治界奔競而外，既無生活基礎，又鮮職業技能，有時候不免祇於現實環境，在小的地方未能完全保持君子儒的節操，這非得已，但大處決不含糊，有所不為的。

現代中國的生產力雖然尚未能與西方先進國家併駕齊驅，但社會生計較前廣泛了，知識份子謀生之路孔多，固不必專靠搞政治來過活，更應該力爭上游，有為有守，而以君子儒自居。從政作官是要施展抱負，組黨問政是在實現理想，可以行則行，可以止則止，決不為着個人的生活問題，而犧牲讀書人的志節和人格的尊嚴性。

然而，自民國肇建以來，知識份子搞政治的作風，可謂每況愈下。個人作官但期邀寵固位，依違干祿，招之卽來，揮之卽去，對着權威就低頭崇拜，不敢仰視，甚至枉受屈辱亦甘之如飴，不惜使權威者「倡優畜之」，猶以為「公主厚我」，顧盼自雄。集體組黨則以分取現實政權之一臠為目的，而置其標榜的政綱政策於度外。一般從事政治生活的士大夫，遇事未曾見有堅持信念，公爾忘私，敢於面折廷爭，而以去就為代價者。口裏說是要作事，不是作官，實際却患得患失，媚親媚行，乃至於接受一點餽贈，卽可以將自己於某項國計民生的主張完全放棄，甚且被邀吃一次早點，亦可以改變初衷，曲從自己素所反對的意見，如梁啓超當年撰文反對洪憲帝制，袁世凱以十萬金為餌，要求該文勿刊佈，而梁氏毅然拒却的節操，今日不可復覩了。讀書人的從政作風若是，眞令人難以索解也。至於中國大陸上的所謂民主人士，盡是些高級知識份子，過去在中華民國治下，莫不意氣飛揚，雄心萬丈，視李膺魏徵這些先賢的君子儒，亦未遑多讓。但在毛共奴役蹂躪之下，却未聞有以「士可殺不可辱」的節操，不計死生禍福而毅然不屈者，這更係現代知識份子的悲劇，殊堪浩歎！

文化精神之空虛惰落

吾思之，吾重思之，現代的讀書人，其知識學問，遠較舊時的君子儒豐富多了，謀生的途徑更比舊時的農業社會廣闊多了。顧何以在政治上所表現的，乃是一幅小人儒的現形圖呢？唯一原因就是中國固有的文化精神空虛惰落了！

現代的中國知識份子，多是受着西方文化教育的薰陶，而以留洋學生為時代寵兒。近五十年來的中國政治、文教、經濟、法律各界，盡由西洋留學生獨步壟斷，迄今維烈。這些士大夫飽受西方以商業主義為中心思想的功利、實驗學說陶冶，大多數對中國固有文化無所客心，縱有稍事涉獵中國書的，亦不過淺嘗輙止而已，內心還是服膺乃至迷信西方功利主義的學說思想，因而對於中國文化所尊崇的「儒行」義理，認為封建落伍思想，不屑一顧，把政治事業與商業等量齊觀，視從政作官為生意經，所用非所學亦無所謂，但求能夠升官發財，則無所不為，毫無所擇。談到禮義廉恥之說，更不足道，一個作官的人，私生活雖然卑汚腐爛到了極點，亦認為與公務無關，這等於做生意的人，只要能賺錢，卽不妨販賣假貨，欺騙顧客，亦視為義所應爾。馴致貪汚流行，見怪不怪，個人貪汚之不足，繼之以集體貪汚，笑駡由人，好官自為。在這樣的環境中，講究「儒行」精神的君子儒，殆如在劣幣充斥市場中之良幣然，未有不被排除的，我認為這就是眞正讀書有得的知識份子，不容易在政治上得當以自見的根源，而政風之不振，貪汚行為之始終無法消弭，乃至愈演愈烈，殆為勢所必至，理有固然。

明乎此，卽知復興中國固有文化的要點所在了。一切文告、講演，皆係空疏不切實際的末務，唯一要訣，就是淘汰政治場中的小人儒，使讀書有得的君子儒能有問政的機會，藉着「儒行」篇的義理和精神，樹之風聲，轉移習俗，雖不倡言復興中國固有文化，而固有文化的功用亦必應運滋生，莫之能禦，所謂「天地不言而萬物有焉」，卽此義也。有志復興中國文化者，幸毋忽諸！（完）

本報專論

知識份子的抱負和類別

「知識份子」這一新名詞，卽是吾國舊時所謂讀聖賢書的士大夫，簡稱為「讀書人」。讀書人的知識比一般的社會大衆為高，一言一行皆對社會發生影響力，此其所以有「士為四民之首」的說法也。「首」的意義就是領導作用，這在原子世紀的今日亦然，絕非不合時宜的古話，若盡為「封建意識」，便係缺乏常識之談，不值一哂。

每個讀聖賢書的知識份子，都有創造事業的志願：上焉者以天下為己任，必期本其才學智能，對社會國家有所貢獻，却不欲默默無聞而與草木同腐，雖其事業創進的程度高下，基於客觀環境和主觀條件關係，各有不同，但其先天下之憂而憂的崇高理想，殊無二致；次焉者亦具有隨份報國、不負所學的雄心，出處進退，一是皆以社會國家的利害為依歸，而個人的休戚榮辱不預焉；下焉者則志在趨時干祿，揚名顯親，但求滿足私慾，藉以驕其妻妾鄉黨，他非所問也。因此，吾國固有文化思想，對知識份子最講究個人立身行己的修養問題，而有「君子儒」與「小人儒」的類別。君子儒的典範，禮記「儒行」篇列舉甚詳明，眞理永垂不易，有如實樹之長綠。譬如所貴乎君子儒者，遇事必須行己有恥 有所不為，難道說，今日的知識份子就應該昧廉鮮恥，無所不為，纔算是讀書有得的賢豪之士不成麼？

昨日與明日

出奇的幼稚病

美國一個民間組合的乒乓球隊，在日本參加國際比賽後，中國大陸上的毛共球隊邀請美國隊進大陸訪問。毛共這種笑臉攻勢，無論是否含有政治作用，表面上亦不過國際運動場中的一項普通禮貌表示而已。美國隊去與不去，皆係毋關宏旨的事。

然而，美國國務院發言人聞訊卽聲稱大感欣慰，駐香港的美領事館當天亦招宴當地工商界人士，對此表示無限的歡暢心情，朝野間好像比那登陸月球成功的情形，更覺光榮呢！亦似囚犯聽到特赦消息，為之感激涕零。以一個富強甲於全球，而居於自由國家領導地位的超級大國，竟爾如此撐不住氣，表現着出奇的幼稚心情，眞是匪夷所思也矣！

記得若干年前，蘇俄搶先發射了一枚人造衛星進入太空時，美國朝野人士驚惶諠譁，鬧得舉國騷然 但英倫方面却鎮靜如常，只說蘇俄放射的人造衛星，體積殊小，此外別無表示。這證明英國人的文化基礎相當結實，不失其泱泱大國的風度，視其「血濃於水」的英語民族的兄弟之邦——美國，高明多了。

毛共的球隊邀請一個共同比賽的美國民間同業團體赴大陸一行，這比蘇俄搶先放射人造衛星的意義，更為尋常，然華府的官員乃引為無上的光采，幾乎要叫出「毛主席萬歲」的口號來了。可哂孰甚，可哀又孰甚哉！將來美國球隊在毛共區域內飫聞咒駡「美帝國主義」的言論後，亦祇有「主公厚我」的感想吧？誠哉其為「紙老虎」也歟！

國會議員控告總統

美國衆議院的三位民主黨議員，聲言要向最高檢察署控告尼克遜總統，罪名是尼總統剝奪了國會的宣戰權！事實就是指的越戰。

派遣美軍介入越戰，原係民主黨詹遜總統任內，由國會決議授權的。美軍之參預越戰，性質亦不是「宣戰」，且聲明為「警察行動」，而採取不求勝政策。尼克遜總統下令駐越南的美軍，協助越軍進襲寮國邊境的「胡志明小徑」，目的亦是在減少美軍的威脅，便於安全撤軍而已。這無論在法理與事實上，都談不上兩國對壘的交戰行為，卽無所謂「宣戰」之說。

然而，身為代議士者，乃有此缺乏常識的主張，恬不為怪，可見美國那般國會議員的知識水準為何如呢？為着爭奪政權而作出奇的幼稚言論，這不但使親者痛，仇者快，簡直是教全人類感覺肉麻透頂，難乎為情呵！

・何如・

自由談

有個由香港到美國習醫科的留學生蔡衛義，最近以「強姦」罪名，被美國好斯頓地方法院，判處了二十年徒刑。檢察官審訊本案時，對於被告本人的供詞以及對被告有利的證人提示的證據，槪不理會，祇以「美國是一個美麗的國家，一個富有機會的國家，也是任何人可以進來的國家；但如一個來到美國的人不善待它的人民，他就應受嚴刑懲處」。這便是判處蔡生廿年徒刑的法律根據和讞詞！被告已上訴高等法院，下文如何，尚不可知。

我們對於蔡生的強姦罪行應否成立，姑且不論，然看了初審檢察官所據以判刑的事實和理由，不能不嗤之以鼻，而認為咄咄怪事！因為那完全是從種族歧視的優越感出發的論斷，沒有絲毫法律根據，表現着美國并非法治國家，而其所謂「民主憲政」生活云云，都是些騙人的鬼話也。

醜惡的國家

若就所謂不善待美國人民的涵義而言，固不止強姦一端，如刼財、殺人、越貨等行為皆屬之。然而，美國人在別國內卽常常發生強姦婦女與殺人越貨情事，光是在台灣一隅，就屢見迭出，「美」不勝收。例如軍曹雷諾士在台北因盜賣美軍用物資跟中國商人分贓不勻而槍殺華人；又如某某兩個美國人在台北板橋鎮盜掘名門墳墓企圖刼財；還有美國人在台中市公然搶刼財物；這些罪證明確的犯人，皆經中國法院訊理有案，却在美方的特權庇護之下，逍遙法外，悠然回去了。至於美國人在台灣強姦或誘姦婦女的醜行，可謂司空見慣，不一而足。這些來到中華民國的美國人，如此不善待它的人民，更不受中國法院的究處，試問美國的檢察官作何解釋呢？

別國人在美國如不善待它的人民，就應該不分青紅皂白的處以酷刑，而美國人在別國非法作惡的，卽可不受法律制裁；然則美國固不配稱為美麗的國家，實係如假包換的「醜惡的國家」了，呸！

馮五先生

天下雜論

尼克森演「三國」

大安

尼克森的當選總統雖不能說是由於反共人士的擁戴，但其受到反共人士一致歡迎，則是不爭的事實，大家認為尼氏是一位反共鬥士，對於共黨的陰謀伎倆有較深切的了解，因此推斷尼氏當選後，必然要採取比較强硬的政策，特別是在亞洲方面一定會立場更為堅定。

那知尼氏登台後一連串的措施和表現，都與所預期的相反，而使反共人士大失所望，單以對毛共來說吧，不僅一再忍辱曲讓，並且又放寬禁運限制；准許購買其貨物，撤退駐越軍隊，減少台海巡邏……在在都是走向退却與投降的途徑，不能僅以「國內壓力，情非得已」為藉口。尤其最近更使我們駭異的是其主動的恢復華沙談判。

玩權弄勢，放棄原則

或者說：華沙談判已經談了一百三十幾次了，又何必對之大驚小怪，事實不然，已往談判，美國是盲目的在談，至少是不得已，無意義的談。現在恢復談判，則是美國認為把握到了前所未有的有利時機，而要主動的談，尤其背後的意味是要演一齣新三國，而想把世界大局，置於美蘇毛三强宰割之下，並且想利用毛、蘇當前的矛盾而收漁人之利——這才是使我們不勝駭異的地方。

本來就常理講，美國的打算，也不能說全無道理，在原子彈出現後，世界上只有廣土衆民，資源富足的，中、美、印度、蘇俄，四國才配眞正算個國家，今天，印度不爭氣，歐陸的聯盟也無從實現，因此表面上看來，也似乎只有美蘇毛可以算為第一等强國，而可共商世界大勢。殊不知毛共雖然竊踞大陸，却為所有中國人民所唾棄，它並不能代表中國，何況內部又極不安定。若把它代表中國而與之共決世界大計，必為中國人民所共棄。

再就取利的動機來說，鷸蚌相爭，本是漁人取利的機會，但那要看兩方的情形如何？蘇、毛固是衝突，而在本質上終是共產黨徒，一邱之貉，尤其他們對美國的態度基本是一致的都是要「埋葬美國」。美國竟然想利用他們的紛爭，以取利，豈不是太天眞了麼？再就技術上講，美國大體上還算是「新造之邦」，又加之是一個商業頭腦作崇的國家。因此對於縱橫捭闔之道，縱非一竅不通，至少也是笨手笨脚，大處糊塗的。反之蘇俄，則自昔便是陰沉狡詐之邦，而毛共更是翻雲覆雨，從陰謀詭道中起家，至少他們「三國演義」也比美國人看的熟。現在美國人竟然想去利用他們縱橫捭闔一場，那不是捨長就短，自討苦吃麼？

維護政義，堅定原則

大學告訴我們「國不以利為利，以義為利」，這是千古顛撲不破的金石之言。美國自華盛頓開國以來，直到威爾遜、羅斯福，大體上却是謹守原則，維護正義，以是博得世人的欽敬，但不幸自二次大戰後，我們眼看着美國在一羣宵小無知之徒的左右下，一天一天背離正道，而走向邪路，在宵小之徒未嘗不以為這是巧妙之道，但旁觀者却清清楚楚的看到，這樣下去，只是斷送了美國的前途。

兵法云「知己知彼，百戰百勝」美國原是一個純樸可愛，篤守正義的國家，正應該發揮這一優良傳統，以其優越的實力，中道而立，是者是之，非者非之。然後，才可取威定霸，成為世界的盟主，而世界的和平也才可得而保持。反面的話，我們就不忍說了，望美國好自為之。

蘇聯新的五年計劃

强調要生產消費品

領導階層發動大規模宣傳 顯圖平息人民對政府抱怨

（自由報華盛頓消息）蘇聯領導層於會展開一項大規模運動，目的在說服人民：新五年計劃將迅速提高全國人民生活標準。當時蘇聯全部重要報紙以五版篇幅刊載那項由一九七一年開始，直至一九七五年為止之新五年計劃訓令草案全文。克里姆林宮集體領導者重視此項五年計劃之態度，於此可以想見。

這是蘇聯立國以來的九次五年計劃，它代表克里姆林宮所作出的一項重大政治決定——在今後五年裏面，蘇聯特別强調消費者的享受，而同時亦着重以最新技術及管理方法去促進蘇聯工業是農業的發展。

這項於五年計劃當然代表蘇聯最高層的一項新改革，而這項政策目的顯然是改善蘇聯人民的士氣。在過去多年的時間中，蘇聯老百姓再三次投函國內各報，甚至向克里姆林宮提出請願書，要求提高消費品的生產率，改善社會服務，增加糧食供應類，革新房屋計劃等等。

雖然若干西方外交界人士認為蘇聯領袖這次在新五年計劃中如是强調消費品生產的原因，與波蘭去年十二月的反對糧食加價流血大暴動事件有直接關係，不過，蘇聯這項新政策於去年十二月在莫斯科舉行的蘇共中央委員會會議中已經決定下來、似乎是相當可信的事實，因為該項會議是在波蘭發生流血大暴動之前舉行的。據悉：蘇聯共黨頭子布里茲尼夫當時向該項大會表示要增加蘇聯輕工業生產，並指出令蘇聯人民相信共黨正為了他們的利益而工作的必要。

新五年計劃的發表，意味着數以萬計的由黨支給薪水之宣傳人員將在今後數週內展開一連串的全國性宣傳活動——向工人發表演說，並將該項新計劃的內容告訴他們。

就另一方面而論，當第廿四屆蘇聯共產黨全國代表大會，在莫斯科開幕的時候，總理柯錫金向大會闡釋計劃的調節，同時大會將正式批准此項新五年計劃。

事實上這項新五年計劃是一項經濟與政治兩方面的文件，這項文件一方面列舉經濟方面的目標，二方面則流露蘇聯官員對若干事情所採取看法，其中最令人注意的地方之一，就是該項計劃特別强調蘇聯共黨官員接受電腦時代的言語及思想新教育的必要。蘇聯共黨最高領導層，似乎意識到如下的可能姓——如果經濟迅速進入現代技術時代，那麼，今後控制日常生活的權力，便可能由共黨的手上移交到技術人員方面去，除非共黨趁早訓練一批專家。為了這種緣故，因此這項新五年計劃特別强調蘇聯共黨官員接受電腦時代的特殊訓練，從而具備電腦應用的智識與技能。這樣，當電腦化的日子眞的到臨的時候，蘇聯共產黨官員仍然可以憑電腦去設計及執行一切措施而不用將權力移交到技術人員手上」。

對許多上了年紀的蘇聯共產黨領袖人物來說，這項新五年計劃，所顯示方針是十分清楚的：對於新的環境必須立刻採取適應的行動，否則面對提早退休的可能性。

未來五年生產目標

蘇新計劃語焉不詳

着重輕工業此為第一遭 西方人士仍感神秘莫測

這項新計劃草案在有關行政管理部份方面作如下的表示：「為了令國家經濟設計及行政管理的方法完完善起見，我們要廣泛使用經濟上的數學方法，而且亦要廣泛使用電腦，行政管理組織的技術及交通上的設備等等。」

雖然這項新五年計劃詳細地指出在今後五年裏面的消費品生產方針，而且强調電腦時代的設計及管理辦法，不過，對許多細節來說，這項新計劃却欠缺詳盡的解釋。而且對於上一次五年計劃的分析和檢討，在許多方面表現得太過簡畧。進一步來說，新五年計劃沒有指出許多主要的生產目標，而這些生產目標，在過去的計劃草案裏面曾經以例行的方式被列舉出來——如電視機、雪櫃，及其它計劃出產的家庭用品的數量是。

觀察家認為這項新五年計劃沒有指出許多種消費品生產目標數字的原因，是為了蘇聯的設計者避免列舉每一項數字，尤其是在輕工業方面。

蘇聯的設計者似乎認為：最高當局的一方針，對輕工業的生產準備採用鼓勵生產一辦法，從而希望工人能夠生產足夠的輕工業製品去適應人民的需求，所以不想硬性地將生產目標數字列舉出來。

不過，西方外交人士仍然從這項新五年計劃裏面發現其它神秘莫測的地方。舉例來說，在一九六六年。那項五年計劃是在蘇聯共產黨全體代表大會舉行會議及通過該計劃之後，而在是年二月二十日被發表的。至於這項新五年計劃僅表示已經由中央委員會批准，然而却沒有說明召開一項全體代表大會的事情。此舉暗示該項計劃由蘇聯共產黨之十一人政治局與中央委員會名義發表，共政治局的主席就是蘇共書記長布里茲尼夫，他現在新計劃獲批准的那項聲明上簽署，雖然在平時的情況下，這種聲明是用不着簽署的。布里茲尼夫的簽署，當然是表示對此項文件的重視；但西方外交家與記者不明白何以要用簽署的方式去表示其重視。

西方外交家詳細研究這項新計劃後，發現它反映近數年來蘇聯政策的主要趨勢。雖然一項計劃草案强調輕工業的生產率要高過重工業的生產率，以此為第一次，可是，事實上還是過去三年的趨勢。不過，令西方外交家印象深刻的地方，就是這項强調顯示克里姆林宮的領袖不理會許多保守派所發出的警告而決定採取着重輕工業生產的方針，那些保守派曾經警告，强調輕工業生產的結果，可能令人民脫離革命的理想及鼓勵人民的小資產階級思想。

世界珠寶中心—仰光

緬甸政府設立珠寶市場公開拍賣，吸引全球各地商人前往爭購，今年的拍賣生意興隆，為緬甸爭取二百餘萬美元外匯。

緬甸第七屆珠寶拍賣市場，已完滿結束，世界各地珠寶商，他們大都帶着喜慰的心情，與美麗的珠寶，紛紛賦歸。

主持此次珠寶拍賣市場的緬甸珠寶貿易公司官員，更感到成功的快慰，而露出勝利的微笑。因為今年緬甸第七屆珠寶拍賣市場，增打破了過去歷屆三項紀錄：（一）今年拍賣珠寶所得之外匯，達美金二百五十萬七千餘元，合緬幣一千二百三十六萬六千餘元。（二）緬甸珠寶拍賣市場，所拍賣之珠寶，分為紅藍寶石，玉石翡翠，珍珠，及其他珠寶飾物等。今年所售之玉石翡翠，超過去六屆任何一屆，達美金一百九十六萬三千七百元，佔全部珠寶價欵的百分之七十五强。（三）世界各地珠寶商，來緬參加珠寶拍賣市場，以本屆為最多，達一百九十一人，代表世界各國一百三十多家珠寶商號。

除前面所述的三項突破紀錄之外，還有一項特色，那就是緬甸的畫家們，也趁珠寶拍賣市場舉行期間之便，將其作品交珠寶貿易公司，在珠寶拍賣市場中展出，以廣招徠，計售出三十二件作品，得欵緬幣一萬一千六百餘元。

緬甸的珠寶，過去均由私商經營，故寂寂無聞，不為世界所注意。自一九六四年，緬甸軍方與革命政府，負責全緬珠寶對外貿易，將全緬珠寶集中於仰光，在仰光的燕子湖大酒店，每年舉辦一次緬甸珠寶拍賣市場，邀請世界珠寶商號前來仰光參加標購後，緬甸珠寶的名氣與聲價，遂平地一聲雷，響滿全球，且為緬甸政府爭得不少外匯。可謂名利雙收。

自一九六四年以來，緬甸各屆珠寶拍賣市場賺取之外匯，共達緬幣六千餘萬元，合美金一千多萬元。各屆所售價欵如下。

一九六四年第一屆緬幣二百一十二萬二千餘元。一九六五年第二屆緬幣一千零六十六萬七千餘萬元。一九六六年第三屆緬幣八百六十萬一千餘元。一九六七年未舉行。一九六八年第四屆緬幣八百二十五萬一千餘元。一九六九年第五屆緬幣一千一百二十二萬餘元。去年第六屆緬幣七百二十四萬六千餘元。本年第七屆，售得價欵數目最大，合緬幣一千二百三十六萬六千餘元。

仰光，現在已被稱為世界珠寶貿易中心。緬甸紅藍寶石出產地——摩谷市，已成為世界寶石商有口皆碑的寶石產地。孟拱出產的翡翠玉石，被香港玉石商評為品質高尚而爭購。緬南的渾圓珍珠，與南海之珠相媲美。因為緬甸國內有取之不盡售之不竭的珠寶，遂使她具有優越的條件，可以永遠保持世界珠寶貿易中心的地位。

在三四世紀之前，緬甸的紅寶石與白象，同為受歐洲人注意的珍品。摩谷出產的寶石，其所以響滿全球，並不是無因的。（一）摩谷出產的寶石，從其種類色彩品質分等級，有二十四種之多，到目前為止，她仍是世界上蘊藏寶石種類最多的寶石出產地，罕有其匹。

（未完）

文學語慧

文學批評家卡萊爾說：在文學方面，我們還有一件驚人的事可做，就是對於文學家的酬報，不是按照他已經寫出來的作品，而是按照他未寫出的作品。

美術批評家拉斯金說：世上任何偉大的作品，不論是文學，科學，或藝術，它們的作者往往從未受益，試想，荷馬從他所寫的史詩「伊里與德」得過什麼？但丁從他的神曲得過什麼？他們除了挨餓受飢笑以外，當時什麼也沒有得到。

文滙樓劄記

從仇鰲罵難民說起

·文匯樓主·

　中國對日抗戰期間，大後方各城市都擠滿了難民，湖南長沙，衡陽爲水陸交通重鎭，當然更難例外，湖南紳士仇鰲（亦山）非常討厭難民，認難民焉者，即教化乞丐之輩，他在長沙大公報上發表一篇文章，主張政府應當驅逐難民出境，文中有：「日食一角（按當地救濟機構，每日每一個難民發一角銀洋）生活優於湘民，叫化三年，志願薄爲天子……」

　這幾句話激怒了各地流亡到長沙的難民，羣起而攻之，雲集仇公館附近喊打，有的投稿到報館，有的出壁報，（即大陸毛共所謂大字報）把仇鰲罵得狗血淋頭，文中有：「間關萬里，輾轉流離，身披流亡之慟，徒洒淵明之淚……」又：「清議助敵，形同漢奸……」惡毒和下流罵法從略。

　仇鰲最高官位也祇做個國民政府審計部長而已，但官威之大，較北洋軍閥尤有過之，其子侄亦然，民國卅六年，仇碩夫（仇鰲親侄）做衡陽市市長，低能，缺乏行政經驗，官架子甚大，整個衡陽搗得一團糟，該地素有權威之中華時報登出一篇短評，題爲「仇碩夫應該走了」仇碩夫向以清白自居，短評指出仇碩夫，清如水，白如麵，和在一齊就變成漿糊了。

　仇碩夫讀報後大發雷霆，召集護航打手們，會同警察，直薄中華時報，意圖搗毀報館洩憤，未料中華時報業已防範，除緊閉鐵門外，用石灰包作武器抵抗，一面電請駐軍憲兵制止，並用照相機將攝得烏合之衆的打手與警察圖搗毀報館現場照片，及市府徐科長召集帮會討論打報館開會紀錄，急電南京有關機關控訴，那時湖南省政府主席是王東原，兩湖監察使是楊亮功還是高一涵記憶不清了，雖然都想袒護仇碩夫，但袒護不了，第一，仇碩夫犯罪事實人證俱在昭然若揭，第二，中華時報本身力量甚大，在民間生了根。第三當地有四十幾個人民團體爲中華時報後盾。結果仇碩夫賺到的是：「先行撤職，停候查辦」，繼之地方各界，紛紛發起清算仇碩夫一筆爛賬。

　中華時報負責人對本案事後的處理，除將未通過社長擅行發稿的編輯記過處分外，以「仇碩夫不失爲好人」爲題，制止各界對仇碩夫的清算，指出仇碩夫雖沒有行政經驗，就忠厚這個角度來說，不失爲一個好人，因之仇才能够擺脫刑責，仇氏叔侄對中華時報所採取的態度，眞所謂感愧交集，容另章再敘。

駁人性獸性與鬥性

·湯如炎·

　「人性獸性與鬥性」一文，從魚說到鳥，從鳥說到獸，從獸說到人，全篇一萬五千數百字有一萬三千數百字專一描寫：魚與魚鬥，鳥與鳥鬥，獸與獸鬥，人與人鬥；而且肯定其不親不鬥，越親越鬥，不靈不兇，越靈越兇！台北中央日報從去年十二月十八日起，連載十天，創新出一個殘暴賽過「階級鬥爭論」的「同類鬥爭論」！

　其（一）有云：「……同類之間的爭鬥行爲，在生物界，實在是個非常普遍的現象，並不是人所獨有的，大多數的魚類、鳥類、哺乳類都有對同類不相容的類似行爲。勞倫茲在一九六三年還特別就動物的鬥性寫了一本「鬥性論」，書裏記載的都是他五十年實地觀察的結果。他發現凡是具有領土性，或個體與個體之間有深厚交誼的社會動物，不但敵我之分格外嚴厲，鬥性也特別强，過去我們常把鬥與惡混爲一談，他認爲這是不確的。至少在動物的世界裏，鬥性對物種的存活和進化的方向都有極大的影響，不但如此，鬥性似乎還是各種社會組織的先決條件，諸如階級制度、領土觀念、婚姻關係等，幾乎都和它脫不了關係。因爲他的學說可以使我們對人與人之間的爭鬥行爲有一層新的認識，所以實在有詳細介紹的必要，且讓我們先看看，鬥性的形式到底有多少種。

　如果我們順着生物進化的階梯往回看，就會發現比較低等的魚類，牠們的行爲模式比較簡單，鬥性在牠們身上表現得也格外單純。幾乎所有顏色鮮艷，體態活潑，有一定住所的魚都有孤芳自賞，不肯容物的癖性。以星子魚，寶石魚，天使魚；和蝴蝶魚爲例，除了交配之外，在一定的地段之內，永遠是找不到兩隻的；牠們的惡意和怒氣，似乎只有在見到同類時，才會毫無保留地發洩出來。「喜歡你」這一屬的魚就更古怪了，牠們的夫妻關係和家庭生活，大約是魚裏面最著名的，因爲雌魚和雄魚在傳宗接代的大事完成之後也不分開，不但不分開，不但一起撫養子女，而且一直同居到老死，可以說是最多情的一種魚了。但是牠們的鬥性也特別强，如果沒有鄰居在一旁做出氣的對象，有時雄魚會把自已的妻子小孩一起戳死，好像牠們對妻子的溫情完全是靠對鄰居的敵意來維持的。……牠在迎娶時的動作，還是和作戰前一個樣子——腹鰭整個張開了，尾巴快速地擺動着，然後鼓起全身之力，正對着牠的新娘衝去。就在牠快要擊中牠的那一剎那，只見牠的劍頭一轉，險險地擦過她，而落在另一個同伴的身上。這是生物學上所謂變向行爲的一個最佳例子：雄魚對雌魚本來是有敵意的，爲了家室之愛，又不得不把牠迎進自己的巢裏，在這種尷尬的情形下，牠只好把怒氣一古腦兒出在鄰魚的身上了。英國的生物學家丁伯根發現棘魚，鬥魚等在追求異性時所跳的求歡舞，與牠們在向同性示威時使出的架勢，也幾乎完全一樣，這是因爲上面所說的兩種行爲都有鬥性在背後起作用的關係。」

　其（二）有云：「弱小動物集合成一整體，頗有存身保種的作用。雖然從表面上看來，這種因羣性而組成的無名之衆，似乎與鬥性相抵觸，事實上，兩者並非絕對不能並存，許多羣性極重的生物，個體與個體之間常要保持一定的距離，以燕八哥爲例，過了交配期之後，牠們總是聚成一堆一堆地飛，很少有單獨行動的。當牠們着陸的時候，你也許看見牠們亂成一團，好像一點章法也沒有，但是很快地那些靠得太近的鳥便會互相啄咬起來，直到彼此之間的距離，達到一定的標準爲止，所以停在電綫上的燕八哥最後總是整整齊齊的，比串成的珍珠項練還規則。不過大體說來，鬥性與私誼最是不可分離，無名之衆因爲沒有私誼，鬥性到底比較少些。只有一種智力較高，社會組織比較複雜的鳥，雖然牠們的鬥性極强，但是因爲有變向行爲作掩飾，我們如果不去窮根究底，往往很難查明眞象，更麻煩的，有些動物的變向行爲由於演習日久，竟然自成一格，變成一種類似本能的儀式，從這種儀式的表現上，不但看不到原來的動機，甚至還會使人有與原來動機相反的錯覺。最好的例子便是鴨子、鵝等在求愛時所行的凱旋禮了。……野蠻們用來表情示愛的大禮，實際上卻是鬥性的變向行爲經過儀式化之後而形成的，它的動機，如果不細究，大概很少人能猜想得到。其他如鶴舞，鴨談也都和凱旋禮一樣，不過是鬥性的變形產物罷了。」（未完）

青帮的內容和帮規（上）

·南懷瑾·

　實際締創青帮的人，究竟是誰？實在無從稽考。歷來江湖相傳，青帮分三堂、六部、廿四字輩。三堂便開創青帮的翁、錢、潘三位祖師的堂名。六部就是引見、傳道、掌布、用印、司禮、監察等六部。廿四輩，便是他的演派字序。而且在杭州還建有家廟，這便是帮衆大家的家廟。在家廟中，還藏有家譜。譜名「對金圖」，正面還有玉璽一顆，上有部議班輩四字。這所說的部議，當然是指清代的戶部。換言之，也是清廷所默認的帮會。

　它和洪門不同的特點，就是不如哥老會一樣，都是稱弟兄來組織帮衆。它是以師徒如父子一樣來統率帮衆。這種規矩，本來就淵源於禪宗的叢林制度。並且青帮的班輩演派，又正式承認是禪宗臨濟宗的後代，實在令人撲朔迷離，尋找不出它原始的根源。今將它所稱爲臨濟宗派前廿四的班輩列具如次：

　淸淨道德，文成佛法，仁倫智慧，本來自信，元明興禮，大通悟學。

　後來他們又在原來班輩演派的字序之下，每一字下面，添上四字，作爲一句，以表示它帮內的信仰與精神。內容却是雜柔三教共通的訓語，具列如：

　「清」，淸心秉正。「靜」，靜坐常思。「道」，道德修眞。「德」，德配天地。「文」，文昌化解。「成」，成其正果。「佛」，佛心皈一。「法」，法渡無邊。「仁」，仁義永遠。「倫」，倫常在懷。「智」，智勇雙全。「慧」，慧恩普渡。「本」，本枝茂盛。「來」，來歷淸白。「自」，自心悟悔「信」信用爲根。「元」，元初自始。「明」，明心見性。「興」，興家立業。「禮」，禮門義路。「大」，大發慈悲。「通」，通行我國。「悟」，悟道成心。「學」，學正度成。

　清末民初之間，他們又在這廿四字後，再加上廿四字，那是請乩壇寫出的話，尤其缺乏眞實性，只能作篝燈狐火一類的事看了。由上列的標語看來，他們最初的社會教育，的確是很有意義，而且是極其純正，豈能完全視作是下流社會，作奸犯科的組織。

（未完）

孝道的宏揚與光大（二）

·李宗黃·

（二）孝的本質

　國父對於「孝」字，講得極爲透闢，已在前面畧爲說及。推究中國講孝字，比各國進步的原因，就是古聖先賢發明了孝是德的根本，同時是爲仁的根本道理。孝經上說：「夫孝德之本也」。（開宗明義章第一）論語上說：「孝弟也者，其爲仁之本歟」！因爲一切的道德都是淵源於愛。孝字，就是子女對父母的愛的表現。孝也就是愛中最容易最自然表現的。對父母尙不能愛，對他人的愛當然更談不到。所以說：「不愛其親而愛他人者，謂之悖德；不敬其親而敬他人者，謂之悖禮」——（孝經聖治章第九）。　國父將我國固有的道德歸納爲「忠孝、仁愛、信義、和平」八德，　總統蔣公更根據管子的學說，於推行新生活中，加意提倡「禮義廉恥」四維。我們詳加研究，不僅忠孝、仁愛、信義、和平，淵源於孝，就是禮、義、廉、恥，也是根於孝。就以八德中的「忠」字來說罷，「忠孝」二字，在我國一向是併稱的，一切典籍是如此，即在一般民間的觀念也是如此！「忠孝傳家遠，詩書繼世長」一聯爲民間普遍張貼，即爲明證。提到「忠孝」，總是「忠」在先，「孝」在後，似有「忠」重於「孝」的意味，其實「孝」就是「忠」的根本，「忠」就是「孝」的擴大。古人說：「忠臣出於孝子之門」，以及孝經上也說：「君子之事親孝，故忠可移於君」（廣揚名章第十四）。「資於事父以事君，而敬同」（士章第五），都可作這話的註脚。再以「仁愛」來說：明白「老吾老，以及人之老」，「不獨親其親」之義，就可以明白「孝」是「仁愛」的根本；「仁愛」是「孝」的擴大的意義。「信乎朋有道，不順乎親，不信乎朋友矣」，就是「孝」爲「信」之本的說明。

（未完）

劉半農記賽金花

把[illegible]在茶盤底下，等下人來收拾桌子時，把錢擎起來向船板上一丟，噹一響，便喊，「某小姐賞」外面就齊聲大嚷着：「謝謝」語音頗爲動聽。

船上全代辦酒席，價錢清船比較便宜，連酒飯費在內，一天有二十四五圓錢即够；花船（即帶姑娘的）就貴多了，每天非百圓左右不可，可是它的一切也都比清船闊的多。客人上船，總在下午。開飯須待掌燈以後，如果覺餓，可以隨便要些點心來吃。大約十點鐘船就進城了。

這種船都是雙槳雙櫓，駛船人技術很精能，叫船快慢自如，並且還會弄許樣把戲，最好的是「打招」——一篙下去，船就在水中打起盤旋，四周圍水，如濺珠，眞個有趣！

這時候的姑娘差不多都會唱幾段小曲，有的還能唱整齣的崑腔。用的樂器就是笛子和琵琶。琵琶是自己彈，笛子有師父給吹。我不會唱，因爲從小沒有下去工夫，臨時趕着學些，那就差多了。

嫁洪鈞

　我十三歲那年，出去的工夫不多，就認識了洪先生，這時候他正丁憂在家。初次一見面，我倆便很投契，他愛我極了，只要在一起，話總是不會說完的。

　洪先生的家在蘇州城內北張家巷。他不常出門，都是把我叫到他的府上。同他常常在一起的朋友，有吳承儒姚念慈沈問之老潘四大人幾位，都是當時蘇州很有名的人物。他們悶了時，常鬥一種牌，名叫「打黃河陣圖」，這種牌也有花，么二三等，輸贏很大。他們每次鬥牌，總叫我傍邊陪着。

　洪先生一天不見我便想我，他的朋友們就說：「你旣對雲這麼好，爲什麼不娶了她？」他道：「我年紀太大了，覺得有些不好意思。」這時洪先生是四十九歲。後來他的朋友們竭力慫恿，就託人向我祖母提說，我祖母嫌是做偏房；執意的不肯，他們又託許多人過來一長一短說，這邊所提的條件，洪家也一一答應了，這纔說成，媒人算是吳承儒姚念慈。

　翌年正月十四日，把我娶了過去。——我十四歲，洪先生整五十——婚禮也很莊重，坐的是綠呢大轎，前面打着洪狀元紗燈，儀仗甚都好不氣派！

　洪先生名鈞，號文卿，祖籍也是徽州，三十歲中的狀元。正太太比他長兩歲，南京王家的小姐，還有一個姨太太是揚州人。有一個少爺是正太太生的。少奶奶是陸家的小姐（陸潤庠之女），一家人都很和藹，正太太待人尤好，我過去，他們都很喜歡我，都稱呼我「新太太」。

　到四月，洪先生三年服滿，帶我進京。五月裏便放了出使俄德奧和四國欽差大臣，沒有能在京多住就動身了。

（五）

巨變歷險記！

「流亡政府」（二〇八）

胡慶蓉

丁博士抑在眉苗英總督避暑別墅的時間比較最長，足有一年兩個月。他每天起來，首先是洗一個澡。洗澡間在他住的房間後邊。他住的房間，大體上彷彿現在流行的公寓式的房屋，一進外邊的門就是客廳，再進一個門就是臥房，再進一個門就是洗澡間衛生間。臥房最大。這同時也是讀書用功辦事的地方。面對前邊的窗戶，面對前面的大院，陽光充足，空氣涼爽。眉苗的水同眉苗的天氣一樣，也不熱也不冷。但異常的乾淨，可以一眼的望到底。丁博士洗澡並不是雨浴，也不是盆浴，而是池浴，很像北平的澡堂，但沒有那麼深。而向上，而向下，俱無不可。洗罷澡，丁博士的工作是打掃房間擦地板。丁博士對於擦地板特別有他的一套，地板整天耀眼淨光。早餐，午餐，晚餐會在飯廳，與方土司，刁土司，總土司，金局長一塊。做由金局長的太太，方土司的太太指揮他們的下人，方御龍土司的太太非常漂亮。方太太年歲要比方土司大得多，站在太太面前，方土司簡直像個小老弟。方太太，照土司衙門的組織來說，稱為印太，等於英皇的掌璽大臣。土司的大權全是這顆印上。印太不當太上土司，但方太太却很客氣。方太太明目皓齒，皮膚晰白，舉止大方，溫文爾雅。她對於馭下非常有辦法。在她手下指揮的，尚有「四員大將」，兩男兩女。兩男之中，有叫小二者，非常能幹，非常服從。女的也都聽話。刁土司的太太是漢人。刁土司娶這位太太可不容易。按土司的規則，土司是不能娶漢人為太太的。但刁土司與他這漢太太一見鍾情，非娶他不可，到一個時候，簡直有英皇愛德華之風，不愛江山愛美人，寧願掉棄皇冠也不願拋棄這位漢美人，但最後我們的刁土司還是勝利了。現在陪他住眉苗總督別墅的就是這位美人。金局長的太太，本來就是漢人，給金局長養了三四個娃娃，全是男的，全都堆堆實實，像他們父親，體格壯健，金局長自稱老狗，底下的三員小將則稱之曰大狗，二狗，三狗。總土司沒有把印太帶來，但帶來一個司機一輛吉普。這司機是胖胖的一位，開車技術甚高。出去大家就坐這輛吉普。

總督別墅一時成了「中華民國的流亡政府」。在丁博士領導之下，日子倒也過的很快。每天吃飯在一起，晚上還有個「國務會議」，印太，土司，局長全體出席，交換情報，檢討得失。對於編政府的態度，尤為注意。我游擊隊前來接他們的家長（丁博士）的絡繹於途。這流亡政府把監視他們的軍警看作自己的衛隊。只要不開拔，他們是不加干涉的。「流亡政府」的維持費，仰賴三土司一局長的「奉獻」，主要是方土司。他司區還有錢源的供給。刁土司，總土司，金局長也都在盡力而為，窮的却是丁博士了。他們可感的是他們不讓丁博士出錢，還把丁博士看「政府領袖」。他們都希望丁博士能早日出去，早有辦法，光復他們的司區局區，光復雲南，光復大陸。

在這裏不能不特別的提一提緬甸的華僑馬鼎臣，丁博士與馬鼎臣有同盟之雅，他生的兒子名馬丁以資紀念。丁博士的感他供給的最多。其次，當時在台灣中國國民黨中央黨部任秘書長的張其昀曉峯先生經宋念慈先生之手匯給丁博士三百美金，丁博士也永遠的記在心中。曉峯先生就有那麼一股幹勁，那麼一股義氣，當接到這三百美金的時候，丁博士不知道如何的感激，令丁博士感激的流出眼淚來。……

糾正「海外學人的」謬論

·百笑聲·

打從「國醫節」前，有一本雜誌——號稱「海外學人」，大約都是吃過牛油麵飽的執筆人？大肆醜詆國醫，把中醫說得百無一是，其用心處，好似非把中醫「殲滅」或臭得一文不值而不甘心！笑生先是不怒，繼而啞然失笑，夏虫豈足以語水？井蛙怎知天大？這與主張全盤西化論者異曲同工，且更顯幼稚！我們留過洋，喝太平洋彼岸海水的人，外國人的長處學得少，壞處學得多，只看人家一些皮毛，就以為高過國人一等？不論什麼，都說是外國好，數典忘祖，已成風氣。積非成是，不容緘默！笑生祖代儒醫，所謂知醫所以事親也。從小就讀醫書，由先君親授，對中醫的精髓雖未敢言已登堂奧，但已窺堂之美則可稱不是外行。凡是攻訐中醫者，動輒亂扣大帽子，說中醫不科學啦？如果說中醫應當走向科學化則是正確的，如果硬說它不科學就否定它無存在的價值，則不敢苟同。借口雖黃，指斥中醫只靠經驗，無科學化的臨床「操作」經驗，乃不知中醫乃是吾國數千年累積下來，西醫講科學，乃不過是近百多年的事，如此缺乏常識，豈非笑話，等於是說三國時代為何不用飛機大炮打仗一樣好笑？又振振有詞攻擊理論上的「五行」與「陰陽」等名詞是「落伍」，乃不知「醫者意也」，先賢喻嘉言就已闡明之，因古代無適當的名詞形容，只好以當時的看法與說法以「抽象」名詞代替。

這等於西醫也有特定的名詞一樣，也好比現代科學名詞！若原子、中子、核子等等，在古代是不知道的，安可以詞害意，厚誣古人？所謂西藥，十九乃是我國藥材中經過化學方式提煉出來的精華，豈可污蔑中醫不過草根樹皮，牛溲，馬勃？又不藥物是治病的，香味是飲食講究色，藥不對症，與價值高昂，泡金汁，磨鑽石，珍珠粉也沒用：這些都是極淺顯的道理，而有「奴洋」型的人，總是一口咬定「中國的一切都不好」只有外國的月亮圓。抑何可笑可取！溯自黃帝與歧伯君臣問答，遂有「內經」（靈樞與素問）扁鵲撰「難經」。至漢之「仲聖」（張仲景）之撰「傷寒雜病論」「金匱玉函經」，王燾著「外台秘要」，唐之孫眞人（思邈）有（千金方）與「千金翼方」，已經粗具醫藥理論的規模了。論治傷寒與痢疾、雜症中醫獨有擅長，非西醫可比擬。迄今為止，西醫對傷寒病仍無辦法！「三國」之華陀，可稱「外科」之鼻祖，歷代神醫國手輩出，雷公藥性賦與湯頭歌訣，已定藥性之基礎。李時珍著「本草綱目」，更時集藥性之精華於一爐。張景岳氏，對於治腎虧症有獨到的經驗，發明「紫河車」（胞衣）的效能，也等於現代的「臟器療法」。有清一代，已經使用中醫藥發揮到了光輝璀璨的地步，名醫超過任何一個朝代了。好比八閩陳修園氏，有「陳修園醫書七十二種」問世。江南的葉天士，俗「天醫星」轉世，其治亂與時疫，獨步天下。洞溪徐靈胎氏，有「徐靈胎醫書十三種」行世。不勝枚舉，各有千秋。而清帝的「御纂醫宗金鑑」更有醫林的「永樂大典」之稱，集古今醫藥於一書，上及內、外、婦、兒，下至祝由、巫咒，西醫未必可以兼通各科。大抵中醫以全靠經驗與師承，故有儒醫與「時醫」之分，庸醫固然殺人不見血，這好比西醫也有高下之分，中醫也好，西醫也好，都有高明，都有長短。如果不學無術，則不論中、西醫，都會藥到「命」除，小病沒醫好，變大病，有中醫的小病就會變大病，是對西藥（處方）與手術（開刀），還未全部科學化，所以有些病症比不上西醫方便。且多門戶之見，所謂「祖傳秘方」，私心太重，以致年久失傳，「抱殘守缺」等方面，是亟應改進的。中醫比西醫高明之處，乃是數千年精益求精的經驗，若望、聞、問、切、拼合科學原理，診脈、如果貫正精通脈理，比聽診器還要「巧妙」。用藥講究君、臣、佐、使與分兩之多少。有時「丹方一味氣死名醫」好多西醫束手無策，或直接搖頭的病，中醫可以藥到病除。數千年來治病救人，豈可一筆抹煞，好比針灸學，連外國醫生也有專程來台拜師的，即可佐證一斑！而古時醫生，十九施濟世仁術，「良醫等於良相」，「不為良相，便為良醫」，醫德之佳，絕非時下一般闊出新聞的西醫可比萬一。凡事要平心靜氣，凡是迷信一切皆是外國好的，小生一律當作是吃洋葱，放洋氣！

五十六種砂鍋烹飪

馬騰雲

二十　砂鍋鹿肉

鹿被視作為仙獸，其肉能強五臟，調血液，補中益氣，養血美容，久食輕身健步，却病延年，以鹿肉一斤半加人參二錢，茯苓二錢、黃耆二錢、入葱鹽適量，黃酒二兩同燉三小時，火越小越好，為最有效之強壯劑。

砂鍋鹿肉以兔絲子五錢同燉，補三陰（指脾、肝、腎、）潤心肺，續絕陽，堅筋骨，補不足，益氣力，添精髓，治五勞，久服去面皯顏色，明目輕身，腰痛膝冷，醫藥上有一部名著，指兔絲子禀春末夏初之際以生，凝地上的沖氣以成，感秋之氣而實，辛而不燥，溫而能補，一日量服三到五錢，煎茶以四百公撮水，熬到一百公撮臨睡時服下，可以固精及強壯，以兔絲子研成粉末，用酒送服，功效除上列外，對治五傷有殊功，惟肝火盛者忌服，野菇，草菇，菌類勿與本藥同食。

兔絲子是一種寄生蔓性草，莖細長如絲，絲質而黃，沒有根又沒有葉，常纏附於別的植物上，夏天開淡紅色或黃白小花，結子如同黍粒，兔絲子莖皆入藥，兔絲的俗稱叫作無根藤，中藥的名稱有好幾個，如金絲草，火焰草，野狐絲，玉女，它的英文名Cuscuta Japonica Chois，它的成份除含有兔絲子脂甘外，其他尚未化驗出，其偏助陽事，一般中醫師都知道的。

黛眉小傳

·王幻·

管道昇（三）

又曾拜天目「中峯和尚」為師，收藏家尚有她致中峯的原帖，帖中所云，備極皈依之誠。她的書法似孟頫，被譽為衛夫人後第一人。又嘗用五色筆寫「璇璣圖」詩，筆法工絕。她的詩大都是些斷章殘句，或多是題畫之作。完整的詩篇，除前引的題梅花詩外，「庚子消夏記」尚有題畫竹的七絕一首云：

春晴今日又逢晴，
閒與兒曹竹下行；
春意近來濃幾許？
森森稚子日邊生。

此外，陳繼儒「泥古錄」卷四載有她的家書一通，原文為道昇親筆，後有子趙奕的跋，清初時，尚藏於池灣沈定帆家。書面寫：「平安家書付三哥長壽收拆，孃押封。」書的內容是：

孃書付三哥吾兒：昨日福山寺僧來，得五哥六月內書，知汝安好，家中及道院內安善，方得放心。可收香盟寺呈子至，先還借錢一百定；如得入手，可與四五哥大一哥商量，交孫行可買東橫錢百戶屋地，並西邊蘿蔔地，及德清園前地。我已分付五哥了，若別對付錢買了，却將此錢好生實封了，付的便寄來。九月間沈山主周年，切須與三定錢，油三斤，米五斗，請十僧，燈斛做汝父母名字，追荐沈山主則箇。可憐此人多與我家出氣力，切須報答他。書到便與哥哥每說知，分付福和、萬六道、徐慶一等，好生與我安排，供養為好。蘇灣田產，交徐壽二好生修理，休誤！桑樹好生照管澆溉。山上亦宜照管，交梓沛兄令人多接栗樹，多種桑樹。只此不一。七月十六日，孃付三哥收。

全文均為當時白話，是研究國語文學難得的資料。民初提倡所謂白話文運動，殊不知在六百多年以前，已經有人早就實行了。

延佑四年（一三一七）孟頫入翰林院為承旨，封魏國公，道昇亦加封魏國夫人。五年冬，道昇腳氣舊疾復發，上遣太醫絡繹診治。六年，疾增劇，聞於上，得旨回家。四月廿五日自大都出發，五月十日行至臨清，卒於舟中，時年五十八歲。有子三人，女六人。長子亮早卒，次子雍字仲穆，官至集賢侍制，同知湖州路總官府事；三子奕字仲元，隱居不仕，皆以書畫名於世。雍子麟字彥徵，官浙江行省檢校，工書，並精人物鞍馬。國立故宮博物院現藏有趙雍「駿馬圖」及趙麟「相馬圖」，此兩幅不論筆墨、傅彩、命意無一不佳。可以說「克紹箕裘，不墜家聲」了。（完）

第二十一章　岳飛為賊三請命　吳玠仙人破金兵

周燕謀

李道、牛皋人馬分駐於黃州、新州。而李橫之軍又攜帶百姓，岳飛命放歸田里生產。朝廷詔命，以牛皋、李橫、翟宗、李道等軍，皆受岳飛節制。但初李橫在襄陽偽齊遁，岳飛命統領官張憲招之，李橫不從，及李橫自黃州渡江，岳飛問之，急趨洪州，岳飛趕到，李橫之軍已入洪州，因此朝命雖已下達，但李橫仍在洪州，受趙鼎節制。只有牛皋、李道二軍實受岳飛節制。用為統制官，仍將本軍。

目前金人正在休養兵馬，大放和議煙幕。但代之而主中原的是劉豫，他自遷都汴京之後，便一氣侵佔了河南以及湖北以北之地，放置偽官。進而與洞庭的巨寇楊么勾結，以李成專任其事。欲以車船五十艘，攻打鄂州、漢陽、黃州、蘄州等地。李成又以三萬水軍援楊么，自提兵十七萬，由江西陸路趨兩浙，楊么由長江水路趨兩浙會合。這是偽齊南侵的計劃。南宋朝廷聞悉，大為震恐，命各路將帥備戰。

一日岳飛與諸將論及兩寇之患以何者為先，岳飛道：「先襄、漢而後洞庭；因襄、漢收復，則李成喪師，楊么則斷其援。」幕下皆服岳飛之論。

紹興三年十二月，宋使韓肖胄自金回朝，金使亦入宋談判。金帥粘罕又放回宋使李永壽及王蹣，所攜回的和平條件是：一，北人之在南者，還歸劉豫。二，以長江為界，長江以北歸偽齊，長江以南歸宋。

這仍是「兩個中國」的藍圖，與秦檜回宋的論調一致，這又證明秦檜做漢奸的證據。

殿中侍御史常同陳道：「先振國威，則和戰操之在我；若一意議和，則和戰常在彼。靖康以來兩和兩毀，可知鑑矣。」常同又說：「今養兵二十萬有奇，未聞有二十萬兵而畏人者」高宗為求保持帝位，不納忠諫。

紹興四年二月，岳飛在江州上疏高宗，收復襄陽等六郡，以圖中原。飛以為楊么雖近在洞庭，然楊么不為李成之援，如我進兵襄陽，收復六郡，李成不戰即遁，然後加兵湖襄，平定楊么實不為難。朝廷乃命岳飛措畫收復襄陽之準備。暫且按下慢表。

却說吳玠自從大破金兵於和尚原之後，仍以和尚原糧食不足，料金兵必再深入，而且和尚原離蜀太遠，於是放棄和尚原，命其弟吳璘，別立營於倒人關之右，地名殺金牛。（此因吳玠敗殺金人而得名）仙人關在今陝西鳳縣西南，與畧陽及甘肅徽縣相連接，地勢險要。吳玠守仙人關，吳璘守殺金牛。昔王濬之故事。（一〇六）

自由報

（第一一五六期）

（半週刊每逢星期三、六出版）
每份港幣壹角・台灣零售價新台幣弍元
社長李運鵬・督印黃行憲
社址：香港九龍彌敦道593—601號
廖創興銀行大廈八樓五座
LIU CHONG HING BUILDING
7th FLOOR FLAT '5
593—601 NATHAN ROAD,
KOWLOON, H.K.
TEL：K303831
電報掛號：7191

承印：景昌印刷公司
地址：襄成街廿九號地下
台灣區業務管理中心：台北重慶南路一段一二九號
電話：二四五七四
台灣讀者直接訂戶　台灣劃撥戶
第五〇五六號張萬有（自由報會計室）
台灣分社：台北市西寧南路110號二樓
電話：三三〇三四六、台郵劃撥戶九二五二號

領導人物的責任

・蕭人・

中央日報副刊前曾刊出微言先生的一篇文章：「評雲五社會科學大辭典」引起學術文化界普遍的矚目。原因是：他文章中所批判的王雲五先生，是學術文化界一位領導人物，以他的聲望和作風，應該做出的每一件事，皆是完美無瑕、翕服衆心的，然而微言先生却具體地指出了一件實例——雲五社會科學大辭典歷史學部份，無論在計劃上，編排上和撰述內容上，都發生很大的謬誤；而這些謬誤，皆不應出自於領導我國文化活動達半世紀之久的王雲五先生之身。

其實，目前坊間出版物，其不合水準的東西多得是，大家司空見慣，也不以爲怪。就「雲五社會科學大辭典」而言，拿來和其他書物作品相比，還是水準以上的，但大家不能以原諒其他書物的心情原諒它，主要是因爲它的背景不同，因爲主理這本辭典出版的王雲五先生，過去曾經出過很多書、很多雜誌，都是讀者應該相信得過的，微言先生並會具體指出「辭源」爲證。正如同社會上雖然常常發生倒賬的事，銀行却絕不應該倒賬，微言先生在翻查這本辭典以後，一定感覺非常失望和氣憤，因此才寫出了那篇文章，這也是所謂「春秋責備賢者」之意。

從這一事例，我們可以看出了「領導人物的責任」。

一個健全的社會，一定要有一些健全的領導人物。這些人的成功不是偶然的，除去他們自己本身的天賦和努力以外，還要依靠社會的培養。我們撇開自己的努力不談，社會對領導人物的培養也是不容易的。社會原在很長的時間裏，在萬千人之中，經過磨鍊、經過挑選、忍受欺騙、忍受失望，才辛辛苦苦地培養出極少數幾個領袖人物，然後大家對之投以信賴。

如以台北附近，大家購買房屋的事實爲例，有一段時間，在台北興建房屋出售的人，有如雨後春筍，社會大家也一窩風的搶着去購買，但結果：有的付了訂金就不知下文，有的在開工以後又提高價格，有的興建中途發房屋塌倒，有的在建築物上偷工減料，有的在交屋之時乘機勒索，有的更興獄涉訟拖延甚久而不能解決。這其中也有極少數幾家，眞能如約交屋，規格結構也一切沒有走樣。幾年下來，許多建築公司都被淘汰了，却也有極少數幾家，繼續興建出售，也繼續受到社會的歡迎與信賴，這少數幾家的老板，就是現在建築界的領導人物，然而，在培養這少數領導份子的過程之中，社會大衆付出了多少痛苦和代價？

所以社會上領導份子的產生，無論是政治上的、工商界的、金融界的、藝術界的、學術文化界的，他本身因要經過一番努力和掙扎，而社會大衆，也一樣要付出精神與物質兩方面的鉅大投資。也因此，一個領導份子，要對他自己和社會，負担雙重的義務和責任。

就社會來說，領導份子一定要忠於大衆寄予他的信賴和付託。另一方面，社會大衆也應該負責維護這少數領導份子，因其得來不易，不可因一時情感衝動，輕輕易易地就信手摧毀了自己所辛勤建立的偶像。

就前者而言，社會對於這少數領導份子的作爲，無不寄以厚望，一旦發現其所行所爲，未能符合大衆的期望時，就會毫不容情地予以責備，此乃基於一種求全的心理，對平素深致欽仰的領導者，一旦顯示缺點，便有遭受欺騙的無法忍受之感，爆發起來，自然就非常強烈。

就後者而言，大家也應該了解，領導者究竟還是一個「人」，是「人」，就有「人」的弱點，所行所爲，也難免沒有缺失；我們在發現領導份子的錯誤時，就該作整體衡量，研究其有未影響作爲領導份子的基本成因，如未達到這一動搖根本的地步，大家就該竭力予以維護，不要輕率推翻了社會辛勤經營締造的業績。

記得數年以前，學術界出了一位李敖，那是一位極端聰敏又富有學養的青年，可惜他過於感情衝動，無視於領導人物之培養不易，一夕之間，要推倒幾十座學術界偶像，以致造成了學術社會的極大混亂，若干人皆爲之瞠目結舌，大感震駭，這一風波，經過多年的整流，才慢慢回復了穩定。

我說這番話，並無意爲某一個人開脫，而是有鑒於目前台灣有些人，對別人過去的成就，過份的不尊重，尤其社會上若干有名氣的人，常常成爲一些初出道者打擊的對象，也許這是一條登龍門的捷徑，但當這些領導人物被打倒以後，對於社會的造成所損失，實在是無法彌補的。尤其有些有國際聲望的人物，幾乎是國家財富的一部份，他們的存在，有時就是國家文化水準的象徵，將他們拔倒了，乃更減低了或是模糊了國際間對我們的評價和認識。

但是，社會對領導人物的維護，也不應成爲這些人物行爲乖謬的憑藉。領導人物的成就愈大，愈應該看重自己的責任；愈是受人推崇敬仰的人物，愈應該檢束自己的行爲。

就出版雲五社會科學大辭典的商務印書館及其主持人王雲五先生而言，過去的成就，是有目共覩的，半世紀以來，人們對商務出版物和由王先生主持的任何事業，都懷着深深的信任和敬仰，直到最近，大家由若干事件的顯示，才對王先生及商務的敬仰信任之心，畧微動搖。

王先生來台以後，除從政以外，在學術文化方面，他共參加或主持了以下諸項工作：一是在國立政治大學任教，二是主商務印書館，三是故宮博物院理事長，四是主持中山學術文化基金和嘉新文化基金的活動。這幾項事業，都對我國目前學術文化，發生巨大影響。

就王先生任教的情形來說，王先生在其「岫廬八十自述」的「後語」中，曾列舉由其親自指導的廿一篇碩士論文，九篇博士論文的題目，其內容包含政治思想、政治制度、政治史、外交史、社會史、國際政治、行政管理、行政法、議事學、以及匪情研究諸問題，王先生的博學，自爲我人深知，但竟能對這許多專門問題，都能加以指導，却不得不令人感覺驚訝！

至於商務印書館：自王先生重往主持以後，一切都顯得虎虎有生氣，自也是事實，但大家同時也感覺到，今日商務的出版物，若與二十多年前的商務出品相比，很多恐怕是今不如昔了，微言先生舉社會科學大辭典與辭源相比，只是其中一例而已。（不僅是內容，校對也相差很遠）

王先生對故宮博物院之關係，爲於四十一年至五十四年之間，担任共同理事會理事長，據王先生自稱，該院雖有主任委員，但遇重大問題，「輒向理事長請示解決之道」。在此期間，「四庫會要」一度遭受屋漏雨蝕，後來經重行抄繕補足；以當時台中房舍之簡陋，發生此一意外，管理者雖不是深責，但古物受損，爲一無可彌補之損失，則爲稍有常識者所共知，乃王先生竟於「八十自述」中說：「毀損若干頁，皆可重行繕補，金錢之損耗無多，而皆不難復原。」並對當時報紙之宣揚傳播，有所指摘，這却很難令我們相信就是對國家古物，負有保管重責者應有的態度。

王先生主持的兩個基金會，近年來對社會也有很多貢獻，但一般人認爲：學術獎助的給予，有時失之浮濫，譬如去年受獎的「亦雲回憶」，列入「文藝」或「專題研究獎」，還勉強說得通，如果列入「學術著作獎」，就令人不得知學術爲何物了；又有一人得了十萬元，規定他在兩年內寫一部中華通史，結果却是將十多年前已出版了的舊稿充數。還有些文辭不通的作品，如「軍事思想史」之類，竟然也曾得獎，可以想像是沒有經過嚴格的審查手續的。（頃見中副發表「滾滾遼河」的嚴密審查過程，尤多感觸。）

筆者年幼於王老一半，自識字時即讀王老作品或王老主持出版之書物，一向至爲崇敬，近年發現以上諸現象，與友人相談皆有同感，內心至爲惆悵；今讀微言先生作品，深感其勇敢與正直，亦有一述爲快之願。從大體來說，王先生對今日我國學術界之貢獻，仍然多於過失，而以王老八十之年，也仍能如此鍥而不捨地爲社會服務，令我們後輩感覺非常慚愧。

我們希望，王先生今後能繼續領導學術文化界，多做些積極有意義的建設工作；但同時也希望王先生自己多考慮一下：在做任何事之前，自己對社會的影響性，王先生自己對歷史應負的責任。

另外還有其他許多高高在上的領導人物，他們也常常犯有許多粗率的毛病，都不知道，他們任何一舉一動，每每對千千萬萬的人發生重大的影響作用，這也就是曾文正公所說：「風俗之厚薄奚自乎？自乎一二人心之所向而已！」領導份子責任之重大，從這句話裏也可看出一切了。（完）

昨日與明日

美國玩甚末把戲？

釣魚台列嶼與台澎爲不可分割之地，屬於中國版圖的領土，鐵證昭然，有史可考。二次大戰期間，美軍佔領琉球，把釣魚台一併納入掌握中，吾國基於同是盟邦併肩作戰的關係，未說甚末話。戰後美國將琉球跟日本私相授受，並不徵求中國政府的同意——連諮詢的國際禮貌亦沒有，這已經是表示着沙文主義作風，太不像話了！

於今又將釣魚台亦擅行交給日本，中國海內外人士羣號抗議，請願，美當局亦置若罔聞，且聲明關於釣魚台的主權糾紛，應由中、日雙方協商解決，美國恕不負責。殊不知美國如果不將釣魚台私相授受，而由中、美、日三國協商處理，即不會發生糾紛。美國爲要討好於日本，作出這種違悖理性和國際常規的事兒，又教當事國自行商討解決，這不管是向着別人的宅第私放一把火，而自己置身事外，教鄰居們去協商救火方法，豈有此理！

我國應派軍駐守釣魚台

強權主義者既然蔑視正義公道，捧紅踏黑，隨意胡爲，我政府即不必跟它講道義，說理由，應該派軍進駐該島嶼，看看誰來跟我們爭奪而不惜訴諸武力？

美國平時對於國際間的糾紛事件，凡與其利益關係輕微的，總是主張交由聯合國調處，釣魚台問題却基於私慾，而悍然不顧一切地擅行處置，我們再要瞻徇敷衍，而不採取有效行動，謹防他日還有更怪的把戲出現啊！

請看一椿史事

一八九四年七月四日，「夏威夷共和國」成立，美國克里夫蘭總統正式承認它爲「一個自由自主獨立共和國」。中間曾由美國的外交代表和海軍人員，策動夏威夷一部份居民起來革命，奪得政權，派遣代表赴華盛頓請願歸併於美國，然克里夫蘭總統不贊成，且謂：「如果美國人民贊同無所謂國際道德的可憎的原則，我就對美國人民認識錯了！」但到了麥堅利總統執政時，再由美國的馬漢上尉及其他海軍人員提出要求，合併夏威夷作爲美國的一州，他們的理由認爲美國需要夏威夷作爲在太平洋的海軍根據地。於是乎，美國總統和國會議員們皆欣然同意，實行兼併政策了！

美國今天可以將釣魚台私自送給日本，明天也可以把台澎視爲「尚待國際決定其地位」，弄政治把戲，滿不在乎，我們能聽受強權主義者的宰割嗎？一致奮起圖存，時乎時乎，稍縱即逝矣！

・何如・

自由談

不敢恭維

美國憲法規定總統任期四年，得連任一次。由於任期太短之故，縱有雄才大畧的人物當選爲總統，亦很難在三四年之內，能夠大展鴻圖，卓然有所建樹。佛蘭克林・羅斯福總統之得以三次連任，是叨着世界大戰之光，迫於國內外的局勢，不得不然也。

一般新任總統的人，從進入白宮主政之日起，即爲着下屆競選聯任問題，寤寐不忘，煞費心機，因而遇事總以迎合選民的觀感爲前提，發出許多違心的言論，作出許多失策的事情。還有在野黨人士——特別是一般國會議員，專以攻擊政府當局爲能事，認爲在任總統的措施，有百非而無一是。例如美軍參加越南反共戰役，原係民主黨詹遜總統時代，經過國會授權而實行的，但到了共和黨尼克遜當政後，原來投權總統派遣美軍赴越作戰的大多數民主黨議員們，又變成反對越戰最力的急先鋒了！尼克遜宣稱分期自越南撤出美軍，且已逐步實行，然那般出爾反爾的民主黨議員，却要求美軍立即全部撤退，目的只在困擾敵黨的總統先生，阻遏他下屆競選聯任的機會，至於對國家前途的利害如何，好少理了！

尼克遜總統就爲着下屆聯任關係，處處向逆流低頭乞憐，表現着昧良心出於無奈的作風，何其謬也！所貴乎政治家者，出處進退皆以施展抱負，福國利民爲準則，不存患得患失之心。像尼氏前任詹遜總統爲貫徹參加越戰的政策，表示不復競選聯任，而使那些意氣用事的反對者無所藉口，嗒然若喪，庶幾乎不失其爲有爲有守的政治家風度，尼克遜未免相形見拙啊！

美國號稱爲世界上最民主的國家，沾沾自喜，竊竊自矜。似此的民主政治表現，可謂世界上最壞的制度，既誤己，亦誤人，實在不敢恭維！

禹丞先生

經濟發展要走正路

從太平洋電線電纜公司盈餘分配糾紛談到中華紡織公司的重整

千公

天下雜論

在自由中國工業公司中，太平洋電綫電纜公司很顯然是一家大公司，也是一家著名的大公司，因爲本年賺錢很多，而分配盈餘較少，引起若干股東不滿，該公司部分股東特向有關單位陳情，並在報端刊登廣告，召集股東座談會，檢討公司業務。這一事件雖然是一家公司內部糾紛，但其所顯示的意義，却涉國家經濟發展的前途。

無疑間地，自由中國各大公司，家族企業色彩，極爲濃厚，連股票在證券交易所上市的公司也大都如此。雖然有無數股東，而公司業務則操縱在少數大股東手裏，這些人親族集團或友朋集團，關係顯屬非常。他們所考慮的是集團利益至上，公司前途次之，而其他股東利益又次之。因而，公司賺了錢，董監事酬勞分大份，股利的多寡，則可多可少，而公司負責人平時待遇之優厚，生活之享受更不在話下。像這樣的公司，眞不勝枚舉，又豈祇太平洋電綫電纜公司一家。

其實，公司賺了錢，對股東能够分配盈餘，還算好的。有些公司，拿了股東的錢來做生意，結果，公司垮了，股東的本兒都賠光了，而負責人却發財走了。這樣公司也司空見慣。我們還記得：在前幾年，在股票市場上曾一度大放光彩的中華紡織股票，而今却烟消雲散了。中華紡織公司的負責人也是工商企業界的聞人陳能材，經營企業不止一家，而且當其極盛時，曾獲前中央銀行總裁徐柏園的金融助力，可是，中華紡織公司結果失敗了，宣佈重整，重整已經三年多了，迄今毫無下文，無數股東的股本都泡湯了，而陳能材依然活躍於工商界。這樣的企業家，仍然常出現於報端新聞。

要想資本證券化，首先應建全企業組織本身，家族工業形態是自由中國經濟發展的絆脚石，而祇顧本身利益，名雖企業家，實際不懂企業經營，缺乏企業道德的企業負責人士，更構成經濟發展的障碍，企業家如不能取信於人，有誰還肯認股乾賠呢？

俯順輿情更易首長

整頓教育此其時矣

袪除舊觀念消滅升學主義　樹立新作風擺脫學閥操縱

（自由報台北消息）外交部長魏道明申請退休，最先有人推測或許等到六七月間行政院改組時發表繼任新部長。上月底行政院局部改組，同時發表駐美大使周書楷調任外長，又調任成功大學校長羅雲平接長教育部。再過三個月，下一學年度開始，在此時會更易主持教育大計的教育部長，可謂適得其時，也足以證明政府有決心要整頓教育，初步反應，輿論翕然。教育部長之更易，雖在在全國企盼中，事先既無半點消息，總不免有點突然，自然引見一些關心人士的談論。

處國際社會，外交當然重要，但爲國家樹立根基，無寧是教育爲先。因爲教育可以造就人才，培養國力，改變人的氣質，養成正氣，關係國家前途。

衆所周知，政府來到台灣，整個教育始終操縱在某學閥手中，此人當然不懂甚麽是教育？只是一切出自私，培植個人政治勢力，他把持教育當作官場鬥爭的資本，排斥異已，遍布心腹，確亦做到春風得意，惟其自私，所引用的私人，自然也是些甘爲爪牙之輩，自從這些人混進教育界，風氣每況愈下，幾至不可救藥。例：子弑父，師殺生，教員買缺等，行政院已往也忽視了教育是關于國家的神聖千秋事業，不會對教育部長付之全權，初來台灣時期的部長，例如程天放、梅貽琦兩位先生，秉性與世無爭，對某學閥任其坐大，有彌勒佛之稱的黃季陸一副老黨人作風，更是不肯與後輩一較高下。閻振興雖自負是一能員，過份看重作官，只對弱者頤指氣使了一陣，對學閥也一派屈心敷衍，因而未能擺脫某學閥的幕後操縱。鍾皎光上台之後，自己沒有行政經驗，又被少數外行自大的部下捉弄的暈頭轉向，動輒得咎，凡所舉措，幾無是處，四面楚歌，自顧不暇，在風雨飄搖中渡過了一年零十個月，在此期間，眞是受足了洋罪。此次卸任倒是眞正擺脫了苦惱。

閻振興是被一位主任秘書搞的天翻地覆，加以自己太不虛心，終於弄出許多笑料，最後不得不去。

有心人士，感於教育現狀危機四伏，又鑒於閻、鍾新近兩位部長無所作爲而悽然下台，或因聰明自悞，不知道法律賦予部長的權力究竟有多麽大，忘形之下，或因乍來富貴，無所措手足。

乘羅部長就任伊始，原則性提出幾項建議：（一）升學主義必須消滅，其方法應從入學考試制度着手，改變一般家長和學生的觀念。否則再要任其發展下去，愈演愈烈，其結果便不堪設想。（二）改編各級學校課本，恢復民族自信，個人先公後私思想，把每個受教育的學生都造就成標準的國民。爲國家辦教育，科學固屬重要，但要以本國文化爲主，不可偏廢文史課程。（三）人事調整要立場超然，具有魄力，不能用的人，不要因爲情面而勉強，同時希望行政院對羅部長用人及經費也要全力支持，中央地方要貫徹用人權，各級學校校長要訂出合理辦法，台灣省的教育人事制度要澈底改善，不然一切無從談起。

教育上的問題雖多，但處理起來務求簡單，只要把穩幾項大原則，方向正確全力以赴，必然立竿見影，教育風氣雖壞到極點，究竟還好人多，壞人少，好人得意，壞人馬上跟着會變過來，不敢爲非作惡，這一點應有自信。

各方面都說：羅部長禮賢下士，處事周到，也有魄力，有原則，有方法，都希望他成功，把教育辦好。

香港怨偶愈來愈多

夫妻離婚風氣熾盛

每週均有十對八對仳離　太太提出的佔絕大多數

（自由報香港消息）此間一家報紙說：倫敦一本雜誌最近發表一份離婚調查報告，愛丁堡大學的哈羅教授跟他底三十七歲太太，强調「成功人士」的離婚率很高，藝術家或作家的婚姻大都不美滿，生物學家亦多離偕白首，此種情形是否會在本港出現，則目前尙無統計，但從今年兩個多月來高等法院所批准的離婚夫婦中，則很少是有地位的人士，當然女律師與跑車英雄勞燕分飛，便是其中最著者，但爲數尙少。

香港很多有地位的社會名流，絕少會鬧正式離婚的，最主要的原因是身爲太太能够容忍，無非「體念着兒女的前途」。

有一位中年太太，目覩丈夫被一位歌星搶走，但因丈夫照常供應生活費及子女教養費而告束手無策。去年她曾在報上刊登廣告，高價請求英俊男子去「撬其丈夫的牆脚」，可惜妙計並不成功。最近幾年本港的離婚風氣實際上已愈來愈熾盛，一九六六年高等法院批准的離婚案件，只有一百三十六宗，到一九七〇年，已躍增至二百五十七宗，幾乎增加了一倍。

今年以來，高等法院以離婚案繼續增加，於是便規定每星期六日，聆訊申請離婚案件，過去幾個星期內，每週末日皆有十對八對夫婦解除婚約，恢復自由身，另尋歸宿或對像。

至於那些未有將離婚事件鬧上法院，或沒有正式結婚而各自到律師樓辦理分手的人數，每年估計總有一百幾十人，報章上經常均可以目覩「男婚女嫁，今後各不干涉」的啓事，而離婚的人士亦不乏有社會名流。

現時能够鼓起勇氣分手的夫婦，大都是由女方提起的，近日在法庭所批准的離婚案中，女性提訴男方者佔絕大多數，而年青的女性，只求「大解脫」，離開「嫁錯郞」的辛酸環境，使不爭取贍養費，法庭方面以法律規定，女性必需在離婚後取得贍養之費用，因此乃作象徵式的批准每年一元的贍養費，如非解釋，讀者看到這些新聞後定會啼笑皆非，亦會替獲准離婚的婦女大嘆不値呢！女律師與跑車英雄離婚，每年的贍養費，也就是一大元。

世界珠寶中心——仰光

緬甸政府設立珠寶市場公開拍賣，吸引全球各地商人前往爭購，今年的拍賣生意興隆，爲緬甸爭取二百餘萬美元外匯。

（二）摩谷所出產的二十四種寶石中，其中有一種紅寶石，是全世界出土寶石中最著名的珍寶。這種紅寶石，紅得有如鮮血，歐洲人稱爲鴿血色。這種紅寶石，你如果以棉花把她包紮起來，連棉花都會被她映染得一片鮮紅。你如果把她置於盛了水的碗中，看去連全碗的水，都變爲鮮紅。這種鴿血色的紅寶石，是緬甸特產的珍物。據一般寶石鑑別專家說，直到現在爲止，全世界所有產寶石的地區，還沒有出現過像緬甸那種鴿血色的紅寶石，其珍貴由此可知。

摩谷出產的寶石，除了紅寶石（Ruby）之外，還有藍寶石（Sapphire）和其他各種顏色的寶石。其他各種顏色的寶石，如淺藍色、紫色、水紅色、灰色、白色、混合色等，也常被統稱爲藍寶石。這些顏色的寶石，在緬甸出產得很多，但價値遠不及藍寶石，當然更比不上珍貴的紅寶石。

過去緬甸的寶石礦，准許私商領取執照開採時，開採寶石是一種可以獲厚利的營業，不少人因此致富。但命運不好的人，也有因開採不到寶石，而窮得身上不名一文的。

緬甸政府已將摩谷寶石礦加以控制，不隨便容許私商經營。在摩谷市本來有三四十家的寶石開採公司，現在只剩下三家，其所開採到之寶石，均由政府收購，不得自由出售。

摩谷的寶石蘊藏量，是非常豐富的。但是開採寶石，管理工人是一件痲煩的事。也即因此之故，緬甸政府本身仍未進行大量開採。過去英國礦主，在摩谷開採寶石礦時，也以如何防止工人偷取寶石，成爲礦主們最感頭痛的一件事。工人們偷取寶石，花樣繁多，使你防不勝防。最使礦主沒法對付的方法，是「吞寶石」，因爲寶石的價値，是以她的色彩品質估評的，一顆色彩品質俱佳的紅寶石，兩克拉重可値美金十萬元以上，工人只要抛入口中，立刻吞下肚去，便無影無踪，神不知，鬼不覺。工人可以在第二天的排洩物中，找回前一天所吞的寶石。

（續完）

·越南戰場出奇制勝·

用海豚搜集情報

·艾倫·

（本報特譯）十二條海豚曾受過美國海軍訓練後，其中三條已由加州運送至越南，担任秘密戰事任務，而這些海豚所負之任務乃係支援情報工作，可以取回飛彈，引導迷失蛙人返基地，該等海豚係受過嚴格訓練，有分辨金屬能力。

加州木古點係一個海軍地對空飛彈試驗中心，由美國海軍海底研究發展中心督導，由美國聖地牙哥市將海豚交該中心訓練，而遣送往越南的海豚是一隊執行在海底測量極機密試驗中的十五人海軍隊伍所共同訓練。

雖然在越南有關海豚之工作十分機密，在較早時有關該中心會發表過在美受訓之第二及第三號報告中，可以得窺一二，該訓練包括「人類在海中生活」計劃，有一條名「特非」的海豚，能按照訊號把郵件帶給海底人員，而且可以訓練於某日使其滲透入敵人海港，負責偵查潛艇，探測敵方蛙人，並且可以把有磁性之港綫加附沉在海底的魚雷或飛彈，使軍隊容易尋回或爆破毀壞。

（未完）

魯蕩平楊力行互斥

·文匯樓主·

立法委員魯蕩平，在台北中央日報登出啟事謂：（一）查楊君力行於五十八年二月私人辦理「湖南文獻」月刊，屢向本人要求同鄉會補助，因同鄉會向無基金，無法照辦，乃由本人先後補助新台幣兩千元正，有楊君收據可查，楊君因所求不遂，懷恨在心，於其所辦「湖南文獻」月刊第八期撰文辱罵本人及理監事，本人未加計較。（二）在楊君辦理「湖南文獻」月刊期間，同鄉會迭據同鄉人士建議，指楊之文獻純屬普通雜誌性質，不足代表湖南人風格，況未取得內政部登記證，請求同鄉會負責主辦眞正之湖南文獻，本人以經費難籌，資料難得，且茲事體大，堅持不能主辦，後經理監事會決議，以蕭天石同鄉請准之「湖南文獻」登記證，另辦湖南文獻季刊，向內政部變更登記，推理事長為發行人兼社長，蕭天石為副社長兼總編輯，與楊君私人所辦之「湖南文獻」月刊並無衝突。（三）不意楊君竟積恨在心於五十九年元旦同鄉會團拜時當衆咆哮，質責本人對伊所辦之「湖南文獻」月刊，何以不予援助？經本人當衆解釋，各同鄉以楊君無理取鬧，羣加制止。（四）楊君又於五十九年十一月，向社會局呈控本人謂：「依其立委身份，把持會務，假公濟私，橫行霸道，歷年假冬令救濟之名，籌集鉅欵數十萬元，帳目不清，並迫害善良」等語，經理監事聯席會議決議以北市湘平字第一一一四號函復社會局，謂楊君所控各節，全屬子虛，純為其私人要求未遂，挾嫌惡意中傷，請派員澈查依法辦理在案。（五）楊君以計不得逞，又於五十九年十二月，以其家屬姓名劉清華（妻）楊曼妮（女）楊慶龍（子）及陳立平、孔秉三、曹執中、銀永年、曾耀成、駱宏勛、楊友義、楊仁等十二人，自稱台北市湖南同鄉代表，向社會局呈「控本人操縱會務，把持會員登記」。復經理監事會以（59）會平字第一二二九號函復社會局，謂楊君等所呈各節，顯係無中生有，顛倒是非，請澈查在案。（六）同鄉會原決定於五十九年七月間改選，本人極想擺脫理事長職務，因奉台北市社會局指示：「應先整理會員會籍，重行辦理會員登記（限於居住台北市者），發給會員證，造冊報備，然後根據會員名冊發給選票，憑會員證入場，由社會局派員監選，必須手續完備方能定期改選。」遂經理監事聯席會議決議先行印製登記表，登載中央日報公告於十二月五日起重新辦理會員登記。（七）在登報辦理會員登記期間，本人曾以湖南同鄉會理事長名義，正式函請社會局通知各區公所，准許抄錄台北市湖南人戶籍，要求各同鄉盡量加入同鄉會，以便統計會員人數，團結同鄉感情，當經社會局轉知各區公所協助辦理在案，即此一端而論，事實具在，何得謂為把持，況同鄉會係民衆團體一切問題均以民主會議方式解決，尤非任何人所能把持。（八）楊君一味挾嫌，製造事端，又於六十年一月呈社會局謂：「辦理會員登記時，原有幹事孔秉三不便過問，另派其姪獨佔經辦」。又謂「梁世德所經手申請登記之會員五十餘人，迄今為止，據其面告，尚未發會員證」等語，查梁君會向本人取去同鄉會所印之會員登記表四十張，所登記之人，已由齊總幹事發給會員證。又查梁君世德原非理監事，擅自印發登記表，所登記之同鄉凡送交同鄉會者，概交齊總幹事發給會員證，以此例證，何得謂為本人把持登記。（九）至謂原有幹事孔秉三，不便過問一節，查孔秉三係本會早經開除之臨時幹事，因其霸住同鄉會房屋，經請由警局派警勒令遷出，已無本會職員身份，所謂原有幹事孔秉三不便過問一語，不知何所據而云然。復查同鄉會辦理會員登記時，孔秉三向承辦人強索登記表一百張，未遂，故意尋隙搗亂，毆打承辦人，經警局責令和解在案，孔於和解後忽向台北地檢處控告，誣指本人唆使打人，經地檢處偵查結果，毫無事實根據，予以不起訴處分，孔復向高檢處聲請再議，又經駁回，足見法院秦鏡高懸，眞偽難逃明鑑。（十）楊君計不得逞，現將其私人所辦之「湖南文獻」月刊，改稱「湘學新報」，亦未向內政部聲請登記，專門揑造事實，以村婦罵街之口吻，毀謗本人名譽，挑撥同鄉情感，在「湘學新報」刊物內，大肆登載。意猶未足，復於陳立平所辦之雜誌「今日台灣」內撰文再四毀謗。本人無可再忍，惟有訴諸法律。次日台北中央日報也登出楊力行斥魯蕩平啟事，頃閱愚人節中央日報魯蕩平萬元巨幅啟事，顛倒黑白，欲蓋彌彰！既有雅興好訟，本人願對簿公堂。衆所周知：魯某昏庸老朽，言行不符，其敗德惡行，容另列舉。窮為書生之榮，無法多費廣告。

樓主根據中國社會習慣勸人息爭者，即是君子引用高僧拾得名言，奉獻魯蕩平長者與楊力行先生，「寒山問，世人輕我，騙我，謗我，欺我，笑我，妒我，辱我，害我，怎麼辦？拾得說：我惟有敬他，容他，讓他，耐他，隨他，避他，不理他，再過一個時間去看他。」一切問題都解決了。

駁人性獸性與鬥性

·湯如炎·

其（三）有云：「提起人的遠祖和近親、靈長類，許多人便會聯想到牠們的社會生活與世無爭的態度，以為牠們生性和平，與同類最能相容；更有一批感情用事的哲學家，在迷信了猿猴與人都是因為愛情的緣故才成羣體的關係之後，天天在歸元返本，明心見性上大作文章，其實，靈長類在鬥性上的發展，不過因為羣性的需要而改變了方向罷了。幾乎所有的動物，都在進化的過程中，發展出一兩樣或者可以殺生却敵，或者可以保身逃命的隨身配備，只有猿猴與人，除了一個與身體不成比例的大腦，簡直可以說一無特色；在這種無爪、無蹄、無角、無翅、無甲、無鱗的情形下，牠們要生存下去，唯一的辦法便是合作。因此，羣性在靈長類的社會裏也格外來得重要。合作的形式是很多的，可以組成無愛無恨的無名之衆，可以結合成一個大的氏族，還可以組織成部落、國家。如果我們檢查一下猿猴與人的羣體生活，就會發現生物界的切可能社會形式，牠們幾乎都嘗試過，而鬥性也就在這種種複雜的組織下被改變得面目全非」。

其（四）有云：「鬥性在羣性的要求下，走到兩條路上去了：一條是階級制度的奠立，另一條便是羣體與羣體的爭戰。以狒狒為例：：狒狒有「犧牲小我，成全大我」的精神，其實追溯到根本，還是鬥性經過昇華後的表現。……從前面所舉的這些例子，我們便知道好鬥的並不只是人，鬥性不過是人與其他許許多多生物所共有的一種特性罷了。也許有人會對它的存在價值感到懷疑，因為從表面上看來，鬥性對於同類之間的團結妨碍甚大。如果在物種與物種的競爭中，生物可以因為團結而受益，增加生存的機會，那麼，與羣性相衝突的鬥性為什麼沒有在進化的過程中受到淘汰，反而歷久不衰，幻化成各種不同的形式呢？關於這一點，早在達爾文寫「物種原始」的時候，就已經解說得很清楚了：原來影響物種存活的最大因素，並不是物種與物種的爭鬥。過去一般人往往把自然界認作是個血腥大戰場，各種鳥獸蟲魚都是不共戴天的仇人，各為己種，互嚙互啖，其實根據近代生態學的報導，物種與物種之間的共生現象，比競爭現象普遍得多。以食肉者與被食者的關係為例，兩者在進化上的發展幾乎總是平衡的，前者絕不致於將後者吃光，因為吃光了牠自己也就不常活了。澳洲過去曾經因為一種名叫丁哥的野狗數目過多而成災，丁哥並不是澳洲土著，而是史前期給人帶去的，後來繁殖太快了就影響到土生動物的生存機會，但是受禍最烈的並不是牠的獵物，而是與牠爭食的狼。一般說來，近親或同類之間的競生行為，對於物種的存活影響要大得多，原因很簡單，由於彼此職業相同，利害上的衝突也大，無論就食物的來源或權利分配上看，都是屬於對立的地位。」

竊所謂「變向行為」，表現得自然神妙的，不是「喜其儀」（惡譯喜欺你），也非鴨鵝，更非狒狒，而是鰻魚。鰻魚生活在河裏，出入河海，產卵在海裏，體內的胆固醇、脂肪酸等均須轉換分量，鰓的吸收鹽分作用的細胞須改變為排除鹽分的細胞。鰻綫孵出後，在游進河川之前，又必須做出和其母體自河入海時相反的變向行為。鰻綫為了生活而變向，鰻娘為了生育而變向，和所謂「鬥性」全不相干。鰻族母子這一套自然神妙的表演，把從周易辯證出來的道理——散之在理不外三律（陰陽合德律，物極必反律，窮則變律），統之在道則無二致（仁）——和盤托出了。竊思：幾年前，幾個「無定義之名詞」尚且能把數學觀念攪得一場糊塗，已把青年越教越呆；現在，這篇「人性獸性與鬥性」自更要把生物學觀念攪成一團黑漆，準把青年越陷越太。「呆」昇華僅止于不智。「太」昇華則可到不仁。不仁不智，那能不讓狂人牽着鼻子走？（未完）

青帮的內容和帮規（中）

·南懷瑾·

（一）班輩的淵源

他們既自稱這種班輩的演派，是由禪宗臨濟宗鵝頭禪師的派演而來，當然並非假托。考之禪門臨濟宗的演派，當臨濟宗第十九世的弟子中，有碧峯性金禪師，又自分演字派為二十字。到了碧峯以下第七世，又由其弟子突空智板禪師，分演字派為十六字。突空以下第三世弟子中，又有北京西山鵝頭禪師，又分演字派為二十四字。鵝頭禪師的宗派，具下列如：

清淨道德文成。佛法能仁智慧。學經三藏妙義。行理大通無學。（從此以後，後世弟子又分演派字。）

由此證明，青帮奉鵝頭禪師為宗祖，自稱為其派下弟子，並非出於虛構。只不過從鵝頭禪師以下的清字弟子的一輩中，就另演字派，立為青帮的班輩了。那麼，這位在北京西山的鵝頭禪師又是誰呢？直到現在，在我個人的所知中，仍然未能考得清楚。不過從他的字派輩序來推，他是明朝末年的一位禪師，大概決不會錯。依青帮的祖師來推算，他便是所稱金祖主峯的師父。可是又據它帮內的另一種傳述，金祖却是外蒙古人，屬於鑲白旗的一族。他便是創粮的始祖。所謂翁、錢、潘三位祖，正是第四代的徒孫。有人却認為這位金祖，便是出家了的順治皇帝，這又似乎太過臆測，使人難以確信。但至少他與滿清是有很深的淵源，這是很可能的。又有人說：他便是青帮分化紅帮的總紅祖師，這却頗為相近。在雍正年間，青帮聲威鼎盛之初，所稱潘祖德林，到塞北口去朝見祖師，也便是這一位。這種說法，十代過於相差，似乎又難推測。否則，他便已得長生久視之道。所以活得比常人壽命為長，才能算得過去。總之：這些疑問，友正都無從稽考，也毋須再去料理。歸納它的重點，所可以證明的，它的淵源，確實是出於禪門宗派。因此他們的制度，便照禪門叢林制度的一部分而來。不過，他們又自認不是出家的僧，只是在家的和尚。因此它通稱本帮的徒衆，便說在家裏的人。所以它精神信仰和社會教育上，又是三教合一，合於傳統文化的精神。（未完）

劉半農記賽金花

，由北京到天津坐的長龍船，（創於曾國藩。）這種船以其頗長故名。兩淮用許多船夫，駛起來快極。一路上迎接，欽差的人很多，眞忙個不了。由天津到上海，改乘輪船，應酬纔少些。到上海我還鬧了一個笑話。我們下了船，我見洪先生已上了轎，我也就隨着上轎，這時候轟然響了三聲大炮，我不知道是作什麼，把我嚇得臉也發了白，身上發起抖來，女僕們趕忙攙着我纔上了轎，原來這是放一種表示敬禮的炮，我那裏經驗過？事後一想，覺得眞可笑。我們在上海住的是天后宮。（請出使外洋大臣，多以此為行轅。）

在歐洲

跟着洪先生到歐洲去的：家屬裏祇有我一人，正太太因須要留家操持事務，不能夠去，那個揚州的姨太太，身體也過弱，常常抱病，禁不起輪船的顛蕩。此外還帶了些隨員和男女僕人，隨員中，他的學生很多，我們出洋的一切裝束，全是中國樣子，便衣或官服，洪先生最討厭人穿洋服，可是我們在船上喫的却是洋餐。我們是過了中秋節，又躭擱些日子纔動的身，到柏林已屆十一月了。

柏林的中國使館（非今館）很是闊氣，起先是一位公爵的別墅，景物很幽雅，一座長形的樓，有三層高，建築得塲麗曲邃。院的周圍種植了許多花木，到春天，樹青花艷，再配上那茸茸像綠厥似的細草，眞好看極了。樓後有一道小河，能划船，閒暇時蕩漾其中，叫人心爽意適。樓裏面的裝置也頗講究，如宴會廳，辦公室，臥房等等，無一不備，我同洪先生就住在樓內的右邊，占了有十幾間房，這房是租賃的，房主本來要賣掉它，先索價很低，洪先生不願意買，後來想買又貴了，終於沒有買成。

我去歐洲只帶了兩個女僕，因那時的人多不開通，一說到外洋，誰也躊躇不敢去，有去的索工資也過昂，這兩個女僕每月的工資就是五十兩銀子，到歐洲感覺着不夠使用，又雇了四個洋丫環，工資倒很便宜，一月四十兩，還是她們自己喫自己。洋丫環很會服侍人，體貼極了，比起中國的僕人對主人還要忠實聽從多多。

我們在歐洲還是喫中國飯，一去時就帶兩名廚師，烹調技術都很精，洪先生用了多少年很得意的人。後來歸盛宣懷家用了。洪先生對於飲食上最愛講究，也最有研究，家裏每次請客，調製出的菜品有許多樣是外邊做不來的。使館裏有請客時，我們也是給預備中餐，歐洲人也最愛喫，不過要囑咐廚師把菜作清淡些，減去油膩，因油膩是中菜的一個大缺點，喫的方法仿洋餐各自分食。（六）

拒絕撤泰

二〇九　胡慶蓉

丁博士一年八個月的牢獄之災並沒有白費，以他的犧牲換取空間是充分的達到了。

丁博士坐牢，堅定了游擊隊他們留在緬甸的意志。固不撤離緬甸，也不撤入其他任何的國家，尤其泰國。

在丁博士投入景東大牢之日也就是與緬戰火開始之時，在泰國的中華民國大使館，特別是武官署，不知道爭的是什麼人的命令是那方面的命令，即在同泰國政府接洽，請泰國政府准許我游擊部隊撤入泰國境內。當時泰國政府也非常緊張。泰國是緬甸打敗的國家。泰國自來是不打仗的，泰國自來是不碰硬的一個國家，在英法統治東南亞的時期，泰國介於兩大之間，「侍秦乎？侍楚乎？」他都侍。即所謂「風到兩邊倒，風大從風，雨大從雨」。德國來了，德國強，他就向德國舉手；日本來了，日本強，他就向日本舉手；中國強了（二次大戰後），他就向中國舉手。試閱讀他的近百年史，只有同緬甸打過一次仗，被緬甸打得個落花流水！一直被緬甸追趕，趕到泰國的故都，即今日之清邁。這是通曼谷的火車起點。當時救泰國於危亡的，就是一位華僑，即今日在曼谷廣場騎馬的銅像鄭王。現在泰王云云就是這鄭王的後裔。

我說明這一段，是希望大家明瞭為什麼我游擊隊與緬戰而泰國竟恐慌起來。泰國是敗兵之國，泰將是敗兵之將，泰兵是敗兵之兵，一聽到緬甸來攻中國游擊隊，他就想到中國游擊隊同他們一樣，不戰自敗，若向泰國退，緬甸追上來，豈不要被緬兵再度攻進泰國攻近清邁……。泰為之懼，就說服了我們的大使館武官署，我們的武官，陳振熙先生，或者也沒有去想想，就接受了泰國的意見，大搖大擺的來到泰國邊境，也就是大其力對面的夜柿，儼然以長官的口吻，叫我游擊隊撤入泰境，他告訴我游擊隊，他們住的地方都已經準備好了。住的什麼地方？就是像黃杰部隊在越南富國島的集中營。明白說來，就是按照國際公法繳械之後關起來。

在丁博士領導之下的中國游擊隊是不吃這一套的。他絕不能接受集中喪失自由，他更沒有忘記他的前途他的任務。假若接受集中，何必逃出虎口？泰國人怕緬甸，但我游擊隊並不怕！泰國的實況，泰國的歷史，丁博士早同我游擊隊分析清楚了。我游擊部隊還是堅持丁博士的主張：決不撤！那裏也不撤，既在緬甸，就在緬甸，我游擊部隊對丁博士有信心，丁博士對我游擊隊也有信心。

陳武官的撤泰計劃是被整個的粉碎了。這是游擊隊之福，也是中華民國之福。在韓戰爆發時期，東北角有一個李承晚，在西南有我游擊部隊，桴鼓相應，對國民政府在國際的地位上大有幫助。我國民政府應該承認，即歐美報紙也都是執這種看法。對於我游擊部隊的撤泰，未能如駐泰大使館武官署的計劃，一時引起大使館武官署的種種不滿，可能台灣方面也有很多不滿的，但仔細的想一想，似乎不能不承認我游擊部隊不遵令撤入泰國卻是十二萬分正確的。主張撤入泰國的還有個誤解，那就是怕我游擊部隊在緬甸不能生存。這是不明瞭緬甸實際情形所致。在緬甸部隊生存最不成問題。不需要外援的幫助，部隊可以獨立生存。

這一次撤我游擊部隊到泰國沒有成功，但我大使館武官署並沒有放棄他的想法，泰國更沒有放棄他的企圖。這就下了第二次的撤，第三次的撤。自毀長城，在歷史上是給人不勝唏噓的……。

文人政治家——諸葛亮

諸葛亮瑯邪陽都人，瑯邪亦名琅邪郡，轄今山東省東南部地，治開陽，在臨沂縣北。陽都縣名，今沂水縣南的諸城縣。

他的先祖為漢司隸校尉諸葛豐，父珪字君貢，漢末為太山郡丞，叔父玄乃今江西省會南昌縣治的豫章太守，昆季五人，他行第二，兄瑾長十歲是東吳的長史，又為大將軍，從弟諸葛誕亦魏的征東大將軍，時人評云：「蜀得其龍，吳得其虎，魏得其狗。」

生於漢靈帝光和四年（公元一八一年），卒於後主劉禪建興十二年秋八月廿三日（公元二三四），相蜀十三年，享齡僅五十四歲，真是「出師未捷身先死，長使英雄淚滿襟」了。

他的兒子諸葛瞻，官至行都護衛將軍，魏將鄧艾伐蜀，並遣人勸他投降道：「若降者，必表為瑯邪王」！因為諸葛姓出瑯邪，分明是威迫利誘，他斬來使，大戰，魏兵破成都，守城血戰而死，年僅卅七歲。諸葛瞻的兒子尚，見父陣亡，歎道：「父子荷國重恩，不早斬黃皓，以致傾敗，用生何為！」馳赴魏軍殺敵壯烈成仁，年紙十九歲，可謂一門忠孝。

娶婦佳話

夫人黃氏，是沔陽名士黃承彥之女，黃頭黑色，是個醜姑娘，但有才德，當其結婚時，鄉里有諺語笑，「莫作孔明擇婦，止得阿承醜女。」其實這位黃夫人對諸葛亮內助殊勝，在他病死後不久也逝世，臨終遺言，惟以忠孝勉其子。

梁父吟、

臥龍先生

亮以廿七歲的年紀出山，接受已屆四十九歲老英雄的劉備三顧茅廬之請，其所以這樣被人重視，是得力於友人的吹噓，如博陵崔州平，潁州石廣元，徐庶（元直），汝南孟公威等都是青年學者。

建安二年正月，叔父玄被殺，與弟諸葛均在襄陽西廿里的隆中耕讀，居處有臥龍岡，故號臥龍先生，自比管仲、樂毅，平日好為梁甫吟，其立志幹一番事業是早有計劃的。梁甫吟詞云：

步出齊東門，遙望蕩陰里，里中有三墳，纍纍正相似，問是誰家墓，田疆古冶子，力能排南山，文能絕地紀，一朝被讒言，二桃殺三士，誰能為此謀，相國齊晏子。

治學修養

他是中國傑出的政治家，對政治、軍事、外交、天文、地理、卜筮、和陰陽無所不知，所發明木牛流馬，運輸軍需用品，充分地說明了他也是個了不起的科學家，雖然如此，但他只是一個傑出的人物，並非如羅貫中三國演義上所描寫的像「神」和「智多星」。

政治思想深受法家影響，如馬謖失街亭，揮淚斬之，猛以濟寬，決不圖私人關係稍假。他是「實用主義」的方法論者，行事只要認為是對的，始終全力以赴，絕不以艱難險阻改變初衷，如赤壁鏖兵，舌戰群儒，七擒孟獲，六出祁山，取隴右伐魏，直至病死五丈原，皆是為人之所不能為的。

澹泊寧靜是其一生大本領，空城計可以說明恰到好處。安內攘外，據蜀聯吳是其興漢的基本國策，而在「天下未亂蜀先亂」之地，能夠有此輝煌成就者，無他，「鞠躬盡瘁，死而後已」的身教感人，公爾忘私的精神非常偉大所致耳。故他不愧為軍事上的好參謀長，在政治上的好幕僚長，實「集儒法之大成，治王霸於一爐」。

前後出師表

建興五年（公元二二七），諸葛亮為武鄉侯南征平蠻後，駐兵漢中，曾上書劉禪：「親賢臣、遠小人、此先漢所以興隆也。」又云：「陛下亦宜自謀，以諮諏善道，察納雅言，深追先帝遺詔，臣不勝受恩感激，今當遠離，臨表涕零，不知所言。」千載之下，讀者猶令人肅然起敬。

越明年，秋九月，東吳陸遜在石亭大敗曹休，孫權函亮北伐曹操，再圖出師，上言有云：「先帝慮漢賊不兩立，王業不偏安。」「鞠躬盡瘁，死而後已。」字裏行間，充滿有血有肉的忠義之氣。後出師表陳壽三國志未載，出張儼默記。

著作

三國志載「亮言教書奏多可觀，別為一集。」計廿四篇，凡十萬四千一百一十二字。今所傳諸葛武侯文集四卷，附錄二卷，諸葛故事五卷，是清張澍所編。

試想他在戎馬倥傯，日裏萬機中尚如此肯做學問，焉能不令那些食肉的大官貴人者流為之愧死。

廟像祭祀

諸葛亮死在陝西武功縣之西五丈原，當卜葬沔縣之定軍山，當姜維扶柩抵成都，百姓如喪考妣，哭聲盈野。景耀六年（公元二六三）春後主立廟四時享祭。是年秋，魏鎮西將軍鍾會征蜀，到漢州，前往拜祭，令軍士不得在墓傍芻牧樵採，其受敵國崇敬有如此者，真是亘古罕有的史事，杜工部有詩詠之：

「丞相祠堂何處尋，錦官城外柏森森，映階碧草自春色，隔葉黃鸝空好音，三顧頻煩天下計，兩朝開濟老臣心，出師未捷身先死，長使英雄淚滿襟！」（文韓）

五十六種砂鍋烹飪

馬騰雲

十三　砂鍋鴨油蛋

用八個雞蛋和以火腿丁、冬菇丁、開洋蝦米、蔥花、薑汁、黃酒二兩用力打勻，砂鍋底以二兩鴨油略煎，將砂鍋取下候冷，把打好的蛋倒入，文火烤十五到廿分鐘，蛋漲香味溢出，就可端上桌，此係採開封鐵鍋蛋的製法。

抗戰初期（民國二十六年冬）筆者在開封梁園習此菜，並入廚房看製作經過，河南人很忠厚，未用理由阻止顧客學習，黃河鯉魚三吃也是這樣學來。民國卅六年在廣東復以同樣方法入廚學習，大師傅雖未擋駕，卻擺出討債的面孔，不過話又說回，即是歡迎我學習，也只好打退堂鼓，目睹三隻貓一條狗在一吊，未滿月的幾條小狗要投入滾鍋，再加上割蛇的殘酷，從那次起對吃粵菜的興趣大減而特減。

雞蛋的營養價值筆者在徵信新聞報講得很多，香港有好幾家報轉載，台北某大報又將這篇文章從港報回籠。二十年前中央宣傳部長某公曾說編輯先生的毛病就是不喜歡看報，這也就是幹一行怨一行，筆者即其中之一，二十年來不再寫政論，而將目標移向醫藥研究，從個人防止「禍從口出」演進成幫助大家防止「病從口入」，亦一樂也。

·王幻·

葉小紈（一）

中國戲劇，由古代之「歌舞」，一變而為「戲優」，再變而為演故事兼滑稽之「雜戲」，三變而為元之「雜劇」。

雜劇每入場以齣為度，故曲皆四折；其後有多至四五十折者，乃別稱為「傳奇」。金元入主中國，所用胡樂，嘈雜緩急之間，詞不能按，詞曲家乃更為新聲，遂有「元曲」之名。亦即在長短的詞句中，更加襯句的新體裁。

雜劇發源於元，但元代只有幾個妓女在作散曲，沒有專門從事於雜劇的女作家，直到明代葉小紈作「鴛鴦夢」，始有女性的作品出現。嗣後有阮麗眞作「燕子箋」，梁夷素作「相思硯」，林以寧作「芙蓉峽」，王筠作「繁華夢」，吳藻作「飲酒讀騷」，女性文壇上才有了蓬勃的生氣。

小紈的父親葉紹袁，字仲韶，號天寥道人，天啟進士，官工部主事。母親沈宛君，名宜修，山東副使沈充之女。紹袁生性不耐為官，乃乞歸吳江的嘉興，過着詩酒流連的隱居生活，生有五子三女，均長於文學。三女中，小鸞最聰慧，她字瓊草，一字瑞草，四歲能誦離騷，十歲能詩。相傳當她十歲時的某一個秋夜，父親出句命她對道：「桂寒清露濕」，她立即應聲說：「楓冷亂紅凋」。色亦美甚，「遣愁集」：「……晨起，未及梳粧，往候其母。母尚未起，揭帳問安，母見其貌美甚，乃笑語之曰：「我見猶憐，未識畫眉人道爾何如也？」（卷十三「集風流」）

年十七，許字崑山張氏，將婚而卒；著有「疏香閣遺集」，一名「返生香集」。大姊紈紈，字昭齊，適袁了凡孫，死於小鸞之先，年只二十三；著有「芳雪軒遺稿」，一作「愁言」。小紈字蕙綢，適沈永禎，獨精於曲律，著「鴛鴦夢」雜劇，流膾人口，列朝詩集謂小紈的「鴛鴦夢」係「傷姊妹而作者」。全劇的本事是這樣：

劇中人物，托為三友：蕙百芳、昭綦成、瓊龍雕，實即彼姊妹三人。蕙百芳為作者自指，所云綦成二十三，龍雕年十七，百芳年二十，亦皆與姊妹年齡相合。沉痛悱惻，甚具眞情，惟以仙佛指點為解脫，未免落套。首從西王母因三侍女塵緣未斷，貶之下界；將二女歸眞後，復命呂純陽去指點所餘一女的事說起，這不似南戲的「開場」，又不似北劇的「楔子」，體裁頗殊於衆。

（未完）

第一二十一章　岳飛為賊三請命　吳玠仙人破金兵

周燕謀

紹興四年金人又欲打通關陝，再寇入蜀，據蜀而東下滅宋。敬金兀朮以十萬之衆先犯和尚原，再襲仙人關。金兵自鐵山鑿崖開道，循嶺東下，欲從殺金平通過。吳玠以一萬守殺金平，吳璘從武階入援。吳璘見殺金平地勢遼闊，前陣散漫，後陣阻隘，宜增築一隘，以示死戰，然後可勝。吳玠從吳璘之計。金兵先攻仙人關，吳璘引兵入援，與金兵戰鬥七晝夜，乃得與吳玠會師仙人關。吳玠身先士卒抵禦。金兵用垂梯攻打，部將楊政以撞竿破金兵之雲梯，以長矛殺之。戰鬥十分慘烈。有人請移地而守者。吳璘拔刀在手，用刀畫地對諸將道：「守則守此，死則死此。然退者斬」金兵攻了數日不下。

一日金兵分為二隊來攻，兀朮東關，韓常攻西關，吳玠之兵介於東西二關之間接應，左繞右縈，隨情況而動。酣戰久之，吳璘之守軍稍疲乏，急屯第二隘。霎時金之生力軍忽至，人人身披重鎧，鐵鉤相連，魚貫而登，吳璘令以駐隊強弓手連弩齊發，射殺金兵屍積如山。金兵踏屍而上，但亦被宋軍猛殺而退。金將撒離喝駐馬觀望久之道：「吾得破敵之要矣！」

次日，金兵攻打西北樓，宋將姚仲奮戰不休。忽然樓傾，姚仲命軍士用繩拉正。金兵用火攻之，姚仲命用酒企撲滅之。吳玠急領田成軍，以長刀、大斧左右砍殺登城之金兵，戰到夜晚，明炬四照，喊殺金鼓之聲，震天動地。（一〇七）

諧聯選

嘯月

章太炎題鴉片烟館主人，五十娶妻年十五，於結褵日題聯賀之曰：

五十新郎，十五新娘天數五，地數五，但願兒孫添五代；

兩三好友，三兩好友，揖者三，盎者三，互相談笑到三更。

熊希齡與毛彥文結婚聯：

熊希齡雄心不死；

毛彥文茅塞頓開。

自由報

中華郵政登記認爲第一類新聞紙類
中華民國內政部登記證內警台字第○五一一號
中國郵政台字第一二八五號執照登記爲第一類新聞紙類

（第一一五七期）

（逢星期三、六出版）（每週刊每星期半）
每份港幣壹角、台灣零售價新台幣弍元
督印兼發行人黃・社長李運鵬
社址：香港九龍彌敦道593—601號廖創興銀行大廈八樓五座
LIU CHONG HING BUILDING
7th FLOOR FLAT 5
593—601 NATHAN ROAD,
KOWLOON, H.K.
TEL：K303831
電報掛號：7191

承印：景星印刷公司
地址：嘉咸街廿九號地下
台灣區業務管理中心：台北重慶南路一段一二九號
電話：二四五七四
台灣區直接訂戶　台灣劃撥戶
第五〇五六號張萬有（自由報會計室）
台灣分社：台北市西寧南路110號二樓
電話：三三〇三四六、台郵劃撥戶九二五二號

本報專論

透視共黨統戰下的「國際姑息主義」與對策

黃公偉

一、可憐在「狼牙」上跳舞的人們

近一年來，國際泛濫着親共的惡風濁流，使我們不由懷疑人類的自尊與良知究否有普遍性？從親共的「先進」國英法談到追隨者加拿大、義大利、智利。他們在「中立主義」，「投機主義」，騎牆主義的路綫外，另爲俄匪新開方便之門，把強盜當善士，將虎狼當朋友，硬是不惜出賣民主自由，而想換得「苟全」的結果。這只是暴露這許多政治領袖的無知，自私再也找不到別的理由。從二次大戰結束到現在，俄匪民主自由世界的不兩立，沒有「共存」餘地，那是共黨進行世界革命一貫策略。不想「越戰」早已終止了。另一方面如果共黨統治下的國土，果眞的像共黨匪徒們所宣傳是消滅了階級制度，化了人間樂土。那匍牙利的革命、羅馬尼亞抗俄，波蘭的反共，乃至蘇俄外交官、作家的投奔自由，史達林女兒的脫離共黨，都不知自愛了。不妙的是這些事實恰恰證明所謂「社會主義建設」，完全比暴君貴族的專橫統治還慘酷十分。這些人的投奔自由，這些被關入鐵幕內的國家的抗暴革命，看到聽到今天自由世界，還有不少自命爲獨立中立人士，爲共黨張目他們不能不感到失望。不能不感到「棄暗投明」。客觀上，鐵幕內的抗暴之壓起壓伏投奔自由的人纔足不前，非爲共黨鎭壓有方，乃爲沒有自由世界的行動支援。這是當前俄匪「抗戰」最大的收穫吧。

我們冷眼看國際「姑息主義」逆流的泛濫，並不以共黨統戰宣傳爲可怕，却爲現實名列自由陣綫強國的若干政治領袖的短見，愚昧幻想與共黨「共存」和平相處爲上策，甚至如美國尼克森喊着「以談判代對抗」，才最可怕。因爲這等於被共黨解除了武裝。精神上已被共黨佔領了。試問，這批政治領袖們，站在狼牙上扮演政治魔術，玩弄和戰花槍，還想重生存，那能逃出死亡的宣告嗎？可憐的魔術師們。

二、是「談判」還是「對抗」？

我們不必苛責尼克森他懂得共黨的「陰謀」實在有限，美國在越南戰場上的投資數字驚人，竟未換得些須教訓，那才令人氣短呢？共產黨是強盜、是流氓、是騙徒無賴，舉世人類誰不知道。而尼克森竟亟想和這些惡徒「談判」，解決敵對問題，實在過分自我陶醉了。在政治上共產黨人的談判在處劣勢」時所表出姿態。是假談眞打。到了毛匪所謂「相持」階段時，就一面談一面打了，如到了「優勢」時，他就要你投降。美俄與美匪的現實關係是「相持」。共匪的一貫謀略永久離不開「統一戰綫」培養「武裝鬥爭」。談判是在你的心臟建立我們的陣地。

共匪的外交談判？永遠以此爲目的 換言之共黨倒是以對抗代談判。談判是對抗方式之一。並不把問題的解決付諸談判。相反地，却以武力解決爲目的。這該是尼克森所想不到的吧。

共黨的「矛盾論」當作處理一切問題的總綱，甚於國際民族矛盾，階級矛盾，主要與次要矛盾的觀點，他們向來是專家。爲什麼尼克森偏用「同一論」來對「矛盾論」呢？難道共產黨就是自由民主，共匪就是尼克森，這個命題講得通嗎？如果共黨亦如此那俄匪就不必反「美帝」了。就不必在美國製造「美共」了。事實很明顯，想懷柔姑息共黨的美國紳士、資本家們，除了想「苟免」於戰禍外，根本沒有模淸共黨的行情。抱着「金碗」做「乞丐」，那正好是共黨理想的俘擄。難道不出代價就會保持自由嗎？美國人的天眞，幼稚爲親者痛，仇者快。我們還說什麼呢？

二次大戰的惡果產生了兩個德國，兩個韓國，兩個越南。那是美國「聯俄」政策的傑作。今天還唱「兩個中國」濫調。我們不妨直接了當的說，假如自由世界不援助中華民國收復大陸，總有一天還會有「兩個美國」。這兩個美國的結果，就會變成一個赤色的美國。因之，我們正告美國的「鴿派」人士，要「兩個中國」就等於承認共產埋葬「美帝」的陰謀。這是多麼荒唐不切實際的妄想啊！

三、世界反共聯盟應「行動代」了

當姑息主義的妖霧漫延之際，我們既見「世盟」，「亞盟」集合了多方才智之士，開會籌商反共對策。這個具有歷史任務的國際組織，才是眞正的抗暴神經體。對那些恐共，親共，媚共份子而言，不妨在這個組織裏「受訓」一番。因之，我們建議「世盟」的初步行動，當以姑息主義盛行的國家將「行教」對象。其次才是由觀念的同盟，到反共的行動同盟。團結一致，共同展開，消滅共黨的軍事作戰。那才不落空談。換言之，自由國家必須在觀念上，政策上澄淸動搖妥協的不良傾向，然後不爲共黨所利用，打破共黨的「統戰」陰謀。繼之以果敢的一致的對共作戰。庶幾不爲共黨「游擊戰」所困，不爲「消耗戰」煩惱。所謂舉世反共大計於一舉化局部戰爭爲全面戰爭。才能換取永久和平。請問尼克森總統，及美國有識之士，是否應作如是觀。

自由談

美國實行「兩黨政治」，共和、民主兩黨憑選舉以交互執政，歷有年所了。表面看來，這是政黨政治的楷模，亦爲民主生活的優良軌範，其實不然。

所謂政黨政治也者，各黨皆有其獨特的政綱政策，外以號召羣衆，內以團結黨員，一旦取得了政權，即將本黨素所標榜的政綱政策，付諸實施，間信於民，壁壘分明，涇渭有別，如英國的保守黨與工黨是也。

閒話兩黨政治

美國的兩黨政治乃徒有其名而已，衡以政治的眞諦，可謂擬於不倫。何以見得呢？一見之於民主、共和兩黨所訂定的內政政綱和政策，大同小異，沒有甚末區別；再見之於兩黨的黨員對黨籍隨便出入，毫無所謂，即在議會中表決重大的政事或法案時，本黨議員亦不受黨的約束，儘可跟敵黨人士合作共鳴以反對本黨的提案；更見之於代表本黨出馬競選總統的人物，亦不妨臨時拉伕，挽請黨外人士承其乏。祇是在新選總統就位後，對於政府各部門的首長任用，必須酬庸本黨助選有功的黨員耳。

因此之故，每逢美國總統改選之際，民主、共和兩黨即專以外交問題——特別是遠東問題——爲競選題材，而絕口不談內政。蓋兩黨人士對於內政問題的主張無甚差別，不足以聳動社會大家的聽聞，博得多數選票，尤其不能信口開河，胡亂宣傳，以免引起選民的反感。唯有爭辯遼遠地區的外交或軍事問題，選民十有九都茫然莫名其妙，甚於兩黨政客們所爭論的遠處事項，究竟是在世界那一角落裏發生的，也不知道，祇好以耳代目，聽信政客們的花言巧語而投票呢！

這樣的民主制度，固然說不上「兩黨政治」，也不能斷定它對民主生活的利害得失孰多？但有一點情形是必然的，即在這樣的選舉方式之下，眞正有高深學問和雄才大略的賢豪之士，絕對不會獲選的！

馬五先生

昨日與明日

基督精神

中國大陸上毛共政權控制下的乒乓球隊，邀約了美國球隊到大陸去游覽一下，美國政府當局除表示十分欣慰與光榮的心情外，尼克遜總統迫不及待的宣佈撤消禁運令，允許商人把若干種類的物質，販售毛共區域，還有國會議員建議將噴射飛機亦售予毛共。耶穌說：敵人打你的左臉，把右臉亦送過去。尼克遜先生眞不愧爲虔誠的基督徒，上帝一定保佑他明年競選連任總統成功，阿門！

所謂「禁運令」，原係基於商業主義的立國精神而然的，滿以爲可獲致意料中的效果。但二十年來，毛共不買美國貨品，亦無所謂，而且隨時在沿海地區舉行商品交易會，讓各個資本主義國家的商人去談生意經，却不許美國商人參加，這在美國人的心目中，眞是悲悲切切，慘慘凄凄，具有說不出的隱痛。忽見毛共對「美帝」露出了一點笑容，爲着商業利益關係，當然歡欣鼓舞，趕快撤消禁運政策，俾能參加毛共正在廣州準備舉行的交易會。

尼克遜的基督精神之所以博得全國讚許，良有以也。

政治家與政客

每一個國家的外交政策，必然是以本國利益爲基準，決無舍己以從人者，美國自不例外。

可是，居於一個自由領導地位的超級強國，它的外交策略却須有高瞻遠矚，目營四極的理想作指導原則，顚沛必於是，造次必於是，小事不妨遷就，大事決不馬虎。如美國富蘭克林、羅斯福總統，在二次大戰發生伊始，全民一致反對參戰的形勢之下，他即站在民衆前頭，講述「防疫」理論以激起民衆反法西斯極權侵略的情緒，終於實行參戰，使美國一躍而成爲自由世界的盟主，這纔算是政治家！

當尼克遜獲選總統之初，吾國人士羣聲稱讚，大表歡迎，我在本報曾提出警告，盼望大家不要太高興，以爲我們反共復國的前途大放光明了。我的理由就是認爲美國的對外政策要以美國利益爲主，尼氏固屬反共人士，但他不能專爲我們而拔刀相助，却沒有料想他純粹是個政客作風，有如今日之所爲。

自從羅斯福去世後，美國已沒有一個像樣的政治家，把富强甲於全球的超級國運，交給二三流的政客之手，隨便糟蹋，自相作踐，是誠可悲也夫！

・何如・

印度鈔票最髒

浩森

印度境內流通大量骯髒的鈔票，而且有一批牟利商人正因把它們弄得潔而獲厚利。

雖然印度每年製造出三十六億張紙幣，但它是經常被弄得污垢不堪，有的來自天氣，因而經常需要更換。

一如其他國家，銀行是負責收受污垢的鈔票，並兌換新鈔的，但這間銀行，特別是在孟買市內，工作效率甚慢，而且充滿了官僚作風，使私營的包辦人也幹找換新票生意。

印度當局承認，在大多數國家中，紙幣的平均壽命能維持十八至廿四個月，但在印度境內，這個生命循環僅及一半。

除了印度境內濕度很高之外，令人難受的熱天氣，宗教和貧窮，亦使鈔票迅速殘破。

一個商業集團尊敬鈔票女神，用朱紅和檀香木油染在鈔票上面，相信女神會繼續保護處比。

此外，很受貧困所迫的勞工，經常都是穿着簡陋的粗布或帆布，甚至沒有袋來裝鈔票，只得把鈔票捲存在衣服下端。

由於印度儲備銀行每兌一百張鈔票即發行二十五張新鈔票，所以私人商店便大有生意。

在孟買的最忙碌部分，至低限度有三間同樣的商店，每次的交換收百分之一至五的手續費，手續費的高低則要看鈔票的新舊程度而定。

這些商店的店員，把鈔票帶儲備銀行，按照平時的途徑，換回新鈔票。但這些所謂正當途徑，使到很多商店轉與私人商店交易。

（未完）

何不啟用江學珠

天下雜論

成公

九年國民教育，已經推行三年，當年入國中的學童，今夏已到初中畢業，考升高中的時候了，這就國中來說，固是三年有成的一個總結算，對今年高中招收新生講，也是一個數量空前，事近創辦的一件大事。招考辦的好不好，直接決定今年各校所招學生的命運，間接將影響今後考試的利弊得失，關係極為重要。

這一事實，當局不僅知道，並且有慎重的措施。北部高中聯招（北部也就會左右全省）決定由最有聲譽，最有經驗的北一女主辦，這原定大家公認為最佳的決定，但北一女之所以好，好在江學珠之領導。現在恰好這時，江學珠竟然強迫退休了，北一女失去了江學珠，不等於肉體失了靈魂嗎？（至少在過渡的一段短時間）何況一、既無繼任人選，二、代理校務的教務主任，也患重病住院，短期不能出院，三、校務落在一位教務處的組長身上，這樣連降三級北一女不僅羣龍無首，根本就失去了樞紐軸心，請問一位一向蹲在教務處裏排排課的組長先生，怎能一夜之間成長起來，內而領導本校教員，外而領導各校校長主持聯招事宜，尤其嚴重的，是日前由某校長出頭邀集各校校長聚談，竟然到會小貓三隻四隻，開不成會，大家都公認假如是江學珠氏邀集，一定會全體到齊，因為今天中等學校校長的聲望，無人能與江氏相比，這是不可爭的事實，何況他本身又超然而少恩怨——這樣下去，聯招的前途不卜可知。

現在江學珠已是退休了，我們自不必再作與法相違的事，但針對這事實的需要，我們何不由當局臨時徵調江學珠氏專案主持此一聯招，籌辦好了，樹立規模了，再交差，豈不是很好的辦法嗎，江氏是教育家，現在也沒有事，他一定肯不辭辛勞，而獻身報國的。

丈夫移情殺死糟糠

倫敦發生分屍慘案

義犬顯神通供給有力線索

犯罪證據確鑿案情終大白

（自由報倫敦消息）春初，濃霧籠罩着英倫律頓地區。是正午時份，兩名渠務工人，在市郊工作完畢，正要涉過一條小河，返回市區。其中一人，在河床上踏着一個帆布袋子，裏面好像隆然有物，便呼他的同伴，將帆布袋拖至岸邊，然後解開，裏面竟赫然是一條赤裸裸的艷屍，使他們吃了一驚。艷屍被析成數片，放在帆布袋內，用繩索綑紮。警方聞報，抵達現場，死者的被謀殺，是無庸異議的，需要解決的是如何破案，追拿兇手。死者屍首透露的綫索不多，帆布袋很普通，在市面上都有出售，繩索也沒有什麼特徵。

死者約五尺三寸高，紅髮棕眼，身材頗為碩健，年齡是由卅至卅五歲之間。警方將屍體併合，拍成照片，死者口部牙齒，全部脫落，連牙肉的形狀，死者的牙齒，全屬假牙。醫生肯定死者曾生過兒女，遇害時已懷孕四個多月，做成一屍兩命慘案，死者受害時間經在廿四個鐘頭前，被棄在河床上，差不多一日一夜。

死者身上什麼都沒有。衣裳、戒指及任何飾物，也早被脫去，身份無從辨認。警方人員拍得她的照片，交與各電影院放映，請求任何人士，倘認識死者，向警方舉報。但死者的額面受毀甚深。她底十七歲的女兒，由電影院銀幕看到被害的母親，竟致不能辨認。警方曾邀請多名在律頓地區居住的老居民前來認屍，但也得不到什麼結果。

警方人員出動，命令潔淨工人合作，搜索衛上或垃圾桶廢物池，有沒有死者遺下的衣物。在當日聽到類似女子呼叫聲的人，都被邀到警署，接受問話。三個月過去了，可是一點也未有破案的綫索。後來一名警察，在路上見有一隻黃色的小狗，咀裏啣着一張廢紙，撲向他的身邊，他幾次予以驅逐，那小狗仍不離去。並舉頭好像要將紙投給他的樣子。那警員為了好奇心驅使，拾起紙來一看，原來是一張洗衣單，上邊註明光顧者的名字和地址。光顧的人是格連太太。警員持着洗衣單到店裏去查詢，竟無意的發現了一個極大的秘密。

照洗衣店裏的人所描述，拿衣服前來洗的是個女子，身材年齡與容貌，說來竟與死者相像，警員大起疑心。立刻返回警署報告一切。大隊警員，依照洗衣單上的地址，找尋格連夫人，開門的是個女孩子，約有十七歲大，說是死者的女兒。她母親於數天前在父親陪同下離去，據說是去外婆那裏，此後便一直沒有回來，但卻有多封信件，是母親去後，寄給她的。

探員在屋內，守候格連回來，他是一間小型商店的老板。回家後，見有探員在家，臉色大變，探員便肯定他們的懷疑沒有錯誤。探員追問他妻子的下落，格連肯定的供說她是去了隣埠外母的家裏，並取出一疊信件，指證那是妻子，隣埠寄給他和女兒，但在警察搜索之下，在格連的私人抽屜裏，有一本小冊子，是格連信件紙質相同，而練習簿却是用來模做格連太太記事冊上的筆迹。顯然那些信是格連寫的，目的是用來瞞騙女兒。

格連百詞莫辯，終于承認了殺妻之罪。原來他近年來，在事業上稍有成就，飽暖思淫慾，戀上了公司的女秘書。兩人間有了私情，那女秘書要脅他要結婚，格連天良喪盡，竟欲遺棄曾在事業上幫忙過他的糟糠之妻。格連太太當然不肯罷休，要索取一筆龐大的贍養費。格連在雙方面壓力之下，頓萌殺機。當晚引誘格連太太出外談判，用車載她至郊僻地區，陰謀地乘妻子不覺，用鐵鎚將她擊斃，再將屍首鋸開，盛在帆布袋裏，埋入河床，讓屍首慢慢腐化。他將兇器埋在山邊，用河水洗潔車上的血迹，便駕車回家，對女兒說已將母親送至娘家。他以為神不知鬼不覺，誰知天網恢恢，河水退時，恰巧兩名渠務工人涉足經過，踏着那屍體，揭發此宗謀殺案。至於那隻協助破案的神犬，是格連太太所豢養，一向視之如掌上明珠，那天，牠不知怎的逃出屋外，啣着主人的洗衣單去報案，事後則不知所踪。至於格連，則被判死刑。此一神犬破案奇聞，現仍為律頓地區人士津津樂道。

美國一同性戀教授

宣佈競選國會議員

政綱是使所有人獲個人自由

（自由報香港消息）外電報導一名認為美國漠視個人不同興趣之同性戀者。現時競選國會內之「哥倫比亞區」新議席，彼之競選政綱乃所有公民均獲致「個人自由」。此名同性戀者為四十五歲之王老五卡曼尼，曾在一間耶穌會大會任天文學教授，彼認為個人乃第一位公開競選國會議席之同性戀者，哥倫比亞區選舉將於本月廿三日舉行，卡曼尼稱：「同性戀擬提醒一個在許多方面忘記美國主義意義之政府及國家——此乃一崇尚個人自由及個人情趣之國家，維多利亞女王早已去世。清教徒已經不復存在矣。」卡曼尼續稱：「彼之競選運動，乃許多競選中央政府，州政府及市政府官職之同性戀者擬進行之第一項……政界人士及居官位者，對同性戀者採取漠視態度。」上述之哥倫比亞區即首都華盛頓，國會於去年通過一項法令，准哥倫比亞區選出一位衆議院議員，此位議員可以在衆議院內參加辯論，但不能參加表決，此乃衆議院在過去百年來之第一個華盛頓議席。

超音速運輸機

威脅氣候穩定

可能造成世界長期寒冷

（自由報香港消息）外電報導：超音速運輸機的時代快要來臨了，可是科學家對此有一個隱憂，這些飛機將來在空中長期飛行後，會造成對氣候影響，產生的變化，可能使地球投入一個四季都是冷到結冰的年代，眞是吃不消的事。

超音速運輸機是一支飛鏢型的東西，其大有如一個足球場，是今後數年內，生態學家研究的目標，他們提出警告說，這種化了數十億美元研究費造成的飛機，會造成環境上的慘劇，它將在同溫層的兩倍半的聲速飛行，有些美國的專家，例如總統的顧問羅泰特里，最近已發出警告，五百架超音速運輸機，在六萬五千英尺高空飛行，發出的蒸發水份，在幾年內的積聚，可能將同溫層的水份含量，增加百分之五十五至百分之百，因而威脅了整個世界的氣候穩定。

若干專家預測，可能有更暖熱的氣候，其他的專家則警告謂美國的一部份地區可能進入一個長期寒冰的時代，溫度處於結凍的度數，這都是由於超音速運輸機在同溫層造成染汚的結果。

生態學家正注意此事，他們感覺勢必有超音速運輸機造成的染汚，每一次的飛行，這種飛機在同溫層發出卅噸的塵，另機尾噴出的四十噸水氣。

‧越南戰場美軍出奇制勝‧

用海豚搜集情報

‧艾倫‧

很明顯這是可以代替一部份蛙人或諜報人員的工作，所以傳出美軍動用這一種「特種兵」——海豚，也不稀奇，因為越戰中已經有不少新式武器在運用及試驗中，雖係不包括海豚在內，而且海豚的訓練在美國頗為先進，不少國人水族管理，亦派員前往學習，而且不少訓練亦證明人與魚在若干點上，仍舊可以達到思想交流。

最近日本也從美國西雅圖進口兩條海豚類的魚，養在千葉縣，並且由訓練海豚專家加以訓練，兩名專家均係在西雅圖受過專業訓練，該兩條是在去夏在太平洋由美國漁民捕獲的海豚，現時在美國訓練（一段時間後）再交由日本人員訓練，原來是野性得可以殺人的海豚，已變得馴服如小貓，完全可以放棄了殺人的習性，而以友善姿態出現，可以在水族館人員指揮下，以口哨或訊號指示表演。

這兩條原本是一雌一雄的海豚，曾在西雅圖水族館接受為期三十二天的訓練義賣給日本，去年九月運回東京，即由專人着手訓練，他們日以繼夜由兩名專責人員訓練，重達三千磅大海豚，訓練起來與其他水族生物是有不同，多少是帶有冒險性，牠們雖然是一雌一雄，是比較容易相處，但是麻煩仍舊不少。

首先要有一個深十五呎的大池，面積約為三十平方呎，雖然有一個大池，但卻不是放入海中，而是用一些化學原料配合，使新鮮清水能適應他們生存，由於水壓力相當大，所以建築是使用純鋼結構。

這兩條龐大海豚每日要進食大量鮮魚，約七百條盈呎長的鮮魚才飽，這是從訓練開始後，牠們一直以此作為食物。

訓練原來野生的海豚，是不容易。據管理訓練員稱，不是我們不喜歡牠們，而是在訓練首先的一兩個月仍舊是要處處防範，雖然開始熟習也難免有恐懼。另外一個問題乃係這些海豚的壽命是直接影響訓練的，因為這些海豚類的動物，據估計最長壽也是十五年間，同樣是會受到空氣，水深度及水溫的影響，有時一個地區天氣秋冬間適合牠們，但是春夏便有問題，又得靠人工來改善培養環境，而維持每日的消費，不得不賴表演來帮補，也成了遊覽節目之一。

此外日本在九州別府有一個大型水族館，曾經由館長設計由一名女潛水訓練員，與三千條不同魚類，同在一個來回程達三百米的大水族箱中，作人魚交游表演，由健美的女演員表演水底舞姿外，還可以證明一點，起先魚類看到人在水底舞動，大多數都是驚怕奔走，但日子久了，由於表演者與魚類同在海底而且給食也在手上遞給，兩者竟告訓熟、最後還似有對話表演，最精采的還會表演人魚親吻，所以有謂這是大魚在感情上，可以作進一步的溝通，此外魚類對電壓反應，顏色都可以在訓練時加以辨認。同為魚類與人熟絡後，在手上進食情形。（續完）

劉半農訪賽金花

他們吃完以後，都極口稱讚說：「中國菜的味道美，最好吃。」——這句話可不是容易獲得的呀！因為那時廚師少，忙不過來隨便，找個人又帮不上手，都是我帮忙，有時候手腳不閑的忙上好幾天，纔能弄完，眞累極，最可笑的，是叫洋丫環揀燕窩，她們那裏弄過這個？把眼睛全弄紅了。

我在歐洲還請了一個女陪伴，這種人也是伺候人的性質，不過比起普通女僕却高貴，可以和主人在一起吃飯，彼此相待的有些客氣，我請的這個女陪伴，沒有什麼事叫她做，除了早晨給我梳梳頭，整日間便陪着我閒玩，我的德國話就是從她學會的。

有人說，我在歐洲的舉止很闊綽。每次由外邊歸來，都有四個洋丫環提着明角燈引導我上樓，這事到有；不過，我在國內時也有四個丫環給我打燈籠。又有人說，我在歐洲常常到各跳舞塲裏去，那却是一派胡謅，要想一想，我是個纏脚女子，走動起來是如何的不方便，而且我在歐洲就連洋裝也沒有穿過。叫我怎麼跳得起？休說到跳舞塲，便是使館裏遇着請客，按照外國規矩欽差夫人應該出來奉陪，可是我只出來打個招呼，同他們握握手，就退回去，洪先生是最反對外國禮節的，常說他們野蠻，不可仿習。

德皇同皇后我都見過幾次，覲見時，我穿中服行西禮，鞠躬或握手，有時候也吻吻手，時候常是在晚間，那時宮裏還沒有電燈，全點蠟燭。有名的俾斯麥宰相，我也見過，是一位精神矍鑠的老翁，長長的鬍子，講起話來聲音極洪亮。

我住柏林最久，也到過聖彼得堡巴黎倫敦等處，但只是遊覽性質，不幾天便回。我在柏林還生了一個女孩，因生在德國，取名叫德官。

洪先生人雖精明，只是性子太固執，到了歐洲一點洋物也不肯用，還是穿那三道雲式的福字履，布襪子。有一次出去應酬，因多走了些路，回來把脚都磨壞了。（七）

名學人李熙謀來函

·文匯樓主·

頃閱貴報本年三月十日版轉載教育部國際文教處主編之「海外學人」第七期一文，貴報並加義正辭嚴之評語，熙謀已作一簡短答覆送請鍾部長在下期海外學人上刊載。茲附奉副本一份，請予斧正如能在貴報賚貴一角地予以發表，尤所感荷，此上

自由報編輯部

李熙謀拜啓
三・卅・

附致鍾部長副本一件：「高光部長鑄兄道席敬啓者，頃閱貴部發行之「海外學人」第七期有倫敦黃毅軍先生通信一則，標題是「爭取人才與中醫問題」文中有涉及熙謀事。黃先生遠居海外，與國內實際情形，或有隔膜，爰將鄙見一二，抒述如左，藉供黃先生參考。

一、爭取國外青年學者返國，乃我們全國一致之願望，學術界尤具熱誠。最近東吳大學，有充實理學院師資計劃，端木愷校長曾多方向國外羅致物理教師。照教育部印發之學人名冊，願意回國者，計有四百餘位，多數表示願返國一年或半年，且每希望獲得國家科學委員會客座教授或副教授待遇。不幸的是，東吳私立大學，國家科學委員會客座教授副教授，僅分配於公立大專院校，故東吳擬聘之物理教師，至今尚在向國外爭取中。自然科學青年人才，返國服務，遭遇困難，有如上述，其他部門學者，類似情形，恐亦難免耳。

二、熙謀自民國四十二年辭去聯教組織駐日代表職務，返國服役，曾任教育部次長，主持國立交通大學，因為接受了國民大會代表公費，向不支領薪給。現在仍任行政院顧問，及原子能委員會委員，但亦不支薪。不支薪給，即不占政府或學術機關之法定名額。與青年返國就業，毫無妨礙。熙謀在國內服役已十餘載，並曾代表國家，出席國際會議黎之，如巴聯教組織大會，維也納之國際原子能總署年會，前後計十數次，與共產主義國家代表，常壇坫折衝，為國家維護代表權與榮譽。此項服務，與爭取海外學人返國計劃，似亦無絲毫之衝突。

三、中醫中藥施惠於中華民族者，原不在一二人之毀譽，熙謀本人親受其惠，已不只一次。謂「决無存在實用的價值」是否太武斷了？以上數端，擬請部長准許在「海外學人」下期一角之地，予以刊載或亦黃毅軍先生所樂聞，則幸甚矣。敬頌勛祺

弟李熙謀敬上
三・二九・青年節

駁人性獸性與鬥性

·湯如炎·

須知天下興亡隨英才而正變，生之教之則天下興，殺之陷之則天下亡，此生殺教陷之權則唯一操諸其上一代之手；後生可畏，未來莫卜，人生不滿百，後悔無幾時，怎麼可以「反是獨立」陳便亂來！

易曰：「一陰一陽之謂道」。這個一陰一陽生生之道是宇宙最高概念。概念左右思想，思想左右云為，概念不明，一切「思想云為」之是非、善惡、美醜便無從作正確之認定。「名詞」所以表達一定的概念；由於概念都是相對而發生的，各類名詞也就形成孿生的兄弟姊妹了。太極是陰陽「靜」的象徵名詞。兩儀是陰陽「動」的象徵名詞。旨在說明陰與陽是相對的，非絕對的；是二元，非一元。中國古代的老子莊子，歐西近代的愛因斯坦，似都有此同一理解。故周易的陰陽二元論至少必為無思想上成見的哲學家科學家共同承認之眞理，宇宙本體「一元二元」之爭，最近的將來定可告一段落。國父孫公在「軍人精神教育」第一課中說：「瞻觀六合之內，一切現象蘊然畢陳，種類至為繁夥，……要不外物質與精神二者。」總統蔣公在「為學辦事與做人的基本要道」中也說：『無論唯心唯物，如果偏執一見，都是錯的。』竊陰陽二元「曲成萬物」，萬物莫不有其精神，即所謂「性」是也。而萬物異質；異質則必異性。勞倫茲鞏偏執「鬥性」以概生物之性，顯見其昧於物質與精神孿生之道與理。

昔我先聖之畫八卦也：以「一」具陽剛之象，陽剛則發展健，故畫卦始自陽交，法自然之道，重始也。以「一」具陰柔之象，陰柔則發展順，故畫卦自下而上，體自然之理，重序也。以此，兩儀各重以一陽與一陰，所生之四象，與四象各重以一陽與一陰，所生之八卦，其先後順序為：坤、艮、坎、巽、震、離、兌、乾。——此即邵子津津樂道之先天八卦之順序。自乾至坤，陽與陰相輔，剛與柔相濟：乾為純陽，具剛健之性；兌為少陰，具和強之性；離為太陽，具明麗之性；震為中陰，具奮動之性；巽為中陽，具滲入之性；坎為太陰，具險陷之性；艮為少陽，具聚止之性；坤為純陰，具柔順之性。周易稱「一陰一陽之謂道」，係就陰陽內在之德立論，陰陽內在之德相對交感，何來鬥性？現代稱「一陰一陽之謂電」，係就陰陽內在之力立論，陰陽內在之力相互吸引，更無鬥性。果陰陽之一存在有所謂鬥性者，則孤陰不生，獨陽不長，連單細胞生物亦無由發生，那能演變出這麼多蟲魚鳥獸？更何有於人類！

上述陽陰剛柔之性相輔相濟，也不知經過幾許億萬斯年，乾性（剛健之性）演出「自尊性」，獸如佛佛，魚如喜其儀；兌性（和悅之性）演生「求嗣性」，獸如淸狗，魚如鰻鮭；離性（明麗之性）演生「警覺性」，獸如狐狸、鳥如野鷄；震性（奮動之性）演生「反抗性」，獸如獅虎、蟲如蜂蠆；巽性（滲入之性）演生「逃避性」，獸如斑馬、鳥如麻雀；坎性（險陷之性）演生「求食性」，獸如豬狗、蟲如蒼蠅；艮性（聚止之性）演生「合羣性」，獸如牛羊、蟲如螞蟻；坤性（柔順之性）演生「容忍性」，獸如駱駝、鳥如火鷄。——凡此八性，無一可以解釋為「鬥性」者，其所產生之行為可以解釋為基本性之變向行為有之，實用由可以解釋為所謂「鬥性」的變向行為者。

又，其（五）有云：「就是為了這個緣故，所有領土性強，鬥性高的魚類，身上的彩色都特別鮮艷，而且只有在碰到同類時才會發光。這些彩色就和有些人家門口掛的「非請莫入，入則報警」的牌子作用一樣。……任何禽鳥學家都會告訴你，雄鳥而且只有在搶到可以築巢的地盤之後才會大展歌喉，牠的歌聲就像我們使用的私人名帖一樣，主要的目的是在警告別的同類：「這兒有我為王，你們頂好識趣一點，不要亂闖。」研究家禽的專家包麥，曾把公鷄的叫聲譯成我們人所常用的話，他說每隻鷄的叫聲不盡相同，當牠引頸而啼的時候，牠的意思並不僅是：「我在這兒！」而是「我——阿金在這兒！」——蘇格蘭獵場裏的紅松鷄。

（未完）

青帮的內容和帮規（下）

·南懷瑾·

（二）帮規和禁忌

甲、十大帮規

（一）不准欺師滅祖。（二）不准藐視前人。（三）不准提闆放水。（四）不准引水代　。（五）不准江湖亂道。（六）不准擾亂帮規。（七）不准扒灰倒攏。（八）不准奸道邪淫。（九）不准大小不尊。（十）不准代髮收人。

上面所列，還是後世帮規，已經因時勢人事的需要，加以修改的。而且在每一條之下，都有不押韻七言絕句一首，作為註釋。原始與後世的帮規，有六條不同。原始的帮規，第二條原來是：「不准不孝雙親。」第三條原是：「不准投拜二師」。第六條原來是：「不准盜賣安消」。第七條原來：「不准欺寡凌弱」第八條原來是：「不准記名收人」。第九條原來是：「不准嫌婢亂宗」。

現在將它帮內每條的韻語註釋，記錄如次。雖然言辭鄙里不文，卻都通俗易曉，用之於教育訓戒勞動羣衆，確實明白簡要。而且由此可以看出他們範圍帮立身處世的宗旨了。（一）欺壓前人罪彌天。滅祖之過罪難言。常存義氣遵聖訓。投師訪友有何難。（二）前人明訓要譁尊。安清遠近不能分。師道雖淺莫輕看。藐視即無義氣存。（三）各帮河運要相觀。擅自開闆犯戒愆。最忌扯蓬私放水。遺殃大象難行船。（四）水之在天為五行。中樞於船有大功。不准亂引代　渡。水涸船淺天地空。（五）進了安清戒要遵。須防私充假冒人。江湖名流宜愼重。不可亂傳希重金。（六）香堂止靜莫嘩聲。攪擾焉能體態恭。左右端莊稱模範。帮規整肅亦威風。（七）帮中扒弄敗名聲。利己損人不可行。搗亂中落話普。存心攏擾非英雄。（八）為奸作佞心不良。私行盜竊終非昌。棄邪歸正眞君子。淫惡不戒天昭彰。（九）只言安清進五倫。貴賤勿論字為尊。貧富須用周公禮。大小不尊欺前人。（十）代髮未會開善門。未開善門怎收人。上罷錢糧為受戒。受戒始准收賢人。

乙、十大禁止

（一）一徒不准拜二師。（二）父子不准拜一師。（三）師過方不准再拜。（四）關山門不准再收徒。（五）徒不收不准師再收。（六）不准兄徒弟師。（七）本帮不准引本帮。（八）師過方不准徒替收。（九）進會不准辱罵本會中人。（十）香頭高不准自高。

（未完）

孝道的宏揚與光大（三）

·李宗黃·

「義」者，事之宜也，孝經上言卿大夫之孝云：「非法不言，非道不行，口無擇言，身無擇行，言滿天下無口過，行滿天下無怨惡」（卿大夫章第四），作到這個地步，就可說得事之宜，因此「孝」也就是「義」之根本。和平者，不爭之謂，孝經上說：「事親者，居上不驕，為下不亂，在醜不爭」（孝行章第十），「在醜不爭」固然是和平，「居上不驕，為下不亂，」也就是　國父所謂：「中國人幾千年酷愛和平都是出於天性，論到個人便重謙讓，論到政治便說不嗜殺人者能一之」的道理，因此「孝」也就是「和平」的根本。

至於四維根本於「孝」，可以引曾子的話來說明：「君子之所謂孝也者，……家之本教曰孝，其行曰養。養可能也，敬為難，敬可能也，安為難。安可能也，卒為難，父母既沒，愼行其身，不遺父母惡名，可謂能終矣！仁者，仁此者也；「禮」者，履此者也；「義」者，宜此者也；信者，信此者也；強者，強此者也；樂自順此生，刑自反此作」，（見禮記祭義）。

這一段話中，雖沒有提到「廉」與「恥」，但是照　總統的話來說：「廉是淸淸白白的辨別」，「恥是切切實實的覺悟」能知「樂自順此生，刑自反此作」，就達到「淸淸白白辨別」的目的，能「仁此」、「履此」、「宜此」、「信此」、「強此」，就算是達到「切切實實的覺悟」的目的，表面上沒有提到廉恥，實際上已經包涵有廉恥了。

人類道德，八德四維，業已包括無遺，八德四維，均淵源於「孝」，故云：「孝者，德之本也」。人的價值，因德而提高，社會上事業，因德而發展，「孝」既為德之本，亦即為人之本，故論語上有子曰：「其為人也孝弟，而好犯上者鮮矣；不好犯上，而好作亂者未之有也，君子務本，本立而道生，孝弟也者，其為仁之本與！」有德存在，就必有孝存在，有人存在，也就必有孝存在，無空間時間的限制。故曾子說：「夫孝，置之而塞乎天地，溥之而橫乎四海，施諸後世而無朝夕，推而放諸東海而準，推而放諸西海而準，推而放諸南海而準，推而放諸北海而準。自西自東，自南自北，無思不服，此之謂也」（見禮記祭義）。

（三）孝的淵源

「孝」之本質既明，我們更進一步，探究孝之淵源。孝之淵源，可以從下列兩方面來說明：

（未完）

預期作用說

鮑紹洲

催眠術

德國大學人（哲學家）大家馬爾馬氏，主張催眠術是一種預期作用。此說淺近易解。一般催眠學者都同意此一說法。其他種種催眠學說與實際上並無甚影響，聊備參考與取徵而已。

惟有預期作用說與施術被術雙方，均有促進成功的間接作用。所以催眠界視為準繩。

此種學說的原理，謂我們平時經營事業之先，必存一預期成功的決心。然後供出全力施術達成目的。所謂「有志竟成」的旨趣，就是同一道理。

例如從軍報國，預期建立不朽之功，預敵勇往直前，定有封侯之望。

又如胆小的人，邉行夜宿，腦中早已存有遇見鬼的預期心理，等到聽到一點聲音，看到一條樹影，惹起錯覺及幻覺，認為即是鬼祟，駭得汗流夾背。這即是預期作用。

催眠術也就是此種作用。在催眠者心中，預先存有一種能催眠的思想，結果必然成功。受術人預先也存在能催眠的觀念，自然而然就入催眠狀態。對於治病催眠，兩方更須預存催眠功能的觀念，收效更宏。此說確為催眠術上的一件必須具有的要件。學者請不要以泛泛而忽畧之。

巨變歷險記！

大敗緬軍

（二一〇）　胡慶蓉

我游擊部隊在拒絕撤入泰境以後，就一心一意的對付緬甸了。

對於打緬甸，對於與緬甸打，局外的人，甚至局內的人，反對的都不少。他們以為住的是人家的地方，吃的是人家的糧，究竟自己是處於賓客的地位，世界上那有客打主人的道理。何況，我們是疲憊之師，並且吃食不好，衣着不好，那裏有精神去同人家打，最好能不打，萬一打，我游擊隊即不當自取覆亡。

但丁博士也有他的看法。丁博士則認為自己是在自己的土地上，在自己的領土上有什麼不可以打的？我固然不如緬兵吃的穿的，但我們的精神不見得比緬甸差。我們確認再不能退，退就是死亡。我們大家都有破釜沉舟之志，仗沒有不可以打的。特別丁博士對緬甸的分析非常清楚。緬甸在大英帝國統治之下奚只百年，在這個漫長的期間，緬甸只有英國的部隊，緬甸的部隊是非常少的，是少之又少的，就說獨立後不無改進，但究竟為時過於短暫，也培養不出來什麼力量。同緬甸打，決沒有任何的危險。我再說一遍，緬甸的獨立史與我游擊史只有一年之差，最多一年，恐怕遠不到一年。

緬甸以外交見長，但在軍隊方面，就不見得強了。我彷彿說過，緬甸人信佛，心底慈善，怕打仗，怕流血。最令人奇怪的，是緬甸兵平時戰時都帶着太太。在平時，帶着太太還無所謂，在戰時帶着太太，那就大有問題了。太太決不會將着男人打，誰願意自己的丈夫冒險？這帶着太太打仗，這仗如何打法？這不是打仗，這簡直是開玩笑！這有緬兵愛舒適，不能吃苦耐勞，一旦打起仗來，肉仍非吃不可，咖啡非喝不可，覺非睡不可，這仗又如何的打法？

我游擊弟兄們，是以吃苦耐勞著稱的。有些是從中國的東北來的，有的是從江浙來的，有的就是本地，但都習慣了吃苦，在什麼環境之下，他們都可以戰，他們有一種戰法是緬甸人最害怕的，那就是摸營；在他們正舒舒服服的睡着，忽然摸營的來了，他們簡直沒有辦法應付。他們只有繳械投降！

兵不厭詐，自古依然。但緬甸作戰的計劃會很快的被我軍知道。最難能可貴的是他們要打你那裏，要什麼時候打，他們先給游擊隊來封信。這樣架好機關槍大炮迫擊炮來……「歡迎」，那可以說百拿百穩，有射必中。

打戰是要流血的，但緬甸的兵就怕流血。一個人流血，一百個人會逃之夭夭。我游擊隊同緬軍作戰，大都在白天，敵人的一切，敵人的部署一目了然，槍對準了打，炮對準了打，還有打不勝的嗎？

緬兵打的是公路綫，緬兵沿着公路，坐着卡車，浩浩蕩蕩的奔向我方，我方的槍炮都已經安好了。不進入射程決不打，進入射程再打，百發百中。

是不是他們胆怯？在未出發以前，他們都實行「自我麻醉」，酒喝得足足的。但酒喝足了，「自我麻醉」了，昏頭昏腦，槍都不曉得怎樣的拿，瞄準更不用談，仗如何的打下去！他們喝醉了酒，在出發途中，都喊喊叫叫助威，用喊叫叫壯自己的胆子。但因為來的都在喊喊叫叫，我游擊部隊的目標十分清楚，吟吟一排排子槍，就有十個八個栽倒的。前邊一亂，後邊也亂起來。但並不是說我游擊隊沒有損失。我游擊部隊還是有損失的。我游擊部隊損失的也是很多的……。

李鴻章出洋外記

・輔公・

西曆一八九六年五月，李鴻章奉了清政府的命令，到莫斯科去賀俄皇的加冕禮，又歷經歐美各國，這在中國近百年外交史上，是有趣味的一頁，也是怪矛盾的一頁。因為那時正在中日戰爭結束後，李鴻章在政治舞台上受着極利害的傾軋，失去了慈禧太后的寵信，差不多已是投閒置散，而這個在外交戰綫上含有非常意義聘俄一職，忽又落在他的肩上，在這表面上看來是很矛盾的。

據梁啟超「亡羊錄」的記載，則認為這件事，完全是俄國政府在幕後操縱：

「俄使格希尼知中國掌權於西后，而李鴻章為帝所嫉而為后庇也，乃密賄通內監，以游說西后，且與李鴻章約，設法復其權力，而借其力以遂俄國之所希望。於時機適到，有內中爆出俄皇加冕之事，各國皆派頭等公使往賀，中國亦循例派遣，以王之春嘗充唁使，故賀使即便派之。格尼乃抗言曰：皇帝加冕，俄國最厚之禮也，故參列其間必一國之名士，關於列國之人物乃可，王之春職微言輕，不足當此責，可勝任者，惟李中堂者。於是有改派事，格希尼復一面賄通西后，甘誘威迫，謂還遼之義舉，必須報酬，請假李鴻章以全權，議論此事，而李鴻章請訓時，西后召見，至半日之久，一切聯俄密謀遂以大定。（中俄密約蓋奠基於此）」

此時之梁啟超，在政治方面是鮮明的帝黨，於后黨的外交政策，自然要攻擊，而其個人的外交旨趣，又是一個濃厚的親日論者，不過以上的記載，却是相當可靠，並未因個人的愛憎而有武斷，當時俄政府派以接待李鴻章的要員威德，會發表關於李鴻章使俄時的記事，中多秘聞，頗可為梁說之證。（威德筆記，中國已有人翻譯出版）。

在俄備受歡待

李鴻章既以俄人的策動而和俄，兼及歐美各國，則其在俄是必然地要接受到盛大的歡迎。

美人林樂知與華人蔡爾康合譯的「李傳相歷聘歐美記」於俄國朝野當時如何的恭維李鴻章，有酣暢的描寫，官樣的文章不必說。其中有一段事，頗極筆歌墨舞之能事，林氏大概節譯自俄報的：

「俄皇升冕期近，各國臨辛木斯寇舊都。傳相之至也，俄皇早為之潔治館舍，乃為富比王侯之俄商巴勞輔，以向在中國買茶，曾覩偉人儀表，迎傳相住居，傳相遂辭俄皇而就巴勞輔，巴特設盛禮奉迓軺車。甫至門前見一高台彩樓，樓額即揭傳相像，以示尊迓而表懸誠，入其堂，則四壁高懸中國黃旗，窗門鮮幔間，皆書中華文字，又皆吉祥頌禱語，室內則氍毹貼地。排列盆花，十色五光，如在洞天福地，更遣其子婦示觀，捧金盤而獻麵餅，此乃俄國最隆之禮，非君父不宜得此，今以施諸傳相，其中懷之傾慕，豈尋常所得而此哉！且傳入門之際，所陳樂部，先奏中國樂章，繼始續奏俄樂，更預飭黨子二十四人，衣以紅黃緞服，各手捧散花一盤，排立門內，傳相降車，諸童郎排班前導，各以香花布地，特為傳相藉靴，七旬上相，萬里遠行，忽焉穩步花茵，誠罕有之韻事也，入座後，巴之少女，又獻花球一顆，為公壽，巴之子女四人，旋導傳相，卸息精舍，入此室處，但見飲宴棲息諸具，無一非中國物，而巴之起居言語，又無一不是中國人，傳相顧而樂之，幾忘身在異鄉矣。」

德皇不甘後人

李鴻章在俄國享盡了尊榮暨歡待後，便於六月十三日出俄境，赴德國。那時德國的皇帝威廉第二，罷黜俾斯麥不久，凡事獨斷獨行，他對於在國際上縱橫捭闔的手段，正感到極大的興味。他親切地要知道李鴻章在俄國幹了些什麼事，而且要不落人後地，也把李鴻章牢籠住。

李鴻章在德國所得到的待遇，其隆重是不下於在俄國。德政府派以招待李的漢納根和德柏林，一是在中國做過海軍副提督的（參與過中日之戰），一是正在中國天津做稅務司，兩個人差不多可以說是李鴻章的僚屬，自然摸熟了他的脾氣。所以李鴻章的行館裏連畫眉鳥也給預備了，蔚為後來外交史上的佳話。

（未完）

五十六種砂鍋烹飪

馬騰雲

十四　砂鍋田鷄

田鷄十幾隻，干貝半兩（加一兩黃酒在電鍋上蒸透待用）二兩火腿切成片，嫩筍三兩切片，冬菇三只發好切片，肉骨頭湯一大碗，葱薑適量，先把肉骨頭湯入砂鍋煮沸，將田鷄剁成小塊投下，上列配料遍佈四週，加鹽少許，酒適量胡椒粉，其味清鮮可口，且富食療價值。

田鷄即青蛙，一種色鮮綠者為上乘，雄者將雨則鳴，農民以卜晴陰。田鷄肉利水、消腫、止痛、解熱毒，對帶熱、腹脹、全身水腫有卓效，此物與蛙很像孿生兄弟，均能解熱毒、利水氣，川菜中的干炸田鷄味故佳，犯了吃菜的大忌，因田鷄用辛辣煎炒，吃了傷內臟，有很多種病都從這個方向帶來，孕婦不能吃，吃了嬰孩難養。

湖南人常以青椒炒田鷄，山東人常以大蒜炒田鷄，印度人有吃咖哩田鷄者，同屬最不衞生的吃法，田鷄是一種益虫，我國自古習慣上就不勞捕殺，從有了農藥後，牠的剩餘價值全部消失，官衙也不再干涉吃田鷄的人了，其實牛馬對人的益處更多，還不是被人照吃不誤嗎？狐狸居在山野，晝伏夜出，根本就不願和人打交道，但是人呢？則千方百計去謀牠，說來很簡單，不是都為了一點皮毛之利嗎？

黛眉小傳

・王幻・

葉小紈（二）

繼於其後，又有一個楔子，敘寫蕙百芳夢見池中一朵並蒂蓮被狂風吹折，一雙鴛鴦也被驚飛去；醒來時遊於高台，遇昭綦成、瓊龍雕二人，互相傾慕，遂結為兄弟。第一齣敘中秋日，蕙、昭、瓊三人同遊鳳凰台，飲酒賦詩為樂。第二齣敘第二年的中秋日，蕙氏苦念昭、瓊二友不得相見，又值夜雨空階，秋燈瘦影，益增念舊之情！聽「煞尾」云：

本待學翻書釋悶消寒漏，却教吾對景無言憶舊遊。則被那鐵馬兒聲斷闕，怪秋啼虫四壁啾。一盞孤燈兀自留，香霧濛濛籠畫鱗。玉漏迢迢二更候，一夜西風已涼透。細雨絲絲如九重，蕉柳蕭蕭不奈秋。我可也腸斷還從春去後，那其間更比這往日的淒涼令最陡。

第三齣敘第二天家僮來報瓊龍雕昨夜病逝，蕙氏連忙去弔臨，正在撫棺慟哭，家僮又來報昭綦成的噩耗。第四齣敘蕙百芳自瓊、昭二友卒後，遂悟生死無常，自蹈道遙遊，訪道求眞。聞得終南山有一道者，便去訪問，這道者便是其純，經呂岩指點，他便知回頭，復與瓊、昭相聚一處，同到瑤池為西王母獻壽。

小紈作此劇時，大概還未出閣。她嫁給沈水禎後，她的生活是否能似處女時代的豐縟？却不得而知了。

近人吳梅在「中國戲曲概論」卷中對「鴛鴦夢」批評說：

葉小紈鴛鴦夢，寄情棣萼，詞亦楚楚；惟筆力孱弱，一望而知為「女子」翰墨，第頗工雅。

而黃文暘「曲海」亦載有「鴛鴦夢」，與此不同。曲海云：

明末蘇州人作，自稱探芝客，未詳姓氏。演秦璧、崔嬌蓮皆在夢中相會；故曰「鴛鴦夢」。鑿空結撰，非事實也。

這本「鴛鴦夢」作者的時代和小紈同時，而蘇州和吳江又相離咫尺之遙，如小紈原作已不存，必至令人指鹿為馬了。此夢劇情很複雜，但也不脫當時戲曲家悲歡離合的常套。

葉氏三姊妹都擅長文學，家庭裏充滿了曼吟低詠的文藝氣氛，無怪她在妙齡時已富有這種創作精神了。她母親沈宛君，著有「鸝吹集」，同諸女所作，合刻為「午夢堂全集」。據說小鸞有侍女隨春，一名紅于，為小鸞所愛，嘗作「浣溪紗」詞二首。紈紈、小紈和宛君都有和作，紹袁亦和，紹袁「治史」有云：「侍女隨春，年十三四，即有玉質，肌凝積雪，韻仿幽花，笑盼之餘，風情飛逗。」可以想見她的風姿。小鸞死后，歸于龐氏，別字元元。

（未完）

岳飛

周燕謀

第二十一章　岳飛為賊三請命　吳玠仙人破金兵

殺死來攻金兵不知其數，仙人關仍立無恙。

明日，吳玠率領王喜、王武兄弟以精銳士兵分為二隊，一隊執紫旗，一隊執白旗。兩隊壯士如狼如虎，衝入金營，金兵未料到宋兵出關來擊，毫無準備，一時大亂。金將韓常左眼被射中一箭，抱頭鼠竄而逃。吳玠又命張彥領軍一枝兵攻打山砦，又命王彥一枝兵埋伏河池，扼金兵之歸路。金兵山砦被破。兀朮下令總退却，退到河池，忽聞連珠炮響，王彥伏兵齊出，又殺的金兵大敗。兀朮本携了妻子兒女全家隨軍，誰知落得如此慘敗。中國軍將劉夔，為劉豫心腹之將，本以蜀地可圖，誰知吳氏兄弟之軍難犯。於是兀朮還軍鳳翔，為屯田之策，以為久屯之計。對於入蜀之企圖，始終未能。

第二十二章　張德遠督師江上　岳鵬舉招降黃左

高宗下詔御駕親征，民心士氣為之大振。趙鼎與張俊二相合作，一致主戰，高宗親征，此時大有中興氣象。由劉錫、楊沂中二將率禁軍護駕，趙鼎侍駕。遂次飭劉光世移兵太平州，為韓世忠聲援。但劉光世與世忠有私隙，不願移兵，韓世忠亦不快趙鼎此一重大舉措。因此，趙鼎恐將相不合，有誤軍國大計，遂奏請高宗遣使勸勉韓、劉二將，另面奏高宗道：「陛下養兵千日，用兵一時，若稍退阻，人心立渙。長江雖險，不足為我恃了。」高宗為命御史魏　往諭韓、劉。劉光世乃移駐太平州。高宗遂進次平江。（今江蘇江都縣）始下詔昭告劉豫罪狀，整厲六師，且欲渡江決戰。趙鼎恐勝負難以逆料，此時此地不堪一挫。乃勸阻高宗道：「敵衆遠來，利在速戰，驟與爭鋒，殊非上策。且逆豫尚且遣子，陛下何必親躬臨陣，但中途調度，已足聲明天討了。」高宗乃罷親自臨軍之行。

數日後，廬州告急，飛札令岳飛往援。岳飛奉命馳援廬州，命牛皋為先鋒，徐慶為副。牛皋驅兵至廬州城下，見偽齊兵已圍住城北，金兵且陸續繼至，便一馬當先，遙呼金將道：「反逆聽着！我乃岳元帥先鋒牛皋是也！不怕死的快出來與我大戰三百回合。」金偽將兵聞聽牛皋之言，又見岳字旗號飛揚城南，不免驚愕，相顧道：「岳家軍不可犯，我等不如退回」。言畢即令撤兵。

（一〇八）

自由報

（第一一五八期）

（半週刊每星期三、六出版）
每份港幣壹角，台灣零售價新台幣弍元
社長李運鵬・督印黃行實
社址：香港九龍彌敦道593—601號
廖創興銀行大厦八樓五座
LIU CHONG HING BUILDING
7th FLOOR FLAT '5
593—601 NATHAN ROAD,
KOWLOON, H.K.
TEL：K303831
電報掛號：7191

承印：景星印刷公司
地址：嘉咸街廿九號地下
台灣區業務管理中心：台北重慶南路一段一二九號
電話：二四五七四
台灣區直接訂戶　台灣劃撥戶
第五〇五六號張萬有（自由報會計室）
台灣分社：台北市西寧南路140號二樓
電話：三三〇三四六、台郵劃撥戶九二五二號

中西心理的不同（一）

·張起鈞·

一　引言

在討論中西文化的問題時，大家往往忽略了（至少是未予應有的重視）「中西心理的不同」。大家所以有此忽略，絕非出於偶然。我們若一推求底蘊，當知道這實是時代思潮的一個自然反映。

在我們這一時代中，無疑的科學思想是佔據了壓倒的優勢。科學是求精確，講證驗的，本乎此旨，當然要以明顯昭著，具體確實的東西為上選，因為這一類的東西都最能明示精確，持取證驗。反之，心理方面的問題（雖則這也是科學研究的對象），卻都是難以捉摸無形可睹的，自然不為大家所重視。尤其近多年來社會上流傳着許多低價的唯物思想，使一般人士養成了一種粗俗的錯念，以為只有具體的物質，才是一切事務的真正原因，此外便都虛幻不實，不值一顧。在這種氣氛彌漫之下，大家對於抽象的心理，當然是要忽略的，試問誰還去對於它的作用付予應有的重視？不僅不會付予應有的重視，甚至往往還要諱言其事了。殊不知心理問題不惟不應漠視，並且實際上正是一切人文問題中的重要因素。因為一切世間的事情都是「人」作出來的。「人」為何要作某些事？「人」為何要作「此」，而不作「彼」：都是決於人們的觀念和想法。縱使我們勉從唯物史觀之後，認為觀念意識都是物質或生產力所決定的；但只要這觀念意識一經形成，它便將對人們的行為發生絕大的指導作用。（這是一個不可爭的事實，此處不必多贅），它樹立人們奔競奮鬥的方向，它指使人們採擇生活的方式，它左右人們對事務的看法，……它可說是人們行止語默的一種基本動力，重要如此何可忽略？

中西雙方環境不同習染各異。古語說：「性相近也，習相遠也」；中西雙方在不同的背景下，分頭發展了幾千年，潛移默化，乃使彼此的心理大有分歧。這一分歧不同之處，在研究中西文化的問題中，實居於極重要的地位。它不僅是構成中西文化不同的一部份；而且是中西文化所以不同的一個原因。至少我們應該說它是中西文化不同的基層。因為從前面的分析，我們知道一切事都是「人」作出來的；而只要是人作的，那一定要受到心理的指導或影響。現在中西雙方的心理既有不同。這一不同之點，勢必要反映到雙方人們的全部行為與事實（也就是反映到整個文化）。從反面說則是一切行為事實，其背後都潛含着雙方心理不同的因素。不同的事實，固是受了不同的心理影響；而許多表面極為類似的事情，其背後也都潛隱着不同的心理。若不能認清這一點，便無從認識其行其事的真實意義，同時也自然更無從徹底了解其形成的原因了。多少年來，西洋人一直看中國是個「謎」，對中國的問題，無從把握判斷。而中國人攻治西學採效西法，也均少成就，其基本的癥結就是只看到了表面的現象，而未能認識其心理方面的潛在精神和動力。我們只有把握住後者，才能真正徹底了解中西文化的異同。因此我們不想研究中西文化則已，要想研究中西文化，便必須對於中西雙方心理的不同先要有一個清晰的認識。

我們在開始分析中西心理的不同時，勢必先要解答一個問題，人們的心理，何以會有不同？我們知道人類在原始狀態時，「心理」與「生理」是沒有什麼距離的。人類的生理要求是相同的，都是飲食男女，好逸惡勞而已。因之，由此而起的心理狀態也是大體相同的。但在社會進步，受了文化薰陶之後，這種情形便發生變化了。文化愈進步，人們心理要求的項目就愈繁多，內容就愈複雜；其範圍便早已超出了「本然生理要求」之外；那也就是說「心理要求」已與「生理要求」有了距離。試看人們對於哲學，宗教的追求，成仁取義的實踐，不都與人的本然生理要求要相隔十萬八千里嗎？在「心理要求」與「生理要求」沒有距離時，大家自然如此一樣沒有什麼差別，但當「心理要求」超出「生理要求」之外而有新的發展時，情形便不同了。因為在這新發展中，大家既無生理的共同基礎（因其已超出生理要求），又有選擇取去的餘地（因其繁多複雜）；結果勢必彼此不能一致。起初這種差別還不顯著，也不嚴重。及至演變既久，逐步逐層的紛歧下去，人與人間的心理狀態便可能大不相同；甚至竟會成為絕然殊類完全異趣的狀態，我們為便於明瞭計先以個體為例來說，一頭豬與一頭豬，沒聽說有什麼個性不同，一個野人與一個野人，也很少有什麼志趣性情的差別。而在受了深厚的文化洗禮的人們便不同了。你願意采菊東籬詩酒自娛，過一個悠閒適性的人生。他卻要強聒不休，摩頂放踵利天下為之。有些人只是縱情聲色，追求現實的享受；另有些人卻要苦行禁慾把生命寄託在天國。這些不容否認的事實，都說明人們在受了深厚的文化薰陶之後，他的心理狀態便往往遠離「本然生理要求」之外，而彼此大不相同了。個體如此，由個體而組成的社會也正是如此。不過不像個人那樣的趨於極端而已，（按：一般主張文化同型設，以及高唱「人不是神也不是猴子」的論調者，便正是拘於人類起碼的同點，而不明白受了文化薰陶後，所可能發生的歧異。因此結果不是牽強附會，便是抹殺事實，不能饜足人心。）然而近代西洋人對這個簡單的道理卻不大明白，尤其缺乏這一類的實際經驗。西洋人在他們彼此之間，雖也因國家民族的不同而有所不同，但這種不同只是枝節或程度的不同而已，至於根本的觀念與作風卻仍是相同的；因此自可拿相同的心情去理解。他們雖也碰到了許多民族如非洲黑人，美洲紅人之流，不過這些民族都距離原始狀態並不太遠，他們的心理狀態自然都比較單純現實，西洋人自可拿其高一層的智慧去理解。但是當遇到中國的時候情形便完全不同了。中國有五千年的文化背景，有其自成一套的生活方式與人生思想；因此便與西洋的一套自然大有不同。

（未完）

昨日與明日

釣魚台主權問題

釣魚台島之屬於中國領土，在中國的明史上已有紀錄了。再就地理位置說，它距台灣只有百餘浬，而去琉球卻在二百浬以上。然則今日何以發生國際間的爭論呢？主要是美國方面造成的。

二次大戰期間，琉球羣島被美軍攻取佔領了。戰事終結後，美軍方會將琉球羣島的佔領區域，通知日本，把釣魚台亦列在其中。且承認日本對琉球羣島享有「潛在的」宗主權。尼克遜政府之所以把釣魚台還自交與日本，而日本亦宣稱這個島嶼是他的，根據就是當年美軍佔領當局致日本的通告。

按照國際公法來說，為着軍事關係而佔領的別國土地，佔領者是否可以隨便認定其主權國而擅行處理？這是問題。然中華民國與日本簽訂和約時，對釣魚台的主權忽略未加聲明，亦係漏洞，適予日本以爭奪此地的口實。不過，吾國有其無可湮滅的歷史證據，自足以否定美方佔領當局的錯誤處置。海內外學人與青年學生之羣聲奮起，力爭主權，良有以也。

島以「油」而涉爭

「象以齒而焚身」，今日釣魚台之發生國際爭端，原因就是有石油藏量，而且據說很豐富。假使是一片荒島，地下除了冲積層的巖石泥砂外，別無所有，相信卽不會發生國際間的主權糾紛了。

明乎此，即知中東問題之產生，以及始終沒法解決的癥結所在，就是石油從中作祟。華府當局之擅將釣魚台交給日本，或許對該島的石油開採權已有默契了。嗣以我國人力爭該島主權，而以旅居新大陸的華人尤為激昂，尼克遜總統乃告誡美國商人，不要亟亟於競爭釣魚台的油鑛開採權，靜待塵埃落定再說，充分表現着以商業主義為立國精神的面貌，也就是馬克斯所謂「資本帝國主義」的本質。

聯想所及

從釣魚台問題又聯想到中華民國現階段的外交處境。如果台灣地下有油鑛或鈾鑛蘊藏着，尼克遜政府就決不致於表示那種向毛共告饒乞憐的態度。若台灣能夠製造出一枚火箭，更不會招來「兩個中國」的惡作劇。

我們現在固然是弱國，但弱國並非沒有轉弱為強的外交策略，就看自己的智慧與勇氣如何耳。因釣魚台問題的刺激而知所奮發，此其時矣。

·何如·

自由談

太不夠料

據香港的官方刊物紀載：毛共政權「外交部」，於美國乒乓球隊應邀到中國大陸訪問時，趕忙印發了一種小冊子，引述毛酋澤東過去的談話，對共幹闡釋毛共政權何以忽然對「美帝」表示微笑態度的理由，旨在安撫內部的人心。

毛酋說：「尼克遜政府之法西斯暴行，已使美國的羣衆革命，積極地如火如荼進行着。這次邀請美球隊到大陸比賽的原因，只是建立中美人民聯合革命運動以對付法西斯政權之開始……但尼克遜政府如能明白自己過去的所作所為是錯誤，而企圖改正其嚴重錯誤時，這亦是我們可以和他們建立友誼的原則。」

大概尼克遜早已獲悉了這項宣傳品的內容，於是乎，迫不及待的公開表示，既說他的女兒出嫁時，可赴中國大陸作蜜月旅行；又謂他自己亦願意赴中國大陸訪問；其意若曰：祇要毛共不再視「美帝」為死敵，不說我尼克遜政府是法西斯政府，而能贊助我明年獲選連任總統的話，甚末都好商量，因而搶先表示誠意，宣佈撤消禁運令。

我們揚棄一切的主觀意識來衡量尼克遜先生這種作風，亦覺得除了丟盡美國這一超級強國的臉面外，毫無是處。毛酋對美國球隊未會見面說話，周恩來在招待會席上的談話，亦只是表明對美國人民的友誼，并無一語涉及美政府，而尼氏以美國總統身份，竟表現着銀樣蠟鎗頭的猴急相，唯恐拍不上毛共的馬屁。這可說是最拙劣的政治技術，把美國的國格降到與高棉、尼泊爾等量齊觀了。自華盛頓總統以來的七十幾個白宮當局，亦未見這樣的「襃仔」人物也！

尼克遜在揮軍進攻寮國「胡志明小徑」時，曾說「我決不作失敗的總統」，看他這次對毛共的言行，其失敗的程度，比美軍在戰場上一敗塗地的情形更要嚴重。為着個人患得患失的政治權位，而以國家榮譽和國運，作孤注之一擲，尼克遜太不夠料吧！

馮五先生

百年大計豈容草率

天下雜論

于公

教育部長鍾皎光垮台了，文教界深慶得人的羅雲平博士繼任教長了，鍾部長雖然走了，留下的教育問題甚多，夠新任羅部長傷腦筋的。

熱門教育問題之一是私中存廢問題。其實這本不是問題，如果有問題，那是教育部主管官員惹出來的。捐資興學本是好事，國家應予獎助，憲法載有明文。有些私立中學確實比較公立的辦得好，也爲社會人士所公開承認。既然對社會有貢獻，何以還要摧殘它？最令人不解的是：當鍾皎光部長業已辭職，政府已發表新任部長之後，教育部中等教育司長廖傳准發表談話說：「教育部要限制私立初中發展的主要目的，是基於國民教育階段中容許私立初中的存在，將破壞到國民教育的平等精神」（見四月七日台北聯合報）。

何謂國民教育的平等精神？國父在三民主義中曾講過眞平等和假平等，不知廖司長念過三民主義沒有？國民受教育機會應該平等，學校辦學成績不一定平等，而學生聰明愚笨以及個人造詣，更無法平等。現在教育部仇視私立中學，就因爲私中辦的比較公立中學好，一定要私中向公中看齊，那就是說：不許好，祇許壞。將來如果行政院眞採納教育部的建議，取消一切私中，國民就喪失了進入優良中學讀書的機會。好像菸酒專賣一樣，祇有一家供應，消費者想買菸酒，就祇有向這一家買，毫無選擇餘地。中學完全官辦，好壞由它，不念也得念。這種想法和措施，與現代民主政治，自由競爭精神，豈非相距十萬八千里？

多少人都持相同的看法，鍾部長的失敗乃坐因於用人不當。教育部是個老衙門，科員政治，積習已久，本屬清高官署，年來却鬧得烏烟瘴氣，譬如科長貪污坐牢，督學瀆職吃官司，最近，立法院有位委員質詢：紅包竟牽涉了一位次長，而有一位官級僅低於部長的官員竟涉嫌僞造文書，有人推算，如所報不誤，這位官員大學畢業應當是十六歲？有斯理乎？教育部是知識階級最高司令台，在各方面，都應起模範作用。如談整飭政風，教部應領先示範，如何罷黜不肖，起用賢能，有待於新任部長的大施鐵腕了。

流氓危害社會治安 制定法律嚴加取締

立委趙石溪向司法部建議 王任遠部長答詢表示贊同

（自由報台北消息）司法行政部長王任遠的硬派作風，獲得立法院司法委員會委員們的支持。

王部長答復立法委員趙石溪質詢時表示：「關於取締流氓辦法乃是國防部所頒布的，我個人贊成立法。司法行政部亦認爲用行政命令以容納有關重大刑事的處分，不是法治國家的常軌。究竟此時應不應制定一取締流氓條例，亦頗值研究。然此時此地流氓危害社會之嚴重性，對流氓如沒有一個適當處理辦法，亦有問題，故取締流氓是應該的，對此若能予以立法規定，則是最好的辦法」。

趙石溪委員質詢說：關於台灣省戒嚴時期取締流氓辦法可否法律化的問題：該一行政命令何以不能將之法律化，該命令中所規定不僅涉及違警罰法的規定，如照辦法第三條之規定，凡「組織幫會，招徒結隊，逞強持衆。」等均爲流氓，照此一規定解釋，則警察機關在適用時，太容易發生偏差。在戒嚴地區，對有擾亂治安的歹徒，加強控制是必要的，然何以不將其法律化，以杜他人的物議與指責呢？

關於輕罪重判的問題！王部長答覆立委們質詢時說：「本人主持司法行政部以來，一向即持勿縱勿枉的原則，該重則重，該輕則輕，向無提出治亂世用重典與輕罪重判的口號，關於竊盜罪之判決，本人所指示的要點有一點即提到：『關於微罪不足的問題，實施要點中規定，對於竊盜犯罪之初犯，情節輕微顯可憫恕者，檢察官宜依職權依法處分不起訴，其意義亦爲貫徹微罪不追訴的原則，用以利其自新』。此即足以說明從嚴辦理竊盜罪犯，並非對所有竊盜罪犯及贓物犯均一律從重量刑。蓋初犯，惡性非重，若予起訴科刑，可能引起自暴自棄的心理，效果未見，反生流弊，即非防止竊盜犯罪之本意。由此，即可見，對犯罪重者，處重罪，犯罪輕者，該免訴者即免訴，並無作輕罪重判的要求。但在改革期間的新舊交替之過渡階段，難免會有偏差，將盡量注意，發現時，並設法予以適當之糾正」。

溫士源委員質詢說：革新，絕不能矯枉過正。積極革新司法在相當程度的改進後，儘管，亦應注意其流弊，王部長始終未說過治亂世用重典的話，但仍主張惡性重大者，應嚴加處罰。因之，難免有些矯枉過正。

重者判輕輕者判重 法院常有不當判決

爭取民心司法關係至大 保障人權積極爲民造福

徐漢豪委員質詢指稱：目前法院判案之最大缺點，即法官常藉口審判獨立，而作不當的判決，將該重判者輕判，該輕判者重判。其結果不僅會引起當事人的不平，亦會引起社會人士的不平。據知：花蓮有兩貪污案件，法官引用同一法條，同一罪名，作了輕重懸殊不同的判決。

這位前任上海大厦大學法學院院長的徐委員舉證質詢：某一老太太因細故遭招商局某高級官員毆打成傷，被害人於提起訴訟後，法院最初以：經查招商局無被告之某高級人員，而裁定不起訴處分；後又以：經某證人指證，某官員沒有動手打人之事實，再裁定不起訴處分，且書記官誤將證人之名誤寫，而致查無其人，最後經過高院發回重行調查，類此情形，證明不是初級法院的法官不公，就是檢察官糊塗。

封中平委員質詢謂：有一位奉公守法的公務員陳某，其家與台北市名女人黛娜比隣而居，不久前，該黛娜夫人與另一名女士何秀子合夥開一「上賓之家」因擴充店面，強要陳君將其住屋出售，並侵占陳君之地十多坪，陳君不允，該名女人即邀集流氓擊毀陳某之牆並傷及陳君之身。陳君依法向法院告訴後，受理承辦該案檢察官簡某，初次開偵查庭勸雙方和解了事。第二次開庭，簡檢察官却一反前態，票傳陳君全家到庭，並當庭對陳君聲色俱厲。第三次開庭，更對陳君之二子嚴加斥責，並當庭諭令將之羈押，類此簡檢察官之前後態度與行爲，顯係有偏有弊。案經法院判決結果，陳君之二子被判罰金，而毆人之流氓，有的被判輕微之罪，有的被判無罪，此亦顯然不公。司法乃保障人權者，似此一簡檢察官之所爲，怎能善盡保障人權之責。

李公權委員亦舉事例來說明人權還是靠司法保障。他說：數年前，立法委員劉階平住於金門街，其芳隣是某舞廳老闆，也是「流」字號的人物，這位仁兄要劉委員將其住所賣給他，劉委員不允，即每天用石子打破劉委員玻璃窗門，劉委員依法向派出所報案，無效，向分局報案，無效，劉委員將此情告訴警務處長，無效。後向法院控訴，始獲得法律裁判。封委員所詢之事，與劉委員所遇如出一轍，眞是無獨有偶。因此，爲政在得民心，要得民心，積極爲民造福，不如消極爲民申冤。實則爲民申冤，亦即爲民造福。民心向背，關係司法者至大。故保護人民權益者，就是司法。

王永慶一筆糊塗帳

小針

有台灣塑膠大王之譽的王永慶，近因在台北縣雙溪鄉牡丹坑購得一煤鑛鑛權，原擬自闢通往該鑛之道路須費新台幣百餘萬元，出竟聽任該鄉長之進言，改爲用作向鄉公所及台北縣府爭取補助之活動費。結果也，錢可通神，在上下其手之情形下，不僅鄉公所編列預算，縣府也在六十年度追加預算內編有九十餘萬元補助；並且在預算未經議會通過前先行發包動工。故在台北縣議會審議時，幾如縣府一憶元廳舍遷建案，鬧得滿城風雨。

因此，台省各大報地方版連日爲台北縣府大修衙門，罷免蘇清波等新聞，化去很大篇幅，而且也把這則興修道路的內幕消息，點綴其間。如果眞有其事，我們眞不知上級監督政府所轄何事？至少這種不合預算及稽察制度的事，不應該視而不見，聽而不聞。

蘇清波的所作所爲，本報已報導不少，現在又因其上下掩飾，濫用公帑，爲私人事業造路，從中圖利，陷實業家王永慶於不義，更令人爲之扼惋！

我們亦爲王氏惋惜，何以願意爲自己事業應修之道路費用，許人移爲不法之徒的活動費呢？如果調查單位追查下去，有朝水落石出，王氏勢將費錢買禍，豈不冤枉？而又用甚麼妙法，才能了却這筆糊塗帳呢？

新聞網外之言

女律師談男女平等

在今日的社會，男女可算亦差不多平等，很多行業都有女人參加，比例或多或少而已，如香港有二百多個律師，就只有四個女律師，可算是鳳毛麟角。

女大律師羅凱倫談及男女平等及同工同酬一事，羅女士非常直爽地說出她的意見，她說：「男女生就是不同，例如生理及心理方面，所以要做到完全平等，眞是太難了？我覺得香港的女權已提高不少，根本亦沒有什麼歧視女性的現象發生；對於同工同酬問題，站於女性立場，這是合理的，因爲大家同樣的能力做同樣的事物，就應得同等的待遇，現今其他行業都差不多是同工同酬，只是像教員、護士、公務員等例外而已，相信不久的將來亦會爭取到合理酬勞的。」

她半帶開玩笑地說：「說良心話，我倒願意下一輩子仍做女人，因爲我覺得做女人比男人好多了，以我本人來說，我並不因我是女人，而對工作不便，反之，開庭時，法官或會因爲我是女人而對我特別客氣，這豈不是很好嗎？而且我還覺得女人很有本領及偉大，以一職業女性爲例，她放工後還要料理家務，教養子女等，可能她的丈夫回家後就會怎麼也不做，看報紙等飯吃，這不是女人比男人強嗎？當然，亦有些男的不是如此，我只不過說大多數而已。」

她還說：「其實女人現在的思想已進步好多了，如十年前離婚案件一年不超過五十件，現今已超過二百多件，比率是四倍有多，顯示出現代的女性思想比較開放，再不學以前那般保守及忍耐了。我本人認爲如果做丈夫的偶然出外逢場作興，沾花野草，並不是代表他減少對他太太的愛，因爲這是男與女生理不同的問題，相反的，如果做太太的背夫出外鬼混就可證明她已經不再愛她的丈夫，這是天性如此，是無可否認的！」

她還補充說：「香港如今的工作，女的却比男的容易得多，我最討厭一些男人認爲女人就應該婚後就留在家裏的思想，不過，情勢使然，相信日後，香港的傭人愈來愈少，工資愈來愈貴，那麼普通人家的女人就只好留在家裏料理家務，因爲日後可能做太太的連工資也不夠付給做傭人的，到時女人可眞的更頭痛了。」

劉半農　賽金花

我勸他換穿洋裝了，他一味的不肯；苦苦的勸了半天，他纔說：要我做的便穿，我就叫洋人裁縫做了幾雙，假說是我做的，哄騙了他一下，他纔穿上了。纔到歐洲時，人家都要給他照像，他怎麼也不肯，等我們歸國時，德國人又擬爲我們製臘像，留在柏林臘像館作個紀念，他便是不肯。不然，現在還能有個少年像在那裏。

洪先生在歐洲整整三年，這三年中的生活，除去辦公務以外，差不多全是研究學問。他最懶於應酬，閑暇時獨自一個人到動物園去散步，回來又伏案看起書來，他的身體羸弱多病，也就是因他用心過度所致。洪先生不懂洋文，連一句洋話也不會說，參考外國書籍，常是一個德國人替他到各國圖書館裏去尋找材料。他名叫根亞，有個中國姓是金，我們都稱呼他金先生。

這時候，日本在歐洲也有了外交官，他們却都是穿洋服，不像洪先生還是穿中國服裝。有一年，高麗也派了外交使節去，它本來是我國的屬邦，竟越過不顧，把洪先生氣急了，給國內打了多少電報，商辦這件事，後來幾乎弄到要回國。

附言：已往小說中，皆謂賽金花隨洪鈞往歐時，行爲浪漫，風流勾當頗多，實則，伊係一纏足女子，抵歐時年僅十四，以此稚齡，兼之洪文卿又是一個很古板的人，事實上非惟不許，且恐有亦不敢也。故孽海花所云，殊難置信。

朝鮮對俄遣使，正值洪任，爾時我國辦理外交者，大都墨守無外交權之說，只知以屬國無外交權之理由，向各國聲明否認，只管爭些虛體面，什麼『派使須先請示中朝』吧，『三端』之約，『韓使初至各國，應先赴中國使館具報，請由中國欽差帶同赴外部，以後即不拘定。一、遇有朝會公讌，酬酢交際，韓使應隨中國欽差之後。一、交涉大事關係緊要者，韓使應先密商中國欽差核示。』（據清季外交史料卷七三李鴻章致總署電）這個折中妙法，虧得他們纔想出來！

洪鈞之歿

洪先生由歐洲歸來，便留京任兵部左侍郎職，中間爲採辦軍器，曾被參一次，很是冤屈，還都因他的性子太鯁直，辦事容易開罪人；他已忘了，人家却還記在心裏，遇機會便圖報復。那次還虧得慈禧太后對他很信任，不然就了不得。頤和園裏的那些滑冰車小火輪還是洪先生在歐洲時買來獻給太后的。

（八）

獻給讀者一批實用書

·文匯樓主·

馬騰雲教授託代郵謂：各位讀友：全世界幾十億人口中，醫生祇有中醫與西醫兩大派，迄今未聞有第三個派，身爲中國人，應該感爲殊榮。今竟有人硬要消滅自己列祖列宗文化寶貴遺產是何居心就想不通了！日本雖爲進步國家，也祇能標榜西醫與漢醫，卽最佳明證。

今天騰雲又將自己珍藏之一批醫藥實用書給你們，並保證這批書未能經過「勞改」、「惡解」及未感染到「學習」或簡體字毒素，不搞花樣，不耍噱頭，除書中有錯誤作刪節外，做到存眞不移。凡藏有本人歷年所編各書者，敬希見報立卽預約，爲了遵守交書信用，中途恕不加印，務乞見諒，凡未讀過本人主編各書者，不妨試閱，藉可明瞭騰雲在國內外醫藥界一言一行，爲甚麼會引起社會廣大讀者注意，和擁有數以千計的學人基本讀者，今特將本年度春季推出珍藏各書版本目錄詳列於後，貢獻同好。同時介紹吳惠平博士主編之「中國實用醫藥學大全」舉凡中國醫藥界上下幾千年，縱橫逾萬事，應有盡有，供請讀者踴躍選購。開卷有益，古有名訓，大則學成儒醫，媲美良相。小焉延年延壽，增進健康。這種功在社會益屬自己的良好德行，千祈掌握，勿失良機爲幸！

馬騰雲主編本年度春季各書版本售價與預約價列後：

奇病治法三百種卅二開本兩百頁每冊新台幣廿元預約價十三元。「無藥療病法」卅二開本兩百卅頁每冊新台廿四元預約價廿元。「國醫指南」，卅二開本三百頁，每冊新台幣卅元預約價廿元。「實用藥性大辭典」，卅二開本三百頁每冊新台幣卅元預約價廿元。「中國丸散膏丹製造秘典再版」每冊新台幣一百五十元，預約價一百元。「奔納氏返老還童術」卅二開本二百頁每冊新台幣二十元，預約價十三元。「中日農產加工寶典」卅二開本二百頁每冊新台幣四十元，預約價二十六元。「中國富人列傳「卅二開本二百頁每冊新台幣二十元，預約十三元。「張三丰道術武術匯宗」卅二開本三百五十頁，每冊新台幣卅五元，預約廿四元。「最新化學工藝製造法」卅二開本二百頁每冊新台幣廿元，預約價十三元。

上列十種書，爲「自由報」二十一周年擴展業務紀念，凡合購十種特價二百五十元，自四月十六日起開始預約，至四月底截止，五月廿日出書。有一部份中國丸散膏丹購戶照老價優待不必補欵來，五月廿日後書出卽寄。

馬騰雲實用書現書供應者照八折優待兩星期，計有：（一）實用生產百科全書每部一百廿元，續集一百元。（二）歷代百家祖傳秘方每冊卅元。（三）實用單方選粹每部五十元。（四）女人的問題。（五）癌症的預防與治療。（六）感冒對人的襲擊。（七）藥用植物談奇。（八）皮膚病的預防。（九）心肝脾肺腎。（十）水菓蔬菜與健康。（十一）生活漫談一集合集三集，（十二）長壽經驗談。（十三）返老還童術。（十四）睡眠治百病。（十五）催眠術研究。（十六）家庭副業全書。（十七）道家營養食譜。（十八）御廚談藪。（十九）減肥須知。（廿）四千五百六十個偏方。上列二十種現書每本廿元特價期間每本十六元。又中西名菜烹飪點心全集五十元。家喻戶曉醫藥手冊廿五元。道家秘術五百種廿五元。實驗有效萬病良方四十元均照八折優待。海內外上千封的查詢及購書函件均在此總答覆恕不另箋。

吳惠平博士主編「中國實用醫學大全」全書一千五百頁卅二開本精裝包括中國醫藥通論、醫藥史、鍼灸學、衛生學、病理學、生理學、解剖學、中醫三段結晶爲現代經過消化，中華民國第一流名中醫們集創作，每部新台幣一六〇元預約一百元。馬騰雲教授介紹說：「這是一部中醫師中藥來龍去脈的一部法寶，也是給不瞭解中醫中藥的人們總解答。」注意：上列現書卽日供應。上列預約書四月十六日起至四月底截止，五月廿日出書，本港讀者向本社直購另見海外廣告，台灣省外縣市預約欵請撥台北郵政劃撥戶第五〇五六號張萬有。台北門市部及預約：（一）台北市許昌街二十六號（靑年會對面）（二）台北市重慶南路一段一二九號二樓。

駁人性獸性與鬥性

·湯如炎·

便是一個很好的例子：雖然獵場面積遼闊，每一隻松鷄都可以生存傳種，但是雄鷄每年一到秋天，便到擠到一塊小小的土地上比武，搶地盤，凡是搶到地盤的雄鷄，都是身强力大，羽毛豐美的帶頭老大哥，牠們可以啄咬下級，却不致被啄，只有牠們可以娶妻生子，其他沒有入闈的雄鷄，儘管獵場裏有的是土地，牠們却完全失去了交配的慾望，所以松鷄的數目雖多，參加繁殖的雄鷄却集中在一小部分特權分子的身上。像這樣的爭鬥，對整個物種的前途和進化的方向，影響是很大的，它的目的是在保存有力的雄性，使弱者受到淘汰而强者愈强。除了隔離和選擇之外，鬥性還有保護下一代的功用，這可以從動物界總是以負責育兒的那一方對同類特別仇視的事實上看得出來。」

其（六）有云：「……拿母親保護幼兒這件事做例子，許多人都以爲這是母性愛的表現，戳穿了，還是大自然玩弄的一種障眼法。另外還有一些頗爲受人稱道的「獸德」，譬如不欺幼，不辱妻的習慣，也都是在相同的背景下產生的。凡是遵守「不欺幼」的不成文法的物種，幾乎都是生長期長、學識與個人經驗在行爲上佔重要地位的高等脊椎動物。幼兒在長成之前，不但需要父母悉心照料，而且有很長一段時期，沒有自衛的能力，像這樣生存既易的物種，自然不能容許年長的動物漫無節制地發洩鬥性了，所以，那些出世未久的毛頭小伙子，雖然看起來楚楚堪憐，身上其實都帶了牽制鬥性的特別裝備，做長輩的，就是想要行兇，也下不得手。」

其（七）有云：「……綜觀生物界解決兩性間鬥性的方法，不外下列三種：一種是卽興式的，螳螂，跳蠅，或蜘蛛之類的昆蟲，雌性不但身强力壯，而且有將雄性果腹的習慣，因此雄性在求歡之前，總是巴巴結結地找件禮物來送給新娘，牠的目的是在轉移對方的注意力，以免自己「壯志未酬身先死」；另一種是季節性的，像極地熊，山猫等生性孤僻，慣方獨行的野獸，平時同類之間，因爲有各自爲陣，互不相涉的習慣，彼此碰面的機會不多，所以也就沒有約束鬥性的必要。只有交配期間，由於性荷爾蒙的分泌與平時不同，兩性之間才發生了吸引力，這時情慾高張，鬥性也就被淹沒了；還有一種是禁令式的，有許多羣居的鳥類和哺乳動物雌性都長得比較嬌小細弱，一則她們體力弱，不堪與雄性爭鋒。

（未完）

孝道的宏揚與光大（四）

·李宗黃·

第一「孝」是淵源於人類的天性。孝是順天應人之德，更合理，也最自然，毫無勉强，可以說是人類與生俱來的天性，也可以說是自然的法則。故孝經上說：「夫孝，天之經也，地之義也，民之行也，天地之經義，而民是則之」（三才章第七）。又說：「父子之道，天性也」（聖治章第九）。

禮記也說：

「凡生天地之間者，有血氣之屬，必有知，有知之屬，莫不知愛其類。今是大鳥獸，則失羣匹，越月踰時焉，必返過其故鄉，翔回焉，鳴號焉，啇屬焉（足旁），然後乃能去之。小者至於燕雀，猶有啁噍之頃焉，然後乃能去之。故有血氣之屬，莫知於人，故人於其親也，至死不窮」（見三年問）

這種純眞的愛，是不教而能的，「人少則慕父母」，（孟子語）及人遇病痛到了極點的時候，縱然白髮蒼蒼之老人，也要大呼父母之景象，就可以說明「孝」實在是與生俱來的。所以總統要說：

「凡是人類，必有他與生俱來的天性，愛父母，愛家庭，以及對於自身關係同族同國人的相愛相邺，推而至於人類，實在都是人的天性。無論如何否定道德和倫理價值的人，當他獨居深念的時候，或是當他疾病痛苦的時候？他一綫良知發現了，這種天性還是要完滿的表現出來」（見政治的道理）。

（未完）

青帮的內容和帮規（下）

·南懷瑾·

丙、帮中十戒

（一）戒萬惡淫亂。（二）戒斷路行凶。（三）戒偷盜財物。（四）戒邪言咒語。（五）戒訟棍害人。（六）戒毒藥害生。（七）戒假正欺人。（八）戒倚衆欺寡。（九）戒倚大欺小。（十）戒烟酒罵人。

（一）自古萬惡淫爲源。凡事百善孝當先。淫亂無度干國法。帮中十戒淫居前。（二）帮中雖多英雄漢。慷慨好義其本善。濟人之急救人危。打刼殺人帮中怨。（三）最下之人竊盜偷。上辱祖先下遺羞。帮中具是英俊士。此等敗類醜名留。（四）四戒邪言並咒語。邪而不正多利己。請神降殃洩己憤。咒己明寃皆不許。（五）調詞架訟耗財多。傾家蕩產受折磨。喪心之人莫甚此。報應昭彰實難活。（六）負他資財歷他亡。毒藥殺人天理傷。昆虫草木尤畏死，此等之人難進帮。（七）君子記德不記仇。假公濟私無根由。勸人行善作德好。假正欺人實可憂。（八）休倚安淸帮中人。恃我之衆欺平民。倚衆欺寡君須戒。欺壓善良罵名存。（九）三祖之義最爲純。少者安之長者尊。欺騙幼小失祖義。少者焉能敬長尊。（十）烟酒最易亂精神。容易失口漫罵人。家禮雖不禁烟酒。十戒之末要謹尊。

丁、十要謹尊

（一）要孝順父母。父母恩難言。情義重如天。養育非容易。孝順禮當先。（二）要熱心從事。公議要熱心。義氣且永存。三禮得大道。仁義禮智信。（三）要尊敬長上。宗祖敬師尊。師父在五倫。長上要尊敬。當報教訓恩。（四）要兄寬弟忍。同參爲弟兄。當較手足情。兄寬弟要忍。義氣萬萬冬。（五）要夫婦和順。夫婦須和順。其理在五倫。妻賢並子孝。榮華萬萬春。（六）要和睦鄉里。鄉里要和好。近隣鄉中寶。義氣連合久。不受小人擾。（七）要交友有信。交友要有信。義氣却長存。安淸講遺註。常常記在心。（八）要正心修身。正心思己過。修身卽成佛。家善要奉行。諸惡却莫作。（九）要時行方便。三祖佛仙神。方便却長存。義氣千秋遠。容讓不受貧。（十）要濟老憐貧。老弱並貧苦。孤寡身無主。濟老與憐貧。來生必報補。

（未完）

樂園性事

談孟小冬　·周顏·

民國二十七年十月二十一日，孟小冬拜余氏爲師。這是余氏的藝術得有傳人，而足以紀念的日子。

孟氏在還沒有列入余氏門牆之前，已經是名聞南北，震動整個梨園的了。他那時的嗓音非常之動聽，做工相當的細到，大家都已認爲絕非池中物。這當然因爲他本是梨園世家，學有根底的緣故，但也是他天資聰穎，鑒別力强之故。他一向對余氏的藝術傾倒萬分，加上他好學不倦，所以只要聽說任何那一個人，對於譚氏或余氏的藝術，只要有一知半解的，他是無不卑辭厚禮，請教殆遍，一如當時余氏學藝的情形一樣。像對陳彥衡、王君直、孫老元等，他都會不厭其詳的請教過。早期並用孫老元爲琴師，以收烘托之功，達七八年之久。

孟氏之學戲，與旁人迥然不同。他完全是基於崇拜藝術，名利二字在所不計。因爲在未拜余氏爲師之先，他已頗著聲譽，每一露演，座無隙地。而他在經楊梧山先生介紹投入余門之後，毅然放棄舞台生活，專心學藝。把這樣一個大好的賺錢機會，棄如敝屣。眞是能人所不能。足證他對師藝之敬仰，志趣之高超，確乎不同凡俗的了。

孫養農有一段關於這件事的記載說：「會記得在他未曾拜師的兩三年前，我因事去北平，有一天到余家閒談，適巧名小生馮蕙林也到余家來，代上海一位票友請求拜師。余氏當時就一口回絕，因爲他那時已經明白，要傳授一個弟子，必須要選擇良材，一切條件具備，否則是白白費盡心力，徒勞無功的。等馮氏走後，他就對我說，在他心目中，內外兩行，一切條件接近他的戲路，如果經他指點能接受他的傳授，而可以學得成功的就只有孟氏一人而已。其餘的人，他就是肯教，也是白糟塌時候。那個時候，他們師生二人尚未見面，離拜師時期，還有兩三年之久，而他已認定，只有這麼一個人可以傳他的衣鉢。觀乎孟氏今日的成就，眞可算是巨眼識英雄了。」

孟氏自投入余門後，每日到余家用功，寒暑無間。余氏嗜烟，所以說戲總要到子夜之後，遇着老師興緻好，身體好的時候，就多說一點；如果這天精神欠佳，就停止講授。余氏身弱多病，常常不能教戲，但不是他仍舊每天的去，而從不間斷；這種百折不撓的精神，不畏艱辛的毅力，眞同程門立雪一樣。所以後來爲老師所器重，竭力造就，卒底於成。

他在學戲期間，除老師允許出而問世者外，絕不輕易登台露演；認爲可以敬師尊藝的行爲，爲人人所稱道而贊許的。這種因此世人對於欣賞他藝術的機會太少，尤其是我遠在上海，難得回平，所以更是望梅止渴機會難得了。除了民國三十六年，杜月笙先生六十大慶，在上海中國大戲院，連演二夜，轟動一時，名聞全國的「搜孤救孤」——那時我在台灣得到消息，連夜搭機飛回上海。

巨變歷險記！

哀兵勝矣！（二一）

胡慶蓉

緬甸對我游擊隊開火後，源源不斷的增加兵力，先是在陸軍方面，後來到空軍。作戰的地區，先在大其力河沿綫，後到湄公河沿綫，在大其力附近，猛淺，猛叭，猛勇等地區，後又向景棟方面延伸。時間在半年以上，但這並不是戰爭的終點，這是戰爭的停頓，但不久這戰爭又恢復起來，然後不久又停頓下來，這樣若斷若續的，先後又有一年的工夫，以後一直到撤回台灣，到民國四十二年，我游擊隊對緬，緬對我游擊隊，都是保持着敵對的狀態，監視的狀態，但我們可以說我們對緬的戰爭是勝利的。

我游擊隊對緬的戰爭是破釜沉舟的戰爭，大其力河，湄公河都是最後的防綫，河的那邊就是泰國，河的那邊就是寮國，我游擊隊生也要在河的這邊，死也要在河的這邊，因爲我們的槍砲子彈都[illegible]，我們的戰士經常的每一粒子彈都要發揮他最大的作用，換言之，每一顆子彈，總有把握的命中才可以打出去，彈無虛發，彈不可以虛發。這特要官兵特別的機警，尤其是沉着，在敵人如何的開如何的轟，均無動於中，不到射程以內，沒有把握打中敵人，決不輕發一槍，決不輕[illegible]。

緬兵壯他們的胆子，第一是借重的喝酒，把自己灌得醉醉的，人醉了胆子也就大起來。但在緬甸來說，也並不見得。他們就是喝得醉醺醺的，也還是胆小。第二個壯胆子的方法，是大聲喊叫，故緬兵之來，很遠很遠就知道了。多放槍，多放炮，這更是他們壯胆子的方法。他們有的是槍炮，有的是子彈，他們就盡量的放。我們官兵死在這下邊的，也不在少數。但我們越戰越勇，越戰越強，我們實在以戰養戰，把擄獲緬軍的槍炮子彈來打緬軍，循環不息的戰，循環不息的擄獲，到最後一個時候，我軍的槍炮子彈也不見得比緬軍差。

但一語空軍，我游擊隊就處在劣勢了。我們這邊只有陸軍，並沒有空軍。緬軍來的飛機當然也不是什麼好的飛機，但不管好與不好，緬有飛機來助戰，當然是聲勢更大。但我游擊隊也是並沒有被嚇倒。

我游擊部隊大多是抗戰八年的戰士，日本的大轟炸小轟炸輪番轟炸，都經驗有的是。可能是欺負我游擊部隊沒有飛機，對緬機莫可如何，緬機就肆無忌憚的到處大炸特炸，而且都是低飛，低的簡直一手可以抓住！他們沒有提防我們用步槍打用機關槍打。他們更沒有想到我們游擊隊竟把緬甸空軍總司令的座機打下來了！緬空軍總司令也隨之喪機死亡。

這是一件很轟動的消息，給與緬軍事的進行影響很大。緬以爲我有什麼法寶，從此對緬的戰事就漸漸的降低下來，以至於停頓下來，最後成了永遠對峙的局面，直到決定撤退台灣，才又恢復起來，這就是江拉撤拉之戰，猛撒之戰，蚌八等之戰。這是後話，容以後再敘。

且說這一次緬甸發動的戰爭，緬甸是失敗了。在我游擊隊方面，勝是勝了，這種勝，一方面固由於救代表，另一方面還是因爲生存。這一次戰爭的戰果是輝煌的，這一次戰爭的影響是深遠的，這一使把緬甸打的一直不敢再動，我游擊隊在緬境能夠利用韓戰的機會在安定中迅速的發達，能夠同緬甸的單族，蒙族，吉倫族合作，成立東南亞自由人民反共聯軍，能夠反攻進雲南向扭轉大局邁進，都不能不歸功於丁博士，這一次對緬甸的戰爭，決不撤退政策的正確與須導的正確。丁博士料敵如神，所給全體官兵的鼓勵也是難以估計的。

李鴻章出洋外記

·輔公·

除了德政府以「殊禮」招待外。德國的軍火商人，也像發了狂似的，天天在包圍着李鴻章，而且想盡法子以取得他的好感，目的無非是想做一筆生意。他們不懂中國的政治組織關係，他們老以爲李鴻章是以首相資格代表國家出洋的，有着充分的權力，可以替國家增加軍備，這個迷夢，一直到李鴻章離開德國時才打破。那時候的英國某報，調侃得甚妙：（根據光緒二十二年萬國公報譯報）「李中堂銜命使歐，其念念不忘者，惟在聯絡邦交。彌縫罅漏，非有訂立盟約之責。亦無訂購器材之職，乃行旌既至德都，德人欵接殷殷，若有情難自己者，中堂一一受之，亦覺興高彩烈。然德人之所以冀望者，非中堂之所能允許者也，故當主者欵洽之際，中堂恆言，今幸得見製造之美，回華而後，必將備細言之，凡有所需，必求之德。味其言外，並叮嚀德人，勿空費而嘆失望也，吾實非開單備器而來也。而德人不悟也，今中堂捨德而去，始漸有夢醒之意。直至中堂將出德境時，諸德商尚殷然望曰：庶幾惠顧我乎？」

德皇後來，也甚以這次逾格的欵待爲失態，因爲在李鴻章的口頭，既一無所得，且即爲俄人所笑。一直到李鴻章回國後，向清政府建議，補充外交陣營，保黃遵憲爲出使德國大臣。黃那時正任着駐新加坡總領使，按資格升調，並無不合，却被德皇拒絕了，清政府不得已，改以呂海寰使德，李鴻章這一次很失面子，據說就是德皇的報復。

笑話在英美鬧

李鴻章由德而荷而比，而法，於八月間到了英國。這西方一老大帝國，在外交上，是慣以驕倨與傲慢爲其「保護色」的。[illegible]步的紳士氣，養尊處優的貴族氣，使李鴻章一入了她的國境，便覺得氣大異。倫敦泰晤士報，迎頭就給了他一個悶棍：（根據光緒二十二年萬國公報譯報）

「吾英視中堂之來，爲顯與大陸之國之大臣，具關繫於廣通商務，自宜如欵待貴朋，禮從優異。但不可師俄，德，貽德二國之貢獻媚，亦不可以逾格於人，人亦不可以貴望於我。英制之尊榮，過他國私暱之大臣，（謂非有訂約聯盟之任也），亦未嘗審視爲貴官，亦未必盡以以異數：中堂，華官也，道出吾英！初無宜受隆禮之故。且其在津時，待吾國局寬厚，然其爲英謀者少，爲華謀者多，（錄者按：此語頗費解）英似亦無甚宜申感謝處」。

英國輿論，對於李鴻章之論調，大部如是。而那時英國全國盛傳，李氏此來，實挾有談判增加關稅之使命，這又是英國商人所不高興聽的。

英政府十足的擺出了一「你愛來使來」的神氣，先給李鴻章以精神上的一個重大打擊，他後來在英國所作的外交工作，沒有一件的結果是圓滿的，有未始不是受着這種態度的影響。

李鴻章在當時的中國大僚中，固然是一個比較有外交頭腦的人，但其人實在並沒有充分的外交知識，對歐美的國情民俗，也非常隔膜，據「李傳相歷聘歐美記」中所載，他入英後，鬧的笑話頗多。

這並不是他在俄德時能員持重，而是處在一個花團錦簇的環境裏，不容易看出他的破綻來。在英人的倨傲的外交上，便覺無往而非咎病，舉兩事以爲例：一、李鴻章參觀水雷製造廠時，而求試放一個水雷，廠長拒絕之，而且嘲笑地說道：「地雷一放，你要粉身碎骨了！」

二、李鴻章向一個電報局長打聽他夫人的年齡，局長怫然不答，李還要問，局長說：「這是我不能告訴你的，假使你一定要知道，請自去問她罷！」

還有一個笑話，就是李氏後來到美國去，向一個紐約記者發表談話，因英人限制華人入境一事，而大罵愛爾蘭人的不當，這篇談話，經報紙發表後，引起愛爾蘭人強烈的反感。他的專車到了華盛頓，本來預備有轎子，而因爲那時的車站巡警長，是一個愛爾蘭人，禁止車站上的小工替他抬轎。美國政府派來照料的軍官，再三向那個愛爾蘭人解說，都被拒絕了，美國是一個平民國，這樣的事，是不算什麼奇怪的，李鴻章可受了一次大窘。

這一次隨李氏出洋的重要譯員，一個是北洋道員羅豐祿，一個是英國留學生，他的「譯事」，大概很能勝任，可是因此而被美國報紙把他幽默了一下，「李傅相歷聘歐美記」，譯倫敦時報之一段云：「羅君之來吾英，有不得不令人羨慕者。」

（未完）

五十六種砂鍋烹飪

馬騰雲

五十五　砂鍋梨

是用砂鍋燉梨，加川貝三錢，杏仁三錢，燉到熟爛爲度，甜度可用冰糖或蜂蜜調整，如果咳嗽劇烈，可用純梨花蜜加入砂鍋梨中有特效，純梨花蜜色白如脂，係蜂採梨花之精英所釀成，此物在台灣產梨區有售，不過贋品居多，原擬將假的純梨花蜜製作方法公佈，恐替賣藥的人開方便之門，經慎思後決定保留。

梨的功用凉心潤肺，降火消痰，散風潤燥，除煩止渴，醒酒解毒，治傷寒發熱、發狂、驚邪中風不語、失音、熱嗽、氣喘、痰喘、風痰，胸中痞塞，清熱（可以搾汁飲）照中醫的看法，梨入心肺二經，兼入肝脾，生吃清六腑之熱，熟吃可滋五臟之陰，爲消痰降火清熱解毒之最佳食療，不過中風的人、脾虛的人，受寒腹痛的人、胃冷嘔吐的人、生產後的婦人、種牛痘後的人、生金瘡的人，都以不吃爲宜。

面起黑雲，民間謂「牛斑」形容這個人有坐牢的預兆，可用[illegible]花熬水常洗面部，黑氣即會消失，又每晨用七片柚葉熬水洗面與梨花同功，這是筆者在日本時，聽一位高僧談的，用梨葉當茶葉飲用外加燕窩中粉末五分，可預防中風，這是中國民間驗方，梨樹皮可治傷寒，見藥典。

黛眉小傳

·王幻·

葉小紈（三）

沈宛君和三女的詩詞，都清新淡雅，沒有脂馥香膩的閨閣習氣。茲錄幾首於后，以見小紈家學的一斑：

淡薄輕陰拾翠天，
細腰柔似柳飛綿；
吹簫閒向畫屏前。
詩句半緣芳草斷，
鳥啼多爲杏花殘。
夜寒紅露濕秋千。
（宛君浣溪紗）

鬢薄金釵半墜輕，
佯羞微笑隱湘屏；
嫩紅染面太多情。
長怨曲闌看鬪鴨，
慣嗔南陌聽啼鶯；
月明簾下理瑤箏。
（小紈浣溪紗）

曲檻鶯啼翠影重，
紅妝春惱淡芳容；
疏香滿院閉簾櫳。
流水畫橋愁落日，
飛花輕絮怨東風；
不禁憔悴一春中。
（小鸞浣溪紗）

盡日重簾垂不卷，
庭院蕭條，已是春光半。
一片閑愁難自遣，
空嗟鏡裏年華換！
寂寞香殘門半掩，
脈脈無端，往事思量遍。
正是銷魂腸欲斷，
數聲新雁南樓晚。
（紈紈蝶戀花）

明亡後，她的父親棄家爲僧，那時的她，大概還在盛年，在歷經滄桑之後，不知她有否心情，把當時流離顛沛的生活，用爲寫作的材料，已不可考了。

詩云：「楓落吳江冷」，使我們想到秋風飄拂的吳江，在清漣柔漪之上，浮着一片……兩片的紅葉，似詩人苦諷而傾吐的心血，又似思女傷秋而流落的紅淚！不由的便引起一種冷然的感受，恍若窺見隱約在嘉興的烟雨樓頭，一個風姿綽約的背影。

（完）

第二十二章　張德遠督師江上　岳鵬舉招降黃左

周燕謀

「為齊兵要金兵退去，也不戰自退。」岳飛來到，牛皋參見已畢，岳飛對牛皋說道：「快快追去！如若不追，我軍回師，賊必復來。」牛皋揮軍追了三十餘里。金、齊兩軍以爲岳飛親自追來，自相驚擾，互相踐踏，又被宋軍殺死無數。

捷報傳至平江，高宗甚喜，即遣楊廷幹賜岳飛香藥一盒並賜御札慰問云：「……卿義勇之氣，震怒無前，長驅濟江，威聲遠暢，宜奮揚於我武，務深得於敵情。……」

岳飛收復廬州，暫且休兵。應東林住持慧和尚之請，遊廬山東林寺，因題詩一首云：

南浦廬山幾度秋，長江萬里折東流。
男兒之志扶王室，聖主專征滅虜酋。
功業要刊燕石上，歸休終伴赤松遊。
叮嚀寄語東林老，蓮社從今著力修。

金兵返屯泗洲竹墩鎮。撻賴領泗州軍，爲韓世忠所拖，貽書約戰。世忠遣麾下王愈及兩伶人，報以橘茗，且傳言張樞密（浚）在鎮江，已頒下文書，命決戰期。兀朮道：「張浚已貶嶺南，何得在此？汝等欺我不得！」王愈持文書出示，兀朮不禁色變，半晌乃答道：「汝國嘗遣使議和，現魏良臣方自北歸南，曾由我朝與約，擬在建州以南封汝國爲藩屬，免得爭戰不休，汝國尚以爲不足，乃與我開戰。將來兵敗國亡，後悔不及了！」

王愈道：「我國非不願與貴國和平，但貴國逼我太甚，辱我三鎮，羈我二帝，尚欲遷兵江淮，冊立叛逆，試問如何可和？自來國家存亡，半由天命，半由人事，人定亦能勝天。姑與貴國再決勝負，且看我朝果毫無能爲麼？」王愈理直氣壯的答對。兀朮聽了，自知理曲在己，幾無言可對，但只好說道：「要戰就戰，難道我國怕汝不成？」言畢遣還王愈等。

世忠得王愈回報，正擬調兵遣將，忽由偵騎來報，金兵已連夜遁去了。世忠亟派兵追趕，途中只收穫輜重若干，全是僞齊兵所遺。僞兵早已奔得無踪，料追之不及，只得收兵。

金、齊之兵爲何不戰退去？原來是時正値紹興四年十二月冬，大雪紛飛，餉道梗阻，軍中殺馬爲食，士兵多有怨言。撻賴、兀朮見士氣大傷，兵無鬥志。宋軍防禦早有預定；且張俊又在平江。加上國內有事，金主病篤，不得不趕緊退兵。一日夜急行三百里。

（一〇九）

中華民國內政部登記證內版臺誌字第〇二一四號
中華郵政臺字第一二八二號登記為第一類新聞紙

自由報

（第一一五九期）

（半週刊每星期三、六出版）
每份港幣壹角・台灣零售價新台幣貳元
督印黃行寶・社長李運鵬
社址：香港九龍彌敦道593—601號
廖創興銀行大厦八樓五座
LIU CHONG HING BUILDING
7th FLOOR FLAT '5
593—601 NATHAN ROAD,
KOWLOON, H.K.
TEL: K903831
電報掛號：7191

承印：景星印刷公司
地址：嘉咸街廿九號地下
台灣區業務管理中心：台北重慶南路一段一二九號
電話：二四五七四
台灣區直接訂戶　台灣劃撥戶
第五〇五六號張萬有（自由報會計室）
台灣分社：台北市西寧南路110號二樓
電話：三三〇三四六、台郵劃撥戶九二五二號

本報專論

中西心理的不同（二）

・張起鈞・

這種不同不再是枝節或程度的差異，而是其所依據的出發點，便根本不同。平常留心比較中西雙方的，都可以發現到中西雙方人士對於同一件事務的處置，與看法，往往是不同的，但他們為什麼會彼此不同呢？這並不是偶然的，而乃是由於指導他們行止思維的「心理」是不同的。這一點實是他們所以不同的基因所在。我們若不瞭解這基本原因，而只去一件事一件事作表象的比較，不僅支離破碎，抓不到要害，並且也根本無從了解。這種心理基本不同之處，我們細加分析，可得三點：一是雙方思維方面的習性不同，二是雙方思維所遵循的邏輯不同。三是雙方對於一般事務基本觀念不同。

二　思維方面的習性不同

所謂「習」是指習慣，「性」是指秉性。人們思維是有其各自的習性的，他對一個現象的攝取，理解，和構思（例如何應付，如何按排等是）都有其所習用的「路子」。我此話怎講，原來任何一個現象來到面前，我們都可對它發生種種不同的想法，例如一股流水，我們可以想到它的水利灌溉；可以想到它的舟楫航運，也可以詩意盎然流連詠賞，也可以臨川而立大興逝者如斯的慨歎。又如一樁侵淩降臨，我們可以考慮逃避，可以考慮抵抗，也可以考慮融合共處，設法化干戈為玉帛。一個人雖可作此海闊天空，種種不同的想法，但在實際思維時究竟採取那一個想法，卻因了生理秉賦和後天習受（習受包括自己的努力及承襲的傳統）的關係，總是有其一定的方向的。譬如勇敢的人遇到侵襲，絕不會考慮到逃避退讓。臨川長歎逝者如斯的也必定是深辭的哲人而絕非研究水利航運的科學家。因此一個人儘管所遇的現象層出無盡，所思的內容繁複不同；但其想法的方向則大體上總是一定的。這個為思維所循的方向，便是我們所說的「路子」；而其所以習於採取某個路子的本性，便是其思維的習性了。當這「路子」一經養成後，那只要與外界的現象一有接觸，便馬上自然而然，不知不覺的順着各自習用的「路子」去思維。大家既各自按着自己路子去思維；因此彼此間的想法，便不同了。我們普通說：「仁者見仁，智者見智」，物體本一，而仁智之見不同，就正因為彼此思維所循的路子不同。（一般以為仁智之見不同，是由於所採之觀點不同，這不是澈底語，試問仁者智者又為何各持其不同的觀點呢？那正是由於思維的習性不同了。）在不同的路子下，大家對於一切事務不僅主張不同，而是其根本的想法便不同；甚至就是主張表面相同，而其內在的含意也是大有逕庭的。我們若不了解這一點，便無從親切的去了解一個人或一個民族的心理。這種說法雖似抽象，實際卻是不可否認的事實。我們姑舉一個小例來看，孟子與荀子，柏拉圖與亞里士多德，凡是讀過他們的書，了解他們的思想的，都可體會到，孟荀之間，柏亞之間，不僅主張不同，而其根本的想法和氣氛便不同，其所以如此者便因為他們是走的不同的思維路子了。

中國與西洋，由於文化背景不同，體質秉賦不同，遂使彼此間一切事務的想法思咎，頗有差異，我們單就中國或西洋各自範圍之內來論，每一份子與每一份子間的思維路子自然也繁複紛雜，歧異萬端。但若總持起來，兩相比較，便可發現西洋人與西洋人之間實有其共通一致之處，中國人與中國人之間，也有其共通一致之處；既都各自有其獨特之處；對照起來便是彼此互有差異了。這一點是大家都感覺得到的，然則這差異之點究竟何在，西洋人究竟偏於那裏，中國人究竟偏於那裏。這問題很難答覆。因為第一這問題根本是抽象的，第二它是綜合的，比起個人的問題尤其難以確切說明，當然也就更難一語道破了。若一定要歸納出一個簡單明易的特徵，我們可以說西洋人的習性，比較「鑿實」（孟子「所惡於智者以其鑿也」的鑿）而中國人則比較「超逸」。何以說是如此，這話很難說。它只能於其民族的全部活動中去體會，而難以具體的指明，所謂只可意會不可言傳者是。按照近代的學風自以能羅列事實，排比推證最為快意，但無奈此一方法并不能適用在這個問題。因為這裏的判斷是一綜合性的判斷，它不能用個別的事例來佐證，我們縱羅列一萬件事例之多，但在上下幾千年，人口千萬億的活動中，仍是掛一漏萬的少數事例而已。何以能概其全。況且以個例來佐證，最易犯一個統計上的糾纏，譬如說西洋人的思維路子比較鑿實，我們固可舉很多例子來佐證，但反對者也同樣可搜集許多逸超的例子來糾纏。因為西洋人也不是沒有超逸的啊。所謂「此亦一是非彼亦一是非」，勢將訟之無窮了。須知森林的形態，原不能由樹木來測定，它只有得自綜合的印象。最多只能拿主要的事例來印證而已。這種說法，雖似欠精確，卻無礙眞理的存在，因為有許多事的性質原就是如此的。譬如杜甫說「清新庾開府俊逸鮑參軍」凡是對庾信鮑照詩有深刻了解的，都會拜服杜甫評語的確當，但是我們卻難以羅列字句來作證。因為庾信的詩句中也有不清新而俊逸的，鮑照的詩句中也有不俊逸而清新的，或者兩者并有既不俊逸也不清新的。但這總還可以指陳清新俊逸之跡使人不至無從捉摸。至如人評褚遂良的字如「美女簪花」那就根本不能拿具體的事務來推證了，凡是能對書法有深刻欣賞能力的，都會有此體驗，而未達此境界的人，則只看到白紙上許多黑字而已，那裏找得到美女，便何由談到簪花？但我們並不能因了這些人找不到美女，看不到簪花，而否認褚字能給人「美女簪花」的意境，也並不能因了難作精確具體的推證便影響其評斷正確的價值。詩、字，如此，思維的習性，也正是如此。它是否鑿實或超逸，只能由人們自己去體驗。（未完）

自由談

談儀表與威儀

儀表和威儀的涵義迥然有別。儀表是人的自然型態，矯揉造作的成分殊少；威儀卻完全是故意裝成的塑像，有如寺廟中的菩薩然；前者人皆有之，後者是政治人物特有的技倆。

儀表對個人事業前途很有影響，人與人相處，一見面即使對方的觀感發生好壞作用的，就是儀表。男女初戀愛，儀表的關係最大，政治上的名公鉅卿物色人才，首先要察看你的儀表是否適合他的主觀標準？舊時科舉場中，凡是參預禮部都堂之試的會試者，如果五官不端正，文章再作得好，亦沒有進士及第的希望。所以，舊時憑藉科甲出身而作官的人，個個都相貌堂堂，走路表現着八字步，持重非凡。現在人類進化到了原子時代，而儀表的作用依然重大，如其洋服穿得不講究，說話不夾着幾句洋文，即休想有發達之日。雖然至聖先師孔夫子說是「以貌取人，失之子羽」，但人們重視儀表的觀念依然牢不可破。

談到威儀，那是另外一套，它是政治人物的專利品，旨在擺架子唬嚇人而已。但政治人物有時候亦不能不表示一些威儀，譬如國家元首正式接見呈遞國書的外邦使節時，如果沒有若干文武人員站立兩廂侍候着，元首本人不穿着大禮服，胸掛燦爛的大勳章，出場散場之際不高奏國歌助威，那就不成體統了。最可哂的乃是一般官兒們見着人架子甚大，官腔十足，表示着北方諺語所謂「要不完的損象」，別人認為他面目可憎，語言無味，他卻像煞有介事，表演其堂堂的威儀，恬不為怪。民主時代的官兒何以還要講威儀，擺臭架子呢？唯一作用就是過官癮，所謂阿Q精神是也。

儀表不妨講求，囚首垢面的名士派固不足為訓，但亦不必過於勉強；威儀卻不可亂來，否則徒彰其醜陋相，其價值與市面上無人問津的臭豬肉等量齊觀，祇是給貓狗作食料罷了。

馮五先生

昨日與明日

麥美倫的政治見解

前任英國首相麥美倫，在其最近刊行的回憶錄中，對已故總統艾森豪，法總統戴高洛大加抨擊。他說艾森豪根本就不是作總統的人才，一切政事都聽從國務卿杜爾斯擺佈；又說英國在二次大戰時如果跟希特勒妥協了，即不致遭受戴高洛後來的反噬。前者以十年前英法進軍蘇彝士運河，中途被艾森豪壓迫撤退之役為論據，後者乃指戴高洛拼命反對英國加入歐洲共同市場這回事。國際間的恩怨是非，影響各個國家的生存前途甚鉅，我們從麥美倫的言論上，應該知所警惕而省察其癥結所在，藉資鑑戒。

艾登首相得意忘形

英前首相艾登在位時，為安南戰事協同法國舉行「日內瓦和平談判」，邀請毛共代表周恩來出席，共作主人，而置美代表杜爾斯於冷板凳，周恩來對杜爾斯表示着不屑一顧的蔑視姿態，見面亦不打招呼，使杜氏感覺十分難堪。最後「日內瓦協定」簽字時，杜爾斯聲明他是「痛苦的決定」而簽署的。隨後美國大力倡組「東南亞公約」，英法皆採取消極態度，讓杜爾斯唱獨腳戲。

因此之故，迨英法進軍埃及之役，杜爾斯便以「中東問題不需英法打頭陣」的理由，唆使總統艾森豪以停止石油供應的威脅手段，迫令英法退兵，而艾登首相即從此垮台了！

戴高洛毋忘在莒

二次大戰時，法國本土已淪陷，戴高洛亡命倫敦，倡設「法蘭西戰鬥內閣」，繼續對德抗戰，法國駐在北非土倫港的海軍很完整，戴氏又號召許多的法國陸軍共同作戰。但英首相邱吉爾對戴高洛很輕視，不把「法蘭西戰鬥內閣」看作盟邦之一，所有盟邦鉅頭的集會，如開羅會議，如德黑蘭會議，如波茨坦會議，皆不讓戴高洛參預，且將土倫港的法海軍劃歸英美聯軍指揮。這在戴氏的心目中，實係一項沒齒難忘的奇恥大辱，任何一個具有自尊感的人，亦不會恝然置之的。

後來戴高洛強項地反對英國加入歐洲共同市場，即公然指說若讓英國加入了，就會把美國帶進來，完全是基於一種政治性的報復心理也。

國際政治不可太現實

國與國之間的外交行為，固然是注重現實利益的，但亦須有高瞻遠矚的理想和原則，否則必貽後患。麥美倫批評艾森豪不是作總統的人才，可謂允當，然其痛惡戴高洛之反噬，卻非正確的論斷。「行有不慊於心，則反求諸己」，今日許多當國的人物，都應該三復孔子這項格言啊！

・何如・

血掙來的地位

成公

天下雜論

聯合國大會中，每年都要討論到中國的席位代表權的問題，這幾乎成了一年一度的「必須課」了，而去年居然還差了兩票，凡我中華民族，碰到這種事情。眞是奇恥大辱，國勢雖弱，道理不可不講，我們不知政府主持外交的，何以竟然容忍退讓一至於此，而竟不謀打開環境，轉變此外交的劣勢。

新任命的外交部長周書楷氏，在即將回國就職聲中，接受記者訪問，據四月四日華盛頓美聯電的報導，他在訪問中說：「中國人在二次大戰中犧牲了幾百萬人的生命，而贏得在聯合國的地位。我們是以血掙得我們的地位」這才是至理名言，這才眞正配作代表中國發言的外交官：假如只會「聽話奉命」，「接受宰割」那還叫什麼「外交」，只有能站在自己的立場，為正義而奮鬥，才能算是「外交」，國人痛定思痛，近已感覺有改變作風展開獨立自立外交的需要，而周氏這「觀念，正是最必要的一着，尤其周氏又說：「我們不可太強調美國在聯合國中的地位……我們不能完全依靠美國，我們必須增進與其他所有國家的關係」這正是我們每一個民心裏要說的話，而也正是走向「獨立自主外交」的起步。

我們是堂堂正正的，聯合國發起的大國，我們有權與英美蘇比肩締造聯合國，並不是那個蕞爾屑小之徒賜與的，誠如周氏所說，我們是以幾百萬人的生命，拿血換來的。其實何止幾百萬。那幾千萬人的流離轉徙，家破人亡，却是中華兒女換得國際地位所付出的代價。所謂幾百萬人不過是直接效命在疆場上的戰士而已；而這戰士，並且正是我們蔣總統所親自指揮奮鬥的，有什麼人可以抹殺這段歷史，而妄作無聊的代表權討論。

我們不僅要自己尊重過去的歷史，尊重自己所付出的代價，並且要恢復發揚當年抗戰自強的奮鬥精神，我們今天雖然轄域不太大，但是國際上的「比重」並不輕，切不可妄自菲薄，尤其今天世界問題的中心是對共產國家的鬥爭，而在這一鬥爭中，我們不僅有最具關鍵性的地位，同時我們更有最豐富的反共經驗，最能應付共匪伎倆的智慧。我們不要再扮演被批評揶揄的對象。反之，應該挺起胸膛，以反共前鋒（縱不是反共領袖）的姿態出現。這才是獨立自主外交的正路。

教部官員違法濫權 無事生非製造弊端

維護樹人大業應徹底整頓 立法委員向行政院提出質詢

（自由報台北消息）立法委員徐中齊為教育部官員違法濫權，動搖國本，無事生非，製造弊端，亟應徹底整頓，以維樹人大業，向行政院提出質詢：

一、烏龍匝地，擺出學官之府。

教育部督學周作民，為了部長批准代付電話費，會計單位拒絕蓋章，與會計主任傅敏中在辦公室拍案對罵，幾演武行。據六十年三月二十四日台灣日報「教育部壓遺失公文」，報導說：「吵鬧的聲音，使在中山南路馬路上行的人及台大醫學院的學生，都聽得一清二楚」。說「教育部有幾十個人裝電話到家裏去用」。說嘉義農專，屏東師範，和某專校呈教育部的公文，都發生遺失或積壓經年的事件。

師大國文專修科第七期學生招待記者，指責教育部將本屆由三年制改為二年制，違反師範學院規程第九條，和教育部五十九年十二月，自己核定的師大學則第三十一條，認為有失公允；正在醞釀請願之中。（60、3、10、民族晚報）。

于斌主教，為着教育部制定的「私立學校辦理財團法人登記辦法」，規定「私立學校因辦理不善，經主管教育行政機關派員整理者，其整理期間之聲請變更登記，應由整理人為之」。認為「無異於合法奪取私立學校」。代表輔仁、東吳等九院校，向立監兩院請願。

樞機主教的聲勢，畢竟不凡，監察院於上月十五日聲稱：「教育部的辦法，確與法令牴觸」，本院委員們也認為「教育部違法違憲」，並列入教育委員會的審查議程。即上月十七日的中央日報，也指責「教育部違法濫權」。

想到已經被人非法奪取的學院，其籌備者舉債經營的艱辛，多年呼籲無門的苦楚，和屢次被人指使流氓威脅，（五十四年報案）派人監視跟踪（向十全大會報案）的悲憤，平添無限的感慨的憐憫，我們眞是處於弱肉強食無法無天的社會中麼？凡有良知之士，都會自感茫然。

教育部的違法濫權措施，遠不止此，（本院教育委員會近期列案審查者，即有五件之多）鍾部長以自然科學者出長教育部，二年以來，我國的自然科學毫無進步，而教育風氣，却已敗壞得一場糊塗，屈指大事，都二十有四件，可謂斐然矣？教育界人士每為談及，莫不撫膺太息，即教育部的粵籍職員，也會搖頭說：「擺烏龍、擺烏龍。」

二、紅包漫天，飛入次長之家。

在五十九年六月二十七日自立晚報「五專招生名額，其中奧妙無窮！」的文章裏，有「專校派人活動，頻頻與司長談生意經」的標題，指明「如需增班，招呼得先到」。竟然眞有台中某私立家專，派員拿着該報到專職司公開談生意，吵了一個上午。造成教育史上亘古罕有的笑話。（見今日台灣教育專輯社論）

據五十九年七月四日時代文摘週刊報導說：「教育部若干官員涉嫌收受紅包」。說：「不久以前政務次長孫宕越收到某私立商專數萬元紅包，他懷疑這所五專送紅包的動機必有所求……顯示主管單位專職司也必定受惠」。足見清高衙門的教育部，已有紅包漫天的跡象。

教育部是清高機關 已有紅包漫天跡象

次長雖退紅包引起猜測

雖然次長的紅包已經退回，但退回的方式並不高明，引起部內許多不同的猜測。假使孫次長把紅包送到治安機關追究責任也許能殺一殺紅包漫天的風氣，為教育部爭點面子，竟捨此不由，眞不知原因何在。

據悉：教育部另一位次長，現正被一「王明」向人事行政局檢舉偽造文書，許多教育界人士都接到傳單。

三、國代年會的憤慨言論。

五十九年十二月國代年會和黨員大會裏，有許多關係教育的提案，引起代表們憤慨發言。

一件是有關聯考一千分分配不當的提案，由李代表士襲等提出，認為「教育部把三民主義的分數，降為英數的二分之一，等於變相的淘汰三民主義，在提案說明的時候，公開指責「鍾部長無事生非，製造弊端」，認為鍾部長是「故意動搖國本，思想有問題」。

另一件是有關違法騙取逢甲學院的提案，由周代表士傑富代表學廉分別領銜提出，認為清史學者蕭一山先生致教育部代電，指明高信：「分文不出，盡背承諾」、「隱匿文件」、「違反法令」、「教育界人士竟有此敗行，尚復何言」。和僑委會設計委員許志遠親筆函所指：高信「諸多措施，未符當初協議之原則」。「竟敢盜竊曉公之名，以巧取逢甲之實，殊堪誌於今世之儒林外史」，等事實。足以破壞我國的文化道德的傳統。認為「倘蕭氏所言不實，應予懲處，倘蕭氏所言屬實，應對許騙背信者予以懲處，教育當局不查不理的鄉愿作風，是我們總統所深惡痛絕的」。

四、音謠可畏，不容忽視。

大專院校的師生們，正流行着「終攪光」的音謠，意謂「終久會攪光我國的教育」，當教師們在課堂上播講之後，你想，百萬計的莘莘學子們，把我們教育當局看成什麼玩意！感於「時日曷喪」的夏謠，令人不寒而慄。

為着替國家留些讀書種子，希望嚴院長拿出魄力來整頓一番，向社會交代，向青年學子們交代。

違法濫權實例 列出二十四條

教育行政幾無一是處

教育部鍾部長違法濫權事件，徐中齊委員總共列舉了二十四項，摘錄重要數條於后：

（一）教育部限制師大畢業生成績要達到八十五分以上，才可申請留學。師大師生們提出抗議，認為待遇不公平，認為扼殺教育的發展，窒息學術的進步。師大女教授在電視節目中公開評擊，海內外報紙認為，是教育界的笑話。

（二）鍾皎光出任部長後發表其廣東同鄉任次長、司長、秘書、科長新職，連同外甥、媳婦、門生、故吏，達數十人之多。教育部舊人紛紛不平，變相怠工以至抗議。

（三）鍾皎光任用其親外甥侯煒昌為教育部事務科長，另一外甥廖傳淮為中等教育司長，人事處認為違反公務員服務法十三條：應迴避三親等之規定，鍾部長說：「我不考慮人事法規」。

立法委員質詢鍾部長答覆質詢說：「只任用同鄉四人」「一侯煒昌雖係親外甥，但是關前部長任用的」。

立委再提出鄭瑞霖等，證明不止四人，教育部人士說侯煒昌事務科長明明是鍾部長下條任用的，顯然公開說謊。

五十九年四月六日、台灣晚報社論，說鍾氏任用外甥為管報銷的事務科長，又違反「誠實」，其用心不夠光明。

（四）大專聯考錄取名單，被任約翰先期取出發賣，加上提早打鈴遺失考卷，評分錯誤等，引起輿論大譁。

聯考會無專設機構，例由教部監辦，不論是勾結職員盜出，或入內偷出，教部都難辭監督不力之責，未開議處。

台灣日報評聯考名單洩漏案社論，謂「朝野對鍾氏頗表失望。」「又有「某報著論促其以國家為重，度德量力，善自處之。」

（五）九年國教甫行三年，惡性補習又轉入國中，較前尤烈，學生爭考私立初中，說國中辦的不好。

教育部座談取締國中惡補，迄無善策。

擬將私中變為代用國中，恐又將引起風波。

各報章雜誌均批評國中惡補猖獗，是教育行政當局無能。

（六）教育部改訂大專聯考成績為一千分，英、國、數、各二百分，史、地百五十五，三民主義一百分經人反對又改為非整數的一〇五〇分。

國父遺傳的教授們，黨政人員民意代表紛紛反對，認為三民主義是國策，不應變相淘汰。

國代李士襲說明提案，認為教部負責人思想有問題。

大專師生中發現了「終攪光」的音謠。

（七）教部制定私校財團登記辦法，規定「私校辦理不善，行政機關整理期間之變更登記，應由整理人為之」報院核定。輔仁、東吳等九校，由于斌主教領向立、監兩院請願。認為故違民法62條，32條，奪取私校。

監察院開會討論，謂確與法令抵觸（60、3、16民族晚報）。立委質詢謂其違法違憲。（60、3、17中央日報）。

劉半農記賽金花

我們在京住前門外草廠，後來因太狹窄，又在東城史家門胡同買了一所較大的宅子，間數很多，局樣也好，因拆去後邊的一部。為我從新蓋幾間洋式樓房。那想到，家還沒有搬，洪先生就得了病，病時，正值被派監修東西陵天壇等處的工程。

初得是一種痧氣，恰巧宅裏有個雇用多年的剃頭匠，嫻於針術，常見他給人家治好了病。這時便想教他治一治，洪先生不願意，嗣經我竭力的勸說，纔應允了。扎過了幾針，病果見效，但挨時未久又復犯，這次轉入黃病，請來多少的名醫，也都束手無策了：就這樣的不治而歿！享年五十五歲。

歿後，朝廷頗加優禮，賞賜恤金，並派大臣致祭，儀式隆重得很。所派致祭的大臣是高陽和李鴻章相國。這時候我眞痛苦呀！洪先生一死，京裏除去幾個族人僕人以外，只有我同我母親，親戚朋友們人家是不便給作主張的。我那裏經過這樣事？簡直都弄糊塗了。後來還是有人說，趕緊着先給少爺打個電報，叫他來京奔喪吧，這纔打了去。

裝殮時，我在棺材裏面放了許多珍貴器物，記得有二十幾掛朝珠；佛頭都是很好的，四個鼻烟壺，兩個翡翠的，兩個白玉的。又燒了不少的衣服。裝殮完畢。棺材的蓋暫沒有上楔，淨待着少爺來，這樣待了有七八天，他纔來到。

洪先生的靈柩是奉了旨特許進城。出的朝陽門，到通州，由運河上船回籍。途中，少爺因有病，也沒有作耍，抵家後不久就去世了。

附洪鈞小傳：

洪鈞，字陶士，號文卿。先世自歙遷吳，遂為吳縣人。幼穎異，家貧令習賈，涕泣請讀書。十八歲補縣學生，同治三年中中舉，七年廷對第一成進士，時年三十。授翰林院修撰，八遷至內閣學士，中間會纂修穆宗毅皇帝實錄，充陝西山東鄉試正考官，提督湖北西學政。旋丁母憂，服闋後，簡派出使俄德奧荷四國大臣。期滿，受代歸，陞兵部左侍郎，在總理各國事務衙門行走。光緒十九年八月二十三日以疾卒於京，年五十有五，著元史譯文證補三十卷，元和陸潤庠其親家也，為校寫付梓。子洛，縣學生，以蔭考授通判，改工部郎中，不勝，喪而卒。（參據清史本傳費念慈所撰墓誌銘陸潤庠元史譯文證補序）

唱妓生活

洪先生歿後，所遺下的財產很多，臨危時會對我說：「你跟我一塊很不容易，無論守不守，給你五萬塊錢，當年我也有過這話。」

（九）

青帮的內容和帮規（下）

・南懷瑾・

戊、安清道格言與孝祖歌

安清道格言

諸位老大聽其詳。家裏義氣最久長。
進家先學孝父母。然後和睦隣閭鄉。小心謹愼莫惹事。吃虧忍讓是良方。街坊老少莫慢怠。大小事情平天良。孝悌忠信合廉恥。莫忘三綱並五常。若是有人來爭辯。讓他兩句有何妨。咱與人家來毆鬥。他說仗着安清帮。滿是咱的十分理。他說咱的人剛强。要是與人爭强弱。街坊談論不像樣。謹守帮規要謹愼。犯了帮規你遭殃。各位老大先請祖。請祖臨壇再燒香。人家站着你復跪。人家心穩你心慌。請下家法將你打。打得徧體是鱗傷。原是花錢買頭磕。[illegible]個老家來管着。敢說安清無好處。爲何個個有香堂。各位老大聽我講。吾把好處說其詳。出門在外挨了打。漏漏家禮沾大光。若是淺住[illegible]盤費。湊上幾吊你還鄉。或者貪上小官司。衆人拔錢你上堂。陰雨連天困住你。十天八天住不妨。冬遇大雪身受凍。衆人拿錢製衣服。師父走到徒弟家。如同父母在萱堂。徒弟走到師父家。持茶端飯你情願。鋪床疊被你承當。見了師母如親娘。吃喝穿衣皆不足。化錢拉賬他承當。糊塗窩窩高粱餅。不嫌吃菜與吞糠。師父家裏有了活。耕種除割你帮忙。這戶面子在人創。莊稼人等不在行。有等之人不義氣。見了師父不答臉。聽說來客他就躲。聽說貪錢他心慌。這一戶的在家裏。走遍天下不增光。[illegible]他師父要出帖。一頓家法趕出堂。多個少個不要緊。給他多少不心傷。各位老少記此話。以後且要學善良。講到這裏且住口。孝祖歌詞另言講。

孝祖歌詞

勸老大敬師父竭力行孝。如不然遭天罰困苦貧寒。念一遍孝祖歌平心細想。別等到禍臨身後悔從前。天下的父與母善愛孝子。生忤子他反說父母心偏。聽其言觀其行平心而論。得實情處賞罰不失褒貶。論天理論良心人人皆有。敬三老愛四少是必當然。三家祖留下的倫常道理。君要敬臣要忠國泰民安。師要慈徒要恭家庭和順。夫妻和要內外法肅詞嚴。兄則友弟則恭長幼有序。信朋友言顧行又有顧言。這就是人之倫孝悌忠信。有禮義共廉恥全在裏邊。孝順子修福壽神欽鬼敬。忤逆子造罪孽受人褒貶。疼銀錢薄父母不成人子。戀賭嫖忘前人難對尊師。師慈悲千萬語一言難盡。不論窮不論富無不皆言。師有事與己事原是一樣。遇患難遇困苦生死相關。失孝道滅人倫傷天害理。本命師分你我謬地別天。天多孽猶可違多多行善。包的屈受的氣種下福田。爲忠臣爲孝子各留後世。萬不可信邪言去學異端。七星燈掛船頭潘祖留下。姦盜邪家不清萬不交攙。義氣人紅白事來往弔賀。或本帮或調位同敬當先。遇惡人說瞎話推聾裝啞。不怪人不挑詞腹大量寬。低着聲忍着氣有話慢講。萬不可高聲喊口出惡言。受災苦受困難聽天由命。萬不可與惡心滅理欺天。量家當奉衣食誠心敬意。心說好竭力爲總不說難。守家法聽師訓循規蹈矩。莫心急莫心燥隨方就圓。編出書雖淺薄實在道理。勸老大要謹記金石良言。

（完）

駁人性獸性與門性

・湯如炎・

再則生養的工作又要兩性合力負担，所以爲了整個物種的前途着想，不得不有特殊的律令，專門用來保護雌性的安全，「好男不與女鬥」的風氣因此應運而生。：：我們普通家養的公狗在追求母狗時，也很有紳士風度，不管母狗多麼蠻橫不講理，牠也不肯失去公狗的本「色」，一種高於牠意志的禁令，使牠不但不能還口，還要保持友善的態度——耳朶向從豎起，額頭上的皮平滑地露在外面，好像在說：「何苦來呢；我不過想和你做個朋友，並沒有惡意呀！」」

其（八）有云：

（畧）

又，其（九）有云：

「那麼，我們該怎麼辦呢？與生俱來的衝動和禁忌，就像身體的構造一樣，既不能說不要就不要，也不能說有就有。要在人的天性裏培養出與狼、鷹同等的道德水準，所需要的時間，也許只有天文學家才算得出來，我們等得及嗎？就另一方面來看，門性又是一種極其古老的生物性，它的來歷愈是久遠，它的影響力也愈是重大；就和一道洶湧澎湃的激流一樣，你擋住了東西，它就朝西面走，你把四面都用提防圍住，它就從上方滿出來；加强社會道德固然是人類自救的一種憑藉，却不是一個治本之法。

莫禮士在管理倫敦動物園的時候，發現籠子裏關的野獸，由於門性完全得不到發洩，常有自殘的行爲，有時候牠們竟會把自己的肉一塊塊咬下來，一直到可以看見骨頭。這一類的變態行爲通常都是在不自然的環境裏發生的。人如果有了怒氣又不許他發出來，也一樣會有變態行爲，曾常見的是將目標轉移，找軟的欺，所以太太、孩子或狗，常常成了出氣的對象；萬一他竟然沒有太太，也沒有孩子或狗，倒霉的就是他自己了，尤其是那個最容易受情緒影響的器官——胃；如果情形更加不堪，他甚至會自殺——雖說自殺的人都是爲了殺不成別人才殺自己的，但是門性和自殺率有極其密切的關係，却是一件毋容置疑的事實：戰爭進行的當兒，自殺率總是特別低；謀殺率高的地方，自殺率也低。英國的心理治療家史托，曾就他的臨床經驗，列舉了許許多多因門性得不到合理抒發而生的變態行爲。所以，如果門性眞如一般動物行爲學家所說，是我們生來就帶在身上的一件傳「種」之寶，那麼，假裝沒有它，或是將它踹個稀爛，不許它露臉，都不是處置它的好法子，我們到底該怎麼辦呢？」

其（十）有云：

「幾乎所有的心理學家、社會學家、和生物學家都同意：隨着人口密度的增加，門性造成的傷害也跟着直綫上升，這個原因是很容易了解的；整個地球就像是個密閉的盒子，空間與資源都有一定，分享的人愈多，競爭自然愈是激烈，彼此之間的敵意也就不可避免的增高。卡龍在他的「人口密度與社會病態」一文中指出：即使在糧食的供應源源不斷的情形下，單單是密度的增加，就可以引起病態的行爲：：。所以，如果我們希望避免門性過份尖銳化，一個釜底抽薪的辦法便是節制人口。過去凡是有關人口問題的論文總是把它和糧食的生產聯在一起，以爲我們只要能夠解決糧食問題，人口再多，也沒有關係，這完全是以人爲本位，一廂情願的一種看法：：近代的生物學家們發現，大自然用來控制一般物種數目的方法，並不是糧食，早在一種生物的數量達到糧食的極限之前，門性就會先出來，做一陣自淸的工作。隨着擁擠而出現的第一個病態現象不是飢餓，而是心理上的緊張和疲勞；當這種緊張和疲勞達到了極限，社會組織，道德提防都會跟着崩潰，所以節制人口和減低門性的傷害，其實是一回事。就像我們把一條河的流量減少，就可以防止它氾濫一樣，自動節育似乎是約束門性的唯一妙法。」

這，撇畜（狼、鷹）性—「梟雄」的所謂門性直到兩個多月前才開始發洩，足見過去幾十年「完全得不到發洩」，可也不見它們「把自己的肉一塊塊咬下來，直到可以看見骨頭」？所謂「要在人的天性裏培養出與狼，鷹同等的道德水準，所需要的時間，也許只有天文家才算得出來」之說，我敢斷言：它們及其「惡意一同」的「所有的心理學家、社會學家」無一能求證其爲眞；相反的，我倒是能求證其爲僞。第一、它們業經其同惡鑑定爲『被稱爲「人」的猿類』，其道德顯已夠狼鷹的水準；而培養的時間，就從勞倫茲一九六三年出版「門性論」之日算起，到去年年底也不過是七個年頭，故知其說不眞，不要聽信它們那一套鬼話！第二、人類的先天具備八性，八性常態發展的啓示，復形成後天的八德：舊的稱爲「孝、悌、忠、信、禮、義、廉、恥」。新的稱爲「忠、孝、仁、愛，信、義、和、平」。時賢惕於世人之求食性與遜避性日益傾向病態發展，認爲欲求有效地「率性」與「防閒」，修「和平」之教不如修「廉恥」之教來得結紮而無惡性副作用，所以最近有倡議就「忠孝仁愛信義和平」而益新之，主張修正爲「忠孝仁愛信義廉恥」者。其中也有認爲以「恥」代「和」對糾正遜避性，確能收對症下藥之效，至於以「廉」代「平」，則大可不必，因爲求食性是無法滿足的，此地此時，和氣第一，生財第二，「廉」雖能化儲蓄爲資本，致經濟之繁榮，但關係社會安全者小，「平」則可消貧窮大衆之憤，導求食性入常軌。

（未完）

神經病說

鮑紹洲

此一種學說，似無一點價值，不過既有此說，不妨錄備參考。這是法國大名鼎鼎的神經病專家夏爾果氏所創。因爲催眠能夠療病，於是便細心研究，遂發表一篇論文之學說。他說催眠的原理，乃是一種暫時被動的神經病現象，和普通的神經病者，身心必然衰弱，精神必然錯亂，而被術者並無這等現象。經過數次施術，身心反而勝過往日。大家認爲此說不正確。並且引英國醫學大家滿啓司打氏的證言。滿氏說：被術者所以能呈如睡眠狀態者，厥爲視神經疲勞與神經病截然不同。

滿氏此說比較夏氏的神經病說高妙得多了。因此神經病說只可畧備一說。

御廚談藝

林泉隱

煨羊蹄

羊蹄煮爛除湯加鹽、酒、醬油、紅棗、葱頭等煨濃後去掉雜料再以葱花椒酒潑入之。

炒羊肉絲

用羊肉之腿肉斬斷直紋橫切爲片再切爲絲，浸入水撈起用綠豆粉拌勻，熱油快炒見稍脫生，取葱芜及醬油加入再加酒少炒即起鍋，若加白菜絲或[illegible]菜同炒味眞雅美。

會（火旁）羊頭

羊頭劈開去腦放入大盤入鍋蒸熟，剝去其帶肉薄皮，剔除骨頭，再切爲小方塊，入鍋用急火燒之待熱再將羊皮塊倒入，改爲文火，約半小時開視若水乾再加入以滿過肉一寸爲限，約一小時半，撒入鹽與胡椒燒爛即可起鍋，待冷後食隨以醬油和醋，或者用荀蒜之件切丁與羊頭拌勻同下鍋燒，其味更鮮。

羊膏

山羊佳綿羊次之，山羊連皮綿羊去皮，腿肉去骨切塊下水鍋急火煮稍爛改文火至爛，乃加醬油花椒再燒片刻出鍋攤平等冷切片食之。

孝道的宏揚與光大（五）

・李宗黃・

第二「孝」是淵源於父母的慈愛。天地間最純眞，最偉大的愛，莫過於父母對於子女的慈愛。父母對於子女的愛，簡直沒有適當的詞句可以形容，古今形容父母之愛的詩歌，只有蓼莪之詩，庶幾近之。其詞云：

「蓼蓼者莪，匪莪伊蒿，
哀哀父母，生我劬勞。
蓼蓼者莪，匪莪伊蔚，
哀哀父母，生我勞瘁。
缾之罄矣，維罍之恥，
鮮民之生，不如死之久矣。
無父何怙？無母何恃？
出則銜恤，入則靡至。
父兮生我，母兮鞠我，
拊我畜我，長我育我。
顧我復我，出入腹我，
欲報之德，昊天罔極。」（見詩小雅）

有恩必報，有來必往，也是人類特性之一，描寫這種特性的歌，我們也可以詩經上木瓜之詩爲例。其詞云：

「投我以木瓜，報之以瓊琚，
匪報也，永以爲好也。
投我以木桃，報之以瓊瑤，
匪報也，永以爲好也。
投我以木李，報之以瓊玖，
匪報也，永以爲好也。」（見詩經國風）

「木瓜」、「木桃」、「木李」之微，尚須報以「瓊琚」、「瓊瑤」、「瓊玖」之重，報父母最偉大的愛，自然應當報以最偉大的孝。

根據上列兩點，我們可以明白孝之淵源，並可以明白「孝」在人類中的重要，更可以肯定的說：孝是人的根本，確如孟子所說：「不得乎親不可以爲人，不順乎親不可以爲子」。

（四）孝的方法

我國古聖先賢因爲發明了孝在人類中的重要，因此在「孝」的方法上，也有很大的發明，把孝寓於各種美德中來推行，使不管站在甚麼地位，做甚麼事的人，都可站在自己的崗位上盡孝。講孝的人，以孔子最爲透徹，但是他的門弟子向他問孝，幾乎每一個所得的答案都不同，如「父在觀其志，父沒觀其行，三年無改於父之道，可謂孝也」，「父母在不遠遊，遊必有方」，「事父母能竭其力」，「事父母幾諫」。孟懿子問孝，子曰：「無違」。樊遲御，子告之曰：孟孫問孝於我，我對之曰「無違」。樊遲曰何謂也？子曰：「生事之以禮，死葬之以禮，祭之以禮」。孟武伯問孝，子曰：「父母爲其疾之憂」，子游問孝，子曰：「今之孝者是謂能養，至於犬馬皆能有養，不敬何以別乎？」子夏問孝，子曰：「色難，有事弟子服其勞，有酒食先生饌，曾是以爲孝乎」？等是。記載孝的方法最詳的書，要數孝經，孝經首章「身體髮膚受之父母，不敢毀傷，孝之始也。立身行道揚名於後世，以顯父母，孝之終也。夫孝始於事親，中於事君，終於立身。大雅云：「無念爾祖，聿修厥德」」一段，可以說是孝的原理。曾子根據這個原理，演爲孝經，將自天子以至庶人的孝，條分縷析的說明。

孔子弟子中對孝特別有研究的就要算曾子，除演孝經外，禮記中還記載許多關於孝的言論。如祭義中有一段云：

「孝有三，大孝尊親，其次弗辱，其次能養」，所謂「尊親」，「弗辱」之義，總統曾有如下的解釋：

「所謂尊親，謂當發揚光大吾祖先黃帝之遺緒。所謂不辱，謂當勿貽吾父母以隕越之羞。以我民族持化歷史之久遠，我不自亡，人孰得而亡我？誠使我同胞人人有「恥不若人」之覺悟，而朝夕惕勵於雪恥圖強之一念，契而不舍，金石可鏤，則不辱之義，庶乎得之」。（見報國與思親）

（未完）

往晤緬總理（一二）

胡慶蓉

巨變歷險記！

緬甸空軍總司令戰亡，這給緬甸政府的刺激是很大的。再在各個大小戰場緬軍也都處於劣勢，緬政府宇汝總理又改走談判路綫，於是提丁博士到仰光晤談。

緬甸獨立後，國體民主，政府採責任內閣制，總理就是宇汝。宇汝起初是一個小學的教員，追隨緬甸國父革命元勳翁山之後，從事革命，派往英倫的代表團，首席代表就是宇汝。當時緬甸的第二大族，吉倫也有代表團前往，團長是蘇巴宇枝，未爲英國所接待，緬甸的第三大族，單也有代表團去，英國也沒有接待。在英國統治緬甸的時期，是採取分治主義，粉緬，吉倫，單分而治之，各有他們自已的行政組織。既允緬甸獨立，同時也允吉倫，單獨立才是，但英國不是這樣打算，他決定把這三族合起來，以緬甸爲主，由緬甸的宇汝出來領導，吉倫當然不服從，就發動戰爭，以蘇巴宇枝爲領袖，直攻仰光，惜未克如願，以後退到山區，退到薩爾溫江沿岸，蘇巴宇枝戰死，即由他的秘書長韓特達威繼續領導，這一枝龐大的力量以後與丁博士的游擊力量合作，成立東南亞自由人民反共聯軍，成立薩爾溫江聯邦共和國，這是後話。加入這個聯軍這個聯邦的還有剛才說過的單邦，還有沒說的蒙族，蒙在薩爾溫江的南端一直到馬來亞邊境，這也是後話。

緬甸宇汝總理唱的大緬甸主義，詳言之即以緬族爲中心，把所有過去英國統治的吉倫，單，蒙……都置於緬甸之下。在這個緬甸主義之下，對於他所謂外軍，所謂「國民黨軍」當然視爲眼中釘，認作破壞他的領土主權。如何驅逐國民黨軍就成了他當前的最大問題，戰既不成，當然只有回到談判。所以又想到丁博士，命眉苗的當局押解了丁博士到仰光。

丁博士去仰光，但並不知道爲什麼。他在想是不是美國受中華民國國民政府之託已經發生了效力，將丁博士「驗明正身」後予以釋放？部除都在準備歡迎他們的家長回去領導，丁博士也確實願意回去。不管怎麼樣，能動動總是好的就在「衛士」「保護」之下前往眉苗大街一家印度理髮店理了個髮。這還在廿年後的今日，他還有深刻的印像。印度人個大手重，剪的手藝不行，推的手藝也不行，刮的手藝更差，刮臉最好是用濕手巾最好是熱手巾敷在面上過一會再用刃子刮，而印度老兄不然，他先用粉撲在臉上，然後熱刮，刮下來眞痛死人！丁博士從鏡子裏一看自己的頭髮自己的臉面不禁大吃一驚：這太不成樣子了！沒等到完，他就一怒而去，又找了一家中國理髮館再大加修飾一番也算罷了。

適値丁博士患牙痛，「衛士」又「護衛」到治牙的地方。這也很特別，本來在別的地方治牙痛是有牙醫的，而在眉苗，在整個的緬甸亦然，則由鑲牙的人兼任。緬人尚金，故所有的佛像都是金色，從臉面一直到全身。佛爺當然最闊，一般的人，也要多多少少有一點金氣……這就放在牙上。故鑲金牙之風甚盛。丁博士最憎惡金牙，當然他不會去鑲金牙。他要醫治他下邊右邊的一顆大牙，有個大洞洞，疼痛異常，這鑲牙匠兼大醫師先給鴉片大烟吃，這吃足了，然後以金子一塊將洞洞補上。廿年了，沒再痛過，金子也還是依然，令人嘆爲神奇。牙不痛了，髮又理了，非復囚首垢面，丁博士再照照鏡子，丁博士樂了！不管此行如何，動動總是好的。會不會由仰光送……？……？一切付諸命運之神吧！丁博士又難過起來……

李鴻章出洋外記

·輔公·

聆其傳譯之言，旣巧且妙，不知君之在華與天津也，得有何種名譽，然在此間，辯才無碍，善達主意，以成英文，兼能化數語而作一大論，美哉君乎！」替中國大官任繙譯工作的人，讀了這一段巧妙的諷刺文字，大概都有徒呼奈何之感。

圓明園的公案

李鴻章從英國到美國，又至加拿大流連幾日，便於是年九月十四日起程回國。不久即有李鴻章着在總理各國事務衙門行走」的上諭，這是一個無關宏旨的職務，而歐美各國政府不知道內情，以爲淸政府又要重用李氏，路透社所發的電報，且竟肯定李氏是以首相而兼理外交。可是只過了一天，又有上諭，嚴責李氏私入圓明園，爲大不敬，着交部議處。各國政府如墮五里霧中，何以數日之門，李鴻章升沉榮辱會變化的這麼快呢？關於圓明園的公案，一般只知道李鴻章是上了權閹李蓮英的當（蓮英勸鴻章去報效重修圓明園，以恢復慈禧太后對他的感情，鴻章聽他的話，私去勘察，以致獲罪），但據梁啓超的「亡羊錄」，則指此事爲中俄密約的尾聲：「其年七月，李鴻章尙遊歷歐洲，其議定之中俄密約的草約，達於北京，格希尼直持之以交涉於總理署，全署皆爲驚愕。皇上觀而大怒曰：是華祖宗發祥之地，一舉而賣與俄也，堅持不肯畫押，格希尼乃後通西后，加甜蜜之言與恐嚇之言，不經由總理衙門……至八月間，格希尼逼中朝，其勢益急，故爲束裝，就道，僱搬運行李車數輛，置於俄使館門前以示意，乃告總署曰：若此約不批准，則即日下旗回國。西太后爲所脅，日日敦促皇上，皇上之實權本在西太后手，安能批其逆鱗哉；於是於西曆九月三十日揮淚而批准此約，俄使格希尼即日携約而歸於俄。密約批准時，李鴻章尙在美國，及其歸也，謁西太后而自入圓明園，坐此受薄譴，非譴此舉也，謂其擅以祖宗陵寢之地許他人也。」

明年，又因蘆漢鐵路之事，英使表[illegible]起國際糾紛。英使密令，反對淸政府與華俄道勝銀行簽訂蘆漢合同，英使也以下旗回國，恐嚇淸政府。而這一次中俄間的動作，長順着李鴻章在俄西定的那根綫索來的。事後，淸政府閣僚之反李派，因此更加重對李之攻擊，於是上諭再頒，李鴻章「總理各國事務衙門行走」的差使，也免去了。說者謂其歐遊歸來，官運極差，不過出了一趟洋，見識了許多新奇的事物，接受了許多意外的殊榮，終還在個人生命史上，是最絢漫的一頁。（完）

五十六種砂鍋烹飪

馬鵬雲

十六　砂鍋牛心

牛心，最補心，治虛忘（最好是黃牛）。

以一個牛心爲標準，用黃豆芽兩斤，牛骨髓三兩，冬菇五錢，同熬煑兩小時將黃豆芽撈去，牛心切片備用。

你如果只想強化心臟機能，以砂鍋牛心佐餐或煑粥或下麵就够了，心的情況會一天比一天好，假定時常感到驚悸，煩躁與神志不寧，那就是心臟有了問題，食療的方法是以人參、生地、白茯苓、桔梗、柏子仁、天門冬、酸棗仁、遠志、杜仲、（現在台灣贗品充斥，購時注意，）當歸、五味子各兩錢與牛心同熬，一砂鍋水熬成半鍋時，連湯帶牛心盡自己食量吃。生地是滋水伏火，柏子仁淸氣。酸棗仁補血，人參茯苓補心氣，天冬淸心氣，當歸補心血，遠志是本藥的嚮導，桔梗担任運輸，集諸藥入心，以安定心臟地帶全局。

中醫與西醫逈異者，中醫講王道，西醫奮霸業，舉例：一代學人梁啓超，腎囊病由西醫主治，左腎有問題先割去左腎囊，右腎有問題再割去右腎囊，幸而一個人祇有兩個腎囊，如果腎囊多的話，豈不是天天要割腎囊了嗎？筆者家父與梁啓超同一種病，幾位外科醫生會診，決定馬上動刀，未料絕處逢生，被一蒙古大夫張轟隆者，用兩團豆腐渣治愈西醫所宣佈的必死病症，蒙古大夫不能代表中醫，就「藥無分貴賤，有效是靈丹」來說，雖一團豆腐渣，豆腐渣又能治病，既非張轟隆所發明，那就是由文化演進而來，這和從石器刀進化到槍炮同一原理。

讀李商隱詩偶拾

·李魚叔·

漁在中年時，最喜歡讀李商隱義山詩，因誦習甚久，所以詩中的大意，漸能通曉。不過義山詩的內容複雜，他出道以來，即碰上牛李黨爭，而他本人，又才高命薄，不甚容易應付，坎坷甚多，加以愛妻早亡，塊然無偶。平生許多幽歡秘遇，以及傷逝悼亡，宦途失意等，凡是不便明言之處，一一託之於詩，不僅集中那些「無題」詩，很難索解，就是有題的，也並不十分容易了解本意。如謁山詩：

「從來繫日乏長繩。水去雲回恨不勝。欲就麻姑買滄海。一杯春露冷如冰。」

謁山（義山詩集七言絕句四二六頁）。

這首詩涵意很深，記得去年有人在某報副刊曾經提起過，說是什麼「晦澀美」，好像也曾引證山海經來箋釋詩義，雖然旁徵博引，但都不甚合切題旨。

馮浩集注李義山詩，對這首箋釋云：「當與『玉山』七律回味。謁山者，謁令狐也。次句，身世之流轉無常；三句，陳情；四句，相遇冷淡也。唐時，翰林學士，不接賓客，義山雖舊交，中心已暌，遂以體格疏之耳。」

馮浩所箋，大旨不錯，他所說的「玉山」那首，在七律部份，也是爲令狐綯而作。「玉山」見山海經西山經，爲西王母所居的地方，穆天子傳所謂「羣玉之山」，也就是此處。用以指令狐綯那時正作翰林學士，在宮禁裏面，好像是玉山一樣。而令狐綯是令狐楚的兒子。（未完）

黛眉小傳

·王幻·

阮麗珍（一）

燕子是「信」鳥，也是「情」鳥。每當梅瓣初落，桃花始放，正是燕子重來的時候，看它們展翅翻飛，頡之頏之，一到晚上，便雙宿畫樑，可說沒有一刻兒分離。因此，成爲詩人吟詠的對象。例如：

「燕子于飛」，衛莊姜因送戴媯而生離憾；「淸秋燕子故飛飛」，杜子美自嗟飄泊；「舊時王謝堂前燕，飛入尋常百姓家」，劉禹錫感慨今昔；「空梁落燕泥」，薛道衡因賦佳句而遭妒殺，眞可說不勝列舉。

然而，假託「燕子」的力量，把兩個天南地北漠不相關的少年男女牽合在一起，成功喜劇的奇蹟，當推明末一部偉大的作品「燕子箋」了。

燕子箋的作者，在中國文學史和戲劇史上，都說是著有「春燈謎」「雙金榜」「牟尼合」「忠孝環」的作者阮大咸（金旁），其實燕子箋的成功，決不能歸功於一人。阮麗珍才是草創者，阮大咸只是修正者，前者建立了巧妙的基礎，後者築成了玲瓏的樓閣，各有相當的功績。而且他們是父女，可謂家學淵源，相得益彰；不幸的是阮大咸因依附魏忠賢，名列逆案，爲文人唾棄。在南都爲兵部時，與馬士英結黨爲奸，便專翻逆案，傾陷名士；後又降淸，爲淸兵前驅，想據福建地盤，在攻仙霞嶺時，僵仆石上而死，所以聲名狼籍，爲世人所不齒。

阮大鋮是安徽懷寧人，麗珍曾字楊龍友的幼子作霖。楊龍友是「桃花扇」戲劇中的要角，爲人任俠，疏財仗義，有朱家郭解之遺風，和他親翁的性格完全異致，這一對小兒女後來會否結合，因史料缺乏，我們已無從知道。麗珍美容色，長於作曲，所作尙有「夢虎緣」「鸞帕血」……等劇。夢虎緣係叙梁紅玉事，今皆不傳。燕子箋所叙雖爲唐朝故事，但借用的時代背景仍爲明末，所以她寫離亂的慘象，頗能動心怵目。如第廿三齣所寫；寄調「四邊靜」云：（未完）

第二十一章　張德遠督師江上　岳鵬舉招降黃左

周燕謀

世忠之奏達於平江，高大喜，對趙鼎道：「各路將士翕然效命，所以得却敵將；但由一人之力也。」趙鼎拜謝道：「事出聖斷，臣何力可言？惟强寇雖遁，他日未必不來，須博釆羣言，善爲後計」。高宗稱善。乃詔宰執以下，會議攻守之計，侍御史魏等奏請罷「講和」二字，代以「攻守」，飭屬將士，力圖擴敵，所以魏良臣持來金約，簡直不覆，命韓世忠屯鎭江，劉光世屯太平，張俊屯建康，蒐兵閱乘，協力防禦。召張俊還行在，以爲歸臨安，進趙鼎，張俊爲左右僕射，幷同平章事，兼知樞密院事。都督各路軍馬。

金兵退去，方聞金主吳乞買病殂，年六十一歲。因大軍南下，相拒江上，不敢發喪，至大軍退回，方告諸郡邑發喪。吳乞買乘滅遼之餘威，大擧寇宋，背盟黷武，荼毒華夏，俘宋之君，帝人之臣（立劉張邦昌、劉），暴戾已甚。特有十四子，均不立嗣，立其兄子完顏亶爲帝，人以爲不易，謚「文烈皇帝」，廟號「太宗」。

紹興五年春正月，高宗在平江府，仍親御六師。岳飛在虔州。一日讀池州所送朝報，內有岳飛乞母封國夫人，乞子岳雷授文資，乞封江州廬山東林寺住持僧海慧爲禪師。不禁大驚。即刻追查原因。

原來岳飛駐鄂州時，遣本軍提舉事務武功郎劉康年，前往行在投進收復襄陽賞功文書。岳飛以鄂州去行在遙遠，恐往返不便；又以軍中器械缺乏，戰馬倒死者多。遂命劉康年將前項空白印紙，携往隨身，俾便書塡辦理公務。不料劉康年乃自作主張，竟將前項空白印紙因便爲岳飛乞陳私事。朝報露佈，岳飛方知。查出實情，乃召劉康年痛斥，岳飛怒不可竭，用鞭劉康年五百。並上疏力請將劉康年明正典刑，以彰國憲，並將以上三軍追寢。結果除岳飛母封國夫人之封誥外，其餘二事追罷。由此足知岳飛一生行事，大公無私。朝廷每有封晉，皆力辭再三。岳母封國夫人事，岳飛又再三力辭，詔命不允。

紹興五年二月，岳飛奉詔入覲於平江，高宗眷禮優渥，賜銀二千兩，絹二千匹，官職三道。母封國夫人，孺人封號二人。又授岳飛爲鎭寧軍崇信節度使，使前神武副軍統制湖北荆襄潭州制置使，晉武昌郡開國侯。而岳飛又辭所晉升，一連三請，詔皆不允。

二月十一日，朝廷以岳雲遷閤門宣贊舍人，次子岳雷遷閤門祇侯。（一一〇）

自由報

（第一一六〇期）

（半週刊每星期三、六出版）
每份港幣壹角・台灣零售價新台幣弍元
督印黃行實・社長李運鵬
社址：香港九龍彌敦道593—601號
廖創興銀行大厦八樓五座
LIU CHONG HING BUILDING
7th FLOOR FLAT '5
593—601 NATHAN ROAD,
KOWLOON, H.K.
TEL：K303831
電報掛號：7191

承印：景昌印刷公司
地址：嘉咸街廿九號地下
台灣區業務管理中心：台北重慶南路一段一二九號
電話：二四五七四
台灣區直接訂戶　台灣劃撥戶
第五〇五六號張萬有（自由報會計室）
台灣分社：台北市西寧南路110號二樓
電話：三三〇三四六、台郵劃撥戶九二五二號

看尼克遜總統的政治賭博

·雷嘯岑

美總統尼克遜不擇手段地向中國大陸上毛共政權拉交情，示媚態，世人皆認爲這是尼氏爲着爭取下屆總統連任選票的一種政治手腕，其說固然不無理由，但非周延的論斷。這其間，除却尼氏個人的政治利害關係外，美國本身幾項重要因素，迫使他不能不趨於政治冒險途徑，而作賭博性的孤注一擲！

積極的因素

美國立國迄今不過百餘年，她的祖先就是些以海盜起家的安格魯、撒克遜人，從英倫三島流亡到新大陸的淘金主義者。他們把原有的紅色和棕色人種逐漸消除掉，又將黑人排斥於奴隸地位，形成白種人的世界，最後反英獨立戰爭的起因，亦係爲商業利益的苛重賦稅問題。開國以後，從歐、亞、非洲各地區陸續移民到新大陸的，至今不息，而以白種人佔多數，若不是林肯總統爲保護黑人而採取內戰手段，終致獲得勝利的話，美國今日亦就沒有黑人問題發生了。即此可知美國的立國精神完全是商業主義，而其全國民衆又係來自歐、亞、非各處的商賈和勞工界人士，乃爲無數種族的複合體，因而無所謂民族思想，即無從培育文化精神，既沒有民族思想和文化精神，自然產生不了愛國思想。所以，美國於放棄孤立主義後，亦過問國際事項，且曾參預國際戰爭，然其動機都是爲着商業利益，如美國之參加第一次世界大戰，是由於商船在海上被德國潛艇襲擊，失去了發戰爭財的機會。第二次大戰時，日本若不實行南進政策，爲獨霸太平洋地區而襲擊珍珠港，美國亦就不會參戰，試看當時日軍已經侵佔了中國大半地區，而美國商人仍將廢鐵和石油這些戰畧物資，源源販運到日本去牟利的情形，即思過半矣。再看一九四七——四八年之間，毛共進佔上海南京後，美國商輪照樣將戰畧物資向津滬販運，中華民國政府宣告封鎖上海港口，而美國務院即聲明不承認，中華民國空軍攻擊上海的共軍時，美國內商人和僑居上海的工商業者，連同美籍傳教士，一致要求華府當局出兵干涉。這說明美國以商業主義立國的本質，毫無政治理想可言。

自從韓戰結束後，十餘年來，世界各國無論是否承認了毛共政權，皆與毛共通商漁利，聯合國因韓戰而頒佈的禁運令，早已名存實亡，英國若干年前，即以戰畧物資販賣給毛共了。唯獨美國被毛共視爲死敵，美國貨物不能進入中國大陸，這使美國的工商業者痛心疾首，向隅而泣，無可言宣。於今忽見毛共向美國表示微笑姿態，恍若大旱之望雲霓，又如重囚之獲特赦，譁然响應，感激涕零。尼克遜總統在這種雷霆萬鈞的重大壓力之下，他若不表示熱烈的妥協作風，不特下屆總統休想連任，即本屆未完的任期，亦將維持不住啊！

美國既沒有文化基礎，即無一貫的文化精神，更缺乏愛國思想，一般高級知識份子的學術修養，基於商業主義的立國精神，只是講究實驗的功利主義，如杜威之流，在美國便視爲學術界的大宗師，而海明威，辛克萊輩，也就是文學泰斗了！年輕一輩的知識界人士，受着實驗的功利主義思想薰陶，只知道個人自由權之充分發揮，追求物慾享受，却不明國家利益爲何事。一般大學教授和報紙上的作家們，多接受了五十年前英國費邊社創立人之一的韋物思想灌輸，認定知識份子總是改造資本主義社會的革命鬥士，先要把自身的旗幟染紅；同時又以美共來衡量毛共和其他各國的共產黨政權，覺得共產生活并不可憎可怕——反正他們對於毛共區域的實際情況，懵然無知。忽聞毛共改變仇視「美帝」的態度，更增強了實行和平享受生活的反戰心理，此即日前華盛頓五十萬人反戰運動的所由來，而其中又以披着長頭髮的「嬉痞」式知識青年佔多數的原因，亦已昭然若揭。尼克遜對於這種知識界的思想傾向，自不能漠然置之，無所顧忌。

消極性的因素

尼克遜政府在國會兩院中，都是少數派，兩國會的權力又那樣的強大，政府一舉一動，皆受着國會的掣約和干預。同時美國的政黨政治又跟別國不同，執政黨的國會議員并不受本黨領導人的約束，對於必須通過國會的政事與法案，每與在野黨議員一鼻孔出氣，站在反對立場，更爲着討好選民，騙取他們的信任，對於流行的時髦玩藝如反戰運動之類，亦不得不昧着良心，附和在野黨而叫囂騷突，表示前進。尼克遜平日爲着應付國會議員，夠傷腦經了。毛共之竊據中國大陸，原係美國民主黨政府在二次大戰期間暨戰後數年內，大力支持贊助而然的，這是無從否認的彰明事實。由於毛共政權僭立後，採取極端反美政策，民主黨人不能利用對華外交問題來反對尼克遜政府，而以由民主黨總統甘迺第，詹遜搞起，且經過國會同意的越戰來攻擊尼克遜，其無聊已達極點，但一般民衆只知道做生意賺錢，認爲戰爭妨害了商業，乃被政客們牽着鼻子走，人云亦云，應聲反戰，形成一種不容忽視的民意表現，對尼克遜產生心理威脅作用。試看美衆議院民主黨議員康雅士在華府五十萬人反戰示威遊行中的演說，他主張把示威變爲政治行動，而聲言「尼克遜必須下台！」證明這次的反戰示威運動，完全是民主黨策動的，爲的是要阻碍尼克遜來歲競選總統連任的機會，希望尼氏失敗。

尼克遜處此「八表同昏，平路伊阻」的環境中，既缺乏大政治家的素養與魄力，把國家利益置於國人利益之上，實踐其「不作美國失敗的總統」的諾言，對於毛共的微笑攻勢，不能採取靜觀主義，作慎重的應付以表示泱泱大國風度，又希望連任總統，就祇有以趨時戈幾的方針，爲爭取一般選民同情，對毛共不惜作出過份的反應，其情可[illegible]其心可哀，追究根源，還是沒有文化基[illegible]關係。因爲國格與民族人格之卓然樹[illegible]由文化精神培養而成的，做生意的人[illegible]業利益，固無所謂風格，也不管份際[illegible]

尼克遜還有一種想法，認爲美、[illegible]實行建交，即有尅制蘇俄共不敢隨便[illegible]威脅美國，亦就讓美國在七億人口的[illegible]陸上，乘機牟致貿易利潤，藉以消弭[illegible]經濟厄運，可謂一舉兩得之計。

可是，毛共的微笑攻勢，始終沒[illegible]涉及美國政府的表情，它只表示跟美[illegible]論交，目的就在煽起美國人民的反戰[illegible]本帝國主義的思潮，釀成廣泛的內亂[illegible]亦即所謂「人民戰爭」的戰畧運用。[illegible]種稍爲深刻而遠視的義理，一般的美[illegible]然不易領悟，即尼克遜和其左右幹部[illegible]必洞悉其竅要，否則何致於偶見毛共[illegible]民衆表示一點笑容，而身爲自由世界[illegible]美國總統，就以那樣迫不及待的猴急[illegible]毛共露出作揖告饒的詞色呢？

尼克遜的政治賭博，我們認爲輸[illegible]居多，且拭目以俟之罷！

（完）

昨日與明日

古調獨彈

美政府的「聯合國問題諮詢委員會」，最近建議尼克遜總統實行「兩個中國」政策，在今秋的聯大會議中，正式決定使毛共政權取得聯合國席位，並担任安全理事會的常任理事，但不排除中華民國。

爲使這項計劃進行順利起見，該委員會主張教那些「限於能力而未能履行全部聯合國會員義務的小國」，自動放棄投票權和選舉權。這樣，即使將毛共進入聯合國作爲「重要問題」來處理，也可以獲致三分之二的同意通過，設想十分周到。

所謂「兩個中國」的調調兒，從一九四九年杜魯門政府時代起，即已在國際間彈出了，由於中華民國和大陸上的毛共政權皆嗤之以鼻，始終未敢公開演奏這種俚曲，祇是轉彎抹角地鼓吹而已。現在由於尼克遜總統受着毛共「乒乓外交」魔術的催眠，乃明目張胆的大彈特彈，肆行無忌了。在此有強權無公理的國際態勢下，我們僅以言論表示反對，徒然枉費唇舌，毫無用處；說毛共政權若進入聯合國，我即宣告退出，更不是辦法。

以矛攻盾

上述建議中所謂「限於能力而未能履行會員國義務的小國」，在聯大會議中佔着很大的比例，教這些小國放棄投票和選舉權的理由安在，未有說明，大概是指的沒有繳足會費這回事，然蘇俄乃至英法等大國，又何嘗完全履行了會員國的義務呢？大國賴債沒關係，小國欠帳就要剝奪投票權和選舉權，寧非豈有此理：

任何一個小國，對於此項建議沒有不感到恥辱而憤懣不平的，我們應該傾全力對這些小國進行外交工作，已有邦交的，固不用說，沒有邦交的，亦須以國民外交方法，向他們積極聯繫。假使這些小國皆不接受美國那種沙文主義的要求，對聯大表示杯葛行動，聯合國就只剩下幾個自私自利的大國了，他們縱然厚着面皮自拉自唱，把毛共捧進聯合國，亦不過是一場醜劇罷了，聯合國必告壽終正寢無疑也。

決不輕率告退

在本屆聯大會議時，即或通過毛共進入聯合國，毛共自不會參加，亦將矜持不前，它或許還有條件提出來，中華民國享有否決權，儘可在大會中毅然行使，決不宜輕言退出。過去對外蒙案，聽從美國勸告而放棄否決權，已經上了大當，我們還能夠讓別人擺佈玩弄嗎？我們至少至少，也要拿出成事不足，敗事有餘的勇氣來！

·何如·

自由談

談外交人才

就一般作外交官的條件而言：政治常識豐富—特別是國際政治—熟悉駐在國家的語文和社會情況，口辯捷給，儀表不俗，斯可矣。但政府派遣外交使節，必須注意於適才適地問題，未可掉以輕心，同樣的外交人才，如果人地不相宜，即難獲致預期的功用，而在所謂「弱國無外交」的環境中，外交使節之遴任，更不能隨便對付。

現階段中華民國外交的重點，似乎是以美國爲主要，而日本次之，非洲各自由國家又次之。我却認爲派駐美國的外交使節並不需要桀驁大才，最好是遴選一位擅長詞令且具幽默感，而又樂於社交活動的女性人物承其乏，或許有點作用。原因是美國當局的對華政策，成竹在胸，我慢自專，雖有蘇秦張儀之舌，藺相如之勇，亦無所施其技，白宮的對華政策只有四個字：「你聽我的！」

但美國係注重輿論政治的國家，製造輿論又從而領導宣揚之的人士，就是一般報館的專欄作家和國會議員與社團領袖們。他們對中國問題多不瞭解，也沒有一定的政治主張，祇是基於眼前的現實利害觀點，而以衝動的心情嘵嘵（兩字口旁）欺咋罷了。對付這類人士，談政治理論，講邦交睦誼，皆屬廢話，若由女性使節以交際應酬方式，隨時跟這類人往還接觸，藉感情作用以轉移他們的衝動思想，多少有些收穫可期。

至於日本人，心裏仇美，表面不得不親美，我們的使節人選，必須具有政治量與才識的角色，纔能勝利愉快，隨便濫竽充數却不行。南韓與東南亞各自由國家對我們關係甚大，更需要有非常之才的人折衝樽俎。非洲又不同，我們本着「與而不取」的精神跟他們論交就得了。

不過，外交有如經商牟利，必須本錢充足，不惜花費乃至浪費，庶可望博得「明中去了暗中來」的效果，英國每年用於美國的「遊說」經費，爲數可驚也。假使外交使節的日常生活亦左支右絀，仰屋興嗟，那根本就無外交可言，任何人皆可以担任外交官，實行混差使主義完事，救國云乎哉？

馮子先生

天下雜論

大學校長不是官

有感於台大校長閻振興的作風

千公

最近本報主筆接獲在台灣大學任教的朋友來信透露，台大校長閻振興與教授之間，很保持距離，教授想見校長，要經過特別約定，平時，教授見校長，並不容易。又據聞：閻振興校長有一習慣：每到一處任職，就將辦公室桌椅，沙發等全部更新，接任台大校長時，也是如此。由於這些消息，使記者不禁聯想：閻振興很顯然的把大學校長當官做。

記者曾在大學任教，在教授休息室，教授們常常閒談，交換意見。在閻振興當教育部長時期，人們都有些奇怪。閻振興的長處究在那兒？如果說他有學問，可是他並沒有成名的著作；如果說他有幹材，教長任內却幹得一團糟，當時幾位中高級之職員都因瀆職舞弊而坐牢。台北政界消息：閻之被重用，由於執政黨某有力人士的支持，想該有力人士也定別具隻眼，另有所見。

大學乃研究高深學問機構，培養治國安邦之士的所在；國家的命脈，民族的前途，和高等教育辦得好不好，有密切的關係，所以，大學校長的責任，非常重要；大學校長的人選和他的作風，也非常重要。當年北京大學校長蔡元培先生可以說是大學校長的典型人物。他有學問、有人格、有氣節，更重要的他具有「溫良恭儉讓」精神（蔣夢麟博士某次對北大學生講演，就盛讚蔡先生此種精神），所謂讓就是謙虛。蔡先生在北大時，提倡教授治校，他與教授打成一片，他與學生打成一片。他的同事和學生，衷誠地敬他愛他，假如他把大學校長當官做，一味擺官僚架子，有學問有品格的教授們早已紛紛離開北大了。

有人說：閻振興校長因為太忙了，所以無暇接見教授。前些時候，還有位立委向行政院質詢過：閻振興一身兼四要職，擁有四部汽車，太太坐一部，秘書也坐一部。我們不知道：行政院長怎樣答覆這位立委。不過，我們可以預料到：如把大學衙門化，把大學校長當官做，這個大學的前途是有限的。

討論政府施政計劃

立院應改公開會議

立委認開秘密會議不合理

并主張將原規定予以改進

（自由報台北消息）據立法院新聞室發佈：這次立法院審議國家總預算案，質詢委員有二十人之多，以一天半的時間所提問題均極重要複雜，而嚴院長以二十分鐘時間來答復完畢，因此，張子揚委員對於嚴院長答復質詢不滿，深感敷衍不負責任！并指出主席蕭國書院長提議在此短促時間內，結束答復，是自暴自棄。行政院長嚴家淦草率答復是輕視質詢權。

張子揚委員說：「嚴院長對於本人提出『審查國家總預算案除國防外交部份外，其他單位預算採取公開審查方式』質詢之答復，完全是推拖，本人不僅不滿意，而且甚表遺憾！」

此外，立法委員吳望伋也主張公開會議。他質詢說：「個人一向就主張這是民主時代，我們國會凡可以公開的，一切應公開。十幾年前，我就講過，施政報告是公開的，施政計劃何以要秘密？我實在不懂！施政報告是檢討過去一年半載的施政情形，施政計劃是策議未來一年的政治計劃的配合總預算。過去立法院只是重視施政報告，施政報告的質詢總是一而再，再而三，三而四的連篇累牘，滔滔不休，要化上一兩個月的質詢時間，但是施政計劃只是一兩次會議就輕易過去了，這是什麼道理？我們立法院自己也要檢討，當初立法時對於施政報告與施政計劃何以不一樣重視？還有，施政報告時，各部會首長都要前來列席報告備詢，施政計劃時，嚴院長只帶了李國鼎部長和周主計長周宏濤來，雖然預算法審查程序是這麼規定，但是我覺得這個規定是不夠合理不夠完備的，因為是疏漏偏頗的。施政計劃是總預算的施行，嚴院長固然可以代表，但假如我要問僑務，僑委會委員長沒有來，我要問內政外交，內政外交部長也沒有來，因此，我希望從下個會期起，討論施政計劃必須公開會議，而且也要邀請各部會首長全體前來列席，依照憲法的規定，也不能偏重施政報告而輕忽施政計劃，恐怕這也是我們自己在立法上需要研討改進的。我們希望從下一年度起，施政計劃也當改為公開會議。」

吳望伋委員讚揚「今年的總預算到現在為止，沒有追加預算，嚴守預算法則，這是很好的現象。」「假使二十八億元公債不再發行，更足以證明中華民國今天在台灣經濟繁榮，國庫充裕，不必舉債圖存了。雖說每年發行公債，還本付息以示政府有力維持債信，可是不發行公債，與民更新，豈不是更好得多。希望以後年度不要再發行公債。」

鐵公路專賣事業

立委主張交回中央

開闢觀光財源極為重要

號召海外僑胞為國輸將

至於「地方財政」，現在仍是視財產的增加而課稅，沒有隨經濟之成長來比例增加收入，更因地方基層建設需要，與九年國民教育之實施，以致省級政府財政一天比一天困難，台灣省政府迭請補助並請中央接辦部份原為省屬之機關學校，為劃清這中央與地方事權，這是不錯的。不過地方課稅是財政可整理的稅課很多，今年度及明年府各級政府稅收增加不少，我們就應該依照中央與地方財政收支法劃分清楚，凡事屬中央辦理的歸還中央辦，應由地方辦的事由地方辦。何況台北直轄市成立後關聯台灣省的各項政事，如國營公路事業，鐵路事業，公賣局的烟酒專賣等等，應否乘此時期收回中央辦理呢？既然地方要把中央應辦的機關學校交回中央，則應歸中央經營的鐵路、公路、與烟酒公賣，亦應併行交回中央辦理，以免只送回賠貼機關學校，而保留豐裕機關之不合理作風。留一個尾巴呢？

吳委員認為「觀光財源關非常重要」。他說：「上年來台的觀光客，已有五十多萬人，觀光的外匯收入已經到了六、七千萬美元。今年很可能到七十萬人，觀光收入可到一億美金。西班牙一年的觀光收入有十五億至二十億美元以上，觀光客多達二千五百萬人。台灣在亞洲的環境與西班牙在歐洲的情況差不多，因西班牙反共立國，社會安定，經濟繁榮，社會環境秀麗。我們比西班牙更反共，更安定，經濟更繁榮，環境更幽美。西班牙有美麗的海濱，可供歐洲人來曬太陽。我們台灣也有美麗的海濱，可吸引歐洲人日本北海道人來曬太陽。如其他各洲的旅客也湧來，大量外匯更可滾滾而來。何況我們台灣有世界罕有的故宮博物的珍貴寶藏，供人欣償呢？我們今後是否也可以在觀光方面來開闢新的財源呢？」

吳望伋委員質詢指出：「我們海外華僑有一千七百萬人，但華僑捐獻收入不過一百五十萬元台幣，折合美金只有四萬元，在今天我們中華民國海外的財富何止億萬元，我們要反共復國，應該要有計劃的，要建國號召海外僑胞出力出錢為國輸將。但是對於這樣大的海外人力財力，政府有沒有打算呢？」

對各保險業的流弊

監委提出調查意見

送財政部作為改進參考

（自由報台北消息）監察院決定把熊在渭、王文光、吳大宇等對各保險業之保險資金運用，費率計算種種問題之不合理及流弊所提調查意見，送財政部作為改進之藍本。

該調查意見計有：一、保險業管理方面之意見；二、保險法規修訂之意見；三、費率計算與調整之意見；四、資金運用之意見；五、保險條欵之意見；六、經紀人代理人管理之意見；七、再保險之意見；八、保險糾紛案件之意見。

保險業管理方面：我政府自四十九年開放保險業設立登記之後，壽險公司大量增加，未能訪求各國成規，作嚴密適當之管理。任由業者惡性競爭，採取銷價、放佣、放扣、賠欵浮濫等不正當方法，爭取業務，使保險市場發生混亂。甚至於保險法公布施行之後，財政部不惜違法以命令取銷壽險經紀人之登記。後來業者以廣招勸換方式，收攬大批不諳法令條欵之所謂業務員、外務員，利用親友家族社會關係等，招攬保險，造成保險業畸形發展；並不時發生保險人與被保險人間，及保險人與外務人員間糾紛，保險業信譽，大受影響。財政部對各保險公司之業務、財務、及各保險承保費率，費用暨資金運轉等等，疏於定期及突擊性檢查，致有部份業者財務上不健全及業務上越出法令限制範圍，冒險運用資金種種情事。結果保險人與被保險人，固均蒙其害，社會公共利益，亦受影響。近年來，財政部對保險業之管理，頗有進步。但該部錢幣司保險科人手不足，今後如何擴大編制，延攬保險專才，及如何指定信譽良好之會計師，查該簽證保險公司財務報告，如何運用中央再保險公司之技術，加強突擊性專案檢查，並與保險業者約法三章，過去營運所犯種種錯誤，限期改善，萬勿再蹈過去姑息覆轍。

財政部不准保險合作社之設立，殊有未合，該部亟應從新檢討，如何開放保險合作社依法設立，以便參加社員投保，享受低廉保費，分担危險之利益，而促進國民經濟更繁榮，並使保險公司觀摹警惕，收到自覺敬業之效。

保險法規修訂方面：調查意見認為：我國現行保險法，公布施行至今，不過七年，其大體上與保險基本原理原則，尚無背馳，目前似無徹底修正之必要，小加修正即足矣。目前，保險法第一百十九條的問題較多，似有詳加斟酌之必要。按該條規定：「要保人終止保險契約，而保費已付足二年以上者，保險人應於接到通知後，一個月內，償付解約金，其金額不得少於要保人應得責任準備金額四分之三。」各方反應認此規定，任何年期保險，均必須保險費付足二年以上，保險費始償付解費金，如繳納保費未滿二年，要保人終止契約時，即不得領回分文，未免過於硬性。而解約金額雖規定不得少於要保人應得責任準備金之四分之三。事實上保險業者，惟恐扣留不多，當然扣留四分之一，各方認解約金額規定過少，亦有損被保險人之利益。數年來，此項糾紛頗多，保險法修正時，似有詳加修正之必要。

費率計約算與調整方面：調查意見認為火險費率、水險費率、漁船保險費率、汽車意外責任保費率、及壽險費率均高，且不合理。

（上、未完）

劉半農記賽金花

這是我歸洪家，洪先生對媒人說的：「彩雲跟了我，幸而能偕老，便無話說；不幸，我必給她留下相當的資產，使她生活無憂慮。」蓋也覺自己年長，恐不及白頭也。當時我聽着洪先生的這種遺命，心裏只是難過，涕哭，不敢說什麼，也不知道說什麼。洪先生就把這筆欵子交給了我們一個本族兄弟名叫洪鑾的，原意是託他把我送回娘家，替我安置安置。誰想回到蘇州，他昧了良心，把欵子私自吞沒，藏匿起來不見我，我派人四下裏尋找，也沒有找着他。還是第二年的冬天，在上海馬路上碰見他，我向他討索，他支吾着說：「新嫂子，你請放心吧！轉過年我一定給你。」轉過年他又躲遠了，因我沒有拏着什麼憑據，也無法同他打官司，歸結便這樣白白的讓他侵吞了。

最初我本沒想到能脫離洪家。我們少爺覺着我很年輕，怎麼能叫守寡，一般親友們也都不主張我守寡，我家裏也不願意我守。

我同他們一船伴靈到了蘇州，在接官亭便與他們分手，我携帶着自己的東西，逕歸了娘家，從此以後，也就沒有再入洪家的門。我那四歲的女兒——德官，也給洪家留下了，唉！我那裏捨得？後來德官長到十九歲，因病死去。第二年正月裏，我在上海還生了一個遺腹子，生了十一個月，也夭折了。這都是我的命該如此呀！

脫離洪家時，為我提親事的很多，有人便勸我不必再配了，到上海立個門戶，一時也拿不定主意，想了再想還是先到上海再說吧！到上海住在垃圾橋保康里，這時候，上海正在繁華，勾欄林立，我一看事情頗能望好，心裏拿定了主意。但須要先找一個人來給撐門立戶，在二月間，就由我的女僕找到了孫作舟，——字少棠，天津人，在天津娘娘宮開過首飾樓，他的父親名在棠，父子倆都喜歡唱戲，也算是津沽一帶的名票。與孫菊仙同族，菊仙是少棠的族叔，他長得並不怎麼好看，臉上許多黑痣，還有麻子，只是體格魁梧，性子也柔和，故我倆情愛甚篤。他行三，上下都稱呼他「三爺」。

我從洪家出去，因並沒有拿到什麼，手裏很是空虛。這時候須要先墊補許多錢自己就折變了些東西，還是不夠；又拋着臉向各處借了幾個湊上；合有四五千圓，便在二馬路鼎豐里邊的彥豐里賃了一所五樓五底的房子，裏面全部有傢具。又化兩千多圓錢包了兩個姑娘，一叫月娟，一叫素娟，姿色都長得夠標緻，就教她們掛牌應客，我不出名，但遇到熟交或感情契洽的客，也出來陪陪，這種派頭算是半『住家』半『書寓』。慢慢，想見一見我的人太多了，他們都勸我也掛牌罷。

（十）

孝道的宏揚與光大（六）

·李宗黃·

此　總統鑑古證今，給我們指示出來的道路，至於「能養」之義，可引庶人之孝「用天之道，分地之利，以養父母」，作為註脚，而事父母之一切禮則，詳見於禮記內側中，不再贅述。曾子又說：

「孝有三；小孝用力，中孝用勞，大孝不匱。思慈愛忘勞，可謂用力矣，尊仁安義，可謂用勞矣，博施備物，可謂不匱也」（見禮記祭義）。以上所講孝的方法，都是從正面來說，從反面來說的，我們且舉孟子的話為例：

「世俗所謂不孝者五；惰其四支，不顧父母之養，一不孝也；博奕好飲酒，不顧父母之養，二不孝也，好貨財思妻子，不顧父母之養，三不孝也，縱耳目之欲，以為父母戮，四不孝也，好勇鬥狠，以危父母，五不孝也」。

總之，孝之方法，經緯萬端，而古聖先賢之言論亦汗牛充棟，舉不勝舉。但我們來綜合古聖先賢的言論來研究，也可以得到一個要訣，即隨時隨地，要為父母設身處地着想，隨時隨地不敢忘父深思，關於這個道理，我們可以引禮記祭義上的一段話來說明：

「樂正子春，下堂而傷其足，數月不出，猶有憂色，門弟子曰：『夫子之足瘳矣，數月不出，猶有憂色何也』？（未完）

駁人性獸性與鬥性

·湯如炎·

所關係社會安全者大，以此，只修正為「忠孝仁愛信義平恥」，只要說到做到，自會恰到好處。總而言之，不論舊八德、新八德，又新八德，不問修正不修正，只要有勇氣不把自己當禽獸，都能把所謂「狼鷹的道德」，「踹個稀爛」；可是它們反拿牠吹得那麼難培養，當然是僞。

這一撮畜性梟雄說到最後（十），終於把狐狸尾巴露出半截來了。它們說「如果我們希望避免鬥性過份尖銳化，一個釜底抽薪的辦法便是節制人口！」它們有極為嚴重的意思表示，等於說：如果不節制人口，致人口密度增加，它們的同惡就要搞「變態行為」——「殺不成別人，就會自殺。」這比「九百年後平均每平方公尺要容納一二〇人」的假設還來得大胆！像如此這般的無恥妖言，政府不認為絕無可能實現嗎？試想：台北市樓上樓的歌廳舞廳人擠人的密度還不夠大嗎？它們及其同惡一年到頭决不止一兩位只逛遍其中一兩處的一兩次，幾會有個把人是活的進去，死的出來的？又如紐約、東京、香港人口密度都比台北市大的太多，它們及其同惡身在台北，心掛香港；到了香港，又念東京；到了東京，又想紐約：不但一個一個都是活着回來的，同時也不會聽說過這幾個人口密度大的城已成為人殺人的屠場！

它們費盡九牛二虎之力，旁徵獨引其同惡數千言，據為台灣節育的理論基礎，這只是狐狸尾巴的半截；其尚未露出的另一半截更不知在搞些什麼醜惡勾當，（蓋謂剛滿七歲的勞倫茲「鬥性論」係「階級鬥爭論」昇華之作，顯非專為節育撐腰者也。）至希一併飭查，復示為禱、為幸，不僅為荷，為感巳耳！

昔者「孔子為魯攝相，朝七日而誅少正卯，門人進問曰，夫少正卯魯之聞人也，夫子為政而始誅之，得無失乎！孔子曰：居、吾語女其故。人有惡者五，而盜竊不與焉。一曰心達而險，二曰行辟而堅，三曰言僞而辯，四曰記醜而博，五曰順非而澤，此五者有一於人則不得免於君子之誅，而少正卯兼有之！故居處足以聚羣成羣，言談足以飾邪營（惑）衆，強（橫逆）足以反是（顛倒是非）獨立，（不顧一切），此小人之桀雄也，不可不誅也。」嗟嗟！聖人吾不得而見之，得不見不通人「性」的「小人之桀雄」斯可矣！（完）

中國實用醫藥學大全序

·文國棟·

吳惠平博士序「中國實用醫藥學大全」云：中國醫藥起源於西曆紀元前兩千八百餘年之神農時代，歐美醫藥（即西醫）係十一世紀時，阿拉伯人始將醫藥傳入歐洲。到了十七和十八世紀，西醫進步甚速，其進步之原因，率多借助於化學實驗與診斷法及醫藥所用器械之精密，亦中醫們所公認。

世界醫藥次一最早發達之國家，當推埃及，遠在西曆紀元前二五〇〇年，即有斯密斯草本書籍之發行。書中除詳載醫學上之各種技術外，並載有女皇克俄利培特拉生髮藥水之秘方，及膏藥，嗽口水的製造、蓖麻油、鴉片、毒芹草等的用法，演繹到近代，埃及醫學所剩下的祇有一點點名辭的遺跡而已。而全世界中醫與西醫兩派，仍在互爭短長之中。進步國家如德國、日本，乃至於蘇俄與東歐等國，都拼命從中藥中日以繼夜搜珠掘寶，事實情形，詳見於各該國報章醫藥雜誌。（不贅）編者數遊歐陸，有感彼邦醫藥界對中國醫藥發生興趣者，完全基於中醫的治療效果，因此對中醫、中藥非常注意；尤其針灸研究特別盛行，這可能由於針灸與西醫的理療很酷似。自由中國近二十年來，針灸的普遍應用，治療病例幅度日益廣泛，我們雖未將這些成績效法毛共作為政治宣傳工具，但事實勝於雄辯，若干東西方進步國家醫藥界人士，均不斷遠涉重洋來華拜師學習，這就是最有力最可靠的證明。

宋代許叔微說：「醫之道大矣！可以養生，可以全身，可以盡年，可以利天下來世，是非淺識者所為也」。我們的列祖列宗對這門濟世大業，替後代留下這麼多寶貴遺產，我們不去發揚之，光大之，相反的還想盡一切可能去毀滅與斬斷，是何居心就不得而知了。編者以衛道的心情，糾集中華民國近代第一流名醫著作，編成「中國實用醫學大全」，包括中國醫學通論、中國醫學史、中醫、鍼灸學、中醫衛生學、中醫病理學、中醫生理學、中醫解剖學、中醫診斷學等，為經過消化的一部中國醫藥學完整綱目，「這是一部中醫師中醫業來龍去脈的一部法寶，也是給不瞭解中醫中藥的人們一篇總答覆」。編者亦自認舉凡中國醫藥界上下幾千年，縱橫逾萬事，幾無所不包括，也無所不談，做到應有盡有。

今天以「不科學」三個字詆譭中醫者，陳立夫先生在這方面曾有比較適當的駁斥。日本醫學家間中喜雄博士謂：「中國醫學中的病理觀念，只是沒有如解剖學、病理學的精密證驗而已。在生理學的事實上，對疾病與决定疾病諸條件的因素之間的關係，却有正確的認識。受了現代醫學教育的醫生們因其分科偏見而忘却了整體觀察，我們祖先早已原原本本體會到，並以之為依據而實際做了極為合理的治療，這是足以驚奇的事實。幾千年以前，西洋還處在野蠻蒙昧的黑暗中，中國就已積起了汗牛充棟的醫籍，妙用了進步的技術。」醫學之興衰與否，關係一個民族健康甚巨，我國醫學發達最早，祇可惜從業人員多存門戶之見，墨守成法，緘口自封，雖有萬千良方，亦往往流於失傳，故今後醫界人士應該交換心得，以謀中醫在學理上、技術上臻於至善，同時得多利用化學實驗與精密之醫藥器械，以增加醫療上的效果，同時得廣設中醫醫院。醫藥界人士更能注重研究，交換心得，有組織有系統的，為互助之改進。編者主編之「中國實用醫藥學大全」，如果對這方面有涓滴貢獻，拋磚能引出玉來，即我們最大的願望。

中西心理的不同（三）

·張起鈞·

（子）西洋人的特徵

現在先說西洋，西洋人的習性多半循着鑿實的方向去思維的。所謂「鑿」是鑿執，所謂「實」是實在，當一切現象（物體和事情）來在面前時，博得其注意的多半是比較具體實在的東西，或現象中比較具體實在的部份。他的心官不作用不思維則已，祇要一作用一思維，他所看到的便是具體有形的東西。他所想到的，便是鑿確實在的事務。而抽象玄微的，是不大為他所理會的。不僅看到和想到的方向是如此，而其對事務的看法和想法也同樣是如此。譬如描繪仙人飛昇，中國人說飛昇便飛昇，無須多假實物，最多祇談到騰雲駕霧而已。而西洋人畫飛仙則往往要加上個大翅膀，這雖都是無稽神話，但西洋人想法的鑿實，却可見到一斑。這種鑿實的思路，習之既久，影響所及便很自然的使其對於事務的看法想法，比較呆滯執着。看到一件事，便是一件事，看到眼前的「票面」現象（按：「表面」一詞有膚淺意，易滋誤解，故改用「票面」）便執着在這「票面」的現象，而不大能活躍超脫的想到這件事以外的事，更不慣於探察這票面現象的「背後含蘊」和其深遠微妙的衷曲。同時他的一切思辨推想也大都是按着眼前現象的既定方式，去實實在在的推演的，很少能海闊天空的縱思遐覽。我們祇看西洋人並不能產生重要的宗教（基督教是由外輸入的），而却有驚人的科學成就，就正足以反映出這種習性的特徵。因為科學的特點，便正是要具體精確鑿實有序的，雖然有許多成績奪天工精妙絕倫，有許多學理精深微頤窮究宇宙，但分析起來，却都是一步一步實實在在的推演積累而起來的。這種性質的事務正合乎西洋人的口味，所以科學產生在西洋絕不是一件偶然的事。反之宗教是抽象，奧秘的，他需要出世超塵大智大悟的，所以西洋人便難於有所創立了。不過西洋人，雖因鑿實的習性而未能創立宗教，但却由於同一原因而對宗教的信奉特別誠篤。為什麼呢？我們前面說過西洋人因了鑿實的原故，對一切事務都比較呆滯執着，凡是一個觀念，一件事情祇要一經接受，便往往死釘在上面，以為天下之美盡在於此，而不再去省問闕疑了。他們在宗教上的信奉誠篤，和「不容忍」甚至不惜為了信仰的原因而引起戰爭（如十字軍）和屠殺，就全是這種鑿執專注心理的反映。

（丑）中國人的特徵

以上是說西洋人的心理習性，再看中國人就不大相同了，中國人的心理反映比較靈活超逸。

（未完）

從小兵到大皇帝的故事

自古迄今，安徽可謂代有「傑」出人物，今僅舉「十三傑」，無非只挑出「頂尖」的十三人；其實所能夠得「傑字號」的却大有人在。還好，未列本欄的安徽「人傑」，雖有「向隅」、「遺珠」之感，但這許多向隅諸公，自有超人的修養，不致發生「人事」上的糾葛，這是執筆諸公可以放心的。

安徽十三傑個個都够得上「傑」字的份量，尤其是開一代之基業的朱元璋，在十三傑之中，他是唯一「帝」帝號的人物，成為十三傑中的一枝獨秀。這一代帝王讓我來寫，心中不免感則「一則以喜，一則以懼」；喜的是十三傑中，我碰上一代開國之君，與之接近；懼的是鄙人才疏學淺，恐怕有負雅望！如有未安，尚希大雅君子不吝正之。閒話少叙，言歸正傳。

話說朱元璋

雁謀

明太祖朱元璋是一代開國之君，如果純在民族大旗下立論，他是中華民族唯一的「民族英帝」。他以一個皇覺寺的小和尚，揭櫫了「民族的大纛」，推翻了蒙元異族的統治，光復了漢民的文化衣冠。其實尚不僅此也，因為有了明太祖的推翻蒙元異族的統治，因此啓發了後來推翻滿清王朝的民族思想。清末的各地會黨社團，莫不是以「反清復明」為號召，復明也就是復漢，而朱元璋也常以漢高祖自比。因此我們稱他為「民族英帝」誰曰不宜，而且他在掃平羣雄，推倒蒙元之後，尤能洞察民隱，有心求治，把有宋以來，許多人民疾苦，由他一手解除，澄清吏治，安定大局，闕功實不可沒。明朝雖亡了，但是千千萬萬的中華兒女却忘不了他，遍地都是「反清復明」的種子。趙宋之亡，為什麼又很少人懷念呢？從這一點看來，明太祖朱元璋的確是一個改變了歷史的人物。所以筆者大胆的尊他為「民族英帝」，恐怕還是第一人呢！

皇覺寺的小和尚

一般人都知道朱元璋是做過和尚的，是安徽鳳陽人。他登基之前不久，特別派了他的丞相李善長為他考察家譜，李善長不辱使命，為他考出了五代，自他祖父——朱初一的時代由朱巷遷到安徽泗州于台（目旁）縣。後還五河，生子重七和元璋以後，由五河遷到鍾離（今之鳳陽東北太平鄉）。祖父以上，乃是金陵朱巷人氏。朱元璋的父親朱世珍，母親陳氏，老大朱重四、朱重六、朱重七、朱元璋是老么。（生於先順天曆元年九月公元一三二八年）

元至正四年（一三四四），朱元璋十七歲的時候，先是父母和老大重四俱喪，老二重六守業，老三重七出贅劉家，朱元璋則無所依，只好去皇覺寺當了小沙彌。這是大家從來樂道的，也是千眞萬確的史實。至於那些神話鬼語不值一談，所以我們不必理探。

（一）

安徽十三傑

管仲　莊周　曹操　華佗　包拯　朱熹　朱元璋　戚繼光　李鴻章　段祺瑞　胡適　楊振寧

巨變歷險記！

眉苗一瞥（二一三）

胡虔蓉

曼德里是緬甸的故都，眉苗是緬甸避暑的勝地，仰光是緬甸的新都，曼德里通仰光有飛機，曼德里通臘戍也有飛機，眉苗通仰光通臘戍，也有飛機。但奇怪押解丁博士去仰光並沒有用飛機。這對丁博士來設，那就太好了。仰光是他仰慕已久的地方，能够坐火車或公路局的車前往，那最好不過，雖設坐火車或公路的車也是走馬觀花，那總比坐飛機强得多。

在離開眉苗以前，丁博士又去玩了一次郊區，在眉苗郊區，有一所很著名的寺，觀音寺。但寺雖然有名，建築都談不到，是坐棧土司的吉普車去的。這寺只是三間茅草房的小屋，擺了很多各色各樣的木刻小佛爺小觀音小菩薩，和尚是雲南來的一位道道地地的中國人，非常虔誠，對於來人的招待也極盡慇懃的能事。他的袈裟可以借給客人照像。丁博士也照了一張。在那裏也吃了一頓齋飯，有豆腐豆芽，大家也都吃的很好，臨走大家都抽了一根籤，丁博士也抽了，他的一根是上上，有貴人帮忙，一切自然會逢凶化吉。丁博士看了這一籤，自然萬分高興。他又去游泳池看了一下。這也是在郊區，這游泳池符合國際標準，來游泳的人並不多。丁博士還是下去洗了一下。丁博士沒有學過甚麼花樣，甚麼這式那式他一概沒有，但會仰泳，俯泳，「打彭巴」（兩條腿上下的動）「踏水」（直着身子在水裏邊走），「漆彭」（深入水中）。倒也玩得有趣：弗塔大，在丁博士住的柯阿道可高特，柯阿道可大院的右前方，算是眉苗最高的地了，在那裏也照的有像。登斯塔也，眞是全城在望，眉苗是一個廣大的森林區，到處都是密集的森林。公園裏有一種樹最受人尊重，即就是所謂菩提樹了，這樹不像在台灣剪成傘狀，平平的，這樹長得非常的高，也非常的大，有如萬民傘的形狀，最令人肅然起敬的是那密密的葉子，厚厚的葉子綠綠的葉子，太陽絕對射不透。葉子尖尖上有一條細細的綫出來，尤爲別緻。公園裏的湖水，深不可測，綠得像菩提葉一樣，更襯托出眉苗風光之美。

每到舊曆的五月，有一次的「潑水節」，這在緬甸是一個很大的節目，是不是在表示萬象更新之意？是不是在表示苟日新日日新又日新之意？是不是敦親睦隣萬民騰歡之意？把過去的髒洗得乾乾淨淨重新做人？是日也，老幼不分，男女不分，誰都可以潑人，誰都可以被潑，有些很文明，輕輕的潑，慢慢的倒，有的則很野蠻，用力的潑，沒頭沒臉的潑。有的用大卡車載五十二加侖的大桶裝備了水用大水管子潑，那就失之惡作劇了，這往往會惹出禍來，人家潑來，本不應該抗拒的，也沒法子抗拒，就會吃虧，於是也裝起卡車來，卡車同卡車戰，就成了水戰，雙方都有鑼鼓助威，看起來非常熱鬧。普通都是互相追逐，你對我潑，我對你潑，倘形不很嚴重，多少是一種聯誼性質。尤其青年男女之間，彼此的花樣特別的多。但這都是善意的，並沒有絲毫的惡意。丁博士沒有敢出去，但就在他住的地方，也有人追趕他，幸而他還跑得快，沒有被追上，不然也會變成落湯鷄的。

現在雖然快要離開了，但對於眉苗丁博士還有很好的印象。誰敢保不會從仰光再回來？眉苗確實是一個很好的地方，日用百貨，也並不感到缺乏。眉苗很有點像小巴黎的味道，眉苗的咖啡銷路是非常多的。眉苗的咖啡是國茶合的，名之曰「雷沛義」，別有一番風味！

讀李商隱詩偶拾

。李魚叔。

義山本人會作過令狐楚的幕僚，又有師生之分，並會奉命與楚之諸子游，則義山與綯原是少年朋友，舊日情誼既深，如今令狐綯得意，自然希望他隨時提拔自己了。所以「玉山」的結句說是「聞道神仙有才子，赤簫吹罷好相攜。」神仙才子，都是指令狐綯，如此讀「玉山」和「謁山」兩首詩，自然就容易抓住重點了。

令狐綯一直對義山冷淡，而義山首先還是十分熱情，結果當然是大失所望，一種悵惘之情，全從謁山這一首曲曲道出。首次兩句，像追懷過去，水去雲回，歲月飛逝，念之徒增悵恨，三四兩句，是說最大的希望，遇到了麻姑，恨不得把滄海也買了過來，誰知道麻姑非常吝嗇，就連給自己一杯水（春露），也是冷冰冰的，這就道盡了當日的情勢，也寫盡了世態的炎涼。

按唐撫言，「大中（唐宣宗年號）中，令狐趙公在內廷，重陽日，義山謁，不見，因以一篇紀於屏風而去。」那令狐趙公就是令狐綯。還有北夢瑣言記得更加明白：「令狐楚歿，子綯繼有韋平之拜，疏義山，未嘗展分。重陽日，義山詣宅，於廳事留題云云，綯覩之慚恨，乃扃閉此廳，終身不處。」以上並見義山九日詩注，讀之，可以加深了解「謁山」的涵義。

還有，麻姑滄海事，也應順帶一提。按這事出於唐顏眞卿撰麻姑仙壇記，文中記麻姑言：「當按行蓬萊。」又：「麻姑自言接侍以來，見東海三爲桑田，向間蓬萊水乃淺於往者。」由上文看；按行蓬萊」，似乎蓬萊是歸麻姑管轄，這就是「欲向麻姑買滄海」的出處了。

其次是那首淚詩「永巷長年怨綺羅。離情終日思風波。湘江竹上痕無限。峴首碑前灑幾多。人去紫台秋出塞，兵殘楚帳夜聞歌。朝來灞水橋邊問，未抵青袍送玉珂。」淚（七言律詩三二〇頁）

馮鈍吟的箋注說是：「句句是淚，不是哭」。我們細看這詩，知道除末兩句外，差不多每句都用一個典，隱藏一淚字。那是很容易知道的，而問題就出在結句上，按馮浩注：

「初疑義山抑塞終身，窮途抱痛之作，然繩之以理，末句之可傷，何以反勝於上六事哉？況以自概，復何用問諸水濱？此必李衛國（指李德裕）貶時作也。唐撫言有「八百孤寒齊下淚，一時南望李崖州」之句，與此同情。上六句與而比也。首句失寵，次句離恨，三四以湘淚指武宗之崩，峴碑指節使之職，公固以出領荊南而疊貶也。五謂一去禁廷，終無歸路；六謂一時朝列，盡屬仇家，結句總納上六事在內，故倍覺悲痛。不悟其旨，則大失輕重之倫矣，灞橋只取離別，不泥京師，此義山獨創之絕作也。」

馮浩的注釋，未免太牽强附會了，他把這首詩，看做專爲李德裕而作，於是不得不處處遷就，其中尤以湘淚指武宗之崩，出塞爲遭到貶謫，楚帳聞歌喻仇家得勢，皆屬比擬不倫。他不懂得義山作這詩，是拿一個很小的題目，發揮甚大的意義，所以馮鈍吟說：「句句是淚」，通篇鋪張排比，絲毫不亂，首次兩句是虛擬的，一是宮怨，一是離恨；頷腹兩聯，則每句皆指一人一事，湘江是舜妃泣竹，峴首是羊叔子墮淚碑，紫台是昭君出塞，楚帳是項王下被圍，那些典故，都被化開活用，故雖多並不覺得板滯，至末尾兩句，則係一個意思，而關切自身，所以就「倍覺悲痛」了。

馮注的錯處，是他並沒有了解末兩句的本意，故而說：「何反勝於上六事哉？」這是因爲他弄不清楚「青袍送玉珂」，究竟是怎樣一回事，就纏夾到什麼李衛國的身上去了。須知如此解釋，不但像這樣一首好詩，不僅凌空的華調，無盡的情思，工緻的技巧，均被淹沒殆盡；兼着之水濱一問，全無着落。馮注說：「不悟其旨，則大失輕重之倫。」恰恰道着了自己的短處。

然則這末二句，應該怎樣解釋呢？我以爲首先應當把青袍和玉珂兩個關係詞弄明白，就容易了解本意了。按唐制官服三品以上紫，五品以上緋（紅），六七品綠，入九品青。（見新唐書車服志）又玉珂：按杜甫春宿左省詩仇注引本草：「珂，具類，可爲馬飾是也。」又引舊唐書與服志：「五品以上有珂傘，三品以上珂九子，四品七子，五品三子，六品以下去幡和珂。」可知凡是着青袍的，皆淪於下位，官職不過八九品。而玉珂則爲貴官——至少是宮禁內近臣們才能用。

前代重視功名和體制，貴賤懸絕，尤其幼年時同在一處的朋友們，一旦一方飛黃騰達，一方則沉滯下僚，平時尙還不甚覺得，而一到送別（唐時都於長安，官屬友朋餞送，均至灞橋而止）之際，顯出雲泥之分，就會令人不堪了。

我們要看淸楚末句之可傷，尤勝東前所擧各事，那是因爲前四事雖屬言之悽愴傷懷，但究與自身無關，而且已經成爲歷史的陳蹟，很明顯地有着差別，這中間的今昔之殊；義山句中却交代得非常明白，「朝來灞水橋邊問」，着重在「朝來」，指的正是現在，也係作一個總結，「未抵青袍送玉珂」，着重在「未抵」，這就明說過去的那些傷心事，總歸抵不上現場那些下僚們恭送達官貴人的慘痛，而他們又有着很深的情份在內，如同義山本人命令狐綯一樣，義山官不過參軍侍御史，品級總在七品下，令狐綯則以翰林學士入相，正是青袍玉珂之別。這樣，末二句就字字有着落了。（完）

五十六種砂鍋烹飪

馬騰雲

七十　砂鍋羊頭

羊肉的補療價值已如上述，現在我們來談談羊頭了，照俄國的組織療法，羊善抵頭雖鬥到角斷皮破血流，雙方皆不示弱，生長在農村的人看得最多，故判斷羊頭可醫頭風、頭痛、頭昏、頭漲等。其實中國的醫典上早有記載，謂羊頭骨甘平無毒、治風眩、瘦疾、小兒驚癇，名醫雜論羊頭治頭病有著效，李時珍更指出羊頭骨能消鐵也。

羊頭裏的羊齒治小兒羊癇。羊舌功能補中益氣。羊角功能青盲明目，止驚悸，安心神，別錄更指出羊角可治頭風頭痛，及婦人產後餘痛，羊腦用於潤皮膚，去臉上黑氣有卓效。在一個羊頭上有這麼多的藥用價值，但很少被人注意。

羊頭的洗滌工作要特別留心，最好在羊肉店買羊肉時，就請其劈開，煑法與羊肉同（不贅）改刀後入砂鍋加葱、薑、蒜、酒、辣椒、胡椒、和以三錢陳皮，二兩紅棗，二兩胡桃肉，　到極爛食用，醫治頭病有意想不到的效力，一個月前筆者遇湖南籍伏生將軍，他說曾在家鄉親以羊頭治好隣婦劇烈頭痛症，又名學人某君落難香港，常買喂狗碎牛肉　湯給妻兒打牙祭，筆者告以羊頭比碎牛肉便宜補養價值特別高，後來其果以牛易羊，未幾竟發現患有多年頭風的老伴霍然告痊，這位學人且在一家日報上，除感謝我這蒙古大夫外，並將羊頭治病公開介紹，嘉惠同患。

附註：羊腦有毒不可吃，吃之發風病，男子損精，女人少子。

小黛眉傳

·王幻·

阮麗珍（二）

胡雛高鼻如蜂擁，邊笳蹋天鬪；尖哨過潼關，長安任飛空（革旁）。皂鵰翅聳，蒼鷹放縱，一個老哥舒，聾他有何用！

咸陽烽火兼天動，鐵騎起騰猛；荆棘長銅駝，馬嵬斷香夢，羊羔速甕，琵琶調弄，拍手卯兒姑，把如花向帳前奉。

全屬借古諷今的手法，因爲安祿山是胡人，滿淸也是胡人，無異指着和尚罵禿奴了。再如「金錢花」云：

轟然殺氣雷轟，雷轟；街廂燒得通紅，通紅。蓬鬆短鬢瘦稚弓，顯不得拋老面，露芳容；娘和女，緊相從。

軍聲四起洶洶，洶洶；教人何處潛踪，潛踪。我蜂腰細你背駝峯，忐軟怯，忐龍鍾；狹路上，恰相逢。

奔騰萬馬呼風，呼風；居民逃竄西東，西東。如鷹撲兔網黏蜂，脫得去，謝天公；擎住了，一場空。

弓刀耀日如虹，如虹；羽林那個當鋒，當鋒。神號鬼哭滿城中，金和寶，搶教空；拿得去，獻頭功。

這顯然是流寇殺人刼物的寫照，是作者當時親臨的實境，所以生動感人。全劇共四十二幕，敘述唐代士人霍都梁到京會試，與歌妓華行雲相戀，因繪二人合像，送到裱裝店去。眞是無巧不成書，同時，禮部尙書　安道有女飛雲，面貌全像行雲，亦將觀音像一幅，送到同一店裏付裱。不料裱好後，店中人將二幅畫送錯了；飛雲見二人合像，一人酷肖自己，一人却是風度翩翩的濁世佳公子，不禁爲之驚慕。兄且又是爛漫的春天，飛雲春思纏綿，不能自已，遂作詞一首，詠寫心緒。詩箋放在鏡台上，爲燕子銜去。此下數曲，完全把深閨少女的痴心，赤裸裸的傾瀉出來：

畫裏遇神仙，見眉稜上，腮窩邊，風韻翩翩天然。春羅衫子，紅杏單（享旁）香肩。那人偎半邊，兩迴眸，情萬千。蝶飛錦翅，鶯啼翠烟，遊絲小掛雙鳳鈿。光景在眼前，那須要陽台雲現？縱山遠水遠人遠，[illegible]遠。（四季花）

麟髓調，霜毫展，方縱點筆[illegible]。這梁間小燕忒刁鑽，忽地啣去飛[illegible]天。天！天！未必行方便，使落在泥邊水邊。那些御滿紅葉蕩春烟，只[illegible]得飛絮浮萍一樣牽。（浣溪沙）

（未完）

第二十二章

張德遠督師江上　岳鵬擧未降黃佐

周燕謀

岳飛又爲此上章力辭，詔皆不允。岳飛之偉大，堪如何哉！

是時洞庭楊公聚衆猖狂，張浚以洞庭爲長江上游，不急討平，恐爲後患。乃自請視師江上。高宗准奏，詔張浚督師，先至潭州，次至醴陵。沿途稽査獄囚，多係楊公部下偵探。張浚一一釋出，好言撫慰，各給文牒，令其還招諸砦，各犯歡呼而去。

楊公本鼎州盜鍾相餘黨，鍾相伏誅，楊公湖網，後收集散亡，盤踞龍陽，漸漸壯大。立鍾相少子儀爲太子，令部衆臣事子儀，楊公名義上仍爲鍾子儀屬下，但僭大聖天王，一切兵權都操於楊公手中。因此洞庭只知楊公，不知子儀。高宗曾命都統王𤫊會兵往討。王𤫊乃忠毅鎮撫崔增吳全，果前軍覆沒。繼而楊公乘洞庭水漲，揮衆東下，攻破鼎州杜木寨，守將許荼戰死。王𤫊束手無策，不得已奏達敗狀。

岳飛自紹興四年十二月渡江入淮西，牽制金兵，解廬州之圍，移駐池州。在淮西駐紮休兵四月，曾作「翠微亭」、「翠微亭」、「翠光寺」各題詩一首。池州「翠光寺」詩云：

愛此倚欄干，誰同寓目閑。輕陰弄晴日，秀色隱空山。

（一一一）

自由報

（第一一六一期）

（半週刊每星期三、六出版）
每份港幣壹角・台灣零售價新台幣弍元
社長李運鵬・督印黃行寳
社址：香港九龍彌敦道593—601號、廖創興銀行大厦八樓五座
LIU CHONG HING BUILDING
7th FLOOR FLAT '5
593—601 NATHAN ROAD,
KOWLOON, H.K.
TEL: K303831
電報掛號：7191

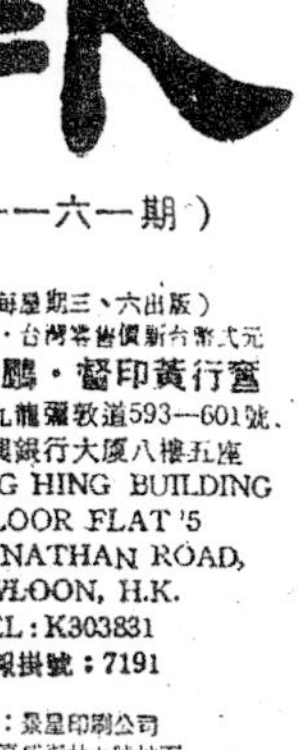

承印：景星印刷公司
地址：嘉咸街廿九號地下
台灣區業務管理中心：台北市慶南路一段一二九號
電話：二四五七四
台灣區劃撥訂戶　台灣劃撥戶
第五〇五六號張萬有（自由報會計室）
台灣分社：台北市西寧南路119號二樓
電話：三三〇三四六、台郵劃撥戶九二五二號

本報專論

中國醫藥廢不得！（上）

・洪季空・

一、一篇文章引起問題

教育部發行的「海外學人」雜誌第七期（五十九年十二月一日出版）載有署名黃毅軍的一篇倫敦來稿，題爲「爭取人才與中醫問題」，文中第二項大意說：「行政院最近經立法院通過成立衛生署，副署長一人要由中醫担任。另成立中醫研究所，也要聘請中醫担任研究工作。這眞是胡扯談，開倒車。庸人誤國，莫此爲甚。」又說：「中醫純係中世紀的落伍醫學，不但對現代醫學沒有直接的大貢獻，就是在古時（過去）對國民健康的貢獻也不大，與其他世界各國中世紀的醫學并無顯著的差異。」又說：「衛生署副署長沒有中醫担任的必要。衛生署也沒有聘請中醫師成立「中醫研究委員會」的必要。教育部醫學教育委員會中醫委員名額應予剔除。一個根本不懂現代醫學教育爲何物的人竟担任國家最高醫學教育指導機構的委員，眞是「國家現代化」的大諷刺，大笑話。」

這篇文章，已引起軒然大波。香港自由報台北通訊轉載全文，並批評該文爲「說一些非常幼稚而數典忘祖的話。」自由報並選登陳立夫先生的「我對於中西醫藥的看法」一文，內容强調中國醫藥體系完整，應與西醫並行不悖，以糾正黃文的不當。自由報爲找尋眞理，並歡迎海內外人士討論有關國醫與國藥的存廢問題。筆者不揣固陋，願提供一點事實與意見。

一、實驗就是科學

有用就有價值

黃先生說：「中醫中藥在現時代中，除了可供醫學家作純科學的研究之外，決無存在實用的價值。」一般批評中醫的人，也皆說中醫不合科學。其實中醫經過幾千年無數天才醫學家的苦心鑽研，幾千年以人體臨床實驗的結果，才有如此高深奧妙的成就。實驗就是科學，能治病就有價值。怎能說中醫不科學與無實用價值呢？中醫無論內外科、婦幼科、鍼灸科，皆有完整的體系與治療的方法。可惜後人數典忘祖，不能繼承先人已有成就而發揚光大之，致使高深理論無人領會，所存方法亦不完整，業醫者知其當然而不知其所以然，甚至連當然亦不能盡知，豈不可惜！

三、黃先生之言自相矛盾

黃先生一面說中國醫藥「決無存在實用的價值」，一面又說「中醫中藥是一件多麼深奧的東西」。又說「中醫中藥對少數特殊病例（如癌症、關節炎）有療效者，應由政府成立專門機構（如中國醫藥研究所）聘請醫學家、科學家從事研究實驗，或指定各醫學院校專案研究外，對現代全民醫藥保健方面，中醫中藥沒有利用價值。」既說沒有利用價值，就該廢棄了，爲什麼還說「是一件多麼深奧的東西」？既說對癌症、關節炎有療效，要政府成立專門機構去研究，爲什麼又一口咬定沒有存在實用價值？黃先生之言，豈不是自相矛盾？細繹黃文，似乎不是絕對反對中醫中藥，而是反對中醫師學識不够水準太差，這點却也近於事實。但這是中醫沒落的自然結果，不是中國醫藥本身沒有價值。而且好的中醫還是有的。黃先生又一再致意於中醫對全民保健防止瘟疫方面沒有大貢獻，這也是事實。但這也是中醫沒有政府提倡不受社會重視的結果，並不足以證明中醫沒有價值。

四、王道與霸道

治國有王道與霸道之分，治病亦有王道與霸道之分。中醫是以王道治病，西醫是以霸道治病。中醫視人爲整體，人身一部份有病，固然要以治療該一部份爲主體，但人體各部份是息息相關的，治療這一部門，必定影響其他部門。中醫於此，有通盤的打算。用藥分爲君臣，君爲主治藥，臣爲輔佐藥，其作用在照顧人身全體，使不影響其他部份，使不發生副作用。並借藥位之調和與份量之配合，以收攻堅治療之效。西醫頭痛醫頭，脚痛醫脚，治這一部份，不管那一部份。對於外科各症，有時中醫可以服藥內消，至少亦可以縮小範圍，而西醫則惟有操刀一割。西醫外科手術高明，開腸剖腹，易如反掌，誠不能不令人叫絕，但其仍爲霸道，則無庸諱言。近三十年來，西藥消炎劑藥力萬鈞，實足驚人；但有時治療惡疾，尚不如中醫湯藥及單方，可知王道有時仍勝於霸道。他日人類醫藥發展的方向，實應以王道爲主體，而以霸道濟其窮。

五、內外各科無不神妙

有人說中醫外科不如內科，此非確論。筆者從前有一老師周先生，天才高妙，學識淵博。因爲家人多病，立志學習中醫，所有中醫內外各科書籍，凡能搜羅得到的皆已讀過。他智慧過人，全能領會貫通。但他無臨床經驗，不敢爲人治病。有一次他自己兒子腿生惡瘡，他已知道治方，但不敢自信。仍請名外科到家診治，這位名外科不識此瘡，辭謝而去。他暗思此子已無藥治，又是自己的兒子，好歹沒有責任，乃用自己所知的藥方治療，居然給治好了，從此信心大增。抗戰期間，避居鄉下，爲生活所迫，開始爲人治病，不久聲名大噪，遠近求醫者接踵。他精內科，外科、婦科、小兒科。他說中醫內外各科，無不神妙，惜乎滔滔者盡爲庸醫，沒有深入研究，怎能爲人治病。他說外科症共有一百三十多種，皆有治方，且無不靈驗。痲痺症分全身與局部，共有三十五六種，皆有特效治法，且不超過五付湯藥，即可全癒。他著有脈訣一書，惜乎未能問世。他打算勝利後加入全國醫藥學會，與并世名醫一較短長，以期光大中國醫藥以造福於人類。不幸他以五十之年，在抗戰尚未勝利前即與世長辭了。

中醫治傷寒症有特效。從前上海德人開設之寶隆醫院，如有患傷寒症求醫者皆請中醫診治。傷寒症西名腸窒扶斯，乃係腸病，重者腸壁破裂，中藥能將已破腸壁用藥力補合，豈不神妙！白喉也是可怕的傳染病，西醫有特效藥白喉血清，治癒率極高。中醫也有特效處方，患者如能信心不移，連服「養陰清肺湯」，必待危險期已過，再服「除瘟化毒湯」，必可痊癒。如因種種原因，病情惡化，必須連服「五虎奪命湯」，即可轉危爲安。中醫白喉處方，配合得法，設想周密，令人歎服！中醫以陰陽分病類，以五行（金、木、水、火、土）分藥性，這不是迷信，不是落伍，不是違反科學原理，乃是根據科學的理論與方法，製定治病用藥的公式，使不明原理的人，也可以按照公式，開方治病。惜乎後世庸醫，只知公式，不明學理，遂使中醫永無進步，且每況愈下，實爲莫大損失。

六、針灸獨步世界

中國針灸之方，神奇達於極點。惟因不受國人重視，學之者多爲下流社會，不能融會貫通，故學理早已失傳。所賸下的，一點呆板方式而已。但却此呆板方式，也有神效。筆者幼年，忽患腹痛甚劇，經擅針灸人在左腕四指脈扎下一針，立刻止痛。筆者長女幼小時常患扁桃綫炎，鄉間求醫不便，每次由針灸人在頸下輕挑兩針，擠點血出來，馬上好了。民國三十六年，有一同鄉汪君避匪住鎭江，腿部患風濕，不能行走，臥床呻吟。他病在左腿，已較右腿細三分之一。西醫說除去鋸掉，別無辦法。我有一同事僅三十，擅針灸，經我介紹，每週爲他針一次。頭兩個星期，我常去看他，他說沒有什麼好壞，我認爲他腿都細了，決無辦法。因事事忙，此後也就少去看他了。不料兩月以後，在馬路上碰到他，他已能扶杖而行，又對我說了許多感激的話。大約個把月後，又遇到他了，他已不杖而行了，出示左腿，已和右腿差不多一樣粗細了。這是我親眼看見的事實，不是假的。（未完）

昨日與明日

尼克遜自尋煩惱

美總統尼克遜被毛共乒乓球催眠陷入迷幻狀態中，越共又從而煽揚之，聲言願與駐在越南的美軍單獨停火。這種分化敵人的魔術，美國內那些反戰份子必然興高采烈，要求尼總統馬上命令美軍撤出越南。

尼氏若接受越共的建議，即無異拱手將東南亞送入共黨魔掌之中，最後美國祇好退出亞洲，聽候共黨擺佈玩弄；如果拒絕越共這項「和平建議」，又會招來國內反戰份子——特別是民主黨人士——的攻訐，影響來年競選連任的得失，如何是好呢？

政治人物患得患夫，固不足怪，然未有如尼氏這樣不成器者。尼氏誇稱「不作失敗的總統」，我看他的失敗已經註定了，而且將來必然敗得很慘！

羅吉士自說自話

美國外交首長羅吉士近在中東發表談話，認爲美國跟毛共結交，并不影響美國與中華民國的「友好關係」，因爲美國依然履行已有的條約義務。他把全球人士視爲無知無識的蠢材，以爲美國人纔是上帝特別製造出來的「睿智卓越」之士，充分表現着一個暴發戶國家的幼稚，衝動本質。

尼克遜總統既已公開主張要搞「兩個『國』」的政治把戲了，身爲白宮外交當局的羅吉士，却欲吐還茹，閃爍其詞，欺天下人以無知，何其低能乃爾耶？

毛共暗自好笑

毛共一面玩弄乒乓催眠術，同時聲明是跟美國人民要好，以反對尼克遜政府的「侵畧政策」，說得淸楚明白，毫不隱諱。然美政府當局自總統以下的袞袞諸公，竟認爲毛共是對美政府改變了原有的敵意，不禁心花怒發，自我陶醉。我想毛澤東周恩來之流，必然暗自好笑，笑「美帝」無人，有如粵諺所謂「誤認馮京作馬凉」，表錯了情！

最近美國的「巡迴大使」甘迺第到了台灣，揚言要與中華民國當局商洽財經事宜。這原是暴發戶國家的老套作風，想藉金錢勢力以施展其出賣朋友的政治陰謀，我們應該嗤之以鼻，至少在目前不應接受暴發戶希望以金錢來麻醉人心的低劣詭計。

・何如・

自由談

所謂「中國通」

在美國，有所謂「遠東問題專家」和「中國通」的人士，他們的言論主張，常博得政府當局的信賴，能够左右白宮的對華外交政策，而結果適得其反，往事歷歷，可資印證。實則這些「專」家和「通才」，都是咱們中國賣狗皮膏藥之流的江湖術士，不値一哂的。

譬如鼎鼎大名，曾在國務院作過高官的「遠東問題專家」拉鐵摩爾，他的足跡只旅行過中國新疆邊境和外蒙古，對日抗戰時期，在重慶住過一下，對中國文字以及歷史文物，一竅不通，怎能說得上「專家」呢？又如著名的前進份子費正清，對中國固有文化思想茫然無知，却大發議論，認爲毛共的一切措施，是與孔子的德治主義相符合，而被譽爲「中國通」，你說好笑不？

要講「中國通」，在二次大戰前的日本人，却比美國人通得多了。他們懂得中國的語文，亦熟悉中國歷史文化，而且常常在中國各地區活動，跟華人交往頻繁，有升堂入室的縱深考查和體會，够稱爲「中國通」了。可是，中日戰事發生後，日本人認爲三個月就可以征服中國的，結果打了八年還是失敗完事。這即證明他們雖有那末多的「中國通」，對中國人的實際能力，仍無眞正的認識瞭解，不通之至！

若夫美國的「遠東問題專家」和「中國通」，更不足道，他們都是「坐在半天雲裏吹哨笛」，自我欣賞，憑着他們的見解以處理中國問題，不特無濟於事，而且自尋煩惱，試看一九四九——五〇年之間，美國拼命在中國與海外華人社會中製造「第三勢力」的行爲，即可概見了。

咱們中國幸而沒有「美國問題專家」和「美國通」——只有些「美國迷」的洋化主義者，然無形之中，國家民族亦被他們貽禍不淺，豈勝嘅歎！

—馬五先生

魔鬼的微笑

天下雜論

成公

假如不把是非正義拋棄不管，那會把咒罵的壓低，看成是幸福，虐待的減輕，認為是恩惠。因為在長期奴役下，減少痛苦，也等於增加福榮，但可惜的是那還不知人間有什麼叫骨氣，不幸今天許多國際的姑息主義者，對毛共的態度就正是這幅懦夫的嘴臉。

毛共這次藉着到日本去賽桌球，客送秋波，邀請美國桌球隊去大陸訪問，這一下竟使得美國上上下下，受寵若驚，不僅報館，雜誌的記者們，跟着起哄，甚至主管遠東事務的助理國務卿，葛林，都衝動的對這「驚奇」出乎意料的邀請表示，歡迎，並認為這是二十多年來，未有的文化接觸，遂即自我陶醉，幻想這是與毛共步入正常關係的開始。加上毛共向來是會玩弄這些一廂情願的傻瓜於股掌之上的。星期一十二日，招待美國桌球代表及記者們參觀長城，十四日星期三更去看清華大學，周恩來還賜宴，這些技倆秋波簡直使美國人受不了了，由於一向都是美帝長，紙老虎短的，挨罵不已，現在居然不罵，還外送秋波，豈不大感幸福，而要感恩圖報，尤其這些跟着去的記者們，更要大賣關子，欣幸自己「躬與其盛」的際遇，而要大寫特寫，大記特記的加力報導。如所預料的，美國的報紙將是一窩蜂的登載阿諛毛共的報導。古老的長城照片，也將會當作新聞，出現在報端，而那些姑息的政客們，更會自彈自唱的，認為尼克森的構想即將趨於實現。

毛共眞會這樣一百八十度的轉變，那只有天眞幼稚的美國佬，才會這樣相信。因為他們自己就是這樣多變，而變到沒有原則遵守的程度，但是共產黨，尤其毛共却不是這樣的，他們從未放棄，世界革命的目標，從未停止埋葬美國的工作。所變的只是埋葬的手段，和應時的姿態而已，怒罵拒斥，同是鬥爭，緩和逢迎，又何嘗不是鬥爭。今番的邀請接待不過是配合他自己內部的需要，來更進一步的軟化癱瘓美國，以更加強其埋葬美國的工作而已，可歎天眞的美國人，還把韓信的楚歌，當作招待和歡迎他們「楚國」晚會上的吹奏。飲鴆酒而當瓊漿，舐糖衣而吞毒藥，哀哉，縱然事後再發現共黨的毒計，士氣也早已垮了一半了。

美國由於豐衣足食，而致腐化不振，上上下下喪失作戰的勇氣，只知一味苟安，祈求和平，而不管是什麼樣的和平，由於求和心切，看到人家一個笑臉秋波，便把一腔主觀的想法附會上去，其奈，笑臉雖是笑臉，却是更毒辣，更厲害的魔鬼微笑何？

實踐國民生活須知

應由國小學生推動

訂妥善辦法契而不捨進行

現行作法對實際毫無補益

（自由報台北消息）四月十二日台北市街頭忽然出現中等學校各型樂隊，高奏軍樂步武前進，第二天各報刊出長篇新聞，讀了報導纔知道原來是「台北市各界實踐國民生活須知運動周」，在中山堂舉行大會上有隆重的授旗典禮。規定在這一運動周內要發動兩萬餘人參加服務工作，包括各機關，學校、里鄰、後備軍人、救國團員等等。其中里鄰服務隊人數九千九百餘人，社會服務隊二千八百餘人，宣傳隊一萬餘人，機關服務隊則共有五百九十四隊。他們對於所發現與國民生活須知要求不合的情形，一律以和靄的態度勸導改正，使市民都能體認此一運動的眞諦，是為糾正不良習慣，保持現代化國民的良好風度。

中華文化復興運動推行委員會秘書長谷鳳翔在典禮中，以台北市實踐國民生活須知運動委員會的會旗授與台北市，由民政局長柯台山代表接受；再由市府秘書長將北市十六區分會會旗，授與各分會代表接受，即時在全市十六個區全面展開活動。各區并舉辦示範表演，來報導市民一般生活禮儀的常識。十七日是擴大宣傳運動閉最後一天，在新公園舉行遊園會，會中對參加衣、食、住、行、育、樂及一般禮儀示範表演者一律頒獎，以示推行努力。這一如火如荼的運動，即功德圓滿。

聲勢之大，用力之猛，可謂把行政力量發揮到極致，這個運動週結果，市民們依然故我。唯一可尋的痕跡，只有大街通衢殘留了些標語和家家戶所收到市政府散發的宣傳品而已。

街頭上的服務隊撤銷了，幾萬人的寶貴光陰是否白白浪費了，市民們的生活習慣比上個月進步了多少？國民的品德是否眞的提高了，似乎應該切實檢討一下。

根據一些參加這一運動的人士，事後深引為憾，進而又表示意見說：這次運動週，固然很隆重，但實際上仍不免流入形式化。政府既要「實踐生活須知」為甚麼？不以行政力量命令學校，借重學生的廣大羣眾力量來改造社會。任何一個家庭都有學生，只是程度之差而已。如果以學生為中心，縱橫的發展關係，可謂無遠弗屆，即以小學為起步，由學校責成各班級任教師，將各班編為一小隊，教學生各自回家發動全家父母兄弟姊妹實踐生活須知先以環境衛生及家庭清潔為例，級任教師則定期考核（給予出差費，借此提高待遇）評定優劣列入學生操行分數，校長則抽查級任教師督導區域，將成效列入教師考績，學生都信仰教師，故奉師[illegible]明，而且以國小學生為尤甚。尤其列入操行，他回家會糾纏家長要成績，成年人多半有惰性

教育從根做起

國小不應忽視

為百年樹人大計立根基

不能頭痛醫頭腳痛醫腳

，只有讓小孩子來推動纔會發生效力。

以上辦法，必須由教育主管製訂條例，以命令行之，主管機關考核校長是否督導盡力，發現敷衍塞責的予以相當處分，甚或撤職。教育部長羅雲平抵台北就職之日（見四月十六各報）會向新聞界表示，「教育革新工作要從根做起。」有人認為把國民小學辦好，使每個國民自入學就體認到作一個標準國民必須有那些條件，就是「根本」！甚而有人說：「萬勿以善小而不為」，希望羅部長認清小學樹立基礎，就是「好為國家百年樹人大計，建立一條坦途」，若是頭痛醫頭」，「腳痛醫腳」「不但不能解決問題，往往會造成更多的問題。

如果再教國中一二年級學生組織服務隊，各班輪流停課每班分成若干小隊，由教師分配區域，在各交通要道糾正市民違反生活須知，考校也仿照小學辦法。國中，小學學生一分散，家庭社會都是力量，付之以任務，培養榮譽感，養成責任心，這就是活潑現實需要的教育。過去歷任教育部長只講法令，對學校僅只注重大學教育，從來無人注意國民教育，如果忽視國校教育，一到大學，教育部長想管也管不好了。反之，國小畢業就養成好習慣，確能作到實踐「國民生活須知的要求，到高中大專就自然容易管理了。

有人提到，記者也親身體驗的一箇現在例子，關於「行」的方面搭乘公共汽車，這是日常生活所必須的。如果碰上各校放學，輒即亂作一團，都是國校學生不守秩序，成年人干涉也無用處，如果改善乘車秩序，非由學校輪派教師在車站督導不會有效。市政府既要實踐國民生活須知，何不命學校從這些方面着手？（林倚）

加強民主法治

啓人民向心力

立委促公開審查總預算

（自由報台北消息）立法委員張子揚在立法院第二次秘密會議審查中央政府六十一會計年度總預算案時，分別提出質詢。

據立法院新聞室發佈：立法委員張子揚建議：「總預算案的審查，除國防、外交預算採秘密方式外，其他單位預算，都應公開審查，特請教嚴院長，並請立法委員同仁支持。」張委員很具體的提出下列六點意見：

一、我們的財政二十年來，是取之於民用之於民，自由中國經濟繁榮，人民生活改進，這是事實，我把今年政府施政計劃詳細看過，很詳盡，無所不包，我們的政府是在做事，而所定的計劃也大體符合人民所希望的，內容沒有不可公開的，我們應當告訴人民，我們政府是在做些什麼，人民了解政府的計劃，更能增加人民的向心力。（上、未完）

對各保險業的流弊

監委提出調查意見

送財政部作為改進參考

五十七年財政部核定火險費預期損失率為百分之四十五。但根據該部最近五年統計，即五十三年至五十七年，平均僅百分之廿五，較合法利潤仍多出百分之廿以上。財政部今後仍宜重視實際賠款率之統計，督促產險業者依照規定，於每年度開始三個月前呈報核定調整。必要時，該部應衡量業者經營狀況，通盤調整，務期逐漸達到合理程度，以杜絕產險業者額外盈餘，減輕要保人之負担，而促進工商業之發展。

海上貨物運輸保險係水險一種。產險業者對經常進出口之貨物雖會議訂費率，並於四十八年再將原議訂費率降低百分之五，但又以適應國際貿易之需要，情形特殊為藉口不受議訂費率之約束，謂此種國際性之業務，應照國際市場費率承保。

漁船保險係水險一種。過去漁船保險費率較外國過高而譁然，漁業界有自組漁業保險公司之運動。五十九年又有高雄市百餘漁業公司抗議漁船保險費率過高，且得不到全額保險，相約自組「台灣區漁業災害互助聯保小組」。結果財政部決定將漁業保險費率，普遍降低百分之五；並助產險業按船價十足承保，始將風波平息。

汽車意外責任保險費率，五十七年九月調減者幅度極小，調增者幅度較大。如營業大貨車由二、三五〇元，調增為三、九一〇元，幸財政部核定時將調增之四項，硬性核減百分之五至百分之十，具見業者呈報調整時，並未完全依據實際損失率而擬訂，財政部應繼注意實際損失率。

壽險費率亦高，實際支付與預期持付，相差甚鉅，造成對被保險人嚴重之剝削，故財政部於五十七年令飭限用台灣第三回表。而台灣第三回表，係五十四年所編算，其根據之資料，係四十五年至四十七年之統計，十餘年來，台灣人民生活由安定而豐衣足食，由醫藥進步而公共衛生不斷進步，據最近統計，男女壽命均有增加。是台灣第三回表，已不適宜實況，財政部應亟謀公平對策，以保障保戶利益云。（下、續完）

對[illegible]茶記寶[illegible]花

後來成慣着也[illegible]是推脫不開，便歸定每禮拜六禮拜日二天見客，名字用的是「趙夢蘭」。「這兩天眞是客人絡繹，車馬盈門，忙得連喫飯的工夫都沒有。累固累，可也眞掙了錢。

這時候滬上名妓所謂四大金剛的林黛玉、金小寶等都在大興里，她們很聯絡我，結拜成義姊妹，勸我也搬到她們那邊去，我倒也很願意，只是嫌那地方「野雞」過多，後來我費了許多力量纔把她們擺走了，我搬過去，工夫不久，傍人都看着好了，都搬了過去，但最低都是長三，沒有再下的。

上海的妓院分若干等級，最上的叫「書寓」，一次叫「長三」，再次叫「么二」，再往下就是「花烟館」「野雞」之流了，書寓稱「某某書寓」，「長三稱」「某某寓」」少一「書」字，么二稱「某堂」。」書寓長三的門口都掛着牌子，么上面標寫妓女姓名。很下等的我們不提它；書寓和長三最不同的一點，就是，書寓姑娘至要會唱曲。這是一個必須的條件，她們在名義上也只是說担任唱曲，與北方的「清吟小班」性質差不多。客人初到書寓，認識了一個姑娘。姑娘總先要唱一段曲給客聽，這叫作「堂唱。」這在長三，因為不一定要唱，便叫「加茶碗」「攀二叫「攀相好」。

客一到，認識的姑娘便出來讓到她的房裏，客若備有生疏的朋友，就給介紹一下。坐下後，姑娘敬上烟茶，——烟有鴉片烟、水烟、雪茄烟等；還有各樣的乾鮮果品，書寓算是最講究的了，水果都是按着四季預備，橘梨、蘋果、楊梅、菱藕，無不應有盡有，任客啖食。

書寓姑娘是例不陪宿的，偶然留客住宿，那都是日子已久，客與姑娘的交情很契膩了！姑娘願意留下。長三住宿雖比較容易些，但也須經過相當時間，彼此肆熟以後，擺擺席纔可。

「擺席」，也叫「擺酒」，也叫「開台面」，「還住宿的第一關，非要經過不可。好排場的客，在那時都要要一耍闊氣，有弄雙台的，有弄雙雙台的。擺席的錢不能先付，先付便是瞧不起姑娘，有一種「下腳錢」，是賞給傭媼們分的，卻要先給，普通是四圓，大方些的也有多給的。擺席錢是十三圓。

擺席時，書寓姑娘都要唱曲，有烏師在下邊伺候着給鼓板吹笛，終了也要給他們下腳錢。這時候唱的曲，雖然也有京腔了，還是崑曲多，記得常唱的有「佳期」「樓會」「八陽」「思凡」「長亭」「藏寶」等等。

姑娘出局都是坐紅圍子的綠呢轎，用兩個人抬，後面打着一個氣死風燈籠，跟局的大姐同烏師都在後邊跟着走，轎子走得飛快，可是一步也丟不下他們，那時也時興馬車了，有單馬雙馬的，但坐的人還不很多。（十一）

孝道的宏揚與光大（七）

·李宗黃·

樂正子曰：善！如爾之問。吾聞諸曾子。曾子問諸夫子曰：『天之所生，地之所養，無人為大，父母全而生之，子全而歸之，可謂孝矣。不虧其體，不辱其體，可謂全矣，故君子須步而弗敢忘孝也』，今余忘孝之道，余是有憂色也，一舉足而不敢忘父母，一出言而不敢忘父母。一舉足而不敢忘父母，是故道而不徑，舟而不游，不敢以先父母之遺體行殆，一出言而不敢忘父母，是故惡言不出於口，忿言不反於身，不辱其身，不羞其親，可謂孝矣」。

我們只要認淸這個要訣，盡孝之道，可以因時，因地，因人，因個人的環境而異。比如離鄉背井的游子對父母多不能晨昏定省，侍奉甘旨。父母去世的不能瞻仰塋墓，春秋祭掃，就應當本中庸上所告訴我們「善繼人之志，善述人之事」，使父母未完的志願能達到，未竟的事業，能成功。父母還健在的，若板輿迎養，當然藹孝併其樂無窮，二叫，以我實踐來說：就應最少一月兩信，報告平安。敬叩康健，並應將父母的衣服、食用、藥品、錢文、列成表册，量收入之多寡，隨時寄滙，最少每年三次，（卽舊曆端午、中秋、春節）以娛親心，盡最低限度之孝。須知以父母之慈愛與我們可能盡的孝相比，實在是有霄壤之別，不但要在父母生前盡孝，尤應注意歿後之孝！就是要「繼志述事」，為國家盡忠，為民族盡孝，以遺子孫，以示後人。

（五）孝的功用

說到「孝」的功用，孝經第一章曾說：「仲尼居，曾子侍，子曰：『先王有至德要道，以順天下，民用和睦，上下無怨，汝知之乎』？曾子避席曰：『參不敏，何足以知之』。子曰：『夫孝，德之本也，教之所由生也。』」禮記祭義上也說：「孝弟發諸朝廷，行乎道路，至乎州巷，放乎獵狩，修乎軍旅，衆以義死之，而弗敢犯也」。孝的功用為甚麼有這樣大？說起來恐怕有些使人不相信，其實，這是極自然，極平易的，要是我們確實做到孔子所謂「在醜不爭」，以及曾子所說的：「樹木以時伐焉，禽獸以時殺焉，夫子曰：『斷一樹，殺一獸，不以其時，非孝也』」（見禮記祭義）。不僅「以順天下，民用和睦，上下無怨」，不成問題。就是萬物「各得其所，各遂其生」，也不成問題。再確做到曾子所說的下列目的，則所謂「衆以義死之，而弗敢犯也」，也不會成為問題了。

「身也者，父母之遺體也，行父母之遺體，敢不敬乎？居處不莊，非孝也。事君不忠，非孝也。蒞官不敬，非孝也。朋友不信，非孝也。戰陣無勇，非孝也。五者不遂，災及於親，敢不敬乎」？（見禮記祭義）

（未完）

中西心理的不同（三）

·張起鈞·

他不呆滯眼前的現象「不呆滯於「票面」的現象，亦不呆滯於此「一」現象）更不執着於具體有形的事務。當一件事出現在前面時，他會很自然的意識到這「一」端以外，還有很多其他相關並立的東西存在，而不致為這「一」端所籠蔽。試看中國人對宗教既不像西洋人那樣篤執專一，也不像西洋人那樣不容忍，其原因便全在此。他不僅不為這眼前的「一」端所籠蔽，並且也不為這眼前事務的「票面」現象所拘囿。反之卻常常要透過這票面的一切，而注意其內含和背後所代表的意義；至於那表面的形形色色反倒不大為他所介意了。這種心理形諸事實、於是一方面使得中國人對於客觀事務的觀察往往籠統含蓄，而不大講求精確切實，所謂「差不多」的習慣就正是這方面的表現：而在另一方面則又往往於具體有形的事務之外而別有所寄託。所謂「醉翁之意不在酒」的情致，就正是中國人這種心理的代表。這種情形在藝術方面最為表現得最明顯。中國的音樂起伏變化遠沒有西洋的複雜，繪畫方面也並不崇尚金碧輝煌彩色繽紛，詩在中國最發達了，但從不曾產生過像荷馬哥德那樣的長篇鉅著，而各種藝術所一致講求推尚的，卻是這藝術所代表的意境。像這種好尚習慣，就正足以說明中國人忽視外形注重內含的心理。尤其特別的，中國人不僅注重一件事務的內含，同時還往往習於體察一件事務所宣洩流露的機蘊，例如數術讖兆，天人之際的探討在中國特別發達，便是這種心理的反映。總之這一切都說明中國人對事務的看法，與西洋人是大大不同的——再者西洋人鑿實，遇事總想把他把握牢靠，因此便活生生的事情都看成死板的了，換句話說就是祇看見事物的靜止狀態，充其量不過是連續的靜止面而已。——因為方生方滅的事件是無法把握牢靠的，只有死板靜止的片段才能使人們反覆賞玩，把握牢靠。——但試問這靜止的狀態，便能揭示宇宙的眞相麼？不的，宇宙是變動不居，生生不已的，專從靜止狀態來看是無從把握事務的底蘊的。這種意義中國人似乎比西洋人較為了解。因此中國人對事務的看法並不像西洋人那樣呆板，而多半能從變動生化的意義中去了解。當一件事出現在面前時，中國人不大把它看成僵死不變的，而會意識到它的變遷與演化，對於一件事的處理，中國人不一定要機械的正面來解決，而往往因任其演化來用曲折的、側面的、方式來解決。例如拿醫學來講，一個人病了西醫一定要看這病是在身體的那一部份。究竟是胃爛了呢？還是腸發炎了呢？中醫診病卻不一定要具體的找到是壞在那部份。雖也說肺經有病，心經有病，但那並不一定就是說這「病」是在肺部或心臟。尤其在治療方面西醫多半是要直截了當的去對付那塊損壞的地方，中醫則是要推究所以致病的原因，而去清理疏導，補殘生新。（例如說某人的肺病是因腎虧而致，那便去補腎，俾腎強而肺自愈是）中西醫的是非高下，我們不去管他，但他們這種不同的想法，卻正說明中西雙方在思維上的特徵。

三　思維所循的邏輯不同

上面說的是習性。中西雙方不僅習性不同，而其思維所依據的邏輯便有的不同。這個「不同」實是一個根本的問題。因為我們一切言行舉止，大至軍國大計，小至燕居私處，其所以能有判斷和抉擇，完全是根據心思辨的結論。而心官之所以能思辨並且能得到合理的結論乃是有一定的邏輯作其依據的；因此這邏輯實是人類一切理智活動的根本，假如邏輯上有所出入則影響所及便眞要差之毫釐謬以千里了；現在中西雙方所實際應用的邏輯正是有所不同。邏輯上最基本的定律是「甲等於甲」、「甲不等於非甲」，西洋人的思維路子大體上是拘守在這一對定律中的，（西洋雖有所謂dialectic irony，但這只是哲學上的討論，並未能深切的影響實際人生。）我們只要細一分析便不難明瞭了。一般說來思辨的功用，不外是對於事務的判斷和處事方法的抉擇，西洋人因為秉性鑿實所以在這兩方面都是比較機械的，死板的。先說前者，他們對一件事的看法，某件事便看成某件事，中間是沒有折扣的。因此他們對事務的判斷，自然是確定的，死板的。一件事是「此」便是「此」了。同時既然是「此」便不能是「彼」了。而其表現在行為或意志方面也自然是採取「此」，贊同「此」便是採取「此」，贊同「此」了；既然採取「此」贊同「此」便不能再採取「彼」，贊同「彼」了。總之，在他們心目中，一切事絕不能兩者俱是、同時幷存的。例如他們在宗教方面的執着篤信和「不容忍」就是一個最好的例證。——其次再說處事方法的抉擇，西洋人既是秉性鑿實，所以對一切事務的圖謀應付全都是直綫的機械的。要想達到一個什麼目的，便直截了當的去作什麼努力，以為只要有某種努力，便可得到某種結果了。例如要前進，便舉步往前去走，以為只要往前去走，便一定不會退後，便一定能夠前進了。總之在他們的想法乃是求「進」須為「進」，為「進」則得「進」的。這種機械呆板的想法，便是他們一切處事方法所共循的路子。——由此看來，西洋人對一切事務的判斷和處事方面的抉擇，都是有其一貫的想法的。我們若把這些想法歸納起來看看時，很清楚的，所謂「是此便是此」，就是「甲等於甲」的邏輯了。所謂「是此便不能是彼」就是「甲不等於非甲」的邏輯了。而那「求進須為進」「為進則得進」也正是「甲等於甲」「甲不等於非甲」的引申了，這豈非全是拘守在「甲等於甲」「甲不等於非甲」的一對邏輯中嗎？

但中國人的情形不同了。中國人雖也遵行「甲等於甲」，「甲不等於非甲」的邏輯。但在此外，還深知相反相成，幷行不背的道理。

（未完）

話說朱元璋

雁謀

可是此時正是元朝苛政之巔峯，民怨沸騰，尤其是漢人受苦更為嚴重，強者走入山林，野心之徒藉着迷信，秘密結黨設教，天災人禍交並沓來。淮北地區又值天災，皇覺寺收不到租米，高彬長老無奈，祇得令掛單和尚到別處雲遊，然後又打發寺內和尚出寺雲遊化緣求生。朱元璋當了五十天和尚，也要背了包袱，托了缽去作雲遊的方僧。朱元璋獨自雲遊，讓他去遊着。回頭我們要把這幾年的時局權衡一下，才知道這個局面是如何的亂，然後再看朱元璋這個小和尚如何爬上大皇帝的寶座吧！

反元勢力紛紛崛起

元順帝至正十一年（公元一三五一）四月，黃河決堤更甚，民不堪命。於是便激發民伕十五萬人及戍軍二萬人，去修治黃河。有兩個野心家，一個名韓山童，一個叫劉福通的，他們二人早已以迷信立為「白蓮教」。他二人見機不可失，於是派了幾百個得力的徒衆去滲透其中，在民工中秘密宣傳說：「天下快要大亂了，『明主』已經出世了！」策動民工起義，又派人四處散播流言說：「石人一隻眼，挑動黃河天下反」。在這謠言廣泛流傳之際，他們便預先埋伏一具一隻眼的石人在開河道上，後來石人給工人挖掘出來了。這就是與他們的謠言相吻合，因此消息不脛而走，人心因此更為騷動，人民相信天下快要大亂了，元朝將被推倒。這正與漢末黃巾起事如出一轍。於是韓山童，劉福通等便在永平（河北永平縣）聚徒三千人起義。其他各地的豪強野心人物，均紛紛招兵買馬，積草屯糧，待機起事。

元至正十一年五月，各路稱王的羣雄都自立起義。

香軍東系首領起於潁州，以杜遵道為首，奉韓山童陷成皋，據敖之粟，從者數十萬。

香軍西系起義蘄、黃，為首的是一個本名彭瑩玉的和尚，推徐壽輝為首，陷德安、沔陽、武昌、江陵、江西諸郡。漢之北鎖香軍推布三王為首。南鎖香軍推孟海馬為首，分別掩有唐、鄧、南陽、嵩、汝、河南時、及均、房、襄陽、荊門、歸峽。

起自豐沛之芝麻李，亦掩有徐州近縣及宿縣、五河、虹縣、豐、沛、靈璧、西併安豐、濠、泗等地。前後數月，東起徐、泗，西至均、房，皆為香軍所有。元之領域半壁河山，形成腰斬。

至正十二年，郭子興起於濠州，在附近的還有孫德崖。這樣的局面形成之後，元朝廷大為震驚。盛怒之下，派了大軍剿伐。因為為首者多是僧道，因下令凡是寺廟庵觀，一律焚燒不留。見了僧道便殺。這時候朱先璋已經在至正八年已回到皇覺寺。皇覺寺距元軍不遠，僧衆聞知此訊，不禁大恐，朱元璋也急了，不知如何是好。

有一天，有一個朋友託人帶了封信給朱元璋，勸他到濠州投軍起義。他左思右想了好幾天，猶豫不決，可是卻被人發覺了，要去報官。同房的師兄把這消息告知了元璋，元璋急馳回村裏，幼年時的朋友勸他：以其在寺內等死，不如去投軍起義吧！」元璋猶不決，再回皇覺寺，師兄與元璋善者道：「此事何不求神問卜前程如何？」於是入伽藍殿焚香卜爻，先問遠行，不吉；再問留住，又不吉。去留都不吉，再問投軍起義，得了一個大吉大利之卦。當下遂決心去濠州投軍。於是連夜投濠州而去。人到走頭無路之際，不是投軍便是步入山林。在這個亂世，如朱元璋的人不知千萬，但是後來祇有他一個人登上了皇帝的寶座。

（二）

管仲　李聃　莊周　曹操
華佗　包拯　朱熹　朱元璋
李鴻章
段祺瑞　胡適　楊振寧
安徽十三傑

樂團往事

談孟小冬

周頤

才得親聆妙奏——此外僅從短波無線電中，聽到過「捉放曹」同「御碑亭」二劇。而「搜孤救孤」一戲之佳腔疊出，聲容並茂，現在已是家弦戶誦，所以無須再為嘵舌。至於我所收聽到的「捉放曹」，和「御碑亭」兩齣戲，余氏而後，眞是此曲只應天上有，人間那得幾回聞矣。我又因久已沒有聽到余氏之戲，忽然聽到他得意弟子傳神之作，所以倍覺興奮，並且請友人用音機把它收下來，幾次三番，聽之又聽；覺得他眞能把老師的藝術，傳神阿堵，絲毫不差。想天下有多少學余的人，費盡心力，還是不得其門。而孟氏以一弱女子，得受親炙，登堂入室，眞是難能可貴！

後來余氏病勢日深，到德國醫院割治，孟氏幫同余氏家人，侍奉湯藥，衣不解帶者凡一月有餘。後來出院回家調養的時候，余氏覺得他這種敬師之誠，情逾骨肉，為之感動；更因為自己知道，經此一場大病後，將永無登台的希望，為了不使絕技失傳，所以就加緊的教授，有時甚至不顧病痛，還要比劃身段給他看。每授一戲，舉凡唱腔白口，身段眼神，無不仔細講解，先後約數十餘齣。一直到民國三十二年，余氏病故，前後五易寒暑，以孟氏之天資及根底，加之苦心揣摩，專心致力於藝術，並且得到余氏親授時間如此的長久，焉得而不成為余氏藝術的繼承人呢！

孟氏自嫁杜月笙先生後，就未對外演出，偶有雅集，也不過是小試歌聲，咳吐珠璣，名貴已極。嗣杜先生逝世，就屏絕劇事，出演更難想望，幸去年趙培鑫、錢培榮、吳必璋三位先生，拜孟氏為師，孟氏也一本余氏的教授精神，循循善誘，三位弟子也勤奮好學，余氏的絕藝，或能因此再傳，而發揚光大，則孟之功偉矣。前年毅然來台，卜居陽明山，有人建議請她出來授徒，不知甚麼原因毫無動靜，聽說她灰心已極，且曾對杜月笙有諾言，恐怕是不肯公開露面的。

（完）

巨變歷險記！

仰光道上（二一四）

胡慶蓉

由眉苗去仰光，可以坐飛機，也可以坐公共汽車或火車。緬政府決定了博士坐火車。這對丁博士來說，勿寧說是他求之不得的。因爲曼德里以南他還沒有去過。雖然坐火車看兩旁的情形也等於走馬看花，但究竟比坐飛機雲來霧去要好得多。

上緬甸比起臘戍南到曼德里完全是山岳地帶。眉苗好像是最後的一個山頭，眉苗好像就在最後的一個山頭上。從這個山頭，雖然望不見曼德里，但曼德里周圍的大壩子是隱約可以望得見的。在火車下去的時候，更可以不時的看見曼德里的大平原。我以前說過，眉苗曼德里之間，到處森林密佈，公路非常的好，火車並不見得。火車車軌窄，車身車廂也隨之非常狹小，大有雲南蒙自通建水間的火車的樣子。眉苗曼德里的火車不但車身車廂狹窄，而且非常的髒，坐位是一些木板櫈。在下坡的時候，車行甚速。火車是用煤的，因爲煤不好，黑烟特別多。在左手邊，看到的，就是綿延不斷的山。

到曼德里，要換火車，從曼德里到仰光鐵路寬了，車身也寬了，車廂也大了，但還是同眉苗，曼德里的火車一樣的髒，在車廂上也並無二致：無所謂一等二等三等，一律平等號，都是木頭板的坐位，車站也沒有大的建築，候車的地方更沒有什麼設備，到處七亂八糟，牛溲馬勃，紛然雜陳。任到那里，左邊總是綿延不斷的山。

沿途一片農村景象：兩旁盡是稻田，我們常稱江浙爲中國魚米之鄉，殊不料今天的看到的緬甸本土，也與我江浙無異。可能有過之而無不及。台灣台北、台中、台南、高雄、枋寮間鐵道兩旁的稻禾彷彿似之。土地肥沃，欣欣向榮，高高的桿兒，實實的穗兒，慢慢的隨風飄蕩，忽而側身，忽而仰首，有含羞欲滴的樣子，令人爲之神往……在台灣，人都知道台灣的田種的好，在中國人都知江浙的田種得好，殊不知緬甸的田也都種的好。緬甸有米庫之稱，今天丁博士經過的地方，就是緬甸的米庫。左邊儘是高山。

沿途的大城市，也就是兩頭的兩個大都市，曼德里，仰光，曼德里，我已經談過了，仰光，我將來再談。現在我要談的，是中間的一個大城——東及。其實，在當時，也談不到怎樣的大：在火車站的右手，進去也還是一幅農村景象，所看則的情景，也與台灣與大陸看到的並無二致。惟一不同的，恐怕是佛廟了。近裏有一個佛廟，供着大眼睛的佛，還有一眼睛的佛，像我彰化的佛，置身屋外，受風災之苦，但這裏的佛很小，坐在一個小小的土堆上，街道窄擠，人口擁擠，商店聚集在一個小小的區域。談不到道路，實際上也沒有好的道路，還是過去的泥土路。圍在的四週的也還是農田。這裏住了一宿，第二天又繼續前進，差不多在快到仰光的時候，天就快黑的。仰光是緬甸的新都市。有一個大的車站。有一個世界聞名的大黃金塔，有仰光大學，有燕子湖……

「凍聲」

歐陽道久

國中國文第四冊第十四課——救火之勇少年，一開頭便有「惟聞巷柝之音，作寒夜之凍聲」的句子。這「凍聲」一辭，把我難住了，竟不知應如何解釋。且以下的文字，無論就其內容，結構與修辭的任何一方面而言，均是一無可取。去年，當我首先發現這篇文章沒有教學的價值以後，除與同事們相約「刪減」外，並曾向有關當局提出刪除的建議。不想今年的課本上，依然出現了它。方知我那建議竟成了實實在在的「凍聲」。

因爲這是關係到每一位國中學生，甚至全體後代子孫的問題，我不能不提出作一公開的討論。但我不擬浪費太多筆墨將原文逐句引出批評，而僅舉其不甚妥當之處，並畧申淺見而已。好在讀者諸君不難在自己的家中或鄰舍找到此一課本而一一按之。

「凍聲」之後，首先我發現「時時聞革履之聲橐橐然」句中，「時時」二字用得不妥。蓋前文已明言「十二點鐘已過，萬聲都寂」，而此處又「時時聞……」，既違情理，抑且矛盾。

讀至「推窗一望」，可知前此之描述，皆乃作者在其居室中所感受或從其他窗口觀察而得者。則此後至描敘火場現況之前，宜有作者趕赴現場之按語，始能前後銜接，文中卻付闕如。

「瞥見此人影」——「瞥」下似應有一「象」字，方能通順。

「時忽見庭中有柏樹，高與樓齊，此四人中之一少年……」——「時忽見」三字宜往下移在「此」字之上。

「而勇氣倍儕輩」句宜刪。蓋此際尚未可斷言之也。

下段「自樹枝一躍而上屋瓦」句，前移在「顧樓高而火盛……」一句上，似較貼切。且「脫一顚倒」之下，應有「墜地」二字，方能「粉身碎骨」。

「自長梯拾級而下，」——通常祇云「拾級而上」耳！此處即令於辭義可通，亦違習慣用法矣！

「其他救火夫亦有引旅客出，」——下應有一「者」字，並予斷句。其稱消防人員爲「救火夫」，似欠允當。即使不便更改原文，亦宜註明之。

「同人急移其梯使離火，」——「同人」二字意指含混。

「乃以一兒授救火夫，」——「救火夫」三字，可以一「之」字代之。否則在「救火夫」三字之上，須加一「該」字，方能明其所指。

「足履長梯疾驅而下，」——在長梯豈可得而「疾驅」？

通觀全篇文字，其「嚴風振閣」、「不可嚮邇」，乃至「阿房一炬」等辭句，故炫典雅，然又不時出現如「十二點鐘已過」，「此處宜斷其火路。水！水！水！」等十分庸俗的語句，令人讀之，誠不免有「如弩攢人也」之感。其狀該少年攀緣之迅捷也，一則曰「遽自柏樹升而上」，再則曰「少年緣枝而升，爲狀若摘果之猿」，而後又曰「少年捷如飛，而下」。前有「設顚仆而下，身爲齋粉矣」，後又有「脫一顚倒」，粉身碎骨矣」。「三層樓」一辭凡八見，而「長梯」、「救火夫」等更不知幾出矣！何其疊複之甚？如此複雜湊成文，究竟屬何風格？

且記叙之文，必詳其人、事、時、地、物，方有眞切感。（本書前列「語文知識」亦詳論及之。）此篇既不具少年何姓、何名、何許之人；火着何地、何時、[illegible]及情形若何，亦均杳不可知，是則所謂勇「少年者，亦始終祇是「隱現於烟燄之中」耳！

再審其所述事實，原不過一般消防人員日常工作耳！本篇前段有「救火夫何在，速拯此中人出」之句，可知羣衆亦皆以爲消防人員有其獨擅之防火技能與裝備，火中救人，乃其職責所在，固無如何特殊之勇可言。此與「提示」中所舉林添楨、李再春等眞眞實實可歌可泣的故事，不可同日語也。倘就當日同遊野柳之某校同學的日記中選取一篇，必較此篇有價值得多。

此刻又正是國中二年級將要講授此篇的時候了，我仍願提出這一「凍聲」，向諸位任課老師請教。兒童節於三灣國中

五十六種砂鍋烹飪

馬騰雲

十八　砂鍋牛骨髓

入冬「即時進補」，這和植物施肥，農村裏養牛養馬加料，工廠機器加油等道理一樣，牛骨髓茶是中國北方最平民化的補劑，它的功用補髓添精，壯陽益虛弱，强脾胃，牛骨髓的補力甚强。

砂鍋牛骨髓用的牛骨髓，在台灣來說，以黃牛爲最佳，牛肉店爲了厚利，常以牛油澆製成牛骨髓的樣子，用這種假牛骨髓吃了不僅沒有甚麼用處，且可使血管硬化，但牛油的味道與牛骨髓沒有太大的區別，購買時要特別注意，最好是買整副牛髓骨，當面請其取髓。

製作砂鍋牛骨髓，以四兩牛骨髓，半斤牛肉（整烫待熟後切片備用）人參二錢，黃耆二錢，生薑，葱適量，大茴一粒，陳皮一小塊，黃酒二兩，白胡椒廿粒，以文火同熬兩個小時，把藥渣撈出，剩下的原汁與牛肉切成片，這是砂鍋牛骨髓的底子。

砂鍋的內容由自己隨意變化，菜心、蘿蔔、菠菜、冬筍、雪耳、金針、木耳、油炸的散子、冬菇、凍豆腐、粉絲、麵筋包、豆皮、乳皮、苑豆苗、黃芽白、芹菜、番茄、胡蘿蔔、蘆筍、洋芋等百種素菜蔬，每次悉聽自擇幾種，生抽與調味粉選上品爲宜，至於味口，四川、湖南、貴州不妨用麻辣，雲南人用沾醬、（沾醬、麻油、醬油、醋、芥末、辣油、蒜泥、葱花、蒜花、香菜）山東河南人可重用生蒜、大葱，浙江人就要吃點虧了，因爲任何湯裏放糖都會破壞原味。

做菜有一個原則，葷菜要將油炸出，素菜要重油，砂鍋牛骨髓油已很重，故不主張再加鷄鴨魚肉，調味可作調整味口，亦可作調換味口，一個星期能吃砂鍋牛骨髓兩次，補力之强自己能體會得很清楚。

黛眉小傳

王幻

阮麗珍（三）

二三春月日長天，往常時兀自懶煎，那禁閒事惹般牽挽。畫中人幾時相見，待見幾能說與般般。（奈子花）

娓娓道來，情節分明，確是不易多覯的佳構。那多情的燕子將詩箋啣去，恰落在霍都梁面前。後來都梁爲友所陷，逃於他方。時安祿山反，天下大亂，飛雲與母在逃難途中相失。是時歌妓行雲亦逃難在外，與飛雲母相遇，認爲義女；路中恰逢安道。飛雲則爲父執賈南仲之軍所收容，亦認爲義女。這時霍都梁改名大無忌，入賈南仲幕中，獻策滅了祿山。兵亂平定了，在飛雲母及行雲那邊，還得不到飛雲及都梁的消息。已是淸秋時節，見景傷情，格外引起了離思。如「山坡羊」云：

濃慘慘芙蓉籍悴，冷蕭蕭芭蕉風碎，聒刺刺疏靈（木旁）紙鳴，一陣陣天外歸鴻至。憶嬌痴，當年正授衣；這物在人亡，疊向空箱裏。那禁月上梧桐，又砧聲敲起！凄其，掃不盡香閨落燕泥；傷悲，挽不斷離窗挾綱絲。亂轟轟猿聲如沸，虛飄飄楊花無蒂；迫忙忙萍水相逢，親切切蘭玉相倚。最慘悽，霜寒烏夜啼。紅燄雙花，怎照着孤衾睡！怕熱爐香，也懶描眉翠。這腰圍，黃花瘦一枝；歸依，把疊花禮六時。

這是怨婦思夫的哀吟，由此更可見出雜劇中的曲白，於長短句中，更加襯字，自由活潑之優美。

就在這段時期，賈南仲以義女飛雲許配都梁爲妻，新婚之後，兩人拿出圖畫和詩箋，相爲驚異，遂細訴衷情，可說是「天作之合」了。猶如現代電影的分鏡，一邊是秋夜思夫的悽涼，一邊則是花燭合巹的歡愉，形成强烈的對照。

然而，不久飛雲父母得知女兒的訊快，並將行雲亦歸於都梁，以喜劇大團圓終場。最後的一段曲白：

（淸江引）烏衣小尾多情兒，粧次頻來往；啣將一紙箋，勾却三生帳。從今後，凡有情人一般的將白鴿哥與那紫燕兒同供養。（生旦小旦對燕拜揖介）燕子，燕子，承謝你作美；這是如今詩箋收得牢牢的，再不把你啣去了！

寫來頗有情致，如聽白妞說書，餘韻繞梁三日不絕。燕子呢喃的情話，往往使詩人悲苦，詞客傷心，但在女劇作家的筆下，它反成爲「使有情人終成眷屬」的媒介和月老了。

麗珍草成此劇，即請她父親爲之潤色。「弘光」時，曾以吳綾作朱絲闌，命王鐸楷書此曲，爲內廷供奉之具。由於那時阮大鋮官拜兵部尚書，且爲福王寵臣，便用他的名義發表，所以時人也都以爲是大鋮所作。

（未完）

第二十二章　張德遠督師江上　岳鵬舉招降黃左

周燕謀

「鳥樹蕭疏外，征帆杳靄間。余雖江老上，心羨白雲關。」

「翠微亭」詩云：

「經年塵土滿征衣，特特尋芳上翠微。好水好山看不足，馬蹄催趁月明歸。」

張浚以左僕射視師江上，乃拜岳飛爲武昌郡開國侯，兼淸遠軍節度使，代王燮征剿楊公。由於岳飛部衆皆西北人，不慣水戰，人皆以爲難以剿滅，但岳飛奉命即發。且下令軍中道：「楊公據洞庭水險叛亂，出沒洞庭，人不敢進。其實用兵討寇，何分水陸？但如將帥得人，陸戰勝，水戰亦能勝。本使奉命征討，自有良法，破滅水寇。惟諸將士務依本帥號令，保爲汝等破賊。」部衆從岳飛有年，用兵如神，早有信心。於是岳飛大軍由池州起發，直向潭州。（今湖南長沙）所過肅然，民不知有兵。南抵潭州，獲高宗詔嘉獎云：「……卿遠提貔貅，往戍潭、湘，連萬騶之衆而[illegible]不驚，涉千里之途，而樵蘇無犯。……嘉治軍有法，雖觀古已無愧。」

岳飛抵達潭州，請朝命調程昌禹進兵鼎州，賊平移還。又請荊南鎭撫使及湖南帥司各撥兵船，約期進討，俾便使賊無處遁竄。諸事已定，岳飛乃發招降令。賊寇聞岳飛軍到，惶惶不安。荊南北路賊將田明引衆來降，岳飛表奏朝廷，補武義大夫榮州刺史兼閤門人宣贊舍人。岳飛召小吏一名前往順說賊寇來降。小吏跪地叩頭不已道：「節使遣我，猶如以肉餵虎。我寧願死在節使刀下，不願受賊寇之辱。」

岳飛笑道：「本使命汝前往，依我的言語說之，保汝不死，本使以誠信待人，決不欺汝。」

小吏心懷鬼胎，也只好受命起行。到了賊境，望見賊寨，即大聲叫道：「我乃岳節使使者，請快開門答話！」賊兵聽說岳節使派人招降，便開了寨門，引之入見。此第一寨賊將姓黃名左，智勇雙全，早已有心歸順朝廷。小吏交上岳飛招降書，黃左看畢問道：「岳節使安否？」小吏道：「岳節使仍岳節使也。」

黃左遣人安置了岳飛來使，召集請將議道：「吾聞岳飛號令如山，不可玩也。若與之爲敵，我等萬無生存之理。不如速降。岳節使乃誠信之人，必能善待我等。」諸將皆表贊同。於是請小吏回去說：「請回報岳節使，黃左等願降。」

小吏回報岳飛，岳飛大喜，當即起行往撫。部將牛皋、張憲勸阻道：「賊黨來降，恐其有詐，不可輕率前往，墜中賊計。」

（一一二）

自由報

（第一一六二期）

（半週刊每星期三、六出版）
每份港幣壹角．台灣零售價新台幣弍元
社長李運鵬．督印黃行舊
社址：香港九龍彌敦道593—601號
廖創興銀行大厦八樓五座
LIU CHONG HING BUILDING
7th FLOOR FLAT '5
593—601 NATHAN ROAD,
KOWLOON, H.K.
TEL: K303831
電報掛號：7191

承印：景星印刷公司
地址：富成街廿九號地下
台灣區業務管理中心：台北重慶南路一段一二九號
電話：二四五七四
台灣區直接訂戶　台灣劃撥戶
第五〇五六號張萬有（自由報會計室）
台灣分社：台北市西寧南路110號二樓
電話：三三〇三四六、台郵劃撥戶九二五二號

中國醫藥廢不得！（下）

·洪季空·

本報專論

中國針灸，古代獨步世界。發明針灸的人，實爲不世出的人才。對於生理物理皆有高深的研究，有極科學的理論和實驗做根據，才能創造出如此高妙的治病方法。到今天，理論早已失傳，賸下的僅是不完整的公式；而西洋醫藥進步到今天的地步，尚不能理解中國針灸的高深學理能說中國醫藥沒有存在和實用的價値麼？

到今天誰能不承認中國針灸可以治病？既能治病，誰能武斷說當初發明者沒有科學的學理根據？但是今天誰能瞭解針灸治病的原理？日本人曾經研究中國針灸說是電療作用，但他仍不能仿效追踪萬一！以能夠造福人類的高深醫理，竟然無人理解，難道不應該羣策羣力共同研究，使人類寶貴的遺產失而復得麼？

七、單方氣死名醫

中國人說，「病怕無名，瘡怕有名」。我有一個現任國大代表的朋友，去年背部生一「發背」，在中醫講這是有名的毒瘡了。他向西醫求治，西醫居然叫他用中醫單方白胡椒粉敷治，不久醫好了。又有一友於四年前患腎癌，經台大醫院將左腎割除，三年半以後，就是距今五個月以前，忽然發燒不退，微咳不止，經榮民總醫院、台大醫院、中心診所檢查，癌細胞移轉到肺部去了，無法動手術了，最多還有一年，最少還有三個月的壽命。其子見父已無救，乃轉求中醫，得一單方，經實地調查，治癒多人。但其父不知癌症復發，乃誑言此方能補身止咳，其父服了十三劑，不肯再服了。據云須服二十劑以上方可奏效。但這位朋友現在已癒了。燒已退了，咳已止了。因爲他服得太少，將來是否會復發，尚不可知；但照西醫診所，已無好轉希望，而他現在居然好了。我們也相信西醫的檢查是絕對正確的，然而越是正確，越顯示此一單方之神奇。中國人說「單方氣死名醫」，一點不錯了。此一單方僅有兩位：金銀花二兩，蜈蚣十條，患此症者，不妨一試。三個月前電視報導台大醫學院某教授發現中藥金銀花有抗癌作用，可知中藥的單方，也皆是古代智慧過人研究有得的醫藥專家所創造，至於今尚無人可以企及。我想這一單方，衛生署可以化驗研究，果眞抗癌有特效，即當製成癌症特效藥，以挽救罹此絕症的人的生命。使此威脅人類生命甚於毒蛇猛獸的癌症能被征服。

癌症就是腫瘤，腫瘤是屬於外科，所以西醫重在切除。金銀花是中醫外科聖藥，蜈蚣是中醫治惡性腫毒要藥，此一單方如果眞是對治癌症有效，也不是偶然的。

八、中國醫藥沒落的原因

中國醫藥學理高深，體系完整，治療面廣，治癒率强，有幾千年的歷史，有長期實驗的根據，已如上述。但近代中國醫藥何以沒落，使今日成爲西醫的天下？大概言之，有下面幾個原因：

（一）中國醫藥，缺乏政府提倡，缺乏橫的研究，也缺乏縱的繼承。歷代所有的成就，皆靠少數天才者一人的造詣，一生的鑽研。其人一死，學說即大部淹沒。

（二）中國醫師，不受社會重視。自古就有「醫卜星相」的口頭語，牟醫師與算命看相的人等量齊觀。韓愈師說文中說「巫、醫、樂師、百工之人，君子不齒」，可見醫道被輕視到何種程度了。

（三）因爲醫道不受重視　所以人皆不願學醫。而學醫者皆爲不學無術之人。向有一二稍有學識者，人皆尊之，人皆尊之爲「儒醫」。尤其針灸這行，更被人輕視。稍有身份的人，不去學它。以致稍懂得針灸的人，皆爲販夫走卒。以如此高深的醫學醫術，而落到毫無學識的人身上，豈有不日趨沒落之理！所以中醫人士水準太差，無發揚中國醫藥的能力，亦爲不爭的事實。

（四）中醫因爲沒有政府的鼓勵提倡，沒有社會的廣泛研究，所以中國對於公共保健公共衛生向來不大講求。這是政治的社會的因素，不是中國醫藥本身無此能力。

九、中醫中藥不能廢除　反應振興

根據上述理論與事實，中國醫藥不但不能廢除，且應廣泛研究，使其復興進步。復興之道，首須政府大力提倡，普設中醫學校及研究機構。發掘並培植中醫教育人才。提高中醫素質，使能担當復興中國醫藥的大任。中藥雖以草藥爲多，但實在徧及動植礦物。牛溲馬勃，皆被採用。此後應以科學方法，逐位研究，予以提煉精製，以期增强效果，服用方便，以符合時代精神。

十、學術不論古今　無分中外

中國醫藥現在誠然落伍，但中國醫藥決不是中世紀的落伍醫學。更非世界各國中世紀的醫學可比。如非古代交通阻塞，文化不易交流，恐怕中醫亦如今日的西醫，風行全球。證之以東隣日本，因爲中醫早已輸入，至今尚在普徧相信漢醫可知。雖然日本今天亦以西醫爲主，那是因爲中醫本身已經落伍，而西醫的進步一日千里，當然無法與之抗衡。學術是不論古今，無分中外的。只要有用，就有價値，就應保存，就應繼續研究，精益求精。我們當然也承認西醫高明，但西醫也非萬能。我們也承認中醫落伍，但中醫的高深學理與神妙技術，是人類醫學的無盡寶藏。希望人類能夠不分界域，通力合作，開發此一寶藏，相信將來的收穫也將是無盡的。我們不贊成盲目的反對中醫，認爲一文不値；我們也不贊成無條件的相信西醫，認爲西醫萬能。我們呼籲中西醫應站在純學術立場，不分你我，只問是非，取長去短，互相配合，以造福全人類。

（完）

昨日與明日

宋慶齡的宣傳詞令

據香港報載來自中國大陸上的消息：宋慶齡對於乃弟宋子文的喪葬典禮未去參加一事，發表談話，有所解釋，她說：「在衆弟妹中，子文是我最喜歡的一人，但他在過去二十年來，并未曾給中國人民有所貢獻，且與台灣勾結。故我與子文雖然姊弟情深，而對其逝世深感悲傷，亦不願參加他的喪禮」。這是一種公式化的共黨宣傳腔調，決非事實。何以見得呢？

宋氏是毛共僞政權的副主席，她若赴美國弔乃弟之喪，究竟用甚末身份前去，很成問題。用「副主席」名義罷，美、毛之間并無邦交，而且毛共依然指斥美政府是執行「侵略政策」的敵人，怎好要求美政府核簽入境護照呢？若用旅客身份，入境手續更麻煩。不特此也，宋氏如果到了紐約，許多新聞記者來訪問，她的答復就不知如何是好，或許會鬧出一些笑話和醜劇，豈不丟人！

職是之故，宋氏根本就不能亦不便赴美弔喪，共產黨乃利用這機會，教她發表公式化的談話，聊以宣傳她是個「爲人民服務」的革命份子而已。眞是「所可道也，言之醜也！」

美國歧視反共的華人

繼香港留美學生蔡節義，被美國蒙斯頓地方法院以「强姦」罪隨便判處廿年徒刑之後，又有一個在舊金山僑居經商了十一年的華人胡某，經美方移民局決定驅逐出境。

據美方宣佈理由，指胡某初由大陸逃至香港居住了六年，再依移民法案赴美經商的。認爲胡某是政治難民，不入移民法案的規定，雖然在舊金山僑居十年以上，亦非驅逐出境不可。此例一開，因同樣情形而僑居新大陸的中國人尚有二千多名，勢將陷於被逐的命運。這些人都是反對毛共暴虐政權的政治難民，美政府并非不知道，忽然藉口移民法案而指爲「非法居留」，勒令出境，然則過去核許這些人入境的主管官署，即難辭腐敗、低能之責，此其一也。美國素以庇護世界各國反共的政治難民相號召，何以獨對中國的政治難民加以歧視，是否藉此向毛共獻媚，而以反共的華人爲犧牲品？此其二也。有一於此，皆足以損害美國的信譽，太不成話了！

我們希望中華民國政府對於蔡節義和胡某這兩個中國人受屈的事情，向美國表示關懷，從外交途徑中，使他們脫出意外的厄運，這對團結海內外反共的人心，大有關係，未可忽視的。

·何如·

自由談

在毛共尚未竊據中國大陸以前，中國的人口總數并未經過翔實調查，大約爲四億左右，這數字與事實亦不致相差太遠。所以，我們在文字或言論上，號稱爲「四萬萬同胞」。

迨毛共政權僭立後，亦未經過確切的調查統計，即誇說擁有七億人民了。這與當年毛共對外宣傳的它生產建設奇蹟，如

不値一哂

「一年等於廿年」，「一畝地生產十萬斤稻谷」，「一枚西瓜有五十斤重」……等類神話一樣，完全是自說自話，信口開河。

可是，西方國家的政客和新聞記者們，即明知故昧地隨聲附和，動則說不能漠視擁有七億人口的政府，置身於聯合國之外，非請它加入不可，否則世界和平秩序即無從奠定，嘵嘵不已，振振有詞。同時，又強調原核子武器的威力，謂幾億人口消滅於頃刻間，認爲人口多寡，對現代戰爭無關宏旨。最近紐約的「杜瑣斯經濟周刊」發表文章，指摘毛共故意盡量誇大中國的人口數字，以配合他們的目的，說是在毛共未控制大陸以前，中國每年的人口出生率爲百分之一以下，但毛共政權建立後，即升到了百分之二。這可見西方人士并非不顧事實的以耳代目也。

然則西方政客和新聞界人士，何以又重視毛共誇大的人口數字魔術，而不惜自相矛盾呢？唯一原因即在追求貿易利益，晝夜的縈懷於中國大陸上的生意經，中心藏之，企予望之，却不好意思直認不諱，只好藉聯合國席位作題目，以遂其唯利是圖的願望。這便是美國朝野上下人士，一見毛共對美國乒乓球隊表露微笑姿態，即歡騰踴躍，如獲至寶的內心所在，爲的是要做生意，其他的說詞，盡係欲蓋彌彰的瞎話三千，不値一哂啊！

馬丑先生

虎的故事

梢嶺有方某者，業農，向某富戶借銀五百元，由海會寺和尚担保。期至，二人相偕携欵還債，途經山嶺小徑，忽於叢林中躍出一虎，直奔方某，爪及左翅。和尚大驚，乃長跪哀求：「他是一個窮人，由我作保，向人借銀五百元，現在正去還債，如大王吃了他，別人一定要說我謀財害命；此寃枉必難洗刷。求大王饒他一命吧。要吃還是吃我。」

老虎於是放下方某，擬噬和尚。方某驚魂甫失，伏地大哭，向虎哀求：「大王如吃了他，我怎麼能活下去。他爲我做保人，又陪我去還債，現在又爲此要替我死。這怎麼使得，你要吃還是吃我吧。」

老虎聽了方某的哀求，沉吟了一回：搖搖頭，就垂頭喪氣的捨了這兩個人，獨自走了。

天下雜論

可愛的愛國行動

成公

在舉世學潮橫溢中，自由中國的學風可稱最爲良好，學生安心就學，埋頭努力，已經達到「過猶不及」的程度了。而這一潭無波的止水，最近也因了釣魚台的事件，而生了波瀾。

不容否認的，這波瀾是由外而引發的。這風先由美國吹起，經過香港，而吹到台灣。首先是在南部發難，成功大學的學生遊行示威，抗議衛權，接着吹到台北，而有台大、政大，等校學生的向美國、日本大使館的抗議和遊行。其後師大、淸華……等校也都有繼而起，而形成了一個全面的運動。潮自民國三十八年五月，台灣師範學院（即師大的前身）學潮解決以後，自由中國的學界中一直保持着平靜安定，直到這次的事情，才打破了二十三年的沉寂。

釣魚台的事件是如何引起的，此中問題也不像表面那樣簡單，我們此處不願多所置評，但既已形成一個事件，他便象徵着愛國的意義，青年人讀聖賢書，所學何事，難道就是爲升學拿文憑麼？因此在這海內外怒潮迭起的時候，怎能夠不聞風而起。任何有血氣的男兒，都應該有所表示，假如面對着這種情況，而竟無動於衷，那我們平素講的，「讀書不忘救國」，講到那裏去了。何況自由中國乃是當事的事主，事主而無表示，還成何話？因此自由中國學生的舉動，是千對萬對，甚至是不可缺少的一項愛國運動。

古語說：「靡不有初，鮮夫有終」。自五四以來，我們有着豐富的學運經驗，往往許多學生運動在初起時意義非常良好，到後來却可能發生偏差，甚至變質，而爲巧黠者所利用。往事不忘，來者之師，我們應該記取往日的痛苦經驗，而確保當前的成功。因此我們誠懇的提醒參加學運的同學們，一定要頭腦清醒，把握着這一愛國運動的中心主旨，而勿使一切活動發生偏差，今天我們的目標是向美國抗議，向日本抗議，因此我們要與政府合作，作政府的後盾，而集中一切力量，挽回利權，千萬不可把力量分散，自亂陣營，尤其今天有許多不逞份子，覬覦在側，諸如所謂「台獨」，匪諜等我們更應該小心，勿爲黠者所利用。

同時就政府來說，對這一愛國運動，應該好好的來輔導贊助。千萬不可疑神疑鬼（縱有巧黠者，但純大多數都是純潔者）而拿「大帽子」亂壓，反之，假如能善爲輔導的話，則從教育方面講，是一個很好的愛國訓練，從政治方面講，可以用爲後盾，而增强對外交涉的力量。這就要看政府神而明之的領導了。

公路客車連續肇禍 立委力促速謀改善

作全盤檢討策劃重加改組 引咎辭職幷不能解決問題

（自由報台北消息）立法院交通委員會連續舉行兩次會議，就公路局業務及車禍等諸問題，除聽取交通主管人員之報告外，並提出質詢。

立法委員袁其烱、胡純俞、艾時、儲家昌、楊一如、楊寶琳、李繼武等多人，一致批評公路局長李錫煜違法違規及任用私人等非法措施。

袁其烱委員質詢說：許多年來，公路交通當局未按照法律的規定去做。根據公路法第二十四條規定：「經營汽車運輸業者，應申請公路主管機關核准發給執照，並依法辦理公司或商業登記後方得開業。」公路局是公路安全監督機關，其本身不能經營客運，然今之公路局的客運生意，竟做到全省各鄉鎮去，且不依法組織公司經營。至於違章獎金的問題，立法院在通過道路交通管理處罰條例時，曾有附帶決議，應把違章獎金用於改善司機的訓練，增加交通監督的設備等項目，如今這筆獎金竟由大家分用，這種分錢的方式，根本就是違法的。

艾時委員對公路局長李錫煜答復立委們的質詢，表示不滿意。他列舉事實質詢說：近三個月內，公路客車肇禍事件有十四次之多，計有：板橋班車互撞，石錠車禍，蘇花公路車禍，林口大車禍，新莊班車撞牆車禍，三峽班車互撞，萬隆車禍，瑞芳班車撞平交道，花蓮車禍，八德路班車撞紅燈落坑，台東縣大武鄉金馬號車禍，宜蘭縣羅東車禍，桃園縣龜山班車互撞，台北市西站車禍等，因車禍而死亡者六人，重傷者四十八人，輕傷者二百五十餘人。回憶過去公路局長譚嶽泉、林則彬、林家樞諸先生在任時，人人都說公路局比公車處好，而今天使交通部長張繼正辭職（交通處長陳來甲辭職），使交通部次長無臉見人，使交通委員會受責難。爲安定公路局，並顧念民衆生命，請李局長把山東聖人孔夫子的「行有不得，反求諸己」的一句話，作爲改進措施，不要一切諉之於駕駛人疏忽，機件失靈。今日公路局，情緒低落，人心渙散，已非治標辦法所可挽救，交通高級主管，應速謀根本解決之道。

楊一如委員質詢說：最近公路車禍頻繁，李局長自請處分以示負責，如果省府認爲李局長沒有錯誤，則不處分，如認其有錯誤，則應免職。陳來甲處長係李錫煜局長的直屬長官，對李局長自請處分的處理，應特別注意。

吳望伋委員質詢說：今日台灣觀光事業，日有發展，爲了配合，更應注意交通安全，各種車禍之發生，應盡量防止。交通部應乘機將公路局問題整個策劃全盤研究、檢討，將其整個改組。

公路局業務須劃分 營運另組公司 監理權歸中央

研擬辦法確保交通安全

楊寶琳委員質詢說：因近來車禍頻生之後，交通部長張繼正引咎辭職，但此究非改善之良好辦法，應設法來解決問題，確保交通安全，才是最負責的態度。由於公路車禍頻繁，安全受到危害，人民生命財產，遭到損失，立法院交通委員會懇請有關人員列席，是爲維護人民生命財產之安全以及今後應如何改革而提出質詢。

李琢仁委員質詢說：公路班車載客量太多，人數應予限制。自李錫煜局長到任後，對公路局司機制度有了變更，取消領班制度，於是只要上級核准，小汽車司機即調充班車駕駛員。領班制度是很好的制度，似不應廢止。

李繼武委員質詢說：今天以極沉痛的心情來檢討車禍發生的原因，研擬其防止辦法，俾使車禍能減到最低的限度。責難解決不了問題，主要是研究如何才能改善交通安全的方法。公路局長李錫煜對最近連續發生公路車禍的報告，其肇事原因總結一句話是：「難免人謀不臧」。目前，公路局業務必需劃分，使之專業分工，即公路局專營運交由新組公司，監理權收歸中央。由於近以社會繁榮，車輛日增，如再由公路局繼續辦理，亦不能適應目前情況。監理費用每年收入甚多，移作他用，未能將該款用於增添設備，使之以儀器代替口腦，以科學代替觀念，於是「紅包」謠言，到處流傳，社會各方反應不佳，嘖有煩言，因考領駕駛執照，弊病百出，導至車禍頻仍。公路局督駕駛員情緒問題，李局長的報告未曾提到。

李委員列舉事例質詢第一運輸處存在着官僚作風，濫用職權，以及違反法令之情事，尤其身爲主管者，竟然區分省籍與派系之惡劣習慣，用以分散同仁間之團結與合作，致使路局業務於不振，目前公路局有一口號：「多作多錯，少作少錯，不作不錯。」由此可知，公路局員工工作情緒如何了。第一運輸處長胡亂調動部屬，如前基隆場場長陳國展被調台中區，台北場場長鄧向英調汽車技術訓練中心，這兩位場長均在莫須有理由下無放被調。新竹場長蔡新緯原負台北中崙檢修班業務，亦在莫明其理由下被調新竹場，蔡接令即攜眷到差，未及一月，又莫明其妙的被調台北保養場工作，蔡處於權威之下，只得帶着不安的心情再度攜眷遷回台北，這種反復無常，濫發命令之主管，視法令如兒戲。

加强民主法治 啓人民向心力

立委促公開審查總預算

我們台灣省政府的預算審查，就是採公開方式。日本閣員在國會報告預算案時，全日有電視傳播內容，使人民瞭解。我們每年審查預算，確沒有秘密的必要，立法院分組審查預算時，我們（立委自稱）同仁有許多實貴而進步的意見提出，政府首長，都有確實的答覆，假使能把這些所問的問題，及首長根據經驗的確實答覆，假與論電視的傳播，公開叫人民知道，正是溝通人民與政府間意見的好機會。

二、現在我們國際間的處境，是最困難的時候，我們要渡過難關，全體國內外同胞的團結一致，而團結一致的有效辦法，要加強民主法治的措施，反攻復國是我們既定的國策，除軍事待機行動外，強調政治反攻，就是要以民主法治，打倒共匪的專制獨裁，公開審查國家總預算，就是加強民主法治的措施之一。

三、日本是戰敗國，但二十年來認眞政治經濟建設，今天是列二、三等經濟強國，新嘉坡土地面積極小，獨立不久，各種建設，使世人刮目相看，以色列數百萬人，軍事外交均採取主動，在中東扮演重要角色，以色列人男女老幼都能供獻他們的能力和智慧給國家，主要原因，它們這些國家是以民主法治的方式建設國家，我們民主法治的制度不僅要好！而且要頂好！

四、立法院組織法第十三條規定：「立法院會議公開舉行，必要時開秘密會議。行政院長或各部會首長得請開秘密會議。」這很顯明的規定，是以公開會議爲主。

五、二十年以來，立法院各種會議，不論委員或政府首長的發言，只要聲明那一段不要見報，新聞記者一律不發表，這證明自由中國的記者寫稿時，他們是以國家民族的利益爲前提，我們確可信賴。

六、我是立法委員，應該講自己應講的話，做到「盡在其我」。假使立法委員同仁、嚴院長、主計長（周宏濤），李部長（國鼎），能在共同認識和互相了解情形之下考慮接受我的建議：「審查國家總預算案，除國防外交部份外，其他預算一律公開審查」，這就是「革新」「再革新」「全面革新」的實行。（下、續完）

閒談書法

柳涯

友人某精研書法，尤喜收藏；歷代名家墨跡收藏極富。此次回國亟想趁便物色當代名賢書法，攜返僑居地，蓋亦寓有闡揚我國固有文化之含意。

我因爲閒散無事，被邀爲嚮導，相偕遍走台北市坊間，惟所見均不洽意。頗爲慨歎宣傳惧人之甚，豈眞古人所謂「三代而下未有不好名者」，雖有虛名，賢則實未副。衆所求意在名賢之作，非名人之作，深歎近來幾年，竟致無所獲，自陳含光、溥心畬、許靜仁諸賢相繼謝世而後，欲求一實至名歸寫出橫平豎直之作而不可得，而且名氣愈大其所作愈不見佳，那些品高又有實學其所作又可觀者，以修養有素，甘願自矜自愛孤芳自賞，不欲人知。失望之餘，只好陪同晉謁某老請教在台灣够得上稱爲書家的究竟有那些人？

某老，乃一位超俗的長者，學有根抵，雅好臨池，對書法已臻升堂入室的境界，臨摹古今碑帖乃其生平唯一嗜好，因不滿時人淺薄，自謙拙陋，雖片羽隻字也不肯予人，偶遇內行知己，但示以欣賞機會而已。（一）

劉半農記賽金花

那時候嫖娼差不多全是記賬，按三節——端陽、中秋、除夕——償付，常常也是開嫖賬。

在那時開一妓院，當一妓女都很不容易。幾間看得過去的屋子，佈置佈置，便需一千八百，什麼五色保險洋燈，著衣大櫥，自鳴鐘等物，都是不能缺少的。箱櫃、牀榻、棹椅，再添上屋裏的些應用的零碎東西，及被褥、四季衣服、首飾等等，眞是了不得。就說我吧，出去時頭上戴一根大簪，三排小簪，每排是四根，全都是翡翠的，梳着五套頭——當時最時興的樣式——頸上掛金鍊，帶着法瑯銀錶。冬天穿狐裘都是藉着顏色深淺遞換。我耳朵上帶的那副牛奶珠墜子就值幾千兩。

當姑娘最講究的是應酬，見了客要有「十八句談風」。「陪客時，處處都要有規矩，那像現在『打打鬧鬧』就算完事。

開班前後

光緒二十四年的夏天，孫三爺想回天津，就慫恿我也跟他到北邊來。我離開北京已有五六年了，心裏倒也很想來玩玩，把上海的事情畧畧的結束了一下，便跟着他到了天津。先住在高小妹的班子裏，工夫不多，當地的人就都知道了，都來捧場，每天的客總是迎接不暇。我一看事情既然這樣望好便打算自己開班子，同我母親和三爺商量了商量，他們也很願意，于是就在江岔胡同——那時這個胡同內南方班子很多——租賃了一所房，房底原也是個班子，又接了五個南邊姑娘，我自己也出名應酬客，班子名就叫『金花班』。

在這個時期中，我結識了不少的顯貴人物，有一位楊立山，（內務府蒙古正黃旗人，官至戶部尙書。庚子時，因反對義和團被殺。死後，家人不敢收其尸，伶人姜妙香與交契，購棺殮之，時人稱義。）性情極豪爽，和我最要好，初次見面就送給我一千兩銀子，以後三百兩五百兩是常常給我的。又有一位德曉峯，（名馨，滿州鑲紅旗人，曾任浙江江西巡撫）人也誠懇，和我最投契。這兩位算是我在天津這個時期中所交最知己的朋友。

第二天，楊立山的老太太作壽，我由天津來京給她拜壽，恰巧德曉峯也在京，事畢時他們便同着一些朋友很懇切的挽留我長住在京裏，無論如何不讓再回天津了，有的便趕忙去給我租房子，他們的這番美意，我很難違拂，並且想了想，有他們幾位在傍關照，也決沒有什麼舛錯，況且，北京又是我最愛的一個地方，隨着就派人把天津的班子收拾起，搬來京裏。（十二）

中西心理的不同（四）

·張起鈞·

影響中國人心最深的學說，莫過於儒家和道家。在儒家的巨典中庸便曾闡發「莫見乎隱，莫顯乎微」的旨趣。而道家則是反覆說明正負互通相反相成的。尤其一部老子，幾乎全是在講這道理。例如對事務判斷方面，一則說「有無相生，難易相成，長短相較，高下相傾，音聲相和，前後相隨」（那就是甲與非甲並不對立，相反相需）再則說「企者不立，跨者不行……」（那就是說甲不等於甲）三則說：「明道若昧，進道若退……」（那就甲等於非甲）又如對處事的方法方面，則根據上面的道理，告訴我們「後其身而身先，外其身而身存」；「絕聖棄智民利百倍，絕仁棄義，民復孝慈」；「將欲歙之必固張之，將欲弱之必固強之，將欲廢之，必固興之，將欲奪之必固與之」……這些話試看其所依據的邏輯，那一個是在「甲等於甲」「甲不等於非甲」之內？（參看拙作老子哲學第二篇）這些話不僅存於儒道之書，尊爲至理名言，並且普遍的形諸人們的行止動靜。因此中國人並不把一切事務都看成機械對立，互不相容，更不一味的用直綫呆板的方式去對付。反之卻往往會用曲綫的，以退爲進之方式，來解決各種問題。而對於各種相反對立的事務，尤其善於兼容並濟融通互用。論語中說：「父爲子隱，子爲父隱，直在其中矣」以及「言寡尤，行寡悔，祿在其中矣」等話，就是告訴我們正面的事，可以存在於相反的政側面的事情中。而這種「……在其中矣」的句法，就正是中國人所習用的一種獨特邏輯。我們試看許多絕然殊類，難以並存的東西，來到中國後，便都能相安並存，甚且互相調和，融通爲一。例如宗教本是互相排斥絕難並容的，但中國人卻認爲三教一家，萬法同理。曆法也是定于一是，不能兩存的；但中國人卻是陰陽合曆，兩過新年。其所以有如上的種種看法和行爲，就正是由於中國人所依據的邏輯是如此了。

四　思維的實質不同

（對各種事務的基本觀念不同）

這個問題與前兩者稍有不同，前兩者（習性，與邏輯）都比較單純都可說是純粹的心理問題。而對事務的觀念則比較複雜。一個觀念的限成是多方面的，社會上的歷史傳統，哲學背景，政治風氣……在在都足以發生影響，但一旦形成了一個觀念之後，卻能左右人們的心理，尤其是若干重要的觀念，隨時隨處都能影響人們的想法，這一點在比較中西雙方的心理時，自然不容忽略，因此我們特將雙方對於幾樁重要事實，所持的觀念，拿來作一個比較說明。

（子）學問的旨趣不同

首先且談雙方對「學問」所持有的觀念。「學問」是人類文化發展的最高代表，也是人類一切行爲制作的指導力量，因此可說是一個社會中最重要的事項，中西雙方，對此莫不重視。不過重視雖同，而其對「學問」所持的觀念，卻彼此大不相同。西洋人對學問的觀念，自始便側重在外在現象的認識，而中國則重地實際人生的指導。觀念既然不同，用力的方向，自然也不一樣。西洋人所追求者，是一套有系統的知識，而中國所追求者，則是個人的高超修養和社會共循的正當途徑。我們只看孔子答弟子孰爲好學的一則，便可明白中國人傳統的學問觀念。他說顏淵好學，並未講到如何讀書，如何研究，而卻說是「不遷怒，不貳過」。須知中國人爲學最推崇的是對聖賢之道的闡發與指引，而不是邏輯綿密，剖析精微的皇皇巨著。例如拿論語來說：若從西洋人的眼光看來，不過是一堆支離破碎，漫無系統的談片而已，當然比不上柏拉圖，亞里士多德，康德，黑格爾等人邏輯綿密剖析精微的皇皇巨著；但在中國人卻對他最推崇最服膺，縱使能作長文的荀卿，精於剖析的朱熹也一樣景仰服膺的，而不敢認爲自己長篇大著能與論語比並。柏，亞，康，黑之書，中國人從前自然是沒有看見過，即令其書遠在先秦便已出現，也不過列於諸子之林，而論語仍將是一切經書的中心。這一切都足以說明中西雙方對學問的觀念是有着很重要的不同的。

（丑）人生的意味不同

人們生活的實際內容，本都是相同的，不外是飲食男女，那一套而已。但由於對生活的理解不同，和其側重點不同，遂產生種種意味不同的人生。中西雙方人生的不同便是最著的一個例子，西洋人的人生，大體可分爲兩類；一種可說以「神」爲本位的，一種可說是以「物」爲本位的，而中國人的人生，則可說是以「人」爲本位的。以神爲本位的人生，一切配合宗教信仰，而把人生看爲實現神之意志的過程，這種人生自然是輕視現實，不講享受，推而至極，直可說是人生的否定。西洋中古的人生，以及一般虔誠教徒們的人生便屬於這一類。不過這種人生，不能算作西洋人生的主流。眞正足以代表西方來與中國相比較的，卻要算以物爲本位的近代人生。我們知道求樂，避苦乃是人們一致遵行的原則，但究竟怎麼算「樂」？「樂」的寄託在那裏？大家的理解卻不相同。一件快樂的出現，自然有其主體，同時也一定要有其客體，西洋人對快樂的理解，比較側重在客體，中國人則比較側重在主體。既側重在客體，便以爲快樂之能否得到，全看滿足慾望的外物能否得到。快樂與否既決於此，因此爲了快樂，便勢須追求外物；浸假日久，外物便成了行止趨求的中心了。至於中國人既側重在主體，便以爲快樂是「人」的事情，能否快樂須從人的方面着眼。因此一則着重內心的修養，再則着重人與人關係的調融，在這種情形下，中西雙方對人生的觀念，自然大不相同，西洋是在求得物的滿足，和能力對外的控制。中國的則是在求人倫的滿足和超然物外的樂趣，所謂「父母俱存。

（未完）

孝道的宏揚與光大（八）

·李宗黃·

自孝的功用上來說：「孝」係萬善之根，「不孝」是萬惡之源，就是說：順孝字出發，可以成爲萬善；從不孝出發，可以成爲萬惡。我國古聖先賢，主張以孝治天下，眞是有特殊的見地。蓋人類係感情動物，感情至重者，莫如父母之慈愛，人莫不有良知，而良知最容易發現的地方，就是向父母報恩。根據這種特性，擴而充之，就如使水之就下一樣容易。推其極還可以將政治包括在孝裏故曰：「或謂孔子曰：「子奚不爲政」，子曰：「書云：孝乎惟孝友於兄弟，施於有政，是亦爲政，奚其爲爲政」？」故達到政治上的最高理想方法是「老吾老，以及人之老，幼吾幼以及人之幼」，「不獨親其親，不獨子其子」，而是要使「老有所終，幼有所長」。在政術上的運用是「克明峻德，以親九族，九族既睦，平章百姓，百姓昭明，協和萬邦，黎民於變時雍」，「仁者人也，親親爲大」，造成一套完美的倫理政治。總統所說：

「在中國的政治哲學上，很明顯可以看出，大部份就是倫理哲學，從一個人的修身推到親親，在從親親而推到睦姻任卹，推到仁民愛物，並致一切的制度和組織，也染上不少倫理色彩，這是中國政哲治學的特點。」（見政治的道理）

（未完）

戲答讀者問

·文匯樓主·

自從毛澤東的乒乓外交展出後，有很多關心國事的讀者投函本報查詢底細，皆希望能有詳盡而直率答覆，樓主以這幕演出，本來就有點兒戲只好綜合以兒戲答之：

問：尼克遜宣佈對中共放寬貿易旅行限制之後，毛澤東不但沒有迎合，而且連話都不答一句是何用意？

答：這叫作「我本有心向明月，誰知明月照溝渠。」

問：毛澤東的乒乓外交，只不過玩弄一下手法，竟使美國飄飄欲仙，如痴如醉何故？

答：本港報紙指尼克遜似乎像個急色兒，再加上周恩來的秋波頻送，害得尼克遜大有「簾前花弄影，疑是玉人來」的神態。

問：美國廿萬羣衆在國會前示威大遊行，這完全是共產黨要「解放」一個地區前的翻版，也是奴役人民必經的過程，難道美國政府一點都不知道嗎？

答：中國有一句俗話：「龍生龍，鳳生鳳，老鼠的兒子會打洞」，此之謂也。民主政治有時要裝聾作啞，因爲社會上（包括美國）究竟還是糊塗人佔多。

問：尼克遜既偏袒日本，又買好毛澤東，到底要的是甚麼把戲？葫蘆賣的甚麼藥？

答：偏袒日本是想用日本牽制毛澤東，買好毛澤東是要毛澤東牽制蘇俄，葫蘆賣的甚麼藥，要問鐵拐李才會知道。只可惜的失敗往往失敗於如意算盤。

問：美毛勾搭的結果，蘇俄似乎感到很惶惑，閣下看將來的發展如何？

答：尼克遜似在重演我「三國演義」時的外交，乃「東和孫權北拒曹操」的招數。將來的發展尼克遜現在已經說出：「假如行動太急，徒然增加幾條頭條新聞而已」意見已講的很清楚不會有甚麼結果的。

問：毛澤東這樣的做法，蘇俄會不會報復，閣下能推斷出報復的方法嗎？

答：毛澤東的做法，正是馬克斯主義精華部門的發現，即凡一件事物發展至其極，即被其自己含有否定所否定。」大陸內憂外患接踵而至正在否定毛澤東的政權之中於最短期內定可分曉蘇俄在錫蘭支持「反動」政府，打擊共黨叛亂的手法，形同做給毛澤東看了，國際間沒有絕對的友人，也無永久的仇敵。我們能想得到的，蘇俄也就做得出，毛蘇之爭乃毛澤東向孫悟空看齊，「玉皇輪流做，明年到我家」的問題。

問：釣魚台事件，閣下的看法如何？日本將來有沒有可能開發這海底一千億美元價值的資源？

答：「浮生六記」假有記載，釣魚台是我們的，根據東京英文「日本時報」近以「一年年受辱」爲社論題，謂「一九一七年度中（共）日備忘錄貿易會議公報使人發生兩項強烈的印象，一爲日本商界竟爲貪圖微利而不惜逆來順受，二爲中共之自大驕狂，該報過去時時反映外交界人士之看法，因此今日之社論頗受重視，據稱，「日本代表再次簽訂之公報，不但痛責佐藤政府，尚痛罵日本之軍國主義，此爲日方每年向「北京領導」者照例行叩頭禮之一部份行動，此次政治會談先利用去年屈辱性之聯合公報爲着眼點，然後重申過去對日本之斥罵，而措詞之儼，則甚於去年，今年更添增數項新要求，例即公報中指日本軍國主義之復活，已經成爲事實」。在共產黨一天未徹底消滅前，對這些問題（釣魚台等）的爭扎都是多餘的。

話說朱元璋（三）

雁謀

由小兵到副元帥

二十五歲的朱元璋，生得狀貌奇兀，龍形虎軀，說話聲若洪鐘。郭子興有眼識英雄，見了朱元璋驚喜交集。立即收他充作親兵，每遇出戰，即令元璋隨從，元璋到了軍中，着了戎裝，則與做臭和尚時判若兩人。一個人轉了運，門也關不住，不僅遇人賞識，而且智慧也大爲開朗，所謂「福至心靈」，是也。原來郭子興也是香軍東系的一枝。以焚香設教，故以「香」軍稱之，猶漢末之黃巾。

朱元璋對於郭子興也非常感恩圖報，無論任何危險，總是奮勇當先，衝鋒陷陣，殺敵致果。敵人畏之如虎。郭子興嘉其勇力，日加信任。連子興的夫人也對元璋深有好感。於是在夫妻二人都高興之下，就把他的義女馬氏女下嫁給元璋。這馬氏原來就是郭子興微時的刎頸之交的宿州馬公之女，馬公家住新豐里，祖先素封，富甲一方，因其樂善好施，家業日漸沒落；妻子鄭氏生下此一獨生女兒之後，即告病故。馬公因殺人避仇，始將女兒託給子興，子興亦視爲己出，授以書詩，女紅，馬女聰慧過人，所授立曉。平日儀態端莊，嫺靜貞婉，舉止大方。深得子興夫妻歡心。此一婚姻，咸認爲是一對佳偶。元璋之受寵若驚，心中喜不自勝。自此之後，軍中上下也就另眼看待，爭呼朱公而不名。這是一個和尚出生的朱元璋做夢也沒有想到的。

朱元璋本來投軍的目的祇是求生存，暫且避難的，但是一切事情好像冥冥中有人安似的，環境時勢使他走上打天下的一條路去。所謂「時勢造英雄」是也。

當時濠州、徐州，和臨等地的起義之兵，除子興外，還有孫德崖。到朱元璋投軍的第二年，元朝的脫脫丞相派了十萬大軍攻打徐州，攻克徐州，起義的主將是芝蔴李（怪名字）被俘殺死，部將彭大、趙均用率殘兵奔濠州。因爲彭、趙二將的兵多，濠州五帥的兵少，於是彭、胡二人做主。彭大和子興的交情較好，趙均用就連合了孫德崖，二人勾結起來，想吃掉郭子興。有一天，趙均用便帶了親兵到郭子興帥府將他捉住，幽禁起來。

這時朱元璋奉命出差，聞訊趕了回來，帶了郭子興二子，把此事告訴了彭大，彭大也揮手了，立即點兵圍了孫德崖府，才把郭子興救了出來。

脫脫攻下徐州之後，乘勝遣將賈魯率兵圍攻濠州。濠州城有七頭馬車，因爲外強敵，無形中和好，合力守城。元軍賈魯攻了五個月不下，主將病死，濠州圍解，起義軍也損失了不少。

元兵退後，趙均用、彭大自以爲了不起，遂同時稱王。孫德崖、郭子興等五人仍然當着元帥，還要聽彭、趙二王的指揮。

安徽十三傑

管仲　李時　莊周　曹操　華佗　包拯　朱熹　朱元璋　戚繼光　李鴻章　段祺瑞　胡適　楊振寧

巨變歷險記！

仰光素描（一一五）

胡慶蓉

仰光最引人注意的，也是最著名的，也當然是大金塔了。無論從那一個角度，你都可以望見大金塔。塔以金名，是名符其實的。塔上上下下整個的塗以金色，在仰光之下，眞是金碧輝煌，照耀宇宙。金塔而冠以大也是名符其實的。就塔而論塔，世界之上，恐無出其右者。大金塔木鐸形，把子在上頭，越向下越大，底子最寬。大金塔又彿鈴形，彷彿靜態的鈴形。塔是金色，塔前邊的佛也都是金色，惟一的例外恐怕是那長長的臥佛了，這是白色。塔前面的佛不計其數，有的在廟子裏，有的在神龕裏，有的就在外邊。佛大概是愛乾淨的，每天有人去潑水，點香，點燭，點燈。

點燈最有趣味。這是麵作成的，也許是瓷的，中盛以香油，心子是棉的。一點就是幾十，幾個幾十就是幾百。幾十幾百的小燈放在一塊，點起來，在微微的，飄飄的動，都好像笑的樣子，人看見也不覺得在心花怒放，充滿着笑的神情。

仰光的大街，最大的最長的是打魯西大街，這在上邊，接着就是廣東大街，廣東大街在下邊。達魯西大街與廣東大街之間又是一座地面上的佛塔。達魯西大街，是旅館的區域，大的旅館，漂亮的旅館都在這個區域。廣東大街，情形完全不同；這是一條商業的街道，兩旁盡是商店，完全中國的樣子，與上海的南京路，北平的正陽門大街，台北的衡陽路，台南的中正路並無二致。這條大街的攤販沿着人行道的邊沿又形成一排，與大商店唱對台戲。攤販吃食佔一大部份，這廣東大街裏裏外外是廣東人的天下，招牌上的字，招牌的樣子，與在北平上海，看見的也沒有兩樣。洋洋大觀，琳瑯滿目，全是一幅中國人的模樣。

與廣東大街平行的另外一條大街那就是通稱的印度大街了。這也是名符其實的，印度的生意買賣人都集中在這條街上，印度人也是很會做生意的。他們守的工夫，他們的吃苦耐勞，比較中國人並無遜色，說句公道話，殆遠過之。印度大街與廣東大街的頭上，印度大街與廣東大街之間是有名的一些大戲院大電影院。體育場就在這大電影院的左上方，開甚麼大會，常在這裏舉行，有甚麼遊行，也常以此爲集中地。大街之邊上是平行的無數的巷了，大街大街之間，大街之旁又是一條一條的小巷子，這也彷彿北平，北平有個西單牌樓，就有東單牌樓，有西長安大街，就有東長安大街。在廣東大街的兩頭就是郊區，在廣東大街的外邊，那就是海，就是碼頭，同上海的黃浦灘一樣，大船小船通常都放得滿滿的。

廣東大街，印度大街之間，有五十尺路，百尺路，著名的中國方面的自由報就在這五十尺路上，是一座四層的樓房，是陳洪安僑領的財產。吳管理任經理，江潮負責印刷，盧偉林負責編輯。夏言，陳江山，李擎義，是當時教育的人。他們很辛苦的在辦華僑教育。自由報的對面就是中共的人民日報，眞所謂門當戶對，各顯神通。丁博士留仰光也有半年之久，常爲各方面幫忙，自由報上的社論寫的特別的多。對於鼓舞華僑愛國，貢獻至大。大陸上逃到仰光的爲數甚衆，華僑也都非常的照顧。

楚文拾遺（八）

·王曰叟·

楚人之能文者，初不限於騷人墨客，軍人亦多有擅其事者，如前軍需學校校長張叙忠氏是。

張字孝仲，枝江人，幼喪父，家赤貧，至以樹葉雜碎米爲食，感國事日非，乃投筆從戎，旋東渡赴日，入士官學校，發奮爲學力爭上游，諸凡學術各科，無不冠其羣，日人向以刻苦勤奮自負，而氏則尤過之，以是雅爲敬服。而「張入伍生」之名乃不脛而走。

鼎革後返國創辦「軍需學校」，自爲校長，是直至民國二十五年，蔣委員長兼長其校，始退休，可謂公立學校首長，任期最長者也，氏方正不苟，辦學嚴竣，故多有中傷者，時陸軍總長段祺瑞公然謂衆曰：「張某作官自然不行；然作事則必張某也」，流言始寢，而張氏亦畢生感段之知遇，蓋與段初無淵源私誼也。

氏因根基深厚，不僅任何學科教官請假，皆可代授，即各項術科亦可親自指導，氏至五十餘時，向可表演單槓打車輪。曾著有「中國糧政」等書，然皆經戰亂蕩然無存，叟手邊偶存其所撰墓志銘兩篇，今付本報發表，以觀其文字工夫之一斑。

氏號稱「軍需草祖」，在台門生故吏極衆，閱之寧無懷思耶。茲將張叙忠撰「堂伯母孔太夫人墓誌銘」原文錄后：

堂伯母氏孔宜都人，皇考謙皆公某科以拔萃貢成均，年十九，歸先堂伯繼丙公。堂伯壬午舉於鄉，二十五生先從兄，諱叙藩，丁酉拔貢生，癸卯捷秋闈，皆投職知縣。然伯性樸厚，終其身不言貴顯。從兄之官後，亟思板輿奉養，堅執不可。壬戌七月年七十從兄自隴西寓了從弟叙壬書，命以數百金，爲伯母壽，族戚莫不嘖嘖稱羨，未幾伯母觸舊疾，久困牀褥，會從兄在官陷於兵，公私蕩然，靡憂憤鬱鬱以終。家人匿不以聞，伯母亦　身逝，其間相去不能一月。時從兄猶在五千里外也。長孫女名起運，適許氏，越明年又以病卒報，是可哀也已。初，伯母之來歸也，門閥甚盛，自先世有嚴肅之家風，堂伯方治舉子業，無暇問家事。然卒無內顧憂者，伯母之力也。伯母居恆寡言笑，勤儉自持，寬以待人，事祖姑及翁姑尤稱至孝，非得其歡心無以爲遂志。與諸弟諸姑諸娣姒相處，從無一言齟齬，及與大伯析居，悉排財與之，甘清苦無怨也。堂伯爲四川候補知縣，歷任鹺務，不苟取，卒之日，身外蕭然，伯母親爲殯殮，至易簪珥爲之助。已而舁其柩還，艱難險阻，備嘗之矣。從兄始讀書，日受訓迪，既通顯，戒勿驕矜。及出仕甘肅，嘗馳書諭之曰：爲官宜精白乃心，先德不可墜也，民望不可失也。從兄奉命唯謹，歷宰　源隴西，政訟悉平，治績斐然，衆謂伯母有子矣。然從兄遂卒於官，伯母聞訃痛其出，未見其入也。伯母以壬戌年　月　日葬於七家壩稻田，去枝江縣城十餘里。伯母有子二，長從兄叙藩，既歿，次從弟叙彥，孫起鈞，尚幼。銘曰：德脩於身，其報黃食。惟此精華，造物故秘。烏巷之槐，是所萌植。瑞環之秀，來也有自。九泉含笑，云利後嗣。

叟按：此篇平淡無事可記。而叙來娓娓動人，若非能文之手曷克臻此。另有「從兄介侯公墓誌銘」，尤爲精采，容下期發表。

五十六種砂鍋烹飪

馬騰雲

十九　砂鍋龜羊湯

龜屬於爬蟲類，棲於山澤湖池及潭邊，喜食小魚，口沒有牙，但有如鳥之角嘴，趾端有爪，生命力非常之強，數月不食不會餓死，春日產卵，受日光自然孵化而出，龜含的成份有膠質、脂肪及鈣鹽，爲一種滋養強壯劑，適用於結核性疾患，及慢性衰弱症，能止血、解熱、養陰、及治小兒軟骨病等。

羊爲家畜，反芻動物，四月而生，其目無神，相家形容沒有人神的人謂人生羊目，吃補的羊，必須要在山上自行覓食長大，羊食仙茅自肥，羊食仙靈脾而淫蕩，本草謂羊肉溫中補虛，開胃增食，壯陽益腎，治五勞七傷，故有「人參補腎，羊肉補形」之說，羊身上的頭骨、脛骨、尾骨、頭、蹄、皮、毛、鬚、角、睛、齒、舌、肝、胃、腎、胆、髓、胎、筋、血、脂、乳、皆入藥，中國西北各省人，習慣嗜吃羊肉，因之身體非常結實，是很有道理的。

砂鍋龜羊湯在湖南是一種很有名的菜，製作烹調與甲魚同，而這菜的本身確含有很高深的學問，龜喜歡住在潮濕湖沼，湖北、安徽沿揚子江一帶出產最多，可是很少有人吃，因涼性，故解熱，吃龜肉的風氣，以湖南最盛，別省多爲治病，或取龜版供藥用，羊則與龜性能完全相反，羊怕潮濕，喜居乾燥，龜羊湯可謂溫燥中和，百無禁忌，在長沙賣龜羊湯的大館子裏，整天門庭若市，凡在長沙住過的人，大概都會知道。湖南另一名菜，老蕢燉董鷄，據說亦是非常補的一種菜，湘菜能於對日抗戰中崛起，紅遍大江南北，自有其崛起的基本條件。徽菜之走向末路，因太煩雜，難配合工業社會。

阮麗珍（四）

燕子箋一劇，當時在宮廷和民間，演出最盛，幾乎歲無虛月日，可謂風行一時了。清代詩人兼畫家鄭板橋有「念奴嬌」詞，詠其事云：

宏光建國，是金淹了樹，後來狂客。草木山川何限痛，只解徵歌選色。燕子啣箋，春燈說謎，夜短嫌天窄。海雲分付，五更攔住紅日。更兼馬阮當朝，高劉坐鎮，犬包巾貴（巾旁）。賣盡江山猶恨少，只得東南半壁。國事興亡，人家成敗，運數誰逃得。太平隆歲，此禍久已生出。

據說阮大成降清時，麗珍爲清廷某親王所得，很是寵愛。後爲福晉所妬，遂被酖死。一代才女，就這樣結束了她的一生。

清人徐虹亭過皖江，作「雜感」一絕云：

亂落楊花攪白綿，
皖江江水綠如烟；
南朝狎客無人見，
腸斷聲聲燕子箋！

可見「燕子箋」的聲價，在清代民間搬演此劇仍然盛行；亦即一件眞正的文藝作品，是歷久常新，不受時間的影響。（完）

恢復老子的積極精神

·馬融·

起鈞教授道席：

自古解老，喩老，注老，評老者多矣，要之能切中肯要，一口道破，剖析條流，使人能一目醒然者，少之又少，率多「持之有故，言之成理」講自家話，去老遠矣。頃觀先生著「老子」一書，迥異恆流，非精研老氏，出入有年，曷克臻此。老之精義見矣，老之神髓得矣，使老氏有靈，定撚鬚含笑。二十年後，有眞知我者矣。平實之論，令人欽服。

自先秦來，影響中華文化思想學術深遠且鉅者，唯孔、老二氏。（墨、陰陽較不如儒道二派）此爲南北兩大派之巨師，迴旋激盪，相輔相成，而使中華民族有此思想，性格，型態。所惜者魏晉以降，因老莊玄學爲佛釋開路：卒有此「出世」之學。深深影響，支配我民族思想，至於今日。千餘年來，使我古代奮鬥、進取、積極之優秀民族性，竟讓假演變而爲此保守、消極、自私、退縮、「出世觀」之劣性，此非老氏在世時之所能逆料及之也。今日談復興民族文化，應以文化思想爲第一，儒、道二家爲我思想主流，故應對其學說詳析而共明之。應將印度文化中之「出世」佛學思想，刷而清除之，使人人不再消極存有「出世」想法。使我民族重復古代自根自長之儒、道、墨思想，融合陽剛、陰柔之奮發進取入世精神，挽救民族浩劫，實爲幸矣。先生之大作，閱博精深，多所創見，啓迪於世者甚多，披讀心儀，幸爾陋陋，乞有我冒昧，諒我唐突爲幸。順頌

教祺

馬融拜上
四月四日

黛眉小傳（一）

·王幻·

林以寧

歷代文士「結社」吟詠之風，由來已久；明末女子，也喜歡結社作詩，此風到清初尚盛。錢塘御史錢肇修的母親顧玉蕊，工詩文駢體，蜚聲大江南北，曾經集結能詩的女子，組織「蕉園詩社」。當時所謂「蕉園五子」，就是徐燦、柴靜儀、朱柔則、林以寧、錢雲儀等五人，互相唱酬，頗風動一時。大概其後「蕉園五子」凋零星散，林以寧于歸錢肇修之後，繼承姑志，重行組織「蕉園七子社」，新人加入的有張槎雲、毛安芳、馮又令、顧啓姬、而徐燦、朱柔則不在內。於是蕉園七子之名，響揚於西子湖濱。

第二十二章　張德遠督師江上　岳鵬舉招降黃左

周燕謀

岳飛笑道：「古人有言：不入虎穴，焉得虎子？我要得楊么，全在黃左這人身上。難道還要用陸師破水寇不成麼？」當命小吏前導，竟單騎出發去黃左大寨。馳至黃左大寨，命小吏傳話道：「岳節使來了！」黃左問有多少人馬，去使回報道：「只岳節使一人」。黃左即召部下道：「岳節使親騎來招，誠信可知，我等開寨迎接便了。」衆無異言。於是特歡迎岳飛入寨。黃左引衆列隊拜倒相迎，岳飛忙上馬撫慰，以手撫黃左之背說道：「汝曉明順逆大義，深足有爲，此後如能立功報國，不失封侯之位。」黃左感動再拜，隨後引岳飛至營，令部下頭目一一拜見。岳飛均溫言相慰，衆皆悅服。岳飛復語黃左道：「彼此中國臣民，並非金虜可比。我此來特爲朝廷大義，伸大衆革面洗心，同衛王室，剿除異族。今欲命汝等至湖中代達本使誠意，倘彼等同來歸順，當觀汝等才能保薦，如不可動，須設法擒捕。本使回營，即當拜本上奏，定不失汝等官位。」黃左更加感泣，誓以死報。岳飛與黃左握手揖約後馳馬回營，立保黃左爲武義大夫。

張浚聞岳飛招降黃左，恐有他疑，入告張浚，請張浚上疏劾飛。張浚搖首笑道：「岳侯忠孝皆全，怎得妄劾？汝疑他玩寇，豈可易測？」席益聽了張浚之言，慚愧而退。

數日後，岳飛往見張浚，報告措置軍情道：「黃左已降，我擬出攻破周倫寨，擊殺周倫，並擒僞統制陳貴等人。」張浚笑道：「智勇如公，何愁水寇？」岳飛又道：「前統制任士安不服王燮命，因此致敗。如嚴明軍律不能不處以應得之罪。」張浚點首示可，岳飛又覆告張浚數語，浚尤大喜。岳飛即告別回營，傳任士安入帳，詰責罪狀，加鞭三百，並指仕安道：「限汝三日，便當平賊，否則當按軍法斬首。」任仕安唯唯而出，自率部下入湖，揚言岳家軍二十萬，朝夕可至。楊么素持險大言道：「兵從陸路來，我可入湖，從水路來，我可登岸。若要破我，除非飛來。」在意。部衆因此便不除軍進攻，乃發水兵數綫出去迎敵。

（一一三）

自由報

（第一一六三期）

（半週刊每星期三、六出版）
每份港幣壹角・台灣零售價新台幣弍元
社長李運鵬・督印黃行賓
社址：香港九龍彌敦道593—601號
廖創興銀行大厦八樓五座
LIU CHONG HING BUILDING
7th FLOOR FLAT '5
593—601 NATHAN ROAD,
KOWLOON, H.K.
TEL：K303831
電報掛號：7191

承印：聚星印刷公司
地址：嘉咸街廿九號地下
台灣區業務管理中心：台北重慶南路一段一二九號
電話：二四五七四
台灣區直接訂戶　台灣劃撥戶
第五〇五六號張萬有（自由報會計室）
台灣分社：台北市西寧南路110號二樓
電話：三三〇三四六、台郵劃撥戶九二五二號

談當前教育問題
——謹致羅雲平部長

本報係由各大學教授主辦及支持者，故對教育文化問題，感覺親切，多有論列，復因執筆者厠身其間，觀察深刻，言之有物，故每承主管當局參考，及立監兩院委員發言時引用。本報深以為榮。茲值新任教育部長羅雲平先生就任之始，本報特訪各教授、分別提供簡單意見，彙集發表，以供羅氏興革之參考，承各位教授紛紛賜函，襄助盛事，本報至為感謝。唯因篇幅關係，謹先就其溫和易行者，擇錄數則，以為羅氏榮任部長賀，寧不較之花籃禮電更有意義乎。

（上）

方遠堯
師範大學國文系教授

我去年曾寫「革新教育芻議」一文，在中央日報發表，以為教育革新，應從整頓師範教育開始。由於西方社會文化的基礎是宗教，而我們則是教育；因此，我們的教育要謀革新，再不能一味抄襲西方，而當從建立自我的師範教育着手，這是我從事教育工作數十年體認所得的結論。莊子說：「得其環中，以應無窮。」師範教育，便是教育的環中了。

現在我們要反攻復國，大家都認為必須走上復興文化這條道路，而教育的革新，無疑是最先鋒。因此，如果我們把教育行政，認為是單解決現實問題的一般行政，把教育之工作認為是單解決生活問題的一般行業，沒有創新開拓的精神，那就永遠達不到文化復新的目的，反攻復國，豈不也就徒託空談了……大家都知道「教育為百年樹人大計」，那麼教育豈是只顧目前的事業？豈是只圖急效的事業？是以革新教育，必須著眼遠大，本 總統所指示「另起爐灶」「重整山河」的精神從整頓師範教育起，以培養優良師資，轉移教育風氣，使教育園地變得莊嚴肅穆，掃除結黨營私，爭名奪利的氣息，然後青年學子才能免受邪惡的薰染，而識所歸趣，勉力向上，忠於國家民族的。

王靜芝
輔仁大學國文系主任

教育部新任部長羅雲平先生，是教育界能幹的人才，接任以後，必有新猷。個人願意乘此時機，貢獻淺薄的意見。今日各級學校，所教的祇有課本上的知識，很少顧及思想。小學升中學，中學升大學。大學要留學。各級學校都是升學預備學校。英文教學程度可能够升學之用，本國的國文都作枝節注釋的背誦，史地三民主義，都作猜題工作。沒有人注意思想，更談不到甚麼倫理道德。因為這些都不能增加升學分數。最後呢？大學畢業一登飛機，多數想作外人。即使留在國內，也是多數祇看利，不顧義；在家不懂孝弟，在國家社會缺少忠信。少數好的，或許被笑為傻瓜，不僅無力改正多數的錯誤觀念，有時也祇好隨波逐流。

目前糾正這一偏差，似應注意各級學校的倫理教育。我們雖然提倡科學，不可忘掉倫理。從前過於重視自然科學，而忽畧了倫理。今日應倫理科學平均發展。教學重心，應注意思想，少作枝節記憶猜題工作。如果大專入學考試的試題，也配合着這一目標，出題著重思想及創造能力，效果就一定更好了。

黃大受
中興大學史學教授

筆者曾經兩度負責過留學生考試本國史命題工作，只出些本國史上最廣泛而接近常識的題目，但能得中一半的，竟不及十一。足徵大專院校本國史課程之不被重視，到了何等程度。因為留學考試的歷史在佔比例極輕，考試者自然等閑視之，遂致多數應試者，對本國史從無所知。要他們愛國家愛民族，從何講起！一旦出國，不僅數典忘祖，而且受人挑撥分化，甚至詆毀祖國，為匪利用。

今年元旦及青年節，總統一再號召青年發揚辛亥革命精神，再造第二個辛亥年國民革命大業。試問，如不好好的讀中國歷史，怎能知道效法先烈革命志節？教育家程其保先生有云：「今日教育要圖，應特別注重歷史教育。」科學家楊振寧先生近在紐約華埠演說，奉勸國人重視本國歷史文化。頃聞教育部最近即將修訂大學必修課程，希望與會諸先生遵照復國建國教育綱領第二條之提示，千萬不要像過去一般的忽視本國史教育了！

張起鈞
師範大學哲學教授

值茲教育部長更選之際，香港自由報李運鵬社長囑余寫簡單意見數點，以為羅雲平部長賀，然教育文化，經緯萬端，近年可興可革之事尤夥，今猝爾出題索笑，直如一部廿四史，不知從何處說起：無以則人乎。

古語云「為政在人」，教育有師表則效之功，人之因素尤為重要，我國自民初以來，舉凡范源濂、蔡元培、蔣夢麟，直至抗戰時之陳立夫，凡任教育部長者，皆為一時之人望，故其聲譽風光，每在其他閣僚之上，而亦為全國學人士子所欽服。即司長，督學之流亦無不為飽學之士，例如吳俊升（任教部教司長，前為北大教育系主任），黃建中……等是，今來台灣，地域雖狹，人才可用者則衆（唯人才皆不鑽營，鑽營者又每非人才），所謂藏龍臥虎之地是也，今羅氏就任，甚望能以名器為重，逐漸走向往者盛況。

尤為進者：昔日不僅學校清高，學官亦復清高，因此縱有貪墨舞弊之事，鮮有涉及教育部者：近年以來，教部實現如何，吾人既非調查機構，自不能確知，然所知者，則謠傳閒話，愈來愈多，譬如教員升等選審，學校中請立案……各端，皆有不良之口碑。此固亦可為未達目的人之誹謗，然何以往昔從無此等誹謗耶？（此不僅一般人士有此耳聞，某前任次長即當親與筆者談及，彼未到部前即多聞此事，到部後則又查不出證據，授受雙方皆隱諱其事，以致無從辦理）。羅部長為一肯作事而能幹之人，希望能設法澄清此事，先使教部本身健全，然後才能公正而高明的推行教育政令，整頓學務也。

卑之無甚而論，願以此為起點，至於學術文化大計，則非短簡所及，姑俟諸他日再論可也。

周世輔
國立政治大學教授

新任教育部長羅雲平先生，學識優越，才能邁羣，不僅行政經驗豐富，且有良好的人緣，至于和平近人，禮賢下士，更令人稱贊不已！此次出任教政首長，係有一番表現。茲就管見所及，聊供一得之愚。

（一）大專招生，實行「聯考」，反對者固大有人在，而所以不能取消者，自有其存在之價值。其最大優點，一為防堵「紅包」之進攻，二為避免「八行」之拜托。現在有人建議，在教部置常設機構專管某些業務，以免紛更，而資熟手。我以為「聯考」人員，每年更換，深合乎過去考官常換之良規。將來如置某種常設機構于教部，則人情之拜托隨之而來，「紅包」之細菌亦將視為溫床矣，希能對此特別留心！

（二）教部工作人員奉公守法數十年如一日者，為數實多，然而近若干年來，學藉作弊，人事糾紛，案件積庄……常為國人所詬病。應如何令考核主管及人事主管分層負責，切實革新，而予以工作保障與升調，這又是一個對內的應加考慮的重要問題。

（三）下年度起，成大中興兩大學均將改為國立。聞大專校長多需易人，果爾，應如何愼選人才，未是亟應研究的一大問題。

（未完）

昨日與明日

美國的難題

目前美國對外政策的難題有二，即中東與越南問題是也。而越南問題尤為難中之難者。

越共的支持者，表面上是俄共與毛共，實際卻以毛共的影响力最大。所以，美總統尼克遜再三聲明，只要越共把美軍的俘虜釋放，美方即可宣佈撤軍期限，然越共卻須美軍全部撤退，纔談釋俘事宜。這顯是毛共在背後教唆，目的在增進美國內部的反戰運動，同時使蘇俄對河內無從施展壓力，構成東南半島的動亂持續局面。

美國既不願無條件的撤軍，越共更不願有條件的言和，這正係毛共所希望的事。尼克遜希望蘇俄助一臂之力，然俄毛對東南半島的策畧各懷心計，不相為謀，試看高棉的流亡王子施哈諾，近在北平聲稱俄共口惠而實不至，今後不再期待蘇俄應援的言談，即可反證俄毛雙方在東南半島暗鬥的情形了。毛共看透了美國的病症所在，決不讓越戰半途休止，也不讓俄共對東南半島有控制能力，於是乎，尼克遜主義便要大碰其壁，而美國內部的騷動即愈演愈烈，夫是謂「人民戰爭」的戰畧運用，可惜尼克遜先生見不及此，奈之何哉！

中東問題在其次

美國務長官羅吉士僕僕奔走於中東列國間，旨在維持中東的均勢局面而已。以色列和埃及對於和談的建議條件，有如美國和越共的和談主張，彼此格格不相入。但美國不敢過份壓迫以色列讓步，即令以埃戰爭復起，美國還要增加對以色列的軍事援助，俾與蘇俄應援埃及的軍力相抗衡，而國內的兩院國會議員和民衆，亦不致表示反對。

職是之故，羅吉士此次中東之行的最大收穫，祇是洞悉以、埃雙方對於維持中東均勢的眞意如何而已，談不到眞正的和平相處。中東已非世界大戰的火藥庫，東南亞的危險性超過了中東，美國急想解決越戰問題，毛共就要增加越戰和談的重重障碍，使其無法解決，一以困擾美國，一以跟蘇俄爭奪對越共的領導權。

明乎此，即知美國當局對於「兩個中國」的預謀，雖然夸夸其談，而毛共不屑置喙的所以然了。尼克遜主義要在亞洲實現，永遠是幻想也。

・何如・

自由談

談群衆運動

凡屬羣衆運動的意見和口號，都不是大家經過了大腦思考作用的理智結晶。有的是為逞意氣，有的是隨便盲從，有的是為看熱鬧，實際乃係少數別有用心的人從中操縱利用，藉此滿足其「中心藏之」的私慾，而社會上「沉默的大多數人」不預焉。

最近我在海隅悄悄地參加過一次為爭取釣魚台主權的青年學生集會，曾有人登台演說，指斥台灣當局的不是，羣衆初報以掌聲；那人以為他的意見取得了大衆共鳴，再行登台發表高論，而台下噓聲大作，使他不能畢其詞，黯然走下演台了。在前後相距不及一小時的剎那之間，羣衆乃有此迥然不同的意思表示，能說這是理智的一貫作用嗎？

再看一般民主國家的全民選舉，以美國這超級的民主國家為例：那些全民投票選舉出來的國會議員，權力高於一切，但其所表現的言行，十九都是幼稚低能，莫名其妙。我不相信美國社會沒有賢能的人才，原因是大多數的羣衆投票時，未經過理智的抉擇，祇憑個人感情好惡以從事，並非眞正的民意表現。美國如此，其他各自由國家的選舉，可想而知了。

所謂羣衆運動之發生，也非偶然的，必有一些足以煽起羣衆不滿心情的現實問題存在着，給少數野心家以鼓惑之資。所以，聰明的統治者，每注意於疏導工夫，而其方法即為平時言論自由，讓大衆各抒所見，辨別是非，發揚理智作用，野心份子即無所施其技了。這有若防水患，與其築高堤，置障碍物，不如疏濬水道，永慶安瀾。最壞是箝制輿論，封鎖消息，分明是衆人週知的事情，亦不許公開討論，結果引起社會大衆的猜疑不滿，給野心家以可乘之機，胡亂宣傳蠱惑，化為羣衆運動，寖假構成積非勝是的結局，不亦寃乎！

馮五先生

閣鐘對照

干公

閣振興和鐘皎光都是學自然科學的，都作過教授，也都當過一任教育部長，本報對於他們教長任內的措施，也都有很多次積極性的建議，兩人的確有許多相似的地方，但也有顯著的不同。鐘皎光離開教育部，教部同人開會歡送，高級職員並在當晚邀宴惜別，大家都認為鐘是老好人，任內許多措施失當，應另有人負責，而閣離任時，同人並未開會歡送，更無聚餐，當閣赴各辦公室向職員辭行時，有的職員竟說：我們到今天才認識部長。鐘平易近人，倘不失書生本色，而閣則未免官氣大些，對於昔日教授故交，多已忘却矣。

天下雜論

漏網新聞

在教育部同人歡送鐘部長茶會中，督學萬子霖會被推致辭。萬督學川籍，四川朋友善擺龍門，最具講話天才，那天萬督學的致辭，相當精采，他說：在講話前，有許多同人對我提供意見，有的讓我講這樣，有的讓我講那樣。我講話從不預備講稿，所以今天却破例預備一篇講稿。在講稿中，他敘述二十多年來教育進步情況，以表明外間對鐘部長教育措施諸多批評的不當。結語是：教部同人向很融洽，今竟有人檢舉某女士的年齡問題，西洋習慣是不許問婦女年齡的，年齡高低，又何必注意呢。這篇講辭，台北各報記者漏記，本報記者特補誌之。

此風不可長

政治上間有偏差，有些民意代表聯名向政府行政部門推荐人才，甚至部會首長次長也要推荐，這種作風有如作醫生的，兼作陰陽或兼營棺材店。民意代表祗能過問官吏行政措施對不對，却不應當過問行政官吏的用人行政。有人說：祗是推荐，用不用，其權仍在行政部門，可是，為了不買帳，給他顏色看看也是常常發生的事。壞的風氣，不能開始，更不能養成，否則，造成「公害」，可就大了。

各委會邀政府首長列席事 引起立委激烈爭論

紛紛撰文辯正是非 院會通過動議風波始平息

（自由報台北通訊）立法院四月廿七日舉行第四十七會期第十六次院會中，通過了張金鑑委員等二百四十一人所提，關于各委員會邀請行政院部會首長列席，就其主管業務提出施政報告並備質詢是合法的一篇「臨時動議」。

當時在場若干委員於提案人說明，繼續發言後，進行表決，結果一百九十八票絕對多數通過。

這件事的發生，起因於三月廿一日，立法院法制委員會邀請人事行政局局長王正誼報告「職位分類辦理情形」的時候，立委吳延環突然提出一個程序問題，認立法院各委員會邀請政府首長列席報告是「違法」的，主張開座談會，立委鄧翔宇、張子揚、徐漢豪等則持相反的意見爭論。結果改開座談會。這對人事局長王正誼固然難堪，但立院法制委員會也不甘心！四月六日，吳延環委員意猶未足在中國時報發表「論立法院委員會職權」一文，强調其見解。隔了一天，楊寶琳委員首先撰文駁斥吳延環的見解是錯誤的，接着，薩孟武委員也撰文支持楊寶琳。而徐漢豪委員也發表「立法院不要自失立場」一文，指摘吳文之作。國民黨立委黨部為此而舉行會議討論數次，最後由院會通過前述臨時動議，澄清吳文之不當。

臨時動議的理由是說：憲法第五十七條第一款：「行政院有向立法院提出施政方針及施政報告之責；立法委員在開會時，有向行政院院長及行政院各部會首長質詢之權」。第六十七條第一項：「立法院得設置各種委員會」。以上規定，對立法委員之開會，顯然包括院會與委員會會議，或在委員會會議提出質詢，均屬違法。第六十七條第二項：「各委員會得邀請政府人員及社會上有關係人員到會備詢」。是立法院各委員會不特依憲法第五十七條得邀請有關部會首長到會報告及備質詢，尤可適用憲法第六十七條之規定。

就事實而言，立法委員出席各委員會會議，聽取報告暨行使質詢權，始自民國卅七年第一會期，迄今已歷時二十餘年，對於審查法案，匡正政策，裨益良多。即法制委員會亦於第十二會期起，曾先後邀請銓敘部部長雷法章、考選部部長陳雪屏、行政院政務委員黃季陸、行政院副院長王雲五等到會報告並備質詢，共約十餘次，此皆有紀錄可查者。

復查民國四十二年元月十九日立法院第十一會期第三十次會議於修正通過本院議事規則後，並會決議：「各委員會於聽取行政機關首長報告或質詢時，應通知其他委員會委員自由列席」。是各委員會分別舉行全體委員會議邀請關係部會首長列席，就其主管業務提出施政報告並備質詢且復通知其他員會委員自由列席之處理程序，已有院會決議作根據，完全合法。

近因立法院法制委員會於聽取行政院人事行政局局長報告時，竟停開正式全體委員會議，改以座談會方式舉行，導致誤解，有礙各委員會之職責，謹縷陳理由，聯名提請　大會議決：今後各委員會邀請各部會首長就其主管業務提出報告並備質詢，仍應於各委員會會議時行之，不得改以座談會方式舉行，以重法制。

閒談書法

柳涯

老人閒請益者之言，隨說：「當今書畫名人，汗牛充棟，一時風尚，固為可喜現象，徒以好名不務實際，甚而有人招搖到海外，收攬洋人為徒，冀圖炫耀，論其文學書畫，却是俗人俗事，難登大雅；此類「妄人作風，目空一切，眞可以斥之為無恥。又有些人結為派別，互相標榜，欺世盜名。學習未久，輒即想盡方法，大出風頭。大小展覽會如雨後春筍，報刊鴻文，均係倩人代撰，飾詞譽揚，不可一世，更是令人作三日嘔！」

「藏之名山」，師法古人慎之又慎，誠不愧「君子之德風」。像此老如此珍惜翎毛，矜持自重，也未免是「矯枉過正」了。相與談書法，偶爾也自負的說：「某雖不善書，但知書者，則莫若某也。」這話確實值得警惕，事實上目前不僅眞正會寫的人少，即便懂得看字的人，亦不多見。老說：例如應受推重的人，無人欣賞，只因他作官不大。另有幾位論其造詣實在不足掛齒，却被一羣人奉若神明，這就無怪有人拼命求官，官大則無所不能矣！（未完）

食用化學醬油 可以致人於死

無營養價值含可怕毒性

（自由報本港消息）此間一家權威報紙分析食化學醬油可以致人於死，謂毒性非常嚴重。醬油是我國發明的一種最古老的調味品，現在因科學發達，化學合成的調味品泛濫市面，但醬油仍然是最重要調味品，正因如此，無論往昔或現今，各個家庭都有自家釀造醬油的可能。

釀造醬油的方法，首先以大豆、小麥來做酵母菌，倒進食鹽，密封一年，使其發酵成熟，搾其原汁，取出油分，放在爐火上熬煮殺菌後，就是醬油了，按照古有方法製成的醬油，非但對人體無任何害處，味道極好，營養價值亦極高，這也就是釀造醬油會成為我國最重要調味品的最主要原因，可是，近年來眞正的釀造的醬油已逐漸稀少，代之以利用化學方法製成的「合成醬油」，而許多為害人體的問題，就出在這些化學醬油上。

為什麼醬油製造業者要競相以化學方法來製造醬油呢，究其原因，不外釀造醬油必需要有一年以上的時間，方能作成，至於合成醬油却可在二至三天的短期間製成；那一個商人不想把投在原料上的資金，早日換成現款呢？

要製造合成醬油，就必須利用大量的糖精、甘素、乳酸、葡萄糖、冰醋、安酸息香酸、半合氧安息香酸、琥珀酸等等。因為只用氨基酸，絕不會有釀造醬油一般的味道，因此必須添加此類化學品去造出類似味道，然而這些添加物，不但無任何營養價值，却具有足够為害人體的可怕毒性。

舉例來說：假定老鼠的體重為一公斤，其致死量，糖精為十七・五公分，甘素為一・八公分，安息香酸為五公分，由此已不難窺知此類添加物所具有毒性的嚴重，進而能明瞭，合成醬油確實是一種有害的調味品。

更可怕的是，還會被使用於已經有大量食品添加物的食品加工用，因此，其為害人體毒性更加劇烈了。

此類醬油的價格，大致都在一流廠商的釀造醬油價的二分之一以下，也正因此，食品加工業者自然不會捨棄廉價品而使用高貴的釀造醬油來加工了。當這些醬油被使用於加工食物時——不得不提高警覺的就是毒性的相乘作用了，在合成醬油中，已含有使用基準限界滿滿的添加物質，而醬菜類食品中，每公斤早已含有半氧安息香酸○・○八公分，甘素○・七公分，如此一來，添加物使用基準的界限也就成為有名無實了。

合成醬油的主要原料是氨基酸，其製造方法，必須依靠鹽酸去把大豆蛋白質以及其他蛋白質原料加熱分解，用炭酸鈉來中和，此外，尚有使用醬油粕為原料的新式一號與使用脫脂大豆為原料的新式二號，以及合併上述兩種的新式併用法的製造法，但無論那一種方法，其必須使用鹽酸來分解，這是絕無二致的。此類鹽酸，均為工業用，就含有致死量的素（　），因此日本和台灣政府均禁止把工業用鹽酸使用於化學醬油。其實，常會因誤認為百分之卅五點四的純鹽酸而被使用，或者為了降低成本而故意使用。日本三重縣津市與小口，宇部市都有過此類事件。

上述的危險化學醬油，已被推銷到世界的每一角落，尤其生活水準較低的家庭，其所使用的醬油，清一色為合成醬油，此類製造化學醬油的業者，均為中、小型家庭工廠，其管束與指導，以及檢查之困難，也就不在話下了。

總之，「貧賤買壞貨，結果白扔錢」，我們應慎用醬油。

新聞網外之言

聯考計分何以三反四覆

一知

聯考計分由六百分改為一千分，由一千分改為一千零五十分的經過，本報前已報導，並稍將來是否再變更，要看事實演變。今果不幸而言中，又改為以六百分計算了。

為什麼這樣前後不一致呢？聽說一千分算法，不僅教三民主義者反對，連省議會、立法院及國大代表會亦有些人在反對。故改為一千五分計算後，他們仍然表示不滿，尤其以英文與數學各以二分計算為最。等到教育部將改為一千零五十分之計算方法之後，各方反對之函件送到決策機構將近千封之多，內中省議會之函件似乎更為有力。因此決策機構不能不再加討論，結果是為了避免糾紛起見，仍決定照往年例規定為以百分計算。不知內情者總問為什麼這樣三反四覆呢？其實教育部與決策機構皆有不得已之苦衷。

劉半農記賽金花

我們在京就住在李鐵拐斜街的鴻陞店內——這時如韓家潭、陝西巷、豬毛胡同、百順胡同、石頭胡同等地方，住的差不多全是妓女像姑，這一帶非常繁華。京裏在從前是沒有南班子的，還算由我開頭。

我在京裏這麼一住，工夫不久，又經諸位摯好一替吹噓，幾乎沒有不知道「賽金花」的了。每天店門前的車輛，總是擁擠不堪，把走的路都快塞滿了。有些官職大的老爺們，覺着這樣來去太不方便，便邀我去他們府裏，這一來，我越發忙了，夜間在家裏陪客見客，一直鬧到半夜，白天還要到各府裏去應酬，像莊王府慶王府我都是常去的，尤其是莊王府，只有我一個人能去，旁的妓女皆不許進入。

「賽二爺」的稱呼。也是從這時纔有的。因為楊立山給我介紹了他一好友，名叫盧玉舫，人極有趣，見我幾次面，就想着同我拜把兄弟，我竭力的推辭，說不敢高攀，他偏是不允。便換了盟單，磕了頭。他行大，我行二，從此人們就都稱呼我「二爺」。

過了些時，我嫌南城一帶太髒太亂，想在內城找一所清潔寬敞的房子，就在刑部後身高碑胡同內看好了一所，便租了過來，搬去還有一個月，房東要賣房，我因裝置修飾化了不少錢，捨不得搬走，便打算買了它。同房東豁了豁價錢，講妥二千五百兩銀子，才要寫契撥欵。趕上官廳禁止口袋底（註）的曲班。內城不許立樂戶了那些被驅逐的姑娘們就有躲藏在我這裏的。房東一見恐怕受什麼牽連發了慌，房也不租也不賣了，只催促着我趕緊搬家，天天來同我吵鬧，我一生氣，覺得還是天津好，就又回了天津。

後來又到京一次，看情形還是不很好，便又返回。這時已是光緒二十六年了。

這時班子裏姑娘們出趟門都很難，雖然京津間已通火車，可是沿途上「混混」（即土棍地痞）過多，馬家堡（距永定門數里，京奉鐵路行抵北京的車站，那時即在此。）的混混尤甚厲害，常常發生搶劫姑娘的事。我此次來，還是同蔭午樓一塊兒搭的頭等車，為的仗着他些保護；

（註）口袋底，西城一胡同也，附近尚有許多胡同，如月牙胡同核桃臘胡同等。光緒己庚間，這一帶成立了一種曲班，裏面都是姑娘們唱曲，賣茶，猶如今之落子館，以後逐漸增多，其中遂有暗操賣淫業者。時瑞王弟載瀾任步軍統領，斷而禁之。

因最初之一曲班即設於口袋底故去聆曲者，皆曰逛口袋底，禁禁止，亦皆曰禁止口袋底。

文淵樓副刊

限制轉系的流弊

・文園樓主・

周公言教授談到限制轉系的流弊，大有城門失火殃及池魚，黃狗偷吃黑狗挨打之感，特予誌之：

怪事年年有，惟有近年多！先有研究教授案掀起「風波」，繼有聯考計分法造成「困擾」，最近又有「轉系新規定」導致麻煩。眞是前波未平，後波又起，教育界可謂多事矣。

人人都會說「婚姻是終身大事」，如今我却說：「選系和轉系是大專學生的終身大事。」

婚姻固可說是終身大事，但不一定包括整個學業、德業和事業。選系和轉系則可包括整個學業、德業和事業（立言立德立功都有關係）；甚至於影響戀愛情與結婚。

「聯考」塡志願本有四個原則可循：（1）性之所近，（2）才之所長，（3）家長之所願，（4）社會之所需。但現在大專應考生塡志願，尤其是學校代辦者，「多選廟不選和尙」，即重校不重系。把上列四個原則，尤其是前兩個，置諸腦後，故一進校門，即不免後悔；惟一希望，在於有機會轉系。

以往各大專多規定：（1）每人可申請轉系一次，（2）由甲系轉入乙系要取得兩系主任許可，（3）各系在二或三年級規定少許名額（如入學名額為五十名，可增至十七名左右），准他系學生轉入，並規定申請轉系之最低分數（如英文或國文八十分，總成績七十五分等），（4）有些學校還可降級轉院或轉系（熱門系），當然還要經過審查。

上項辦法，行之已久，學生方面，可以補救初塡志願之錯誤，滿足個人「興之所近與才之所長」。學校方面亦可稍舒青年抑鬱，穩定學生情緒。一舉兩得，本是利多而弊少。

不料近年來，因「聯考」競爭激烈，有錢有勢者，前門擋駕鑽後門，正路不走走邪路，利用種種關係，收買教育部主辦與學校主管，或偽造學籍，或備價轉校與轉系，賄賂公行，臭聲四溢，使純潔的教育界，為之黯然失色，面目無光。

嚴亥經人告發，政府始予查究。事後，教育部乃重新規定限制轉系（經部務會議議決），以後各大專學生轉系，以各系初招生之名額為限（包括教育部分發生在內）。舉例來說，如台大機械系初規定招生名額為五十名，要等到有三名（或五名）申請轉入電機系（或他系），經核准之後，始可准許土木系（或他系）轉入三名或五名，土木系（或他系）亦然。如果今年機械系無人轉出，則不准他系轉入；機械系不准轉入，土木系（或他系）學生就無法轉入機械系，他系即無法轉入土木系了……你關門我亦關門，重門深鎖，「校園夜沉沉，系際冷清清」，令有志轉系者，望「系」興嘆，無「門」可入。扼殺轉系願望，刺激青年情緒，莫此為甚！毋怪乎此訊一出，不僅各大專學生情緒不安，即各大專註冊主管，系主任，教務長，甚至校長，亦表示驚疑或發表異論（四月二十四日政大學生新聞報曾派記者探訪台大，師大，政大有關教務主管，都表示不滿。）

最令人不滿者是，少數學校轉系作弊，多數學校遭殃。不僅如諺語所云：「城門失火，殃及池魚。」而且是少數城門失小火，全城池魚遭大殃。

又聞以往作弊轉系者均已核准，即政府已網開「四」面。今後限制所有學校轉系，似乎是在封鎖「四門」。這可說「城門失小火」已獲補救，「池魚遭大殃」，無人同情。「黃狗偷吃，黑狗挨打」，不免冤枉！

更聞教部「轉系新規定」公布之後，私立學校還有獲得百分之二十的轉系機會，惟公立學校則「寸步難移」，果如是，則不僅是「因噎廢食」，而且是「因甲噎」而「廢乙食」；不僅是「因甲噎」而「廢乙食」，而且是「甲已噎」可再食（百分之二十）、「乙未噎」不准再食，天下不平之事，孰有愈于此者。

研究教授案已經停辦，聯考計分法已復舊觀，語云：「過則勿彈改。」希望教育行政主管，「知遠之近，知風之自」，望風轉舵，當機立斷，或用「暫緩實施」名義，或用「復議」方式，將此「轉系新規定」予以打銷，或重新規定各系轉入學生不得超過招生名額百分之二十，如此，則「聯考」選系之錯誤可以獲得改善，不平之憤慨可以適時消除。並望以後不要遷怒，不要因噎廢食，凡有關教務事件，毋妨事先召集各大專主管商量商量。

中西心理的不同（五）

・張起鈞・

兄弟無故，」所謂「飯蔬食飲水，曲肱而枕之樂亦在其中矣」就正是代表中國人的這種人生觀念。尤其愈有修養的人，便愈注意到內心方面。他們不是講求心安理得，仰不愧天俯不怍人（思想偏於儒家的）；便是講求寧靜恬怡，自在逍遙（思想偏於道家的）；而與近代西洋人講求滿足物慾，甚至尋求刺激的人生，實是南轅北轍大不相同了。

（寅）政治的目的不同

政治是人生的延續（政治的本質就在實現人生），人生的觀念既不相同，政治的觀念也自然大不相同了。維新以來我們不論在研究西洋政治學的原理或是變法西化的時候，總都覺得格格不入難以融通，其癥結便在西洋的政治與中國的傳統政治，性質原不相同。這種不同的地方，實在不是三言兩語所能說完，現在只能簡單的指明一點，便是中西雙方在政治上的目的便根本不同。西洋人的人生大體是側重在滿足物慾的，因此其在政治上的目的，也就是要來滿足大家的物質慾望的，近代西洋政治大別不外兩個路綫，一個是集體主義，一個是個人主義或自由主義。我們若細一察其內容則所謂集體主義，不過是來替大家集體的滿足物慾，所謂個人主義或自由主義，不過是使大家順利的自行去謀求滿足物慾。近一世紀以來，雖有人標榜社會主義，究實質也不過是在把物質慾望，使大家平均的來滿足而已。總之在西洋人的觀念「滿足人們的物質慾望」，實是政治天經地義最為重要的任務。我們試舉近事為例，美國羅斯福總統四大自由中的「無虞匱乏之自由」和杜魯門總統的「第四點計劃」，這不僅是博得國際間一致贊譽的響亮口號，簡單可說是近代的「王者之音」。但其內容，不就是在謀大家的物慾滿足麼？而其所以獨把這點標揭出來當作奮鬥的理想，不也正是說明在他的觀念中「滿足物慾」，就是政治目的之所在麼？但在中國人的傳統觀念便大不相同了，政治的目的是甚麼，大學中明明白白的告訴我們「大學之道，在明明德，在親民，在止於至善」，這不僅僅是典籍中的一句空話，而確實是大家普遍遵奉的原則，凡是受過良好教育的人，其政治抱負全都是往這個方向努力的。我們試看大詩人杜甫述其政懷抱，便要說：「致君堯舜上，再使風俗淳」，他對人民的期望並不在充實物質享受提高生活水準，而却在使其風俗淳，這與西洋政治家的目的實在是大不相同了。自然中國人也並非不講求物質生活，孔子也曾說要「富之」，孟子更是屢次提出衣帛食肉，不飢不寒的主張。但是我們若進一層去分析時，「富之」實是「教之」的階梯。衣帛食肉不飢不寒正是王道的開始。其眞正的目的實不在這物質享受的本身。孔子「足食足兵民信之矣」的一段話，對這種關係的輕重本末說得最淸楚。一個國家自然要足食足兵，但若至不得已時不僅「兵」要去，就是生死繫之的「食」都要去，而「信」却不能去。他說：「自古皆有死，民無信不立」，這種對道德精神的強烈主張便充分說明了中國人對政治的觀念與西洋人是大大不同的。

（卯）道德的標準不同

中西雙方對道德問題的看法也同樣是有距離的。大體說來西洋人判斷道德的標準，側重在行為的功效方面；一件事是否合乎道德，要看他是否有益社會人羣；而中國人的看法則側重在一種「善」的精神之發揚，例如通常所說的發揚正氣是。這一個差別，使中西雙方對道德的看法，發生很重要的不同。西洋人由於側重客觀的功效，所以只知道講「成功」，中國人由於側重在善的精神之發揚，所以除了「成功」之外還要講「成仁」。成仁是甚麼？為甚麼要成仁？在西洋人看來實在是一樁很難理解的事，我們的努力已經無補於事了，再去努力都已是多餘，為甚麼還要再去饒一條命？饒了一條命後又有甚麼好處？這是西洋人百思不得其解的。殊不知中國人所以不惜要殺身成仁，乃是要保持這股「善」的精神貫澈到底，絕不向任何惡勢力屈服或妥協。在自己的力量還能起作用時，自然要努力以求成功；在自己的力量完全失去作用時便以身相殉，這完全是一個為善而奮鬥的意志問題。自身雖毀滅了，自身所秉持的精神正氣，却因此而彰顯活躍於世間；其價值之偉大，意義之高尚，豈是當前小小的功效所能比擬？而其所以為中國重視，不為西洋注意者，就由於中西雙方對道德的着重點不同了。我們再以實例來說明。譬如同是作俘虜，而中西的評價是不同的；西洋人認為在彈盡糧絕，不能再作有效抵抗時，則束手就縛乃是當然的事，並不以為恥；二次大戰後美國對於非作戰投降的將士，尚要歡迎慰問，便是一個良好的說明。但在中國人，則對這些投降的人是看不起的。

（未完）

孝道的宏揚與光大（九）

・李宗黃・

這種以「孝」來行政治的方法，孝經上也曾說過：

「天地之性，人為貴，人之行莫大於孝，孝莫大於嚴父，嚴父莫大於配天——故親生之膝下，以養父母日嚴。聖人因嚴以致敬，因親以致愛。聖人之教，不肅而成，其政不嚴而治，其所因者本也」。（見聖治章第九）

「教民親愛，莫善於孝，教民禮順，莫善於悌，移風易俗，莫善於樂，安上治民，莫善於禮。禮者敬而已矣，故敬其父，則子悅，敬其兄，則弟悅，敬其君，則臣悅，敬一人，而千萬人悅，所敬者寡，所悅者衆，此之謂要道也」。（見廣要道章第十二）

以上言孝之功用，能平治天下，係從理論上之立論，今更從事實上，一述以孝治天下之史跡。

（未完）

話說朱元璋（四）

雁謀

這一時代的情形，有些像秦末，隋末的時代，大多數都是平民起義，沒有地方官吏。因為地方，中央大員都是元人，漢官都是無權的副手。所以有很多自稱「王」，作「帥」的人物的名字，土俗出奇。朱元璋更不用說，是平民中的貧民了。他對於濠以及當時的各路諸王，感想很大，這些王字號人物對朱元璋的啓發也大。他知道在這個羣雄競爭的局勢，最大的資本是軍隊。因此請准回到他的故鄉去募兵，豎起招兵的大旗。許多兒時老伴都來了，尤其是得到徐達、湯和、鄧愈、費聚等輔弼，是後來替他打天下的人物。十天功夫，募到七百人回來。郭子興派他當了鎮撫。從此便有了一枝自己的小隊伍，這是元至正十三年六月的事。

一年以後，元璋升了總管，後來南攻定遠，降服了驢牌寨民三千人；又把據守澗山的元將趕走，收降了民兵男女七萬人，從中挑了二萬精壯，編成一軍，由徐達、湯和等親信部將統領訓練。此時定遠名士兼豪傑馮國用、馮國勝兄弟率領了軍隊來投順。原來馮氏兄弟，結合鄉中士紳，結砦自保，聽說朱元璋的軍隊紀律嚴明，因此來投效。由於馮氏兄弟是書香門第，朱元璋不恥下問，問馮氏兄弟「怎樣才能成大事」？馮國用告訴他說：「金陵的形勢極盛，往昔曾已建都，應該先得金陵作為根據，然後再向四面發展。此外多行仁義，不貪女色、錢財，以取得百姓的支持。這樣做何愁天下不平，大事不成呢？」朱元璋覺得他的話非常正確，便委馮氏兄弟為參謀。留在身邊議事。把馮家軍編為正規軍，一同攻打徐州。

在進軍中，有定遠人李善長到軍中求見。這李善長是一個飽學之士，年約四十來歲。朱元璋也久聞令名。心想，要成大事，正需要這樣的學人來幫助。於是邀他入幕充當紀室，李善長欣為樂為之用。

朱元璋求教心切，他用極其含蓄的語氣，問李善長：「如今四方大亂，羣雄並起，征戰連年不休，不知道要打到什麼時候，才能夠太平啊！」

李善長自幼博學多聞，精通刑名法術，具有濟國濟民之才，又是一個儒者。知道朱元璋所問，於是為他剖陳大局說：「秦末天下大亂，羣雄並起。漢高祖以一介布民，起兵於沛（今江蘇沛縣以東）。因其寬洪大度，羅致英才，知人善任，不濫殺戮。五年之間，統一天下，克成帝業。今元政失修，天下土崩瓦解。我公籍隸濠州，與沛相距不遠，山川王氣，正在淮上。我們何不效法漢高之行為氣魄，何愁大事不濟？」

巨變歷險記！

與緬總理晤談（二一六）

胡慶蓉

丁博士被押解到仰光的時候，正是中國游擊隊如日中天的時候，受台灣國民政府的寵愛，有如掌上明珠，可以對美國驕傲，也可以對世界驕傲，一時猛撤不嘗國民政府的陪都，李彌接受丁博士的開展政策，團結東南亞所有的反共力量，從事建立大西南反共基地，向扭轉大局邁進。國民政府在大力的幫助他，美國也在大力的幫助他。緬甸雖然是第一個承認中共政權，但緬甸並不一定是親共，更沒有一面倒的意思，他對於美國，對於美國的與國，對於台灣，對於中國游擊隊，所謂國民黨軍，也一樣的買賬，想從美國方面取得幫助，任中國游擊部隊怎樣的做，他都在採取容忍政策。

當丁博士被押解到仰光以後，緬甸政府給丁博士的自由更大。據傳聞國民政府外交部長葉公超先生曾屢次的轉托美國駐華大使藍欽，藍欽大使又轉呈美國國務院，美國國務院又飭令仰光的美國駐緬大使同緬甸政府交涉釋放丁博士，事實上，丁博士在仰光的階段，曾不斷的跑美國的大使館。緬甸政府總不願丁博士離開仰光，還在他看來，將對緬甸不利。故所以還是扣着丁博士不放。在丁博士在仰光的期間，宇汝總理曾不斷的提丁博士去談話。宇汝是虔誠的佛教徒，仰光大學畢業，從事政治活動之前，是在學校裏教書。緬甸的革命元勳，也就是緬甸的國父，翁山先生。翁山派他出席英倫的獨立會議，作爲緬甸代表團的團長。宇汝一鳴驚人，一舉成名。緬甸獨立，翁山被殺，宇汝又一躍升到緬甸政府國務總理，而爲緬甸一代唯一最大的紅人。他持的主義是大緬甸主義大國家主義，把過去英國統治下的緬甸單邦，吉倫，蒙……，盡納諸緬甸之內，他的國民聯盟也就等於各族大結合共同建立一個大的緬甸。這是單族所反對的，也是吉倫族所反對的，推而至於蒙也無不在反對。但不管單，吉，……如何的反對，他還是大力在進行，對於今天佔據單邦的中國游擊隊，緬總理無疑問的視爲眼中釘，是他統一緬甸建立大緬甸的障礙。

宇汝一副書生派頭，對人溫文爾雅，談來頭頭是道，他當然百變不離其宗的希望緬甸能夠眞正的獨立不受外軍的干擾。在中國游擊隊則認爲緬甸與單邦與吉倫與蒙在英國統治時代係處於同一的地位，他有自由同單邦同吉倫同蒙聯合共謀東南亞反共力量的大團結。這是不能談的。這談起來會傷緬甸的感情。對於我游擊隊撤出緬甸，丁博士始終不答應。但在宇汝面前，並不是這樣的斬釘斷鐵，他還是虛與委蛇，待機辦理。中國游擊隊以反攻大陸爲目標，幾時能進入大陸，能在大陸生根，在緬甸的，不談撤也就自然撤了。現在是沒地方撤的，只有請緬甸諒解。緬甸現處於無可如何之境，因爲打敗了仗，對於中國游擊隊能有什麼辦法？

但緬甸人是非常狡猾的，此路不通，他還有別路，走聯合國的路綫，在剛一同緬甸接觸的時候，丁博士就有了這個感覺。此所謂借刀殺人法。這緬甸人最見長。在同丁博士的晤談中，丁博士更深深的感覺。緬甸如何運用聯合國以達到撤軍的目的，這是後話。緬總理再三的希望我們能同他直接的解決。此所謂解決，也意味着我游擊隊的撤退。這，丁博士，極力的避免。要建立大西南反攻基地，我游擊部隊如何的能撤，撤還是不撤。與緬總理雖客氣儘管客氣，撤還是不撤。與緬總理雖多次晤談，仍然沒有什麼具體的結果。最好也就是沒有結果。

評介丁著：「眞理與事實」

·郭垣·

經濟史家大都主張，近代工業革命，始於公元一七七六年，彼時在中國正是清朝乾隆皇帝登極四十年左右中國社會在當時還是純農業社會。由政府倡辦的新式工業，乃在一八四二年鴉片戰爭以後，私人之興辦企業更晚。所以，人家由於經濟發展，都富國強兵了，而我國還是在長期經濟停滯的階段裏，不僅民生貧困，國勢更弱，所以，多次國際戰爭，如鴉片中英之戰，甲午中日之戰以及八國聯軍之戰，我們都吃了敗仗。國勢不振，原因當然很多，但我以爲：我們以往作官的太多，創辦實業的太少，實爲基本之一因。因而我拜讀丁熊照先生的「眞理與事實」一書，倍增感喟。假如在兩個世紀以前，中國多出幾位像丁熊照先生這樣的企業家，中國社會經濟必將有所改觀。

丁熊照先生是位企業家，這本偉作：「眞理與事實」，因而標個副題：一位香港工業家的回憶錄，本年一月在香港出版。讀了丁先生的回憶錄，我們發現這位工業家，實具有以下精神：

一、創業精神：他認爲祇有興辦實業，才能富國裕民，他在距今四十多年前，在上海創辦製造大無長牌電池的匯明廠，又陸續開設電筒廠，炭精廠和燈泡，大陸陷匪後，他還港經營塑膠工業，設置開達公司，不怕失敗，不怕艱辛，全心全力灌注事業的經營。這種創業精神正是今日世界各著名企業家成功的原動力。

二、苦幹精神：丁先生在回憶錄裏敘述他自己是貧苦出身，因爲家貧，遲到九歲，才到私塾讀書，十五歲去上海作學徒，以後作小職員，推銷員，後來創辦匯明電池廠，起初祇有八個工人，資本祇有一千多元，然而就憑個人苦幹精神，不斷努力，忠誠勤謹，甚至小學畢業文憑也沒有的丁先生，終於創業有成。

三、愛國精神：丁先生是位國家民族意識極爲強烈的工業家，在本書中：「八年抗戰在上海」一章裏，曾敘述他在抗戰期中對日鬥爭的苦況，將若干工廠器材疏遷至渝的情況以及慰勞前綫戰士種種事實，後來被日軍逮捕，八一四日人投降前夕，才被釋放出來。

四、反共精神：「眞理與事實」一書中，幾乎有三分之一的篇幅，揭露中共政權的暴行。自中共佔據中國大陸後，他喪失九成以上財產，被迫遷港，完全粉碎了他以往對中共的想法。他曾慨歎說：在中國大陸，自從中共政權建立後，七億中國人過着毫無自由的生活，傳統文化道德觀念，全被推翻。這種瘋狂行徑與想法，眞使人懷疑世界上究竟還有沒有是非」。丁先生的遭遇，現身說法，可以使讀本書的人對中共暴行，更多深一層的瞭解。

至於丁先生不斷改良產品，研究發展的創新精神，更符合現代市場營運的哲學，而他成就以後，在故鄉興辦學校，帮助鄉人，管理工廠，調整工人待遇，注重職工福利，救濟陷在大陸上的舊屬職工等等行爲，代表中國忠厚待人的傳統美德。

本書雖非學術著作，但其內容，却多啓示之處，對於企業界人士更具楷模作用，所以是一本値得閱讀的好書。（完）

五十六種砂鍋烹飪

馬鵬雲

十二、砂鍋鰍魚

泥鰍的生命力甚强，與蛇、魚、甲魚相伯仲，照組織療法的原理，與鰻魚有異曲同工之功，但泥鰍爲民間不上品的菜，工業社會產品講國際規格，假定處家常過日子做菜也定出規格的話，泥鰍應列爲不合規格的一種。

湖南有幾家合乎規格的大館子裏，有干炸泥鰍，和豆腐釀泥鰍，且成爲當地名菜，干炸泥鰍是先將泥鰍養在水裏幾天，使肚子髒物完全吐沒有了，再倒一小酒杯麻油使泥鰍肚子吐得更乾淨，然後撈出備用，以一斤泥鰍計算，加四兩上好醬油，二兩黃酒、一兩白糖、一塊生薑（拍碎）二條葱（拍碎）、一錢五香粉（所指五香是大茴、小茴、陳皮、草果、花椒、含研成的粉，非台灣市上的五香粉）將泥鰍浸泡兩個小時撈出，凉乾油炸，味甜鮮美，湖南乾炸泥鰍是以辣椒代糖的，做時要特別注意。

砂鍋泥鰍，即是泥鰍釀豆腐，泥鰍照上法洗淨入鍋，加薑葱黃酒鹽及一小塊陳皮，把兩塊還未凍成結冰的豆腐，與泥鰍同時入鍋，文火慢煑，泥鰍遇熱都向豆腐裏鑽，不僅豆腐鮮美逾常，泥鰍及湯都變爲乳白色，非常別緻，用砂鍋煑泥鰍，因蓋子重，毋庸再以重物壓住，另一特點聚氣，故煑出的菜特別好。

催眠療病法

鮑紹洲

企圖療病法

企圖療病法，用於患有呃逆、心跳等不甚重要的病症。施術時，預先告訴病人說：「我要對你擊掌三下。擊掌第三下的時候，你的病便隨我的掌聲而消除了」。於是暗示道：「請你注意我的第三次掌聲，有不可思議的功能。能夠治療你的疾病，注意靜聽」。遂即用力一拍掌、再拍掌、三拍掌，掌聲須响亮。如病人能感應注意，必有奇效，此法用口號者，先向病者說明，我呼口號一至五，到第五數君病即隨五字口音以同歸消滅，遂暗示道：「我發治療口號，請君注意」。言下凝集心力，以銳利之聲，徐徐呼「一、二、三、四、五」。一至四口號須延長，唯五字聲銳而音短，使病者聞聲感應，其病遂愈。

黛眉小傳

·王幻·

林以寧（二）

林以寧，字亞清，進士林綸之女，自幼博通經史，能詩善畫，且工爲駢儷之文。年及笄，姿容閑雅，參加蕉園詩社，她的才華，甚爲園主顧玉蕊所賞識，由於這種關係，便做了錢家的媳婦。她的丈夫錢肇修，字石臣，官至監察御史。他們結褵之後，風雅唱隨，夫妻間的情感頗篤。後來丈夫在京供職，不能常常回來，兩地相思，刻骨銘心。試看蕉園七子之一的柴靜儀有答林亞清詩云：

羅幃不捲坐焚香，靜對殘春欲斷腸。
憐我病餘都罷繡，知君愁裏不成妝。
牡丹着雨還如泣，柳絮隨風底事忙。
倘步池塘閒遣興，莫因幽恨打鴛鴦。

所謂「知君愁裏不成妝」，所謂「莫因幽恨打鴛鴦」，併起來看，便可知道她的所愁所恨了。她自己也有抒寫相思之作，如「獨夜吟」云：

蕉心未展桐花老，春社纔臨燕聲小。
屋角陰雲凍天色，兩脚斜侵砌草織。
暮寒壓夢夢不成，耳邊哀角鳴鳴鳴。
幽房鬼逼蘭缸凝，床頭玉蓋敲紅冰。
折桂燒雲老不死，夜鳥啼殺曉烏起。
獨繭抽絲結繡襦，儂心未卜郎心似。
開簾蠟樹烟依微，海燕賓鴻相背飛。
孤吟起坐各無賴，昨夜隣家夫婿歸。

這首七言歌行，有些意象確爲前人所未曾說過，步步寫來，由淺而深，最後一句，竟將自己心事全盤吐了出來，點出「獨夜吟」的主題，亦即隣家的夫婿歸來了，自己的丈夫爲什麼還不歸呢？因爲隣家丈夫的回來，想到自己的丈夫，更增添空閨獨守的深濃悲悵了。

另「西冷閨詠」載有她哭陳夫人詩云：

忽驚青鸞返碧虛，瓊花摧折痛何如！
修文應是才人責，徵到嫦娥舊侍書。

她並著有「墨莊詩文集」及「鳳簫樓集」、「杭州府志」上很簡單的載着她的身世，不過如此。至於她所作的戲劇「芙蓉峽」，現在已失傳了，內容和曲文都不得而知，所留下的僅有「芙蓉峽」這個劇名，如同有名無實的「衣冠」空塚，供後人憑弔而已。（完）

第二十二章　張德遠督師江上　岳鵬舉招降黃左

湖中遇到任仕安，不過數千人，便擁上前圍住任仕安水師，併力猛攻。仕安恐後退被斬，也拼命死戰。正酣鬥之間，東西兩面，俱有岳家軍殺到，賊舟大亂。任仕安乘機出與援軍會合大戰，賊兵不支大敗。擊沉賊舟數艘，俘賊於水中數百。

任仕安回營報功，岳飛聞捷，擬親搗賊穴，復張奉竣手書，內云：「奉旨防秋，即日入覲。洞庭事且待來年再議。」岳飛覽畢，忙馳見張竣，開口便道：「都督且待八日，決可破賊。」張竣微笑道：「洞庭天險，恐怕無此容易」。岳飛從袖中取出小圖，指示張竣道：「此是黃左獻來洞庭全圖及楊么平時守禦，詳列無遺，按圖進攻，不出十日，可掃蕩賊穴了」。張竣尙以水戰爲難。岳飛答道：「王四廂（即王燮）用王師以攻水寇，所以難勝；飛以水寇攻水寇，自轉難爲易。因用敵將敵兵，已翦敵之手足，離他心腹，然後用王師搗入，一鼓可平，八日之內，當擒賊首獻於帳下」。張竣半响方道：「我權留八日，八日之後，恕不相待了」。岳飛應諾而出，遂督師赴鼎州。不知八日可否平定洞庭，且待下章分曉。

第二十三章　岳飛赴日擒楊么　武穆襄陽當重任

岳飛回營之後，適黃左從寨中引了楊欽來見。岳飛大喜道：「楊欽素稱驍勇，今亦前來歸順，大事可成。快引他進帳。」黃左領命召入楊欽，楊欽進帳拜倒道：「欽慕元帥盛名，久思投順，因族兄（楊么）倡逆，恐罪及同族，未蒙相容，所以不敢徑投麾下。今武功大夫黃左盛稱元帥厚德，不究既往，用特登門請罪，尙允元帥寬恕」！岳飛親自下座將楊欽扶起道：「自首免罪，朝廷已頒明令。汝等能棄暗投誠，不甘從逆，理應赦免前愆。本使尙須特加保舉汝爲武義大夫，汝可再歸湖中，招撫同儕來歸，按功行賞。」楊欽大喜，欣然拜辭而去。

過了兩天，楊欽引了余端、劉[illegible]來降。岳飛以爲此次來降，定有功償。見了岳飛，報告降情。那知岳飛大怒，厲聲道：「本使要你盡招賊首來降，爲何只招二人便來見我？顯見投降是詐。左右與我推出重杖五十！」楊欽不知究竟，莫明其妙，痛挨五十大杖。岳飛乃派兵百人，押楊欽入湖，令他再去招降。楊欽暗暗思忖，人謂岳飛善於用兵知人善任。

（一一四）

周燕謀

（第一一六四期）
（半週刊每星期三、六出版）
每份港幣壹角．台灣零售價新台幣弍元
社長李運鵬．督印黃行審
社址：香港九龍彌敦道593—601號
廖創興銀行大厦八樓五座
LIU CHONG HING BUILDING
7th FLOOR FLAT '5
593—601 NATHAN ROAD,
KOWLOON, H.K.
TEL：K303831
電報掛號：7191
承印：景星印刷公司
地址：霎成街廿九號地下
台灣區業務管理中心：台北重慶南路
一段一二九號
電話：二四五七四
台灣區直接訂戶　台灣劃撥戶
第五〇五六號張萬有（自由報會計室）
台灣分社：台北市西寧南路110號二樓
電話：三三〇三四六、台郵劃撥戶九二五二號

本報專論

談當前教育問題——謹致羅雲平部長（下）

師範大學夜間部主任　侯璠

教育爲立國之本，「本固邦寧」，古有明訓，可知國家隆替，與教育興衰，有密切關係，而教育之得失，則賴於教育主管者是否得人。「人存政舉」，此之謂也。故主政者之理想與才能，實爲發展事業之重要因素。欣見羅雲平先生主政教育，慶幸得人，羅先生從事教育有年，成績卓著，對高等教育，尤爲瞭解，今後我國教育之進展，自不待言，茲羅部長視事之初，願進數言，以盡匹夫之義，今日我國應興應革之舉，仍屬多端，諸如推行復興文化，發展科學教育，提高行政效率，改善教師待遇，採擇實施第五次全國教育會議之議案，輔導留學生加强愛國言行，國際教育組織之聯繫，世界文化之交流，凡此種種，百端待理，想羅部長，將能逐步施行，無須費辭，但願强調一點，作部長之參考，即「改變行政作風」，變「管制」爲「協助」。

教育部管理學校，是有其責任，規定辦法，執行監督，均未可厚非，但「管理」應「管」得合情合理，方能爲學校人員「心悅誠服」。若一以「命令」行之，即使學校人員「逆來順受」，心有未甘，結果形成「天怒人怨」或「怒而不言」，使工作不得順利進行，實爲教育上之一大損失。茲以師大夜間部爲例，說明一二，夜間部經費，教部原定爲「自給自足」，其意即爲經費餘絀，均由自行負責，政府並不收補。以往若干年來，收費後，會同校本部會計室編定預算，經校長核定後，送會計室執行。人事方面，在經費許可範圍內，酌予兼辦夜間部工作人員之適當津貼，十餘年來，一切尚稱順利。不料於兩年前，忽接教部一紙「命令」，將所收入之學雜費納入中央預算，以示「管理」，因而使前令所定之「自給自足」辦法，消滅於無形。納入正式預算之意，即爲如有餘欵，即行繳庫，如過短絀，自行負責。教育部旣認爲將經費有納入中央預算之必要，就應該將工作人員亦列入校內正式編制，然後使工作人員分別辦理日夜間工作，如此則事權劃分，待遇統一，究爲一勞永逸之舉。而教育部不此之圖，忽爾片面「管制」，誠非良策。更有令人難解者，又於去年（五九）教育部驟然下了一道「似是而非」的「命令」，正在夜間部增系增班之際，將工作人員減少約四分之一，並將每日間工作人員之津貼，由一千二百之譜（主任一千六百之譜），減少至六七百元（主任減至八百元，每日工作），這種「管制」，徒增學校之困擾。其他不合理之規定，如受課四小時科目，限制收一小時費用，公立學校之實驗材料費，每人收費四百元至六百元，而限制夜間部僅收六十元至一百六十元，夜間部畢業生爲合格之中學教師，而教育部今年停止介聘，諸如類似之「管制」，焉能使人「心悅誠服」？學校向教育部申復者，必有其困難，教育部應針對困難，「協助」解決。然事實上，學校屢經申復而教育部則屢以批示「遵照前會辦理」。今寄望於新部長者，「改變行政作風」，體察實情，予以適當之「協助」，解決學校之困難問題，則不獨師大夜間部幸甚，亦一我國教育之幸甚也！

（四）長科會成立以來，固有少許成績，自改爲國科會以後，會因設置研究教授案，引起軒然大波，現雖奉令停辦，然國科會與教部工作似未劃分清楚。本來教授生活補助與增加津貼一類事情，應歸教部負責，今國科會越俎代庖，以研究補助名作教授生活費補助，造成教授待遇不平等，而且得之者感激國科會，未得者怨恨教育部，此種不合理現象，亟應予以改善。顧名思義，國科會應全力作科學發展工作，教授研究補助費應移歸教育部作公平合理之分配，或增加預算，讓教授全部申請，或將此項補助費移作研究費，平均增發。

以上四點，不過一時想及，是否有當，尚祈斟酌採納施行，餘容他日有暇再續。

自由談

美國的反戰運動

近月來，美國人的反戰運動層見迭出，氣氛熱烈，得未曾有。人們爲爭取和平安樂生活而表示厭惡戰爭，殆係常情，因厭戰而採取遊行示威行動，在民主社會中，亦屬無可厚非的事。

但近來美國的反戰運動却別有用心，在每次遊行示威行列中，皆有人揹着越共旗幟，招遙過市，甚至於將越共旗幟插在國防部長賴德的住宅大門上。這就不是普通的厭戰心理表現，而係替越共服務的反對美軍在越南征伐越共，換言之，即爲代表越共在美國從事顛覆活動，是不折不扣的賣國行爲。若在一般反共非共的自由國家，那些爲首倡亂之徒，殺頭都有份啦！

可是，美國人民的自由權廣漠無垠，政府對示威羣衆除了飭令軍警驅散外，不能作其他制裁。這證明個人自由主義之無限制發揮，對國家社會都是害多於利，不足爲訓的。所謂民主自由生活的眞詮就是這樣的，那決非人類之福，然美國情形確係如此，前途豈不十分危險乎？

美國富强甲於全球，產物浩穰，科技發達，不愧爲自由人類的領導者。然其國內民衆以及一般政治人物的思想言行，乃幼稚淺陋得出奇，竟不惜爲共黨作倀而肆無忌憚，這不是自由人類的噩耗嗎？

俄共頭目赫魯歇夫當年訪華府時，曾聲言要埋葬美國，而美國的智識份子却無人加以駁斥其謬妄，祇見他們對於自由國家，說這個不民主，說那個是獨裁，且在暗中製造友邦的政潮，唯恐反共非共的政府不崩潰。時至今日，美國上上下下的人士，似乎皆在有意無意之中，替共產主義者執行世界革命的顛覆任務，而自以爲開明進步？人類最大的悲哀就是無知，說美國人士無知，他們決不承認，且必反唇相稽，說對方纔是無知，要想把美國拖下世界大戰的漩渦中，最後只好靜候共產主義者來埋葬而已，奈之何哉！

馬五先生

昨日與明日

所謂「民意測驗」

我最不相信「民意測驗」這玩藝，尤其是美國的甚末甚末民意測驗所的結論報告，最無價值。

譬如對於美總統尼克遜的民意測驗表示，時而說聲望甚高，時而說聲望大爲低落了，而其所指述的升降原因，盡係皮相觀察之談。當尼氏下令駐越南的美軍進攻寮國境內「胡志明小徑」時，說明是在減少美軍撤退時的威脅，輿論未表示反對，於是，民意測驗就說尼克遜的聲望已上升了百分之幾點幾。等到國內反戰示威運動發生後，即說尼氏的聲望又降低了百分之幾點幾。這完全是沒有確切根據的瞎話三千，不值一哂也。

眞正的民意安在

一般人認爲普通選舉不失爲眞正的民意表現，實際亦不可靠。一則選舉事宜必有政黨從中運用，藉各種手段以朦蔽、欺騙民衆，甚至包辦選舉手續，黨同伐異。二則老百姓們對政治多不感興趣，即或沒有外來的干擾，讓他們自由投票，然他們亦非基於選賢與能的心理和知識而行事的，全憑個人的感情好惡，隨便投下一票罷了。

所以，搞選舉就一定要花大錢，越是講求民主憲政的國家，在選舉上越就要浪費金錢，美國便是很好的例證。然一般眞正有才幹、有學識的士大夫，又多屬貧寒出身者，缺乏競選的大量金錢，當然望而却步，不敢問津。結果所謂民意代表，幷非代表多數的民意，亦談不上選賢與能的話，這是無可否認的事實。

邱吉爾說過：現代的民主制度，可說是最壞的一種制度，但在沒有更好的制度可資代替以前，只好使用它。慨乎言之，發人深省。

只有玩弄的民意

美總統尼克遜認爲「沉默的大多數人」，纔是眞正的民意所在。可是，這沉默的大多數人，都忙於生計，無暇、亦無興趣過問政治，他們的意志即沒法作集中的表現，祇有讓那些喧譁的少數人，玩弄民意，鬧事生非。試看美國最近號稱爲幾十萬人的反戰示威遊行情況，除却許多嬉痞份子外，還有揹着越共旗幟的一羣人，叫囂㸌突，莫名其妙，這能說是美國的眞正民意表示嗎？

民意民意，天下許多罪惡，皆假汝之名義以行，可慨也夫！

何如

郭垣

輔仁大學經濟學教授

羅雲平博士被政府任命爲教育部長，各方深慶得人，對羅部長今後教育大計和措施，都懷有無限的期待。自由報李社長運鵬兄請我就教育問題發表意見，以便提請新任羅部長參孜。謹以請正視私立學校問題爲題，畧述所見：

發展私立學校，是具有多方面利益的：第一、教育本身就是一種投資。爲國家造就人才，無分公私。教育本身的投資就是爲國家造就人才，意義何等重大，私人肯這樣作，自應受到鼓勵。而且私立學校的興辦，聘用教職員，直接創造就業機會；興建校舍、採購物品，提高工商企業的銷售，也間接爲社會創造就業機會，都是產生促進經濟發展的影響。第二，減輕政府教育的負担。在當今政府財政支出中，教育經費佔很大比例。私立學校增加多一班，公立學校就可減少一班的教育負担；民間多增加一校，政府就可少設一校。在政府財政並不充裕的今日，私立學校的創設和增班，對國家財政而言，實是有利的。第三，適合社會和國家的需要。由於人口的不斷增加和青年追求知識的殷切，國家以財力有限，不能大量增設學校和在原有學校中大量增班，致將無數青年關在學校大門以外，現在私立學校的設立，能解決這項問題，豈不甚好。

反過來講，限制私立學校的發展，則一、違反我國憲法獎助私人興學的規定；二、打擊優良學校，鼓勵壞的學校，使好的向壞的看齊，祇有使國家教育越辦越糟；三、造成獨佔壟斷，破壞自由競爭精神，違反時代潮流，舉目民主世界，那有摧殘私立學校的國家。自由中國的教育能夠開倒車嗎？

目前教育部若干官員對私立學校的觀察和做法，應當加以檢討，其動機何在，更值得注意。

（完）

中國政治的怪劇

天下雜論

千公

中國政治，時時刻刻在演怪劇，大家都心裏有數，誰也不講出來，眞是怪之又怪。而且，所演的怪劇，不一而足，現在祇舉一件：大官辦小事，小官辦大事。

中國政治上所謂大官，涵義廣泛，各機關首長以及院長、部次長、省府廳處長之流都屬焉，小官當祇限於辦事員、科員、股長、科長、專員之流。按理說，國家大政方針，應由大官主辦，可是，實際情形則是：凡屬政策性的公文以及有關施政方針的文件，都是由辦事員或科員擬辦，而各種章程辦法的釐訂，更是科員們的事。下屬和人民向機關的來文，也由科員們主持核辦。科員擬辦法，提意見，次於大官的則簽「擬如擬」，而大官們則照例批「如擬」了事。大官是否完全明瞭文內一切，祇有天知道。

大官們的衙門工作，說起了也並不輕閒，由於政治的風氣，表面上一切需由機關主管作主，於是大官們便爲批閱公事，簽字蓋章而忙，更爲開會應酬而忙，於是剪綵、講演、機場迎送、甚至到高爾夫球場，陪更大的官兒打球。現在玩高爾夫變爲政治上最時髦的玩意了。從前北京政府時期，官員們的活動地點是妓院，照現在的情形發展下去，高爾夫球場將成爲政治活動中心了，而麻將和高爾夫成爲政治活動手段的上三個支柱，早已成爲公開的秘密了。

由於這種科員政治的作祟，所以才鬧出教育部所訂管理私立學校辦法違反憲法、違反國策、引起九大私校負責人對教育部的控訴，其實，像這種情形，豈祇教育部一部而已。這種政治怪劇不斷扮演的結果，阻礙了政治革新的進行，不知黨、政考核以及研究發展機關曾經注意到這一問題否？

美對華政策不能一錯再錯
立委要求採取措施
促尼克森懸崖勒馬
對桌球外交事應嚴重交涉

（自由報台北消息）立法委員江一平、戰慶輝就當前我國外交上應有措施及有關我國代表權的問題，分別向行政院提出質詢。

立法委員戰慶輝認爲「我政府在外交上必須有緊急而強烈之反應，方能發聵震聾，促使領導自由世界的美國總統「懸崖勒馬」。

他以質詢建議「我政府應即爲『桌球外交』向美國總統提出嚴重交涉，同時發表『白皮書』，歷述中國大陸淪陷的內幕與後果，以警告尼克森總統，忠告美國人民。」

戰委員又指美國總統顯然正在試圖拋棄正義，向暴力低頭，甚至背棄盟友。尼克森就職時，曾手按着「聖經」宣誓，現在竟違背神的意志，向暴力招手，還是自由世界最危險的信號，我中華民國不能再沉默，再忍耐，我們要大聲疾呼的向美國總統提出警告，我們要向美國政府提出備忘錄，向美國人民發表「白皮書」，說明中國大陸淪陷的內幕與經過，痛陳韓戰、越戰都是中國大陸淪陷的惡果。美國對華政府不能一錯再錯再誤，美國將難逃被埋葬的命運，還是中華民國數十年反共產爭自由的經驗，我們必須拉「警報」，亮「紅燈」，以警告美國總統，忠告美國人民。

美國總統尼克森如不接受歷史的教訓，企圖爲競選下屆總統鋪路，爲爭取姑息份子的支持而作「政治出賣」，其後果將自誤誤國，進而誤盡天下蒼生！最不幸的是美國對外政策的矛盾，從韓戰到越戰，一方軍事剿共，一方政治助共，現在則是軍事撤退，政治投降，不知尼克森總統將何以對其在亞洲爲自由而戰死的美國子弟。中華民國人民，萬分珍重中美兩國的傳統友誼，更感謝美國對我們的援助，但也痛恨由於其對華政策錯誤，所造成的「中國人民之悲劇」。

立法委員江一平最近很少質詢，他對我國代表權的問題認爲可行使否決權，則排我納匪案自永無實現之可能。

江委員質詢指出：年來聯合國內對於我中華民國代表權之爭論，全係排我祖匪國家偷天換日之陰謀毒計，我國及各友邦未能根據聯合國憲章內有關條文，予以駁斥，浸至逐漸演變成爲代表權拉票之爭奪戰，瞻望前途，不寒而慄。差幸聯合國內任何爭議，凡違反聯合國憲章之規定，均可適時予以糾正。當事國及任何會員國對於聯合國憲章內各項規定，除依法定程序提出修正外，依法不能變更或忽視。聯合國憲章對於有關我中華民國在聯合國屹立不拔之地位，提出簡要釋明質詢。

聯合國憲章第二十三條明白規定，我「中華民國」爲五常任理事會之一之會員國。我中華民國迄今仍屹立於世界，不能因國內發生叛變，一部份國土喪失，而影響我中華民國在聯合國之地位。

全世界祇有一個中華民國，我中華民國祇有一個政府，其所派遣出席聯合國之代表，自不容任何會員國加以爭議。

凡提出排我納匪之會員國，妄圖以匪僞所謂之「中華人民共和國」，所派遣之代表，混充爲聯合國憲章內第二十三條所規定中華民國之代表，顯係偷天換日之陰謀毒計。如排我納匪之會員國，意圖排除我中華民國於聯合國之外，依法應根據聯合國憲章第六條之規定，提出我中華民國違犯聯合國憲章所載原則之事證，經安全理事會之建議，由大會依據憲章第十八條第二項之規定，以投票之會員國三分之二多數決定之。

遵循法律正當途徑
阻止共匪入聯合國
粉碎國際姑息份子陰謀
必要時我可使用否決權

如排我納匪之會員國，意圖容許匪僞所謂「中華人民共和國」進入聯合國，依法應根據聯合國憲章第四條第一項之規定，提出匪僞愛好和平，接受聯合國憲章所載義務之事證，並說明確認其能并願意履行該項義務之原由，經安全理事會之推若（憲章第四條第二項），由大會依據憲章第十八條第二項之規定，以投票會員國三分二之多數決定之。是故凡具有排我納匪性質之案件，依據憲章，均應由提案會員國分別根據憲章第六條、第四條之規定，提出必要之事證，經由安全理事會之建議及推荐。聯合國憲章第二十七條第三項又明白規定：「安全理事會全理事會對於其他事項（即程序事項）以外之事項之決議，應以九理事國之可決票包括全體常任理事國之同意票表決之。」我中華民國爲常任理事國之一，又無憲章第六章第五十二條第三項不得投票之情事，我中華民國及友邦美國在安全理事會均擁有否決權之權力，排我納匪案自永無實現之可能。

這位著名法界之委員最後表示：我國外交界不乏才智之士，具有法律專長者，亦大有人在。前開簡明法理，必早有所見。何以甘受親匪員國之擺佈，捨棄法律正當途徑，任令所謂匪僞「中華人民共和國」與我爭奪聯合國憲章內第二十三條所規定中華民國代表權，是何原因？有何困難？今後我政府能否聯絡友邦，爭取與國，共同爲維護聯合國憲章之奮鬥，澈底排除親匪會員國偷天換日之不法手段，遏止國際姑息居奇之不良風氣。事關國家重大權益，特提質詢如上云。

閒談書法

柳涯

吾友寄居信義路友人家，特舉入市區必經所見「國際學舍」榜書四大字當面請教：「此一榜書署陳誠先生下款，陳氏風雲際會，顯赫一時，其心情自屬不凡，就此四字而論，究係有書卷氣？抑有軍人氣概？」

老人思之歎說：「有人見過陳氏親筆，有其獨特風格。吾固未見陳氏眞跡但來台灣所有題字，蓋皆王壯爲代筆，乃千眞萬確的事實。」

酒酣耳熱，此老忘醉，因談王壯爲書法：「功力之深，誠不多見，以天賦所限，亦未便苛求。溥心畬先生當年教人學書畫，要先熟讀詩書，因文人書法須有書卷氣息。

陳誠先生第一次奉命組閣，就任行政院長伊始，即延攬李漁叔，王壯爲二位担任文墨應酬工作，李因本身條件優越，不久被國立師範大學延爲教授而離去，壯爲遂獨任陳副總統之代筆，風雲際會亦因之成爲三等半名人。」

（三）

將成第二個古巴的智利

·行深·

南美洲的智利是一個七十四萬一千八百平方公里面積和九百二十七萬人口的國家，礦產相當豐富，尤其銅的生產，一九六九年大約生產七十萬噸，佔智利出口貨的首位，佔收入外匯的三分之二。其次爲硝石和碘（佔世界第一位。）智利的工業總生產量在拉丁美洲中除阿根廷、巴西、墨西哥外佔第四位。

智利的農業生產的增加比人口的增加速度爲落後，在一九六八年農產品增加爲百分之一·八，而人口的增加爲百分之二·四。因此每年要進口一百幾十萬美元的糧食。

智利受了西班牙人三百年的統治，到一九一八年才獨立。到，因爲政治上的不安定，主要工業控制在外國人手裏，社會經濟不健全，財政上的困難，和人民生活的困苦，於是國內的社會黨，激進社會民主黨等在共黨煽動之下組織成人民統一陣綫，反對執政的基督民主黨。在一九七〇年九月總統選舉中人民統一陣綫的左派社會主義者阿倫德以百分之三十六的選票當選。

阿倫德是社會黨的發起人，一九〇八年七月二十六日生，十六歲中學畢業後進了智利大學醫學系。一九三一年參加學生運動。一九三三年組織了社會黨，四年以後社會黨就加入了人民統一陣綫，由人民統一陣綫推選爲國會議員。從一九三九年到一九四二年阿倫德担任過衛生部長。一九四八年做過駐委內瑞拉大使，一九五三年做參議院的副主席，一九六六年做參議院主席。

阿倫德原來就是共黨的同路人，很早就參加了世界和平委員會（共黨外圍組織），是拉丁美洲人民保衛古巴大會的發起人，大會一九六二年一月在古巴哈瓦那舉行的；并且參加了拉丁美洲團結的組織。（反美的。）一九六七年阿倫德以智利社會黨的首席代表的身份參加了蘇聯十月革命五十週年的紀念節。

阿倫德在去年十一月三日就智利總統職後，十一月十三日就宣布和古巴建交；十二月十五日和毛共在巴黎簽訂建立外交關係和北韓也在公開拉扯之中。十二月三十日宣佈銀行國有。將銅礦、鐵礦、紡織廠等都收歸國有。蘇聯認爲阿倫德的上台是給美國壟斷資本在拉丁美洲很大的打擊，在美國的後門口又放了一把火。毛共還說美國正利用巴西來監視智利。不過這裏有一個插曲；就是阿倫德的奪取政權是由和平的手段，這和毛共的暴動的槍桿子出政權的理論却巧相反。這又給蘇共打擊毛共一個理論上有力的佐證。

最近古巴的卡斯楚說：「如屬必要，數百萬古巴人民將爲保衛智利的左派政府而戰鬥。」他并拒絕和美國改善關係。（二十日合衆國際社電。）

我們在國際共黨到處囂張的今天，不希望智利再成爲拉丁美洲的第二個古巴；但是敵人的攻勢已經逐步接近了美國的身旁，我們希望美國不要再在孤立中自我陶醉。只有敢於鬥爭、最堅強、不孤立、不出賣朋友的人才是最後的勝利者！

劉半農說賽金花

拳匪猖獗

轉過年的春天，天津就有了義和團，據什麽練神拳能避鎗砲，先都說須要童年人練習會靈；後來練的却都是些遊手好閒的人和地痞，正經人誰肯練這個？漸漸就一天比一天多起來，等過了端陽節，城裏各鄉都成立壇場，差不多遍街全是他們了。他們的裝扮是紅布包頭，短衣服，腰繫紅巾子，手裏拏着一把大刀。聽說那時候刀鋪的刀都被他們買乾淨了呢。

神能附體這回事，我却不敢說是眞是假；可是會親眼見一個義和團裏的人在院中弄法，只見他作完揖口裏都嘜了幾句咒語，攀起拳來請神。一會兒神便伏伏的上了體，兩隻眼睛發直，掄刀亂耍，說也奇怪，照他自己肚上連砍了幾刀；只顯一道道的白印，一些也不會破。問他是什麽神？他道是孫悟空，隨着就打了一趟拳，有懂得的人說；打的倒眞是猴拳。

後來又有了紅燈罩，都是些年輕小姑娘，身穿紅衫紅袴，頭上挽丫髻，手持紅幡夜間提紅燈白天拿着一把紅摺扇，連扇骨子都是紅漆髹的，打扮起來也很鮮艷，只是臉上模樣不大好看，全帶幾分兇氣。她們修練是找一塊潔淨地方，幾天內便能把法術學成，據說那時候用扇一搧，就能夠飛騰天際。她們對她們的首領稱呼「聖母」，後來總督裕祿也信服了，還用黃轎子接她，其實，就是那運糧船上的一個船婆，我最初見過她多少次呢！洋人也眞有些害怕，有一次在街上，一個洋人剛下車？拉車的向他作了個揖，意思是多討幾個車錢，他以爲是義和團請神，嚇得回頭便跑。

後來，義和團越鬧越厲害，便焚燒起教堂來，說有神相助，不燃自着，其實是他們早預備下的煤油柴草在裏面點的。結果也沒有能把洋人燒死多少，人家早已都躲開了。無論什麽人家都不許有洋物件，什麽洋燈洋傘，有就得趕快毀棄，誰敢不聽從？弄得滿街上都是些木頭塊玻璃屑。可是義和團緊要的紅巾，也還是洋布。他們隨便就把一個人抓到壇上，大師兄焚三道表，問問你是不是好人，表焚後，如果升起，你就是好人，升不起，你就是「直眼」「二毛子」「義和團對學科及嫺洋文者的稱謂（立刻把你殺死在地，當時冤死的人不可數計！

（十四）

介紹馬氏藥枕的功用

・文園樓主・

醫藥理論權威馬騰雲教授，提供卅年枕頭養生秘訣，馬氏腦力過人可作證明。由理論服務進入到實際行動服務的馬騰雲，今天將爲很多嬰兒幼童奠定未來成大功立大業的智慧基礎，也替成年人帶來身心健康與預防各種時代病的法寶，預防時代病的法寶，就是請馬上將你的枕頭換一換，當天，幾天或半個月後，就會感覺到一種意想不到的舒適，根據馬騰雲自己多年養生秘訣，在枕頭上用了不少時間研究。例：

馬氏根據中國藥典或宮廷秘方，用「大聖枕」，「蠶沙枕」，「菊花枕」，「淡竹枕」，他如嗜食紅棗，愛飲蜂蜜等，於今腦力超過常人，始終保持一小時寫作一千五百字的紀錄，每晚萬字馬氏常行。

文學家熊式一博士，法學家丁作韶博士（成功大學），哲學教授張起鈞（師大），名教授侯璠（師大），郭垣（中大），王靜芝（輔大），陳光棣（清華）等知之甚詳，馬騰雲近特將在枕頭方面養生上所得到的益處，和盤托出貢獻社會，與大家共同享受。在自由中國尚屬創舉。

馬氏認爲對待疾病最好的辦法是預防，萬一不幸生了病，祇好找醫生了，不過時代病醫生亦常感束手無策，民間「勿藥之喜」就是預防工作做好了。我們再爲你重復一句：「對待疾病最好的辦法是預防」。僅將下列預防的十二種時代病，也是大家感到威脅的時代病。

一、風濕關節痛。二、高血壓。三、失眠、四、心臟病。五、半身不遂。五、手足麻木。七、腦力衰退。八、心情煩。九、遺精陽萎。十、經常頭暈腦熱。十一、糖尿。十二、皮膚敏感。

馬氏「大聖枕」與「菊花枕」、「荷葉枕」、「竹茹枕」，爲馬氏卅年來自用秘方，於今他自感腦力愈老愈靈活，經常每晚寫作萬字，馬氏自認爲這些情形，皆歸功於中國藥典與古代宮廷秘方。

蠶沙枕爲預防中風最有效的藥物，治麻痺不仁，半身不遂，利於頭部各症，安徽省的嬰兒百分之九十，幾皆蠶沙枕，胡適，楊振寧也未例外，他們的成就可能與蠶沙枕頭有很深的關聯。蠶沙枕嬰兒更有須要，故父母的特別注意。

荷葉枕治慢性神經衰弱與遺精失眠，用嫩荷葉與蓮子汁煮粥，爲滋養强壯劑。又可解毒消暑，去熱健脾。

淡竹枕爲清涼去熱利尿藥，治煩燥不寢，淸心解毒，欲收速效的話，可以淡竹葉泡水當茶飲用。

桑葉枕，祛風濕，利關節，淸心明目，對高血壓與手足麻木有著效，兼有養血補腎之功，每天能以桑葉廿公分當茶飲用，强心利尿，增强記憶。兼預防和治風濕痛。

綠豆枕淸涼解毒，去熱消暑，使你頭腦整日愉快，欲收急效，以綠豆殼熬茶飲用。

菊花枕，治頭痛及眩暈，血壓亢進，預防中風腦冲血的最佳藥物，兼淸心明目，可使腦部淸醒，飲用菊花茶，更可增加療病之效。

竹茹枕，功能淸上焦，治煩熱，益心臟，凉血液，再以竹葉心當茶飲用，淸熱鎮咳，治尿血與口渴煩燥。

燈心枕，用於心煩，失眠等症的最佳藥物，以燈心三公分煎湯飲用，可治失眠，淋病，小便不利，及喉頭炎咳嗽等症。

茶葉枕，淸心明目，興奮大腦神經中樞，凡記憶力衰退的人，用茶葉枕頭有意想不到的效力，適宜於血壓低的人。

上列十種枕頭，經馬騰雲教授憑其卅年醫藥研究經驗，根據藥性悉心配製，比例準確，預防那一種病，用那一種枕頭，請自行選擇，乃預防各種時代病的福音。

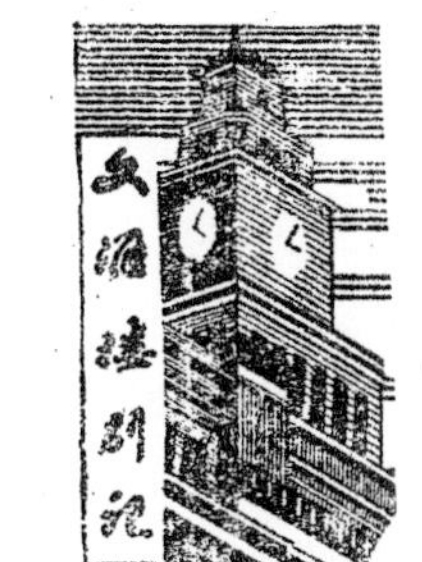

中西心理的不同（五）

・張起鈞・

因爲在中國人看來，你的力量可以竭盡，你的意志却不可以竭盡，怎能去停止奮鬥束手交槍呢？萬一處於絕境時，中國人所歌頌的是周遇吉，是閻瀚文。至於周之戰死，閻之斂前自殺，究能發生甚麼有力的後果却非所問，這雖是一件小例，但中西雙方對道德的看法的不同，却全是這種意味。

五　結語

上面學問、人生、政治、道德四項，不過是舉其犖犖大者而已，其餘各端，也莫不都有其多多少少的不同看法。再加以「思維的習性」，「推理的邏輯」也都彼此不盡一致，因此由這兩羣人（中國人和西洋人）所產生出來的文化，所作出的行動，便自代表着不同的精神。我們唯有潛心體會，識此樞要，然後才能抓住瞭解的「竅」。但是一般人却往往忽畧了這一點。祇拾了一鱗半爪，便根據自己固有的想法觀點去瞭解，結果自是文不對題，不能識其底蘊；充其量不過是一點皮相之見而已，當然談不上深刻。過去西洋人對中國往往感覺不瞭解，認是中國是一個「謎」，便正是因爲不能把握住這個中心要點，而只隨着表面的現象去轉。轉來轉去，只有轉得莫名其妙不知所云而已。例如十年來美國忽然把中國捧上雲霄，尊爲四强，讚爲奇蹟；忽而又把中國人打入地獄，看成一錢不値，便正是這個緣故。——此是說西方對中國的瞭解。同時中國人對西方的瞭解，也往往是同樣的買櫝還珠，不能識其精神之所在。維新以來，政治上，教育上，各種西方的制度方法，我們都做效殆遍了。但結果都是學得四不像；非僅不能收到人家的功效，反而流弊百出，遺患無窮。這豈不也是爲了同樣的原因嗎？今後我們勢必不可忽畧這基本的不同之點，我們不僅要體認這種心理的不同，並且要進而把它溝通。中西雙方心理的溝通，不僅能使彼此的瞭解，並且將大有助於人類新文化的產生。（完）

孝道的宏揚與光大（十）

・李宗黃・

讀歷史者，莫不知堯舜時代爲「唐虞盛世」，稱爲中國最承平之世。考其原因，治平之由，實爲以孝爲政治之骨幹的原故。堯的推行政治的方法，係「克明竣德，以親九族，九族既睦，平章百姓，百姓昭明，協和萬邦，黎民於變時雍，」已經是以孝爲骨幹，而他所擇的繼承人是「舜其大孝也與」的舜。關於舜的孝，孟子曾有一段記載云：

「萬章問曰：舜往於田，號泣於旻天，何爲其號泣也？孟子曰：「怨慕也。我竭力耕田，其爲子職而已矣，父母之不我愛於我何哉，帝使其子九男二女，百官牛羊，倉廩備，以事舜於畎畝之中，天下之士多就之者，帝將胥天下而遷之焉，爲不順於父母，如窮人無所歸。天下之士悅之，人之欲也，而不足以解憂，好色之人所欲也，妻帝之二女，而不足以解憂；富人之所欲，富有天下而不足以解憂，貴人之所欲，貴爲天子而不足以解憂。人悅之，好色，富貴無足以解憂者，惟順於父母，可以解憂。人少則慕父母，知好色，則慕少艾，有妻子則慕妻子，仕則慕君，不得於君則熱中，大孝終身慕父母，五十而慕者，予以大舜見之矣」。

蓋在古今的社會中，提到孝子沒有不被人崇敬的，提到逆子沒有不被人唾棄的。是以孝子執政，無疑的會四海歸心，被天下爲父母及對父母孝者所擁護，其力量之大，自然無與其匹，政治進展之速，亦無與其匹，堯舜事業之成功，即其明例：（未完）

話說朱元璋（五）

雁謀

李善長的一番話對於朱元璋的影響極大，猶如漢高祖之於蕭相國，劉伯溫就如朱元璋的張子房，吳楨則如漢高祖的的樊噲，徐達好似高祖的韓信。從今以後，朱元璋處處以漢高祖自許，效漢高祖的行爲。雖在軍事倥傯之際，他仍不忘自修。從此以後，難怪以一個和尚起家的朱元璋，赤手空拳，竟打下了二百七十餘年的基業，能不算是「人傑」「英帝」嗎？

朱先璋自從得到了李善長之後，如劉備之所謂「如魚得水」，劉邦之有蕭何，處處學做劉邦做的事業。從他起義至此，前後不過三年，便由一個小和尚爬上了副元帥的高位，擁有三四萬　系軍隊，文有李善長、馮國用、馮國勝兄弟，武有徐達、湯和、鄧愈、胡大海、常遇春等勇將，這眞是三年前做和尚的時候，做夢也沒有想到的。

渡江路金陵

元至正十五年五（公元一三五五）月，朱元璋的反元軍從除州出發攻下了和州，從和州欲窺金陵富庶之區，可是他沒有水軍，那滾滾長江，沒有船隻如何過去？但是天下巧合的事，偏偏就巧合在朱元璋身上。原來巢湖地方豪强廖永安、愈通海等人，糾集了武力，結水寨自保，又和巢湖東岸盧州（今安徽合肥）的左君弼部起義軍結下仇怨，屢吃敗仗，自知力量單薄，故派人來求朱元璋援助。朱元璋大喜，親往巢湖會他們，勸他們隨軍渡江南下，共同去推倒蒙元才有大的發展，在此勇於私鬥，自相損傷實力有何作爲？」廖永安、愈通海等領頭答應了。朱元璋這一下只說了幾句話，就收了千多艘船隻，萬餘水軍。「不信書信運氣」，在此可爲註腳。

同年六月，朱元璋親率四萬水、陸軍渡江，先取采石一帶地區爲根據地。可是他的部下沒有遠大理想，建議將佔領地區粮食物，輸集回和州固守。朱元璋現在是今非昔比，旣然幹就要轟轟烈烈大幹一場。他認爲只有徐達可以圖大事，於是召徐達商議。徐達很同意朱元璋的看法。但是爲了下定「破斧沉舟」的決心，於是令徐達將渡江所有船隻，一律放棄下流東去，以示決心。將士雖然叫苦，但是也無可奈何；朱元璋召集將士說：「前面就是太平府，子女玉帛甚麼都有，我們把它打下來回和州吧！」於是飽餐一頓之後，便戰勝的餘威，乘勝攻破太平府。將士們正要大搶一陣金銀財帛玉女，可是朱元璋早已令李善長下了命令貼了佈告，禁止搶掠，違者斬首。並且派了執法巡邏除執行。朱元璋猶恐將士不服，又令李善長出面，與太平府財主、商家商量，教他們獻出些財帛金銀來犒償將士，以安軍心，設置「大平興國翼元帥府」，自己當起元帥來了。休兵了數日，緊接着又攻下了集慶路，這是至正十六年的事。原來這些地盤是屬於武陳友諒的。

做了元帥之後，朱元璋更上一層樓，於是他的謀士的意見也紛紛貢獻，積極恢復生產，設置郡學官吏，廢除元朝的一切苛政，一面加緊訓練軍隊，分守各地，並改集慶路爲應天府，設「天興建康翼統軍大元帥府」，又自爲大元帥。訪求錄用當地有名的賢才名士，以博取老百姓的擁戴。（五）

邱吉爾談寫作

・段沁・

「作家」這兩個字，精確的意義是甚麼，我不大能夠斷定，顯然他必須寫作，顯然他必須寫點東西，是就各方面說都是前人所沒有寫過的，顯然這點東西一定要印成書籍，並且最顯然的，他所寫的東西一定要能夠賣錢。正如約翰博士所說：「只要不是爲了賣錢，只有傻瓜才去寫作。」因此，如果我給「作家」所下的定義，是一個把（所謂）自己的創作印成書籍來維生活的人，如果大家也同意這句話，我就再要說，依我的想法，這一類的人，籠統地說是一個非常幸運的階級。大部份的人每日都要工作，只有在他們做了田野裏，磨坊裏，或者辦公廳裏的工作以後，他們才能有遊戲的時間。他們每天要把那樣許多鐘點的生命，獻給一個所謂工作的專制魔王——那不受歡迎單調無味，沒有休歇的工作，在沒有使它滿足以前，就沒有娛樂揷足的餘地。這是人類普通的命運。世界上幸福的人——在我心目中世界上唯一眞正幸福的人——就是那些工作便是娛樂的人。這一類的人爲患不多，在他們當中，作家或許是最重要的成分之一。他們至少在這一方面，享受到人生眞正的和諧。

據我看來，能夠把你的工作當做娛樂是這世界上一個値得爭取的階級特徵，我也相信別人要嫉妬這些快樂的人們，因爲他們每一小時的工作就是一小時的娛樂，對於他們休息無論如何必要，也是個討厭的間歇，乃至例假也成爲一種剝削。無論這個人寫的好壞思想豐富或貧乏，只要他愛寫作，他就會欣賞寫作的樂趣。風和日麗的淸晨，坐到書案旁邊，前面有淸爽的毫無紛擾的四個小時的時間，一堆精白的白紙，一支鋼筆——這是眞正的快樂。

全副的心意都集中在一件可愛的事情上——還有甚麼比它更値得企求呢？外面發生的事件有甚麼關係下議院愛怎樣辦就怎樣辦而上議院也是一樣。異教徒儘可以在寰球各處吵得天翻地覆，整理公債可以跌落，婦女參政運動可以興起。不管它，無論如何。（一）

巨變歷險記！

光芒萬丈

（二一七）　胡慶蓉

在丁博士在仰光的階段，也就是中華民國四十年的上半年，恐怕是緬甸反共高潮最高的一個階段，在這個階段，幾乎看不出共產的力量。雖共產方面雖也有所謂人民日報，但若以之與我自由報相比，這還不只是小巫見大巫，這簡直是渺小而又渺小；奇怪，人民日報就在自由日報的對面，就在五十尺路。但一（自由日報）則是四層的大樓，一則蝸伏一個小小的破舊的房內，一則報份遍整個的緬甸，且在不斷的增加中，兩大張半，印刷精良；一則小小的半張，印刷並且不好；一則出報的時候，門前擁擠不堪，一則門可羅雀，幾乎看不見人的影子；一則聲勢浩大，氣吞斗牛，一則闃無人聲，偷偷摸摸。

自由報，一時成爲緬甸華僑反共的司令塔。丁博士在四樓，三樓是編輯部，主其事者爲盧偉林，吳其，二樓是經理部，主其事者爲江潮，一樓是印刷部，也由江潮管。上邊是吳管書，吳任總經理。吳之上，還有董事長，那就是陳洪安先生了。陳洪安先生是當時反共的大華僑，大僑領反共的還有李紫萊，陳甘亭。自由報的大樓就是陳洪安先生的。報的開支也由陳洪安先生負責，吳總經理也很負責任，各僑領出錢的也非常的多。李運鵬，陳江山，張文山都是自由報的高階層，李運鵬自己並且又辦了一個報，一個小型的報，論壇報，彷彿過去北平的小實報，過去香港的自立報，銷路極佳，全緬傳誦。這個小報，與自由報成爲姊妹報，對於反共，與自由報形成一體。事實上，李運鵬也在自由報辦公。在對外的聯繫方面，在推動華僑方面，自由報還有很多的幹部幹員。

推動教育方面的，還有一個華僑教育會。這個會也是在自由報，會裏邊的負責人也大都是自由報的，盧偉林李璧義就是當時的主持者。陳江山，夏言，也都是裏邊的要角。牛甫春也有他的作用。牛甫春不是老華僑，而是新華僑，但爲人很肯作事，也同人非常合作，夏言是當時中正中學的校長，對國家非常熱誠，以自由報爲中心，又聯絡無數的華僑民衆團體作爲外圍。中國國民黨緬甸支部負責人王馨對於緬甸華僑反共也有他相當的貢獻。

他們對於丁博士都非常尊重，對於丁博士的計劃也都十分的支持。無形中都加入了游擊隊，都成了游擊隊的外圍。都希望東南亞一旦成爲反共的東南亞。把重點放在仰光，把重點放在緬甸。緬政府對於反共的報紙，反共的範圍，反共的力量，都抱着不得罪的主義，仰光的反共運動，能順利的進展，不能不感謝宇汝總理。緬甸的政策，很顯然抱着各方面都不得罪。因之對於緬甸華僑的愛國運動，雖不支持，但也不反對。這個便利幫助我游擊的成長甚大。這與游擊隊對緬的戰事並相輝映，眞是光芒萬丈……

中國醫藥眞實存在之價值（一）

・呂未識・

中國醫藥之由來

中國醫藥乃係我中華民族之祖先，從易經之理而來者，由觀察大自然氣候之變化，認爲人類生命之維持，係與宇宙之自然有種種影響關係，自然亦是與人體有密切悠關，爲歷代研究與發明之獨得醫學體系也。自神農、黃帝迄今，已有五千餘年之悠久歷史，著有「神農本草經」，專論藥物學。「黃帝內經」十八卷（素問九卷、靈樞九卷），專論醫學，爲中國醫藥學之基本文獻。在漢代有長沙太守，張仲景先賢，搜集過去歷來之臨床實驗文獻，將所有受自然哲學支配之理論，融化於揚棄自然哲學論於無用，別開生面而獨立長存，著有「傷寒雜病論」一書，爲我國醫學上，自成爲一體系之醫學，爲中醫學一大改革之文獻。

中國醫學之歷代動態；繼漢之後，於六國時代，又告分派，各派獨立發展，並無甚改進。至唐代之時，國家曾勅命，收集各地各派之有効驗方，作「國定處方集」，編輯「諸病源候論」。當時，多出名醫，個人著有「新修本草」、「千金方」、「外台秘要方」等數十卷。迨至宋代之時，因哲學盛況之故，有將古代之深奧自然哲學，滲入於醫學理論之結果，將成爲一體系之醫學，又化成爲幾多派，而有致將臨床之理學體論，造成宛然似非科學之觀念論，使現在之人，難於瞭解，誤爲非科學者，實由此而來也。當時印刷術已發達，國家會勅命，校訂古典醫書，出版醫書約二十部，改訂藥局方，制定國定處方集等（闘當時出版之醫書，謂世界最古之醫書）。然後在元朝時，有「金元四大家」之四派醫說，對於歷來中國醫學稍有影響，如劉河間好用涼劑，張子和主張以下劑圖排泄病毒，李東垣、朱丹溪兩人，主補元氣養陰以增強體力等，新考案處方，而增加中國醫學之精彩。明代之醫學，仍承前傳統，無甚改變，爲消極性也。而至清代，不過亦爲繼承明代醫學，爲傳統式而發展而已，然至我中華民國時代，在建國當初，爲政者，只爲建設現代國家之關係，無意關心於中醫藥，致將傳統文化之中國醫藥，成爲消極性，而任由自生自滅之下，流在民間以爲個人之治療，爲事出無奈。國家所有行政採現代制，國家所有衛生行政，採西醫制度，故所有執掌衛生行政人員，及一般社會公私立病院等，皆爲西醫人士，故對中醫將來之發展上是最大之威脅原因。現在我政府有鑑於此，雖經有立法程序，有意扶植中國醫學者。如中醫之教育問題，衛生署之成立，全民保健方面等，然在發展途上有所困難，莫不由此有關，胡可不警惕乎！願我同志，繼先賢之志，團結一致，排除萬難，再將我國固有傳統文化之中國醫藥，重新研究，發揚光大，以響應中華文化復興運動也。

中國醫藥是否有效之檢討

中國醫藥在我國行之數千年，自古至今，有病之人，皆賴此濟世活人者，源源流傳而不息，而使我中華民族今日之繁盛。假若無效，何以有今日數億同胞之家乎。

現在世界各地，如日本、韓國、香港、新加坡、舊金山、菲律賓、一中國醫藥，尚有盛行！尤其德國在研究中國醫藥更爲熱烈，而最近出版有「壽世保元」，「內經」德文譯本之問世。至於日本研究中國醫藥之偉績，尤出乎意料之也，全國設有專門研究中醫團體凡十餘所，雜誌有五所、六種，學校約有五所，書籍達四百餘種。又美國、法國之醫學博士，會來我國拜師吳惠平博士，研究鍼灸醫術等，皆爲世人共知之事實。由此即可證明中國醫藥之有效無疑。而且中國醫藥乃經歷代相傳之有實用價值之醫術，爲此絕對不可廢除。黃穀軍先生，有此事實排在眼前，何謂中國醫藥是「以訛傳訛」，「人云亦云」，「沒有存在實用價值」？此乃是你對中國醫學認識不夠也。

我賢明　蔣總統，也於日理萬機之餘，關懷愛護中國醫藥，於民國五十九年三月國醫節，頒發訓詞，奮勉全國中醫學會暨全國中醫藥界諸人：「我國自神農氏植五穀，嘗百草，發明醫藥以來，歷代相承，迭有進展，在醫藥學術方面，竭畢生精力，潛修苦海，實地驗證。

（未完）

五十六種砂鍋烹飪

馬騰雲

廿一　砂鍋牛鞭

照組織療法，牛鞭的功用可大矣哉，但有很多吃牛鞭的人不僅沒有效，甚至有因吃鞭導至陽萎者，這其非怪事嗎？說穿了並不怪，常吃閹鷄的人會患陽萎，閹過的牛與閹過的鷄乃十步笑百步，故吃牛鞭須注意買未閹過的，否則寧可食牛蹄筋了。

吃牛蹄筋又有很大的學問，後腿牛蹄筋有補養價值、强筋、益氣力、補肝，前腿較差但可醫水腫，吃馬蹄筋前腿有補養價值，後腿沒有甚麼用，不懂得的人可能認筆者吹毛求疵，引胡適的口頭語「拿出證據來」馬病躺臥，牛病站立，這是老農都知道的。馬起立先用前足，臥時先用後足，根據組織療法的原理，判定前後足營養價值，先天就有偏差的存在，非湖南話「瞎扯蛋」。

牛蹄筋與牛鞭迥異者，牛鞭可常吃，牛蹄筋常吃，面部易生肉刺，這就是百利中的一弊，特別要向讀者作一交代的，用枸杞、人參、黨參、黃耆燉牛筋，補腎壯陽，走路發喘的胖人更有治療之功，但須重用黨參、黃耆、吃砂鍋牛　忌綠豆與萊服，否則就像化學醬油裏的鹽酸與晶鹼，碰在一齊就消了。

婦人漏下赤白，吃砂鍋牛　有眞好效果，夫婦久婚未生兒子的人常吃會生子，牛以黃牛最佳黑牛次之，水牛再次之。

梁夷素（一）

水光瀲艷（水旁）晴方好，
山色空濛雨亦奇；
若把西湖比西子，
淡粧濃抹總相宜。

這是宋代大詩人蘇東坡詠杭州西湖的詩。西湖的景色，一年四季各有不同，尤其是春日的西湖，更見清新美麗；湖面平靜得像一面鏡子，把羣山、小橋、寺觀、翠樹的影子倒映在水裏，形成了一幅構圖完美的畫面。

歷來才女，多產作於山明水秀之鄉；這話雖近於迷信，證之事實，却也有些理由。從前司馬遷遨遊名山大川，吸取山川靈秀，開拓自己的胸襟，後來作史記，才能究天人之際，通古今之變，成一家之言。準是而論，西子湖邊會產生許多女性作家，如女詞人朱淑眞，女劇作家梁夷素，以及蕉園七子林以寧等，……當係山川靈秀所鍾，有以致之。

梁夷素，字孟昭，錢塘人，身世詳情不可考。據「西冷閨詠」云：夷素字孟昭，武林女子，「茅鹿門」孫修誰「見滄」子「九成」婦，著「罌繡軒詩」，有「春湖湖」「湖晚詩」。陳眉公比之天女散花尖孫錦，非人間所易得。（見繡事擷英集，著山水吟「卷九」。）又據「杭州府志」卷九十「藝文」之五云：「罌繡軒集」，錢塘茅瓚孫九仍妻梁孟昭彝素撰。」據此，作者孟昭的名字，似又爲「彝素」了。按「茅鹿門」名坤，歸安人，嘉靖進士，與茅瓚不知是否一人？可能各家記載有誤，對於本文則無關緊要，姑且存而不論。

我國民間有關七夕的故事很多，最著名的是白居易的長恨歌所說：「七月七日長生殿，夜半無人私語時」，描述唐明皇和楊貴妃的戀愛故事，清代戲曲家洪昇則根據這段哀艷軼聞，寫成「長生殿」雜劇，當搬演的時候，不知賺了多少有情人的眼淚。而我們的女劇作家梁夷素，却把牛郎織女送到人間，借「相」「思」二硯，做結合的樞紐，使他倆在人間過着團圓的生活，可說是「別出心裁」了。

她的「相思硯」一劇的內容如下：牽牛織女雙星，從前因爲結婚之後荒弛職務，所以天帝使其隔絕，一居河之東，一居河之西，每年七月七日，才許一會。不過雙星都耐不住孤寂，常常私渡銀河聚叙，終爲天帝所知。牽牛又與南極老人下棋，偶然拂落二子；老人說：「這三百六十子，都是女媧的補天石做成的，應三百六十度星宿，現在失去兩子，後日必有徵應。」其時，又値織女到月宮助采，和月中仙子都因感到神仙生活，過於單調，而生下凡之想。於是天帝便謫牛女雙星下世，托生尤衛兩家；月中仙子亦下凡，使她備嘗人間艱苦，但不投人胎。南極宮中的「耗星」，也乘間逃到人間，投胎牛家爲子。

（未完）

黛眉小傳

・王幻・

第二十三章　岳飛尅日擒楊么　武穆襄陽當重任

想不到竟愚昧如此，悔不聽黃左之言。今派兵押送本寨招降，不如引進湖寨，殺他一人不留。乃引之同行。其時天色已晚，洞庭湖上烟波浩瀚，暝色蒼茫，又因仲夏季節，湖水蒸氣上升，又增加了濛濛烟霧，使人視綫迷朦，遠近莫辨。岳飛既遣將士百人，押楊欽入湖，復暗中命王貴、牛皋二將率兵數千人隨楊欽繼進。楊欽不知岳飛奇謀，已墜入計中。看看回到水砦，砦中駐有數萬人。楊欽打了暗號，開了水柵迎援。楊欽官兵百人正要入寨，忽聽後面鼓角齊鳴，戰船齊叢集，不由得大驚失色。只見牛皋、王貴等已縱船上躍入水砦。眼見突如其來，那敢對敵。前一時的盤算如墜入湖中。牛皋、王貴已受岳飛密令，未敢造次隨入，即問楊欽：「寨裏朋友快快出降，否則便將殺入，後悔不及」！楊欽無可如何，乃大聲呼道：「衆位兄弟們聽着：岳元帥有數萬人來到此地，汝等快來投降，不失立功機會；如果不降，快出來決戰。」衆賊在寨內毫無準備，人不及甲，馬不及鞍，那能迎敵，猶如甕中之鼈，又聞岳飛威名，大家願命第一，樂得應聲，保存性命。牛皋、王貴下令降者倒戈棄械，然後方引兵入寨，一面命人報知岳飛。岳飛聞王貴、牛皋已得手，便親自提兵入湖，見水寨正在君山腳下，甚得形勢，徒步登山四望，見湖右尚有賊船鼓輪激水，行駛如飛。船的兩旁留有撞竿，所當輒破，不禁長歎道：「昔日官軍不知賊船利害，常被撞沉，以致慘敗」。隨即下令伐君山之巨木，連成巨筏，分阻塞於要港，又用腐木亂草，從上流投置湖中，擇水淺處令士兵駕行小舟，前行誘敵，且行且罵。賊衆聽到官兵叫罵，爭着來追，官兵却徐徐駛去。賊衆鼓輪撐篙，費盡氣力，却駛不上去，舟輪盡被亂草纏住，腐木滯澀，不能行駛。不料官軍却有大隊戰船一齊開到，一艘巨舟之上，船首站立一位銀鎧白袍大將，威風凜凜，在上面指揮若定，好似天神。此人非別，正是聞名已久的岳飛來到。船一面帥字旗，斗大一個「岳」字。賊衆一見「岳」字旗號，有若失去魂魄，士氣早已瓦解。欲戰無氣，欲退又無路可退。不得已奔至港中，及入港口，復連聲叫苦，見港裏被巨筏所阻，筏上載着官軍，紛紛躍上賊船，亂砍亂殺。港內賊船總以爲有路可逃，到港口外面，見官軍從外殺來，正在危急之間，那楊么引兵來援。港口的官軍又退回去抵擋楊么。港內賊舟，以爲有生路可望，也逃出港口，一到港外，見兩下殺得利害，官軍大張牛皮，擋擋矢石。（一一五）

自由報

（第一一六五期）

（半週刊每星期三、六出版）
每份港幣壹角・台灣零售價新台幣弍元
社長李運鵬・督印黃行督
社址：香港九龍彌敦道593—601號
廖創興銀行大廈八樓五座
LIU CHONG HING BUILDING
7th FLOOR FLAT '5
593—601 NATHAN ROAD
KOWLOON, H.K.
TEL: K303831
電報掛號：7191

承印：景星印刷公司
地址：嘉咸街廿九號地下
台灣區業務管理中心：台北重慶南路一段一二九號
電話：二四五七四
台灣區直接訂戶　台灣劃撥戶
第五〇五六號張萬有（自由報會計室）
台灣分社：台北市西寧南路110號二樓
電話：三三〇三四六、台郵劃撥戶九二五二號

教育行政不容妄爲

本報專論

．田繼横．

教育爲百年之計，是盡人皆知的常識，因爲它關係著國族的盛衰存亡。所以教育政策的擬定，不能不眼光遠大，思慮周密，其成效即或不見於今，必可收效於他日。是本之所繫，不可不慎。可是近年的我國教育執政者，不僅沒有揭示什麼高明深遠的教育政策，爲國家的未來奠定基礎，就連一些事務性的措施，也顯得頭痛醫不好頭，脚痛醫不好脚，乖張悖逆，全無是處。當然，像鍾皎光之流的學識，祇是「專工一技一藝的人，祇知一樣，除此之外，一無所知。這一類的人……好有一比，比一根旗竿，祇是一根孤拐，孤單可憐」（胡適文存，讀書）。要和他談什麼「古之司徒，主人倫教化」的大道理，那祇有自責「不可與言而與之言，失言」了。自是以下，教育部某些高級員司，本有同寅協恭之義，可是由於「孤拐」的主意是立不穩的，加上將主管的業務毫無卓見、定見，一任其「空中漫步」，不得著落，變成保位固寵的祿蠹而不覺；甚且縱容部屬變造學籍，有意刁難留學生出國企圖，索取苞苴而不察，寧非失職而何？

隨便舉例言之：（一）宣佈美國大學名單，輿論譁然，報紙尚未登完，即自行取銷。（二）改訂大專聯考各科計分辦法，像煞有介事，繼之報刊，高中入學試從而奉爲圭臬，應作「改進」。而後者因受迫起反對，將「率由舊章」。（三）公佈私立學校辦理部分暫緩實行；而前者近日又因爭議多，仍財團法人登記辦法，迫使輔仁大學等九校院負責人于斌樞機主教等聯名控訴、請願於立、監兩院；立法院隨即展開討論、質詢，僉認鍾皎光違法濫權，更屬流弊。諸如此類，原都是事務性的、技術性的措施，倘能在事先將此等構想詳加考慮分析，博訪周諮，當不致冥行妄作。像改訂大專聯考計分辦法的出爾反爾，是視近十萬學子的前途出處如兒戲，奈何不使人憤慨！

另有關於私立初中的存廢問題，近年一直囂然塵上，嘖嘖不已。各地教育行政人員，尤其某些國中校長，不言則已，欲言就必將九年國教的各種缺失，一概歸之私立初中，套一句老話，眞是：「萬方有罪，罪在私（立初）中」衆口鑠金，有意製成輿論，復假自認爲是至理而不疑。於是劍及履及必廢棄私立初中而後快，誓不與共戴此天。此一盲動妄爲，是頗使人憮然憮然而昧然茫然的。

試考我國興學設教的歷史，一直以私人辦理爲主流：孔子立學聚徒，開私人講學之風；以後私學紛紛立，全部承担啓蒙、肄業（國民及中等教育階段）的重任。至於兩漢的太學，晉以後的國子監（或稱國子學、國子寺），唐以後的書院，則屬高等教育的範圍，均由政府設立（書院中有不少由私人設立的），以爲講學或司考試的機關。自民國肇造以迄今日，無論高等、中等及國民教育，一直是公私並設，相輔相成，共襄考樸作人之業。再看歐、美先進各國及日本，義務教育延長至十二年者，其財力之雄厚，師資之優秀，決不致支絀低落於我，然從未聞有取銷私人設立之中，小學收由政府辦理者，要非彼邦有關人員愚不可及，就是我們的教育官員的發明創見，直可囊括諾貝爾獎金，領取國光勳章而有餘了。

綜括教育部取銷私立初中的理由，撮要言之，不外：

一、私中教學祇重智育，未能四育並重，破壞國教進展。其破壞之事實爲何？有否加以糾正處分？有否實地調查及了解私中的情況，予以確切的比較，衡量國中與私中學生的體能發展有無不同？私中學生是否因不正常的影響而使心身受到殘害？如確有事實而先不加糾正處理，是教育行政本身的失職；如果不會實地調查了解，僅憑臆測武斷，以爲廢除私中的張本，如何能令人置信而心服？

二、私中以升學相號召，變象進行惡補。其惡補事實何在？有何種證據，紀錄？地方政府及各級教育視導人員爲何不嚴加督導，使之正常化？縱然有此種事實存在，其罪不在私中，而在懶情不盡職責的司教育行政者。彼輩手握私中生死大權而不能善爲運用，竟以爲廢除私中即亦可藉以阻遏國中的惡補，寧非本末倒置，因噎廢食！其實國中的惡補嚴重情形，凡有子女就讀國中者，人誰不知；各國中校長更是「心裏有數」。還是基於教育的良心與待遇問題而發生的，不循此方向以謀改善，卻一廂情願的將「升學主義」及「惡補」等大帽子加在私中頭上，從而口含天憲，判其死刑，則冤鬼焉能不多！

三、在國民教育階段中容許私立初中存在，將破壞國民教育的「平等」精神。本年四月初教育部中等教育司長廖傳淮對記者談話，認爲國民教育階段內允許私人興學，會造成「貧」與「富」之分，或「聰」與「愚」之別的階級觀念。荒唐哉狂悖不通之論！這位廖大司長可曾將學生家長的財產做過統計比較？貧富的懸殊如何，請拿出數字來！否則就是信口讕言，想在青天白日之下故意製造階級仇恨，無中生有地造成青少年們的優越感與自卑感，居心何在？難道國中學生中沒有一個富的？私中沒有一個窮的？連最淺顯分析事理的理則頭腦都未具備，竟能夤緣而主管全國中等教育行政，其不倒行逆施者幾希？嗚呼！

九年國教延長，確是蔣總統的宏謨遠見，憑以開發人力資源，擴大經建效果，以增進民生樂利，厚培復國實力，爲其主旨。祇以籌備倉促，財源不裕，師資缺乏諸因素，形成其先天不足；加之教師待遇微薄，教學多未認眞，致使一般人士對之缺乏信賴，尤以新設立的國中爲甚（筆者建議教育部徹底調查各級教育行政人員及各國中校長、教員之子女就讀私立初中的人數，將可發現一有趣的問題）。於是有子女就讀國中的家庭，或僞遷戶籍（有歷史聲譽的國中，每年常超額數百人），或令投考私中，實不欲其子女作試驗的犧牲品也。教育行政機關則應對此事實，致力齊一國中水準，誘導私中納入正軌，則能相輔相成，既可減輕財政壓力（目前台灣各縣市的教育預算已超出憲法規定的最低比率百分之三十五甚多，均已不能負荷，故有「教育拖垮財政，財政扼殺教育」之語，迨就學率達到預期比率時，教育預算必須隨之漸增），又收發展國教之效。而教育部捨此不圖，於頒佈「九年國民教育實施條例」時，即對辦理成績優良之私中，假「代用」之名，預作廢除之伏筆；近又擬訂所謂「輔導私立初中標本兼治辦法」，欲予徹底消滅。惟查私人興學，明載我國憲法（第一六二條），其成績優良者，且須予以獎勵或補助（第一六七條），是不容抵觸違反的。今教育部對辦理不善，招生無人問津者，聽其自生自滅，如願以償；對僅存之少數辦理優良者，應遵照憲法獎勵補助之不遑，卻借「輔導」之美名，冒違憲之大不韙，行其巧取豪奪之實。此專制皇帝所不忍爲，橫蠻軍閥所不敢爲者，區區鍾皎光輩竟敢爲之！法治何在？公理何存？令人憂懼！

吾人所疑惑不解者，私立初中對全部國中之比重究佔幾何？其中足以「破壞九年國教進展」者，又佔幾何？筆者手邊雖無此項資料，然就常識判斷，此少中又少之私中，應不致對九年國教構成威脅。設不違法令，違規教學情事，嚴予督導糾正，自可將問題消弭於無形；而鍾皎光輩竟爲何張皇失措，小題大做，其自信不堅，顢頇誤事，一至於此，怎不使人爲之歎惋可憐。現鍾某業已卸職，本與他素無恩怨，何必落井下石，再加抨擊。但教育行政的歪風不可長，多爲不可行，且願將此扭轉糾正之責，殷殷寄望於新任羅雲平部長，盼能確定方針，遠謀慎斷，爲百年樹人大計，奠定根基，多爲國家保存一分元氣，即爲反共大業增加一分實力也。（完）

昨日與明日

見怪不怪

美國政府當局爲着自私自利而企圖出賣自由中國，不足爲奇，日本當局亦利令智昏，忘恩負義，跟着美國的屁股後面，向毛共飛媚眼，獻殷勤，而將「美製」的對毛共協妥計劃，嘵嘵復誦，且謂「吉田書簡」已不適用，一派趨炎附勢的醜惡面目，令人不忍卒覩。即此可知將來的日本前途，凶多吉少，非再嘗一次亡國的滋味不可！

美國人認定日本是今後在亞洲居於中堅地位的強國，我們卻看準了日本是東南亞最弱的一環。它若永遠抱住美國的大腿以期發展，蘇俄和毛共的原子彈，准有落入蓬瀛三島之日；若半途掉頭以與俄帝毛共攜手合作，美國的原子彈必然再度降臨日本無疑。

所以，日本政客的外交作風，儘管跟娼妓一樣，不講信義，我們只好目笑存之，不必大驚小怪。日本民族性的素質，原是「窮得富不得，富得看不得」的先天稟賦，何怪之有呢？

應有的對策

我贊成最近外交部長周書楷關於對美外交的談話，台灣是中國的領土，不容許別國人來過問台灣的事，有問題咱們自己可以解決，不勞別國越俎代庖。

因此，我主張政府應該通知美國，準備廢棄「中、美安全互助協定」，因爲美國并未履行「互助」的義務，軍事上固然如此，政治上亦是專爲美國利益服務，何必多此一舉呢？同時應該通知日本，宣告取消「中日和約」，恢復戰時狀態，并保留中國人在八年抗戰中所受一切損失的賠償要求權。

至於日本人目前在台灣公私企業方面的投資，凡是不符合「主權操之在我」的原則者，一概重新核處，如某某汽車公司之類的純日本生產事業，應予關閉爲是。我們天天談革命，當此艱危之際，再不用革命精神來肆應，決無倖理的！

即小喻大

美國當局把我們的領土釣魚台，任意送給日本後，由於理屈詞窮之故，聲言聽候中日兩國談判處理。但近又宣稱它在釣魚台有練習射擊的靶場，還要繼續使用，這種「鬼話」的用意，就是不忘情於該島的石油礦藏開發利益，它亦得分沾一份。

這證明以商業主義立國的超級強國，除卻金錢利益外，無所謂政治理想，我們把中美安全互助協定暨中日和約宣告廢棄，他們亦不敢作別舉動，情勢很顯然，沒有台灣，日本固然岌岌可危，美國亦必坐臥不安，夫是之謂知己彼也。

．何如．

自由談

替美國人看病

美國民主黨與共和黨人士，爲着爭奪政權，爭取選民同情的選舉票，不惜置國家安危於度外，無所不用其極。民主黨議員公開主張把反戰示威運動，轉化爲政治行動，要教尼克遜下台；共和黨的總統和國會領袖，即拼命向那以「美帝」爲死敵的毛共政權，飛媚眼，講交情，雖然毛共依舊指斥「美帝國主義」，聲言反對尼克遜政府的侵略政策，而尼氏與其黨人還是自作多情，滿不在乎。

美國的高級知識份子，如此漠視國家利益，毫無愛國思想，未免令人認爲咄咄怪事。可是，美國的人民原係若干種族混合起來的，他們唯一的生活方式就是追求財富，貪圖物質享受，實行完全無限制的個人自由主義，根本就沒有國家觀念，即無所謂愛國思想。像美國人那種裸體游行之自由，公開吃大麻藥之自由，嬉痞囚首垢面、招遙過市之自由，衆議員公然主張同性戀愛之自由，人民犯了罪可以不答復法庭訊問之自由，男女當着來賓面前裸體結婚之自由等情況，在全世界中，能尋出第二個國家嗎？

所以，跟美國人談愛國主義，那是廢話。他們專顧目前的現實利害，不計其他。平日在國際上的外交作風，亦以自己的尺度來衡量別人，說這個友邦當局不民主，那個又是獨裁，千方百計地干涉別國內政，搞壞了不負責，反而向那眞正的獨裁極權主義者低頭，如美國對毛共暨古巴卡斯楚政權的作風，即其明證。

可以這末說：只要美國的商業利益不受到阻礙或排斥，全世界赤化了亦無所謂。良醫之子死於病，商賈之子死於財，美國這一財富甲於全球的國家，將來一定敗亡於商業主義無疑也。謂余不信，等着瞧罷！

馬五先生

比比看

天下雜論

成公

乒乓外交是否眞使美毛間的關係「解凍」猶待證實，而其引起的問題則是紛至沓來，許多猴急的美國商人和旅行學者，都在秣兵厲馬躍躍欲試的好像眞有「大饅頭可摔」一樣。

爲了對付這些浮動的的情勢，我政府自然也有許多準備實行的措施，報載我國駐東京大使館，已自四月份起，所有發給美國人士的台灣入境簽證，都蓋上一項紅字的警告說：「注意：持有人凡曾進入或途經中國大陸旅行者，本簽證即宣告無效」，這足見我政府漢賊不兩立的嚴正態度，自是可敬，但是就實際的效果言，我們覺得卻有可商榷之處。

俗語說「識時務者爲俊傑，」又道是「面對事實」，今天國際上是許許多多國家交互幷存的，我們不過是這許多國家中之一員而已，雖則我們有我們莊嚴的立國意義，再說具體些，我們今天並不是世界的中心國際的主人，因此我們不能，也不該以一國的特殊立場而裁判別國別人的行止，反之我們應該要在適當的範圍內寬容別人的行爲以爭取與國和友人，尤其在我們今天的處境更是如此，假如這一原則尙屬不錯，那麼上述「……簽證即宣告無效」的辦法，便值得研討了，試問我們這一措施是否即可控制了美國人，使得他們不敢去大陸，或放棄了去大陸的行爲呢，大概總不會吧。反之我們這一辦法卻正是關閉了友誼之門，斷送了爭取友人的機會，這不是自絕於人，而使我們的路愈走愈窄麼？

因此我們建議，不僅對那些去了大陸的外國人拒絕來台，反之，愈是去過大陸的，我們愈要爭取他來到自由中國來看看，（當然有特殊問題的人物，不在此列）叫他們比比看，到底誰代表眞正的中國，誰是眞正的「人」的國家，而誰是把人民，當奴隸牛馬，這是最好的國際宣傳！而也是自由中國最堅強出色的地方，我們爲什麼因嘔小氣，而放棄這一最佳武器，這一建議，並不是空想，我們願舉一具體實例以作證明，即就是當年英國倫敦大學漢學家西門華教授的事例，西門教授爲漢學世家，能操流利之華語，以是曾充任英國貿易訪「華」團的秘書，前後三次赴大陸，並接受毛共之招待，後來我們新聞局方面說服他來台看看。只是一次的來台，回到英倫後，立即成爲我們最忠實的友人。尤其他因親眼看到兩方強烈對比的事實，更是知道自由中國的可貴，而由衷的替我們宣揚，甚致他後來到澳洲墨爾鉢恩大學，主持東方學術研究，所聘的教授，全部淸一色的是從台灣請去的，可見其對自由中國的友誼與好感。由此例彼，舉一反三，我們今天不是可以爭取更多的西門華嗎。

外電報導大陸實況

毛澤東反美全失敗

人民說哈囉哈囉美國人好

愛群酒店摘下所有毛王像

（自由報香港消息）來自廣州消息，外電說：過去二十年，看來時假中共設法把一般大陸老百姓，以美國人視作「敵人」。如果這是眞的，此項行動似乎是失敗了。

我的報導，不談現代的中共官員：政客；公社人員：大學的人。因爲，他們奉命對我們的美國人「好好看待」。

我所談的留在大陸十天的北京．上海、廣州的酒店男女工、侍者、學生、灘頭閒蕩的人、小商店人員、農民。有時是「的士」司機，有時是軍隊。

即使宣傳機構辦得很好。我所碰到的幾大城市的老百姓。他們會囘答我的好意：「好不好，美國人，美國人好，哈囉哈囉」。他們在過去，到從一切宣傳，聽到「惡毒的美國人」。

不用懷疑，美國人在中共黨員心目中仍是「美帝」，後來包括「蘇修」。「毛主席」教導他們受到「愛血腥的美帝」，七億五千萬中國人裏，共產黨是一千七百萬。

毛氏爲甚麼，未能把反美情感黏固在老百姓身上？我以爲，我的答覆是：美國不是中國的天然敵人，美國人在中國的「魚肉」中國人不同別國。美國人賺中國老一套的人的錢，雖然如別國，但不如別國之甚，自從太平天國（拳匪之亂）美國對中國人未開動大炮：……。「庚子賠款」基金，在教育上，對中國人轉流的教育制度裏是有過貢獻。

在第二次世界大戰中，我在中國大陸採訪。我由東九省踏到西藏邊緣。中國的人對我說過：他們信任美國人。美國人協助中國人「抗日」，羅斯福總統鼓吹「平等、民生、自由」大受中國人歡迎。

毛氏爲甚麼突然放棄部份反美行動？

他們的解釋是說：毛氏從未眞正憎恨美國人民，只憎美國政府。這答案不能服人，如果眞是如此，爲甚麼美國人要歷這長久時間「才眞受歡迎」？唯一顯明的理論，中共網開一面，「想踏入聯合國」，另一把戲玩「華盛頓反對莫斯科」——這是蘇聯官方人物的看法。

亦有另一理由：可能是命運如此，必須改變。

我記得羅斯福死了之後，中國新政權出現時，沒有跡象給予人民以「民主自由」時。很多中國人問我：「你們有負我們了。我們對你們美國人全信。你們爲甚麼這樣做對！

過去二十年中國與美國的「恩恩怨怨」，眞有好一段長久的「愛情故事」。美國所見到：他們的教士與人物給埋下獄裏，他們提出的友誼憤然被拒，美國人亦憤怒了。韓戰、越戰，中共被拒踏入聯合國，造成雙方的「敵對」。

「東方酒店」（愛羣酒店）的每間房子裏有兩個空的釘孔，原本是掛「毛像」的，現在沒有了。這是西方商人告訴我。現在最高」一層的「桌球室」（彈子房），在紅綠光輝的燈色下，有恰布的「語錄」仍存在，但觸目的去年高懸的「毛像」現亦消失。

這情形在中共大陸「有此現象」。

同類現像發生，以往來說：每人襟頭有「毛章」。現在仍有，卻不是很多。以往「小紅書」（語錄）在每人一手。現在，公開場面亦少見。然而，「毛像」依然「無所不在」。

情形似乎中共大陸「鬆一口氣」。

一位西方外交人士猜測，此項新發展，可能是給外國人看，舊方法已成陳迹，或者「倒劉」成功，使人覺得「安心」……。此種情形，在鄉間尤爲明顯，我們在北京、上海、廣州，都是到軍隊與警察巡梭很稀。理由是甚麼？我們不知、有一點不容否認：中共已伸出歡迎之手，對付曾指爲敵人的外人。

閒談書法

柳涯

王壯爲收藏筆墨甚豐，其字學沈尹默，沈字得力於右軍快雪時晴帖。在抗戰時期，黨國元老戴季陶先生常對人推崇沈之書法，譽爲「當代第一，並世無雙」，快帖之被人重視，是因淸代乾隆皇帝當作稀世之珍，內府收藏唐人雙鈎右軍父子各帖，乾隆獨喜快帖，每年初雪之日，輒取出展玩題跋，而後密藏之。如留心故宮博物院展出，即知此言非謬。快帖旣係唐人雙鈎，並非右軍眞跡，因之談不上「氣勢」，「風神」，故沈氏一生不喜作大字，即對聯亦少著筆，勝利後在滬上坊間所懸沈書，盡皆寸內行書。王壯爲之字，既想不買，又不收藏，不擬談論其優劣。

古人論書，極爲嚴格，且舉數則爲例：古人論字，最重「風神」。姜夔說：「風神者，一須品高，二須師法古，三須筆紙，四須險勁，五須高明，六須潤澤，七須向背得宜，八須時出新意。」

（四）

加國有「野鷄大學」

留學生要特別小心

選擇學校切莫輕信廣告、索取資料要找政府機構

（自由報香港消息）最近，由於香港同學在美國援二連三出了不如意的事情，致令很多有子弟到外地留學的父母十分担心。照筆者接到一位留加的朋友，寄回來的錄音帶說：暑假在加拿大留學的香港同學，最好直接去教育司署求助，因爲教育司署有一個小組是專門負責往海外攻讀事宜的，那兒能夠得到正確的資料，而且一切出境手續，也指導你循正路而行。

反之，若聽人家傳說，或者一些不實廣告，這還是碰釘的多。

此事緣起於有些香港人剪了一些資料寄到加拿大要調查查些所謂學院或者專上學校。

香港留加的學生，於是拿着地址乘車去找，一間大專學校竟然難找得很，到了所在地的地區還是找不到，街坊及藥房之類的工作人員，對此一無所知，結果，在一間公寓式的大廈中，找到了一間只有兩三個單位的學店，但卻眞眞正正的有學生上課。那些不僅是「野鷄大學」而且實在只等於補習班。

如果香港學生到了那兒，發覺不對勁的時候再申請越校，校方將會使盡了一切辦法，留難學生，因爲香港學生入口，必須要有一家學校的校長簽署，證明收他入學才可以申請入境的。

另外，一位留加的學生來函說：香港留加的中學生，大有問題，中學生年紀較少，學壞也易，不僅經常逃課，而且聯羣結黨，搗亂秩序，又利用中文出錯，講粗口，學抽大麻，學生家長對此事切宜注意。

筆者另獲得來自香港澳洲商務專員公署的資料，據說香港留澳洲的學生，都過得不錯，自然這只是澳洲官方的資料，而目前往澳洲留學費用較昂，也不易入學。話得說回來，加拿大當然也有很多是香港去的出色學生，而且也有很多名聞世界的學府。

地治史上的『最佳』紀錄

小針

新聞網外之言

台北縣政府遷建案，終於在議會四天輪番交戰的討論中，予以通過。各報地方版爲擠滿議場旁聽席數百聽衆捧場，竭盡報導之能事；同時站在反對立場的三重市掀起罷免蘇清波的風暴，亦報導得琳瑯盡致，而猶轟盛哉！

但結果是蘇清波個人榮獲「勝利」，眞是一夫當關，萬夫莫敵，可謂「勇」矣。（蘇縣長終日坐鎮議場觀戰）。某報曾爲蘇縣長炒冷飯，謂其任縣長至今，已有兩次罷免紀錄，另一次亦爲三重市民代表所掀起，有檔案可查。此次亦以三重市民代表爲骨幹，發動罷免。

其實有檔案可查者，據小民記憶所及，還有新莊鎮民代表會，則因新莊鎮公所辦公大樓，未獲補助，被代表們提議罷免。而三重市首次之罷免理由，係因該市代表們被蘇某辱罵，皆屬較不關痛癢的事，所以罷免案虛幌一槍，便告煙消雲散！

此次三重市民爲縣府興建十四層豪華衙門，因縣民之反應不「佳」，勢必加重罷免案之氣氛，故而顯得頗不尋常。

但儘管如此，扣除十個月休職處分的蘇清波，尚未任滿兩屆縣長，便已創下三次被縣民發動罷免的紀錄，將可與未來縣府新大廈，而永垂不朽！而在台省地治史上，亦可爲紀錄『最佳』矣。

劉半農記賽金花

過了些天，人們傳說義和團要攻租界了，一般住民都驚駭的了不得，街上紊亂極了。我一看不好，我們住的地方離法租界很近，倘若法國人開鎗，頭一家便是我們。於是趕快叫家裏人把能夠帶的東西收拾收拾，五月二十那天就逃了出來。走到河邊要雇船，這時候那還有船？找了半天，纔找到一隻破陋不堪，連篷子都沒有了的小船，也管不得它破不破了，逃命要緊。怎料一上去發覺船竟是個漏的！正在這着急發愁的當兒，天不絕人，恰巧對面又來了一隻船，雖也破敗，但還不漏，便忙着招呼過來搬了上去。這時候，洋兵正在一個橋上與義和團對敵，砲火忽斷忽起。喊殺連天，我們的船又是必須要從這橋底下穿過的，嚇得我渾身只打哆嗦，伏在船裏，捂着眼睛，一動也不敢動，船夫緊忙的撐船，冒着險纔穿了過去。還算萬幸，各人都沒有受傷。

河的沿岸各村鎮，差不多全被義和團佔據了。他們不許有婦女露面，恐怕冲了他們施展法術，船夫用席篷把船蓋起，叫我們蹲在底下，這樣便不會看見了。一路上檢察的也很嚴，幸虧我身上帶着義和團裏一個頭目邢老師的一張名片，遇着有什麼爲難或盤詰，便拿出來叫他們看看，還着實得到了不少的通融。等走到了離天津十幾里路的小稍直口，天已昏黑，下了船，暫住在那裏，我們的初意是想住幾天，聽聽天津的消息，若能安靜，還希望回去。那料風聲一天緊似一天，消息一天壞似一天，都說洋兵已佔據天津，水師營全被打散了。這時候已見着有成羣成夥的敗兵逃兵逃下來。我一看這情形，心裏慌起，有些人就說通州最好，是有名的「太平州」，永不會遭刼的。我聽了這話，也沒什麼旁的主意，只好就逃往通州吧。

到通州，住在一家店裏，名叫長發棧，包租了一個跨院。我們的人也還不算少呢，連姑娘帶男女傭僕總有好幾十個。

錢也是倒霉！我們在天津時，因預備逃難，把銀子全換成了金子，爲是便於攜帶，換時金價正漲，受損失很多；等到現在，金價又大大跌落，一兩金子纔值幾十吊制錢！

在通州住的進了七月，外面風聲越發緊急了，通州城裏的有錢人家都紛紛逃難，我一看這太平州也恐怕要不太平，還是上北京吧，那裏總比較要好些。這時，他們都勸我不要走，因路上兵匪過多，任意搶掠，着實危險。只是我的走意堅決，誰說什麼也不聽。叫他們把東西全捆打好了，我自己把些最值錢的珠翠等物，偷偷的裝在一個茶葉筒裏，帶在身上。

（十五）

馬騰雲談藥枕

·文匯樓主·

醫藥理論權威馬騰雲教授，卅年來從事埋頭研究中國醫藥，他的研究方法，認定這門精深繁難非經十年以上的功夫不能卒業的中國醫藥，非投下十年時間不可，另又以十年時間，將中西醫藥作比較的研究，於今馬氏纔瞭解中醫藥的優點與缺點，西醫的長處和短處，若干年來馬氏說話為文，能受到醫藥界的重視，非無由也。

馬騰雲和魯迅有同一毛病，都喜歡看雜書，奇書，怪書，攢牛角尖的書，馬騰雲和魯迅不同點，馬走的是中國醫藥研究工作，專從事醫藥營養與長壽健康這條路，祇實用書方面已出了幾十種，海內外知識份子，不知道馬騰雲的可能已經很少，不過馬騰雲很討厭人找他看病，曾在香港各大報一再聲明，江蘇一位有錢的朋友，願以一萬元新台幣禮金，邀馬騰雲作一次病情研究，原件張起鈞教授等都看到，馬回了一封信將這位大罵了一頓，且引證鄭板橋的詩句：「青山亦很揚州俗，多少巒峯不過江」，「富人」被諷刺得啼笑皆非。

馬騰雲對西醫的科學萬能主義是存疑的，西醫認為憑科學之力，無論何種問題，均可解決，乃將試驗儀器與人體同視，以動物試驗為定律，將所得的結果，直延用到神妙的人體，待臨床實驗結果，往往不能相應，而中醫則反是，積數千年來，億萬人體所得研究之病理及其藥能，歷千錘百鍊，而後完成結論，立為方劑。西醫則認為非常空洞，實際呢？中醫則秩序井然，始終一貫，中醫藥治病每有意想不到的效力，道理在此。

馬騰雲最近將卅年睡枕頭的經驗，與在枕頭上所得到的益處，原原本本貢獻社會，使大家都有機會共同享受，馬騰雲說：「枕頭對我的益處，由於人體經驗在先，而後才從理論中求證，從未用小白貓小白兔，小洋鼠，或小豬小狗作枕頭的試驗，有感靈妙不可思議的人類，不能與小動物同日而語，中醫藥未被消滅，目前雖居劣勢而仍能與西醫共存，居為世界兩大派中之一者，自有其存在至理。絕對不是幾個數典忘祖與一些假洋鬼子寫寫喊喊所能動搖，相反的如日本，德國，東歐等進步國家，乃至於蘇俄都在中醫藥裏從事掘寶工作……」樓主會再介紹之。

邱吉爾談寫作

·段沁·

我們在這四個鐘點裏，總要退出這凡庸紊亂的世界，用幻想的鑰匙，去打開存貯真如境一切寶物的箱匣。

講到自由，作家不是非常的自由嗎？他不是非常的安全嗎？有幾個人的自由安全能夠和他相比呢？他的工具是那樣普通，那樣便宜，差不多就沒有甚麼市場上的價值。他不需要大堆的原料，不需要人畜的助力。他在他的職業上只依靠他自己，在他身外的一切都毫無關係。他是一個帝國的君主，自給自足，自作主張。沒有人能夠強迫他違背本意去使用他的能力；沒有人能阻止他依照他所選擇的方法將他使用。筆是人類的，民族的偉大的解放者。鎖鍊不能夠束縛，貧困不能夠阻遏，稅吏不能夠限制作家心靈的自由活動，就是太晤士報讀書會也只能對他的酬報發生些須的影響。不論他著作是好是壞，只要他盡了力量，他總是快樂。

我常常在阢隉煩惱的政治生涯裏，用一個信念來支持自己，這就是相信我有一條撤退的路綫，通到一個和平肥沃的國土，那兒流氓惡棍決不能夠涉足，那兒你不會感覺煩慢怠惰，乃至無可施為。到那時我將滿心欣幸我嗜好寫作。那時候，我的確感謝那些慷慨英勇的心靈，他在各國家中，艱苦奮鬥，奠定了今日這不容置疑的言論自由。

並且英文又是一種何等高貴的表達媒介。你只要寫下一頁，你就不能不對我們祖國語言的豐富，多變化，有彈性，深沈有力，這些特色感到莫大的愉快。要是一位英國作家，不能用英語——而且是簡單的英語。英文研究還不能更加普及這件事是何等可憐！我並不是反對希臘拉丁的教育。在文學上稍有鑑賞能力的人都不能不感到希臘羅馬人的力量。但是我承認我們現行的教育制度使我深感不滿。我不能夠相信，把只有少數天分特別高的人纔能欣賞的寶藏塞給勉強的莫名其妙的大衆，是一種好的乃至於合理的制度。對於我們公立學校中的多數兒童，希臘拉丁的功課自始至終是一個冗長累贅，沒有意義，沒有用場的讕語。如果有人說古典文字是學習英文最好的準備，我就要告訴他大多數的學生在他們所受的教育終結以後，仍然是沒有讀完這預備階段，沒有得到一點人家平常所預期的益處，為了要讓一個人可以爬上巴納斯山的峯頂，希臘神話中詩神及文藝女神之聖山，就得有二十個人在動名詞變化的沙漠裏絕粒；從多少年的辛勞中收穫不到一點實際的利益。

即便是那些沒有成為大學者，但是對於古代作家有些認識的人，他們能說英文上的工夫已經到家了嗎？大中學校裏有多少學子，能夠用拉丁文造出使墳墓裏的羅馬人也要心驚的詩句！可是幾個能用激近的正確的斬截的英文造幾個好句子，更有幾個能做幾段文章？我是一個熱愛希臘的人，雖然我當然只能依靠人家把他們的情形講給我聽！——我希望我們教育家至少在一方面能夠做效希臘的前例。希臘人怎樣使他們語言成為人類有史以來最優美最簡捷的表現方式呢？他們都用了全部的時間來讀他們以前的文字嗎？他們孜孜不倦地研究一種古代語言嗎？完全不是，他們讀他們自己的語言。他們愛它，他們修飾它，他們撫育它，擴充他，這就是它所以成為後世人的楷模和愛好的原因。不成問題地，既然我們的語言已經在現代世界上得到廣大無比的領域，我們至少可以從古希臘人學得這點教訓，對這個在以後人類進步中也許可以有重大作用的語言，更關心一點，更在教育制度中多給一點研究它的時間。

老實說，我以為英國的兒童應該先學英文，學習用它寫作，用它講話，背誦它的詩歌和散文，了解一點它的文學，懂得它的力量，它的變遷，它的根源；只有對於在學習英文的時候，特別顯出愛好文學和智力優秀的人，才打開往古世界的大門，它不是一種磨鍊或一種磨折，不是拘束一切人的刻板儀節，而是對於殊才異能和有志學術者的一種報酬。

還有一點我想說一說，不過也想多講，我要說的是應該由最了解最熱愛英語的人來指導它。現在文學界唯一的控制便是官方戲劇審查員的公斷和私見。這位審查員先生不成問題地是和我們所有的公務員一樣，克盡厥職，在私德上也一如公共團體中所習見的那樣高尚，可是他除了好心以外，就絕對沒有資格判斷有藝術價值的作品，我要你們同情的。

（二）

孝道的宏揚與光大　十一

·李宗黃·

堯舜以後事業上成就最大的是禹，因為能為其父補過，故有此成就。在政治上文化上均有貢獻。而為百世以後所稱述的，要數文王武王周公，他們的「孝」就是我們今所講的「達孝」，他們的成功，可以說也是得「孝」的力量。古人記載他們的孝行云：

「文王方為世子，朝於王季，日三，雞初鳴而衣冠至於寢門外，問內侍之御者曰：「今日安否？何為？」內侍曰：「安」文王乃喜，及日中又至。亦如之，及暮又至，亦如之。其有不安節，則內侍以告文王，文王色憂，行不能正履。王季復膳，然後以復初。」

「文王有疾，武王不脫，冠帶而養，文王一飯，亦一飯，文王再飯，亦再飯」。（同上）

「周公之事文王也，行無專制，事無由已，身若不勝衣，言若不出口，有奉持於文王，洞洞屬屬，如將不勝，如恐失之，可謂能子矣」。（淮南子）

秦漢以後，政治修明，著名是「文景之治」，而文帝也是以孝治天下。其後以孝治天下的君主，雖然不少，但是只得其皮毛，毫無實際，且出不少逆子。故天下總不容易治平，縱能治平，亦不能常治久安。由此可見孝的功用之大，不僅在倫理上是如此，即證諸史實亦復如此。若更根據「善繼人之志，善述人之事」推論，可以說我中華民族五千年的歷史，也是由孝而發生，由孝而發展，由孝而光華燦爛。希特勒所謂：「人類之歷史性，基於人類之有父子」，確乎是有根據的。（未完）

話說朱元璋

雁謀

朱元璋在江南捷報頻傳，那小明王得到消息，升朱元璋為樞密院同僉（等於國防部長），不久又升江南等處行中書省平章事。（地方軍政長官）

各位讀者！你道小明王是誰？原來就是香軍的傀儡皇帝韓林兒，也就是劉福通一手製造出來的一個宋室後裔，自稱「小明王」，國號「宋」以為號召。以劉福通為輔弼，佔據了中原各地，勢力很大。當朱元璋攻下了孫德崖的後數日，就曾經傳檄到了滁州，那時候朱元璋的官位是左副元帥。當時朱元璋本來不大受他的封號，張天祐向朱元璋建議，劉福通勢力正大，不妨權且聯絡，以免樹立強敵。今日正可將計就計。」朱元璋以為有理，便採納了。故當朱元璋渡江的時候，是奉的小明王的年號——龍鳳元年。

破滅陳友諒

羣雄反元的機遇，要以朱元璋最佳。當朱元璋經營江南的時候，中國北方正鬧得天翻地覆。因為那「小明王」從至正十二年開始，劉福通就分兵三路出擊：

東路軍攻佔今河南省東北部和山東大部份，北進河北，直逼元都——大都（今北平市）。弄得元順帝幾乎要遷都逃亡。後來這一路受挫，退回濟南。

中路軍渡過黃河，由山西出長城，橫掃長城外各郡，攻陷元朝的上都——開平，轉入遼寧，入高麗後分兵一枝再折返，由河北入山東，與東路匯合。

西路軍由關中入陝西，分兵入甘肅、四川、寧夏等地。至正十八年，劉福通攻下汴梁（開封），定為國都，奉韓林兒為大宋皇帝。國號宋。這一路反元復宋的力量十分浩大。這三路大軍把元朝軍隊打得七零八落，動搖了元朝統治者的國本。可是他們也有大的缺點存在。

一、沒有一個傑出的領導者，因此沒有統一的指揮。

二、沒有明確的政治號召。（不如朱元璋多了）

三、得地不守，沒有鞏固的根據地——後方。

四、後來發展龐大了之後，各將領相互爭權奪利，自相殘殺。

五、軍隊的紀律太壞，遭遇地方百姓的不合作。

小明王在中國分三路進兵，與元軍援戰的這幾年，根本無暇顧及江淮地區，因此朱元璋在這一個空檔中成長。朱元璋經營江南的地區，正是陳友諒的轄地，因此陳友諒當然不肯甘休，就在至正二十年，陳友諒大軍由江州（九江）出兵東下。金陵朱元璋聞報大驚，趕快緊急應變。

朱元璋乃命胡大海率兵直搗廣信（江西上饒），以制其後。同時又囑康茂才發書騙友諒，偽稱可為內應，促其東下。康茂才本為元將，官拜淮西宣慰同都元帥，後降於朱元璋。本為陳友諒的舊交。陳友諒不疑有他，引兵直前，至江東橋，（即江寧縣江東門外）仍不見康茂才內應，心知有詐，急欲引兵退走。可是元璋所佈置的伏兵，已四方八面起而圍攻，馮勝，華雲龍搗其中堅；廖永安，張德勝迎頭痛擊。常遇春，徐達更引兵夾攻。於是陳友諒之兵被殺被溺死者無數，生俘七千人。陳友諒只得乘輕舟逃走，甫抵采石，而朱元璋之軍追擊，又大破之，友諒狼狽奔江州。

常遇春已乘勝攻取了安慶，胡大海亦攻佔了廣信，朱元璋則自率大軍長驅已向江州。途經小孤，友諒之將傅友德，丁普郎均投降，元璋威聲大振。友諒屢敗心情，聞元璋來得如此的迅速，已怯得不敢抵抗，遂乘夜色濛濛之際，挈了妻孥西走武昌。友諒既走，江州之地幾乎盡入元璋勢力範圍。接着陳友諒的江西行省丞相胡建瑞以龍興（南昌）出降，不久，廖永忠，鄧愈等又克瑞州（高安），饒州（鄱陽），撫州（臨川）。友諒所據江西之地，至此盡為元璋所有。陳友諒大敗回武昌之後，心有不甘，於是大治舟師，準反攻，讓陳友諒準備着。

（六）

安徽十三傑

管仲　李紳　莊周　曹操　華佗　包拯　朱熹　朱元璋　戚繼光　李鴻章　段祺瑞　胡適　楊振寧

諧聯選

嘯月

▲某名士家甚富，呼童喚婢，生活十出優裕，尙享受，一婢有抓癢特技，頗得名士之寵，一日某婢正為名士抓癢，為鄰居老師看見，見婢姿容艷麗，作一聯語挑之曰：

癢癢抓抓，抓抓癢癢，越癢越抓，越抓越癢，怎醫得我心坎上癢。

此婢亦能文，乃對之曰：生生死死，死死生生，先生先死，先死先生。却原來是惡鬼道中生。

▲弟嫂相謔聯：

五月五日，五弟弟手提五粽；

三更三點，三嫂嫂懷抱三哥。

巨變歷險記！

飛離仰光（二一八）

胡慶蓉

這是民國四十年雙十節後丁博士飛離仰光的。

民國四十年的雙十節非常熱烈非常燦爛。是以自由報爲指揮中心的，一切由這裏發號施令，一切的情報也都集中在這裏。這裏工作的分配很細密，執行的也很徹底，青年幹部到處奔走，青天白日滿地紅的國旗，遍地皆是。凡是有華僑的地方，有華僑的家庭，都懸掛着青天白日滿地紅的國旗，緬甸政府不加干涉。有遊行，幾千人的隊伍在街上走着呼着口號，聲勢非常浩大，兩旁的華僑擁擠着看隊伍經渦，歡聲雷動，宛如置身於中華民國的領土。隊伍裏並且有舞獅隊，國術隊，化裝隊，鑼鼓鐃鐃，金聲齊鳴，更增加遊行的熱鬧。在第一個承認中共政權的國都裏，而能有這麽熱鬧的場面，恐出一般人預料之外。這恐怕不能不歸功於丁博士的領導與游擊隊的勝仗。

丁博士在仰光的期間，他還做了一項很大的政治工作，那就是聯合緬甸的友黨，聯合緬甸的反共力量，共同作反共的鬥爭。將來丁博士成立東南亞自由人民反共聯軍，就是將仰光的活動擴而大之。反攻大陸，拯救同胞，丁博士堅信基地一定要建立在東南亞。這才是可靠的橋頭堡，這才是炸不沉的航空母艦。台灣是個孤島，受美國第七艦隊的包圍，受中美協防條約的拘束，雖有號稱六十萬的大軍恐怕很難能夠發揮他的作用。把力量儲存在東南亞，以近水樓台的地位，作時時待機而動的準備，那是卑之勿甚高論切實可行的計劃，爲達到這個目標，丁博士從緬甸開始，決心將中國人民游擊隊的力量與緬甸的反共力量結合在一塊，決心將中國游擊隊與緬甸反共人民密切的打成一片，決心將中國游擊隊的根生在緬甸，長在緬甸，鞏固在緬甸。

緬甸當時的反共政黨是民主黨，他代表緬甸的一切反共力量，尤其代表緬甸的兩大民族，吉倫族與單族。這兩大民族同時也是兩大獨立的力量，兩大反緬甸政府的力量。他的總裁德欽巴盛，副總裁蘇山波陣，秘書長德欽進，都願意與丁博士合作與中國游擊隊合作。在丁博士離開仰光的時候，並偕民主黨副總裁蘇山波陣同行。就在雙十節中華民國國慶的第二天早上，丁博士與蘇山波陣副總裁搭去臘戍的飛機離開仰光。蘇山波陣事前有周密的佈署，妥善的佈署在飛機起飛的前幾分鐘趕到機場，在副總裁掩護之下，順利的過關，順利的登上飛機，順利的飛往臘戍。監視丁博士的緬甸情報人員，是不是前一天累了，在他們沒有注意的時候，丁博士就離開了。這是一個天色非常混暗的早上，有很少見的霧，到處濛濛朧朧，丁博士就在這濛濛朧朧之中，結束了他一年八個月的牢獄的生活。

「一年八個月，丁博士以他個人的犧牲換取整個部隊的不撤，並利用這個時期擴充，與美合作，與台灣合作，在不斷的壯大，是他引以爲自慰的。丁博士在仰光的時間，很感謝各位僑領尤其陳洪安先生陳甘享先生的幫忙，夏炎校長及其他各位校長的幫忙，各僑團的幫忙，各青年幹部的幫忙，使他能夠在不自由的情況下進行他的工作。他常常的會懷念仰光的華僑是如何的愛國如何的盼望祖國如何的盼望游擊隊能給他們創出個局面，使他們能夠安心的工作他們的生意，發展他們的事業。

丁博士沒有違背他們的意思，今後他的工作目標就在扶植緬甸的反共力量，進而改組緬甸政府以符合我反共復國的要求，並符合我全體華僑一致願望。丁博士離開仰光了，這是一個轉換點。

中國醫藥眞實存在之價値（二）

・呂未識・

著書立說，闡微抉隱者，代有其人。因此我國固有醫學，實已蔚爲傳統文化之光輝，有裨民族健康之維護。乃晚近鮮見深切精湛之研究發展，致先賢遺緒，闇然未彰。值玆積極推行中華文化復興運動之時，欣逢第四十屆國醫節，我全國中醫藥界人士，集會慶祝，深具意義，所望諸君共矢精誠，益加奮勉，以求新求本之精神，運用科學方法，融會新知，整理我國在醫學上源遠流長，偉大淵博之遺產，研究其精微，貫通其義蘊。推陳出新，窮理以致用；確實發揮民族保健之功能，恢弘濟世活人之效果，對於中華文化復興運動作重大之貢獻」。如是訓示中國醫藥界諸人，亦爲證實中醫中藥之有效着想，恐致先賢遺緒於闇然不彰，而勉諸人，盡力發掘中國醫學之寶藏，研究改進，以發揚光大，爲國家效勞。黃毅軍先生，若如總統訓詞中之所云豈不亦是「以訛傳訛」，「人云亦云」乎？

中、西醫學在理論之差別

中醫在古代有陰陽五行之醫學學說，陰陽五行是一種代用名詞，來自易經，易經之論天地萬物變化（自然哲學），由一動字而起，動有二種動力，一是陽（剛性），一是陰（柔性），由陰陽相等配合互相吸引，則能發生種種之變化，是謂之道。人身之血液循環，或各部分之新陳代謝，亦不能離開如此之道理，故以陰陽爲代名詞而立論也。例如陽，血液循環，以氣屬陽，血屬陰，由陰陽之相配合則能開始保持循環。此如電氣學之例亦是，由陰陽二種電子，相等配合互相吸引，則能開始轉動。故不論人與物，若陰陽配合不相等，就能發生毛病也。

「五行亦爲代表名詞，今人多不用。現在都根據傷寒雜病論（是融化自然哲學而立論）。以人身爲小天地分爲六經（太陽經、陽明經、少陽經、太陰經、少陰經、厥陰經），應乎宇宙間大自然之氣，分爲六氣（風、寒、暑、濕、燥、溫）。因而視人身所感某氣而失中和者謂之病，認人身所受某氣致病，以六經分病之進行狀態而施治致中和者謂之治病。

西醫之理論，有根據細菌學說者，其所謂之細菌，亦不外乎中醫所論大自然之氣。例如，中醫說：物先腐而後虫生，西醫醫說：物有感染細菌則能腐敗，說法雖異，其理同也，中醫說：物若感受暑溫之氣則易腐敗，西醫說：物以冷凍可防止腐敗，其理同在冷氣也。故人之生病，亦不能離開自然之理也。

中、西醫學在進步上之差別

西醫有受物理科學家，電子科學家，化學科學家之幫助，如聽診器、體溫計、電氣治療器、顯微鏡、X光綫、心電圖、腦電圖、胃鏡等，政府對醫學教育有盡以扶植，故西醫之進步，一直上進。

中醫、在古時未有教育制度時，不在論列，而現在雖有教育制度，政府尚未設法扶植中醫教育，仍遵古法制，各自從師學藝方式，或自己苦學，最少要五、六年，多者十餘年始能取得資格者，又未受物理學家、化學家、電子學家之幫助故進步慢，與西醫相比，實差多矣，其咎不只在中醫，而執掌醫學教育者，亦不無有責任。

醫者之本質：無分中西，亦無古今之別，旨在爲救人爲目的，各有長處，亦各有短處，應抱仁心仁術之醫德，互相提携，互相研究，俾能建立我國之新醫學，以發揮保健民族之使命，則功德無量矣。

醫者非萬能：中西醫在於臨床上，往往常有遇到困難之症，如西醫不能醫治，由中醫治好，或中醫不能醫治，由西醫治好，倘有遇到此種病例之時，切勿存有亢高心理，而生妬忌心，藉機說：孰優，孰劣，自稱其能，醫乃仁心仁術，絕對不可存有如此之卑鄙行爲。

關於衛生署之成立，是經十全大會提案，國民大會建議，立法院立法，行政院而建制者況中醫之在法律上，具與西醫同等資格，依法可享同等權利與義務，署長置西醫，副署長醫中醫，中醫研究所，聘任中醫。（未完）

五十六種砂鍋烹飪

馬騰雲

廿二 砂鍋梟糊

以梟肉半斤，雞腿兩個，山藥三兩，馬蹄三兩，冬菇四隻，開洋廿粒，紅棗五個（梟肉、白果、馬蹄先同煮熟），然後切成丁加葱花，鹽末滾二十分鐘，和以豆粉成糊，上桌前外加水蒜花，胡椒粉、麻油、香菜，這就是砂鍋梟糊。

梟鳥台灣山區有產，頭部似貓，俗名貓頭鷹，其味鮮美能治頭昏頭風各症，筆者家母患頭昏病多年，西醫認爲是貧血，照補血的方向醫療，雖不是越醫越壞，亦屬背水無功，後由父輩楊啓佑（光緒年代舉人）爲吾邑儒醫，常看到家母頭裏以紗巾，知爲頭昏病後，謂此症梟糊乃特效藥，經懸高價徵得梟鳥五隻，依上法烹飪，幾天吃一只，果獲奇效，未幾有族人也患頭昏病，吃梟糊又治好，梟似爲八珍之一（與熊掌、駝峯等量）可惜手邊沒有此項資料，不敢多作介紹。

中國出梟鳥的地方，以貴州省會貴陽最多，入夜幾到處都是梟鶖猙獰的笑聲，北方人聽到這種聲音引爲不祥之兆，照藥典記梟鳥又名鴞，謂鴞肉治風癲噎食。

有一鴟鳥（就是老鷹）咀鉤曲，長度至四尺，飛時若靜懸空中，遠迴旋作大環，「鴟頭」治頭風目眩，雲南昆明雖多，但不及緬甸瓦城（曼德里），鴟以雞鴨貓狗爲食，且有爪去小孩的紀錄，當地人從未見有射獵此物者，可能與印度尊「聖牛」同一迷信。

黛眉小傳

・王幻・

梁夷素（二）

且說杭州戎政尚書衛觀，乞假在家。夫人鄒氏，只生一女，名蘭森，姿容絕世，雅嗜詩書。他家常生五色靈芝，芝上浮動紫氣，乃掘芝根，得寶石一塊，石上有科斗（虫旁）文，人皆不識。鄒氏幼時，曾患絕症，得一道姑來救，始告重生。但不知道姑姓名，呼爲巽人姊。是時道姑忽率一女來訪；此女美艷非常，托鄒氏撫爲義女，名叫蘭生。道姑見了寶石，說：「這是思硯，乃女媧氏補天石所化，尚有相硯，與此爲對。她又指上面的科斗銘云：

惟此寶硯，彼相此思；
欲諧鳳卜，得相始施。

旁又有「蘭森」名字。於是互相歡異，以爲他日有人求婚，必得「相硯」爲聘，才能允許。

再說浙西桂史的兒子尤星，字瑞生。生時，他的父母曾夢「阿鼓」來降。弱冠登賢書，尚未聘婚。一天，和他的同年友田畏揚遊西湖，適逢衛夫人挈二女到湖上探梅，瑞生與蘭森相望一水間，目成心許。後來訪知爲衛氏之女，遂投於衛觀門下，觀館之於後園。所謂巽人挈來之女蘭生，即是月中仙子，方在爲兩人作合，乃假蘭森之名，題詩葉上；瑞生見了，相憶益苦。乘機問計於婢女「孤鴻」，鴻告以必得「相硯」爲聘；又爲他改易女裝，進入蘭森之室，得見「思硯」，但何處去覓「相硯」？一時彷徨無從，乃祈夢於「于忠肅」祠。果然夜裏夢神見示，「相硯」在天台雁蕩山，但恐硯歸人去！醒後，托友人田渭洋爲媒，自己却到天台去求「硯」。

其時有牛公子名晶，亦欲得蘭森爲室。田畏揚因瑞生平時歧視他，遂懷恨在心；當瑞生祈夢時，適與畏揚相遇，獲知內情。畏揚乃同牛公子依式僞造玉硯一方，上刻蘭生名，因他誤聽「森」爲「生」字。俟瑞生赴天台之際，竟往衛府行聘。於其同時，衛觀奉召進京，臨行，對夫人道：「有尤公子托田舉人求婚，我已應許了，等他得硯來聘，就把女兒嫁給他。」及後田畏揚持聘至，家人誤以牛爲尤，田畏揚爲田渭洋，而致張冠李戴，約期許嫁。嗣後夫人聞知新婿面貌很醜，又硯上的字不符，欲以蘭生代嫁，蘭生亦首肯願行。合巹之夕，天帝遣孫悟空以瞌睡虫塞牛晶鼻中，使牛不得近。而鄒夫人母女，得衛觀來信，催促入都，即日就道。（未完）

第二十三章　岳飛尅日擒楊么　武穆襄陽當重任

周燕謀

且舉巨木橫撞，楊么的坐船被巨木撞穿幾個大窟窿。忽然聽得官兵大叫道：「逆賊楊么投水了！」俄又聽得官軍拍手道：「好了！逆賊楊么被牛將軍活捉了！」賊衆探頭遙望，果見自己大聖天王被一黑面將軍從水中捉去，跳上岳元帥船中了去。賊衆一見情況不妙，更覺心慌。正在茫然，忽聽得官軍大呼：「降者免死！」賊衆一聽，好似皇帝下了聖旨一般，誰不要命，何況十之七人皆爲盜賊脅從，誰願爲寇，大家不約而同齊聲叫道：「我等願降。」岳飛命牛皋收降賊衆，自率張憲突入賊寨中尚有賊兵守寨，聞岳飛猝至驚爲神人，俱開砦門投降，令將楊么斬首。當即遣部將黃誠，携了楊么首級，至張浚都督府報捷。

張浚正準備回朝，聞報岳飛已大破洞庭，活捉斬了楊么，携了楊么首級來見。張浚驚奇不已，屈指一算，正好八日。不禁歎道：「岳飛眞是神算，無人可及！」乃令黃誠回報，令岳飛軍屯荊襄準備北圖中原，自己啓節由鄂、岳二州轉入淮東，赴行在覲見高宗，高宗召對便殿。張浚奏事已畢，復進「中興備覽」四十一篇。高宗嘉獎不已，命留座隅。張浚又荐李綱，說他忠誠可以重任。於是命李綱爲江西安撫制置大使。李綱入覲高宗，仍抱規復中原之志，而陳金、齊兩寇，歷擾淮泗，非出奇謀以制勝，應速命驍將自淮南進兵，約岳飛犄角，東西夾擊，方可成功。高宗深爲嘉許。李綱奏罷，告辭而退。

回頭且說岳飛，率了黃左等洞庭降將等深入洞庭，大小賊寨，全已剿降，衆賊皆拜伏於地請罪。牛皋在旁向岳飛請道：「此等賊寇頑抗逋誅，罪不容赦；朝廷勞民動衆，若不畧行剿殺，何以示朝廷軍威？」

岳飛愀然道：「此輩皆田里匹夫耳！先惑於鍾相妖巫之數，故相聚以爲盜。後因陳吏部下令盡誅以雪恥，因此頑抗不降，此乃被逼求生而已。今楊么已遭顯誅，其餘皆是國家赤子，若具殺之，非主上好生之德啊！」岳飛之一番言語，說得諸將連連稱是不已。自古言儒將者，唯岳飛一人而已。諸將前有家被寇殺害者，意欲乘此報仇，岳飛下令不許擅殺降卒。岳飛復親自巡行諸寨，一則以示誠信，再則爲之慰撫。將所降賊衆，挑少壯者爲軍，老弱不堪役者，各給糧食，放歸田里。於是降人請歸業者二萬七千戶。所俘賊物，盡行償賜將士，下令放火燒了賊寨，揭榜於青草洞庭湖上，不數日之間，行旅往來，居民之耕種，頓若無事，湘湖遂平。（一一六）

自由報

（第一一六六期）

（半週刊每逢星期三、六出版）
每份港幣壹角・台灣售價每份新台幣弍元
社長李運鵬・督印黃行寶
社址：香港九龍彌敦道593—601號
廖創興銀行大廈八樓五座
LIU CHONG HING BUILDING
7th FLOOR FLAT '5
593—601 NATHAN ROAD,
KOWLOON, H.K.
TEL：K303831
電報掛號：7191

承印：景星印刷公司
地址：嘉咸街廿九號地下
台灣區業務管理中心：台北重慶南路一段一二九號
電話：二四五七四
台灣區直接訂戶 台灣劃撥戶
第五〇五六號張萬有（自由報會計室）
台灣分社：台北市西寧南路110號二樓
電話：三三〇三四六、台郵劃撥戶九二五二號

本報專論

正告美國政府和人民（一）

——為「台灣地位問題」作一剖析

國立政治大學教授 梁嘉彬

一，

我是一個無黨無派的中國人。我是一個忠實的歷史研究者。平素除在大學研究所教幾個鐘頭的書以外，便埋頭寫些學術性的文字，最厭惡寫政論，更絕對不參加任何政治性的活動。寫這篇文章的動機，無非因為看到本日（四月三十日）的報章，刊載了美國國務院發言人的過份荒謬言論，不得不奮筆疾書對該荒謬言論的觀感。

據該日聯合報第一版報導云：

「中央社華盛頓二十八日專電：美國今天公開表示，贊成台北與北平之間直接談判，以解決其爭端。但是同時表示，台灣的地位仍未解決。……關於台灣地位的美國立場，（美國國務院發言人）布瑞宣讀事先準備的聲明如下：『我們（指美國）認為此事未獲解決，因為在開羅與波茨坦的宣言中，同盟國表明意向稱，台灣與澎湖將為中國的一部份，此種盟國暫時意向的聲明，從未正式執行。』然後發言人繼續說，此項意向之聲明於與日本簽訂和約（按、此應指舊金山和約）時會有加以執行的機會，但是和約中再度未討論到此點。布瑞聲明說：美國認為中華民國在對台灣與澎湖行使合法權力，是由於日本佔領台灣的軍隊係奉命向中華民國投降之事實。」

關於「美國公開表示，贊成台北與北平之間直接談判」一點，我非政治人物，不便提供意見。只是在同日「英文中國日報」（The China News）第一版經已載了美國總統尼克遜表明「願以某種資格訪問中國大陸」的企圖（「"I expect to visit maialand China in some capacity," he said, without speci fying when such a visit might take place………」），布瑞發言贊成台北與北平之間直接談判也已被尼克遜否定，他認為這還是「完全不切實際」的。（同日「英文中國日報」第一版：「Asked about the future of Nationalist China, Nixson said it is "completely unrealistic" for the two Chinas to negotiate their differences………」）

想我政府早有情報，本文無太多篇幅加以批評。關於「台灣地位」的布瑞謬論，我是中國人，我研究外交史和國際關係，甚願提供意見，作為正告美國政府與人民之川，如左：

二，

第一：我在這短短的報導當中，經已深深地感覺到我們中國人以往犧牲了幾千萬軍民的生命（單就官死傷陸軍有三百二十一萬一千四百一十九人，空軍死傷有四千六百六十八人，海軍死傷人數尚無統計，人民直接間接之死傷據估計在二千萬人以上，可能更多），無法統計或估計的人力物力與財力的損失（單就人民財產損失據估計便達美金一百三十二億五千九百餘萬元），至今戰後二十餘年還無法向我們下一代交代的由於日軍暴行所留下來的有史以來最大一筆血債，而所換得的只不過是你們騙取我們協力的『暫時意向的聲明』而已。假如中國不要收復台灣澎湖，而只要恢復民國二十年（一九三一年）「九一八事變」之前的「版圖」，則在戰爭末期日本是已有意「轉圜」，誠心對我國退讓，和我國單獨媾和的，只因我國為了要堅持對你們美英這兩個「大盟國」在開羅會議所作的諾言，便不惜任何犧牲，繼續抗戰下去。我們所作此種種慘重的犧牲，難道要比你們征服美洲土番，化夏威夷王國為你們的一省，用七百二十萬元購買了阿剌斯加（Alaska）所作的「努力」還要少嗎？這是第一點。

第二：開羅會議宣言和波茨坦會議宣言既已全被你們看成不過是『暫時意向的聲明』的，換句話說：你們認為隨時可以加以撕毀的，則其影響所及，當不止台灣與澎湖列島，連帶跟着來的，便是韓國（朝鮮）獨立應否繼續維持的問題。你們將要強迫日本重整武裝，恢復軍國主義，是不是？將來日本再度進攻韓國、樺太、千島群島，甚至再度攫取我國的台灣省和東三省，也可在你們政府這篇「事先準備了的聲明」當中，得其根據。是不是？尼克遜先生一面說要永遠避免戰爭，一面卻在製造將來的循環戰爭，是不是？聯合國的宗旨何在？是如何組織起來的？只為了尼克遜先生個人或美國少爺的自私，而要摧毀聯合國，是不是？這是第二點。

第三：關於『此項意向之聲明於與日本簽訂和約（按、此指舊金山和約）時曾有加以執行的機會，但是和約（金山和約）中再度未討論到此點』的代表美國立場的布瑞聲明的下一大段文字，應請我外交部公布有關文獻，向美國提出嚴重抗議，向中國國民明確指出當時外交內幕，我們局外人不便替外交部越俎代庖。只是歷史告訴我們：台灣澎湖諸島只是中國和日本兩國之間的爭執，中國的失掉台灣澎湖諸島以戰爭失敗（一八九四年至一八九五年的第一次中日戰爭），中國的克服台灣澎湖諸島以戰爭勝利（一九三七年至一九四五年第二次中日戰爭），中日兩主權國之間的媾和條約原不須第三國干涉或任何國際公約的公認。一九五二年（民國四十一年）四月二十八日中國代表葉公超與日本代表河田烈（Isao Kawada）所簽訂（同年八月五日互換生效）的「中華民國與日本間和平條約」（Treaty of Peace Between The Republic of China and Japan, Signed on April 28, 1952, Ratifications exchanged and entered into force on August 5, 1952）的第二條，規定「茲承認依照公曆一千九百五十一年九月八日在美利堅合衆國金山市簽訂之對日和平條約第二條，日本國業已放棄對於台灣及澎湖群島以及南沙群島及西沙群島之一切權利，利名義與要求。」其第四條更規定：「茲承認中國與日本間在中華民國三十年即公曆一千九百四十一年十二月九日以前所締結之一切條約、專約及協定，均因戰爭結果而歸無效。」（Article IV. "It is recognized that all treaties, conventions and agreements before December 9, 1941, between China and Japan have become null and Void as a consequence of the war.";）中華民國三十年即公曆一千九百四十一年十二月九日為我國與美英兩國同時正式對日本宣戰之日，自法理言，此亦為第二次中日戰爭正式開始之日。此項媾和條約之立約宗旨在終止中日兩國間之戰爭狀態，使兩國之間廢棄舊日一切宿仇舊恨，一切可憎可厭的舊有條約、專約及協定，而從新締造兩國關係。我僅依據此一九五二年葉公超河田烈間所簽訂的「中華民國與日本間和平條約」（以下簡稱「第二次中日和約」），使已可確定台灣與澎湖群島經已正式由日本交還中國，因為日本的取得台灣與澎湖群島係從一八九五年四月十七日訂立同年五月八日互換之「第一次中日和約」（亦稱「中日馬關新約」或「中日下關和約」）（The First Sino-Japanese Peace Treaty of 1895, signed at Shimonoseki in Japan）之第二款第二、三目得來，經此次一九五二年之「第二次中日和約」第四條的規定，經已聲明「因戰爭結果而歸無效」（"have become null and void as a consequence of the war"）該一八九五年四月十七日所訂「第一次中日和約」為一九四一年十二月九日以前中國（China）與日本（Japan）間所締結之條約之一，試問美國政府以何種資格或能力使此已被宣告無效的中日馬關條約宣告復歸有效？美國政府所謂「從未執行」究竟何意？是否指中日兩主權國間的和約需待美國出來「正式執行」？是否有欲攫奪中國的「戰果」交還日本，或轉交什麼國家，或擅為己有之意？

（未完）

自由談

眞的是紙老虎？

中國大陸上的毛共政權，始終視美國為死敵，自韓戰結束後，說「美帝是紙老虎」，攻訐美國對外實行侵略政策，非打倒不可。俄共頭子赫魯曉夫覺得毛共太過於狂妄了，曾經以譏刺口脗警告毛共，認為美國這隻紙老虎是長着核子牙的。換言之，這紙老虎未可輕視，是具有核子武裝的猛獸，蘇俄亦對它存着幾分戒心呢！

最近毛共政權的偽國務總理周恩來，對着應邀到中國大陸訪問的美國乒乓球隊，表示了一點親切的詞色，且聲明是跟美國人民拉交情，對美政府仍然保持敵視態度，而指為「侵略的帝國主義者」，界說分明，立場堅定，誰亦一目瞭然，毫無疑義。

然而，身為世界超級強國元首的美總統尼克遜，竟以拿着鷄毛當令箭的心情，不顧國格，自貶身價，急忙向毛共說出許多獻媚乞憐的話。這有如一個浪漫女人，見着男人偶爾看她一眼，便以為是對她表示愛好，馬上就要跟那男人去開房間似的，眞令人不忍卒目，而渾身感覺汗毛淋淋也！假使是毛澤東對美國球隊說幾句跟周恩來同樣的論調，我不知尼克遜先生是否如聞「綸音」，如獲大赦，即偕同妻室兒女，前往北平作揖告饒呢？一個領導自由世界的盟主，縱然志在謀求世界和平，安定國內，人心亦不必如此低聲下氣，表現着迫不及待的賤相與醜態吧！

俄共認為美帝這紙老虎有核子牙，並非眞的紙老虎，尼克遜先生和一般國會議員們，卻以眞的紙老虎自認，致那些反對「美帝」的共產集團國家不必害怕，這是甚末外交策略，實在莫名其妙！有人說，毛共這次的微笑外交魔術，其作用對尼克遜競選下屆總統連任的幫助很大，我亦云然。但以一個眞正的紙老虎總統，漫說對自由世界有害無益，即對美國自身亦是多吉少。可哀的紙老虎，可惜的核子牙，它比龍蝦亦不如了！

馬五先生

昨日與明日

美國政客的幼稚病

美國參議院民主黨領袖曼斯菲爾，建議削減美軍駐在歐洲卅萬部隊的一半經費支出，迫使白宮撤回在北大西洋公約防禦體系下的美軍十五萬人，說是可以減少國家歲出預算的赤字。另一位民主黨參議員一旦準備競選下屆總統的麥高文，就主張尼克遜總統馬上赴中國大陸訪問毛共政權，認為機不可失，越快越好。

這二位聲勢煊赫的最高民意代表的高見，前者已受到許多政治要人的指斥反對，後者卻沒人理睬，讓他孤芳自賞。他們的言論思想，充分表現着美國人幼稚衝動的本質，也證明由人民投票選舉出來的政治人物，距離「選賢與能」的理想極其遼遠。美國如此，其他的民主憲政國家更可知矣！

假使這二位政治名角的主張眞的實現，不特北大西洋公約的集體聯防組織即告攤瘓，而稱為世界超級強國的美國國格和聲譽，亦就淪於三四等國家之列了。

譁衆取寵，好出鋒頭，原係一般政客們的通病，而以美國的政客為尤甚。這是民主政治制度的致命傷，無可救藥也。

英國政客亦不高明

英國工黨領袖前任首相威爾遜，最近在美國的報刊上發表他寫的回憶錄，指述他在一九六七年藉着俄共頭目柯錫金訪問英倫之際，曾秘密致力於越戰和談工作，且已取得柯錫金的同情贊助，最後被華府當局的好戰份子洛斯托等人破壞了。

凡屬身居高位的政治人物，在生時誰寫的回憶錄，非到死後必不向外發佈的，邱吉爾首相如此，麥克阿瑟元帥亦如此。因為其中涉及國內與外當政人士的問題很多，適足以產生是非恩怨之見，大則妨害邦交，小則影響個人友誼，關係非同小可也。例如麥帥回憶錄中，說英國政府在韓戰時，每將美英方面的機密決策洩漏於共方，而當時担任英首相的艾德里即忿然否認，指為「完全胡說」（Perfect Nonsence）

威爾遜曾作首相，又值美國內部反戰運動鬧得很厲害之秋，乃將其回憶錄盜到美國發表，這不啻是要介入美國反越戰的鬥爭行列中，給白宮當局平添煩惱，更對美國前任總統詹遜太不友好，豈能免於幼稚失態之譏乎？

邱吉爾，麥克阿瑟不愧為政治家，如威爾遜之流，只可與曼斯菲爾，麥高文合傳而已，吁！

·何如·

談談銀行這玩藝

天下雜論

維藩

吾國著名學者辜鴻銘有言：辦銀行的就是這樣的人——天晴時，硬要將雨傘借給你；下雨時，他却兇惡地要把雨傘收回。旨哉斯言，銀行業者的面目心肝，盡於是矣！

銀行的正當職責，說是在調劑金融，贊助工商企業的發展。果若是，對社會生計與羣衆生活，自係有益無損的業務，未可厚非。

可是，咱們中國人辦銀行却另是一格，完全實行以利己爲目的當舖作風，而且比當舖更惡劣。當舖規定典當的期限，童叟無欺，守信不渝，而且不需要保人，也無所謂契約，手續十分簡便。立在櫃台高處的「朝奉」，對於來求典質的人，亦一視同仁，毫無歧異倨傲的表情。銀行却不然，看人說話，面目各別，對於有錢有勢的顧客，巴結不遑，不妨先給貸欵，後辦手續，貸欵期限屆滿，顧客一個電話招呼，延期如儀，若夫普通人民要貸欵，首先就得看那般主管人員的顏色，好像是乞丐向他們告哀乞憐，討取幾個銅板活命似的。其次則提供可靠的抵押品以外，還需要確有產業爲不動產之類的富庶人士作保，最後更須三人對六面地「對保」，光是蓋章却不行。貸欵到期不還，延期免談，立即追保索償，在任何情形之下，亦沒有通融餘地。

銀行頭寸過多的時候，到處問那些自己所認爲可靠的工商業者要不要貸欵，十分慷慨。一旦工商業者的營業稍不景氣，他又惡狠狠地向你追償貸欵，告狀封門，在所不惜。這情形不是比當舖更惡劣嗎？這不是恰如辜鴻銘所描述的作風嗎？所謂調劑金融，贊助工商企業發展云云，根本就是扯卵談而已。

因此之故，我對現時台灣林林總總的公私立銀行，認爲沒有必要，祇留下一所中央銀行和台灣銀行，而將其餘的公私銀行一律關閉掉，或許可望眞能對國計民生有所裨益呢！

促使僑胞瞭解祖國 亟應採取有效措施

立委就僑教問題提出質詢 要求普遍供應僑校教科書

（自由報台北消息）立法委員趙文藝，陳祖貽於立法院僑政委員會就雙重國籍華裔僑胞的問題，華僑學校教科書的問題，僑生回國升學的問題，僑居地政府不承認僑生學歷的問題，以及僑務問題等，分別向教育部長羅雲平，僑務委員會委員長高信等提出口頭質詢。

甫自海外訪問回國的女立法委員趙文藝質詢說：我們在國內所稱呼之「華僑學校」、「僑生」、「僑胞」等名詞，在解釋上已經有了問題。十多年前，諸如旅居高棉、越南、泰國、香港等東南亞地區的中國人，因爲都只有中國國籍的身分，稱呼爲僑胞是當然的事情，但十多年後的今天都改變了，已不是「僑胞」。他們稱爲華裔馬來西亞人，華裔越南人，等等。所以對於「僑」字已發生很大的懷疑。因爲他們在當地已有國籍，如遇到他們，他們都會自稱爲馬來西亞人、越南人。如問他們爲什麼會說國語？他們說是華裔。所以今天再來談「僑教」、「僑務」、「僑政」，似乎都有點改變。充其量也只能稱呼爲華裔，因爲當地政府也只能承認他們有一個當地的國籍，但有若干地區的情況也有不同。

華僑學校教科書的問題；趙委員指出：在日本和韓國華語學校的教科書沒有問題，是台灣書店印的，與國內教科書的內容沒有兩樣，但在馬來西亞、新加坡等新興國家的教育部都設有編審委員會，對華僑學校的教科書都嚴格審查，各僑校的國語、公民、歷史、地理等課本，都由當地政府出版供應，其內容看不出有一點關於中華民國的資料，就國語的內容言，完全採用當年大陸上許多作家的文學作品，不涉及政治；純粹是文學作品，其中有一篇國立師範大學教授謝冰瑩的作品——馬來西亞太平山遊記。這種課本的內容，與我中華民國不發生任何關係。就歷史地理課本內容言，亦完全介紹大陸的一切，對台灣却沒有介紹。就公民課本內容言，亦僅僅提到中華民國於第二次世界大戰後由於共產黨的叛亂而使國民黨政府退據台灣一省這件事而已！至於台灣的地理環境及進步情況等等，都沒有介紹。嚴格的說，今天根本沒有僑教，沒有僑務，因爲僑教僑務以教科書爲主，教科書的內容根本不介紹中華民國的一切。我們有這麼多的僑校和僑胞，但要如何才能促使僑胞瞭解國內的文化和各方面的進步情形？每年雖有這麼多僑胞回國參加十月慶典，如不從根本上去做，可能這些僑胞將來就要變成觀光客了。如何促使華僑子弟瞭解祖國的文化和進步情況？主管當局今後應採取有效措施。

閒談書法

柳涯

習字須貴乎師古，也就是說，今人不足法。黃庭堅說：「不臨古帖不知古人一定之法；不遍臨古帖，不知古人無一定之法。」

沈固是師古，壯爲學沈，未人採其源，正如近年學于右老書法者，無一人能似，皆因未從基本上窺其所自，循其途徑而漸進，皮毛而已，何能企及？

王虛舟說：」習董得其皮毛，愈秀愈俗！」

米芾說：「寫字無刻意做作乃佳。」此卽周宗顯所說：「寫字之法，在心不在手，在神不在心。」

又說：「規矩可以言傳，神妙必在能悟入；何謂悟入？悟其所以立規矩之意。」

悟入二字，談何容易，必須搏學古今，師承所自，勤練有功。總之，秉有天賦，名師指導，日夕臨摹，缺一不可。

蔣仲和說：「法可以人人而傳，精神興會則人所自致；無精神者書雖可觀，不能久玩索；無興會者，字體雖佳，僅稱字匠。」準此觀字，庶乎近之。（五完）

鼓勵僑生回國升學 注意培育政經人才

透過年輕一代散播種子 使中華文化在海外發揚

關於僑生回國升學的問題：趙委員在新加坡考察時，有身在國內之感，因爲華僑都說國語，聽來非常親切，其情況尤甚於以廣東話爲主的香港。新加坡的南洋大學，馬來西亞的國立大學，收費都很昂貴，如非中上家庭的僑胞子弟是沒有力量入學的，所以擴大招收僑生回國升學是非常正確的，但僑生回國升學還是有幾個問題，因僑生選修理工的很多，但是理工方面却培植不出領袖人才；中國人在海外要立足生根就非要打入法政界不可，所以今後要注重培養文化政經方面的人才，否則，學理工的僑生將來在各該僑居地都發生不了什麼作用。故今後必須多鼓勵僑生回國學習文史才能見效。

關於僑居地政府往往不承認僑生資格的問題這的確非常困擾。目前幾乎有百分之九十以上的地區都不承認我國國立台大、政大、師大等校的文憑，只有在僑校教書不成問題，如在僑居地政府或其他機關做事的，僑生的薪水都不如當地學校畢業的高，這是僑居地政府非常的措施，也是我們交涉不力的結果。

關於新陳代謝的問題：趙委員認爲各僑居地的中國人，在經濟上和學術上有地位的仍不乏人，但年輕的一代都在埋怨老一輩的僑胞不提拔他們，使他們不能施展抱負，政府應促使年輕的僑胞與老一輩的僑胞加強連絡，進而去接棒。發揮新陳代謝的作用。

立法委員陳祖貽說：因爲僑胞早年參加革命工作，故譽爲「革命之母」。因此，政府對僑教工作要特別重視。我們在國外一定要把中華文化的種子透過年輕一代的僑胞帶出去，發揚光大。至於若干清寒僑生在經濟上發生問題或有困難可經由銀行辦理貸款的方式來解決。我們要使僑社青年得以從事合法的活動；特別是愛國的合法的運動，應該是允許的。

立法委員李繼武認爲：僑教應因才施教的原則，視各人的稟賦，興趣和需要，依志願分發學校，決定學科，不應一成不變。對於未畢業即返僑居地之僑生，仍應聯繫。

教育部羅雲平答復陳祖貽委員質詢說：貧寒僑生貸欵的問題，教育部想辦法實施。

高信委員長說：僑胞團體以經商爲重，是故，僑社領袖皆爲有財富有社會地位者，青年人無事業基礎，自然不易領導華僑團體。今後，唯有鼓勵青年多多從事經濟活動，經此途徑以加入華僑社會之領導階層。

英國婦女爭地位 發動大規模示威

要求避孕與墮胎自由 爭取與男性合法享樂

（自由報倫敦消息）爲爭取男女平等而奮鬥的英國自由婦女以及一些同性戀者，向首相希斯和公衆請願，要求獲得與男性平等之地位。

這次的進行示威，是廿世紀英國婦女取得參政權以來所出現之最大規模者。

一個名爲「快樂解放陣綫」的同性戀者組織，結集了最少五千人在海德公園聆聽演說，並在風雪中，步行到希斯首相的官邸唐寧街十號，其後又帶隊到特拉法加廣場，聆聽更多的演說。

倫敦警察出動了七十名女警員進入示威區域，組成一列人牆，以阻擋遊行隊伍，但報紙認爲，女警的薪給比男性低了百分之十，他們實在懷疑女警們是否會與示威者產生同感。

示威者要求同工同酬，要求工作與受教育的機會，都跟男子相等，要求廿四小時的托兒與及自由的避孕和墮胎。

示威行列的參與者，大部分都在三十歲以下，有些是推着嬰兒車的母親，有些則穿着欵式新穎的皮裘密實裝，其中數十人拿着塗滿標語的抗議牌，在疾風中前進。

除了一些同性戀者之外，還有小部分的男士參加這個示威行列，這個英國婦女解放運動的示威進行，竟有男子參加。

劉半農記賽金花

又用很新的洋縐絲棉被，換了人家兩條破舊的布被子，爲的鋪在車上，遮人眼目。化七十五兩銀子雇妥了兩輛車。一清早，把東西都藏在車箱裏，蓋上那兩條破被子，就出了通州南門。

剛走出不遠，見前面有許多官兵檢查行人，那裏是檢查？簡直是搶東西。其中有兩個官長還嚷着『不許你們拿人家的東西呀！』這些兵怎麼能聽這個，只管胡翻亂搜，東西拋得滿地皆是。我們那兩個趕車的一見這種情形，無論如何也不肯往前走了，說：『我們還是囘去吧！七十五兩銀子不能不要命。』我聽着這話又急又氣，對他們講了許多好話。祇是一味不聽，我眞恨極了！這時候，身上還帶着人家送給我的一支手槍，恨不得掏出來，一槍把他們倆打死，但心裏雖是這樣想，手却是軟的。怎麼也下不得手。終于又跟着他們往囘走。走到城底下，我還是一心想去北京。叫車子載着東西同幾個姑娘僕人進城，仍住在長發棧；我同我的母親孫三爺又步行下來。我心裏已拿定主意，就是走也要去到北京。

走了幾里路，實在覺累，便坐在道旁歇息，一會兒來了十幾個兵，他們說是送裕祿靈回來的，也坐在一塊兒同我們攀談，我看出來他們沒懷什麼好意，可是又不敢不敷衍。他們總是鬼頭鬼腦的端詳我，端詳了半天，一眼看見我的那隻舊茶葉筒便道『這個茶葉筒子倒很好看，送給我們吧』我一聽這話就一發怔，怎敢說不給，了下腳，把心一橫，說：『好。你們拿去吧！』把這些最值錢的東西一失，我心裏十分難過，精神怎麼也打不起了，三爺便挾着我一步一步的慢慢往前挨，路又不平，天上還下着濛濛的細雨，渾身通淋濕了。走到一個地方名叫八里橋，我的鞋底全被磨破，實在沒有氣力再走了，心裏想，這還有什麼活路，倒不如跳在河裏死了痛快，趕緊走幾步到了河邊就要往下跳，孫三爺一把拉住我的手，勸道：『這麼淺的水，就跳在裏面也淹不死呀，還是慢慢的走吧！』我心裏一陣難受便大哭起來。

正在這時，後邊來了一羣馬隊，還帶着幾輛砲車，看見我這哭哭啼啼狼狽的樣兒，爲首的那個官長——後來問了問，知道他的稱呼是『玉四爺』——便問：『你們是爲什麼？』三爺就把我實在累得不能夠走了的情形告訴了他，他點了點頭，又問：『她可會騎馬？』我在一旁聽得這話，忙着答應了一聲：『會騎。』我何嘗會騎，只是爲逃掉這條性命，盼望着能走就得了。玉四爺拉過來一匹馬，又教了我怎樣勒韁，怎樣騎坐。

（十六）

馬騰雲談人心思古

·文滙樓主·

文滙樓別記

中醫師未看過馬騰雲醫藥書的可能很少，進步與喜歡研究學問的西醫師，案頭上也常發現馬騰雲的著作，是馬騰雲的光榮，其實乃中醫藥無法消滅的說明，也人心思古。

比如從前的一些年畫，「門神」「一團和氣」「聚寶盤」「步步高昇」「萬事如意」「三陽開泰」「招財進寶」等在大陸各地都是農村窮人家竹籬牆破板門上貼的玩意，於今竟變為藝術界的歌頌產品，國立歷史博物館且會展出一次「財神像」，看的人還相當多，說明了人心思古，再進一步也可說，預兆共產黨「夕陽無限好，祇是近黃昏」，中華文化復興運動委員會對這方面可能還未想到，所以也未朝這個方向從事心戰發展，是很可惜的。希望谷鳳翔先生等能寄予注意。

馬騰雲有一次在酬應中，同席的有錢思亮，謝東閔，蔣復聰，馬星野，陳慶瑜，梁永章，任覺五，沈之岳等擺龍門陣，謝東閔首先打開話匣子，叙起單方治大病幾個實例，錢思亮接着講述幼年用單方將自己的病如何治愈，馬星野引述蔡花根治沉痾的往事，如果胡適之尚健在的話，一定會報告中藥治好糖尿病的事，馬騰雲的看法是「人心思古」後向好幾個朋友表示，如果誰能提供一種大家懷念的舊社會用品，必受歡迎，殆無疑問。

馬氏說這話不到三個月，樓主果在中央日報，聯合報等，讀到醫藥理論權威馬騰雲教授，提供卅年枕頭養生秘訣的消息，原文謂：「由理論服務進入到實際行動服務的馬騰雲，今天將為很多嬰兒幼童奠定未來成大功立大業的智慧基礎，也替成年人帶來身心健康與預防各種時代病的法寶，預防時代病的法寶，就是請馬上將你的枕頭換一換。當天，幾天或半個月後，就會感覺到一種意想不到的效力，根據馬騰雲自己養生秘訣，卅幾年來在枕頭上用了不少時間研究。例：根據中國藥典或宮廷秘方，用「大聖枕」、「靈沙枕」、「菊花枕」、「淡竹枕」，他如嗜食紅棗，愛飲蜂蜜等，馬氏於今腦力超過常人，始終保持一小時寫作一千五百字的紀錄，每晚萬字馬氏常行。

文學家熊式一博士，法學家丁作韶博士（成功大學）哲學家張起鈞（師大），名教授侯璠（師大），鄒垣（中大），王靜芝（輔大），陳光棣（淸大）等知之甚詳，馬騰雲近特將在枕頭方面養生上所得到的益處，合盤托出貢獻社會與大家共同享受。

馬氏認為對待疾病最好的辦法是預防，萬一不幸生了病，祇好找醫生了，不過時代病醫生亦常感束手無策，我們再為你重複一句：「對待疾病最好的辦法是預防」。僅將下列可預防的十二種時代病，也是大家感到威脅的時代病，奉陳如後：

一、風濕關節痛。二、高血壓。三、失眠。四、心臟病。五、半身不遂。六、手足麻木。七、腦力衰退。八、心情煩。九、遺精陽萎。十、經常頭暈腦熱。十一、糖尿。十二、皮膚敏感。……」

前幾天又看到自由中國各地報紙登載，馬氏監製的各種藥枕，訂者踴躍，門庭若市，波及到海外，訂函，也若雪片飛來，中國各地盛行的藥枕對人的造福與受益，固屬重大因素，人心思古，乃無可否認的事實，反共前途能夠樂觀道理也在此。大陸因搞「進步」七億人陷於水深火熱，人的價值被否定，一個人活在世上究實是為了甚麼呢？「思古」者就是心理上的「圖變」，推翻毛共的眞實力量潛伏在這應當善為運用，樓主目睹幹這一行的官員很少上路，莫非數乎！

邱吉爾談寫作

·段沁·

不是這種統制或指導。我愈知道法國國家學會對於法國文學和一般智識生活的影響，就愈惋惜英國沒有一個團體，能夠有同樣的力量，每年指導和推進英語的演變，而不致過阻止正規的自然的擴展。當我們感受到，——事實上我們正是已經感受到依照語音拼字的那種紛亂得野蠻可怕的威脅——我以為英國作家對於這種危險慘淡的趨勢，已經到了必須協力抵抗的緊要關頭了。

我們要記得作家總是可以盡力而為的。他沒有可以原諒的藉口。棍球大家也許會錯了姿勢。大將也許會在決戰那天碰到劇烈的牙痛或惡劣的軍隊。海軍司令也許會暈船——我自己便是自身受其害的人，所以能如此地委咎於這個意外，頗為得意。開魯梭意人，十九世紀初期男高音大家也許會患黏膜炎倒了嗓子。

作家却不如此。他不會準備好以前儘可以不在公衆面前出現。他總可以明白他自己的長處在哪裏。他並不依某一天中的最好時光。他可以把二十天中最好時光集中到一起。如果他再不盡力實在是無可原諒的。他的機會大。

有人——記不起是誰——說過：「文字是唯一的永不磨滅的東西。」我以為這是個了不起的思想。人力所建的最牢的石壘，他的威權最堅強的碑坊，圮頹成為土壤，但是由飄忽的呼吸所吐出來的字，表達他心中不定的幻想的言辭，却留傳下來，它們的生命和一如初請出來的時候那樣新，那樣強，有時候還要強得多，它們跨過三千年的鴻溝，來為我們照耀這今日的世界。（完）

編者按音

國立政治大學外交研究所教授梁嘉彬先生「正告美國政府和人民」極有份量，代表專家學人的意見。

「從法律觀點談墮胎」，係劉淸波教授大作，對爭扎甚久的問題，從法律角度去分析是對的。

王方曙教授為中華民國國劇權威，近作「國劇雜譚」交由本報連載，乃難能可貴，因為他的筆懶，編者謹代表社方先謝謝。

馬騰雲教授主編之「營養研究」將由本報加出增刊，內容包括飲食營養長壽健康預防時代病、文明病各種處方，應有盡有限於自由報直接訂戶，馬騰雲實用書讀者及馬氏產品的顧客，不賣錢，義務供應，本月底出版。

褚平君先生，來稿收到，請加寄日文報記載該廠與毛邦合作情形正確資料以便審查發表，引用張季鸞的話「抨擊之糾彈之。」

眞理與事實的啓示

·陳光棣·

二十世紀七十年代的靑年都是在安定，舒服，繁榮的環境裏長成的；生命和意念難免患上貧血症，症狀是沒有理想，却有無窮盡的慾望，所表現的迷惘，倨傲，不滿現實，何去何從。

很多靑年朋友常常問我同一個問題：「我念的這門學科實在沒有前途，將來怎麼辦」？聽到這種不爭氣的話，只好拿行行出狀元一句話來慰勉。另一種經常聽到的問題是！「我們離開學校以後難關重重，究竟要怎樣應付呢」？我只好說：人生有兩件事不能預先學習；一是生孩子，二是應付難關。女人生孩子何嘗用的着先在娘家練習，但十月懷胎到了臨盆的時候，都能瓜熟蒂落，這任務儘管艱巨，總都能應付裕如。我們應付生活和事業上的難關，當然和女人生孩子不盡相同，因為生孩子完全屬於本能。須知應付難關也用不着學習，原因是應付難關不需要高深的理論和學問，只要能面對現實積極的尋找解決的辦法就可以了，最怕遇到難關就畏如蛇蝎或避之若浼，退縮恐懼，不敢勇往直前。問題是你想作一個自動進取出人頭地的人，還是甘心作一個隨波逐流沒沒無聞的人。要想出人頭地，就要不停的驅策自己努力奮發，衝破任何難關。假如一遇難關，便沮喪失望，怨天尤人，必定一事無成，終生抱恨。謂余不信，就請閱讀實業家丁熊照先生所著「眞理與事實」一書。

丁熊照生於民前九年（西元一九〇三），隸籍江蘇無錫，自幼家境貧寒，十四歲喪父。十五歲到上海，先在一綢緞洋布莊學徒，三年期滿，自覺為人作嫁終無起色，乃毅然開設皮包作坊，胼手胝足，自製自銷，無奈本小利薄，難與舶來品抗衡。半年後，到大東電池廠任推銷員，這是丁君一生事業的起點。民國十四年創辦匯明電池廠，繼增設炭精廠，小燈泡製造廠，所有出品，都能媲美洋貨，銷路日增，對於提倡國貨，挽回利權，厥功至偉。民國三十六年更在香港創辦開達實業公司，經營製冰、冷藏，塑膠業務，繼又開設廣達塑膠廠，精達五金廠，明達電池廠，出品六七百種，職工千八百人。各廠出品精良，價廉物美，在歐美市場備受讚譽。

按丁君弱冠到滬，不過兩肩承一咀，一無學識（指未受正常教育），二無憑藉，三無幫口，四無機運，而却能在短短十年之間，奠定事業基礎，二十年之間享譽國際市場，這種白手成家的成功事例，足為靑年模楷，也為有志之士提供一輪明鏡。丁君所著「眞理與事實」一書更道出了成功的關鍵。（未完）

李漁叔打油

國立師範大學國文研究所教授、名詩人李漁叔致函本報李社長，並附打油詩，錄之如后：

運鵬社長：久不見，甚念。近日讀貴報刊載拙文「李義山詩偶拾」，將賤名左邊漁字三點去掉，戲作打油詩兩首，開開玩笑。第二首幽你一默，也只是頑皮，並無惡意也。詩如下：

（一）

貴報文中見賤名，可憐漁字失原形，
如魚得水方為樂。失水魚兒活不成。

（二）

隔海難期校對精，戲言拜上運鵬兄。
左邊若也除朋字，小鳥如何到北溟。

話說朱元璋

雁謀

回頭且說小明王，他雖然發展擴大，但有以上的缺點，結果被元軍各個擊破。劉福通迫得退到安豐，割據蘇北的張士誠豈肯容得，在他們尚未佔穩之際，就出兵把安豐圍了。小明王乃告於元璋，元璋決意前往解救。劉基朱元璋勿北上，以備武昌的陳友諒東下復仇。元璋不納，徑往安豐解救。陳友諒聞報，大喜之至。他已等了兩三年之久，於是就在至正二十三年，乘機東下，發動了六十萬水陸大軍，浮江而東，而且還帶了家屬百官自隨，要和朱元璋決一死戰。

此次雙方形勢，論實力，無論在人數上，素質上，陳友諒都比朱元璋強。陳軍中已配有飛梯，衝車。樓船高大，軍容甚盛。自以為一舉可把南昌攻下來，報一箭之仇。

戍守南昌的主將，是朱元璋的從子朱文正和鄧愈。他們佈防嚴密，士卒用命，故友諒兵力雖強，器械精良，而南昌仍屹立不動。友諒因攻南昌不破，乃改用迂迴戰術，先把攻下外圍各縣，然後孤立南昌。雖然是陷了吉安，臨江（淸江縣）等地，可是朱文正與鄧愈却合作得很好，意氣不餒，他們在死城中固守了三個月。元璋率了二十萬大軍，偕了徐達，常遇春，廖永忠等，師次湖口，元璋先埋伏了一枝伏兵在湖口，斷了友諒的歸路，然後引軍前進。陳友諒聞元璋兵至，即解圍南昌，東出鄱陽湖應戰。兩軍相遇於康郎山（江西餘干縣北）。兩軍發生大戰。陳友諒連巨舟為陣，綿亘十餘里，旌旗樓櫓連接起來，望之如山。而朱元璋的船小仰攻，似以卵擊石。所以諸將很駭怕，元璋斬了隊長十幾人，仍無法振奮氣士。結果採取了郭興的計劃：「非人不用命，乃舟小不能敵也」。郭興的計劃是什麼呢？那正是三國赤壁之戰的故事。因為友諒將大船連接起來，正適合火攻。元璋命常遇春分調漁舟，使敢死士，滿載火藥，蘆草，冒死逼近大船，然後乘風縱火，果然風烈火熾，友諒大船相連，各處着火，士卒心慌，火燄張天，湖水盡赤。加上大軍乘風猛攻，死者大半。友諒之弟友仁戰死。還有平章陳普略等皆被焚而死，這是陳友諒始所未料到的事。於是不敢戀戰，決計退入長江。但他的兩個左右金吾將皆降。退到湖口，却被伏兵扼住去路，相持了旬日，友諒糧盡，不得已冒險突圍。行到中途，為流矢中頭部左眼，當場斃命。長子陳善兒被俘，士卒降者五萬之衆。這一以寡敵衆戰役——火攻，與赤壁大戰相同。

陳友諒死後，其太尉張定邊知大勢已去，即乘夜挾友諒次子陳理返回武昌，擁之嗣位稱帝，改元德壽。此時諸將勸元璋乘勝攻武昌以絕後患，元璋恐張士誠乘其後，即班師返金陵，佈置守禦，以預防張士誠。然後舉兵西攻武昌。但久攻不下，乃遣友諒舊臣入城招降。陳理與張定邊議：知難再抗，決意投降。

元璋之得人心，完全做了劉邦的作風。武昌降後，他下令慰諭友諒父母，凡府庫儲蓄，允許陳理自取；文武官員之遺者，其妻子資裝亦許自隨。此次攻武昌前後六個月，於降之後，首賑災民，撫慰父老。自己士卒不准入城。故武昌之民不知有兵，而稱頌朱元璋的德政。友諒所據之漢、沔、利、岳諸郡縣，均先來降。這是朱元璋政治上的成功，而直接成為了軍事上的實力，即所謂「兵不刃血」，不戰而勝，善之善者也。

陳友諒自建「漢朝」，前後稱帝共五年。陳理一年，友諒四年）降後封歸德侯，還居應天府。陳友諒雖然失敗，可是他是反元復漢的一股力量，可算得是一個好漢。我們不能以成敗論英雄。

（七）

巨變歷險記！

丁博士偕緬甸民主黨副總裁飛離仰光。

我還應該告訴讀者的，即民主黨副總裁蘇山波陣曾任緬甸政府的交通部長及教育部長。他是緬甸的吉倫人。他曾留學英國，他曾組織過游擊隊與英殖民主義者英帝國主義堅強的鬥爭過。他希望的獨立自由是普遍的，詳言之是緬甸族的獨立自由，也是吉倫族的獨立自由，蒙族的獨立自由，單族的獨立自由，各民族的獨立自由。這也是他努力的目標。這個目標被緬甸政府被緬族的領袖現任總理的宇汝所妨害了所阻撓了所推翻了，宇汝倡的是大緬甸主義，什麼吉倫，什麼蒙，什麼單，在宇汝看起來，都是不存在的，都應包含於緬族之內。這在民主黨看起來是大緬甸主義，是緬甸國家主義，緬甸帝國主義，這不啻消滅了吉族，蒙族，單族……消滅了他們的獨立運動自由運動，這如何可以忍受，這如何可以合作！作爲吉族，蒙族，單族，所有緬甸各民族（緬族除外）獨立自由運動領袖的蘇山波陣即憤而辭去他的交通部長，又憤而辭去他的教育部長，表示他的抗議，表示他的不合作。他是一個體力很過人的人，志意很堅強的人，並且心胸廣大，高瞻遠矚，從丁博士身上的言談中，及從丁博士的計劃中，他看出他的前途，吉族的前途，蒙族的前途，單族的前途，決心在丁博士領導之下，從事吉族的獨立運動自由運動，蒙族的獨立運動自由運動，單族的獨立運動自由運動。故我說過，丁博士在仰光作了一項很大的政治工作，帶蘇山波陣副總裁離開仰光，具更大的政治意義。從此丁博士蘇副總裁手

在飛機上（二一九）

胡慶蓉

牽手的前進，其所努力者，尙不止緬境內各民族的獨立自由，乃泰境內各民族的獨立自由，寮境內各民族的獨立自由，以至於馬來亞，新嘉城……整個東南亞的獨立自由，以至於整個中國大陸各民族的獨立自由，甚至於全世界各民族的獨立自由。

丁博士蘇副總裁上飛機以前的時間，所經的街道，到飛機場經過的各環節，都完全不一樣，好像兩個絕對陌生的人。及至登上飛機，在機艙裏，爲避免人的懷疑，他們兩個還是絕對陌生的樣子，完全不接談。能登上飛機，他們兩位心中是如何的快活了。尤其丁博士牢獄之災，前後十八個月，今天能恢復自由，能飛離仰光，心中的愉快更有難以形容者。最緊張的一段時間是進入機場海關檢查的一段時間。是不是天佑斯人，在他出來的時間，天還沒有亮，到了機場天還是剛剛亮，照顧的人都已經佈置停妥，閱無人發的步入機艙。時間配合的非常恰當，到機場幾乎沒有任何的停留就順利的被引進機艙。丁博士住的地方同飛機場，很有一段長的距離。他起來的時候，沒有驚動任何人。他還是從北平出來的老辦法，是他以後永遠的老辦法，即不携東西，宛如沒事人的模樣，在人不注意的中間，悄然脫離仰光。

那一天早上幫忙丁博士脫險的還有天氣。仰光同曼谷，在一條綫上，一年四季，都是很熱的，霧不能說沒有，但畢竟很少見。巧得很，丁博士離開的這天早上，天起了很大的霧，雖然沒有倫敦般的大，但已經足以使人不注意或注意不到了。飛機飛起來，令人更感到霧大雲大，簡直團團將飛機包圍着，恍如置身雲海霧海之間，下邊一點再也看不見了，在丁博士胸中，充滿着希望，他在想如何實現他的希望，所有軍政大計也都在他胸中，人定勝天，於此益可以證明。

中國醫藥眞實存在之價值（三）

·呂未識·

教育部醫學教育委員會，置中醫委員，皆爲至情至理也。黃毅軍先生在該文中說「（一）中醫沒有資格可担任副署長，（二）中醫研究所，中醫沒有資格担任研究，（三）教育部醫學教育委員會，中醫委員名額應刪除。」說是「胡扯談，開倒車，肅人誤國，莫此爲甚」。此言論是否存意輕視立法程序，或故意要侮辱中醫。兄署長副署長，爲首長職位，非比担當實務工作人員，無需一定要使用專門技術人員之必要。請公開答覆，以正視聽。又該文中說「（一）過去民國三十八年以前，大陸瘟疫橫行，國民壽命短，嬰兒產婦死亡率高，證明中醫不行，不能解決國民保健問題。」「（二）台灣自民國三十九年以後，疫疾、傷寒、鼠疫、霍亂等流行病遂被消滅，國民壽命大大延長，嬰兒產婦死亡率顯著降低，人民安居樂業，是現代醫藥之所賜，決不是中醫之功勞。」「（三）中醫中藥在現時代中，除了可供醫學家作純科學的研究之外，決無存在實用價值？此好比台大考古學家挖掘東台灣先民所使用之陶器、石器其目的在研究先民文化，探求人類進步（化）的軌跡。決不是要大家再仿造先民陶器、石器作爲現代日常生活的器具。如今有許多人，把「復興中華文化」與「復古」兩種觀念混淆不清，認爲復興中華文化必須復古制。以中醫中藥在中國行之數千年，必須恢復以現代醫藥並行，則八人大轎向爲過去中國政府官員之乘輿，是否要現代政府高級官員揚棄現代汽車代步，改乘八人大轎上下班，以省政府購車保養的大批經費，又可增加國民就業機會。其荒謬的程度，並無軒輊」。黃毅軍先生你在（一）！（二）所說之事例，與中醫是完全無關係，此是屬於醫藥行政上之問題。又如（三）中你譬如「陶器、石器或如交通器具而論者」之觀點，實已錯誤矣！醫學乃是學術之研究，非能比作物質之運用。中醫學是有系統，有組織之學問。依照國父之解說：「科學二字是凡一切有系統、有組織之學問都可稱謂科學」。你爲何說是「中醫學爲非科學」胡說「中醫沒存在實用價值」。「況且西醫亦非萬能，豈可摒棄中醫，而單行西醫乎。敬請黃毅軍先生公開答覆，以正視聽。（完）

五十六種砂鍋烹飪

馬騰雲

廿三　砂鍋羊腎

羊腎功能補腎、壯陽、益精、治虛損勞傷，膀胱蓄熱、小便淋瀝、消渴盜汗，耳聾腰痛等，（見千金外臺深師諸方）

十年前台北有一位報老闆，向筆者索羊腎酒製劑，後來他依照方如法浸製，據說很有特效，有一天，夜裏兩點半鐘，突然來電話請求筆者「急診」，他說「不能下台了」，羊腎酒照古方是在睡前飲用一杯，確有健腎補腦之功，未料他們夫婦兩個人向李太白看齊：「兩人對坐茶花開，一杯一杯復一杯」忘記是在服藥劑，當然會出毛病，經告訴他服淡鹽溫水才解。可資證明羊腎的藥用價值。

砂鍋羊腎，用　絲子三錢，當歸三錢，（台灣產變種了的沒有效）用薄米湯煮爽，文火約一小時，然後將藥渣撈掉，再下配料，葱、薑、胡椒粉、紹興酒、水蒜花，（水蒜花者係以大蒜頭去外皮，用竹籤穿起，以清水在碗裏培養出的蒜苗），如果用葫蘆器皿培養，放在客廳裏還有點綴作用，製作砂鍋，再將米湯煮十幾分鐘，下羊腎片，不僅美味可口，且爲最佳補藥，連食幾次，夜間小便都會減少。面部紅光煥發。

羊腎酒的浸製，用生羊腰大的兩對，小的四對，沙苑蒺藜六兩，（隔紙微炒）桂元肉六兩，淫羊藿六兩，銅刀去邊毛，羊油拌炒，淫羊藿以陝西產者爲標準。仙茅六兩，鹿草二兩，西藏產爲道地藥材，人參二兩，必須是北口貨，用高粱酒廿台斤，浸半月可飲，每次飲量最高勿超過二兩，否則就會出毛病。

梁夷素（三）

話分兩頭，那瑞生到天台之後，果然尋獲了「相硯」，硯上亦有銘云：天降靈賚，曰思曰相；于飛之兆，得思始昌。及歸杭州，知女已嫁牛晶，經此打擊，乃得疾發狂，幾至於死。他的朋友田滑洋，本爲俠客，前爲瑞生求婚後，卽他往；是時已回來，聞知此事，大憤，便施法術召風神，把牛晶和田畏揚吹於絕域。瑞生的病經其疏導逐漸告愈，滑洋又偕同瑞生赴京會試。

衞觀此次奉命平靖邊疆有功，爲權貴所忌，誣勸他欲據西涼，圖謀不軌。朝廷一面遣官詳訪，一面取其妻女入宮。蘭森奉母入宮之後，大得公主歡心，因奏蘭生才，轉奏太后，召爲女學士。一日，蘭生恰與瑞生相遇於途，瑞生誤以爲蘭森，求一見，不得。蘭生卽詩寓意，始知誤認。而蘭生覲見太后，白衞觀之冤，且詳奏蘭森姻事始末。太后聞於朝，反晉衞觀官爵，放鄒氏母女出宮。是歲瑞生殿試擢狀元，遂與蘭森成婚，而相思兩硯始合。蘭生怨於此時逸去。

劇情雖不脫悲歡離合的舊套，可注意的是以相思硯作兩情結合的證物，無異主張以追求自由戀愛爲婚姻的必要條件；只是在宗法社會不敢顯明的表示，所以藉「相思硯」來象徵「戀愛」的意義。基此而言，相思硯確實具特殊的價值，且高出當時許多男性所作的戲曲一籌！

每屆金風乍起，玉露初圓的秋夜，我們散步戶外，仰視天空，銀河昭昭橫亘南北，不由得便想起牛郎織女的故事。尤其在七夕的晚上，更無端引起一絲絲的別情離緒，剪不斷，理還亂……不禁隨口吟出：「天若有情天亦老，月如無恨月長圓」的詩句，以結束本文。（完）

黛眉小傳

·王幻·

預測天氣千奇百怪

·雲白·

「當一頭牛想抓搔耳朵時，表示大雨不久將至。當牠的尾巴猛力拍擊牠的肋骨時，不久會行雷閃電和降雹了」，許多村民根據一些徵兆，預測天氣，往往跟專門性的天文學家可以相比的。

人們也許可以藉着動植物，所給予的徵兆作爲預測天氣的依據，但是英國息薩斯羣米赫斯市的國家農民工會支會，要求英國廣播公司，將電視台的天氣報告提早一點發出，以方便那些早寐的農夫。然而，這樣爲那些早眠的農夫憂慮是多餘的。他們會安枕無憂的甜睡，和由於追尋「電雜層干擾」而獲得未來天氣的報告。電視機遇着電雜層干擾就會發出尖銳的鳴聲的，有時使電視受到干擾，這意思是說良好的天氣就快來臨。

在英國裏收看電視台，常常會出現法語，德語或是俄語的。根據英國廣播公司工程師說：「這是在溫暖的天氣中，由於畸形的大氣層的情況所引致的。同時是良好的夏季來臨的兆頭。」

電視機螢光幕上出現一些斜綫，那末顯示大雨將至，有時這些斜綫是由於濃厚雲層而產生的。當在嚴寒而濕潤的天氣下，很容易將一部車子開動，則預示天氣將更爲寒冷。

人們發現不穩的電流充氣，是與行雷的情況有關，同時亦發生神經緊張的毛病，抽搐，痙攣，呼吸困難，風濕關節炎，及緩慢的反應，會導致意外事件。霧能引致頭痛及腦部不適等情況。在瑞士進研究意外事件的比率，顯然有些人對於天氣具有「天氣敏性」的。這些人在天氣轉變之前，成爲傾向於意外事件的趨勢。

除了上述的天氣預測的方法之外，還有其他的預測法之外，還有其他的預測法，像當看到那些宛如「浮烟」的雲，高高的在蔚藍色的天空飄着的時候，這樣顯示天氣晴朗溫暖，同時這樣的良好天氣，會持續好幾天的。

但當發現「風起雲湧」，陰霾滿佈，則顯示風雨將至。如天空的雲層，成爲長而薄及平行的條狀雲（成爲捲積雲），微雨的時間延長十二小時至廿四小時。

當在電話綫傳來火車的響號或是像鼻音的聲音，這樣則顯示不久將下雨了，因爲在氣壓低降時，聲音夾雜着空洞的音響，透過空間而傳遞。許多時鳥虫對於天氣的預告，也有着一些預兆的，而且相當準確。要是牠們飛翔，較平時爲高，則告訴人們說乾燥的天氣，會持續一兩天。因爲那些飛翔昆虫，在這種天氣之下，感到輕身一點，而飛得高些，靠這些昆虫爲生的鳥雀，自然也會隨之高飛了。如果白天裏看見了海鷗棲止於屋頂，烟突的頂上，那就告訴人們說暴風雨快要來臨了。因爲氣壓低，是暴風雨不遠的預兆，而鳥雀感到疲到疲乏得很。當燕子飛到英國裏，而且飛得很低時，那末是天氣潮濕和暴風雨的正確徵兆了。由於空氣壓力減低，便會影響燕子的敏銳的感覺，同時迫使牠們低飛，以擺脫對己不舒服的範圍。如果你想知道天氣的預測，那末可以依照上述的方法觀察而獲得的。

第二十三章　岳飛赴日擒楊么　武穆襄陽當重任

周燕謀

高宗對岳飛平寇之功甚爲嘉許，詔中有云：「……非卿威名冠世，忠略濟時，先聲所臨，人自信服，則何以平積年嘯聚之黨於旬日指顧之間！」可說實至名歸。

平定洞庭，岳雲功勞第一，岳飛因其爲己子，又不報。張竣見岳飛奏章，諸將皆有功，獨岳雲有大功而未見錄，不禁歎道：「岳侯避寵榮亦至於此，廉則廉矣，然未得其公也」。張竣遂奏云：「湖湘之役，岳雲實爲奇功，以岳雲乃岳飛之子，不會保明」等語。岳飛力辭之，以爲乃諸將用命之功，男雲雖會隨軍，未曾立到顯效。所有前次行府照劄，飛不敢令男雲祗受。今隨狀繳納，乞不施行。」武穆志在報國，不在做官之精神，實爲古今罕有。

張竣表奏岳飛平寇之功，詔兼黃州制置使。岳飛奉詔力辭制置使，又因以征戰荒野，受瘴氣影響，致患目疾，因以目疾辭解軍職，求除在外宮觀以免貽誤戎機。岳飛的理由是：

自從收復建康相繼六年，討捕擾寇，於夏暑中，屢中暑毒，每至夏日，目疾發作，雙目昏赤，飲食不進。目疾在身，母且垂白，非但其心不安，且其親統大軍不少，理朝恢復故土。（一一七）

自由報

(第一一六七期)

(半週刊每星期三、六出版)
每份港幣壹角・台灣零售價新台幣弍元
社長李運鵬・督印黃行寶
社址:香港九龍彌敦道593—601號
廖創興銀行大廈八樓五座
LIU CHONG HING BUILDING
7th FLOOR FLAT '5'
593—601 NATHAN ROAD,
KOWLOON, H.K.
TEL: K303831
電報掛號:7191

承印:景星印刷公司
地址:嘉咸街廿九號地下
台灣區業務管理中心:台北重慶南路一段一二九號
電話:二四五七四
台灣區直接訂戶　台灣劃撥戶
第五〇五六號張萬有(自由報會計室)
台灣分社:台北市西寧南路110號二樓
電話:三三〇三四六、台郵劃撥戶九二五二號

正告美國政府和人民(二)

——為「台灣地位問題」作一剖析

國立政治大學教授　梁嘉彬

本報專論

一九一九年巴黎和會(Paris Peade Conference, 1919)所不能解決的「山東問題」爲什麼在一九二二年二月四日能由中日兩國另訂專約(「中日解決山東懸案條約」(Sino-Japanese Treaty for the Settlement o f Out standing Question Relating to Shantung, 1922)予以解決?美國政府此種聲明,不但蔑視了我國的主權,抑且否定了日本的對外簽訂和約的權力。此其三。

第四:假如我們再將一九五二年的「第二次中日和約」的條文(共十四條),與其連帶簽訂的議定書、照會繼續研讀下去的話,則更可看出「第一次中日和約」即「馬關條約」之已被宣告無效,並已被「執行死刑」已達二十年之久。其第五條云:「茲承認依照金山和約第十條之規定,日本國業已放棄在中國之一切特殊權利及利益,包括由於中華民國紀元前十一年即公曆一千九百零一年九月七日在北京簽訂之最後議定書與一切附件及補充之各種換文暨文件所產生之一切利益與特權;並已同意就關於日本國方面廢除該議定書、附件、換文及文件。」(Article V. "It is recognized that under the provisions of Article 10 of the San Francisco Treaty, Japan has renounced all special rights and interests in China, including all benefits and privileges resulting from the provisions of the final Protocol signed at Peking on September 7, 1901, and all annexes, notes and documents supplementary thereto, and has agreed to that abrogation in respect to Japan of the said protocol, annexes, notes and documents.")這條規定是不嫌重複地再加重訂明「日本業已放棄在中國之一切特殊權利及利益」,並包括日本在中華民國紀元前十一年該國因參加八國聯軍而和其他國分享獲得之辛丑條約(即The Final Protocol signed at Peking on September 7, 1901)之一切利益與特權在內。一九三七年(民國廿六年)盧溝橋事變的所以發生,便是日本軍方擴張解釋該項一九〇一年(清光緒二十七年)北京簽訂的最後議定書(即辛丑條約)所給與各國駐兵自北平通達海口之鐵路沿綫若干要點之特權而來的。此種駐兵特權並其他依據此項「最後議定書」所產生之一切利益與特權為日本與其他十個國家所分別享有,而非獨享,故必須再加「包括」(including)之規定。又該「最後議定書」之締立係在日本一八九五年依據馬關條約獲得台灣澎湖之後,其中規定的「在中國之一切特殊權利及利益」(all special rights and interests in China),原已與撤離大陸退守台灣之我政府全無關涉,其所以必須如此添訂者,則在日本政府以我國政府為代表全中國之合法政府而來。今再試問美國政府:依據一九五二年此「第二次中日和約」第五條,日本政府既已「放棄在中國之一切特殊權利及利益,包括由於中華民國紀元前十一年即公曆一千九百零一年九月七日在北京簽訂之最後議定書與一切附件及補充之各種換文暨文件所產生之一切利益與特權」則在中華民國紀元前十七年即公曆一千八百九十五年四月十七日(光緒二十一年三月二十三日)在日本下關(Shimono-seki,舊稱馬關)所簽訂的「第一次中日和約」第二款第二、三目中國所放棄、日本所取得之「台灣全島及所有附屬各島嶼」、「澎湖列島即英國格林尼止東經百十九度起至百二十度止及北緯二十三度起至二十四度之間諸島嶼」以何種理由而不許日本再放棄,中國再收回!中華民國紀元前十一年的條約可以廢除,為何中華民國紀元前十七年的條約便不可廢除?此其四。

第五:布瑞繼作聲明說:「美國認為中華民國在對台灣與澎湖行使合法權力,是由於日本佔領台灣的軍隊係奉命向中華民國投降之事實。」此句聲明不但誣衊了中國在台灣澎湖的深遠歷史,而且誣衊了日本自一八九五年至一九四五年五十年間統治過台灣澎湖的「治績」。自一八九五年六月十七日,日本首任台灣總督樺山資紀(Kabayama, Sukenori)在台北就職,是為日本在台灣的「始政紀念日」,至翌年(一八九六年)年初,台灣全島大致平定,自此直至一九四五年(民國三十四年)十月二十五日我國特派台灣省行政長官在台北市公會堂(即今之中山堂)接受日本台灣總督安藤利吉(Ando, Toshikitsu)之投降為止,日本確實統治了台灣凡五十年,其所施設遍於政治、軍事、教育、警察、理蕃、衛生、交通、水利土木、立法、司法各方面,均一一為我國所接受,豈得僅指為「軍隊的占領」(Military Occupation)?我國政府若仿照布瑞此項聲明而作聲明說:「中國認為美利堅合衆國在夏威夷羣島行使合法權利,是由於夏威夷土著軍隊係奉命向美利堅合衆國投降之事實。」不知美國作何反應?我們可以再翻開美國的歷史一看,自從一七七六年美國十三州獨立宣言迄今,或自一七八三年巴黎和約英國承認美國獨立迄今,均未滿二百年,其間美國國勢繼續向西南發展,被其征服的各土著,被其擴展的各州土地,是否一一二二俱有土著的投降條約或割地條約?又或一一二二俱有國際公認的和約的承認?又或其所作擴張版圖的努力或犧牲要比我們所作收復版圖的努力或犧牲為多?如其中稍有漏洞,我們也可仿照布瑞聲明:「中國認為美利堅合衆國在某某州行使合法權利,是由於某某州的土著軍隊或某國(例如法國或西班牙或墨西哥)的部隊係奉命向美利堅合衆國投降之事實。」不知美國對此作何感想?你們征服了多少土著,擴張了多少土地,究竟是用了些什麼手段?耗費過若干本錢?或者犧牲過幾條生命?平時是如何對待土人?一一二二是有歷史可查的。此其五。

第六:我們要正確了解中國大陸和台灣澎湖諸島的在歷史上、民族上和地理上的關係,在倫理道德上、風俗習慣上、思想方式上、宗教信仰上的相同,是一種「自然的關係」(Natural Relations)而非「人為的關係」(Artificial Relations)。澎湖諸島自古迄今全為漢人,在西曆一二二五年(南宋理宗寶慶元年)出版的「諸蕃志」裏面已有明記:此羣島屬於福建泉州,隸晉江縣,與毗舍耶國(即今台灣,係從「婆娑洋」訛來,另有詳考在我的著作多種內)密邇,烟火相望。元明兩代常於此諸島設巡檢司。至於台灣澎湖各羣島之被我國人發現,係遠在西曆二四〇年至二四七年(曹魏正始元年至八年)之間,當時魏國奄有中國大部,遣使冊封倭國(今日本),自今日本九州島(Kyushu I.)出海,循琉球台灣澎湖諸島南下探勘,係利用冬季東北信風而去,利用夏季西南信風而返。稱今琉球各國為「侏儒國」(The Country of Dwarfs),稱台灣及其附近諸島為「裸國」(The Country of the Naked People),稱今菲律賓各島為「黑齒國」(即「黑人國」之意,並稱「黑首國」,The Country of Black "Teeth" or "head", really it means the Country ofthe Black People(s), because the word齒"teeth" in Chinese old language may mean "person" or "head")

(下轉第三版)

昨日與明日

不是說風涼話的時候

有個旅居美國的反共的中國人董時進,最近在海外的華文報刊上發表文字,認為台灣方面對於美國向毛共妥協的作風,不應該以道義相詰責。理由是:美國幫了咱們二十年的忙,而台灣只是空言反攻,沒有行動表現,於今別人改變了政策,咱們就該反省,自己太不爭氣了,焉能怪別人不講道義呢?這類話若出諸美國人之口,吾無間然。

像董氏這種看法和想法的人,在海外的華人社會中很不少,平時大家對現實政治措施,儘等「望之也切,而責之也深」,我們皆同情共鳴,唯在此時以未能實行軍事反攻的理由指摘政府當局,却係昧於實際情形的淺見,迹近風涼話,我們不能不吝盡解惑去蔽的言責。

何以未實行軍事反攻?

這不是空談理論的問題,而係厄於外在的阻力所使然。「中美安全互助協定」談判時,美國務長官杜勒斯曾對我政府當局矢言:「急甚末?我保證使你們回到大陸去!」同時即於安全協定締結之際,附以換文,申明締約國如對外採取軍事行動,須事前諮商同意乃可。嗣後美方的軍援武器和軍用物資,皆限於防衛性的品目,即汽油亦無從自由使用。我國要向別的友邦購置登陸艇或彈藥,美方亦不同意。總之一句話,美國的援華方針乃至於整個反共措施,只教咱們守住台灣這一戰略要區,聽由華府當局擺佈而已,若談軍事反攻,即認為這是要把美國拖入戰爭漩渦中,絕開尊口,除非再有「珍珠港事變」發生,說甚末亦不願提軍事反共的話。

我們就在這樣的盟邦阻力下,未能對大陸採取軍事行動,非不為也,是不能也,政府何嘗願意荏苒歲月,坐誤時機,而局促台灣一隅以圖苟安呢?這些話,我們平日是不想說的,由於董氏的風涼話刺激,乃不忍默爾而息,以求心之所安。但決非政府當局所示意,應予特別聲明。

政府亦須有所表示

台灣方面有人主張政府發表「中美外交關係白皮書」,把過去美國大力贊助毛共竊據大陸的事實,合盤托出,俾世周知。我們認為不必如此費力,祇將最二十年來,美國對華政策的實際作風,詳細陳述,使世人明瞭真象,也就得了。

目前是國運最艱危的階段,凡是具有反共非共思想的中國人,應該一致團結,共赴國難,這不是說風涼話的時候呀!

·何如·

自由談

大事不能馬虎

自從韓戰結束後,我在海隅報紙上,隨時評文批評美國對外政策——特別是對華政策的各種不當措施。曾有一位美國朋友遇着我即謂:「你對我們美國的外交政策,批評很多。」我說:貴國不是主張言論自由嗎?他忙答「當然當然,我並不怪你」!

吾國陳副總統在生時,某次我在台北晉謁他,他說我在政府機關報上(指香港時報)常常抨擊美國對華政策,似乎太過火了,希望稍加注意。我亦以言論自由的義理奉答,且聲明決無反美的意念,只覺得友邦這種作風,將來不特貽患自由世界,終必誤及己身,心所謂危,一吐為快。

於今尼克遜總統的所謂「尼克遜主義」,比較十餘年前的杜魯門、艾森豪、詹遜政府的對華政策,更缺乏妥當性,證明我過去指摘美國對華政策的言論,既非無的放矢,亦不是杞人憂天。假使全球自由國家的輿論界,早就對美國外交政策一致作善意的批評指摘,或許可望發出一點勸善規過的作用,亦未可知。

美國朋友有一種特點——也可說是優點,他對於專門歌頌美國有百是而無一非的言論,並不認為稱心愜意,而對於反對他的意見,却相當重視。因此,我聯想到咱們政府在國際問題以及中美外交問題上,總是看美國顏色以行事的策略,似有修正之必要。小事情固不妨遷就,關係重大的問題却不宜默爾而息,例如釣魚台的主權問題,我們對美國的態度即過於客氣了。又如最近美最高法院準備要驅逐二千名僑居美國的華籍政治難民出境問題,我政府應該循外交途徑,提出交涉,同時發表聲明,表示關懷這些僑民的意旨,這亦不致於損害中美邦交吧?如果因此而招致對方不滿,損及邦交,那亦無所謂,我們決不能作別人刀俎下的魚肉啊!

馬五先生

天下雜論

國家安全遠較民主重要

·千公·

美國聯邦調查局，爲了國家的安存，在國會議員的辦公室裏裝了「竊聽器」，引起議員們的憤怒，要用壓力趕走作了四十七年局長胡佛。胡佛現已七十六歲了，聯邦調查局在他主持下確幹得有聲有色，對於美國國家的安全，作了很大的供獻。崇尚民主的人士，也許很討厭聯邦調查局的特務作風，不過對付違反國家民族利益的壞人，聯邦調查局這付藥，的確很靈。許多次出賣國家的間諜案，都由聯邦調查局破獲的。民主自由固然可貴，但它有個前提，就是：一個人必須先有國家，然後才能行使民主自由的權利。一個作亡國奴的，決享受不到民主自由。國家愈重視物質文明，人們對金錢愈崇拜，也愈重視物質的享受，有位美國作家批評美國人說：有的甚至爲五角錢就會賣國。爲了民主而不顧及國家安全，如果國會議員犯了這樣錯誤，那眞是不智之甚了。

台北市府又傳貪污罪案

台北市府建設局職員黃節麒等四人，主辦交通安全教育資料展覽時，涉嫌收受廣告公司的紅包，經司法行政部調查局查獲，移送法辦，已於四月二十七日被台北地檢處依貪污治罪條例提起公訴。辦展覽本不是件大事，所用經費也非鉅額，連這點小數目的「公事」，也貪起污來，總共貪污不過二萬多元，可見小大皆要，台北市府貪污風氣之熾豈不可怕。記者曾看過報端刊載高玉樹市長的談話，對市府所屬機構職員嚴防貪污，對於查緝，但是，這次破案的是調查局，高市長對部下的行爲應當要特別注意了。

中共特務滲透西歐

最近法國保密人員發現：中共情報人員，大量滲透西歐各地。法國當局業已獲得證據：金錢和顛覆裝備，透過巴黎國際共黨組織，運給法國國內外的活動份子。自從一九六八年社會不安以來，在巴黎拉丁區內和附近開設的華人和越南商餐館，已超過一百二十八家，這些餐館大部份由香港移民任員工，構成一股強大的中共特務力量。在其他國家組織第五縱隊，從事顛覆擾亂工作，本是國際共黨的慣伎，中共更優爲之。承認中共國家，自貽伊戚，又怨誰來。

立法委員費希平檢討院務
指立院太遷就政院
對請願案處理不當
并抨擊召集委員獨斷專行

（自由報台北消息）立法委員費希平檢討立法院過於遷就行政院的意見，通過很多不合情理的法案；批評立法院[illegible]退回人民請願書，因而使老百姓對立法院非常失望；抨擊立法院各委員會召集委員，「居然採取獨裁方式處理議案」。

費委員說：「最近，我接到兩件人民請願書，其請願內容都與立法院職掌有關，可是，在這兩件請願書中，一件已經被議事組退回，一件由於我適時阻止，才得免遭退回之命運。由於這些請願案的處理不當，所以才引起人民對立法院不滿。」

因此，費委員提出幾點檢討意見：

一、首先我們應該認清立法院的立場，我們既爲民意代表，就應該重視人民的權益，爲人民解除痛苦；如果我們對政府違法越權的種種措施視若無睹，豈不是自失立場嗎？因此，關於人民請願案的處理，應該特別慎重，必須與審民法案等量齊觀。否則，立法院豈不變成了行政院的立法局，怎能稱爲民主國家的國會呢？

二、根據立法院議事規則第十五條第一款之規定：「請願文書應否成爲議案，由程序委員會逕送有關委員會審查，審查時得邀請願人列席備詢。……」由這條規定，我們可以了解，關於人民請願書未經有關委員會審查，而由議事組直接退回之處理方式，是有商榷之餘地的，今後似應該改正過來。

三、根據各委員會組織法第二條規定：「各委員會審議本院交付審查之議案及人民請願書。」依據這條條文，我們更可以進一步了解，審查人民請願案是各委員會兩大主要任務之一。因此，各委員會不可把人民請願案擱置太久，以致時過境遷，無法達到人民請願之目的。同時，審查時也不可草草了事，如有需要或經請願人之要求，應該邀請他們列席備詢，以免發生閉門造車之錯誤。

關於議案之審查，費委員指摘召集委員拖延不予討論，更不可由於個人的恩怨故意積壓議案。他說：

一、根據各委員會組織法第三條規定：「各委員會會議於院會日期之外，由召集委員隨時召集之，或經委員十分之一以上請求，亦得召集。」在上述條文中說得非常明白，經委員十分之一以上請求，亦得召集。可是，內政委員會的召集委員，對立法院所通過的這條法規視同具文，居然採取獨裁方式處理議案。我感到非常遺憾的是，一個民主國家的國會中，竟而出現個人獨裁的召集委員，我們還談甚麼民主法治！

二、尤有甚者，在召集委員楊寶琳極力主張之下，內政委員會對本席之提案不但不召開審查會，反而於四月一日開了一次談話會。如衆所週知，楊委員在大華晚報上曾撰文攻擊費委員延擱把審查會改開談話會於法無據，難道楊委員自己所主張的談話會就於法有據了嗎？我不知道楊委員這種言行是合於什麼邏輯？恐怕祇有辯證法的「矛盾統一律」才能解釋她的行爲。

三、本席對楊委員主張把審查會改爲談話會，一直採取反對態度，可是楊委員堅持召開，所以我拒絕參加。據楊委員說，在談話會中可以暢所欲言，無所顧慮；但我十分不解的是，在審查會中究竟有何顧慮之處？又爲甚麼不能暢所欲言？難道其中還隱藏著一個對人的秘密嗎？像這種作風，居然在堂堂國會中出現，對立法院的聲譽不無影響，因此，我主張把這個問題交紀律委員會審查，以求得一個水落石出，是否可行，還請諸位同仁抉擇。」

費希平委員的以書面方式提出檢討意見於立法院第四十七會期第十八次院會，像這樣的檢討意見，過去是很少公開的。

中市攤販糾紛
人謀不臧所致
議員奔走代向各方請命
取締不當警方難辭其咎

（自由報台中消息）台中市大雅路自拓寬完成以後，已成爲國際大道，可是因當初策劃不週，未將該路沿用攤路旁之攤販作適當安排，致有今日之糾紛。主管當局深感困擾，曾是攤販向正名陳述：自五十四年在大雅路國道空地東端空地，擬設臨時攤位謀生，至五十八年七月，大雅路拓寬完成，當局爲整飭市容，下令不得在該處設立市場，強制拆除。大家爲解決生活問題，又自動遷入綠園道空地內繼續營業，可是主管機關認爲國際大道設立市場，不但妨害交通，且有礙國際觀瞻，立即指派大隊警察強制取締，使我們無處營生，致使遇有斷炊之虞，幸得市議員李清花向有關單位代爲請命，暫准在附近水溝邊臨時設攤營業。並訂明如設有合法市場必須全部遷往爲條件。同時即商請台新建設公司投資於健行路興建健行攤販集中市場，收容所有攤販。迨健行市場落成，又因建築商開出租價太高，而且條件過於苛刻，爲衆攤販拒絕承租。主管當局遂派出大隊警察由第二分局長親自指揮作第三次強制取締所有攤棚，並下令必須即將遷往健行市場，不得再在原地重新搭建。違者送警法辦不貸。有部份攤販，服從法令，依限遷往健行市場營業，可是另一部份攤販於被拆除後，幾天之內，又在原處大興土木搭建攤棚，照常營業了。主管當局不但未加取締，反而讓其成爲市場。在糾紛期間，雖經市議會提案質詢，市政府前後兩次以行政命令警局，依違章建築處理辦法取締報覆，但是警察單位置若罔聞。

大雅路攤販集中場的形成，實係人爲因素居多，執行取締任務的警察機構更不能辭其咎。市政府邀集警備分區部、市警察局及市府有關單位人員，舉行會議，會中決定限一星期內各攤販須自動遷移，逾限即行強制拆除。執行機構是否又因議員插手其間而再行徇情，只使政府威信盡失，看事實證明了。

責成國小推行國民生活須知

林霓

日前，貴報有篇報導，指出台北市舉行擴大「實踐國民生活須知」運動宣傳週情形，許多奉令參與工作的人士都漫心五分鐘熱度一過，即無人再問，仍不免流於形式，又將落一箇勞民傷財之譏。因而建議教育當局應該運用廣大的學生羣衆力量，特別注重國校學生，請教育部以行政命令責成全國學校認眞執行，列入正式工作考績項目，訂定辦法，切實督導，我們深有同感，這的確是一箇惠而不費可行而且有效的辦法。有些朋友談起來讓我執筆寫一點同感，希望 貴報惠予披露。

我是住在嘉義縣裏的一個小公務員，先後擔任過國小、國中教員，所以深知目前國小教育已陷於無人管的散漫狀態。其原因不問而知，自然是實施九年國民教育以後，畢業生不經考試可以直升國中，家長放了心，校長、教師自然也放鬆，學生自己更是放百個心，政府只知爲國中增班蓋房子，考校長、考教員，對學生課業根本不考慮，國小教育從此也無人關心！

關心子弟學業的家長，紛紛把子弟千方百計送入私立初中。但是說好的私中又談何容易，必須從幼稚園就開始動腦筋，否則休想如願以償。所以當一個出了名的私中學校校長最神氣不過了。若干公立國中校長向主管反應不准私中招考學生，要變爲代用國中，碰上些糊塗官員，竟然要不准私立校招收初中學生，驚動了立、監兩院民意代表，輿論譁然。

公立小學課業一放鬆，學生成了脫韁之馬。倘若多作些課外訓練，還不失爲教育正途，當局既未製定一套辦法，學校限於種種理由，也就樂得聽其自然，學生在課堂上既不認眞聽講，一下課競相談論電視節目，高興了就不免模仿着比劃起來，這還算上焉者呢。下焉者便不知其所以了。

國中分發來了些良莠不齊的國校畢業生，教學進度之難，也就不難想像，國中教育又如何能以辦得好？

國小教師可說無用武之地，果能統一辦法發給出差費，令其督導學生「實踐國民生活須知」，提高了收入，指出一條努力盡職的路子，要求教師們多負些責任，這是天經地義的事。小學生最聽話，訓練收效也最容易，十二歲以下的小孩子日常生活習慣都納入了正軌，不但無形中促成學業進步，還可以影響其家長們實踐生活須知。

說起發揮學生廣大無比的力量，我想舉出一箇實例，我們的鄰縣台南縣政府于四年前提倡「小先生制」推行環境清潔衛生，正與貴報所指出的不謀而合。我們親眼看到台南縣境鄉村裏的環境衛生，這些年來確實作得有條有理，優於其他各縣。縣長劉博文出身教育科長，他競選縣長成功，就職不久，正巧遇上蔣總統號令推行環境清潔衛生，劉縣長運用智慧，要想一箇輕而易舉收效也大的辦法來推行這一環境清潔運動。

（一）

劉半農記賽金花

可巧這匹馬又沒有鞍蹬，三爺只好抱起我向馬上一放，玉四爺一見立刻就照着他的耳朵摑了一下，罵道：「你怎麼連伺候人上馬也不會？你伏下身子，讓她蹬着你，不就上去了嗎？」三爺挨着打，一聲也不敢作，老老實實的把身子伏在地下叫我蹬。

我騎上馬，跟在砲車後面，緩緩的走着：唉！那裏騎得了，身子不是歪一下，就是斜一下，我用足了勁抓住韁繩，一些也不敢鬆手。這時候，雨還是下，渾身的衣服全被雨淋得濕透了。走了一會，回過頭來一看，把我母親和三爺都丟得很遠。我母親也是纏腳，又上了幾歲年紀，怎麼能追得上我們？想等等他們吧，又不敢說，這時心裏禱告：「求老天爺讓前面的砲車掉在溝裏。」禱告纔完，只聽咕隆一聲，果然有一輛砲車掉在溝裏了，我不由得念了聲：「阿彌陀佛！」等到把砲車抬出，我母親和三爺也趕到了，於是又向前走。

走到一個村子，名叫八里莊，進了村，敲開一家的門，出來一位老太太，把我們都讓了進去，我們這些人簡直是又餓又乏。她給我們煮了一鍋小米稀粥，又端來一碟醃蘿蔔，我喫了一口，鹹得不能下咽，我活了這麼大，那兒吃過這些東西？這位老太太對我說：「前天我們這村裏被兵搶了，有些年青婦女也都被他們強姦，還逼死了幾個！現在婦女們都藏在山裏去了，村裏祇剩下些年老的，我明天一早，也要到山裏去。」說話時不住的唉聲嘆氣。玉四爺同他的馬隊喫完飯，喝了些水，就要動身，當晚還要趕到北京。問我們，我實在是累得走不動了，只好謝謝他，說了句：「京裏再會吧！」他們便去了。這時候我因歇了一歇，累勁發上來，渾身酸痛，想要睡覺，老太太說：「後面倒有兩間空房，只是停着兩口棺材，你們怕不？」我那還顧得那許多？就請她領了後面，剛睡下，只聽外面人聲馬嘶，我們越來越近，一會兒前邊有人敲門要水喝，原來是天津的兵敗下來了。我們又都起來幫着老太太，給他們燒了一夜的水。到天亮，那位老太太要到山裏去了，也邀我們同去，我還是一心要奔北京，向她謝了謝，就又趕奔北京而來。

在下午，好容易纔走到東便門，來到城下一看，城門已經關閉，叫了半天也沒有人理會，待一會，跑來一些馬隊。城上纔答話，說安定門還開着，可以進來。可憐我們一夜沒得睡，又從早晨到此刻滴水粒米進口，還只得忍着飢喝，順城牆的小路，又趕奔安定門。路上聽那很高很深的高粱地裏，傳出來女人的哭喊聲，求救聲，嚇得我藏藏躲躲，孫三爺便拖着我拼死的向前疾走。（十七）

談雜書，說藥枕

自由中國南北各大報，連日幾乎都有醫藥理論權威馬騰雲教授發行藥枕的報導，在台灣商場上來說書生經商，而能非常轟動，深受社會各階層歡迎，眞乃電影裏的名詞，「說我書呆並不呆」樓主計算中藥價目，担心馬氏的薄利多銷，走向「書呆畢竟是書呆」。馬氏自己則謂，「初次做生意，不虧即是賺」信用建立後，還怕顧主不上門嗎？

馬騰雲將他的養生秘訣，各項藥枕貢獻給社會，各報既都有登，不贅。今天樓主要講的是馬騰雲滿櫥怪書，例：「傳家寶」「古今秘苑」「中饋錄」「行廚集」「笠翁偶集」「留青采珍」「隨園食單」「墨娥小錄」「物類相感志」「食物本草」「齊民要術」「農政全書」「致富奇書」「羣芳譜」「瑣碎錄」「農桑輯要」「奇方類編」「博聞錄」「玉匣記」「廣異記」「仙拈集」「夷門廣牘」「太平御覽」「神仙教子法」「起居雜忌」「抱瑾子」「山海經」「龍魚河圖」「黃氏日抄」「保壽靈方」「尼姑錄」「梅師集驗方」「攝生秘剖」「文昌雜錄」「頁朋集集」「遠色編」「清稗類鈔」「梳篦篇」「茶餘客話」等數百本。據說他在泰國存的書，約有兩噸之多，半為實用書與絕版書，其不能運回祖國者，乃受政策限制，偏門的有（甚麼牛克司馬克司及中共各會集醜事），馬氏在台醫書也有半頓以上，又兼自己早年習農化，後又攻讀新聞，近十幾年做到「吾十有五皆致力於醫」，寫出的東西不太外行是必然的，家家報紙歡迎也非無由。

·文滙樓主·

說到藥枕，據張起鈞教授語樓主，係得自慈禧太后御醫曹滄舟抄本，但馬氏則堅決否認，一說這其中有段辛酸史，不過藥枕在中國歷史上，有其眞實物理醫療地位，前見報載儒醫雷少平似有談及，最近有位資深西醫，（醫學博士）不願透露姓氏，他說他自己的「慢性器管炎就是藥枕治好的，事隔廿年了，日前驀然看到馬氏發行藥枕，眞為一般需要的人高興，據我所知道的（醫學博士自稱），藥枕的原料，莫非遠志、菖蒲、菊花、金銀花、竹葉心、嫩荷葉、竹菇、燈心、綠豆殼、決明子、山藥葉、何首烏籐、人參葉等，但配製的份量，必同時須遵照古法」對藥的性能要有深深的研究。從前大陸上的人很少用木棉枕，鴨絨枕，因之患腦溢血血阻塞的人並不像現在這樣多，中國人的衛生，隨時保持「頭腦清醒」，故對枕頭方面特別注意，日本人也然，他們寢用爛黃豆作枕頭，很少用「危險的信號——木棉」和自己開玩笑。

眞理與事實的啟示

·陳光棣·

「眞理與事實」一書共二十章，它的特點是一個「誠」字，全無粉飾雕琢，無病呻吟的通病。雖非字字珠璣，卻句句發人深省。作者首先揭露中共政權違背人性，滅絕人性，奴役人民，迫害人民的殘暴事例，繼而駁斥馬克斯在資本論中所提出的過時理論，深入淺出，義正詞嚴，足為姑息份子當頭棒喝。作者繼敘平生經營事業，服務社會的經過和經驗，理論與實際並重，現身說法，讀來頗感親切，其可貴處是使讀者能在平凡記述之中體會出成功的訣竅。

首先發現作者雖出身寒微，但為人處世卻能一秉大公，他沒有私見，不講派系，更打破地域觀念，他不僅嚴于律己，而且勇於助人。經商之道更作到利己利人，誠懇公正。作者除了具備這些長處，更具備成功的基本條件為：

（一）自信：人生必須對自己和事業建立信心，確認自己有克服一切困難的能力，自信能有一番作為，為此才能勇往直前，絕不動搖。否則即使好機會臨頭，也難免失之交臂。

（二）力行：要熱愛工作，願意工作，努力工作，而且要比別人多工作，更覺提高警覺，隨時鼓勵自己；督促自己，就是我平常所說的活力充沛，幹勁十足。

（三）合時：思想要合乎時代，才能在這日新月異的世界爭一日之長短，思想要趕上時代，才能領導同一時代的人。經商一途尤其如此，過又唐榮鐵工廠就因唐氏家族思想落伍，才賠個稀哩嘩啦，最近某某保險公司關門大吉，也因主持人思想陳腐攪的天怒人怨。

（四）謙遜：優秀的領導人物，最忌張牙舞爪，頤使氣指，應該不必命令指揮，就能以說服力使僚屬自動自發的努力工作，這種工夫的要點就在謙遜。很多人有自信力行合時導優越條件，但卻處處碰壁，一事無成，就因為缺乏謙遜的美德。

「眞理與事實」一書雖是自傳體裁，但對青年朋友卻有教育意義，它告訴你如何創造前途，如何衝破難關，和適應社會的努力方向。對於工商界人士更是一部成功寶鑑，它提出了經營企業的新方法，管理企業的新觀念，讀之足發深省。（完）

孝道的宏揚與光大　十二

·李宗黃·

（六）結論

綜上所述，我們對於孝，已經有明確的認識。現在我們應當更進一步，來估量他在現代的價值。有些輕薄激進之徒，或以為孝是「封建」時代的產物，已經失掉了效用，其實就是在現在功用仍在，絲毫未減，只有國父同總統才有這個卓見，才有這個眼光，把古人的寶貝取來活用。故國父說：

「所以孝字更是不能不要的，國民在民國之內，要能把忠孝二字講到極點，國家才可以強盛」。（見民族主義第六講）

國民黨五全大會制定黨員守則，並列「孝順為齊家之本」。總統秉承國父遺志大聲疾呼一則曰：

「我中華數千年來，以忠孝為立國之本，修身濟世，胥此為基，家諭戶曉，深入人心，合之者，則舉世欽榮，違之者，則骨肉不恥，此實我祖先賢苦心發揚，藉為風氣，特以錘鍊民族齊一意志，以為生存奮鬥之資也」。

「國父闡論我族道德，特標誌忠孝為首，況當今日與暴敵互爭生死存亡之時期，更非人人誓效忠於國家，竭力盡孝於民族，無以復興我國家而保我民族。」（見告全國士紳及教育界人士書）

再則曰：

（未完）

話說朱元璋

雁謀

活捉張士誠

當朱元璋之統一中國，一則雖在人為，一方面似乎也有天意者，並非指神明上帝，而是指非人為的一切條件。因為有天意在，所以他特別順利。當他起兵攻下金陵，自稱吳國公之前，陳友諒已稱「漢」於江楚，張士誠稱周於東吳；明玉珍稱夏於四川。而元朝的大將則挾大軍於河、洛之間。朱元璋以區區之地挾於其間，處境最為艱困。可是偏偏在他起兵中間，元廷的擴廓和張良弼等互相攻殺，讓朱元璋從容地把陳友諒，張士誠，方國珍等一個個消滅。這不是天意為何？那「小明王」實力之大，假藉宋室之後，結果被元軍各個擊破。下面再看朱元璋如何活捉張士誠。

張士誠割據的疆土，南抵紹興，北踰徐州，西出汝、潁、濠、泗諸地，東至大海，帶甲十萬，沃野千里，得天獨厚，非羣雄所能及。張士誠若能善於利用此種優勢，實足以掃蕩羣雄，統一中國。可惜士誠闇弱，缺乏遠大宏圖的大志，只深居高拱，上下相蒙，故據有優越之地勢，而終被朱元璋破滅。

在未破陳友諒之先，元璋與劉基討論到攻打陳友諒、張士誠的先後問題。劉基則說：「士誠自守之寇耳！陳友諒據上流，名且不正，宜先伐之。陳氏滅，張氏如囊中物矣」。元璋甚以為然。並且說：「友諒剽而輕，士誠狡而懦。若先攻士誠，友諒必空國而來救，是吾疲於二寇也」。從這段對話看來，可見朱元璋和劉基二人都不把士誠放在眼裏的。豪傑與狗雄就在此分野。

當朱元璋與陳友諒開戰之際，陳友諒約士誠出兵攻朱元璋之後。可見張士誠不知脣亡齒寒之理，一意保境觀變。友諒敗滅，元璋手急眼快，於克武昌之後，即移師東下，來解決張士誠。先遣徐達攻取高郵、淮安、濠州（鳳陽），除州（除縣）諸地，將淮北郡縣都平定了。

元至正二十六年，元璋移檄平江，列士誠八大罪狀。命徐達、常遇春帥兵二十萬，大舉東征，在東征前夕，朱元璋訂定嚴明的紀律：破城不准殺掠，不准損毀房屋，不准摧毀農作物，不得掘士誠母墓。當時士誠境內的軍事重點在平江、湖州、杭州三地。大軍將發之際，元璋投徐達進攻計劃說：「湖州張天騏，杭州潘原明，為士誠臂指，若平江被圍，兩軍必悉力赴援，內外相合，難以取勝，不若先攻湖州，羽翼既除，平江勢孤，賊立破矣。」

徐達遂先攻湖州，把湖州守軍及援軍擊敗，張天騏被迫投降。接着李文忠又攻下了紹興。華雲龍克嘉興。於是士誠困守於平江孤城內。拒守了數月，元璋貽書勸降。士誠不報。其後士誠屢欲突圍，皆為常遇春所阻，士誠的長勝軍善門著名的，全部被擊潰溺死在萬里橋下。士誠氣餒，守備懈怠，平江遂為徐達所破，但攻平江是很壯烈的，士誠之弟士信乃炮打死。士誠收兵集於萬壽寺東決戰又敗，於是回府閉戶自經被救。士誠之妻劉氏集薪樓下，驅羣妾上樓，令養子辰保縱火焚燒，她自己也自殺。徐達幾次曉諭投降不死，總是瞑不答。結果被俘。送到金陵。他在中途絕食自殺未果。船到了龍江堅臥不肯起來，到了中書省，李善長問之不答，後自縊而死。其餘降將盡皆赦而不問。惟叛將熊天瑞被執，梟首示衆。至此淮北、吳中、浙西之地皆為元璋所有。元璋改平江為蘇州府。又論功行賞，封李善長為宣國公、徐達為信國公，常遇春為鄂國公，餘皆晉爵有差。此是至正二十七年的大事。

（八）

安徽十三傑

管仲　李時　莊周　曹操

華佗　包拯　朱熹　朱元璋

戚繼光　李鴻章

段祺瑞　胡適　楊振寧

正告美國政府和人民

（接第一版）

詳細考證列在我在民國五十四年（一九六五年）編著的「琉球及東南諸海島與中國」一書內（商務印書館代售）。此種文字不必多談歷史考證。最無否認的，是在荷蘭占據台灣以前，台灣本島已常為中國海盜的巢窟，台灣本地原始土著（古稱「裸國之民」），現稱山地同胞）有絕大多數是我國駱越民族的後裔，遠在上古係從越南方面循婆羅洲、菲律賓羣島浮海而來，久與中國大陸隔絕，故文化較為落後。由越南、婆羅洲、菲律賓考古記錄可以看出其中連鎖。裸體不衣也是駱越民族（甌越民族）的一大特徵。至於台灣澎湖的居民，據日本昭和元年（一九二六年即民國十五年）台灣總督府官房調查課編的「台灣在籍漢民族鄉貫別調查」一書，該年年末全島漢人為三百七十五萬一千六百人，計來自福建省泉州府漳州府汀州府龍巖州福州府興化府永春州者，有三百一十一萬六千四百人，來自廣東省潮州府嘉應州惠州府者有五十八萬六千三百人，來自中國其他地方者有四萬八千九百人，此外尚有當時所稱「華僑」未算在內，均有詳細鄉貫（籍貫）分別表可查。而同年年末高山族人（現稱山地同胞）人口則只有八萬三千七百三十三人之數（另據「台灣省五十年來統計提要」一書）。漢民族居本省全人口最大多數之原因，不是由於用武力或詐力壓迫欺騙土著，此與西洋殖民歷史絕對不同。在一八九五年馬關條約之前，台灣澎湖久為中國直轄領土，在一八八五年以前為中國福建省的府縣，在一八八五年（清光緒十一年）以後改為中國之一行省。其正式併入中國版圖係在一六六二年二月一日（南明永曆十五年十二月十三日）荷蘭殖民政府向代表中國明朝的延平郡王鄭成功（國姓爺，Koxingye or Koxinga）投降以後。鄭成功之父鄭芝龍（鄭一官 Iqua or Yiqua）和顏思齊等人早已殖民於此，我們不必再扯遠了。單就一六八三年十月六日（清康熙二十二年八月十五日）因台灣鄭氏（鄭成功之孫鄭克爽（土旁））投降清朝，台灣澎湖構成清朝直轄領土之一部份算起，算至一八九五年五月八日中日馬關條約互換之日為止，台灣澎湖為中國版圖已歷二百十二年。清朝繼承明朝，中華民國繼承清朝，俱代表中國，此種傳統，從來未曾被人否認過，在第二次中日戰爭後，日本政府和我政府締訂「第二次中日和約」，美國政府也於一九五五年（民國四十三年）三月三日互換批准了「中華民國與美利堅合衆國間共同防禦條約」（Mutual Defense Treaty Between the Republic of China and the United States of America）及其前後不少條約協定之類，皆因承認中國歷史上此種傳統而來，中國在台灣澎湖之實施統治之年代數字單就清朝一朝而論，已有二百十二年，此種年代數字已較美國開國迄今之年代為多（不滿二百年）。中國和台灣澎湖的歷史關係如何？收復台灣澎湖係由對日本第二次戰爭的戰勝得來，有何不合理之處？請開國不滿二百年的美國少爺多加研究。此其六。

第七：我們再讀一九五二年八月五日互換之第二次中日和約」的第十條和第十一條，可以看出締約當時，日本政府係因中共方面對之仍未終止戰爭狀態，故以我國政府代表中國（CHINA），因我國政府有收復大陸的企圖，故對我國之領土人民會作有伸縮性的規定。

（未完）

巨變歷險記！

飛往臘戌

（二二〇）　胡慶蓉

飛機在仰光上空，如同鴛雲一般，團團的浮雲，團團的大霧，滾來滾去，往來如織，下邊一點什麼也看不見。出了仰光，天氣變好，下邊漸漸的可以看見，是阡陌的連田，與我江浙魚米之鄉宛如一致，到處綠蔭蔭一片，是如何的美麗啊！曼德里到了！曼德里到了！飛機上的人在喊着。昔日皇宮，銅駝荊棘，斷垣殘壁，滿目淒涼。實在沒什麼欣賞的，在飛機下降之際，悽音難過的心情在領略當年笙歌酣舞，而今安在！丁博士對於緬甸的音樂舞蹈非常的讚許。當他在曼德里的一段時間，他常常的參觀緬甸的舞蹈，領略緬甸的音樂。緬甸的音樂就是中國的音樂，以喇叭爲主導樂器，由他來領導。發音雄壯，曲折多端，並不亞於西樂大喇叭，在丁博士看來，殆尤過之。很多的鼓聲，很多的鑼聲配合着，尤令人覺到有變化，感到活潑生動，鼓有三四個，大小不一，聲音亦不同。鑼，小銅鑼，一連有十幾個，組成一圈，一個人指揮全部的音樂！一個人做奏部的音樂，一個又吹喇叭，又敲鑼，又打鼓，直是夠忙的，忙得不可開交！你看他，這位樂師是如何的緊張啊！他這個人無處而不是音樂！眉飛色動，手打口吹，有應接不暇之勢，但他還是應付得了，而且應付的很好。眞是令人嘆爲觀止。喇叭在大陸作用處非常廣，婚喪喜慶都是用它。哀樂，喜樂，區別的非常清楚。他能吹出各種的調兒，並能吹全部的戲劇，而且出旦丑淨，黃鍾大呂，無不唯妙唯肖。若結婚的新郎坐在花轎上，坐在四人抬的轎上，兩手扶着轎桿，戰巍巍的，配合着喇叭，有飄飄欲仙之感，今日緬甸的喇叭，殆猶彷彿似之。

緬甸的喇叭，佐以鑼鼓，更令人覺得美。緬甸的舞，恐怕也就是中國的舞，都是個人的，出動活潑，令人神往。緬甸跳舞的女子，頭髮都是長的，情絲三千，束成一把，可以在頂上自由轉動，上身是貼身的長袖領子的上衣，下邊是長長的裙子，赤足，舞起來，下邊極健而有力。想是曼德里皇宮昔日繁華時候的景象，再看看面前的一片廢墟，丁博士閉眼靜思，若有所感。游擊隊又在創立新境界，將來之視今……。

不久飛機又飛起來，再向北飛，進入層苗山區，從此一直到臘戌，都在山地上，但見森林一片，間或有堉子，但並不多。此次丁博士借蘇副總裁蒞臨臘戌，自有他特別的意義。

臘戌是緬甸北部的大商埠，也是中緬交界的大都會大碼頭。臘戌在通昆明通仰光的大道上，爲兵家必爭之地，臘戌的北邊是猛友，二次大戰中孫立人將軍即會師於此，二次大戰，緬甸公路造福中國者至大。最後，我軍退到四川，而仍能維持者，多得力於緬滇公路。大陸淪陷，大陸人民，大陸子弟，一切不願作奴隸的人們，紛紛逃入緬甸，採取臘戌這個路綫的爲數甚衆。在我游擊隊剛一在大其力站住腳，丁博士就派朱心一劉琦兩位青年在臘戌辦事，收容流亡，編入游擊隊，一時游擊隊的人數激增。當然，這不是臘戌一地的成績，其他沿邊各地，處處都可以進來。但臘戌畢竟是最大的口岸。在朱心一劉琦未到前，最早還派的有一位青年，那就是李紹寬。他在設置辦事處，經濟並不充裕，丁博士還記得給他買了一些貨物作爲籌備之用。他就靠這斐斐之錢，極力與各方面取得合作。丁博士同蘇山波陳飛來臘戌，還有他們更大的政治目標，那就是進一步與單（才邊下同）邦的政治領袖會商，與單邦打成一片，有如同青倫族打成一片一樣。單邦，我說過，是緬甸第三大種族。

朱元璋給田興的一封信

·林倩·

自由報去年開始刊登刊安徽十三傑，其所爲文，都是膾炙人口，引起讀者的極大興趣。近又讀到雁謀所作「話說朱元璋」，諒係出自治明史專家的手筆。因憶及幼年在家鄉常聽老一輩說田興故事，不勝嚮往，但在正史查不到，方覺慧先生所纂「明太祖武功記」也僅只錄載朱元璋致田興的一封信，此外都沒有談到。朋友告訴我虞初志曾有詳細記載，還一連查了虞初續志，虞初新志也都不會找到一點綫索。最近看到民國二年出版的虞初近志，纔查到田氏後裔二十一代孫田北湖作的一篇田興傳。除開朱元璋一封信估去四四九字，關於田興事跡也不過寫了一千七百餘字，實在是語焉不詳。希望雁謀先生多方面搜集資料，爲田興寫一篇像樣的傳記，表彰他的劍膽俠骨，清高節操，使那些熱中宦途，只知固位邀寵，大而不顧國家民族，小而不爲子孫後代留餘地，急功好利之徒知所警惕！

倩按田公諱興，無字，山東舊青州府治安邱縣人，高祖而上，多以材武入仕籍，趙宋之亡，先後殉節數十人，元人入主中原，恥食其祿，一門族氏，無服事北庭者。英宗至治元年公生於大石莊。

公軀幹魁梧，年已及冠，貿遷土物，出走四方，淮南北。至正間，被江寇阻於潁州之老子集，如廁，見元璋蜷臥草堆，已兩日不得食，爲無過者，披至旅舍，爲其治湯藥，備衣服，被與俱行。元璋不耐，使附豆船返臨淮。

此後汝、潁、淮、肥數與元璋遇，遂結義爲兄弟。公長於元璋，元璋事之若父兄。元璋自嘆「四海雖大竟無容身」。公慰之再三「你固非常人，我不配爲你畫生計，大亂將及，何施而不可，丈夫貴乎得時。」其時方國珍踞台州，張士誠亦嘯聚於淮南，江淮亡命之徒，爭往依附，元璋也想投効。公阻之曰「鼠輩但負海嵎，其人其地，皆不足成大事，古來有事，不論爲寇爲王，爲帝爲崤，必根本於大江以北，黃河以南。」不久，元璋轉投濠州，公引投郭子興帳下，亟游揚之，元璋因以見重，卒掌兵柄。公又陰求股肱，先後引薦胡大海，常遇春諸人，北取除和，南收姑熟，時時爲公所決策爲多。時時爲元璋作鼓勵語：「元以苛虐致盜賊，民陷水火，有仁者出，稍稍問其疾苦，保全其生命，可以垂手得天下，盜寇不難平也。」每聞元璋下名城，輙匿流亡羣中，默察軍紀，馳書相報，以盡忠告。蹤跡飄忽，元璋知不可强留，始終待以客禮，及克金陵，不復至元璋所。

洪武三年，六合來安間有虎患，傳聞數月，捕虎者悉爲所傷。詔求壯士甚急，無敢應者。公方行賈沂袞，轉運六合紙葛鍋竈諸貨，聞警乃徒手同山谷中，旬日連殺七虎。土人感其義勇，送相慰勞。治具於六合之曲澗，愛其幽僻，流連不欲去。縣官賫金帛至，固辭弗受。問姓名亦不答，自云「山東男子，生平慣殺虎，非爲應募而來，何與官府事。」史表奏朝廷，元璋笑曰：「必睽故人田興也。」使素識者踪跡之，果不謬。上命宋濂題七坊立石識其地，「大明洪武三年九月某日，山東田興打虎處。」今六合西鄉五十里外瓦廟子之打虎窪，石柱屹立其鄰近村落所謂田家牌樓；又西北二十里田家巷，皆有遺跡，父老猶能娓娓道來。

元璋既知公在六合，再發詔使，堅不入朝。復遣舊同寮手書渡江迎入京師。

朱元璋致田興手書全文如下：

「元璋見棄於兄長，不下十年，地角天涯，未知雲游之處，何嘗暫時忘也。近聞打虎留江北，爲之喜不可仰，兩次召請，而執意不肯我顧，如何開罪至此？兄長獨無故人之情，史不得以絕强相屈。文臣好爲筆墨，所擬詞意，不能盡人心中所欲言，特自作書，略表一二，願兄長聽之！昔者龍鳳之僭，兄長勸我自爲計，又復辛苦跋涉，參謀行軍。一旦金陵下，告遇春曰：大業已定，天下有主。從此浪游四方，安享太平之福，不復再來多事矣。我故以爲戲言。不意其絕跡也。自天厭亂，使我滅南盜，驅北賊，無德無才，豈敢妄自尊大。天下推戴之，徒爲所笑耳！三年在位，陳有諒有知，日不暇給，兄長移家南來，訪求山林賢人，離京甚近，非但避我，且又拒我。昨由去使傳言，令人聞之汗下。雖然，人之相知，貴如兄弟。我二人者，不同父母，甚於手足。昔之憂患，與今之安樂，所處各當其時。而平生交誼，不爲時勢變也。並未有兄因弟貴，惟是閉門論理，以爲得計者也。皇帝自是皇帝，元璋自是元璋，元璋不過偶然作皇帝。並非一作皇帝，便改頭換面，不是朱元璋也。本來我有兄長，並非作皇帝便視兄長爲臣民也。願念弟兄之情，莫因君臣之禮，至於明朝事業，兄長能助則助之，否則聽其自便。只敘弟兄之情，斷不談國家之事。美不美，江中水，清者自清，濁者自濁，再不過江，不是腳色。」

田公得書，野服詣闕，元璋倏之龍江，歡讌累月，儼若家人。稍及時事，公曰：「天子無戲言，所約我者而忘之乎？」元璋乃亂之他語，明年卒於應天，元璋臨其喪，悽然曰：「二十年來與我共患難而不共安樂者，斯人而已！」爲之置家於落鼓坡，詔留二子於京營，授錦衣衛指揮，二子以遺命辭，歸耕民籍。是爲六合田氏始遷祖。

五十六種砂鍋烹飪

馬騰雲

廿四　砂鍋肚肺湯

上篇說了不少砂鍋心肺湯，有關肺的部門，本章從略，就肚的功用擬多扯幾句：

豬肚即豬胃入藥，醫書記載很多，婦人熱勞消瘦，用北柴胡、赤茯苓、人參黃耆各二錢燉豬肚食用。夢遺白濁，赤白帶淋，用瓜蔞根、粟米、茯神、知母、麥冬各二錢燉豬肚可治。大腸秘澀，小便赤黃，用青蒿、鱉甲、北柴胡、木香各二錢燉豬肚，數次可愈。小便頻數，用蓮子一兩，覆盆子三錢燉豬肚食用。上列各劑必須用砂鍋瓦罐，普通鍋不聚氣，易走藥性，中國人之熬藥，從未見用其他器具，一代傳一代，必有其不移定理，科學提煉國藥，筆者不敢太恭維，有些豬尿泡冒充豬肚子的醫生，動欲以科學唬人，實顯出非常幼稚和可憐。

說國藥，在未有深入研究十年廿年時，最好「遵古煉製」不要搞花樣，國藥實在是了不起的，祇要我們用幾年工夫作分別研究，再用幾年工夫作專門研究，你會發現中國文化的偉大，你會覺得獲到一筆先人給我們的寶貴遺產，「書中自有黃金在」非「無的放矢」也。

砂鍋肚肺湯與砂鍋心肺湯，烹飪方法雷同，其用途前者偏重補心，後者偏重補胃，也同時都補了肺，肺是人體換氣的機構，非加強不可，吃肺是加強肺機能方法之一種，體育運動中，使肺部多活動就是這個道理。

黛眉小傳

·王幻·

黃娥（一）

明代擅長於作散曲的女作家很多，其中以楊愼的夫人黃娥最爲著名。其他尚有沈端惠、黃如瑛、鄭雲放（王芳）、顧長芬、薛素素……等，當時均有一兩首作品流傳。

黃娥的父親名珂，字鳴玉，遂寧人，官至工部尚書，有介直之譽。她自幼博通經史，工筆札。及笄之年，便嫁給當代有名的風流才子楊愼爲繼室。這位楊愼，字用修，號升菴，新都人，生平著述豐富，尤擅戲曲，著有「蘭亭會」「洞天玄記」「太和記」雜劇；散曲集有「陶情樂府」及「續陶情樂府」，在當時都已流膾人口。他們結縭之後，夫妻間的情感頗篤。她的性格頗具男性的風流佚宕，作品的狂放處，即以風流才子見稱的她的丈夫楊愼相較，也當退避三舍。和她的「紅繡鞋」云：

賣指望花甜蜜就，誰承望雨散雲收！因他俊俏我風流。幾回兒夢裏抄糖水，心窩兒裏酥合油，舊不著谷把人逍遙。

你不慣誰曾慣？人可瞞天怎瞞？夢見槐花要綠襖兒穿。吼抓都看一看，借即溜難上難！你無緣休把人來怨！

這類寫實手法，所表現浪漫情調的文字，一般慣吃冷豬肉的老先生讀了，便要大驚小怪，引爲談資！殊不知明代是產生「金瓶梅」的時代，風氣所趨，已突破禮教的束縛；有關性的描寫，在一切詩詞小說戲曲中都看作很平常。她的丈夫亦不會因此疑心的不貞，只要她心裏感到的，都可以寫出來，以表現眞摯的人性。

所謂「名士風流」，古今的然，中國文人對於狎妓納妾，更是司空見慣！尤其中年以上，思慕少艾，亦係人之恆情。她的丈夫楊愼當然除了他夫人之外，有時在外面攀花折柳有所勾搭；於是，却惱了這位多情而又亢（心旁）爽的夫人了。她在傷心之下，便激起無限的怨怒，請看她給丈夫的詰問書：

俺也曾嬌滴滴徘徊在闌麝香。俺也曾香馥馥綢繆在鮫綃帳。俺也曾顫巍巍擎他在手掌兒中，俺也曾意懸懸閣他在心窩兒上。

誰承望：忽剌剌金彈打鴛鴦，支楞楞瑤琴別鳳凰。我這裏冷清清獨守鶯花寨，他那裏笑吟吟相和魚水鄉。羅當，小賤才假驚驚的嬌模樣；休忙，老虔婆惡狠狠做一場！（「雁兒落」帶「得勝令」）

（未完）

第二十三章

岳飛赴日擒楊么　武穆襄陽當重任

周燕謀

迎歸二聖，請宜選賢能，以建國事功，不可久竊兵權，以妨豪傑之路」。詢意肯切，求罷兵柄，乞除在外宮觀。岳飛豈不識時務者。但此時秦檜倘未再起，金人未和，朝廷不許，三辭三不允。岳飛乃帶疾從公，勉力起身視事。身在襄陽，日以枕戈待旦，以恢復中原爲己任。復得張浚馳書勁獎，越發激憤，銳意力圖恢復。未久，加岳飛檢校少保，晉開國公，其餘統領如前。可是岳飛又上章辭少保，還鎮鄂州。

紹興六年春正月，岳飛三十有四。正月，太行山忠義保社梁興等引百餘人來歸，飛申報朝廷，朝命「如果驗實，當優以官，以勸來者。」原來梁興等結合義兵，嘯聚山林，在敵後結社募兵，適時襲擊金兵。岳飛遣人至太行山秘密結盟，使爲內應。曾奪河潞渡，自襄陽府鄂州投降岳飛，飛待之甚厚。

同年正月十八日，張浚親師至襄陽，張浚以敵人勢力未衰，劉豫仍據中原，陰謀叵測，奏請高宗親行邊防，分佈諸將，俟機恢復中原。高宗許之。張浚出榜各州縣，宣佈劉豫罪狀，並分佈各路將帥如左：

（一一八）

自由報

[illegible]

[illegible]

[illegible]

（第一一六八期）

（半週刊每星期三、六出版）
每份港幣壹角・台灣零售價新台幣弍元
社長李運鵬・督印黃行舊
社址：香港九龍彌敦道593—601號
廖創興銀行大厦八樓五座
LIU CHONG HING BUILDING
7th FLOOR FLAT '5
593—601 NATHAN ROAD,
KOWLOON, H.K.
TEL：K303831
電報掛號：7191

承印：景星印刷公司
地址：嘉咸街廿九號地下
台灣區業務管理中心：台北重慶南路一段一二九號
電話：二四五七四
台灣區直接訂戶　台灣劃撥戶
第五〇五六號張萬有（自由報會計室）
台灣分社：台北市西寧南路110號二樓
電話：三三〇三四六、台郵劃撥戶九二五二號

本報專論

台北兩大盛事的意義

——並勗薛光前田寶岱兩先生——

張起鈞

正在乒乓邪風，披靡全世，使我們感到心情沉重之際，恰好有兩件適時而來的喜事，使台北人心爲之輕鬆一快，一件是沙烏地阿剌伯國王費瑟的訪華，另一件則是美國聖若望大學校長凱希爾一行來台，並以人文科學榮譽博士獻贈蔣總統，這兩起人士，不前不後，恰好，都於五月十七日一天抵達台北，這一盛事，即在平日也是值得申慶的，而在今天的局勢尤有雪中送炭的深意，現在先說後者。

永是友人

不容否認的，自從薛光前博士參加後，美國聖若望大學與中國的聯繫和友誼一天一天加強起來，十餘年來不僅與我中國維持良好的友誼，並成爲美國本部中國人的政治和文化的活動中心，而尤其可貴的是其正確的漢學研究。美國這些年來對於東方的研究風起雲湧，所有像樣的大學都有研究漢學的部門，甚至圖書設備也都甚爲充實。但細查其內容，不是膚淺幼稚，只能作些斷章取義，盲人們象式的研究，便是先存成見專作歪曲誤解的指摘，愈是享有盛名的學校，往往愈是如此。例如最著名的哈佛大學，便是由費正清等人盤據着。這種不正確的研究不僅不能增進對東方的了解以促進人類的大同，反之却是只有加深人們的隔閡與不幸。中國固然吃了這種謬見的無盡苦頭而美國從當年認中共是土地改革者直到今天越戰的陷入泥淖，又何嘗不是吃了這般漢學家的虧。但是由薛光前博士主持的聖若望大學亞洲中心則對中國的問題，採取公正的立場，正確的觀點，流風所及當然會培養出許多促進中西正確理解合作的學者，而有助於世界和平，至於平素從事促進中美邦交文化交流的活動，猶其餘事。正因爲薛氏等多年，努力，才有今日凱希爾校長率領兩位副校長由薛光前、梁敬享（金旁）兩氏陪同來台之事，同時蔣總統也破格，接受其所獻贈的榮譽博士銜頭，可見總統也是對於聖大的作風非常欣賞。

凱氏一行於十七日抵達台北後，當日即晉見蔣總統，除寒喧致敬外並鄭重向蔣總統表示，不論中美未來關係演如何，聖大一定永爲中華民國之友，而是中華民國在美的一個據點基地——這才真是適時而可貴的真正友誼，而這一可貴友誼的形成，推本溯源，當然不能磨滅薛光前博士的功績，薛博士簡直可說是一位「沒有國書的大使」，假如那些有國書的大使，也都能向薛氏這樣積極主動的奮鬥，我們的外交局勢，當還不是今天這種樣子。

共同反共

其次再提到同天訪華的沙王費瑟，沙烏地阿拉伯受到世人重視的，除了盛產石油之外，是其在回教世界中的領導地位，尤其沙王能洞明國際局勢，採取堅決反共的立場在今天更有不平凡的意義。

這一不平凡的國家，雖立中東，具有淵源久遠的歷史，並且遠在唐朝時，便與我國有頻頻的往返，不過由於地理距離過於遙遠，沙國的元首，一千餘年來，從未來過中國，有之則自這位費瑟國王五月十七日的訪華始。不論是站在國際政治上，還是站在中阿兩大文化的交流上講，都是一件大事，這一盛事的出現，固有種種的因素，以及兩國政治立場的利害相同，但從外交技術上講，駐沙大使的聯繫促成之功，是不可抹殺的，尤其田寶岱大使到任才八個月即有此中阿兩國史無前例的訪問，真是旗開得勝，可圈可點。外交界早有田大使及其夫人劉世綸女士（即葉曼）伉儷能幹的口碑；今有此成績，當非偶然，我想總不會是「貪天之功」吧，假如有人要認爲是「貪天之功」時，那麼這樣貪天之功的大使，我們希望能多有幾位。

好的開始，還須要有更好的繼續與發揮，今天沙王訪華，已締造了中沙兩國不平凡的外交關係，我們不僅要使這良好的關係，持續下去更應該使這一友好關係發生作用，而向着我們共同的目標大步邁進，尤其要使我們共同反共的立場，得到能夠發揚光大，沙王費瑟於十七日蔣總統的國宴上，說：

「如果諸位認爲沙國今天有安定，有繁榮，這就是由於我們有伊斯蘭的傳統宗教思想和宗教法律，沒有能夠讓共產黨滲透所致。凡是回教徒都應該遵守教義，我自認是真主的忠實僕人，我將忠實地遵守教義，實行責任，使國家安定與繁榮」。

這段話，若把「伊斯蘭」的字眼換成「三民主義」，豈不就是自由中國的寫照，尤其沙王是基於一種虔誠而反共的，而我們蔣總統，則是四十幾年一直堅決反共，可說是當今世界反共的領袖，這兩位最有意的反共元首，應該進一步合作，來推動反共大業，那才不辜負這一歷史盛遇，而也不枉田大使一般外交官員的這番辛勤。

（完）

昨日與明日

日本人的挑戰言論

日本通產省（經濟部）大臣聲稱「吉田書簡」的約束力，只是在那一年內有效；防衛廳（國防部）長官說，明年接收琉球的統治權後，要派兵保護釣魚台。這都是對中華民國政府的挑戰論調，未審咱們的主管當局，何以噤若寒蟬，無所表示？

「吉田書簡」是日本歷任內閣總理大臣兼元老吉田茂，代表本國政府所作的外交文書，如果可以歪曲解釋爲私人而具有限期的玩藝，那末，我政府更有充分的理由聲明：當年日本宣告無條件投降時，我國蔣主席向國人廣播，說是對日本要以德報怨，不作戰費賠償的要求云云，只是個人意見，並未取得中國人民同意授權的外交詞令，尤其不能作爲中日議和的基本原則。因此，中日和約自可宣告無效。

釣魚台分明是中國的領土，史證昭彰。美國軍人在戰時隨便把它劃入佔領區域之列，日本就能夠憑着這種根據而據爲己有，且敢於派兵進駐該地嗎？筆者早在本欄提議我國應派兵守護釣魚台，現在日本防衛廳居然表示要以武力侵犯我國的領土主權，我們還好裝聾作啞，默不出聲嗎？

「采(旁足)倒爬」的民族性

川諺「倒爬」一語，係指服硬不服軟的賤骨之徒的個性，日本人正是這種素質。毛共早已聲明，日本若跟它言和，便需賠償四百億美元的戰費，所以日人對毛共即誠惶誠恐，獻媚不遑。我政府以「無賠償」主義對日議和，却招來日本的藐視欺侮，是可忍也，孰不可忍呢？

上帝給日本人造成了一種褊狹而短視的民族性，永遠沒法改變的。對於這種捧紅踏黑的國際勢利小人，除掉唯力是視的應付方法外，別無他途。咱們跟他們交往太多太久，瞭解最深，不假美國人之幼稚淺薄，再要麻木，必貽後患無窮也。

日人妄自尊大

泛亞社東京電訊報導：美、日外交官員會議已結束，雙方對中國在聯合國代表權問題，業已獲致協議，即所謂「雙層代表制」是也。日方認爲日本乃是太平洋區的「四强之一」，其他三强即係美、俄與毛共云。

太平洋區的所謂「四强」，究竟誰人所封？而日本的外交官員乃妄自尊大，夸夸其談，狂態可掬，因此我們認定日本人的「大東亞新秩序」猶有思想，依然存在，吾國對日本實行以德報怨政策，毫無是處，謀國者其三思之！

·何如·

自由談

新聞自由何價？

最近新加坡政府指當地的「南洋商報」爲共黨張目，將該報的主持人與總編輯，主筆等一律拘捕囚，且禁止接見外人，情形相當嚴重。繼又說當地的英文「東方日報」和中文「星洲日報」，有接受共黨數百萬助幣資助的事實，而東方日報即宣告停刊，該報暨星洲日報的董事長亦聲明辭職，唯恐惹禍上身。

記得一年以前，菲律賓將兩個爲共黨張目助勢的中國報人于氏兄弟，解送台灣究處，中華民國政府予以公開訊問，寬大處理。然香港的國際新聞協會譁然起哄，指爲摧殘新聞自由，並派員赴台灣觀審，另有個新聞協會的美國佬，事後還要發表談話，指摘台灣不應該過問此事。

現在新加坡政府大捕新聞記者，迫使報社自動關門，然未聞國際新聞協會有甚末表示，大概認爲星加坡政府並非「摧殘新聞自由」，抓人問罪是應該的，所以「粒聲嘸出」吧？

我並非絕對同情新加坡政府的措施，也不認爲台灣就是十全十美的新聞自由地區。只可怪國際新聞協會對台灣新聞界的問題，那末求全責備，張大其詞，而對別的自由地區的同樣事情，却視若無覩，淡不關心。這樣的「國際新聞協會」，至少對我這個新聞從業員不會發生向心力的作用，更談不上有好感也。

新聞自由誰不贊成？但以顛覆現實社會生活，損害國家生存發展爲目的的自由，却不宜照單全收，而以維護，爭取新聞自由爲職責的國際團體，尤不宜感情用事，混淆是非，否則適所以阻礙新聞自由，有害無益，何貴乎有此撈什子的國際機構呢！

幸而新加坡政府未曾接受美援，所以常常指摘別國沒有新聞自由的美國輿論，對「南洋商報」和「東方日報」事件，乃噤若寒蟬，無所表示了，哀哉尚饗！

馮五先生

打賭

錢一釗　輯

目前與友人郭君飲茶聊天，曾給我講述一故事，錄之於下：

二醫生在路上散步，見前面有一老伯父曲膝而行狀極蹣跚，頗有不良於行之態。二醫生均認爲他一定有病，但不知是什麼病。

「看他走路的樣子，我想他準是生了花柳病。」醫生甲很有把握的猜着說。

醫生乙搖頭，笑着答：「你猜得不對，性病不一定走路艱難。近來天氣不佳，照我看，他一定患了風濕。」

「風濕？」醫生甲也搖搖頭：「我不信他是風濕。」

「如果你不信，我敢跟你打賭，一餐晚飯如何？」醫生乙似乎很有把握的笑着說。

「可以，就賭一餐晚飯，這次你非輸不可。」醫生甲也似乎胸有成竹的笑着答。

於是二位醫生匆匆忙忙的趕上老伯的面前，醫生甲很客氣的向他問道。

「伯父，我們二人都是醫生，剛才我們走在你的後面，看見你走路時兩腳彎曲，蹣蹣跚跚的頗爲不便。我們猜你一定有了什麼病，不過不知道究竟是什麼病。我認爲你可能是生了性病，我的朋友却堅持說你是風濕。現在我們同意爲了這問題而打賭，誰輸了就誰請吃晚飯。可否請你實實在在的告訴我們，你生的究竟是那一種病？」

「啊，」老伯忽然哈哈的笑了起來：「莫說你們二位醫生都猜得不對，連我自己也猜錯了！我原來想放屁，不料竟放屁放出屎來。半路沒有廁所，又無褲子可換，因此就只好勉强走一步算一步了。」

二位醫生聽了，你看我，我看你，相覷而笑。

六三禁烟有感

天下雜論

成　公

一八三九年六月三日（也就是道光十九年四月二十二日）林則徐在虎門的陳口村，把英商繳出的兩萬零二百八十三箱（共計二百三十七萬六千二百五十四斤）鴉片焚毀，以杜夷人賺中國的白銀，而同時又能毒害中國人以消費禍於無形的毒計，不料一百年後，天旋地轉而竟然在共匪的魔掌下，在中國種植鴉片，拿來向當年的陰謀主持者的英國及其同文同種的美國人推銷。

根據統計，大陸上種植鴉片的總面積，已高達五百八十三萬公頃，產量之大已是一項天文數字，這項毒品是專拿來毒害外國人的。據中央日報刊載：

「共匪在中國大陸，禁止任何人民吹食麻醉物品，所有販毒及吸毒的人，都將被處以死刑，但是共匪卻將為數極為龐大的毒品，向其敵人——所謂「英美帝國主義者」，資本主義者，以及修正主義者，猛烈地傾銷，更是竭力鼓勵世界各地的毒品交易與走私」。

據該統計去年一年之內，共匪銷到世界各地的毒品，包括鴉片、嗎啡、海洛英等總共價值高達八億美元之多，足見共匪荼毒人類，為禍之巨，若不把共匪撲滅，人們的毒禍將不知伊於胡底。

但從另外一個角度來看，却有使人簡直無從理解者在。一百多年前，英國人主謀以鴉片來荼毒中國人，怎會想到，一百年後，竟假手共匪「以其人之道，還治其人」。尤其妙在英國人以及美國人，竟然眞有人肯來吸食。許多教堂的後座都成為毒品交易的場所，教堂的廊下，就往往橫躺豎臥着「毒友」，而美國人，特別是年青人和軍人，竟紛紛吸毒。據統計，在越南作戰的美軍，竟有半數以上，吸毒，眞使人匪夷所息，無從理解。當年主持販毒的英國人，若地下有知，眞將欲哭無淚，難道眞有所謂天道好還，報施不爽嗎。

港報著論嚴正指出 不容談判台灣問題

認周某建議懷有政治陰謀 幷斥責美國務院主張荒謬

（自由報香港消息）此間一家相當有份量的報紙，以「不容談判的台灣問題」為題評稱：「台灣問題」，不是一個問題，但美國、中共、以至一些國際政客們似乎要把它作為一個問題提出，好配合他們的政治陰謀。

旬日前，美國務院發言人提到「台灣地位」問題，並主張「台灣問題，由中華民國和中華人民共和國雙方談判解決」。

十日貝魯特「鬥爭報」刊出周恩來對阿拉伯記者談話，謂「中共準備與美國談判世界問題，而這一談判，以台灣問題為主題」。

美國主張合平雙方談判台灣問題，中共已斥為「干涉中國內政」，當然，美國這種主張是荒謬的，但周恩來竟謂準備與美國談判台灣問題，不是更荒謬嗎？「台灣問題」，既屬內政，為什麼卻要同美國談判呢。

周恩來要同美國談判的原因。

一、肯定美國是「霸佔台灣」。

二、否定中華民國的存在。

三、也表示用政治方式來解決台灣問題，製造一種和緩的假相。

周恩來對這個談判的目的：

一、迫使美國屈服，演出台灣地區和台灣海峽。

二、進一步達到奪取台灣的目的。

周恩來的設想，是不難明白的，自中共藉口美國進軍高棉，中斷華沙美毛談判以來，美國一直盼望這個談判重開，作進一步改善美毛關係，周恩來這一提出，可能是重開華沙談判的先決條件。

美國對周恩來談話的反應，據華盛頓十日美聯社電：美國務院發言人十日說：美國對有關中共總理周恩來所說準備與美國直接談判台灣未來問題，予以密切注意。然則美國會不會接受周恩來這一建議呢？

除非美國承認「霸佔台灣」。——不是「霸佔台灣」，何故要同中共直接談及台灣問題？

台灣是中國本身問題，美國無權與中共討論台灣問題。

美國更不能抹煞中華民國而貿然越俎代庖，更不能任意來處分台灣問題。

所以，我們不以為美國會蠢到這個地步，而周恩來這一建議，雖有他的政治陰謀，但這不啻歡迎美國干涉內政，實屬豈有此理。

偽造結婚證件一案 鬧得反反覆覆

監察院將專案調查

（自由報台北消息）監察院對司法行政部處理行查案件之答覆，表示不滿，將專案進行調查，依法糾彈。

根據監察院司法委員會研究報告指出：最近收到向司法行政部行查一件請願案的覆文，認為極不妥當，這件案子的內容是陳訴人楊為杰先與黃春蘭有同居關係，嗣於五十九年二月廿三日結婚，並宴請親友，不意黃春蘭返回娘家後，其繼父陳志英竟不同意，提出告訴，誣指楊為杰偽造結婚證書申報戶籍，案經新竹地方法院檢察官呂潮澤偵查終結，認罪嫌不足予以不起訴處分在案。嗣陳志英託人關說再提告訴，仍由原法院原檢察官（呂潮澤）偵辦，該檢察官呂潮澤明知事屬寃枉，竟然忽又起訴，案移新竹地方法院刑庭審理，經推事楊文仁諭知無罪。

殊料該檢察官呂潮澤不服判決，上訴台灣高等法院，案由呂有文、潘天壽、黃雅卿三推事合議審判，對楊為杰有利之證據不採，僅憑陳訴人楊為杰五十九年二月廿五日致黃春蘭之函一件，即草率判決有期徒刑五月確定，以事屬寃枉，請求查明申寃，以維人權。

監察院司法委員會決議：「報院函司法行政部查覆」。這是今年一月七日的事。

司法行政部三月十日函覆監察院，以台灣高等法院簽呈原文照轉。這件案子到司法部經兩個月零三天的長時間，竟如此層轉企圖了此公案。司法部對于監察院行查這件案子的公文列後，究竟如何處理？曾否調卷審核？曾否查詢承辦推事呂有文等？未見於覆文加以說明。

研究報告指出：「偵辦本案檢察官呂潮澤明知不起訴處分詳敘被告即陳訴人楊為杰罪嫌如何不足，竟以不起訴處分後，又以證人徐秀福於被告楊為杰所稱：「結婚當日在黃春蘭娘家看見黃春蘭」。為唯一證據，提起公訴，且未敘明究否合於刑事訴訟法之規定（發見新事實新證據或得為再審原因之情形）再行起訴之要件，已有不當，予起訴，司法行政部就此明載訴狀指摘之事項未加查明，逕覆本（監察）院，亦不無疏失」。

因此，監察院司法委員會決定推派委員依法調查，提案糾彈。

從法律觀點談墮胎

國立政大法律教授　劉清波

晚近由於社會之變遷，法律上之問題，亦層出不窮。例為人工授精是否構成通姦？所生子女可否繼承？又為安樂死，究否屬於殺人？抑或阻卻違法？人體器官之移植是否屬於傷害？由男性變為女性時是否逃避兵役？種種問題，不一而足。學者皆在從事研究中，且提出不少主張。然此等問題終屬少數，對於社會尚無嚴重影響。而墮胎問題則非尋常，影響於個人、社會、國家者既鉅且大，殊不可忽視。「非法墮胎」各國刑法莫不認為係犯罪之行為，而明定與以相當之刑罰。然則今日婦女何以甘冒生命之危險，實施秘密墮胎以阻止嬰兒之出生？法律亦幾於失去禁止之效力，無從發生其固有之功能，個中必有因由。復次，墮胎匪獨關係婦女之生命、身體、健康、及財產，而且與一個國家之人口政策、民族之繁衍息息相關。由於近年墮胎事實之普遍，世界各國皆有家庭計劃、人口方針、制訂新法律等途徑，而力圖挽救。我國內政部近來亦擬訂優生保健法草案呈行政院轉立法院研議立法，因而社會人士、婦女團體、宗教機構、學術團體，對此問題，皆甚表重視，相繼集會討論。觀之「非法墮胎」之問題，涉及之範圍甚廣，即就法律方面言之，不惟涉及刑法，而且涉及民法、行政法、醫師法、藥物法。筆者習律且授刑事法，爰就墮胎宜否立法問題，聊抒管見，以供參考。並就正於高明。兼答法律系各生之所問。

一、近年社會之變遷

1、就墮胎婦女之人數觀之：依據台灣省衛生處人口研究中心五十九年十一月公布之統計稱：本省廿歲至三十九歲已婚之婦女，大約有二百萬人。其中有124%（約佔廿四萬人）曾有一次至六次實施人口流產（非法墮胎）之經驗。此二百萬婦女中，35%（約佔六十萬人）裝有「樂譜」。6%（約佔十二萬人）服避孕藥物。12%（約佔廿四萬人）實施人工流產（非法墮胎）。此項數字如屬正確，並將其統計以外之婦女曾經墮胎者合併計算時，則可知本省實施非法墮胎之婦女甚多，形成相當重大的社會問題。

2、就墮胎婦女之成分觀之：又據其報告稱：估計本省每四十五萬孕婦中，每年約五萬非法墮胎。其墮胎成分之分析：就年齡言，廿歲以下實施非法墮胎者約佔2%，廿至廿四歲者約佔3%，廿五歲至廿九歲者約佔7%，卅至卅四歲者約佔16%，卅五歲至卅九歲者約佔26%，四十歲以上者約佔22%。準此以觀，則知卅五至四十歲之婦女墮胎者最多。就原因言，有子女一人而非法墮胎者約佔1%，有子女二人而墮胎者約佔7%，有子女三至四人而墮胎者約佔16%。有子女五名以上而墮胎者約佔19%。按上項婦女懷第五胎時實施墮胎者約佔13%，懷第八胎實施墮胎者約佔28%，懷第九胎時而實施墮胎者約佔34%。實施墮胎婦女中77%有墮胎經驗。就此而論，則知婦女多因生產之痛苦、撫養之艱辛、生活之不易而非法墮胎。是知婦女之子女愈多者，其墮胎率亦愈高。

3、就都市婦女之墮胎觀之：據農復會鄉村衛生組組長許世鉅先生本年一月公布之調查報告稱：就台北市三個住宅村抽樣調查三六七戶，對於廿歲至四四歲已婚婦女調查之結果，有一次墮胎經驗者約佔33.5%。此次被調查之三六七人中，有一二三人有墮胎記錄可考。（一）

責成國小推行國民生活須知

林霓

他首先想到誰家無子女在校就讀，叫學子回家要求家長們去力行，這般力量可以普遍達到窮鄉僻壤每一角落。構想形成，於是叫教育科設計細詳辦法，提交縣政會議討論，有人補充說：抗戰以前，在河北定縣推行識字運動，運用小學生教人識字，掃除文盲，這個運動就叫做「小先生制」效果良好。劉縣長聽了便毅然正名為「小先生制」，不過縣長權力究竟有限，僅只實行環境清潔衛生一事而已。

我們建議教育部通令全國各校，照以上的辦法努力實踐國民生活須知，發揮領導力量，全面推行，以免徒託空言。

羅雲平部長任職台南市成功大學有年，台南縣一般設施定有所聞，關于「小先生制」亦必瞭如指掌，希望羅部長參考其辦法再加損益，以之推行於全國小學，藉此作為革新小學教育的起點。先打了基礎，再談高中、大專教育革新吧！

目前各國教育都在側重啓發，摒棄注入方式，唯獨我國目前反其道而行，拼命向注入式牛角尖裏鑽，斷喪青少年個性自然發展，這絕對不是培植人才的正當教育方法。糾正其錯誤，應自國校開始。實踐國民生活須知，是訓練學生成為標準國民最好途徑，羅部長如能體認「登高自卑，行遠自邇」的道理，把國校教育辦好，建立樹人大計的基礎，個人成功，國家自然得救。

（二、續完）

劉半農記賽金花

到了安定門。天已發黑我就靠在一家剃頭棚的門外再也動彈不得了慢慢有許多人圍攏來看我們。問我們沿路的情形，到什麼地方去？我們把路上的情形告訴了一遍，並且說，我們是來投許大人的，——即許景澄，我同他太太是乾姊妹，來京原打算先投奔他家。當中一個年輕的人聽了，用手指給我們那邊的一隊人道：「你們看，那些人就是剛斬許大人回來的！」（庚子七月初四日殺吏部左侍郎許景澄太常寺卿袁昶，二十七日殺戶部尚書立山，工部尚書徐用儀，內閣學士聯元，五人皆因反對義和團，指為通夷被禍。）我聽了這話，如同冷水澆頭，幾乎暈絕過去。只好央告這些人，救救我們，先要度過這一夜，還算好，其中有一位老者，很慷慨的說：「到我家去吧！」他說着就找來一輛小車子，把我們推着到了他家。

他家在後門方磚廠，一個很大的院落，當中擺放着許多魚挑子，原來是個作魚行生意的，進了屋子，我們喝了一點水，我母親已經有兩天沒有吸烟了，這時很想吸，這位老者不知從什麼地方替她尋來一支破水烟袋，又找了些火紙。我想，我們今晚總算有住所了，那想到，一會兒對面房裏一個女人忽然罵了起來，嚷着說：「你這個老東西，不要命了把！從什麼地方推來的二毛子，你還想活不？」一聲一聲罵個不休。我們在屋裏聽着她罵，心裏實在有些聽不過去，都低下頭想法子，忽然想起從前有一僕人叫杜陞，人很忠實，住家在定王府對過，我們就打算投他去。老者說：「我既然要救你們，就救到底，還是我用車推你們去吧！」這時候，天空中的槍彈刷刷的亂飛，砲聲隆隆的直響，我縮在了車上一動也不敢動。

到了那裏，找着杜陞，老者就告辭要回去，我們着實感激他的這番好心我把我身上還剩下的幾串錢取出送給他，他無論如何也不肯收，說：「我救人救到了底，心裏最痛快了！錢是不要的。」說着推起車子，道了一聲：「再見吧！」便走去，像這樣的好人眞是難得呀！

這時杜陞家裏也一點吃的都沒有了。隔壁一家有棵大棗樹，我們有時就打下些棗來煮煮充飢。過了兩天，搶起大街上的糧食店來，杜陞也跑出去搶來些米麵，這纔有了喫的。

我在杜陞家裏，有一天晚上，對門一家忽然着起火來，四鄰都跑去救火，只見那家的老爺，穿的整整齊齊的朝服，掛着朝珠，眼巴巴的望着火，見人們來救，便嚷道：「好鄰家呀！你們千萬不要救，你們要救，就是害我！」

（十八）

台北五廉官補遺

·文匯樓主·

文匯樓主道席：每讀閣下樓中宏論之「美」者，猶若語語珠璣，字字金石；宏論之「利」者，猶寶劍之有二刃，斬釘截鐵，乾脆俐落，游刃有餘。讀者欣賞之餘，實有如飲醇，夏吃冰淇淋之感！海內之士，翕然景從，恨未識荊爲憾。

自由報風格獨具，言論精闢，閣下於其中獨踞一樓，執春秋之筆，用張正義，國人皆曰廉者褒之，國人皆曰「貪」者貶之。近讀閣下「台北五廉官」大文，不落阿諛俗套，褒得其人，讀者皆曰「宜」。然而天下廉官何止於五位？未免有遺珠向隅之感。據在下所知，陽明山中就有一位興頭若幹的廉官——潘其武，樓主大概未知其詳。茲爲響應樓主春秋褒貶之義，不佞欲借貴樓一角，略作介紹。是否有當，尚請樓主卓裁。

筆者是陽明山區的一個小「市民」，與潘其武素昧生平，我要介紹的，大多是陽明山老百姓有目共睹的事實。

陽明山是一個風景絕佳聞名世界的地區，國家元首住居之地。這樣一個特殊的地區，爲地方父母官之難，可以想見，但是潘其武在這兒做了七年局長，因已屆退休之年，迭請退休，均不獲當局允准。如果他不是一位清廉勤謹，愛國親民的好官，何致於如此？

潘其武歷任要職，但時至於今，潘局長仍是一個「孤家寡人」，獨生老鰥。這也是他不要錢的明證。「文官不愛財」，「武官不怕死」，則天下太平。如果文官個個如此，何患共匪不滅，大陸不復？潘其武在陽明山老百姓心目中，直呼「局長伯仔」，（即潘青天之意），這豈是偶然的麼？

潘其武親民愛民如何呢？他每逢星期三，全部時間用於接見局民，無論政要，民意代表，升斗小民，和尚，尼姑，一律接見，探求民隱，無分軒輊。民情上達，直接了解民瘼，解決困難，免除小吏作威作福及貪污之機會。包青天（包拯）在世，也不致讓他專美於前呢！

潘其武不但是廉官，也是一位好官。一次局中出了肥缺，他的親人以爲近水樓台，機不可失，於是捷足先登，親自託老哥幫忙。想不到當面碰了一個大釘子，潘其武的答覆是：「你不夠資格！」言下的「資格」，不是學歷，可能是能力與其他問題。古人有「內舉不避親」的明訓，旁人也許可以引用。可是潘其武捨親而任賢的操守，試問在台灣有幾個？

有一個商人，求潘局長題字，事後某商人就送來一顆印章，作爲紀念。潘局長拿來一看，赫然是一顆金印。潘局長除了微笑「此路不通」外，還幽了他一默說：「我的字能值這樣高價嗎！你的美意我連心也不敢領，我的字是「無價」的。」那位商人被弄得很難堪。

陽明山建一所國中，覬覦此一校之長者大有人在，八行書如雪片飛來。可是老潘均不予理會。想不到在他接見民衆之中，竟然物色到一位理想的校長。這位居民與潘其武素不認識，更無「來頭大」的背景。這是他捨親就疏又一例證。

以上不過略舉二三事，足見筆者言之不謬。衡諸今日政風，如潘其武這樣廉官，眞是鳳毛麟角，不可多得。不知樓主以爲如何？

陽明山區市民王叙彝

正告美國政府和人民（三）

——爲「台灣地位問題」作一剖析

國立政治大學教授梁嘉彬

但最低限度經已規定日本政府承認台灣澎湖屬於中國。再讀該附約附屬之「議定書」（Final Protocol）及換文（Exchange of Notes），更屬如此。查議定書第一項之乙，定「爲對日本人民表示寬大與友好之意起見，中華民國自動放棄根據金山和約第四條甲項第一款日本國所應供應之服務之利益。」（"Protocol I. (b) "As a sign of magnanimity and good will towards the Japanese people, the Republic of China volnutarily waives the benefit of the services to be made available by Japan pursuant to Article 14 (a) 1 of the San Francisco Treafy.")

這說明了只有台灣和澎湖諸島是在第二次中日戰爭裏面中國所收到的唯一最可寶貴的「戰果」（The "Fruit" of the war），這種我國已取得了二十六年的「戰果」，是中國犧牲慘重（如何慘重，前面經已敘過）得來的，依據中日兩主權國間的和約，日本經已依照金山和約「放棄其對於台灣及澎湖羣島以及南沙羣島及西沙羣島之一切權利、權利名義與要求。」（"Japan has renounced all right, titld andclaim to Taiwan (Formosa) and Penghu (the Pescadored) as well as the Spratly Islands and theParacel Islands.") 美國除非將金山和約（The San Francisco Treaty, signed on Sept. 8, 1951）撕毀，除非強制中日兩主權國間再訂新約，否則台澎問題只能「物歸原主」，歸還中國，餘無他路可循。日本已無資格接受美國少爺這份「禮物」。日本人對美國少爺的「眞情實意」如何，美國少爺應早有記錄。縱再多送「禮物」，也不會得到日本人的「中心悅而誠服」，我敢斷言。美國佔據了琉球二十多年，琉球人對美國人的觀感如何？十年前有不少琉球人便對我說過：「我們原想重歸中國的，因爲明朝清朝對待我們比日本人對待我們好，想不到美國人對待我們比較日本人更糟。現在你們中國內亂，我們爲了擺脫美國起見不得不要求重歸日本了。」現在美國少爺既已決定於一九七二年撤退琉球了（其佔據其撤退，其交與日本，是否皆曾受國際和約所公認？），難道有意一面撤退琉球，一面進駐台灣嗎？或者要在台灣製造什麼傀儡政權（"Puppy Government"）來控制台灣嗎？我想：這是不可能的。古今以最「淳良」著稱於世的琉球人，你們還不能對付，對於古今以最「強悍排外」著稱的福建廣東人（「台灣人」），你們自問能對付得來麼？越南幾個村莊的居民可被無辜屠殺，「台灣人」能忍受無辜屠殺麼？倘若你們想要把日本的勢力再度[illegible]台灣，我敢斷言[illegible]你們必被本省人和日本人聯合起來，把你們趕走，更別再希望到中共的「笑臉外交」。中國和日本兩國在一八七四年（清同治十三年，日本明治七年）因台灣極南端的「牡丹社生番」殺害琉球人劫掠日本人的事件而引起了兩國的軍事衝突，自該年以後中日兩國感情纔日漸惡化，但在該年以前，中日兩國的感情是調和的。遠者不說，單說在日本德川時代（Tokugawa Jidari）兩百多年之間，大量輸入中國儒家思想，蔚成燦爛的文化，對外國人，只歡迎中國人和不歡迎西洋的荷蘭人的前往。當時日本的對待中國人（明人）是怎樣的呢？「倭人（日本人）傷明人（中國人）者斬，倭王見明人，即引入座。」「閩（福建）越（浙江）吳（江蘇）之人，住於倭島者，不知幾千百家，與倭婦長子孫，名唐市。」中國的「以德報仇」的對日政策，一部原因係由此而來。我們再追問一八七四年的所謂「台灣牡丹社事件」是怎樣來的呢？依據中國和日本的原始資料，是受到某國駐日公使和某國居留在日本的「外務省顧問」所製造出來的。當時被派到中國的日本公使柳前原光（Yahagiwara, Maemitsu）便會向中國表示懺悔，說日本軍人的輕舉妄動，不過是受了某一國人的慫弄，至今有檔案可查。同年（一八七四年）日本再派代表大久保利通（Okubo, Toshimichi）到北京簽訂條約，便明白地承認了中國在台灣全島包括「蕃地」在內的主權。（至於琉球的宗主權，當時中日兩國認是共同享有的。直至一八七九年（清光緒五年，明治十二年）日本滅亡琉球，中國總理衙門（Tsungli Yamen）所給與日本外務省和日本駐華公使的照會，以琉球自一八七四年後係受中日兩國共同保護爲言。

（未完）

孝道的宏揚與光大　十三

·李宗黃·

「今天的時代，正是要求我們國民爲國家盡忠，對民族祖先盡孝的時候。國父說：『古人講到忠字，到極點便是死；在危急的時能盡忠，才是大忠』。國父又說：『世界上講孝道沒有那一個像中國講得這樣完全』。所謂『戰陣無勇非孝也』，爲捍衛民族而奮不顧身，才是大孝」。（見新運四週年紀念廣播講演）

過去講大學中庸的人對於孝字，多知坐而言，不知起而行，只知皮毛，不知實際，此國家之所以多難也。今後我們要以挽頹風，不僅要坐而言，更要起而行。今日講舜的大孝，武王周公的達孝，我們就要下「彼一人也，我一人也」的決心，法其爲人，效其事功，身體而力行之，處世接物，以孝爲本，建功，立業以孝爲基。以孝擇長官，不孝長官，職位雖高不事，以孝取僚屬，不孝僚屬，本領雖大必去，以孝擇友，不孝之友，雖智不交；以孝擇妻，不孝之女，雖美不娶。更盼望長官，僚屬，朋友，夫妻，均能共信，共行，互切互磋，完成復興大業，其基在此，恢復民族精神，端賴乎是！

尾語

我們看了上面「孝的道理」的原文，當然警覺到對於現在的世局，應有確切的檢討，對於現在的中國應有整套的創新，始能把孝的道理予以宏揚和光大。（未完）

話說朱元璋

雁謀

迫降方國珍

朱元璋滅了張士誠，取得浙東之地以後，便向東南隅進兵，以平定久據福建浙江的方國珍。是時方國珍佔有溫州、台州、慶元三郡之地。至正十八年，朱元璋攻下婺州（浙江金華），會遣使招諭方國珍，國珍自己覺得所據的三郡之地，東有張士誠，南有陳友定，處於二強之間，採取順從的態度，藉爲聲援，以覘其變。於是遣使奉書元璋，並獻黃金五十斤，白金百斤，文綺百端，表示合力進攻張士誠，而且願以次子方關爲質。元璋對方國珍的使者說：「凡質者，疑也；不疑何質？」即令方關回去。並與厚賜。朱元璋在這種政治手段上做的何等漂亮？能不使人擊節！

這樣妥協了三年多，方國珍又遣使獻金玉飾的馬鞍。元璋拒收金玉馬鞍說：「吾正有事四方，所需者文武才能，所用者穀粟布帛，其他珍玩，不是我所愛好的！這些金玉馬鞍都帶回去吧！」「其實朱元璋方國珍是不欲用兵而降之，所以朱元璋採取不疑不理的態度，非常成功。方國珍仍然保持坐以覘的態度。當然這也是方國珍自保的策略。

這樣又妥協了五年，到至正二十六年，元朝以方國珍爲浙江省左丞相，其弟與乃子俱爲平章政事。自此方國珍乃呈驕橫狀態。一面北通擴廓，南交陳友定，以爲犄角。對於元璋，則首鼠兩端。元璋早已知其用心，曾致書數其十二大罪，但他仍無顯著表示。至正二十七年，朱元璋使派了湯和、吳楨分任征南正副元帥，率兵聲討。湯和連取台州、溫州，直逼慶元。方國珍知大勢已去，使率所部逃入海島。元璋乃命廖永忠爲南征副將軍，以舟師進攻，方國珍大懼，即遣其子至金陵請降並入質，元璋仍厚待之。後來元璋即位，賜弟京師，宴位功臣次。不久又授廣西行省左丞，卒能善終。這是他意想不到的吧？

生擒陳友定，不戰下廣東

福建方國珍俱平，朱元璋的大軍又指向廣東。廣東此時實力最大的是何眞。何眞爲廣東東莞人，原本是淡水場的一個小吏。元末嶺南盜賊蜂起，地方騷然，眞爲防盜賊之劫掠，曾聚衆以保鄉里。後亂兵據據惠州（今惠陽），何眞恐延及東莞，遂攻克惠州。元廷以其有功，授他爲惠州通判。不久，南海巨盜邵宗愚侵陷廣州，何眞率衆驅走之。元廷爲便於指揮計，詔立江西分省於廣東，以何眞爲參政，後晉右丞。從此何眞便在廣東擁有最大實力。因時中原之亂日急，嶺表與河北隔絕。故有人勸他效趙佗的故事，據粵稱王。但何眞對元朝十分忠心，不爲所動，始終以保境安民爲能事，仍奉元正朔。

元璋於平定福建之後，即命廖永忠爲征南將軍，朱亮祖副之，率水軍攻廣東。永忠兵抵福州，以書勸降，及兵抵潮州，何眞以爲無法抵拒，奉表請降，並遵命到金陵。元璋對何眞說：「能輸誠來歸，不煩一旅之力，民庶安堵，可謂識時達變者也。」遂於賜宴之外，賜白金千兩，文綺羅綾各百匹，並授爲江西行省中書參知政事。到此廣東又爲元璋所平。

（九）

巨變歷險記！

丁博士飛抵臘戍，即與單邦土司及其代表進行會商，謀與中國游擊隊與吉倫合作，建立薩爾溫江聯邦共和國。

丁博士飛抵臘戍，算是結束了他一年八個月的牢獄生活。正寫到這裏，也就是中華民國六十年五月一日，也就是台灣各報大幅披露新聞官布瑞的書面聲明的一天。美國是不是準備出賣中華民國，國人應提高警覺，不可掉以輕心。這觸發作者廿年前美國對我游擊隊尤其對丁博士的回憶。又何巧中央信託局人壽保險處張協理平君——丁博士天津法商學院的學生送下他所保存的一件非常珍貴的外交部來函。信皮上發出來的日期是中華民國四一年十二月二日。文號是外（41）東三，一一〇

外交文件（二二）

胡慶蓉

二六具名的是當時的外交部次長剛去世不久的胡慶育先生。胡慶育，胡慶蓉，看來倒像同胞兄姊，實際上不過五百年前一家而已。但年來在台，彼此相親，較兄妹殆尤過之！其爲人古道熱腸有如此者！對於筆者的瀕邊游擊史話，多蒙指教，更非常謝謝。

在他的來函中，胡次長以外交部亞東司汪司長孝熙於本年十一月廿五日接見美國大使館一等秘書董遠峯，就緬甸拘留我方人員一案，有所商談。謹抄同原報告一份函請「察照」。照「汪司長孝熙十一月廿五日的報告」，「今日午後三時卅分美大使館一等秘書董遠峯來部，對於我託美方向緬甸交涉釋放我方被拘人員一案，說明美方交涉情形如下：「一緬方對於我方建議聽任被拘人員逃出一點不能同意。緬方復又提及丁博士案以作拒絕之理由，謂緬方當時徇美方之請求將丁博士釋放，係因中美雙方均保證丁博士業已持有護照並釋放後即返台灣，但丁博士不但未離緬境，且已與緬境內各反政府民族聯合展開獨立工作。在此情形之下，緬方自難考慮釋放其他被拘人員等語。美駐緬大使席波已呈報政府請示」。汪司長「謂本案情形與丁博士情形不同，緬方實無理由因丁案而拒絕考慮我方之請求。丁博士於釋放後，不但公開在仰光居住並曾與緬政府要員來往，故其續留緬甸，殊難專責丁博士一人。再本部所得丁博士最後來函係由泰國發出，彼當時似係在泰國，現在何處，則本部並不知悉。至本案所牽涉之人員均係政府職員，其家屬均已在台並時來本部請願，倘緬方聽任此班人員逃出，彼等當無理由不遵照政府之命令即來台灣與其家屬團聚。倘美方能繼續協助，則尤深感荷。董秘書謂當即與藍欽代辦洽商是否可再請美駐緬大使設法云云」。

美駐緬大使並沒有設法，藍欽代辦也沒有再請，還都是自行設法出來的。丁博士逃出也還是自行設法的。美方要求丁博士立即離開緬境，但丁博士不肯，丁博士不忍拋棄他的全體游擊弟兄，更不忍拋棄大西南基地的建立工作，丁博士要火燒東南亞，爲美國的眼中釘，其所以要求緬政府釋放者，是要把東南亞的火頭消滅，是要斬斷台灣國民政府的左右手，拆除台灣反攻大陸的橫樑，用意何在爲丁博士所洞燭。今日的美國總統尼克遜，這個時候還只是一個副總統身份，他曾路經仰光，與緬總統宇汝會唔，他曾想假緬甸之手，把丁博士遂出緬境，「即返台灣」，丁博士更快，正在尼克遜副總統與緬總理宇汝計議之際，丁博士已同緬甸政府要員搭飛機飛離仰光，飛抵臘戍展開他與蘇山波陣副總裁團結東南亞各反共民族進而反攻大陸矣。……

哭介兄·懷老友（一）

·徐中齊·

陳故立法委員介生先生，于民國六十年四月十六日午後一時半，病逝榮民總醫院，噩耗驚聞，愴然涕下！忽忽若有所失者久之。近兩月來中齊患風濕關節炎及十二指腸潰瘍，醫囑家居靜養，因此不克常到榮總探視，僅用電話查詢病情！四月九日主治醫師電告：「醫院方面，已無藥可治。」乃急電陳夫人，可否延中醫試試？答以已開始服中藥兩劑矣！我立介紹國大代表陳一萍兄請其前往會診。據告惜用熱藥過燥，頗不相宜，恐怕希望不大。我堅請其另爲處方，每日均去換藥，據護理人告稱「漸有起色，人已較爲清醒」，頗以爲慰。不料十五日自知不起，召集家人，安排善後，十六日晨起頻說「太遲了！完了……」事後，部份親友，在立法院舉行集會，決定有關治喪事宜，咸推中齊報告其生平行誼及病逝經過。中齊不敏，義不敢辭。惟已印之行述，上業經提到者，不再贅述。我今所講的，都是朋友們不大知道的一些掌故。

無論在大陸、在臺灣，與介生先生認識最早，共事最久者，中齊似爲第一人。

民國十年介生先生在成都入儲才中學，書名陳杰，中齊入省立第一中學，書名徐庸。曾在學聯會中見過面，同爲當時從事學運者。中齊於民國十四年考入黃埔軍校，十五年北伐，奉調入工兵營，介生先生入炮兵團均直屬總司令部，轉戰於湘、鄂、贛之汀泗橋，武昌、牛行車站、南昌等處。又同在漢口血花劇社，經常與共匪鬥爭，經匪決議，將留吾人於死，乃先後逃亡。介生先生與丁培鑫兄逃抵蕪湖時，應二十七軍王普軍政治部主任邵健工先生之邀，分任上校總務及宣傳科長。中齊旋亦奉派到杭州，任總部直屬第一軍醫院黨代表。民國十六年總司令　蔣公第一次下野赴日，中齊等亦相繼辭職回川，籌欵東渡，在重慶與介生先生會合，其時四川黨人正自動召集全省代表大會，中齊約集在渝軍校同學數十人會商，認爲集會非法，由中齊起草通電反對，並推介生先生領衛發出，生先生爲代表赴京滬陳情。　蔣公復職後，民十七年中央整理全國黨務，介生先生奉派爲四川省黨務指導委員，中齊亦奉總政治部周主任佛海之邀派充夏斗寅軍政治部主任，剛到重慶，又復會晤，堅邀晉省•相助爲理，並電請總部代爲請辭。于是一起赴蓉共住一寓，視爲謀主，事事就商，介生先生被推長組織部，中齊爲秘書兼總務科，並兼指導科（原定王元輝兄担任但始終未就。）承其信任，不僅一切規章法令由中齊草擬，甚至各縣市人選亦由中齊遴選提出。

旋因印郯縣黨部委員孫宏圖同志，被廿四軍劉文輝派人暗殺，部份委員出走秦隴，中齊東下赴京晉見中央組織部長，蔣公報告，並代陳兩事，一爲出席全會，一爲赴歐進修，均蒙賜准，但令中齊仍須返川工作，立電副部長陳果夫先生到總部，並諭中齊云：「我事務太忙，以後有事你向果夫先生請示辦理」，此即中齊認識果公之始。果公對吾二人，亦愛護備至。其後介生先生於民國二十年在南京結婚，亦敦請果公爲之福證。民國十八年八月中央調整四川省黨務，介生先生又奉派爲委員，中齊亦列名末席，旋被中央常會指派爲組織部長。介生先生不久即辭職赴德留學。民國廿二年，我亦奉派赴德，入柏林大學。介生先生要我接替他任駐德直屬支黨部常務委員。

民國十八年吾人在南京時，有人爲介生先生介紹女友（胡倩文女士）即就商於余，答以此乃閣下私事，應由閣下自主，新人我未見過，何能置詞，且不知閣下所屬意者爲何？答曰：平劇有研究，我說平劇雖屬天才表現的一種，是否即爲擇偶之惟一條件？他說，請代我看看再說。不久，我答以身家教養而論，眞佳耦矣，于是文定始成。這段小故事，相信陳夫人至今都不知道，可見其對朋友信任之篤。介生先生伉儷在柏林時，爲點小誤會，鬧得很不愉快，經我奔走勸解，立即和好如初，直至今日，這一點在介生先生爲察納雅言；在陳夫人是通曉大體，且重薄面。都是値得一提的。

民國廿七年春，我由維也納到柏林，介生先生已返赴國難，同年秋，我奉命返國出長重慶警政，介生先生奉派爲青年團重慶支團籌備主任，我爲幹事，吳紹澍爲書記，籌備處只有兩個組，一個宣傳委員會，我記得蔣廷黻、蔣復聰、陶百川、汪少倫諸先生好像都是宣委會的委員。（未完）

五十六種砂鍋烹飪

馬騰雲

廿五　砂鍋鴨血

抗戰前上海華德路有一家羊肉館，早晨的羊肉粉絲，賣一毛錢一碗，吃完羊肉粉絲，吃羊血湯不取費，門庭若市，羊血也入藥，功能補血解毒，但與鴨血比較，羊血就差得遠了。

鴨血能解金銀丹石砒霜諸毒，爲貧血病之恩物，性寒多吃無碍，砂鍋鴨血是兩斤黃豆芽熬成大半砂鍋湯，用大鍋熬好後倒入砂鍋，熬黃豆芽湯時加葱薑及高粱酒一兩、陳皮一小塊，則不會有豆腥味。

砂鍋的內容，鴨血三塊，凍豆腐二塊、絲筍尖二兩、冬菇三個（發好洗淨）開洋蝦米幾十粒、菜心或蘿蔔半斤，配料雖素菜佔多，照養成份的豐富及味道的鮮美，都不是大魚大肉所能比，廿幾年前筆者主持湖南某大報時，主筆沈天冰的夫人患嚴重的貧血症，經用此方連吃半年，竟紅光煥發，後到仁濟醫院（美國教會）驗血，果恢復正常，牛瞞（內科主治醫師）問她怎麼樣好的？她答：「吃了半年的砂鍋鴨血豆腐」牛瞞說：「動物血裏有毒素，希望別再吃。」外國人那裏會知道鴨血不但沒有毒，相反的還能夠解毒，國父孫中山先生在建國大綱裏就講了很多有關吃動物血的故事，可惜我們受西風東移影響，再加上不少假洋鬼子推波助瀾，以挖自己的祖墳爲榮，國醫國藥受了不少災難。目前的波折雖還有，眞金不會怕火煉的。

黃娥（二）

這樣大膽的描述，自以現代某女作家的「心鎖」，但也自覺弗如。她一方面重提前情，冀望她丈夫一朝醒悟，再拾舊歡；一方面又大罵丈夫的所歡爲「小賤才」，索性自稱爲「老虔婆」，要和他們「惡恨恨做一場」。這種甜辣並用的手法，在文藝寫作的技巧上亦屬上乘。

在她一個人獨坐閨房的時候，回憶初婚時的甜蜜，和現在孤零的情景，恰是强烈的對照。常言道：「色衰愛弛」，花朶已不是初開時的嬌艷，枝葉也不似放條時的豐潤，一切都罩上灰褪的顏色，委實使她傷心無淚，瘦損朱顏。不由得又低吟着：

爲相思瘦損卿卿，守空房細數長更；梧桐金井葉兒零，愁人又遇淒涼景。錦衾獨且，銀燈半明，紗窗人靜，羅幃夢驚。你成雙丟得咱孤另！（皂羅袍）

寄與他負心那個喬人；不念我病楊連宵，不念我瘴梅愁春，不念我剩枕閑衾；不念我亂山窮館，不念我寡宿孤辰。茶不茶飯不飯全無風韻，死不死活不活有甚精神！阻隔音塵，那個緣因？好事多磨，天也生嗔！

天生你端要磨咱。好朶仙花，落在誰家？被兒裏風流，懷兒裏恩愛，做了口兒裏嗟呀，飛虎賊終遭白馬，嫩鳳鸞怎配烏鴉！海角天涯，水渺雲槎。到頭來山也相逢，急時間心癢難撾！（折桂令）

這裏寫的是夜閨的孤寂，抱病的哀嗔，何等的委曲怨苦？本來多情的女性，又富有文藝的涵養，丈夫雖然對她不忠實，她決不因此對他忍情割愛。就以卓文君的白頭吟而論，看來似乎很決絕；但一經相如的悔改，她也就和好如初了。至於黃夫人對她的丈夫，尤其有深摯的感情，所謂「惡恨恨做一場」，正是妻子對她丈夫愛極的表現；否則你別有所歡，我儘可和你一刀兩斷，你既負情，我又何必單戀呢！所以後來楊愼因直諫得罪，遣戍雲南「永昌衛」，長期的生離，無異於永久的死別。這時的她不但前嫌盡釋，仍然憧憬於過去的雙飛之樂，於孤單寂寞之中，唱出她對於萬里飄零的同夢人的淒涼及其同情。且看「南呂」云：

（未完）

·王幻·

第二十三章　岳飛赴日擒楊么　武穆襄陽當重任

淮東宣撫使韓世忠駐楚州。
淮西宣撫使劉光世屯太平州。
江東宣撫使張俊屯建康府。
湖北京西招討使岳飛屯鄂州。

此即南宋當前四帥分佈防區之態勢。此一態勢，是以長江爲主要防綫，淮河次之。其缺點是防綫過長，兵力分散。加之內部盜賊嘯聚，又不得不守據要津重鎮。防綫過長，補給運輸亦相形不便，此其二。諸帥由張浚居中調度。且諸將帥又直接受制於皇帝，諸帥多受牽制，大權仍集中於皇帝，各帥雖然統兵，但行動皆受中央直接指揮。因此，金人或僞齊無論任何一點南侵，宋軍皆有調度不靈之感，所謂處處設防，處處空虛，處於挨打之狀態。

紹興六年，二月，岳飛在襄陽實施屯田，在宋名「營田」。二月九日，各將帥奉到都督行府命令，敕各帥詣平江議事。平江在江蘇吳縣，因去臨安不遠，諸帥在平江聚會後，復至臨安覲帝。高宗分別召見於便殿，然後帝設宴於內苑，召諸帥及趙鼎、張俊宴飲。君臣難得一席痛飲。酒至半酣，高宗諭岳飛即席賦詩一首，詩云：

敕報游西內，春光靄上林；
花圍千朶錦，柳撚萬株金。
燕繞龍旗舞，鶯隨鳳輦吟；
君王多雨露，化育一人心。

次日岳飛請改襄陽府路爲「京西南路」。恢復舊制。又奏：襄陽府收復之後，未置監司，州縣無以按察，請置襄陽府監。高宗准奏，命有司施行。於是以李若虛爲京西南路提舉兼提刑公事。以湖北襄陽府路如有闕官，自通判以下，許岳飛自擇賢明强幹者任之，及得以荐舉改官附擢差遣之權。有敗政害民贓汚不法者，可自行放罷。帝賜岳飛酒器金二百兩，士卒犒償有差。岳飛力辭酒器金，只受士卒償。公爾忘私的精神令人欽佩。

在此諸帥會集京師之際，張浚集合諸帥又有一番調度。張浚在諸帥之前，力推岳飛能任大事。分遣世忠淮兵承、楚二州，以偪淮陽（淮河以北）劉光世屯廬州，以招北軍。張俊（屯于眙），楊沂中爲張浚之後援。特任岳飛軍屯襄陽，以圖中原。張浚特別對岳飛說道：「此爲君之素志，惟君勉之。」岳飛欣然拜命，還軍襄陽，分別佈署，徹底實施屯田。由於襄陽西距　、函，南逾漢、　二水，北據河津，（即河南以西，黃河以南之地。）高宗親賜御札有云：

（一一九）

周燕謀

自由報

（第一一六九期）

（半周刊每逢星期三、六出版）
每份港幣壹角・台灣零售價新台幣弍元
社長李運鵬・督印黃行寶
社址：香港九龍彌敦道593—601號
廖創興銀行大廈八樓五座
LIU CHONG HING BUILDING
7th FLOOR FLAT '5
593—601 NATHAN ROAD,
KOWLOON, H.K.
TEL: K303831
電報掛號：7191

承印：景星印刷公司
地址：嘉咸街廿九號地下
台灣區業務管理中心：台北重慶南路一段一二九號
電話：二四五七四
台灣區直接訂戶　台灣劃撥戶
第五〇五六號張萬有（自由報會計室）
台灣分社：台北市西寧南路110號二樓
電話：三三〇三四六、台郵劃撥戶九二五二號

本報專論

從美國人之優越感談起
——我們對美國的憂慮（上）

應駿明

因為美國人對中日兩國歷史地理政治之不瞭解，竟然以高高在上獨裁人的身份將我國領土釣魚台的主權，妄斷為日本所有，引起海外僑胞及全國青年熱烈抗議，並遊行請願，我國青年這種維護領土，熱愛國家之情緒，令人感佩。而美國人這種草率之行為，也激起了筆者多年以來，埋藏在內心深處，而不願道出的對美國人的觀感。筆者因歷年職務上關係，與美國人接觸較多，故對於美國人之認識亦較深。美國人固為一友善，熱情，活潑，慷慨，快樂，幽默之民族，但同時也是最使人討厭的民族，美國人所至之處，就是產生反美情緒的地方，其所以為世界其他各國人民所深切不滿及嫌惡者，乃其國民之優越感。這種優越感使別國人民難於忍受，而這也就是美國人在世界各地不受歡迎之主要原因。事實勝於雄辯，這種輕視其他國家及人民的實例，眞是多得更僕難數，不勝枚舉，筆者僅將所知最重要的幾個故事敘述如后：

首先我們提一提民國三十六年的往事，那時美國一商人，冒充科學家，偽稱以探測大陸西部積石山為名，用專機走私大批商品，欺騙我人民財產，戲弄我科學家及政府官員，後來事情被拆穿，美國使館不止不協助我國扣留該騙徒，反而方便其逃走。又如前十年在台灣一美軍上士，槍殺中國商人劉自然，美國使館及軍事顧問團，不肯將犯人交出，一面與我政府虛偽敷衍，一面卻暗中準備飛機，助其逃走，最近二個美國劣徒在台灣參與盜墓罪行，雖然犯罪明確，美方卻設法掩護，使我國無從繩之以法，這種輕視別國法令，傷害他國尊嚴之行為，顯然發諸於美國人之優越感。當然此類事情不止發生在我國，去年一美國人在琉球殺死一琉球百姓，美方對犯罪者不止不予懲處，反任其逍遙法外，引起琉球百姓不滿，至於琉球造成一相當大之反美熱潮。最近在越南美軍上尉卡萊，以機槍射殺毫無抵抗能力，無武器並與軍事無關之越南婦孺百姓二十餘人，滅絕人性，瘋狂之極，甚至寬大的美國軍事法庭亦判為無期徒刑。不料此殺人兇犯，竟由美國總統尼克遜下令開釋，而成為美國人民心目中之英雄人物，顛倒是非，令人不解。美國一位軍法官公開指責尼克遜總統破壞軍法之尊嚴。美國最高首長之所以敢如此作，唯一的解釋，就是所殺者不是美國人。對於其他弱小國家人民之生命，視如兒戲，這豈不是優越感在作祟麼？筆者目的並不是揭發美國人之惡行，因為那一國都有壞人，而主要的是表明美國政府及人民，傲慢自負，對其他國家人民都有一種輕視之意，而這種優越感也就影響了歷年美國軍事及外交政策。

造成這種優越感之主要原因，不外是自恃地大物博，國富兵強。這固不無可以驕人之處，實則美國人這全是得天獨厚，靠祖先努力開發之結果，承上輩留下良好之制度與基業，並在兩次世界大戰中得到勝利，變成世界上的一等富強國家。其實兩次大戰之勝利，多屬幸運。第一次世界大戰又稱歐戰，那時歐洲各國全遭戰火影響，打得民窮財盡，疲蔽不堪。美國在最後參戰，未遭任何損失即獲得勝利。結果各國皆向其借款，變成最富有的國家。第二次世界大戰，除了珍珠港外，美國本土亦未受任何損失；主要是以物資供應各國。德國之軍事力量最初消耗於法國和英國，而最大之主力則消耗於攻俄。攻俄失敗之後，德國雖仍堅強，但已是強弩之末，美國參戰雖首在諾曼第登陸，而主要戰略是先以飛機轟炸，癱瘓了德國整個生產工業。德國遭此轟炸，無法生產，已根本失去了作戰能力，科學家也難於完成其所謂秘密武器。當時美國雖有巴頓將軍勇往直前，美國怕自己人傷亡，反倒加以制止，其實若依巴頓將軍之勇猛前進計劃，則早已直搗黃龍矣。美國這種不肯冒險，並怕自己人傷亡之戰略，乃玩弄其外交手腕以大量物資供應俄國，並請俄國早日出兵攻德。蘇俄得到美國供應之軍火，乃先驅入德，進入柏林，刼去德國著名科學家，蘇俄因而強大，且造成今日東西德之分裂及柏林問題。在太平洋方面，美國也成功的運用了空中轟炸戰略，使日本海空軍及工業受到嚴重損失。而中國戰場上自民國三十三年以來，已大有轉機，日本軍隊連遭挫敗，我軍節節勝利，軍心振奮，士氣如虹。日本戰鬥力已漸消失，我們相信不出三十四年底，國軍會慢慢的推進，一步一步地光復華北及東北等地。不料美軍在太平洋進攻塞班島及琉璜島時，遭遇日本頑強抵抗，傷亡慘重。（其實並不像我們觀念中所謂慘重）。轟炸東京時，又逢日本神風飛機作自殺性之犧牲，以一人駕駛小飛機硬衝B29超級堡壘，使之同歸於盡。美國人不懂東方人之愛國及不怕死之作戰精神，大為恐慌，其實這正顯示日本之窮途末路，作困獸之鬥。我方曾不斷將情報供應美軍，告以日海軍早已零落無存，空軍消毀殆盡，建議美軍長驅大進，攻佔日本本土，而美國胆戰心寒，不敢輕動，置我方情報人員出生入死所獲之情報於不顧。反而密商於蘇俄，訂立出賣我國之雅爾達條約，將外蒙權益劃與蘇俄，並請蘇俄出兵，進佔東北，一方面更貿然在長崎和廣島，提前投下了兩枚震撼世界的原子彈，殺死了日本無辜的百姓幾近三十萬人，日本投降。草率的結束了二次世界大戰，造成了蘇俄協助共匪竊據大陸，及韓國分裂的局面。

大戰結束後，歐洲一片荒涼，人民窮困，無衣無糧，全球其他各國亦均告苦難萬分。惟美國很快復員，除消耗一些物資外，本土及人民均無大傷亡，聲望地位之高，冠於全球。在歐洲方面提出了馬歇爾援歐計劃；在亞洲方面，馬歇爾更親自負起國民政府與共黨間的調停工作。可是這項工作做得既不公平又不高明，他本人中了共匪虛偽宣傳之奸計，不但使國民政府痛失復興良機，反姑息養奸使共匪坐大。結果韓戰越戰連續發生，使美國軍隊所遭受之傷亡數字遠較世界大戰猶大，可謂自食惡果。韓戰時之唯一轉機，即麥克阿瑟將軍所提出：全面打擊共匪計劃，將軍之遠見，迄今猶為人所欽佩，可惜當時反為姑息份子所陷害。使英雄空懷壯志，含悲於地下。

美國既然在世界大戰中獲得勝利。怎麼在韓戰越戰中遇到困難呢？原來美國作戰錦囊妙計就是用飛機打仗。在韓戰中中了板門店談談打打緩兵之計，使匪軍有時間挖掘坑道，不懼轟炸，在越南因為叢林多，中了越共埋伏及偷襲戰術。使美軍顧東不能顧西，疲於奔命勞而無功。除此之外美軍軍紀鬆弛。士氣消沉，怕打仗，愛休假，裝備太多，行動呆滯，官兵補充調返頻繁，和軍中毒品流行。說起美軍升遷調補及毒品流行，筆者倒要補充一點。原來美軍中官兵調動太大，往往對面臨之環境還未認清，即又調離他處，或回國，而越共之陰謀，偏偏又對美軍為全新之經驗，勢須長時間才能體驗。美軍中前任官兵之經驗無法告予接任之官兵，而需要接任之人自己領會，等到新任人員認清敵人時，早已造成許多嚴重錯誤或者又被調走了。所以美軍對敵人總是摸不清。至於毒品流行那更可怕了。美軍不但飽暖思淫，更須憑藉毒品興奮刺激。據美國自己發佈之統計數字，全國二百九十萬軍人中有一半吸大麻烟及迷魂藥，在越南現留之三十萬軍隊中有三萬以上的人有患嚴重嗎啡癮，請想一想如此腐敗之軍隊怎能打勝仗。實非越共之強大，乃美軍之無能也。（未完）

昨日與明日

哈里曼的陳腔濫調

美國民主黨著名政客哈里曼，最近旅行越南回國後發表談話，對越南總統阮文紹肆意攻訐，說越南人民如有選舉之自由，本年十月的大選，阮文紹即沒有當選希望，因阮氏主張反共到底，不願跟共黨組織「聯合政府」，是違背了越南民意云云。這是二十多年前，美國民主黨政府指摘中華民國執政者的陳腔濫調，於今又藉以批評越南當局，眞是無聊已極！

美國既不惜以軍經力量援助自由國家反抗共黨，甚至派兵參戰，卻要自由國家跟共黨組織聯合政府，別人不同意，即指為獨裁不民主，視同敵人。中國大陸河山就是在美國這種援華政策之下，斷送掉了的。看情形，越南又將膺受「美援」之害，我們希望阮文紹總統對於哈里曼的濫調，充耳不聞，當伊無介事！

美國何不跟黑人組織聯合政府？

美國內黑人因不滿現實而隨時暴動，規模之大，災害之烈，並不亞於共黨在自由國家的滲透顛覆情況，美國何以不讓黑人在政治上有平等發展的權利，而不跟黑人組織聯合政府，選舉黑人作副總統呢？別的自由國家為着維護國內安寧秩序，對於非法釀亂的好事之徒，加以拘捕懲究，美國人即諡為「警察國家」，嘵嘵譴責，認為獨裁政權，羞與為伍。然美國為着制止內部民衆的反戰示威運動，卻不妨出動千萬名警察和軍隊，一次拘捕幾千人亦無所謂。明於責人而闇於責己，哈里曼之流，可以休矣！

美國人民的選舉並非絕對自由

哈里曼認為越南人民的選舉情形，是受有外來力量控制，不能自由行使選舉權，意思是指當地政府人士從中操縱，證據安在，並未說明。

談到選舉，問題就多，任何一個國家的選民，都不是絕對的自由意志表現。美國人民在選舉總統，國會議員和州長時，還不是受着政黨和職工會的控制支配嗎？每逢選舉總統之際，候選人常以捐助名義，把金錢送給各種社團，這不是等於賄選嗎？按諸實際，美國的選舉情形，比較別的友邦並不見得高明多少，然哈里曼之流，乃說友邦人民沒有自由選舉權，何其不思之甚也！

邱吉爾在其大戰回憶錄中有言：「美國在經濟上可以領導世界，在政治上却力有未逮」，這是對美國的確切批判，不知哈里曼之流作何感想？

・何如・

自由談

稀奇古怪的強國

廿年前，古巴的共黨頭子卡斯特洛流亡在美國時，古巴政府跟美國親善結交，一切唯美國的馬首是瞻，「泛美會議」的區域性政治組織，在美國領導之下，和諧統一，頗為堅強。可是，美國一般政治人物和輿論界的知識份子，指摘當時親美的古巴總統巴斯蒂是不民主的獨裁政權，羣起攻擊，而稱讚卡斯特洛是開明進步的民主主義者，千方百計地扶植卡氏一派嘍囉在古巴釀亂，終於奪取政權。卡氏首先就聲明他是馬克斯信徒，實行共產主義，把美國在古巴的公私資產一律沒收充公，然後派人到鄰邦進行反資本主義社會的革命運動，把安定和平的南美國家，弄得禍亂頻發，四分五裂，美國雖感到赤燄蔓延在後門的威脅而無可如何。

廿餘年前，中華民國政府與美國併肩作戰，反對法西斯軸心的日本帝國主義，中美邦交十分親密，在國際外交行動上，完全追隨華府當局的意旨，不惜任何犧牲，如事後接受雅爾達密約的惡作劇，即其明證。然美國一般政治人物和輿論界知識份子，指摘親美的中華民國政府當局獨裁不民主，千方百計扶植毛共到處釀亂，稱讚毛共是「土地改良主義者」，是「民主中國的中心勢力」。毛共仗着美國贊助之力，竊據大陸後，首先就聲明要打倒「美帝」，視美國為死敵，而美國當局亦無可如何。

美國的外交政策，就是專門培植國際間的反美勢力——特別是共產主義者，而自命為開明進步，等到吃盡苦頭之後，即對敵人獻媚乞和，却不知自身乃係共產主義者實行世界革命的唯一對象，非予以埋葬不可的，這眞是吾國諺語所說：「壽星佬嫌命長——自己上吊」！

美國這個超級的富強國家，其本質乃如此稀奇古怪，專是做些給自己過不去的事。若說自由人類可在美國領導之下，得到安全和平生活，實屬一大疑問也。

馮己毓生

「大學校長不是官」讀後感

本報發表千公「大學校長不是官」後，接獲許多讀者投書，謹發表其中一篇，以示今日大學教授對此事的意向——編者。

天下雜論

主筆先生：貴報從台大校長閻振興作風談起，論及大學校長不是官，讀之甚感興奮。時至今日，學風日下，本人濫竽大學講席，已廿載有餘，耳聞目觸，感慨良多。今日大專學校最大缺點，即公立大專校長有些官僚化，私立大專校長有些市儈化，既少學人丰度，亦無學人氣質。惟其官僚化，遂以奔走權勢之門爲要務，權勢唯恐不大，兼差唯恐其少，（遂有一人擁有四個職位，四部汽車之奇談日以開會，宴酬爲事，如何提高大學學術研究水準，充實大學教學內容，則殊少計及焉。惟其官僚化，自難免擺官僚架子，既不接近教授，亦不親近學生，試問今之大專校長，能熟識本校教授若干人乎？對其本校學生，能瞭解幾人？瞭解之程度又如何？校長與教授之間，固視同陌路，校長與學生之間，亦對面而若不相識。所謂教育感化功能，焉能發揮？本人任職公立大學，亦在私立院校兼課，今之私立大專院校，大都採取商業化經營方式，並非如歐美私立大學先有充裕之基金，設備既極簡陋，師資尤感缺乏，若干私立院校，均少聘請專任教授，幾乎百分之九十五爲兼任，甚至系主任亦大都兼任，而兼任教授，亦極爲龐雜，多數未經教育部審議合格，有若干院校甚至有講師，不請副教授，有副教授不請教授，均着眼如何節省支出，如何多獲盈餘。學校當局既不重視教授之研究工作，亦不顧及教授之合格與否，如此，學術水準焉能提高。夫大學乃國家研究學術最高機構，培養社會領導人才之所在，誠國家命脈之所繫。大學校長應負起領袖羣倫，建立風氣之重責，其本身學問道德應爲受社會人士敬仰之人物，應爲大教育家，大政治家，而不應以政客官僚市儈沾污負有偉大任務之高級學府。如何糾此頹風，有賴輿論之督促，更望主管機關之教育部能採取適當之政策與措施也。張天德敬上，中聯民國六十年五月十二日。

・張天德・

新加坡政府指東方太陽報接受共黨鉅額貸款以三項條件作代價

認係共黨圖控制星島開端

（自由報新加坡消息）新加坡政府今日譴責「東方太陽報」總裁，從中共人員方面，接受港幣七百二十萬元，來資助該份英文報章。政府向報界發表聲明說：中共人員提出三個要求，作爲撥欵資助的代價，「這些要求，實際上是等於他們控制新加坡的長遠目標的開端而已」。「東方太陽報」的總裁和社長對以上聲明未有置評。

在政府作上述譴責之前，「東方太陽報」七名高級僱員會宣佈集體請辭，他們表示，李光耀總理指責某份報章接受中共資助，而不指明這份報章的名稱，他們實在不能繼續留下去。

新加坡政府的聲明，是繼這七名請辭僱員要求政府明白列出對該報的指責，以澄清他們的處境之後而發表的。聲明發表後，其中一位請辭的僱員向記者表示，他本人感覺欣慰，因爲政府發表了這份聲明，澄清了他們的處境。

政府在今日的聲明中說：早在一九六四年，經過秘密談判之後，「東方太陽報」總裁與以香港爲基地的共方情報組織高層人員會晤。

但這項聲明沒有指出這些人員代表那一國，只說：「他接受了一筆數達港幣三百萬元的貸款，在新加坡出版一份英文報章，這份報章後來名叫「東方太陽報」。這筆貸款，以「超乎常理的低息借出，年息僅爲百份之零點一，五年後才開始攤還」。「東方太陽報」總裁答應下述三個條件，作爲接受貸款的代價，以下三個條件是由中文繙譯過來的：

一、在主要問題上，不提出反對：不反對那個共黨情報組織所代表的國家。

二、在次要問題上，採取中立立場。

三、保持正直：在社評和處理新聞上，保持正直。

新加坡政府的聲明接着說：「這些要求，是共方特務控制新加坡報章的長遠目標的濫和開端。在一九六五年九月，該報總裁在同樣的條件和要求下，接受了第二筆港幣三百萬元的貸欵，這筆欵項，於一九六五年九月二十八日至十二月二十四日之間，支進他在一間銀行香港分行的戶口內。他是該銀行的總裁。「東方太陽報」自一九六六年七月十七日創刊，但自此便一直虧蝕，漸漸赤字愈來愈大，該報總裁在一九六七年一月至一九六八年三月間，再在香港與共方人員進行了一連串會晤，並又再獲得港幣一百二十萬元的資助。」

聲明又說：「這是該報總裁與共方人員的最後一次會晤。在這次會晤中，一名受共黨人員面授機宜，表示要派特務機構控制的華人主管滲透入新加坡，以「東方太陽報」顧問的身份出現，並進行諜報活動。該報總裁要把這名人員安置在「東方太陽報」任職，作爲掩護共方聲明，特務人員的代表會把他們認爲合意的新聞，供給新加坡某些報紙刊登。該報總裁一九六八年中曾担保這名共方人員入境，但這項企圖受到挫折。」

政府的聲明又說：當該報總裁與駐香港共方情報組織人員接觸和連絡的居中人，是他的私人秘書葉世富（譯音），葉世富是「星洲日報」的前任總編輯，一九七一年二月二十五日，他曾被當局根據內部安全法例而拘禁，經過盤訊後，在一九七一年三月二十四日獲釋。」

這份小型的英文報章「東方太陽報」的銷數，約爲二萬份。

政府的聲明說：「幾股國外勢力，爲着不同目標，分別獨立行動，謀求侵佔和控制本地的傳播媒介，作爲用來左右輿論，和製造出有利於他們的政治形勢的最有效方法。「東方太陽報」所以採取中庸之道的社評方針，是爲了掩人耳目，使人認爲該報是一份負責的「報章」。「東方太陽報」編輯部的人員極可能沒有參與這些「黑色活動」（在新加坡而言，這個等於說是來自國外的顚覆活動），亦不知道他們担當的基本角式。無論他在社會上、職業上或政治上的身份如何，任何人都不應以爲外國的包庇會給予他保障，新加坡政府一旦決定要制止情況發展到超過保安控制的範圍之外的話，就一定會採取行動。」

香港大學研究黃鱔變性原因

用以發展男性節育藥物

（自由報香港消息）香港大學動物學系，現正進行研究黃鱔之變性情形，及雌魚長大後便變成雄魚之奇特情形，以便協助倫敦大學一個教授，研究男性口服節育藥片之重要發明。

港大動物學系教授盧富斯，及講師陳廷漢博士，於最近獲得倫敦納菲爾基金撥欵二十萬三千港元，作爲期四年之動物學上未解答之學術性研究工作。

不少市民喜歡食用之黃鱔，乃一種頗奇怪之動物，黃鱔出生時必爲雌性，但長大後則變性成爲雄性。盧富斯教授表示，希望能夠研究得出黃鱔變性之原因。研究其化學轉變過程時，包括巧妙之各種手術，使用麻醉辦法，將黃鱔之部份生殖器官移去，然後將之再縫合起，一如人類施割除盲腸手術者然，在施手術後檢查黃鱔所發生之反應及其他後果，將會小心加以研究，實驗結果，將會送交倫敦大學一位教授，該教授乃盧富斯教授之舊同學，現正研究人類性器官之問題，企能導致發明一種男性服用之避孕藥片。

盧富斯教授指出人類男性性器官，生產精液及荷爾蒙，因此，現正尋求黃鱔所產生之表現，以了解該兩種物質究竟如何產生，只要研究得出生產精液之原理，便能有辦法去遏阻男性之性器官，停止生產精液而單獨生產荷爾蒙，因此男性便可在不受影响性機能之情況下，進行房事，却不會生兒育女。

陳廷漢博士乃本港內分泌學之權威，表示魚類改變性別與陰陽有多少相同之關係，若干魚類，最先兩年是雌性，第三年是雌雄同體，隨之便變性，到最後兩年則變成雄性，此種現象與內分泌，即荷爾蒙有關。

從法律觀點談墮胎

國立政大法律教授　劉清波

其墮胎一次者約佔50%，二次者約佔24%，三次者約佔14%，四次以上者逐次減少。此等婦女之墮胎96%由開業醫師爲之，16%求助於密醫，68%由助產士協力。一二三人墮胎婦女中，小學、初中、高中畢業者各約佔30%弱，大學以上畢業者約佔12.5%。其信仰天主教者約佔38%，信仰基督教者約佔29%。其因懷胎六次而墮胎者約佔64%，五次者約佔35%，四次者約佔25%，三次者約佔15%，二次者約佔9%，一次者僅佔千分之五。其中生活富有者約佔15%，窮苦者約佔45%，中等者約佔33%，其他情形者約佔0.7%。其於墮胎時明知爲非法行爲者約佔13%，不知者約佔29%，無認識者約佔8%（並參見本年元月十一日中央日報）。

依據上開統計數字顯示，吾人已知婦女墮胎人數，已佔被調查婦女人數約三分之一，可見非法墮胎問題相當嚴重，此其一。其有宗教信仰之婦女而仍墮胎者，約佔被調查婦女三分之二弱，可見宗教信仰亦無法拘束婦女之墮胎，此其二。被調查婦女自小學至大學畢業者有，其具有相當知識而竟仰然實行墮胎，可要知識亦難勸止其墮胎行爲，此其三。被調查婦女中因懷孕五次以上而實施墮胎者最多，顯知婦女以生育多數子女爲艱苦，此其四。最堪注意者，即被調查婦女中，有63%明知墮胎爲非法，但仍冒生命與犯罪之危險而實施墮胎，足見婦女之墮胎非法律所可禁止，須有相當之處理，此其五。

二、墮胎對於婦女之影响

婦女墮胎，至少發生兩大效果：其一、墮胎行爲屬於犯罪，須受刑事之處罰。其二、墮胎致成傷亡及疾病。且間接的害及社會、國家、民族之發展。茲將日本、歐美等先進國家實施墮胎所發生之影响分言於次。

1、日本：據台北醫學院教授並台北馬偕醫院婦產科主任醫師吳震春先生五十九年十一月發展報告稱：據日報告，十萬墮胎婦女中平均約有七人不幸死亡。其因非法人工流產而引發之後遺症，計月經異常者約佔38%。晚期出血者凡五三〇〇人，母體受傷害者凡一九件共約佔22.5%，其患長期出血者佔大部分，患妊娠異常及不妊娠者佔小部分。又大版醫科大學醫院小島報告該院患不妊症病人八十八人中，其因墮胎者共四十五人，約佔51.1%。因子宮內膜受傷而患習慣性流產者，更屬常見。實施人工流產引發死亡之疾病，計有細菌感染，出血過多，敗血性休克，急性腎臟衰竭，偶發性麻醉死亡等。大腸菌、葡萄菌，侵入子宮腔，或設備簡陋，醫術不良，手術時穿破子宮，威脅母體生命者，亦極爲常見（並參見五十九年十一月六日中央日報）。

2、歐美：據美國伊利諾大學醫院王立成醫師本年二月發表了報告稱：伊州庫克郡醫院自一九六一到一九六五年接受因非法墮胎致病而入院治療之婦女計二、二〇〇〇人。一九六七年仍在增加中，而以未婚大學女生、店員、秘書、女工所佔比例最大。有錢婦女，則多至已實施合法墮胎之他州爲合法之墮胎。又美國報告稱：十萬墮胎婦女中，因生產而死亡者爲廿三人，死亡率的33%係由人工流產所致，即一千人有一點六人死亡（二）

劉半農記賽金花

這時，從火窟中跑出來兩個光頭小孩，那位老爺一見，直叫！「孽畜！孽畜！」自己奮身就要往火裏跳，大家趕着上前拉住，後來聽得那家下人說，他們老爺在內務府當差，看見洋兵已經進城，就打下殉難的念頭。前一天把傭僕們都開發走了，到這晚，叫他的太太，少爺，少奶奶等，每人抱一束乾草在屋裏燃起自己等着火着起來再往裏跳，跳出來的那兩個小孩就是他們的小少爺，太太同大少爺少奶奶等都燒死在裏面了。第二天，成們還看見那位老爺帶着兩個小孩來燒過一回紙。（據庚子京師褒卹錄所載，殉節被難者，有二千人之多，此輩固無何補於國家，但這種「舍生取義」的精神，確叫我們欽仰不已！）

附錄

庚子年，拳匪弄禍，自春迄秋，凡四閱月，把京津一帶鬧得天翻地覆，等到辛丑約成，賠欵至四五十兆兩，我國從此一蹶不振，思之殊心痛也！今將庚辛諸史籍所載拳匪之驕縱妄舉動，及地方所受蹂躪，擇其要者抄幾段補作參看：

「五月十九日：燒宣武門大教堂：是日，余適退值經此，見彼黨所謂大師兄者，紅巾帕首，手持長刀，於屋之四周以刀劃之，若分界限然，告左右鄰居無驚恐，所燒教堂，火不出界。已而，手持香向拳民喃喃誦咒，已而小頃，火勢樓情烟，自樓堂中起，火勢騰上，不旋踵全屋盡燬。」（王彥成庚子西巡大事記卷首）「各京官住宅殷實商戶，無不被擾一空，其先至者，蜂擁入室，以刀破箱，出衣物於庭中，恣意取去。甫去，則其次者又至，則取其次者，[illegible]罄矣！其銀票等物，亦必搜[illegible]不納者匪即踰垣而入放鎗以掠以去。設與爭論，即被擊斃，如所掠尚不滿意，即火其居，時滿街塞巷，無非搶物之匪徒，而兒啼女哭之聲，尤使人聞而心碎，街市間，屍骸橫臥，亦難數計，[illegible]被搶尚不及住居附近東交民巷一帶之甚，蓋與使館爲鄰，故受禍尤慘也。」（同上）

「（五月）二十日，庚申，大禍作矣！團匪結隊燒大柵欄德記洋貨藥房，自大柵欄及觀音寺，出珠寶市至廊房頭二三巷，門框胡同，紙巷子，煤市街，西河沿西月牆，至荷包巷，上接正陽門樓，飛燄入城。自棋盤街，東交民巷，近城東御河橋一帶，直至台基廠肅王府以東，至觀音寺三條胡同，俱成焦土。」（林紓京華碧血錄）「鼓樓東大街劉家胡同口[illegible]少頃，三義廟拳壇下令，合[illegible]戶焚香，高聲誦佛，又令[illegible]（十九）

錢一釗論相

・文匯樓主・

錢一釗是新聞界名宿，民國廿三年起，就歷任平津滬漢各大報通訊記者，及長做報館外勤記者，抗戰軍興做戰地記者，勝利，被上海某報派駐香港記者，大陸淪陷後，才到大學新聞系去吃粉筆灰積四十年經驗說：「站着的羅漢站一世，睡着的羅漢睡一世」換句話就是萬般皆前定，半點勿强求。

錢一釗可稱上是一位奇人，且通醫道，與馬驥雲友善，樓主於十年前送他一副對聯謂：「上醫醫國，己達達人」他高興得跳起來，大喊「眞知我者，眞知我者也！可惜我沒有方法醫國，更無法達人，我想以四十年採訪經驗，寫一部『錢一釗論相』將所接觸的各階層人物；用春秋責備賢者的態度，比較深入的寫出，你贊不贊成？」

樓主反問：「你爲甚麼不必從報經驗或採訪經驗寫點出來呢？相是很難論的，『以貌取人，失之子羽，』蘇東坡詩：『橫看成嶺側成峯，遠近高低各不同，不識廬山眞面目，只緣身在此山中』山是靜物，只因身處其間，故遠近高低，橫看側看都難得看到眞面目，看人比看山困難，人是政治動物，眞假虛實隱現多方，無法究詰，我勸閣下別做大姑娘生孩子，吃力不討好的事」。

未料想到「錢一釗論相」數萬言的鉅著快殺青，內容非常豐富，對象包括社會各階層、各黨派、好壞人物、筆劍唇槍、出招見紅，尤其刻劃出一些貪官汚吏的咀臉，眞所謂絕透了，妙極了，樓主靈機一動，將自己快脫稿的「貪官與惡官」一萬多字併入「錢一釗論相」著作裏，「錢一釗論相」交由本報連載後出版豈非皆大歡喜嗎？不過話又說回來，以錢一釗足智多謀的才華，義薄雲天的風格，反共復國陣綫裏未能延攬站一席，乃國家的損出失，損失到「錢一釗論相」如果眞擺起卦攤子，那就更不象話了。

從識人這個角度去看錢一釗，確又是對社會一大貢獻，孟子看眸子，可斷定一個人的善惡，呂公（漢高祖的岳丈）知劉邦必發，知自己女兒能爲后。劉備能看出魏延必反，馬稷不可重用。太平廣記載名流張某，看出楊玉環貴與皇后同。前清名臣曾國藩親寫出八句看相綱領「功名看氣魄，富貴看精神，斜正看眼鼻，眞假看咀唇，胆識看掌指，風波看脚跟，若要問條理，盡在語言中」這一門學問如果能搞通了，無往而不利猶餘事也，用作爲治國安邦的察人本領之一，又未嘗不可。

正告美國政府和人民（四）

——爲「台灣地位問題」作一剖析

國立政治大學教授　梁嘉彬

而一八七九年琉球國的代表更泣訴歐美各國，說明琉球歷來對歐美各國締約，皆只用中國年號、姓名及文字，在日本被各國要求介紹向琉球通商之時，日本皆予以拒絕，自稱琉球非其屬國。在一八七四年，琉球照舊籌備進貢中國，但到了第二年，纔被日本突然禁止。琉球曾有具稟（Petition）向駐在東京的「大荷蘭國」、「大合衆國」、和「大佛蘭西國」陳訴此種「苦情」，諒美國政府仍有檔卷可以查考。到了一八八〇年十月二十八日，日本駐華公使宍戶璣（K. Shishido）與總理衙門之間，曾簽定了一項「琉球專約」，規定沖繩以北各島歸日本，沖繩島以南的各島歸中國，只因當國的李鴻章極力反對，謂中國不能以「義」始，而以「利」終，遂未被批准換約，成爲懸案。合

註於此。）台灣澎湖諸島在一八八四年至一八八五年（光緒十年至十一年（中法戰爭當中，基隆港曾被法軍占據，戰爭末期澎湖也曾被法軍占領過的，到了一八八五年六月中法越南條約中國在越南戰勝而仍願放棄越南的最大原因，便是由於需要保全台灣澎湖的緣故。抗戰末期，中國爲了要收復台灣澎湖，又再不得不承認雅爾達秘密協定而犧牲了外蒙古！中國前後爲保全台灣澎湖所付出的代價是極大的！

「美國少爺」！「亞洲老人」！請一同醒醒罷！中國有古語說：「司馬昭之心，路人皆見」，布瑞此種荒謬聲明，實已自貶損其本國的「地位」了！

（完）

孝道的宏揚與光大　十四

・李宗黄・

歐美物質文明，已進入太空時代，但精神文明如孝的道理除少數先知先覺者外，已陷於虛脫式眞空狀態，上焉者只圖個人享受，不顧其他安危，下焉者非流於嬉即安於吸毒，卑劣不堪言狀，令人不勝隱憂。

共產國家，蘇俄無論矣，卽如中共之大陸，已將倫理道德中孝之一字，抛入九霄雲外，倡導子女鬥爭尊親，殘弒尊親，亦如家常便飯，出現禽獸不如的黑暗世界。

我們要爲世界，要爲國家，洗盡汚穢，創造新機，對於孝道，應有如下之五方面，予以宏揚和光大。

（一）家庭方面：中國家庭以父母爲中心，以孝弟爲骨幹。凡爲父母者，莫不以身作則，對子女之愛護，無所不用其極，對子女之教導，亦非常謹嚴，故孝子賢孫不時倍出，用能入則孝出則悌，不僅維持社會秩序，且能鞏固國家安寧。余於民國五十年考察紐約市地方自治，該市市長華格曾經翹起大姆指對我說：「華僑子弟，都能孝順父母，恭敬長輩，鮮有在外胡行亂爲者，非常難得」。但反觀國內世風日下，有不少父母不盡責任，把慈字管字放在一旁，也有不少子女，不聽父母師長之教訓，甘作太保太妹，而不知羞恥。甚至偶有弒父母，弒叔父母者，兄弟互殺者，人倫大變，令人怵目驚心，故新的家庭制度之創立，實爲當務之急的第一。

（未完）

教育上的遠慮和近憂（一）

・江水寒・

四月廿九日，新任教育部長羅雲平應邀向立法院教育委員會報告，羅教長喊出「爲青年服務」的口號，作爲他今後施政的目標和努力的方向，據說立委諸公很「欣賞」，認爲這是足以一新人們耳目的新觀念。

然而，有些人却因聞此一語，而引起深遠的憂慮。他們有以下種種不同的想法：

第一、國家的教育，原有其遠大的目標，崇高的宗旨，其目標與宗旨，早已明白載於政府有關法令之中，例如中華民國憲法，中華民國教育宗旨，乃至各種教育法規等，均有鮮明的揭示。此種大經大法，諭師範的學生，國民小學的教師，皆能知其意義與價值，羅教長縱然是學工的，以其歷任大學校長之故，亦不應全然不知。現在把國家的教育目標，教育宗旨棄而不顧，却提出一句「爲青年服務」的趣語，作政策性的宣布，未免令人有「顧左右而言他」之感。

第二、當前我國教育，可謂痼疾已深，而其中之尤者，厥爲所謂「升學主義」，在升學第一的一念之偏下，更是諸病叢生。如果教育上還有什麼事可做的話，消除升學主義的狂潮，解除青少年因爲競爭升學而造成身、心痛苦，應該是第一要務；羅教長不此之圖，却奢言「爲青年服務」！因此有人要問，目前青年人人想進台灣大學，人人想在大學畢業後去美國深造，請問羅教長如何爲他們服務？

第三、退一萬步言，民主政治下的政府官吏，本來就是人民的公僕，是應該爲人民服務的，羅教長說「爲青年服務」，也沒有什麼不錯。然而話又說回來了，「人民」並不等於「青年」，而教育工作的範圍，更包括兒童及少年，以及一般國民。如果羅教長的目光和語氣稍爲放遠大一點，說一句「爲國民（或人民）服務」，似乎也較爲穩妥些（因爲此處尚有「國家」自身的教育目標，未包括在內。）記得前任鍾教長在第五次全國教育會議上曾有「教育是政治的工具」一語，聞者爲之咋舌；今不圖羅教長又發妙論，教育前途豈不堪慮！

第四、如果教育部的國際文教處長上任，發表就任談話，說他今後的工作目標是「爲青年服務」，凡是要申請出國護照的都儘量給他們方便，絕對不刁難，不稽壓；凡是詢問有關出國留學問題的，都儘速給予最滿意的答復；凡是……對於此人此時作如此言詞，相信不但沒人異議，即使爲他閣下鼓兩下掌，也不爲過。無奈羅教長今日的身份和任務，非如國際文教處長者流。

如此推論下去，恐怕千言萬語尚不能盡，此事就此打住不談。

（未完）

辛亥重五書憤一首

梁寒操

八表昏沉日匿光　姑隨舊俗作端陽
腐心恐被虛朋賣　巧舌頻傳匪鸞商
正則長歌原當哭　仲連寧死不容降
黃魂會使乾坤轉　篤信依然貴自强

話說朱元璋（十）

雁謀

元璋爲了穩定南方整個局勢裨便北伐計，故不能不用兵於廣西。廣西是時乃爲元璋把守。遂命楊景率荊、湘之兵，由湖廣進攻廣西。楊景連破永州、寶慶、全州、靖州；適時，廖永思與朱亮祖於平定廣東之後，乃率兵西進，攻下梧州、南寧、象州、賓州等地，廣西全省乃告平定。至此長江以南之地，未被元璋征服者，只有之玉珍所據之四川，及元梁王所轄之滇明而已。

小和尚登皇帝寶座

中國史上有兩個偉大的和尚：一個是玄奘，一個就是朱元璋。前者在文化及中印交通史上有卓越的成就；後者功在國家民族。而且推倒異族元人的統治，重光故國民族文物，影響了中國近代幾百年，國父孫先生的革命之所以成功，就是憑藉了「反清復明」的號召。所以他在就任臨時大總統以後，率了文武百官晉謁明孝陵，這就是鐵一般的證明。但如果沒有朱元璋——偉大和尚的推倒元朝，讓外族繼續統治下去，我敢說：我們就沒有推倒滿清的歷史。故論偉大的和尚，後者更前者卓著彪炳，功在國家民族，實爲千秋萬世之功，改變歷史的人物。

話說朱元璋把江南半壁河山囊括之後，爲了安定民心，鼓舞將士，他採納李善長的建議，於元順帝至正二十八年春正月（公元一三六八年）之朔日，親祀天地於南郊，即皇帝位，建都金陵，建元洪武，國號爲「明」。立馬氏爲皇后，朱標爲太子。並以李善長、徐達爲左右丞相，常遇春爲平章正事。從此這位小和尚遂成了明朝開國的始祖——明太祖，支配了中國政治百七十餘年之久。

太祖即位之後，其最急的大事，就是北伐倒元的軍事行動。在他未即位之前，已經經過兩個月的時間，策劃北伐的佈署，也曾召集羣下研議過此一大事。爲了推倒元朝，光復漢家河山文物，他對着文武百官，以徵詢的語氣說：「山東則王宣的反側。河南則擴廓的跋扈。關隴則李思齊、張良弼的梟張猜忌。元祚將亡，中原塗炭，今將大舉北伐，其何道從之？」確是一個大問題。

短短幾句話，把天下形勢，天時、地利、人和、興亡等都畫了一幅藍圖。可是羣臣沒有計策可對。只有那勇猛無敵的安徽懷遠人——常遇春開口，他主張大軍直搗元都——北京。元璋却採取穩紮穩打的策略，他面對羣臣說：

元朝建國百年，京師守禦必固，孤軍深入，饋餉不前，援兵回集，是危道也！余欲先取山東，撤彼屏藩，移師兩河，破其藩籬，拔潼關而守之，扼其戶檻，天下形勢，入我掌握。然後進兵元都，則彼勢孤援絕，不戰自克，鼓行而西，雲中、九原、汾、晉、關、隴，可席捲而定。」看他的廟算，羣下都只有暗暗佩服。

我們看了他遺席北伐宏論，內心也不能不佩服之至。朱元璋不但是革命家、政治家，而且是一個大戰略家。他的藍圖繪出之後，大家一致贊成。如果朱元璋沒有天賦智慧，沒有下過苦功夫自修，絕不能出此。一個人只憑勇力打仗不讀書是辦得到的。若謂幹革命工作，攪政治，談戰畧，不讀書是絕不可能有偉大成就的。

（十）

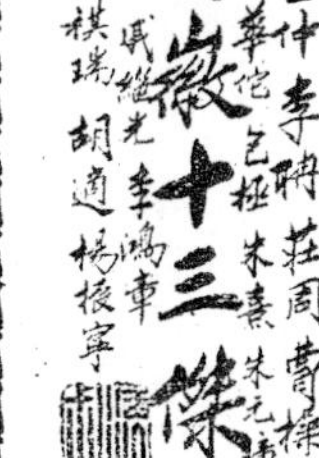

巨變歷險記！

丁博士沒有被美國出賣掉，逃離了仰光，逃到了臘戍。

丁博士腦子裏，有個偉大的構想，那就是把整個的東南亞作為大西南作為中國的大西南作為一旦反攻大陸的基地。如何把整個的東南亞都變成中國游擊隊的友邦中國游擊隊的衛星，他也想了一套做法。先從緬甸開始。這就是與反共的力量合作，與反共的力量打成一片，由我們友好的力量來掌握當地的政權。中國游擊隊自居於司令台司令塔，相互合作。

緬甸除了緬甸族、吉倫族、蒙族，單族也是大族。尤其單族，與我游擊隊異常接近，與我游擊隊早成為一家，在一進來就同單族合作。單即我之擺夷，擺夷在東南亞不下五千萬，整個的泰，整個的寮都屬之。在中國游擊隊剛一退入單邦，丁博士就指示他們與地方密切的合作，在他們的掩護之下，與他們打成一片，獨立生存，獨立奮鬥，決不靠外來的力量，決不受外力的控制。外邊盡量的拉攏，但有一個原則，運用外邊的力量，但不為外力所運用。在單實施的結果，應該是近乎理想的。

臘戍—單邦重鎮（二三）

胡慶蓉

臘戍，就整個的緬甸而論，是北部的鎖鑰，就整個的單邦而言，也是最高最大的首府。丁博士到了這裏，即與單邦的各反共力量取得聯絡，在蘇副總裁協助之下，一切更有水到渠成之勢。蘇副總裁不但是吉倫獨立運動的領袖，也時也是全緬甸各民族的獨立運動的領袖。單邦的獨立運動，較之其他各族尤為積極。自緬甸獨立之後，單邦各土司人人自危，緬甸在想種種的辦法削弱他們個別的力量，削弱他們團結的力量。緬甸在表面上說單邦各土司有選擇之自由，即可以作為獨立的一員，也可以作為緬甸的一員，但這是一句話，在實際上是不准單邦獨立的。選擇的時間原定是十二年。這那裏能等到！在緬甸獨立不久，單邦的各土司即紛紛被緬甸解邦權力了。他們都非常歡迎中國的游擊隊，都把中國游擊隊的力量當作自己的力量。對於中國游擊隊異常歡迎，恐怕「簞食壺漿，以迎王師」也不足以形容於萬一。他們把中國游擊隊的力量都奉為天兵天將，來搭救他們的。他們自來是受中國的節制，他們衷心不願意併入緬甸。中國游擊隊在他們看起來就是救星。

臘戍在緬甸在單邦雖然無比的重要，在民國卅八年卅九年四十年四十一年的時間，還是稀稀疏疏的三家村，這邊一堆房子，那邊一堆房子，也沒有甚麼市政，更談不到計劃。由這裏北通昆明，南通仰光，西通印度西藏，東通泰、寮、棉、越。管轄東西南北，眞是鎖鑰之地。中國游擊隊在單邦劃分軍區，臘戍在軍區之內，有我游擊隊的官兵，駐紮附近。王有為就是當時這個軍區的負責人。天下英雄豪傑之士，聚集這個軍區的為數甚衆。還有從內地來的，一律予以收容。中國游擊隊很快的壯大起來，得力於臘戍者甚大。臘戍還辦了一個小學，請丁博士親臨訓話。

當丁博士偕蘇副總裁蒞臨臘戍之際，正是一個中國新蓋的廟子完成之日，當地華僑燃放爆竹備極熱誠。社會人士之中，有位李鴻賓先生，不過一家理髮店的老板而已——也就是一位理髮師，對於丁博士蘇副總裁及其他來往的游擊隊人士懇摯招待，自己後來又加入游擊隊工作，殊可欽佩。

哭介兄·懷老友（二）

·徐中齊·

吳兆棠兄為第二組長，介生先生要我找位第一組組長，我就推介了李德洋兄，當時支團部工作者，可以說都是一時之選。

民國卅一年，賀貴嚴先生出任重慶市長，有一夜李元鼎先生伉儷駕臨敝寓，李為賀先生主甘時之保安副司令，詢以有何見教？答以、賀先生想請兄作市府秘書長，要我先來徵求你的同意。我說賀先生夾帶中人才甚多，何勞下顧，我庸碌無能，恐怕不能勝任，盛情只有心領。李說：賀先生情眞誼重，為事擇人，他有四個標準，第一要是四川人，第二要是留學生，第三要在重慶担任過重要職務，還要有成績表現者，第四要與中央有關係。因此除了你，我們再也找不出更合適的人。我當時立即答說：如果照還四個標準，我到可以為賀先生推舉一個人才，他問我是誰？我說陳介生兄，他不僅四條全合，且其才能，辦法，都很高明，我自愧不如遠甚，務請轉報。市府的事，就這樣決定了。那時我剛到黨政高級班第一期受訓，我結業後，賀先生親臨我家，重提前事，他說介生兄將去作參政員，我一定請你幫忙，我深怕做不好，故仍堅辭，旋因張岳公、吳鐵老兩先生以命令口吻說，賀先生如此誠意，你為何還要一再堅辭？我於是只好表示服從了。最後在委員長官邸會報，賀先生提我作秘書長，委座要我長警察局，旋問果夫先生，誰較適當？果公即以黃沛誠兄對，於是我才得以免接其棒。

中齊素不善言詞，又不會寫文章，但是在成都辦黨，及留歐學生總會時期，及初次回台出席會議等，介生先生[illegible]我起稿，我[illegible]綱領，提供資料[illegible]他都能，據以發揮[illegible]淋漓盡致，我是十分佩服的。

介生先生是經濟博士，我對經濟則一竅不通，他所經營的事業，我不能贊一詞，所以他亦很少同我討論這一類的事。我看他這幾年來，體弱神衰，有脫形模樣，我一直心裏嘀咕，不便出口，每次見面，都勸其保重身心，不宜過份勞瘁，金錢為身外之物，更不值得計較，雖蒙首肯，但其事業心重，愛好情切，雖在病中，至於危殆，仍一直掛念不已，又曾向我說「現代子女們，大多不如當年的我們」，至表焦急，我說，以我們過去的奮鬥成就而論，全係為當年時勢所造成，現在的環境時代與過去大大的不同，比我們精強的朋友，多覺英雄無用武之地，更不能對他們求全責備。最近我才聽到劉航琛等先生他們贊美他的松林世兄之能忍辱負重，辛苦努力，為難能可貴。其實他的子女，都很努力上進的。才知道他是愛之深，故不免責之過切了。

綜觀介生先生的生平，忠黨愛國，對領袖堅貞不二，智慧甚高，交遊亦廣，在海外，在國內，隨時隨地，都注意接納人才，廣泛延攬明智賢能之士，歸於黨團組織。眞是功不可沒。至於急朋友之難，救青年之困，才氣縱橫，器度恢宏，忠恕待人，不念舊惡，上述各點，都有事實根據，親友大多知道，決非溢美之詞，限於篇幅，不便列舉。這是我不如介生先生的地方，今後更要向他學習的。國父說：「法古今完人，養天地正氣，」朋友們對介生先生有譽，亦有毀，他當然不是完人，我更不是完人，但站在立法院立場來說，他是養有正氣，亦留有正氣的。他年事并不高，正大可有為之時，今竟溘然長逝，不僅其遺屬悲痛，朋友哀傷，亦是國家社會的損失。國際局勢，如此蜩螗，國難家仇，不堪設想，後死者的責任，是異常沉重的，介生先生之早去，在他個人，算是得了解脫，再不會嘗到人間的辛酸，及任何憂傷煩惱了。中齊自撰輓介生先生聯一付，略表悼念之忱。

世事正蜩螗，晚逝何如早逝。
平生論交往，不才竟哭長才。

（完）

五十六種砂鍋烹飪

馬騰雲

廿六 砂鍋鴿

鴿飛行甚快，記憶力非常強，放到遠處能自歸，照組織療法的原理，鴿肉不僅滋補，對人的腦記憶必有很大幫助，同時鴿血解諸藥百蟲毒，鴿卵解痘毒及疳瘡。

以兩只鴿作標準配以冬菇三只，綠筍尖二兩，火腿三兩，黃酒二兩，食鹽三錢，麥門冬五錢，天麻三錢，把食鹽葱薑同塞鴿肚子裏，置砂鍋中，鴿背向上，四週圍以上列配料，將黃酒等倒入，清水浸過砂鍋十分之七八為度，置火上，柴火、炭火、瓦斯聽便，有兩個原則就是文火，越小越好，燉到三四小時，藥性鮮味盡出，同時要注意加水（沸水）不要使鍋底乾，直到透熟，不僅鮮美，其藥用價值也非常高。

砂鍋紅燒鴿，可以栗子、冬筍或冬菇同燒，味道也鮮香，不過紅燒鴿能用一點嫩苑荳，或菜心、木耳、金針做和頭也別具風味，總之吃是一種藝術，不必拘泥於同一形式，例康有為的南海魚，李鴻章的雜底海參，吳佩孚的葱燒鷄（後來皆成為北方館名菜）可謂都是懂得吃的人，客觀上認為好才算好，俗稱「口無同嗜則無易牙」劉峙將軍十年前過曼谷時，蕭吉珊（中央委員）請他吃炒果（米旁）條，劉對饒後回來說：「胡鬧、胡鬧，怎麼可以炒果條待客」這位東道就是犯了太主觀的毛病。

黛眉小傳

·王幻·

黃娥（三）

好恩情花上花，都翻成夢中夢；兩春水渡勞渡，勝蓬萊東復東。江鱗塞鴻，誰把殷勤送？雌蝶雄蜂，空堆愁悶叢。（一枝花）

蓬鬆了雙髻朵，髻揾了兩眉峯；塵埋了鮮鸞腰帶，冷落了瑞鴨熏籠。想當初玉纖手夜月，片時間軟金杯桃李春風；到如今勻紅淚秋雨梧桐。冲冲、匆匆、合歡調改做了凄涼弄。點潘郎翠葆如蓬，眞個是千重別恨調琴倦，一寸相思攬鏡慵。（梁州）

有一日閑衾剩枕和他共，解嬌羞錦蒙，啓溫柔玉封，說不盡嬝娜風流千萬種。（尾）

花謝了，明年還會再開；燕子去了，明年還會再來；只是心上人離別了在悠久的時光裏，再也聽不到確切歸來的日子！她如何能不憔悴？如何能不因感傷而懨懨成病呢！惟有「莫捲龍鬚席，任他生網絲；且留琥珀枕，或有夢來時。」來聊以自慰了。再看她的：

不明不暗唱陽關，無語無言倚畫闌。多情多恨容腸斷，那人兒甚日還？相思担其實難担！獨樹山頭路，皋橋渡口船，眼睜睜面北眉南。眼睜睜面北眉南，拋閃得雙鳳孤鸞，都只為燕兩鶯三。好個人人，從他去去，鬼病懨懨。當想著：臨上馬淚拋珠點，壓雙蛾鬢亂花尖。鹽也般鹹，醋也般酸；你也休戀，我也休戀。（「水仙子」帶過「折桂令」）

像這類口語化的活文學，使人讀了多麼親切而感動？可惜未為後來提倡白話文者所重視，毋寧是一大損失。由於丈夫的遠謫，是她一生最大的創痛，在她整部散曲集中，多數是懷念遠人相思的情調。她的「羅江怨」四首，猶為時人所傳誦。原文如下：

空亭月影斜，東方既白金鷄驚散枕邊蝶。長亭十里唱陽關也，相思相見，相見何年月！淚流襟上血，愁穿心上結，鴛鴦被冷雕鞍熱。

黃昏畫角歇，南樓雁絕，遲遲更漏初長夜。愁聽積雪溜松稍也，紙窗不定，不定風如射。牆頭月又斜，床頭燈又滅，紅爐火冷心頭熱。

關山望轉，征途倦歷，愁人莫與愁人說。遙瞻天闕望雙環也，丹青難把衷腸寫。炎方風景別，京華音信絕，世情休問涼和熱！

青山隱隱遮，行人去急，羊腸鳥道馬蹄怯。鱗鴻不至空相思也，惱人正是，正是寒冬節。長空孤鳥滅，平蕪遠樹接，倚樓人冷闌干熱。

步步寫來，有條不紊，何等層次，幾多細膩可說「言有盡而意無窮」了。其中尤以「相思相見，相見何年月」；「紙窗不定，不定風如射」；「丹青難把，難把衷腸寫」；「惱人正是，正是寒冬節」之類的雙聲叠字，極其錯落之致，宛若「大珠小珠落玉盤」，曲盡思婦之情。

她的生卒年已不可考。楊愼生於弘治元年（一四八八），卒於嘉靖三十八年（一五五九），夫人是他的繼室，年齡當輕少。她的著作，在明末已有「楊夫人詞曲」五卷，題徐文長重訂，篇章多和楊愼的「陶情樂府」彼此複見，混淆莫辨。此書大概出於無識書商之手，假名文長，以動觀聽。後經散曲研究家任中敏博證羣書，取夫人曲」與「陶情樂府」合編為「楊升菴夫婦散曲」，夫人曲編為三卷，便較為純粹而可誦了。

（完）

第二十三章　岳飛尅日擒楊么　武穆襄陽當重任

周燕謀

「惟國之用武，必據形勝，以為地利。今西南之重，既已委卿移屯要害，深圖戰守之計。卿宜以朕此意，敦諭將佐，撫勞士卒，勉思忠義，戮力一心，協贊事機，庶克攸濟。……」由此足見朝廷對岳飛寄望之重。

同年二月初二日，改授岳飛為武勝定國節度使，兼宣撫副使，置司襄陽。御詔有云：

「岳飛沉毅而閎中，誠純而特立。縱橫奇正，謀足以料敵之機。險阻艱難，器足以任扶危之重。志徇國家之急，身居矢石之先。翦亂戡凶，所當者破。陣師鞠旅，其衆無譁。

敷文雖然揚美，然實則語語皆然，岳飛足以當之，並非泛泛之譽可比。讀者幸勿以溢美之詞視之。按宣撫使之於宋代，皆由重臣出任，如漢之州牧，自非廟堂近臣，勳伐高世之士不可。因此岳飛又力辭宣撫副使之職。其辭章有云：

竊以宣撫之重名，實寄專征之大事……豈當冒而居！異時託付失人，或誤驅策，雖粉身碎骨，何足以謝陛下！兼討使之權，不為不重，若更加以甚高而非常之寵，必起負乘斯奪之悔。所有宣撫副使之命，實難抵受。

但岳飛所辭，朝廷不允。岳飛一生際遇，惟張浚為相時，幹的一帆風順，此可謂岳飛之黃金時代。職司宣撫，當北代之重任。張浚、趙鼎二人罷相之後，秦檜上台之後，岳飛之志即不得伸了。所謂「為政在人」是也。

（一二〇）

自由報

（第一一七〇期）

（半週刊每星期三、六出版）
每份港幣壹角・台灣零售價新台幣弍元
社長李運鵬・督印黃行響
社址：香港九龍彌敦道593—601號
廖創興銀行大廈八樓五座
LIU CHONG HING BUILDING
7th FLOOR FLAT '5
593—601 NATHAN ROAD,
KOWLOON, H.K.
TEL: K303831
電報掛號：7191

承印：景星印刷公司
地址：嘉咸街廿九號地下
台灣區業務管理中心：台北羅斯福路一段一二九號
電話：二四五七四
台灣區直接訂戶　台灣劃撥戶
第五〇五六號張萬有（自由報會計室）
台灣分社：台北市西寧南路110號二樓
電話：三三〇三四六、台郵劃撥戶九二五二號

論復國建國教育綱領的大專教育問題

陳思華

「復國建國教育綱領」草案，已在去年八月舉行的第五次全國教育會議討論通過後，作爲現階段全國教育設施的準繩。但在邁進向復國建國的現階段，教育却不能振作乃至無法配合，實値得吾人重視。

「復國建國教育綱領」草案的制定，是根據中華民國憲法有關教育文化之國策，並遵照　總統革新教育的指示；而其主要內容，計有十八項，此十八項復國建國教育綱領，仔細分析，凡德、智、體、羣四育之所要求，文化的、政治的、經濟的，可以說都兼容併蓄了，在教育畸形發育的今天，其用心可謂「對症下藥」，値得一書。不過茲事體大，牽涉太廣，不是數千言所能盡。拙文僅就有關發展大專職業教育，提高大專教學師資，以及擴充設備部分，願盡愚者一得，就正於教育當局。

一，發展專科及職業教育問題

「復國建國教育綱領」草案的第七項是：「發展專科及職業教育，配合國家經濟建設，教授應用學科，注重實習、實驗，並應加強建教合作，以培養中級專業人員及各業基層技術人員。」關於專科教育，目前在復興基地最成爲問題的，是五年制專科學校之出現與存在。從五十八學年度開始，有一些所謂五年制專科學校已經招不到學生了！他們的校舍比不上日據時代所建立的中等學校，而且既無設備，也難得聘到夠水準的教師，七拼八湊和東扯西拉的開了學，能按時上課，就緣隨意一番，已經很不錯了，要配合經濟建設，教授應用學科，眞是談何容易？而加强建教合作及培養中級專業人員與各業基層技術人員云云，不是虛應故事，便是以學生爲廉價或無價勞工，以減低廠商之成本而滿足其利潤之需索！特別是：當台灣的經濟和社會都正在邁向一種莫名其妙的層級之分裂與人的價値隨資財之豐富而離異其衡量以破壞生存之協調之現階段，培養所謂中級或基層人員云云，這不只是違背了三民主義的國策，而且也導致教育要根本喪失促進文明及改善人生的功效，視乎升學與留學競爭之激烈，及職業學校招不到學生，並有廢棄職業學校的建議等等，便不難獲得證明了。台灣五年制專科學校的出現，始作俑者是什麼人？這裏暫且不作研究，但在台灣沒有五年制專科學校的四年份裏，本人早就與前花蓮農業學校校長成天驥及前宜蘭農業學校校長彭家瑞作過計劃，因爲短於資力，所以不能實現，而在五年制專科學校創設之後，特本所見，就五年制專科學校之辦理之應該注意之點，題爲「談五年制專科的創設」，撰就一文，用筆名發表於五十五年五月二十六至二十八日的「自立晚報」新聞專欄，只以人微言輕，似乎並未受人重視，四、五個年頭過去了，五專之創設的問題依然如故，而與之相關聯的問題則是更形沉重，這就不能不令人嘆息了！領導國家教育的先生們，現在總該拿出辦法了罷。否則也就不怪有人爲五專學生鳴不平了。

二，提高師資及充實設備問題

「復國建國教育綱領」草案的第八項是：「改進大學教育，充實其師資及設備，對於自然科學人才與文法政經人才之培育，應予同樣重視。」改進大學教育，是當前救治教育不能振作的唯一對症下藥良方。可是，如何改進大學教育，提高師資及充實設備却不是有效而可行的解答，而且處目前的情況之下，提高大學師資及充實設備也似乎並不可能；大學教育的毛病，第一個就是嚴立門戶，排拒新的人才和進步的思想。第二個是彷彿似之的百工技藝式人物當權，思想已不可能在大學立足。第三個就是最重要的一個，是今日的大學好像對國家和民族毫無責任和榮譽意識，對國家和民族之如何爭取生存更是漠不關心，完全處在不是爲教育而教育的氛圍所浸淫之中！因此，改進大學教育，便困難重重，不易着手！今日大學的師資和設備都不夠充實，這是一個事實，但戰後的日本和韓國的大學，也有這樣的事實，然而他們的大學都辦得有聲有色，新立國的以色列的大學，這□事實更爲嚴重，不只是人才輩出，而且更有人才爲外國所爭取，特別是在製造大學師資的留學生派遣這一方面，數字絕對趕不上我們，我們每四年有幾千的留學生出國，而我們的大學師資用一年不如一年，這是應該促使我們作深長思考的！至於對自然科學人才，與文、法、政、經人才之培育的同樣重視，在今日台灣的大學整個傾向於唯物化的趨勢和情況之下，這恐怕也是很難以爲力的！如何可以善其後？辦教育的人固然必須竭智盡慮以謀挽救之策，政府決策階層似乎也不能放手此一艱鉅的任務才對！

三，發展國立大學研究院所問題

「復國建國教育綱領」草案第九項是：「發展國立大學研究院所，建立本國高深學術研究體系，提高學術研究水準，以培育各類專門人才及社會領導人才。」大學之有研究院所，積極化與明朗化還是政府退保台灣以後的事，自從建制以來，極短期中，博士與碩士總算造就了不少，就形式主義的觀念而言，本國的高深學術研究體系，大概是建立了，大學研究院所也算有了發展了，但本國高深學術的研究水準是否就因此提高了呢？以博士與碩士之煌煌學位而言，不要說從外國回來的瞧不起，即使國內的也瞧不起，如已獲得碩士學位的，他若獲得外國獎學金去了外國，情願重新修讀同類科的碩士學分，不要說國家的學術尊嚴根本喪盡，就是中華國格，也因此而些微不存，眞是令人傷心到了極點。同時，我們發展大學研究院所表現於形式的目的，似乎只是要被造一些在西方國家已經走向落伍的學位資格的新封建階級出來，而並非有意建立本國高深學術研研體系或提高學術研究水準，要不然何以中國文學博士學位的考試委員裏有了不通中文的份子呢？何況發展大學研究院所，也並不就可以培育各類專門人才及社會領導人才，如我們的學術領導人物錢賓泗先生，甚至連大學之門也不曾進過，但他們對國家和人羣的貢獻，却是絲毫不遜色於博士或碩士的。但如此說，並非有意漠視發展大學研究院所之必要與重要，而是希望大學研究院所之發展，能眞正做到建立本國高深學術研究體系及提高學術研究水準，就像日本的帝國大學之培育了爲日本爭取國際學術榮譽的湯川博士和川端康成一樣，否則，不要說各類專門人才與社會領導人才無從培育，即不夠充實的大學師資恐怕也得無從爲之提供呢！留心振作教育的人，對此是必須特別予以關切的。

四，形於言不如起而行

總上所述，對於「復國建國教育綱領」，就國民一份子之立場，本乎知無不言，言無不盡的眞知所驅使，而妄參末議，作野叟之獻曝。知我罪我在所不計。今天，正是我們展開復國建國行動的時代，我們的復興精神是一定要從此一綱領之實施而實現。千萬不但能坐而言，也能起而行了。　蔣總統四十年前所憂畏的英國人陶納所批評於我們的「文學政治」時代已經成了過去了，現在的中國，雖然比不上法國那樣「只做不說」，但也趕上了美國，能夠說了就做，國家便有厚望了。

昨日與明日

「國際新協」不是國際政府

國際新聞協會最近指摘中華民國政府不應該羈押于長城兄弟——在菲律賓宣傳共產主義的華籍報人，台灣方面即發出消息，表示可以提前釋放。但協會仍不滿意，擬在這次「國際新協」大會中，提議開除中華民國的會籍，這眞是咄咄怪事！

于氏兄弟係經過法律程序，正式審訊判處感化二年或三年有差的中國犯人，國際新聞協會憑甚末資格和權力，可以隨便干涉會員國的內政？如果爲着應援新聞從業員及早恢復自由，亦只能以協商態度，向中華民國政府表示意見，詎竟咄咄逼人，而以開除中國會籍相威脅，儼然是個「國際政府」的面目，豈有此理！

政府的反應太差勁

台灣方面對於「國際新協」這種無理的指摘，不予據理駁復，而表示可以有條件的提前釋放于氏二犯，以致菲律賓當局亦立即響應，表示可以讓于氏兄弟回到菲島去。這樣是不啻給世人以一種印象，即于氏兄弟根本就不應該受處分，判處感化亦是妨害了新聞自由，未免太差勁了。

于氏兄弟是因宣傳共產主義，違背中、菲兩國的國策，纔受到從輕發落的「感化」處分，政府若慑於國際新聞協會的非法干涉，即考慮不妨提前釋放，其將何以對那因違背國策而坐牢十年，最近纔期滿得釋的本國報人某君乎？

所以，政府主管單位應該把處理于氏兄弟案件的經過事實和法律根據，詳細說明，公之於世，並譴責國際新聞協會干涉別國內政之荒謬無理！

新聞自由的解釋

新加坡政府最近基於政治的觀點，使用政府權力，把當地兩家報紙——東方太陽報和前驅報——關了門，而國際新協大會還要敦請新加坡總理李光耀出席講演，國際新協那位美國佬秘書梅耶，並不像對台灣的于氏兄弟案之七咀八舌了。然則所謂新聞自由，亦有區域性的不同解釋嗎？

就吾國的情形而言，除却宣傳共產邪說，或爲共黨張目助勢，或者洩漏國家機密的新聞言論應予禁止外，其他的一切新聞都應該絕對自由，纔算是民主生活。若大批評庶政得失，臧否政治人物，乃係報人起碼的職權，更不能隨便剝奪的，否則就難怪別人說我們國家沒有新聞自由啊？

・何如・

自由談

不祥之聲

泛亞社台北電訊：關於釣魚台主權問題，政府擬聘請海內外法學專家，設置專案小組切實研究云。這眞是駭人聽聞的不祥之聲，我希望它並非事實！

釣魚台是屬於中國領域，史證昭然，無可置疑，還有甚末研究之必要呢？自釣魚台主權爭議發生以來，我國海內外的學者專家，以及新聞記者們，早已蒐集事證，詳述理由，提出了許多意見，然政府當局却未能及時表示其主權所在的嚴正態度，沉默復沉默，眼見海內外的學者與青年學生，爲爭取主權而迭作抗議示威運動，纔慢條斯理的表示要設置專案小組從事研究，這不是誤盡蒼生的官僚作風嗎？

事情很顯明，釣魚台主權問題之所以發生，是美國人早知道那些列島地下蘊藏着豐富的油鑛，乃串通日本人陰謀攫奪其主權，先由美方將釣魚台列入琉球管轄區域之內，通知日方，以便來年依據美日協定，移交琉球島的統治權給日本時，即將釣魚台順手牽羊，一併交去。然後再由美日共同開採該地區的油鑛。但怕中華民國政府異議，又弄出甚末「太平洋國家共同開發地下資源會議」，中、日、韓三國都參加。若不是中國的海外學人與學生暨僑胞們，羣起反對，美國尼克遜總統亦就不會警告美國商人，對釣魚台油鑛開採事宜暫緩進行了。

最近日本防衛廳首長中村根康宏，聲稱日本來年接收琉球統治權後，即派兵保護釣魚台，而咱們政府漠然置之，却要聘請專家，設置專案小組研究主權問題。這不啻對外表示，我們對釣魚台主權誰屬尙是疑問，所以要再加研究，寧非咄咄怪事！台灣政壇上久矣乎盛行開會爲服務之本，請示爲負責之本的作官主義，將來這專案小組成立後，開會不歇，研究不已，事到臨頭，即請示總統決定。所以，我聽到甚末「專案小組」「小組會報」這類名詞，即感覺噁心作嘔，慘不忍聞，若謂專案開會就可以救國，大家捫心自問，你相信不？

馬五先生

天下雜論

毛共也要結束越戰嗎？

成公

繼乒乓騙局之後，周恩來竟又表示他們希望越戰早日結束，眞是天曉得。

事情是這樣，有兩位反對尼克森遠東政策的美國科學家；一個是康州與倫治五十一歲的加爾斯頓，另一位是麻州劍橋三十四歲的薛格納。這兩位科學家繼乒乓球隊之後于四月間訪問大陸及越南，歷時一月，在北平時倍受周恩來的笑臉麻醉，叫他們負責「溝通中共人民與美國人民的友誼」，並强調中共渴望和平，極希望早日見到越戰的結束」。這兩個昏頭昏腦的人物，在受寵若驚之餘，便從香港到美國，一路給中共作傳聲筒。

這兩個人在科學界，自是大名鼎鼎，有其地位，但在政治方面却是一個幼稚的侏儒，最多是一個初中程度的人而已。何況美國人一般都天眞簡單，那裏嘗過中共狡詐的手段。尤其那裏是老狐狸周恩來的對手。中共就看準了這一點，利用其政治的幼稚而玩弄擺佈，利用其科學界的地位而使其傳聲佈謠，以瓦解美國的民心士氣。美國若不及早採取對策，眞要有許多有地位的科學家，相繼訪問受騙而回來作天眞的傳聲筒，那應將會使美國上上下下彌漫着一種謬見的為中共是渴望和平。而美國政府和軍事領袖都是好戰者，他們不惜靡費國帑。一方面濫炸善良的老百姓；一方面把美國子弟派到遠東去送命，美國現在本已反戰空氣非常濃厚；種族糾紛已擴展到軍隊中。現在若再有這種瓦解士氣的氣氛，試問越戰還怎麼打？那時越戰倒是會結束了，只怕是一面倒的結束並且即令越戰結束，和平却不可得。不過是把戰爭，從寮越一帶，搬到另外一個地區而已。將來搬去最後終將搬到美國家門口，而會發生裏應外合埋葬美國的傑作。

毛共是不是眞要和平，也許會是的，但那個和平是要美國無條件投降。無條件投降，自然會得到和平了，而那時這些糊塗的幼稚的科學家，也將不再看到周恩來的笑臉而從座上賓變成階下囚了。

老師體罰學生致死
杏壇瀰漫暴戾氣氛
立委認係姑息所造成後果
勿列為偶發事件等閒視之

（自由報台北消息）立法委員徐中齊有感於基隆中正模範國中教師痛毆學生致死，特向行政院提出樹人大業幾項重要質詢，他說：教師游明保打死學生石惠銘案，現正喧騰於報章，和前幾年的弒師案，恰成對比，兩案均發生於基隆，一是省教育廳考績優異，列為全省模範學校的中正國中，一是省立基隆高級中學。

據悉：此年各公私立學校，發生學生打老師，老師打學生，老師殺校長，學生殺教官，校警打校長，教師打教師，太保太妹學生組幫互殺，總數達數千件之多，連同高級學官的互毆事件。收受紅包，收取回扣，出賣學籍事件。和許多私立大專被控違法、違令、詐騙、霸佔等事件。使整個的教育界，彌漫著暴戾之氣，貪鄙之風，不平之鳴。

這都是教育行政上姑息作風，所造成的必然後果，雖然其中大部份被學官們運用封鎖新聞方法，予以隱瞞。而事件本身的嚴重性，依然存在。所以對於中正國中，教師打死學生案，不應列為偶發事件，等閒視之。

基隆中正國中老師打死學生事件，五月十九日，報紙報導，說是「管理組長游明保（三十歲，屏東農專畢業），先用拳打，再用腳踢，致學生石惠銘痛極，衝出教室，碰柱而死。祇是羞憤自殺的悲劇」。

聯合報次日報導說：經過檢察官戴章甫、法醫郭蒼陽，傳證檢驗的結果，「前額後腦、臂部、多處有傷，認為石惠銘確係拳打腳踢致死，並未撞及石柱」。說：「游明保於十八日下午第三節在二一二教室上課，三時四十分發現隔壁二年十三班喧鬧，乃前往「風紀股長黃祖泰加以訓斥，並打兩記耳光。臨走前又叫石惠銘到教室後面，對其將學校一把新鎖帶回家中一事，痛斥一番，石惠銘申辯時，游明保連續以拳頭毆打石生頭部，並用腳踢，石惠銘手抱頭部抵擋，並往後退，但游仍未罷手，後因用力過猛，乃將手錶錶帶脫落，乃將手錶放置桌上，發現石生跑到教室外面，又追上去毆打，不久石生即坐在一〇八班教室牆角哭泣，游明保準時再到二一二班上課時，發現石生口吐白沫昏倒地上，才要學生送到醫務室去急救，終因腦震盪致死」。

從上述報導裏，發現了三項事實。（一）石生之死並未撞及石柱，足證老師的申報，有「說謊」行為。（二）游明保不許石生申辯，便長拳轟頂，鐵腳蹴身，一毆再毆，而且還打了風紀股長黃祖泰兩記耳光，足證其毆打學生，早成經常慣性。（三）游明保是屏東農專畢業的，受過高等教育，並非代用教員，竟於衆目睽睽之下，公然說謊，三番幾次的毆打學生，還不許申辯，足證屏東農專的教育方式，也有問題。

九年國教，本是總統德意。教育主管們於呈獻成果之後，但聞惡補重演，但聞戾氣橫流，但聞打擊私中，而苗栗各國小教科書，竟經常無法按時收到。（五月二十日民族晚報）成果如斯，何以對總統的「知病」之訓。

基隆市議員們，於中正國中事件之後，提出了「以身教代替言教」，「以愛心關懷學生」的主張，並舉出「基隆中學於弒師案後，校長張鎮民經常利用中午時間，和學生共進便當，閑話家常，拉近師生距離，果然發生效果」。以為範例。證明學生們並非冥頑靈。證明孔子「有教無類」的道理，仍可施行於今日。

「愛的教育」，在西洋普受重視，中國古代稱學生為「弟子」，亦寓「愛心」之義，春風化雨之恩，師門廬墓之守，都是「愛心教育」的發揚光大。有人認為禁止體罰之三令五申，使教師不能立威，與古人教鞭作朴之義，亦有未合。殊不知古人的教鞭戒尺，作用在於阻嚇，使學生「有恥且革」。即不得已而用，也不過只打手心屁股，劈頭蓋臉至於力斷錶帶之事，鮮有所聞。不若今日：「師之視生為草芥，則生視師如寇仇」，一如豐原車禍案學生劉巖田，發傳單，刊新聞，詆其老師違法詐騙的事例。

×××××

官僚政官進入教界
樹人大業焉有不敗
教育耆宿不禁感慨系之

至於「身教之義」，古人早有「身教者從，言教者諍」的說法，尤以孔子所云：「其身正，不令而行，其身不正，雖令不從」，發揮得淋漓盡致，試以近代為例，倘若主教者接受紅包，必不敢切責校長、院長，倘若校長院長們違法貪污，必不敢切責教職員貪污，必不敢切責教職員奉公力教。倘若教職員不能奉公力教，即令訓勉學生遵守紀律，學生亦不心服。不是老師打死學生，就是學生刺殺老師，戾氣之烈，其來有自。

今日之訓教工作，校長教務長，有專司教訓之員外，有專司管理的訓導人員，有專管風紀的軍訓教官，每班設有導師，並於學生中遴選出班長，風紀股長，制度非不完備。徒以用非其人，制度不能自行，究其原因，在於主管者奔走應酬之分心，在於教師們兼職兼課之分身。在於導師們惡補要錢之分神。雖非每校如斯，實亦甚為普遍。倘若全體教育工作者，都能效法「基中」張校長，經常與學生共進便當，則師生之情感日親，自然化戾氣為祥和了。

「禮教」二字，在中國古代實不可分，「是以」禮以節人」，「不學禮無以立」之說，乃為古代教育的基本精神，自西風東漸，國人接受西洋之糟粕，揚棄固有之禮教，使國人道德、社會秩序、學子操守、官員箴憲，都因而敗壞，遂致國勢不免於陵夷，大陸不免變色。我　總統有鑒及斯，先之以「知恥」，繼之以「知病」，並打出「全面革新」，「國民生活須知」，以圖重振中華固有之「禮教」。如何能自上而下身體力行，使「文化復興」「革命教育」之號召，不致流為口號，行政院實負有推行的責任。

中正國中老師打死學生案件，已引起全國普遍的悲痛，誰無子女！誰非父母！如何禁止其重演，實有待於「禮教」之加强。現聞該校校長張春熙，業經引咎辭職，自請處分。足見教壇毽之上，尚有耿直知恥不惜權位之人，如何藉此機會以樹立狷介之風，尚有待於較高教育官吏之自裁。

近來和教育界的耆宿們談及教育問題，他們認為：「我國教育風氣之敗壞，壞於一般官僚政客們，憑藉政治力量，橫刀立斧，擠進了教育之門，把巧取豪奪之術，鑽營奔競之風，一股腦兒帶進了教育界，以教育為斂財的工具，以教育為升官的敲門磚，以教育為扶植派系選舉官員的競技場，視法令規章如兒戲，視學生教員如奴婢，視道德仁義為迂腐。加以政府大員之姑息養奸，推拖諱病，百年的樹人大業，焉有不敗壞的道理」。

中興又傳新聞

小兵

司法人員違犯失職，從嚴懲處，司法部頃將前任編審李雄和因詐欺案被台北地方法院判刑，做到法律之前人人平等。乃司法改進的良好現象。

頃據靈通方面傳出消息：中興大學某院長又出了問題，被人告發後，地檢處正偵查中，某院長一邊密令親信，漏夜設法彌縫，一邊發動熱門人物關說，又兼某院長自審自己是紅人還吃得住司法三級機構，突破法網，不會成為案件，在一般意料之中。

新聞網外之言

從法律觀點談墮胎

國立政大法律教授　劉清波

又一九七一年二月芝加哥太陽報刊布：本年以來紐約市各公立醫院曾為七萬人墮胎，其中有十二名婦女於手術時意外死亡。又紐約市衛生服務主管宣稱：紐約市婦女接受合法墮胎死亡率為十萬人中有八名。美國婦女因為懷胎有生命危險經醫師許可而實施墮胎者，每年約八千人，而秘密非法墮胎者，則逾百萬人以上。歐洲十萬墮胎婦女中，於實行手術時發生死亡者平均為三十人，英國為十七人，挪威、瑞典則有四十人，而日本則有七人（幷參見本年二月廿六日中央日報）。

上陳各該統計數字，雖非各國官方公布之完整統計，或有不甚正確者，然可斷言者，即婦女實施墮胎時所生之危險，確屬存在，殆無可疑。我國刑法規定為婦女墮胎之醫師亦為犯罪，故各醫院之醫師尚無就此而發表統計者，然事實上所在多有，亦無疑義。而且我國科學落後，一般醫院設備欠周，醫術拙劣，所造成之結果。

（三）

劉半農[illegible]賽金花

一時腳聲殷地而來，為首一大師兄操異鄉音，髮已間白，拳衆皆舉香握刀至堂前，轉身向東南跪伏，倏焉起立，喊殺震天地。大師兄率衆焚香擲去，齊呼燒燒，着着，又令商民同聲呼叫，火光熊熊，自下而上。……鄰居驚慌恐延及，擬灌救之，拳匪曰：「此神火，斷不旁延一椽！」乃祝融無情，竟延燒廿餘戶，計房數百間。……羣匪又齊集鐵署前教堂，匪首舉劍作為如前狀，全堂燼焉！」（僑析生京津拳匪紀略）

「旋刼掠宮北新泰興洋行，與恆慶錢局為鄰，掠洋行一空隨入錢肆，見有存銀錢櫃，匪又喘而呼曰：「此地雷鐵箱也，擁之遂昇而行。……旋刼估衣街播花露水為洋酒，一飲而盡，殊不甘苦，怒而碎其餘。又指得律風為地雷機器，謂得皮人一具，握之戞然有聲，乃持刀呼曰：「妖怪！妖怪！」擬握之使碎，一擊[illegible]，愈怒，舉刀猛砍，一指落矣，播棄於地，羣匪奪之去。[illegible]矣，金表皆投匪腰。」（同上）

結識瓦德西

「由津……一直至北京城下，只是一片荒涼毀損之之景而已。沿途房屋未經被毀者，極為罕見，凡建築較大之物，如廟宇之類，則至少內部會受重大毀損，所有佛像以及其他偶像，皆已打成碎塊。……從大沽經過大津，直到北京之路線上，至少當有五十萬人，變成無屋可居。」（王光祈譯庚子聯軍統帥瓦德西拳亂筆記）

在杜陞家住着，天天都是就驚害怕。這時候北京亂極了，槍聲砲聲不斷，站在院裏看那四城燒房屋所升起的烟火，濃烟雲，火光滿天，令人不忍卒視。我用木槓撐住了大門。天剛亮，便爬上屋檐，傍晚纔下來，在屋內地下鋪一個席，夜就倒在上面睡。

後來洋兵進城了，西太后同皇上都逃出京去，人心惶惶，謠言四起，有的說：「洋人要做皇上啊！」有的說：「洋人要從新再扶保一位有福的出來做皇上啊！」

過了些天，稍見平靜。我在那裏生活沒有辦法，就想着往南城搬，洋兵佈崗，盤查行人嚴極了。我挺着胆子帶了我母親，還有孫三爺向前走，一路上遇到幾次攔問，幸虧全是德國兵，我會說他們的話，占了許多便宜，不然，便要吃苦。

到南城，房子很不容易找，就暫住在李鐵拐斜街一家熟識下處的門房裏。這是南城的洋兵很多，最無紀律，整日間在外遊嬉酒尋樂，胡作非為。

（二十）

爲甚麼發行馬氏藥枕

・文匯樓主・

佔全地球四分之一人口的中國人未全部死亡前，中醫中藥是廢除不了的，這是常識而非强調，毛澤東那麽兇，兇到在中國歷史上找不到第二個人，但對中國醫藥還是乖乖的就範。且做出提倡的姿態，我們站在中華文化復興的立塲，怎麽能够主張廢除中醫中藥呢？教育部主辦的「海外學人」公然提出假洋鬼子的一套，反對中醫中藥的存在，眞是荒唐到不能再荒唐了。

幾個月前馬騰雲在一次宴會上，同席的人有錢思亮（中研院長）謝東閔（台灣省議會議長）陳慶瑜（中國銀行董事長）梁永章（中央第五組主任）馬星野（中央社社長）蔣復聰（中央圖書館館長）任覺五（前台灣省黨部主委）沈之岳（司法調查局長）可能是馬氏在座的關係，觸及單方治大病的話題，首先是謝東閔提出兩個有效單方，錢思亮接着叙述單方治好自己病情的經過，馬星野報告蘭花根的藥用價值及治好一些甚麽病，沈之岳等當然都發表了一些自己所知的事。後來也就是馬騰雲要從醫藥理論進入到行動服務的起步，有感中國醫藥既然有這樣的偉大深奧，馬氏在這方面投下卅年的時間，應當學以致用，才對得起幾千年歷代先賢，由文化而演進成的果實——中國醫藥。

香港自由報頃以「馬騰雲談藥枕」爲題說：「醫藥理論權威馬騰雲教授，卅年來從事埋頭研究中國醫藥，他的研究方法，認定這門精深繁難非經十年以上的功夫不能卒業的中國醫藥，非投下十年時間不可，另又以十年時間，將中西藥作比較的研究，於今馬氏纔瞭解中國醫藥的優點與缺點，西醫的長處和短處，若干年來馬氏說話爲文，能受到醫藥界的重視，非無由也。

馬騰雲和魯迅有一毛病，都喜歡看雜書、奇書、攢牛角尖的書，馬騰雲和魯迅不同點，魯迅是學醫的，後搞文藝，馬是學新聞的後搞起醫藥，專從事醫藥營養與長壽健康這條路，祇實用書方面已出了幾十種，海內外知識份子，不知道馬騰雲的可能已經很少，不過馬騰雲很討厭人找他看病，曾在台港各大報一再聲明，江蘇一位有錢的朋友，願以一萬元新台幣禮金，邀馬騰雲作一次病情研究，原件張起鈞教授等都看來，馬回了一封信將這位大罵了一頓，且引證鄭板橋的詩句：「青山亦很楊州俗，多少巒峯不過江」，「富人」被諷刺的啼笑皆非。馬騰雲對西醫的科學萬能主義是存疑的，西醫認爲憑科學之力，無論何種問題，均可解決，乃將試驗儀器與人體同視，以動物試驗爲定律，將所得的結果，直延用神妙的人體，待臨床實驗結果，往往不能相應，而中醫則反是，積數千年來，億萬人體所得研究之病理及其藥能，歷千錘百鍊，而後完成結論，立爲方劑。西醫則認爲非常空洞，實際呢？中醫則秩序井然，始終一貫，中醫藥治病每有意想不到的效力，道理在此。

馬氏最近將卅年睡枕頭的經驗，與在枕頭上所得到的益處，原原本本貢獻社會，使大家都有機會共同享受，筆者認爲沈頭對我的益處，由於人體經驗在先，而後才從理論求證，從未由小白貓小白兔，或小豬小狗作枕頭的試驗，有感靈妙不可思議的人類，不能與小動物同日而語。中醫藥未被消滅，目前雖居劣勢而仍能與西醫共存，居爲世界兩大派之一者，自有其存在至理。絕對不是幾個黃臉黑髮冒充假洋鬼子嚷嚷喊喊所能動搖，相反的如日本、德國、東歐等進步國家，乃至於蘇俄都在中醫藥裏從事掘實工作……是馬氏提倡使用藥枕的另動機，也是社會各階層的共同需要。

文滙樓別記

從美國人之優越感談起

——我們對美國的憂慮（下）

應駿明

美國在世界聲望最高時其優越感也最高。於是他們就構想把別的國家也鑄造成他們一樣的模型。這種構想行之過火便形成了干涉人家的政治。在韓國幫助製造反李承晚的政黨，排斥李承晚。形成韓國政治有幾年不安。幸韓國人民遭受多年戰爭慘痛教訓。民心思治，未釀成大亂。在越南美國又要實行其理想，與吳廷琰總統意見相左。雙方鬧得不愉快。駐越美國使館（當年大使即現正主張牽匪入聯合國之洛奇）不收集有關吳廷琰反共努力之情報，反而於暗中同情鼓勵僧侶反政府之遊行示威等行動。國務院得到這些情報後其外交政策則對吳氏在物質上及精神上不予支持。

吳廷琰反共政府遂被顛覆。我不殺伯仁伯仁因我而死。吳廷琰死後，反共力量立時消滅。越南陷於大亂。人民死傷逃亡，妻離子散，家敗人亡，無衣無食，顛沛流離，數年之間房屋破壞無餘，人民死亡何止千萬。倘吳氏不死，美國予以道義支持，是不是可免去越南人民遭此大刦。如今越南未靖，美軍又要全部撤離，越南人民遭多年所受痛苦的冤枉債找誰去算？

越南情形放下不談，最近共匪笑臉攻勢，邀請美國乒乓球隊赴匪區比賽。此事之實現乃經尼克遜親自批准。共匪又曾示意要向美國購買飛機。美國務院聞訊受寵若驚而商人更立刻採取行動隨時準備飛赴匪區商談，幼稚膚淺表露無遺。想二十年來美國都在領導自由世界反共並力排共匪於聯合國之外。而中華民國政府及人民更是對美國友善尊敬和愛戴，恐怕世界上再找不出一個國家比中國更愛更尊敬美國了，而共匪那邊天天都在叫囂謾罵「美帝殘暴！美帝侵畧！」美國只因在越作戰三心二意領導人缺乏魄力，遭遇困難。便作了一個一百八十度的大轉灣，不止不力主拒匪於聯合國之外。反而敵友不分欺軟怕硬在最危機之時出賣朋友。道義何存？尤其最卑鄙者，自己還僞裝君子暗中示意其他自由世界國家先承認共匪，表示自己够朋友。試看美國記者訪問蔣總統之紀錄。記者問：「……總統是否有美國在暗中傷害中華民國之感？」總統答：「中國傳統哲學對于交友之道講究忠信，我們對于友邦國家的交往是一直本着忠與信的原則，當然我們也期望友邦同樣以忠信待我。」我們對總統聖明仁智之答詞至深敬佩。可是想到記者爲何有此一問時，不禁懷疑萬分，日前閱報讀到外交部周部長駁美國務院發言人布瑞所稱台灣地位尙有問題之謬論時。感到美國的聲明中隱含亟毒根之陰謀。當然，我們與美國政府人民數十年之友善，所建立之深厚感情，絕不會一旦化爲烏有。美國明智之子仍有其遠大眼光。遺憾的是美國現在主政者之無能和愚蠢。君不見今日美國已陷於混亂中嗎？月初報載華府已動用軍隊鎮暴逮捕了一萬餘名示威份子。（完）

話說朱元璋

雁謀

朱元璋的北伐計劃獲得了大家一致的支持之後，並發表了一篇很有價值的檄文，傳達各地的元軍。於是便以徐達爲征北大將軍，常遇春爲副將軍。帥領步騎二十五萬人馬，由淮北入黃河，北取中原，元廷爲之大恐。

北伐中原，打破元都

徐達、常遇春奉命之後，即帥師渡淮河北上，所至望風而降。大軍攻取了益都（山東益都縣），然後分兵戡定了濟寧、東平、濟南、（歷城縣）萊州（液縣）沂州（臨沂縣）、袞州（滋陽縣）諸地，至此山東悉定。徐達與常遇春會師濟寧，並引水軍沂河而上，西趨汴梁（開封），兵抵陳橋（汴京東北，宋太祖兵變於此者），守將左君弼等率衆投降。於是明軍不戰而得黃河中部之名城。

取了汴梁之後，徐達乃自虎牢關（河南汜水縣）西行，進圖洛陽。是時元軍屢敗，元梁王阿魯溫知道難以抵抗，也送欵軍門。從此嵩州（河南嵩縣），陳州（淮陽）、陝州（陝縣）、汝州（汝南）等地，一一攻佔，河南郡縣，皆爲明軍所有。到此元軍的屏藩羽翼被翦除掉，然後明軍大兵趨向元都了。

就在克服河南之後，明太祖朱元璋就巡幸汴梁，改汴梁爲開封府，以馮勝爲征北大將軍，留守開封。然後徐達由開出發，負責收拾河北諸地，果然連下衛輝（河南汲縣）、彰德（河南安陽）、廣平（河北廣平縣）諸郡，兵抵臨清（山東臨清縣）。這時候常遇春也由別道攻入德州（山東德縣），與徐達會師攻取長盧（河北滄縣）。元兵望風披靡，明軍勢如破竹，大軍直沽（今天津）。此時元廷內部糾紛不解。元順帝詔復擴廓原官，命他規取河、洛。明兵快速，徐達與常遇春二路大軍已長驅直進，兵臨通州（河北通縣）。元朝知樞密院卜顏帖木兒，戰敗被俘，通州解決。元順帝聞警大恐，便集合了后妃太子準備北走，左丞相失烈門等力請固守，以待援兵。但順帝不從，命淮王帖木兒與不花監國，丞相慶童留守，而自己在夜半暗開北門逃遁，出居庸關，北走上都（察哈爾多倫縣）。到此元蒙九十一年的入主中夏告結束。

徐達大軍已抵燕京郊外，次日下令攻城。元都雖然堅固，但士無鬥志，人心已失；而明兵士氣旺盛，紀律嚴明，一聲令下，士卒塡壕而上，元廷的文武官員皆成俘虜；只有淮王及慶童不降，成全了他倆之外，其餘一律赦免。

他完成帝業

燕京既下，蒙元朝廷全部打倒，只有順帝逃脫。剩下來，元兵殘餘尚盤踞山西、陝西及甘肅等地。朱元璋爲了徹底消滅蒙元勢力，仍命徐達、常遇春繼續追討。於是常遇春取保定、眞定，陽和與馮勝則越太行山，取澤州（山西晉城縣）、潞州。

（十一）

李漁叔教授頃來電話表示：「說曹操」，即將殺青，待朱元璋鞠躬下台時，曹操即粉墨登塲。

田繼横教授的「教育行政不容妄爲」甚受廣大讀者支持，今後希望繼續來稿，謝謝。

馬騰雲「營養研究」增刊原擬普通贈送直接訂戶，後因爲馬騰雲叢書讀者索閱的人太多不够分配，乃決定將「營養研究」連載。五十六種砂鍋烹飪下期起暫停。

儒醫雷少平將參加本報爲讀者醫藥服務，與醫藥理論權威馬騰雲配合，堪爲讀者佳音。

政論家丁中江從六月份起加入本報寫作行列，丁氏與本報社長李運鵬爲卅幾年老友，故在百忙中，允予供稿，謹代表社方先謝謝。

錢一劍論相，將在本報連載，錢教授積做記者幾十年經驗，慨乎言之「站着的羅漢站一世，睡着的羅漢睡一世」，寫出錢一劍論相，完全本濟春秋責備賢者的筆法爲文。

教育上的遠慮和近憂（二）

・江水寒・

總而言之，由此一語之發，人們爲中國教育的前途「慮」，顯然並非多此一慮。

至於教育上的「近憂」，也是顯而易見的，那就是台灣地區的少年棒球狂熱。最近這一個月來，少棒狂已如流行感冒，許多縣市長放下公務不辦，去爲少棒隊加油，去觀戰、督戰、助戰；許多學校停課不上，全體教職員去看少棒賽；爲少棒賽下賭注者有之，爲少棒賽爭吵打架者有之，爲觀少棒賽擠破鐵門者有之，爲鬧得風風雨雨不可開交，而逼得棒委會委員集體辭職者亦有之。似此發展下去，政府倡導國民體育的「利」未見，其「弊」其「害」，必將紛至沓來，其所以堪「憂」者在此。

國民對體育發生狂熱，也並非壞事，英國、美國、巴西、日本，不乏實例。然而今天台灣的情形有異，其最大的差別是，人家是爲體育而體育，其目的十分單純；台灣的少棒熱潮，內情却不單純，一句話說完：乃是「成人們的名利慾，建築在少數玩棒球的孩子身上」，再加上地方派系的糾纏不清。此一情勢如果不及時作有效的遏止，有形的「惡果」和無形的「弊端」，必將有得瞧的！

（完）

吳藻（一）

清代是文學藝術最爲昌明的時代，讀書和研究的風氣極盛，尤其聖祖與高宗好學成性，文藝界的情況自然是十分燦爛，形成「百花齊放」的局面。單以詞而論，詞人之多，詞集之富，比之黃金時代的兩宋，亦無多讓。最著名的詞人，有納蘭容若、朱彝尊、陳其年、厲鶚，郭……清代女作家也彬彬輩出，而成功最大者則推吳藻和顧太清二人。

吳藻字蘋香，浙江仁和人，約生於清仁宗嘉慶初年（公元一八〇〇年左右），幼居城東，其地山水明秀，乃著名詞人厲鶚之舊居。她幼而好學，喜彈琴，能作畫，通音律，尤工於詞。嘗寫「飲酒讀騷圖」，自製樂府，名曰「喬影」，吳中好事者被之管絃，一時傳唱，遂徧大江南北，幾如有井水處，必有歌「柳七」之詞矣。（見花簾詞序），其負盛名如此。

她父母的姓氏不可考，從其作品觀之，家境頗爲富有，縱非高官顯爵，亦屬書香門第，或富商大賈之流。可從她的「寄懷雲裳妹八首」的「江南憶」詞中得窺端倪：

江南憶，最憶識君時。漳水桃花紅萬點，蘇台楊柳柳千絲！相見尚嫌遲！

江南憶，最憶綺筵開。阿母瑤池承玉露，女兒絳帳列金釵；誰是謫仙才？

江南憶，最憶好才華。春曉嫩寒香雪海，小窗橫幅折枝花；詩畫本名家。

江南憶，最憶夜聯床。讀曲緩攜花氣暖，吹簫庭樹月華涼；殘燭剪西窗。

江南憶，最憶綠陰濃。東閣引杯看寶劍，西園聯袂控花驄；兒女亦英雄。

江南憶，最憶餞春筵。三月渡頭花似霧，一杯婪尾酒如泉；小別也留連。

江南憶，最憶碧城招。詠絮君應稱謝女，買絲儂欲繡班昭；還曾記[illegible]青。

江南憶，最憶試歸帆。錦字香初縈素袖，酒痕紅未減輕衫；能不憶江南？

這無異是她少女時代生活的寫照，而且可以知道她曾在風光明媚的西子湖畔，留連過一段很長的時間；也可以看到她「兒女亦英雄」的豪情及其自負的情形，她把雲裳比作謝道韞，以班昭自況。所以「南殿秋雨齋隨筆」曾讚美她的詞是：「南朝幕府黃崇嘏，北宋詞宗李易安」，詞非虛譽。

可是，她沒有嫁得情投意合的好夫婿，據「詞學小叢書」記述，她嫁與同縣的黃某爲妻，這位黃某大約不是一個文采風流的詞人，相傳是個不解風情的商人，所以夫妻的感情缺少唱隨之樂，和閨房之樂。她在「祝英台近」一詞描述說：

曲闌低，深院鎖，人晚倦梳裹。恨海茫茫，已覺此身墮。可堪多事青燈，黃昏纔到，更添影兒一個。

最無奈，縱然著意憐卿，卿不解憐我；怎又書窗依依伴行坐？算來驅去原難避，時尚易索，掩却繡幃推臥。

（未完）

黛眉小傳

·王幻·

國劇雜譚（一）

·王方曙·

唱的今昔

在國劇中，唱是一重要條件，梨園行稱嗓子爲「本錢」，意思是唱戲要嗓子，就像作生意要資本。因爲嗓子好就容易唱得好，嗓子不好對唱的一道便要發生困難。嗓子竟是唱戲的本錢，可見唱在國劇中的重要了。北平講看戲作「聽戲」，北平是國劇的發祥地，而將看戲稱聽「作戲」，亦可見唱在國劇中所佔重要的地位。

唱既這樣重要，唱戲的人對唱工自然要下很大的功夫。國劇最盛時期在清末民初。那一時期最成功的角色如譚鑫培、劉鴻聲、陳德霖等，都以唱作俱佳稱，尤其唱工更爲出色。筆者的年齡，對這幾位都沒有親眼得見，但却聽過他們的唱片。而且聽得很多。因爲民國十幾年他們的唱片極爲流行，並非難得之物。其中譚的唱片，如四郎探母，筆者幼時跟着唱片學唱，至今還記得。劉的轅門斬子亦然。陳德霖有祭江等，至今也聲猶在耳。在彼時，這三位可以說是公認爲最好的角色，尤其是譚氏，後來鬚生多以譚氏爲模範，所謂譚派者即是學譚，而所謂學譚，便是學譚的唱工。

關於譚氏的唱工，據老輩聽戲的人講，他唱得並不規矩，他憑一副好嗓子，將規矩的腔參入許多花腔，因此守規矩的批評家就指老譚的腔有甚麼老旦腔，或是甚麼花臉腔，說法不一。總之，老譚在唱工方面，是改易前轍，自出主意，一時也有毀有譽，但終於自成一家。

劉鴻聲以三斬一探突出。劉的斬子，斬黃袍都特別爲時人欣賞，後來學劉的如高慶奎，唱這些戲自然完全照唱，即使不專學劉，唱斬子也是依樣葫蘆。

陳德霖是梅蘭芳的老師，梅氏是眾所週知的國劇大王，梅的老師當然是國劇界了不起的人物，陳的嗓子高吭寬潤，至老不衰，論唱功可說功夫到家，但是陳却沒有成爲一家，而他的弟子梅蘭芳却名聞海內外。

我們在上略述國劇極盛時期生旦二種角色的三位善唱的人物，並非要談談掌故，而是要探討一下唱功的今昔演變，因而討論一下今日國劇唱工應走的方向。首先我們應該發現，老譚的所以自成一家，就因他能把舊有的規矩腔，參入新腔。雖然保守派指他不規矩，但是却爲大眾所欣賞，因而流行，因而爲後學所模，乃成爲一宗。劉氏也與此相似，但成就不大，姑且不談。至於陳德霖，有那樣一個好弟子，在國劇界可以不朽，但陳却不能成爲一家，只因爲他沒有創造，只能循規蹈矩；他本身可以好，但他却好不弟子梅蘭芳，因爲梅氏是改良者。

因此我們可以看出來，清末民初成功的國劇角色，就唱一方面來講，都是有新的風格特色的，並不是還守成規，一意專學前人的。老譚和梅蘭芳是非常明顯的例子。老譚如何改動前人的腔調，筆者愧生也晚，只能聽前輩談談，不敢亂講，但知他是改革創新而已。至於梅蘭芳的極盛時期，正是筆者少年喜好國劇時期，所以知之較詳。梅氏不僅排新戲用新腔，即使是老戲也改新腔，而且首創在伴奏的樂器中，加上二胡。這一改良，使旦角的唱腔剛柔相濟，平添不少美妙之處，顯然與前不同。至於教子與哭靈堂取連營寨哭靈牌的老生腔，翻爲反二六的旦角腔，唯錦楓唱反二簧原板，是取老生腔改造，雙官誥南梆子直取秦腔入皮黃，武昭關取大鼓腔入皮黃，以至救太真外傳唱反四平，種種變化，都令人驚奇讚賞，歎服不已。其實說穿了，不過是在已有腔調之中，改動翻新，取長補短，使人一新耳音而已。但他能如此作，便大大的成功了。（未完）

胡適楊振寧用蠶沙枕頭

·馬騰雲·

（馬氏蠶沙枕參考資料）蠶沙的功用不可思義，蠶的學名是Bombyxmori L.蠶沙所含的乃桑葉的若干固有成份，及蠶的分泌酵素，中原幾省上億的嬰兒從小都是用蠶沙枕頭，中藥典硬性指出蠶沙可當藥飲用或製作丸散，爲治僂麻質斯或痲木不仁等症，日本武田商店發行之一保利他命」就是蠶類製劑。

照「名醫雜論」說：蠶沙即是蠶屎，有鎮靜鎮痛之功，對頭部有非常良好的影響力，患慢性頭病的人，以蠶沙爲枕兼服湯劑有根本治療功用，藥典則謂：祛風濕、療頑痺、散瘀血、醫腸鳴、去熱消渴、半身不遂等症，用馬氏蠶沙枕請勿忘記採用馬氏桑葉茶，藉以增進療效。

營養研究

附錄：如何從飲食中攝取維他命。

人人都知道維他命對於健康有很大的幫助，但是對於維他命的知識，有時不十分正確，這個提出十個問題，幫你增加認識。

一、小兒常流鼻涕與維他命有關嗎？

答：有關，如果維他命A和B不足，常使呼吸道發育不良，抵抗力減退，容易感染過敏性鼻炎。（小兒常流鼻水的原因大概有如下四項：（一）鼻粘膜腺分泌控制失調，（二）過敏性鼻炎，（三）纖毛運動發生障碍，（四）其他原因）。

二、維他命A有何作用？

答：（一）促進生長，（二）增加傳染病的抵抗力，（三）構成視紫質（缺乏特則易生夜盲症，乾性眼炎結膜硬化等），（四）其他。

三、怎樣的人容易缺乏維他命A？

答：（一）斷奶時營養不良的嬰孩，（二）肝硬化者，（三）患肝炎者，（四）腸胃不好者，（五）慢性酒精中毒的人，（六）發燒者，（七）哺乳期間或姙娠期間的婦女。

四、木瓜很便宜，它有何種維他命？

答：據研究，木瓜每百分含有維他命A七五〇單位，我們如每天吃二〇〇公分木瓜，維他命A即不虞匱乏。此外每公分木瓜中另含有維他命B1〇・〇三公絲，B2〇・〇四公絲，G五六公絲，菸鹼酸〇・三公絲，還含礦物質：二〇公絲，磷一六公絲，鐵〇・三公絲。

五、橘子含有何種維他命？它和牛奶一起飲用可以嗎？

答：它每百公分含有六十公絲的維他命C，還含有維他命P，它有降熱，治失眠的功效，不過它是酸性的東西，飲奶前吃了，蛋白質會凝結，一起飲用，將引起消化困難。

六、蔬菜爲何不宜油炸或不可煮得太久？

維他命C在百度以上時極易破壞。如蕃茄生吃最好，小白菜、燙菜若用開水菠一些調味品吃，能吸較多維他命C等。

我們知道蔬菜含維他命最多，醃菜、鹹酸有否含維他命？

答：有，蔬菜炒吃比煮好。醃菜、鹹酸菜、霉菜、頭菜等都是含有維他命的。

八、冬天在街頭售烤番薯的甚多，據說含維他命特別多，是真的嗎？

答：是的，一百公分重的番薯內，維他命C的含量爲三〇公絲，能和橘子柿子匹敵，約爲香蕉的三倍，爲葡萄、枇杷、蘋果的六倍之多，我們知道維他命C最易受熱破壞，但番薯中所含的維他命C，對高熱較有耐受性。

九、維他命中，B最複雜，種類也多，已經發現到B12，它有何功用？

答：維他命B12可以恢復胃液和骨髓的活動，使足量的紅血球可以在人體中週轉，預防慢性貧血症發生，維他命A是製造抗生素的副產品，豬肝含量也多。

飛臨棠及（一二三）

·胡慶蓉·

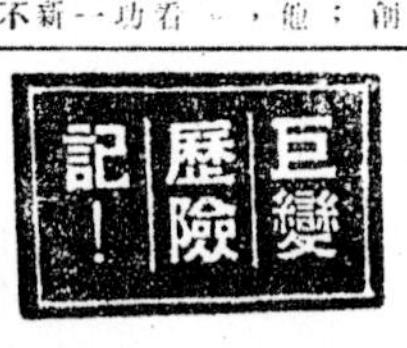

丁博士與蘇副總找在臘戍勾留了半個月，接着飛棠及。

棠及是上緬甸——單（手旁以下同）邦的第二重鎮。這是在緬甸獨立以後，在獨立以前，棠及却是上緬甸——單邦的首都。我上邊說過英國實際上統了單邦以後，他就實行他的分治政策，將單邦劃分爲一個行政區，設行政總機構於棠及，所有曼德里以北，印度西藏以東，中國雲南以南，景泰以西，統歸棠及行政機關轄。這完全是一個廣大的司區，大小土司一共三十六，還要加上十二班那。我上邊也說過，這個廣大的區域，即有名的未定界，與中國的關係至爲深厚。實則未定界就是中國的領土，這些的土司都是清廷委任的。二次大戰末期，中國戰區孫立人將軍會師猛友（距臘戍以北一百五十公里），各土司都拿出來清廷頒發的印信就是明證。在英國初佔領的時候，他們曾以景棟土司爲首前往清廷請援，效秦廷之哭，又是明顯的證明，無奈適值清廷不振，有心無力，未能相援，坐視受英國之統治。

但這種血肉的關係，並沒有因英國的統治而有所改變，正相反，因英國的統治，他們同中國的關係更形親切。他們在緬甸獨立之後，未能獨立，反而受緬甸的統治，心何能甘，故今日之視我游擊隊，有如拯救他們的軍隊，丁博士深深的把握着這一點，與他們打成一片，實不謀而合，像電流一般的快，心心相印。

現在丁博士到了棠及，即與當地的各種力量頻頻接觸，他們對他丁博士的熱誠是難以言宣的。當地的華僑尤其熱情。有一家是開照像館的，是一位姓胡的胡先生，他非要單獨的請丁博士不可。任你給他怎樣說，都沒有變更他的主意，這是非常豐盛的一餐。胡先生並特別準備的啤酒，丁博士與之所之，一連喝了五六瓶，直喝得搖搖欲墜。胡先生也很能喝，他的太太還是清朝時代的纏腳「三寸金蓮」。但她並不奇怪，還是大模大樣的走來走去。又有一家那就是與丁博士有同年之雅的馬鼎臣了。馬鼎臣不但在棠及有生意，在景棟也有生意，在仰光也有生意。他在景棟做團茶，行銷於西藏。據他說，藏胞與團茶已結了不解之緣，他們吃了東西非吃團茶不可，他在景棟又販賣鴉片。這是最大的生意。在棠及，是開的染坊，染地方人的布，大都是藍色，生意也做的非常大。地方人，即所謂擺夷，尚藍色，此與中國的婦女並沒二致。他們的上身尚白，下邊尚藍。至於男人，幾完全一色，藍色，他們的袴褂更與中國無異。袴腿很寬，上身也很寬大。都是人工做的。

中國游擊隊與單邦會體的土司團結起來，由於丁博士的從中奔走，更行接近。中國游擊隊實際上已等於司區的化身，中國游擊隊的行政組織已遍佈各司區，與司區配合。（棠及還隱然是全單邦的政治中心。棠及是在一個高山上的平原上。從一方面看，距地平遠得很。這方面，這就是南方。從南方看，他是在高高山上，山下邊又是廣大的平原。山上的氣候非常好非常涼爽。但從另一方面看，從北方看，又好像是在平地。從臘戍飛棠及，棠及以下到游擊本部，採取的是山棧，是步行，是相當艱苦的。）

（第一一七一期）

（半週刊每星期三、六出版）
每份港幣壹角・台灣零售價新台幣弍元
社長李運鵬・督印黃行實
社址：香港九龍彌敦道593—601號
廖創興銀行大廈八樓五座
LIU CHONG HING BUILDING
7th FLOOR FLAT '5
593—601 NATHAN ROAD,
KOWLOON, H.K.
TEL: K303831
電報掛號：7191

承印：景星印刷公司
地址：嘉咸街廿九號地下
台灣區業務管理中心：台北重慶南路一段一二九號
電話：二四五七四
台灣區直接訂戶　台灣劃撥戶
第五〇五六號張萬有（自由報會計室）
台灣分社：台北市西寧南路110號二樓
電話：三三〇三四六、台郵劃撥戶九二五二號

闢斥有害的流行語

・奇峯・

一些有害的流行語，若不加以闢斥，使人信以為眞，在社會中傳播激盪，滋蔓流毒，足以造成一個時代的歪風，而一個時代的歪風，足以影響一個時代的命運，猶如空氣污染可以影響人的健康一樣。空氣的污染已為人們注目，而奔走呼號加以防止，對於污染心靈的流行語豈不更應加以闢斥而防止之乎。我認為以下幾句有害的流行語，影響極大，提出談談，希望國人注意而改正之。

一、戲法人人會變

常常聽人說：「戲法人人會變，各有巧妙不同」，把變戲法應用在人世上，大家以戲法相尚，大家以戲法的巧妙不同的眼光來觀察事物，無怪乎世界有點戲法化了。本來嘛，玩一套人世戲法，比士農工商下苦工出牛力要便宜多了，可能不化成本不費氣力釣到大魚，有白手起家不勞而獲之效。現在聰明人都知此中奧妙，大家都在戲法中飛上飛下，於是各色各樣的：「花招」，「苗頭」，「圈套」都出來了，打開報紙，幾乎天天有新花樣出現。

戲法終歸是戲法，變來變去虛幻而已，它能把對方袋裏的鈔票轉移陣地，却未能增產一毛錢；它能使愚人上當倒霉，却不能使人心服口服。終究一場空，徒然使社會變得爾虞我詐，互不信賴。社會的共同精力和時間都浪廢到虛空之地，大家遭殃。

社會需要眞誠，一分耕耘，一分收穫，不需要玩魔術，不需要變戲法。雖有「兵不厭詐」之說，那是對待敵人用的，國人、同胞間，怎能以敵人看待？雖然法家有用術之說，但那是「權」不是「常」，且為儒家所不取，不是中國正統文化。

「秦誓曰：若有一個臣，斷斷兮無他技，其心休休焉，其如有容焉，人之有技，若己有之，人之彥聖，其心好之，不啻若自其口出，實能容之，以能保我子孫黎民，尚亦有利哉。人之有技，媢嫉以惡之，人之彥聖，而違之俾不通，實不能容，以不能保我子孫黎民，亦曰殆哉」（大學第十章）我們需要的是踏踏實實的工作，切切實實的正道，不需要變戲法。

二、報喜不報憂

「報喜不報憂」幾乎成為人所共知的處世哲學了，於是大家碰面一片諛辭，「馬皮」，「高帽」大堆，而在背地却說壞話揭瘡疤暗箭傷人，或者寫黑信害人。這種情形，都不是健康的社會所應有。何如見面說實話，喜是喜，憂是憂，有甚麼說甚麼。對人說老實話，人家可以參考借鏡，自己也有了信用，話也有了作用。否則，大家知道是浮辭一套，言的作用消失，就沒有意思了。其實，報憂有何防，只要態度誠懇，把人家應改正應防備的事說出來，人生不會生氣還要感激呢。

朋友、同志，見面更須勸善改過不客氣的批評，才算肝胆相照，於個人於團體都有好處。但現在在「報喜不報憂」的風氣之下，甚至團體集會，長官講話，也是好話連篇，嚴勵批評的話很少了。弄成公開場合都是說好的，而在私下訴衷腸的時候都是說不好的，這些不好的鬼影子竟然隱藏在人心深處，久而久之，集累起來會發生毛病的。

孔子教人要「友直友諒」，無諂無佞，「忠告而善道之」就是要驅逐鬼影子，不得作祟，以保持人世的清明健康。

國民黨小組會曾把批評列為重要項目，這是一種很好的保健辦法，希望切切實實執行，並推行於社會之上，以保持社會的健康。

三、人不為己天誅地滅

人們為自己私利辯護的時候，常說：「人不為己，天誅地滅」，好像為己是天經地義，為「私」有其天然的根據，於是「私」的氣氛就大大的氾濫起來。

須知人類求生存，有個人私的一面，也有求公的共同生存之一面。求個人私的一面是低級的，是一般生物（包括禽獸）所同有的慾求。求公的共同生存是高級的，為人類所特有之慾求。人類生活之得以日趨昇高，即得力於公的共同生活互助合作所促成。這種公的成分愈擴大，其幸福程度愈提高。

公的生活為各個私人所組成，私人要向公的方面有貢獻而後才能享受到公的利益，如同股東要向公司投資才能分得紅利一樣，如果各人只知為私而不向公的方面貢獻，就沒有公眾的生存，沒有公眾的生存就沒有個人的生存，所謂「皮之不存，毛將焉附」，所以國家有難，要犧牲個人以維護之，犧牲個人，就是犧牲小我，以成全大我，即「我死則國生」。即小死大生，大生就是永生長生，所以人不為己而為公，就會長生永生，天不誅地不滅。

人類求生存能夠超越私的一面，而在公的高級一面去追求，是人類優越之所在，這種優越性，導源於人的智慧經驗和教育。但有時由於社會的失常，或由於個人的愚昧，而執着於低級的私的追求，而防礙了高級的公的生活面，這是於社會有害的，所以教育強調「公」而不言「私」。

記得民國十七年曾為軍中事見了邵力子（他是總司令部總參議）他說：「為公為私，都帮帮忙」，這句話很客氣。我聽了感覺很不舒服，因為北伐時期只是講公不能言私，怎麼在高大人物的口中出現了私字呢？覺得有點變。後來果然私之氣氛日益昇高，公的氣氛日漸下沉，以至於有「人不為己，天誅地滅」的話流行起來，這種風氣若不加以阻止，其影響之大，是可以想像的。

四、道德值多少錢一斤？

我在公共汽車上聽見一個小孩子談話說：「道德值多少錢一斤」？小孩子不瞭解道德的價值，一定是聽慣了大人的話才說的。

道德是高級社會的營養素，低級社會中比較貧乏，動物中弱肉強食，是無道德可言的。紊亂的社會瀕臨全體生活解體的邊緣，社會品質低落，因而道德衰退，顯着不值錢，人民在飢寒中掙扎，一粒米一尺布都是珍貴的，顯着道德為不急之物，以是社會品質低落了，道德的需求減退了。惟有在有秩序有紀綱的社會中，人民企求品質的提高，這才需用道德的營養，所以他的價值不是金銀財帛所能比擬的，不是秤斗斤兩所能衡量的，他是無價之寶。

所幸我們中國自古以來講究的是道德文化，他給我們以溫暖幸福，給我民族以重大的發展。但自從與西方人接觸以後，由於科學物質之不如人，遭受列強之壓迫侵蝕，雖有強烈抵抗，也幾乎弄得國家解體，人心動搖，因而道德信心大受打擊，不少人舍本逐末起了變化。其實，道德文化是我國之寶，我們只用爭取科學與生產，加上我們自己的道德文化即可超越西方。如果西方的長處學不到，自己的長處又丟掉，那就慘了。

昨日與明日

商業主義的狂想曲

美國工商業者慾於毛共的笑臉外交表演，最近向香港旅游社登記，擬申請進入中國大陸去做生意的，計有二千多人；另有個大腹賈且駕起自備的噴射機飛來香港，準備搶先進入大陸，到香港後纔知道沒有那末簡單，乃廢然而返了！

這證明美國人天眞衝動的拜金主義狂性格，允屬世界冠軍。英國人却異是，他們遇事沉着應付，忍耐力強，做了再說——甚至於不說而埋頭苦幹。譬如跟毛共做生意這樁事情，英國人在韓戰結束後即已無視「禁運令」，把戰略性的物資輸出到毛共區域了，但他們決不哇哇叫，報紙上亦很少宣傳。這是文化精神的素養關係，勉強不來的。試看英國人在二次大戰後過的那種窮困生活，大家束緊褲帶，閉聲不響，苦撐以圖自力更生。若使美國人易地而處，朝野人士吵吵鬧鬧，夠你聽的啦！

所以，邱吉爾認為美國在經濟上可以領導自由世界，在政治上就差得遠了。可謂至當不易的評論，君無間言也。

望風披靡之輩

澳洲總理麥馬漢在半月之前，因為毛共今年不需要購買澳洲的小麥了，乃表示澳洲依然反對毛共進入聯合國，意旨很堅決。大概毛共又對他暗示還有生意可做，於是，最近他教副總理出面發表談話，說澳洲贊成「兩個中國」政策，不復反對毛共了。尚有菲律賓總統馬可斯，也聲言擬派遣貿易代表團赴中國大陸訪問，誠不知毛共所需求於菲律賓的經濟利益究有多少，而利用貿易機會滲進菲島的政治顛覆活動勢力，可使馬可斯政府沒法招架而且夕傾覆呢！至於日本人之乘機跟進，自為意料中事。

「一齊人傅之，眾楚人咻之」，美國人被毛共的乒乓球玩弄得神魂顛倒，一心以為商業利益將大有所獲，已經可笑之至。其他各自由國家亦望風披靡，而不計其後果如何，未免可哂而又可悲了！

毛共的貿易力量

共產國家是厲行統制經濟的，即令完全不帶政治作用而專談對外貿易，毛共的外匯實力亦沒法跟許多國家進行懋遷有無的。何況它一切的事業都是政治掛帥，不像自由國家之盲目拜金狂。美國如果願意出售核子彈或核子潛艇等，毛共或許可以悉索敝賦以應之，否則它所需求於美國的物資亦就有限，其他如日、菲、澳各國的生意經，那就微乎其微了。

俗言「利令智昏」，吾於自由世界的商業主義狂想曲徵之矣。

・何如・

自由談

美國人不知彼

中國大陸上的共黨僞政權，自從所謂文化大革命的奪權之亂以後，所有各級黨政機構，皆陷於崩潰喪亂之境，僅是利用軍人來維持殘局，徐圖重建毛酋澤東的王朝，鬧到現在，不特政治方面仍然是無政府狀態，即其所視為一切權力之母體的各級「革命委員會」——即黨部。經過了三年工夫，亦尚未完全建立成功，而所謂黨代大會即無從召集，因而所謂人代會更不知何時纔能夠舉行，整個大陸上，乃呈現着一片無法無天的景況，比那梁山泊的忠義堂還不如哩！

這證明毛共內部困難重重，不易克服，而以權力鬥爭情形尤為嚴重，試看一些曾被「文化大革命」鬥垮、鬥臭的共幹又告翻身，而在文化大革命惡作劇演出時担任要角的，却沒沒無聞的象徵，即思過半矣。

瞭解了這些事實，就知道最近毛共肆行「笑容外交攻勢」的用意所在了。它是要藉此以安定一般的人心，緩和內部權力鬥爭的緊張情勢，希望使混亂的局面不再惡化下去。美國尼克遜政府沒有「知彼」的智慧，捕於國內反戰運動的壓力，唯恐影響競選下屆總統連任的選票，乃急不暇擇，一見毛共對美國乒乓球隊表示一點笑容，即如獲至寶，如飲狂泉，不顧國格和身份，昧然向毛共傾心論交，不惜犧牲一切，而詡為成功的外交策略，毛酋澤東始終未贊一詞，他心裏正好笑——笑美國當局太天眞了！

美國當局自作多情，今後願以許多物資和機器供應毛共，讓它鞏固政權，發展現代武器後，即以「美帝」之矛，進攻「美帝」之盾，殆屬必然的趨勢。美國若期待毛共與蘇俄實行火拼，坐收漁人之利，那眞是「非愚即妄」的一廂願，可哂也已！

馬五先生

王任遠好的開始

天下雜論

干公

司法行政部長王任遠上任已十個多月了，他對於司法風氣的整頓，使人們對於司法界有一新耳目之感。

司法風氣遭人詬病，由來已久。司法風氣的敗壞，不特間直接損害人民權益，而且也危及國家根本。因為司法官吏是保障人民的最後藩籬，如果連司法機關也是非不明，善惡不分，人民有理不得伸，有冤不得訴，社會必得大亂，而國之不亡者亦將幾希矣。

以往不肖的司法官吏，所以能夠為非作歹，貪污枉法，主要是靠幫兇：一是司法黃牛，二是壞的律師。司法黃牛曾經猖獗一時，橫行司法大廈，騙詐無知人民，不知有多少善良人民被他們欺騙，也不知有多少不肖司法官吏經過黃牛而大貪其污。至於不肖司法官吏和訟棍律師互相勾結，律師們在旅館長期包下房間，供法官吃喝玩樂，於是有條（金條）才有理，而司法風氣完蛋矣。

王部長來自國會，對於司法積習積弊，知之已久，所以上任後，根據執政黨二中全會革新司法風氣的決議案以及秉承蔣總統政治革新的訓示，厲行整頓司法風氣，令司檢察官組織專案小組，嚴查司法黃牛的不法活動，一年間起訴一百零四案，涉案司法黃牛一百廿多人。對於若干與壞蛋律師共私生活的不肖司法官吏，也嚴密訪查。司法行政部為嚴明紀律，對操守有問題司法人員過去一年採取了重罰辦法，凡查有實據的依刑法，行政法規處置，查無實據但可信確有其事的，予以行政調動。王部長對司法官員的品德，學養並重，改考試辦法提高法官素質，加強職前訓練養健全人才，並舉辦司法實務研究會，訓現職法官，並建立人事評議制度，促人事的新陳代謝。

王任遠部長如此整頓司法風氣，不僅博得外界人士的讚揚，就是司法界人員也擎表擁護。因為司法官究竟好的佔多數，過去受少數壞司法官之累，使全體司法官蒙羞，許多好的司法官至感忿恨與不平，現在好了，王部長要整頓不肖的司法官了，重振良好司法風氣，自然獲得司法界同人一致的支持了。

升學競爭之風未戢 誘使惡補死灰復燃

立委提質詢檢討九年國教 憂心忡忡力促設法遏阻

（自由報台北消息）立法委員張季春為遏阻小學惡性補習死灰復燃向行政院提出質詢，他說：九年國民教育的實施，到今年夏天已屆滿三年了，國民中學的第一屆畢業生，即將進入升學和就業的階段，回顧前塵，令人一則以喜，一則以憂！

在九年國民教育實施以前，當時惡性補習之風彌漫於各小學的校園裏，由於小學畢業生的人數眾多而初中容量有限，因而形成了激劇的升學競爭，由於升學競爭的激烈，因而形成了普遍的惡性補習，使學童們的身心健康遭受到嚴重的危害。那時，教育當局為了消除惡性補習，曾施行了初中入學須考常識的辦法，並擬訂了初中志願升學及免試入學的各種方案，但初中的升學競爭仍然無法避免，而惡性補習之風只有愈演愈烈。

民國五十六年的六月二十七日，總統指示從五十七年起將義務教育延長為九年，其主要的動機就是為了消除小學的惡性補習，以糾正多年來教育上的重大偏差，使初中免除了升學的惡性競爭，引導國民教育走上德、智、體、群四育並重的正常道路，而學生們的健康亦藉此得以改善，這是 總統偉大的德意，也是中國教育史上劃時代的創舉。五十七年的一月十九日，立法院通過了「九年國民教育實施條例」，而行政院依據本條例，使九年國民教育的理想得以付諸施行，在三年後的今天，我們來檢討其利弊得失，不能不為九年國民教育的前途就憂！

首先我要坦白指出的，由於私立初中的注重升學教育，更加以越區招生，因而誘導了小學惡性補習的死灰復燃；其次是教育當局對於私立初中未能依法加強督導管理，致使小學的惡性補習已有愈漸激烈的趨勢。

當初「九年國民教育實施條例」的制訂，其中第三，四兩條規定：國民中學應由地方主管教育行政機關劃分學區，以容納學區內的小學畢業生，其用意即在免除升學競爭，使小學的惡性補習得以無形消滅，俾學區內的兒童們，不分貧富賢愚，均能有接受九年國民教育的機會。同時第八條又規定：國民教育的課程，應以民族精神教育和生活教育為中心，兼顧就業及升學之需要，除文化陶冶的基本科目外，並加強職業科目及技藝訓練。關於私立初中方面，第五條第一項規定：「私立初級中學應依照國民中學課程標準辦理之。」從以上各條規定分析起來，私立初中當然屬於九年國民教育的範圍，其教學的方式，自應兼顧就業和升學的需要。

然而三年以來，私立初中不但其學生入學採行越區招生的辦法，擇優而教，而凡違反了兼顧就業和升學的規定，對於成績較差的學生實施淘汰，完全以升學作為號召，三年來教育當局未能依法督導管理，致使一般不了解延長義務教育為九年真諦的家長們，千方百計的鼓勵其子女投考私立初中，以期達成其升學的願望，但私立初中的名額有限，因而形成了新的升學競爭，使惡性補習之風，又在小學的校園裏死灰復燃！假如目前教育當局不進一步謀求改進之道，等到本年暑期高中入學考試揭曉以後，當私立初中佔盡升學優勢時，小學的惡性補習勢必愈趨激烈，而九年國民教育亦將為之破壞無遺！

近據報載，教育部擬具了有關私立初中的治標治本辦法，呈請行政院核准施行，其中治本方面，規定廢除私立初中，使其現有班級逐年減少，至全部結束為止。該項辦法不但於法無據，而且違背了鼓勵私人興學的教育政策。

廢除私中有違政策 針對時弊採取措施

公立私立不應分出厚薄 劃分學區加強督導管理

我認為教育當局的此種措施，實昧於法理，矯枉過正，而妥善之法，仍應針對時弊，依照法律的規定作如下的措施：

（一）指定「代用國中」——「九年國民教育實施條例」第五條第二項規定：「私立初級中學辦理成績優良，適合所在地區需要者，得指定為代用國民中學」，而指定之權，則在於地方主管教育行政機關，只要地方主管教育行政機關基於兩個條件：一為辦理成績優良，一為適合所在地區需要，即可加以指定，此種指定，不但解決了政府財政上的困難，而且還對辦理成績優良的私立初中，具有獎勵的作用。

（二）劃分學區——如前所述，「九年國民教育實施條例」第三、四兩條規定，國民中學應由地方主管教育行政機關劃分學區，以容納學區內的小學畢業生，雖然對於私立初中學生的入學，並未作明確的規定，但私立初中既屬九年國民教育範圍，而在本條例中亦未作排除的規定，是否與國民中學一視同仁——劃分學區分發入學，教育當局自可視其需要選作決定，我認為這是合法合理的措施。

（三）加強督導管理——又如前述，「九年國民教育實施條例」第五條第一項規定：「私立初級中學應依照國民中學課程標準辦理之。」而國民中學的課程係兼顧就業及升學的需要，因此私立初中決不能以升學為號召，漠視了就業的教育，更不能施行淘汰制度，使智能較差而志願就業的學童慘遭退學，倘有違反規定者，教育當局應嚴加督導管理，予以懲處。

教育部羅部長，在立法院教育委員會作施政計劃報告時，曾表示今後對於公私立學校應作同等看待，換言之，既不歧視，也不能特殊優待，彼此當立於平等地位相輔相成，此項表示用之於國民教育，尤為適當，如能依照上列三點辦法實施，則國民中學與私立初中即無軒輊厚薄之分，亦無升學的惡性競爭，小學的惡性補習必可遏止其死灰復燃，而九年國民教育的政策，才能徹底實施。

從法律觀點談墮胎

國立政大法律教授 劉清波

將不知高過歐美及日本者若干倍。墮胎既有如此重大之影響，是故不論墮胎是否立法，其實施時，須提高醫師之品質，改進醫療之設備，用期減少甚至免除因胎所發生之一切疾病，應為當務之急，亦係醫科學發展及於人類福祉之最高目標。

三、墮胎合法之立法例

非法墮胎，不惟害及個人，而且社會國家同蒙不利。而社會變遷之事實，又非人力所得挽回。為發揮法律之功能，適應社會之所需，使利人民之生活，於是世界各國開始制定法律，以期維護婦女之健康，促進民族之優生。譬如日本制訂優生保護法是。又如美國各州製定之自由墮胎法案是。其法律名稱雖未一致，而使墮胎成為合法，以解決社會問題者則無殊。我國內政部所擬訂優生保健法草案，亦係本此旨趣而來。茲分論如次。

1、日本之立法例：昭和廿三年（一九四八）七月十三日公布同年九月十一日施行大優生保護法，凡七章都三十九條，包括總則、優生手術、母性保護、優生保護審查委員會、優生保護相談所、禁止及處罰等部份。有關墮胎部分，其於第十四條第一項規定曰：妊娠婦女實施墮胎時，除須由醫師之認定并得本人及配偶之同意外，有下列情形之一者，始得為之。（一）本人或配偶有精神病、精神薄弱、精神病質、遺傳性身體疾患、遺傳性奇型病症者；（二）本人或配偶之四等親內之血族關係患有前述之疾病者；（三）本人或配偶患有癩疾者；（四）妊娠繼續或分娩有害母體之健康或家庭經濟之理由者；（五）強暴姦淫而受妊者（參見日六法全書昭和四三年有斐閣版頁二〇〇五）。

2、美國之立法例：美國原來之法律，亦嚴禁墮胎，除經許可醫師之證明有致母體生命危險者外，大多數州均規定以藥劑、器械或他法使生命之胎兒死亡者謂之墮胎，且依殺人罪處罰（參見姚淇清先生英美法總論一九六六正中版）。但近年社會之變遷，使墮胎為犯罪之觀念發生動搖。克羅里達州於一九六七年四月廿五日首先公布自由墮胎法案，此後約有十二州以克州為例而立法，迨目前為止，美國已有卅餘州承認墮胎為合法，通過墮胎合法條例或法案，公布實施。茲列舉數則於下。（一）馬里蘭州於一九六八年通過法案，允許合法墮胎者，必須母體具有精神的或身體的危險，或為奇型兒，或為血親相姦，或為強姦而受妊者，始得為之。（二）阿拉斯加州於一九七〇年通過法案，其情形與馬州相似，惟受胎者至少須在該州居住三十日以上，實施墮胎應由許可醫師認定，胎自受胎前到即廿六週內，在有醫學設備之醫院內為之。（三）紐約州於一九七〇年四月由州長簽名廢棄已經實施一百四十年之限制墮胎法案；其新法允許合法墮胎之情形與馬州相似；惟墮胎須在懷孕之廿四週內為之，並須得墮胎婦女之同意，由受許可之醫師為之。無成年及居住該州時間之限制。（四）伊利諾州，有林肯州之雅號，人民思想亦相當固執。該州於一九七一年一月廿九通過墮胎法案，同年二月十日實施。其內容與其他各州大致相同。法案實施後，遂於芝加哥之三所主要醫院受理合法墮胎，最大醫院之庫克都醫院，每日實施手術廿五次，而申請人已有被掛名次至第四週者。（四）

劉半農記賽金花

有一天晚上，聽見外面一陣格登的皮鞋聲，一直往裏院去了，工夫不大，又走出來，站在我們房前敲門，我怎敢給開呀？他們見不開門就用腳猛踢，我看這情形不好，不開門是不行，便忙着答了聲，把洋燭點着，開開門讓他們進來，原來是幾個德國的小軍官，他們的舉動先是很不禮貌，後來見我能說德國話，又向他們問德國的某官某先生，他們不知我有多大來歷，便對我顯出了很恭敬的樣子。坐了一會兒，他們要走，對我說：「回去一定報告元帥，明天派人來接，請在家等候，千萬不要躲開。」

翌晨果然派了兩個護兵套着一輛轎車來接我。到了他們兵營裏，見着他們元帥瓦德西——我同瓦以前可並不認識——他問我：「到過德國嗎？」我說：「小時同洪欽差去過。」又問：「洪欽差是你什麼人？」這時候我卻撒了一句慌，說：「是我的姊丈。」他一聽，喜歡極了。我們越談越高興，很覺投機，當下就留我一同喫飯。喫飯時，我便就把我怎樣從上海到的天津，因鬧義和團又逃來北京，途中狼狽情形及到京後生活的困難，對他訴說一遍。他聽了很表同情，只見他同傍邊的軍官低聲嘰哩咕嚕的不知說了些什麼，隨着便拿出來兩套夾衣服，都是青緞繡花的！又取出一個小箱子，裏面裝着一千塊錢，都是現洋，對我說：「東西很少，請先拿去用吧。」我正在這窮愁交錯的時候，遇到這樣優待，心裏實在感激，忙着謝了謝，便收下。

一直待天黑，我要回家了，瓦德西很捨不得叫走，千叮嚀，萬囑咐，希望我能常常來他營裏，又親自把我送出來多遠，我倆纔握手而別。

從此以後，差不多每天都派人來接我，到他營裏一待就是多半天，很少有間斷的日子。

聯軍肆虐

我初次見瓦德西時，他對我說，他們乍到北京，人地生疏，種種軍需，都還沒有辦法，請我幫助辦一辦。我聽了這話，很覺為難，無論如何我總是女子，粮台大事，那有經驗？便竭力的推辭。怎奈他一味的不允。過幾天，我到他營裏，他又對我說，請幫助辦辦，叫我實在不好意思再推辭了，給騎着馬——這不似在通州郊外了，也有膽騎了——有幾個小軍官陪着，到街上去找各商戶。這時候，誰還敢出來？只見兩傍的舖戶住戶都緊閉着門，路靜人稀，荒堆破壁，呈出來一種悽慘的景像！

在這種情況下，叫我怎麼着去找呢？想了半天，只好挨着戶去敲門罷。（廿一）

衡陽王熾昌說起

·文園樓主·

在台灣打報館的事則很少見到，大陸在未淪陷前，不僅各省市常有搗毀報館的記錄，即是京滬兩地，亦難例外，民國卅六年鬧「選災」南京有一家報社被打得落花流水。

民國卅四年中華時報在湖南復刊未幾而成爲西南幾省唯一大報，上海南京記者訪問團經過衡陽，該報當然招待如儀，上海申報副總編輯卜少夫，中央社記者周培敬問：「這樣規模的報爲甚麼不搬到上海去辦呢？」中華時報副社長程曉華答：「李運鵬社長的構想，當前局勢可能形成爲「長江爲界」南北分治，報辦在西南以逸待勞。免搬來搬去，那時李運鵬正率領一個報老板組成的訪問團在京滬活動。

中華時報以言論公正，社會服務著稱，發行老鼠獎券、施診、施藥、施棺。辦保育院，收容難童兩千六百餘名。在餓死人的湘南春荒（民國卅五年）施粥、散發饅頭，據湖南善後救濟分署統計，最少救活人幾萬以上，地方凡有不平，中華時報必挺身直出，司馬遷如果健在的話，必會增寫「報俠傳」這是湖南朋友們有目共睹的事實。

有土著王熾昌者，衡陽市議會議長，老軍閥，當過司令軍長，亦屬殺人不[illegible]眼的朋友，地方人稱之爲「衡陽王」因包攬詞訟，掩護漢奸，被中華時報猛烈抨擊，這就等於在老虎咀上拔鬚，第二天縱容幾百人擁入報館喊打，當然不敢眞動手，王熾昌未想到遇到的對手太强，中華時報除武裝戒備外，（那時多防土八路襲擊，報館僱有幾十條槍枝）員工輪班站崗，保護印刷工廠出報，記者們連續向衡陽王及其爪牙，修理了兩個禮拜，將其生平臭聞、醜事和盤托出，打得王熾昌關着門揩眼淚，直到託人向報館求饒了事。

軍閥官僚有一種不通的看法，報館憑甚麼可以隨便批評人，他不明瞭這是民主國家一種良好社會制度，如果這個制度被推翻時，這個國家的民主尺度就會被人打問號，兩年前中央有一位龔謝然之作後台，職司管新聞的幹事老爺說：「李某又不是皇帝，憑甚麼隨便批評人」，力主張査封或禁止進口，後來有明理人當面點破這位冬烘，「報社在香港怎麼樣封呢？該報如果不進口台灣及李某不能執行管理時，這張廿年悠久歷史的政論性報紙必淪入其他人之手，那是一件不可想像的大亂子，你有這個寬肩膀挑嗎？」其實新聞記者是沒有帽子的王，小學學生都知道的事，該幹事莫非「大智若愚」乎。

怎樣對付失眠

·吳傳鈞譯·

一個聰明的內科醫生給失眠症下個定義說：「失眠症並不是旁的東西，就是睡不着加上煩惱。」因爲夜間失眠的悲劇是於某種精神的苦楚所引起，而極端有損於健康。其實這種觀念，是毫無根據，不啻是庸人自擾。很少失眠的人，每晚睡不過四小時，另外加上四小時的充分休息，也不致妨害他們的體力了。

要想安靜地躺着休息需要相當的技巧，這技巧又自有它的秘訣，這秘訣就是：相信各種紛亂的情緒——而不是睡眠的缺乏——足以消竭我們的精力。叫一個失眠的人在清晨四點鐘的時候保持一種安靜的情緒，那幾乎是不可能的[illegible]，可是又非叫他[illegible]不行。

[illegible]們坦白地來談一談，一般對於失眠的舊觀念——認爲失眠是一種具有剝奪性的悲劇，表面上看來，那就是躺在床上左右也睡不着。如果由哲學的意味說來，那可說是一種無法避免的「冒險」。睡眠正如同快樂一樣；它總喜歡接近那些不十分急切追求它的人，而故意遠離那些熱誠地想佔有它的人！醫生總勸告我們說：早些上床，早些安睡。我却總冷淡地去接受那種勸告，因爲我覺得即使早睡也不見得睡得過癮。我喜歡睜着眼睛躺倒，去看是否可以逐步入睡。

要求躺着不睡的舒適，需要相當的設備！一只便利看書的燈，一只靠床很近的小桌子，上面放些容易消化的食物，紙烟也需要，如果可能設法弄到一只電氣暖墊那就更好，因爲失眠的人容易受凉，不要任何鐘錶，要使那些具有潛在意識的人在定時醒來或定時才睡，那是很方便的事；任何有關於時間的意念都可以造成這種不愉快的習慣。平時一分一秒的去計算光陰的消逝，那末睡着時便會預先想到明天工作的種種，因此精神老是不得安寧。

睡上床的時候最好能具體地去想像那些有關於休息的種種安閒情景：例如一個疲倦的小孩倒在母親的懷裏熟睡，他的頭是那麼沉重地靠着母親的肩膀又如一個蜷臥在火爐邊的小貓。爲要使緊張的肌肉和神經鬆懈下來，我有時想起看過的劇中一幕鬆弛身體的精彩表演；那個女演員在精神極度緊張的當兒忽然從一座很高的樓頂上失足下墜，砰砰然一級一級慢慢地直溜到底，向左右兩邊的擺動，以及安閒的逐級下跌——直到我自己也像那個女演員樣的全身感覺舒鬆了爲止。活活潑潑地去想像那些情景，可使我們的身心俱安。這是很靈驗的。

有時候一切命令或是想像都無法克服那個「不安靜惡魔」的騷擾。在這種情形下，還是爬起床來在屋子裏慢慢地沉重的走動走動，再做些柔軟體操，接着深呼吸幾下，最後再躺下來竭力設法使精神安靜。如果精神方面能免除雜念，那末肌肉方面自然會舒鬆了。最後一個辦法，有很多人都認爲非常有效的，就是拿個輕軟的小墊子蓋在眼上，防制開眼時受到光綫强烈刺激，同時在眼皮上稍施壓力往往可使神經舒適。

我時常想出各種精神消遣法來排除一切愉快的思念。我喜歡依着ABCD……字母的次序來複習許多熟悉的本鄉地名，如Akron, Bueyrus, Cilicothe……。這個做完後，接着又照同樣次序來讀出女人們的名字。最後又同樣地默誦男人們的名字。或者選擇人名中拼字最長的一個，再替它加上一個開頭字母相同的族名，往往可以造出許多可笑的姓氏，如衛爾海密那。衛格爾斯湟斯等等。

我還發覺，安置一盞光綫調和的燈，擇一本好看的書，頭下襯個鬆軟的枕頭，或者同時咀裏輕輕的嚼些餅乾，呷些熱牛乳，常常可使精神舒暢，自然而然地會慢慢安靜下來了。

不過閱讀的書本却要審愼地選擇。很顯然我們不能擇些恐怖故事書或走一個才子的新作品來看，因爲要不然的話，我們看得太出神便不容易安靜了。我誠懇地介紹讀者擇些消遣的小說，或打油詩集，或是古代哲學家的玄論之類的東西看。我自己平時看的是：書局的郵購目錄，圖畫集，商店的廉價售單，上面載的東西從大的鉛筆管到小的紙牌，無奇不有，要免除煩悍雜念的糾纏沒有比這個辦法更妙的了。

旁的各種「不藝術化」的消遣法，如想像在結毛織品，想出很複雜的接頭來，然後一針一針的向前結或是追憶兒童歌唱曲，一首一首的默念着，這許多不傷腦筋的想像可以引起我們快樂的回味。在黎明時光，又使我回憶到童年時的思樂情景；看看繁星逐漸消失在蒼空，慢慢地美麗的太陽露出了半面，向我打着招呼……。

這是避免由神經過敏所惹起的那種紛亂情緒的最好辦法。我叫它做「開心」，當人們在快將入睡的時候總免不了一些瑣屑的念頭的打岔，當它們掠過腦海的時候不要應用理解力就好了。把陣陣的思潮打碎成不合理的片段，愈零碎愈離奇，便愈容易使我們由清醒進入到酣睡的狀態。如：「我見了一只紅帽子。你去看過馬戲嗎？彼得頒給班長徽脫一只斑白杯子，這杯子背上又有個黑斑了……」，諸如此類，一連串無聊的亂想，使頭腦過分疲倦，最後自然會不知不覺的入睡的。

要是這辦法不行怎樣辦？那也無所謂，只求能安心酣着，即使不能安靜，一夜的安靜在恢復體力的功能說起來，也足以抵得上半夜的甜睡呢！

（完）

孝道的宏揚與光大　十五

·李宗黃·

（二）政治方面：根於格致，誠正，修齊，治平的道理，實爲中國政治哲學中獨有的寶貝，以及「涖官不敬非孝也」「戰陣無勇非孝也」。亦有深切的意義，我們政府中陣營內，若有不明此道理與涖官不敬，戰陣無勇之類的人，當然是政治的垃圾，政治的渣滓，應一律予以淸除，以期賢者在位，能者在職，自[illegible]明，天下太平。

（三）教育方面：我國教孝，四育併重，德育以教忠教孝爲先務，國民小學以「生活與倫理」爲課程，國民中學以「公民與道德」爲課程，高級中學，以「公民」爲課程，對於孝道已奠其基。惟學生領悟無多，或由教師感化不足，且所引之故事，多採用元人郭居業所編之廿四孝，不惟太舊，亦太迷信，而且有不適合於現代生活者。所以我們建議教育當局，除汰舊創新加强課程內容外，希望能重編一本「新的廿四孝」或加多或減少亦無不可，作爲廣大的普通的教材，實一舉而數善兼備。

（未完）

話說朱元璋

雁謀

擴廓本駐兵太原，但因順帝詔其入援，便引兵出雁門關（山西代縣西北），由居庸關進攻燕京。徐達也算安徽的一傑，他並不緊張，而且熟諳兵法，他不用和擴廓去對頭拼命，他採取了圍魏救趙的策略。因爲元兵的老巢太原必然空虛，明兵直搗太原，擴廓勢必回救，待其回師之際，以半路截擊之，使他進退維谷，一敗塗地。於是留孫興祖守燕京，自以大軍攻太原。擴廓到了保定，聞報太原緊急，只得回師太原。他的部將豁必馬已暗通明軍，願爲內應。徐達選精兵夜擊其營，豁必馬果然依約出降，擴廓在倉卒間不知所以，只領了十八騎逃遁。徐達乃收編其軍四萬人，良馬亦四萬匹，繼而又攻下了太原，把擴廓打的一敗塗地。徐達應列入名將之林（廣百將傳中列爲明代第二名）毫無愧色。

擴廓大敗逃遁，出走大同。常遇春常帶了大軍窮追不捨，追到忻州（山西忻縣），擴廓又走甘肅，遇春克大同。同時馮勝亦收拾了蒲州（山西永濟縣）、平陽（臨汾）。至洪武二，山西全部底定。

洪武二年冬，常遇春、馮勝等，又將蒙元的殘餘勢力——李思齊——張思道消滅。可是元順帝仍在上都，稱孤道寡，而且時常有南下報復之心。元臣的一位倔强人物——擴廓，亦在近邊，侵擾甘肅。雖然只是些殘餘勢力，不能死灰復燃，可是常爲國之邊患，深爲頭痛。所以在洪武三年，朱元璋又命徐達爲征北大將軍，李文忠、鄧愈爲左副將軍、馮勝與湯和爲左副將軍，出征沙漠。

一路由徐達率領，一路由李文忠率領。徐達出潼關，西安直搗定西（甘肅定西縣）以討擴廓；二路李文忠由北平（明取燕亦詔改爲北平」出居庸關，入蒙古，以追元順帝。兩路同時進發，使擴廓與元主二者皆不能應援相救。徐達兵抵定西時，擴廓即退入沈兒谷（定西縣西北），徐達揮軍緊迫，隔蒲而壘，一日數戰，擴廓欲以奇兵制勝，調精兵由間道擊明軍東南營，明軍被攻，諸將驚惶，徐達乃親率兵擊退之，並於翌日全軍出攻，遂大破擴廓軍，擒元炎王、文濟王及文武僚屬一千八百多人，將校士卒八萬四千餘人，駝馬無數。擴廓僅與妻子數人突圍而出，狼狽遁和林。正當徐達大戰擴廓於沈兒谷之際，元順帝已病死於應昌（多倫縣北）。其子愛猷識理達臘嗣位。李文忠出居庸關後，即向上都進軍，中途聞元順帝喪，遂兼程而進，沿途擊敗元軍，直破上都，元嗣主與數騎突圍遁去，文忠俘虜其子——買的里八剌及后妃王官數百人，從此地獲得唐、宋以來迭次失去的國寶文物無數。從五代以來所失去的燕雲十六州之地，至今乃得光復，還不是朱元璋之功勞末？捷報傳至金陵，羣臣表賀，太祖遂頒平定朔漠於天下，並諡元之末帝爲順帝，且爲文祭之。洪武三年冬，徐達、李文忠等返京，太祖親臨江上勞軍，翌日以武成告於郊廟。

蒙元的禍根——擴廓，此人是一個了不起的人物，他屢敗屢起，每次都被他漏網。朱元璋爲徹底解决蒙元的殘餘勢力，所以在洪武五年，又分三路出師北伐。徐達仍爲征北大將軍，由中路進兵，李文忠爲左副元帥，傅友德爲右副元帥。左右二路均大捷，惟有中路徐達却遭遇到擴廓之勁敵。損傷了一萬多人。傅友德追元兵到了靑海方回師。徐達竟敗在擴廓之手，可見此人的厲害。朱元璋特別賞識他。他的倔强，實非常人所能及，自退出塞外之後，收納部衆，屢寇邊地，太祖曾七次遣使招降，皆爲他所拒。所以有一天，太祖歡宴羣臣，酒闌之際，忽然向羣臣問道：「天下之奇男子是誰？」大家都不約而同的說：「常遇春」，太祖搖搖頭，道：「遇春雖爲人傑，吾得而臣之，就是那不能臣王保保（即擴廓，本姓王，小名保保），此乃奇男子耳！」可惜此人生不逢時，終不能成大事。

（十二）

安徽十三傑

管仲　李聃　莊周　曹操　華佗　包拯　朱熹　朱元璋　戚繼光　李鴻章　段祺瑞　胡適　楊振寧

亨利魯斯夫人講營養

·馬騰雲·

營養研究

（馬氏大學枕參考資料）對抗神經衰弱的秘密武器是維他命B，人體裏缺乏維他命B時，最普遍的現象是神經衰弱及思想遲鈍、憂煩、失眠、缺少幽默感。

社會上分勞心與勞力兩種人，勞心就是用腦的人，用腦的人不注意去增強腦部，必導致未老先衰，弄得四十歲左右，就鬢髮俱白，欲補救這項危險，一定要吸收亞米諾酸，那是促進全身血液循環的一種物質。多多吃麥片製成的食物，花生、豆類、糙米、雞蛋、魚肉，它們都含有維他命B甚豐，皆能夠醫治失眠症，和神經系統，肝臟含有維他命B一，對抗貧血最有著效。

中醫則認為胡麻（黑芝麻）及大麥芽、紅豆、胡桃為神經衰弱有效藥物，尤其黑芝麻與胡桃補腦益智，可使白髮變黑，據說大紅星李麗華就是常年食用黑芝麻的一位，黑芝麻的成份效力食法詳見拙作「生活漫談」不贅。馬騰雲企業公司為神經衰弱設計的食品相當多，非有著效者概不羅列，歡迎參觀。

偶用腦的人，即是盛年，如果工作過份疲勞超過午夜才睡，乃至於還要崩崩扯扯，或每晚還到酒家去坐坐，再打幾圈「衛生」麻將，不老也會老，頭髮變白乃自然現象，由於體力消耗過多的影響，往往直接會使肝臟受到傷害，所指「講臉酒色」此之謂也，基督教友講話比較客氣用「奉主寵召」民間俗話則謂「閻王下了帖，不來也得來」，其實並沒有那麼嚴重。如果有上列現象，可注射維他命K，保護和加強肝部，藉以補救。如果能以黑芝麻製劑、胡桃、綠心黑豆與胡蘿蔔等配合同食，有不可思議的力量，筆者舉例：美國雜誌大王亨利魯斯夫人，年六十歲的人，看來祇卅幾歲，許多閱讀者請她講演，她說自己：養生秘訣之一，是每天吃一個胡蘿蔔，強調要生吃，有意想不到的效力。查胡蘿蔔裏含維他命K最多，科學家們把這一項原理加以縝密研究發現在大都市裏的人，往往夜間睡得太遲，容易患染肝病，維他命K，最適於肝病治療。維他命K的來源幅度也很廣，除胡蘿蔔外如白菜、菜花、豬肝、草莓（草頭）、蕃茄、麥皮、麥胚芽、大豆、魚粉、牛乳、蛋黃等，配合大與枕桑葉枕藉毛細管與呼吸的吸收，食療與物理治療合璧妙不可言。

國劇雜譚（二）

·王方曙·

由譚氏與梅氏的成功，造成一時自成一家的風風氣。在生角中，譚以後有余叔巖，余出於譚而另有韻味，獨成一格，舌吐轉折之處，特具起伏波瀾之妙。其後又有馬氏，本舌特大，吐字不清，但能隱惡揚善，在行腔之間，力求其美，而特能傳達情感。雖多用花腔，頗有輕浮之譏。但婉轉動聽，引人入勝。又有言氏者，號稱舊譚派領袖，其實因嗓子不為所用，早已脫離譚派而獨編腔調，竟亦能獨樹一幟。又海上有周氏者，被指為外江派，而嗓音及嘶啞之甚。但周氏善於運用，取低沉宏壯之音，以氣勢情感取勝，亦能自成一派。在旦角中，有程氏者，嗓音自倒後不能復元，高處都為鬼音，程氏善用其短，別創其斷續巧轉之腔調，竟能如泣如訴，聽者感動。有荀氏者，嗓音低而啞，但荀氏自開柔媚之途，婉約嫵俏，聽者陶醉。

以上所舉的幾例，凡愛好國劇者，無不深知，至於內行票友，則知之更深，不必多談。總之，這幾個能夠成為一派的角色，都是自己獨出心裁，創為一格，才得成名的。並不是嚴守規矩，力學前人的。他們在那一時期獨創成為一家之後，後學模仿者極多。大致他們的成功在民國二十年以前。二十年以後生角號稱譚余馬等各派，旦角號稱梅程荀等派，後起的不學這派，便學那派。像譚派老生，到今天唱探母，仍舊與筆者幼時跟隨老譚的唱片所哼的唱腔完全一樣，一個音符都沒改。學余的，如搜孤救孤，學馬的如借東風，學梅的如鳳還巢，學荀的如鎖麟囊，學程的如紅樓二尤等，都是跟唱片完全一致。這樣看來，在模仿的功夫上，確實到了家。不能說不夠好，更不能說不夠努力，但卻產生不出那樣的角色了。為甚麼呢？因為祇能學前人，不能自創。假如譚余梅程諸人，在當初都是專學前人，不能自創，豈不是僅僅多幾個陳德霖式的人物而已，那裏會有這些派？

自來台之後，國劇界仍沿襲以往情形，不是學譚，就是學余，學梅，學程。學來學去，學得似乎很像，但是國劇卻日漸衰落。最可怪的，學老一輩的還不夠，還有的竟爾學甚麼張派，那張派好壞不說，他不過是學梅學不像，而後參雜各派，自己獨自另走一條路而已。與其學他，何不自己也獨創？難道我們沒有創造能力？難道我們不敢創造？

國劇的唱，今昔如有不同，不是從前的好，而今人不如前人。乃是從前的人能創造，而現在的人祇知道學前人，甚至學到不必學的甚麼派，令人痛心。藝術如果沒有自己的風格，一味學別人，焉得有突出的表現？沒有突出的表現，焉得成功？今天國劇的公演，往往門可羅雀，為甚麼呢？一言以蔽之，沒有新觀眾。為甚麼沒有新觀眾呢？一言以蔽之，國劇的吸引力，吸不來多數青年。假如說唱最重要，而聽來聽去祇是那一套，便不會發生吸引新觀眾的力量。我們應該知道，民初的觀眾就已歡迎創新獨立的角色，今日的觀眾水準更高，他們看過多種的戲，聽過多種的音樂，國劇中的唱是極重要的一部份，但腔調既已全學前人，音樂也無改進，從梅蘭芳加了二胡作奏以後，很少看見有更好的伴奏方法，偶然在比賽之間，加兩三種樂器，過去就又恢復舊有面目，不肯再費事了。這樣如何取得新觀眾的欣賞？今日如果我們還打算使國劇能繼續站得住，首先就得在唱和音樂方面改善。關於唱腔方面，以往各派雖好，放在現代來看，都已經不夠了。我們應該與音樂家合作，創作許多種國劇風格的調子，配合劇情的發展，使聽者一聞音聲。在伴奏方面，也應配合多種可用的樂器，造成合奏，這一切都要與音樂作曲的專家合作，仔細研究，求取發展，看仍保守着師傅傳授，不許別人染指的觀念；再加上各處流派壁壘森嚴，要緊，沒時間研究求進步的想法；既不求腔調的創造，也不求伴奏的改善。甚至有人有了行動的創造改善，就會起而攻之，指為叛徒，不守老規矩，自己胡出主意，一直到罵得他不敢再作為止。這一類情形已屢見不鮮。假此情形，是不是保守派和拖欄派要把國劇一直送到故宮博物院先藏展覽為止呢？恐怕雖不是誠心如此作，而如在事實上把國劇推上這條路，老觀眾都是五十以上的人了。如果到沒人聽的時候，它不入博物館還能怎樣呢？

（未完）

解珮令　春望

馬嘯風

天涯淚迹，台員羈旅，目歸鴻幾寫傷心句。日日登樓，佇望久，海雲深處，最愁人，滿天風雨。金甌半缺，銅駝久臥，望神皋，瘡痍夥夥。每恨當年，九州鐵，錯由誰鑄？待收京，掃清胡虜！

黛眉小傳

·王幻·

吳藻（二）

這首詞的前闋描寫空閨獨守的情景，固然曲闌深院分外無聊；但她的丈夫晚上回來，兩人相對「書窗依依伴行坐」，更覺言語乏味，也是「最無奈」的時刻。由「縱然著意憐，卿不解憐我」之句看來，吳藻也很愛她的丈夫，只是她丈夫是個不懂憐香惜玉的木偶，怎不使她倍增幽怨？而感「恨海茫茫」呢！

她因得不到精神的慰藉，於是便求之於詩詞，與書畫的製作，以充實心靈上的空虛，從而發洩鬱結的情緒。她在百無聊賴之餘，便畫出她的男裝小影，寫成她的飲酒讀騷長曲，誠然「文藝是苦悶的象徵」了。據「西泠閨詠」載：

嘗寫「飲酒讀騷」小影，作男子裝；自塡南調樂府，極感淋漓之致。託名「謝絮才」，殆不無「天壤王郎」之感耶！

不意人間尚有王郎，是詠絮才女謝韞的感喟；也是吳藻的感喟；我們在她的前期作品「花簾詞」中，固能讀到清麗柔婉之詞，也能讀到豪放悲壯之作。大概因她是位風流瀟洒，帶點名士氣度的女性，由於婚姻不如意，後來遂結交了許多文壇詞友，彼此唱酬，藉以安慰生活上的單調；在諸多詞友之中，有名門閨秀，也有青樓歌妓。她有贈吳門青林校書「洞仙歌」云：

珊珊瑣骨，似碧城仙侶；一笑相逢澹忘語。鎮拈花倚竹，翠袖生寒；空谷裏，相見個儂幽緒。蘭缸低照影，賭酒評詩，便唱江南斷腸句。一樣掃眉才，偏我清狂，要消受玉人心許。正漠漠，烟波五湖春，待買個紅船，載卿同去。」

她幾乎把自己當作眞正的男性了，要效法范蠡泛舟五湖，載西施同遊的故事，把一股清狂意緒，完全傾寫了出來。然而，她這段時期——就在三十歲左右的時期，生活方面很優游寫意，時與一二知己，泛舟載酒，夜遊湖上，不知人間有漢，遑論魏晉了。其「喝火令」小序云：

四月十六日夜，泛舟北山，月色正中，湖面若鎔。戲拈小石投水，波光相激，月彩如貫珠。時薄酒微醺，繁弦乍歇；浩歌一闋，四山皆應，不自知其身在塵世也。

這類忘情的生活，是短暫，及其從大自然的懷抱返回人間，又不免淪入痛苦的漩流；這是吳藻的不幸，亦係舊式婚姻婦女們的不幸。可能因爲這樣不幸的遭遇，嫁人「重利輕別」的商人婦，她內心潛生一種反抗的意識；於是她要洗去女兒故態，她要收起斷脂零黛，她要衝破男女間不平等的「乾坤隘」；像七尺男兒，豪氣干雲的「拔長劍，倚天外」了。試看她的「金縷曲」：

生本青蓮界，自翻來幾重愁案，替誰交代？願掬銀河三千丈，一洗女兒故態。收拾起斷脂零黛；莫學蘭台愁秋語，但大言打破乾坤隘。拔長劍，倚天外。

人間不少鶯花海，儘饒他旗亭畫壁，雙鬟低拜。酒散歌闌仍撒手，萬事總歸無奈。問昔日劫灰安在？識得無無眞道理，便神仙也被虛空礙。塵世事，復何怪！

就因爲她有這樣女權思想，有這樣不甘雌伏的意志，所以她的詞才那麼豪放不羈，她的生活是那麼不拘小節，與妓女來往。

（未完）

諧聯選

·嘯月·

▲某日，一門生叩見，紀曉嵐戲曰：今朝門生五體投地；門生對曰：昨夜師母四腳朝天。

▲楊蘭坡題小神廟聯

別看我廟小神小，不來燒香試試；
那管你官大勢大，若要作惡瞧瞧。

李鴻章某日遊園，信口說：庭前花未發；旁侍文案隨即對曰：閣下李先生。李乃大加讚賞。

▲春聯兩則：

最窮不過討飯；度歲必能反攻。

不除今夕除何夕？才過新年又舊年。

步入山區（二四）

·胡慶蓉·

巨變歷險記！

三角形，由棠及、景棟、猛撒有公路可通，若由棠及去猛撒，則進入山區，要先到猛汗。猛汗接近泰國邊境，吉普車可通，前邊還要到蚌八青，然後轉入外南，由外南就可以到喃邦，曼谷。由棠及到猛汗，雖說已進入山區，但還有汽車可坐一天，從公路的終點，就非步行不可。

我上邊好像說過，棠及彷彿在一個山頭上，向南望，萬丈懸崖，高不可攀，但若向北，則如履平地，雖然不太平，但坡度不太大，徐徐的下去，並沒什麼危險。從公路的終點，轉入山區，還需要五天，才能到達猛汗。在公路終點住了一天。第二天早上，還逛了一陣市場，丁博士買了一套士林裝。蘇副總裁只是看看什麼沒買。步行，行李愈少愈好，能沒有最好。中國有句話是：「路遠沒輕重」，詳言之，路遠了，分不出輕重，重的固然是重的，輕的也變成重的了。路遠了，連自己都沒力負担了，還什麼以負担。

原來走山路，也有走山路的辦法，是騎馬。行李放在行李包裏，行李包放在馬鞍底上，人騎在背包上，什麼問題都沒有，無如事又湊巧，也或許有別的原因，丁博士到處備，蘇副總裁該走的這一天偏偏不到馬。於是改僱挑夫，行李打成兩個包包，一條扁担，兩頭一挑，這原來也是很好的，可惜這一天連挑夫也不到了。是不是可以等等？丁博士不願等，蘇副總裁也不願意等，於是面前只有一個方法，那就是自己提着自己的行李了。與丁博士一道的，有一位先生，名字叫胡達詮。此人年事尚輕，不到卅歲，人極精明。更難得的，是擺夷話，緬甸話，有這兩種話，在緬甸區裏還走，到處不區裏還走。可惜他的體力不強，他患一種喘病，天氣變化，時好時壞，有時候連他自己都照顧不了，還能照顧什麼？本來通知村長可以請他派伕子的。但這丁博士又不肯麻煩老百姓，無已，要走，只有自己提的一途了！

最值得佩服的是蘇副總裁，他首先行李走。蘇副總裁的身體非常好，既結實而又有力。個子可以談得上山東大個，他經過游擊隊，他能吃苦，他挑起担子來若無其事，但丁博士總覺得不忍，總覺得對他不住，他還是搶着挑。但丁博士挑東西是不夠格的，一來個子小，二來也算不得強健，一切都落在胡達詮身上。這位青年，有着熱誠，凡事勇敢向前，決不推諉。行李擔子，結果還是他挑的最多。幸而在路上是有人可僱的。在村子上更有人可僱。但是到人的地方，蘇副總裁，丁博士就都不用挑了。

自由報

（第一一七二期）

（半週刊每星期三、六出版）
每份港幣壹角・台灣零售價新台幣式元
社長李運鵬・督印黃行憲
社址：香港九龍彌敦道593—601號
廖創興銀行大廈八樓五座
LIU CHONG HING BUILDING
7th FLOOR FLAT 5
593—601 NATHAN ROAD,
KOWLOON, H.K.
TEL: K803831
電報掛號：7191

承印：景星印刷公司
地址：嘉咸街廿九號地下
台灣區業務管理中心：台北重慶南路一段一二九號
電話：二四五七四
台灣區直接訂戶　台灣劃撥戶
第五〇五六號張萬有（自由報會計室）
台灣分社：台北市西寧南路110號二樓
電話：三三〇三四六、台郵劃撥戶九二五二號

對國防研究院的希望

・陳天式・

中央日報五月七日有一則新聞：「行政院昨天舉行院會，通過總統府秘書長函送國防研究院組織條例草案，將轉送立法院審議。國防研究院爲軍事與政治綜合之研究機構，隸屬總統府，掌理國家政略，戰略及總體戰之研究，並培養高級軍政人才。國防研究院設政治、經濟、文化、軍事及敵情研究所。」這是一則獨家報導，顯示了政府的重視高級軍政人才之培養，並使之法律化和制度化，以立國家長治久安的基礎，意義非常深遠，值得注意。

現代國家設置國防研究院以爲最高政策研究設計機構，最著名的大概要數二次大戰期中德意志共和國的國家地理學院，主其事者是第一流的地緣政治學者。精通文化、政治、經濟及軍事之綜合奧妙與運用的，雖然沒有國防研究其名，但都是實實在在不折不扣的國防研究組織。在同一時期，中華民國早就有了類似國防研究院的設置，我們的國防最高委員會，爲中樞提供參謀企劃，協調思考，貢獻不能說沒有，可是作用和成就卻明顯地比不上德國的國家地理學院，事實俱在，毋庸諱言。二次大戰結束，共產黨作亂，爲禍世界，美國爲了適應全球戰略需要，成立國防研究院，爲國家設計最高綜合性的戰術和戰略，並爲國家作育有思想有見識的高級戰術及戰略人才，使聯邦政府的國防作業得以針對動盪，因應需要，保衛了民主、自由及富強、安康。南韓師法美利堅合衆國，也成立了國防研究院，集中半島精英，運籌決勝，對於防阻北韓的滲透侵略和安定內部的社會秩序，其功是不可沒的。所以就「國家政略、戰略及總體戰之研究，並培養高級軍政人才」而言，國家之組織國防研究院，是應該非常有必要的。

二次大戰期間的國防最高委員會爲一創格不用說了，它推動了對日抗戰的國民總動員，也指導了抗敵行動的總體戰，雖然從某些方面觀察，或者不免受啓示於魯登道夫「全民族戰爭論」，可是魯登道夫止於理論之探討，而中華民國的總動員與總體戰則見之於實際，而且使強寇降服，終於獲得了最後的勝利。這之間的出入是很大的。現在建制的國防研究院，就演變資料之所顯示，大體上是由前革命實踐研究院黨政軍聯合作戰研究班蛻化出來，聯戰班的教育目的，大體上是集中思想，統一步調，加強各高級領導幹部的堅貞和忠誠，以達成反共戡亂的要求或使命，性質與二次大戰時期之中央訓練團的黨政高級班是很相近似的，研究員的來源，或者是由於圈定，或者是由於保送，與一般培養人才的教育機關之必須經由嚴格考選以宏其造就者不同，這就和以前調訓高級軍事幹部於陸軍大學將官班或特別班的情形相彷彿了，鼓舞革命鬥志的作用是有的，研究發揮的效果，或者就不如國家地理學院了。這立法院審議的「國防研究院組織條例」所規劃的國防研究院，明確地標示了掌理國家政略、戰略及總體戰之研究，並培養高級軍政人才」，此是國防研究院研究的法律化和制度化，因而這促使其有足以擔當「軍事與政治綜合研究」的能力，可媲美美國的國防研究院，得保衛我國家之民主、自由及安定秩序了。

現在建制的國防研究院，迄於目前，已經有十餘年的歷史了，就「培養高級軍政人才」而言，所培養的人數應該不能算少，可是在大環境的限制之下，一般的綜合研究，對於敵情的研判，似乎深刻，對於國際的理解，好像都沒有拿出有效可行的辦法；國防研究院對此自然不能負完全責任，但時至今日，我們內政上的種種措施，既未仰符領袖理想，而外交關係，尤其是日益險惡，才難之嘆，大概朝野均有同感！新任外交部長周書楷甫行接任之初，即發表談話，要趕緊培養外交人才，並認爲憲法上所規定的考試用人，並不足以發現人才，而需另闢蹊徑；這的確是頗堪警惕的！可是，外交要趕緊培養人才，稅務、司法、教育、地政、情報、治安等等，目前似乎都是欲振無力，就國家總體戰之需要而言，又豈可不要趕緊培養人才！考試不足以發現人才，在因循成事之日，這的確是一針見血之論！就中國文化傳統而與考試列於等時地位以爲才之發現的學校人教育如何呢？大學眞是等而下之了，事實上並非國家需要人才的養成所，時論指責已多，不去談它；相當於培養高級人才的研究所，海內外彷彿也有不少批評，其中最重要的次，便是自信心的喪失，比如已經在國內取得新聞學碩士學位的，還要到美國米蘇里新聞學院重修碩士學分一次，以爲榮耀，學術國格都喪盡了，向何高級人才培養之有？甚至中國文化的研究，也要到外洋去打一個轉，然後始足以取信於人，並受到人的重視，似這等捨洋自重，直接說中國沒有人才，大概是不會過分的！日本有純粹自己培養出來諾貝爾獎金得主的文學和科學博士，日本的留外學生只是以翻譯者的身份擔當國家學術建設協作的分工，只是取人之長，因而成就了經濟強國，政治大國，甚至軍事、文化大國之地位，應該是值得我們警惕的；毛共搞外交的有一個時期是小木匠出身的李先念之流，但它最近小試其技的「乒乓外交」，卻把超級強國的美利堅弄得暈頭轉向，不知如何應付！可見美國並沒有什麼人才。我們的反共經驗是足以領導世界的，而我們的人才卻是仰仗友邦代爲培養的，姑毋論他們是否眞心代我們培養，在邏輯上，便是把我們的反共經驗比輸了，這豈不是荒謬？所以行將組織的國防研究院，對此必須負起完整的責任，把握住中國歷史與文化的經驗，脫離近幾十年來似乎是「全盤西化」的外國式選才、育才及發現人才的陳腐殖民集團，運用自己的方法，培養自己的「高級軍政人才」，以黃炎世冑之優秀，不相信我們會不如毛共，或者不如日本！唐代大儒韓愈說：「世有伯樂，然後有千里馬！」國防研究院是應該對我們的歷史和時代，盡伯樂之責的。立法院審議「國防研究院組織條例」時，在建立國家長治久安的大經大法基礎的要求上，要多多加意慎重將事，尤其是要多多費一些思考。

根據中央日報的報導，行政院通過送請立法院審議的「國防研究院組織條例草案」中顯示的國防研究院，將「設政治、經濟、文化、軍事及敵情研究所」，這和現在建制的國防研究院好像是不盡相同，學術氣味很重，制度化的教育體系更爲明顯，如果觀察不錯，則「黨政軍聯合作戰研究班」的時代要結束了，革命實際研究院「黨政高級班」的時代也要結束了，甚至「陸軍大學將官班」或「特別班」的時代亦必成爲過去。而研究人員的來源，應該不再是圈定或保送，而將是出之於嚴格的考選了，至於怎樣嚴格考選，說來話長，限於篇幅，不能詳細論列，假設簡明提示，總不外是中國數千年政治用人經驗的自薦、察舉、考試、推選諸法，或者用其中一項，或者把數項參互運用，祇須不存偏私，不帶感情，一秉至公的眞正爲國家發現人才，追隨人才，作育人才，以復興基地人口之衆，政府反共討毛人士之多，人才是不難發現的，相當「爲軍事與政治綜合研究」及「國家政略、戰略及總體戰之研究」，一定是有此能力的。有清一代倣效前明，在政府中樞有翰林院之設，把國家通過了高等考試的人員，位置在裏面，給予學士、修撰、編修、檢討、庶吉士等名義，表面上是掌理秘書著作的職務，實際上是研究軍國大計，使他們因此可以多所歷練、就觀察、思考、分析，而政府也可以就近察考他們的忠勤、品德、學識、能力，且有用人之必要的時候，指派出去，就可以擔當艱鉅，「同治中興」的名臣曾國藩便是由此出身統領師勇而討平「洪楊之亂」的；他們的地位清高，平時彷彿是無所事事，但卻爲國家培養和儲備了「高級軍政人才」。今天的國防研究院就正是要來執行這樣的使命的。美國的國防研究院是不需要如此的，有大公司的研究機構在延攬培養，[illegible]，設一處專門的綜合研究之所，使足以應付了。中國的經濟，還不曾發展到有這樣的公司來爲政府分憂分勞，所以不能如此，而我們的國防研究院就必須負起延攬、徵集、和培養的責任，使眞正的「爲軍事與政治綜合研究」的人才，既勿須夤緣競奔以求一指，抑知識份子的尊嚴的職位，也能維持不爲生計煩惱的悠閒自由之身，爲國家從事「政略、戰略及總體戰之研究」。這之間的道理相當深邃，不是三言兩語說得清楚的；審議此一草案的立法委員先生，務請集思廣益，使國家長治久安的有道之基礎，從這裏開始，眞正地得以鞏固建立。

昨日與明日

釣魚台要不要？

日本防衛廳長官中曾根康宏，於上月發表談話，聲言俟來年接收冲繩島管轄權後，便要派兵防守釣魚台云云。然我外交部發言人，到前幾天纔說是關於日本方面擬派兵防守釣魚台的消息，尚待查證。

現據泛亞社東京七日電訊：根據「每日新聞」透露，一九七二年冲繩島主權重歸日本後，日方即將在冲繩設立新海事安全局，該局所管轄的海域，廣達十一萬方海里，俾將釣魚台列嶼亦列入於其中。該局將有十一巡邏艇與直升機兩架執行任務，巡邏艇上將裝配三吋口徑大炮等情。我們的外交部對於這項消息，大概依然充耳不聞，過些日期後，若有人提出詰問，又認爲尚待查證吧？

我們很惶惑，政府對於釣魚台主權問題，何以竟有如此的麻木狀態？

爲甚末不早查証？

日本藉以侵佔釣魚台的理由，是根據美國軍方將釣魚台劃入佔領冲繩島範圍之內的通知文件，我們卻不早予查證，且曾貿然參加所謂「中日韓共同開發海底資源會議」。迨海內外的中國人紛起抗議，力爭釣魚台主權，纔慢條斯理的說是尚待查證，豈能辭顢頇溺職之咎乎？

問題不在查證日本要派兵防守釣魚台之說是否屬實，而在釣魚台之主權誰屬？連月以來，海內外的中國人對此項領土主權，舉證力爭，然官方迄無嚴正而明確的正式聲明，原因何在，莫測高深。聽到外交部發言人「尚待查證」的說法，實在洩氣之至！

查証些甚末？

日本的國防當局說要派兵防守釣魚台，我們向他查證有無此事？他說冲繩並未接收，派兵防守問題尚談不到。我們是否即認爲滿意而沾沾自喜呢？再查證他是否將在冲繩設置海事安全局，把釣魚台亦列入管轄領域之內？他說這是一種擬議，並未定案，我們是否亦認爲滿意而怡然自安呢？

若夫釣魚台的主權問題，我們有的是歷史證據，堂堂正正的對美國和日本提出交涉，表示決不放棄就是了，還待查證些甚末？鄰居居心要侵佔我家的地產，直言不諱，然我不知舉證保持，寸土勿讓，卻要先問對方有無侵奪的計劃，寧非奇談乎？

・何如・

自由談

胡爲乎來哉？

二次大戰之前，共黨份子在日本已無立足之餘地，少數幾個具有共產思想的左傾人物如岡野進等，祇好流亡到中國毛共巢穴的延安窯中苟活着，對日本國內不發生絲毫作用。

戰後日本在美軍佔領之下，由美國務院派遣到盟軍統帥部服務的政治顧問，擬訂日本新憲法，實行美式政治生活，允許共產黨合法存在，公開活動。於是，日本共黨勢力迅速發展，影響所及，跟日共流瀣一氣的社會黨勃然而興，成爲日本政界的第二大黨，勢不可侮了。今後的日本政府要想修改憲法，擴充軍備，固然必不可能，即欲在國際上採取眞正的中立政策，亦戛戛乎其難矣！

戰前的韓國獨立運動，以金九領導的力量最強，信譽亦最高，戰後美國當局以金九是親華派，硬將流亡在新大陸的李承晚迎回韓國主政，實施美式政治制度，而金九乃遭暗殺了！嗣李承晚反對韓戰荀和，不願跟共黨妥協，又被攆下台來，客死異域，而韓國依然恢復戰前的態勢，在戰爭中損失的生命財產，即等於白費了！

南越總統吳廷琰堅決反共，且有顯著的成績表現，由於他不願意十分遵循美式政治生活的作風，終致喪失性命，而越戰乃愈演愈烈，不可收拾了。至於中國大陸之淪陷，亦多半是叨着美式生活之光，事實顯然，毋待贅述。幸而緬甸與印尼尚未接受美援，實施美式政制，否則整個東南亞早爲共禍所淹沒無疑也。

以上所述史事，近在眼前，世所共喻，而且證據確鑿，無從否認的。這證明美式政治生活在亞洲此路不通，美國若不懲前毖後，痛改前非，結果是徒然貽禍亞洲，而自己亦非退出亞洲不可，誤人誤己，胡爲乎來哉？

馬五先生

天下雜論

台灣產品外銷問題

千公

海島經濟的台灣，對外貿易久被朝野重視，近年來，台灣對外貿易發展迅速，去年（民國五十九年）台灣進出口總值達三十億八千九百餘萬美元，而出口貿易亦達十五億六千一百餘萬美元。祇就商品貿易收支而言，去年出超九千一百餘萬美元（前年入超一千八百餘萬美元），這些都是可喜的現象。但對問題深入觀察，台灣產品外銷，問題重重，值得檢討和改進。

第一、台灣貿易商規模都太小，在國際市場上都沒有建立起信譽，很多都不是外商交易的對象。歐美大貿易商往往透過日本商人來採購台灣產品，台灣商人就被本日商人剝了一層皮，利權外溢。

第二、由於台灣貿易商缺乏實力，所以市場調查和廣告宣傳都無法展開。台灣商人對國際市場既缺乏充分理解而國外消費者更很少知道台灣產品的實情，所以，台灣產品的國際市場還有限得很。

第三、現今商品包裝已構成產品的一部，包裝不僅保護產品，也具有刺激購買，推廣銷售的作用。可是，台灣產品的包裝却是落後了，許多台灣產品的包裝不到國際市場的水準，甚而，有的外國入口商購買台灣產品，運至本國，重新改裝，消費者自然不知道它是台灣產品。

第四、台灣產品，有些品質的確不壞，可是，在價格方面，却嫌貴些，無法和國際性商品競爭。日本玩具和日本照像機所以大量湧入美國市場就因其價廉物美。我們應推廣國際市場，不能在國際市場上銷售品質不如人家而價格高過人家的東西，何以美國各大城市的「華埠」，大都售日本貨，這原因就在於價格方面。

要推廣台灣產品外銷，必須打破阻外銷的各種因素。台灣對外貿易發展協會那些表面工作是不够的。

團結海外學人僑胞 嚴厲駁斥姑息邪說

憲政研討會主張建立組織 對國際姑息份子展開反擊

（自由報台北消息）國民大會憲政研討委員會第十九次綜合會議討論「運用海外學人與留學生力量支援反攻救國大業之研究」時，認為政府過於持重審慎，對所有邪說謬論，未曾發動或運用海外學人僑胞和民間團體，予以嚴厲的反擊辯正，乃有今日尼克森的國情咨文，姑息毛匪的妥協論調。我們若能運用革命精神，努力奮鬥，未始不能扭轉！只要海外學人及留學生與僑胞和我們結成一條心，可以扭轉國際逆流衝破「兩國中國」邪說，共同促進反攻救國大業的早日達成：

海外學人留學生都是知識份子的中堅，除少數的數典忘祖之台獨份子外，皆能深明大義。前年，世界少棒冠軍賽在美國威廉波特舉行時，少數無恥台獨份子欲將中華民國隊企圖改稱台灣，當場為我留學生自發的羣起制止。今年二月十九日在加州理工學院召開「現代中國」討論會台獨份子彭明敏帶同外國保鏢兩名出現講壇，聽衆中我留學生以彭某賣國求榮，語無倫次，在質詢中，本於愛國良知與民族正義，嚴加撻伐，紛起圍剿，使他狼狽而逃。可見學人與留學生為愛國而奮鬥的精神可歌可泣，諸如此類，不勝枚舉。

該會建議：加强聯繫，策進組織，設立輔助機構。並主張：對學人留學生的聯繫，應以關懷協助方式，不可用管理方式。充實與擴大原有留學生會及文化社團學術機構之組織。進而聯絡當地反共學校與反共社團，一致對匪共暨姑息份子展開鬥爭。其尚未建立組織之地區，從速策進成立各種形式之組織，先由點綫進而面的結合，集結力量，有計劃的推進對祖國有利之活動。其次是由我政府儘速設立「輔導海外學人留學生委員會」，專責統一聯繫輔導事宜。請行政院責成我駐外各使領館加强聯繫展開工作。

運用海外學人留學生的力量，支援反攻救國大業，工作方針概分為二：一為國外方面，二為國內方面。在國外方面，以美國及英法等國家為工作的重點，其他地區亦須配合工作。請如：切實加强調查登記海外學人留學生的職別學科及特殊技能，以備政府派用儲用；詳盡揭示政府反攻救國國策（包括外交新方針），俾其明瞭政府的施政方針及重視海外學人與留學生的至意，不但建立了與政府密切關係，亦以加速國際宣傳的展開；經常供應海外學人留學生的匪情資料（文圖並重），使其成為國際的反共宣傳員；有計劃的鼓勵學人留學生多與居留國的名流學者，國會議員，新聞廣播界，民間領袖等建立友誼，配合國策，展開國民外交，以期增進國際間對我國之瞭解進而影響當地政府對我國之政策，改變不友好者為友好，原友好者更加友好，并策動當地人士對我反共救國運動之同情，化阻力為助力，轉逆勢為順勢；輔導學人留學生介入僑社，聯繫當地華人，華裔，加强對祖國的認識，支援祖國反共救國工作；各使學人留學生深明自己對反共復國責任之重大，必須肩起國家興亡，匹夫有責的神聖任務；總統說過：「我們博大精深的文化，更是國際共產主義的最大障礙。「我們中國文化不僅是反共的精神武器，也是反共的最大力源，我旅外學人留學生皆是知識份子的優秀中堅，負起推行中國文化，是當仁不讓，責無旁貸的，亦是宣揚中國文化最佳的成員。

擴展反共力量 加速發展科學

通盤計劃分別緩急 邀請學人回國協助

至國內方面：在反攻前，充實擴展反共基地的一切力量，即是加强反攻復國最重要的工作，故發展我國科學（包括原子電火箭及經建輕重工業之新技術與新的企業管理），乃為當務之急，要借重旅美及旅歐的我國學人留學生的貢獻；有關發展我國科學除政府通盤計劃外，要分別緩急先後請海外學人留學生就地分工合作設計外，應利用寒暑假期，邀約學人回國作各種國內所需的學科技術講習；遇有海外學人自動返國度假，政府必須接待聯絡，懇切徹詢交換意見，以示政府關懷與重視學人地位，改善以往疏忽或漠不關心的態度，讓學人回國有親切溫暖之感，及耳目一新的好印象；年來時有學人組團回國省親，和華僑青少年回國參加暑期講習會，均須妥善安排接待，參觀國內各項進步實況，尤以故宮博物具有幾千年歷史，更引導參觀詳加講解，最易贏取他們的良好印象，灌輸他們對中國歷史與優秀文化的認識，俾返僑居地廣事宣揚，必收效果；建議政府責成中華航空公司對海外學人留學生回國，特別優待一來回票價，亦是政府之一種示惠，并且藉此與之溝通聯繫，誠為最佳途徑。

關於儲備人才為國効力方面：在反攻前我們的工作如能依照上述切實推行，做得好，經常有密切聯繫，加以續密調查登記旅外人才，編列存冊，遇必要時，號召在僑居地舉行反共遊行，聯合簽名發表宣言文告，支援我外交，一旦反攻號角響起，學人留學生未有不回國參加反共聖戰。

美國人筆下的中國

陳毓賢譯

編者按：今日東西兩大世界，接觸頻繁，渾成一體，然在心靈上，彼此距離仍遠；尤其西方人士對中國問題之了解，令人每有隔靴搔癢之感。美國「時代」雜誌曾載有"TheMind Of China"一文，其中固多冷眼旁觀，別具隻眼之見；然其令人噴飯者，實大有所在。「時代」雜誌乃世界權威雜誌之一，且立論大體公正，尚屬如此。則其他斗屑之流，更可推知。本刊爰請陳毓賢女士譯出刊布，以使國人得知，西方對中國了解之一斑，同時並呼籲西方對東方問題能作更深切之研究，而勿為捕風捉影之談，則其裨益當不止於東西文化之交流也。

「國君決定抹滅歷史，焚燒一切經書，僅留下一份歸於國有圖書館，士大夫中甚多被宣布無經濟價值，農民勞工反而被高舉在上，政府控制了宗教，知識份子們抗議則成千地被强迫勞動。」

這段報導是不是描寫毛澤東的文化大革命？乍看之下，像得很！事實上，這却是秦始皇的事略，秦始皇以建造萬里長城稱名於世，他於公元前三世紀擊敗中原羣雄統一中國，並建立了個專橫的制度，但這一政權不久便在內戰中被推翻。我不想在古今兩件平行的事間獲得任何「歷史的教訓」，這太冒險了，惟一可靠的結論是：對世界上維持到現代的最古老文化而言：天下沒有完全新鮮的事。

每一個國家不僅僅是個國家，同時還是一個觀念。自從旅行家決定向東方尋找那夢想中金頂下的天朝後，「中國」這觀念便不斷在西方人的腦際浮現飄忽。文藝復興時期，義大利耶穌教士利馬竇對明朝極事推崇，說「王朝內秩序井然」；理性時代，萊布尼茲曾經建議歐洲需要中國派傳教士去教歐洲人為善之道。維多利亞王執政時，美國基督教士施密斯驚訝於中國人對痛楚的無動於衷。中國人似乎是認眞、勤儉、愉快、有禮、剛毅；但在另一方面却又那麼迷信，缺乏想像力，沒有政治主動力，並且對不幸生而為外國人的頗為敵視。

許多鮮明的矛盾，是來於中西文化的基本差異，西方人在希臘火神和浮士德的影響下，總想控制大自然；中國人呢？却要與大自然和諧為一。中國人處處求和諧，在他與宇宙、歷史、社會各種關係上，都力求和諧。這種和諧的觀念，說明了中國文化何以能峙立幾千年，中國人為什麼力拒改革，並輕易把個人的權利自由隸屬於禮教之下。此外，它更解釋了中國非暴力的國度裏，為何定期的有暴力發生。社會不斷被壓抑住，大家拘謹地依循禮俗，不顧一切覓求「平衡」時，就像一條橡皮筋向兩邊拉緊，終有一天受不了而驟然中斷！這時候，反應的猛烈就往往出於視內爭為常事的西方社會之上。

中國表面的不和，常隱藏了中央政府和地方政府間的危機，皇帝和野心勃勃的官員間的明爭暗鬥，尤其是因强維持「和諧」而發生的緊張局面。Etienne Balazs指出：「笑容可掬的景色，不過是一襲紗幕，撕破它，你就會看到峻峭的懸崖，息滅的火山，使你聯想到令中國山水畫家終日留情沉溺的那些景象。（一）

從法律觀點談墮胎

國立政大法律教授　劉清波

於實施不滿兩週時，州檢察官控告該法案違憲，聯邦最高法院法官下令暫停實施，全案尚待聯邦最高法院裁決中。而伊州大學生則集合抗議，各報章雜誌及電視亦表示支持墮胎合法之繼續實行。然以墮胎為違反人道者，則仍不斷的繼續從事反對墮胎合法及其他問題（並參見英文中國郵報五十九年三月十一、四月十三之報導及時代週刊一九七一五月三日卅二頁）。依據上列日本及美國之立法例，吾人有一具體之觀念，即今日之墮胎與以往之墮胎有所區別。中言之。（五）

劉半農記賽金花

結果有幾家出來我就對他們說：「你們不必害怕，洋人是最講道理不過，公買公賣，不欺不瞞，現在是辦糧台，由我主持。你們誰願意承辦，就請到琉璃廠羅家大門去找我——這時我已搬在此處——有賽二爺給你們作担保。」經我這樣一說，第二天果然有些胆大的就來找我，表示願意承辦。我一見有人敢承辦，心裏很是歡喜，立刻就帶他們到了德國兵營，把一切承辦的手續全商議好，又給了每家一面德國旗子，叫挿在門首，為的來回搬運，不受人欺擾。這些承辦人後來差不多都發了財，至少的也賺得幾萬。他們的貨物定價太貴了，一個雞蛋賣五分銀洋，比較平日增高了好幾千倍。

洋兵纔進城時，一點紀律也沒有，任着意兒姦淫擄掠，京城婦女因之戕生者，不知道有多少！他們最大的仇敵就是義和團了，只要見着一個情形稍有些可疑的，便指是義和團，也不問究竟是眞是假，立刻按到就殺，這也算是一種因果報應啊，在一個月以前義和團也正在這樣的殺他們呢！我每次出去，只要碰着了這樣事，就急忙跑過去，說：「他不是義和團，我敢担保，我敢担保。」這時候洋兵差不多他們就放開了。就這麼着，很救下了不少人的活命。待後，我乘機向瓦德西說：「義和團總是遠遠的了；現在京城裏逃竄下的都是些很安分守己的人民，我們已經受了不少義和團的害了，現在又被誤指是義和團，豈不太寃枉？」瓦聽了我這話，便信以為實，隨着就下了一道命令，不准兵士們再在外面隨便殺人，洋兵見到這道命令，行動才稍稍斂迹。其實，那是北京城裏當過義和團的人還多着哩！

這時候，洋兵對待中國人不論你是官是民，是年邁，是幼小，只要用着了，就隨便拉去充苦力。你的力量若薄弱不能勝任時，就用皮鞭子抽打一頓。在街上，常常看見一個個弱不勝衣的白面書生，或皓首龍鍾的老頭兒，拚着死替他們抬東西，叫人看着，心裏實在難過，有一天，作過都御史的陳璧也被洋兵抓了當苦力，我一見眞急了，我同陳是很要好的朋友啊，趕緊着跑了過去，對他們說了說，纔解脫下來，咳！這時候簡直成了亡國的狀態了。

因德國公使克林德在北京遇了害，德國兵也就最恨中國，尤其恨慈禧太后。他們一到北京，就在各處裏找她，打聽她的踪跡。他們常氣憤憤的對我說：「中德兩國的邦交，素來很和睦，為什麼無緣無故的把我們公使給殺害了？那都是這個老女人的意思，非得把她的肉剁成一塊一塊，晒成了乾子帶回國去，方能消恨！」（廿二）

從植物中提煉石油

・渭青譯・

在石油戰中，當目前油類匱乏的恐慌驅使驚惶的美國人到別的大陸上去尋求新的油田之際，一個他鄉作客的科學家，已採一種製造法來，假如這個方法發展完成，祇要本國農產豐富，可以保證石油生產，足可供應裕如。

在國際關係上說，這個方法是，假如一國的土地足夠生長炭水化合物，那麼這個國家便不是需要輸入油或煤了，未來的農夫甚至可以設備一個簡單的裝置，便可以製造燃料供應自己的牽引機，和家庭取暖之用。

據美國化學會宣佈，匹茲堡的加尼基工學院研究教授白博士，業已研究出一個方法，可以隨意由植物中提取油或煤，把自然界要歷幾百萬年才能完成的事，縮短到數小時。

從他工作的經驗得到一個與衆不同的理論，自然界由纖維素，澱粉和糖類中造成油煤兩種燃料，並不如一般所相信是由木纖維造成的。

炭水化合物是大地上最富饒的物質，各種植物都產生些許多的炭水化合物，白爾的研究是很值得重視的。當我們考慮到，石油像這樣的消耗，石油的資源在十五年的期間內就會枯竭的，而且我們煤的供應也不會永遠持久。

但是現今，白爾相信，他由一百噸以上的路易斯亞洲的甘蔗能製成二千九百八十加侖到三千四百三十加侖中級油，一千二百一十加侖機油，及八點四五噸以上的蔗糖。

白爾的製法，可能由木材、鋸屑、甘蔗、甘蔗渣、糖蜜、玉蜀黍、馬鈴薯、麥桿、青草、樹葉、鹿角菜、海草及藻類製出油來，或者可能把任何含纖維素，澱粉或糖的物質變成烟，「並可造成自然任我們採用的同樣的柏油和原油。」

由小心控制的內燃料，一種叫做「原品」的物質，可從炭水化合物的植物中取得，不用再加處理，就可做為第塞爾引擎燃油之用。「原品」藉氫氣之助，還可能取得汽油、煤油、和機油。

植物是由氫、炭、氧化合而構成的，因此油類可叫「炭氫化合物」。白爾博士是弄清楚了植物的組合，他除去了氧，殘餘的化合物便是油，至於從植物裏製取煤，他就把氧氣都去掉，祇剩下炭。

一九四一，我們三千二百萬輛汽車，消耗了五千五百六十萬噸液體燃料。若要從甘蔗裏造這同量的燃料，需要五萬萬七千萬畝的田地所產的甘蔗。

據白爾說，假如美國每年所產生的二萬萬六千萬噸過剩的植物，變成液體燃料，所能產出的液體燃料數量比一九四一年汽車所用的物要多呢，至於煤「約有百分之五十炭成分的植物原料，可以很快而輕易地變化成含有百分之八十以上炭素的煤。」

白爾也主張可能隨意產生出人造的炭水化合物的各樣煤，供燒粉煤的鐵爐用的沙樣煤，使鼓風爐用的鬆焦煤，或供鑄鐵爐用硬焦煤。這些煤都沒硫磺，不像天然的烟煤一樣。

現在已入美國籍的白爾博士，在上次大戰時是奧匈作戰部任職，不久以後，他轉往美國，他在那裏從事探究壓力和熱度，否確是大自然經年累代運用來製造煤和油的要素，和這個過程是不是可以加速。

然而無其他精細方法可以適用，唯有採用熱度與壓力一法，據說既十分簡單，而且比德國從煤裏提製油的方法，其耗費較為低廉的多，這個方法不需要高深的技術知識，並且只要低額的成本。

亨利．福特公司循着同樣的方法，已在實行這個研究福特對這個發現，表示頗為滿意，他說「這個方法若是如所說明的那樣令人滿意，這就是針對農業和工業某些問題的要求，已踏上了一個重要的階段。」

無論如何，化學家和科學們，也把它認為是維護未來世世代代天下太平的一個善策。

談抽象藝術

・徐復觀・

一

正統的藝術觀念是：科學發現自然的法則，而藝術則是發現自然的形相。當然也可以進一步的說，一般人所能把握得到的自然形相，乃是沒有精神的形相，是不完全的，沒有本質的形相，只有藝術家，才能把握到形相與精神相融相即的形相。但自然的精神，既不為其形相所拘，也不會離開形相而獨在。自然的精神，到底有沒有某種性格的秩序，這便要看精神所顯出的形相有沒有某種性格的秩序。人只能把握到有秩序的東西，所以能為人所把握的自然的形相，必定是有秩序的。藝術家依然要通過自然形相的秩序以把握自然精神所蘊含的秩序。上下左右前後等範疇是構成秩序的基本條件。只要是具有某種形相，便會受到這些基本範疇的規定。對形相的否定，也即是秩序的否定，也即是使人的認識能力，達到了一個終點。抽象畫的出現，對藝術自身而言，實在是一個大變局。既是把形相抽掉了，也等於把人所賴以把握藝術品的某種秩序抽掉了。嚴格的說，此種藝術品已成為不能被人所把握的東西。前幾年，在舊金山的博覽會中，把一張抽象畫倒掛了很久。最近美國華盛頓元月二十日的美聯電謂白宮經過了一週的討論後，才把一直倒掛着的一幅抽象名畫——馬克・托貝所畫的「秋之田野」改正過來，這都不是偶然的事情，而含有作為笑談資料以上的意義。

二

嚴格地說，若是抽象得徹底，便應當由對形相的完全否定而自然達到秩序的完全否定。若能夠如此，則根本沒有上下左右等的秩序界定，亦即是不應當發生有所謂倒掛不倒掛的問題。倒掛問題的發生，或者是來自對「抽象」本身的諷刺；或者是來自對於本無所謂倒掛不倒掛的東西，受到了人類通過秩序以認知事物的習慣影響，而要把它裝進一個上下左右的秩序之內，才感到安心的要求。若是出於前者，則證明所謂「抽象」畫乃是出於過份好奇的幻想，到現在為止並沒有出現過名實相符的抽象作品，否則應當是橫掛直掛皆無不可的作品。若是把本無所謂上下左右的東西，而要強裝入於上下左右的認識格套中去，是人們到現在為止，還不曾真正能了解抽象藝術；大家對抽象藝術所捧的贊詞與解釋，乃是強不知以為知的廢話。

由形質進入到精神，常有微茫綿邈，難於捉摸的境界。人世間的所謂上下左右等的分界，在此一境界中皆無存在的餘地，但此一境界的自身，既非言語所能擬議，更非畫面所能形容。若欲訴之於語言，則必假借由語言秩序所暗示出的言外之旨。若欲訴之於畫面，則必假借由形相秩序所烘托出的有中之無。用語言來否定的秩序，這是所謂意識流文學的窮途。以畫出的形相來否定形相，此抽象藝術之所以為弔詭，一切的秩序，不應當是凝固的，不應當是一成不變的。但代替僵化了的秩序，依然是可以判別得出上下左右的新秩序，而不是沒有秩序。

三

這裏，順便牽涉到藝術的「內在世界」問題。許多人說：藝術之所以能成立，因為在人的生命之中，蘊藏著有一個藝術的內在世界。藝術家不是向外在的自然發現形相而加以表出；乃是發現此內在世界而加以表出，內在世界的秩序，不能以外在世界的秩序來加以限定。印象主義的大師姆勒，在實施眼睛白內障手術以後，曾經告訪人說，手術刀在抽出他眼睛中的不透明的水晶體的剎那，他感到有一種少見的冷澈地美地青色。於是現在提倡抽象藝術的人，以為這正是內在世界中無限地色。藝術家的任務，便是以有限的表現手段，把此無限地內在之色的世界表現出來，這裏所表現出來的，與客觀世界中自然的色並無關係。如此，則不言抽象，而自然是抽象。並由此可見藝術的造形，與自然的形相本不相干，所以藝術的本性即是抽象的。

就我所能了解的來說，姆勒在手術時所經驗到的美地青色，乃是一位偉大藝術家，由平日對色采追求所積經驗的偶然呈現。他所畫的風景畫，雖然都是他個人在剎那間對某一風景所得的印象，而這種印象，常常是作為一種氣氛表現出來，但形成他印象氣氛的，依然是風景在某種光線中所給與於他的感受，而不是內在世界中的青色，乃至任何顏色。換言之，他還是在主客交織中得到藝術的靈感和題材。與他所偶然感到的青色，可以說並無關係。今人由此一故事所說出的一堆理論，只不過是傅會之談。

真正的事實是，內在世界的深度廣度，以對客觀世界所能涵融的深度廣度而見。藝術家乃至道德家、都是努力於自己生命中內在世界的開闢；但這種開闢，是緊密地和社會，與自然關連在一起；他可以是對自然與社會舊秩序的否定，但決非對秩序自身的否定。然則由今日文學藝術的泥沛所象徵的沒有秩序的人生，除了美國的「希癖」的路以外，還有甚麼路可走呢？

（完）

孝道的宏揚與光大　十六

・李宗黃・

（四）法治方面，周禮以鄉八刑糾萬民：「不孝之罪刑，凡不孝其親者焚之」。考吾國民法雖有扶養父母之義務，但無切實保障之條文，對於忤逆不孝之子孫，更無懲罰之規定，顯係漏洞，重新立法時，應特予補救。

（五）社會方面：所有職工，所有軍民，均為社會之一份子都有履行「出入相友，守望相助，疾病相扶持」，則百姓親睦之義務。且行行出狀元，或持筆桿，或拿槍桿或拿鋤桿，或勞心，或勞力，其居於領導地位者，更應隨分報國，以身示範，以孝為先，創立新的良好的社會風氣。如每年所表揚的好人好事之類，以及褒獎軍中的模範英雄，模範政士等……都應以孝為魁首，必能樹立風聲，影響到每一階層，每一角落。

廿世紀已進入七十年代，中華民國開國已滿六十週年，世界稀有惟我國獨有之寶典「孝道」，不僅沒有進步，而且尚在停滯退化之中，實在是黃帝子孫，文明華胄之一大不幸。現在我們把宏揚光大的方法提供出來。以供國人之儆惕和創新。尤其與世界各國，及大陸匪幫對比，希望文化復興和道德重整的工作者，即知即行，奮起圖之。（完）

話說朱元璋

雁謀

但他一直到洪武八年，才病死於和林之北的合剌拉海之衙庭，其妻毛氏自縊死，明朝方少了此一禍根。一直到洪武十一年，元蒙始斷絕了稱號，而且明朝的威聲，遠遠地震撼了大漠。

至於川、滇、黔三地，直至明洪武三十一年始全部平定。總之朱元璋在他這一生，用了十五年功夫，由一個小兵爬上了皇帝的寶座，又以十六年的功夫，掃平了內外一切大小亂子。他這種規模，是漢唐以來得未曾有的。他做三十一年的皇帝，活了七十一歲，壽終正寢。他完成了中華民族最偉大的功業。我們看到那一座雄峙南京城外的明孝陵，就是這一位人傑的墓寢。緬懷先民創業的艱難，景仰一代開國的輝煌氣象。但是朱元璋的功業究竟如何，我們試可以作一個蓋棺之論。

創造中華民族的偉業

正史上的論贊，惟獨他為了一尊萬世一姓，竟殺戮功臣，擴大君權，為一大缺失，再其他象多史家所談的老調，我們不必談。但是朱元璋是一個「人傑」，他成功的因素，我們却不能不說幾句話。他對於國家民族的偉功，也不可不明。為此就不得不多浪費一點篇幅。

首先我們要承認的是朱元璋對於國家民族的偉大貢獻。我以為朱元璋最大的功業，就是推倒蒙元的統治，復興民族革命的中心思想。中國人富民族精神，實自朱元璋有明一代開始。我們推倒滿清的力量是甚麼？就是朱元璋的民族思想。我們瞧他的北伐檄文吧！

「自古帝王臨御天下，皆中國居內，以制夷狄，夷狄居外以奉中國，未聞以夷狄居中國治天下者也。……驅逐胡虜，恢復中華，立綱陳紀，救濟斯民……。」

「方今河、洛、陝，雖有數雄，乃忘中國祖宗之姓，反就胡虜禽獸之名，以為名稱。假元號以濟私，恃有衆以要君……無復遵元庇民之意，互相吞噬，反為生民之巨害，皆非華夏之主也……。」

「方欲遣兵北逐羣虜，拯生民於塗炭，復漢官之威儀。……歸我者永安於中華，背我者，自竄於塞外。蓋我中國人民，天必命中國之人以安之，夷狄何治哉！予恐中土久汚羶腥，生民擾擾，故率羣雄奮力廓淸，志在逐胡虜，除暴亂，使民皆得其所，雪中國之恥，爾民其體之！」

朱元璋北伐前的一篇檄文，不啻是一篇民族革命精神的思想大綱。喚醒了中華民族的靈魂。老實說：「朱元璋之所以能由「淮右布衣」，而內撫宗斧，就是在於他所提出的「驅逐胡虜，恢復中華」的兩句號召。我在卷頭曾提到過，假若沒有朱元璋的民族革命，推倒蒙元，很可能就沒有推倒滿清的歷史。中華民族自五胡亂華開始，民族精神就受到了大大的影響，內中國外夷狄，夷狄、華夏的思想逐漸沉淪了。到了蒙元用高壓手段來統治華夏，大家始感到不是味道，所幸安徽出了一個人傑！——朱元璋，登高一呼，才把已失去的中華民族靈魂喚醒。中華民族一旦醒覺，元蒙立去倒了下去。所以我認為朱元璋應該是「民族英帝」，還會過份嗎？國父孫中山先生的革命號召，也就是重申朱元璋所提出的「驅逐胡虜，恢復中華」。如果蒙古人的政治果真清明，不歧視漢人的話，恐怕我們的民族靈魂一直就消失下去了。所以我說沒有朱元璋的民族革命，就沒有推倒滿清的可能的原因就在於此。朱元璋種下了民族革命是歷史的「因」，「推倒滿清」乃是歷史的「果」。國父孫中山先生與朱元璋，都是民族革命的導師，是不會錯的！

（十三）

安徽十三傑

管仲　李耼　莊周　曹操　華佗　包拯　朱熹　朱元璋　戚繼光　李鴻章　段祺瑞　胡適　楊振寧

諧聯選

·嘯月·

▲某員外意辱才子解縉，見縉身穿布襖，乃出聯囑對：

出水蝦蟆穿綠襖，（袍著綠襖，活的）

落湯螃（虫旁）蟹著紅袍（員外身穿紅袍，把他對成死的）

▲某塾石老師外出，忽歸，一生將其桌旁洞中麻雀以磚急掩壓死；師曰：你如此頑皮，余出一對，汝能對出則免罰。師出上聯曰：

細羽家禽磚後死；生曰：余一字一字對何如？師曰：可。生乃對曰：細對粗，羽對毛，家對野，禽對獸，磚對石，後對先，死對生。師不之覺，讀之曰對仗甚工，復連續一起讀之曰：粗毛野獸石先生。師雖知捱罵，但亦莫可如何。

▲某學士將赴（京）與紀曉嵐比文才。紀說如何比？學士說：比對聯紀說你出我對好了。學士以捲簾式先出上聯曰：海棠，紀對山藥，嫩海棠，紀對老山藥；帶葉嫩海棠，紀對連毛老山藥；一枝帶葉嫩海棠，紀對半截連毛老山藥。斜插一枝帶葉嫩海棠，紀對懸掛半截連毛老山藥。翼邊斜插一枝帶葉嫩海棠，紀對腰間懸掛半截連毛老山藥。我愛妳翼邊斜插一枝帶葉嫩海棠，紀對你怕我腰間懸掛半截連毛老山藥。

該學士不僅失敗，而且還被紀佔了便宜。口中大喊晦氣而去。

書本不可盡信

答謝史紫忱先生

劉嘯月

「盡信書不如無書」，於今益信而有徵！

事情是這樣的，五月初，我在「中副」寫「成語不可誤用」一篇短文，其中（一）對唐張繼楓橋夜泊詩句的江楓漁火為矯正一般的誤解，作了一番的解釋，不意引起周冠華先生的「非議」。（二）「中流砥柱」，也煩史紫忱先生的指正。

前者，即於當日公開答復周先生，不幸原稿被驕寵慣了「孫兒」給中途「扼殺」了。至深遺憾！

至於「中流砥柱」一詞，我曾參正過很多書，並也查考過辭源、辭海。

不過史先生說：「砥柱」，就在他家鄉，並說他家鄉的父老們都叫它「砥柱石」，不叫「砥柱山」。這真如俗語說：百聞不如一見；耳聞為虛，眼見為實了。卻是顛撲不破的真理！「也正如我所住在地——蘇州——吳縣閶門外，親目所睹的江橋和楓橋一樣。（橋柱上鐫的明明白白，一名江橋，一名楓橋）而且經過當地若干學者名士印證確實的」，因此，主觀的想像，和不可確信的史料，不能不向客觀的和當前活的事實低頭，我應以史先生之說為是。

我再舉例以證：譬如「蜀犬吠日」一詞吧！一般人都解說是因四川山高，犬很少見日出，每見日出，一羣犬就狂吠起來，這是比喻少所見多所怪的意思。（這也正如未到過蘇州，更未遊過江橋楓橋，全憑主觀地臆斷，硬把江（橋）楓（橋）強作解人，解釋為「江岸上楓樹」一樣的幼稚。

因為蜀犬之所以吠日，並不因山高，而是由於霧重，這是我們到了四川才瞭解的，若非親臨其境，領悟其非，將對韓愈的古老解釋永遠信而不疑！諸公，以韓愈文起八代之衰的聖人，把普通的一個名詞，都不能解得完全正確，他人可想而知了。

現在我願意把文學家文基先生原著之中國文學研究新編有關中國文學研究的方向部份，摘要抄請鑽牛角尖的朋友參考。

文基說：今日中國的歷史家，還是守定那幾本古代的破書舊檔，視為唯一的資料，其無遠大的深刻的收穫是必然的，「抱殘守缺」是難能有前進的希望與發展的。

對於中國文學的研究，何嘗不是這樣，把諸正史的文範傳和各時代的文選，當作研究的基礎，這樣一個草創的時代，是已經遠遠地被拋在後面了。今日所要走的，乃是許多新的資料的出現，而將文學史的局面，重為審定的一條大道。

按原公開答復周先生稿末後尚附律兩首，因周先生自認其對詩欣賞能力很强，特請指教者，其傳：

一、賦落花

擺脫情天入恨天，繁花顧影自生憐；零脂賸粉迷蝴蝶，綠意紅情託杜鵑；三月春城香作雨，一番芳信夢如烟；江湖我亦飄淪落，相見無言各黯然。

二、感懷

浣盡青衫舊酒痕，秋風翹首眺川原；細雨繁霜慣點勞人鬢，偏侵病客魂；夢已成塵休說夢，恩多未報又承恩；祖生鞭影劉琨劍，前路蒼茫勉共論。

編者按：劉嘯月先生前在中央日報副刊，談「楓橋夜泊」詩，以其寄居蘇州所見江橋、楓橋，迄對愁眠山，提出新的解釋。越數日周冠華先生不服其說，在中副提出反駁，而且引經據典，頗費筆墨。嘯月先生又據所見及當地父老講述再提辯證，今又為本報撰寫此文，特為刊布。實則解詩甚難，尤不可深解或強解。諺云「有詩意存焉。」即不必深究之謂也。

御廚談藪

隱泉林

白切肉

四熱葷上完之後，現在應該上菜了。先來做葷菜，葷菜中，以豬肉為先，首先上「白切肉」。

用腿部或背部的豬肉，瘦多肥少，不必切碎，放入滾水略煮，用繩紮緊，略加一點酒，用急火燒，約四十分鐘熟透，然後去繩，切片後，醬油、蒜末作為配料佐餐。

紅燒肉

用豬的背部肥瘦各半，切成方寸大塊，放入鍋中，加水與肉平，煮到半熟取出，另以白豬油調白糖，再與肉一同下鍋炒之，再加醬油、酒，待肉色濃紅再加鹽及原鹵少許，再煮四十分鐘，酥而味妙。

讀書雜鈔（一）

·林僑·

紀曉嵐，名昀，諡文達，清、河間人，乾隆進士，選翰林院庶吉士、編修，官至協辦大學士，投於讀書能過目成誦。故於書無所不通。畢生致其力總纂四庫全書，所欲言，悉於四庫全書提要，及簡目錄，全因不輕自著書。有閱微草堂筆記流傳於世，莊諧並陳，兼涉怪異，大旨繫於正人心、寓勸懲。雖語多荒誕，似出寓言，然其事為理所宜有，固不必以子虛烏有視之。君子寧信其有，或可發人深省也。抄錄數則，藉以激勵善心，砥礪薄俗，予人警惕耳！

（一）御史某之伏法也，有問官白晝假寐，恍惚見之，驚問曰：「君有冤耶？」曰：「言官受賂，羅章奏，於法當誅，吾何冤！」曰：「不冤，何為來見我？」曰：「問官七、八人，舊交如我者，亦兩三人，何獨憾我？」曰：「我與君有宿隙，非不共戴天者也。不過進取相軋耳，我對簿時，君雖引嫌不問，而陽陽有德色，君雖虛詞慰藉，而隱隱含輕薄，是他人置我死，而君以修怨快我死也。患難之際，此最傷人心，吾安得不憾。」問官惶恐愧謝曰：「然則君將報我乎？」曰：「我死於法，安得報君。君居心於是，自非載福之道，亦無庸我報，特意有不平，使君知之耳！」語訖，若睡若醒，開目已失所在，案上殘茗尚微溫。後所親見其惘惘如失，陰叩之，乃具道始末。喟然曰：「幸哉！我未下石也。」其飲恨猶於是石也。曾子曰：「哀矜勿喜，不其然乎？」所親為人述之，亦喟然曰：「一有私心，雖當其罪，猶不服，況不當其罪乎？」（見閱微草堂卷三）

時人曰：古御史不敢存私心，觀之今日，又曷勝浩歎！蓋公監察院監察委員，公爾忘私能有幾人？反之歷年迭有因案判刑者，類皆利用職權，遂其私慾事敗入獄，其有是為有形犯罪。其有隱形弄權傷人，而不易發其陰私者，表面為仗義執言，實則大奸大惡。例如近年某監委因稅案彈劾某一首長案，監院內幾乎人人皆知其意在為好友謀奪職位，且明知某首長為代罪羔羊，對其真正犯罪要員，避而不談，明知故犯，其心可誅，不悉紀文又作何感也。（未完）

吳藻（三）

黛眉小傳

·王幻·

一般人評論她的詞豪放處接近蘇、辛。愚意認為：她的詞嫵媚處亦酷肖稼軒。如「如夢令」詠燕子云：

燕子未隨春去，飛到繡簾深處。軟語話多時，莫是要和儂住？延佇，延佇，含笑回他「不許」！

詞境清新婉麗，有輕鬆的美感，充分表現出深閨的孤寂，更可體會到她的感情是何等的豐富。其結句：「延佇、延佇，含笑回他「不許」！是何等的生動而傳神。可與稼軒的名句：「疑松趁醉來扶我，以手推松曰去！」相媲美。讀情真之作，如食橄欖，初倘疑其苦澀，回味始覺如飴，而其芳香永留齒頰之間。她的「花簾詞」中，亦不乏剪紅刻翠及淒苦愁絕之作：

花徑，花徑，添個愁人孤影。夜深月冷風寒，何處高樓笛殘？殘笛，殘笛，吹破梅花消息。（調笑令）

夕陽庭角歸鴉噪，銀屏繡幙生寒峭。飄色上花枝，曲終人去時。黃昏深院鎖，只是薰香坐。一夜雨和風，小窗燈不紅。（菩薩蠻）

長夜迢迢，落葉蕭蕭，紙窗兒不住風敲。茶溫烟冷，爐暗香銷。正小庭空，雙扉掩，一燈挑。

愁也難拋，夢也難招，擁寒衾睡也無聊。淒涼境況，齊作今宵。有漏聲沉，鈴聲苦，雁聲高。（行香子）

她的後期作品「香南雪北詞」的內容，與前期風格有所不同；歲月的縈迴，消殘了她的豪情，人情的滄桑，麻木了她的感受。在她四十歲之後，死了丈夫，又不免懷舊悼亡，說什麼「怨羽秋宮，人亡琴在，……試一彈再鼓，只增悲慨」了。最能表示他此時的心境的，莫如「浣溪紗」云：

一卷離騷一卷經，十年心事十年燈；芭蕉葉上幾秋聲？欲哭不成還強笑，諱愁無奈學忘情；誤人猶是說聰明！

所謂「聰明總被聰明誤」，回首前塵，恍若隔世。她遂移家南湖，古城野水，地多梅花，取釋典語意，題其居曰「香南雪北廬」。她在「香南雪北詞」自序說：「十年來憂患餘生，人事有不可言者。引商刻徵，吟事遂廢。此後恐不更作，因檢叢殘剩稿，恕而存諸。即以居室之名名之。今後以往，掃除文字，潛心奉道。香山南，雪山北，皈依淨土，幾生修得到梅花乎？」她這時已是五十多歲的老婦人，葉已徹悟：「留不住，覺過眼韶華空色都無排。」內禪理。使篤奉空王，皈依淨土，掃除文字障礙，無牽無罣，去做他「幾生修到梅花乎？」念彌陀，終老於青磬紅魚中了。（完）

我們的家長回來了（二二五）

巨變歷險記！

·胡慶蓉·

丁博士由仰光而臘戍而棠及而猛汗，已進了中國游擊隊的中心軍區，猛撒軍區。猛撒是這個軍區的中心，也是整個游擊隊的首都，整個東南亞反共力量的總司令部，消息傳至，遍地歡騰，都準備歡迎「我們的家長」。

「我們的家長」，這是滇邊游擊隊對博士的通稱。在實際上，大家也都看丁博士是「我們的家長」。丁博士的「丁」字大家都簡去了，現在通稱博士。由是，博士就變成了作留的符號。博士的消息，像閃電般的不脛而走：在游擊區裏，現在都裝備了電台，每一個駐防的地點都有他們的電台。有專人負責，有整排的人，整連的人負責保護。台有台長，有譯電員，在猛撒總部並設有一處以總其成。

「我們的家長」，充分表現了游擊隊員的心聲。他們都以家長看博士也都以家長待博士。「我們的家長」更遵充滿着愛戴着崇敬。游擊隊有今日的壯大，博士直接當然是李彌的辛勞，但假如不是博士力主對緬戰門，假如不是博士決心，根本是根本都沒有了，李彌又從那裏幹起，李彌根本無用武之地。

「我們的家長」又有飲水思源的意思。博士的吃苦，博士的奮鬥，在在都令人耳目。大家一談起來，就會流淚。現在回來的博士，面容消瘦多了。他原來就不胖，經過了年八個月的牢獄之災，博士更消瘦了。消瘦雖然消瘦，但博士的精神依然飽滿，放攝的眼睛，鏡子更擦托出博士健康的神氣。沉着堅毅。他的講話，全體將士都愛聽。

博士到了猛汗，李彌主席也趕到了。李彌常往來於泰緬，台灣，游擊隊之間，他從台灣回來，從泰國回來，從緬甸猛撒，都要經過猛汗。這裏有一個大的佛廟，博士、主席，連同隨行人員，都住在這個廟裏。這個廟，擺設式的建築，是用木頭的，除了菩佛，三面沒有牆壁，涼風徐徐，主席，異常的舒適，博士同蘇山波睡一塊，主席距離不遠。大家恐怕都睡的很好，一片靜寂：一盞煤油燈在燃着，惟獨博士夜不成眠，：他一下子想到過去，又一下子想到將來，對於身旁的蘇山波副總裁，更不斷的向往視。在他想，蘇副總裁也還沒有睡着。蘇副總裁有他偉大的政治抱負：吉倫的獨立，家族的獨立，單（手旁下同）族的獨立，緬甸現政府的更新，緬甸各族與游擊隊的合作，如何去實現也必須一一在他腦子盤旋。第二天八點半，博士、主席，一同前往猛撒。

從猛汗到猛撒，共有四天的路。主席騎馬，博士騎馬，蘇副總裁也騎馬，其他隨從人員也無不騎馬。主席騎術甚精，他小的時候，在家裏（雲南騰衝）曾作過馬的工作，自己也曾學習騎馬。博士對於騎馬，訓練不精，正是走着的時候，他忽然從馬背，原因鞍子掉下來了。大家不由的都吃一驚，摔下來，將鞍子給博士背好，把肚帶扣緊。他很幽默的向鞍子上一拍，大聲說道：「請博士上馬」！大家不由的都笑起來。

四天路上，兩次在村子上睡覺，住的還是廟宇，廟宇是可以住的，廟宇也都很乾淨。到猛撒，以五萬[illegible]，有蘇副總指揮的房子給博士住，他自己住在山坡上，有新蓋的三層樓上，向稍潔潔，各部份都分別的歡宴博士，席無虛日以示慶祝之意。博士也都提到參加，儘量的給他人鼓勵。「我們的家長回來了！」「我們的家長回來了」！到處歡呼，場面的親切熱烈，令人感動。

自由報

中華民國內政部登記證內警台誌字第〇一〇二號
中華郵政台字第一二八二號執照登記為第一類新聞紙類

（第三一七一期）

（本報週刊每星期三、六出版）
每份港幣壹角・台灣零售價新台幣弍元
社長李運鵬・督印黃行奮
社址：香港九龍彌敦道593—601號
廖創興銀行大廈八樓五座
LIU CHONG HING BUILDING
7th FLOOR FLAT '5
593—601 NATHAN ROAD,
KOWLOON, H.K.
TEL：K903831
電報掛號：7191

承印：嘉昌印刷公司
地址：塞成街廿九號地下
台灣區業務管理中心：台北重慶南路一段一二九號
電話：二四五七四
台灣區直接訂戶　台灣劃撥戶
第五〇五六號張萬有（自由報會計室）
台灣分社：台北市西寧南路110號二樓
電話：三三〇三四六、台郵劃撥戶九二五二號

本報專論

對當前國際間二三時事的觀感

國際報業協會無理取鬧

何維藩

最近新加坡政府封閉了兩家報館，還逮捕了若干個新聞記者，置之監獄中，不予審訊，理由是他們在法庭上可能替共黨作宣傳。李光耀總理在國際報業協會大會中，雖受到一些會員的詰詢，但他毫無隱諱的聲述他採取這種措施的原因，理直氣壯，振振有詞。然以維護「新聞自由」的救主自命的國際報業協會，亦只是決定組織「調查委員會」赴新加坡調查經過事實再說，連譴責的意思亦不見表示。

可是，該協會對於台灣早已判處非律賓新聞從業員于長城兄弟「感化」有差——而且在審訊時又經該協會派員觀審的舊案，却要求在七月以前必須釋放，否則便要開除中華民國的會籍，聲勢洶洶，有若最後通牒，眞是咄咄怪事！這案件原不是在台灣發生的，僅以被告係中國人的關係，纔接受友邦的要求，予以從寬處理，視新加坡政府之吊銷報紙執照，拿辦新聞記者情形，迥不相侔。然我政府當局對於國際報協公然干涉別國內政，無視別國法律的乖張言行，竟爾逆來順受，恬然不以爲意，且表示可以提前釋放于氏兄弟。這在邏輯上即不啻自認台灣是不許有新聞自由的地區，烏乎可呢！老實講，台灣當初就不應該接辦此案，于氏兄弟是在馬尼拉爲共作倀，菲國政府自可依法究問，原無解送台灣之必要。於今國際報協一鬧，而菲總統馬可斯又表示有條件的可以讓于氏兄弟回至菲島，重理舊業，然則當初何不按照馬可斯先生所說的三項條件，逕自訊處呢！

新加坡「海峽時報」認爲新加坡報紙未如亞洲許多自由國家的報紙之受束縛，但當地政府的行動，不應以新聞自由的規律來判斷，而須以保障公共安全，防止滲透和防範社會衝突來衡量。台灣今日的情形，在保障公共安全和防止共黨滲透的觀點上，比較任何自由國家更爲重要，台灣絕對不容許有宣傳共產邪說之自由。于氏兄弟因經常爲共黨張目助勢，而受到「感化」處分，可謂從輕發落了，然國際報協乃小題大作，指爲沒有新聞自由而以開除會籍相要挾，這算是主張公道嗎？我們是民營報紙的從業員，當然要爭取新聞自由，但不能爲着爭取新聞自由，即對於損害自己國家主權的事情亦怡然自安，吾愛自由，吾尤愛國家！所以，我們瞧着政府當局對於國際報協濫翻舊案以干涉吾國內政的行爲，表示默爾而息的軟弱態度，認爲殊不足取，難道說，我們就連李光耀那點氣魄亦沒有不成麼？于氏兄弟又向外宣傳台灣要想攫奪他的報紙，這樣的謠言攻勢若不加以澄清，豈非表示所傳匪虛？這給世人的觀感太不良了！

台灣有些事情，都是粵語所謂「搵來攪」，于氏兄弟案即其明證。又如出版法頒佈以來，很少援用，却給世人以鉗制言論自由的口實，不智孰甚哉！于氏兄弟如其可以提前省釋，我們固所願聞，但不宜在國際報協無理取鬧的限期之內實行。該協會是個懷持偏見，不守份際而妄干別國內政的民間團體，我們儘可詳述理由事實，聲明退出該協會，羞與爲伍。這樣纔是一個獨立自主國家應有的態度，我們豈可妄自菲薄乎？

昨日與明日

毛澤東大言不慚

毛酋狂言的作用

毛酋澤東對羅馬尼亞共黨頭目修西斯古聲稱，蘇俄如果進攻羅國，毛共必不坐視；又謂羅國和其他的東歐共產國家若缺乏生活物資，毛共一定予以照顧云云。這完全是信口雌黃，大言欺世之談。

羅馬尼亞若不發生匈牙利式的反共運動，蘇俄何至於進攻羅國呢？即令有此情形，毛共就敢向蘇俄進攻？大言不慚，可哂之至。若夫以物資接濟東歐的共黨政權，只是口惠而已，中國大陸人民缺衣乏食，毛共每年還要向外面輸入糧麥，縱可作「飢餓輸出」，亦復力不從心，難怪修西斯古聞之而表示驚訝了。

毛酋這種狂言，另有作用在，他想拉攏羅共，結成「兄弟之邦」，加以南斯拉夫代表團來北平訪問，目前是對蘇俄的一大威脅。如果南斯拉夫，羅馬尼亞以及阿爾巴尼亞能與毛共携手合作，蘇俄控制下的華沙公約集團，即已呈現分裂狀態，東南方面的北韓與北越共黨政權，素受毛共卵翼，毛共有了歐亞這些伙伴，即可據以對抗「蘇修」，而爭取世界共產國際的領導權，很可能在北平另行組成一個共產國際陣營，大事號召，使蘇俄無可如何。

毛共一面反對「蘇修」，而自身却與修正主義的作俑者南斯拉夫親善結交，同時又倡導國家民族主義性的社會主義建設，俄共斥之爲脫離馬列主義的「僞善與機會主義者」，允稱確評。

毛共玩弄「美帝」

毛共經常攻訐蘇俄與「美帝」勾結，它自己亦對美國表示笑臉，旨在玩弄美國大少爺，增加美國內的糾紛而已。它看透了尼克遜急於退出越戰的心情，乃故作笑容外交姿態，藉以加強尼克遜從越南撤軍的信念，且可阻礙蘇俄支援越共的機會。反正越戰決不會結束的，毛共並不需要正式派軍隊參加越戰，越共亦不致敗北的。尼克遜急不暇擇地要撤退越南的美軍，越戰前途只有對越共有利，而美國對毛共笑容外交所付出的代價却很鉅大，結果是輸了戰爭，又贏不到和平，且復損失美國在自由世界的信譽，所得的就是撤回十多萬名的美軍而已。

美國以爲藉此可能增加俄、毛共反目的因素，一廂情願，自鳴得意，殊不知自已除被毛共玩弄一番外，毫無所得也。

・何如・

自由談

爲教育前途憂

報載：台灣基隆市一個國民中學教員游某，在教室對學生拳打脚踢，致人於死。中學生尚施體罰，已是駭人聽聞的野蠻行爲了，因而摧殘學子的生命，這不是鬼蜮世界嗎？

那個「人之患」的教師游某，犯下了故意殺人的滔天罪惡，該校校長若不將他送請法院懲究，當地的檢察官亦應該代表國家，提起公訴纔是。據說該校長已聲請辭職，這是逃避責任的巧宦作風，不能了事的，聘用野蠻無知的教師，濫竽學府，逞兇殺人，這責任豈能藉辭職即可脫卸？我認爲除却行政處分外，法院對該校長未宜置之不問。

連年以來，台灣教育界充滿着乖戾之氣，既有學生弑父者，亦有學生弑師者，現在又有教師格殺學生的暴行發生。當此復興中國文化精神的口號高唱入雲之際，我不知主管教育行政的各級官員，內心上作何感想？若論政治紀綱，這些教育官都應該有所處分，庶足以適應復興中國文化的義理。然而，笑罵由人，好官自爲，而且成績越壞的，官職越騰達，一個聲名狼藉的教育部長去職後，居然身兼國家高級教育文化機構的首長三四處，視一人一職的政府功令如弁髦。如果說教育爲立國之本，這情形就是敗國之本。若要眞正的復興中國文化，這情形適所以汩沒中國文化精神，寧有是處？國家元首諄諄誡凡百有司，必須知恥知病，實際上乃多見其爲無恥之恥，病益深沉！

基隆國中學生被教師毆斃案，若不依法儆懲兇犯，究問主管教育行政官的溺職責任，整個教育前途，必將不堪設想，復興中國文化云乎哉？

馮五先生

所謂「華沙談判」

應該聲明否認

一九五一年韓戰發生時，美總統杜魯門一面拒絕中華民國派兵赴韓國參戰，一面自說自話，聲稱台灣地位尚待國際決定，同時即派遣第七艦隊進駐台灣海峽，託名爲「保障台灣中立」，實際是庇護毛共的安全。試看艾森豪總統就任後，毛共大舉炮轟金門之役，第七艦隊奉命袖手旁觀的情形，所謂「保障台灣中立」之說，不攻自破了。既而艾森豪政府越俎代庖，倡議「華沙談判」，與毛共商討台灣問題時，助理國務卿胡佛，且公開聲明「不需中華民國參加」。當時我政府相信美國必不致出賣盟友，認爲我以忠誠待人，人亦必以忠誠待我，對此悍然抹煞中華民國主權的「華沙談判」，未予否認。現在尼克遜政府積極對毛共勾搭妥協，他的國務院發言人布瑞，亦說台灣地位尚待國際決定，要求恢復「華沙談判」，毛共已表示同意。不管美、毛這項非法交易能否有成，我政府基於主權所在，且已證明美國並無忠誠待我的心情，再不宜忍辱含垢，聽受擺佈了，應該嚴正聲明所謂「華沙談判」若涉及台灣問題，決不承認。台灣是中國的領土，縱有甚末問題亦與別國無關，毛共更不能代表中國人的意志，從事賣國勾當。美國所藉以派遣海空軍協防台灣海峽，而又進行「華沙談判」的理由，就是杜魯門自說自話的所謂台灣地位尚待國際決定的謬詞，在法理上毫無根據，我們若再漠視美、毛間妄談台灣問題，即是承認了美政府當局的說法，後患必然無窮！

從一九五〇年到現在這廿年以來，美國對華政策的一貫作風，並無忠誠友誼存在着，僅以消極性的軍經援助，使中華民國政府守住台灣一隅，保持美國在西太洋方面的國防據點而已。對於支援中國人民反抗共產暴政，爭取自由生活的願望，無所容心，即其所謂「兩個中國」的計劃，亦非爲中華民國的生存發展前途設想，否則就不應該包庇台灣叛亂份子如彭明敏之流，在美國公然活動，更不應該違反國際協定和條約，私擅將琉球羣島交還日本，且將中國固有的領土釣魚台列嶼，亦慷他人之慨，併送給日本呢！七十多年前，夏威夷共和國成立時，美國正式承認，且派遣使節道賀，繼又策動夏威夷內部變亂，自願取消共和國，成爲美國的一州。今日美國揚言台灣地位尚待國際決定，而單獨與毛共談判台灣問題，大有重演其對夏威夷共和國的歷史舊劇之趨勢，我們還可以容許「華沙談判」的惡作劇繼續進行嗎？

我們經常倡言革命，處此國際外交的緊要關頭，若不能表現革命精神，而瞻顧徘徊，跋前躓後，必貽噬臍莫及之憂。即如聯合國的代表權問題，我們原是聯大理事會的常任理事，享有否決權，對於毛共僞政權闖入聯合國的提案，儘可依照憲章行使否決權，却不必聲言毛共如加入，我即退出的話。假使聯大理事會不尊重我國的職權，硬要牽引毛共加入，那便是根本毁棄聯合國憲章，重蹈「國際聯盟」覆轍，因幾個強權主義者爲着制裁法西斯意大利侵略阿比西尼亞問題，不顧正義公道，把「國聯」搞垮完事，對我們並無損害。實行革命外交，此其時矣，及今不圖，後必有災，謀國者其三思之！

（完）

台北市銀行的人事和開支 市民不滿金克和的解釋

天下雜論

台北市議會議員們對於台北市銀行的人事和經費開支，早已不滿，曾屢次提出質詢和建議改進。最近在一次大會中，市議會公佈了市府官員眷屬在市銀行任職的名單，另一方面，市議會也聽取了市銀行董事長金克和對於交際費的說明。

在市府官員眷屬任職市銀行名單中，有市府秘書長余鍾驥之妻戴珍華，前市府機要科長之妻黃秀雲、財政局黃副局長之女黃志光、市府秘書高玉順之女高惠貞、市府參事趙馥郁之女趙士平等，連同其他人情職員幾十位之多。由這些人名中看出：這些職員，來頭都不小，譬如秘書長就是僅次於市長的市府二號人物，使人們對市行銀人事難免產生：「豪門政治，特權階級」的印象。

台北市銀行所列交際費預算是：二百八十四萬元，平均每月二十三萬七千餘元，每天約支出八千元，報載董事長金克和以肯定口吻答覆市議員們說：這些交際費皆為業務推廣與發展上所必要的支出。每一塊錢的支出，都與業務有關，做生意嗎，就必須交際，他不同意議員們所詢交際費是一種浪費的說法。金克和的答覆，不僅使市議員們大失所望，也使明眼閱報的市民們心中不服。因為銀行這門生意與一般生意不同，尤其台北市銀行，更具特性。第一，它不必和一般商業銀行那樣急於向外吸收存款。它經常有數十億元的市庫公款存入運用，不需要支付毫釐利息，更無需拉攏交際，因為依法，市庫公款必須要存入市銀行的。第二、銀行主要業務除了存款就是放款。要向銀行借錢的人，乃有求於銀行。如果談交際，乃是借款人向董事長、總經理、經理等人交際交際，而非銀行董事長等人向借款人交際。如果說：銀行交際費有必要，乃是董事長、總經理等人私人交際的必要，銀行本身業務，實無必要也。所以，市民們贊揚市議員們的意見，對於市銀董事長金克和的解釋，認為：毫無理由。

由於市銀行人事和浪費，使人們產生兩個感想：一、政府機關用人，應經由考試，今市銀用人多走便門，市銀董事長金克和乃破壞國家考試制度。二、市銀交際費變成了首長特支費，縱然交際費有必要，也不應用這樣多，如此浪費公帑，助長政治頹風，有違　總統政治革新訓示，其行政責任與政治操守，實應值得主管機關的注意和檢討。

鄭異

遏止犯罪嚴懲兇頑 現行刑法應予修正

憲政研討會討論獲致結論 主張將若干處罰應予加重

（自由報台北消息）國民大會憲政研討委員會第十九次綜合會議討論「刑法上重要問題」時，主張修正刑法總則及分則兩部份，並認為：「妨害名譽及信用各罪恆見今日之報章新聞對於當事人之漫無顧忌」，任意誹謗，由於「刑法對此處罰，多以罰金了事，不能發生制裁之實效」，「允宜從立法途徑，予以挽救」云。

關於刑法總則部份：刑法第四十一條易科罰金之總額，得以一元以上三元以下折算有期徒刑或拘役一日，此項折算率，係根據民國二十四年一般之工資標準而定，與目前實際社會工資頗有差距，允宜酌提高至三元至九元折算一日。又銀圓與新台幣之折算率，為一與三之比，亦嫌過低，建議財政主管當局予以合理調整。按易科罰金之精神，在於憫刑恤罰，倘罰金之數額及折算與實際社會經濟狀況，距離過大，則難收刑罰之實效，與立法之精神相去日遠，因此必須有一合理之修正與調整。又同法第四十二條第二項亦應依同一理由，加以修正。

刑法第四十七條累犯加重處罰之刑度宜酌予加重，並加強出獄人保護與觀護制度，以遏止再犯之發生，按該條規定凡是曾受刑事宣告甚而服刑者，是為累犯，應加重本刑二分之一，以示重處，目前此項累犯，所佔人犯比率甚大，且有日漸增加之趨勢，允宜就此一現象，詳加調查分析，就其犯數、犯別、罪質、原因等，逐項檢討，妥謀對策，以確實消弭再犯，才為正本清源之道，司法機關既有犯罪研究中心之組織，惟對累犯之研究，尚未見公布，特為強調及此，促請注意。關於出獄人保護，台省原有司法保護會，為一財團法人，因其組織權責未盡充實，尚不能積極發揮成效。今後如何配合台省之社會福利政策，對於出獄人有積極性之輔導生活，亦有待主管方面研究加強。至於觀護制度，現僅以少年犯罪及假釋出獄之保護管束為工作重點，亦有待普遍推行，如此對於防止累犯問題，始能作根本上之鏟除。

刑法第五十六條連續數行為而犯同一之罪名，以一罪論，但得加重其刑至二分之一，似應重新檢討。良以連續犯處罰上之一罪，而非行為上之一罪，而特予加重處罰之規定。按連續犯之本質，究屬一罪或數罪，學者之間頗多爭論，近代各國有認為連續犯將多次犯罪以一罪論，未免有失刑罰公平之原則。有日本戰後之刑法，即將連續犯予以刪除，我國刑法將連續犯列作為牽連犯採相輔並行之刑制，而在目前實際之社會環境上與實務上，不無可為檢討予以重新計議之必要，至少亦須本乎加重處罰之前提，庶能對此項犯罪，有一合理有效公平之制裁。

行賄受與同科 刑法應增條文

懲治貪墨使人戒懼 戢止紅包而正政風

關於刑法分則部份：刑法第一百廿一條瀆職罪，宜增列對於公務員或仲裁人，關於職務上之行為，行求期約或交附賄賂或其他不正利益者，處以相當之有期徒刑，與併科罰金。按賄賂之罪，自舊律以降，均為受與同科，蓋必先有贈而後有受，是行賄為其原因，受賄為其結果。故應同受刑法之制裁，俾正政風。如暫行新刑律，對官員公斷人行求賄賂，或期約或交付者，處四等以下有期徒刑，或三百元以下罰金。舊刑法對於公務員於職務上之行為，行求期約或交付賄賂或其他不正利益者，處二年以下有期徒刑，得併科三千元以下罰金。現行刑法因不枉法之行賄罪，期使行賄者事成之後，挺身舉發，無所忌憚，當有獎勵舉發犯罪之意，乃將行賄罪予以刪除。唯以事實上該項用意並未發生作用，且時移勢異，際茲工商社會，人民請求申請之事項滋多，而台省民間盛傳之紅包大行，對於行賄者而言則未嘗不是諂免寬容，與原立法意旨大相逕庭，因此允宜於刑法予以修正，增列第二項，俾對公務員或仲裁人關於職務之[illegible]懲處，使人有所戒懼，而正風氣。

刑法上關於公共危險罪、妨害工商罪各章所規定之刑罰，均嫌過輕，蓋以當前社會繁榮，工商發達，交通便捷，對於公共危險、交通保護、工商保護以維護公共之安全，益見重要，因此對於上述各罪，有關條文，非加重其刑度，不足以收懲罰之效。

我國社會素重倫常，殺直系血親尊親屬，處以嚴刑，實所當然。暫行新刑律及舊刑法均對此處以唯一之死刑，唐律清律亦皆處斬，現行刑法本於民法親屬規定之改變，對於刑法第二百七十二條減少死刑之適用，而以無期徒刑為選擇刑，似不無商榷餘地，國民大會憲政研討會同人一致認為應修正為唯一死刑，以昭炯戒，而勵末俗。

刑法上之遺棄罪，如以不作為而犯罪，其惡性較之作為而犯罪者有過無不及。而現行刑法處刑過輕，允宜加重，至少應與相當之積極性之犯罪行為處刑相當。至於[illegible]，宜修正酌量加重其刑度，並硬性規定宜付保安處分，當可收阻嚇之效。刑法上之詐欺罪、背信罪、重利罪均宜酌量修正加重其處罰。而贓物罪，處刑過輕，若干當舖收購贓物，任意為之，因之消贓容易，亦為增加竊盜犯罪之因素，欲以遏止竊盜，除修正竊盜之刑度，並硬性規定宜付保安處分外，對於贓物罪亦應酌予加重其處罰，並規定得宜付保安處分，俾雙管齊下，以資重處。同時對於當舖收押物品，應有限制與管理，以杜任意收贓之弊端。

我國傳統之刑法思想，即所謂：「導之以正，齊之以刑，民免而無恥，導之以德，齊之以禮，有恥且格。」在二十世紀之現代，仍為不易之最高原則。

美國人筆下的中國

陳毓賢譯

無為而治

毛澤東想以富有活力的現代辯證思想系統，取代中國人殘餘的「和諧」觀念——只留下一部份配合他的策略。要達到這目的，他得顧及中國人固有心理的每一方面，包括中國人對「人」的基本觀念，以至於日常生活每一個細小習慣，中國傳統的宇宙觀和西方不同。中國人並不覺得「善」與「惡」是水火不容的，（編者按：此處有嚴重的語病與誤解）聞名的陰陽原理所含蘊的乃是交替的宇宙韻律，而並非是鬥爭。甚至人與神間的沒有鬥爭，沒有情愛，沒有意見的交流。在宗教方面中國可說是「不可知論」者，並且沒有西方人所具有的宗教意識，孔子是不關心形上學的。這位宗師告訴門徒說：「未能事人，焉能事鬼？」孔子看來，人的本質是善的。結果，中國人有羞慚之感，而沒有罪惡之感。孔子認為人要保有他善良的本性，就須接受教化。儒學就是要供人以教化的。

儒學中，民族的興亡，社會的隆替，都繫於「禮」——有些學者把它解釋為「心靈的禮貌」。要達乎禮，必須仁、義、禮、智、信。五常應用在五種關係上：君臣、父子、兄弟、夫婦、朋友。（二）

從法律觀點談墮胎

國立政大法律教授　劉清波

過去墮胎之觀念，僅限於治療性之墮胎。即所謂懷孕有致母體生命危險，或害及其健康時，為保護母體之安全，始得墮胎。而今日新法律之精神，則擴大墮胎立法之範圍，其觀念已經變遷。即由治療性之墮胎而擴展至非治療性之墮胎，或謂優生之墮胎；而且及於家庭經濟的或倫理的事由而實施墮胎。其為經濟理由而墮胎者，並有社會政策之意義。

三、我國優生保健法草案：凡九章共三十九條，計分總論、身體健康、身體檢查、家庭計劃、母體健康之保護、墮胎、外科手術及罰則等八章。

（六）

劉半農[illegible]賽金花

「害死你們的公使的，不是太后，是義和團。他整天關在宮裏，又不常出來，怎麼能曉得外邊的事？」他們又問：「她到底躲在什麼地方去了？」我說：「誰也不知道她躲在什麼地方去了。」

「賽二爺」這個名兒，在那時，也弄得傳遍九城，家喻戶曉了，每天拿着名片來調兒見我的人，一個挨一個，有為聯絡情誼的，有懇求代為保護的。我這個人又是「有求必應」，生就來的一種好管閒事的脾氣，有些王公子弟便拜我作乾娘，為的是成了親戚走動，好借此護庇。

這時候，我練得很會騎馬，人家見我喜歡這個，也就買馬送給我，我自己還着好馬也買，我有四匹最好的馬，一匹是棗紅色，一叫鐵青色，皮青滾地，一個雪裏站，都是蒙古種。其中我得起「驛」之選的，是小紅馬，個子雖小，卻極健幹，府宗二爺送給我的，又好勝，同大馬一齊走時，牠不許大馬在牠頭裏走，一匹「黑寡婦」，一匹是騾子，我出門的時候，常是騎馬，也不走路。

快來了，京裏人同我感情都算很好，有一次，我正騎着馬在街上走，看見一個十幾歲的小孩，手裏拈着個瓶子，裏面打的醋，我問他：「你買醋作什麼？」他答：「回家告訴你媽，多包點兒，給二爺一會兒到你家去吃餃子。」這家果然就包下了許多餃子等我，那天我卻沒想到的真吃了去了！北京的街道，那時太污穢了，滿街屎尿無人管，洋人最是瞧不起這個，便下了個命令，叫商家住戶各自打掃門前，有一點污穢，查出來先打後罰，他們這種辦法，固然太厲害些，可是北京街道卻從此潔淨了許多。後來西太后迴鑾抵京，看見街上比從前又乾淨，很稱讚洋人們能幹。

附錄：

聯軍挾戰勝之餘威，入據京城，行動無所顧忌，任意姦淫擄掠，實堪痛恨，惜庚辛史籍對此事記載多不能詳。茲撮錄數節於此：

「聯軍皆大掠，鮮得免者，其祖國之家，受傷更重，珍玩器物皆掠盡。婦女虐辱，多自經，朝衣冠及鳳冠朝服之屍，觸目皆是。有自經已久，頭斷屍墜者」（羅惇曧：庚子國變紀略）。

「聯軍佔領北京之後，曾特許軍隊公開搶劫三日。……在英國方面，關於此類行事特長，卻曾以一種特別方式，所搶之物均須繳出。

（廿三）

答讀者，談文章。

·文匯樓主·

有好幾位讀者，（包括國立師範大學國文系、政治大學新聞系的朋友）羨慕樓主寫作技巧，問怎樣才能學到這一套，這要借用馬五先生的話了，實在的說是「扯卵蛋」，因為寫補白文章，有甚麼說甚麼，信筆塗鴉，既不注意佈局更未注意修辭，運氣造句都談不上，總之很懶散就是了。

既蒙讀者垂詢，祇好隨便再扯幾句，就樓主的直覺，人世間一些幽微難顯的道理，為各種書籍所不載者，往往於經驗中得之，因為這個關係，涉世愈深，其文愈壯，欲求文字之突出，不完全靠書本而來，應當將天地間雄偉奇麗與幽隱細微之事件，通過我們的思想而組織成文，喜笑怒罵，鬱勃奔騰，悉赴腕底，自來名作大體都是這樣，可以意會而不可言傳。

還有寫文章，尤其報館裏寫文章，最忌平水中駕扁舟，那還是不寫的好，提筆時先有一個原則，即自千仞之巔，傾瀉而下，怒潮澎湃，苟有所觸，沒有不被摧毀的，也就是俗話：具萬鈞之威。立意也非常要緊，意者是文章的骨頭，人如果沒有骨頭，筋絡血脈肌膚無所依附。文而無意，氣機風韻詞藻無所呲倚，難成為文，意既定，然後起伏抑揚若軍旅隨旗鼓而進。三國演義有一段描寫劉備路聽農歌直到下馬叩門，寫的是非常成功。

佈局也很要緊，如統帥之用兵，佈署必須陳竹在胸者，那一路是正兵，那一路是奇師，那一路是伏兵，那一路是後援，換句話就是早有準備，大公報總主筆張季鸞認為寫文章在未動筆前，必先統籌全局，深入淺出，反覆推論，即是跑野馬，也無顛倒錯亂之病，非無由也。同時要注意的，做人要寬厚，寫文則非尖酸不可，所謂出招見紅，多讀書，以豐其理，廣閱歷，以擴其識。如果能這樣的話，下筆萬言有甚麼難呢？

末了，樓主擬介紹幾本寫文章的人必須讀的書：一，莊子，二，離騷，三，西遊記，四，水滸，五，西廂記，六，三國誌等。聖經新舊約要熟讀，尼采的蘇魯支語錄（Aiso Sprach Zarathustra）尼采自己介紹說：「這是一部永不涸竭的泉水，沒有汲桶放下去，不能滿汲着黃金和珠寶上來！」至於樓主在報紙上登的文章早晨看過後，飯後就裁掉包花生米沒有甚麼了羨慕的。

文滙樓記

何浩若先生事略

·阮雋釗·

先生名浩若，字孟吾，湖南湘潭人。父特循公，自幼奔走革命，與黃克強、蔡松坡、胡子靖諸先生相友善。民元任湖南教育司長，與胡子靖先生創辦明德中學，親主教席數十年，諄諄以文行忠信勉諸生。母楊氏，出於同里望族。先生生於己亥年（民前十三年）三月十六日，幼年岐嶷，沐浴庭訓，故忠孝傳於家，誠信孚於衆，稟賦之厚，迥異尋常。

民國二年，先生入清華學校，八年畢業，翌年赴美，就讀於威斯康辛大學，習經濟，獲哲學博士，復入洛威治軍校，習騎兵。學成返國，先授課於黃埔軍校第四期，國民革命軍北伐，調任四十六軍參謀長及第十師團長，作戰有功。今總統蔣公召見嘉獎，先生受知於領袖自此始。

十七年春，先生以國家統一，海內粗安，乃捨武從文，改任中央、金陵各大學教授，授經濟學，啓新知於蒙昧，扇羣卉之春風，循循善誘，教化大行。出其門者，皆一時之選，卓然有所自立。

二十一年，湖南主席何芸樵，荐掌西路總司令部黨政事宜，兼主辦學生集訓，壯明恥教戰之氣，勵忠黨衛國之操，事竣之日，師生依依不忍卒別，至於泣下。湘中風氣，因而丕變。迄後歷任湖南河南兩省財政廳長，革新地方財務，成效斐然，論者稱為當時翹楚。

二十七年，抗日軍興，先生歷任軍事委員會政治部第三廳長，三民主義青年團中央團部宣傳處長、中央日報社長、經濟會議副秘書長、經濟部物資局局長、國家總動員委員會副秘書長、軍委員政治部副部長、三民主義青年團中央常務幹事、外事局長。先生以劉晏之經綸，兼端木之辭令，雍容樽俎，挽揮芻粟，肆應曲當，獻替尤多。

三十四年，抗戰勝利，外事局結束，先生奉命調任行政院綏靖區政務員會秘書長。三十七年，中國國民黨為加強組織，統一黨團工作，先生膺選中央常務委員，乃竭智盡忠，宣勞黨務。其時繼八年聖戰之後，杼軸其空，匪寇潛滋，猖獗未復，先生默察時勢，戚焉心憂，倡議改革財政金融，作長期剿匪準備，終以態勢倏變，未及施行，引為終身憾事。三十七年以聯合國中國代表團顧問赴美，從事對匪心戰，揭發匪情，論斷警闢，轉移國際視聽，至為人所稱道。

四十八年，先生奉命返國，總統兼院長聘為國防研究院講座，投民生主義及匪情各課，先生一生盡瘁黨國，遍歷黨政軍各職，而於啓迪後進，尤抱熱忱。於國防研究院授課之餘，復兼任師大、政大、中國文化學院教授，且遍至全島，歷向軍政各幹部演講，剖析國際情勢，灌輸現代知識，宣揚大義，排斥陰謀，恆發人之所未發，言人之所未言。其對青年學子，尤為愛護，常啓發其愛國思想，指導其治學方法，諄諄然，循循然，不激不勵，而導之於正軌。間遇游移分子，則明辨是非，罕譬曲喻，恆使之心折而迷途知返。先生之治學也，以謹嚴為主，闡科學之精神，作正義之宣揚，雖一字之微，必求出處，一事之敘，必有原委，苟大義所在，則發其浩然正氣，慷慨淋漓，鞭辟近裏，所著「自由民主的經濟制度」、「民生主義與自由經濟」、「從文族與文化看中國的前途」、「國際現勢之分析」一、二、三、四輯等書，及對財政、經濟、外交、匪勢各方面所發表之評論都有百餘萬言，風行內外，膾炙人口。其遺稿三百餘萬言，正由先生門人負責整理，不日即可問世。

先生年逾七十，猶黎明即起，深夜始息，研究工作未嘗間斷，誠所謂發憤忘食，樂以忘憂，不如老之將至，詎意五十九年十二月廿九日清晨五時，心臟病突發，急送榮民總醫院搶救，歷二十九日，半陷昏迷狀態，間喃喃囈語，則皆撥亂反正之事，而無一語及私。終因心臟肌能衰竭，遂告不起，於六十年一月二十七晚九時逝世，享壽七十有三。

民國十六年，先生與黃湘翹女士結婚。黃女士為湖南沅陵望族。畢業於北平女子高等師範大學。曾執教於北平南高師，安徽女中等校，生子女四人。子緯渝，畢業於美國哥倫比亞大學，得物理學博士學位。現供職於美國北美科學中心。長女嫣南畢業於美國哥倫比亞女校得學士學位，適馬。次女麗蓮，畢業於Polyrechnse Institute of Brooklyn，得碩士學位，適施。三女麗西，畢業於Queen's Bo.lege，得化學碩士學位，適湯。

自文武分途，絳、灌、隨、陸，不能兼資；先生則以博士而督軍士，以武人而任教授。自言語政事分科，予、賜、由、求，不能兼擅，先生則從政而政事修明，出使而國交雍穆。夫以先生之才全識廣，宜若可以決疑定策扶顛持危，乃未施展雄圖，而寫志以終，此固先生之不幸，抑亦黨國之大不幸也。（完）

讀書雜鈔（二）

·林倩·

星士虞春潭，為人推算，多奇中。偶薄游婁漢，與一士人同舟，論頗歡洽，久而怪其不眠不食，疑為仙鬼。夜中密詰之，士人曰：「我非仙非鬼，文昌司錄之神也，有事詣南岳，與君有緣，故得數日周旋耳。」虞因問之曰：「吾於命理自謂頗深，嘗推某當大貴，而竟無驗，君司錄籍，當知其由。」士人曰：「是命本貴，以熱中削減十之七矣。」虞曰：「仕宦熱中，是亦常情，何冥譴若是之重？」士人曰：「仕宦熱中，其強悍者必怙權，怙權者必狠而愎；其孱弱者必固位，固位者必險而深。且怙權固位，是必躁競，躁競相軋，是必排擠。至於排擠，則不問人之賢否，而問黨之異同；不計事之可否，而計己之勝負，流弊不可勝言矣，是其罪在貪酷上，壽且削減，何止於祿乎？」虞陰記其語，越兩歲餘，某果死。（見閱微草堂卷五）

（未完）

小對口

劉嘯月

一、黑魯曉夫與毛賊東。

黑魯曉夫當年以毒辣手段取代梟雄史達林，而「擁登」俄魯寶座之後，曾報聘大陸匪區，隨帶西北利亞名產——西瓜一顆，以示優寵！

毛酋接着大西瓜，帶諷刺性（因毛酋只信仰牠乾老子……史魔，對黑魔的「和平共存」的外交政策，殊為不滿意）的口吻說：

「好大的柚子啊」！

黑魔應聲的回答：

「哼！這是柚子，是改良種的葡萄！」

二、伍修權與陳毅

當伍修權在外交部跑龍套的那年，想出出風頭，率領一批所謂農業專家到匪區去視察，伍問陳說：

「聽說你們這裏，今年「一禾四穗」，一畝田可收幾萬斤谷子；那麼，你們的今年的小麥收成怎樣」？

陳匪綢眉答復說：

「蒙老大哥的福，我們今年小麥大豐收！一直堆到上帝的脚跟了」！

伍便教訓陳說：

「根本就沒有上帝」。

陳又尖銳地答復伍說：

「我們根本就沒有小麥」。

三、項姓與朱姓

有一項姓與朱姓的同在一酒店共桌相對飲酒，酒過三杯，項姓的面對朱姓說：

「請問尊姓」？那位朱姓回答：

「兩朝天子，（意指朱全忠與朱元璋兩位開國皇帝）一代聖人。（意指宋代大儒朱熹。）」

完全顯出朱家人才之盛。

朱姓又請問項姓說：

那麼你貴姓呢？項姓聽朱姓的答復。心有未甘，乃思有所折之說：

「曾烹天子父；（意指項羽）曾揚言要烹漢高祖劉邦之父）又作聖人師。（意指孔子的老師項橐。）

四、劉姓與李姓

一日，有姓劉的和一姓李的，同道而行，劉姓忽問李姓說：老兄尊姓？李出言不遜的說：「騎青牛，過函谷，老子姓李。」（老子是指道家鼻祖李耳）李姓後問劉貴姓？

劉聞姓李這樣答後，甚為氣憤！乃報復的答曰：

「斬白蛇，興漢業，高祖姓劉。（高祖指劉邦）」

以上都是針鋒相對互爭「雄長」句句有刺，誠妙不可言！

話說朱元璋

雁謀

愛才如命，知人善任

明太祖朱元璋以一個小和尚，從小兵幹起，居然能夠推倒蒙元，由一個沒讀多少書的窮小子，竟然做到雄才大略，與漢高祖相提並論，且有過之而無不及，如不是一代偉人，也足可算是「一個人材——」一代奇人。

他自己也曾說：「予本淮右布衣」。就因為他是出身微賤，從最低級做起來，所以他懂得人民的痛癢何在，以「驅逐胡虜，恢復中華」「為政治號召。以「民之所好好之，民之所惡惡之」為施政的依歸。這當然獲致全民的支持。一呼萬諾。這也就是他自比漢高之處。可是一件事情要把它徹頭徹尾的完成，却不是那末容易，這必須有他內在的條件。否則為甚麼元末羣雄及野心之徒，何只萬千，其他的人一個一個地倒了下去，而朱元璋一個人獨能成功呢？這一點我們就不能說是「不信搆，信運氣」了。朱元璋雖然沒有跟過名師大儒讀過書，但我們敢相信他一定下過苦功做過自修的功夫，我們就看他不恥下問，善納良言來說，他就比劉邦強得多。我們縱橫觀歷史，時無論古今，地上不分中外，凡是一個英雄人物的成功，都不超出下面三個條件：

愛財如命，

揮金如土，

殺人如麻。

明太祖就全做到這三大條件。而且這三大條件也完全按到次序來做的。前二件者是打江山的要，也是受人擁戴的原因。後者是他鞏固事業基礎維持天下太平的要件。

談到「愛才如命」，朱元璋自知身世寒微，未拜名師宿儒，所以他每攻克一地，必親自求訪賢能，羅致以為己用。更普立郡學，收拾知識份子為他效力。如致書禮聘浙東名士劉伯溫、章溢、葉琛等，並築「禮賢館」以處之。又如李善長，此人如劉邦之與蕭何類人物，馮國用兄弟，廖永忠等，都是朱元璋自己求得來的良材。最武將可以說大多是朱元璋自己招來的。傑出的如徐達，鄧愈，費聚，吳楨，胡大海，李文忠，收降來的也不可勝數。我們不說旁的，就以方國珍貢獻給他的金玉馬鞍而言，他慨然的說：「吾方有事四方，所需者文武才能，所用者穀粟布帛，其他珍玩，非所好也」。遂令將金玉馬鞍拿回去。足見朱元璋是愛才如命，求賢若渴；對於金銀財帛視之如敝屣。

（十四）

管仲　李紳　莊周　曹操　華佗　包拯　朱熹　朱元璋　戚繼光　李鴻章　段祺瑞　胡適

安徽十三傑

巨變歷險記！

返抵猛撤（二二六）

・胡慶蓉・

這是民國四十年年底以前丁博士返抵游擊隊總部所在地猛撤的。丁博士離開猛撤迄今將近兩年，他看猛撤到處一番新氣象，感到非常欣慰，非常的興奮，他過去受的罪都忘記了。

五華山爲總部所在，李總指揮的房子兩層已經建築起來。用木料，竹子、草皮蓋成，完全就近取材。就部隊裏邊出工，上層是會議室，臥房，廚房，下層是儲藏室與勤務的臥房。主席辦公室下來是餐廳，旁邊是壯懷爐（即招待所）。就在他的房子旁邊，他的房子右邊，又蓋起來丁博士的房子，平房，離地尺許，一半是客廳，一半是臥房，全是竹子，草排。此房乃警衛營長鄒浩修督同官兵蓋的，不到三天就完成了。博士房旁是蘇副總指揮的房，錢參謀長的房，再往，山頂上是忠烈祠。

五華山下去在進門的地方是總部總辦公廳，是省府總辦公廳，是參謀處，警衛營營本部。從總辦公廳前有一條很寬的大馬路直通五華山的頂點，這裏是電台所在，這裏也有一個房子，稀有的，也可說惟一的一人間瓦房。五華山之下有一道河，河之右邊爲反共大學，有很大很大一片的竹子房草排房。這也完全是人工蓋的，非常偉大：有司令台，中山室，醫務室，課室，教官室，操場等……。過去，向上，一座小小的白塔旁是政治訓練班，班之旁是飛機場。再過去就是有名的老街了，老街之右，很遠的敦牧丹，老街敦牧丹之間是神水。

猛撤的氣派非常大，從前已經提過了。現在李總指揮丁博士的雄心更是萬丈。在韓戰繼續中，美國是需要的，台灣更需要。大陸上不願作奴隸的人們，紛紛的逃到東南亞游擊區，逃到滇緬邊區，一時人數激增。加上美國幫助軍器，台灣飛機運送，游擊的實力也隨之增強。整訓成了當前主要的工作。李總指揮儘量的請台灣教練教當地的士兵，反共大學並設很多的特別班：吉倫班，蒙班，寮國班，泰班……，以訓練東南亞的反共人才，以便將來同他們共同擔負起東南亞的反共大業。

在丁博士認爲反共是大家的事，天下人的事，主持反共大業的人一定要與天下人共之。在反共大學的門聯上已表示出來中國游擊隊的兩大政策，兩大工作，兩大方向，那就是，「光復大中華錦繡河山」，「鞏固東南亞反共堡壘」。在對反共大學生講演的時候，丁博士已向他們宣佈他的百萬大軍計劃。丁博士的這個計劃並且在泰國曼谷民主導報上發表。以東南亞是世界上的一個大米庫大米倉，養兵百萬並不是什麼大話，是有事實根據的，願與中國游擊隊共圖之。

丁博士回到自己部隊裏邊來，本可以休息休息的，但事實上正相反，他更忙起來了。到處歡迎他，到處恭賀他，他也就栖栖遑遑，席不暇暖，這邊也講，那邊也說，在宣布他百萬大軍計劃的時候，是在猛撤大操場的司令台上。他已經喊出猛撤是反共聖地，所有在猛撤受訓的叫他們羅漢觀音。他希望所有受過訓的人，分頭努力，再去訓練別的人，再去訓練各自本國的人民，成爲無數的東南亞反共堡壘。東南亞反共堡壘鞏固了，可即收復大中國的錦繡河山。丁博士返抵猛撤，給猛撤添來了極寶貴的精神，成爲猛撤的精神堡壘。丁博士返抵猛撤，又給中國游擊擴大了活動的領域，走向東南亞自由人民反共團結。與東南亞人民共同來完成反共大業，猛撤一時成爲東南亞的反共堡壘。光芒萬丈。

楚文拾遺（九）

王曰叟

茲續刊張叙忠撰「從兄介侯公墓誌銘」

「從兄介侯公」者張叙藩也，於族爲，本出五服，然過從之密則猶手足，蓋枝江風氣閉塞，人物稀少，清末邑人之外出而有清譽者，不過五七人而已，且多爲張姓，氏同族者除文中所述之「介侯公」外尚有前曾介紹之張春霆，叔姪共三人，是爲居於枝江縣城者，另有董市張家叔姪張樵承（字蓬生，曾獻身革命，光復上海，晚年任審計部長，卓有政聲）張子高（清華第一屆公費留美，習化學，歸國後任教清大學爲錢思亮之業師）二人。彼此相與，外人疑爲一家，五人中以「介侯公」文才最佳，而年亦最長（春霆爲叔，然實少一歲），以是從爲友于敬愛，乃値盛年，猝斃域外，哀痛之情，寧能自已，故銘文亦自哀婉動人也，今錄其文！

枝江縣城東北臨江出南關有紫山，相傳爲劉先主着紫袍之處，峯巒聳立，氣筆凡三，高俱數丈，或曰，此扶輿靈氣所鍾也，自吾先世居是城百有餘年矣，然族里之科名，自吾從兄前後始大著，從兄諱欽藩字介侯，曾祖諱一鳴領邑之錢賦餽貲產，祖諱元佩，京山縣教諭皇考諱繼丙壬午舉於鄉，皆蓄道德能文章，從兄胚胎前光，自幼不離典訓之內，讀書目數行，下以精敏稱，年十六補博士，弟子員食廩餼，丁酉以拔萃貢成均，癸卯與季父春霆公同捷秋闈，距其皇考登蟾宮，纔二十一年，稱一門三孝廉焉。迨朝議廢科舉，乃遠遊日本，治法政之學，淹通中外，人鮮能及，返國後，舉其所學，悉以授人，然非其所好也。百氏之書，無所不讀，已酉復委已於北京大學專修左氏傳，學竟授文學士，客京師，不仕進，益困，獨參議院議長湯君蹻武羅致幕下，奇其才惘其遇，嘗爲之扼腕云。乙卯及知事第，籤分甘肅以能文名，得宰　源未幾，訟政悉平，漢回之民安然相安，聲施燦然也。庚申再權隴甫西下車，値大地震人民蕩析流離者數以萬計，乃請於大吏盡粹賑恤，率先捐廉數百金，邑之競選舉者，爭相結識，乃苞苴辭不受，時人至儗爲楊太尉，翌年夏，匪軍譁潰，猝不及防，公私蕩然，僅以身免，卒賴其鎭攝之力，無何安堵如故。及事聞，已先入，當道不追議縱兵者，反以餉糈不繼責邑令，由是憂憤成疾，以辛酉七月四日卒於官，享年四十有六，時生母孔太夫人在家病劇，家人匿不以聞，次月五日亦卒。長女起運，適許氏明年復相繼病亡。從兄凡三娶，始娶本邑龍孝廉女，無出，卒。再娶宜都姚孝廉女，舉一子鵾。生女起運，姚夫人又卒。三娶雲間陳女，生子起鈞，女珠，俱幼，從兄卒，內外無親，陳夫人獨自清積逋，脫重累，舁其柩還。以甲子年月日葬於七家稻，孔太夫人墓次從叙忠哭誌其墓，且爲之銘曰。

半世功名，歷書香，云何齊，付還鄉，吉壤穆卜，其歸其藏，先成後，百世其昌，

× × × × ×

御廚談藪

林泉隱

紅燒牛肉

用大塊牛肉，（不要洗滌）入鍋加水蓋滿肉面又用葱薑及稻柴數枝，（不可加酒以免臊氣，或用蘿蔔同煮）二三小時半爛取起，再用豬油泡之，加水再煮待熟透加醬油冰糖等把汁收乾爲止可食。

燻牛肉

取腿精肉切薄片，如紅燒牛肉法另加黃糖甘草茴香置鍋底，煮熟後攤於燻架上，以鍋蓋蓋之，用柴在鍋底燃燒後，底內各物亦隨焦烈煙火薰衝肉身，燻透爲止，又以白糖甜醬麻油葱梗四物炒之，攪勻盛起即可。

燒牛蹄

刮淨汚毛去硬殼加水急火燒之約二小時，乃入葱薑再燒透再加酒改用文火燒二小時後再加鹽，見其完全熟爛起鍋待冷後食。若欲成脊可燒至糜爛後再起鍋至冷切片蘸麻油辣椒醬末等則更有香味。

醬煨牛肉

如紅燒煮牛爛去湯加蒜豆醬甜等煮透可。

二十六年前的舊事重提：日本投降之日的東京與香港

・本報資料室・

我國對日抗戰，以「七七」盧溝橋事變爲起點，但全面抗戰之決定與形成，卻是「八一三」「上海戰役」的結果。這場中國歷史上驚天動地的最大戰爭，其後與第二次世界大戰相結合，經過了八年零一天的歲月，最後勝利，終於到來，而日本投降的月份與日期，正是他們在上海挑動戰爭的翌日，不謀而合，似有奇數。日軍侵華之始，當時日首相近衛文麿揚言將於三個月內打得中國「跪地求饒」，不料打了三個月之後，中國還是繼續打下去，而在九十六個月另一天之後，跪地求饒的卻不是中國而是日本，這意料不到的結局自然是個殘酷無比的諷刺。今年八月十四日是日本投降的第二十六週年紀念，現就所知，將當年日本投降前後，作一簡述：而話分兩頭，一是東京方面日皇決定投降的經過；二是一九四五年八月十四日那天，香港日軍宣佈投降的詳情。但二十六年後，以日本在美國扶培之下，軍國主義又再抬頭重來侵略中國領土釣魚台了。

東京大人物日夜開會

日本投降，雖到八月十四日才正式宣佈，但投降的準備早在八月九日便開始了，投擲在廣島的世界上第一顆原子彈，雖然是促使日本無條件投降的主要原因，但日本所以不在八月六日第一顆原子彈投下後即時準備投降，而等到八月九日蘇聯對日宣戰和第二顆原子彈炸毀長崎之後，才開始是項準備，其中不是沒有特別理由的。原來，日本在是年七月間早已自知必敗，非降不可。所爭者只在「無條件」與「有條件」之間而已。因此，是年七月廿六日，中英美三國發表波茨坦宣言，要求日本無條件投降時，日本還予拒絕，但在另一方面，他們已託蘇聯從中斡旋，使日本得以有條件停戰。他們深信蘇聯念舊日「不侵條約」之情，必會助日本免於無條件投降的恥辱。他們把有條件停戰的最後希望寄託在蘇聯，所以在第一顆原子彈投下後，他們仍不準備無條件投降。但蘇聯竟在八月九日突向日本宣戰，使他們的最後希望終成泡影了。於是他們不能不急於接受波茨坦宣言，無條件投降。這並不是他們怕紅軍馬上就會打到東京去而急於投降，他們怕的是第三顆原子彈會隨時投下東京，再不投降，則天皇及其「萬世一系」就有同歸於盡的危險。

關於日皇裕仁及其大臣們當時準備投降的經過，據東京「朝日新聞」在投降後一天追述，約略如下：

八月九日，最高戰爭指導委員會在皇宮內開會，自上午十一時至下午一時半，討論因蘇聯參戰而引起之局勢。隨後，內閣亦開緊急會議，就最高戰爭指導委員會所議問題，再加以討論，自下午二時半至晚間十時十分，閣僚的意見仍未一致。

八月十日，最高戰爭指導委員會又於九日夜半開會，天皇亦親自出席。歷三小時始議決：「按波茨坦宣言，對天皇主權，無更易要求，日本政府可接受該宣言」。內閣隨於是晨三時十分再開緊急會議，通過上述決議案。上午七時即電託瑞士、瑞典兩政府代將日本照會轉達盟方諸國。

八月十一日，盟國對日覆文，由美國務卿貝爾納斯廣播如下：（一）日本政府須受盟軍統帥監督，以便有效施行波茨坦宣言的規定；（二）日本天皇須下令日本軍隊全體解除武裝，並採取必要步驟以履行投降條件；（三）日本政府須將盟國戰俘及其他囚人移往指定地點，由盟國船隻運送回國；（四）日本未來政府形式將由日本人民自由意志加以決定。

日本內閣聽到是項廣播，即行開會討論。多數閣員認爲，盟國覆文對日本國體無更易要求，可予接受，但全體意見仍未絕對一致。（一）

諧聯選

・嘯月・

▲李鴻章自詠聯

已無前士稱前輩；

尚有慈顏喚小名。

▲諷李鴻章聯

（1）宰相合肥天下瘦；

司農常熟世間荒。

（2）宰相有權能割地；

孤臣無力可回天。

▲蘇軾兄妹戲聯

蓮步未出香閨外，額頭先到畫堂前；（小妹額大）

去年一點相思淚，今日方流到嘴邊。（東坡臉長）

▲蘇轍弟嫂戲聯

弟弟磨濕卵搖鈴，搖鈴不響；（嫂嫂觸景出上聯）

嫂嫂織布「×」打架，打架無聲（子由見其在織對之）

語慧

幸運

關於幸運最可靠的一事，乃是幸運也是會變化的。

英國小說家瑪奎斯在他的一篇小說裏描寫一個不幸人物說：他不幸得這麼厲害，以致即使遇到有什麼意外事件時，這意外事件，結果也發生到別人的身上。

兔爪也許能使你得到幸運，但是請不要忘記，兔兒自身並未憑此獲得任何幸運。

幸運的最好保證，乃是銀行裏有存款。

自由報

（第一一七四期）

（半週刊每星期三、六出版）
每份港幣壹角・台灣零售價新台幣式元
社長李運鵬・督印黃行實
社址：香港九龍彌敦道593—601號
廖創興銀行大廈八樓五座
LIU CHONG HING BUILDING
7th FLOOR FLAT '5
593—601 NATHAN ROAD,
KOWLOON, H.K.
TEL：K303831
電報掛號：7191

承印：景星印刷公司
地址：嘉咸街廿九號地下
台灣區業務管理中心：台北重慶南路一段一二九號
電話：二四五七四
台灣區直接訂戶　台灣劃撥戶
第五〇五六號張萬有（自由報會計室）
台灣分社：台北市西寧南路110號二樓
電話：三三〇三四六、台郵劃撥戶九二五二號

本報專論

「不知彼」是美國越戰失敗之根因

沙學浚

美國前國防部部長「麥納瑪拉對越戰評估在改變中」是美聯社記者甘林一九六七年七月十九日寄自紐約的一篇通訊稿，原刊於台北英文中國郵報，保存到現在，才予以漢譯發表，以供國人參考。

麥納瑪拉在其部長任內，從一九六二年到一九六七年，六年之間，先後訪問越南戰場九次，每次均有聲明發表。這些聲明的內容表現麥納瑪拉的過份樂觀、過份輕敵，與前後矛盾，其基本原因是「不知彼」。

孫子說「知己知彼，百戰百勝」。基本上，知己較容易，而知彼卻困難，既不一定正確，更不一定完全，以致所下的判斷陷於錯誤。判斷一旦錯誤，則所決定的政略與戰略，自然也是錯誤的，終難逃失敗的命運。

美國以自由世界領袖國的地位，最後竟向北越要求舉行巴黎和談，及宣佈從南越分期撤軍，這兩項舉動本身便是失敗。失敗的基本原因，是美國主持越戰的首腦人物包括總統在內「不知彼」。這篇通訊稿從新聞觀點言，已成明日黃花，從歷史言，仍有其重大的史料價值，故值得一讀。

（美聯社紐約一九六七年七月十七日電）從一九六二年之後，國防部長麥納瑪拉已經到過越南九次。每次訪越之後，他都發表一次對越戰的聲明，該聲明即成為當時對未來世局演進之官方評估。

第一次聲明與第九次聲明之間，有很大的區別，這表示了下列三件事情：

在兩千年史實表現中，越南人有擊敗他們敵人的能力。在獨立戰爭中，他們在很久以前曾擊敗了中國人，在一九五〇年又擊敗了法國人。一九六二年之後，越南共黨之升高越戰，比美國官員所明顯預期者，更迅速、更有效。

其次是華盛頓之錯誤的樂觀：

例如一九六三年，白宮發表一項聲明說，美國軍事行動之「主要部份」可望於「一九六五年年底」完成。

第三是美國對於如何報導戰爭，以及報導之坦白程度的問題，軍方人士通常主張必須含糊不清，或根本不予報導，以免將有價值的消息暴露給敵人，並免破壞戰場上軍隊和本土平民的士氣。例如一九六三年，紐約時報引用一位官員的談話說：「我承認過去在西貢，有時我們沒有給新聞界正確的消息。」

一九六三年十月二日，麥納瑪拉和泰勒將軍（參謀聯席會議主席）在視察越南之後，向甘迺迪總統報告。當時白宮發表一項聲明說：「麥納瑪拉和泰勒報告他們的判斷說美軍軍事行動之主要部份可在一九六五年年底完成……那時，美國的訓練計劃，可使在越美軍撤出一千人。」

一九六三年十一月二日，南越總統吳廷琰遇刺逝世。

在十一月十四日的白宮記者招待會上，一位記者問甘迺迪，南越形勢之改變是否可以實現撤出一千人員的計劃。甘迺迪總統回答說，「沒有問題。我們在一九六五年年底之前，即要撤出數百人。」

第二天，西貢的美軍指揮部宣佈說，遣返工作將於十二月三日開始。

一九六三年十一月二十二日，詹森繼甘迺迪上任，是年十二月他派麥納瑪拉再去越南——這是國防部長的第三次訪越。麥納瑪拉當時說，「我對明年將有的進展表示樂觀。」

十二月二十日，駐越的通訊人員報導說，美軍在一九六五年年底撤軍的希望已經消失。對於這項結果，官方未做任何聲明。麥納瑪拉在機場上，沒有回答一位記者所提有關此事的問題。

然而，在一九六四年一月廿七日，他在眾議院軍事委員會上作證時提及此事。麥納瑪拉在他的聲明中說，「我們仍然希望我們在現在與一九六五年年底之間，可以完成現在在越許多其他美國人員之訓練責任，並逐漸將他們撤出。」

一九六四年三月，麥納瑪拉第四次視察越南。十三日他和泰勒從越南一同回國。他說：

「我所見過的每個負責的官員都說，他相信如果做適當的努力，我們可以獲得勝利。勝利之路可能艱苦。要贏得一場反游擊戰的戰爭，並沒有任何的魔術方式。」

五月，麥納瑪拉第五次飛往越南，回國後說，「為了擴大訓練，尤其是由於南越正規軍與民團之增加，可能需要增派美軍人員。經過整體的考慮，我想人數上並不會做大量的增加。」（譯者按：後來卻是大量的增加，一九六九年四月，在越美軍增加到五十四萬三千四百人的最高峯）

七月，消息發布說，增派美軍五千人就要前往越南。這將使駐越美軍總人數達到約二萬一千人。接着，十二月十一日，西貢發布消息說，美國正在增加它的援助。「為了安全的理由」，細節不予公布。

一九六五年七月十四日，麥納瑪拉第六次前往越南。一星期之後，他說，「整個局勢日趨嚴重。事實上，從十五個月前我到越南以來，情勢已經轉壞。」

七月廿八日，詹森下令在戰區的美軍增加到十二萬五千人。

十一月裏，麥納瑪拉第七次前往越南。他在歸來之後說，「我們已經不致戰敗。越共之決定堅持與戰鬥，表示他們決心繼續這場衝突。其結論是這將是一場長期的戰爭。」

那時，美軍軍力共有三十萬人。

一九六六年十月八日至十四日麥納瑪拉第八次訪問越南之後，再度表示樂觀說：

「我看不出在未來幾個月中，有任何需要去改變美軍展開之速度，」「去年，軍事行動有非常令人滿意的進展。其進展之程度已經超出我們的預料之外。」

一九六七年七月七日，麥納瑪拉第九次訪越歸來說：「我不能評論要增派多少軍隊到越南去，假如要派的話。」

（完）

昨日與明日

惜乎聲明太晚了！

上期筆者在本欄談釣魚台主權問題的文稿付排時，尚未見到我外交部的正式聲明文件，所以對外交當局不無責難。繼而台北電訊報導外交部發出的聲明，但本報已印出發行，來不及更改了。殊為歉仄。

可是，這問題發生很久了，海內外輿論沸騰，青年學生迭起抗議游行，外交當局既有完備的資料，證明釣魚台係中華民國領土，何不早日發佈嚴正聲明，而等到美日兩國正式簽立琉球羣島交接的日期後，纔作此表示呢？這其間，究竟有何顧忌不成！春秋責備賢者，我們還是覺得當局者迷，反應太遲鈍了！

關係國家亦感驚訝

我國的正式聲明發佈後，我們在海外知道當年參加開羅會議和舊金山和會的關係國家人士，亦甚感驚訝，認為美國當局太不講信義，把琉球羣島和釣魚台，私擅交給日本，其將何以善後耶？

在這正式聲明之前，不悉我外交當局曾否向美國提出交涉，請它顧及國際條約的信用和責任，原聲明文件中對此沒有說及，不無疑問。如其事前已對美國表示異議，而對方悍然不顧，厲行沙文主義作風，則國格與主權攸關，我們亦不應默爾而息，唾面自甘吧？

今後怎末樣？

美、日交接琉球羣島的協定，只待雙方的國會批准就成定格了。我們既有堅強的理由和證據，即應分向美日提出嚴重交涉，萬無緘默之理。尤其是釣魚台，我們目前就應該派軍駐防該地，保持領土主權，沒有徵詢美日同意之必要，尤其是一紙通知書就行了。

關於美國違背國際條約，私擅交還琉球羣島一事，我們亦應向聯合國有所陳述，藉申正義。當然，這樣似乎是對美國頗不客氣，但美國近來一連串地幹出對我國不客氣的事情，並未視我們為真正的盟友，我們又何必自作多情，卑以自牧呢？古人說「忍辱負重」，忍辱而能完成對國家的重任，自非所惜；徒然忍受恥辱而於國家無補，則玉碎與瓦全之道，我們應有以自處。這不是瞻顧徘徊的時候了！

・何如・

自由談

美國務院官員布瑞，最近聲言美國對於聯合國中國代表權問題，決計採取「兩個中國」政策，而以「台灣地位尚待國際決定」之說，作為理論基礎。這種詭謀並非尼克遜政府的新發明，實係一篇舊文章，布瑞再來複誦一次罷了。

一九四九年中國大陸變色，中華民國政府遷移台灣之際，美總統杜魯門即公開聲明台灣地位尚待國際決定云云，而當時的美國務長官馬歇爾，亦曾示意我方，不妨接受「兩個中國」計劃。迨韓戰發生，美國派遣第七艦隊進駐台灣海峽，表面上說是維護台灣地區的和平中立，阻遏國共雙方戰爭行為，實際就是試行「兩個中國」的詭計。

不可忽視的隱患

台灣在美國的西太平洋國防關係中，是戰略重鎮，然不能派兵佔領，乃以「防衛性」的軍事援助給予中華民國，但求守住台澎列島，休談反攻大陸的話。一方面跟毛共秘密勾搭，進行「華沙談判」，只要毛共默認不對台灣海峽用兵，一切都好商量，不成問題。果若是，「兩個中國」的腹稿即告實現了。

今年的聯合國大會，一定演出「兩個中國」的把戲，毛共是否欣賞，不必管它，中華民國政府卻不宜麻木苟安，貿然同意。須知美國所念念不忘的，只是台澎這塊戰略重鎮而已。毛共若默認不以武力進攻台灣海峽，美國那般共黨同路人如費正清賴紹華（前駐日大使）之流，就要嗾使在他們豢養中的所謂「台獨」份子，要求台灣獨立自治，最後即以「台灣地位尚待國際決定」的理由，由聯合國決議，把台灣交由美國託管，這纔算是大功告成。

所以，「兩個中國」亦僅是過渡的魔術，後面還有文章待做，我們決不能粗心忽視，自貽伊戚！

馮五先生

諧聯選

・嘯月・

▲傳有潘何兩姓聯婚，人過其門，見其貼出喜聯云：

有水有田兼有米；
添人添口又添丁

蓋分析其姓字而成，且深藏吉兆和睦之意。

▲商店聯

為名忙，為利忙，忙裏偷閒，好喝杯茶去；
謀衣苦，謀食苦，苦中尋樂，喂，拿壺酒來。

▲如廁

入門三步急
出戶一身鬆

天下雜論

俄毛敦交

成公

最近外傳蘇俄已向毛共表示，結束不愉快的齟齬，而作相當幅度的敦睦邦交工作，果傳屬實，這不過是美毛乒乓把戲後的一幕，爾虞我詐表演而已。

原來毛共突然露出笑臉，美國立即熱烈反應，後面都各懷有各的鬼胎，而這鬼胎之一，便都是要作給俄國看，俄國明知其詐，但是為了嚴防其弄假成真，乃不能不假戲真唱起來應付，尤其俄國以共產主義領導國家自居，勢必不願亂了陣營，看着自己的伙伴與敵人合作反過來「埋葬」自己，於是勢必不惜紆尊降勢，搔首弄姿而向毛共勾搭，這也正是毛共乒乓把戲所預期的效果之一。

但，俄共也不是好惹的，絕不會甘心向毛共修好，不邊際的給點顏色是可以的，真正讓步是不會的，反之在笑臉中，一方不會放棄對毛共的壓迫，一方一定還要暗中與美國勾搭，以促使毛共就範。

這台戲，究將怎麼演下去，牽掣的因素很多，我們不願預測。但有一點可以肯定的即是耍來耍去，吃虧的是美國。

國科會拿出勇氣來

自從研究教授的辦法受到社會指責抨擊，必被迫停辦後，國科會就有點像成了氣的皮球一樣，振作不起來了，非僅未能針對大家的批評，糾正弊失積極的速籌妥善辦法，反之竟連若干例行的事也猶豫，因循不能如期推行，仍以對教授的研究補助一事來講，例年都是在九月中決定補助人選，而去年經抨擊後竟至人心渙散，無人負責，一直遲到十一月邊，才草草決定。轉過年來，到現來該決定下年度的事宜了，而又是遲遲不見動靜。按照每年慣例，申請補助的於四月底辦理，現在已到六月中旬（屬稿時）而尚一無動靜，是否停止不辦抑或辦法有變動更改，一切均在五里霧中，這一切均顯示國科會的工作推行已失常軌，縱非流於癱瘓不振，至少也是亂了步驟。

我們此處無意對國科會責難，反之，我們希望與其事者，能拿出勇氣來好好的作，過去錯了，應有承認錯誤的勇氣，現在既未辭職，就應該有繼續奮進將功抵過，轉移社會觀感的勇氣。尤其希望能博采衆議，拿出一套真正的好辦法出來。

立委質詢兵役問題
主張部分改為招募
并准許逃亡海外難胞來台

（自由報台北消息）廣東籍立法委員袁良華就兵役等三類問題，向行政院提出質詢：

第一是：現代兵權中，所使用之兵器已趨於機械化、儀器化，因此要訓練每一士兵恆需要費二年時間始能成為精兵。而在現行之征兵制度下，每一士兵其服役期限則為三年，除却二年之訓練，實得成為精兵者，僅得一年時間之使用，此不啻減少了全軍中三分之二之精兵兵力。

袁委員有鑒於此，故建議將現行之每年所征召之徵兵人數減至三分之一，而將騰下來之三分之二人數，改為招募志願兵以補足政府所核定之名額，而規定其服役時間為十二年。然則如此更張除却其二年之訓練時間外，則每一士兵曾經訓練而成為精兵者，就有十年時間可以使用，是亦增厚兵力之善法。如果運用得宜，對於守土或反攻大陸，均能收到與征兵協同作戰而相得益彰之效。英國為世界著名之保守民族，但亦鑒於上述原因而為需要所迫，亦於四年前將征兵制改為募兵制，且行之而無困難。如美國能仿而行之，何致於美兵在越南者，有厭戰而在其國內之青年因怕服兵役而有反戰之事發生，以致助長姑息主義者之抬頭。近年來，美國缺乏見微知著之政治家，不懂弭內患於未萌，此所以使其多年患難與共之盟友握腕太惜者。

第二是：台灣省政府主席陳大慶就任以來知人善任，洞悉民隱，瞭解人民飽受不便民之規章所困，裁制稅吏之專橫，坐言起行，應革者革之，應辦者辦之，故已博得人民之喜悅，輿論之贊揚。惟是關於全國性之法令係屬於中央之立法，此非省政府主席權力所能及者，陳大慶先生雖欲改善，而其道無由也。此中央決心舉辦便民之政，更盼望中央珍視陳大慶先生之建議，飭令所屬配合其施政之忠誠，是豈但可消除民怨，且亦能獲得萬衆歸心者也。再者本席與陳大慶先生向未識荆順帶聲明。

第三是：在大陸淪陷之二十一年中，曾慘受共匪迫害，倖而陸續逃亡海外之同胞不下五百萬人。如果我政府擇其有一技之長者准予來台，其有利於台灣者有二端：彼等因受迫害而家散人亡，故仇恨共匪入骨，其來台後散居各地，將其慘狀現身說法，以激發未經身受共匪之害者，更能收到敵愾同仇之效，此其一。現在僑、外來台投資者，紛紛建立工廠而感到勞力缺乏，迫得轉而僱用對於工業非其所長之田工以充數，以致出品低劣而數量亦萎縮。而農業方面則反因田工被工廠僱去甚多，以致人手減少，工資高漲，成本增加而無利可圖，迫得任令田地荒蕪，棄耕轉業，若不急起以圖補救，台灣終有一日陷於糧食飢荒之情況。似此情形，工業與農業均蒙大不利。補救之方，惟有准許逃亡海外之同胞來台，以解決勞力缺乏之困難而已，此其二。香港亦因此之故，已先我而行之，幸勿置疑。

從法律觀點談墮胎

國立政大法律教授　劉清波

關於墮胎部分，該草案擬定凡有下列情形之一者，即可依照志願在指定之醫院實施人工流產（墮胎）。（一）本人或配偶染患惡疾或精神失常者；（二）可能因生產而招致生命上之危險者；（三）因被他人強姦而懷孕者；（四）所生下之胎兒有畸型之可能者。該草案之體例，不惟與日本之優生保護法相似，即使內容亦大同小異。惟合法墮胎之事由，譬如優生方面者，則不若日本法規定之具體。同時亦不及家庭經濟之原因（例如子女過多無力撫育）。關於受妊在懷胎中，嚴重影響其健康者，究否得實施墮胎，尚付缺如。實施墮胎時應得本人及配偶之同意，而杜將來之紛擾。至於該草案中多以人工流產一語以代墮胎。命意者或在免於牴觸刑法上墮胎罪之規定，究其實際，墮胎與人工流產之實質意義，則無區別，足見其匠心良苦。

四、墮胎宜合法之理由

遠年之羅馬法，以胎兒為母體之一部，認為墮胎無可罰性，而由家長自行取締，而不予刑罰。大約於紀元前二百年之頃，人類鑑於墮胎係侵害父親生子之期待權，始將墮胎置於國家刑罰權之下，而加以處罰。但未婚婦女或得其夫同意而墮胎之婦女，仍不受限制。宗教法規以墮胎為犯罪，固不許實行墮胎，但寺院法則否認胎兒為神賦與之靈魂，乃以之為獨立之犯罪型態，而認墮胎為殺人的類型之一種。英國一九四八年之規定，德國刑法二一八條以下，法國刑法三一七條，日本刑法二一二至二一六條，對於墮胎皆認為犯罪，而均設處罰之規定。我國刑法第二八八條至二九二條關於墮胎罪之規定，凡六種：即自行、聽從、參與、營利、使人、介紹墮胎罪等是也。犯墮胎罪所受之刑罰，最輕者為六月以下有期徒刑，拘役或一百元以下之罰金，最重者為七年以下之徒刑，致婦女於死者，處無期徒刑或七年以上之有期徒刑，致婦女受重傷者，處三年以上十年以下有期徒刑。但婦女懷胎中因疾病或為防止生命上危險之必要而犯自行墮胎罪者，則免除其刑（參見刑法二八八之三）。依此等規定，是知我刑法上關於墮胎可免除刑罰者，祇限於治療性一種。且此項墮胎行為之本質，仍屬犯罪行為，祇不過為維護母體之生命，法官得為免刑之判決，不予處罰而已。然則今日之墮胎何以宜合法歟？概為以下之分析。

一、現行刑法立法上之疏漏：綜觀各國刑法對於排斥墮胎罪可罰性之事由，不外四種：其一、為治療上（醫學上）之理由：即對於妊婦之生命，身體有危險，而避免或有重大危險不可避免時，許可醫師於得本人之承諾後，實施墮胎者，應阻却違法（參見波蘭刑法二三二條一款、瑞士一九一八年法案一〇七條、德一九三〇年法案二五四條三項、捷克一九三二年法案二條一項一款）。其二、為優生之理由：即認胎兒有精神上、肉體上重大不良之遺傳疾病，經許可之醫生得妊婦之承諾而實行墮胎者，應阻却違法（參見德遺傳性子孫防止法第十條一項應於受妊後六個月內為之，拉脫維亞一九三二年十二月卅日法案四四六條一及二項規定應於受妊三個月內為之，日優生保護法第十四條一項等）。其三、為經濟的理由，即為適應社會生活之需要，婦女受妊或胎兒出生使其家庭生活拮据，不能生計而墮胎者，應明文規定不罰（參見捷克一九二六年法案二八六條一項四款、拉脫維亞一九三二年十二月卅日法案四四六條一及二項二款）。又學者李普曼及羅卜備士亦均主此說。並申其義謂：無社會救濟設備之國家，對於已生有子女多人之婦女，倘因新妊或分娩致不能維持其家庭最低生活者，適當了墮胎，應阻却違法。（參見周治平先生著刑法頁六五九——六六〇）其四、為違反人倫之理由：即指為保護血統及妊婦之名譽，對於強姦或血族相姦而受妊者之墮胎，亦有立法為非違法者（參見波蘭刑法二三三條二款、阿根廷刑法八六條二款、拉脫維亞一九三二年十二月卅日法案四六六條一及二項二款、瑞士一九一六年法案十一條、捷克一九二六年法案二八六條一項二款、一九三六年法案二條一項二款等是）。

依據上列理由，則知我刑法上排斥墮胎可罰性之理由僅有「治療性」一種，其餘如優生之理由，及違反人倫之理由，認為阻却違法或不罰之規定，皆我刑法上所不具。內政部所提出之優生保健法草案，雖非盡善盡美，但此等理由，大抵皆已包括在內，應屬可行，且有補助刑法疏漏之作用。此行以主張墮胎宜合法者一也。

二、墮胎宜合法化利多害少：我內政部自擬優生保健法草案以來，社會上形成兩種理論：其一、主張墮胎宜合法說；其二、為反對墮胎合法說。前者以醫學、衛生、保健、家庭經濟、社會適應，減少人口壓力等理由為理論之基礎，多為醫學、政治、經濟、社會學家所主張，例如陳立夫先生即在討論會上公開主張婦女已有子女五人者，其再受妊而墮胎者，應屬合法。又如社會學家李鴻音先生亦主張之。又如經合會主委費驊先生於五十九年七月稱：台灣省十年後人口將增加至一千八百萬人，卅年後將增加三千萬人。日本墮胎合法實施十年後，人口出生率降為千分之十七。我國近年大力推行家庭計劃之結果，人口出生率降低為千分之廿點四。而現在本省人口平均一平方公里為一千人。又如五十七年本省每年平均收入為九四八〇元，是年國家總收入為四十一年之三倍，但國民收入僅增加一倍，皆因人口快速成長之所致。又五十七年十五歲以下之人約佔人口42%，十五歲到六十四歲經濟生產人口約佔總人口55%，每百個「生產人口」須負担八十五個「依賴人口」（十五歲以下六十四歲以上之人）之生活，故每年增加之投資被所增加之人口所抵銷，不能使「生產人口」得到滿意之工作。

後者無非以尊重生命、墮胎乃違背人道之行為，我國傳統以墮胎為犯罪，有助長青年男女性泛濫之可能。害及公秩良俗等理由為根據。多以宗教、道德、慈善家或團體，及具有保守觀念之人士所贊同。例如于斌總主教主張，如能證明胎已為無生命，則同意墮胎為合法。又稱：紐約洲墮胎合法案規定於廿四週內墮胎認為無生命。然胎兒離開母體後證明其已具生命，故不應使墮胎合法是。又如中國家庭計劃協會理事長黃幼蘭女士在本年二月四日在舉行之座談會上稱：日本實施墮胎合法化後，每年墮胎者由卅四萬人增至一百萬人，因之日本婦女開始覺省，遂呼籲禁止墮胎。又如立法委員王大任先生、楊寶琳先生均持倫理、道德、傳統觀念之理由，否認墮胎為合法。

上述兩說，一則以科學理論為基礎；一則以倫理道德及神學為中心。一則以民族優生福社會為目標；一則以勸善行仁為宗旨。一則屬於實證的範圍，乃科學的；一則屬於形而上的範圍，乃心理的。科學與神學或倫理學，本係兩個不同之領域，其本質亦大異其趣。吾人雖極贊成宗教家之勸善，道德家之愛人。然則欲保護母體之安全，促進種族之健康，抑制人口之膨脹，順應社會之發展，以增進人生之福祉者，絕非純宗教的或純道德之行為所可濟事。（七）

劉半農記賽金花

一齊堆在使館大屋之內，加以正式拍賣，如是者累日，由此所得之欵，按照官級高低，加以分派，其性質略如戰時掠獲金，因此之故，無一英人對於搶刼之事，視為非法行動，而且英國軍官曾為余言曰：印度軍隊對於戰勝之後而不繼以搶刼一事，實絕對不能了解。所有此地各國軍隊，無不一致公推印度兵士，最善於尋出各處窖藏之金銀實物。是以爾時京津兩地我於十室九空，人民慘死者纍纍千古浩刼思之猶有餘悸。據日本某委軍之報告，只天津一處搶刼所得者，即有二百萬之多，至於美國方面，對於搶刼之事。本來禁止，但美國軍隊頗且精明巧識，能破此種禁令為其所欲。俄國軍隊搶刼之方法似乎頗稱粗野，而且同時盡將各物毫無計劃的打成粉粹。此外法國軍隊，對於各國軍除（之搶刼行為）亦復絕對不會落居人後。」（王光祈譯「庚子聯軍統帥瓦德西拳亂筆記」）

「八月初六日，洋使入內宮瞻仰，各街巷漸有人行走，有賣菜者早半日可買，午即收，仍閉市，自洋兵入城，無日不入民居搜求什物，衣箱書籍均倒篋而傾出之，十室九空，非止一宅一人也。初八日行路人漸比昨日多些，然耳語者甚衆，仍帶倉皇淒涼之色，良可憫矣！十二日晚，洋人入宅大掠，前此小掠不計也，余均聽其搜取，且日日出門頗失迎迓也。呵呵！」（某氏庚子日記錄要）

儀鸞殿之失火

說起宮裏失火的那回事，便想起一般無聊的人，捏造蜚語，作踐我的可恨了！他們說我，天天夜裏和瓦德西一同睡在西太后的龍床上，有一天，睡到半夜，着起火來，我倆都赤裸着身子，由殿裏跑出，這簡直是污辱我，罵我。我向瓦的交情固然很好，但彼此間的關係，却是清清白白，就是平時在一起談話，也非常的守規矩。從無一語涉及過邪淫。這都是有人見我常常同瓦騎着馬並轡在街上走，又常常宿在他的營裏，因此便推想出我們種種不好的勾當來。

瓦德西雖住在宮裏，可並不在殿裏睡，他是在儀鸞殿（在西苑）的旁邊，覓了一塊靜潔而又風景幽麗的地方。（廿四）

讀「大學校長不是官」補遺

・鹿鳴・

樓主先生：睽違道範已近一年，但我一直是貴報忠實的讀者，每期拜讀大作，宛如見到你那侃侃而談的神態總是令我折服。最近先後拜讀「大學校長不是官」及「大學校長不是官讀後感」等兩篇大文後，忍不住也得想為「大學校長」—「不是官」的人，說句公道話。

筆者不揣淺陋，在大學兼課已近六年，最近三四年來並在中央警官學校兼課，實則濫竽充數而已。中央警官學校自梅可望博士接任後積極擴充設備，提高師資素質及學生水準（該校錄取率比大專院校要高，大概四十名報考學生中可取一名），自去年開始並已增設研究所招收碩士班，學術風氣為之大盛。最值得稱道的是梅校長的學者風度與氣質，在時下確是難得見的。照說中央警官學校長，在法制上十足是「官」，不但是官，而且是全國階級最高的警官，梅校本人又是警官學校出身，並獲美國密歇根大學法學博士學位，中英文及法學造詣淵深，而且是中國反共理論專家，若干國際會議中發表反共理論，讜論錚錚，擲地作金石聲，曾贏得各友邦代表的共鳴。但是梅校長一點也沒有「官」架子，筆者平時因公務較忙，少與接觸，但在我的學生及同事口中得知，他謙恭儒雅的作風，令人有親切之感，所以近年來，若干名教授都樂於應聘，便是這個道理。

茲並舉兩事以證明梅可望沒有官架子的實例，一年前在一次應酬場合中，我碰見了梅校長，他要我介紹著名的刑法學教授，接着他又說，我所謂「著名」並不是「名聲大」，而是有「眞學問」，筆者即以張金蘭教授對，因為過去我在法官訓練所受訓時，她也是講席之一，我覺得她對刑法有深入研究，他說有機會要我陪他拜訪張教授。我說過後以為他不過是說說罷了，那知隔了一星期梅校長復以電話相催，要我陪他去見張教授，實則我與張教授平時接觸也不多，由於梅校長的辦學認眞，我毅然答應陪同往訪，彼此相談甚為融洽，張教授便在梅校長的眞誠感動下，很痛快地答應該校聘為刑法講席，其禮遇學人有如此者。

另一件事，是有一次我出席該校應屆畢業生考試試務會議，本來一般大學，這是教務長的事，可是那天梅校長親自主持，在開會時不但對各教授課程分配情形瞭如指掌，而且在數十位教授中，他都不加思索地道出各人之所長，在畢業考試中，有若干教授因事不能命題者，他便很禮貌地徵求對該課專長的教授代理，毋庸教務處提供意見，這種實事求是的辦學精神，在目前各大專學校校長中確是少見。不但此也，在我授課的四系學生中，他個個都認識得很清楚，某生學業如何：某生品德如何，使我非常驚訝！

筆者對梅校長並無特別私交，亦無阿諛之可言，只是覺得目前各大學校長宛如張天德先生所說「現在大學校長，難免擺官僚架子，既不接近教授，亦不親近學生」的情況下，能有如梅校長者，確是鳳毛麟角了。因貴報具有春秋褒貶之義，特舉梅校長辦學認眞之片斷，以供各大學校長的參攷！茲請先生指教。

讀書雜鈔（三）

・林倚・

庚午四月，先太夫人病革時，語子孫曰：「舊聞地下眷屬，臨終時，一一相見，今日果然。幸我生平，尚無愧色。汝等在世，家庭骨肉，當處處留將來相見地也。」姚安（紀父）公曰：「聰明絕特之士，事事皆能知，而獨不知有人死，經綸開濟之才，事事皆能計，而獨不能為死時計。使人有死，一切作為，必有索然自返者。使能為死時計，一切作為，必有悚然自止者，惜求諸六合之外，失諸眉睫之前。」（見閱微草堂卷七）時人曰：吾友患三期肺病，醫囑外科切除；尚可卜生死各半，否則無可挽救。友朋皆勸當立即從醫言並私語應識時務，須在手術之前為主治醫師送紅包，以期安全。吾友素乏蓄積，除現鈔外另將心愛珠玉數事幷致之。慨然對家人曰：「雖我心愛，但不幸而死，盡非我有，留之何益；幸而得救，又何患其無。」愈後為余言之，自謂達觀。余舉前記以告，並說，聖人言「未知生，焉知死？」先生知有死，可謂超人，足堪自慰。

（三）

愛堂先生言：聞有老學究夜行，忽遇其亡友，學究素剛直，亦不怖畏。問：「君何往？」曰：「吾為冥吏，至南村有所勾攝，適同路耳！」因並行。至一破屋，鬼曰：「此文士廬也。」問「何以知之？」曰：「凡人白晝營營，性靈汩沒，惟睡時一念不生，元神朗澈，胸中所讀之書，字字皆吐光芒，自百竅而出，其狀縹緲繽紛，爛如錦繡，學如鄭、孔，文如屈、宋、班、馬者，上燭霄漢，與星月爭輝。次者數丈，次者數尺，以漸而差；極下者，亦熒熒如一燈，照映戶牖，人不能見，惟鬼神見之耳！此室上光芒高七八尺，以是而知。」學究問：「我讀書一生，睡中光芒當幾許？」鬼囁嚅良久曰：「昨過君塾，君方晝寢，見君胸中高頭講章一部，墨卷五六百篇，經文七八十篇，策畧三四十篇，字字化為黑烟，籠罩屋上，諸生誦讀之聲，如此濃雲密霧中，實未見光芒，不敢妄語。」學究怒斥之，鬼大笑而去。（閱微草堂筆記卷一）

時論曰：學究一詞，唐時取士，明經科有學究一經，與五經，三經並列，宋太祖嘗賜王澤芳同學究出身，是在唐宋間皆為美稱。後世輕視塾師，稱為老學究，村學究，遂為人所不齒。究其實，學究不過讀書未通，自悞前程，又悞人子弟而已，尚不至禍國殃民，為害不大。乃近人讀書居心不純，專以鑽營為務，旨在邀寵固位，其所居室不但無光芒，而狗臭沖天，如國家不幸被此等人躍居學官，只聞狗臭，不聞絃歌，民族前途不堪問矣！彼輩若生固為人不齒，死亦無人道惋惜，不知自哀，徒令後人哀之，殊不概矣！某大學校長，出身北方一著名大學，留美得博士學位，躋會十年寒窗，及投身社會。從無人以讀書人視之者，其故在拼命作官耳。然作官非壞事，要為濟世乃可。否則行屍走肉而已。有人謂之。稱其「不學有術」，吾謂猶不及「不學無術」作一「安善良民」，尚能無愧於地下祖先。學究並非罪惡，患學究太少耳！學混子寅緣時會，盤踞要津，只知有個人，不知有國家，喪心病狂，自私悞國！噫！眞正讀書人何其少哉！學究又其少哉！

獻縣令明晟，應山人，嘗欲申雪一冤獄，而慮上官不允，疑惑未決。儒學門斗有王半仙者，與一狐友，言小休咎多有驗。遣往問之，狐正色曰：「明公為民父母，但當其冤不冤？不當問其允不允，獨不記制府李公之言乎？」門斗返報，明為雙然。因言制府李公衛未達時，嘗同一道士渡江，適有與舟子爭詬者，道士太息曰：「命在須臾，尚計較數文錢耶？」俄其人為帆腳所掃，墮江死。李公心異之，中流風作，舟欲覆，道士禹步誦咒，風止得濟。李公再拜謝更生，道士曰：「適墮江者，命也。吾不能救。公貴人也，遇阨得濟，亦命也。吾不能不救，何謝焉。」李公又拜曰：「領師此訓，吾終身安命矣！」道士曰：「是不盡然，一身之窮達，當安命；不安命，則奔競傾軋，無所不至。不知李林甫、秦檜，即不傾陷善類，亦作宰相，徒自增罪案耳。至國計民生之利害，則不可言命。天地之生才，朝廷之設官，所以補救氣數也。身握事權，束手而委命，天地何必生此才？朝庭何必設此官乎？晨門曰：『是知其不可而為之，』諸葛武侯曰：『鞠躬盡瘁，死而後已，成敗利鈍，非所逆覩。』此聖賢立命之學，公其識之。」李公謹受教，拜問姓名。道士曰：「言之恐公駭。」下舟行數十步，翳然滅跡。昔在會城，李公會談是事，不識此狐何以得知也。（閱微草堂筆記卷一）

時論曰：狐尚知「——國計生民之利害，則不可言命，天地之生才，朝庭之設官，所以補救氣數也。身握事權，束手而委命，天地何必生此才？朝庭何必設此官？」是言人必有所為。但必「有所不為」，而後可以有為。今之作官者類皆「無所不為，所以無所作為。」人生無目的，思想無信仰，對事無理想，無信仰，無中心，作事無原則，但講求逢迎技巧，昏昏昧昧，只要有官可作，傲視儕輩為滿足，人而不如狐也遠矣！

獻縣吏王某，工刀筆，善巧取人財。然每有所積，必有一意外事耗去。有城隍廟道童，夜行廊廡間，廟二吏持簿對算。其一曰，渠今歲所蓄較多，當何法以銷之？方沈思間，其一曰，一翠雲是矣，無煩迂折也。是廟往往遇鬼，道童習見亦不怖，但不知翠雲為誰，亦不知為誰銷算。俄有小妓翠雲至，王某大嬖之，耗所蓄八九。又染惡瘡，醫藥備至，比瘉，則已蕩然矣！人計其平生所取，可屈指數者，約三四萬金，後發狂疾暴卒，竟無棺以殮。（閱微草堂筆記卷一）

時論曰：孟子有言，「貨悖而入者，貨悖而出」，辛勤所得而且不能永保。聖人說「君子之澤，三世而斬。」況不勞而獲不義之財，欲期永為已有，絕無是理也。對日抗戰勝利，若干喪心病狂不肖之徒，極顧國家民族，利用職權，豪取巧奪，意為子孫造基業，而大局逆轉，極盡搜括之能事，作逃難本錢，多少人為財產所誤，葬身魔窟，縱有攜資遁迹自由地區者，不旋踵而天災人禍，使其所積化為烏有者，比比皆是天道循環之理，亦自然法則也，貪墨之徒，向不明此。

（未完）

屁秀才

錢一劍輯

一秀才數盡，去見閻王，閻王偶放一屁，秀才即獻屁頌一篇曰：「高竦金臀，弘宣寶氣，依稀乎絲竹之音，彷彿乎麝蘭之味，臣立下風，不勝馨香之至。」閻王大喜，贈壽十年，即時放回陽間。十年限滿，再見閻王。這秀才志氣舒展，望森羅殿搖擺而上，閻王問是何人，小鬼說道：「是那做屁文章的秀才。」

話說朱元璋

雁謀

能求賢才而不能用，也是陷然。而朱元璋就占全了。不僅愛才如命，求賢若渴，他更能知人善任，使人學以致用，不糟塌人材。我們看他所用的人，如李善長，徐達，劉基，常遇春，種種人材，那一個不是各得其所。他能用才有一個例子：寧海人葉兌獻書給他說：「愚聞天下者必有一定之規模，如韓信初見高祖，畫楚漢成敗之策；孔明臥草廬，與先主論三分形勢者。是也。今之規模，宜北絕李察罕，南併張九四，撫溫，台，取閩，越定都建康；拓地江，廣，進則越兩淮以北征，退則畫長江而自守……。」以後朱元璋的創業，可以說是完全照此而行一點沒錯。歷史上有許多人，自以為英雄而自用，自己總是高人一等，別人的意見卑之無甚高論，或者用了別人之策，竊為已功，還算什麼英雄？朱元璋知人善任，超過了劉邦媲美劉備，言之不虛。

能求賢若渴，知人善任還不夠，朱元璋還積極做到培育人材，故其重視教育如此。他在兵荒馬亂之中，攻下了婺州，朱元璋並未忘記讀書的重要。他即命知府王宗顯開設郡學，禮聘大儒宋濂等主講。史稱「喪禮之餘，學校久廢，至是始聞弦誦之聲」。其他設立郡學，設立國子監、擇府、州、縣學諸生，反品官子弟，全部以公費就讀。到洪武末年，人材造就不少，如行省布政、按察使及參政、參議中，大多由他培育出來的人材。此外另以科舉取士，分鄉試、會試、殿試各級，掄用人材，宗蕘人材，任用人材，可以說燦然大備了。

揮金如土——不要錢

因為他不要錢，所以他才能揮金如土。所以方國珍的金玉他視若敝屣。攻下城地，雖然不准虜掠，但是善於發動勞軍犒分給部下，與士兵最下者共同甘苦。不但他不要錢，他的太太更不要錢。諸將破元大都，俘來金玉。馬后說：「元有是而不能守，意者帝王自有寶歟？」朱元璋心中明白，了解馬后的意思說：「后意謂得賢為寶耳。」馬后在洪武元年臨終時，元璋問他有什麼遺言。馬后說：「願陛下求賢納諫，子孫皆賢，臣民得所而已！」馬后眞是一位了不起的女人。她的賢慧很多，在此不能多舉。

朱元璋自己不要錢，他還要做到官吏也不要錢。他鑑於元代朝廷的法令繁苛，法令苛則為官吏貪累的張本。因此吏得貪緣為奸，貪汚風熾。朱元璋命官糧定律令，創「大明律」，條例簡於唐律，精神儼於宋律。為我國立法史上一部重要之法典。

此外，他提高監察糾舉彈劾之權。改御史台名為「都察院」，以專糾劾百官，另設提刑按察使司，主管刑名彈，與都指揮使司主軍事、行政，合為三司。因此無論軍、刑、政及文、武百官，系統綱領，職守固定，權責分明。官箴肅然。但是在打天下的時候，所獲得的金銀財帛，盡皆分賞諸將，自己一點不予保留。他這一點實值得大書而特書。

殺人如麻——鞏固基業

朱元璋的作風與劉邦相似，而且他與安徽十三傑中的曹孟德也有些相似。愛才如命，揮金如土，殺人如麻。這三點完全相同。

英雄豪傑為何要「殺人如麻」呢？這並不是他嗜殺，愛殺，為了維持天下太平之局，鞏固自己創下的基業，故對於想叛逆奪取政權的人不得不殺。我們不能說殺人就是壞事。何況佛家有句話說：「殺惡人即如做善事」呢！古往今來，那一個雄才大畧的創業之主不殺人呢？不過殺人也有其道，商湯，文武的革命，所謂「血流漂杵」，而不是「殺人如麻」麼？殺人要看他的目的，他要推倒異族的統治，不殺人怎麼行？他既然苦心經營十數年得來不易的江山，別人要搶奪，他為何不殺？搶奪江山的人謂之「篡」，這是歷代史家及傳道德所不容許的，因此朱元璋的誅殺功臣。

（十五）

安徽十三傑

管仲　李時　莊周　曹操　華佗　包拯　朱熹　朱元璋　戚繼光　李鴻章　段祺瑞　胡適　楊振寧

營養研究

淡竹枕頭防心臟病

·馬騰雲·

（馬氏淡竹枕參考資料）淡竹枕爲清心解毒，治煩燥不寢；乃清火去熱利尿藥，適於預防心臟病的物理治療，患有貧血病的朋友，本篇也可作參考。

所謂心臟不好，就是血液的循環不好，當毛細血管衰弱的，血液循環則跟之衰弱，各種不正常的現象都隨着暴露，如果，我們想使心臟堅強，每天則得做適當的運動，只靠枕頭一點微弱藥力是不够的。

相信醫師是對的，樣樣依賴醫師，迷信醫師，就常識上來說，不一定完全正確，而且醫生又有中西之分，如果中醫說，人參是治療心臟病的特效藥，西醫一定會否認，且指出人參除特有之人參油外，只含維他命B1、B2、和糖類原皂素，別無所有。中醫則認爲人參不僅可治心臟病，人參的功用簡直是多方面的，强壯興奮，治萎祛痰、安神止驚、開心益暇、發汗多夢、虛勞內傷。人參所含的皂素，有一、八〇〇倍的溶血作用，故能使血糖降低，日本有幾種治神經衰弱，與性慾減退的新藥，都是人參製劑。

近年來，德國用百合提煉心臟藥劑，該國政府鼓勵民間大量種植，詳見拙作「生活漫談」百合在中藥裏的功用，爲滋養强壯性、鎮咳、祛痰藥，對結核、慢性乾性氣管炎等皆有著效，筆者一位同學夫人，患有嚴重的心臟病，經由香港帶了幾斤百合送他，果收到良好効，照藥典記載，百合治肺病吐血、補思慮過度及神經衰弱和胃病等症。

百合的用法，與薏米同煮加藕粉作糊狀當粥食用不要間斷，每天以三錢人參作飲料，這樣的結果，敵人（心臟病）必然被迫撤退，不過我們要防備它迂迴或偷襲，話又回到本題了，「營養抗百病，百病可食療」。

除用豬心（絕對要買新鮮的）不要多洗，只用酒從外表冲去血跡就够了，以上等辰砂二錢夾在豬心中間，隔水蒸，蒸到爛熟，心作飯，湯當茶，盡量食飯，每週兩到三次，對心臟病來說，有意想不到的效力，也就是俄國大吹特吹的組織療法。

御廚談藪

·林泉隱

猪皮

隨時將豬皮存積風乾，用時入水浸軟，在熱油鍋炸透，與他料同煮，菜館庖人每充作魚肚，如將皮斬糜。加鹽在鍋中蒸爛，再加精肉糜可作飽子餃子之餡用。

猪頭膏

豬頭一個，刮淨去污毛後，切成兩邊，加葱薑以文火燒半天，糜爛後，取出去骨，切塊再入鍋用原湯汁煮之，沸後加酒少許，再沸時加鹽及糜爛極，倜膩將肉及汁倒入砵中，待冷結後可切成薄片，食時另用蘸醬油醮之味甚鮮美可口。

香腸

香腸一名臘腸，以廣東出品爲最佳，自製亦易製法以小腸擦淨，刮去腸肉，純取其薄衣，再以火腿肉及精肥參半之肉，切成長條，拌以醬油、鹽、黃酒、白糖、菜油等塞入腸內，每五寸用綫結成一節，俟紮完後，再用針將腸週身刺小孔，以沸水淋過，即掛在通風處，再經日晒半月而成，蒸之可食。

巨人有無的求証

·昆譯。

我們現在已經得到證據，證明眞正巨人是一度存於地球之上的，從人類進化的觀點來看，這的確是人類最重要的發現之一，有史以前人類的生活情況由此得到新的啟示，關於人類的現在和未來，我們也因此解答了一部份疑團。

關於過去的確有巨人存在的科學證據，到現在爲止，我們只有一片牙床和三顆牙齒，將來我們發現更多遺留化石之後，對於有史以前軀體龐大的人類祖先，一定可以有更多的了解，我們相信一定可以找到，而且會曉得到那裏去找。

可是就是根據這一片牙床和三顆牙齒，我們也可以斷定巨人的確存在，多年以來，我們便在美國博物院中研究柞牙象和鯨魚的巨大骨骼化石，發現這些骨骼的人都希望他們所發現的是巨人的殘跡，不過最近發現的，却是眞正的東西，科學上的苦心研究已經確定牠們是屬於人類的。

現代人類的牙床和那一片牙床化石比較起來，簡像一個嬰孩的，化石牙床骨比最大的猩猩牙床骨還要厚些，三顆牙齒出自兩個人的身上，這個人甚至比那片牙床所屬的巨人更巨，有一顆臼齒像我的拇指那麼粗。

這一片牙床和三顆牙齒是一個德國人柯尼斯華德博士，在戰前發現的，牙床發現於爪哇，牙齒發現於中國南部，戰爭爆發之後，柯氏的下落不明，那化石本身也不曉得怎樣，幸虧有一個卓越的科學家韋登博士，在中國境內替牠們各造一個模型，這些模型目前存在美國博物館，韋博士也以一個客卿的地位在該館做研究工作。

你也許會認爲憑一片牙床三顆牙齒便斷定過去有整族巨人存在，證據未免太不充分，其實科學家是很仔細的，這證據已經够了，科學家加以研究之後便可以斷定一顆牙齒是屬於大猩猩的，例如一九二七年布勒克博士，在中國北平附近掘出的化石當中發現一顆人的牙齒，他立即看出這是一顆人的牙齒，而且是極原始的人，於是他便斷定這是一屬新人類的證據。其後齒現在已經消失了，布氏便把他定名爲北京人，發現牙齒的地方後來繼續發掘的物件，結果證明布拉克的見解是對的，這顆牙齒是關於人類進化的一項最重要發現的第一步。

同樣，我們現在已經得到綫索，曉得到什麼地方去尋找巨人，我們不僅得到牙齒，而且還得到一片牙床，這些化石出自不同區域和不同的人的身上，這些東西本身更足以證明我們並不是在尋找某種沒有來去根源可尋的怪物，研究某種有史以前的腺分泌病症（譯者按：有些人因爲黏液分泌過多甚而變成巨人，其手、足和牙床特別大，和身體其他部份不成比例，這種人在心理上往往是低能的，性的官能也發育不全，這是一種病態，事實上我們還有更科學的證據，因腺分泌病而產生的巨人其骨骼發育總是不正常的，那片牙床化石所屬的人却不是如此，而因腺分泌病而發生的巨人牙床雖然特別大，牙齒的大小却和平常人一樣，這些牙齒化石却是奇大無匹的，牙床化石所屬的人都是完全健康的人。

他們究竟有多大呢？要答覆這個問題便是我們所以要出去尋找更多遺留化石的理由之一，我們先看牙床和牙齒，還不能斷定整個的人有多麼大。可是韋博士將在爪哇發現的牙齒牙床化石作長期間的仔細研究之後，斷定牠所屬的人也許身軀並不十分高，但是極其闊大，體重大概有四百五十磅。

另外兩個人，即在中國發現的巨齒人，甚至更大，二、三倍於在爪哇發現的那個人，可是我們還不曉得他們是向高的方面發展呢？還是向大的方面發展，他們的牙齒大小六倍於我們的牙齒。

韋博士認爲在中國南部發現的巨齒巨人不僅是業已發現的最大的人，而且可能最早的人。

爪哇巨人可能是華僑巨人的後裔，他不過等於華南巨人的一半大，這足以表示當大自然已經將人類的軀體逐漸減小。

不過，韋博士提出這種見解完全根據理論，還沒有充份的事實可予證明，有一件事可以斷定的是，我們在最近幾代雖然身材發育得大些，但是永遠無法再成爲巨人種族，大自然曾經驗過這一工作，但是失敗了。

（完）

× × × × × × ×

二十六年前的舊事重提：日本投降之日的東京與香港

·本報資料室·

八月十三日——盟軍正式覆牒，本日上午到達，首相鈴木即與外相東鄉、陸相阿南、海相米內、參謀總長梅津、海軍參謀長豊田，交換意見，歷六小時，旋於下午四時，再開緊急閣議，討論至晚上七時許，始決定接受盟國覆牒所提的各項要求。

八月十四日——上午八時五十五分，首相鈴木入宮，將閣議結果呈奏天皇，歷一小時，天皇遂於十時四十五分召開御前會議。全體閣員及樞密院大臣平沼、參謀總長梅津、海軍參謀長豊田，均出席是會，分別報告並陳述意思。天皇聆悉，宣稱：「朕念上對祖宗，下對臣民，責任至重，不能不忍所難忍，爲所應爲，此蓋熟考國際情勢及本國處境而後決定者也。卿等意見或有不能盡同，然盟國覆牒對天皇上權既不否認，吾人不妨接受之，朕對自身成敗生死，非所計及，然全國變爲焦土，百姓全遭戰死，則非朕所忍坐視者也。」會議席上諸人無不感動，泣下數行，天皇亦以帶白手套之手拭面。十二時許，會議告終，與會諸人低頭退出。

日本投降之議，到此已經決定了，但是有一部份少壯軍人仍死硬不已，極力設法阻止投降詔書的廣播。

原來，當時日本參謀本部中有少數少壯軍官始終反對投降，因反對不了，乃謀破壞。他們探知，投降詔書已於十四日下午由日皇在宮中宣讀，並由錄音技師二人灌音製成蠟片，準備東京電台廣播。當時，他們便帶了一隊兵士，闖進皇城，解除衛隊武裝，禁於一室。隨後，他們在皇城裏四處搜尋投降詔書的蠟片，欲加銷毀。

但這蠟片製成後，早已帶出皇城外了。這些軍人正在失望之際，東京警備司令田中已經聞警馳到了。田中枱出「聖意」「聖斷」一類話來壓倒他們。結果，其中數人當場自殺，另外數人束手待縛。於是大鬧皇城的怪劇遂告閉幕，而投降詔書亦即廣播了出來。

說完東京，且談香港。

香港小市民不敢狂歡

一九四五年八月的香港是個死城，天空在盟軍的飛機控制之下，空襲警報使市民的神經麻痺；生活的困苦使人們忍耐着飢餓；日軍以長期的燈火管制掩飾了燃料的缺乏，晚上幾乎全沒有電燈，街上昏黑得怕人；賭場已經把人們的最後的錢騙光了，顯得非常冷冷清清；茶樓還是打開了門，招待些窮極無聊的人物，人口的極度減少和物質的缺乏使街上冷靜得怕人；一切經濟生活的活動幾乎完全停止，和今天香港的繁榮約爲一與一百之比。

人們對生活全沒有把握，他們默默地計劃他們的艱難的生活，過得一天是一天。他們不說一句話，茫然地過活，他們爲甚麼？他們幹甚麼？他們心裏明白：在等待，等待香港的光復！但是他們不知道香港將以何種方式光復。

一九四五年八月十四日的前幾天，香港一部份敏感的人已經感覺到有點甚麼不同了，許多謠言，不脛而走，帶來了不知是否會得光復的希望。

澳門偷運來的報紙首先刊出了原子彈炸平廣島的消息，人們心裏就充滿了沉默的興奮，大家都知道，局勢有點不同了。同盟社平常發佈的英文函稿通訊也已經停止了，只發出那些通過「報道部」檢查過的日文電報和中文譯稿。大家都隱約知道，有甚麼不尋常的事情要發生了。

（二）

巨變歷險記！

猛撤形勢（一）（一二七）

·胡慶蓉·

猛撤的形勢非常之好的。

這不但從他本身上來看，從雲南來看是如此，即從整個的緬甸來看，從整個的東南亞，整個世界的形勢來看也是如此。

五華山，現在成了中國游擊隊一切的中心。這是中國游擊隊號令之所從出。他在指揮整個的中國游擊隊，同時在佈署緬甸各民族的合作，泰、寮、越、馬來亞、新加坡反共力量之合作！進行奠定大西南亞反共基地，準備反攻中國大陸，丁博士回來了，中國游擊隊又有了他的政治重心外交重心甚至軍事經濟重心，丁博士是中國游擊隊的精神堡壘是大家所公認的。無論知與不知，到處受到極大的歡迎，一時猛撤好像是耶路撒冷，成了神秘的反共聖地。五華山上好像有一座大佛供在那裏，「泰山巖巖，民具爾瞻」，四面八方的反共志士，都好像有什麼神秘的力量在驅遂着他們齊向猛撤集合。五華山並不大，五華山小得很，五華山是猛撤十萬大山中最小的一個小山，環繞着五華山的大山，他前面的山，他右面的山，他左面的山，無不高聳雲霄，惟獨他自己像似背山的一座大佛坐在地上，他後面還是一層一層高聳雲霄的大山。五華山在高聳雲霄的大山前，愈顯着他的氣派大。平常由四面的高山圍圍的圍着，加上烟雲瀰漫，眞是氣象萬千。若是早上，烟雲更是濃厚，往往八點鐘以前看不見前面。晚上十點鐘以後烟雲就慢慢的佈滿了。有人說：此乃王氣也，王氣所鍾。但沒有那個人有作皇帝的意思，現在大家都是反共的仁人志士。於其說是王氣所鍾，倒不如說反共之所鍾。丁博士不過是此中的一個苦行僧而已。五華山上冠蓋往來，猛撤街上將星雲集，到處是一番新氣象，個個充滿信心，令人感動。

差不多像是例會，每天的晚上，李彌總指揮總愛到博士房，與博士台商。博士房看來是很矮小的，但矮則有之，小則未必，特別是客廳，也可以說是平台。地板全是竹子鋪成。上邊有時候還鋪着虎皮。這倒是眞的，弟兄們打的，就在猛撤圈子裏，常可以打到老虎。竹子地板上，還放着躺椅。這完全是竹子編的，架子倒還是木架。躺在上邊，坡坡的，也並不太坡，躺在這椅子上，「金城」在望，令人心神怡。一種浩然之氣，從心裏產生出來，好像到處都是希望，好像人只要去做，沒有做不成的。博士同李總指揮談，好像話永遠說不完似的，往往一談就是幾個鐘點。說散不散，又轉移到他的樓上，又繼續的談，又吃宵夜。李總指揮有了不起不得了的冰箱，可以吃到了不起不得了的冰凍蘋菓，冰鎮牛肚子菓，冰凍留蓮，冰凍……再來一盤大肉麵，眞是痛快！回到房子裏睡覺，猶有餘香，冰箱在今日之台灣，已家喻戶曉，但在猛撤出現，那就成了天大的新聞。

自由報

（第一一七五期）

（半週刊每星期三、六出版）
每份港幣壹角・台灣零售價新台幣弍元
社長李運鵬・督印兼行人
社址：香港九龍彌敦道593—601號
廖創興銀行大廈八樓五座
LIU CHONG HING BUILDING
7th FLOOR FLAT '5
593—601 NATHAN ROAD,
KOWLOON, H.K.
TEL：K803831
電報掛號：7191

承印：景星印刷公司
地址：嘉咸街廿九號地下
台灣區業務管理中心：台北重慶南路一段一二九號
電話：二四五七四
台灣區直接訂戶 台灣劃撥戶
第五〇五六號張萬有（自由報會計室）
台灣分社：台北市西寧南路110號二樓
電話：三三〇三四六、台郵劃撥戶九二五二號

本報專論

撲滅刦風與整頓人民團體

·郭雨新·

一、切勿助長搶刦兇暴之風

政府為革新社會風氣，而採取若干有效措施，然而黑道人物橫行台北、桃園間，歷時七年之久，近在台北市發生雨夜槍聲，以至流彈傷人事件，每閱報載，使人觸目驚心。今日之持槍搶刧，恃強逞兇，不僅是有計劃之行動，甚至有恃無恐。其主要原因如何？而少數治安人員之視若無睹，實有助長其氣燄之嫌。

據報載，板橋鎮所發生之綁架、毆辱警員案，於派出所移送板橋分局後，該分局長所作之違警處分，是否適當？羅處長於接獲報告後，認為對莠民大胆綁架、毆辱執行公務之警察，未能慎加研究，而輕率以違警裁決，顯有受人情干擾之嫌，即下令將該分局長調職。羅處長之明快作風，值得讚揚。

社會秩序有賴警察維持，倘若警察在暴力之下不能獲得保障，其結果將使警察人員坐領公帑，遇事畏縮，不獨失去警察之立場，更嚴重者是助長兇暴之風。然而今日之黑道人物，甚至不良少年，所以能橫行霸道，要皆有恃無恐所使然，我們希望警政主管當局能要求警察人員處理案件，應堅持法則，大公無私，絕不受人情之干擾，以維護法律與警察之尊嚴。

二、急待整頓之人民團體

本省之人民團體，多達七千餘單位，其中規模龐大，而具有對經濟之影響力者，如農會、漁會及水利會、合作社等，其業務直接關係眾多人民之利害得失，舉足輕重，其能忽視乎？但是多年來，普遍呈現兩種與設立人民團體之宗旨，背道而馳之現象；一是徒具虛名，二是營私舞弊，變為少數人所把持之地盤，利用之工具，儘作損公益而飽私囊之勾當，言之使人痛心。

筆者認為形成此兩種不良現象之原因，固在人事不健全所引致，但是由於地方派系之作祟，亦未嘗不是主要之原因，雖然社會處已擬定「人民團體總幹事考訓介聘辦法」，期收改進之效，筆者則認為未必盡然，蓋人民團體之總幹事如改為介聘，倘所介聘之人選，未能融洽，更易造成糾紛，我們以為欲整頓人民團體，必須促使地方公正人士，站在然地位超出而主持，既可消滅派系，復可收到實效。同時加強人民團體中之監察權，使所選出之監事，能發揮監督制衡之作用。

三、如何有效消滅貧窮

本省自實施土地改革以後，農村經濟雖有改善，但近年來由於農民之收益減少，而稅賦加重，以致農村經濟日趨萎縮，使原已逃出貧窮範圍之農民，又臨於貧窮之邊緣。而目前最嚴重者，則因工業發展之趨勢，使人口大量集中於都市，而工業之發展，尚未創造大量就業之機會，因之缺乏技術之民眾，自然陷於失業，失業與貧窮具有連帶關係，從而造成社會上之嚴重問題。

時至今日，如果社會福利制度健全，貧窮問題尚不至於嚴重，不然勢必引起社會之不變，而抵銷社會進步之速度。因此，筆者認為消滅貧窮，不是單純救濟，因為救濟僅能向瀕臨絕境之窮人暫獲苟延，而必須謀求窮人生存之途徑，才是消滅貧窮之有效措施。

第一；政府應有計劃之擴大經濟投資，以創造就業機會，設立或舉辦各種職業技術訓練，教導民眾獲得謀生之技能，如此不但能解決貧窮問題，而且有利於國家經濟發展，未審社會主管當局對此有所規劃或與有關機關洽調否？

第二；健全社會福利制度，社會福利制度是社會工作中所不可忽略者，我們當前之福利制度僅進入邁步之階段，如欲建立進步之社會，必須為社會福利法催生。

四、有待改進之醫院行政

我國衛生醫療與保健工作之進步，是有目共睹之事實，其所產生之效用，可從生命統計之數字中反映出來，而最使人興奮者，是若干國際法定之傳染病，在台灣均告絕跡，並被譽為東南亞衛生保健之首善國家。但是我們在醫療工作方面，仍然存有缺點，而有待改善者；

（一）依照開發中國家之標準，每一百人一張病床，而本省公私立醫院之病床總數，距離此一標準尚遠，未審將如何規劃與改進。

（二）目前公立醫院醫師之待遇菲薄，因之各公立醫院之醫師，不是自己開業，則是在外兼差，而使醫師服務不周，休閒活動又不多，以致影響對病患之治療，試問將如何改善醫師之待遇？

（三）各縣市之衛生局，各鄉鎮之衛生所，雖兼負衛生保健與醫療工作，但是醫療設備與醫護人員均感缺乏，未審將如何設法加強，以確保民族健康。

五、有待改進之契稅

查本省之私有土地，其在都市計劃範圍內者，已征收地價稅，而在農村之土地，亦予課征田賦。至於人民所居住之房屋，復有房屋稅之征收，如再課征契稅，則稅負實有重複之嫌，深望財政主管當局建議中央在本省停征契稅。縱使目前因地方財政困乏，未能停征契稅，則契稅之征收，亦應有所改進：

1，目前本省契稅之征收，其稅負之沉重，為各項稅目之冠。按民間房屋之買賣，應繳納契稅及其他稅課，高達房價之百分之十一左右。如果一棟房屋於過戶十次後，其所繳納之契稅，已超過其房屋價值，試問此種課稅方式，亦稱合理乎？

2，至於共有地分割登記，依契稅條例第八條之規定，「分割契稅應由分割人估價立契，申報繳納」。但事實不然，間有最後一人繳納數次契稅情事。舉例言之：十甲共有耕地，由十人共有，因不能協同分割，其中一人申請法院判決強制分割，經地政機關辦理分割登記。假使各共有人經法院一一強制分割時，是否於最後一人，必須繳納十次之契稅。

由上述情形，顯示契稅之征收，不獨稅負苛重，抑且有欠公平合理，未審財政主管當局能謀求改善乎？

（完）

昨日與明日

其誰欺乎？

據美聯社與合眾社共同電訊：美國務院發言人認為美國對釣魚台列島的治權交與日本，並不傷害中華民國對該島所作的聲明，美國對此糾紛現採不沾手政策云。這真是豈有此理的瞎說八道！

美國明知其在戰時所佔領的釣魚台列嶼，不在日本所屬的冲繩島體系之內，也不向中華民國政府諮商，即私擅連同冲繩島一併交還日本，以致發生這場國際糾紛，解鈴繫鈴，美國豈能辭其責嗎？然美國竟說並不傷害中華民國的主權，其誰欺乎？

最拙劣的沙文主義

戰後美俄這兩個強權國家，互相標榜「不干涉別國內政」的外交政策，作其爭取與國的冷戰原則，實際並不是那末一回事，而以美國的作風更為拙劣。蘇俄對於接受俄援的友邦內政，骨子裏儘管有所干預，表面上却不像美國之肆無忌憚，無所不為，例如把友邦領土越俎代庖，擅自交與其他國家的行為，蘇俄即未之前聞也。

毛共由一面倒向蘇俄而演變為反蘇修的叛徒，然俄帝在表面上依然保持着願意合作的態度，並不像美國對其久共患難的盟邦——中華民國，動則發表外交白皮書，指摘對方一無是處，表示自己樣樣都是仁至義盡了。尤其不會公然藉着對方接受美援的關係，隨便在友邦策動政變，攤甲倒乙。

同樣是大國沙文主義，美國表演起來總時純粹的樸素性，令人不勝拙劣之感，釣魚台事件便係典型的例證。

日本應該好自為之

據東京消息，日本外相愛知揆一為着釣魚台問題，曾與中華民國使節有所洽商，這是合理的行動。

釣魚台之所以成為國際糾紛事件，原因即是該島海底蘊藏着豐富的石油，日本當然健羨不置。可是，這不能採取「因利乘便」的混水摸魚手段，即可望達到目的的。先得尊重中華民國的主權，然再談開發資源問題。若如日本防衛廳長官中曾康弘的幻想，等到本年接收冲繩島統治權後，就要派兵巡防釣魚台云云，那便是自討沒趣，後必有災。美國雖然溺愛日本，對此亦就愛莫能助，日本應該好自為之，幸勿自貽伊戚！

·何如·

自由談

何不反求諸己？

據說，駐在越南的美軍，有百分之六十以上皆吸食毒品。最近美駐越南大使彭克，為着此事給阮文紹總統以強烈的備忘錄，認為這些毒品是由政治上的強有力者從事販運的，要求阮總統嚴厲查究，且將越南副總統阮高祺亦牽涉在內，但又說並未獲得確實證據。

駐越南的美軍染上吸毒嗜好，當然是事實，此與美國內許多青年人吸大蔴的情形相同，也和過去咱們中國人吸鴉片烟是一樣的。中國政府為要禁止外國人以武力掩護鴉片輸入，流毒人民，曾發生國際戰爭，受害匪淺。美國今日的情況不同，只要嚴厲查禁軍民吸毒行為，並無外來的壓力，可以破壞禁令。越南雖有人向美軍銷售毒品，如果軍方管制嚴密，亦就不禁自絕，此即「物先腐而後蟲生」的道理，應該「躬自厚而薄責於人」纔對。駐越大使的備忘錄，固屬未可厚非，却不宜毫無實證地即指說友邦副元首亦係幕後的販毒者，而且公然喧騰於報紙上，這在國際外交上未免過於失態吧？

美軍在越南所吸的毒品，說是別國的強有力者販運的，然則美國內許多人所吸的大蔴，又是誰個外國人運進去的呢？可見美國方面的強有力者亦「未能免俗」，專怪別人，是不公平的。

在中國對日抗戰期間，以及馬歇爾來中國調停國共之爭的階段中，美國以併肩作戰的盟邦，千方百計地為中共張目助勢，阻遏中國政府的反共措施，干預盟邦內政。迨共黨仗着美國間接贊助之力，擴大叛亂，竊據了中原河山後，美國乃發表「外交白皮書」，把中共暴力膨脹的責任，完全歸咎於中華民國政府當局，而指為「貪污低能」。於今美軍在越南吸毒，亦把責任完全推到友邦的政治人物身上，這便是美國一貫的外交作風，也可說是沙文主義，陋哉陋哉！

馬五先生

諧聯選

·嘯月·

▲有清代才子紀曉嵐之理髮店聯：
磨厲以須，問天下頭顱幾許？
及鋒而試，看老夫手段如何。

▲朱元璋題閹豬聯
雙手劈開生死路，
一刀割斷是非根。

▲祝枝山題春聯
三間東倒西歪屋；
一個南腔北調人。

談「保密」問題

天下雜論

文　侯

第二次世界大戰末期的「雅爾達會議」，美國總統羅斯福擅將我國領土外蒙古斷送給蘇俄，事前不讓我政府知道，說是中國人不能保密，將有貽誤軍國大計之虞。

究其實，最不能保守機密事情的，就莫過於美國人了！大戰後美國獨佔原子武器優勢，穩握世界霸權。然美國人士甘受俄共賂遺，把極機密的原子能資料偷送入蘇俄間諜之手，使俄帝亦得發展原子武器，迎頭趕上，終於構成「原子僵局」，貽患至今爲烈。

最近「紐約時報」將美國防部關於越南戰事的絕密機密計劃書，逐日披露，朝野震驚，舉世駭然。最高檢察署雖下令禁止該報繼續刊載，然該報抗不奉命，認爲這種軍國大計，應該讓人民知道，而其所據以抗議的口實即爲「新聞自由」。

國家的國防與外交機密，隨便洩漏給敵人或公佈於報端，這種「自由權」只有美國人優爲之。倘在我們這些落後而未實行美式民主政治的國家，一般新聞記者縱然得到了政府的國防與外交機密文件，基於愛國思想與法令約束，亦自動的有所不爲，決不顧將國家利益作爲私人利益的犧牲品。紐約時報紙顧報紙出鋒頭，賺大錢的名利關係，而置國家利害於度外，此即以商業主義爲立國精神的應有現象，不足怪也。

羅斯福先生認爲中國人沒有保密的習慣，而悍然冒天下之大不韙，拿中國的領土作禮品，餽贈敵人，却未料到自己國內的官民，比中國人更不知保密爲何事，這是文化精神的修養問題。美國人除却一部分黑人外，根本沒有甚末民族思想，既無民族思想，當然無從培育愛國精神，大家只爲着現實利益，而不擇手段的拼命追求，誰也不把國家利害當作一回事，於是乎，國防外交的機密資料與文件，乃隨便自由洩露了！

勞保發生阻碍現象 亟盼當局謀求解決

萬勿使社會福利徒托空言

（自由報台北消息）如果當局依然繼續不准勞工申請保險，久之必然造成一件於增進國家、社會福利事業的徒托空言。筆者不揣冒昧，以書生報國心情，希望有關當局迅謀改進。

這些年來，有關勞保機構，確實做了不少對勞工福利的事情，如擴大門診治療，就是顯著的例子，當我們於五月上旬在中華路文藝活動中心樓上，參觀勞工保險展覽的時候，不由人不想到一個國家不能沒有健全的勞保機構，予勞工以身心健康的保障。

勞工保險條例規定：「受僱於十人以上公司行號之員工，應由其僱主申報投保……」看起來用意良善，但實行起來，却困難重重。按十人以上的產業工人機構，有長期性——像大同機械公司、裕隆汽車公司等，當然可以。如行之於旅館、縫紉、食堂、洗澡、理髮、音樂、電氣等無長期性的職業工人公司行號機構，則有「不暢」之處，因爲這些公司行號機構變動——改組、停業，或勞工因故離職，可能性很多。勞保局雖然通知公司行號老闆們爲勞工申報勞保，但老闆們有實際上的很多困難。例如中央大飯店五十九年十二月十四日，以僑總字第五九〇五九號函中華民國旅館事業協會（副本送勞保局，旅館工會、食堂工會）。略謂：「本店開業之後，所屬員工，即分別向旅館工會，食堂工會投保，其所繳保險費，本公司已遵照政府規定負担百分之八十，現勞保局再函追繳保險費，實感疑慮！查旅館、食堂工會，均爲合法機構，歷年來餘旅業員工，均向該機構投保……本店亦無權強迫員工另向勞保局投保……」按上文所說員工，均爲工會會員，歷年以來均由工會代向勞保局申請投保，繳納勞保費，承辦勞工服務事項，亦毫未虧欠勞保局的勞保費。自五十九年初開始，勞保局即以十人以上由僱主申報的理由，不接受工會代勞工申請投保，影響勞工基本權益。如果當初立法時在「由其僱主」之主字下面加「或工會團體」五字，則不會使今日新進勞工投不進勞保，而減少無很多謂的煩擾了。

工人大多數不是坐辦公桌的，很多事情都要工會承辦，所以他（她）們必須要加入工會當會員。歷年來都是工會代辦勞保，現在投不進勞保，已經一年多，已入會者，紛紛退出工會，未入會者，裹足不前，老的勞工——師父要教下一代學徒接棒，以起新陳代謝作用，但是投保無望。新的人入不了工會，當不了學徒，大量高初中男女畢業生，無進入勞工界作學徒或服務生的可能。環境驅使，充斥於社會上，當太保太妹，當流氓，作其他一切想像不到一類危害社會安寧秩序以及傷風敗俗的事情。還有一部分火氣大的勞工，看見勞保局退回投保申請書及戶口脫本不准投保時，則滿腔憤怒，感情壓不住理智，三三五五到台北市「勞工之家」大鬧「公堂」，拍棹推椅，事所當然。

申請勞保不准 工會有苦難言

上書陳情未獲結果

有七個投保的職業工會，以「台北市基層勞工組織集體意見緊急反映案」爲由，向勞保局等有關機關上「萬言書」呼籲，希望能在僱用十人以上的老闆未便與勞工請辦勞保之過渡時期，仍援舊例暫由各級工會代爲申請勞保。經過數月，未得結論，六十年二月五日復有食堂工會第三支部，認爲勞工投保的事，面臨「走投無路」階段，理眞氣壯，檢呈勞保局退回的投保申請書表二十八份，備文向監察院請求解決投保案，同時以副本呈有關單位請求支援。縫紉工會，則以正式提案，向台北市黨部第二次代表大會呼籲，本案現正研辦中。

五月三日這一天，是「勞工之家」一個小單位的選舉會，來投票的勞工，沒有以前選舉會踴躍，究其原因，是一部分新舊勞工都認爲工會沒有盡到申請勞保的責任，失去他（她）們的信心，當然也不了解工會的苦衷，無限感傷的說：「你們（指承辦勞保機構）不能替我們解決投保問題，我們也不投選票，這是公平合理的，現在如此，將來還是一樣，由此可知「不准投保」對勞工心理的影響。如這個問題長期不能解決，對明年的選舉年，誰又能說沒有或多或少「投票不踴躍」的影響呢？

筆者爲着了解這種尷尬情形，特走訪縫紉業工會總幹事王忠杰，請教投保事，他態度雖然和藹，但心情却很沉重的，不願多說話，祇悶悶不樂的遞給我勞保局不准投保的一紙公文，同時很文雅的在玻璃板上寫：「海濶無語問青天！」旋又過着食堂工會總幹事褚茂川，他直截了當的說：「我希望有關人士光臨這裏瞭解一下不准投保的情事與勞工不安的狀態！同時希望勞保局重視勞保條例八條一項勞工的特性，解決實際問題。」

另據洗染工會歐陽總幹事說：「任何規美制，任何法令規章，如果不顧慮到對象的福利，使人民起反感，即是不便民，一年多以來，新進勞工投不進勞保，是今古奇談。」

不管任何理由，總不能說勞工沒有資格投保。總得有人辦勞保，總對停頓不辦，誰能說是對的。（劉英柏）

從法律觀點談墮胎

國立政大法律教授　劉清波

反之，如對於因非法墮胎而致病，致死之慘象，不爲拯救，或收拾時，始謂之不道德。

概歷史上無絕對有利而無弊之制度，凡弊少而利多者即將解爲善制良法。權衡兩說，肯定說之甚礎理論，似乎優於否定說。此所以贊成墮胎宜合法者二也。

三、法律宜隨時代而進化：墮胎乃近代社會上之事實，其與以往之情形大有不同。昔日我國法律之觀念崇尚義務，子孫繁茂爲有福之象徵，從而墮胎者鮮；今日法律思想以權利爲本位，人人重視利益之享受，故墮胎之事不絕。昔日我國男女不平等，向不重視女權，婦女難產之時，有保子不保母之惡習；今日法律之形態與實質，男女一律平等，忽視非法墮胎危及婦女之生命者，即與保障人權之旨不符。昔日我國爲純農業社會，以爲大家庭制人口最多足以互助，故墮胎之事少；今日邁入工商業社會，形成小家庭制，夫婦多不欲撫養衆多子女，故墮胎之事無窮。昔日地廣人稀，易於生存，且傳播不廣，故墮胎者少，聞者亦少；今日人口激增，而天下幅員有限，謀生不易，墮胎者多，而傳播於四方者亦速。昔日各國人口少，就業易，而生活非如今日之艱，爲父母者殷望多子多孫，故不實施墮胎；今者人口擁迫，處處失業，形成犯罪，醸成公害，故墮胎事之多。凡此諸端，皆示社會之遞進，今昔觀念之變遷也。

夫法律爲社會之產物，刑法之內容即表示社會之正義，刑法上之規定，是否合乎時代之要求，無違社會之正義，立法者自應隨時檢討究否合乎當時當地之需要，以爲合理之調劑，而後對於國家之政治、經濟、社會始發生安定進步之作用，而納民於軌物之中。昔韓非曰：「法與時轉則治，治與世宜則有功。……時移而治不易者亂也」（見心度篇）。商君曰：「三代不同禮而王，五朝不同法而霸」（見商君書）。世界家庭人口協會會長曰：「世界上大部開發國家中，就所有之調查，幾乎證實所有婦女皆欲較現在少生幾個孩子」（見五九年十一月十三日中央日報刊布）。溯自我國尚書堯典：「象以典刑，流宥五刑，鞭作官刑，朴作教刑，災肆赦」之法，而有李悝「法經」六篇，而有蕭何「九章律」，而有「唐律」之源，而變擴充，光輝燦爛，而有清末之變法，而有三民主義思想立法體系之建立。大綱大節，發展規跡，班班可考，法律莫不隨時代之變遷而更新。今日時代已易，而勢亦易，吾人豈可狃於礱石之觀念，以舊有之制，治當世之人，爲待兔而守株也？此所以主張墮胎宜合法者三也。

四、處罰墮胎之刑度較重：我國舊律對墮胎罪尚無詳細之規定。清律除鬥毆致墮胎外，亦無明文。道光元年大清律例有因姦墮胎致婦女於死罪。大清暫行律設專章，用保胎兒之生命；惟祇罰妊婦自行墮胎罪，而不及聽從墮胎罪。現行刑法設墮胎罪者凡六種，即自行、聽從、參與、營利、使人、介紹墮胎罪是也。而以使人墮胎罪處徒刑一年以上七年以下之刑度爲最重。以自行墮胎罪處六月以下之刑度爲最輕。然則母於生產時或生產後，殺其子女者則處六月以上五年以下有期徒刑（見刑法二七四條）。若將二罪加以比較，其立法之旨，同爲名譽、生活、家庭經濟諸原因事實而設，由於同一心理基礎而立。但殺嬰之刑度偏低，而墮胎之刑度反高，殺害出生之「人」，尚可邀國家之寬典，使未出生之胎兒一「早產」，反不得法律之宥恕，豈得謂之公平？擧諸擧重明輕之例，刑法墮胎罪未修正前，如藉制訂優生保健法，擴大阻却責任事由之範圍（參見俞承修先生刑法八五二頁三五），彌補其不足，俾與近代刑法思想符合，以切合社會之所需。此所以贊成墮胎宜合法者四也。

抑有進者，我國優生保健法草案未通過公布之前，凡我司法者，其遇有墮胎案件時，其刑度如屬於刑法第六十一條所列舉三年以下、拘役或專科罰金之罪者，倘認爲依刑法第五十九條之規定，減輕其刑，仍顯過重時，應斟酌事實，特加矜恤，以爲免刑之判決，而示憐宥。藉彰社會之進化。須知「墮胎」與「竊盜」雖皆屬犯罪，然其根本有別。近來「治亂用重」之說，雖甚爲社會所樂道，然此罪之本質非可與彼罪相比，其犯罪之心理狀態亦異，自不可一槪而論。

五、結語

綜上所陳，墮胎雖宜合法，但優生保健法草案所列擧墮胎不罰之事由，則不無商榷之餘地。就日本、美國立法例之所示、除該草案所具備者外，吾人以爲下列情事宜斟酌採納之。

一、本人或配偶患疾病墮胎之規定宜如日本法具體的例示。

三、已結婚之婦女墮胎時應得本人及其配偶之同意。

三、已結婚之婦女已有子女五人者得實施墮胎并須得夫之同意。

四、被強姦或血族相姦而受妊者得實施墮胎。

五、未成年之婦女墮胎須得法定代理人之同意。

六、墮胎得於受胎三個月內實施之。

除上列者外，爲發揮優生保健之功能，必須一切實。

一、提高婦產科（墮胎）醫師之品質。

二、增加並改進實施墮胎之醫療設備。

三、徹底管制墮胎藥品。

四、仿美國設立懷胎婦女疾病咨詢機構。

倘鑑不及此，將來倒使墮胎合法，非但徒託空言，而且危害婦女，後患無窮。倘係於遇有婦女因不正常關係而受妊，其爲便於操一賤業——例如妓女而墮胎者，如合於刑法各墮胎罪之構成要件時，不論爲其秘密墮胎之醫師，或非醫師，而以此爲營利者，皆須負刑事責任。應兩法分化，各盡其當然之作用，則個人與社會之利益，皆可保持至最高度，使個人與社會間調和途中適進。始足以發揚法律之功能，而維社會民族之利益，則國家幸甚！（八、全文完）

劉半農訪賽金花

搭起一個帳篷，辦公睡覺差不多全在裏面。那次失火是因爲幾個兵士的不加小心，損失很不小，把一個參謀長燒死在裏頭。

他們的軍官感覺到寂寞的時候，到也想個姑娘來陪着喝喝酒，常是懇求我給他們作介紹。我推辭不過，便派人到外去叫叫來的都是些班子裏的姑娘，她們因貪圖押錢，也都很願意來。來一趟是給一百塊錢。他們在裏面去陪酒時，我獨自一人便在傍屋內閒坐，悶了就燒口鴉片烟抽，我的烟癮就是在這時習染上的。

瓦常常對我說：「宮裏的東西，你喜愛那件，儘管拿走，沒有什麼關係。」「我總是想想皇家的東西，人民怎麼應該隨便拿着？口裏只好說：「謝謝」便算了。有一個「五福捧壽」瓷盤，質彩繪都很精細，款式也好，瓦用它盛水菓，我一見很喜愛，他就說：「送給你吧。」立刻就要派人給我送到家去，我忙着說：「等一等，我自己帶着走。」這樣纔敷衍過去，我怎麼能隨便拿宮裏的東西呢？

瓦回了德國，還連着給過我幾封信，我都是託一個留德的學生替答覆，因我只能說德國話，不能執筆寫文，後來那個學生離開了北京，無人代我寫信了，漸漸的音問遂疏。

（附注）據曾繁的訪問記：（廿五）

新聞網外之言（一）

毛共引誘日本自動上鈎

（本報特稿）自從中共展開「乒乓外交」以來，在日本國內又掀起一陣「中共熱」。而今日本的財界正計劃組織包括財界有力人士在內的使節團前往大陸訪問以示親善，日中（共）友好學生會將於今年八月組成擁有一百二十多名學生的訪問團，以兩週的時間訪問廣州、北京與上海，此外廢棄吉田書簡使用日本輸出入銀行融資促進對中共輸出之聲又甚囂塵上。

中共為了培養日本國內親中共的勢力，曾利用日本人與親中共的華僑，使用種種方法作公開與非公開的活動，今日日本國內親中共的勢力在作祟，可以說與此有密切的關係。

中共現在對日的公開活動，第一是北京電台對日的日語廣播與中共發行的日文「北京周報」——兩種宣傳活動。第二是在人事交流的名目下所從事的活動，第三是舉辦中共商品展覽會，第四是中共駐東京的備忘錄貿易辦事處的聯絡員與新聞記者的活動。

至於非公開的活動則非常巧妙，很不容易為外人所知，日本曾多次捕獲北韓的間諜人員，而中共方面的人員一次都沒有露出破綻，足見佈置的周密，據說每年前來日本的數百艘中共貨船，都在作各種非公開的活動，此外還有經由香港潛入日本的中共特工份子，現在佈滿日本全國。

廣播與出版成宣傳工具

日語的北京廣播每天約七小時，用的是五〇〇〇瓩的強力電波，廣播的內容盡是有關日本國內各種反政府活動以及所發生事件的詳細報導，並且用鼓勵與挑撥的口吻，竭盡煽動的能事，所以只要收聽中共對日的廣播，就不難知道中共對日的陰謀與意圖。

中共對日本的出版活動，計有北京「外文出版社」發行的日文「北京周報」（週刊），「人民中國」（月刊），「中國畫報」（月刊），其中「北京周報」輸入日本的份數約六萬份，「人民中國」約三萬份，「中國畫報」則為二萬份。

「北京周報」內容包括中共的對外，對日與國內動向以及一週間的主要言論——中共機關雜誌「紅旗」與中共中央報紙「人民日報」的主要論文。據說「北京周報」曾發行英文、法文、西班牙文、德文、日文五種，而以日文版的發行份數為最多，在日本的銷售所得，自然就留在日本作為對日的活動資金。

對於人事方面的交流，在「文化大革命」以前，中共來日的頗多，但最近除了乒乓球隊外，幾乎是日本向中共去的一面倒現象。例如去年一年中，日本前往中共訪問的達三千五六百人，而中共來日的只有一人。

日本前往大陸人士最多的是參加每年春、秋兩季在廣州舉行「交易會」的日本公司職員，是能夠前往北京的則為接受中共的所謂「外交招待」者以及親中共的團體。

敗壞政治風氣以高爾夫為甚

干公

最近自由中國的立法院曾激辯打高爾夫應不應當課稅問題，發言熱烈，爭論未休，以主張課稅的一方，人數居多，歸納主張課稅的理由，要點如下：

一、打高爾夫球，非有錢人莫辦，目前玩一次高爾夫至少須四百元，向有錢人徵一點娛樂稅，並不為過。

二、以營利為目的的高爾夫球場，自應徵收娛樂稅。

三、連西洋的拳擊，棒賽，中國平劇演唱，音樂演奏，都要課稅，何以打高爾夫不能課稅？

四、街頭、攤販都要納稅，上館子吃飯，也要納稅，打高爾夫難道比吃飯還重要，豈可不納稅。

五、高爾夫球場佔地很大，在台灣寸土寸金的情況下，政府花費鉅額公帑，修築通往高爾夫球場的馬路，打高爾夫球的人，納點稅，又有何妨？

六、社會與論都主張打高爾夫應當納稅，民意代表民意，應當主張課稅。

反對課稅的人也有，譬如風頭甚健，一向被新聞記者注意的女立法委員楊寶琳：打高爾夫球可供鍛鍊身體，且又有益國民外交，不宜課稅。另一立法委員曹俊意見：如果打高爾夫要課稅，會使人誤會，以為全世界只有台灣把打高爾夫球當做娛樂。其實，這少數意見，極為牽强，如談鍛鍊身體，方法多矣，而辦外交辦到高爾夫球場上去，更屬天下奇談。

自由報以前發表過馬二爺一篇高爾夫亡國論大作，引起無數人的共鳴。論敗壞政治風氣者，莫若打高爾夫球，此乃天下之公言也，非我干公一人之私見。何以言之？因為今日高爾夫球場已無形變為官商勾結，政治交易以及官吏逢迎鑽營的場所。豪門鉅富以及長袖善舞巨商因藉打球之便，可以結交大官、小官為求進一步也可以陪大官玩玩球而償宿願。據說高爾夫球場俱樂部入會費至少二十萬元，不知這些錢，誰來負担？高爾夫球場遠在郊區，非汽車不能到達，而這些公用汽車的汽油，又莫非民脂民膏。如此，政治上一窩風的打高爾夫，影響士氣民心豈不在小？

打高爾夫球，豈只應當課稅而已。

話說朱元璋

眾謀

並不是妄殺無辜，所殺的人都是想背叛他的人他統一中國之後，天下太平，為了維持這「天下太平」之局而，那些野心叛亂者如不繩之以法，任其叛亂，那不知又要犧牲千千萬萬人的生命財產？我們不妨作比較：戮殺叛逆數百人，數千人，甚至數萬人，却比不上爭奪一城一地所死的人多。或者問「天下非一人之天下，人人得而居之」，似言之成理。可是要「得」天下却非殺人不可，如此你爭我奪，除非是一個暴君，還不如一家一姓永遠做皇帝來得好。如胡惟庸叛變所株連的功臣遭誅殺，如李善長，費蒙等被牽連都處死刑。此案發生後，朱元璋心頭能不有所警惕！

回想起來，他打倒蒙元異族非常之不易，費了十五年的功夫，死的人以千萬計。而且成功得並不順利。到元大都陷落時，順帝跑到應昌（蒙古多倫東），仍稱大元來對抗；元將王保保仍盤據太原，集結陝、甘殘餘元軍，差一點把徐達打垮。元室梁王巴而剌瓦爾密仍盤據雲南，割據自雄。明昇割據自雄於四川稱帝。同時日本的武士、商人、浪人與中國流氓、奸細張士誠，方珍的殘餘勢力仍在沿海一帶作亂，歷史所稱的倭寇就是這些東西。朝鮮有的附元分子也是反明的。新疆以西蒙古族所建立的各汗國中，故察合台的帖木兒復建成一個强大的軍事聯盟。聽到蒙元敗滅，他們聯合興兵東侵。朱洪武為了高枕無憂，他決定在他有生之年一一解除，結果真的做到了。因此他這一統事業得來不易，故不得不為下代着想。也是為全民着想。所以他要鎮壓反叛，造亂份子，所以他才有許多特別的規模。因此想造反有據的人，無論元勳、功臣，一律不貸。沒有特權份子，這是後代不了解他的人最為詬病，說明太病殘殺功臣為非。其實造反的人只有同他打天下者有資格，知道他的出身，倚他的大功，也想來稱孤道寡，當當皇帝。其實中國一部歷史，那一個當皇帝不想千秋萬世。歷代帝王的立法、集權，無不是想盡辦法來鞏固自己的基業，所以君權一代比一代的大，立法一朝比一朝的嚴，這是事所必至，理所固然。如果朱元璋生在近六七十年間，很可能他會實行民主政體，做總統而不做皇帝。拿破侖生在近六七十年的法國，他很可能會做戴高樂，而不是拿破侖一世、二世……。批評歷史的人容易說好話，可是改變歷史的人物却不容易做好事。這一點我們要認識清楚！執筆作史評的人，如果以設身處地的立場想一想：假如我是朱元璋該如何辦？」而且你的辦法是不是比朱元璋更好！你生在他的時代又如何？

有非常之人，乃能成非常之事；成非常之事，必為非常之人。在朱元璋有生一代，他要想完成的都完成了。這一點是簡單的事嗎？明代以後如他這樣的皇帝還有誰？中國有史以來如朱元璋這樣的皇帝能有幾位？明代除太祖朱元璋外，沒有一個能超越他的。所以說他的提高擴大君權，嚴刑為治，成立特務機構——「錦衣衛」，封藩，訂立家法，移民等……，莫不是為了鞏固自己打下來的江山。其他如和邊政策，興學育才，屯田政策，改革官制，做郡國制，創明律等……莫不是苦心求治。總之為了安全，為了鞏固，為了天下永久太平，所以有許多的作為，不是他人所能體諒得到的。正如他在和州遍嘗野菜百草一樣，却無人知其苦。

但是如果我們讀到明末流寇的「殺人如蔴」，毫無理想，亂殺一切，明朝中央政府的無能，皇帝的懦弱，我們又作如何的想法呢？相信那時你很希望中央出來一位有為的皇帝，或者出來一位大英雄來掃滅群雄，戡定大亂了吧！我們再一讀到「桃花扇」的「哀江南曲」，同時再瞧瞧明太祖本紀，我們將會不約而同地要向明孝陵致敬了！

（完）

讀書雜鈔（四）

・林儔・

明魏忠賢之惡，史冊所睹也。或言其知事必敗，陰蓄一騾，日行七百里，以備遁逃。陰蓄一貌類己者，以備代死。後在阜城尤家店，竟用是私遁去。余謂此無稽之談也。以天道論之，苟神理不誣，忠賢斷無倖免理。以人事論之，忠賢擅政七年，何人不識。使竄伏舊黨之家，小人之交，勢敗則離，有納獻而已矣。使潛匿荒僻之地，則耕牧之中，突來閹宦，異言異貌，駭視驚聽，不三日必敗。使遠遁於封域之外，則嚴世蕃嘗通日本，仇讐舊交譖達，忠賢無是也。山海阻深，關津隔絕，去又將何往？昔建文遁，後世方且傳疑，然建文失德無聞，人心未去，舊臣遺老，猶有故主之思。燕王稱戈篡位，屠戮忠良，又下之所不與，遞相容隱，理或有之。忠賢虐燄薰天，毒流四海，人人欲得而甘心，是時距明亡尚十五年，此十五年中，安得深藏不露乎？故私遁之說，余斷不謂然。（閱微草堂筆記卷三）

時論曰：魏忠賢不可能僥倖得脫，文達公之言極是，夫一國人皆曰可殺之人，何能逃於天地之間耶？人之為惡，有可恕與不可恕，分際在公私之間耳！掀起第二次世界大戰之德國大獨裁者希特勒，其生死迄今成謎，民主陣容雖視為大逆不道，但在德意志人視之，未必不是一個突出人物，因之故作並未引火自焚流言。清季太監李蓮英逢迎慈禧助紂為虐，終使清廷傾覆。民國成立，清室已對李閹無計奈何，民國人物並不以為仇，故任其逍遙，其所置宅院廣廈以四萬銀元售與熊秉琦，自居陋巷，潦倒偷生，竟得善終。生其時耳，非命運所可致也。

姚安公未第時，遇有扶乩者，問「有無功名？」判曰：「前程萬里。」又問：「登第當何年？」判曰：「登第却須候一萬年。」意謂或當由別途進身。及癸巳，萬壽恩科登第，方悟萬年之說。後官姚安府知府，乞養歸，遂未再出。併前程萬里之說亦驗。大抵幻術多手法捷巧，惟扶乩一事，則確有所憑附，然皆靈鬼之能文者耳。所稱某神某仙，固屬假托。即自稱某代某人者，叩以本集中詩文，每多云年遠忘記，不能答也。其扶乩之人，遇能書者即書工；遇能詩者即詩工。遇全不能詩者書者，則雖成篇而遲鈍。余稍能詩而不能書，從兄坦居能書不能詩，余扶乩則詩敏捷，而書潦草。坦居扶乩，則書清整而詩淺率。余與坦居實皆未容心，蓋亦借人之精神，始能運動，所謂鬼不自靈，待人而靈也。蓍龜本枯草朽甲，而能知吉凶，亦待人而靈耳。（閱微草堂筆記卷四）

時論曰：扶乩一事，為文人無聊消遣所偶為者，後為宗教不肖之徒藉以歛財，慈善術士利用為勸募工具，神棍用以蠱惑愚夫愚婦，嚇詐鄉愚，品斯下矣。吾友某君亦曾習此為樂，因問之：「扶乩究有無其事？」伊坦然曰：「乩語所示，往往因人之學問造詣而異。」觀紀文達公所記，益信之矣！

張福，杜林鎮人也。以負販為業。一日，與里豪爭路，豪揮僕推墮石橋下。時河冰方結，觚稜如鋒刃，顱骨破裂，僅奄奄存一息。里胥固奸豪，遽聞於官，利其財，獄頗急。福陰遣母謂豪曰：「君償我命，與我何益？能為我養老母幼子，則乘我未絕，我則官言失足墮橋下。」豪諾之。福粗知字義，尚能忍痛自書狀，生供鑿鑿，官吏無如何也。福死之後，豪竟負約。其母屢控於官，終以生供有據，不能直。豪後乘醉夜行，亦馬蹶墮橋死。皆曰：「是負福之報矣！」先姚安公曰：「甚哉！活獄之難也。而命案尤難，有頂凶者，甘為人代死；有賄和者，甘認其所親，斯亦猝不易詰矣。至於被殺之人，手書供狀云非是人之所殺，此雖皋陶聽之，不能入其罪也。倘非負約不償，致遭鬼譴，則竟以財免矣！訟情萬變，何所不有，司刑者，可據理率斷哉！」（閱微草堂筆記卷五）

時論曰聽訟之難，自古皆然！近年歐美各國都利用科學儀器採集證據，我國亦仿效採用，但其效果究至何種程度，尚成疑問。例如武昌大旅社寄客華僑姚嘉薦縊死案，究係他殺？抑係自殺？歷時十載，迄不能定讞，是儀器不切實用耶？使用人員技術不夠成熟耶？承辦人員能力不足或居心有偏頗耶？抑受外力影響而不能發揮其能力耶？使人如墜五里霧中。

又杭州南路火窟雙屍案，被告女子張韻淑被收押，一拖八年，原告不追訴，證人不到庭，亦不能定案，是法官不敢負責？抑不能籌措足夠訴訟費用，以致不能得心應手耶？與論大都對「勿枉勿縱」一詞，渴望其明快，否則徒喊口號，勿枉勿縱其價值豈不變成雲霧耶？

總之，職司聽訟之法官，必須「廉明」、「公正」。「廉而不明」是為庸官。「明「而不廉」是為貪官。若不幸既庸又貪，勾結律師，私通法警包攬訴訟。人事不健全，司法前途休矣！故曰，事在人為，如不選才慎用，則公正二字又何能發揮也。

（未完）

介紹日本長生不老酒

·馬騰雲·

營養研究

（馬氏菊花枕參攷資料）馬氏菊花枕治頭痛及眩暈，血壓亢進，預防中風腦冲血的最佳藥物，兼清心明目，可使腦部清醒，飲用菊花茶，更可增加療病之效。

菊花的用途很廣，馬氏菊花茶較之馬氏菊花枕功力又大上若干倍，如果為預防中風，腦冲血的話，枕菊花枕就行了，每星期飲兩次菊花茶可使腦部始終保持清醒，詳請參閱菊花茶註明。

今天打算介紹一種長壽不老的仙酒給大家，這處方是日本人研究出的漢藥，把松樹上生的脂肪晒乾，研成粉末，小吃一點點，可治肺結核與肋膜炎因腦冲血而倒下來的病人，拿松樹的嫩葉給他嚼，就不會發生中風不語，且容易很快恢復，血壓高的人，常嚼松葉，血壓不會增高，咀嚼松葉會使香烟的味道變壞，可稱得上是戒烟的特效藥。

筆者於五年前，將得自某遺老的宮廷秘方，曾在徵信新聞報，中華日報上公佈過，食松葉煎豆腐，可預防感冒，服松葉粉雖處冰點不會怕冷，老人家臨睡前服松葉湯幾次，半夜不用起來小便，松葉另一用途促進新陳代謝，治喘息、健胃腸、及婦科一切寒症。

將赤松的嫩芽，裝於瓶子裏，不要塞的太緊，加一茶杯白糖下去，再用水裝滿這容量的瓶，塞好放在較陰暗的壁櫥裏面去，恐怕因發酵瓶子會暴破，大約兩個星期就會變成長壽不老的仙酒了，像荷蘭水一樣，味道很好吃，這種酒的功用，是把積年廢物排除到體外，保持身體組織於不衰。

同時對高血壓之預防與治療也相當有效，且能改造衰弱體質，一般所謂呼吸器病也有良好效果，也能治療心臟病。

筆者所得到的清宮秘方中，就有撒松葉可治感冒，還有幾個處方也相當珍貴，併錄如後：（一）消渴症（即糖尿病）白芍藥、甘草等分為粉每用一錢水煎服，日三次。（二）生芭蕉搗汁時時飲。（三）多食生梨。（四）好梨汁加蜜熬常服。（五）乾冬瓜瓤一兩水煎服。又「心煩嘈雜」此症象，似餓非餓、似痛非痛、得食暫止，可用豬護心油蒸糯米食之即愈。又「惡心吞醇」生蘿蔔數片嚼爛下或嚼生薑亦佳。

關於馬關條約之補充說明

·梁嘉彬·

編者按：梁教授前著「正告美國政府和人民，為台灣地位問題作一剖析」大文，刊於本報一一六六期，又承惠寄本文，特為刊出。梁教授此文資料係其個人從國外自費抄回，彌足珍貴。

一八九五年（日本明治二十八年）四月十七日清光緒二十一年三月二十三日中國代表李鴻章、李經方及日本代表伊藤博文，陸奧宗光間所簽立之第一次「中日講和條約」（即馬關條約）之第二欵全文（中文）為：

第二欵，中國將管理下開地方之權併將該地方所有堡壘軍器工廠及一切屬公物件永遠讓與日本：

（一）下開劃界以內之奉天省南邊地方從鴨綠江口溯該江以抵安平河口，又從該河口劃至鳳凰城海城及營口為止，畫成折綫，以南地方所有前開各城市邑皆包括在劃界綫內，該綫抵營口之遼河後，即順流至海口止，彼此以河中心為分界。遼東灣東岸及黃海北岸在奉天省所屬諸島嶼亦一併在所讓境內。（彬按：以上該第一次中日和約第二欵第一目所載領土割讓是稱遼東半島之割讓，同年即為俄、德、法三國共同干涉，強迫日本以之歸還於我國，是俄、德、法三國原我而薄日，其理甚明。）

（二）台灣全島及所有附屬各島嶼。（彬按：所謂「台灣全島及所有附屬各島嶼」不包含第三目所載澎湖列島在內，而最少限度應包含釣魚台諸島嶼（中國舊稱釣魚台山諸島，日本改稱尖閣羣島）在內，蓋據清康熙五十八年（一七一九年）中國冊封琉球及測繪琉球地圖之專使徐葆光所撰中山傳信錄、及清乾隆二十二年（一七五六年）中國冊封琉球專使周煌所撰琉球國志畧，皆未將釣魚台諸島嶼列入或繪入琉球國疆域之內，在清光緒二十一年（一八九五年）日本割得台灣澎湖以前，琉球國亦始終未有注意，利用或據為己有之意圖，反之則據明清兩代中國冊封琉球之各「使琉球錄」，皆明記自福州出海往琉，皆以釣魚台諸島為航海指標之用，中國漁船（尤其台灣漁船）歷代皆以此諸島嶼為遠海漁撈之用，其發現、命名、使用皆起自中國。琉球來華貢船以海流風信之故，皆不經此等島嶼，而逕以浙江溫州之南杞山為航海指標。明嘉靖十三年（一五三四年）冊封琉球專使陳侃之「使琉球錄」明記「姑米山（今久米島）乃屬琉球者」，清康熙二十二年（一六八三年）冊封使汪楫之「使琉球雜錄」明記在過赤尾嶼（今名同，琉球稱之為Seki bi sho，其地位在釣魚嶼之最東北，位在約北緯二十六度東經一百二十五度之間）後，過溝（琉球海溝），乃為「中（中國）外（琉球）之界」。當時台灣早為中國領土，故可謂琉球久米島之西，北二十六度以南各島皆為「台灣附屬島嶼」。清光緒六年（一八八〇年）十月日本駐華公使並締約專使宍戶璣與中國總理衙門會訂「琉球專約」，規定冲繩本島以南之宮古，八重山各羣島劃歸中國，因李鴻章反對未被批准，宍戶璣悻悻而去。馬關條約更無隻字提及琉球羣島之割讓；依據開羅會議宣言應為我國收回。或最少應認為懸案。民國四十二年（一九五三年）十月嘉彬曾在自由中國九卷八期著「論琉球歸屬問題」一，函請外交部及立法院外交委員會注意，十一月二十四日曾由我國外交部聲明不同意日美間關於琉球羣島之私相授受，應請國人注意。）

（三）澎湖列島即英國格林尼次東經百十九度起至百二十度止，及北緯二十三度起至二十四度之間諸島嶼。（彬按：以上馬關條約第二欵第二、三目之領土割讓是為台灣澎湖之割讓，此種台灣澎湖領土之割讓依據開羅宣言皆應歸還我中華民國。依據民國四十一年（一九五二年）我中華民國與日本間所簽訂互換之「第二次中日和約」，更明白規定「日本承認放棄對此等島嶼之一切權利。權利名義與要求」，經中日此次全體性戰爭之中華民國之勝利，而由日本承認民國三十年即一九四一年十二月九日以前中日間所締一切條約專約及協定均因戰爭結束而歸無效，其與此次第二次中日戰爭為中國全體國民所抱定，為各國（包括當時盟國美國，英國，俄國及敵國日本）所公認之收復失地之抗戰宗旨完全衝突違背之中華民國紀元前十七年（即清光緒二十一年，一八九五年）之「馬關條約」（即「第一次中日和約」）之必因戰爭結果而歸無效，則更不待言矣。而身居盟國地位之美國，遠在民國三十七年（一九四八年）八月已有「援助台灣獨立」的來自東京合衆社的報導，最近於一九七一年四月二十八日復有美國國務院發言人布瑞的所謂「台灣地位仍未解決」的事先準備了的聲明的謬論，對此馬關條約第二欵第二、三目仍不肯表示支持宣告無效之意，其用意莫非欲扶植日本勢力恢復第二次世界大戰前（亦即第二次中日戰爭前）日本之一切，攫奪我戰爭勝利之果，而再製造東亞循環式的戰爭？其何以厚於日本而薄於我國至此？其對我國友誼遠不及一八九五年之俄德法三國，可為浩歎！（完）

二十六年前的舊事重提：日本投降之日的東京與香港

·本報資料室·

一個在日本人機關裏做事的人，洩漏消息出來說，日本人近幾天很有點「橫」字當頭的樣子，許多重要機關都把文件焚燒了。一些囚犯已經釋放出來，憲兵隊在徹夜辦公，可不知道在幹些甚麼，有人以為日軍艦隊遭遇大敗，有人以為美軍已經登陸日本土，但誰也想不到幾天之內，日軍就會全面投降。

八月十四日的中午，香港的市面上還是那麼死氣沉沉。我有一個朋友，那時在一間日本商行做事，他說那天下午，他們行裏的日本人舉行集會，把中國人都趕出來，關上門，後來有人去偷看，瞧見他們都跪在地上，表情沉痛而沉默無語，只有一個人說話的聲音。說的是日文，却不知道說甚麼。他還看見一些日本人在流着淚。

當時街頭市上看不到一些異於尋常的跡象，可是「日本人跪着哭」的消息却四方八面的傳出來。五點過後，大家都知道日本投降了。

那時告羅士打酒店被日本人改作「松原酒店」，它門口畢打街和德輔道交界的地方有一個擴聲機，平常是廣播「皇軍戰勝新聞」的，那天所廣播的却是日軍投降。那新聞每小時廣播一次，廣播員是女性，她的聲音在廣播機裏宣佈了「日本天皇」陛下接受盟軍投降的詔書，接着是香港日軍當局的安民佈告，說甚麼一切等待盟軍的接收命令，叫市民安居樂業，不可妄動。日軍仍然負責治安。廣播電台每隔一小時把這消息廣播一次。

每次廣播時間不過十分鐘，市民集合着聆聽，緘默地聽，緘默地散開，他們心裏雖想歡呼跳躍，但是不敢，因為一切仍在日軍控制之下，你底狂歡可能引起想不到的結果。大家壓抑着心頭的發狂的喜悅，到處跑，看日軍有甚麼動態，每一個走在路上的日軍都低下了頭，不說話。漸漸地除了站崗的之外，日軍差不多絕跡了。入夜，街頭上的日本人也不見了。日本商人通宵不寐的收拾東西，好幾家大洋機關徹夜燈火通明，事後才知道，他們漏夜把各件銷毀，點存存欵，準備作離港返國之計。

那一晚，香港還是那麼昏黑而沉寂，然而不再是死城，活流在動了。那一晚全港九的酒舖趕着賣貨，半夜還有人叩門買酒，燒臘檔的貨色一早給搶購一空，甚至爆竹店也出清了他們的存貨，雖然那些紙爆竹一直到英艦進港的那天才到處響起來。

響爆竹的日子是八月卅，那天英國艦隊在夏慤少將率領之下開入香港，正式接收，而在八月卅一日的還天，也成為了香港光復的紀念日。

（完）

御厨談藪

林泉隱

炒猪肝

切片。又網油切小片，同入鍋內，加酒鹽醬炒，乃入葱莖，或青蒜紅同炒之。

湯泡肚

肚子爐，白煨，冷拌均可。另有湯泡肚吃法。則係用肚尖。刮淨外膜，切為薄片，潔入冷水中。入沸水中畧炙，即撈起。用葱、椒、酒拌勻，另煨火腿湯或鷄湯，至極沸加入肚片，立刻起鍋，食時可加胡椒粉及香菜，以不生脆嫩為佳。

猪腦

照燒肉法燒之。或以火腿蘑菇同煮亦可。一用脊腦切成一寸長，與猪腦同入火腿蘑菇湯煨之，名曰脊腦湯。

猪腸

第一要洗淨以無臭味為止，在沸水中炙數滾取出，再淨洗切片斷，入鷄湯煨之，紅燒或白燉均行，或將小腸數條，套入大腸內，重復切成薄片，蘸椒鹽食。

巨變歷險記！

猛撤形勢(二)（一二八）

·胡慶蓉·

猛撤就它本身來說，氣派已經非常之大，若就他與雲南與東南亞整個的關係言，氣派更大。

我是不是上邊說過，雲南的地形好有一比。比從何來？請你打開地圖看看，你可能一下子就看出來，也可能要端詳一下，你就會領悟出來：那不是一隻大雄雞嗎？又像不像一匹烈馬？它像一隻大雄鷄，更像一匹烈馬，特別的像一匹馬！頭昂着，仰着，伸進四川，快到重慶的地方，那是多麼的精神啊！頸子下邊就是貴州，前踏着廣西，後足踏着印度，背上駝着整個的大陸。肚子下邊就是整個的東南亞。猛撤與昆明，差不多成一個垂直綫，建立大西南反攻基地，以猛撤為首都最恰當不過！猛撤的形勢優於昆明。猛撤的形勢更優於南京。猛撤周圍的一個廣大的壩子，周圍的山就是天然的城牆，但比城牆雄壯多了！從五華山前通過一條大河，比昆明的昆明湖美麗多了，比南京的秦淮河更是勝過萬倍，巴黎的賽尼河彷彿似之。特別山上的茂林修竹，更襯托出猛撤的雄偉。丁博士公餘之暇，和李總指揮公餘之暇，都愛遠眺……那是多麼雄偉的一個地方啊！

若轉過頭來向南，那猛撤的形勢更是令人鼓舞令人欣羨，令人驚奇。他在兩個大江的中間，一個是湄公河，一個是薩爾溫江。這兩個河均來自雲南。這兩個河，太奇怪，在猛撤以上，都「不宜於行舟」，但一到猛撤附近，都變好了，都可以通行舟，都可以通巨舟，都可以通汽船，都可以通大船。這兩條河水都非常的旺，非常之大，順流直下，湄公河可以通寮，泰，高棉，再下去就是越南，薩爾溫江可以通到緬甸木發，再下去就是蒙，馬來亞，新嘉坡，印度尼西亞……猛撤距湄公河，猛撤距薩爾溫江，都近得很，猛撤的南邊，也就是薩爾溫江入海處，孟打邦，與仰光非常接近，不過七十公里之遙，他的東邊就是曼谷，丁博士計劃以孟打邦作第一陪都，以新嘉坡作第二陪都，以統一東南亞的反共力量。當時緬甸剛剛獨立，寮越尚未獨立，泰雖獨立，沒有什麼力量，若日本提一師之衆可以橫行東南亞，今日也沒有兩樣，事實上根本用不着，各國的問題，由各國的反共力量去解決。中國游擊隊「坐收漁人之利」，面前的形勢更特別的好。總之，東南亞的形勢，有如孟子上邊說的告子。告子曰：「決諸東方則東流，決諸西方則西流」，毫沒有阻力，真是「天成我也」！丁博士對於當時的形勢，感到滿意。

天下那有那麼好的形勢！有那麼好的機會！天下又那有那麼好的形勢。形勢總是比人強的。三國演義起頭就是「話說天下大勢」。此「大勢」也就是形勢，立言。諸葛亮的隆中對，也就是當時的形勢。丁博士與李總指揮談到當時的形勢，無不眉飛色舞。這麼好的形勢擺在面前，此時尚不努力，試問更待何時？

（第一一七六期）

（半週刊每星期三、六出版）
每份港幣壹角・台灣零售價新台幣弍元
社長李運麟・督印黃行富
社址：香港九龍彌敦道593—601號
廖創興銀行大厦八樓五座
LIU CHONG HING BUILDING
7th FLOOR FLAT '5
593—601 NATHAN ROAD,
KOWLOON, H.K.
TEL：K803831
電報掛號：7191

承印：景星印刷公司
地址：嘉咸街廿九號地下
台灣區業務管理中心：台北重慶南路一段一二九號
電話：二四五七四
台灣區直接訂戶　台灣劃撥戶
第五〇五六號張萬有（自由報會計室）
台灣分社：台北市西寧南路110號二樓
電話：三三〇三四六、台郵劃撥戶九二五二號

從地方戲演出談起（一）

・胥端甫・

本報專論

清詩人「黃仲則」有兩句詩：「喚至樽前非佑酒、愛他吳語是鄉音」，這雖然風月場中的韻語，卻充分表現「愛鄉音」是廣大群衆的天性。漢朝的留侯張良吹簫吹散了楚霸王的八千江東子弟，也是利用群衆「愛鄉音」的心理，而達到軍事斧底抽薪的手段，以達成他滅楚興漢的目的。今天是什麼時代？是什麼環境？教育部文化局來從事大陸各省地方戲的演出，產生呼喚人心的作用極大，這是非常明智的作為。

幾年前，我曾經作過這樣一首詩：「峽雲西捲浪層層，海氣蒸霞感弗勝，疲軟人心慚返旆，荒涼赤帽誤中興；東籬秋艷開無主，南嶺梅魂喚不應；愛國巴枯王粲淚，北回歸雁究何憑」？這種心情，幾年來日趨沉重，因為人心的疲軟，赤帽的荒涼，並不因時局的艱難，而有所改善，所謂「殷憂啓聖，多難興邦」，也只是歷史上的兩句嘉言，而在時代意義上並不發生作用。可是這次由於大陸各省地方戲的演出，看到各省同胞情緒的熱烈，也等於打了一針興奮劑，思鄉愛鄉的感情也就由之而激動起來。原來反攻復國的大業，一等等了二十餘年，思鄉的情緒，還鄉的希望，由濃轉淡，由有轉無，疲軟荒涼，說來非常痛心。不料我把各省地方戲看完，我沉痛而寂寞的心情，又形復活。

這次演出，共有七個團體，時間排列，二月十六日開始是四川戲，十七日是越劇，十八日是揚州劇，十九日是閩劇，二十日是豫劇，二十一日是評劇，二十二日是粵劇。前面我所說看過的各省地方戲，越劇和揚州劇是要除開的，其餘五個，我都看遍，並且都一直看到終場，一個個我都有一個比較，地方戲對反攻復國前途，具有無比的作用和力量，我也看得清清楚楚，這是我有生以來，第一次大飽眼福。所歉然的，各省同胞只是看了他們各該省的地方戲，而其他省的地方戲卻茫然莫知，為了要彌補這個缺陷，對各省地方戲約略來作一個綜合的報導。

以觀衆言：某一省區的戲，以某一省區的觀衆為最多，這是基於愛鄉愛國的情懷，分區來談，川劇、閩劇、豫劇、粵劇，人數俱多，擁擠熱烈，據文化局「輔導大陸地方劇業績簡介」的統計，場地座位只有八百席，每場觀衆就有一千餘人，各省鄉賢首要也蒞臨觀賞，由此可以證明大家對地方劇都表重視。尤以四川戲開鑼那一晚，人數特別多，遠從新竹，桃園及中南部趕來，以無票不能入場，在新生社介壽堂外面，鬧烘烘成為一片人海，等到場坐定了，大家都得進場，卻一直站着，一個個都聚精會神欣賞劇情，靜悄悄地鴉鵲無聲。一般說，熱烈到了高潮。這一次的靜穆卻也達到了高潮。等到劇情演到激烈的時候，除一片掌聲外，還有人因歡喜而感動得掉下眼淚，「愛他吳語是鄉音」，這是多麼動人的場面？川劇觀衆如此，其他各省區的觀衆也是一樣。這一次演出的觀衆還有一個特色，只有掌聲，而無亂叫亂嚷之聲，這有一共通的沉痛心情，不說出來，大家也是心領神會的。我要強調，這次聯合演出，站在觀衆方面談，是百分之百成功，也就是收到人心呼喚的效果。以聽到鄉音而激發愛鄉的情緒，由愛鄉的情緒而激動愛國保種的精神，因之而更加強對朱毛帮的仇恨心理，這是非常偉大的收穫。除文化局錄製錄音帶有十二齣外，每日前來錄音的電台約有二十餘家，如在電台播放，全國同胞都能收聽，這對推廣地方戲劇當更有很大的傳播作用啊！

以內容言：這次的劇情，根據大體說來，都是教忠教孝，並透露了忠義精神。舉例來說：首先就是川劇裏面的陽河堂，薛猛盡忠，宋廉盡孝，千載之下，大義懍然，令人多麼感動；像薛猛這種深明大義，絕不因個人家族的恩怨，而違背了國家的法紀，毅然卿職同朝伏誅，這種忠君愛國的優良德性，與慷慨赴難之大無畏精神，完全是文天祥正氣歌裏面的標準人物，尤其堪為後世的楷模。「鼎鑊甘如飴，求之不可得」，薛猛實在是當之無愧。宋廉恪遵母命而刎頸就義，也屬難能。截江救主一劇，趙雲張飛奪回阿斗是忠，孫夫人兩番被張飛婉詞責備，以羞忿之餘，歸寧東吳，侍母終生，也可稱孝。川劇中還有一幕伍申路會，也是教忠教孝，兼而有之。這個故事是春秋時代楚平王父納子妻，忠臣太宰伍奢諫阻，被誅滿門，伍員子胥逃出棠邑，途中得遇故交申包胥，述及父兄慘遭殺害經過，申包胥自表同情，但盡忠盡孝，實難兩全，只好各行其志：伍員以父兄之仇，表示今生不能滅楚，誓不立於天地之間，這是盡孝；申包胥表示：「兄欲叫弟報父兄之仇，兄則不忠，若叫弟不報父兄之仇，使弟不孝。只是一件：弟欲伐楚，兄必安楚，弟若亡楚，兄必存楚」。他這種作法，正是忠孝兩全了。其他三山閩劇社，也正演的忠孝節義，飛馬豫劇團的紅綫盜盒，盜田承嗣之寶盒，使田承嗣迷途知返，唐室得安，也是忠的主題，最後紅棉粵劇團演出的蘇武牧羊，這更是幾千年來婦孺皆知的忠的故事了，所以這次演出的內容，對反攻復國、文化復興，在主題上都是非常正確的。

以演技言：談到各劇團演出的技術，三山劇社和飛馬豫劇團，都是有組織的團體，經常勞軍前綫，演技自臻熟練精良。譬如三山劇社演出的忠孝節義，個個演員都演得非常精彩，全場觀衆的情緒也都看得非常緊張。最突出的就是在忠、孝、節、義等四個字上的描寫，不但盡忠的都盡到了忠，應盡孝的都盡到了孝，應盡節的都盡到了節，並且在戲劇的藝術上都作到維妙維肖，慷慨淋漓，在觀衆的心靈和情緒上都發生了劇烈的震動和熱烈的共鳴，這是最成功的一幕。至於王海玲演的紅綫女，演技很高，各種腳色，也是名腳登場，所以表演出來，都是好的。楊金花一劇，我曾經看過，因此對他們演技的印象都好。紅棉粵劇團的總評，我感到是富麗堂皇，無論服裝、佈景等等都表現財力雄厚，連同音樂都時代化了，一切的一切，都使人發生一種新穎的感覺。這完全是屬於時代性，地域性，不得不然。胡不歸慰妻的文萍生和梨娘，品貌堂堂，服飾華麗，把一對恩愛的夫妻，拱托得令人心迷神醉，尤其是兩人甜蜜蜜的表情，真令人有人間天上之感，惡婆婆也演得不錯，只是遺憾的，未看到萍生偷訪佳人，和從軍戰勝歸來兩節，兩個配角了頭，痴呆呆地站着，似屬美中不足，梅影飾的梁山伯，葉翠飾的祝英台，演唱都好，卻為什麼在樓台會而有馬文才出來呢？最後是蘇武牧羊，主角蘇武是劇團團長關子龍先生飾的，關先生幼年就喜愛戲劇，故對戲劇頗有研究，紅棉粵劇團的劇本都經過他改寫，或新創。這本蘇武牧羊，就是根據龔德柏的戲劇與歷史而改寫完成的，它的主題，就在描寫忠貞節義，唱詞很美。蘇武趕羊出場，內唱合尺首板郎唱：「揮熱淚，望長空，家邦安在？家邦安在？」轉二流再唱：「萬里冰封，千山雪蓋，望不到祖國光華生五彩；望不到慈祥領袖坐金台；望不到古道咸陽斜暮靄；望不到故國古柏倚紅梅；望不到草長江南成綠海，望不到錢塘烟雨帶春來。但見銀馬橫空，身如在九天雲外。我步難抬，心憤慨，去國孤臣囚絕塞，家鄉難返國難回，屈指流光十九載，見不到漢家陵闕，閣不住旦夕悲哀，困此方，千磨百練又何妨？秉忠心，持節堅貞能忍耐，當年別國遠亡日，最是倉皇到此來」。（詩白）：「十九年來受苦災，孤臣持節未心灰，長安日暮鄉關遠，哭喚佳主入夢來。」

（未完）

昨日與明日

「國際報協」鴉雀無聲

是否損害國家利益？

由於紐約時報和華盛頓郵報刊出美國政府高度機密文件之故，美朝野人士嘩然鬨鬧，熱烈非凡。上訴法庭循白宮當局的要求，令飭該報停止該項機密文件，認為損害國家利益。然該報負責人藉新聞自由之說，表示不服，正在纏訟之中。

這事件若發生在別的自由國家，我相信國際報業協會那位美國佬的秘書梅耶，早已發表聲明，指摘華府當局摧殘新聞自由權利，曉曉譁咋了。問題發生在美國，他乃鴉雀無聲，有如粵語所謂「冇晒表情」，究竟是為親者諱呢？還是有難言之隱？吾人殊不可知，但所謂「國際報協」的信譽，從此蕩然無存，可哂也夫！

紐約時報等認為這些關於越南戰爭經過情形的機密文件，已成歷史陳迹，公佈出來使民衆知道，正是報紙的職責，並無損於國家利益。可是從這些文件中表示着美政府當局的若干作為，適足以證明美國對於友邦抱有許多不可告人慚德，不啻自毀信譽，當然不容許報紙有此非份的新聞自由。

自由主義如果漫無邊際，任情恣肆，那社會一定是非混淆，善惡不分，天下即非大亂不可。這問題在其他的自由國家就不致發生，因為報人皆抱有國家利益高於個人利益的愛國思想，自動的有所不為。據說，美國兩黨的政客皆有利用這樁事件，作為競選下屆總統之材料的用心，宜乎大吵大鬧，而置國家利益於度外呢！

自由主美與愛國思想

有民族精神才有愛國思想，基於愛國思想的制約，個人自由主義即不致氾濫無涯，肆無忌憚。美國人就缺乏愛國思想，何以見得呢？

除卻沒有祖國觀念的共產黨徒外，每個國家的人民，不管他對現狀是否滿意，亦未有不愛護自己的國旗的，美國人卻異是。他們可以把自己的國旗撕作尿布或游泳的下裳，也可以折起別人的國旗（如越共政權的旗幟），從事於內部反戰示威游行，恬不為怪。原因就在沒有民族精神，自然產生不出愛國思想。

所以，紐約時報等不承認該報刊載政府高度機密文件，是有損國家利益的非法行為，並不是強詞奪理，乃是文化素養的關係，憑着這種尺度以衡量美國問題，庶幾得中肯綮，不可不知也。

・何如・

自由談

阿要難為情？

中西醫學的優劣爭論不自今日始，眞所謂「久矣乎數十年非一日也」。在知識份子羣中，對此爭論得最激越的，無過於對日抗時期的國民參政會參政員傅斯年、孔庚二位，每逢參政員集會之際，他倆必為中西醫問題大吵特吵；尤其是傅氏那種疾視中醫如仇敵的氣概和言論，令人不可嚮邇。他認為中國醫藥不但該唾棄，毫無談論價值，凡從事中國醫業務者，都須擯諸四夷，不與同中國，好像中國之所以積弱不振，中醫就是罪惡禍首啊！他這種「立」說以為是，而禁天下人之言「其非」的武斷主義，跟今日台灣官辦的甚麼「海外學人雜誌」對中醫的說法，後先媲美，足以驚世而駭俗也。

醫藥不分中外，凡能夠治愈人羣疾病的便是上乘。在部視中醫的人看來，祇有西醫才是人類的救星，若夫中國的醫藥，根本就是沒有科學根據的玄事兒，不值一顧也。此話是眞理嗎？我有許多事實證明其謬妄。

吾國名人梁啓超被西醫診斷錯誤，妄事割去良好的腰子而殘生的故事，盡人皆知了。民國十九年我因患左頰浮腫症，經上海「福民醫院」診斷為血液流毒所致，但我不願請日本醫師治療。嗣赴著名的西醫「上海虹橋療養院」請米勒博士施手術，他卻斷定是肉瘤，迨開刀後乃是一包黃水。所有預先準備好的藥品皆不適用，臨時另外張羅，教我宛枉在手術台上麻醉了一個半小時以上，幾乎死去！對日抗戰初時我在成都害了腸熱症，早晚發高燒，時迷信西醫，恭請「甫澄醫院」姓夏的內科主治醫師診治，越診越惡化，每發高燒時，他就給我注射一種降低熱度的針藥，不到半小時，熱度反而更高了，此外俱束手無策，弄得我神志昏迷，大使一週不通，氣息奄奄。不得已改請姓曾的中醫治療，吃了三帖藥，由腸內排瀉出大堆黑色小石子式的糞便後，病乃霍然告愈了。

因此，我覺得爭論中西醫藥優劣長短的人，都屬一孔之見，流於主觀的武斷論，大大地違悖了科學原則。然迷信西醫的先生們，卻扯起「科學」的旗幟，攻訐中醫不科學，我要用句上海話請教這些先生們：「阿要難為情」？

馬五先生

球桿不能當槍桿
反對官吏打高爾夫球

千公

天下事

在立法院激辯高爾夫球場應不應課稅的期間，我國際局勢正陷於非常不利情況之中，有的國家原與我有邦交的，却承認中共政權了，尼克森總統不顧國內外的反對，已開放對匪貿易了，美國已簽約將硫球讓與日本，將我國領土的釣魚台也一併移讓了，所有炎黃的子孫，中華的國民無不忿慨悲痛。蔣總統適於此時發表：「我們國家的立場和國民的精神」，激勵國人強固奮發，排除險阻，爭取最後勝利。因而，我們覺得：立法委員們應該停止辯論高爾夫球場應不應課稅問題，（因爲這已不是問題了）而應討論政府官吏可不可以打高爾夫球的問題。

就老百姓的眼光看來，此時此地，政府官吏應該嚴禁打高爾夫球。因爲今日官吏之打高爾夫球，已形成一種極壞的風氣，高爾夫球場無形中已變爲官商交往，甚至勾結的場所，更構成中官（小官還無此財力）巴結大官，奔走鑽營的捷徑，更有些非官非商，大有來頭的份子，將高爾夫球場當作政治舞台和經濟商場。敗壞良好政治風氣，眞莫此爲甚了。老百姓雖至愚，但始終看不出打高爾夫和反攻復國的關係。反攻復國，爭取勝利，要靠槍桿，而高爾夫球桿並不能當槍桿呀。

更令人不解的是：高爾夫球場有巨額入會費，據說每人二十萬到三十萬元，不知此項入會費不知何人負担？每次打球，非數百元莫辦，此欵也不知是否由打球人自己負担？如果都由打球人自己負担，以現今公務人員待遇之菲薄，何能有此財力？如果由公家負担，則私人玩球，公家出費，豈不構成貪汚？而且，官吏去高爾夫球場，坐的公家汽車，消耗的是公家汽油，合法合理嗎？符合政治革新要求嗎？就納稅人的立場講，官吏的支出都是納稅人的負担，如此浪費，全體納稅的國民是要反對的。

宋朝有個善打球的高姓官吏，由球而巴結宰相，甚至皇帝老官，結果鬧得天下大亂，國幾不國，今日我國「高球」何其多耶？我們希望監察院和司法部調查局展開一項調查：政府官吏中是那些人打高爾夫球？打球一切費用由誰支付？有人說打高球是一項運動，應該提倡，這眞是胡說八道，鬼話連篇，運動之道多矣，講國粹，可以打太極拳，花大錢的豪華運動，豈是一般人負担得起？

陽明山補助欵問題
引起府會裂痕增大
高玉樹辭職政院批覆慰留
北市議會議案難撼高市長

（自由報台北消息）台北市議會對市長高玉樹終于採取了行動，舉手表決要求中央撤換市長高玉樹。但，事有湊巧，就在市議會採取此一行動的第四天，報載官方消息說：高玉樹市長因受公務員懲戒委員會申誡處分而引咎請辭市長職務，經行政院長嚴家淦批示慰留，並飭惕勵以赴，繼續努力工作。有些通情達理的市民，看了嚴兼院長批示慰留高玉樹市長的新聞，眞替台北市議會無地自容，這件案子是否從此胎死腹中很爲一般市民所關切。有的市民却說「高玉樹受到公懲會申誡，並未立即引咎辭職，是在市議會醞釀電呈中央撤換案時纔又搶先向行政院提出的，等市議會作成了議決案，行政院却已批示慰留了，這是高玉樹對市議會玩了一手，市議會正是自侮而後人侮之。」

也有人說：「高玉樹引咎辭呈早已提出，行政院在市議會熱烈討論時，適時予以批示，市議員就應該知難而退了。」

正本清源，事情的發生，導火綫起於陽明山管理局之與市政府不能協調，議會成立之初，局長潘其武要求單獨向市議會報告施政，市議會竟貿然同意，高玉樹市長認市議會割裂市府行政權，府會關係乃愈演愈烈。近因是陽明山管理局六十一年度總預算歲入部分列台北市政府補助新台幣五千萬元，台北市政府令管理局詳列用途項目，該局不肯，市府未予同意，乃將此補助專案呈報行政院核示，因此，台北市議會三次函請市長高玉樹列席議會報告，前兩次高市長因公乃函復市議會請求延期，最後，同意於六月三日列席市議會報告。

首先是台北市議會日程排列不當：該次會議日程爲：六月三日上午九時四十分至十時四十分，報告陽明山管理局六十一年度總預算案補助欵問題，一、市長報告，二、陽明山管理局長報告。按照陽明山管理局設置辦法第二條規定：「管理局隸屬於台北市政府，受市長監督指揮。」而台北市各級組織及實施地方自治綱要規定「市議會開會時，市長有向市議會提出施政報告之責，市議員有向市政府市長及各局處長質詢之權。」依此規定，陽明山管理局長單獨列席議會報告，及市議員向陽明山管理局長提出質詢，均於法規無據。

台北市議會爲民意機關，民意機關之作爲或不作爲，必須遵守法規明文規定。台北市議會單獨邀陽明山管理局長列席報告及提出質詢是無法規依據的。

台北市議會議程排列高市長與其部屬陽明山管理局長同時在市議會報告（辯論）同一問題，這也是我國的創例。

就該次議事日程而言，高市長列席報告完畢，如有事當然可以先走。在會議經主席林挺生宣佈開會後，市議員梁紹洲首先發言說：「市長說明後，我們不是質詢，不過在良心上與職責下可否提出我們的意見，請議長裁決。」此項動議，議長林挺生無權裁決，應提大會討論並表決，始合變更「市長報告」爲「市長報告及補充」說明的法定程序，殊料主席議長林挺生捨合法程序而非法裁定說：「梁議員的意見，相信高市長是可以採納的。」這是不合法定程序的。但出人意外的是主席議長林挺生一錯再錯。當高市長報告完畢，市議員羅文富發言請高市長補充說明，主席議長林挺生竟置之不理而請陽明山管理局長代表即主任秘書李德祥報告。此語甫出，高市長嘱秘書長余鍾驥告訴主席因處理公務先走一步即遲自離開議場，因此引起全體議員在情緒不滿而激動，如果主席議長林挺生處理得當，不至於發生此一風波。

高市長拂袖離議場
市議員表不滿
認爲損及議會尊嚴
因而提出撤換市長動議

有些市民看了新聞，很同情高玉樹，他們認爲如果高玉樹眞忍氣吞聲和李德祥在議會對質，那實有點太不像話了。

市議員們認爲高市長擅自離開議場，態度固然不佳，且予市議會以莫大難堪。這些僅屬於高市長個人的修養與風度問題，不發生所謂「嚴重損及議會尊嚴」的問題，而眞正嚴重損及議會尊嚴的是市議會本身，同爲市議員廖東城、陳重光等不滿意高市長而提臨時動議：「電請內政部轉行政院，撤換高玉樹市長，以利地方」一案，經市議會覽日討論並經在場市議員廿七人舉手表決以十九票通過後迄今未將該案送出，形同難產，這還不「嚴重損及議會尊嚴」是甚麼？

該臨時動議的理由是不是充分？是不是有依據？這須從憲法及有關法規，暨臨時動議案內容觀察，臨時動議理由是：「一、本會爲瞭解陽明山管理局六十一年度總預算案補助欵問題，前經大會決議三次函邀台北市長列席說明，惟高市長初以另有要公不克列席，復以總質詢日時前來說明或另爲期列席說明爲由，藉故不來列席。關於六月三日列席大會說明後，未通知主席擅自拂袖而去，故意造成府會糾葛，嚴重損及議會尊嚴，有失民主風度，本會同仁殊難忍受。

「二、本會基於民意代表機關，爲顧及本市全體建設，數次函邀市長列席說明，純爲瞭解問題，促進地方整體建設之措施，復以主席業已裁定：「今日不是質詢，但如有請市長署充說明之處，相信高市長可以接受」。對此補助欵問題，議員尚有許多疑問待問，且預定議程時間尚未到達，主席正依程序請陽明山管理局李主任秘書說明時，高市長竟拂袖而去，顯有違反台北市議會議事規則第八十四條：「會議時，須退席者應先通知主席」之規定，亦非具有風度之民主國家地方行政首長所當爲。

「三、本會自成立之後，爲響應總統全面革新號召，及達成選民對本會殷切之期望，或以提案或以質詢方式或組織專案小組調查，促進市政建設，惟高市長多未尊重，迄未改善，仍獨攬大權，我行我素，視議會如無存，輕視民意莫此爲甚，影響民主政治殊鉅。

「四、本市升格爲院轄市後，業已成爲國際都市，實難容如此不知禮儀，不守法制，未具民主風度之行政首長，繼續主持市政。」

按照「台北市各級組織及實施地方自治綱要」規定台北市議會有：一、議決有關人民權利義務之單行規章。二、議決市預算及審核報告。三、市決算之審核報告及審議市財產之處分。四、議決市政府提議事項。五、建議市政興革事項。六、接受人民請願案。七、其他依法律賦予之職權。

觀此規定可知，台北市議會「電請內政部轉行政院撤換高玉樹市長，以利地方」之議決案，嚴格的說，已超出職權範圍之外，且有違背法規及憲法之規定。因爲該自治綱要第十七條：「市政府置市長一人，受行政院之指揮監督，在直轄市之自治法律未頒布前，暫由行政院依法任命之，免職時亦同。」暨憲法第四十一條：「總統依法任免文武百官」。依同一自治綱要規定：「市議會議決事項與中央法令牴觸者無效。」故市議會議決「撤換高玉樹市長」之臨時動議案，與行政院公布之自治綱要牴觸，當然無效，致或「難產」，爲地方自治史留下汚點一頁，怎不使選民遺憾！

本報派丁元久
爲駐台特派員
協助社務發展及採訪

本報爲加強台灣地區社務發展，及新聞報導，自即日起派丁元久君爲駐台特派員，協助社務發展及新聞採訪，丁君早年畢業於中國新聞專科學校，歷任：民國日報駐滬特派記者，台灣掃蕩報記者、台灣省新聞專員、特派員、台灣省警務處刑警總隊發言人、省民營報聯辦處總幹事、台北公論報通訊主任、及台北大衆日報採訪主任等職。

是否應補助陽明山
端視政院核定
議會邀請兩位首長列席
實欠考慮引起風波

至於台北市政府爲甚麼不補助陽明山管理局？應不應該補助？就法規而言，台北市政府並沒有錯。其法理如下：

第一、根據陽明山管理局設置辦法第六條規定：「管理局經費由台北市政府授權該局自籌支應，不敷時得請市政府補助之。」陽明山管理局將「得請市政府補助之」曲解爲「按照規定台北市政府應補助之」，至於按照什麼規定台北市政府應補助之？該局沒有進一步的說明。

所謂「得請市政府補助之」，台北市政府「得」接受其「請」，「得」不接受其「請」，「得」不補助之！稍有常識之人均深知「得」與「應」二字之間的含意與區別。

第二、陽明山管理局歲入稅課收入部份，按照財政收支劃分法規定：台北市政府應得稅收計有：土地稅、營業稅、使用牌照稅、屠宰稅等，陽明山管理局竟說「稅課改入，市得部份依法應劃歸局庫」云。依什麼「法」呢？該局又說是「依據行政院台五八人改二字第零三四六八號令核定之台北市政府授權陽明山管理局辦法第八條第一節之規定，各種稅課市得部份，全部劃歸管理局庫支用」。由此可知，該管理局視行政院「令」爲「法」，而振振有詞，殊不知行政院以「令」來變更「法」之適用，這也是違憲的行爲，也是府局之間糾葛的導火綫。

第三、根據行政院令頒六十一年度中央及地方各級政府預算收支方針內明定：「上級政府對於下級政府之補助，以及下級政府對於上級政府之協助，以核定有案者爲限。」陽明山管理局請求台北市政府補助新台幣五千萬元，過去未經核定故無案可援，因此，台北市政府專案呈報行政院核定，但迄今尚未核定，在未核定前，台北市政府當然不予補助。

觀此，陽明山管理局所請求之補助欵，問題在行政院而不在台北市政府，假如行政院命令台北市政府補助之，高市長敢違抗院令而不補助嗎？

總之，台北市「府會失和」是因陽明山管理局請求補助欵而起；台北市政府遵照中央規定將補助欵專案呈報行政院，是因行政院以「令」變更「法」之適用，所致；在任何政體下，議會邀請兩位行政首長同時報告施政方針與施政計劃，並答復議員的質詢，除台北市議會自求降格，又自入是非之郤，邀請陽明山管理局長報告施政計劃及答復市議員的質詢外，另無其他理由。

就法律地位而言，台北市政府與市議會，與台灣省政府與省議會的地位完全一樣；陽明山管理局隸屬於台北市政府，受市長監督指揮，其地位與台北縣政府相同。今陽明山管理局長列席台北市議會報告施政方針與施政計劃，並答復質詢，則台北市議會豈不降格與台灣省縣市議會的地位相等？這不是自貶身價？請問，縣市長可不可以列席省議會作施政計劃報告並答復質詢？如此體制，怎不天下大亂！

憶蕭伯納九十誕辰感想（上）

・文滙樓主・

文滙樓剳記

一九四六年七月廿六日是蕭伯納的九十歲誕辰。一個英國記者給他一張紙，縷列九個問題請他解答；蕭翁在這些問題下面一一置覆。從他的「感想」裏，我們不難看出這位耆齡老翁的舌鋒仍未失去它的尖刻，思想方面依然保持它的先見。蕭翁對于今日世界的局勢，當然有超出常人的見解；因為他的一生恰佔十九世紀的後半段和二十世紀的前半段。在政治上講，他始終是一個叛徒。在二十世紀的開端，他是英國的初期的社會主義者之一；那個時期的社會主義者都已老成凋謝，只有他一人眼見英國工黨攫得政權。但英國工黨政府所採取的政策，並不能使他完全滿意，這是無可置疑的。蕭翁的一生，從克里米亞戰爭時代起，迄至原子彈時。在這個時期中，他的偶像破壞的主張，使整個世界為之激盪。

（一）問：站在九十耆齡的高峯上，您認為您過去的生命是值得活着的嗎？

答：我想是值得活着的；否則我早該自殺了。但我對於這事從來不會徹底研究過。

（二）問：您的悠長的一生，差不多恰佔十九世紀的後半段和二十世紀的前半段，從驛車時代原子彈時代，經過了歷史中的一個最重大的時期。您認為人道上的進步以那一個階段為最好？答：除了日歷上的數字以外，十九世紀和二十世紀並沒有兩樣。人道還是上古史時期的人道。

（三）問：威爾斯最近辭別了世界，他的遺言說「……這是完了……」他的意思好像是人類前途已沒有希望，人類對於自己所創造的破壞力已失去了控制了。您也同樣的悲觀嗎？

答：威爾斯還要活十年，才能追上我的年齡。照目前情勢看，他的論斷自有充分的根據。不過我們必須假定：我們如其能夠再接再厲，試而再試，如蜘蛛結網似的契而不捨，我們是可以成功的。否則，宇宙的創造永無止境，我們必為新陳代謝律所淘汰。所以實在無須庸人自擾。

（四）問：世界各國的人民如果眞的像他們慣常說那樣厭惡戰爭，世界各國的政治家是否不得不去保持和平？您也以為在我們現在機械文明時代，許多人似乎覺得長期和平討厭嗎？答：不。人們厭惡戰爭無非因為戰爭是危險，不便利，專制以及勞民傷財罷了。他們也很容易為拿破侖的戰功和邱吉爾的辭令所眩惑。即使是最眞誠的和平主義者，如以拳擊其鼻，成如巡捕加以蠻橫的干涉，他免不了會惱羞成怒起來，好像馴服的綿羊天天加以這樣的刺激，也有暴怒的一日。宗教的狂熱者，和平主義的信徒，常會變成勇敢善戰的軍人，克朗威爾就是一個頂好的例子。

對立委質詢裕隆案 行政院已提出答復

（自由報台北消息）行政院頃就立法委員徐中齊對裕隆汽車公司暴利壟斷所提質詢案，提出答復如下：

一，關於核定裕隆公司自製率百分之六十之經過：裕隆公司於四十七年與日本日產公司訂立技術合作契約，擬定自百分之廿自製率開始，每年增加百分之廿，至五年後達到百分之百自製目標。實施以後第二年（四十九年）自製率百分之四十之目標尚能勉力達成。至第三年（五十年）自製率百分之六十之目標，以當時國內工業環境及裕隆之生產能力，實無力達成，而原擬在五年內達成百分之百自製之目標亦無實現可能，乃向經濟部申請修訂，經該部審慎研討，始於五十一年六月核准裕隆與日產修訂合約，每年增加自製率百分之十，至百分之六十為止。

五十四年工業輔導準則頒佈後，經濟部根據該準則訂定「機械電器製造工業分年達成自製計劃施行辦法」，規定自製率自百分之四十開始，逐年增加百分之十至百分之七十為止，惟汽車工業一項，則特定最高自製率為百分之六十。目前國內汽車工廠之最高自製率，均依照此項辦法核定。

二，輔導汽車工業發展：政府為輔導汽車工業發展，曾於民國五十年由本院訂頒「發展汽車工業辦法」，明定推進汽車製造以分期完成為原則，不准成立汽車裝配廠，鼓勵各配件製造廠逐漸增加自製配件之範圍，以達完全自製為最終目標，飭由經濟部遵照此項辦法推動輔導汽車工業發展。嗣以當時國內工業環境及有關工廠生產能力不能達到完全自製目標，復於五十四年元月訂頒「機械電器製造工業分年達成自製計劃實施辦法」，輔導國內汽車工業本諸公平合理原則發展，對於新設汽車製造廠未予任何限制。汽車工業自製計劃規定必須自製之六項主要零件項目，改由各汽車製造工業得就其中自由選擇較為經濟之零件二項自製。在政府此項輔導政策下，除裕隆外，先後已有三富、三陽、六和等三家汽車工廠設立，已建廠生產，自製率均已達到百分之六十。

另交通部已呈擬修正「公務汽車管制辦法」及汽車運輸業管理規則」，該二修正格正由本院審議中。

三，政府致力於提高國產汽車品質及降低生產成本關於國產汽車品質及降低生產成本為目前輔導汽車工業之重要施政目標，與徐委員所示者相同，政府除已先後批准進口轎車二次計四、〇〇〇輛，並據於調整關稅稅率後開放進口，目前已採取之措施為：（一）推動汽車零件製造工業以較大規模生產零件，以降低生產成本。並一部份供國內需要，一部份外銷，以外銷所得外匯淨額進口自製不甚經濟之自用零件。（二）如前所述，改定汽車工業百分之六十自製率內六項主要自製零件項目，俾製造工廠自由選擇較為經濟之零件自製，以降低成本。（三）協助汽車製造工廠推行品質管制制度，增加檢驗設備，以提高產品品質。

四，關於「汽車工業，理應國營」問題：關於徐委員所示汽車工業應由國家直接經營一節，至佩卓見。按汽車工業為綜合性工業，牽涉至廣，當囑由主管單位就其可行性作審慎研究。（完）

毒禍概談

台灣師範大學教授　應駭明

日前讀成公先生在本報所寫「六三禁烟有感」一文（六月二日本報）眞是令人叫絕，尤其末一段。「但從另外一個角度來看，卻有使人簡直無從理解者在。一百多年前，英國人主謀以鴉片來荼毒中國人，怎會想到一百年後，竟假手共匪「以其人之道，還治其人」。尤其妙在英國人，以及美國人，竟然眞有人肯來吸食，許多教堂的後座都成為毒品交易的場所，教堂的廊下，就往往橫躺着「毒友」。而美國人特別是年青人和軍人，尤其趨之若鶩。據統計，在越作戰的美軍，竟有半數以上吸毒，眞是使人匪夷所思：無從理解，當年主持販毒的英國人，若地下有靈，眞將欲哭無淚。難道眞有所謂「天道好還，報施不爽」嗎？

觀察美國歷年來維持世界均勢及控制某些國家之策略主要靠經濟其次是外交，至於軍事所佔成份不大，今天美國人生活優裕，過度享樂淫逸，染上毒癮之人日漸增多，毒品之供應人正是毛共而美國正急於和共匪建交，今日毛共如能以毒品控制美國那定不比美國所採用之經濟外交及軍事手腕要恨毒的多嗎，因為經濟外交軍事，雖然厲害，但對人們的控制究竟還是間接的，而毒品則直接控制人身，毒發時，使你無從支持，非屈服就範不可。

前兩天偶然在電視輪椅偵探節目上，看到那位輪椅偵探以鐵鋼般的意志來幫助他朋友戒毒，其中令人印象最深刻的鏡頭就是一個吸毒人在毒癮發作時之痛苦形狀，令人目不忍睹，在床上地上翻滾，死去活來呻吟苦痛，若在此時有人拿一包毒品，指示吸毒人作姦淫擄掠殺人，賣國，偷竊任何壞事，吸毒人均樂為其驅使。記得遠在數年前邵氏公司曾演一部影片片名已忘記，喬裝飾演一樂隊鼓手，染有毒癮，其友為其戒毒，毒癮發作時之痛苦情形，表演逼眞，予余以極深之印象：當時余以為只不過是演戲，事實並無那樣嚴重，直到最近又再看到同樣的影片後來又經一位警界朋友口中證實才眞正相信毒癮，如果沒有這位警界朋友曾告訴我說若是一位年青貌美的女人染有毒癮，如果沒有錢吸毒時，可以隨時出賣肉體和靈魂，他又曾說當年紅極一時之女明星曾淪為低級娼妓，號稱電影鬼才導、編、演全才之洪波亦因吸毒，落得在西門汀跳天橋自殺之可悲下場，富家子弟如果染上毒品，輕則家財散盡，重則不但自己淪亡並且連累家人受苦。

毒物為禍之巨，駭人聽聞，黑社會為非作歹，往往利用毒物控制屬下，任其驅使奴役，不料毛共現在居然就用這種黑社會的手段來控制美國奴後美國人民，尤其不料美國社會居然有大批的人民甘心吸毒受其奴役，拋開政治恩怨不談，站在人道的立場，我們實不勝同情惋歎。我們眞不知道美國能否有如林則徐之名臣出現，與匪斷然斷交而焚毀毒品，其希望何其渺焉！

毛共引誘日本自動上鈎

貿易辦事處是情報據點

但是當他（她）們受到中共的盛宴「招待」與洗腦後，就迫使他（她）們站在中共的一邊，相約歸國以後必須推動親中共的工作，參加反政府的活動。這從前往中共的日本貿易代表團，接受中共的「招待」後，發表向中共一面倒的聯合公報可見一斑。

目前中共派駐日本的所謂備忘錄貿易辦事聯絡員為二人，此外新聞記者三人，他們與日本派駐北京的聯絡記者，最大不同之處，為後者沒有一點自由而前者日本卻給予完全的自由。雖然當他們來日時，日本政府批准簽證的條件是不得從事政治的活動，而事實上卻正在旁若無人的大膽活動。中共在東京的備忘錄貿易辦事處，事實上已變成中共收集日本情報的最大據點。

中共派駐日本的記者活動，除了採訪日本各種左翼團體的示威遊行、集會外，最近甚至連純為日本國內問題的成田機場示威事件，富士山下的軍事演習，亦有他們的蹤跡，並且堂堂地前往日本國會採訪。但是他們所採訪到的所謂「新聞」，故意染上軍國主義的色彩或大事宣傳為反政府的活動後，送往北京卻不刊登在報紙上面，而作為「新華社」的電訊資料或為上述北京電台所利用，作為對日廣播煽動之用。

中共派駐日本的備忘錄貿易辦事處聯絡員與新聞記者，接觸的範圍相當廣泛，約有三千日本人，與他們保持着關係，其中最多者為政黨人士，公司職員，新聞記者以及各種親中共政治團體的職員，一說駐東京的若干外國使館人員，亦與他們有所接觸，而在日本的親中共華僑，更可說是他們的重要手足。這些日本人與親中共的華僑，有的提供日本軍需產業的情報，有的提供日本與中華民國及韓國有關經濟方面的資料，有的提供美軍在日的動向：：內容包羅萬象，而獲取報酬。

四出攪活動不理日規定

中共派駐日本的人員，並且經常前往各地，與當地的親中共團體接觸，作種種宣傳的活動，雖然日本政府曾規定當他們離開東京都及神奈川縣以外時，必須要在四十八小時前通知法務大臣，事實上中共的人員從未一次遵守這個規定。

在中共對日工作上負有傳遞情報任務的是到東京與橫濱兩港口靠岸的中共貨船。中共的船員一旦抵達日本後，第一個不可少的行動是前往東京目黑區的中共備忘錄貿易辦事處報到。他們的目的除了是了解中共最近的情形外，同時帶回大批日本所出版的刊物報紙以及其他情報資料，歸國以後供分析日本政治、經濟、文化等動向之用。

中共在日本的活動，自然需要巨額的資金。這筆數字龐大的活動資金，有的是從中共直接以現金匯來日本，有的則以貿易及其他間接的收入來抵充。

現金匯兌的方式有兩種，一種是委託訪問大陸的日本人士，一種以經費的名義直接匯交東京備忘錄貿易辦事處。至於其他間接的收入，計有雜誌刊物書報的銷售所得，商品展覽會的營業收入，中共藝術團體的表演門票收入等等。而最大的首推貿易方面所謂特別物資的利益提成。去年日本與中共的輸出入貿易總額為八億二千五百萬美元，這種利益提成以百分之一計算，即達八百二十五萬美元，又八百家所謂友好商社，每年都須提供利益的一部份，以獻金的名義作為活動資金。此外一筆巨大的資金來源，為影片（包括新聞片）的收入，據說這種影片的租費是每部每天六百日圓，每年以二十部計數目亦相當可觀。

中共因有大筆的資金可以利用，於是在日的滲透——離間日美關係，培養日本國內親中共勢力的工作，日甚一日。（完）

新聞網外之言

先談走路（一）

・錢一劍・

錢一劍談相

走路，為進退之節，看貴賤之分，人之善行，如舟之遇水，無所往而不利也。不善行者，如舟之失水，必有漂泊溺之患也。貴人之行，如水之流下而體不搖。小人之行，如火炎上，身輕腳亂。行不欲昂首，而腳不欲側，身不欲折，腳高則亢，太卑則曲，太急則暴，太緩則運，周旋不失其常，進退各中其度者，至貴之相也。

腳跟不至地者，貧而夭。發足如奔，散走他鄉。大低腳不欲折，跟不欲低，發足欲急，進身欲直，起步欲闊，俯然如往，不得滯者，皆貴相。龍行虎步，至貴，林森主席行路時的飄飄欲仙，與蔣總統的龍驤虎步，兩位老人每駕臨中央政治學校時為師生萬目注視，於今回憶仍饒有餘味。鵝行鴨步，豪富。永安堂胡文虎，盤谷銀行陳弼臣是也。鶴行聰明，國民黨元老陳果夫，天文台報社長陳孝威是也。鼠行多疑慮。牛行巨富。蛇行性毒夭。雀行食不足。鵲行孤獨。龜行壽相。英首相邱吉爾，我國孔祥熙。馬行辛苦。行如流水貴人。行步沉重榮貴。行步輕躁貧賤。行步趨越聰明。行步跳躍孤獨。行不低昂，富貴雙全。

巨變歷險記！

猛撒形勢（三）

（二二九）　胡慶蓉

再就國際言，猛撒的形勢，更來得十分優越！

這是韓戰正在熱烈進行的時候，中共以志願軍的姿態，傾巢南犯，聯合國軍已有招架不住的樣了。當中共拿出他的人海戰術，像螞蟻一羣一羣的上，更使他們防不勝防，感到無窮的困擾，如何從中國大陸的後方，特別是從東南亞給他一種牽制，就成爲美國工作的目標。他看見中國游擊隊散佈在東南亞，以猛撒爲司令塔，光芒四射，很得美國人的重視，美國就從泰國方面與這方面聯絡，於是美金的支援，彈械的支援，源源而來，並且大量的來。原來舊式的裝備，一下子都變成了新的，部隊的數目直綫上升，北起密支那，南到木淡棉，大於台灣的三倍面積上，到處佈滿了中國游擊隊，東南亞自由人民反共聯軍。

台灣中華民國國民政府也看中國游擊隊是他對美外交的一項資本。政府剛剛退到台灣，現有中國游擊隊這一個力量，他如何的寵愛啊！李彌一時成了東南亞的風雲人物，同時也成了世界的風雲人物，其在台灣，更有其優越的地位。一時並且成了神秘的人物，等而下之，所有中國游擊隊的大小人物，只要說須港來的，猛撒來的，無不受人到處的歡迎。歐美的報張雜誌，也常常的披露這方面的消息。中國游擊隊對於 蔣總統的忠貞，對於中華民國政府的擁護，自始至終，絲毫沒有兩樣。在中華民國 蔣總統領導之下，曾屢次攻入大陸。

中國游擊隊在東南亞，已經形成了「譬如北辰，而衆星拱之」。這個地位的形成是非常自然的。首先緬甸，服服貼貼，不敢再有異動。緬甸族以外其他各種族，全體與中國游擊隊合作，緬甸更是服貼。寮也是與中國游擊隊合作的，越南也要同中國游擊隊合作，所有東南亞反共的力量，都在與中國游擊隊合作，泰國介乎緬甸、寮、越之間，是一個但求自保的國家，不願介入國際事務。丁博士所唱的大西南，是連同整個東南亞在內的大西南。東南亞與大陸接壤，從這裏反攻大陸，最實際，最可靠。緬甸則剛獨立不久，寮越還沒有獨立，泰採用風大從風雨大從雨政策，環境對中國游擊隊非常有利。

中國游擊隊的國際形勢有如上述。國際的記者雲集猛撒，當時也有不少台灣的記者，台港的記者。像今天聯合報的記者于衡，即其中之一。他們常常比李彌爲李承晚，當時，李是國際上最活躍的人物。李承晚靠他的橫脾氣，聞名世界，李彌也靠他的硬作風爲人所稱揚。一個在中國的東北，一個在中國的西南，眞所謂，雖併……

毛共新外交政策 使蘇聯惴惴不安

（自由報柏林消息）西德論壇說：中共在「竹幕」後孤立十多年的時間後，最近終於從竹幕後再出現，而且流露一副不再孤立下去的姿態。中共擺脫孤立的處境的最富戲劇性表現，就是展開未之前見的所謂「乒乓球外交攻勢」，憑着一個乒乓球及一塊球板，中共孤立後的新外交姿態及攻勢，令到每一個國家都發生濃厚的興趣。其中最引人入勝的，毫無疑問地是北平和華盛頓所進行的乒乓球外交遊戲。美國和中共進行的公開乒乓外交競賽，克里姆林宮的集體統治者大感困惑與關切。

身爲蘇聯共產黨秘書長的布里茲尼夫當然爲了中共與美國的眉來眼去事件而吞得一清二楚，克里姆林宮的領袖顯然做夢也沒有想到在意見上如是各走極端的中共和美國，現在竟然一下子流露如是和洽的言行。這種突然而來的變化大大地出乎蘇聯領袖的意料之外。

許多觀察家這樣指出：蘇聯領袖沒有預料到美國和中共之間的關係會發生這種突變，似乎是蘇聯秘密情報機構工作人員不力的結果。蘇聯情報機關人員無法從中共的安全網裏面找到可以洩漏秘密的方法，是不足爲奇，因爲自從毛澤東實行無產階級文化大革命以來，在中國大陸境內，蘇聯已經沒有可靠的人物，過去被克姆林宮領袖認爲是心腹的人物，現在已經全部被鬥倒，在這樣的情況下，蘇聯無法獲悉中共秘密是不足爲奇的。

蘇聯對於中共與南斯拉夫言歸於好這件事情的發展，從開始到現在都表示憂慮，中共和南斯拉夫和好，是南斯拉夫和阿爾巴尼亞關係改善後所引致的結果。雖然克里姆林宮對於上述共黨國家之間的關係變化表示不高興，不過，總算勉爲其難地表示接受，因爲它們畢竟是共黨國家，而且羅馬尼亞和中共的殊要好關係已經令蘇聯領袖表示無可奈何地接受，因此對於北平與貝爾格萊德的修好，除了隻眼開隻眼閉之外，令克里姆林宮人吃一驚的就是美國竟然和中共互送秋波，蘇聯一向以爲這個世界分成美蘇兩大集團的天下，現在顯然出現美國——蘇聯——中共鼎足而立的局勢，因此，克里姆林宮的集體統治者並感震驚。

美國和中共雙方關係向好的一方面起變化，無論就目前，或以可以預見的將來，甚至長遠的未來局勢而論，都是令蘇聯憂慮不已及非常不高興的。

莫斯科顯然一向這樣假設——美國與中共將在一段非常長遠的時間裏面無法建立好轉的關係，因爲中共憎恨美國的心情太顯烈了。進一步來說，克里姆林宮的統治者同時認爲文化大革命後的中共，不會那般迅速地擺脫孤立的地位而在國際政治舞台上扮演一個重大的角色。

蘇聯對於「兩個中國」這項事實，一向暗自高興，而且對於這項事實可能引起種種後果，認爲只有對中共無利，最低限度令中共有自顧不暇之感，中蘇共國邊境發生充滿危險性的武裝衝突事件後，蘇聯開始與中共進行性的邊境問題談判。在談判席上，蘇聯方面打算以「拖」的戰術和中共敷衍下去。同時在邊境方面，令其成爲一種非戰亦非和平的情況，蘇聯的目的就是用這種「拖」的辦法去等候毛澤東與世長辭後才考慮下一步的新行動。

就另一方面來說，克里姆林宮在歐洲，中東及東南亞等地區內設法採取富有壓力的政策。蘇聯採取這種政策的原因，是爲了認爲北平將繼續處孤立狀態中，而且更認爲華盛頓與北平兩者之間的關係是不會有和好希望的。然而，克里姆林宮的揣測卻全部錯誤。

蘇聯在國際共產主義運動中表現挑戰的姿態。在列寧誕辰慶祝會中，同時在第二十四屆蘇聯共黨大會中，蘇聯領袖在演說中曾經不斷地企圖令中共在思想上及政治上陷孤立的狀況中。

不過中共早已放棄完全支配國際共產運動的意圖。自從蘇聯及其衛星國家於一九六八年以閃電軍事行動闖入捷克首都「布拉格」以後，而中共未有採取任何行動。這已經暗示中共確實沒有像蘇聯所想像的那樣野心勃勃。

現在，北平當局採取所謂「乒乓外交政策」令自己離開孤立的情況而以一副新的微笑姿態與全世界人士相見。尤其是和經常被中共破口大罵，而且被指爲「最大敵人」的美國流露「有意挑逗」的言行，在克里姆林宮集體統治者的心目中看起來，他們對於中共這種突然而來的一百八十度角政策上的改變，當然感到不勝驚訝之至。不過，在初時仍然表現「若無其事」的態度，而且准許東歐的衛星國家就中共那種「乒乓外交政策」發表評論。不過，蘇聯卻不能夠長期地維持這種「若無其事」的態度，很明顯地：蘇聯本身及衛星國家的官方所流露的沉默態度，已經引致一種不安全的氣氛。因此蘇聯展開一種憎恨的攻勢。蘇聯共黨喉舌「眞理報」一方面抨擊中共在思想觀念方面從事一項不忠實的活動；一方面，蘇聯外交部的一份週刊[illegible]抨擊中共採取一種沒有原則可言的外交政策。

蘇聯這些抨擊，事實上暗示克里姆林宮內心的恐懼感：美國與中共相好，可能不單只令蘇聯感受到有增無已的中共壓力，而且亦可能令到歐洲及亞洲的較小國家，改變對蘇聯政策的態度。

御廚談藪

林泉隱

灰羊

亦名燉羊脊，法以羊脊若干，盛之大碗和入醬油白糖及醋等，復摻入羊肉汁，使浸沒爲止，經濟方法可於燒飯時入鍋蒸之，飯熟亦熟，稍加大蒜爲香料，冬季食相宜。

五　雞之各種烹調法

紅燒栗子鷄

用斤餘重之肥嫩雞一只洗滌潔淨後切成小塊，備栗子十餘個，入鍋加水燒熱去殼，切作二片，乃將鷄入鍋並加豬肉數小塊，葱蒜一扎，加水以急火煮沸後加黃酒乃改文火，復加醬油與栗子肉再燉，復加鹽，俟爛熟後加白糖少許即可食。

白鷄

全雞切作五塊，入沸水鍋以急火煮半小時待熟取出若準直紋而橫斬之約一寸寬半寸長，食時蘸以醬油愛辣者則以芥末。此雞上籠蒸更好原鷄汁不外出更美。

讀書雜鈔（五）

·林倚·

寧津蘇子廼言：「丁卯夏張氏姑，婦同刈麥，甫收拾成堆，有大旋風從西來，吹之四散，婦怒以鐮擲之，灑血數滴漬地上。方共檢尋所失，婦倚樹忽如昏醉，魂爲人縛至一神祠。神怒叱曰：『悍婦敢傷我吏，速受杖。』婦性素剛，抗聲曰：『貧家種麥數畝，資以活命，烈日中婦姑辛苦刈甫畢，乃爲怪風吹散，謂是邪祟，故以鐮擲之，不虞傷大王使者。且使者來往自有官路，何以橫經民田，敗人麥，以此受杖，實所不甘。』神俛首曰：『其詞直，可遣去。』婦蘇，而旋風復至，仍捲其麥爲一處。」說是事時，吳橋王仁耳！若就此一事而論，鬼非目覩，語未耳聞，恍惚杳冥，茫無實據者，雖閻羅包老，亦無可措手，爾乃言之於某公乎？」（閱微草堂筆記卷五）

時論曰：過不自知，是爲無心之過，雖過不謂，蓋其情猶可原也。倘有人懟之面弗聽，或無疑過靜友面居心叵測，故意禍人，如非憒庸，是非不明，即陰惡成性，其過雖小，必不可恕。人即人罰，時勢所趨，亦必覆敗。若一意諂上驕下，利用權勢，排斥異己，縱容爪牙，非我族類，禍福由己，任意施爲，妨賢害能，結黨營私，得心應手，隨其私慾，自謂爲政治有團體，號令有全家，然其所結識者，盡皆趨炎附勢小人之輩，學養不足以當大任，人格不足以負衆望。又豈知小人之交，勢敗則離，不比道義之交生死以之。所謂時窮節乃見，專指士人而言，小人豈可與語此。某學閥苦心經營二十餘年，往日趙孟能貴之，門前車水馬龍，今則趙孟非能賤之，坐視蟬曳過別枝，傷心固屬應爾，實則勢所趨也，此而不知，憒憒而何？

（未完）

黛眉小傳

·王幻·

顧太清

（一）

清代不但男詞人甚多，女子工詞者也不少。小檀欒室彙刊閨秀詞，搜羅有清一代女詞人專集，至百餘家之譜，其以片調隻詞，流傳人口者，尚不在此數，盛況可想而知。

在這許多詞人之中，成績最爲優異者，首推兩位滿洲男女詞人：男詞人是納蘭容若，他的「飲水詞」，哀感頑艷，纏綿悱惻，人謂爲李後主再世。女詞人則是顧太清，王鵬運曾說：「滿洲詞人男有成容若，女有太清春而已。」

況周頤批評太清的詞說：「太清詞得力於周清眞，旁參白石之清雋，深穩沈着，不琢不率，極合倚聲家消息。求其詣此之由，大概明以後詞未嘗寓目，純乎宋人法乳，故能不煩洗伐，絕無一毫纖艷，涉其筆端。」至於容若與太清兩家的詞，況氏亦有所比較說：「今以兩家詞互校，求其妍秀韶令，自是容若擅長，若以格調論，似乎容若不逮太清。太清詞其佳處在氣格，不在字句，當於全體大段求之，不能以一二闋爲定論，一聲一字爲工拙。此等詞無人能知，無人能愛，夫以絕代佳人而能塡無人能愛之詞，是亦奇矣。」據此，則太清詞尚凌駕乎容若之上，我們對於這位女詞人的身世，實有介紹之必要了。

（二）

顧太清名春，字子春，太清乃其號，漢軍旗人；她的族望爲「西林」，故自署爲「西林太清春」，有時則直號「太清春」。她於清嘉慶四年己未正月初五，生於京師，父母姓氏不可考，當係隨朝宰臣之一。太清幼承庭訓，富於才華，妙解音律，工詩善詞，又擅長繪事。及長，嫁爲繪奕貝勒之側室，正室妙華夫人，大她一歲，亦長於書法。繪奕乃清高宗（乾隆）嫡親曾孫，他雖是天潢貴胄，出身貴族，卻無一般紈袴子弟的不良積習；而且酷好風雅，能詩詞，擅書法，尤精於金石書畫之鑒賞。由於他的性情恬退，不樂仕進，自號太素道人，又號幻園居士。因爲他與太清興趣相同，年齡相若，又是才子佳人，所以婚後生活，極其唱隨之樂。太清生於滿族，未染漢族婦女嬌柔纖弱之習，他能騎馬，和丈夫太素出遊時，並轡垂鞭，飽覽湖山秀色。冒鶴亭棲天遊閣集於太清「春遊詩」後綴數語云：「太清遊西山，馬上彈琵琶，手白如雪，琵琶黑如墨，見者謂是一幅王嬙『出塞圖』也。」可以想見她的風采了。

有一次，太素以千金易得「古玉笛」一枝，且約同咏，先成「翠羽吟」一闋，太清乃作十六字令：

聽，黃鶴樓中三兩聲；
仙人去，天地有餘青；

道「天地有餘青」五字，與「曲終人不見，江上數峯青」，異曲同工之妙。太清不但長於詠物，亦長於寫景。如春冬調寄「早春怨」云：

楊柳風斜，黃昏人靜，睡穩棲鴉。短燭燒殘，長更坐盡，小篆添些。紅樓不閉窗紗，被一縷春痕暗遮。澹澹輕烟，溶溶院落，月在梨花。

（一一）

自由報

（第一一七七期）

（半週刊每星期三、六出版）
每份港幣壹角・台幣零售價新台幣二元
社長李運鵬・督印黃行書
社址：香港九龍官塘康寧道117號
後座二樓
117 HONG NING RD, 1/F REAR,
KWUN TONG, KOWLOON, H.K.
TEL: K-433653
電報掛號：7191
郵箱：官塘郵政信箱9583
承印：景星印刷公司
地址：嘉咸街廿九號地下
台灣區業務管理中心：台北市許昌街廿六號
電話：三八〇〇〇二
台灣區直接訂戶　台灣劃撥戶
第五〇五六號張萬有（自由報會計室）
台灣分社：台北市西寧南路110號二樓
電話：三三〇三四六、台郵劃撥戶九二五二號

本報遷址啟事

（一）本報自本年七月一日起遷往香港九龍官塘康寧道一一七號二樓後座。

（二）本報台灣區業務管理中心遷台北許昌街二十六號　此啟

從地方戲演出談起（二）

・胥端甫・

按川劇大觀的劇情說明：「漢武帝時，匈奴兵侵狄道，武帝使蘇武持節赴番言和，番王欲威降蘇武，武不肯，乃放諸北海牧羊。時有胡女阿雲，大將之女也。拒婚於番王，而願下嫁蘇武。數年之久，生有一子。時漢使復來，詭言漢帝得雁書，知武尚未死，匈奴懼鬼神，因放蘇獨歸，而留胡婦，婦乃自刎死以明志焉」。據漢書記載，武赴匈奴，不是匈奴兵侵狄道，龔德柏已有考證。武娶胡婦生子事，漢書上所記也很簡單地說：「武年老，子前坐事死，上閔之，問左右，武在匈奴久，豈有子乎？武因平恩侯自白：前發匈奴時，胡婦適產一子通國，有聲問來，願因使者致金帛贖之。上許焉。後通國隨使者至，上以爲郎」。這是歷史正確的記載，元曲改編成劇，自然有些穿插附會，川劇粵劇，又根據元曲而來。關先生改寫這一段唱詞，非常的好，完全等於一館有韻的長詩，開始「萬里冰封，千山雪蓋」兩句，把塞外的景象，和盤托出，這是寫景。以下以六句「望不到」寫情，把一腔忠君愛國的熱烈情感，活生生吐出來。再用「但見銀馬橫空，身如在九尺雲外」一句，托出他在塞外的悽涼。「我步難抬，心情慨」到「哭喚君王入夢來」。正寫出他的忠貞節義，當時看到聽到的人都感動得盪氣迴腸。以上是第一幕，第二幕南歸故國時的兒女情，家國恨，和第三幕與阿雲訣別揮淚望長天，低頭懷往事的兩段唱詞，都是天倫骨肉間至性至情的文字。特別是阿雲那一段太動人了，不忍割愛，錄出來供大家欣賞：

「夫，你持節表忠貞；夫，你回朝人欽敬；夫，你在凌煙閣上有題名。你知否我母女天涯多苦命？你知否無夫無父太飄零？你知否悠悠歲月恰似恨海浮萍？你知否寒夜孤燈獨憐衾影？請念海誓山盟，團聚在胡邦久永」。

將兩方面的情景，對照寫來，一壁廂是垂老榮歸，志得意滿；一壁廂是淒涼塞外，衾影孤燈，把一腔奔迸的悽惻，寫得唱得，令人看了聽了如痴如呆，惻情之心，悲感欲絕。阿雲母女並一齊跪下哀求：「蘇武；你是知禮明義的人，當曉得『良人者所仰望而終身也』」的幾句說白，真是一幅胡天慘別圖。可以說這幕戲的劇詞，唱作，音樂，重可以說是紅棉劇團這次演出的特色。

以上三個劇團，前已說明都是有組織的，演技圓熟，不成問題。最後來談川劇，說起來可憐，本來四川是天府之國，全國婦孺皆知，四川人對四川戲也是人人都有極大的興趣，可是說到錢就成問題了。熱心的人不是有錢的人，出力的人知是無力的人。最早是天龍川劇隊，屬於空軍，中途停止活動；後起者爲天府川劇團，在中壢的龍岡，幾個沒錢的退役軍人組織起來的，結果還是因無錢而夭折。這次參加演出的中興業餘川劇團，情況也是一樣，不名一錢，文武場演出人員都是七拼八湊，收得效果，還算差強人意。結束以來的二十餘天在報章上的反應，都博一個好字。譬如：中國時報報導：「十六日由中興川劇團演出川劇陽河堂，截江救主，伍申路會及長生殿等名劇，由於地方色彩濃厚，演唱技巧特殊，相當受觀衆的歡迎，使得文化局舉辦的這項活動有了個熱鬧而成功的「開始」。民族晚報報導：以爲陽河堂等四齣戲「包括了唐朝，三國，春秋三個朝代，睽其內容，都爲表彰忠孝節義，闡揚中華文化傳統的倫理道德，亦即是復興中華文化的有力表證，寓意非常深刻。對個別的批評，以爲歐定安演陽河堂的薛猛戲路很熟，嗓音幫助他的演出成功。截江救主紮實，趙雲表情與唱詞恰到好處；張飛演出的成功，得之於一個熟字，熟中生巧，穿插出「殺豬拔毛」，正說出我反攻復國，消滅共匪的國策。本劇中最好的是孔明先生，前面長長一段唱詞，後面一段表做，都居上乘。長生殿中的唐明皇李隆基，楊玉環扮相美麗，也是唱念均佳。大衆日報報導：「截江救主」一齣中，演孫尚高的劉志成先生男扮女裝，維妙維肖，嬌嬌滴滴，一步三扭，完全是故鄉的「帕子」派頭，演來風情萬種，獲得不少掌聲，至於演唐明皇的鄧永澍先生和客串楊玉環的高夫人，都演得非常熟練，唱工尤其不錯。

除上述報導外，其他就不必再舉了。以我的看法，陽河堂的宋騰是吳光城先生飾的，唱做也有派頭，很能和歐定安配合。蘇覺時的伍申路會，吐字很清楚，也獲觀衆的好評。賴傑平時沉默寡言，飾趙雲表演很好。特別是鄧永澍先生飾唐明皇，民族晚報說他合乎身份，唱做均佳。我還要加以補充：所謂合乎身份，不單是說他扮唐明皇就像唐明皇，還要把唐明皇當時對長生殿的心情與情態，活畫出來。本來唐明皇出來就是一個正正經經的皇帝，一聽到長生殿有人說話，經高力士問明宮娥，答覆是楊娘娘在長生殿乞巧，經高力士重複「啟萬歲！楊娘娘在長生殿乞巧」以後，心情煥發，打出一個甜蜜的哈哈，充滿了無限的歡悅，聲情姿態，正如莊周蝴蝶夢中，「栩栩然蝴蝶也」的情景，硬博得滿場的掌聲，隨即依劇情的發展唱到「拈信香王跪在長生殿下，君妃們好一似並蒂蓮花，李隆基與妃子恩情不假，楊玉環聖恩雨露交加，但願得比目魚連理枝共枕同榻」一段的時候，據說鄧先生的夫人在場中表情，頗有酷勁，很不自然，這更說明了他們的演技，的確達到了高潮，而不是偶然的。一個人的喜怒哀樂隨環境而不同，表演的人，就要抓住這時空的要點，描寫出他千差萬別的情態，這就是藝術的昇華，所謂合乎身份，唱做均佳，理由在此。

我對這次聯合演出的綜合看法，各有各的特長，也各有各的缺點，只是有人表示：以總體來看，各種地方戲劇的音樂都比較單純，因而唱功和做作身段也就隨之一樣單純了。譬如平劇的音樂只有西皮二黃兩種，板眼的種數，也只有原板，倒板，快板，慢板，散板，搖板，和西皮流水，西皮快三眼等等名目，在那裏循環變化，其他各省區的地方戲更爲單調。這次將各戲比較，才感川劇內容比較複雜得多，以音樂言，據稱：牌子有數十種，甚至有人說有數百種，既然音樂複雜，自能強化戲劇情，在表現上也就非常複雜了。以整個音樂言，有整個音樂的表情與動作，以單個樂器言，有單個樂器的表情與動作，在戲劇的藝術上可以達到壯大恢宏，也可達到悠揚細密，使表現收到極大的功效。

（下轉第三版）

自由談

想起日本人

馮五先生

對日抗戰結束後不久，我到上海醫治牙疾，由朋友領我到一個日本牙醫師（姓啥原，名字忘記了）診所就醫。見面時，他表現着一種忸怩羞愧的形色，低頭說話，不敢仰視，我惻然不安，即用日本話對他作親切而誠摯的解釋，請他不要因爲戰爭的關係，有所介懷，今後咱們兩國人民還是好朋友。他的心情才比較安定了。

二十年前，我初到香港時，偶爾遇着日本人，他們低着頭行走，對人決不說日語，婦女更不穿和服，他們自己談話的聲音亦很輕微，唯恐旁人省識他是日本人，不勝其自慚形穢之感。

現時的日本人却不同了！政治人物常以「經濟大國」自詡，隱然是東亞的領導國地位；普通日本人在香港或台灣各地區，對人高視闊步，意氣揚然，非復當年那種無條件投降後的悽慘相了。試看日本政治人物最近對釣魚台問題的言行，卽妄自矜狂，目空一切，頗有「大日本帝國」時代的故態復萌之勢。

上述情形，就是日本民族性的具體表現，所謂江山易改，本性難移。美國人以爲在東方拼命扶植日本，就可以利用它爲美國負起前驅，而唯美國之命是從，這是極幼稚的見解。日本將來如果修改了憲法，實行再軍備，又能製造原子武器時，首先要報復的敵人即是美國，毫無疑問。日本人的內心深處，對美國却是仇視。用商場的術語以衡量日本人，他是個很好的「伙計」，而是最壞的「事頭」。他們的天性是窮得看不得，可惜美國大少爺沒有這種智慧。我們對日本的情形自信瞭解較深刻，目前對日本的外交政策，決不可一味遷就忍讓，一心以爲日本人真有感恩報德之日，那是要上大當的！

昨日與明日

美國鬧劇何時了？

爲着報紙刊載白宮的軍事機密文件，美國朝野鬧得然起哄，吵鬧不休，看情形，一時還不會平息，非鬧到明年總統選舉時不可！

這種事情若發生在其他的自由國家，必不致舉國騷然，難解難分，但在美國就構成了是非之言盈天下的一大鬧劇。此中原因，除卻個人自由主義在法律上沒有明確的規範外，便係政客們借題發揮，作爲爭權奪利的一種手段。執政的共和黨藉此曝露過去民主黨當政時期，對於越戰措施的失策，以反證「尼克遜主義」之正確。所以，尼克遜聲明要把全部機密文件送給參議員核閱，即可以間執佔有多數議席的民主黨人士攻訐越戰政策的口實。

另有不可告人的醜事

美最高檢察署下令禁止紐約時報繼續刊佈機密文件之其餘部分，說是有損國家利益，而該報抗議不服，認爲是歷史文獻，與國家利益并無妨害。實則就是關於越南總統吳廷琰因政變而被戕那回事。

吳廷琰政府之被推翻，完全是美總統約翰・甘迺迪任內造成的，舉世周知，不言而喻。但在表面上美國當局可以不負責任，若將機密文件公開出來，對於美國的信譽確有損傷。共和黨人對於報紙揭露此事，其情若有憾焉，其心實深喜之，司法部聲言要控告紐約時報，那是一種姿態而已。

美國當局對於接受美援的友邦當局搞政變，并非自越南始，早在南韓就表演過了，但都不是共和黨人執政的傑作，所以尼克遜亦樂得把這椿醜事使參議員一律洞悉詳情，間接可以打擊政敵的信譽，在未來競選連任總統中，大有裨益呢！

好戲還在後頭

越戰問題的鬧劇一時不會停演的，鬧到明年大選前夕依然不歇，然後再加上美、毛結交問題，劇情更趨熱烈緊張，自屬意料中事。因爲近二十年來美總統候選人的宣傳題材，盡係以外交事項——特別是亞洲事項爲主。越戰與美、毛結交問題，是是非非，政客們儘可爭辯，反正一般選民是莫名其妙的。

記得尼克遜上次膺總統的消息傳播全球後，台北方面頗爲欣慰，有人放鞭爆以誌慶。結果他對中華民國的友情，比較過去那幾位民主黨總統更不如，而今而後，我們再不要相信他們競選時的宣傳詞令爲是。

・何如・

黃媚蘭事件

成公

天下事

天下事，凡為之過專，無不生弊，讀書為學本是好事，但，因此而致損害身體健康，則是以末害本，得不償失，一人如此，一人受害，羣體為如此，社會貽患無窮。

自由中國，十餘年來，由於經濟繁榮，人人想上大學，而大學的容量有限，好的大學又不太多，大家為了擠進幾所較好的學校，從小學起便拼命用功，夜以繼日的苦讀，這固是一股好學的好風氣，可是流弊所及，年青學子，身體受了嚴重的摧殘，許多年青人，面黃肌瘦，患有胃病，而大學課堂中，十有七八戴上眼鏡，更是不容否認的事實，這些弊病，已是衆所週知共引為痛的事，大家雖一再指責呼救，但因積重難返，始終無所救正現在黃媚蘭的事件出現，實在不容再拖下去了。

黃媚蘭是台灣省立高雄師範學院英文系的一年級生，為失眠症所苦，於十三日在高雄留下遺書服毒自殺，黃生去年畢業於台灣升學率最高的北一女，而以考入高雄師範學院，據報導黃生「是一個很用功的學生，由於過度的用功使體力透支患了深度的近視及嚴重的失眠症，四月中旬，發覺體力不支，精神轉弱，不能專心讀書，因此放棄了期中考試……學校通知家屬將其帶回家裏療養……在家休養三個禮拜後，再回到學校……但失眠的情況日益惡化」終至於十三日服毒自盡，並留遺書，說明「她之所以自盡，係由於長期失眠，深度近視，意志無法集中」。

這一不幸雖是黃生個人的事，但其情形，却是今日台灣學生的普遍寫照，不過是黃生替大家背了十字架而已，對於這一教育流弊下的犧牲者，社會上應該普遍寄以同情，而教育界的人士，更應該看成一件大事，而速謀教育之改進，以免「文憑雖拿到，身體毀完了」的惡果遷衍下去，要立定決心，使黃生只是這種犧牲的最後一個。

在這沉痛的心情下，我們且來一個輕鬆的呼籲，冲淡一下嚴肅的氣氛；本報的大力支持者馬騰雲先生，近來在台推行藥枕大受歡迎，我們不知馬先生能否提供一種治療失眠的藥枕，來救救這些孩子。（當然有失眠症的大人，也一樣可以用）

保齡球高爾夫球應否徵稅
立法院起激烈辯論
見仁見智立場迴異
有人主張有營利性者徵稅

（自由報台北消息）立法院四七會期廿七次會，對保齡球與高爾夫球應否徵稅問題，討論得非常熱烈，各就各的立場，爭得臉紅脖子粗，比第二十六次會更精彩，如果「天下為公」未鉛的話，有些存有「私」見的立法委員太要不得了，今將各委員發言實錄節載如後，讓選民們作一公評，本報且願將這些公評絡續發表，敬希廣大讀者注意，海外來稿，逕寄香港九龍官塘郵政信箱九五八三號自由報社，國內來稿請寄台北許昌街廿六號自由報台灣區業務管理中心。

楊委員寶琳說：

本席原主張本案應重付審查，後因許多同仁咸認為本案應從速通過，因此，本席與連署的二十幾位同仁乃不堅持意見，同意本案逐條討論。但是，在逐條討論之後，發現第二條第一項第四款娛樂項下，審查案與行政院原案頗有出入。

首先我們了解，本款是娛樂的定義，即所謂「娛樂」是：「指電影、戲劇、歌舞……供顧客娛樂者」。換言之，要供顧客享受視聽之樂者才徵娛樂稅。而審查案在本款中所增列之「高爾夫球」與「保齡球」，何曾有視聽娛樂之享受？況這兩項運動，目前是國際上的熱門運動，為各國所提倡，因為它是適合於老、中、少年的全民運動，這種運動，不祇可以鍛鍊身體，且可在運動場上與國際人士進行國民外交活動。

為了遏阻社會奢靡的風氣，提高「酒家」的稅率「寓禁於征」是對的，但在政府提倡體育的今天，為了表現政府的政策，本席主張對於具有健身運動的高爾夫球及保齡球，應予刪除，恢復行政院原案條文。

梁許委員春菊說：關於高爾夫球與保齡球應否征稅問題，本席以為首先我們要把「娛樂」的定義澄清。據審查會石召集委員言：「一球進洞，快樂無窮。」本席認為石委員所說是廣義的解釋，準此而論，則會場進行表決，以一票險勝通過，其樂亦無窮，也應屬於娛樂之一項而征其稅了。

保齡球場本席未曾涉足，不知其性質若何，姑且不論。總之，審查會之增列高爾夫球及保齡球殊失之考慮，因為這兩種球皆可使人達到強身的目的，視之為「娛樂」而征其稅，確有未當，因此，本席主張恢復行政院原修正草案文字。

吉委員佑民說：各位同仁對高爾夫球及保齡球發表的高見，都是認為這兩種球均是運動而非娛樂，並舉證國際上對此如何如何，這些理由本席也很同情，不過，人者見仁，智者見智，在本席個人來說，卻認為這兩項運動不論其對人之健康有何幫助，仍應征其娛樂稅。其理如下：

很多同仁問：行政院原修正案祇有撞球一項，何以審查會又增列高爾夫球及保齡球？提出「刪除」的呼籲。可是，迄未見有一位同仁為「撞球」提出免稅之請。過去政府提案把學生們玩的撞球列入「娛樂」項下征稅，本院沒有同仁反對，現在把貴族化的高爾夫球列入娛樂項下征稅，而就有人堅持不可，實在予人有不平之感！

據打高爾夫球之朋友講，打一次高爾夫球至少需新台幣四百元，由此可見，高爾夫球實非大衆化之運動，就以本院同仁來說，能有幾人有此能力去打高爾夫球呢！既是少數特殊階級，有錢有閑階級的運動，由這些人士來負担一些稅，又有什麼不可？

當然，這也不是征高爾夫球娛樂稅的惟一理由，最大的原則是，打球的場所是否是營利事業？如果自己在家裏打球，當然不應征稅，雖跳舞亦然；反之，若是在營利事業經營之場所打球，當然應該征稅。

總之，學生打的撞球都征娛樂稅，有錢人打的高爾夫球更應征稅，否則，難謂之公平！雖然「娛樂」有認定之不同，但有營利性質者征稅；無營利性質者免征，這個原則是不變的。因此，本席主張應維持審查案文字，高爾夫球、保齡球都應征稅。

開球場為賺錢
征稅殆無疑義
一切理由自認不加考慮

許多同仁認為高爾夫球及保齡球在行政院的修正草案未列，審查會不應增列，並舉出高爾夫球對於外交之貢獻，且認為這是適於老、中、少年的全民運動。但本席的看法並不如此。本席認為各位委員的高見，都有或多或少的本位主義。譬如以運動健身而言，在吳委員延環來說，他就會以一切運動健身，而以游泳為第一；在楊委員寶琳、曹委員俊來說，則認為健身運動莫過於打高爾夫球；在韓委員振聲來說，則會認為以打太極拳為第一了。所以，各位委員的看法，雖都言之成理，但或難於失之以偏概全。

審查會之增列高爾夫球及保齡球並非偶然，而是經過審慎考慮的，根據一般輿論，社會上絕大多數的人，咸認為打高爾夫球者，都是特殊階級，都是有錢階級；固然，它也是一項運動，在外交上更有所幫助。但無可諱言的，不少的官商勾結也是在高爾夫球場上完成的。所以，高爾夫球有利於外交，也有利於官商勾結。

至於保齡球，亦非一般人所能打得起的，因此審查會也認為有征稅之必要。事實上，保齡球早已課稅了，本法予以列入，也祇是使人明朗化而已。

郭委員登教說：

我們考慮高爾夫球及保齡球應否征稅，首先我們必須對這兩種球，不能存有好惡的觀念，不然，喜愛高爾夫球者，即認為打高爾夫球是一項正當運動，就會主張不要征稅；厭惡高爾夫球者，也會認為打高爾夫球是罪惡的淵藪，就非征稅不可了。也有人認為「玩」是屬於娛樂，應該征稅，但也有人認為如果「玩」是屬於鍛鍊身體者，就不應征稅。以上各家主張都失之主觀成份太重，都不能作為應否征稅的標準。因為一件事情之目的是否正當，企圖是好是壞，都不應作為考慮應否征收其稅的唯一條件。有人說征稅就是「寓禁於征」，本席不以為然，因為征稅雖可以寓禁於征，但為了籌措財源，亦不乏向正當事情征稅之例。因此對於本法之稅，首先我們應有這樣一個觀念，就是對營利事業征稅，對顧客也要征稅。例如電影，對電影院征其營業稅，對買票看電影之顧客，則對其征娛樂稅，純正於看者之目的，是否交際，或是消遣，概不問。目的不正當的要征稅，就是目的正當的也要征稅；誨淫誨盜的壞影片要征稅，就是發揚中華文化的好片子還是要征稅！

剛才有委員講正當交際就不征稅，也有同仁講鍛鍊身體者不應征稅，本席認為這些條件都不應考慮。應否征稅，要視其是否為營利事業之顧客而定。如果為了打球成立一個俱樂部，由自己出資建設，自己打球不對外營業，這種情形雖有娛樂之實，亦不應征稅；如果是營利事業，完全是為顧客而設，不論其目的為娛樂，為鍛鍊身體，都應征稅。大家先在觀念上對應否征稅之看法澄清後，對於撞球、音樂會，乃至於為復興中華文化而演唱之平劇，都應一視同仁，其為營利事業者征稅，非為營利事業者免稅。

分期付款生意
香港大為流行
使低收入者過舒適生活
對貿易經濟發展亦有助益

（自由報香港消息）最近有一位著名銀行家透露，目前本港的分期付款生意，達到四億至四億五千萬元的空前紀錄，證明了分期付款生意在本港已很流行，也反映本港市民生活水準，經有顯著的提高。

中國人向來保守，而且著重於腳踏實地，因此分期付款生意雖開始了幾十年，但以往的辦法是先付清款項然後取貨，例如月餅會、臘味會等等便是。因此多年前歐美流行的先取貨後付款之分期付款生意，介紹到本港來的時候，并沒有受到人的歡迎，可是最近幾年，一般受薪階級發現了其中好處之後，這種生意便大行其道了。

以滙豐財務公司這家香港上海滙豐銀行的附屬機構來說，初時的分期付款生意只不外幾千萬元，然而在今日，該公司的生意卻洋洋大觀了。一九六一年間滙豐財務公司的分期付款生意為二千萬元，到一九六八年底已打破一億元大關，及至一九七〇年底，更達到一億九千四百萬元，而今天已闖出二億元過外的空前高紀錄了，由此可見生意的蓬勃。

雖然很多人都不想被捲進「債」的漩渦裏，而且一般人也認為欠債是一件丟臉的事，可是今天沒有一家大企業，沒有欠銀行債項的；闊佬居住的數十萬元一間華廈，除了樓宇本身是分期付款外，室內的傢俬裝修，各種電器設備等，亦一樣是利用分期付款購置者，為數不少，更遑論普羅大衆，受薪階級了。

以往分期付款買貨物多要付一筆較大的首期款項，今日各公司為着競爭生意，方便低薪入息的人士，已多將首期的一筆，大約百份之廿五貨價的銷，而將分期付款平均分配十二個月，或者至卅六個月付款。

銀行家認為分期付款可以幫助一般人士享受較舒適的生活，而且亦有利於貿易和經濟發展，如果沒有分期付款這個制度，本港便沒有那麼多屋宇有買家，中等入息人士亦難以一享住者有其屋的滋味；此外一般低薪家庭亦不易購置電視機、收音機、冷氣機、洗衣機和電冰箱等等用具，估計本港最少有十萬個家庭，和債主打上交道。甚至出國遊埠，前往外國深造的治裝費，也一樣可以利用債主而得以成行，平均每一名香港人欠債在一百元至一百五十元左右，這個比率跟外國比較，已是相當低的了。

分期付款亦有爛帳的客人，然而香港人還是愛面子的多，故爛帳比率并不大，所以港府曾聲明現階段還無意管制分期付款生意呢！

美國人筆下的中國

陳毓賢譯

這套實用的道德系統，遭遇到許多敵對的學說，其中最重要的算是神秘主義的道家。道家講「道」，而認為大小、高下、善惡之間是無分別的。藉着無為，人在痛苦掙扎中能獲得安謐的境界。老子說：「曲則全，枉則直，窪則盈，敝則新，少則得，多則惑。」（第二十章）

怪力亂神

這些乍看來頗為矛盾的主張，足以慰藉人的心靈，成了中國人精神的避難所。由於中國人具有融合各種信仰的天才，幾世紀來道家都能安然地和儒家和平共存。有人說：中國人仕則為儒，退則為道，臨終則為佛。是的，中國人也吸收了佛教。然而，那飄渺虛無的湼槃到了中國無形中變質了。

中國人思想雖是入世的，却亦頗為怪力亂神所吸引。中國人心目中世界充滿了各種鬼神。凡建築一棟房子或宗廟前，必先細看山神水祇是否適宜；小孩子常常穿了老虎皮似的衣裳辟邪；打麻將路上遇見禿子為不祥；人家掉到水裏去你伸手救他是危險的，會遭水鬼拖走（編者按：不知何處有此風俗，相反的孟子告訴我們「嫂溺不援是豺狼也」）。成千成萬類似的迷信，並不求靈魂心靈的超越，或要跟那冥冥中的力量交往，而是要控它。Amaury de Riencourt 曾名之謂「魔術的現實主義。」

在這「現實」的中心則為家庭。一直到最近，崇拜祖先還是中國人的最高精神責任；對家庭盡孝則是最高的社會責任。民間有無數的孝子傳說，其中有一個故事敘述孟孝子怎樣誘導蚊子咬他自己，以免牠們騷擾了爹娘。還有一個故事說有個人偷了一隻羊，做兒子的去告狀了；法官倒判決兒子以死刑。因為他對政府遠較對父親効忠。（編者按：從來沒聽過這種故事，論語中曾有云：「葉公語孔子曰吾黨有直躬者其父攘羊而子證之」。）

（三）

憶蕭伯納九十誕辰感想（下）

·文匯樓主·

（五）問：您生於愛爾蘭，你的少年時代也是在那裏度過，你的心理作用濡染着這種生活的色彩到何種程度？答：這種情形使我住在無論那一國都成爲一個外國人。但是以一個外國人的地位完全懂得這一國的文字也有許多極大的好處。能夠用客觀的目光觀察英國，這沒有一個英國人能夠的。我對於愛爾蘭，就不能抱客觀態度了。我在英國愈加有用，且被用過其份了。

我對於愛爾蘭並不厭惡；這厭惡兩字殊可笑。不過我活了九十歲，其中最燦爛的七十年華是在英國度過，在英國自然舒服得樂不思蜀。老年妄動會叫我傾家蕩產或不免使我一命嗚呼。

（六）問：你以爲愛爾蘭在國際上有它的地位嗎？你以爲愛爾蘭能有什麼特殊使命嗎？

答：不。我判斷國家是以他們對於人類貢獻的統計爲根據；愛爾蘭於此是可恥的。愛爾蘭的使命就是要把這些統計提高到歐洲的水準，並且要超過它；所有的國家遇到這種考驗都不免失敗。

（七）問：你曾經說過「你已經有一隻脚伸在墳墓裏了。」然而你的腦筋還是很活潑。除了年齡所帶來的出世的意識外，還有其他原因可以假定腦筋的創造力在四十五歲的時候優於九十歲程時候嗎？

答：一個人始終是在生生死死新陳代謝的過程中。短距離賽跑家在二十歲時候就死了。十五回合的拳擊家在五十歲時候也死了。我的記憶力已不行，常常同我開玩笑；我不久恐怕也要像易卜生似的忘記了如何寫作。我現在不能多走動，然而常是仍有新鮮的東西要學習，而我的身體裏面仍舊還有許多細胞在發育，雖則不一定在腦筋裏。我們是全部身體活着，不是一部份一部份活着。

（八）問：你在九秩大慶對於世界還有什麼特殊的忠告呢，還是你的見解都已在你的著作裏發揮無遺？

答：沒有什麼了。我是太無智——實在是太幼稚——不配充做未卜先知的仙家。

（九）問：你如其活到一百歲，你還有什麼計劃使你有生的晚年再結燦爛的果實？

答：我對於我的一生從來沒有計劃過。什麼事到手，就做什麼事。我如其活到一千歲，還有許多事好做哩。

（完）

從地方戲演出談起

（接第一版）唱功方面就以皮簧部份，比之平劇有過之而無不及。至於川劇主唱的高腔，那更爲其他戲劇所望塵莫及了。她最能代表川戲的風格。川劇的音樂領導者是打小鼓的人，習慣稱爲坐統子。坐統子一經提腔，就有人接腔，幫和起來，名爲幫腔，依據一定的曲牌，唱起來不但十分自由，且悠揚高亢，紆徐，婉轉，都兼而有之，對劇情與歌唱都能發揮相當的作用，譬如氣氛的烘托，角色心情的描寫，劇情的變化，都可用高腔表現出來，這是最明顯的事實。以情探一劇來說，王魁唱出「更闌靜，夜色哀」一句，坐統子的就腔幫和：「更闌靜夜色哀、明月如水浸樓台，透出了淒風一派」。這一來，由音色的表現，更烘托出劇情的淒婉，使聽戲的人發生柔腸寸斷之感，充分表現了情探的主題。

中國戲劇，發源很早，可是唐玄宗是一個最有關係的人，他最好音樂，也最好戲劇，所謂梨園子弟三百員，躬親教唱，當時有歌舞戲，滑稽戲，故事戲和幻術柔術等等，所以全國各種戲劇都奉他爲祖師爺。據說梨園子弟中，四川的子弟就有七十餘人，天寶十四年安祿山陷長安，有些子弟就逃回了四川，兼之玄宗幸蜀，因其舊有，再事新招，四川戲劇，遂臻甚於此。經宋元明而產生南北曲，中國戲劇，整個完成，四川戲劇遂融合了崑，高，琴，亂，和燈五種成分配合演出，而又各自獨立地保存其原來的面貌。所謂崑就是崑腔，由崑山魏良輔慣南曲的訛陋，番音造曲，洗盡乖聲，別開堂奧，調用水磨，拍捱冷板，聲則平上去入之婉協，字則頭腹尾音之畢勻，功深鎔琢，氣無煙火，啓口輕圓，收音純細，全屬正聲，稱爲雅部。此外各地方戲稱爲花部。所謂高就是高腔，原始弋陽，輾轉傳入北京的京腔，傳入河北高陽的爲高腔，所以高腔屬於弋陽腔的系統。所謂琴就是西皮二簧，所謂亂就是亂彈，這樣看來，四川戲是融合各省地方戲之長而成爲一種特殊的戲藝與風格，眞正屬於四川地方性的那就只有燈了。四川戲的鑼鼓高，其作用在達意表情，有很高的藝術價值，所謂滿堂吼，震耳欲聾，完全是習慣問題。譬如我初到蘭州聽秦腔，也震得我滿頭大汗，以欣賞藝術的心情，看的次數多了，習慣自然，也就再無汗流浹背的現象。所以今天要保存地方戲劇文化的藝術，四川戲應該是首屈一指。不過因時代環境的要求，一切生活技巧都一天天趨於簡化，四川戲要求改良進步，也是不爭的事實。

以上拉雜談來，深感地方戲不但具有地方色彩。且表現了地方精神。也可說眞正地表現了人生，說明了時代，重現了歷史。不惟娛樂了羣衆、也教育了羣衆。特別在這反攻復國的前夕，地方戲的確能使疲軟的人心振奮起來，荒涼的赤悃熱烈起來，所以這眞是值得發揚光大的。實在說來，平劇也屬於北平地方戲之一種，不過是貴族的，平劇可視爲國劇，地方戲又未嘗不可視爲國劇呢？美國傳教師明恩溥，在其所著「中國人的特性」一書中說「中國民族是一個富于戲劇本能的民族。」「戲劇可以說是中國獨一無二的公共娛樂，戲劇之於中國人，猶如運動之於英國人，或鬥牛之於西班牙」。他這種看法，我從這次看各省地方戲而充分得到證明。中國人把人生戲劇化，也就是把人生藝術化，這是中國人的人生哲學的另一優點，特別在此附帶說明。（完）

楊振寧軼事

·易心儀·

伯恩斯坦的名著 A Gomprehensive World: On Modern Science and its Origin「洞察世界：論現代科學及其起源」，其中有一章述及我國偉大科學家楊振寧、李政道對現代科學的貢獻及他們的生平軼事，特將比較輕鬆有趣部分摘譯出來，原載「明報月刊」特予轉載，以塡補「安徽十三傑」空欄。

楊振寧和李政道在一九五七年十月一同榮獲諾貝爾物理學獎金，這是由於「他們對宇稱法的則的深入研究引起了關於基本粒子的重大發現。」楊氏當時是三十五歲，李氏三十一歲。同列於諾貝爾獎的最年青得獎者之林。

一九四五年，李政道和楊振寧都在中國大陸昆明市的西南聯合大學求學。先後幾個月裏，兩人都憑着獎金到了美國。楊當時廿三歲，完成了物理學方面相等於碩士學位的學業。他的父親是一位數學家，所以他自幼就飽讀數學和物理學，等他來到美國時，他在這兩方面都已有極徹底的準備。事實上，當他終於進了芝加哥大學研究院，他比別的研究先生進得多。

楊振寧於一九四五年十一月底經過印度、蘇彝士運河和大西洋到達紐約。他早已是原子彈之父費米的仰慕者，他以爲費米還在哥倫比亞大學——費米本是這所大學的物理學教授，後來因進行原子彈計劃才去洛斯阿拉莫斯——他特地到哥倫比亞的普平物理學實驗所去問清楚費米幾時來講課。後來楊氏記識此事道：「我記得到達紐約之後不久，有一天我吃力地走往住宅區，上到普平實驗所的八樓去詢問費米教授是不是快開開設課程了。秘書們用毫無表情的面孔對待我。我聽說謠傳有一個新研究所將在芝加哥設立，費米會加入這個研究所。我便往芝加哥去，在芝加哥大學註冊入學，但直到一九四六年一月費米才開始授課，我親眼見到了他，才覺得完全靠得住。」當時楊振寧成了費米的副手，有時費米出外，楊氏就應邀代替他講課。

楊氏是憑着庚子賠欵獎學金到美國的，他在中國參加全國性的考試，以優勝成績獲得獎學金。楊氏在爲諾貝爾獎金獲獎人舉行的慶賀宴中發表的講話，簡畧地叙述了庚子賠欵獎學金的一些緣起如下：

「陛下、殿下、各位女士和先生：

「首先，請准許我爲內子和我所享到的優渥欵待，向諾貝爾基金會和瑞典科學院表示感謝。我也想特別向卡爾格仁教授致謝，因爲他作了引述，並且引用了一段中文，聽到中文令我倍感親切。

「頒發諾貝爾獎金的制度是一九〇一年開始的。就在這一年，另一椿具有巨大歷史重要性的大事件發生了。這個事件後來對於我個人的一生經歷有決定性影響，對於我現在參加一九五七年的諾貝爾慶典也有幫助。藉着諸位的隆情厚誼，我將以幾分鐘的功夫稍許談談這個事件。

「在上個世紀的後半期，西方文明和經濟制度的日益擴張的勢力所產生的衝擊，在中國引起了激烈的衝突。究竟應該把多少西方文明帶進中國？這個問題受到熱烈的爭辯。然而，爭論還未得到解決，理性已向情緒讓步，一八九〇年代末與起了一羣人，中文稱之爲義和團，英文稱之爲「拳亂者」，他們自命爲能憑血肉之軀抵擋現代武器的攻擊。他們對於在中國的西方人採取了糊塗不智的行動，引起了許多歐洲國家和美國的軍隊在一九〇〇年開進北京。這個事件名爲「拳亂之戰」，其特徵是雙方都進行了野蠻的殺戮和無恥的刼掠。分析到最後，可見這個事件起源於驕傲的中國人民受到挫折後的憤怒情緒的表現，他們當時遭到越來越大的外來的壓迫和內部的腐敗侵蝕。從歷史上看來，這個事件也一舉而永遠解決了應該把多少西方文明介紹到中國來的爭論。（一）

羊令野拒領詩人獎

·于小立·

在詩壇頗負時譽的詩人羊令野，致力於詩運，對當前我國現代詩的發展，頗有貢獻，他本人的作品造境之深，融合中國傳統詩人的精神，表現現代精神，對於現代人在現實世界中，所有的一切感受，尤其表達的將爲深刻。

羊令野對傳統的舊詩也有相當的造詣，在文藝月刊上發表的「四絕賦」，深得當代學者和作家們的好評，尤其對青年詩人的培植，不遺餘力，除青年詩人外，對於各大專院校的詩社，獨多擘劃之功，有人說：羊令野桃李滿天下，香港某報曾以羊令野與袁子才相比。

本年度某一全國性文藝社團，經過審査決定頒發詩人獎，事先徵求羊令野同意，羊氏立即地表示婉謝，他的理由是：「文章千古事，得失寸心知」，一個詩人自己作品內在的含蘊如何，只有自己知道，對外來的獎勵和貶抑對於那一位作者來講，並不重要？羊氏所以拒領而委婉辭謝的原因，當然也以爲寫詩多年，得到一些知己的朋友，做爲一個沒有偉大觀念的詩人，其內心的感受可想而知。

就一個詩人來說，他的行爲即不是自鳴高異，也不是驕情自詩，乃是他自己覺得一個詩人默默的工作，辛苦的經營，也只是詩人的憂心與時代的責任感受而已。

羊令野不要領獎，在詩壇上引起了一陣小小的波浪，羊氏也泰然處之。沙特拒領諾貝爾文學獎金，在國際間也引起一些議論，這並不表示給獎與拒領者某一方面有錯誤，嚴格說起來，人類思想的隔閡與精神的變化，絕對不是某一個表達形式可以概括得了的，本年度的詩人獎與詩人羊令野的拒領，在一般人的觀念中，這種精神觀念，就其對頒獎者與拒領者而言，也算給我們中國文壇創造了一個良好的先例。

我們中國人素有謙讓的美德，羊令野拒領詩獎，不是他詩人風格的一種表現，也是頒發詩獎的團體一個光榮的紀錄。

據詩壇的朋友們說：文學家的創作受到別人的鼓勵固然重要，但一個詩人他自己發的表現他的思想與高尚的風格，在文學史上也是值得大書特書的。

飲食與文藝

·趙敏·

蘇東坡詩裏邊，有食豬肉詩一首：「黃州好豬肉，價賤如糞土。富者不肯吃，貧者不解煮。慢着火，少着水，火候足時他自美。每日起來打一碗，飽得自家君莫管。」所以紅燒肉從此傳下「東坡肉」的名目。梁章鉅不喜吃肉，他的筆記中爲了此事，極力反對東坡，說他不知自重。

袁伯夔文章詩詞都好，有一個朋友，其人則甚肥。同他開玩笑，仿照「郎似桐花，妾似桐花鳳」的句子說：「詩似東坡人似東坡肉。」他也只好大笑而已。

自東坡以飲食作詩題，後來的文人，每逢異味，也多形諸吟詠，元明人還少，清人最多。朱竹垞曝書亭詞有「探春慢」一詞，題目即係「食河豚」：「曉日孤帆，腥風一翦，販鮮江市船小。滌偏寒泉，烹來深院，不許纖塵舞到。聽說西施乳，惹密座垂涎多少。問誰犀箸翻停，莫是生年逢卯。開把食經品第，量雀炸蟹胥，輸與風調。拚筍將芽，蔞蒿未葉，此際故園眞好。門鴨攔邊路，猛記憶溪頭春早。竹外桃花，三枝兩枝開了。」

杭州詩人黃樹穀好吃扁豆羹，曾做詩兩首，其一：「負郭無農課，他鄉學圃能，短牆堪種豆，枯樹借沿籐，帶雨繁花重，垂條翠莢增，烹調滋味美，慚似在家僧。」其二：「穀雨方攜子，梅天已發秧，枝枝盤作蓋，葉葉暗遮房，伏日炎風減，秋晨露氣涼，連朝叢僕喜，採摘報盈筐。」

這兩首詩，只能算種豆詩，並未說到作羹，似乎與題目不稱，不過詩却很好。

又鍋底焦飯，有人呼爲飯糍，普通均呼爲鍋巴，鬆脆恰到好處者，嚼之別有風味，但未必能每片都好，於是有人用油炸過，或蘸糖，或蘸鹽，均甚好吃。戲館中賣者很多。本來近於廢棄之物，一旦變爲美味，更有人用來作爲餚饌，最初用磨菇湯，將炸好鍋巴另盛一盤，端至席上始放入，咋然一聲，鬆脆之外，更加鮮味，乃成名菜。後來又有人反其道而行之，先將炸好之鍋巴盛在盤中端上，再將炒蝦仁等澆上，其聲更響，名爲火燒鳳凰山。抗戰期間又取名轟炸東京。可謂變化多矣。

清初上元黃周星，字九烟，乃明末遺民，最好吃鍋巴，人呼爲鍋巴老爹，黃欣然應之，並賦詩四首。其一云：「爾養幸無郎將號，鍋巴猶得老爹名。兒曹相笑非無謂，慚愧西山有此生。」其二云：「學仙似少休糧訣，嚇鬼空多噉飯身。如此老爹應餓煞，鍋巴敢望史雲塵。」其三云：「隔江船尾競琵琶，金帳寧知雪水茶。新婦羹湯多得意，老爹自合嚼鍋巴。」

高血壓是中風的信號 綠豆枕綠豆茶有妙用

豨薟草治中風三月竟恢復正常

·馬騰雲

營養研究

（馬氏綠豆枕參考資料）高血壓，這是都市裏的一種時代病，從醫學理論上去研究，血壓增高，是一種症候，而不能算是一個獨立病，祇人生過程中幾乎爲必有的現象，高血壓也是中風未發生前的信號，信號並不代表中風，問題先得搞清楚，談起來才能上路。

造成血壓高的原因很多，於今仍沒有預防的特效藥，據筆者的經驗菊花枕、桑葉枕、竹茹枕等都有預防高血壓的功能，不過如果再能注意精神修養，和檢點日常生活，自可發生減少的機會，情緒的劇變，可以促進血壓的增高，在一怒之下，甚至了發生血管破裂的可能，如台大校長傅斯年、中央研究院長胡適、最近去世的監察委員黃寶實，就是最明顯的例子。

防止血壓增高，第一要有安適充足的睡眠。第二、勿預支精神過多，打夜牌最要不得。第三、長時間的夜生夜活，絕對避免。第四、勿飲酒、勿飲咖啡濃茶、勿使腸胃消化不良。第五、注意藥枕對你的療效，有時要更換。

高血壓是中風的信號，中風是甚麼原因呢？乃身體常有的重要部份，突然失去血液的供應，是謂中風，或腦出血，此種損傷約有四分之一，由於腦部大血管中，有血凝塊發生，其餘四分之三，則因病者動脈壓力過高，而使動脈破裂，構成血管本身組織減弱，血液流入腦組織中，神經細胞受到損害，無法再執行工作任務。因而停止活動。

有關高血壓的飲食生活習慣，請閱拙作（生活漫談）及有關各書，筆者於十幾年前偶閱名醫奏摺，謂薟草煉密爲丸，可治中風這位大醫說：「未料賤物之中竟有殊品。這癱馬中風，原疑不治，未料服薟草三月霍然告癒……」後來筆者傳給幾個人試用，均收到良好療效，故再姑妄誌之。

末了強調高血壓並不是病，高血壓的患有最要緊的心胸開闊，情緒安定，過事不可操之過急或有衝動行爲，馬騰雲企業有限公司，倡導「營養抗百病，百病可食療」爲高血壓患者準備很多飲食叢書，與實用書籍。歡迎選購，歡迎指教。

結論：患高血壓有兩個重大因素，一是腎部不健全，注意健全腎部工作，可收事半功倍之效。二是情緒過份緊張，這種緊張往往是長久忍受着憤怒與不滿無從發洩所所致，不妨加以注意。

地球的形成

·文非·

這麼一個龐大的地球，究竟是什麼物質造成的呢？

一鷄蛋有蛋殼，蛋白，蛋黃。地球也是差不多地同樣有三層：最外面一層是地殼，是堅硬的岩石層。這岩石層有二十至四十公里左右的厚度，這厚度約只地球半徑的八百五十份之一。比蛋殼之於鷄蛋還薄得多。中間一層是岩漿，像溶了的鋼水一樣的東西。中心是一個核，就蛋裏的黃，是一種又堅又熱的液體，因爲上面有堅硬的岩層，一層層把地球裏面的東西壓得緊緊的，所以岩漿和地核的液體，都不能像爐裏的鋼水一樣流動，而變成爲一種固體狀態，不像鷄蛋那樣搖得動。地核的半徑，約有三千五百公里，佔整個地球半徑的一半的樣子。

地球的體溫是怎樣的呢？從地球表面愈往下去，溫度就愈高，到了核心，就有攝氏七千度到一萬度。白金是金屬中最堅的，但到了三千九百一十度時，也要變成液體，沸騰而化爲蒸氣。如果拿一塊白金送往地球中心去，只要跑到半路上，它已化成氣體了。這樣可見構成爲地球核心的那種液體，是一種比白金還要堅硬得多的物質。

地球裏面是這樣，外面周圍又有些什麼東西呢？

地殼外面包圍着一層空氣，叫「大氣」。大氣也分成許多層：一是對流層，高約十公里左右，空氣的冷熱按四季而生變化，有風雨雲霧的作用。靠地較稠密，愈往上愈稀薄。人就靠它來呼吸，沒有它就沒有生命。在沒有陽光的地方都能看見東西，就是因爲有大氣的折光作用。二是同溫層，高約六十公里，主要是不能呼吸的氮。溫度永遠不變，風向也永遠一樣。三是電離層，在一百公里以上的高空。太陽有一種能殺死一切生物的「宇宙射綫」，電離層可以把它擋回大部份，所以要沒有它，人也就不能活在地上。電離層還能把地面上面的無綫電短波反射回地面。要沒有它，廣播就播不成功了。

地球好像是一個飛在空中的電球，是不停地旋轉着前進的。這種旋轉叫「自轉」。

每個人都知道「光陰似箭」，但時間到底跑到多快？能說出個具體的數字嗎？能！地球的這種自轉，每小時轉一千六百多公里，比世界上最長的噴氣式飛機還快一點。

地球這麼轉着，爲什麼我們不覺得呢？這跟我們乘輪船或火車一樣道理：在一輛開着的火車中，我們把窗子關上，同樣是不覺得快車在飛駛着。只有打開窗子，望見向後飛跑的樹木和房屋，才知道自身前進。所以用同樣道理看見太陽和星宿在空中從東到西繞着走，就證明了我們地球實在是從西到東不停地自轉着的。某一面轉向太陽時便是白天，轉到背住太陽時便是黑夜。既然這樣，那末轉到腳下時就降落，那不省時又省事？這想法很妙，但事實是辦不到的。因爲地心有「引力」，飛機在空中不走的話，便被引力拉住，整天在香港空中。故必須要往前飛。地心因爲這引力，所以就把球面四面八方的人和物吸住，不必就心站在南極的人會「掉下去」，不但人。即連海水也被吸住不會傾瀉，球面周圍的空氣也因此跑不掉。

顧太清

是何等絕妙的情境，尤其「澹澹輕烟，落落院落，月在梨花。」予人一片空靈之美感。又冬夜聽秋虫調寄「一痕沙」云：

金鼎重薰甲煎，錦帳雙垂銀蒜；床下小虫鳴，作秋聲。斗室沈沈寒漏，一穗殘燈如豆；風竹掃閒庭，細聽聽。

這首詞用的是庚青韻，又多用雙聲叠韻字，讀之恍然如聆虫聲，不愧爲詞中聖手。此外，尚有許多好詞，惟篇幅所限，只有從略了。

（三）

太清雖是旗籍貴婦，但却頗喜與漢官內眷來往，可能由於她的父母早故，姊妹皆已嫁人，兄弟又不能時常見面，不免缺少親情手足的溫暖，遂拜認錢塘許滇生尚書之母爲乾娘，因而與杭人內眷發生親密友誼。是時與之同遊的女友有許雲姜、許雲林、石珊枝、李紉蘭、沈湘佩、項屛山、以及龔定庵的繼室何宜人等。……（考惲珠國朝閨秀正始集，諸人大都有小傳作品），在以上諸人之中，太清和雲姜、雲林姊妹最爲要好；後來雲姜嫁了阮芸臺相國之子阮福爲妻，返回錢塘故里。可從她的「雨中接雲姜信」一詞中，見出她們的感情：

故人千里寄書來，快些開，慢些開，不知書中安否費疑猜。別後炎涼時序改，江南北，動離愁，自徘徊！徘徊，徘徊，渺予懷。天一涯，水一涯；夢也，夢也，夢不見當日裙釵。誰念碧雲凝竚費腸迴。明歲君歸重見我，應不是別離時舊形骸。

此詞情見乎詞，可見太清不但長於詠物、寫景，更善於言情。又久不接雲姜信用柳耆卿韻：

又盼到冬深，不見故人消息。況當雪後，幾枝寒梅綠蕚如滴。對疏香瘦影思佳客，細思量兩地相思；怕夢裏行踪無準，各自都成悲戚。

無極：九迴柔腸，十分幽怨，幾度寫付宮閣。鴻雁空延佇，難暫成小別也勞心力。回首當初，在衆香國花同借。無端雪來柳往，天天使人疏隔。知何時共剪西窗燭，萬千語與言，叨叨向說。却還愁，說不盡從前相憶。

一片眞摯的友情，溢於字裏行情。況周頤評云：「樸實言情，宋人法乳；非纖艷之筆，藻麗之工，所能夢見。」深有同感。太清東海漁歌多長調，動輒百餘字；而和宋人諸作，其魄力之雄厚，氣度之醇雅，措詞之清新秀麗，自非剪葉爲花者所能望其項背！

她的丈夫太素乃是金枝玉葉的滿洲皇裔，雖然性情恬退，不樂仕進，可惜生於帝王之家，不容許他過着嘯傲烟霞，寄情梅鶴的隱士生活。他於道光五年乙酉秋授散秩大臣，次年丙戌管理宗學，此時他倆才不過三十歲，正是享受人生最成熟的年齡。於是太平湖畔繪貝勒的府邸，經常是高車駟馬，鞭絲帽影，往來不絕。太素詩：「太平湖畔吾家住，車騎翩翩侍宴還。」可爲他們生活的寫照。（二）

黛眉小傳

·王幻·

讀書雜鈔

·林倚·

（六）

余督學閩中時，幕友鍾忻湖，言其友「昔在某公幕，因會勘，宿古寺中。月色朦朧，見某公窗下有人影，徘徊良久，冉冉上鐘樓去，心知爲鬼魅，然素有膽，竟躡往尋之，至則樓門鎖閉，樓上似有二人語，其一曰：「此地罕有官吏至，今幸有兩官共宿，將俟人靜訟吾寃。頃竊聽所言，非揣摩迎合之方，即消弭彌縫之術，是不足以辦吾事。」語畢，似有太息聲。再聽之，竟寂然矣。次日，陰告主人，果變色搖手，戒勿多事，迅不知其何寃也。余謂：「此有慊於主人，故造斯言，形容其巧於趨避，爲鬼揶揄曰：「此不知爲何神，不曲庇其私衷，謂之正直可矣。先聽觸受之懲，使婦幾受刑。謂之聰明則未也。」景州戈荔田曰：「婦辨其寃，神即能鑒，是亦聰明矣，倘訴者哀哀，聽者憒憒，君更謂之何？」子廩曰：「仁趾責人無已時，荔田言是。」（閱微草堂筆記卷五）

時論曰：某公「巧趨」爲鬼揶揄，或出寓言，姑妄言之而已。但人之立身處世，其受人尊榮，或遭唾棄，皆非偶然，其分際亦不過「公」「私」二字耳！凡人自私，必然損人，身受者固銜恨之，社會清議亦必唾棄。秦檜、魏忠賢、和坤之不齒於人也必矣！而岳武穆、文信國、張穆陽、方孝儒捐儒捐軀殉，後世立祠，焚香拜，永世不衰，皆其公爾忘私，不爲計而已。關雲長爲吳呂蒙謀害，人皆廟入祀。（未完）

先談走路

·錢一劍·（二）

錢一劍談相

許負曰。凡相行。須行十步。即喚迴頭。須看左轉。必有官職。右轉無官職。又無衣食。一劍嘗試十有八驗。行則龜行。必主聰明。馬騰雲教授行路若龜，有一次在路上被絆跌倒，欲爬起時，引起張起鈞大笑。張說一舉一動，皆若龜的動作，馬騰雲之聰明在他的朋友中是出了名的，惟一生不要小聰明。益證筆者言之非誑。行非鹿行馬行。必主辛苦。行不低昂。行步兩蹄。相食早衰。又云。凡相行。須令立正。即喚之舉足行。若先舉左足者貴。先舉右足者賤，步兵操典規定開步先右後左例外。行步低頭者多思慮。行步自言自語者賤。行時一跌而一俯一仰者。賤相也。

附詩：虎驟龍奔定貴榮。要身端厚福來臨。累財積福家肥盛。看取牛龜鵝鴨行。行如驟馬獲如猿，終日區區不可言。步狹腰斜入最賤。趨翔中度富田園。

猛撤政治

（一三〇）

·胡慶蓉·

巨變歷險記

猛撤政治，照丁博士的意圖，很顯然，[illegible]中國游擊隊在東南亞[illegible]根，與東南亞形成一片，這樣的政治，也許有人不以爲然，但這卻是實際的情形，實際上也不得不如此。中國游擊隊在起初，自然而然的就是如此[illegible]

[illegible]

把中國游擊隊的基礎放在整個的東南亞上，[illegible]把中國游擊隊成爲東南亞人民領導的中心，把中國游擊隊融洽在東南亞人民裏邊，與東南亞人民打成一片，[illegible]。這是丁博士所努力以赴的。[illegible]是必要的，正確的。但在實施上，各部份就有偏差了，有的實施的很徹底，有的並不徹底。[illegible]這種政治[illegible]更差越遠。天下的事，總是利弊參半的，豈只所謂差之毫釐謬以千里耶！

自由報

中華民國內政部登記內版台報字第〇三一號
中華民國僑務委員會登記僑新字第三二三號
中國郵政台字第一二八二號執照登記為第一類新聞紙

（第一一七八期）

（半週刊每星期三、六出版）
每份港幣壹角・台幣零售價新台幣二元
督印人・黃行壽　社長・李運鵬
社址：香港九龍官塘康寧道117號後座二樓
117 HONG NING RD, 1/F REAR, KWUN TONG, KOWLOON, H.K.
TEL: K-433653
電報掛號：7191
郵箱：官塘郵政信箱9583
承印：景星印刷公司
地址：嘉咸街廿九號地下
台灣區業務管理中心：台北市許昌街廿六號
電話：三八〇〇〇二
台灣區直接訂戶　台灣劃撥戶
第五〇五六號張萬有（自由報會計室）
台灣分社：台北市西寧南路110號二樓
電話：三三〇三四六、台郵劃撥戶九二五二號

本報遷址啟事

（一）本報自本年七月一日起遷往香港九龍官塘康寧道一一七號二樓後座。

（二）本報台灣區業務管理中心遷台北許昌街二十六號　此啟

本報專論

沉痛話「七七」

·張起鈞

今天是七月七日，在三十五年後的今天，面對着這一神聖抗戰的紀念日，眞令人不勝感慨系之。

在未談到正文前，我們先從一段史實說起，

七七事件雖已成了一個共認的歷史名詞，但這一事件的一發生，實際是在七月八日的凌晨，證之於日本的行動慣例；也非常符合，原來日人非常迷信，士兵個人出征固是帶着符咒「千人縫」之類的迷信物品，而重要征伐所取的日子也是離不開「要得發不離八」的「八」日，例如「九一八」「一二八」……以及珍珠港偷襲的十二月八日是，而這一全面發動侵畧的日子，當然也要選擇八了，因此在八日凌晨發動，乃是一貫的當然作風。然則又何以說成「七七」呢，原來日人發動的藉口，是日軍演習，有一個日本兵被我們殺害失踪了（天曉得的事）而這一失踪事件，正是幾個鐘頭前的七月七日夜晚的事。他們為了自圓其說，所以便只好說事件是七日發生的。而也顧不得吉利不吉利了。就我們的立場講，既然日兵失踪是莫須有的誣賴當然不能承認七日晚有什麼事端發生，而只能說糾紛發生在八日，而應稱之為八事件，但不知我們是為了七七兩個字順口哩，還是為了故意使日本不吉利，而也就以訛傳訛的，一直稱之為「七七」，這段往事，在當時無不皆知，而在今日的青年讀者，就不一定都知道，所以也有稍一曉舌的必要。

七七事變掀開了全面抗戰，造成中華民族有史以來未有的大規模的對外戰爭。我們雖是以積弱之邦對抗兇殘蓄謀之敵。原是強弱不成比例的。所以近衛揚言要使中國「三個月屈膝」。證以後來的事實，自八月十三日滬戰爆發，到十二月十二日首都南京陷落，不過為時四月。與其三月之言相差無幾。足見日人計算之精。但廟算不能僅看數字，一個秉國鈞的大政治家應該懂得三套東西。一套是看得見的，一套是看不見的，一套是歷史的傳承。日本人只懂得兵員，彈械，物資，疆土等看得見的東西，而不知還有一套看不見的精神力量。我們雖是軍事劣勢，節節潰敗。但是卻積六十年之愛國教育，本乎哀兵必勝之精神，而能「以空間換時間」，「用血肉築長城」，最後終以無比的堅定，無比的智慧，無比的犧牲，而獲致勝利，得復「九世之仇」。但是撫創思痛，面對瘡夷，也就沉痛無以言喻了。

勝利後我們總統為了人類和平前途計，不願寃寃相報，結為世仇。乃採寬大為懷，以德報怨的政策，這正是中國人傳統愛好和平，心存忠恕的精神。在人類史上值得大書特書的。（試看歷史上那一個民族有我們這樣寬大為懷，不計舊怨，但）不幸爾後的局勢演變竟使這一善政的意義變質。我們固然施恩不一定望報，但也不願意把手下留情被看成軟弱而好欺。更不願國家多難被人乘火打劫。

三十五年在個人生命固是很長的時間，在歷史上則不過是一剎那而已。而就在這一瞬間，國際竟發生重大的變化。不僅勝敗敵我的分野，早已不存，而當年的戰爭目的，流血的原因，也早被人遺忘。就當前最重要的國家美國說吧；我們與美國原是並肩作戰忠實親密的戰友，甚至對日的正式宣戰是來自日本對珍珠港的偷襲。但美國卻對我們一再落井下石，日本不僅是盟國的戰爭對象，並且美國立國以來，唯一侵襲美國的敵人。（並且是用卑鄙的手段偷襲），但是美國卻對之提攜備至，扶植不遺餘力。甚至不惜眼睜睜的助長其走上兇頑的舊路，而也就在這種默許縱容之下，使得日本往日的軍國主義，侵略野心，卻在暗中滋長。三島由紀夫事件，便是良好的說明。難道美國人就不自己想一想，當年是為何而戰嗎？到了最近釣魚台事件發生那就等於美日棄嫌攜手共同對付我們了。這在美國固是出賣盟友，二三其德。而在日本則簡直是要捲土重來，再肆兇鋒了。我們回想六十年的備受侵凌，八年多的浴血抗戰，直是欲哭無淚，更欲何言。尤其今天逢此七七之日，試想我們這些後死者怎麼對得起流血的先烈。

局勢演變至此，固有不得已之因，但人謀不臧，也大有不可諱言者在。即以中日今天的關係來論吧，遠在兩千多年前管子書中即曾大講經濟操縱他國之術，謀國者當無不知，何況近百年來我們又身受帝國主義經濟侵略之害。再加上日本對台灣的侵吞背景，難道還不值得警惕？但何以竟使台灣的經濟落到如此依賴日本的局勢！

日本若要用管子輕重術來操縱台灣，不僅自由中國的經濟全會解體，甚至報紙（包括中央日報）電視都要倒閉。試問謀國者怎樣可以採行這種授人以柄的政策。難道當年就不可和西德，英，法，……等請技術合作，拉拉經濟關係，以分散日本獨佔之勢嗎？我們不相信當年抗日的政府，竟願如此的倒向日本懷抱中吧，這豈非人謀不臧的證明嗎？

言有盡而感無窮。又道是：「往者不可諫，來者猶可追」，我們謹以沉痛的心情，希望從速糾正既往的失誤，而恢復往日民族的自尊心，確立國家自立自存之道。

（完）

昨日與明日

中華歌舞與文物展覽

近年來，台灣方面常有歌唱藝人——女性最多——陸續來到海隅獻藝，她們都是自由行動，既沒有組織，也缺乏訓練和計劃，完全是個人淘金主義。因而表演出來的歌曲，內容盡是些色情靡靡之音，諸如「負心的人」、「我不要離開你」、「我心碎了」之類，不一而足，眞是「商女不知亡國恨，隔江猶唱後庭花」；教一般愛國的僑胞們，聽之刺耳，聞之傷懷，乃錫以「時代哭」之名，表示厭惡的心情。

這次的中華歌舞團卻不同了，演員整齊，技藝高雅，沒有頹廢、腐敗的氣氛，表現着一種奮發有為的情操，因而連日每場皆滿員，還要加演日場，即論淘金，亦遠勝於專以賣弄色情為能事的「時代哭」呢！可見組織與訓練的關係甚大，希望台灣方面的主管機關注意及此，今後對於出國獻歌賣藝的男女藝人，必須加以管理，不許隨便亂來。因為海外人士亦常常看到大陸來的類似玩藝，比較之下，對於賣弄色情的「時代哭」，適所以反應中華民國並非「毋忘在莒」的生活情調，令人太洩氣了。

這次中華歌舞團之演出，是成功的！

文物展覽很差勁

同時在香港大會堂又有中華文物展覽，觀摩的人亦不少，但比中華歌舞團的情況，就感覺差勁多了。

所有展出的文物，盡是複製品，沒有一樣原始的，而複製的技術亦欠高明，如一張名畫擴大影印，黑白色彩不勻，反而失去了本來的高貴氣質。一些歷代帝王的相貌，除了唐太宗那張大的畫面外，盡用幻燈照出，有失本來面目。

若干古代的器皿，如毛公鼎是稀世之寶，固不宜把原件展出，但其他的品物，儘可採用保險手續，不用複製。香港商人曾將價值數十萬美金的寶貴鑽石，原件公開展覽，幷未發生意外。既然是文物展覽，卻沒有一樣原始的文物可觀，豈非多此一舉？

這樣的文物展覽方法，充分表現着敷衍塞責作風，只是報銷主義而已。對於中華民族豐富而瑰奇雄厚的文化精神，無從給世人以深刻的印象，太沒意義了。

搞文化運動絕對不可沾染絲毫的官僚作風，否則必然獲致相反的效果。

·何如·

自由談

聯合國命錯了名

聯合國的唯一職責，是在主持正義公道，維護世界和平。憲章上規定得淸楚明白，毫無疑義。

可是，聯合國成立迄今已逾廿年了，世界各地區經常動亂不息，烽火連綿，局部戰爭所在多有，卻未聞聯合國發生一點主持正義，維護和平的作用，不特國際間的大爭端未能秉公處理，化險為夷，即小問題亦漠然置之，罔知所措。如最近巴西政府自定其領海區域為二百浬，因而在公海上炮擊美國船隻，扣留中華民國的遠洋漁船，說是侵犯了它的領海。這種事情是否合理，聯合國責無旁貸，乃竟坐視不問，將來其他的國家如果踵起效尤，甚至自行宣佈其領海為五百浬，勢必激起戰事，妨害和平，關係何等重大呢！即此一端，可見聯合國虛有其表，對世界和平沒有絲毫裨益。

聯合國幹得最起勁的事情，就是每屆大會時吵鬧那些沒有甚末意義的問題，年復一年，喧囂不已，而以所謂中國代表權問題吵得最熱烈，除此以外，便是好整以暇，無所事事，充其量向各弱小國家追討會費，而對於俄法英這些逋負最多的國家，卻連追討之聲亦寂然無聞，這算是主持正義公道嗎？

細按聯合國成立以來，祇有一項差強人意的事，即由大會決議指定參加韓戰的毛共政權為侵畧者，但這又是叨着蘇俄當時宣佈退出聯合國之光，否則決不可能也。

所以，聯合國實際上成了幾個強權國家代表的宣講台，亦是全體會員國代表的鬧子館，跟香港的茶樓情形並無二致，實在是命錯了名，應該改稱為聯合宣講台或鬧子館，庶幾名副其實。所謂維護人類和平生活云云，那是何典書上的話：放屁放屁眞正豈有此理！

馬王先生

趣詩選

·嘯月·

鄭板橋作詩自嘲

教館原來最下流，傍人門戶度春秋；半飢半飽清閒客，無鎖無枷自在囚，嚴則東家想懶惰，寬乃弟子結黨仇，而今幸作青雲客，遮却當年一半羞。

福建鄭堂亦詩能諧謔，國會喪，太守宴於湖上，堂故衝其前導，叱左右執之，令作詩自贖，堂速書「苦」字，守笑曰：「汝今始知苦耶？」堂續吟曰。

苦苦苦苦苦苦天，上皇宴駕未經年，江山草木皆無淚，太守湖中看畫船。

守懼，厚以金遣之。

衛生工作不能再存舊觀念
打破生病求醫想法
鼓勵事先預防保健
顏春輝向立院內政會報告

（自由報台北消息）立法院內政委員會舉行本會期第八次全體委員會議時，邀請行政院衛生署署長報告衛生行政概況。顏春輝署長的報告內容如後：

當前的衛生工作，由於人口增加，經濟快速成長，工商業發達，人民生活水準提高，對衛生方面的要求，也隨之而增，以及其他社會因素的影響，而使衛生工作的範圍，日益擴大。二十多年前對國民健康威脅的疾病，是腸胃方面的傳染病，或氣管方面的肺炎。可是時至今日，這些病已非構成對人民生存最大的威脅。現在奪取人民生命的，已轉變為血管系統的疾病，癌症及意外傷害等，所以衛生行政工作就不能再停頓在舊的觀念上，要打破等到生病才找醫生的想法，我們要鼓勵人民事先的預防與保健，這也是衛生工作應轉變的趨向。當前衛生行政工作的重點如下：

促進國民優生保健

優生直接影響到國民的品質，本署今後對於促進國民優生保健計劃採取下列措施：

一、加強優生工作：為避免得自父母遺傳上的疾病，將來計劃鼓勵將要結婚的男女，互為要求健康檢查，發現可以矯治的疾病，於治愈後再行結婚。對於懷孕的婦女，衛生機關加強辦理定期產前檢查，並指導生育常識，如發現其因懷孕或分娩，可能導致生命危險或危害身體健康時，衛生醫療機關，將考慮指導其懷孕之中止。而結婚已久未能生育之男女，衛生醫療機關現在均普遍接受生育指導之申請，將來力求更為加強，使缺少天倫之樂者，都盡量達到願望。本署為謀求保護調節生育者身體之健康，對於用以調節生育之藥品或器材，將視其性質加以管理，並規定其應得醫師之指導者，非經政府指定之醫師不得為之，以上等等措施，在研訂中的優生保健法，希望都能列入。

二、研定國民營養標準：營養與國民健康關係密切，衛生署極為重視，計劃於最近期間邀請專家學者，研定國民每日營養素攝取標準量，並予公布，俾供國民參考，進而攝取足夠營養素，以維護身體健康。

三、成人健康的維護：由於我國近來公共衛生的積極推展，生活環境的改善，許多急性傳染病已漸漸絕跡，但是各慢性病卻起而代之，分佔吾國十大死亡原因的前二位，由此可見不久的將來此等慢性病，在衛生工作上佔極重要之地位，衛生署已著手研究，資為加強優生保健及慢性病防治之依據。

策劃癌症、心臟血管疾病防治

由於醫學與公共衛生之進步，人類壽命普遍延長，各種成人病，如癌症、心臟血管疾病等歷年均有增加，在十大死亡原因中，佔首要地位。衛生署為維護國民健康乃針對事實需要，於六十一年度施政計劃內列有癌病，及心臟血管疾病防治計劃其要點如下：

一、策劃癌症患者調查，並籌設防治中心。

（一）首先由子宮癌開始以婦女為對象，尤其運用子宮內裝置避孕器時，作子宮口頸部表皮細胞檢查，可以早期發現病患。

（二）發現可疑之患者，則介紹至防癌設備完善之醫院復查，並接受早期治療。

二、策劃心臟血管疾病調查並籌設防治中心。

（一）利用健康檢查及門診機會早期發現病患。

（二）對患者施予所需治療及健康指導。

傳染病防治

一、嚴格執行國際港埠檢疫：根據世界衛生組織疫情報告，在台灣地區鄰近的東南亞國家如菲律賓、越南、韓國、印度、巴基斯坦等仍斷續發生霍亂、天花、鼠疫等傳染病，為配合檢疫工作之執行，自本年七月一日起接管是項業務。

二、加強夏令衛生：夏令季節各種傳染病亟易發生，為防範起見，除加強衛生教育外，並分別督促地方衛生機關辦理傷寒、霍亂預防注射，及飲食物衛生管理。

醫院診所行政管理

醫院行政管理規則，民國三十三年公布，迄今二十餘年，其間諸多條款，殊難切合目前需要。衛生署為配合新醫師法的施行，對醫院診所之管理、人員編制、醫療設施等，認有縝訂標準，加強管理之必要，正著手供開辦者，搜集各公私立醫療院所之現狀及資料，供作改革醫院行政及醫療作業與起草「醫療法」之依據，並期對病患就醫，得以便捷。

發展中醫中藥
研究改進診斷
將廣徵驗方與治療紀錄
用以證明中醫藥之效能

加強中醫藥研究發展

根據衛生署組織法規定，在衛生署成立時，同時延聘中醫藥專家成立中醫藥委員會。衛生署今後並廣泛搜集資料，供作將來編修中華藥典有關中藥部份之參考。並研究統一中醫病名，使其與國際死因與病名分類相互一致，同時促進中醫診斷方法，革新中醫師使用病歷表等等，在可能範圍內計劃廣徵驗方與治療紀錄，用以證明中醫藥之效能。

輔導執行藥物藥商管理法

藥物藥商管理法於五十九年八月十七日公布實施，因為台灣地區藥商種類、數量較多，因此藥政也比較複雜，藥劑師人數不足，存在困擾的問題很多。衛生署成立的職責，是維護全體國民的健康，而非保護少數業者的生活問題。但是衛生署對於他們的生活及出路，並非置諸不顧，所以採取分期、分區、分類整頓方法，再加以輔導。

食品衛生管理

衛生署未成立前，內政部已擬就「食品管理條例草案」一種，並經數度邀集各有關機關研商，終因意見仍難一致，遲遲未能定稿。衛生署成立後復奉行政院指示：重行協調各有關機關後，現已研妥草案報核中。

防止公害

近年來，台灣地區工業發展迅速，導致都市人口集中，因此，公害的問題也就因而產生。空氣的污染和河川水源的污染，不但妨害國民健康，且已危及農漁業生產。

對於控制引起空氣污染之來源，已經採取的措施，在都市實施生煤管制，禁止買賣與使用，指導工廠改善燃料和裝置廢氣收回設備等。在都市中採取了管制之後，煤烟與落塵污染，經過長期的測量已有改進。然而機動車輛排放黑烟廢氣以及工廠廢氣之管制，尚無顯著效果。這也是將來努力的目標。

由於工廠不斷的增加，工業廢水越來越多，河川的污染也日形嚴重，衛生署除輔導廢水之處理之依據。

現在衛生署研定防止公害的法律計有空氣污染管制法、飲用水管理條例、公害防治基本法、污物清除法等多種。

環境衛生指導

環境衛生改善，各界向極重視，衛生署成立後，即邀同中央有關部會組織輔導小組，先後對台北市及台灣省四個省轄市（基隆、台中、台南、高雄）的觀光地區、機場、車站、碼頭及其他公共場所施予重點輔導，並就其應行改善事項，分送各有關主管機關切實改善，於下次再查核其改善成果，實施以來，尚具效果。

醫政藥政的便民措施

一、醫政方面：醫生工作直接和人民發生關係的，是醫事人員登記、給證、出國應聘或人民因病出國就醫之核准等。衛生署成立後，申請人無暇親辦者，可通訊辦理，其因手續不符者，不予駁回，僅就其不符部分通知補正。對於出國應聘或就醫之核准，限收到之日起三天內辦妥後，即以郵件寄出，人民稱便。

二、藥政方面：（一）藥品查驗登記手續簡化。已實施四項簡化就是：（1）表格簡化。（2）申請簡化。（3）手續簡化。（4）審查簡化等。及四項速辦工作：（1）簽證。（2）答覆。（3）查驗。（4）換證等。

（二）關於審查簡化已決定依藥品內容分為四級，按照審查程序處理，以節省時間，增加效率。至藥品許可證，將按照規定期限，分層負責，由各層代行處理，以資簡捷。關於人民申請藥品輸出證明書及藥物樣品（贈品）輸入申請書之簽證、已實施即收即辦，領證時原應檢附市售用仿單標籤二十六份，經研討後現減為四份。

總之，衛生行政工作，千頭萬緒，衛生署成立後，責任重大，任務艱鉅，今後自當竭智盡慮，淬礪從公，排除困難，以保護國民的健康。

天下事

中醫藥露曙光

閻海萍

從「光復日」算起，我們到台灣廿六年了，這二十六年歲月裏，就醫藥這個角度說，沒有創見，沒有發明可以稱之為交白卷，台灣一千五百萬人口除了作西藥原料的消費人外，醫藥界無何建樹，有者也祇替外國藥推廣與加工而已，且做出一些自欺而不能欺人的事。

顏春輝署長週前向立法院內政委員會報告謂：「衛生工作不能再存舊觀念，打破生病求醫想法，鼓勵事先預防保健」這一看法是正確的。又謂：「發展中醫中藥，研究改進診斷，準備廣徵驗方與治療紀錄，用以證明中醫藥之效能」，詳見本報台北消息。這些話如果都從顏署長內心發出，而不是外交辭令或官樣文章，確替中醫中藥帶來一線曙光，也表示顏署長有遠見，連教育部主辦的「海外學人」雜誌都主張廢除中醫中藥，台灣中醫中藥行情之低落可以想像。

台灣既被定為三民主義模範省，光復大陸又是我們政治最高目標，有一件事可能尚未被人注意的，就是回到大陸後七億人口的醫藥問題，如果不趕快提倡中醫中藥，現在就可訓練，就地可以取材，否則每個人生病若皆延用西藥，一年一個人以十元美金計算，祇醫藥費一項年須外匯七十億美元，這個樣的國家能夠不鬧窮嗎？

不過話又說回來，照台灣中醫中藥界有些人的不求進步，互相詆毀，明爭暗鬥情形來看，簡直黑暗到對面不見五指，例賴少魂與覃勤為名為利毀家興訟，中醫師考試的早晚市價不同，三代儒醫無法應試，不識幾個字的個個合格，已成公開秘密，新成立的若干中醫中藥機構，並沒有甚麼新氣象，實做到換湯並未換藥，凡此皆有望顏署長能夠可予注意，否則要套吳稚暉老先生的口頭語了：

所謂中醫藥，啦喇我的媽。

美國人筆下的中國

陳毓賢譯

孔子不直其行，乃是由於動機不純正，但也只是「不直」而已，絕無置於死地之意。）對家庭的極端忠愛，說明為什麼傳統的中國人沒有歐美人所謂的公德心。因為對他而言，家庭家族以外的世界是抽象的。各掃門前雪，乃中國貪官污利的根源。

中國人很難明白西方人的個人主義！—即堅持自己的權利同時又尊重別人權利這觀念，作家林語堂曾敘述一輛擁擠巴士上有位座客，發現車中惟一的空座位後，便得意地坐下去。原來那座位是司機的，他卻一坐下去便不肯讓出來，雖則明知車子便無法前進。中國人意識中的國家是個超型大家庭，皇帝是家長。儒家認為政治的最終基礎是道德；只要這大家庭的首領有德行，全國自然平安無事。如果國家發生飢荒戰亂，原因就是天子陷入不義之途，而天命也將轉移。這是歷代來推翻王朝的傳統理由。孔子的虔敬信徒孟子，提倡當其他方法手段均無濟於事時，人民有權利革命。

（四）

劉半農記賽金花

「瓦德西的外孫來了中國，我原不願把金花的白頭困境，流露人間，但經朋友的轉達，說他很同情於我，很誠懇地決定要拜訪我。我想過於拘扭；倒也不必，便和他相見，當日他還在陝西巷口的一家西菜館設筵相待，館前不遠，便是我當日墮馬的所在。

席間他說德國當年的人物，今仍健在者尚有幾個，晚輩們對於我庚子和議的斡旋功績，仍表示感意，他們覺得兵士們多半是遠別妻兒來到中國，倘若和議不成，兩國，將士效役沙場，死亡定多，骸骨還鄉，便不堪設想，而且感戴和平恩賜的，不獨是德國。

「他的相貌，略略還留有一點瓦德西將軍的遺容。」賽金花歸結了這段談話。

「瓦德西自回到歐洲後，也會通過信嗎？」我問：

「他自回抵德國後，即給我來了一封信，說旅次平安，現在已經到達柏林了。又問我的傷口可會結疤，當時我並沒有回信，後來我又搬家了，此後便不會再接到瓦德西的第二封信。」

德使克林德夫人

當開和議時，態度最蠻橫，從中最作梗的要算德國了。他們總覺着死了一個公使，理直氣壯，無論什麼都不答應，尤其是那位克林德夫人，她一心想替她丈夫報仇，說出來許多的奇苛條件，什麼要西太后抵償呀，要皇上賠罪呀，一味的不饒，把個全權和議大臣李鴻章弄得簡直沒有辦法了。我看着這種情形，心裏實在着急，又難過，私下裏便向瓦德西苦苦的勸說了有多少次，請他不必過於執拗，給中國留些地步，免兩得個的嫌恨將來越結越深，瓦說，他倒沒有什麼不樂意，只是克林德夫人有些不好辦。於是我便自告了奮勇，作了個說客去說她。我見着了她，她對我的態度還很和藹，讓我坐下，先講了些旁的閒話，然後我便緩緩的向她解釋，說：

「殺貴公使的，並不是太后，也不是皇上，是那些無知無識的土匪——義和團，他們闖下禍早跑得遠遠的了。咱們兩國的邦交素來和睦，以後還要恢復舊好呢，請您想開些，讓讓步吧！只要您答應，傍人便都答應了。」

她道：

「我的丈夫與中國平日無仇無怨，為什麼把他殺害？我總要替他報仇，不能就這麼白白的死！」

我說：

「仇，已算是報了，我國的王爺大臣，賜死的也有，開斬的也有，仇還不算報了麼？」

（廿六）

陳果夫發脾氣

文匯樓主

民國三十五年中央執行委員，湖南省政府委員兼衡陽市長周異斌，主任秘書胡瀚（即今日台灣省黨部專門委員），周異斌常駐長沙，市長職務例由胡代，地方咸稱之為胡代市長。

大概是當時的社會風氣，黨團鬥爭，鬥到互相放火或互殺家屬，胡瀚算是黨方吧，站在黨一邊的是衡陽市黨部，市議會，市商會一部份，中央調查統計局衡陽站等單位，站在團一邊的計有三民主義青年團，軍統局，市總工會的一部份及若干教育機構，眞是鬧到不成體統。

監察院兩湖監察使苗培成，本可站在超然立場，未料受了團方蒙蔽，認定胡瀚有貪瀆之嫌，憑藉幾張便條，未分青紅皂白，苗培成親率檢察官及憲兵警察將胡瀚拿問在監，正在黨方失勢，團方慶功之際，西南輿論權威中華時報講話了，「主張監察使應該知錯能改立即放人，循法律途徑沒有不能解決的問題，……」且反對衡陽地方法院非法收押胡瀚，該報對苗培成的批評當然不太客氣，中間人再將話播來播去，事態就這樣擴大了。

衡陽地方法院院長胡英曾親到中華時報向李蓮鵬社長解釋說：「李鬍子（這是湖南尊稱口頭語，李那時還不到卅歲）胡瀚的案子是監察使交辦的，不收押何是要得了？你老要愼重。」李的答覆：「我將自費抱打不平，明日代表政權同學會為營救胡瀚而飛京，即是毀家救友，在所不惜，將利害是非必須弄清楚，胡瀚既不會判罪，胡瀚家屬生活費統由本人負責。與胡英交談的結果，胡瀚發交監外看管。胡英搖頭說：「今日還有這樣俠義的人」。

「見義不為無勇也」這是李蓮鵬的口頭語，既到了南京，立即展開活動，去拜見司法院長居正，由茅祖權秘書長代見，拜見于右任院長，談話的結論，茅發現苗培成上了人的當，于右任擺出的是「大志若愚」，李於謁見中央常務委員陳果夫時，言所欲言，陳先生更發現苗培成犯了不可收拾的錯誤，乃向李指示說：「你既然路遇不平，拔刀相助，營救胡瀚同學改為營救兩胡好了，……」另一胡係指胡邁（湖南財政廳長），被判十年徒刑，在長沙服刑中，李因年青氣盛，與胡邁一向不睦，乃嚴詞謝絕，陳果夫發脾氣了，指着李說：「中央政治學校的學生，要有政治風度，腦筋不清楚，莫明其妙，……」李回了一句咀：「如果你老覺得我不配作中央政權學生，文憑願自動退回」陳果夫翻眼看看李，將營救胡瀚改成為營救兩胡，也未再責難了。

後來胡瀚宣判無罪，胡邁上訴發回更審也宣判無罪，胡邁是中國教育家胡子靖的公子，聞胡子靖是陳果夫陳立夫的業師，胡邁與湖南省主席薛岳常鬧情緒是事實，判貪污似乎很寃枉。李營救兩胡成功由京返湘，湖南政壇人士比看武俠小說還過癮，因前者是現實的演出，後者屬幻想虛構。從那次起陳果夫心目中的李蓮鵬「養胸中正氣，法古今完人」這是他親筆書贈李的一副對聯，李蓮鵬第一次從國外回台入境保證人就是陳果夫，其餘可以推想了。

湖南鄉賢文獻之收集（一）

・吳相湘・

按：吳相湘教授撰「鄉賢先烈文獻之影印與收集」原載「湖南文獻」其言之有物句句珠璣，將特予轉載以饗本報讀者。

「惟楚有材，自古已然。至於近代，俊德豪傑，以一身繫天下安危，尤不乏人，所謂「中國之普魯士」實非溢美之詞。

吾湘省垣原有定王臺圖書館，藏書殊少，但保存鄉賢詩文集雕板不少。省教育會內博物館、圖書館分列中山堂兩側，收藏歷代賢德文物書刊頗多，其質量不足與北平南京上海各大圖書館相提并論，然鄉邦文獻大體具備。至於世家大族如王先謙、王湘綺、葉德輝等之珍藏，尤有名國內。玉泉街臨書肆各樣雜陳，好學之士可以流連忘返，滿載而歸，市容之盛，比較北平玻璃廠、南京夫子廟、上海二馬路、蘇州觀前街稍有遜色，但其他省會古舊書籍市集却很少有此情況。文風鼎盛，令人嚮往，

不幸，民國初年，易培基主持省圖書館時，竟利用職權，以偷天換日手段，時將館藏名貴版本借回家中，然後以書名相同之淸代刻本歸還，一轉手間化公有珍籍為私藏。雷嘯岑先生及筆者均會記載其事。（易培基習慣成自然，遂以同樣手法在北平故宮盜賣，終至身敗名裂，為名教罪人，三湘不肖敗類。）此吾湘文獻一浩刼。民國十六年共匪暴動，尤其民國十九年「七二七」共匪入長沙火焚官衙及公共建築物，省圖書館博物館均被焚燬，祇餘梁柱牆垣供人憑弔。民國二十七年「文夕大火」，張治中張倉失措，竟以長沙作「焦土抗戰」的「模範」，全城蕩然無存，公私文物除事先運存他鄉以外，多成灰燼。其後長沙四次會戰、常德會戰、衡陽保衛戰、湘西會戰，更使湖湘要地無一倖免於戰火，且破壞程度均在九成以上。抗戰八年中，全國文物損失之慘重，吾湘實居第一位。民國卅八年，共匪竊據大陸，以破壞民族傳統為首要，應用剷除土豪劣紳地主口號，投括民財，各地居民「掃地出門」被流放邊地者以萬千計。根據偽北大教授向達（浦人）十餘年前在匪報透露：湖南各縣鄉土共總起，搶掠財物，對書籍更不知愛惜，竟有若干世家大族之名貴珍籍流落市面被製造黑油紙扇小店收買作原料！又據香港時報（民國四十二年二十三日）刊載：毛共於是年三月十日派湖南省委陳浴新前往湘鄉曾氏故里及湘潭王湘綺家搜查文物，除唐宋珍貴字畫與古玩，運往北平外，其餘所有書籍計一萬七千餘箱，全部焚燬。這眞是比秦始皇帝「焚書」更慘重的文物浩刼。民國以來，吾湘文物損燬之慘重，實居全國第一位。

基於上述事實，今日旅居寶島之三湘人士對於鄉邦文獻之收集與列印，實有不能或緩的責任。否則舉世盛稱的「湖南人精神」將何以流傳於後世？

茲為便利同鄉諸公參考，謹就近二十年來在台灣已刊行的三湘文獻陳述於左，庶幾再接再厲繼續努力搜集刊行，或易着手。

曾文正公（國藩）以學問道德作事業的基礎，承顧亭林「經世致用」的呼喚，「知行合一」是王陽明以後第一人，「革新」「守舊」同時并舉，更是曾公對中國近代史重大貢獻。其言行實可為今人及後人典範。「曾文正公全集」原有雕版梓行，世界書局亦有仿宋字版刊行，今台灣各大圖書館有雕版本，市面通行者即世界書局本。五年前，台北學生書局影印「曾文正公日記」、「曾惠敏公日記」、「湘鄉曾氏文獻」，更多前所未曾公開史料。而這三種文獻之能在台北影印行世，實歷經浩刼而倖存。據曾約農先生紀述：這些資料原均保存湘鄉荷塘鄉富湖之八本堂新宅（即富厚堂）。民國二十七年「文夕大火」前一日，始由約農先生携帶經桂林南寧迂道鎮南關河內而達香港。太平洋戰爭發生後，約農先生等變服離港取道廣州灣回湘鄉，各種資料圖書等則於臨行前交託廖傳珝鄭仲衡二先生設法轉運回湘，一切均保安全。民國三十八年大陸變色之際，約農寶蓀先生正擬赴印度出席國際會議，見局勢緊張，立即設法搶救先人手澤，幸十之八九，安全運抵九龍，四十年春携來台灣。五十四年，經筆者要求列入「中國史學叢書」由學生書局影印。這比較宣統元年（一九〇九年）上海石印的曾文正公日記還要完整，因當時漏收道光十九、二十年日記，在今本中都已補入。

曾惠敏公（紀澤）是文正公長子，有國學修養又熱心西學，通曉英國語文，是十九世紀末葉我國數一數二的傑出外交家，他對國際情勢的認識與了解遠在李鴻章之上，收回伊犁交涉與中法越南關係都是他經手的大事。早在光緒十四年康有為第一次上書之前，惠敏就曾將新譯西學書十六種贈送光緒帝師傅翁同龢，其後光緒帝多次召見惠敏詢問「國內有幾人通洋文」及西洋語言文字之大凡，是後來光緒帝學習洋文的前奏。不幸，惠敏竟於光緒十六年（一八九〇年）閏二月突染微恙而遽辭人世，享年不過五十一歲。這眞是國家人才最大損失。因為惠敏的家世學養尤其是他對歐洲國家的直接經驗，當時實在是惟一具有誘導與影響光緒帝西學興趣的人物。但不幸這一工作開始不過一年，惠敏因病逝世。李鴻章輓詞有云：「執別一句，何意竟成千載隔；抗衡四裔，此才方識九州難」。俞樾輓曰：「論世務有心得論經術有家傳參中外以獨成其字；為聖代惜重臣，為師門惜賢子，合公私而一慟斯人。」俞明震輓詞：「綜中西為一家言，橫覽九流無此學；立功名於萬里外，不緣世業足封侯。」均足以表現惠敏志業。

曾惠敏公逝世後，上海曾有鉛字排印的「曾惠敏公全集」，其中含有奏議、詩文、日記、函稿諸門。但搜集并不完全，「日記」係摘抄原本一小部份。今台北影印原手寫日記起自同治九年正月初一日至光緒十六年閏二月十六日（辭世前七日）。

（未完）

楊振寧軼事

・易心儀・

「那場戰爭結束於一九〇一年，當時訂立了一個條約。條約的種種內容之中有一項是規定中國要向列强付出約莫五萬萬兩銀子，這在當時是個驚人的數量。大約十年之後，美國以典型的美國式態度，決定把她在這個總數中所佔的一份歸還給中國。這筆款子用來設立一個基金，這個基金撥發經費辦理一所大學，就是淸華大學，又撥款推行獎學金計劃，資助到美國留學的學生。我就是這兩項計劃的直接受益者。家父是這所大學的教授，我在這所閑靜而充滿學術氣氛的校園裏長大，享受了安詳的童年生活，這是我這一代中國人裏絕大多數人不幸享受不到的。後來我又在這所大學接受了優越的頭兩年的研究院教育，然後又能夠憑着上面說過的基金所撥的獎學金到美國進修深造。

「我今天站在此地同各位談這些事情的時候，我深深覺察到一樁事實，這就是：在廣義上說，我是中國文化和西方文化的產物：既是雙方和諧的產物，又是雙方衝突的產物。我願意說：我既以我的中國的傳統和背景為驕傲，同樣的，我又專心致志於現代科學，它是起源於西方的全人類文化的一部份，我一向奉獻自己的工作給全人類的文化，今後我將繼續奉獻給它。」

李政道循着不相同的路徑，也來到芝加哥。他出生於上海。在六個孩子中排行第三，父親是商人。他的教育受到戰爭的嚴重妨害。一九四五年他到昆明，考進了西南聯合大學，當時楊振寧已在這所大學獲得了碩士學位。李和楊在校時不過是點頭之交，後來在芝加哥重逢時才成為知友。在昆明時，李政道受業於吳大猷教授，吳氏是著名的中國理論物理學家，目前工作於加拿大國家研究委員會，在渥太華。吳大猷博士原籍廣州，一九三三年在密歇根大學接受哲學博士學位，然後回到中國任教。大戰後，他又到美國從事研究工作，帶同兩個學生一起來。其中一個，他選的是李政道。當時，李還沒有讀完大學，所以吳博士的選擇顯出了卓越的預見。吳博士那時候寫了一封信給S．古德施密特教授——是他從前在密歇根大學時的老師，信上描叙了李政道，現在讀來，似乎顯得謙遜了一些：「他在中國的大學裏只讀了三年，但他是個很聰明的青年，思想有條理，頭腦精密，勤奮向學。我相信：他如果得到恰當的指導，一定會成為一位優秀的物理學家。」李政道到達美國後打聽到，在美國各大學裏，只有芝加哥大學會准許大學未畢業的學生開始攻讀博士學位，於是他就在芝加哥大學註冊入學。

就這樣，楊振寧和李政道在一九四六年都住進了芝加哥大學的國際樓。他們最早的合作行動之一同物理學無關。那是在一樁字謎比賽上的合作。比賽由芝加哥一家報紙舉辦，是一種類似砌字的玩藝兒，頭獎的金額大約超過五萬元。這似乎是一筆大數子，所以他們邀到另外幾個研究生做幫手，參加了比賽。同時這項比賽的逐鹿者之一是R．L．葛爾溫博士，當時在費米指導下研究實驗物理學，現在是國際商業機械公司瓦特孫實驗所的副主任和哥倫比亞大學物理學副教授；他後來在一九五七年的宇稱實驗中發揮了重大的作用。參加比賽要繳納現金八塊錢左右，此外，這一個參加集團還投資了四十塊錢購置了兩大冊未經節略的韋氏新國際字典，那是比賽中規定要用的字典。他們正確地解答了開頭一連串的字謎後，又收到一連串的「解鈴」之謎。他們苦思力索，研究了這些解鈴謎，又發覺比賽規程上一處昧糊有不清，可作兩種解釋，於是提出了兩套答案；每一套答案適合於對規程的一種解釋。幾天後，他們收到回信，氣憤之至，原來舉辦比賽的報館因他們提出的答案過多，取消了他們的資格。他們比後來的獲勝者得分更多，却徒勞無功。

（一）

御廚談藪

林泉隱

炒牛肉絲

法如炒豬肉絲同，惟炒時加入大蒜葉洋葱等為佳，未炒之前用蛋白一枚，醬肉絲拌勻宜爛而嫩，炒牛肉片法與上同。

牛肉汁

牛肉切成小塊，置於悶氣鐵罐內，同時加以姜末葱屑及鹽少許，用白皮紙封牢罐口，不可出氣，置鍋中隔水燉之，用炭火上蓋布巾，約四小時即成。味美滋補。

四　羊肉烹調法

紅燒羊肉

羊肉切大塊，入鍋加水滿肉面，加葱、茴香、蘿蔔片待煮爛後，除掉茴香蘿蔔等物，剩汁少許再加酒醬冰糖各品，煨透後起鍋即可。

白切羊肉

取肥羊肉除骨煮爛加鹽酒山芋粉等收湯。入盆中結凍臨吃切片蘸甜醬或醬油食之。

羊羹

把羊肉切成丁，入雞湯中加香菇丁冬筍丁酒葱鹽等少許同煨。

賤物之中有殊品　燈心自古治失眠

用腦過度者可食胡桃肉　日本澳克林即胡桃製劑

·馬騰雲·

胡桃可治失眠症，筆者曾在台北民族晚報討論這個問題，於個仍有實用價值，茲再將原文節錄作爲患有失眠症者的參考，有關失眠處方很多，擬於最短期內全部公開，敬希讀者，寄予注意。

患失眠症的朋友，或用腦過度而引起的失眠症，都苦於沒有藥治療，打針補腦補血、均無根治效果，最後祇有服用安眠藥，由微增到極大量，這種療法可謂飲鴆止渴，最近著者患氣管炎，延日本長崎大學畢業之吳源泉醫生診斷，這位吳醫生的醫德很好，學貫中西，他說氣管炎中藥可以根治，並開了一張處方，他不知道著者是研究中醫而又編著很多書籍，歸來後用新台幣十元而將氣管炎治好，今已一週不再犯了，因而想起失眠症的物效藥胡桃仁，相信有很多讀者有此需要。

中國藥物有象形之說，海參補陽，淡菜滋陰，胡桃酷似人腦，必爲補腦藥無疑，中醫治病遇有耳不聰者，食胡桃肉可回復其聰，沿海諸省，產婦產後必食胡桃與紅糖，謂胡桃補氣，紅糖補血，因之產後爲增補氣血之資，又天花之後亦食胡桃，並以其殼煎湯服之，謂可補氣與解毒，其實天花發熱最傷腦筋，胡桃乃供補腦之用，這些民間很多人都知道的常識，惜未能進一步作科學研究爲憾。

胡桃又名合桃，亦名核桃，油、葉、殼（就是夾）皆供藥用，胡桃內含蛋白質、脂肪、灰質、鎂、錳、磷酸鈣及鐵、維生素A、G、C，及E等，爲滋補養強壯補腦藥，有鎮咳及收歛之效，補氣養血，治燥化痰，胡桃油爲緩下劑，能驅絛虫，外用於皮膚病，能治疥癬、凍瘡、腋下臭、白禿諸瘡、胡桃葉內服治液漏及祛毒，胡桃夾爲染髮劑，產在大陸山東、河北、山西等省，現台灣有種植。日本三共株式會社出品之澳格林，治痰液下臭劑，就是胡桃裏抽出有效成份配製。（一）

營養研究

（馬氏燈心枕參考資料）燈心枕爲清涼鎮靜藥物，用於心煩失眠及心情不寧，並治淋病、小便不利，喉頭長及咳嗽等症，民間驗方謂：用燈心草三公分煎湯代藥飲用治心煩失眠。

黃賓虹畫語錄（一）

按：以下文字是近代大畫家黃賓虹先生一生對畫學的經驗總結，是他著作中最重要的文章之一。語語精闢，極可細嚼。

古人謂山分朝陽山、夕陽山、正午山、夕陽山因陽光斜射之故。所以半陰半陽，且炊烟四起，雲霧沉積。正午山因陽光當頭直射之故。所以近處平坡白。遠處巒頭黑。因此在中國山水畫上，常見近處山反淡。遠處山反濃，即是要表現此種情景，此在中國畫之表現上乃合理者，並無不科學之處，而且亦形成中國山水畫上之特殊風格，不同於西洋山水畫上之表現。

自然之山，總是有黑白的，全白之山，實爲紙上之山，自然中並不如此，清代四王之山全白，乃因彼等均專事模仿、不看眞山、不研究眞山之故。

山具濃重之色，此吾人看山即可領會，清初四王畫山，不敢用重墨重色，所作山樑幾乎全白，此是專事模仿未有探究眞山之故。

我看山，喜看晨昏或雲霧中之山，因山川在此時有更多之變化。

余游黃山、青城，嘗於宵深人靜中，啓戶獨立領其趣。

今人作畫，不能食古而不化，要出古人頭地，還要別開生面，我用重墨，意在墨中求層次，表現山中渾然之氣，既以墨黑一團，非人家不解，恐是我功力未到之故，重墨作畫，是畫道中之一個難關，任他人議論好了。

畫有三，一、絕似物象者，此欺世盜名之畫。二、絕不似於物象者，往往托名寫意，魚目混珠，亦欺世盜名之畫。三、惟絕似又絕不似於物象者，此乃眞畫。

常人言，畫如眞，正是說畫豈可以無像物。

前哲之軌躅，合造化之自然，用長捨短，古人言江山如畫，正是不如畫，有人工之剪裁，可成盡善盡美，天地之陰陽剛柔，生長萬物，均有不齊，常待人補充之。

唐王維、李思訓、吳道子，曾畫嘉陵江山水。五代北宋范寬，郭熙、李成、荆浩、關仝畫西北黃河流域，董源、巨然。南宋劉（松年）、李（唐）、馬（遠）、夏（珪）。元二米（元章、元暉）、高房山、趙孟頫、倪（瓚）、黃（公望）、吳（鎮）、王（蒙）畫江南山，章法有殊，其法有三，一曰山有脈絡，高低起伏，賓主得宜。二曰水有源流，雲泉稠疊，曲折迴環。三曰路有出入，交通往來，若隱若現，山則一本萬殊，水則萬殊一本。

巖岫杳冥，一炬之光，如眼有點，通體皆靈，虛中實，可悟化境，應該從實到虛，先要有能力畫滿一張紙，滿紙能實，然後求虛。

用筆於極塞實處，能見疏處，多而不厭，想見慘澹經營之妙。

惲道生論畫，言疏中密，密中疏，南田爲其從孫，亟稱之，又進而言密處密，疏處疏，余觀二公眞蹟，尤喜其至密者，能作至密，然後疏處得內美。

實中虛白處，不論其大小、長短、寬狹，要能在氣脈上互相連貫，不可中斷，否則便要窒塞，但所謂氣脈上之連貫，並非將虛白之各個部份都連貫起來，實中虛白處，既要氣脈連貫，又要取得龍飛蛇舞之形，如此使實處既能通洩，也使通幅有靈動之感，更能使通幅有氣勢。

作畫宜熟中求生，學問應生中求熟。

畫人物要有神氣，畫山水要有靈氣。神氣、靈氣都是從物體變化中出來，有變化，現象就複雜，當畫家處理複雜之現象，要沉着，要具有沙裏淘金之本領，要大胆，要堅決，把沙淘盡，把金檢出，這還不夠，藝術家還得把自己身上所藏之金也拿出來，與沙裏淘得之金化合起來，如此，神氣、靈氣即活現矣。

作畫應入乎規矩範圍之中，又應超出規矩範圍之外，應純任自然，不假修飾，更不爲理法所束縛。

先摹元畫，以其用筆佳，次摹明畫，以其結構平穩，不易入邪道，再摹唐畫，使學能追古，最後臨摹宋畫，以其法備變化多。

作畫如棋，須善於做活眼，活眼多，棋即取勝，所謂活眼，即是實中之虛。

古人畫訣有實處易，虛處難六字秘傳者，然虛處非先從實處力不可。

作山水畫，最重氣骨，論宋燕文貴者，猶以細碎清潤薄之。

畫中氣韻，當於熟處求生，不似之似方爲神似，洵屬名言。

守黑方知白可貴。

虛當以實求，實當以虛求，作畫不能祇言疏密，先要求之以意境。

虛實不等於黑白、疏密及繁簡。

（未完）

× × × × × ×

錢一釗談相

坐相與睡相（三）

·錢一釗·

坐相

凡行則屬陽，坐則屬陰，陽主動，陰主靜，凝然不動者，坐之德也。幾年前筆者謁見蔣副院長時，見其坐相穩如磐石，平若靜水，誰能說相沒有道理呢？搖膝動者，財散之人。筆者看過的太多。反身轉首，入坐如狗，不端不正，貧薄之相。如果不信可到茶館去察看，其貌不恭，其體不端，謂之筋緩內流，非壽相也。坐欲如山，行欲如水，體欲重，步欲舒，乃行坐之相法也。坐如釘石貴。坐如據山貴。坐常搖膝，木搖葉落，人搖財散。

附詩：坐如釘石起浮雲，情厚情寬說與君，端重謹言多食祿，須知榮貴四方聞，人坐端貌不須偏，擺膝搖身未是賢，爲事一身多妄語，必無珍寶住居邊。

睡相

臥者，休息之期也，欲得安然而靜，恬然不動，福壽之人也，如狗之者上相，如龍之曲者貴人，睡而開口者短命，夢中咬牙者兵死，睡中開眼者惡死道路，睡中亂語，賤中奴僕，仰形如屍者貧苦短命、臥中氣吼者愚而易死，合面覆臥者餓夫，就床便困者頑賤。愛側臥者吉壽，多展轉者性亂，少睡者，神清而貴。拿破倫、愛迪生都是每日睡四小時的朋友。多睡者神濁而賤，台北强恕中學有一位守門人，很像睡不醒的朋友，可資證明。臥易覺聰敏，臥難醒者愚頑，喘息調勻者命長，劉峙將軍是也。出氣多而入氣少者，短命，氣出噓噓之聲音即死，若睡臥輕搖，未嘗安席者下相也。睡常龜息，氣出于耳，主貴，睡輕易醒者聰明，睡如搏豬，氣相吼者貧、身如仰屍，氣粗如吼、睡不安席，展轉搖動者皆下相也。孔子說「寢不屍」所指即此。

附詩：貴人臥起氣調勻喘息恬然似不聞，連睡一宵君不覺，手如攀物福神尊，臥似搏豬氣不和，貧窮乏食走奔波，更於夢裏多狂語，每向人前妄語多。

顧太清（四）

道光十年庚寅秋七月，妙華夫人病逝，享年三十三歲。太素亦於是年秋管理御書處及武英殿修書處，是年冬授正白旗漢軍都統。……太清乃太素愛妾，自從妙華夫人死後，太素即未續娶，此後九年之間，估盡專房之寵，儼然同正室一般。

太素於翌年在永定河之西，太房山之東買得南谷。南谷風景本佳，太素於此極力經營，五年之間，建築「大安山堂」「霏雲館」及「清風閣」等，不少屋宇，竟成了一個極爲精美的別業。太清詩謂：「度其山勢，因其樹木而構之，闢于窗牖，皆自畫闢自製。」由此可知太素是位富於建築藝術思想的人。而且「紅棠雙樹我親栽」，夫婦二人蒔花種竹，詩詞唱酬，眞是別饒情趣。自命趙孟頫，管仲姬，不過爾爾。

當清風閣落成之日，太清夫婦皆有詩詞以記其勝。且有東海漁歌次夫子清風閣落成韻云：

羣山萬壑引長風，透林泉，曉日玲瓏。樓外綠陰深，憑闌指點偏東，渾河水一綫如虹。清涼極，滿谷幽禽啼曙，翠靄深濛。任海天寥闊，飛躍有無中。

雲容，有白衣蒼狗，無心出，變化虛空。細草絡危巖，花秀嫣紅。清風閣高凌霄漢，列岫如童。何年歸去，泉石各疏慵。

這座清風閣，建立在高嶺之上，形勢壯闊，可觀遠景。太清天遊閣集題南谷清風閣次夫子韻有句云：「迺因高嶺起高樓，東北遙山入望收」。自注：「聞夫子言，雨後閣上可望數百里」，所以才有「何年歸去，泉石各疏慵」之句，當寓有故鄉之思，或歸隱之意。

太素於道光十五年乙未（三十七歲），亦即清風閣落成不久，便辭去正白旗都統的職務，隱居不出，過着林泉生活。此後數年，太清時常與丈夫兒女來遊南谷，輒寄宿於清風閣中（此閣亦爲其妝閣，最爲太清所愛），每宿數日而去。

詎料，太素於道光十八年七月七日因感染風寒，竟一病不起，與世長辭了，壽僅四十，葬於南谷頂山。

太清遭此喪夫之痛，哀傷之情，不言可喻。從此，她就像失偶的孤雁，譜盡了秋夜的凄涼，和人間的冷暖。（三）

·王幻·

猛撒外交（二三一）

·胡慶蓉·

巨變歷險記！

「建立大西南反攻基地」，「向扭轉大局邁進」，這是丁博士的工作目標，也就是中國游擊隊的外交目標。猛撒外交是配合這個目標的。猛撒外交在謀游擊團體的獨立發展。

所謂大西南，具體說，也就是中國的雲南、貴州，四川，廣西，廣東，連同整個的東南亞。眼下是在鞏固猛撒，是在拉攏猛撒的四週的三十六土司十二班納，在拉攏沿薩爾溫江沿岸各種族——卡欽，單，柯艾尼，紅吉仁，白吉仁，以及薩爾溫江到頭的蒙，馬來西亞，然後推到寮，泰，越，東南亞一切反共的力量大結合大團結。猛撒四週，三十六土司十二班納，在中國游擊隊剛一到達猛蓬，丁博士就開始工作了，謀與當地徹底合作。這一方面，丁博士非常成功。卅六土司，十二班納都把中國的游擊隊看作是自己的游擊隊，叫他們的老百姓供給游擊隊的食粮，住的地方，以及其他必需，更成功的是他們的老百姓都出自衷心的來供給游擊隊的食粮，住的地方，以及其他必需，粮在游擊區是再沒那充裕的。游擊區的地，都彷彿中國大陸上的成都盆地。四面的山，積有很厚的朽木枯葉等等，在雨季的時候，衝將下來，用以肥田，是再沒那好的。土變成了黑土，生產力十分的强大，不用費什麼氣力，撒上點種子，就會長起來，並且長得很茂盛，人常常說：一年之耕可供三年之食，三年之耕有九年的食，老百姓粮的存儲十分的豐富，縱多取之，亦不爲虐。何況游擊隊一切都是公買公賣，游擊隊決不虐待老百姓，老百姓也就都樂意供給游擊隊的食粮。至於他們的房子作爲游擊隊休憩之所，甚至作住的地方，他們也都樂於提供。我好像說過，擺夷的房子，樓上從屋山頭出入，只分外間和裏間，裏間非常之小，只及外間五分之一，外間大，容納人多，中間常燃着火，環繞着周圍睡，可以睡二三十人，而且睡的非常舒服。其他有什麼需要一地方也都非常合作，確實做到了與地方打成一片，與東南亞一體。

以上是就猛撒以北而言，就猛撒以南而言，丁博士同蘇副總裁一同出馬，沿薩爾溫江，歷經柯艾尼，紅吉仁區，白吉仁區，至巴奔，到蒙區，馬來亞，詳細容後補述。再去泰，再去寮，再去越……務期團結東南亞所有反共的力量，向扭轉大局邁進。

但台灣方面，美國方面，特別美國方面的外交，猛撒也非常的注意。這兩方面的外交，立竿見影，一個時期，全神灌注。美國的各種補助源源而來；一個飛機一個飛機的食品，一個飛機一個飛機的軍械彈藥，一萬一萬的美金，令人心花怒放，爲之神往。但這動搖了丁博士游擊團體的獨立精神，隱伏下前途莫大的危機。凡事操之在己則存，操之在人則亡，因爲貪圖小利，而至喪失團體，哀莫大於此矣！

中華民國內政部內警台報字第〇三一號
中華民國僑務委員會登記證台僑新字第三二三號
中華郵政台字第一二八二號執照登記爲第一類新聞紙

自由報

（第一一七九期）

（半週刊行星期三、六出版）
每份港幣壹角，台灣零售價新台幣二元
督印兼發行人・社長李運鵬
社址：香港九龍官塘康寧道117號後座二樓
117 HONG NING RD, 1/F REAR, KWUN TONG, KOWLOON, H.K.
TEL: K-433653
電報掛號：7191
郵箱：官塘郵政信箱9583
承印：景星印刷公司
地址：嘉咸街廿九號地下
台灣區業務管理中心：台北市許昌街廿六號
電話：三八〇〇〇二
台灣區直接訂戶　台灣劃撥戶
第五〇五六號張萬有（自由報會計室）
台灣分社：台北市西寧南路110號二樓
電話：三三〇三四六、台郵劃撥戶九二五二號

政治掛帥與商業掛帥

美國的如意算盤

·黃彬·

共產主義者的共同信條，是實行世界革命而以控制全人類爲其最終目的。所以，每個共產國家的內政外交措施，皆以政治作用爲主旨，政略支配一切，即軍事行動亦無例外，夫是之謂「政治掛帥」。

在政治掛帥的世界革命運動中，不惜施展許多魔術，玩弄若干花招，藉以朦混世人的視聽。如列寧指示共黨人士對外勿說自己是「共產主義者」，而改稱爲「社會主義者」，以免暴露眞面目；如俄共政權之倡言「和平共存」，毛共政權之標榜對外「五原則」；如共黨在某一地區釀亂失勢時，即要求成立「聯合政府」等等；都是萬變不渝其宗的烟幕彈與障眼法，事證昭彰，世所共喻。

可是，這種婦孺皆能知能言的常識問題，而以美國爲首的自由國家人士，竟明知故昧，甘受共產主義者的欺騙蠱惑，異行晴索以追求和平生活，有若飛蛾撲燈，至死不悟，其故安在呢？唯一原因就是基於「商業掛帥」的立國精神。

重商主義的國家，一切內政外交乃至於軍事計劃，都是貿易第一，財富至上，無所謂政治理想，更無所謂國際信譽，爲着追求眼前的商業利益，認賊作父，資友事仇，甚且飲鴆止渴，慢性自殺等行爲，皆所弗惜，如韓戰期間，美英軍隊在前綫與共軍酣戰，而美英商人却將車輛與藥材等作戰物資，分從香港澳門輸入共區漁利，恬不爲怪。最近美國當局藉着毛共對乒乓球隊的微笑表情，即趕忙宣佈撤消禁運政策，容許若干戰略物資販運毛共區域，而美國商人紛紛來到香港，要求進入中國大陸去，且有乘坐自備飛機，起來香港，準備立即飛赴大陸，從事貿易活動的。還有澳洲工黨代表團長，近在北平興高彩烈的訪問中，忽聞毛共聲稱要以加拿大爲購買小麥的對象，登時形色沮喪，爲之失魂。同時日本政府亦不重彈其所謂「政經分離」的濫調。佐藤榮作首相乾脆宣稱「吉田書簡」對政府沒有約束力了。這些都是受着重商主義王國的美國作風的影響，見利忘義，失態自瀆，能說是有甚末政治理想嗎？有人認爲美國尼克遜政府之所以卑以自牧，對毛共獻媚結交，目的是在擴大俄毛共的裂痕，運用「以毛制俄」策略，減少俄帝與美國爭霸的威脅。這未免高估了白宮當局的政治智慧，擬於不倫，而且是與事實不符的揣想之詞。白宮當局對毛共恣意勾搭的主要作用，還是商業掛帥，認爲俄毛既反目互訌，毛共需要輸入和輸出的各種物資，暫不會仰賴於蘇俄了，美國大可乘機接應，攫取鉅量的貿易利益，實爲上計。世界大戰的可能性既已減少，則打開貿易出路，自係應有之義，因而對人口衆多的毛共區域，不禁垂涎三尺啊！

以聯合國席位爲香餌

目前以美國爲首的一些重商主義國家，爲要討取毛共的歡心，而又惠而不費，於己無損的方法，即莫過於邀請毛共進入聯合國這一着了。這些貿易至上，財富第一的自由國家，衆口一詞地說是毛共政權已經穩固地控制着七億人口，不能使其置身於國際大家庭之外，此乃不值一哂的遁辭。毛共內部的動亂始終層出不窮，方興未艾，有目共睹，怎末能說它的僞政權已經穩固了呢？若不是美國一意阻撓中華民國政府對大陸採取反共討毛的軍事行動，毛共僞政權尚能安然存在嗎？大陸上的七億人民，除却一小撮的共黨份子外，能說都是由衷地擁護毛共政權嗎？試看香港海面經常飄流着大陸上逃亡海外的人羣，有的浮屍海洋，有的泅泳到岸，這不是大陸人民反共的鐵證嗎？毛共僞政權僭立迄今已逾二十年，俄毛反目亦已歷有年所，美國過去始終反對毛共進入聯合國，於今毛共政權的內外情況依然猶昔，而且形勢日非，然美國又以不能使擁有七億人口的大國，置身於聯合國之外的說法，竭力提倡非讓它進入聯合國不可，前後主張矛盾，思想混亂，這除却商業利益觀念迷住了心竅以外，再也尋不出其他的合理解釋吧？

關於毛共參加聯合國的程序問題，過去堅持認定是「重要問題」，必須有全體會員國三分之二的同意纔行的，原係美國，於今昌言不作重要問題處理的又係美國，翻手爲雲覆手雨，昔何勇銳今何怯，我們不知道美國究將何以自解？毛共對於聯合國的席位並不重視，毛酋澤東早就聲明過了。現在由於美國的商業掛帥作風，不惜出賣友邦，它爲要解除中華民國政府反共復國的重大威脅，乃表示願意接受美國的好意，樂於參加，而以排斥中華民國爲先決條件。美國爲想[illegible]出賣友邦的惡劣聲名，且害怕喪失了台灣這一戰略重鎮，乃窮極無聊，自作聰明，竟將中華民國與蘇俄的烏克蘭和白俄羅斯相提併論，主張中華民國可以另案申請加入聯合國。這眞是對於友邦的一大侮辱，把美國的國格和人格都丟盡了！

中華民國原係聯合國創立人之一，憲章上明明寫着The Republic of Chia這一創立人的國名，美國有甚末資格和權力來變造聯合國的原始文獻呢？中華民國既爲安理會常任理事國，即擁有法定的否決權，對於美國這種違背憲章，無視正義公道的非法建議，固然可予否決，對於邀請毛共加入聯合國的提案，更有否決的權能。聯大會議時，吾國以堂堂正正的常任理事國地位活動於其間，誰能剝奪我們的職權？誰又敢不讓我們出席嗎。假使聯大不尊重我們的否決權，仗着美國的關係，一意孤行，依然使毛共參加，那便是當年「國際聯盟」打狗散場的舊劇重演，聯合國即非關門不可，而其責任別有所在，與我無關，這亦就是筆者素來提倡的「成事不足，敗事有餘」的外交策略之一環。所以，我們此刻決不宜表示毛共如果進入聯合國，我即羞與爲伍，實行退出的意向，要退出亦不是那末隨便的事，這等於一份辛苦創造的家當，不能隨隨便便地就讓那些不肖子弟胡亂敗壞掉。我們這種光明正大，理直氣壯的主張，亦不妨事先通知各個友好國家，盼望他們一致支持，相信有許多憎惡沙文主義的友邦，必然同情共鳴，作我們的後盾，固無所用其瞻顧徘徊也。

（完）

昨日與明日

羅傑士何必着急？

美國務卿羅傑士，於最高法院裁定報紙可以繼續刊布國防機密文件後，呼籲美國各報自動的停止刊載這類資料，說是將使美國的外交信譽掃地，世界各國勢必不復相信美國是可與共患難的國家了。

美國自從在二次大戰末期，簽訂「雅爾達密約」，擅行出賣我國領土外蒙古於蘇俄，繼之以千方百計地扶助毛共竊據中國大陸以來，外交信譽早已蕩然無存，於今再將越戰內幕揭露出來，世人亦不會感到驚詫的。至於南越吳廷琰總統之被美國打倒，情迹昭著，雖不發表五角大廈的秘密文件，而「醜惡的美國人」面目，亦已原形畢露，一覽無餘了，羅傑士先生何必空着急呢？

要想挽回美國的外交信譽，必須以事實表現纔行，像尼克遜政府最近對中華民國和越南問題的作風，即令美國報紙完全未刊布白宮的國防機密文件，而美國外交政策之無信義的本質，亦是無從掩飾的。「若要人不知，除非己莫爲」，中國這兩句俗語，值得美國的政治人物深加體會反省，不再欺天下人以無知，則庶幾可以補過也。

目前的事實考驗

目前越共向美國提出的七點和談建議，主要是針對尼克遜總統重視釋放美俘這問題而發的。如果美國但求釋俘，其他即無所謂了，那末，羅傑士先生耽心美國外交信譽掃地之說，等於自說自話，不値一哂。

假使尼克遜總統所謂「不能將越南一千七百萬人民交由共黨安排」的話是眞的，而且無論如何決不妥協，或可以挽回一些已失的信譽，然我們不敢樂觀。越共的和談建議，主張南北越先成立聯合政府，然後進行選舉，統一全越，這正是投合美國之所好。

美國對於跟共黨組織「聯合政府」一事，素來嗜好甚深，過去中華民國不願與毛共成立聯合政府，美國即不惜贊助毛共控制中國大陸，宣稱一筆勾消反共的中華民國，且發表外交白皮書，認爲美國的外交政策是對的。現在尼克遜政府爲着安撫國內的反戰壓力，對於聯合政府這項政治把戲，是否能夠洞燭其奸，不予接納呢？實係一大疑問。

以身教者從，以言教者訟，羅傑士先生如不從事實行動着想，雖着急亦奚以爲乎？

·何如·

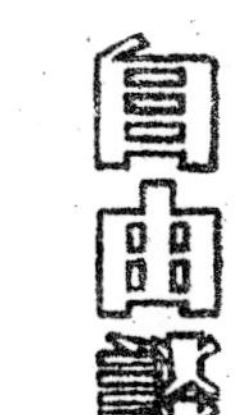

戰後美國對於反共非共的國家，實行軍經援助，且聲明是無條件的。經過二十年來的事實證明，凡接受美援的國家，不特附有條件，而且招致多麻煩，無可避免。

第一：是要實施純美式的民主政治，不能稍有出入，特別需要存反對黨存在，如無反對黨，美國即千方百計的代爲製造。執政者亦須隨時更換，不可久任，否則即係不民主的獨裁專政，不配接受美援。

第二：如有共黨釀亂，勢力小的，美國就教你讓共黨合法存在，公開活動；萬一亂子鬧大了，而本國的力量未易立即敉平，美國就主張組織聯合政府，讓共黨分享政權。

第三：受援國家雖然實行民主憲政生活，若不是純美式的，美國亦認爲不滿，非改變制度，向它看齊不可。否則即利用各種手段，策動政變，把受援國家的執政者推倒，另行扶植一個夾袋中的人物來繼任。

以上是美國援外計劃的政治條件三部曲，事證多端，歷歷不爽。蘇俄的援外政策亦是有條件的，然不若美國之嚴密，它祇要求受援國家一致反對「美帝」，關於內政設施，並不像美國那末苛求，更不像美國之喜歡受援國家常鬧政潮，起紛紛。它在表面上總是保持着不干涉別國內政的姿態。

美援的效用

明乎此，即知美援所到之處，何以當地人民的反美情緒日益高漲之癥結所在了。十多年前，英國接受大量美援之後，乃高呼「要貿易，不要援助」的口號，急求辭謝美援，其中原因，當不外隨美援而來的麻煩太多，祇好心領敬謝。英國且如此，其他受援國家的情形，可以想見矣。

美國如其憑武力領導自由國家以爭取反共鬥爭的勝利，十九成功。若想以鬥智的方法來打倒共產集團，那便是上海人說的：談阿弗要談！

馮正先生

趣詩選

·嘯月·

嘲面麻詩

羨君滿面好文章，空加圈點不成行；
閒來莫向簷前立，恐怕遊蜂認作房。

嘲禿頭詩

——寶塔式

頭
肉瘤
光油油
虱幾（虫旁）難留
核篦一齊丟
西瓜蘆葫皮球
一輪明月照九洲

吁可悲也！

文侯

天下事

大家都還記得，當年麥克阿瑟將軍在韓戰末期，曾把中、韓共軍打得潰不成軍，麥帥警告共軍趕快投降，否則便予擊滅之際，史大林瞧着大勢不好，共軍的命運危在旦夕，又從英國方面洞知美國是採用不求勝戰的策畧，適可而止的。乃以第三者姿態，建議和談，而美總統杜魯門馬上响應，命令麥帥停止戰爭行爲。此即毛共指說「美帝是紙老虎」之所由來也。

歷史事實每每重演或重現，今日毛共對美國忽然表示微笑的面目，既言只是跟美國人民親睦，而與美政府無關，又說願意和白宮當局談判國際問題暨台灣問題，不惜將過去再三聲明「台灣問題是中國的內政問題，不容美帝過問」的說法推翻。這和共產黨人遇事素來堅持原則的一貫作風迴異，其中必有其不可告人的苦衷存在着，毫無疑問，殆與史大林當年提倡韓戰和談的用意相同——旨在解救內部的危機。

危機之一是與蘇俄對共產國際的爭霸鬥爭，感到艱困，再不能左手抗「蘇修」，右手反「美帝」，以自陷於永遠孤立之境；危機之二是對東南亞共黨的支持，與俄共同床異夢，無法善後，希望美軍撤退，在打打談談的狀態下，待機而動；危機之三是內部矛盾叢生，沒法統一，不敢再招致外來的打擊，自速其崩潰。

美國人的個性，天眞而衝動，總以爲「老子是天下第一」的富强國家，天不怕，地不怕，只要能够通商貿易，享有和平安全的繁榮生活，於願足矣。毛共既願棄嫌修好，求之不得，且可以威脅蘇俄，在中東方面不敢隨便釀亂，對美俄限制原核子武器發展的談判，容易就範，一舉而數善備，寧非計之得者？

可惜美國人根本不明瞭共產主義的本質，又沒有政治理想，憑着幼稚淺薄的智能以與共產集團從事冷戰，被人引入了陷阱而不覺，還要沾沾自喜，吁可悲也！

修正筵席娛樂稅法 立院審查展開激辯

見仁見智修正詞句費斟酌 有人主張寺廟素食不納稅

（自由報台北消息）立法院院會討論財政委員會審查行政院函請審議筵席及娛樂稅法部分條文修正草案，有關第十二條修正動議條文部份如下：

立法委員楊寶琳說：本席在上次會議對第十二條發言時，即會認爲行政院修正草案較爲合理。現在審查案不但把草案的三款刪除併爲一項，而且把本條草案所列第一款所稱「備有女性陪侍之場所」亦即「酒家」之稅率，由最高百分之四十最低百分之三十，降爲最高不得超過百分之三十，尤其是刪除了最低限，極易滋生流弊。

不過，行政院原修正案第一款：「備有女性陪侍之場所」，本席在上次會議即會提出，應修改爲「酒家」，因爲筵席及娛樂稅法施行細則即是如此規定。至於稅率，最好改爲「最低不得少於百分之四十，最高不得超過百分之五十。」據說「酒家」一本萬金，値此國家處境艱難之際，自應提高其稅率「寓禁於征」！藉以配合政府不再准許酒家登記，最後達到消滅酒家的既定政策。上次會議陳委員成曾提出寺廟以素菜供荐亡用者，主張應予免稅。本席亦贊成。因爲寺廟所設素席，皆以青菜及豆類做成，一席之價不過百元或二百元之譜，從照本法規定征稅，也收不到多少；尤其是素食也是應該提倡的。因此，本席同意予以免稅，擬將第三款之文字，修正爲：「其他場所：百分之十。寺廟所設素席不在此限。」

立法委員張志智說：本席認爲行政院修正草案稅率較具彈性，能夠適應各種不同情況，將來執行起來比較方便。所以，本席同意行政院修正草案之稅率。惟第一款所用之「備有女性陪侍之場所」，殊有未當；若易之爲「酒家」亦不合宜。因爲在此時此地大家對酒家固無須解釋，但如訂定在法律條文中，在其他地方，即以四川而言，「酒家」就是賣酒的地方，所以「酒家」二字，如不另加注釋文字，就頗費解釋了。因此，本席等所提修正條文把第一款之「女性」改爲「異性」，第二款首句「無女性陪侍而有娛樂節目之場所」，改爲「備有娛樂節目之筵席場所」，第三款之「其他場所」，改爲「一般筵席場所」，稅率仍採行政院修正草案所定稅率。是否有當？還希望各同仁指教。

立法委員崔唯吾說：張委員等所提第十二條修正動議條文的，本席認爲還有待斟酌。尤其是第一款「備有異性陪侍之筵席場所……」易「女性」二字爲「異性」，張委員等固已煞費苦心，不過，「女性」二字固然不雅，但「異性」二字亦乏根據。而且「異性」包括了男女兩性，現在除有女性陪侍之酒家外，是否尚有男性陪侍女酒客之酒家？因此，本席認爲張委員之修正條文也好，行政院修正草案條文也好，均不若「酒家」二字妥適。因爲現在行業登記是以「酒家」爲業；警察機關之管理規則亦是稱「酒家」；本法現行施行細則也規定爲「酒家」。故採用「酒家」二字，遠較其他修正文字妥善。

張委員第二款修正爲：「備有娛樂節目之筵席場所」，第三款修正爲：「一般筵席場所」，兩款皆用「筵席場所」也値得研究！

所以本席在上次會議提出的修正動議條文：第一款改爲「酒家」，第二款改爲「有娛樂節目之酒肆飯館」；至其稅率本席均同意行政院修正草案所擬訂的。

至於第三款之稅率沒有規定低限，本席認爲不妥。所謂「一般筵席場所」也就是第一款「未備有女性陪侍之場所」及第二款「無女性陪侍而有娛樂節目之場所」以外之場所，也就是「一般餐廳」，但其菜價之昂貴有的並不稍遜於前兩者，一桌高貴酒席，有動輒數千金者，普通的也在兩千元左右。似此種奢侈豪華之享受，豈是當前我們所應提倡的？難道不須「寓禁於徵」提高其稅率？現在市縣稽徵機關已經一再反應，希望有高限及低限規定。至於小吃，當然不必徵筵席稅。因爲依本法第二條第一項第二款之規定：「筵席：指供顧客消費之菜肴，達一定消費額者。」「一定消費額」也就是起徵點的。而起徵點之多寡，現在是由省（市）規定，現在台北市是定爲七十元起，台灣省則定爲五十元起，將來定爲一百元起也可能，地方自會斟酌情形而定。總之：草案第一款原有高限百分之四十與低限百分之三十，審查案併爲一項後，除將高限降爲百分之三十外，並取消了低限，究竟應稅還減是加稅？很值得鄭重考慮。而且，本席以爲在當前的情形下，殊不宜鼓勵奢侈生活，因此，本席主張將第三款的稅率也酌予提高，修正爲：「最低不得少於百分之十，最高不得超過百分之二十。」

上次會議陳委員成所提寺廟之素席免稅問題，素雖爲當前所應鼓勵者，但本法卻不宜對此例外規定，好在素食所費甚少，如在起徵點之下，雖爲筵席亦不收費；如果超過，依法當然亦應課徵。

條文列出女性陪侍 顯係歧視女性

淘汰酒家原則亦有未合

對第三款之稅率主張

立法委員陳桂清說：對於張委員等十五位委員所提修正動議條文，本席非常欽佩，惟本席仍稍有不同看法。

審查會刪除第十二條第一項第一款之「女性陪侍」，其理由有二：第一、現在男女平權，如此規定，對女性顯有歧視。第二、這也是最重要的理由，就是誠如楊委員寶琳所言，現在政府正逐漸在淘汰酒家，多年來一直禁止設立酒家，如果照行政院這個原則迄今未變，規定「備有女性陪侍之場所」就徵重稅，此不僅予地下酒家合法化，而且也無形中打破了逐漸淘汰酒家，不開放酒家登記的原則了。

至於張委員等修正文字，把「女性」改爲「異性」，也不妥適。因爲異性包括了男女性在內，事實上現在並無男性陪酒，此無異於偸天換日之法，所以，都不如「酒家」二字妥善。雖然在審查會中會有同仁認爲「酒家」二字無所根據，但本席不以爲然，因爲「酒家」二字是有依據的。現行筵席及娛樂稅法施行細則第八條即有此一名詞，而施行細則係經行政院院會通過，豈能說「酒家」二字毫無根據？因爲本席的主張在審查會未獲通過，所以聲明保留在院會的發言權。

崔委員唯吾對第十二條也是保留發言的，其與本席見解大致相同，可是，崔委員修正爲：「最低不得少於百分之十，最高不得超過百分之二十。」本席則不贊成。本席以爲第一款之酒家，第二款之夜總會，爲期寓禁於徵，提高稅率，確有必要；但第三款之一般餐館則無此必要。因爲現在一般公務員，平時在家經常吃青菜、豆腐，一週之中難得去餐館小吃一次，而如竟課其百分之十以上的稅，未免太過了，所以，本席不同意崔委員主張。因爲照行政院原修正案百分之十稅率，尚可由地方斟酌情況規定其徵收率，百分之一或百分之二都未嘗不可！如果有了低限稅率後，對於一般人民來說，實在是一大苛擾。上午九時開會，下午繼續討論至五時三十分，未獲結論而散會。

中國石油公司概況

（本報特訊）中國石油股分有限公司爲政府所投資的國營事業，主要業務爲進口原油，煉製成品，充份供應台灣所需之各型能源，並致力油源與天然氣之探勘開發與利用及石油化學工業之推動。自民國卅五年成立迄今，經廿五年之經營，業務正逐步擴展，近年爲配合國家經濟成長，發展尤爲迅速，目前所屬單位有高雄煉油廠，台灣油礦探勘處，嘉義溶劑廠，台灣營業處，天然氣管綫處，員工訓練中心及北部煉油貴工程處，該公司主要業務於后：

（一）煉製方面由於近年之擴建及添建各項煉製設備，目前煉量已達日煉十三萬八千桶，爲配合近年油品需量之劇增，除在高雄煉油廠進行日煉十萬桶之蒸溜工場外，並在北部籌建日煉十萬桶之煉油廠一座，以應未來發展之需。

（二）在探勘工作方面：經十多年之持續努力，已在台灣地區獲致相當成就，近年發現之錦水、鐵砧山、出礦坑、青草湖、山崎、白沙屯等油氣田，均獲豐富之油氣。除繼續加強陸上探勘外，目前重點並漸次推進至海上探勘。中油公司已奉准與國外油公司簽訂合約，在台灣北部海域合作探勘，並已積極展開該項工作。

（三）石油化學工業方面：中油公司負有推動石油化學工業發展之責，主要爲供應石油化學品所需之中間原料，在台灣南北興建兩大石油化學中心，五十七年在高雄煉油廠興建之輕油裂解工場，主要產品乙希（火旁，以下同），年產一億二千萬磅，已供台灣聚合公司，產製聚乙希塑膠之用，爲應未來發展之需，並計劃添建第二輕油裂解工場，年產乙希四億萬磅，預計六十二年完工，此爲南部石油化學中心。至於擬議中之北部石油化學中心，則係利用苗栗地區所產天然氣回收之大量乙完（火旁，以下同），在頭份興建乙完裂解工場以生產乙希，供應轉製氯乙希單體，作爲塑膠工業的原料，另與公民營合作製造石油化學品的中間原料及與韓國合作發展石油化學工業，生產人造纖維之原料等，一俟以上各項計劃先後完成後，對國家經濟建設必進一步具有莫大貢獻。

（四）營運方面：中油公司所產油品，百分之八十係內銷，其餘外銷。內銷主要爲汽油、柴油、燃料油、航空燃油、煤油、天然氣及柏油等，銷量逐年均直綫上升，隨油品銷量之增加及大量原油之進口，本公司積極建造十萬噸級巨型油輪五艘，其中四艘已完成參加油運行列，其餘一艘亦將於明年完成。此外在供銷設備方面，亦不斷增加，[illegible]劃做到每一鄉鎮均有加油站，至於漁港加油，港口加油，航空加油等設備，均在繼續增設。

中油公司由於配合國家經濟發展，業務已獲長足進步，近年並步入多角化經營的道路，已成爲中華民國最大國營事業之一。

美國人筆下的中國

陳毓賢譯

儒家深深地厭惡暴力的使用，從而看輕軍人。弱者對抗強者的傳統工具是策畧。有策畧的人特別被人稱羨。一則有名的中國故事說從前有位詩人寫篇小說觸犯了皇上，被召受審，他一方面賄賂了船夫儘量慢行，一方面着手另寫一篇荒唐的小說。到達後皇上看了他的小說，覺得此人定是瘋子，饒了他一命，在許多中國人心目中，這詩人比創功建業的大將軍還來得偉大（編者按：這一故事，也沒聽說過，這種態度我們也不理解）。

在傳統的中國社會中，吃力或危險的運動是被禁的，打官司也是不爲衆好的事。有句俗語說：「贏了官司輸了錢」。人民的生活受習俗的約束遠在法律之上，結果大多數的爭執都妥協調解了。「中國人嗜愛妥協。」魯迅，一位歿於一九三九年的諷刺家說：「你要是跟中國人講：『屋子太暗了。開個窗戶吧。』『他們一定反對，然而你若說：『我們把屋蓋拆掉吧！』他們就來跟你妥協：『不，開個窗戶好了。』」

形式的實在

中國人對法律和法律原理的不信任，部份原因是中國人厭惡抽象的理論。中國人拒絕採取亞里斯多德「非此即彼」的邏輯分析，而用一連串西方人看來不相關的non sequiters 推理。同樣地，事件的更替在一般中國人看來不是因果關係，而是對稱的幾何形式。（編者按：這個觀念，我們也不理解）

因爲缺少分析思想，個別的文字便似乎帶有神奇的力量。孔子提倡「正名」，不然人民就「無所措手足」。Edwin Reischeaer與John Fairbank共作的一本關於亞流的著作中說，這可能不是要使理論切合實在，而是「要實在曲合理論」。中國人重面子亦與注重事情的形式狀貌大有關係。愛「面子」的原因固然是因偏重形式狀貌過於事情的實在，一方面亦是一種手段，避免作淸楚的允諾或聲明，以省得講錯了以後還得賠不是。

就跟文字一樣，數字也有玄妙的重要性。這顯然來自易經。據易經說，宇宙間一切法則可歸納成八卦以及六十四卦；順着這種想法而有五常、六畜、七竅等等。這種對數目神秘而非分析的工夫，加以實用的倫理觀念，或可說明爲何中國遲遲未能發展自然科學。

（五）

秦瓊賣馬話劉峙

·文匯樓主·

唐朝有一個開國的功臣，姓秦名瓊字叔寶，乃山東人氏，早年做捕快時，因案住在旅店錢用光了，被店主逼得賣馬，眞所謂一個錢逼死英雄漢。

大概是民國四十三年，劉峙將軍接受他的學生函勸，促其回台參加復國大業，好像是由袁守謙領銜，劉峙以一級上將在印尼吃粉筆灰，當然是不得意，既有幾位得意門生如黃杰等勸駕，就腿提綑，允予回台，不過，一家六口的旅費當時頗成問題，向當地僑領借嗎？這不是一個小數目，而且華僑社會是現實的，經過考慮，決定先到曼谷，因大陸撤退時，曾參加熊式輝（前東北九省行政長官）的曼谷紗廠十萬美金曼谷紗廠雖倒了，十萬美金的股票換幾張飛機票應當沒有問題。

熊式輝驀然接到劉峙的電報謂：「天翼兄，弟偕全家於某日某班飛機到達曼谷希爲準備住所及回台灣機票六張」熊式輝如是昔年東北九省行政長官任內，別說六張機票，六十張也難不了他，求其次即是十年江西省太平主席任內也不會有問題，祇是僑居曼谷這一階段，變成姜太公賣麵店，扁担都會打死人，急得熊式輝直[illegible]腳，「經扶呀！經扶呀！」（劉峙的號經扶）熊到了沒有辦法時，常去找歐陽太太研究問題。

歐陽太太姓馮，是中華民國（已去職在曼谷做寓公）駐泰國大使館代辦歐陽純的太太，甚活躍，善交際，現隨夫在希臘，腦筋一動靈感來了，李運鵬有洋房兩棟，汽車三部，又爲現任世界報業股份有限公司總經理兼四家日報晚報周報畫報的社長，自己經營的有南洋商業有限公司，生意雖還未能食客三千，來者不拒已爲僑社所公認，歐陽太太向熊式輝誇下海口，「這件差事，包在我身上就是了」。

政論家丁中江謂「李運鵬義薄雲天」哲學家張起鈞說：「李運鵬發財是大家的」李運鵬聽到歐陽太太說劉峙抵曼谷沒有棲身之地，一口答應完全招待，且撥一部林肯大轎車供其使用，熊式輝一邊向曼谷中國銀行經理龔強商量，代劉峙借六百七十元美金買回台的飛機票，那時我國駐泰武官仲偉成，也是劉峙的學生，可借七十美金給老師，惟有條件，即抵台三日內就得償還。

有一天李運鵬剛下班由其指定替劉峙開車的泰國司機阿羅用泰語說：「劉總司令在哭，不曉得甚麼事？」晚飯時始獲悉向中國銀行借貸六百七十元的事，須兩家舖保才辦得通，劉峙說：「半個天下都是我追隨領袖打出來，於今差一點旅費，還要找兩家舖保，在泰國到那裏找保，這也還無所謂，銀行老闆那副晚娘面孔使人受不了，使人受不了。……」

李運鵬毫未考慮的說出「經公，你太客氣了，祇缺少六百七十元美金，何必向銀行去低頭呢？明天由南洋商業有限公司送你一千元美金好了，你老人家是開國功臣，國人皆應該敬之……」熊式輝初不置信僑社會有這樣古道熱腸的人，後來看到一扎綠色印有華盛頓像的鈔票，才知道商也有俠，熊與李的關係也就是這樣沾上的，劉峙在自己出版「我的回憶」也敘述很多。

湖南鄉賢文獻之收集（二）

·吳相湘·

比較以前上海鉛印本內容大不相同。而這一上海鉛印「全集」也經台北藝文印書館影印。同時，惠敏辦理伊犁交涉時與俄外部官員問答記錄，清末原有木刻「金軺籌筆」行世，今台北亦有影印本列於新疆研究叢刊中。

「湘鄉曾氏文獻」是文正惠敏日記以外的許多重要史料，很多是以前未曾發表的，并且大可補充通行已久的曾公全集及「求闕齋弟子記」諸書的許多遺漏。（參見沈雲龍教授撰「湘鄉曾氏文獻」讀後記——近代史料考釋第一集）。至曾忠襄（國荃）公全集，台灣省各公私圖書館均無藏本，今幸經文海書店自日本攝製顯微影片帶回台灣放大製版，即將影印。而曾國荃等主纂的「湖南通志」早經華文書局印行。

湘陰郭筠仙（嵩燾）對於湘軍之興建具有重大影響。尤其對於當時所謂「事務」更有超時代見解，指出中國學風士習論政論世以北宋南宋間爲分水嶺，尤具卓見。光緒二年（一八七六年）以中國近代第一位公使前往英法。沿途見聞，認識西洋人優點所在，筆記成「使西紀程」一書，在國內梓行，以驚醒國人。不意竟觸怒頑固腐朽又好作虛矯空論的官吏，「使西紀程」竟被燬版不准通行。幸其後被收入「小方壺齋輿地叢書」中得以保存。今此一「叢書」也有台北影印本行世。同時郭嵩燾的「養知書屋全集」與「玉池老人自敘」也有影印本。新編「年譜」亦告成。

彭玉麟（剛直）清風亮節，眞是湖南人精神表現。光緒十年（一八八四年）中法越南關係緊張時，彭奉命在廣東籌辦海防，特派香山鄭觀應前往西貢新加坡等地探訪軍情，鄭撰「南遊日記」，前有彭公序文。其後鄭之名著「盛世危言」即循此綫索而發展。國父孫先生之「人盡其材、物盡其用、貨暢其流、地盡其利」，即與鄭氏此一名著有其淵源。國父生平未嘗一履三湘，而在思想上有此關係，湘嶽洞庭亦因此更增光輝。彭公全集最初雕版即不甚佳，今即此一版本在台灣亦難覓到，故影印本乃據上海石印版。

左文襄（宗棠）公才氣縱橫，平定東南及捻亂後，在福州興建馬尾造船廠，附設船政學堂，是當時「自強運動」中最突出的具體成就，船政學堂培育人才迄抗日戰爭時仍爲中國海軍中堅。當光緒初，中日琉球問題與中俄伊犁交涉並起，海防塞防同時告急，朝野議論紛紜，一向主張「聯俄制日」政策的李鴻章即主張對俄讓步。但左文襄公堅持不可——左公少年時即讀「西域圖誌」，認識西疆建瓴形勢：保西疆始能保蒙古保京師的安全。道光末，林則徐經過長沙時又曾約晤左宗棠於水陸洲舟中，林更將其在新疆伊犁經驗告知左。因此，左提出塞防海并重主張，自願担當平定西疆的重任。清廷乃將左自閩浙總督調任陝甘總督，率領大軍步步爲營，敉平叛亂，恢復西疆。俄人原以爲中國內亂，永無恢復伊犁之可能，不料左宗棠五十年前立志，今竟於四年中如願以償。左以強大軍力，配合紀曾澤在俄京的外交周旋，終達成保全西疆之功。光緒十年（一八八四年）新疆建省，從此中原西疆打成一片，完成西漢張騫通西域以來之大功。時人詩云：「大將西征尚未還，湖湘子弟滿天山，新栽楊柳三千里，引得春風渡玉關。」國史上盛事也。「左文襄公全集」原經雕版，但流行不若曾文公集之多而且廣。抗日戰時，中樞致力西北建設，在長沙覓購左公全集已不易得。今幸在台灣已有影印本，可廣流傳。同時胡文忠公（林翼）遺集也經形印，所據均較完全之雕版。

曾左彭胡是「經世致用」和「知行合一」的身體力行者。邵陽魏默深（源）先生則爲經世致用學派最有力的鼓吹者。魏氏根據林則徐在鴉片戰時廣州所得資料以及與林研討的結論而撰成的「海國圖誌」，介紹外國知識之外，提出「師夷長技以制夷」主張，在當時是空谷足音，旋且流傳至東瀛，成爲日本明治維新的思想導流。魏氏且隨時增添新材料刪改其見解，是書行世之初爲六十卷，最後定本爲一百卷。不幸台灣書賈無知，竟取其六十卷本影印。今後另據一百卷本影印殊有必要。魏氏另一著述：「聖武記」是記我國對外戰爭失敗之後鼓舞人心之作，且經日本官方譯爲日文，今台灣世界書局有中文原刊本流行。至纂集魏氏其他論述之「古微堂內外集」，台灣文海書店亦有影印本。

湘潭王闓運治經研史自成一家，四川廖平出其門下，康有爲又受廖平學術影響，脈絡分明。如上所陳：湘綺樓藏書已被共匪焚燬，幸「湘綺樓文集」、「湘綺樓日記」已有台北印本，「湘軍志」亦然。王定安之「湘軍記」影印本在台灣亦多流行。

瀏陽譚嗣才爲戊戌（一八九八年）維新運動犧牲六君子之一，譚在六人中更早具奉熱血頭顱以革新國政之壯志，其志業—，今幸其「全集」及—對三湘青年影響極大—「仁學」均有影印本—。

（未完）

楊振寧軼事

·易心儀·

那時候，楊振寧和李政道已開始認眞討論物理學上的問題。當時，李氏從楊氏學到很多物理學知識，因爲楊氏在這方面比李氏早致力了三、四年。在芝加哥大學，研究生通常都是要儘可能地自修並互相教學的。課程固然有些，但誰若太倚賴聽課，別人就會認爲他不高明了。學生只要覺得自己準備已夠，就可參加一場嚴格的考試，以取得資格進行博士論文的寫作，通常是在一位教師指導下進行。李政道於一九四八年通過了考試，寫的論文題材是天文物理學上的一個問題（研究白矮星的理論），由費米指導。楊振寧的博士論文題目是核子反應理論上的一個問題，由愛德華・特勒教授担任指導。楊在一九四八年取得學位，李在一九五〇年得到學位。他們共同寫作的頭一篇論文，發表於一九四九年。

楊和李在芝加哥的時候，從頭到尾參加了費米爲一些研究生作的一連串非正式的夜間講課。費米保存了他的筆記本，其中寫下了他對物理學上各種各樣問題的想法。在夜間講課中，由費米或某一個學生提出一個題目來討論，於是費米翻查筆記簿，找到一些有關的材料，提出來講。他討論時總是出之以粗淺的，幾乎是直覺性的方式，非常着重於數學推論所依據的那些簡單的原理。夜間講課內容既精彩無比，題目又千變萬化，給予楊、李兩位青年學者以畢生難忘的印象。楊氏曾這麼記載：「我們因此知道：物理學不應該是專家的課題；物理學將是一塊又一塊磚、一層又一層從平地上建設起來。我們也因此知道：抽象觀念產生於細緻的基本工作之後，而不是在其前。我們由這些課程，還知道費米不止絕不厭惡用桌上的普通計算機進行簡單的數字上的計算，而且樂在其中。」

一九五〇年李政道應聘到設在柏克萊的加里福尼亞大學物理學系担任講師。在此之前一年，楊振寧已到設在普林斯頓的高深學術研究院，並於一九五二年成爲該院的永久院士。這個研究院裏通常有一百人左右，稱爲暫時院士，但永久院士只有二十位，代表各門學科，而極少永久院士是物理學家。

一九五七年一月四日星期五，在哥倫比亞的科學家們聚攏來吃一頓「中國午餐」。中國午餐自一九五三年李政道來到哥倫比亞物理系起，就成了這個系的傳統。他們至今仍然舉行這樣的午餐會。這種午餐通常在星期五舉行，因爲星期五這天是系裏各種講習會舉行的日子。午餐會的地點是哥倫比亞附近幾家上乘的中國菜館之一，一餐大約吃十至十一道菜。李政道可說是頗重視食物的（這可能起於他在戰時的遭遇，他曾在難民營居留過，整整一年祇靠米和辣椒過活）。

一九四五年楊氏在中國一所中學校教書時相逢了他現在的太太；李政道遇到他的夫人金珍妮則是在一九四八年，那時金小姐訪問芝加哥，兩人相見了。李氏夫婦現在有兩個兒子，而楊氏夫婦有兩個兒子和一個小女兒。他們都儘量把豐富的中國文化傳統傳授給孩子們。孩子們從小在充滿了輝煌的中國藝術品的家庭裏長大！——儘管，他們年齡增長當然強烈傾向於一般美國孩子慣有的興趣。李夫人的父親是一位藝術家，目前生活在中國大陸，李氏夫婦住的公寓式房子裏牆壁上有些最可愛的裝飾品，就是中國畫的花鳥卷軸，是李夫人的尊翁專爲他們畫的。李政道酷愛中國藝術。這種熱忱僅僅遜於他對物理學的酷愛，同李氏交往的最大樂趣之一是聽他討論藝術。我特別記得我們的一次討論，那是在歐洲核子研究委員會的自助食堂裏進行的，時爲一九六一年夏季。當時是在清早，食堂裏幾乎空無一人。李政道剛剛得到消息，說大都會博物院將要展覽中國故宮博物院收藏的一大批藝術珍品，都是在一九四八和一九四九年從北平運到台灣的。

（三）

讀書雜鈔（七）

·林倩·

尊爲關帝，其犧牲亦爲公，不爲私。自關公歿，三國亦亡，魏曹統一，曹丕篡漢。漢亡以前，歷代興國之君，皆値國王無道，興義師弔民伐罪而受擁戴。欺人孤寡篡位謀人之國者，魏曹實肇其端。關公若不死，魏曹未必遂其私心。故關公之永受崇拜，尊爲武聖也宜矣。

滄洲劉太史果實，襟懷夷曠，有晉人風，與飴山老人，漁洋山人，皆友善，而意趣各殊。晚歲家居，以授徒自給，然必孤貧之士，乃容執贄，修脯皆無，幾饘粥屢空，晏如也。嘗買米斗餘，貯罌中。月餘不盡，意甚怪之。忽聞簷間語曰：「僕是天狐，慕公雅操，日日私益之耳！勿訝也。」劉詰曰：「君意誠善，然君必不能耕；此粟何來，吾不能飲盜泉也。後勿復爾！」狐嘆息而去。（閱微草堂筆記卷九）

時論曰：古帝王以刑罰勸人善；聖人以褒貶勸人善，刑賞有所不及，褒貶有所弗恤者，則佛以因果勸人善，其事殊，其意同也。

徒執罪福之說，誘脅愚民，誠佛界罪人。神道設教，使人知畏，亦警世之苦心，未可繩劉太史既效陶靖節不爲五斗米折腰以求富貴，退而授徒自給，訓課認眞。不但人人敬之，天狐亦慕其雅操，私爲補充罌粟之給，意欲求其勿虞匱乏。惟太史覺而斥拒之。其不肯折腰易富貴，乃能堅守一介不取之戒。古人風儀，志在傳道、授業、解惑、彌增欽仰。今之得事教育者，劉太史者流固不多見，少數貪墨之徒，讀書非爲濟世，熱衷功利，於是拼命，但憑一份學歷證明可優爲之。若某君初爲校長，以擅於鑽營一躍而爲廳長，惜乎「油」少事繁，應付民意代表，尤爲不易。以洋博士身份，處此境況不能滿足私慾，乃捏造時代病（莫測高深之高血壓）力辭求去，不久在微妙關係中又升部長，其血壓竟爾正常，因有「作官向上爬，二豎也害怕」之流言。然則此君處事顢頇，盡人皆知，官位愈高。

（未完）

賤物之中有殊品 燈心自古治失眠

用腦過度者可食胡桃肉 日本澳克林即胡桃製劑

·馬騰雲·

營養研究

失眠的人據統計，以瘦人佔多，在失眠的時候，專司思想之腦部，有如一盞未滅的燈火，所耗的油量是很大的，由於腦子裏的油量不够，祇好由血液轉運，其他區域之油作爲腦子裏的燃料，這些不正常補充過程的結果，神經必感煩擾，愈煩擾愈難入睡，愈難入睡消耗脂肪量亦愈多，這種因果是循環的，而失眠症成爲難治之病，中藥裏胡桃脂肪最多，而此項脂肪最易入腦，其潤腦之神經，及補腦弱之虛，與他處運來之脂肪相較，眞所謂難以道里計，用胡桃治失眠症，乃非常理想之藥物。

胡桃的食法很多，油炸、椒鹽、糖製，及醬八寶菜裏都可大量滲入胡桃，用胡桃治失眠症，等於以未提製過的原料作藥物使用，希望有志於治失眠症之中西醫生，能加以試驗，用新法提製，成爲精純之藥品，使其成爲治失眠症之特效藥，雖不能與發明盤尼西林的人同日而語，但對爭取外匯上是可觀，筆者可以斷言。

從那裏生產出來呢？回答是：在你的骨頭內，你的體內的骨頭約有四磅的骨髓，這就是紅血球的生長地。

骨髓是一種微小至極的細胞可以分裂及生長，而且增殖很快。這個驚人增殖率，乃生產你身體日常對紅白血球的需要量，而骨髓也同樣生產你的白血球。

白血球的生命比紅血球爲短的，科學家相信白血球的生命不會長過十三天，甚多一出生後，還非常年輕就死亡了。但縱管如此，你每天補充生產的白血球還接近九百萬個。

白血球是你的戰士；它們是守上有責的近衛軍。有什麼細菌要侵犯你的身體時，它們便起而作戰。

不過近衛軍人數有時會遇到死亡殆盡的情形，而你體內的白血球就不會，當危亡緊急之秋，你會生出更多的兵源，趕赴戰場作戰。當你有病時，你的骨髓負起更大的責任，戲劇化地生產，以補充前綫細菌殺死了的白血球。

但是病得太久了，或染上嚴重之症，你骨髓的白血球製造量無法和前綫傷亡之數抵補，白血球沒有敵人多，便敗下仗來，病魔告勝了。

（完）

黃賓虹畫語錄（二）

許地山有詩曰。乾坤雖小房櫳大，不足回旋睡有餘，足以令人深思，此理可用之於繪畫位置之經營。

專摹一家，不可與論畫，專好一家，不可與論鑒畫，此明沈博語，由返約，取精用宏，未可以小技忽之。

宋元人多取深厚穠古。

甌香館言，大癡富春山色，墨中有筆，渾厚華滋，全法北宋人畫。

簡筆畫非凝神靜氣，興會淋漓，不克奏功，潤含春雨，乾裂秋風，乃不蹈癱腫羸之習。

倪迂逸品山水畫，全從五代北宋荊浩、關仝園巒盤屈、层字稠叠而來，簡之又簡，無簡不繁。

漢魏六朝畫重丹青，唐分水墨丹青，南北二宗，北宋雲中山頂，董源、巨然畫江南山，元季四家變實爲虛，明代枯梗，清多柔靡，至道咸而中興。

對景作畫。要懂得捨字，追寫物狀，要懂得用字，捨取不由人，捨取可由人；懂得此理，方可染翰揮毫。

作畫應以大自然爲師，若胸有邱壑，運筆便自然暢達矣。

中國畫講究大空小空，即古人所謂密不通風，疏可走馬，疏出走馬，則疏處不是空虛，一無長物，還得有景，密不通風，還有立錐之地，切不可使人感到窒息。

密中求疏，虛中求實，看畫，不但要看畫之實處，並且要看畫之空白處。

學習那家那法，固然可以給吾人以啓發，但那家之那法，均有實際自然爲根據。

古代畫家往往寫其家鄉山水，因而形成其獨特之風格與技巧。

畫之分明難，融洽更難，融洽中仍是分明，則難之又難。大名家全是此處見本事。

古畫寶貴，流傳至今，以董、巨、二米爲正宗，純全內美，是作者品節、學問、胸襟、境遇，包涵甚廣，如惲香山題畫云，畫須令尋常人痛罵。方是好畫，陳老蓮每年終展覽平日所積畫，邀人傳觀，若有人贊一好者，必即時裂去，以爲人所共見之好，當非極品，此宋玉曲高和寡、老子知希爲貴之意。

黃大痴、倪漸江皆自稱學人，學者非云復古，取古人之長，捨爲已有，而自存面貌之眞，不與人同。

善學古人者，學古人之精神，有聖賢豪傑之精神，即聖賢豪傑。

畫有初觀令人驚歎其技能之精工，諦審之而無天趣者，爲下品，初見爲佳，久視亦不覺其可厭，視爲中品，初觀不甚佳，或正不見佳。諦觀而其佳處爲人所不能到，且與人以不易知，此畫事之重要在用筆，此爲上品。

古人論畫要生，要拙，要澀，要茅，要晦暗，要嫩稚，皆是免俗方法，近時尚修飾、塗澤、細謹、調勻，以浮滑爲瀟灑，輕軟爲秀潤，而所謂華滋渾厚，全不講矣。

畫貴神似，不取貌似，非不求貌，肖也，惟貌似，倘易似，神似尤難，東坡言作畫以形似，見與兒童鄰，非謂畫不當形似，言徒取形似者，猶是兒童之，必於形似之外得其神似，乃入鑒賞。

北宋人畫午時山多黑暗。古人論畫。欲暗不欲明，則明一覽無餘，索然興盡，暗乃耐人尋索，百讀不厭，閻立本觀張僧繇畫壁，必待三至而始坐臥其下，不忍捨去，此正唐人不及晉魏處，董玄宰曰，唐畫刻劃不足學，信然。

減筆山水，頗有千巖萬壑之思，以少許勝多許法也，然較繁密爲尤難，吾神往於李檀園而不能置已。

古名畫筆，多作粗枝亂石，正自秀媚，宜懸十尺之外觀之，層層顯豁。落落大方，英華秀發。靜穆淵深，爲畫正格，若涉浮薄之纖弱，即文人與學人所由分，未容混同也。

離象，取神，妙在規矩之外，甚有逸品，未易求之師法，太急，空亦是脫略障礙。

讀書游覽，卷軸秀韻與經歷境界，發於楮墨，非可徒事臨摹，踏入大痴所忌一賴字耳。

乾裂秋風，潤含春雨，是元人獨到處，唐宋畫末克臻此。

明代士夫書學習帖，至清道咸碑碣發顯，筆法秘鑰，無藏不宜，包安吳、周保緒諸先哲，以八法通於六法，力追北宋，特過前賢，渾厚華滋，一掃浮薄餘氣。

甌香館論設色，淡逸而不入輕浮，濃厚而不流鬱滯，暄染乃爲極致，余謂尤重鈎有力。因慕北宋諸家，墨不礙色，色不礙墨，處處虛靈，非關塗澤。冲淡深沉，爲元人設色之妙，唯深沉最爲不易。

青綠設色，體要嚴重，氣要輕清，筆力超逸，方能運動，妙極自然。

唐六如設色古拙，得北宋畫意爲多，至東村捉刀，即入獷悍，清湘若瓢而舉易過甚。遂開江湖習氣

簡筆當求法密，細筆宜求氣足，簡筆難於細筆。余觀北宋人畫蹟，如行夜山，昏黑中層層深厚。古云畫欲暗不欲明，以爲浮薄者誡。

（完）

說吃相（四）

·錢一劍·

錢一劍談相

論食

氣血資之以壯，性命繫之以存者。乃飲食也，飲食失節，則性暴不和矣，是故舉物欲徐而有序，嚼物欲寬而有容，下手欲緩，發口欲急，坐欲端莊，首欲平正，急而不暴，遲而不緩，應節也，相之貴也。含物不欲語，嚼物不欲怒，食急者易肥，胖子的通病，減肥的秘訣，而細嚼慢嚥。食遲者易瘦，食少而肥性寬，食多而瘦者心亂，就在你眼面前的人想一想就可得到結論，食急性暴，食緩性和，仰首含物者寒賤，如食而啄者貧窮，斂口食者純和，哆口食者不義，食而齒出者，辛苦短命，食而淋落者，餓死路歧，食如鼠者餓夫，食如馬者貧賤，嚼似牛者福祿，食如羊者尊榮，食如虎者，將帥之權，馮玉祥，劉鎮華，（前皖主席）蔣伏生（湘綏靖副主任）吳奇偉（湘主席）食皆如虎。食如猴者，使相之位，孫蔚奇，杭立武，沈怡，王東原皆然，嚼在舌顎一生寒苦，邊食邊顧，終身窮餓，食欲快而不欲留，欲詳而不欲暴，嚥不欲聲，吞不欲鳴。

附詩：

虎食狼餐貴不同，逡巡不覺一盤空，端詳遲緩宜相應，牛嚼羊吞福自豐，鳥啄豬餐最聰肅，相他衣祿必無終，咽粗急者人多躁，鼠食從來飲食空。又相食看詳緩，慌忙豈合宜，更嫌如鳥啄，又忌食淋漓，性暴吞須急，心寬下筯遲，問君榮貴處，牛哺福相隨。

顧太清（五）

太素一死，太清便從美滿香甜，風光旖旎的環境裏，跌入愁城恨海中了。太素的長子載鈞是正室妙華夫人所出。父死後，襲固山貝子爵。他爲人昏瞶橫暴，好聽信小人之言，與太清意見不合。喪後三月，便挾祖母（太素之母榮恪郡王之妃）之命，將太清母子五人壓迫出邸；太清只得典賣心愛的金鳳釵，在西城養馬營購屋居住。天游閣詩集四卷有詩，序曰：「七月七日先夫子棄世，十月二十八日奉堂上命攜釗、初兩兒，叔文、以文兩女，移居邸外；無所棲遲，賣金鳳釵，購得住宅一區，賦詩以紀之。」詩云：

仙人已化雲間鶴，華表何年一再回。亡肉奇寃誰代雪？牽蘿補屋自應該。已看鳳翅凌風去，剩有花光照眼來。

（此宅中海棠最多）

兀坐不堪思往事，九迴腸斷寸心哀。

讀之令人酸鼻，況詩中「亡肉奇寃」一措辭，沉痛已極。這個典故出於前漢通傳，略謂：「里婦夜亡其肉，姑以爲盜，怒而逐之。婦晨過所善諸母，語以事而辭之。里婦曰：「女安行？我今令而家追女矣。」即束蘊請火於亡肉家曰：「昨暮犬得肉爭鬥相殺，請火治之。」亡肉家遽追呼其婦。」太清之之用此典，明明說有不白之事，被姑所疑，而致被逐。況且太清已生子女多人，在貝勒邸中地位亦已穩固，若載鈞沒有極重要的藉口，即使要和太清爲難，太夫人也不會讓她出邸。

據說太清之被逐出邸的原因，係與名士與定庵戀愛的謠傳有關。事情發生的經過是這樣：

由於太清的乾娘許滇生尚書之母是杭州人，太清因爲她的關係，結識了許多杭人內眷，定庵的繼配何夫人與太清也有贈答之雅（見定庵丁香花詩），恰巧定庵的「無著詞」和「紀遊詩」發表，固中戀愛對象是一個居住水畔的貴族有才女子；詩中戀愛對象亦居於城廂朱門之內，與太清的身世吻合，不意被人疑心她與定庵曾有一番風流公案，於是以訛傳訛，攀沿附會，致使太清身名大受厭累。況且太清與定庵，一是皇族名姬，一是金閨俊彥，正如孟心史所說：「得紲爲一談，自足風靡一世。」至於他們年歲之不合，事跡之參差，就不暇問及了。載鈞誤信流言，爲保全家聲起見，故要挾太夫人將太清母子擯出邸外。

黛眉小傳

（四）

·王幻·

猛撤軍事（二三二）

·胡慶蓉·

巨變歷險記！

我游擊隊同緬甸舉國的軍事力量作戰獲勝後，因影響緬甸與我的相處，但對於我游擊隊的擴張也有莫大的關係。經過這一場戰鬥，我游擊隊的聲譽十百倍於往昔，眞所謂不鳴則已，一鳴驚人。從此，游擊隊自己有了自信，當地華僑有了信心，大陸上逃難而來的，也都樂於參加，在數量上直綫上升。北起密支那，南到木淡棉，沿薩爾溫江，部份留有部隊。

重兵屯在猛撤四週，待機反攻中國大陸。原來丁博士帶出來的，衣服破舊不堪，現在都換成了新的，至今丁博士還保留着一套樣子。那是綠色的卡嘰，綫編綫，綫堅強得要命，假若是在北冰洋或者至少在華北近寒帶的地方，倒是很合適的衣服，現在在猛撤，東上緬甸，在緬甸熱帶的地方，那就變成了非常不合宜！在這地區熱得簡直沒法子穿，但還強迫士兵穿……外加膠皮鞋，特別帶筒子的膠皮鞋，腳放在裏邊，更令士兵難以忍受！褲子是寬腿褲長腿褲，更不切實際！但美國的卡賓槍倒非常的受歡迎，原來的槍都是舊發，舊的三八式——重得要命，從昆明背到猛撤，眞是夠累的，現在能換卡賓槍，士兵高興得很！卡賓槍最大的一個特點，就是輕巧，至於子彈發出去也非常正確。其次，追擊炮也很受士兵的歡迎，追擊炮背起來是很吃力的，但他在邊區，攻城奪地，非常有用。此外，無座力炮，在邊區更有意想不到的效力。

爲訓練士兵使用武器，爲訓練軍官有戰術戰略的思想，在猛撤經常辦了一間反共大學。所有的部隊，不分新的舊的，一律調訓，新的優先。教育長由副總指揮李則芬（虞夫）兼任，教官幾乎全部來自台灣，他們把台灣的一套完全搬上去，台灣的一套就是美國的一套，流入了形式主義，也完全不切實際。

爲了牽制共軍開到韓國作戰，我游擊隊就趨向前綫就登上大陸，展開攻擊行動。在綿延幾千里的邊境，在與大陸接壤的地方，隨時可以反攻，隨地可以反攻。但因爲戰綫過長，兵力不夠分配，又因爲以逸待勞，共方處於優勢，進去容易，但維持不易，久停更不易，故所以壓進壓出。雖壓出壓進，再接再厲，最後還是沒有成功。關於行軍的艱苦，曾有電影拍出來。

中國游擊隊在美援之下，發展迅速，由兩個師到十幾個師，再由十幾個師到五個軍，從密支那到木淡棉，共劃了五個軍區，由錢伯英，李國輝，李彬甫，段希文，呂人豪任軍長。錢伯英是猛撤總部的參謀長，李彌認錢是一位了不起的軍事人才，李彌的軍事計劃多出自錢伯英之手。李國輝是隨丁博士進來的，掌握着李彌全部軍事的實權。李彬甫，段希文，呂人豪的力量都欠充實，但都在繼續不斷的補充。錢同李彬甫在南部在木淡棉附近。李國輝，段希文在中部，猛撤四週，呂人豪在北部，在三島，在邊境。

自由報

中華民國內政部內版台報字第○三一號
中華民國僑務委員會登記證台僑新字第三二三號
中國郵政台字第一二八二號執照登記為第一類新聞紙

（第一一八〇期）

（每週刊每星期三、六出版）
每份港幣壹角・台幣零售價新台幣二元
督印兼發行人黃運鵬・社長李

社址：香港九龍官塘成業道117號
後座二樓
117 HONG NING RD, 1/F REAR,
KWUN TONG, KOWLOON, H.K.
TEL: K-433653
電報掛號：7191
郵箱：官塘郵政信箱9583

承印：景星印刷公司
地址：嘉咸街廿九號地下
台灣區業務管理中心：台北市許昌街廿六號
電話：三八〇〇〇二
台灣區直接訂戶　台灣劃撥戶
第五〇五六號張萬有（自由報會計室）
台灣分社：台北市西寧南路110號二樓
電話：三三〇三四六、台郵劃撥戶九二五二號

教育界一些嚴重問題

郭雨新・

本報專論

最近陳主席在九年國教檢討會中，要求各級教育行政主管及校長，在今後對學生施教中，應多讓學生瞭解政府之政策與國家之建設方針。俾使學生增加對國是之關切與瞭解，同時必須鼓勵與領導學生參加各種社會運動，培養學生將來為國家，為社會服務之熱忱，可見陳主席眼光之深遠，使人至深欽佩。

不久前蔣副院長曾為青年之沉默而担憂，強調必須讓青年多說話，多表示意見，多參與當前國是之討論。其用心與陳主席之教育主張，毫無二致。大家知道，今日之青年在學校生活中，由於課業繁重，除應付考試接受更高一層之教育外。至於讀書求學之最終目的何在。今天國家處境如此，如欲自立自強，克服一切艱難，開闢中興復國前途，端賴於民氣之伸張與舉國一致團結，以是培養青年愛國之觀念，激發其對國家社會及歷史，後代負責之精神，不獨為當前教育革新之要務，更是教育主管當局責無旁貸之職責。

現在我們深望本省九年國民教育檢討會，不以檢討九年國教之一般問題為已足，而應就陳主席之提示，繼「建教合一」教育方針之後，本諸「政教合一」之原則，而制訂具體可行之計劃，立即付諸實施，使學生關懷國家大事而參與國是，從而培養熱愛國家，及對國是效忠負責之精神，惟未審教育主管當局已否對此問題，進行檢討，在全盤教育上，一改以往之闕失，而開創新境界，敬請指教！

當前教育風氣之敗壞，導致師生互毆，以至兇殺事件，固由於老師管教無方，以有致之，諸如惡性補習之死灰復燃，老師之兼營副業，甚至涉及傷風敗俗案件，幾乎層出不窮，實足令人寒心。教育主管當局如不慎選賢能，革除「問題教員」，試問其能挽救目前之教育頹風乎？

依據新聞報導，桃園縣接連發生五件教育界醜聞，其中三件是國小教員強暴女生，一件是國小教導與同事之妻有染，一件是國小教導與女教員陳倉暗渡。某國小教員於非禮女學生，經其家長報警後，雙方和解，教員賠欵二萬元了事，該校校長曾建議教育局予以調動，而該局迄未發表後果。試問使此「問題教員」，仍然在原校執教，誠不知置師道尊嚴於何地。

俗語云：「萬惡淫為首」，似此有傷風化之「問題教員」，如仍使之繼續執教，試問有何面目以對同事，以教學生。亦將使學生不知廉恥為何物。本席認為對此「問題教員」，為維護師道之尊嚴，即使永不錄用，亦不為過。又如宜蘭縣頭城某國小有一教員因好訟誣告，而被調至偏遠山地，後因舊性難改，復與當地警員纏訟而被革職，且經教育廳通令全省永不錄用。近復在宜蘭縣教育界服務，誠屬使人百思莫解。

再以省立彰化中學校長某而言，於五十四年六月間，以權勢威迫誘姦有夫之婦之女教員，致被女教員在衆目昭彰之下，潑澆毒液，一時輿情譁然，叚以教育界向以敦品勵行，為群衆之表率，尤以中等學校校長，應為學生，教師之示範。該案經檢警雙方查證屬實，提起公訴。以後經女教員之夫撤回告訴，以案屬告訴乃論之罪，結果未予受理。但在行政責任上，以身為中等學校校長，敗壞道德人倫，可謂不法至極，且屬無恥之尤。孰料公務人員懲戒委員會竟予從輕以降一級改敘處分，已使人費解，殊不知將如何懲戒不法之徒？

筆者認為教育界如不嚴申清議，社會敗類，可厠身領導教育，主持學校行政，則師道尊嚴，蕩然無存矣，試問教育風氣焉有不敗之理！而本省教育主管當局又復網開一面，居然表示為維護師道尊嚴，雖准某某復職，同時飭令退休。似此維護師道尊嚴，實難使人苟同，若果依此處理，其不侮辱退休制度，而視退休人員為不守法紀之人乎？再觀之台南市永福國校校長誘姦女教員，為遮羞而使該市兩位女議員互相揭發，慘受重刑，但是該校校長，始終未聞教育主管當局有何處置之表示，誠屬使人百思莫解，試問將如何維護師道尊嚴乎？

杏壇多事之秋，使人感嘆教育風氣之敗壞，幾至不可收拾矣；自從基隆國中之管理組長打死學生，初審被判刑十五年後。該市之信義國中出現十三條龍，且有老師降格與之結拜為兄弟，而群毆銘傳國中學生至重傷，使該市市民談虎色變，拒予女入學。再就省中而言，有花蓮玉里高中學生，因不服老師體罰，在外糾合他校學生，至宿舍毆打老師。又有馬公高中校長因學生破壞放置書包之木架，經家長陪同學生自首後，除將之開除學籍外，並移送警方，控告學生毀壞公物。近有彰化高中應屆畢業生因細故口角，致打死同學，自知法網難逃，而在台中投案。凡此種種跡象，皆為教育界之怪事，亦顯示當前中等學校對學生之訓導，存在極為嚴重問題，教育主管當局如不作深入之檢討，而使敗壞風氣蔓延，則中等學校之教育，其不變為打手之養成所乎？

筆者認為身為老師，對頑劣之學生，不能施以教化，竟以毒打致出人命，固屬被打致死之學生，桀驁行為激怒老師，使其無法自制，而造成不幸事件，但是如從更深一層分析，恐怕事非出於偶然，其是老師平時對學生所施管理方式與態度，容有偏差，在學生心目中，早已潛伏反抗心理，由於反抗心理作祟，而出現桀驁不馴之行為。如果老師缺乏涵養，又無容忍精神，更不能循循善誘，以感化頑劣之手腕，於是兩股乖戾之氣，一觸即發，不是老師打學生，即是學生群毆老師，甚至學生互相兇殺等事件接踵而至乎？而使吾人對當前中等學校之訓導問題，擲筆三嘆矣！—

今日教育風氣之敗壞，固有若干因素，但身為老師，而不能使學生愛之尊之敬之，反而視若仇人，欲加毆辱而後快，反躬自問，能不使愧煞乎？筆者認為其所以發生如此反常而不可思議之現象，能不承認是教育之失敗乎？未審教育主管當局有何感想？今後將如何尋求有效途徑，辦好學校之訓導，而免貽人以中等學校為打手之養成所之譏。

在三年前，政府實施九年國民教育，並規定中小學教科書由教育部國立編譯館統一編纂。經營中小學教科書之書商，於此項規定實施後，因書商受到損失，教育部為彌補其損失，乃予書商以獨佔壟斷方式，印刷新教科書之權益。並與書商簽訂合約，定期為三年，依照合約應在本年六月底終止，自不能使之無限期獨佔壟斷。

筆者認為教育部補償書商之損失，既已屆滿合約之期限，即應迅作決定，因為現在隔六十學年度第一學期開學期間，已經迫近。何況中小教育，係由地方舉辦，則中小教科書之印製，自應歸由本省教育廳辦理。但是於前任教育部鍾部長提出建議後，行政院並未作明確之指示，請問教育部是否已作政策性之決定？

如果教科書之印刷，已作政策性之決定，而在六十學年度全國三百五十餘萬中小學生所用三千餘萬冊之教科書，將以何方式，由誰承印，請指教！

（完）

昨日與明日

越南政局可慮

美總統與一般參議員，對於美軍撤出越南的唯一條件，就是要釋放美方的戰俘，其他皆有商量餘地，這是他們一再聲明過了的。

最近越共即針對着美方這種心計，提出所謂七點和談條欵，特別注明祇要美軍定期撤退，馬上釋放全部美俘。另又故意避用「聯合政府」這一名詞，而改稱為「三方面合組政府」作為過渡的行政機構，以便籌劃全民選舉，實行民主生活。這些迷魂湯，亦是美國人所喜歡取飲的。

所以，美總統特別顧問季辛加之急急訪問西貢，遍晤越南朝野名人，用意就在策劃政治上的妥協方案，而所謂「聯合政府」即為主要問題，勢非實現不可，否則越共方面必難同意媾和，殆可斷言。

越南可能發生政變

越南總統阮文紹對於美軍定期撤退，固不便反對，但決不承認「聯合政府」之說，更不願使幽靈式的「越南民族解放陣綫」，成為參預國家政權的合法單位，這是阮氏迭次表明的堅定意見，未可厚非。

可是，美國當局志在撤兵釋俘，他非所顧。阮總統如果「不聽話」而堅持己見，以致和談無成，美方一定不答應，當年吳廷琰被推翻之舊劇，很可能重演。何況副總統阮高祺業已由鷹派蛻變為鴿子，而素來跟阮文紹站在敵體地位的楊文明，又決定要競選下屆總統，阮高祺亦躍躍欲試，都想博得美國的同情支持，美總統特使季辛加已跟這兩位可以聽話的人，有所商洽，阮文紹總統在政治聲勢上便趨於孤立之境，而美國的妥協苟和政策，自不愁胎死腹中了！

尼克遜大言炎炎

尼克遜先生在七月四日的國慶節發表演說，聲稱「世界和平是在我們手中」，又謂美國的政策是「世界為公」，其言甚壯。可惜美國在戰後二十年來的長期冷戰之中，總是隨着共產集團奏出的俚曲而跳舞，藉着避免大戰的口實，隨時隨地向共黨從事妥協，且不惜出賣友邦，自私自利。若說這樣就是創進世界和平，就是「世界為公」的作風，殊令人匪夷所思，無從索解。難怪當年艾森豪總統一聞俄酋赫魯歇夫說「蘇俄決非弱者」，馬上就鄭重聲明，美國素來視蘇聯為強大國家呢！

以怕強欺弱，犧牲友邦為維護本國繁榮安全的不二法門，這便是美國的「世界為公」思想，嗚呼哀哉！

・何如・

自由談

應該回敬

美國務院發言人布瑞最近宣稱：他們在今年秋間，要刊布一九四二年以來的中美外交關係文件，且指出一九五六年國務院發表同類文件時，曾接到中華民國政府的抗議，表示他們是我行我素，不理友邦抗議的沙文主義作風，眞是豈有此理！

所謂中美外交關係文件，蓋係廿年以前的歷史陳迹，美國為着要洗刷斷送中國大陸於共黨之手的責任，早在一九四九年已刊布過由共黨同路人哲塞普撰寫的同類文獻了，何需乎再炒冷飯呢？唯一用意不外是想替尼克遜政府目前的親媚毛共政策解嘲而已。然事實俱在，世所共知，自認為有百是而無一非，其誰欺乎？

美國在二次大戰期間跟其他各個聯盟的外交關係，其重要性視中美之間的關係尤甚，何以諱莫予深，不見刊布出來，而專門編寫所謂中美外交關係文件，再三刺刺不休呢？這除了表示暴發戶國家怕強欺弱的庸俗優越感而外，毫無意義可言。我們等着瞧吧，將來越南若被共黨控制了，美國務院一定又要編纂一大堆的「美越外交關係文件」，公之於世，內容總不外是指摘越南政府之貪污低能，沒法扶植，而美國却係仁至義盡的「偉大救主」，決無絲毫慚德的。至於自己隨時在受援國家策動政變，推翻執政者，甚至置之於死地的罪惡行為，却裝痴裝聾，絕口不提了。最近美政府要禁止紐約時報繼續刊載關係越戰的機密文件，主要原因就是不願意洩漏當年美政府策動越南政變，推倒吳廷琰總統的這項醜事，但最高法院却允許報紙繼續刊載，將來又是政客競選的題材。

我們政府亦有中美外交關係的文件，別人已經一再的炒冷飯，把一切失敗責任加在我們身上，為甚末只是暗中抗議，而不採取「回敬」的方法，也刊布一套「中美外交關係白皮書」，讓世人詳悉眞象呢？自侮而後人侮，一味的禮讓，非所語於暴發戶朋友也，念之哉！

馮三先生

輔導就業問題太多
包羅萬象難以周延
對國民職業輔導會組織法 立委紛質詢指為名實不符

（自由報台北消息）立法院法制內政兩委員會委員，對行政院函請審議之國民職業輔導委員會組織法草案，提出許多的意見，立委們對該原草案表示不贊同。

行政院為擴大職業訓練，統籌調節人力供需，並建立全國性之就業輔導網起見，經詳加檢討研究，決定以國軍退除役官兵輔導委員會為基礎，將青年輔導會及內政部勞工司予以合併，設置「國民職業輔導委員會」，期能精簡機構，統一職業輔導與職業訓練行政，並加強勞工行政，以便統籌規劃，調節人力供需，俾在平時能充份發展人力，投入國家建設，在戰時能高度運用人力，支援軍事需要，本此決定，擬具「國民職業輔導委員會組織法草案」一種，並於該草案完成立法時，將「國軍退除役官兵輔導委員會組織條例」同時審議廢止。至於內政、經濟、教育部等機關組織法有關各該部職掌規定之修訂，俟該草案完成立法時，再依法定程序辦理。

立法委員陸京士、白如初、楊一峯、楊寶琳、魏佩蘭、吳基福、黃雲煥、張子揚、田嶌丹、陳鐵夫、王長慧等，對該草案均有批評，但其中以張子揚委員等的質詢意見較為具體。

據立法院新聞室發布：張子揚委員就該草案若干重要問題提出五點質詢：

一、關於名稱問題：該草案稱為國民職業輔導會組織法，既名為國民職業，顧名思義，其內容一定要照「國民職業」來做文章，否則，就文不對題。就一般常識而論，國民職業應包括士、農、工、商四大類才對。若然，則文章很大。容易發生問題。該草案既以國民職業為名稱，應開宗明義就要對國民職業的內涵加以界說。假定國民職業包括士、農、工、商四大類，如「士」可以包括青年在內，然則青年職業之輔導究應從何時起到何時止，就要有所規定。其次談「農」，現在農村農民的問題最為嚴重，農業成本高而收益低，對農民職業的輔導，已經是一個刻不容緩的大問題。但農民職業如何輔導，該草案隻字未提。講到「工」，通常以勞工為主。對於勞工，政府過去所辦理的是就業與福利之事。但現在工業突飛猛進，勞工所應受輔導的就不僅是這兩項工作。可見對勞工的輔導，又談何容易？至於「商」，對商業包羅萬象，對商人的輔導也是十分困難的。是故所謂「國民就業輔導」，在條文中沒有界說。如照前述定義，恐怕幾年也起草不出周延的條文來。

張委員并指出蔣彥士秘書長在會議中會說，二十多年來，輔導會已經成為二十多萬退除役官兵精神維繫之所在，我們不能把這個「家」去掉。我們很重視這句話，但如依照該草案之題目來看，「國軍退除役官兵輔導會」之名稱已不存在，就等於退除役官兵沒有家了。因而國軍除退役官兵輔導委員會在實質上就會變質。再說退除役官兵輔導會過去有許多單行法規，和附屬機構，尤其重要的機構就是榮民工程處，榮工處現在正對外國輸出工程技術，也為國家做了不少事。當時這機構之成立是為了協助安置退除役官兵的就業，草案稱為國民職業輔導委員會組織法後，原來對退除役官兵及榮工處之優待，如果繼續維持下去，在其他國民看來，就頗有問題。無論在立法或行政措施上看，都是有問題的。假如這個組織通過，則榮民工程處就要變成各部會中的事業機構之一，其地位等於財政部或經濟部的事業機構。每年要編列營業預算，送立法院審議，其過去所有的特殊意義也就化為烏有了。

這些話，指出草案在「國民職業輔導會」為題目之下，可能會發生的問題，換句話說，就草案的名稱及其內容而言，可謂文不對題。

合併不同業務機構 勢難達成精簡目的
內部組織層次似嫌太多

二、關於退除役官兵輔導會與勞工司及青年輔導會三個機構合併的問題，此三機構之合併，由立法意旨說明來看，是為了統一事權，精簡機構。這個立法宗旨，大家十分支持，惟將這三個機構像拼盤似的拼在一起，能否達到立法要旨所說的目的，仍是很有問題的；這三個機構的性質及業務完全不同，這樣合併之後，就能達到事權統一和精簡機構之目的嗎？甚表懷疑！退除役官兵輔導會這些年來對退除役官兵之輔導，成績輝煌，有目共見。現將青輔會併入，其意義何在？很可置疑。蓋二者性質各殊，前者以年老而功在國家之退除役官兵為輔導對象，後者以青年為對象，如何予以歸併？至於內政部勞工司過去所司何事？我們不甚瞭解，何以須將其業務納入國民職業輔導會？實有詳予說明之必要。

三、組織體制的問題：講到體制問題，究竟採委員制好或採取首長制的佳，見仁見智，輔導會為委員制，然其成績斐然，可見採委員制並不一定就沒有行政效率。惟就體制而論，如要採委員制，則主任委員似宜改為委員長較妥。

四、草案所列法制室及研究發展考核處的問題：過去，立法院法制委員會審查組織法時，對於這兩單位，一律予以刪除，理由是現在政府機關組織已夠龐大，各機關的法制室沒有存在的必要，至於研究發展考核的工作應由各個單位切實去做，單獨設立研究發展考核單位，反而不切實際。

五、草案第二十三條及第二十四條的問題：第二十三條規定：「本會因業務需要，得設附屬機構，其組織由本會擬訂，呈請行政院核定之。」依立法院過去的立法慣例，都不贊成這樣規定，因為任何機構之設立，如涉及用人時，就應按中央法規標準法之規定，制定組織法，送立法院完成立法，不可以行政命令為之。其次，第二十四條規定：「本會於必要時，得呈經行政院核准設置各種委員會。」這些委員會，如果要用專人，仍須送立法院立法，使其和各部會組織法之規定相一致。

對輔導會整個職權 未作明白規定
權責範圍亦易混淆

黃通委員指出：草案中對整個輔導會的職權，並未規定很明白，是為缺點。該會是以國軍退除役官兵輔導會為基礎，合併青輔會和勞工司而來，但對於人力資源規劃工作沒有注意、缺乏對人力資源作政策性規劃的主管機關，這是第二缺點。退伍軍人輔導局與職業訓練局的權責，似有重複衝突之處，應予合併，以合乎精簡的原則。

田嶌丹委員表示「國民職業輔導會」是太狹了，易生誤會，因為（一）使人以為我國大概是國民失業情況嚴重，才有該會之組織。（二）有人將誤解以為我國就業不自由而設該會，故對該會之名稱宜作慎重的考慮。

彭爾康委員指出：各國之興衰，常與國民之失業有大關係。目前退伍軍人，青年及勞工之就業問題，都是最困難最不易解決的問題，而歸併合「一」，由一機構來處理、解決，在政策上似不一定要如此作法的。因該三個問題，各都甚重要，如有一個問題處理不當，都足以影響國家之安全及政權之安定，今將三個問題合併處理，如處理得當固佳，若一有失誤，將有不堪設想之後果。因此看不出來三個問題合併究有多大好處？只有反攻大陸，才能徹底解決這些問題，故行政院此舉，似有欠妥善，希望行政院能採納各位立委的意見，再詳予考慮，究應將三個問題分散或合併解決。

陸京士委員對國民職業輔導會的名稱，表示反對。他說：世界上有一百一十三個國家有勞工部或福利部之組織，也是做這些工作，故主張改用勞工部的名稱。草案採委員制，果爾，則行政院會議亦係政務委員及兼部長之政務委員組織而成，故該組織變成不倫不類，故反對採委員會制。

白如初委員對組織問題提出指責。他說：該機構在委員會下設局，局下有處；但委員會下又設秘書處，總務處等「處」，到底是「處」大抑「局」大？委員會下設局，局下有處，處下置室與科學等，該機構層次太多，「處」「處」不合，實在可笑！

女立委楊寶琳認為該國民職業輔導會應改為「人力資源發展部」，一方面符合憲法第一五四條至一五七條的規定，可增加人民向心力，安定內政，支持外交。一方面符合潮流。

女立委王長慧表示：檢閱這一草案的內容，似有：一章節的內容，似乎祇能達成消極性的要求，而無法發展積極性的作用。同時以這個草案與其他國家的類似的機構相比較，我們可以明顯的發現，有的部分失之「太過」，有的部分又嫌不足。因此，就草案談草案，組織龐大而在業務方面不夠週全；分工細密而權責範圍容易發生混淆，所以，這個草案，就當前的時勢來講，是一個很需要很重要的法案，但是，就其體制，內容和結構而言，未免失之粗疏而不夠精密。

天下事

台北報紙進入彩色競爭

·平凡·

中華民國在六十年度的雙十節前，新聞紙將進入彩色競爭，幾有紅紅綠綠美不勝收之感。

開始是中國時報帶頭，銷路上佔了不少便宜，勁敵聯合報自難坐視，經過長時間考慮結果，決定急起直追，特從日本訂來最新型印刷機，決定在九月社慶時起用。報紙用彩色既可以刺激銷路，不僅有兩家晚報要跟着改，正統的官營中央日報也早採取「水鳥」攻勢，表面上不動，暗中正傾全力向彩色路上發展，旅美印刷專家少年中國晨報社長淩遇選，於此時此地回到祖國，據說與指導中央日報彩色改進有關，台北報紙從今起，不再是黃色與非黃色之別，而是彩色與非彩色之分了。

至於各報對內容的改進上，尚未聽說有何特別動作，由於全地球全人類從沒有的辦報黃金環境——台灣，一千七百萬人口，祇准辦這幾家報。與香港三百餘萬人口，擁有一百多家報紙，截然兩途，在香港一流報紙登一個小廣告，四十個六號字，四個三號標題字實收港幣兩元，折合新台幣約十三元，在台北則須新台幣一百元，以證明對工商業的嚴重影響。

莫謂台灣工商界老百姓不講話，暗流比公開的喊叫更值得提高警覺，主管部門應當注意設法挽救，當報紙失去「社會公器」立場時，很多問題都會跟着產生。

美國人筆下的中國

陳毓賢譯

在一個鼓勵死記的社會中，一個強調牢記制定歷史而忽略演譯推理的學術界裏，沒有餘地讓人探求新知識，似乎也沒有這個需要。任何事情，只須從典墳內找出一個前例，依樣胡蘆，便應付裕如了。（編者按：這一段論斷可謂：「牽強附會，不明真象」。）

正是因為缺乏科學，沒有求新知識的條件和接受革新的慾望。當十九世紀西方人衝破使中國孤立的高堵後，遂演變成不可收拾的局面。清代的官吏，即清天子手下的士大夫的精華，終於失去了他們操縱局勢的力量。他們一向認為聰明透頂的人自然通曉天下萬事，因此堅持反對學術的專業化，對新知識不願也不能接受。忽遽地，古舊的公式不復靈驗，各種數字、觀念、符號都不足以抵禦新式的堅船利砲，長久傲為羣國之首的中國，於清朝末年受盡列強軍事敗北和經濟剝削。這個基於「和諧」的社會型範，被希臘火神的巨力擊得四分八裂。頃刻間，中國人痛楚地領悟到「中」國並不真是處在宇宙的中央。（六）

劉半農記賽金花

她又道：「那不行，就是不要太后抵償，也要皇上給賠罪。」說這話時，她的態度表示很堅決。我想了想，遂說：「好吧！你們外國替一個為國犧牲的人作紀念，都是造一個石碑，或鑄一個銅像，我們中國最光榮的辦法，卻是豎立一個牌坊。您在中國許多年，沒有看見過那些為忠孝節義的人立的牌坊麼？那都能夠萬古流芳千載不朽的！我們給貴公使立一個更大的，把他一生的事蹟和這次遇難的情形，用皇上名義，全刻在上面，這就算是皇上給他賠罪的了。」經我這樣七說八說，她纔點頭答應了。這時我心裏喜歡極了，這也算我替國家辦了一件小事。聽說條約裏的頭一項就是這事哩！

這個牌坊就豎立在東單牌樓北邊，克林德遇害的那個地方。等到民國六年歐戰告終，德國戰敗了，中國政府把牌坊拆除，挪到中央公園（今中山公園），改稱「公理戰勝牌坊」。當時曾舉行過一個盛大的紀念會，他們因我和這個牌坊有些關係，也邀請我去參加。那天蒞會的人很多，錢能訓段祺瑞諸先生都有演說。會後還合攝一影，裏面有個女子站立在前排，那便是我。

附錄

奕劻李鴻章等所擬就之克林德碑文：

「國家與環球各國立約以來，使臣歷數萬里之遠，來駐吾華，國權所寄，至隆且重。凡我中國臣民，俱宜愛護而恭敬之者也。德國使臣克林德，秉性和平，辦理兩國交涉諸務，尤為朕心所深信。本年五月，義和拳匪闖入京師，兵民交訌，竟至被戕隕命，朕心實負疚焉！業經降旨特派大臣致祭，並命南北洋大臣於該使臣靈柩回國時，妥為照料。茲於被害地方，按其品位，樹立碑銘。朕尤有再三致意者！蓋睦鄰之誼，載於古經，修好之規，詳於公法，我中國夙稱禮義之邦，宜敦忠信之本。

（廿七）

翻舊賬揭瘡疤

·文匯樓主·

知恥，俗話謂作「要臉」，不知恥，俗話謂作不要臉，今人之不要臉的人多，亦時代使然，比如貪官污吏與社會敗類，祇要能找到錢，搶來偷來，印假鈔票得來，賣麻啡賺來，或做官貪來，沒有人去研究，嚴格的說也不是時代人物的專利，很久以前就有「不信但看筵中酒，杯杯敬向有錢人」，換句話，不要臉乃無分古與今。

雷一鳴教授，頃自海外來信，對當前社會詬病，提出醫療辦法，主張「翻舊賬」制裁不要臉的人，他說「翻舊賬」者即是揭瘡疤，共產黨稱作為「清算」，有時能清算到幾代以上，這種近乎鞭屍的搞法，我們認為有失恕道。不過翻壞人的舊賬，也就是說揭壞人的瘡疤，尚無何不可行。」

社會上的「利害」與「是非」不能沒有，沒有的話與禽獸就分辨不清了，「翻舊賬」者屬邏輯學，也為統計，在美國「紐約時報」資料室能找到李鴻章、劉銘傳、張之洞、左宗棠等生活資料，如果寫到這些人時，不管批評或讚美，自然言之有物，不過官方的資料，往往失去真實性，乃一般所公認，例周文王坐了很多年的牢，與王陽明被杖責充軍等，難道歷史上像周文王等數以萬計的被冤獄者，能被指為是壞人嗎？用胡適「大胆假設，小心求證」被關的如果是好人，當時政府的壞，可能壞到不能再壞了，也就是革命爆發的因素所在。

雷一鳴教授力主張對壞人「翻舊賬」，誓與貪官污吏鼠輩惡棍不兩立，祇要自由報肯這樣幹的話，他願意鼓起餘年之勇，重理筆硯，為自由報與中國新聞界建立一點正氣，他說他是湖南人，湖南人的人生觀：「除死無大病，叫化不再窮」這種坦誠的風範，爽朗的個性，感人至深。

他末了更指出：「走得穩，坐得正，半夜不怕鬼敲門，自由報採發行本位，連廣告都不准去麻煩人，還有甚麼可顧忌的呢？」這些真知卓見，和對自由報由衷的愛護，本報同仁於感激之餘，希望廣大讀者也能夠發表意見。

湖南鄉賢文獻之收集（三）

·吳相湘·

章太炎嘗言：曾左彭胡以天下為己任，使舉國之人咸知勤勞國事，民權之得伸，實自此始。而曾文正傳刻王船山遺書（今台灣有影印本），民族大義因之流傳益廣。國民革命先烈黃克強（興），宋鈍初（教仁）均推崇曾左之英雄氣度。而以譚嗣同之死為三湘志士奮起革命之前奏。劉揆一撰「黃興傳記」今有台灣刊本，黃公「墨蹟」「遺集」亦經中央黨史會先後刊行，惜收集并不完備，如克強先生遊美言論即未輯入，幸黃氏第三女婿薛君度博士撰有英文「黃興與中國革命」一書中提及，今後可按圖索驥。

一九〇二年，湖南留日學生刊行「遊學譯編」，介紹西洋自由平等學說，其中提出知識份子與下層社會即秘密會黨應相結合以進行革命運動之主張，實為中國同盟會組織之思想基礎。今此「遊學譯編」與宋教仁創辦之「二十世紀之支那」、「洞庭波」等雜誌均有影印本。

桃源宋教仁先生為華興會之主幹。一九〇五年夏　國父孫先生自歐到日本，留學生舉行歡迎會，宋先生担任主席，是為同盟會成立之前奏。領導羣倫，一時人傑。中華民國元年八月十三日，國民黨成立，宋氏組織之功尤多。身為中國民主黨政之先驅，為袁世凱嫉殺，時年卅有二，英才未盡，國家頓失棟樑。舉世同悲。至其痛斥共產邪說之議論，今更令人傷心神往。其留學日本之日記「我之歷史」初由桃源農校石印。今有影印本，是為革命黨人有關同盟會組織經過之惟一當時當地的直接紀錄，極具史料價值。今年（民國五十九年即一九七〇年）為同盟會成立六十五周年紀念，世人應不忘斯人是書也。宋氏另有「間島問題」及時論多篇，今經輯印於「革命先烈先進詩文選集」中。筆者撰有「宋教仁──中國民主憲政的先驅」今列入傳記文學叢文史新刊第五十一種。

宋教仁氏殉國後，遺體安葬上海。黃克強先生逝世後國葬於長沙岳麓山。「護國軍神」蔡松坡（）先生亦於同地同時舉行國葬。遊岳麓山者無有不瞻仰黃蔡兩公墓者，偉人與名山同垂不朽。「蔡松坡先生遺集」及「軍中遺墨」，今均有影印本。惜迄今無一較詳傳記。

譚祖菴（延闓）先生服務桑梓，著有政聲。北伐成功後，曾任國民政府行政院院長，尤具調和之功。其少年時才氣不凡，翁同龢日記中即有記載。一九〇三年以會元名登黃榜（照片見於故宮文獻叢編），更為「後無來者」之千古盛事，因其後科舉制度即告廢止。其人其事足以傳世，不幸迄今尚無一傳記行世。譚氏子孫印行之祖菴先生年譜，錯漏百出，而售價甚高，以祖菴先生致力革命事業之貢獻，「年譜」中竟未多引用國父全集及其他有關史料。讀來不僅難興向慕之心，徒嘆譚氏後繼無人，竟不知傳揚先德。四五年前，筆者曾專程往訪譚季甫君，促其與伯羽君迅將存美之畏公文獻印行，以便學人重編一年或撰一傳記，迄今未見實行。再如鳳凰熊秉三（希齡）先生亦重要人物，迄今幾已被人遺忘，其後人如有資料，早日刊行更不可或緩。

蔣廷黻先生邵陽人，自幼以曾文正、魏默深及　國父孫先生志業為典範。經世致用。學問事業兩有成就：教書是中國近代史研究大師，從政尤其在聯合國為國家奮鬥，更贏得世人欽敬。眞是中國現代青年報國模範。生年撰文，秉筆直書，不畏權勢，「蔣廷黻選集」洛陽紙貴，實非偶然。

李劍農先生研究中國近代史，民國十九年用語體文撰中國近三十年政治史，流暢易讀，風行全國。抗戰時增訂為「中國近百年政治史」，起自鴉片戰爭，迄於北伐完成建都南京。商務印書館印行，迄今仍為暢銷書。十餘年前，經常甯鄧嗣禹教授譯為英文刊行，更大受歡迎，除美國版供銷歐美外，并有印度版以便亞洲讀者。

如篇首所陳：吾湘在抗日戰爭中為主戰場，軍民生命財產犧牲慘重。當時薛伯陵（岳）將軍註節長沙指揮第九戰區，特注意史料之搜集，聘請學人合力撰成「抗戰紀實」四冊，民國卅六年由上海商務印書館印行。十年前又經台灣商務印書館影印再版，為此時此地惟一有第一手原料憑藉的抗日戰史。我三湘若干無名英雄壯烈犧牲之偉大實遂賴保存而流傳後世。

綜合上述：鄉賢先烈若干文獻，浩劫之餘，仍有流傳，可說不幸中之大幸。然三湘人才之鼎盛，文物之豐富，今所倖存者實不過萬千分之一。即如作育人才最多世稱革命搖籃之明德學校創辦人胡子靖（元炎）先生詩文如「耐菴言志」等，筆者多次在美國、日本搜求均未有所獲；楚怡學校創辦人陳鳳荒（潤霖）先生之詩文即片紙隻字亦不可得。以胡、陳二先生弟子之衆多，情形如此，他可想見。努力搜求鄉邦文獻，是旅台鄉人之亟務也。民國五十九年二月一日稿。

（完）

讀書雜鈔（八）

·林傳·

愈為人卑棄不齒，輿論環攻之下，狼狽下台，又圖謀某著名大學校位置，雖為全校上下最不歡迎，而笑罵由他，好官自為。猶憶某權威學者在中央研究院院長胡適去世之後，兩次因辭不就院長職，自甘教學賈文頤養天年。在某君觀之，必譏為愚不可及。實則人格高下，以此觀彼，品斯下矣！

安邑宋半塘，嘗官鄒縣，言：「鄒有一生頗工文，而屢躓不第。病中夢至大官署，察其形狀，知為冥司。遇一吏，乃其故人。

（未完）

楊振寧軼事

·易心儀·

我對於中國藝術的歷史不懂得甚麼，他就開始向我扼要說明。不多久，我的筆記簿上已經有好幾頁寫滿了重要的日期和中國書法的示例。李政道講話的時候，兩手非常富於表情，李氏同楊振寧，作計算的時候若是離開黑板或沒有紙筆在手上，總喜歡用一隻手指在空中書寫（李政道跟我說起過，這個習慣是他在戰爭時期養成的，那時在中國極缺乏紙張），他對這個題目越講越深入而起勁，我們逐漸吸引了一小羣物理學家，大家從李氏的熱烈態度自然地假定他是在宣佈理學上的一樁新的發現。我們的討論於是轉變為對於東方藝術的各個方面的優點和缺點的辯論，這場辯論斷斷續續地進行了大半天。楊振寧也對中國藝術和中國哲學有極深厚的興趣，有時候他也很喜歡戶外運動。他曾試過爬山和滑雪。爬山幾乎造成慘劇，那是在一九五二年夏天，他訪問西雅圖的華盛頓大學，便在那兒攀山一番。這所大學的物理學家們有許多是經驗豐富的登山運動家，據他們說，楊氏天生神態瀟雅，四平八穩，是一位優秀的天然登山家，但在西雅圖這一次登山之行中，同伴裏有一位是婦女，在一個陡削的結了冰的斜坡上突然失足跌落，把楊氏也一起拖下去了。幸運得很，他們給E·A·于赫令博士緊緊用繩子拉住──這位博士是華盛頓大學著名的物理學家，也是一位熟練的登山家──於是一場意外得以大事化小。

然而，說來說去，楊振寧和李政道畢竟是全心全意致力於物理學的。他們研究一個問題的時候，日夜不停地工作，別的甚麼事都撇下了。他們時時在美國物理學會的會議上和別的地方作特別演講。這些演講的特點是極為清晰，而且表達得極為引人入勝。楊振寧有一次記述過費米演講的風格，這番話可以同樣拿來形容楊氏自己和李政道的演講風格：「我們大家都知道，費米的演講透澈極了。他以他所特有的方式，對每一個題目總是從源本講起，討論一些簡單的例子，儘可能地避免『形式主義』。（他每每開玩笑說，複雜的形式主義是專給那些『祭司長』用的。）他的推理的極度簡單性給人以『得來全不費功夫』的印象是虛假的。簡單是細心的準備的結果，也是花費心思仔細比較選擇過各種不同的表達方式的結果。」

以李政道和楊振寧這麼高尚的水準來研究科學，需要很大的自信，但同時，問題的規模大極了，使那些着手解決問題的人深深地感到謙卑。李政道以他自己特有的方式表達了在問題的複雜性和深邃性面前興起的謙卑之感，他表達這樣謙冲的襟懷是在給他頒贈諾貝爾獎金的盛會上。頒獎儀式的最高潮通常總是舉行盛大的宴會和跳舞會，邀請瑞典各大學的學生參加。依照習慣，總是由一位得獎人向學生們演講。學生們決定：由於李政道的年紀同他們非常接近，所以要聽李氏講話，於是硬把他請出來講。他事先沒有得到消息，也拿不定主意該講些甚麼。於是他就想起了一則可愛的中國寓言。他的話是這樣說的：

（四）

安徽十三傑

管仲　李時　莊周　曹操　華佗　包拯　朱熹　朱元璋　戚繼光　李鴻章　段祺瑞　胡適　楊振寧

荷葉枕防多方面時代病症

大蒜功用舉世皆知　五種海產防高血壓

美國承認大蒜醫風濕諸症

·馬騰雲·

營養研究

（馬氏荷葉枕參考資料）用荷葉枕預防時代病是多方面的，故也提出多方面的資料，大蒜和五種海產，都與荷葉枕防病有關，首先介紹大蒜在美國，近三十年來，簡直走上了史無前例的大鴻運。在以前，美國吃大蒜的主要人物，只有中國人，希臘人，法國人，猶太人，墨西哥人和義大利人。但到一九三○年以後，尤其七戰期間，在美國家庭的廚房內，在許多主婦們都已在用大蒜煮菜了。目前一般烹調人士，用大蒜作調味品，極為注意。例如紐約瑞芝客車大飯店的名廚路易士臧特，曾對顧客說：「人生不可須臾或短的要素，除了土地，空地，水和火以外，第五要素就是大蒜了。」

二十五年前，美國全國只能銷四百五十萬磅的大蒜，但一九五八年已銷到六千三百萬磅，還不算成品菜肴中的用量。以往你只能市場上買到生的大蒜，現在你不僅能買到大蒜鹽，大蒜粉，而且還可以買到，大蒜汁，大蒜膏和大蒜絲。在家庭中，美國主婦常用大蒜橄欖，大蒜乳酪，大蒜調味料等接待朋友。此外，搭配於雞尾酒的，還至少有五種，如大蒜肉片，大蒜碎肉，大蒜吐司和大蒜馬鈴薯片等。更有許多主婦，以能做大蒜麵包為獨特的工夫呢？

供給全美國消耗的大蒜，來源相當複雜：由於世界各國產大蒜時間的不同，美國全年進口的大蒜，在元月是阿根廷所產，二月是智利種，三月是墨西哥蒜，四五月是埃及蒜，西西里島供應五月份，而北墨西哥種，加里福尼亞種則在六月底，七八兩月是義大利威尼斯分盛銷的季節，且一直維持到來年的一月，再由阿根廷蒜，埃及蒜是白色蒜，蒜頭大蒜水汁多，西班牙是紫皮蒜，銀白蒜不是義大利種，就是西西里島出品。最受美國國人歡迎的，算是威尼斯蒜，白色均衡質地堅硬，能儲藏一年不壞。

美國加利福尼亞和阿利桑那西州，現亦大量出產大蒜，品質與威尼斯產比美。去年兩州共產了二千二百萬磅大蒜，但到市場上出售的只有百分之五十，脫水大蒜，則售於番茄醬，大蒜醬，調味醬，香腸，鹽漬物，卵製品的公司去了。

大蒜為重要醫療物品，美國科學家們現亦承認此為事實，他們相信大蒜於醫治受寒，傷風，風濕，牙痛，虛弱，咳嗽，虫和過敏症等，確有其功效。目前有六家藥廠製售大蒜藥劑，出品可以治高血壓症，腸蠻症等。並有幾位科學家研究如何消除或利用大蒜的氣味，亦已有相當成就。我們如果對大蒜能擴為運用，有些小病痛「勿藥之喜」自在意料之中。

其次是五種海產食物有防治高血壓的功能，苔菜：生在海濱岩石上，閩、浙、粵產量多，寧波人把它當作重要食物，經常將苔菜晒乾，叫苔條，可以作餅餡或煮湯，味極鮮美，它含有大量的碘質，對血壓高的患者，有防治的功效！紫菜：含有豐富的碘質，金門盛產，對輕度的血壓高患者，有治療功能。對血管硬化，也有預防的效果，是中年人很好的食品，日本人對紫菜、紫菜，認為是預防血壓兼治療瘤症（即甲狀腺腫脹）最為有益的食品，所以每年全國人民所食的數量極大！海帶：市面均普遍，性鹹寒，對於肝火旺盛的高血壓患者清火平肝之效。海參：含有碘質和豐富的蛋白質，對人體極有補益，再年滿半百，體格消瘦者，（肝陽易升的人士）都可作滋補的食品，中年體瘦的，肝腸易生，常吃海參，有鎮肝火滋補之用。

昆布：屬海產食，葉厚而滑，性鹹而寒，味帶苦，是四十歲以上者良好的吃品，昆布與綠豆同燉，作飲料，有養陰平肝之效！

國際酬唱

·張起鈞·

元月間，隨衆赴澳，參加第二十八屆國際東方學者會議。會中，有在美國州立東德克薩斯大學執教之，韓國教授文韋郁先生，文氏精研漢字並擅詩辭，唯不僅美國同事，無從講論，即其韓國友人，亦鮮有能諳漢詩，共享其趣者。今見我中國代表喜極，當持所賦「濠漢國際學會有感」（按：彼等稱澳洲為濠）相示，眞所謂天涯同調，萬國同風也。因約定携歸交本報發表。付梓前，除遍示友好外，並請師範大學國文系戴培之教授為詩一篇，以事酬唱，茲一並刊登於後：

濠漢國際學會有感　韓國東吾文韋郁

風烟萬里總依稀，逆旅人生何事悲，地盡南天來赤道，雲開東亞向背機。往年戰跡尋無處，當世國情混亂時，環海搭山山亦綠，私母阿港夕陽遲。

又

飛機南下大洋浮，冰海雲山眼下無，濠洲遠接天涯角，赤道兩分地盡頭。二八聯會修禊日，一千學士辨論秋，皇天僅闕何處是，回頭故國興難收。

鈞按：「二八聯會」云者，蓋指第二十八屆國際東方學者會議也，「一千學士」云者，蓋參加之各國學者近幾達千人也。氏遣詞用韻，雖與國人稍有不同，然其反覆詠歎感人之深，殊得詩史之旨，況又出自遠居美國之大韓學人乎。値此華夏文化式微之際，益有彌足珍貴者焉。想讀者亦當有同感也。以下再係戴培之教授大作

張起鈞兄出席澳洲國際學會歸來，出示大韓文韋郁教授紀遊詩，書此遣情。

戴培之

鈞天闕不聞，游藝味聖言，微籟鳴塞篠，志道寧狹小。張子南溟行，晤言多強矯，大韓文東吾，志業尤皎皎。懸見道心，壇坫論幼眇，餘事及藝文，清音殊窈窕。函示紀遊詩，感事知多少！物質重當世，見利眸子瞭，道義撥本根，冥冥何時曉？巨浸四垂天，幽憂出青表。至味淡精神，太羹玄酒好。敢以叩帝閽，遣此心悄悄。

相德與相形（五）

·錢一釗·

錢一釗談相

從前的人講忠於君，現在的人則講忠於國家，忠於民族，為衆德之先，衆行之表率，做到了這些，不得昇官，也會發財，善相者，先察其德，後相其形，故德靈而形惡，無妨為君子，形善而行凶難掩為小人，荀子說：相面不如相心，論心不如擇術，此勸人為善也。例如：徐柏園先生下邊有一批「扒錢虎」，即所謂貪官污吏是也，有的因香蕉案被判刑，其實被判刑的不一定是壞人，相反的最壞的一批傢伙，正得意忘形，仍在乘着混水摸魚，所謂摸一個是一個，他們的人生觀也正確，「貨賣識家，既不識貨又有甚麼客氣講呢？」詳細容舉出事實再論。不把貪官污吏講得啞口無言，不算眞實本領。

前考試院長戴季陶，用人以德為本，有時矯枉過正，高等考試規定「痲面不取」戴夫子認為形者，人之材，德者，人之器，材既美，而副之以德，猶如雕琢而成器也，器遇拙工而棄之，是為不材之材，他並認為德在形先，形居德後。

又：郭林宗觀人有九德，一曰容物之德，二曰樂善之德，三曰好施之德，四曰進人之德，五曰保常之德，六曰不忘之德，七曰勤身之德，八曰愛物之德，九曰自謙之德。我國元老譚延闓非常注意這些，他是前清翰林，能參加革命就當時來說，腦子不能算不新。

附詩：幾輩堂堂相貌精，幾人相貌太輕盈，要知說相無他技，先相修持後相形。

顧太清

黛眉小傳

·王幻·

太清被杭人所累，遭受如此不白之冤及橫逆的打擊，於她罵陳雲伯一詩見之。其詩題云。

錢塘陳叟字雲伯者，以仙人自居，著有碧城仙館詞鈔，中多綺語。更為碧城女弟子十餘人代為吹噓。去秋曾託雲林以蓮花筏一卷，墨二錠見贈，予因鄙其為人，避而不受。今見彼寄雲林信中有西林太清題其春明新詠一律，並自和原韻一律。此事殊屬荒唐可笑，不知彼太清，此太清，是一是二，遂用其韻以記其事。詩云：

含沙小技太玲瓏，野鶩安知澡雪鴻。綺語永沉黑暗獄，庸夫空望上清宮。碧城行列休添我，人海從來鄙此公。任爾亂言成一笑，浮雲不礙日光紅。

據冒鶴亭考證：太清曾託女友許雲林索江允莊夫人題其「聽雪小像」，允莊效花蕊宮詞體為八絕報之。允莊乃雲林表姊，而為陳雲伯之子婦，則雲伯託名題詩，無非欽慕太清才名，事雖可哂，情實可恕；太清應看雲林、允莊之面，大可一笑置之。今太清一則曰「鄙其為人」，再則曰「人海從來鄙此公」，謂之為「庸夫」，咒其「永墜黑暗地獄」，且用「含沙」、「浮雲蔽日」等典，大有恨之入骨之勢。孟心史謂雲伯與定庵同里，疑其於當時蜚語，有所關合，故太清惡之如此。

（六）

太清被誣的嫌疑，猶如李清照有再嫁的嫌疑，歐陽修有盜甥的嫌疑一樣，可謂「事出有因」，「查無實據」。這些疑案，雖由仇家誣陷，或好事者附會而起，但附會必有可以附會的根據，否則也附會不起來。如李清照原有張飛卿玉壺之事，又有富於才華的宗女與其夫張汝舟離婚涉訟之事，所以便附會到清照再嫁。又如歐陽修原有江南柳及許多艷詞，又恰有犯奸的甥女牽連及他，所以招出當時許多仇家的攻擊。其他如曹子建的洛神賦，朱淑眞的生查子詞，無不可作如是觀。

太清與定庵戀愛的傳說之所以播騰衆口，也不是完全無因，最大的證據，當然是龔氏「無著詞」中所述的戀愛對象。而且無著詞裏的美人所居則為「玉京」、「霞宮」、「漢殿」、「翠樓」、「瓊戶」；所服御則為「雲裳」、「仙佩」、「雲軿（車旁）」；其人則為董雙成。按雙成隨侍王母左右，在天仙中品級甚高；由是可知定庵的戀人，若非皇室名姬，則為貴家女子。尤其定庵的戀人工文筆，能詞，又可於他詞中看出。洞仙歌：「把花魂細縮，月夢低敲，閒譜得十疊新詞堪記。」又「銀鈎傳來勸箋，愁行，比玉能紅，比簫能脆。」又難忘：「涼月珊珊伴，關心玉性，詞語還難。秋花分少影，秀句寫冰紈。」「知音何苦輕瞞？者瀛存隱秀，懸思華年。」以知音相許，足見兩人於戀愛之外，還有一段文字因緣。

（五）

猛撤財政（一三三）

巨變歷險記！

·胡慶蓉·

我相信讀者還能回想到中國游擊隊剛一到猛撤邊緬邊區的情景；當時整個部隊只剩下一兩金子，實在沒有什麼財政可談。以後雖然有華僑支援，也還是談不到財政。但到了猛撤之後，中國游擊隊就有了財政。

說起來可能是駭人聽聞的，但事實上却非常的自然，並且有經理的根據，那就是稅收。不知者或以為中國游擊隊根本是沒權收稅的。地是人家的地方，稅應該是人家的收，中國游擊隊那裏有權？但丁博士則以為地雖是人家的地方，但原來是中國的，現在也還是中國的，特別地方政府，司署承認他們的地方是中國的。中國游擊隊作為他們的部隊，軍費的籌措自然應由他們負責，而且他們也是樂於負責的。於是將土產這一項稅收劃歸中國游擊隊來收，作為專款使用。

還有，做土產生意的，沒有本地人，都是來自雲南的。他們一個一個的組成一個一個的馬幫，俗稱之曰走番地。地方的生意全在他們手中。他們把大陸上的土產運到東南亞來銷，又把東南亞的土產運出去。馬幫，說起來，好像很簡單，其實並不簡單。究竟多少匹馬才能成帮，地方政府並沒有規定，有少到幾匹的，有多到幾百匹的。一個大的組織，他們的安全由他們自己來負責，他們佩帶的有槍炮子彈，可以單獨作戰，也可以合起來戰。很多中國游擊隊就是馬帮，很多馬帮都變成了游擊隊。當然不加入游擊隊的馬帮還很多。但不管加入與不加入，向游擊隊納稅都是很自然的。

在游擊隊控制的廣大區域是世界上鴉片烟土品質最好的區域，也是世界上鴉片出產數量最大的一個區域。這個區域所謂雲土，是第一的鴉片烟土，過去在大陸，最受人歡迎。現在中共所賴以賺大錢毒化世界者，也還是這個區域的鴉片烟土。其土之所以好，是由於自然環境好，對於罌粟異常的適合。這個區域即有名的大大有名的卡瓦山區。這個區域，原本屬於瀾滄縣，土司石炳麟現在台灣。這個區域的左邊是臘戍丹陽，右邊到湄公河，猛研，猛博在湄公河的左邊。丁博士曾到這裏。現國大代表錢光天土司住卡瓦山區有年。這個區域——做鴉片買賣的，不絕於途，出口的地方就是猛撤下邊的猛汗。收稅以轉論，一轉有四十五兩，裝璜得像一盒餅乾，或者像一塊磚頭。有時候數量以噸計，稅收很可觀。泰國政府緬甸政府都非常垂涎，美援也可觀。但丁博士與地方打成一片的政策，總在力求自足自給，自古以來，凡是靠人的，特別在財政方面，很少有好的結果。由儉入奢易，由奢入儉難，丁博士對於接受美援，感到惶恐。由於接受美援，一切跟着美國人跑，聽美國人擺佈，丁博士尤其焦心……。

中華民國內政部內警台報字第〇三一號
中華民國僑務委員會登記證台僑新字第三二三號
中國郵政台字第一二八二號執照登記為第一類新聞紙

自由報

（第一一一八期）

（半週刊每星期三、六出版）
每份港幣壹角・台幣每份價新台幣二元
督印・黃行喬　社長・李運鵬
社址：香港九龍官塘康寧道117號後座二樓
117 HONG NING RD, 1/F REAR, KWUN TONG, KOWLOON, H.K.
TEL: K-433653
電報掛號：7191
郵箱：官塘郵政信箱9583
承印：景星印刷公司
地址：嘉咸街廿九號地下
台灣區業務管理中心：台北市許昌街廿六號
電話：三八〇〇〇二
台灣區直接訂戶　台灣劃撥戶
第五〇五六號張萬有（自由報會計室）
台灣分社：台北市西寧南路110號二樓
電話：三三〇三四六、台郵劃撥戶九二五二號

本報專論

使人想不通的事

·張起鈞·

有人說：「毛共絕不會出兵攻打台灣的，打台灣勢必要眞刀眞槍付出驚人的代價。它那裏會那麼傻。卻遠不如派一點兵力到東南亞去搗搗亂，倒可能有一大堆收穫；毛共的策略，只是派些匪諜滲透在自由中國的內部，參與制定許多幫倒忙的政策，造成自由中國離心離德，上下癱瘓，到那時再來摘取熟透的果實。」

這種猜測，可說是毛共的如意想法，我們才不相信呢。自由中國人才濟濟，廟堂之上尤其多的是，老謀深算飽經風霜的人物，那裏會容許毛共打這如意算盤。但是等到坐下來仔細想想時，卻也發現有許多，大家都覺得撇忸，除了造成對政府的抱怨外，可說一無（至少甚鮮）好處，可是就偏偏要雷厲風行的推行這種辦法，眞是叫人想不通；難道這裏面眞有「匪諜」？姑且隨手舉幾個例來說吧。

（一）三卡制——誰都知道三卡制是洋人管理工廠中工人的辦法，對于公務員既不適用，又不尊敬，尤其中國的官員，自古就有「作之君作之師」「為民父母」的自尊傳統，而現在，不思如何鼓舞工作精神，卻役之如皂隸，這不是與全體公務員為敵，迫之離心離德嗎？至於公務的效果。公開的秘密，大家打了卡，既然自由行動，下班時再來，準時打卡而已。——這種制度眞是何苦來呢？無怪某監察委員大發雷霆，叱責某有關大員了。

（二）綜合所得稅——這一稅法的複雜，使得大學教授們望之頭痛，而不必提一般老百姓了。許多人都表示，寧願多花上幾個錢的稅，而不要這一複雜的辦法，甚至喻之為擾民的「青苗法」。這一稅制的實效如何呢？卻是只勒索公教人員及奉公守法的商人，至於醫生，歌星……等收入較多的自由職業者，以及跑單幫的可憐小商人。對于作地下生意的不法商人，卻無法管轄，控制，這豈不是一種「除良安暴」的稅制嗎？何況對付的又正是效忠政府，為國家服務的幹部！

（三）人事凍結——台灣是復興基地，正應該人人自奮各有表現，然後才能反攻復國。誠如李運鵬社長當年向將主任建議的「以革命成績建立革命關係」。但是現在各機關卻是人事凍結，大家不分良莠，一律吃飯，這在當年遷台之始，體念播遷之苦，一時權宜之計尚可。而今竟一律凍結，凍了二十年，尤其自退休法施行以來，能幹有辦法的，紛紛退休而去。沒辦法，無出路的則賴着不走，長此以往許多機關卻要變成養老院，還怎麼談的到勵精圖治，反攻復國。

（四）對日經濟合作——一切施政以及作人都要有分寸，即令最好的事，為之太甚，也要過猶不及同蒙其禍。「吃飯」總是天經地義的事吧，吃的太多，不也是要鬧肚子嗎，我們對日本縱本恕道，不計前嫌，但日本人對台灣的特殊背景以及日本對台灣念念不忘的野心，這卻是公開的秘密，因此居今之勢，雖有不得不與日本合作之必要，但是卻須有個分寸，而目前對日本的關係則有超過應有密切的程度，尤其在經濟方面簡直是倒在日本懷裏，日本的各種工商營業，從藥品到電視機……無不利用「中日合作」（？）的名義在台設廠，不僅經濟市場已經蠶是日本的天下，而大衆傳播事業，也遂漸成了日本的俘虜，假如今天日人若一下子收回廣告不登，台灣所有電視台，報紙，包括中央日報，恐怕都要會倒閉。日本縱令是我們「最親密的友邦」，本乎立國之道，也豈可這樣作繭自縛，授人以柄。（參看七月七日本報「沉痛話七七」）

（五）九年國教與職前訓練——實行九年國民教育按正規的作法，是應該先準備好再推行，即令照目前的辦法，爭取時間提前實施，其師資問題的解決，也應該按照李運鵬社長的主張：徵調服兵役的大學畢業生及預官，以及大學畢業的女生，以教學服務代替軍中服役，如此只要徵調三年，則新的師資訓練就緒，一舉而奠定國民教育之基。初辦時的混亂，師資的不理想，不過三年而已，不會影響永久的基礎。但不幸當局不如此之圖，而想出一個「紙上談兵」的計劃「職前訓練」來，而是把大學畢業生施以八週教育學分訓練，即派充正式教師，從此可以奠定基礎，端一輩子的教書飯碗，這簡直是把「邏輯的推想」，（還配不上談推論）當作「問題的解決」，尤其妙在，不論你學問好壞，學校背景，只要受了這八週訓練，便可當教師；反之未受訓，則絕不能當教師，這簡直把這八週訓練看成 Open Sesame 的魔術了麼，試問一個學生從小學到大學受了十六年的正規教育，天天看着老師教自己，卻一竅不通，都不能教書，在學校裏打了十六年滾，都不懂教育；這是什麼世界的道理。——這還是就理論上講，而在事實上，這一龐大的職前訓練班，共分八班，其中除了師範大學外，其他的六個（或七個）分班都是由師範學校（中等學校）改辦的師專，其中自有許多名師，但絕大多數，都是由中學教員改制升上來的。至少其師資水準絕對趕不上台大，政大，輔大，東海……等大學（甚至趕不上建中，北一女）則是公認的事實。現在，卻使許多建中北一女畢業在台大政大等校受了四年名師薰陶後，再回來掐着頸子，（因為不受訓不准作教員）受這些師長教師的訓，試問心何以服。（筆者曾聽到很多台大，輔仁的學生訴苦）或者說，師資雖不理想，但是教材卻是名家統一編纂的；好，那麼為什麼不精編些教材，分發給準教師們的自修，而由各地教育局，和各校長督導閱讀，那不是省多少公帑嗎？為什麼偏要花了許多錢，而買受訓生的怨恨，和浪費教育學者暑期的進修和研究機會呢。

限於篇幅，隨手拈來幾事而已，其他類似之事，觸目尚多，識者當可舉一反三。

為什麼會如此，眞是百思不解，再想起往事，劉斐、吳石……眞是有點不寒而慄。

（完）

昨日與明日

和平愛國不違法

本月七日香港大專學生為保護釣魚台主權事，在維多利亞公園舉行示威運動，竟演成傷人流血情況，殊出意外。

考此次不幸事件之來源，實由於市政局處置乖謬，不識大體。學生們事前申請擬在公園集會示威，而主管單位未予明白答覆，迨集會的前兩天，纔說是不許在公園舉行，應改在政府球場為妥，但學聯會通知業已發出，無從更改了。

市政局不許學生在公園集會示威的理由，認為妨碍大衆游樂，其說殊不可通。學生的行動既係和平有秩序，尚何妨碍游人之可言呢？警察以維持秩序而揮舞警棍毆打和平運動的愛國學生，亦屬失之操切。

香港是講法治的，對於並不違法的青年學生愛國運動，乃發生傷人流血現象，我們不能不深感驚詫，而對主管單位表示譴責！

日本人應該自愛

釣魚台是中國領土，原係無可爭議的事實。美國胡行亂來，把釣魚台列入沖繩島所屬範圍，移交日本，不管這是有意或無意，日本人自己明白，既非原來的所有物，就不應該承受，否則便係接受「贓物」，是犯法行為。

現時全球各地的中國僑民和國內同胞，一致抗議美國的胡亂作風，反對日本侵佔釣魚台，情形激昂，萬衆一心，日本如果沒有乘機侵奪中國領土的野心，祇要聲明對釣魚台問題願與中華民國政府協商處理，則風波立可平息。假使日本見利忘義，居心接受「贓物」，那末，廿餘年前反對日本帝國主義的舊劇必然重演無疑。為禍為福，端在日本人知所自處了。

美國對日本的奢望

戰後美國單獨佔領日本，大力扶植它，今日乃寄望日本在東亞——乃至於全亞洲，担當維護世界和平的中心力量，尼克遜總統讚許日本已成經濟強國，鋼鐵生產力將超越美國了，這話固非空泛之見。

可是，日本有朝一日如不需要託庇於美國的核子傘之下了，情形必告丕變，日本人對中國潛存着輕蔑觀念，對美國卻有仇視心理，廣島、長崎的原子彈仇恨，是不會忘記的。美國今日溺愛日本，不惜將中國領土釣魚台亦慷他人之慨，送與日本，將來必卜失望的！

·何如·

六尺巷的精神

二爺

從前，有兩家人家，互為比鄰，為了界牆不清，糾纏涉訟，多年不決。這兩家的房屋都已古舊，亟須翻造，並且兩家也都亟欲翻造。就為了界牆，案懸不決，都無從着手，難以建設。其中有一家有個同宗在京中為官，身居宰相。鄉下人拿這事沒有辦法，便修書進京，將這事源源本本，寫了出來，請教宰相。

宰相得了這封家書，便題詩一首，付與來人。詩道：

千里修書祇為牆，
讓他三尺又何妨？
萬里長城今猶在，
不見當年秦始皇！

家人得書，頓時大澈大悟，就自原定界址退後三尺，即日開始建設新居，鄰家聞知此事，說：「到底宰相氣度大！」便也自動退讓三尺，也即日開始建設新居。兩所房子都建設起來了，剩在當中的是一條六尺寬的巷，大家就叫這條巷做六尺巷。兩個鄰居，也都相安無事，交往得很親密。

（完）

自由談

歷史重演

二次大戰前夕，英國居於世界領導地位，內閣總理張伯倫對於納粹德國希特勒政府的擴張主義，百般遷就，經常提着一把雨傘，親自到德國去拜訪希特勒，求取妥協，允許他兼併奧地利之外，又攫奪波蘭的但澤市和捷克的蘇台德區，說是這樣纔可以維護世界和平，避免發生大戰。當張伯倫跟希特勒簽訂了慕尼赫協定，回到倫敦之日，英國會議員以及輿論界人士齊聲稱讚，悉譽張氏為「世界和平之神」。

詎料未到一年的工夫，希特勒即掀起大戰，而遭受空襲最慘的，就是這位「世界和平之神」的祖國，倫敦幾乎成為廢垢了！於是，張伯倫祇好淒然去職，鬱鬱以死。當時世人在廣播電台中，聽到張伯倫大罵希特勒，宣告自己下野的言論，誰也對他不發生一點同情的心思，而認為是他與虎謀皮的報應，自作孽，不可逭也！

人類對於成功的歷史，常常牢記在心，引為驕傲，而對於失敗的教訓，卻大都健忘，特別是一般政治人物，這毛病尤其深沉。例如最近美總統尼克遜之拼命向毛共獻殷勤，求妥協，即與張伯倫對納粹德國的作風如出一轍，所持理由亦說是維護世界和平，大有不惜犧牲中華民國以及東南亞各個自由友邦之勢。別人看得很清楚，認定共產主義者的最後目的，是要控制全世界，而以美國為頭號敵人，他卻自信其實力雄厚，但求本國能夠苟安於一時，其他皆非所顧，且自詡為維護了世界和平，殆與沙漠上的鴕鳥無異，把頭部攢進沙堆中，便以為安全了！

自古迄今，人類的一切悲劇，盡係一些愚蠢而又自命為聰明的政治人物釀造起來的。今日美國富強甲於全球，然由二三流的政客主持國政，將來受禍最烈的亦就是美國，不信，大家等着瞧罷，歷史事實是會循環重演的！

馮五先生

麥帥機密文件

成　公

天下事

越戰機密文件的風波正在高潮中，又聽到麥帥機密文件的問題了。事情是美國陸軍軍方想檢閱這一批機密文件，以便獲知當年的事實眞象，而有助於解決今日的問題。

這批文件包括二次大戰期間麥帥在遠東作戰，直至因韓戰而解職，與華府方面往返的函電文件，據估計至少有一萬餘件。一向列為最高機密，這些文件中，都蘊藏着些什麼記載，我們自然無從知道。但有一點，我們可以斷定而無疑的，就是這些秘密一旦公開（或洩露）後，美國政府又將暴露許多難以使人置信的罪惡和愚昧。我們所以這樣說，既不是未卜先知，也不是漫加詛咒，而是根據下面的事實。

在政治舞台，扮演高官厚爵的，按理都應該是豪傑才智之士，但事實上則往往絕大多數是攀緣時會的碌碌之輩。因為碌碌之輩，既乏卓見特行招人忌妒；又能隨俗浮沉，跟着大家一起混；最容易被人擁登高位，例如美國總統一向公認很少第一流人才者。以此而麥帥則是一位憑藉眞才實學，奮鬥出來的傑出人才。他的見解判斷自非躲在白宮裏的庸碌之輩所能企及，甚且也往往不能接受。何況事實又告訴我們，白宮裏潛伏着多少共諜和其同路人。即以舉世皆知的公開事實來論，當年若從麥帥主張揮兵北進，渡過鴨綠江進剿，同時聯合自由中國（麥帥曾力排眾議，親訪台灣晉謁蔣總統）跨海夾擊。以美國武力之強大充實，以蔣總統之號召人心（韓戰戰俘一事可為明證）恐怕大陸早已光復。還那有韓戰的犧牲，更那來越戰的泥淖。但不料，華府方面竟不如此之圖，反而把功高無罪的麥帥免了職。這與十二道金牌的故事，簡直可以後先媲美，所差者只不過少了風波亭一幕而已。（後來麥帥抑鬱而死，與死在風波亭也差不了多少）！！只此一事，便可料定後面不知埋藏了多少鑄成九州的大錯；也不知埋藏了多少血腥的罪行。

現在陸軍人士既然提出此一問題，我們倒很願意它能繼越戰文件而公開。以使詩翁史家多添許多感慨，而使世人有機會更進一層認識美國的本來面目。

立委質詢指國際新聞協會
蠻橫無理威脅我國
藉口于案干涉內政
要求查辦自損國家立場者

（自由報台北消息）立法委員李文齋為國際新聞協會威脅政府釋放匪諜于氏兄弟向行政院提出質詢。他說：當今國際姑息主義萬分囂張之際，毛匪間諜以及親共左派必將乘機對我橫施壓力圖作種種敲詐，我國上下必須認清敵我，堅定立場，精誠團結，安內攘外，決不可一味容忍，遂其奸計陰謀，甚或認賊作父，甘為鷹犬，而為國家民族千古罪人！近閱報載，五月十四日國際新聞協會執行秘書梅葉抵達香港，曾為要求釋放匪諜于氏兄弟一事，與該會中國委員會成員舉行會議，並促我政府迅即釋放于氏兄弟。同月十九日梅葉對合眾國際社記者稱：「中華民國當局已經通知國際新聞協會說：他們考慮釋放去年被菲律賓放逐並且被監禁在台灣的兩名華僑報人」。又稱中國委員會成員亦說：「中華民國考慮釋放于氏兄弟」。渠且堅決反對釋放「附有某些條件」，一再強調「除非他們能夠無條件獲釋，我不會去台灣的」。（五月廿日中國報）嗣我政府當局以于氏兄弟在菲創辦報紙復又沾污、誹謗政府，迄無悔過自新跡象，表示決不提早釋放，（五月廿八日星島日報）該會負責人遂即又以開除中國會籍與發動親共報紙圍剿自由中國相威脅。然我政府為維護國家安全尤其主權，仍不予理會。政府此一決定，不惟證明報載政府當局通知該會考慮釋放匪諜于氏兄弟係屬捏造，且實為賢明睿智之舉。蓋非國英文前驅報曾稱「國際新聞協會是從什麼時候開始有權命令政府及主權國家，應該或不應該做什麼事的？」（新聞天地一一六七期九頁），我國英文中國日報亦稱「國際新聞協會係從何時變為一有主權國家，足與各國政府談判有關該國公民與該國法律？」（五月廿五日該報社論）今該會負責人如此蠻橫無理態度，肆意干涉我國內政，無論無條件或有條件釋放匪諜于氏兄弟，實為嚴重損害政府威信與法律尊嚴，且亦根本有失國格。至于足以鼓勵國人尤其華僑親共賣國，越益增強費正清集團，台獨以及一般姑息分子反動勢力，當更不待言！六月六日該會執委會在大會前夕會「請王惕吾與中國政府接觸詢問如果菲律賓願意接受的話，中國政府是否會准許于氏兄弟回馬尼拉」（七日聯合報），足證我政府當局絕未接受威脅，考慮釋放匪諜于氏兄弟。然九日該會大會決議卻又宣稱「中華民國政府會在最近六週確實表示要釋放于氏兄弟」，並且「聲明倘非總統馬可仕表示願讓于氏兄弟重返菲律賓，中國政府將慎重考慮釋放他們」（六月十日聯合報）。此固自相矛盾，且即使有此自損國家政府立場，更有背反共討毛基本決策之「表示」與「聲明」，依上所述，亦決非出于政府當局，必係有關單位非法接受該會威脅，擅作主張，其經過情形究如何，此應請查明嚴辦者一也。

新聞自由有其限度
不容危害民族生存
共黨迫害記者未見譴責
干涉于案居心令人懷疑

初即傳聞該會中國分會，係支持該會非法干涉中國內政要求，極力主張我政府應即無條件釋放匪諜于氏兄弟，提議七月前予以假釋或特赦者亦係該分會。今該分會負責人分致該會執委會、各國分會及此次大會公開信，自稱「中國分會一再代表于氏兄弟向中華民國政府有所請求」，並稱「假使國際新聞協會排除中國分會，將喪失這一支持」（六月七日聯合報），以及聯合報社論所稱中國分會負責人並于口頭上就要求釋放匪諜于氏兄弟一事，「對我中華民國分會基于國際新聞協會會員立場之一切努力有所說明」（六月八日該報），已可獲得證明。因中國分會既只知「基于會員立場」，並「代表」匪諜于氏兄弟利益，「支持」該會無理要求，而不知應基于自己國家立場，代表自己政府利益，支持政府當局嚴予拒絕決定，故該會執委會及大會決議，除攻擊我政府「雖曾表示要釋放于氏兄弟，但迄今仍繼續剝奪兩兄弟的自由」外，特一再命中國分會及其負責人，「與中華政府接觸」，」繼續努力以達成立即釋放于氏兄弟為目標」（六月六日、十日聯合報）。是則充分證明中國分會及其負責人，不惟被該會利用為干涉中國內政工具，且已與其勾結同為匪諜亦即毛匪偽組織效勞矣。此應請查明嚴辦者二也。

國際新聞協會對于匪諜于氏兄弟案件，始終採取無理非法蠻橫干涉態度，其目的究何在，尤其注意。除此大會決議引述去年大會對非華兩國政府妄加干涉決議外（六月十日聯合報），該會前任主席克魯特，在菲國審問該案期間，即藉「所謂新聞自由」大放厥詞，濫施攻擊。迨解送來台，更命令口吻要求我政府「應即釋放于氏兄弟，並把他們送到他們希望去的地方」。（同上新聞天地）在我審判于氏兄弟時，該會負責人復由中國分會會長等陪同列席旁聽，事後且竟一方發表聲明，反對我政府寬大處分判決，一方煽惑各國親共報紙肆意辱罵，並誣我軍事法庭為「非法法庭」（五月廿八日星島日報）。此席即不斷以開除中國會籍及再度發動圍剿自由中國相威脅。然所謂新聞自由有其限度，決不能破壞社會安全，尤其危害民族生存與出賣國家主權，何況該會明知于氏兄弟為反叛中華民國之匪諜，竟強逼我政府無條件釋放，誠如五月廿五日台北英文中國日報、卅日香港工商日報社論所言，對于該會目標與立場以及是否從眞正為一專門新聞從業員組織，已引起莫大懷疑。且是時各國報載，在越南戰場有各國反共記者多人被越共所俘並非法拘禁，有者更被毆打殺害，然該會對越共暴行，並無隻字譴責，對毛匪殘殺大批反共記者更從未予以抨擊，而獨對我與菲國依法處置匪諜于氏兄弟，極盡其抨擊、誣蔑、謾罵之能事，其有國際共黨操縱利用，疑，實已無可否認。最近該會再三干涉新加坡政府依法取締外毛匪收買或利用外力量，攻擊新政府，吹捧毛匪思想，甚之煽動暴亂，企圖顛覆政府等「黑色行動」之南洋商報、東方太陽報、先鋒報等事件，亦可為證明。美副總統安格紐會稱美國新聞界已為敵人滲透控制並為敵人利益而作種種偏頗報導及有害國家活動。今美國分會為要求釋放匪諜于氏兄弟不遂，而提議開除中國會籍，其目的顯在顛覆中華民國。關係如此重大，不容忽視。故我政府對該會要求，究將接受抑或仍予不理，此應請查明答復者三也。

敵我必須認清
攘外先要安內
決不容許匪諜潛伏

新加坡政府就該國報界為毛匪宣傳並陰謀顛覆政府發表聲明；指出以香港為據點毛匪情報機構，收買或滲透新加坡報紙，企圖控制及操縱當地傳播工具，造成對毛匪有利政治情勢，且不惟新加坡而已，所有星系報紙也括吉隆坡、濱榔及曼谷等地發行中文報紙，均為毛匪滲透對象（五月十六日中央日報）。尤可注意者，李光耀總理指出「毛匪收買的東方太陽報，原是反共的，而毛匪仍讓其以反共姿態出現」（五月十九日中國時報齊簡專論）。專論）。毛匪對新加坡及其他各地星系報紙如此，對台灣報紙當不例外，並更積極，以往台灣報界不斷發現匪諜案件，可為證明。現各報既已參加國際新聞協會，潛伏顯有毛匪利用嫌疑之報界匪諜勢必借外自重，並圖積極擴張勢力，從此報界問題更複雜而嚴重。其報社且為[illegible]傳總有匪諜或匪諜嫌犯以及在紐約擁護毛匪，反對台灣攻擊，總統之華匪諜等，多至十餘人，並公然再三吹捧費正清出賣中華民國之主張，支持台獨運動與為毛匪宣傳。（此有前述資料「費正清集團中國問題大陰謀」下冊第四部所載有價為）問題自必更多。不知政府是否已加以注意，最後應請答復者四也。

總之，大敵當前，必須認清敵我，欲求攘外，必須安內，決不容許再有張治中、邵力子、劉斐與王芸生等潛伏台灣，暗中執行毛匪所謂從內部腐爛台灣陰毒陣政策，此即為本質詢之主旨所在。

美國人筆下的中國

陳毓賢譯

歷史的訓令

用歷史的眼光看，共產政權是一幅革新和循舊交織成的複雜圖案。有些中國觀察家覺得它只是「天朝」較殘酷的翻版而已，Amanry de Reincourt 說：「灰暗的帽子、劃一的軍服，取代了往日耀眼的朝服、孔雀羽毛、珠寶、綵錦。但內容還是一樣的。」

新一代的士大夫興起闡釋教條，把它印製成紅色塑膠面小冊子，傳播全國普遍背誦；對政黨的支持，對「家長」毛澤東的擁護，取代了對朝廷君主的忠心。毛澤東一方面煽動人民的仇外心理，一方面利用中國人個人主義的缺乏，謀求建立一個中國史無前例的嚴厲政權。他也像歷代的君主一樣，遭受地方的反抗，於是毛澤東的幹部奔走各省監督偵察，正像舊時的樞密大臣和監察官一樣。毛澤東還承襲了清廷另一套法術：避免用當地人材為當地官吏。

（七）

劉半農筆記賽金花

[illegible]朕所厚望云！（據清季外交史料卷一四[illegible]

墜馬中傷

這時我一生最危險的一樁事，現在想來還為之戰慄不已！

有一天下午，我騎着那匹名叫鐵靑的馬三，到王長林家裏去閒玩，——長林同我們還不甚紅，是拜盟兄弟，——玩了多半天，天已深黑，我就派僕人回家去拿燈籠，因為出來的時候原想早些回去，沒有帶着。僕人去了，也不見回來，我等的起了急，[illegible]

[illegible]

不見有個人出來。我的馬是飛也似的跑，怎麼勒也勒不住牠，只好就伏下身子緊緊的抓住了馬鬃，隨牠去跑。等跑到韓家潭，路很狹窄了，我怕把我的腳擦在旁邊牆上，就趕忙丟開馬鬃，這時往上一竄，一下就把我扔下來，跌在一家門首的石階上，立刻便暈了過去。

（廿八）

談寫文章用筆名

·文匯樓主·

在習慣上，中國人的名字最少有三個，從小的時候乳名，然後學名，再後是別號。

從乳名可判斷出家世，比如小三子，小禿子，小狗子等，一定是揚州人，而且是捏腳擦背，或三把刀的哲嗣，（剪刀，剃刀，廚刀。），張得勝，王金標，李得祿，這是一等兵與下級官的名字，阿根，阿毛，阿應，這是上海孩子的乳名。

名字與身份常是配合的，例：國民政府主席林森，林森兩個字使人的意境魏魏然，好像生來就是主席的名字。梅蘭芳，馬連良，金少山等，名字都很響亮，但這是唱戲的名字，如果不相信的話，某部部長梅蘭芳或馬連良，總感到一點不太適合，再求其次，說某縣縣長是小三子，或某縣某局局長是小狗子，那就更不成話了。

以此類推，寫文章的筆名，與上述各點也大同小異，戴傳賢（筆名戴天仇），任卓宣（筆名葉青），周樹人（筆名魯迅），大公報總主筆張季鸞，在未成名前寫文章筆名「張一葦」，早年在商報有篇論文，被陳布雷發覺，後由文字交變成知己，抗戰前大公報全盛時期，總主筆是張季鸞，總經理胡霖（政之）總編輯王芸生，三個人常互相代筆，後來自己也弄不清楚，那篇是別人寫，那篇是自己寫，這話是胡霖和王芸生親口講出，上海申報，新聞報諸如此類情形也很多。

有一位自由報讀者來信謂諸葛文侯與文匯樓主是一個人，此間有一家報紙又謂馬騰雲與文匯樓主是一個人，還有人說馬五先生，馬騰雲，馬二爺三位一體等，這些推測，似是而又非，經查諸葛文侯未與文匯樓主易寫過文章，馬五先生倒替文匯樓主代過幾次筆，文匯樓主與馬二爺，也替馬五先生代過筆，且引起國會軒然大波。有一次文匯樓主替馬騰雲代筆時，自稱「樓主」，露出馬腳，首先發現的是國立政治大學訓導長周世輔，其實哲學家張起鈞也替文匯樓主代過好幾次筆，且學到八成，其餘兩成不是學問，乃人情世故經驗談，起鈞自謂「這不是學的問題了。」

司法行政部機要秘書辛學祥教授，謂讀文匯樓主與馬騰雲文章成了癖，每期非看不可，還有些馬騰雲迷，（簡稱之為「馬迷」），凡馬編的書，很少漏買，包括馬氏藥枕也未例外，這都是從文章裏生了情感的關係，其實樓主與馬騰雲還沒有這麼大的魔力，蒙讀者垂詢幾個人的眞實姓名，特徵求本人意見後再作答覆。

文匯樓劄記

讀書雜鈔（九）

·林傳·

因叩其「此病死得否？」曰：「君壽未盡而祿盡，恐不久來此。」生言：「生平以館穀糊口，無過分之暴殄，祿何以先盡？」吏太息曰：「正爲受人館穀，而誤於訓課，冥司謂無功竊食，屬虛糜，銷除其應得之祿，補所探支，故壽未盡而祿盡也。蓋在師之義名分本尊，利人修脯，誤人子弟，譴責亦最重。有官祿者，減官祿，無官祿者，則減食祿。一錙一銖，計較不爽。世徒見才士通儒，或貧或夭，動言天道之難明。烏知自誤生平，罪多坐此哉！」生[illegible]然而寤，病果不起。臨歿，舉以戒所親。故人得知其事云。」（閱微草堂筆記卷九）

時論曰：古之教者，黨有庠，家有塾。禮遇塾師若賓客，供館舍奉食宿，所謂「豈其館穀之資者」，一如今日公營事業機構之主管實行供給制，一切開支，概出公帳者是也。古來束髮授書，學爲作人，免爲禽獸。爲師者教人修身、齊家、治國、平天下之大道。但學之不純，私心未泯，反致禍國殃民者多矣！蓋其力可以濟人，其權可以害人。曹操、秦檜、嚴嵩彼輩莫不才高八斗，學富五車，而一念之差，私而害公，成爲歷史上千古罪人。故爲師者，如非身教，僅憑言教，鮮能有成。近世學校林立，爲師者教學無理想，徒爲糊口而就業，一般觀念，教育非事業，而成職業，教育失敗，自在意中。台灣省政府明定校長爲公務員，改聘任爲派任，意在使於控制，擴張權力，不料此一雙料資格之賞賜，反驅使眞正讀書人畏縮不前，而少數學術不純者却寅緣廁身士林，成爲害羣之馬。此一單行法令，對彼輩而言，無異是「虎而冠」。但使有志於神聖教育事業者，心灰意冷。貨幣學中有「劣幣驅除良幣出市場」一詞，社會亦有「好人被壞人驅除之事實」。若輩擠入教育界，到處輒扯教育家旗號，濫施名位，以講師副教授等國家名器僱用無聊文人，代撰官場八股，情託刊布，自高其聲價，極盡欺世盜名之能事。復運用小聰明，進取相軋，欺師滅祖亦不復顧。要錢則細大不捐，作官則愈大愈歡顏。彼輩領導教育，焉得不走火入魔？當年塾師悞人，究屬少數，今之學校，動輒數千，且有逾萬者，其主持人應如何以身作則，言行一致，身教言教互相爲用，挽回教育頹風，愼選人事，實爲當務之急。

職官姦僕婦，罪止奪俸，以家庭曖昧，幽眇難明，法律深微，防誣蠋反咬之漸也。然橫加強逼，陰譴實嚴。戴遂堂先生言：「康熙末，有世家子挾汚僕婦，僕氣結成噎膈。時婦已孕，僕臨歿，以手摩其腹曰：『男耶？女耶？能爲我復仇耶？』後生一女，稍長極慧艷，世家子又納爲妾。生一子，文園小渴，俄夭天年，女帷薄不修，竟公庭涉訟，大損家聲。」十許年中，婦縞袂扶棺，女青衫對簿，先生皆目見之，如相距數日耳！豈非怨毒所鍾，生此尤物以報哉！

遂堂先生又言：「有調其僕婦者，婦不答，主人怒曰：『敢再拒，捶汝死。』婦泣告其夫，方沉醉，夫怒曰：『敢失志且刺刃汝胸。』婦憤曰：『從不從皆死，寧先死矣！』竟自縊！官來勘驗，尸無傷，語無證，又死於夫側，無所歸咎，弗能究也。無自是所縊之室，雖天氣清明，亦陰陰如薄霧，夜輒有聲如裂帛，燈前月下，每見黑氣搖漾如人影，跡之則無，如是十餘年，主人歿乃已。未歿以前，晝夜使人環病榻，疑其有所見矣！（上已則均見閱微草堂筆記卷七）

時論曰：天道乘除，不能盡測，善惡之報，有時不應，亦有時巧應。朱柏廬治家格言，有「見色而起淫心，報在『妻女』」句。意存警世，用心良苦。惜乎宦場中人，只相信權力，自以爲權勢在握，人定勝天，無往不利，逞一時快意，其他皆非所顧忌矣。興之所至，往往不計後果。長官利用權勢，汚部屬妻女，曰：「你丟我檢也」。出於脅迫，不敢不從者有之，出於自願甘就上官者有之。甚而爲逢迎上官，投其所好，爲上官營別室，或自願奉獻妻女以爲進身之階，或代長官結婚，膺夫妻之名。

（未完）

夏令時間徒亂人意

·萬大平·

香港之有「夏令時間」，始於戰前之一九四〇年。多年以來，居民對於此一制度，有的認爲一無是處，建議應予廢除，也有人認爲，商店因此可以提早開市，加長營業時間，多做生意，所以非但不加反對，反而主張把原有「標準時間」廢棄，常年使用「夏令時間」。政府重視民意，授意成立一個專門討論此一問題的委員會，多方研究，藉以決定應存應廢。由於一時尚無結論，爲權宜起見，今年則暫時仍援舊例，繼續實施「夏令時間」——規定於四月十八日凌晨三時零一分起至十月十七日凌晨三時止。

「夏令時間」係與「標準時間」對立。世界各地之採用「夏令時間」者不多，香港爲其中之一。要明瞭什麼叫「夏令時間」，必須先把「標準時間」解釋清楚。

世界各地，分處於地球四隅，每一個地方都有自己的「標準時間」，紐約和莫斯科不同，香港和倫敦也不同。各地的標準時間是根據「格林威治時間」推算出來的，而格林威治時間當然也另有來由。

十七世紀時，從歐洲駛往美洲或是繞過非洲到亞洲的船隻，於遠離陸地之後，未到目的地前，在汪洋大海之中，一路航行都不清楚究竟到了那裏，因爲當時尚未發明經緯綫，無從計算，西班牙和荷蘭政府爲此都曾懸出巨額獎金，徵求解決此一問題的方法。

一七五九年，英人約翰夏利遜發明了一隻極準確的時錶，有了這種時計後，與天象圖配合運用，格林威治便有了它自己當地的時間。差不多同時，倫敦開始有一個專人每天或隔日一次到各鐘錶店去訪問報時，他携有一個十分準確的小時鐘，時刻依照格林威治時間，各鐘錶舖主人便從他處知道當地的準確時間以較正自己的時計。

爲了世界各地的時間不同，諸多不便，英國乃於一八八四年特地召開了一個國際會議，討論其事。由於多數輪船使用英國的航海圖，會議結果，格林威治這地方便被定爲經度的零度。

（一）

楊振寧軼事

·易心儀·

「我願意跟你們講一個小故事，是從一部中國小說西遊記上看來的。故事講的是一隻猢猻。這猢猻跟別的猢猻不一樣，是從一塊巖石裏生出來的，因此他非常非常地聰明。他自然自行覺察到這一點——一切事情也就從這裏起首。他變得野心勃勃起來了。首先，他想成爲猴中之王。這件事，他是毫不費力地如願以償了。但沒多久，他就不耐煩再做個猢猻——甚至做猴王也做厭了。現在他想學學人的方式。經過許多許多年學習人的習慣和行爲後，他就能夠跟人類穿同樣的衣服，講話也像人一樣，的確，他甚至能把容貌也顯得跟人一樣。然而他又不滿意了。現在他想學習神仙之道。他去到一座仙山，經過萬千年的以苦學習和辛勤的研究後，他果眞學到了神仙之道。他的確已經能夠取得巨大的魔力。舉例來說，他知道怎樣翻一個觔斗就翻過十萬八千里。因此他決定翻上天，他只翻半個觔斗就到了。他在天上要求作一個天神。天上的玉皇大帝起初想辦法不理睬他，但這隻猴子纏得很緊，於是玉皇大帝只好退讓，給他以天神的職位，還賜他以「齊天大聖」的封號。但這隻猴子漸漸又不滿意了。現在他不但想做個天神，而且要當天堂之王。玉皇大帝無法可想了。他非同這猢猻打仗不可，這場仗結果還是打成了。但這猢猻打敗了全部天兵天將。玉皇大帝走頭無路，只好請如來佛祖救命。如來佛祖果然來了。他對這猴子說誰若想當天堂之王，必須具備一些特殊的資格。如來佛祖伸開了手掌對這猴說，「你若想當天堂之王，你必須能夠跳進我的手掌心——又再跳得出去。」這猢猻瞧着如來佛，見他身高不過數尺。他自言自語道：「我一個觔斗就翻過十萬八千里，只要翻進翻出就能當天堂之王，何等輕易。」於是他縱身一跳，翻進了如來佛的掌心——然後又大翻一個觔斗，設法翻出來。爲了穩當起見，他不斷地翻觔斗。翻呀翻呀，翻了不知幾千萬個，這猢猻覺得有點兒倦起來了。最後，他到達一個地方，那兒有五根淡紅色的粗大柱子。他想，這一定是宇宙的邊界了——柱外標誌着宇宙的盡頭極限。他興奮極了，就在中間那根柱子腳下大書：「天堂之王到此一遊」，而且，滿懷欣喜，興高彩烈，就翻起觔斗往回頭走了。又經過很久，他終於到達他出發的地方，於是他趾高氣昂地要求當天堂之王。那時，如來佛用另外一隻手把猢猻拿了起來，捐着伸開的掌心，叫他看清楚，剛好在中指根上有幾個極細極細的字，正是猴子大筆揮寫的「天堂之王到此一遊」。從此以後，中國文字裏面有句俗話說：「任你怎樣翻觔斗，你也不可能翻出如來佛的掌心」。

「我們在尋求知識的過程中，可能作出迅速的進展。但是我們必須記得：即令我們翻觔斗，翻到了如來佛的手指根上，我們離開絕對眞理，還是遙遠極了。」

物理學家中對政基本粒子物理學將會有怎樣的前程，大家各持許多不同的看法。有些人覺得可能要再過一百年才會有下一個眞正的「突破」到臨。他們將牛頓力學的興起到量子力學的興起，中間經過的時期將近三百年，在這時期裏有各式各樣的數學上和技術上的進展；舉例說，爲形成量子理論所需要的數學，絕大部份直到十九世紀才發明。但別的物理學家們却認爲：物理學的發展在二十世紀裏極大地加快了，這可能縮短兩次「突破」之間的等待時期。今日世上正在工作的物理學家的數目，可能多於自有科學以來到一九〇〇年爲止整個歷史上曾有過的物理學家的總數。自從牛頓的時代以來物理學上兩椿最偉大的概念上的突破是相對論和量子論——其發生的時間相去大約二十年（前者在一九〇五年，後者在一九二〇年代末期）。

（五）

肝臟病使人談虎色變
速用馬氏竹茹枕預防
中國單方能治大病千萬勿忽畧　請注意中藥幾種茶有效是靈方

·馬騰雲·

營養研究

（馬氏竹茹枕參考資料）

馬氏竹茹枕功能清上焦，治熱症、益心臟、涼血液，再以馬氏茶劑飲用，清熱鎮咳，治尿血與口渴煩燥。

神經衰弱和心臟病，毫無疑問是人類普遍的病症。尤其是心臟病更使人談虎變色，因為它能夠在剎那間致人於死，各國的醫學家現在都正以全力研究預防心臟病有效藥劑。

在許多醫生於動脈硬化症和高血壓患者的血液，都發現有一種高級的醇體——膽汁醇，經過長時期的研究，醫生們又發現，如果這種醇體過量存在堆塞於動脈之中，血液流動便受到阻礙。心臟因此要加強壓力，才能將血液推動。我們平常所說的心臟病，多是因為膽汁醇使動脈壅塞而起。而膽汁醇又是最常見於肥膩的食物當中，所以，愛好吃肥的人最易有心臟病。

美國魯新威爾大學醫院研究所的貝司物及鄧勤教授，便試行用另一種辦法來解決膽汁醇殺人的問題，他們認為要撤底消滅心臟病的威脅，與其減少吃進膽汁醇不如去研究一種東西，使得吃下後連本身生產和吃進的膽汁都能中和起來，不易為患。

經過詳細研究膽汁醇系的物質之後，他們在大麥，荳類等食品發現一種白色脂肪性的高級醇——食物固醇，有對抗膽汁醇的能力，他們把這種食物固醇餵給患動脈硬化病的小鴨吃，那小鴨竟然從死神裏被拯救出來，魯新威爾兩名教授，會拿同樣的東西予數名「志願人」服用，每天用餐前，給他們一杯含有食物固醇的飲品，那是很難吃的飲品，每天飲總共幾個安士，經過服用數次後，醫生檢驗這幾名志願人的血液膽汁醇，竟然急速減少，下降了百分之七，更有下降了百分之二十八點八。但有一缺點，就是不給他們吃這杯藥時，膽汁醇的分量又馬上回升了。

筆者針對此一問題，製出三種飲料：一、馬氏車前茶。二、馬氏石斛茶。三、馬氏銀花茶。車前茶的功用，能亢奮分泌神經、利尿、增加水份排泄及祛痰鎮咳。石斛茶為新陳代謝及強壯劑、治陰虛、盜汗、消耗諸病，久服並不傷胃，銀花茶為治關節炎及諸化膿性症患，久服輕身益壽，抵抗百病，人參茶是心臟病的特效藥，尤不可忽畧。

禽獸的戀愛和配偶（一）

·吳傳鈞譯·

所有的飛鳥和走獸，除了少數生理上有缺陷的外，在它們的生命史中總有一段特殊的時期，那就是求愛時期，而且有幾種動物到了那個時期如果不這樣做，便祇有死亡！它們的命運是愛和死，二者必擇其一。所謂求愛時期並不一定和動物本身的青春時期相符合，在鹿羣裏，求偶時期總在落葉的季節，綿羊喜歡在隆冬求愛，白雪和嚴霜構成了烏鴉求愛的場面，在容冬的枯樹林裏常可見到喜鵲們的雙雙倩影。

美國小說家傑克倫頓 Jack London 在野性呼聲一書裏所描寫的那種狼，充分的發揚它的誘惑的本能來勾引對方，正位像妖媚的狐狸一樣，它們比起矜持小心的知更鳥，似乎要露一點，它各別的方法，特殊殊的手段，有的在求愛時故作趾高氣揚，昂頭闊步的樣子，有的卻是卑躬屈膝，為了愛情不惜犧牲自己的身份，有的為取悅對方起見，裝出種種滑稽古怪的動作，醜態百出，無奇不有。在戀愛場中，不論是追求或是被追求的，總是採用各種動物各自的傳統方式，不會有什麼新花樣。大概被追求的動物表現總是靠踞與乖張，遠比起維多利亞初期各種小說中所描寫的女主角的性格的轉變還要來得顯著。

動物談愛的時候是否對於對象也有所選擇呢？關於這一點很難有確切的而肯定的答案。不過在馴養的鳥類和獸類中，似乎也很知道有所取捨。家裏飼養着的母鷄和雌兔便不一定接受給他們物色到的配偶，至於雄的馬、牛、豬之類於配偶的選擇似乎比較能夠遷就些。我們可斷定說，某類動物如人類動物如人類相似，凡是缺乏「性的引誘力」的，雖然身體上沒有缺陷，在生理上一定是不能生產的。

自然界的音樂也是在求愛季節中少不了的點綴。有的鳥在秋風裏締啼，有的在春天的夜晚歌唱，雖然也有唱歌技能很差的，但沒有一隻絕對靜默的鳥。無論在陸上，在水面，當春的季節來到時，充滿野性的呼聲。音樂是情的流露，是戀刺激，是愛的伴侶！獸類既然不能有音樂的表現，在這一點鳥類是最接近人的。

鳥和人的戀愛故事的發展，每一個階段都可說是非常相像的，他們都喜歡裝飾，鳥是靠自然的賜予，人卻用手上的造就，他們卻想用送禮物的方法來打動對方的心坎，來獲得對方的愛說。思想幼稚的鳥，能夠轉送的禮物祇有食物一樣，人們的禮物，却使花樣百出了，沉在愛河裏的男孩子常常把滿盒的巧克力糖或是蜜餞甜果送上女孩子的門去，或是邀她們到樹林裏去，一邊細嚼甜味，一邊喁喁私語。

鳥類的戀愛也有波折的。在競爭的場合中，新數人也免不了口角一番，最後一方自知無望，而退出仍逐鬪，糾紛解決，新家庭便接着成立了，她們對於子女也富有強烈的責任心，懷孕的母鳥終日在她的巢窩裏忙着佈置生產後的小鳥睡床，她的丈夫也忙着——有時雄鳥也幫忙——出外找尋更多的食物來供應小家庭裏將增加的食口。等到雛鳥羽翼長成了，那做父親的，還得領導他們出外試飛見識世面，小鳥們的需求是繁複而無厭的，但牠們的父母總關懷着性子，想盡種種方法滿足牠們，當小鳥們遭遇危險的時候，老鳥便不顧生死地去拯救牠們，父母對於子女的愛，是無微不至的，是不求酬償的，是偉大的，這一點，人類跟鳥類是一般無二。（未完）

黛眉小傳（六）

·王幻·

顧太清

太清之被誣，事態發展，可能與定庵的詩有着密切關聯，也是主要的導火線。其詩云：

空山徙倚倦遊身，
夢見城西閬苑春；
一騎傳箋朱邸曉，
臨風遞與縞衣人。

自注云：「憶宣武門內太平湖之丁香花。」當時貴家婦人居住城西水畔，才名藉藉款口者，止有太清一人。況定庵丁香花詩又明明說他內眷與太清有往還，時人之附會這一段艷史，當然不足為怪了。

這首詩雖收在定庵己亥（道光十九年）雜詩之內，說不定寫於戊戌（道光十八年）太素逝世之時。上文說過，太清與定庵內眷何夫人有贈答之雅，況太清才豔貌美，定庵又是文壇名士，姑不論無著詞所思戀的對象是誰？他們之間，縱非「天才與天才相遇，其和諧如炸藥遇到火燄」，爆發了愛情，但彼此難免發生傾折和仰慕之心，說不定鄭氏一直在單戀着太清。只是太清對於丈夫的愛情，既專且篤，唱酬相得；例如丈夫號太素，她即自號太清，丈夫別號幻園居士，她即自號雲槎外史，丈夫全集名明善堂集，她的全集即號天游閣集，丈夫詞集名南谷樵唱，她的詞集即名東海漁歌；伉儷之愛外，又加上文學的同情，其家庭幸福，美滿達於極點。因此，定庵無緣一親芳澤，惟有在作品中，抒寫內心的相思。……今論太素病故，定庵以詩代唁，慰問太清，亦人之常情。

或謂定庵與太清發生戀愛，是因定庵職務上與太清丈夫有聯帶關係。太素曾管宗學，而定庵又曾為宗人府主事，定庵為其僚屬，故得為入幕之賓（考定庵年譜，他擔宗人府主事在道光十五年，那時太素已罷官家居，不在宗人府了）。由於太素與太清愛情過篤，他生前無人敢於揭破，他一死，此事始顯露出來。因而太素於道光十八年七月七日棄世，太清以同年十月二十八日，即奉堂上命，攜子女出邸。定庵以翌年四月三日棄其眷屬僕從，以一車自載，一車載文集百卷，倉皇出都，好像逃難一般，可謂「風起雲湧」，蟬聯而下，一發不可制止了。其雜詩：「罡風力大簸春魂，虎豹沈沈臥九閽；我馬玄黃盼日曛，關河不窘故將軍。」正說明有人危害，京師不能居留，趕路出都，辭而未遇藏留的口氣。況定庵之祖鄭伯公，父闇齋公官京師至定庵已三世，垂及百年，北京好像自己家鄉，感情深厚。其己亥雜詩有：「進退雍容史上難，忽收古淚出長安；百年綦轍低徊遍，忍作空桑三日看」之句。

錢一劍談相

相善與相惡（六）

·錢一劍·

相善

善惡在心而見貌，為心之表也。表端則心正，表欹則心曲，故曰觀其表而知其裏矣。善相者，頭聳而豐，額方而厚，眉疏而秀，眼長而清，耳輪平厚，鼻樑聳直，心膺而寬，背隆而厚，人中分明，口唇端正，氣和而順，聲圓而寬，形正而峻，色明而潔，言語有序，飲食有節，進退有儀，行坐有度，皆人之相，而心之善行矣。前國民政府主席林森，今之中國樞機主教于斌，法學權威張知本，美國聖若望大學薛光前，台灣國立師範大學文學院長沙學浚。　皆屬此一典型

附詩：鷄鳴而起果如何，一念孜孜善有餘，相取外形知內裏，莫將相法藐江湖。

相惡

頭尖額窄，眉重髮焦，耳反舌露，目大唇薄，赤脈貫睛白罩入眼，神如驚，色如垢，準頭尖，地閣削。

附詩：羊目四白皆為惡，耳小唇寬貌亦非，齒鼻偏斜心地窄，準尖額薄性情卑，堪驚蜂眼常懷毒，又說豺聲奸害人，有此形聲須改節，莫教陰禍自來侵。又謂：相惡元來是惡鄰，平生心不契着旻，豺聲蜂目難作伴，不是人傷傷別人。

相名標

耳白過面光凝脂，疏過於眉若有時，腹如抱兒臍納李，學堂豐滿額相宜，目魚光隆驛馬肥，司空平滿神光威，將軍案上生紅紫，骨堅肉實行如飛，睛如漆，耳門寬，壽上豐隆肉不乾，虎觀更加獅子鼻，眉疏清薄秀而彎，四瀆清明及印堂，屋牛望月最為強，日月龍天顏額古，唇薄色黃年少昌。

相寒難

瘦而露骨人多難，火色焦唇事必乖，氣色不常隨語變，陰陽相反面塵埃，形豐上銳筋纏束，顧視精神昏不開，眉毛尾旋並壓眼，懸針破印步如雷，眉口小山根折，食物欲吞須哽噎，不知喉結三兩重，定應肌骨如冰鉞，聲似損鑼云不足，面若塗膏名沐浴，此人重濁露胸臀，南相枯乾形脊局（兩字足窮）。

巨變歷險記！

卡瓦山區（一）（二三四）

·胡慶蓉·

丁博士於回猛撒不久，就又前往卡瓦山區。假如猛撒是中國游擊隊的政治中心——卡瓦山區就是中國游擊隊的經濟中心。

我在上文已經向讀者報告過卡瓦山區是世界上產鴉片烟最好的區域，也是世界上產鴉片烟數量最大最多的區域。

也就是這個道理，中共與緬甸劃分疆界；無論怎樣，他非要這個區域不可。別的他都可以讓，都可以遷就，惟獨卡瓦山區他決不讓決不遷就。這是在中華民國四十年的時候，「中」緬劃界之爭，是緬甸各英文報紙頭條的新聞，並不斷的著有專論為有社論作說明。丁博士始終予以最大的注意。這一切都顯露出來卡瓦山區的重要性。緬甸各報紙都在向政府呼籲無論如何都不應把卡瓦山區劃給中共。他們的理由，並不只是經濟的理由，而且有政治的理由，外交的理由，軍事的理由，特別是軍事的理由。

實在，就整個的緬甸地理來看，緬甸整個的地理，又好有一比，比從何來？比一個人，緬甸這個人的腱在馬來西亞，這個人的腹部在曼德里與仰光之間，單邦是這個人的面部，卡瓦山區是這個人的腦袋。把卡瓦山區讓給中共，不啻自己砍去自己的頭，頭之不存，身將焉附！又就整個的緬甸地理講，卡瓦山區又等於緬甸的門戶，若開戶都給人家了，不啻開門揖盜，又如何自保！又就整個的緬甸來說，卡瓦山區地勢最高，居高臨下，若此地不保，其他的地方也很難保。

丁博士進入卡瓦山區是由瀾滄石土司陪同。由猛撒北行，過猛研，猛博，又一個猛什麼（名字忽然忘記），過河……。猛博，丁博士非常喜愛，有一個圓圓的山，山上的草，像地毯一樣，平滑異常，簡直像個龍座，後面一望無際的山，高聳雲霄的山，直直的像翠屏矗立的山，有如這龍座的靠背，氣勢非常雄壯非常嚴肅非常遼闊。這是要進入卡瓦山區的第一關。從猛博再向前行，大都走在山頂上，從山頂上望卡瓦山區，更令人覺得卡瓦山區之山特別的高。這是丁博士出建水第二次看見這麼高的山，這麼雄壯之山。最靠近卡瓦山區進口的一個山頭，與猛博遙遙相望。丁博士在這山頭上住了兩天兩夜。這是第二關。要進入卡瓦山區，還有個第三關要過。從這山頭下到底就是河。過了河就是卡瓦山區。

這說來是第三關，實際上是第一關。這第一關最不容易進。卡瓦山區自成一個部落，自成一個王國。他擁有世界上最好的鴉片，最多的鴉片烟，可能是富甲全球，但他却捧着金飯碗餓飯。這話說來話長，他的人民不習貿易，一切固步自封，到現在還是姥姥的鞋老樣！到現在還處在原始野蠻狀態。但華人會做貿易，他們賺無數的錢，納稅給我游擊部隊，與地方沒有損失，與游擊隊大有裨益。

中華民國內政部登記證內警台報字第〇三一號
中華民國僑務委員會登記證僑新字第三二三號
中華郵政台字第一二八二號執照登記為第一類新聞紙

自由報

（第一一八二期）

（半週刊每星期三、六出版）
每份港幣貳角・台幣零售價新台幣二元
社長李運鵬・督印黃行奮
社址：香港九龍官塘康寧道117號後座二樓
117 HONG NING RD, 1/F REAR, KWUN TONG, KOWLOON, H.K.
TEL: K-433653
電報掛號：7191
郵箱：官塘郵政信箱9583
承印：景星印刷公司
地址：嘉咸街廿九號地下
台灣區業務管理中心：台北市許昌街廿六號
電話：三八〇〇〇二
台灣區直接訂戶　台灣劃撥戶
第五〇五六號張萬有（自由報會計室）
台灣分社：台北市西寧南路110號二樓
電話：三三〇三四六、台郵劃撥戶九二五二號

本報專論

台灣鐵路與公路一些問題

・郭雨新・

依照公路現行組織，其所掌理之業務，有三大部門：第一是道路運輸之監理業務。第二是旅客運輸業務。第三是道路工程之建設與養護。如果要使公路局步上正軌，除非將此三種同等重要之業務，予以分開，不然即使大刀闊斧整頓，亦是徒勞無功。按本省集監理，運輸及工程於三級機構之公路局，係本省光復以後，為適應當時特殊之環境與需要，所造成之結果。

查台灣光復初期，本省並無公路局之設置，僅在行政長官公署交通處鐵路管理委員會之下，設立汽車處負責運輸任務，至民國卅五年，正式成立公路局，直隸於交通處，接辦原由鐵路兼辦之公路業務，同時代辦監理業務。迨民國卅八年，建設廳所屬之公共工程局撤銷，政府又將建設廳所掌理之公路工程業務，劃歸公路局接管。在本省光復初期人少車寡，公路局尚能勉力負起任務，但近年來公路交通發展至為快速，現在全省公路包括省道、縣道、鄉道及專用公路，總長為一萬五千二百餘公里，平均每一百平方公里有公路四十三公里。而汽車之數量至去年底，已增至六十六萬二千餘輛，則駕駛人亦達一百廿餘萬人，似此情形，試問公路局能負起此三項重大的任務乎？

筆者認為在本省光復初期，公路工程業務原由建設廳掌理，嗣因建設廳所屬之公共工程局撤銷，乃將此業務劃歸公路局掌理，迨公共工程局再度設立後，因本省亟待建設之公共工程甚多，自無暇顧及，按大陸淪陷前，各省設有公路局，但其業務僅負責省道路之修護工作。依台灣今日人口及車輛之快速膨脹，公路建設與維護，是一件重大之任務，以是公路局應專責於公路工程建設與保養，才能配合今後經濟發展之需要。

關於公路運輸，根據公路第四十一條之規定，公路局之運輸業務，自應開放民營，退而求其次，縱使在現階段有不得不由政府經營者，亦應將公路局之運輸業務劃開，而單獨改組為公司組織。企業化經營為現代工商業之主要精神，而公路局之運輸業務，因受公營事業人事與會計制度羈束，無法作急速之推進，而影響有效之企業化經營，最近公路局班車，連續發生車禍，而交相指責。甚至沉痛斥責李局長摧毀制度，用人不妥，迫使具有經驗之員工紛紛求去，以致造成營運不佳，上下人心渙散。即基於未能企業化經營之結果。以是筆者認為應早日將公路運輸業務，單獨組織公司負責營運，未審交通主管當局亦以為然乎？

至於監理業務，亦係由於公路局之業務過於龐大，以致無暇兼顧，而使監理機構弊病叢生。筆者認為要求整飭紀綱，厲行法治，徹底革新政治社會風氣，肅清貪污，應將公路局之監理業務，另設監理局直隸於交通處，以期革除積弊，而收統一事權之效，未審交通主管當局高見如何？

前據新聞報導，台北車站因各次平快車乘客擁擠，旅客為搶座位，常有意外受傷情事。鐵路當局為改善行車安全措施，而加設剪票口，控制剪票時間等等，筆者認為所採取之措施，僅是治標，而非治本之道，因為縮短剪票時間，增加剪票口，旅客勢必自數個入口蜂湧而入，更會造成秩序混亂，試問將如何維持車站之秩序？

近年來，鐵路當局為解決旅客之擁擠，對號快車之車次，不斷之增加，而平快車之車次，則相對減少。事實上平快車所備之旅客，幾為對號快車之雙倍，為長途旅行之舒適，旅客搶座理所當然。因此欲改善行車安全，則增加平快車次，斯是治本之道，未審陳局長亦以為然否？

鐵路火車誤點，幾屬家常便飯，時常發生，大家知道行旅出門，均有任務，如屬商人，大都是約定時間，洽談生意，如遇班車誤點，不獨精神備受折磨，更使其在業務上蒙受損失，此種情形，則第三者亦是意想之中，深望鐵路當局能注意及之。

按鐵路火車誤點，在本省鐵路局所發生者，大部份係人為所致，依新聞報導，本年三月廿三日下午四點三十分，由台北南下第二〇〇三次光華號對號快車，行駛至桃園時，發生機件故障，於是停在內壢站檢修，經檢查結果，是因電控制接觸不良，而引起障礙，似此情形，自不能歸咎於不可抗力。因此有一旅客具狀自台北地方法院控告鐵路局，要求賠償精神上之損失，而所要求賠償之數目，雖僅為新台幣一元，但由此訴訟後，未審鐵路當局之感想如何？

依民法第六百五十四條之規定，旅客運送人對旅客運送所受之傷害及運送之遲延，應負責任。但在以往旅客遇到班車誤點，除私下抱怨外，並無人追究法律責任。現在居然有講究「法」之人，提起訴訟，意義至為重大。本席認為旅客運送，乃是法律上之契約行為，鐵路局自有責任，有義務履行契約。未審陳局長於此事發生後，是否能加強對車輛之保養及檢修，以及提高守時之觀念。

鐵路局觀光號之服務小姐，曾被譽為「服務最佳與態度良好」，幾可媲美各航空公司之空中小姐。而曾幾何時，已經完全改變，昔日之和藹態度，如今成為艷娘面容，對旅客之詢問，愛理不理，甚至有對旅客發生不禮貌事件。鐵路當局何以不能隨時注意，而置之不聞不問，其故安在？

關於對號車票之發售，經鐵路局一再添置車輛，並表示購票擁擠情況，已獲改善，然而多年來，對號車票之發售，始終未獲得具體改善。甚至有人指摘鐵路局僅對號車每日即可儎運旅客達萬餘人，孰料旅客仍然難以購得車票，試問車票落於誰手乎？據聞目前車票黃牛非常活躍，未審黃牛何以能順利購得車票轉售圖利？似乎內情並不簡單。又據旅客表示，今日鐵路警察確有注意取締黃牛，但黃牛非常狡猾，於套購車票後，在車站以外兜售，使鐵路警察無法取締，請問鐵路當局將如何採取有效之辦法，以資防止。

至於隨車餐點之供應問題，前因餐旅服務所在車上供銷之餐點價格高於一般市價，迭經省議會組織專案小組調查後，提供改進意見，送請政府改善，然而言之諄諄，聽者藐藐，迄無改善之跡象。曾聞旅客大發牢騷；以其未留意廣播。而失購買便當之機會，於是思購麵包以充飢，隨車服務小姐又復置之不理，不得已忍痛至餐車吃一客昂貴之午餐，而一客非常簡便之快餐，僅足以充飢，售價即達卅五元，似此情形，試問其不受旅客埋怨乎？

筆者認為目前觀光事業，日趨發達，交通頻繁，鐵路服務之有待改善者，已刻不容緩。相信鐵路當局能有決心，有遠見與魄力，而澈底改善。未審陳局長亦以為然乎？

（完）

昨日與明日

失態的外交詞令

最近在報紙上看到中華民國兩個駐外使節的言談，殊屬失態！

駐美大使沈劍虹以美國有些國會議員主張承認毛共政權，認為「深感痛苦」，希望尼克遜總統再作一次正式聲明云云。一片哀求乞憐的心情，恍若申包胥哭秦庭，令人不忍卒睹，此粵語所謂「發仔」態度，實在要不得！

我早就說過，美國的對華外交作風——亦包括其他接受美援的弱小國家——是要咱們只聽他的，沙文主義十分堅強，我慢自尊，牢不可破。咱們的外交使節為着與論美國一般政客的幾步，引起輿論的同情，儘可申述過去的歷史教訓，藉資警惕。

如二次大戰前夕英國張伯倫政府之拚命對希特勒姑息妥協，自詡為維護世界和平，而結果英國受禍最烈；如戰後美英對史太林之侵吞捷克行為，恣意姑息妥協，而捷克貝奈斯的親西方民主政府乃告消滅，貽患至今未已。說這些話，不管有無效用，總比哀求乞憐的詞色，來得大方些，也不致喪失一國使節的身份吧？

駐澳洲大使沈琦以該國工黨首領竭力主張承認毛共政權，亦曾發表談話，謂澳洲若承認毛共政權，「將是一大悲劇」，這亦是不着邊際的空泛常談，說了等於沒有說，對該國朝野人士不會發生絲毫影響，那又何必說呢？

假如我是沈大使，一定說貴國如果為着眼前小麥的些許利益，而以國家的生存前途作孤注之一擲，不特代價太小，且將釀成自由人類的大悲劇，未免得不償失，將貽後悔莫及之憂。如是云云，既不會引起友邦人士的不快，亦不失中華民國外交官的風度。

外交官的禮貌是做了再說，甚至於做了亦不說。若夫交際應酬場合的言談，總以不亢不卑，適宜為上策，像駐美大使沈先生的談吐，除卻丟人失格外，還有甚末呢？

外交官的人選問題

現階段的外交官人選，我認為美國大使並不重要，因為它不會聽取我們的意見，但求能在該國社交活動，而又不丟人失格就行了。倒是對日外交，應該特別注意，不能馬虎。從二次大戰結束到現在，我們派駐日本的使節，可說是很少適才適任者。

日本目前是要託庇於美國的核子傘，一切唯美國的馬首是瞻，一旦自衛力量充實了，情形必然兩樣，我們應該從遠處着想，物色幹濟之才，出使日本，未雨綢繆，確屬必要。

・何如・

自由談

自作聰明

過去筆者曾指出美國對於越戰的方法，有如賭博然，身懷鉅款進入賭場，却不敢相機一博勝負，每次只是掏出少數的金錢，兢兢業業的投注，輸了又再掏，循環不已。結果是懷中鉅款慢慢地「陰乾」了，而始終不曾嘗試過孤注之一擲，未免輸得太冤枉。現在尼克遜政府但求越共把美軍俘虜釋放，即願意全軍退出越南，這又等於賭客把身上藏金輸光了，祇要求分得一些兒頭錢走路完事，不亦可憐亦復可哂乎？

根據紐約時報刊佈的五角大廈機密文件，白宮當局對越戰作答是應付的原因，是估計越共在美空軍轟炸之下，必難持久作戰。所以，當時雖有人建議空襲河內的水壩水塌，摧毀其糧食生產力，而詹森總統拒不採納，亦不願大舉增兵，而靜待越共告饒乞和。戰爭的目的是要取得勝利，昔在制敵機先，速戰速決，然美國却以不求勝為原則，過去對韓戰如此，於今對越戰亦復如此，其故安在呢？

我認為美國的不求勝政策，是自作聰明，想像和幻想力太過豐富了。在韓戰時，認為如果把毛共打垮了，相信蘇俄必不干休，振身介入，豈非觸發全面大戰嗎？在越戰時，認為摧毀了越共的實力，毛共必不坐視，而美軍即須跟七億人口的毛共作戰，最後可能使俄毛共棄嫌修好，協力對付「美帝」，如何得了呢？實則韓戰發生時，蘇俄尚無原子武器，決不敢對美作戰，試看史太林聞聽美總統杜魯門說要使用原子彈的聲明，馬上提議停戰言和的經過情形，即可證明了。至於毛共由於文化大革命的內部動亂不歇，更無對外作戰的能力，而其西南邊境的交通運輸，尤其不足以參預越戰也。

美國人滿懷優越感，却缺乏自信心，遇事神經過敏，想入非非，既不相信別人的情報，又不屑聽取別人的意見。憑着這樣的本能，欲求以冷戰的鬥智方式，制勝共產集團，可能嗎？

馬五先生

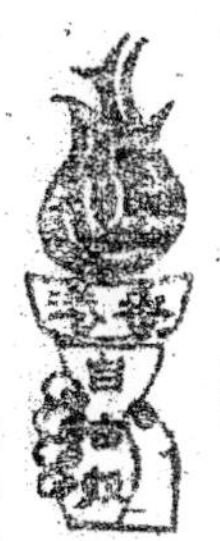

天下事

西崽的咀臉

老正卯

本月一日聯合報副刊上載有林某「留學美國，當然」的一篇文章，全文大意是美國樣樣都好，自由中國無一是處，十足表現出一副醜陋的西崽（山頭）相。須知世界上任何一個國家，都沒有十全十美的；任何國家都有使人景仰的一面，也有使人惋惜的一面，這是一種常識，缺乏這種常識的人，最好多念幾年書再舞文弄墨。

林文說：「對青年人留學……反對的人多數不曾到過外國，贊成的人幾乎都留學過」。這真是信口開河，至少留學生的家長都是贊成留學的，我不相信他們「都留過學」。

林文又說：「我願意支持那些來美學中文的人，美國圖書館中文藏書豐富極了，許多所謂珍本，台灣根本見不到」。我不明白，這些台灣見不到的珍本，是那些「珍本」呢？林某怎知台灣見不到呢？要為了看看「珍本」就遠涉重洋呆上幾年，豈不是種浪費嗎？為什麼不用圖書資料交流的方式，得到所需的珍本的軟片呢？何況我們的中央圖書館也是「藏書豐富極了」，似是有很多珍本，是在外國看不見的。我是贊成出國留學的，但我反對留學生到外國的目的是「打工」，也討厭去了幾天外國的留學生亂號國內人。

林文再說：「這兒有第一流的中文教授……台灣也有第一流的中文教授」，但他認為台灣的第一流教授是「陳腐的，危險的，貧血的」！這簡直是胡說八道了。林某何所據而云然？難道他聽過所有「台灣第一流的中文教授」的課嗎？或是看過台灣第一流中文教授所有的著作嗎？

林文怪論倘多，無暇一一列舉。在這裏遙遠的祝福他不要吃「熱狗」吃的「熱昏了頭」！

北市局長議員訟案

橫生枝節複雜微妙

以檢舉書質詢引起大風波

市議員內部也有不同意見

（自由報台北消息）台北市「府會交惡」因彭德夫婦控告張同生等誹謗而進入新階段，掀起另一高潮，實非台北市選民之福。

北台市政府社會局長彭德和他的太太彭張志聯控告台北市議會議員張同生及該會公共關係室主任甘立德一案，經台北地方法院受理由推事張捷科承辦，在六月廿七日開庭前夕及開庭審理之當天，首先獲得台北兩家民營報的支持；聯合報社論贊成依法求辦是非，中國時報社論談台北市社會局長控告議員案。同時，台灣省議員們則表示關切台北市議員張同生被控，並建議上級予以協調。前者代表民間與論，後者代表台灣省民的心聲。因而彭德及張同生等同時成為新聞人物，倘政治宣傳而言，誠如所云，塞翁失馬，焉知非福？

民意代表被控誹謗，在台灣已不成為「重要新聞」，但過去與論界都同情省縣市議員，惟此次則屬「例外」。彭德在就市社會局長前，曾任執政黨台北市黨部主任委員，按理說，他和市議會及執政黨方面的關係應該很好，那末，他為什麼要控告張同生呢？這是很複雜很微妙的問題，說來話長，因此，記者祇好長話短說。

今年五月二十日，台北市議會第一屆第三次大會的議程正進行社會部門質詢，市議員張同生根據市民具名的檢舉書，質詢社會局長彭德在辦理市立綜合救濟院工程時，向承包商人索取回扣；彭德的太太彭張志聯與隸屬於社會局的婦聯所主任林蔣來春係結拜姐妹，有勾結販賣婦職所婦女重操神女之嫌。

此一市民具名的檢舉書，係寄給另一市議員潘天祿的，其內容全屬虛構，且查無此人，目的在攻擊市府以圖洩憤。檢舉書經潘天祿查詢過，社會局，沒有檢舉書具名的人，故僅作試探性的詢問。在此時

正當府會交惡達於顛峯，市議會要高玉樹到會報告陽明山補助款五千萬元事壓請不到多數議員們都在忿怒揮拳，府會關係達於低潮，張同生青年有為可惜經驗不夠，竟以英雄姿態向彭德提出質詢；由於彭德平時為人不夠圓滑，尤其公共關係作得很差勁，第二天報載新聞比張同生議員質詢內容為多，（也有幾家報紙和電視未刊載此一新聞），當時，彭德夫婦閱報立即表明態度，決定向法院提出告訴。市議會的反應也很強烈，唯有市議員舒子寬說了一句：彭局長要告的話，應先控告各報。因此又發生採訪市議會新聞的記者們對舒子寬頗不諒解，及議員間失和的內幕新聞。六月十五日，輪到舒子寬議員質詢高市長時，全體記者退席拒絕採訪。這是題外話，暫且不表。

彭德夫婦自訴張同生甘立德一案，台北地方法院於六月廿七日開庭審理，原被告除甘立德到庭，應訊外，餘均未到庭，但原告律師蔣祖慰及被告律師王善祥、孫性初均準時出庭。由於原告律師蔣祖慰向庭長提出庭外和解的請求，經庭長徵求對造律師意見後，乃飭令庭外和解。

雙方雖已和解

前途並不樂觀

傳檢察官着手偵查

自從本案進入司法程序後，即有和事佬主張「和為貴」出面調解。原告彭德同意有條件的和解，要張同生議員公開道歉；但市議會若干議員則表示反對有條件的和解，故成立「支援張同生議員後援會」以壯其聲勢，作精神上鼓勵。

這次是國民黨台北市黨部主委陳水逢、書記長馬鎮芳等出面作調人，在開庭的那天，原告彭德夫婦及被告張同生被邀在市黨部進行調解，雙方基於「同志愛」而讓步達成協議，並在協議書上簽字，於是和解成立。

至於和解內容計有：彭德有無收取紅包？彭張志聯有無販賣人口？此事由市黨部負責調查，在三星期內將調查內容公諸社會。如無事實，張同生應向彭德夫婦道歉。如有事實，即向法院檢舉，彭德夫婦應受法律制裁。台北市議會之專案調查小組，須自即日起停止調查活動。詎料此一和解內容外洩後，市議會及張同生議員選區之一的大安區若干里長均反對公開道歉，他們的理由是：議員在議會質詢對外不負責，為憲法所保障。相反的，益證張議員的質詢內容是有問題的。

根據目前的情勢發展，此一誹謗案之和解，前途並不樂觀，因為彭德涉嫌紅包案及其太太販賣人口案，經報紙刊載張同生議員質詢內容後，已引起法院的注意，盛傳台北地院檢察官已着手偵查云。

此外，由誹謗案所引起的另一案是：台北市議會第十六次臨時會於七月一日通過杭榮剛議員等廿五人的動議，決定把舒子寬議員在報端刊登啓事一節，交市議會紀律委員會處理。這真是「樹上開花」外加一案。

緣舒子寬刊登啓事說明：彭德夫婦自訴張同生等誹謗，謂舒子寬可作證。但彭德夫婦事先並未告知更未徵得她的同意，此種行為「有欠忠厚」。市議會因舒子寬為彭德夫婦作證，乃於六月廿四日以十七票通過：舒子寬應迴避「市立綜合救濟院專案調查小組」召集人之提案，此一提案之決議與台北市議會規則第七十一條之規定不合，顯然意氣用事。該提案之決議認舒子寬「曲解法令，與事實不符」，應交紀律委員會處理。若就法理而言，舒子寬的啓事是有理由的。

美國人筆下的中國

陳毓賢譯

最有意思的是他們仍然相信理論可以改變事實。孔子相信人心能動天地，（編者按：這是漢儒的觀念，與孔子無關），毛澤東似乎也有此信念，他以為只要有堅強的的意志，「大躍進」便可實現，後園便能鍊鋼，革命便能穩固。那古老的數字遊戲殘留在口號中，信手拈個例子：「三反！」（反貪污，反浪費，反官僚氣）。對名稱的迷信恰巧符合共產黨永無止息的指名謾罵，曾幾何時，北京的東交民巷改成了反帝國主義鬥爭街。

共產黨員把「人民公敵」拖到街上遊行，愛面子的中國人便羞慚至於自殺，另一方面，反對毛澤東的人正「等待這瘋狂的十字軍自生自滅，然後將利用他的教義把斷片重新整理，重把中共推回軌道。」哈佛大學的 Faiabank 教授在新共和國週刊（如此寫：）用句老話說：他們要給那老頭子留點面子。」

（八）

李學燈任大法官後

前領退休金未繳還

立委提出質詢指為違法

（自由報台北消息）立法委員吳延環為司法院大法官違法考試院銓叙部縱容監察院審計部失職向行政院提出質詢云：司法院大法官李學燈，前曾任台灣省高等法院院長，於五十一年十月退休，已依公務人員退休法第六條之規定，領得一次退休金。五十六年該員經總統提名，監察院同意，出任大法官。依公務人員退休法第十三條之規定：「依本法退休者，如再任公務人員，其曾領一次退休金者，應將所領一次退休金繳回國庫。」同法施行細則第三十二條之規定：「凡再任公庫支給俸薪之職務者，均應將其所領一次退休金繳還公庫。」但迄今四年，該員尚未依法將所領一次退休金繳還。此司法院大法官違法者一。

依銓叙部組織法第六條之規定：「關於公務員退休、撫卹及年金之審查事項」，應由該部掌理。李員如此違法，任其四年，未聞該部依法追繳，此考試院銓叙部失職者二。

依審計法第二條之規定，審計職權有「稽察財政上之不法或不忠於職務之行為」之規定，茲五十七、八、九各年度總決算早經審計部送本院審議，對於前述違法失職行為，既未聞依審計法第十五條之規定，呈請監察院懲戒，亦未向本院報告，此監察院審計部縱者者三。

依憲法之規定：司法、考試、監察三院不對本院負責；本席固無權過問。但貴院職司國庫收支，且依預算法之規定：中央政府總預算案統由貴院編擬。茲李員既不依法退回一次退休金，貴院何以充耳不聞？縱令實無他法追回全部退休金，至少亦應於編擬中央政府總預算時，由其應得大法官俸給項下，逐年扣除。

計程車驀然加價

平凡

台北的計程車於本年七月一日起加價，加多少錢，和怎樣加法，報紙已有報導，不贅。

有一件大事，計程車於加價前好像未作絲毫準備，即每輛計程車計程表未改裝，因而引起不少糾紛，據說全面更換，須在三個月內才能完成，計程車計劃加價喊了一兩年了，一兩年的時間不能算短，為甚麼連計程表都未改裝就驀然加價？這和討飯的人未帶碗有甚麼兩樣？

國際間重要據點台北，發生這樣沒頭沒腦的事，會被觀光客笑掉大牙，真乃怪事年年有，沒有今年多。

新聞網外之言

劉半農記賽金花

後來聽他們說，那輛騾車緊跟着就要到了，幸而被人截住，不然就把我軋了！亂了這麼半天，人們纔聽見，跑出來進前一看，說：「呀！了不得，這不是賽二爺麼，快快扶起來！」那時血已從傷處淌下，染了一身。我還記得，那天穿得一身很漂亮的衣服；裏面是雪青洋縐的庫緞大襖，外面套四鑲的巴圖魯坎肩，腰間束一條銀白色綉花巾子，一隻新快靴。待一會兒，我家裏得了訊，都忙着跑來，用布把我的傷口裹好，抬回家去。

京裏的一班摯交們，得着訊都來看視，有的便荐大夫，瓦德西也派來了一個軍醫。這時候我頭上還梳着大辮子。大夫把我頭髮分開，剪下一束，用藥水洗了洗傷口，敷上些白藥粉，外面用藥布裹住，據他說：「離後腦僅還隔着一層薄膜，若要再破了，腦漿便流出。」這是多麼危險哪！過了幾天，知道的人更多了。各方送來很多的滋養藥品，什麼人參鹿茸等等。我這一摔，倒惹得人家化了不少錢。

瓦德西隔幾天就過來看看我，這時，再有兩月他就要回國了。臨走以前，還親自給我拿來的藥，對我說了許多安慰話，相對欷歔良久，才悒悒的各道珍重而別！

我的傷一直轉過年開春，纔完全長好。

班妓服毒已身受禍

自從庚子那年由天津逃難到了北京，就常住下去，這時候，雖然家裏也有幾個姑娘，總算是「住家的派頭，也不隨便接見客，來的人都是些熟朋友，或是經人介紹過的。這樣過了有三四年吧，有一位金四爺，著名的堪輿家，專給宮裏看風水，和我最要好，我也最信服他。一天，他見着我，便說：「二爺，我看着了一所屋，太好了，若要開班子，一準發財；做旁的生意可不行，因它的形勢像個龜。你有意思租沒有？」我聽了他這話，心裏有些活動，就託他替我把房子租下來，這房就在陝西巷，入民國會開賽瓊林大菜館。報捐掛牌以後，事由兒果然很好，每天除去開銷能淨賸一個大元寶。

不幸，這年秋天，我弟弟病死在蘇州，我回家辦理喪事。第二年四月裏纔返京，五月就發生了這件倒霉的事，就是我的一個姑娘服毒死了。有人說：這是有仇人乘我回家時候，背地裏設法破了我那房的風水所致哩！

（廿九）

三角地帶小三傑

劉眞。包遵彭。劉侃如。

・文匯樓主・

文匯樓剳記

鳳台劉眞官拜國立師範大學校長，台灣省教育廳長。定遠包遵彭官拜國立歷史博物館館長，中央圖書館館長。懷遠劉侃如官拜大陸廣播部主任。

鳳台是安徽三等小縣，小到縣衙門打板子，（就是刑求犯人）四城門都聽得到，竟然出了當朝大學士，學台大人（前清的稱呼）不僅全鳳台的人光榮，安徽人皆應當引以為榮才對，不過劉眞未將官做得很好是事實，台灣教育界的壞風氣，起自劉眞廳長任內，也為一般人的看法。這樣說來劉眞百無一是了，不！劉眞不僅能幹，果敢決斷，出招見紅。祇是搞教育算是走錯了路，也是陳辭修先生不會用人使然，樓主對劉眞的才華由衷佩服，但不十分贊成他吃教育飯，如果劉眞競選大台北市長，樓主願趕赴現場作基本助選人。

包遵彭呢？他雖做了國立歷史博物館館長，中央圖書館館長，這叫作政治圈中的迂迴戰，其目的乃在國立××大學校長，或中央×報社長，不幸其太過重事業進度，積勞成疾，竟患肝病去世，乃國家一大損失，眞是「壯志未酬身先死」，以包遵彭的處理事祇求目的不擇手段，應當做一個標準的情報部部長，以包遵彭的活躍與敏感，應當做一任駐美大使或外交部長，足可敵擋一陣乒乓戰，以包遵彭早年爬桔子時莢宇療飢那股毅力勇氣，辦報是很對路的，搞博物館圖書館都形同航海未帶指南針，非常的可惜。樓主抗戰期間輓七十二烈士程良長公子程楠秋聯謂：「康了秀才又弱一個，吾家兄弟落淚千行」亦適於輓包遵彭。

由處理南韓一萬四千五百個證人起家的劉侃如，現任大陸廣播部主任，青年有為，前程似錦，為一般朋友共同看法，十幾年前樓主與他在國外定交，相處很長一個時間，始終嘻嘻哈哈，少談正經，他不像台灣很多單位派出去的工作人員，惟恐人家不知道自己的來頭，恨不得在額角上寫××兩個字。這是劉侃如的最大成功。劉侃如治事的才華，與劉眞相伯仲，劉侃如的活躍不低於包遵彭，劉眞和包遵彭外國文不夠用，劉侃如在這方面佔了很大便宜。有關劉侃如一些童年趣事另文敘述。

有一次王昇（化行）將軍，談到自由報謂：「安徽十三傑」寫的很好，樓主笑答還有小三傑，也算是安徽人才。等而下之的還有賽金花，雖也是安徽人，在階級觀念未廢除前不能列入本文討論，鳳台距定遠九十里，定遠距懷遠九十里，懷遠距鳳台九十里，這一個小三角地區的人，民風非常强悍，極不適合搞政治，總統府資政吳忠信常這樣說，樓主則持相反的看法，認為如果能將「強」變成「柔」，「悍」易為「術」，最適於搞政治的也是這個地區的人，管仲、曹操、包拯、朱元璋、戚繼光、李鴻章、段祺瑞等，在政治上的成就，就是我講這話最好的佐證。

夏令時間徒亂人意

・萬大平・

它的當地時間則被公認為世界的「標準時間」，再從它來計算其他各地的經緯度數和標準時間。

「標準時間」固創始於英國，「夏令時間」亦然。英國施行夏令時間，可分兩個階段。第一個階段始於一九一六年，至今已有五十五年歷史。依照原定的計劃，係於每年四月的每星期日將時鐘撥早十五分鐘。後因此法麻煩，乃改為一次過撥早六十分鐘。

一九三九年，二次世界大戰爆發，英德兩國進入交戰狀態。英國決心長期作戰，一切戰畧物資均在樽節之列，為減少煤斤消耗起見，嚴格實行夏令時間，俾全國人民提早起身，提早辦公，以「節省陽光」之口號，從事節省電力——節省電力亦即節省煤斤，原是一項樽節物資的戰時措施。

香港政治上屬於英國，一切唯倫敦之馬首是瞻，於是亦步亦趨，一九四〇年時，也成立了一個「節省陽光研究委員會」，作出一夏令將時鐘撥早一小時的決定，並且擬訂一一九四〇年商店收市時間」條例。

條例實施前，有人建議規定零售商每晚八時收市，咖啡店十時收市，酒樓餐廳十一時收市。此一建議，當即引起多方面的强烈反對，各業紛紛開會討論，發表意見。

連串的抨擊，使條例內容不得不有所更變，最後一般商店的營業時間限於入晚八時為止，飲食舖、旅店、俱樂部、交通工具、汽油站和僅售汽水糖果香烟的商店例外。將時鐘撥早一小時的香港夏令時間便於此時開始。次年太平洋之戰爆發，不久香港淪陷，「夏令時間」隨之取消。戰後又告恢復，通常是四月開始，十月截止。

實行的方法是事先由政府公佈週知，於四月某一個星期日黎明前開始，將凌晨三時之時鐘撥早為四時。這樣一來，本來於標準時間七點起身的人便須提早一小時起身，並於此日開始，標準時間之七點鐘已為夏令時間八點鐘矣。至於其撥鐘時所以規定為午夜以後三點鐘者，則因「夜生活」慣常於夜半三時截止，故於是時撥鐘改時，藉使社會一切不受影響。

表面上看來，此一辦法似頗不錯，但按諸實際卻為用有限。蓋四月間之香港，標準時間上午七時，天色尚未大明。倘提早一小時把六點當作七點而於此時醒來，則起身穿衣、如廁、進食早點等等，以前本來均可不開電燈的，此時均非扭開不可，於是目的原在利用陽光，節省電力與煤斤，結果卻適得其反，與實行夏令時間之原意大相逕庭。而且每逢轉季之日，新鐘與舊鐘之間，烏龍百出，麻煩叢生，而居民卻徒未由此得到過一點眞正好處。並且時間提早之後，也有人以此類推，把各種活動的時間一律延遲一小時左右，例如晚餐是本來七點鐘吃的，便延遲到八點，不一樣消耗電燈，而且更加浪費了時間。所以大部份市民對此都並不贊成。

達爾文說：在許多年代以前，地球上的日子甚為短暫，每天只有四小時並非廿四小時。晝夜之分，乃係地球自轉之結果；後來地球受太陽和月亮引力的影響，自轉速度，逐漸減低，直到今天為止，它還是以每十六萬年一點六秒的時間在減慢中，但不斷累積，則億兆年之後，一天的時間會長到等於現在一個月或一年也有可能。因此之故，人類自以為聰明絕頂，圖以人工或科學方法來延長白晝，縮短夜晚，或者節省陽光，少開電燈，將永遠是一個空想。我們一天不離開地球，便只能一天廿四小時的這麼過去，撥快一小時或撥慢一小時都沒有什麼大分別。

（完）

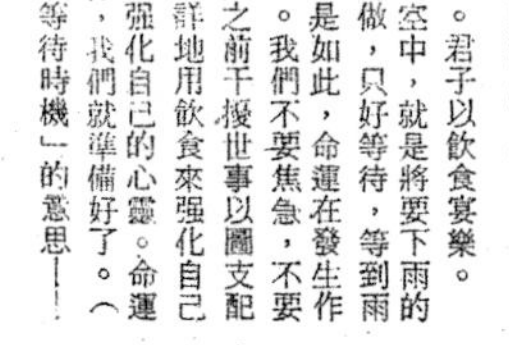

國醫海外創奇蹟

林蘇民治癒絕症

（自由報台北消息）香港名中醫師林蘇民，多年來環遊各國，為中外人士治癒各種奇難絕症，深受英、法、南美皇家及海外人士所敬重，法屬大溪地、南美、巴西等地外文報紙均以顯著地位報導，享譽國際醫壇，為國醫創立奇跡。本年四月間，受美國舊金山僑商趙文英之邀請為其六歲長子趙毅峯治療先天性小兒癱瘓症，華埠無數曾經西醫診斷為奇難絕症之病患，亦紛紛懇求救治，均已分別治癒。如僑商趙文英之六歲長子患先天性小兒癱瘓症，經三週治癒。旅台國大代表李華裕之六歲外孫，經台北中心診所心電測驗及台灣療養院診斷為先天性心臟擴大，雞胸突出，除冒險開刀外，無法醫治，幸於旅居舊金山期間，適逢林醫師應邀在美治病，經一月醫療即完全治癒，雞胸骨恢復平坦。此外，尚有此間滬籍僑商及東華社主席王生昌之夫人久患面部皮膚敏感及背部風濕，均經林醫師一月醫療後不僅治癒，連原有皺紋亦全消除。前上海市政府秘書莫翔友之夫人患肺癌症有年，經一月醫療亦已治癒。林醫師在秘魯時，曾醫癒秘魯天主教教主右手臂所患陰疽毒症，並治好一位老神父臟擴大症，獲「羅馬皇冠十字勳章」一。途經檀香山時，又為中華佛教會會長林華顯夫人治癒心臟擴大症及失眠症。

林醫師籍隸浙江，醫學世家，祖父林克勤係滿清時代慈禧太后之御醫，十二歲即從其祖父習醫，不但醫術湛深，醫德優良；而且待人和藹，對貧病更有善心照顧。林醫師很謙沖的對記者說：「一切患奇難絕症的病人，我都願意盡力診治，使能脫離苦痛，對經濟困難病患，一概免費診療，但對普通病痛，一般中西醫都能治好，我就不想煩心了。」現林醫師已由舊金山經檀香山轉東京，於七月六日乘泛美公司班機首次抵達台北，參觀祖國經濟建設，遊覽台灣風景名勝，並拜會政府首長，訪問醫界同道，預計逗留一週，再轉赴其他八個國家為病家服務。

楊振寧軼事

・易心儀・

楊振寧和李政道時時會猜測這個問題。在面臨這樣子的問題的時候，他們很喜歡向東方人的智慧的最深邃的源泉之一請教——易經。易經最初始的形式大約出現於耶穌降生之前兩千年。從此以後，它處在不斷的發展狀態中，一代又一代的東方哲人智者為它的解釋作出了貢獻。這部書的現有的內容大概絕大部份是孔夫子的工作成果，他在公元前五百年左右作了重大的修訂。易經是由一系列頗為抽象的預言式的文句——有時附隨着一些評論——組成的，這些文句同一整系統的數學符號聯結在一起。

使用這部書的人先想好一個問題，然後拿出三個錢。（若依古老的方式，是用開白花的蓍草的莖五十條。「把一條取出來放開，不再發生任何作用」，其餘的四十九條依儀式中規定的很複雜的方式排列。）在往昔，這三個錢是中國舊式的銅錢，中間有四方洞洞，但在普林斯頓占卜時用的是各種面額的美國錢，而且想出了一套閱看正面和反面的辦法。錢幣的正面是陰，其數值為二，反面是陽，其數值為三。把這三枚錢幣拋在空中跌下來，把朝上的正面或反面的數值相加起來，就會是九、八、或六。這些數值應合書上的符號，把這些符號堆疊排列為六綫形（即是卦），綫有長有短（即是爻，長綫為陽，短綫為陰）。基本的卦共六十四種，這是取得預言的鎖匙。占卦的結果通常是美麗的，偶爾會有驚人的結果。李政道有一次跟我說起：「預言有時候令你的心思往新的方向進發。」一九五九年十一月二十六日，李政道和楊振寧向易經請教：「在今後兩年裏，基本粒子物理學會不會有一次「突破」？」他們得到的答案，有一部份是這樣的：（以下是易經「漸」卦的爻辭的一部份。）

漸。女歸。吉。利貞。

山上有木。漸。君子以居賢德。善俗。

鴻漸於陸。夫征不復。婦孕不育。凶。利禦寇。

鴻漸於陵。婦三歲不孕。終莫之勝。吉。

鴻漸於陸。其羽可用為儀。吉。

一九六一年六月二十一日，A‧派斯教授——出生於荷蘭，是李政道和楊振寧當時在高深學術研究的同學——仔細研究了占卜的方法後，也用易經來卜卦，問的是「究竟存不存在一個包羅萬象的原理，能把電磁的强的、和弱的相互作用統一起來？」他獲得的答覆，有一部分如下：（以下是易經「需」卦的爻辭的一部份。）

需，有孚。光亨，貞吉，利涉大川。

雲上於天，需。君子以飲食宴樂。

註釋：雲升到空中，就是將要下雨的徵候。這時無事可做，只好等待，等到雨落。在一生之中也是如此，命運在發生作用（人只好等待）。我們不要焦急，不要打算在時機未成熟之前干擾世事以圖支配將來。我們應該安詳地用飲食來强化自己的身體，用宴樂來强化自己的心靈。命運到時自會來，這樣，我們就準備好了。（需者，須也，是「等待時機」的意思——譯註。）

（完）

安徽十三傑

管仲　李耼　莊周　曹操
華佗　包拯　朱熹　朱元璋
戚繼光　李鴻章
段祺瑞　胡適　楊振寧

用桑葉枕配維他命E 強腦強心強肝與強腎

中藥四好湯維他命E與枕合用 減低血壓治糖尿血管硬化諸症

·馬騰雲·

（馬氏桑枕參考資料）馬氏桑葉枕裏主要配料有銀花，人參、甘草和神奇的

營養研究

維他命E暗合，對人的腦部與心臟有不可思議的影響。

查維他命E（V—E）在人體內特別集中於腦下垂體，腎上腺，及性腺，這種維他命和V—A，V—D一樣，只有在與脂肪一起攝食而且腸內有膽汁存在時，才能被吸收入血管。（故最好在進食後服用）。此種維他命無毒性，雖每日服一二〇〇MG亦無害徵象出現。

老年人的「壽斑」，可能爲缺之V—E所致。女人月經停止後很容易出現「壽斑」，服V—E可以制止其產生。女人服大量V——E可延長其更年期及回復增加生育。假如你五十歲以後，還想生仔的話，可以多服V—E。

V—E與衰老有關，動物試驗，食物中V—E越少，患病越多，男性則睾丸會萎縮，對性交不發生興趣，女性亦同。V—E可延長青春期及延長壽命。由此可知V—E與正常性荷爾蒙產生有關，女人的胸部平坦，男人的性能力衰弱。皆由於V—E不足。故V—E可以隆胸及增强性慾。你希望你的乳高大一點嗎？請服V—E。V—E能助肝臟解毒，又可治黃疸。

總觀上述V—E之作用可以（一）强心（缺乏之則心肌變性）（二）强腦（擴張腦血管，治療腦血管硬化）（三）强肝，（增强肝臟解毒作用，治黃疸）（四）强腎（增强性賀爾蒙，增生育能力分泌。缺乏之則睾丸萎縮，卵巢萎縮，對性無興趣）（五）强肌（幼兒缺乏之則肌肉不發達），（六）治療血管硬化，減低高血壓，（七）治療糖尿病的腳趾壞疽及潰瘍（糖尿病極易發生血管硬化，由此而血管腔閉塞，血液不流通而產生腳趾壞疽而致腳趾脫落，中醫治此病有四妙安勇湯：當歸二兩，元參三錢，銀花二錢，甘草一兩，頗有效，若能和V—E合用，效當更著）（八）延長青春，延長壽命。（九）還有一件極重要的，V—E可以減肥，這眞是出乎一般人意料之外了。

在中醫之眼光來看V—E是一强心固腎藥，心腎不交及命門火衰者是一絕妙好藥。我希望大家採用。本藥無毒，一天用一二〇〇MG皆無害，一天可服一〇〇〇MG，老年人可增加五至十倍。

禽獸的戀愛和配偶（二）

·吳傳鈞譯

鳥類的愛情和人不同的就是牠們一年一次，沒有過去的錯誤及責任，而且即使一季不止生產一窩，總是在第二窩未出生之前第一窩就獨立謀生了，據吾人觀摩鳥類在一季裏若不因死亡是不換配偶的，而在一夫一妻制度的種類裏配偶不是一年就是終身，終身的較爲普遍而且也較自然些，這是它們的居留性或移棲性的結果，居留的在冬季還是同它以前的伴偶在一起，到了新季節來臨時就自動地繼續愛情的關係，至於移棲的因爲其依戀本土的心切更易增進團圓的熱情反不想更換伴偶了。

經我們精細的觀察，發覺鳥類的求愛方法比獸類都要高妙而進步，一般而論，雄鳥不僅專情而且勇敢審慎，還知道克己自制，有幾種哺乳動物在求愛時不惜卑躬屈節地供養對方，那不過是少數的例外，一條雄狗有的時候偶而讓牝狗來分享他所找到的食物，間或把整個却讓它吃了，這種情形與其說是牡狗謙讓，不如說是它的容忍，一隻公鷄在地面搜索食物的時候，偶而從泥土裏撥掘出一些好的食品，他也可能很慷慨地叫他的太太個來享受這些東西，而他自己却站在一邊。

在實行一妻多夫制的禽獸羣裏，便沒有眞的感情可說，牠們不論丈夫或妻子對於自己的子女也不知道愛護，其中只有鵝是例外，牠們不僅小心撫育後代，而且每一個丈夫都認得出那幾只小鵝是牠自己生的。最有趣的是雄鵝看護小鵝，他的太太們往往不管家務，因此他就請母鷄來做小鵝的保姆，到了晚上，小鵝都同母鷄睡臥，而牠們的父親——雄鵝却站在鷄欄的高處司衛，這種異性鷄鵝合作的家庭生活在各種禽獸類社會中是最特殊的。

大概說來，在野獸羣裏，一切習慣都是「需要」的產物，大多數的食草獸都是實行一夫多妻制，牠們的後代在幼年時都靠母親哺乳，直到小動物能夠自己吃草才休，牠們的父親雖想分任一部分哺養的責任，可是心有餘而力不足，因爲他沒有奶！食肉獸的情形就稍有些不同，在小動物剛誕生後的幾星期自然也靠母親的乳汁過活，那時母體的消很大，需要更多更好的營養來補充，於是做父親的便負起了牠們應該担任的任務，那便是出外找尋肉類以供妻子的食用，狐狸正是很好的例子，牡狐四出覓食，一有所獲便滿載而歸，一切物質享受都與牝狐同分其利，有人說牡狐只會消費不能生產，那是錯誤了。

再談談鳥類吧，聰明的鳥類能交談是非常明顯的，有一次當我觀察一個烏鴉窠的時候，聽到悅耳的細語聲，起先以爲是遠處有侶在訴情，後來才發覺原來是雄鴉陪伴雌鴉在咿唔低唱，寫到這裏我又想起二隻野鴨的戀愛情景，那隻雄的偶而仰起頭俯視他的太太瞬着他們的子女，那隻雌的偶而仰起頭來，脈脈含情地回答了她丈夫親切的注視，正好像一個慈愛的母親推搖着睡籃，催她的孩子入睡眠，轉過頭來看看站在搖籃邊的丈夫，愛情在他們中間交流着！

夫婦間的愛的情景，再沒有比烏鴉接吻的鏡頭更生動的了，這我們不僅在求愛季節裏可以看到，在晚秋，米穀登場，夜鶯高歌，小雀修巢的時候也可看到，那時烏鴉剛換新毛，雛鴉已經成長，生活的安定使牠們感覺精神飽食的迫切需要，雄鳥鴉挨近他的情婦，伸出了那可怕的長喙，而牠呢，使輕啓她的香唇把她情人的長咀交叉地咬，經過一會的時間雙方就分開，正好像情侶們擁抱被人看到似的。（完）

相富貴（七）

·錢一劍·

錢一劍談相

歌訣：自從鑿混沌殼。二氣由來自清濁，孕其清者生聖賢，孕其濁者生愚朴，王昇（化行）生聖人頂，故貴。貴相之來固非一，或自修來或神匿。星辰謫降或精靈，或自神仙假胎息，精神澄徹骨隆清，剛毅汪洋誰可識，巉巖氣宇旋旋生，行若浮雲坐若石，身小聲大隔江聞。前人張之洞今之學人熊式一皆人小聲大。日角龍顏額懸壁，日光爛若曙星懸，鼻梁聳貫天中山，背後接語身不轉，體細面粗情性悍，眉根細絲新月分，獨坐如山腰背積，政學系李根源劉鎮華皆然。不帶芝蘭身自香，上長下短手垂膝，後漢劉備是也。重瞳二肘人難會，龍顏鐘聲面盈尺，糞如平帶尿若珠。據說秀才將軍吳佩孚如此，肩似凝脂目如漆，身如具字面如田，虎驟龍奔自飄逸，孔祥熙是這樣相，顴骨隆平玉枕豐，舌至準頭有長理，相對咫不見耳，正面然如隱指，丹背負皮生麟；天地相朝生骨起，清中藏濁濁中清，足下生毛兼黑痣，龍來吞虎指圓長，肉骨出聳雙耳，九州相繼驛馬豐，邊地隆高無甕否。

又：身細皮膚滑，應知是貴人，坐時神氣穩，須作大功臣。沈之岳是這樣〇兩眼神清爽，雙眉入鬢長，骨清伸聲直，每見坐廟堂，〇坐覺身形重，臨行疾似飛，語聲聞遠處，先着錦衣歸，將伏生將軍是也，〇聲地金玉潤，議論春風生，若也形神秀，留傳萬古名，錢思亮是也，〇古貌淸奇怪，聲沉骨更隆，不爲州刺史，便作國三公。

顧太清

其他則別西山，別翠微山亦年有詩，對於京師，有不勝其繫戀之意。可見定庵之出都，實有迫而然，並非得已。且雜詩有「生還重喜酬金焦」之句，既曰「生還」，可見在京必曾遇大危險，幸而得脫。十月北上迎眷，至任邱縣，遣一僕入都，其子書來，乞稍稍北，乃進次於雄縣，又請，又進，次周安縣。以後再也不敢進一步了，故雜詩有「漸近城南天尺五，迴燈不敢夢觚稜」之句。這時定庵已是年近五十的老人了，厥後暴卒丹陽縣署，有人謂被仇家毒死。至於毒死定庵的仇家是誰？證以前後情事，蛛絲馬跡，亦復隱約可尋。定庵因詩得禍，亦其始料所未及。

（七）

太清出邸後，最初數年，經濟甚感拮据；但爲了尙在幼年的子女，她仍要堅强的活下去。她於戊戌有詩序道：「自先夫子死逝後，意不爲詩。冬窗檢點遺稿，卷中詩多唱和，觸目感懷，結習難忘，遂賦數字，非敢有所怨，聊記予生之不幸也！兼示釗初兩兒。」詩曰：

昏昏天欲雪，團爐坐南榮。
開卷讀遺篇，痛極不成聲。
況此衰病身，淚多眼不明！
仙人自登仙，飄然歸玉京。
有兒性痴頑，有女年尙嬰。
斗粟與尺布，有所不能行。
陋巷數椽屋，何異空谷情！
嗚嗚兒女啼，哀哀搖心旌。
幾欲殉泉下，此身不敢輕。
賤妾豈自惜，爲君教兒成。

從「詩言志」看來，太清對已故的丈夫的情感有多麼深厚，而她未以身殉者，實因「有兒性痴頑，有女年尙嬰」之故。時太清長子載釗不過十二三歲，次子載初及叔文、以文兩女兒更爲年幼了。又庚子生日哭先夫子詩有句云：「覯畫誓能忘俗累，鬻書或可療清貧。」是年七月二十一日南谷寶頂山太素葬處，爲山水沖陷，太清欲爲修理，但苦無錢，故詩序有：「無奈釗初兩兒皆在幼年，而衣食尙不給，況於修葺乎？」詩中有：「開報此言腸寸斷，欲與匠作奈兒貧」之語，可覘其窘境了。

同年冬十月太夫人患病，太清所蒙受的「亡肉奇寃」終於獲得太夫人的諒解；奉召回邸侍奉。她有「庚子十月七日先夫子服闋，因太夫人抱病未果親往，僅遣載釗諧南谷，痛成六絕句」，其三云：「九泉能否念慈親？老病思兒借愴神；雖有諸孫終不及，承歡難慰暮年人。」其四云：「思量到此不勝悲，況是高堂病已危；二載憂心惟有淚，龐姑苦志有誰知。」據詩觀之，太清姑媳間感情似不甚壞。但載鈞是長孫，又襲爵位，儼然爲一家之主，他要和太清爲難，太夫人也難左袒。太夫人逝世後，喪事甫畢，太清又率兒女回到養馬營賃宅中去了。辛丑新年十一日，太清率子女到南谷致祭，載鈞甚至傳諭南谷守兵不許舉火，幸有守靈老僕婦熊嫗看不過去，具菜羹粟飯以進，太清母子始勉得一飽。

黛眉小傳（七）

·王幻·

卡瓦山區（二）（二三五）

巨變歷險記！

·胡慶蓉·

卡瓦山區，對中國游擊來說，對東南亞自由人與反共聯軍，對薩爾溫江聯邦共和國來說，都具有無上的經濟的價值，若是善爲運用，那是了不起的一個財富。在游擊隊到來以前，這是自由買賣方式。這地方上的老百姓——卡瓦非常吃虧。地方上的老百姓非常純厚，也可以說非常愚蠢，一輩子守着自己破落的家，簡陋的家，那裏也不願意去，什麼也不想變，直到現在，男子還多數不穿褲子不穿衣裳，吃生肉，甚至吃臭肉，房內燃着火，也沒有什麼蓄的，靠他們種的鴉片烟，換取日用必需品。於是一般奸商，實則無商不奸，都紛紛的到他們那裏，以物易物，以他們需要的東西，都是最粗陋最便宜的東西，來換取他們最貴的珍品，決不只一本萬利，往往是一本十萬廿萬的利。於是騖者若鶩，如蠅附羶。卡瓦山區的烟向外銷，分向中國大陸，寮，泰，緬，馬來西，新嘉坡，澳門，香港，尤以香港爲最，有用船的，有用飛機的。

在游擊隊到來以後，丁博士就大大的注意到這裏。收稅，他固然贊成，他並主張公賣。這樣，卡瓦山區的老百姓就不會再吃虧了。由猛撤來訂買賣的價值，私人不得自由上下。甚至丁博士主張完全由猛撤收購。這樣，卡瓦山區的老百姓，更得到保障。向外邊推銷，也由猛撤全權辦理。借這個主張未能付諸實施。丁博士主張以稅收的一部改善卡瓦山胞的生活。說來，你或許覺得奇怪，卡瓦山胞種鴉片賣鴉片，但並不吸鴉片，卡瓦山胞的身體不論男女都異常矯健的，他們同台灣山胞有同樣不好的習俗，那就是殺人取人頭祭穀。據丁博士到裏邊的瞭解，就是住在卡瓦山區的外來的人，染上吸食的也絕無僅有。鴉片在卡瓦山區在丁博士看來只是一項地方的土產一項地方的特產，這項土產這項特產並且是當地老百姓交換日用品所必需，不容作其他的想法，只有增產改進貿易之一途。此外，鴉片是近代醫藥最有特效的醫藥，尤其在麻醉劑方面，可以說非它不可。以其效力之强，卡瓦山區的鴉片爲全世界所歡迎。丁博士位在卡瓦山區的時間，隨時感覺到有供不應求的趨勢。在將來，世界上這種需要當更爲增加。

卡瓦山區眞是一個了不起的地方。拿現在的世界眼光看卡瓦山區，未始不可以說是最進步的地方。現在我們在報上看見的暴露照片，總還有一點東西遮住私處。這是說女人。假使是男人的話，現在世界上，恐怕卡瓦最進步，他們的……具赫然……。山好看，山裏的罌粟花更好看。我們在台灣的，當以花傲於世界，又有以牡丹花，梅花，鳳凰花……的，但應該承認沒有比卡瓦山區罌粟花再美的。假如鴉片是世界上最强有力最好的藥品，鴉片的花也應該是世界上最美的花。卡瓦山區的山口夜烟雲瀰漫，他的氣候，配合他的土質，培植出這世界上最美的花……。

中華民國內政部內警台報字第〇三一號
中華民國僑務委員會登記僑台報新字第三二三號
中國郵政台字第一二八二號執照登記爲第一類新聞紙

（第一一八三期）

（半週刊每逢星期三、六出版）
每份港幣壹角・台幣零售價新台幣二元
社長李運鵬・督印黃行裔
社址：香港九龍官塘康寧道117號後座二樓
117 HONG NING RD, 1/F REAR, KWUN TONG, KOWLOON, H.K.
TEL: K-433653
電報掛號：7191
郵箱：官塘郵政信箱9583
承印：景星印刷公司
地址：嘉咸街廿九號地下
台灣區業務管理中心：台北市許昌街廿六號
電話：三八〇〇〇二
台灣區直接訂戶　台灣劃撥戶
第五〇五六號張萬有（自由報會計室）
台灣分社：台北市西寧南路110號二樓
電話：三三〇三四六、台郵劃撥戶九二五二號

本報專論

尼克遜的小政客作風

·李樂·

政客與政治家之區別所在，前者爲目的不擇手段，投機取巧，冥行暗索，但期博得眼前小利，滿足個人的私慾，無所謂政治抱負；後者却不然，他有一定的政治理想和原則，遺大投艱，有所不爲，而置個人利害於度外。準此以觀美總統尼克遜最近對毛共政權的獻媚作風，信乎其爲小政客之流也！

尼氏以告饑乞憐的姿態，罔顧國家榮譽與國際常規，卑以自牧，多方要求親自訪問素無邦交而又以仇視「美帝」爲號召的毛共政權，對方且自高身價，僅由所謂「國務總理」的二流政治人物出面招邀，視同普通旅客，而尼氏乃引爲無上光榮，誇稱是「維護世界和平的重大發展」，寧非可驚而又可哂的今古奇觀嗎？

尼克遜的所得是甚麼？

尼氏由於越戰問題的困擾，左支右拙，不知如何是好，而國內反戰人士與反對黨的攻訐指摘，日益增進，所謂民意測驗機構又發表統計數字，說尼氏的民望已下降到百分之四十三點了。這在渴望下屆競選連任總統的尼氏心目中，誠屬莫大的威脅，要想扭轉頹勢，間執反戰人士與政敵的口實，除却別出心裁，向毛共乞援外，別無有效的方法。

他目擊近若干年來，一般反共非共與所謂不結盟主義國家的政客們，每以親近毛共，訪問北平爲奪取政權的唯一法門，不覺見獵心喜，沿襲故技，藉以解救其「民望下降」的危機。毛共固以此爲乘機分化，顛覆自由世界的策略，且對於自由國家的政客們獻媚行爲，應付各不相同，如日本佐藤政府再三要求派遣自民黨幹部訪問北平，皆遭拒絕，即以現階段的日本執政當局，無法脫離「美帝」羈勒，不若在野的社會黨與公明黨之可資利用也。於今「美帝」居然甘拜下風，當然樂於稍假詞色，只要「美帝」降服，日本暨東南亞各國家，自可傳檄而定。尼克遜賫於私慾，罔顧大體，乃以毛共之允許過訪而沾沾自喜，認爲自己這項破天荒的煞手鐧，使國內的反對派啞口無言，即可穩操來年競選連任總統的勝算，可謂一廂情願的幻覺。殊不知共產黨只是用別人，決不給別人利用的，在尼氏實行折節叩訪之前，如不能仰體毛共意旨，幹些使它認爲稱心愜懷的勾當，例如越戰和談問題，毛共政權進入聯合國問題等等，則尼氏縱然能到北平「朝聖」，亦將失望而歸，甚且招致更壞的後果，亦未可知，試看毛共不由毛酋或僞政權主席董必武出面邀請尼氏，而以周恩來名義行之，其用意可知矣。

其次是尼克遜以爲藉此可使俄毛反目交惡的程度更趨深刻，終且構成火拼，而美國即坐在山門看虎鬥，大可乘機檢取便宜。似此庸俗的國際鬥爭手段，俄毛共寧有不明白之理？他們所爭的只是世界革命的領導地位，基本思想與目的並無二致。唯毛共儘可利用「美帝」對它親媚的影響，使俄共不致過分脅迫，以爭取所謂「反修正主義」的有利機會，然美國却毫無所獲，徒然增加美俄間的猜忌因素，而使所謂裁軍談判以及中東問題益趨困難。如此看來，尼克遜自作多情而認爲「維護世界和平的重大發展」云云，徒見其爲自說自話，並無實際效用可言，充其量祇是暫時平息國內反對叫囂的輿論而已。

尼克遜的所失無可估計

戰後二十年來，美國以自由世界盟主自任，號召各個自由國家一致反共，而於軍經援助之外，且不惜拔刀相助，抵抗共黨侵略。因而一般接受美援的國家，縱或不慊於美國過事頤指氣使，予智自雄的作風，但基於共同的政治理想與利害關係，依然對美國表示信賴，團結奮鬥。於今聽着尼克遜爲德不卒，始亂終棄的行爲，自由世界的團結精神立即爲之解體，如亞太會議的公報原文，本有支持中華民國在聯合國固有地位的語句，由於尼克遜宣播訪問毛共的聲明，臨時予以刪除了。今後這些自由國家就心有被美國出賣可能，勢必各行其是，誰也不再視美國爲盟主了。尼氏暗通毛共的計劃，事前對平日號稱爲親密強大的盟邦如英國亦諱莫如深，今後誰還敢跟美國合作處理國際大事呢？整個自由世界將形成互不相信任的同床異夢者，尼氏所謂「維護世界和平的重大發展」，適成其爲妨礙世界和平的重大發展而已。這種損失，是可估計的嗎？

尼氏說，他這樣的作爲並不會犧牲舊友，亦不是對付某一國家，這是「此地無銀三百両」的廢話。如果沒有出賣舊友中華民國的意思，然則叩訪毛共之行，所爲何來，難道祇是爲着結束越戰這一問題不成！如果沒有利用毛共以抵制俄共的用心，何以事前又未與蘇俄當局有所商詢說明呢？我們相信，白宮的國家的安全事務顧問基辛加，在北平與周恩來秘密商談之中，關於如何犧牲舊友，如何對付某一國家的大體方針，業已互相有所諒解或默契，這纔換得了周酋的請柬，使尼克遜暫時減少國內的反對聲浪，藉觀後效，而美國在國際間的信譽，即從此一落千丈，無可挽回了！美國以財富甲天下，武力冠全球的超級強國，乃讓二三流的政客秉持國鈞，自暴自棄，寖成自由世界的一大瘟神，可見沒有文化基礎與民族精神的暴發戶國家，終歸是要歸於沒落的！

今後的國際局勢

在二次大戰之前，若不是操縱「國際聯盟」的英法各大國，爾詐我虞，不相爲謀，而將「國聯」[illegible]，使納粹德國崛起坐大，世界和平秩序即不致分崩析離；若不是英國張伯倫政府希望「以德制俄」，拼命向希特勒勾搭妥協，而以弱小國家的土地人民作犧牲品，二次大戰即不致迅速爆發，且以英國受禍最烈。於今尼克遜的作風，完全是二次大戰前夕的歷史舊劇重演，他所奢奢其談的「維護世界和平的重大發展」，亦與當年張伯倫被譽爲「和平之神」的情況如出一轍。今後的國際局勢，在美俄兩大強權主義國家激烈猜忌對立之下，所謂自由世界將呈一片混亂之象，各自出路，各奔前程，結果便是促速全面大戰之進度，全球人類陷於一大浩刼而後已。追源禍首，尼克遜今日的小政客行爲，是不能辭其咎的！

（完）

昨日與明日

尼克遜要求訪問毛共

美總統尼克遜於一個月之前，表示願意訪問中國大陸，但毛共方面僅由周恩來輕描淡寫地說了一句歡迎的話，却沒有邀請的措施。

尼克遜急了，乃自動派遣大員秘密前往北平，向毛共提出要求，周恩來才答應在明年五月以前，可讓尼克遜過訪。爲甚末要預約這樣長久的時間呢？那就是要看尼克遜對越戰問題和本屆聯合國大會的中國代表權問題，是否採取妥協政策，迎合毛共的意旨？當然，這些問題尼克遜的代表基辛加與周會有所商洽的，還待尼克遜有事實表現，否則訪問的預約亦可以隨時取消，共產黨決不放過有利的機會，更不隨便「跟美帝」言和。

彼此有所利用

尼克遜受着國內反戰運動的壓力，弄得焦頭爛額，大失民望，而反對黨——民主黨——人士乘機攻擊，企圖阻礙他競選下屆總統連任；同時，尼克遜和其智囊早有以毛共抵制蘇俄的心計；因而不惜低聲下氣，要與毛共拉交情。

毛共要與俄共爭奪共產國家的領導權勢，亦樂得接納美總統的親善要求，藉壯聲勢。將來如果事與願違，毛共亦無所失，因爲這是出於「美帝」之再三懇求，責任是在「美帝」也。

尼克遜自認此行「爲世界永久和平努力的重大發展」，可謂大言不慚。這與二次大戰前英首相張伯倫提着洋傘，再三到德國叩訪希特勒，簽訂慕尼赫協定，出賣弱小國家，而自詡爲維護世界和平的作法，如出一轍。結果世界和平固然維護不了，而英國所遭受納粹政府的軍事攻擊之禍，亦特別酷烈。

一葉知秋

尼克遜既然急於要跟毛共妥協，眼前在巴黎的越戰談判，將有打開僵局之可能。越共所提和平建議，主要是兩點：即釋俘與定期撤兵同時實行成立三方面共同參加的政府是也。這兩點建議，尼克遜除表示明定撤軍期限不同意外，都可接受。於今爲着要對毛共表示「和平」意願，而定期撤軍又可使國內的反戰派不復吵鬧，相信尼克遜不會堅持。至於組織聯合政府，原係美國素所嚮往的事，尼克遜沒有不同意的。

一葉知秋，越南前途又增加了一道暗淡的色彩！

·何如·

自由談

日本人的心理年齡

日本公明黨代表團到北平訪問時，依照毛共的宣傳詞令，簽署所謂「聯合公報」後，團長竹入勝認爲毛共沒有在公報中寫下反對「美帝」和指摘日本軍國主義復活的詞句，頗感幸慰，充分表現着受寵若驚，沾沾自喜的意識形態，却不瞭解這是共黨分化、離間敵人的一貫策略。麥克阿瑟元帥說日本人的心理年齡只是十二歲的程度，一點亦不錯。

日本民族性素來怕強欺弱，缺乏遠見的，不特初出茅廬，在政治上毫無經驗的公明黨人士的心理年齡，幼稚可哂，即一般老政客亦莫不皆然；官僚政客如此，市井商賈並無二致。最近來自東京的消息，有些在台灣投資經營工商企業的日本商人，因爲害怕毛共將來藉此不許他們到共區作生意，乃決定要把投在台灣的資金收回，以明心迹。台灣固不在乎，然日本人的勢利相就夠瞧的了！

我相信百分之九十五以上的日本人，都是不贊成共產主義的，由於他們那種先天的幼稚氣質，捧紅踏黑，見小遺大，認爲美國且改變了態度，對毛共獻媚妥協，不惜低聲下氣，卑以自牧，日本即非跟進不可。若夫一般失意的官僚政客，即乘機以左傾親共姿態，企圖獵取政權，有如紅皮蘿蔔，裏面全是白的。公明黨和社會黨人士無論矣，他如執政黨——自民黨——的藤山愛一郎，三木武夫之流，表面上裝成十分前進的模樣，內心裏除却利用機會作官外，對共產主義是格格不相入的。他們跟美國華爾街的大亨伊頓是難兄難弟，一心以爲投機親共，必卜升官發財，殊不知自己被共黨玩弄於股掌之上，懵然莫名其妙！

心理年齡十二歲的日本人，上帝早給他們塑造了一種固定的本質，無論如何亦見不到一點泱泱大國民的氣度，這才是日本人的悲哀！

·馬五先生·

諷聯

·嘯月·

某名士題何日美聯，諷漢奸汪精衛。

只緣何日成大錯；
從此逢人便低頭。

一位秦姓遊客，到杭州岳武穆墓去憑弔，題一聯曰：

人自宋後羞名檜；
我到墳前愧姓秦。

美國的敗象

成公

一個國家的盛衰存續，不是純靠金錢和武器所能維持的，我們只要細一檢看歷史，幾乎可得一結論，凡是一個民族興起時，都是艱苦，甚至是貧弱的，而亡國時，則都遠比開國時爲富強。羅馬帝國在初創業時，不過縱橫三四十里的貧瘠拉丁彈丸之地而已，亡的時候則是一統天下，富冠古今。眞所謂是「生於憂患，死於安樂」了。

天下事

美國今天雖是富強絕倫，科技發達不僅擁有核子武器，甚且能超越前古，登陸月球。但是，不能老是「舉頭望明月」，等到「低頭思故鄉」看一看國內的人寰社會，那就大不相同了。以美國這樣強大進步的國家，按理說應該是秩序良好，上和下睦了。那知事實上是秩序敗壞，一片混亂。工人罷工，學生鬧學潮，甚至拆毀學校，威脅校長，黑人更是掀起種族糾紛，不是製造暴亂便是發揮離心現象。前幾年每年夏天都有黑人的大暴亂，使得社會駭然，令人談黑色變。隨着黑人服兵役的日漸增多，這種暴亂還帶到軍隊裏來了，上月末，便有黑人焚燒加州的營房，被捕暴亂份子達七十餘人之多，足見其嚴重。最近黑人還普遍掀起非洲認親運動，意識上早已不把美國當作祖國了，尤其這一運動，突然泛濫興起，恐非偶然，不是神經過敏，我們眞就心有人在後而策動，更耽心毛共會利用非洲的黑人祖國來操縱美國黑人的行動，推行其在美國境內與美國作戰。而達到埋葬美國的目的。

黑人還可說是起于種族的糾紛，而白人的子弟，問題更嚴重，一個國家的前途，就要看其青年的氣概，青年就是未來的主人，現在的中堅，而美國的青年固亦不乏努力要強者，但絕大多數，則是沒有天下國家抱負的上焉者追求自己的享樂、幸福，下焉者則頹廢荒淫，流爲嬉痞。奇裝異行，相尙以怪，年青人如此國家前途何望，尤其令人歎惋的，竟在軍中，以及若干青年，爭相吸毒，風氣如此，試問國家還怎能維持，眞是「雖有粟吾安得而食諸」。

記得哲學家張起鈞教授，遠在好多年前會說：「假如天下太平，一切自生自滅，兩百年後，美國恐怕難免腐蝕癱瘓，無疾而終的結局。假如世局再要險惡，一直都有志存「埋葬美國」的不逞之徒，那麼五十年後，我們就眞不敢想像了」，（民國五十五年六月一日新天地，現收於張著「旅美漫話」），由今看來，眞不愧是哲人的遠見了。

員工待遇如不提高「企業化」徒托空言

立委質詢爲公務人員請命 對職位分類與打卡表懷疑

（自由報台北消息）立法委員劉全忠就「工業管理企業化」與「同工同酬」的待遇問題，以及「政府炒地皮，大失民心」等問題，以質詢方式提出來檢討政府的施政。

劉全忠委員是一位財政金融專家，平時很少發言。他質詢說：現任財政部長李國鼎在經濟部長任內提倡「工業管理企業化」，其目的就是要使工作有效率，成本低而成品好，要想達到這個目的，員工待遇一定要高。李部長提倡企業化的目的，只能說達到一半。爲什麼呢？因爲待遇太低，太不合理，員工吃不飽，何能有自動自發的精神，更何能增加效率？效率不佳，成品品質不會好，成本也不會降低。談到「職位分類」，我國的情形正和國外者相背。今天流亡到台灣，公務員所拿的待遇，可以說僅夠維持最低生活而已。

假如一個公務員有幾個孩子，那麼每逢孩子繳學費的時候，爲人父母的心情不是都很痛苦萬分嗎？公務員繳納學費是一個大問題。我國政府機關，其公務有許多並未分層負責，其職位分類與打卡的成效，値得懷疑！

劉委員特別指出：目前各機關裏，寫工作報告寫得愈好者，其工作成績一定愈壞，因爲工作忙碌的人或認眞工作的人，他沒有多餘的時間寫工作報告，就是寫的話也沒有那麼好；工作輕鬆的人，因有充分的時間，當然也就樂得清閑而寫得一篇好報告，如此，無非把一些優秀的公務員整得一場糊塗！公務員的可貴，就是「尊嚴」和榮譽，待遇既不好，又無尊嚴與榮譽，誰還願意做公務員？

例如，海關制度是我國最好的制度，從財政部長李國鼎報告中，得知海關人員的待遇，不但沒有提高，反而還減少幾次。鴉片戰爭以後，英國人赫特給我們設計很好的海關制度，根據中國的養廉制度，再加上英國的文官考試制度，使海關人員成爲終身職的制度。因此，假設今天我們尙無新的更好的制度來代替的話，希望李國鼎部長不要破壞這個原有的良好海關制度。今天的海關人員待遇非但非薄，而且工作量又重，李部長施政報告時提到關稅收入的數目，五十九年度爲新台幣八十八億餘元，退稅爲新台幣五十億元，但李部長保留了所有海關代征的如貨物稅、港工捐等。代征貨物稅額恐怕不止五十億元，據估計，關稅包括代征稅總額的在一百五、六十億元，加五十億元的退稅，所以工作量滿重，而工作人員的數額和業務未能配合，當然就要出問題，而且這種問題的發生，是制度上的而非人爲的因素。如退稅數額在五十億元以上，而退稅項目又七、八千種之多，因此，海關人員的待遇要提高，人員要增加。如海關請一位大學畢業生，其待遇月支二千多元，待遇非薄，何能啓發工作效率？公務員的待遇若不提高，若不同工同酬，則所謂「工業管理企業化」將徒托空言！

征購土地低於地價 不合法律規定 肥料價格應再降低

劉委員說：今天我們的國家是一個法治國家，但政府做起事來，往往忽略法律。比如說，新台幣四十元可換美金一元，這是官價，而老百姓如在市面上購買一元美金或出賣一些美金，就觸犯國家總動員法，應受刑事處罰。

立法院所通過的「都市平均地權條例」等，規定土地照價收買，照價征稅，而現在國有財產局購買土地，完全違法，政府炒地皮，知法犯法，大失民心。如徵用高速公路土地就是一個例子，政府收買老百姓的土地是以低於官價來征購，但國有財產局出賣土地，又高於官價，這不是違背法律而何？這不是政府炒地皮嗎？政府賣給人民土地採用所謂標售，要買的人，先征繳十分之一的標金，如此只有大戶才能得標，造成富者越富，窮者越窮，甚至貧無立錐之地。像台北市忠孝路（即省警務處對面）工展會的那塊土地，標售的結果，就是幾千萬幾億元，在供不應求的狀態下，也只有大戶（如李氏兄弟）才能取得。政府明知不合法而卻要這樣做！政府既然提倡炒地皮，却還要反對別人炒地皮？人民到市面上購買一些美金就要受刑罰，那麼爲什麼政府自己要炒地皮而不受任何處罰！

政府想盡各種辦法調管通貨，增加收入，可是對於官有土地却不肯賣給現住的老百姓，那又是爲了什麼？如果政府將官有土地以官定的合法價格賣給現住的老百姓，那麼不但國家的財源有了，人民也很方便，政府又何樂而不爲呢？如政府將國有財產賣給現住人，不但國家有了財源，可做各項建設之用，而房地產的價格可以穩定，大批資金回籠，物價可以穩定，至於公教人員的宿舍也可以解決，政府每年要減少許多保養費。

最後，劉委員坦率地指出政府所說一定要守信。他質詢說：谷賤傷農。台灣的土地因地利太薄，故非用肥料不可，因而肥料價格之高低，影響農民的生活。今日我們肥料價格之高，頗爲人民所不解而痛恨，政府應再考慮降低肥料價格，安定農民生活。

美國人筆下的中國

陳毓賢譯

然而，中國大陸革新的成分比起循舊的成分來，有過無不及。孫逸仙和蔣介石都會多少對儒家傳統，中國人默從的習慣，以及對家族極端的忠心而挑戰。毛澤東不遺餘力地繼續這場戰役。老舊的中國把軍人放在社會的最低層，紅色中國則歌頌他們；以前的享樂主義被新式清教徒推翻；家庭被攻擊得體無完膚，一場包括婚姻改革提倡女性平等的奮鬥，似相當見效；人民公社人民飯堂要把對父母的孝心向國家轉移；兒子控告老子不再受罰，相反地，政府叫他那樣做；祀祖杜絕了，成千成萬的祖墳被人掘開；小孩子不復學習孔子的五倫，他們學的是五愛：「愛國、愛民、愛勞動、愛科學、愛人民公物。」非[illegible]改變舊思想究竟成功了多少呢？沒有人知道，從最近才稍微鬆懈的紅衛兵革命看來，動亂已直達民族的根基。毛澤東可[illegible]天命爲兒戲，恐怕他在跟歷史的訓令[illegible]吧。忍耐是中國人最偉大的美德，中[illegible]說：「我們知道怎樣吃『苦』。」無可置疑地，共產政權讓中國人吃了不少苦頭，這些苦頭會使中國發生巨大的轉變，於這歷程中，中國也將改變共產主義！

（九、全文完）

「七七」抗戰歷史的回顧

輿論精華

三十四年前今日，中國和日本發生了一場歷史性戰爭，而這場大戰，完全是由狂妄自大的日本軍閥，和幾十年來日本對華侵略政策硬是挑引起來的，這就是我們許多人所曾經身歷的「七七抗戰」。

在這七七抗戰之前，日本的侵略中國簡直到了瘋狂程度，最初是利用袁世凱稱帝向中國提出二十一條件，雖經中國全體人民堅強反對也置之不理，對中國人民已經結下深仇大恨，後來國民革命軍北伐師次濟南，日本又出兵干涉，造成「五、三」「濟南慘案」，但日本挑釁並未能阻止北伐的成功，反而加速了東北內向，完成全國的統一。日本軍閥以陰謀不逞，更怕中國統一以後會對它算賬，又竟不顧一切的出兵東北，製造「九、一八」事變，中國因統一未久，在形勢上不便對日用武，乃向國際聯盟（其組織性質略如今天聯合國）提出投訴，國聯派了英國人李頓組團到東北調查，因李頓態度不公，其所提報告書不敢對日本侵華罪行嚴詞斥責，日本更加有恃無恐，便在天津刦持了遜清皇帝溥儀出關，組織了所謂「滿洲國」，企圖利用溥儀作傀儡，強佔中國東北的土地。

當日本侵華罪行發展到這階段，「無論如何我們也必須對日一戰」已成爲中國上下一致的要求，當是時，中國政府整軍經武，力求全國軍政貨幣及一切政令的統一，海外華僑也爲了支持對日抗戰，在蔣委員長五十壽辰這年發起全球獻機祝壽及節衣縮食運動，但日本軍閥仍然不知悔悟，還要利用殷汝耕等搞「華北特殊化」，蔣委員長以對日抗戰勢在必行，曾召集全國領袖舉行「廬山會議」，商定抗戰大計。在這期間，日本軍閥仍然頻頻挑釁，最後終於在蘆溝橋發生衝突，這就是中國對日全面抗戰「七七事變」的起源。

中國事前曾經對日本發出警告，抗戰之幕一經揭開，無論如何犧牲，決不中途妥協。但日本軍閥置若罔聞，還誇稱「三個月內可以征服中國」，結果，它泥足深陷，二百萬侵華大軍被中國吸住動彈不得，此時日本想向中國講和，曾透過德國駐華大使陶德曼從中奔走，但爲中國政府斷然拒絕。四年之後，日本狗急跳牆，又想藉發動太平洋戰爭來結束侵華戰爭，結果它像一頭負傷的野獸，在原子彈下宣佈無條件投降。

日本戰敗原本可以亡國，即使不亡於美軍的佔領，也要亡於對中國的賠償，因爲當時中國如果提出要求，日本起碼要賠償中國損失三十億美元以上，但中國寬大，不僅不提賠償要求，而且還把一百多萬日本戰俘遣送返國，希望日本受此教訓，尋求可以自存之道。

但在三十四年後的今日，日本藉着它的經濟復興，那種軍國主義和反覆無常的島國民性又在復活了，它要撕毀吉田書簡，還要侵略中國領土的釣魚台，現時的日本當權者，其自大狂妄也不在東條英機等之下。也因此，我們必須警告日本，中國人民並沒有忘記「七七」歷史，如果你們打錯算盤，就必重蹈歷史的覆轍。

（摘自快報）

劉半農記賽金花

這件事的經過是我把我弟弟葬埋完畢，又辦些雜事，住的過了年就由蘇州到上海。在那里挑選了幾個姑娘，一個叫秦鳳雲，使了我兩千五百圓錢；又買了一個，名子叫秀鈴，是蘇州人，身價三千圓，連上其他花銷，總夠四千；又加林香君姊妹兩個；還有兩個年歲大些的，一共是六個姑娘。我把她們帶到了北京，見班子裏還有幾個空房頭，就打算過機會再買一個，那想到就買了這個寃家！買的時候，已算是受了騙。憑中人說，是個良家的姑娘，武清縣人，長得很美，要賣在茶室裏，我問要不要，我讓他領來先看看。她來時，穿的一件藍布衣裳，紫紅腿帶，還梳着抓髻，像個剛從鄉下來的樣子，可是模樣兒長得還不錯，水冷冷一對俊眼，皮膚很白嫩。講了講價，作妥一千二百兩銀子，一千歸她家裏，二百算是中人的佣錢。給她取了個名叫「鳳鈴。」我自己買的姑娘都帶鈴子。過了幾天，我打聽出，她原來已經在小李紗帽胡同茶室裏混過，名叫小五子，因有個熟客，想用八百銀子爲她脫籍，沒有辦成，領家怕他們攜手潛逃了，纔急着賣她；漸漸又發覺她還有鴉片烟癮。這怎麼會是良家的姑娘呢？我心裏雖知道上了當，可是看她的樣子還老實，也就裝個「啞子喫黃蓮」未曾發作。（卅）

從警犬「何根十四」破案說起

·文飄樓主·

過前香港各報競載警犬「何根十四」一再建立奇功，協助警方破案新聞謂：「警犬「何根 四」慧眼洞悉歹徒，昨又再憑她的靈敏嗅覺，協助警方人員將三名可疑男童拘捕。

這宗事發生過程是這樣的：昨日凌晨，警犬「何根」由一名編號六三〇七警員帶領，沿着尖沙咀天文台道巡邏。此時有三名男童迎面而來，形跡可疑，「何根」狂吠不已，警員立即喝令該三名男童停步接受檢查，結果在他們身上搜出一把利刀，三名男童事後在警員及警犬看押下，帶返尖沙咀警署問話，稍後其中一人被控「藏有攻擊性武器」，其餘兩人則交由兒童監護組處理。

「何根十四」是八隻駐守尖沙咀警署反犯罪警犬之一。」

好幾年以前在郭永做台灣省警務處長任內，台灣鐵路警察局長路鵬與馬騰雲談天說地，常述及警犬的故事，尤其對警犬血統的背誦，頗酷似舊社會修家譜，馬是一個討厭狗的人，聽來是很倒胃口的，有一次路鵬興緻勃勃的又如數家珍講述警犬的靈性，馬騰雲打斷他的話題，告訴路說：「我祇要五毛錢新台幣中藥，可使任何警犬失去嗅覺，在一個月內不能執行任務……」

路鵬知道馬騰雲肚子裏怪玩意多，不僅欲知破壞警犬嗅覺的方法，且要求馬騰雲勿謂外人道，讓他亮一手給警務處同事瞧瞧，馬騰雲開玩笑的說出：「條件很簡單，我雖然討厭狗，乃討厭人將狗當作「表叔」侍候，但我也喜歡狗，與前清名臣李鴻章，濟公傳中濟顛僧有同嗜焉。」路鵬說：「那太簡單了」馬騰雲祇在手心寫出××中藥名，次日果送來一條狗腿，由馬親自主廚招待了十多位有同好的高級客人。

路鵬帶着五毛錢價值的中藥到了警務處大擺烏龍，跟着就是破壞嗅覺現場表演，果然警犬觸到中藥時，汪汪大叫，嗅覺立即失靈，於是大家將這一神妙的絕招不約而同的掛在俄國人的賬上，因路鵬夫婦早年留學俄國，其實這一個小玩意，係馬騰雲小時從書場上聽來，「施公案」還是「彭公案」則記不清了，馬騰雲之不願意將中藥名稱公開在報紙上，乃懼被壞人利用作壞事。

東南亞最大的清眞寺

·麥特·

經過十年的工程，耶加達的伊斯迪奎奈清眞寺的大圓頂，終於建成了，使到這間回教寺院，成為東南亞最宏偉的清眞寺。伊斯迪奎奈是阿拉伯文：意為「自由」，今年稍後時間，印尼總統蘇哈圖，將首次在這間清眞寺從事每年一度的酬答神恩祈禱。不過，據建築商說，這間佔地廣闊的清眞寺，尚需二十年，才能完工。但督工的蘇達圖少將對於需要長時間去完成建築工程却另有一番解釋，他說：「在歐洲，許多著名的大教堂，都需要四十年以上的時間來建成，即使目前最宏偉的埃及艾爾亞茲哈清眞寺，亦需時四十年才建成，所以伊斯迪奎奈寺需要三十年才落成，亦不稀奇啊！」

這間落成後將會使到附近一間七十年前由荷蘭人建成的大教堂相形見拙的清眞寺，原本是由故總統蘇加諾出主意的，他希望這間清眞寺的落成，能夠使印尼這個回教國家，睥睨同儕。不過，正如蘇加諾生時為了抬高印尼在海外的聲望而設計的其他許多炫耀實力計劃那樣，蘇加諾生時一手造成的經濟不景，使到這些野心勃勃的大計，得不到適當的支持，進展程度由緩慢而致停頓下來。

在伊斯迪奎奈寺的計劃方面，至今為止，當局已耗費了五百三十萬美元，才完成了這間五層高清眞寺的三合土外殼，開始建造直徑四十公尺的巨型圓頂。當局估計，如要全部竣工，尚須撥欵三千三百五十萬美元之巨。

蘇哈圖的政府，把蘇加諾的政權接過來的時候，也把這件龐大的工程接過來。不過，由於蘇哈圖以軍人出身，為政比較風流自大的蘇加諾現實，現政府的施政方針，以整個國家發展為目標，故此比較忽視這些不切實際的計劃。今年，政府的預算案，僅撥出八十萬美元來作為執行這個計劃的經費，這也許是工程進行得緩慢的另一個原因。為此，蘇達圖少將曾說：「假使能夠一次過撥出我們所需要的全部建築費，我們祇需五年的時間，他能夠建成這間清眞寺了！」

這間清眞寺一旦落成，有蓋的大殿可容二萬人同時誦經禱告，此外，寺中心的一個露天平台，另可容三萬人。

伊斯迪奎奈寺與中東各國的清眞寺，有許多不同之處，除了更為雄偉之外，這間清眞寺有一間有上蓋的大殿，而中東的清眞寺的大殿，都是露天的。這與氣候有關，因為中東的天氣比較乾燥，雨量少，但印尼每年之中，至少有一百五十天是有雨的。

伊斯迪奎奈寺的巨大圓頂，是於去年開始動工的，圓頂本身高一百五十呎，由十二枝一百呎高的巨柱所支撐。這個由西德一間建築公司設計的圓頂，是多角形的，其設計在於稜圓合一，將來勢必為耶加達的風景綫，平添不少色彩，這在努力發展旅遊事業，來補助敗落的經濟的印尼來說，是頗重要的。

長壽有妙法（上）

·象伯·

人類一生應該做的事業很多，而上帝供給我們的時間却太少，雖然時間的自身生命，是無窮的，而在這無窮的時間中，我們每人只分得可憐的一份。時間給人類的威脅和敵意，就因此而增高，生命既然短促，時間老人又常走在人們的前面，這就是人類惆悲觀的一大原因。

英國文豪莎士比亞曾發出喟嘆：「時間像時髦的主人，對於離別的客人，祇是輕輕的握手，對於剛來的客人，則伸出手臂，趨前相迎，所以受歡迎的，常是笑容滿面，被送走的，只是搖頭嘆息！」唐代詩人李白在「春夜宴桃李園序」也曾說：「天地者，萬物之逆旅，光陰者，百代之過客，浮生若夢，為歡幾何？」中西兩大哲人，對於時間的描繪，何其獨到，超脫、銳敏、恰當，而又同樣的，蘊藏了多少傷感的和惆悵的調子啊！

儘管人類怎樣倔强，由於時間的消失，你就無法抵抗肉體上的侵擊，無論循環系統，消化系統，呼吸系統，神經系統及一切肉體的機構，就像上了年代的鐘錶一樣，失掉了滑潤，對於這些，你無論如何是不可抵抗的，你能夠使你的頭髮不白，牙齒不落，皮膚不失掉彈性嗎？

一般的說來：世界科學家，研究延年益壽的良方，覺得長春不老的基礎，是在良好的營養。哥倫比亞大學，營養學權威，錫爾曼博士曾說：「若果我們的食料，如有更適宜的選擇，則人類壽命，將能夠大大的延長，而且在晚年暮境的時候，可以過着更圓滿，更有用的生活」。

所謂良好的營養：第一要充分，不祇在分量上，而且在實質上，足夠供應身體的需要；第二要均衡，在一個適當的比例配置上，供給體質上種種的需求。科學家一致承認，過份的營養，是使體質衰退，影響到生命的短促。

讀書雜鈔（十）

·林倚·

遂信固寵，反傲視儕輩，自鳴得計，入則求妻成全，恬然不以為辱，貽數世子孫羞亦不以為悔，若輩人面獸心，沐猴而冠，何事不可為！嚴世蕃縱慾喪身，功名富貴，立見銷亡。武大爺尚與西門慶拼命，不甘受辱，此雖小說家虛構，亦事理之常，博得讀者喝彩稱讚。嘉義台南之間有一所台灣省立中學，校長某强污辦公室女工友，女之家長，立即報官，乃多方脅誘，强制銷案。該校長不知悛改，竟又强淫某主任之女，又被人舉發，主管官署派員調查，所派督學不識時務，竟以調查屬實報上去，主管示意重查，其實早已佈置妥當，買通證人，復查已無所獲。報告再上，小事化為無事矣！客秋校長不得不離開，但，仍任外島省立中學校長。可謂法外施仁，情義盡矣，嗚呼教育如此而已！如此而已！

獻縣李金梁，李金桂兄弟，皆劇盜也。一夕，金梁夢其父語曰：「夫盜有敗有不敗，汝知之耶？貪官墨吏，刑求威脅之財；

（未完）

旅遊勝地——摩納哥

·一滄·

當此世界各地旅遊中心競爭宣傳，出奇制勝，以求爭取遊客之際，只有歐洲小國摩納哥抱持「衆濁我清」的態度，不喜歡這一套。雖然是這樣，但在近百年來，摩納哥始終是歐洲社會名流，有閒階級的渡假消遣勝地。而且，一年四季，無間寒暑，世界各地遊客慕名前往觀光的，更是絡繹於途。

事實上，摩納哥是一個公國，使你驚奇的，它的面積僅有八方哩，只須一天的時間，便可以足跡遍全國。使你更驚奇的，當你想及一百多年前時，它雖然位於法國地中海岸上一塊可愛的地點，但它是一處齷齪的地方，貧窮，而且只有一間旅館。

但在一八五六年，兩個窮光蛋却在那裏開設一間賭場。及至一八六〇年，法國與皮得蒙發生戰爭後，不久皮得蒙把尼斯的伯爵領地割讓與法，而拿破崙三世乃承認摩納哥的獨立。根據當地傳統的說法，使該賭場能夠立足的，是一個以前的待者，他名叫法蘭西斯·布朗。他的第一個股東是紅衣主教，他後來成為教宗利奧三世。

現在摩納哥是一個富庶的國家，它所有的四個有選舉權的城市，皆是用來賺錢的。首先是摩納哥本身的古代社會中心，具有對遊客的吸力——包括摩納哥王子的王宮在內。第二個是拉康達明城，部份是住宅區，但也是摩納哥的繁盛商業中心。第三個是蒙地卡羅，設有賭場及其他享樂設施，以供世界最富有的人們消遣。近年來經已發展芳維里城成為一個工業中心。

但是不要懷有一種念頭，以為金錢就是到摩納哥去的護照。你是無需居停在巴黎酒店，隱士酒店或舊海灘酒店的。有很多地方你可以得獲「半恩俸」的招待，並且有許多沒有餐館的廉價酒店。小餐館觸目皆是，各種食品，取價廉宜。一旦你得到安頓之所後，不論是否豪華級或經濟級，一切便利都是沒有遺漏的。

顯然地，這間賭場是眞正只是為富人而設的，雖然它有一間戲院及一間音樂會堂，以娛悅那些不欲賭博的人士。但蒙地卡羅有很多更相宜的娛樂地方的。如果想消渡一個寧靜的夜晚，你可以到露天的電影院，在那裏，你一面看電影，一面可以喝着飲品。

如果你居停在一間昂貴的酒店，你可以免費進入專有的蒙地卡羅海灘。如果你住在別的廉價酒店，該海灘的入場費是六便士。但是鄰近蒙地卡羅海灘的是一處美麗的海灘，到那裏海浴是完全免費的，沿海岸一帶還有多處其他優美的小海灘。你的瀏覽風光的日子，最佳莫如消磨在摩納哥的古老部份，登臨它底巨大岩石之上。

如果你在正午左右到達王子的王宮，你將看見在像畫冊般的庭院中的守衛換班，他們穿着歷史性，多采多姿的制服在夏季，王宮裏的小禮拜堂，寶座室及跳舞廳是開放給公衆參觀的。當你看見一面旗幟在王宮升起時，它意味萊納爾王子和姬麗王妃他們住在王宮中在拉康達明的巖石上擺列的外國花盆，所種植的只是熱帶及亞熱帶及植物，包括最珍貴的品種在內，你站在最低的小徑上，你可以看見那個花園高聳在上方，好像是緊附在那山坡的旁邊。

萊納爾三子的摩先人納哥國王亞貝拔一世，開始搜集這些奇花異卉，而且由於他以愛好研究著名，她曾在蒙地卡羅創立一間海洋學博物院，附設有使人印象深刻的水族館。此外還有其他博物院是值得參觀的，更有一間動物園搜羅很多珍禽異獸。如果你是一個熱心教會的人物，你應該到那間距離王宮不遠的大教堂參觀一下。

當你的假日完畢，你可能懷着滿腹驚異的心情離開，奇怪這些摩納哥人怎樣設法擠居他們八方哩的領土內，以及怎能使這個小國成為世界上一個最富的國家，吸引四方八面的遊客，到那裏作大量的消費。

馬氏胡麻茶補血養顏配合茶葉枕妙用無窮

請注意紅白血球來龍去脈 貧血病的朋友要特別留意

・馬騰雲・

營養研究

（馬氏茶葉枕參考資料）患有貧血症的朋友，除用茶葉枕外，請讀拙作「生活漫談」及其他有關各書。不贅。

今天特列介紹一篇關於紅白血球李梅先生的譯作，使你讀後有一個有系統的概念，知道紅白血球的來龍去脈，同時馬騰雲有限公司發行的「馬氏胡麻茶」除了使白髮變黑髮的功用外，對美容與造血都有顯著效果。

引李氏原文，在剛剛你看過此文標題的兩秒鐘內，你的身體內已生產了五百萬個新的紅色血細胞了。

在第二分鐘內，你已經製造了其他一億五千萬個，每一個細胞，都是複雜設計的偉構。這種使人不可相信的生產，却發生在每日每小時的每分鐘內。

因為紅血球因年紀老而死亡，其死亡率是每小時九十億，故它們必須要補充。

但不要聽到「年紀老」而担心，紅血球約六個星期後便算中年了，雖則有些比較堅韌的可以延長壽命至四個月。

一個普通的人至少有二十五萬億個這種同樣似碟形的細胞，一滴血裏面約含血細胞二億五千萬個。

但在你體內有生命的血，紅血球不是唯一元素，一滴血同樣含有大約四十萬個白血球和一千五百萬個凝固體，來幫助血液凝固的。所有這些份子其暫停的控制，是由一種灰黃色的流體叫血漿而控制的。

紅色血球一如載貨火車上的車台，它們把那一處需要的礦質、蛋白物質和維他命，以及你肺內無價之寶的氧氣帶到體內各部，又體內所不將份要的二氧化炭搜集，帶到你的肺部，再送出體外。

蘇聯三太空人之死

・欣・

蘇聯三個太空人在外太空棲息了廿四天後，返回地球時神秘死亡。他們之死，值得悲悼。政治信用是另一回事，從事科學的鑽研而犧牲，不因此而加以歧視。人類征空這件事應不應全力進行，另當別論，但對凡是有勇氣征空的人們，值得敬佩。

許多人聽到死訊時，為他們嘆息不值，甚至話佢的枉死。我覺得這是政治偏見作祟所致，不要說征空，凡是人類文明的一切成果，都是經過重大犧牲而後獲致的，那三個太空人之死，意義亦在於此。他們並不是為自己的事業而犧牲，而是為人類的進步而付出生命的代價，在歷史上，他們永難為人類所忘懷。

做為一名太空人，除了技術的嚴格要求之外，他們必須具有視死如歸的精神，因為征空本來就是一樁最冒險的行動，外太空是個最神秘的地方，人類足跡未及，任何意外都可能發生，如果怕死的人，不要說昇空，就是講吓都不得了。

美國與蘇聯的征空，迄今為止，不能說毫無成就，但全部是成就，屬於科學方面的，亦即是打開外太空之謎的初階，對於地球上的人類有甚麼益處，此時根本談不到；老實說，征空能不能都依照計劃實現，現在任何人都沒有把握。有人說征空事實是人類歷史上最偉大的行動，但也是最大一筆的賭注，說得不錯。

現在世界上，祇有美國與蘇聯有能力搞征空，他們被稱為超級大國，也就是因此而來。因此，一般人懷疑美國與蘇聯的征空，美其名話是為人類開拓新境域，其實都是想搶先佔領月球，大家逞雄，雙方都以征空成就來互相誇耀，建立統治人類的權威。這種看法，不能說全無根據。

反對征空事業的人們，理由也極正常，他們認為現代世界上的最大問題是地面上的戰爭與貧窮，這兩大問題與人類的生活息息相關，強國應該竭盡全力，對這兩大問題尋求解決，但他們却不出此，把國家財富從事於太空冒險事業，似乎太不現實，而且浪費人力財力。以有用的金錢與高度智慧的人力，做些與地球表面上毫無關係的事，實在太愚。

蘇聯三個太空人死後，會不會影響到美國與蘇聯的太空大計，現在不知。但有一件事是可以肯定的，此即如果再搞下去，可能還要有不少人送命。蘇聯對於人的生命，一向來不重視。史達林一整肅就有幾萬人被害死。為了獨霸太空，蘇聯可能再搞下去。三個人是死，一千個人是死無區別。

相富貴（八）

・錢一釗・

錢一釗談相

形厚神安，氣清聲暢，項大額隆，眼明眉闊，厚耳紅唇，鼻整面方，背厚腰正，皮滑腹垂，牛齒鶴行，皆富相也。歌訣五行敦厚形豐足，地閣方平耳伏垂，台省主席陳大慶是這樣，口帶鐘音聲中響，齒如榴子項餘皮，教育部長羅雲平是也，背聳三山如負甲，臍深納李腹垂箕，劉峙是也，三陽臥蠶如臥指。鼻梁平直樂且宜，虎頭燕額山林秀。口角珠庭抱兩眉，劉安琪是也，四水流通不相反，玉倉俱滿福遲遲，眉毛不欺中嶽正，鼻如懸膽鬚毛微，四字之口齒平正，牛嚼羊吞悉有儀，虎睡龍蟠息不聞，眉疎有彩眼藏神，山根不斷年壽潤，輪廓分明貼肉平，中國工業家丁熊照是也，三停端正如角起，五嶽隆高八卦盈，香港何世禮將軍是也，山形嶽峙身軀重，肉滑筋藏骨更清，欲識始貧終富者，滿面塵埃骨法成，凡在五行皆有祿，只宜豐滿不宜偏，天倉隆起多財祿，地閣方平萬頃田，背闊似龜還主貴，額高如鳳主福堅，鵝行鴨步身腰厚，須信榮華家世傳。

又：骨重皮厚慢，豐隆接地倉，口方齒齦白，金玉滿倉箱，頭小額頤光，神凝體骨寬，語聲沉更遠，珠玉掌中看，牆壁平如砥，蘭台闊更長，雖然形氣濁，其奈蓄金囊，背骨連金匱，豐隆聳更端，掌紅如染血，帷幄擁金鑾，于右任是也，大抵身形瘦，聲高韻更舒，耳朝方口正，積聚自愉如。

交筆友的教訓（一）

編者按：此間一家報紙揭穿「交筆友的教訓」謂抽簽擇友太無聊，引狼入室惹煩惱。堪為筆友們參考。

MM小姐：

生活在一個不理想的環境中的人，常常會碰到一些煩惱和困難。人們都不喜歡「煩惱」，也不喜歡「困難」，但是，現實中却有一些人「自尋煩惱」，「自討苦吃」。

我如果說你是「自討苦吃」或「自尋煩惱」，你大概不同意，但事實上，你的情形却大致如此。

你說在兩年前，你還在唸初中二，「由於朋友少，故在報章中舉起徵友來，初時應徵者有廿多位」，你「用抽籤的方式，從中選出十位來」，作為你的筆友。

我們曾經指出過，朋友稀少的人，應擴大生活圈子，交更多生活作風正派的朋友，而交朋友的方式絕不是「筆友」，而是從自己的同學、自己生活周圍的人們，以及生活中可以接觸到的人物中去選擇。然而，你交朋友的方式，却偏偏無視於自己身邊的同學和其他場合的人物，反而從報章上去「徵友」。

我們說過，交筆友弊多於利，往往被一些居心不良的人利用以作為欺侮對方的手段，一般思想清醒、生活正派的人都不會去攪這些玩意兒的。因此，你想從「筆友」中去尋找「知己」，那不過是緣木求魚，難若登天了。何況，你選擇「筆友」的方式，又是用「抽籤」方式來決定的。「抽籤」法已經不妥，像賭博那樣，全靠偶然性；然而你的辦法却連「偶然性」的成份也微乎其微了！舉個例子來說，十個雞蛋中如果有三兩個是臭蛋，其餘的都是好的，你閉着眼睛隨便拿一個。（未完）

顧太清

其待遇太清如此苛刻，如此不近人情，故太清恨載鈞最甚，集中詆毀載鈞為昏饋橫暴及不孝之語甚多。在載鈞之壓迫太清出邸，尋仇興定庵，無非為他父親報仇，洗滌王家名譽污點，其用心亦未嘗不可恕；但太清本與龔氏沒有相戀的事，他憑了一點風聞，便借題發揮迫害太清母子，其立意就不可原諒了。

太清東海漁歌「踏莎行」詠「老境」云：「敢將渝議怨虛修，虛名蚤被文章誤」，渝議似指被迫出邸事，「虛名蚤被文章誤」則分明說已之被誣，乃由於文名太高之故。

（八）

儘管載鈞嫉視其弟，為難太清，但太清母子於太夫人在世時仍分得田產若干（見太清庚子送釗兒往完縣查勘地畝詩），已勉可溫飽。而且太清由絢爛歸於平淡，已能習慣居於陋巷，簞食瓢飲的生活。如辛丑閏三月二日病中憶釗兒詩有：

庭中海棠花，爛漫開如錦；
多病對殘春，思兒難就寢。

這時太清把一切希望全寄託在兒女身上。時光如白駒過隙，轉瞬已經三四年了，她的長子載釗已是十七歲的少年，春花般的前程在他眼光中照耀，黃金般的幸福，張開手臂歡迎他了。且看太清七月初九日清風閣與釗兒（自注：兒生於乙酉七月初九日）詩：

老眼看兒高看不清，
忽聞林際馬嘶聲；
今朝馳馬登山者，
十七年前此日生！

那馳馬上山的勇敢少年，不正是十七年前嬰嬰宛宛的赤子，而今已是氣宇軒昂的丈夫了。這是一切母親的辛酸，培育出來的最大收穫和驕傲。辛丑十月二日釗兒娶婦，太清喜而有詩道：

錦堂春色繡芙蓉，彩結宮燈瑞靄濃；吉事有祥兒娶婦，門闌多喜婿乘龍。（自注：二女孟文適超勇親王車登巴咱爾，四女仲文適一等子博昌，六女叔文許字承恩公崇瑞）代君（指太素）娉後司婚嫁，愧我無能病懶慵。惟願九泉加護佑，螽斯從此衍華宗。

教養子女成人，喜兒娶婦，吉婿乘龍，這是天下母親最大快樂及最切的希望。

又壬寅元旦試筆：

五日春風暖漸催，東南風起彩雲開。嬌兒公服輝金縷，（自注：國朝定制王公子弟十八歲行冠禮，釗兒生於乙酉，本年元日受二品頂帶）新婦斑衣獻壽杯。階下擇龍延綠竹，枝頭結子望紅梅。心香一瓣虔心禱，早願含飴弄小孩。

（八）

・王幻・

南聯吉倫（一三六）

・胡慶蓉・

巨變歷險記！

我在上邊說過，丁博士同蘇副總裁一齊從仰光出來，其最大的目標在聯絡吉倫以對抗緬甸。我在上邊也說過，吉倫是緬甸的第二大種族。昔英國滅緬甸，即假手吉倫。緬甸獨立，統治權英國交給緬甸本族而沒交給吉倫族，吉倫族萬分的憤慨，即起兵與緬甸作戰，想靠槍桿子來奪回，幾乎成功，昔未完全成功，不得已撤退守薩爾溫江流域，定都巴本。薩爾溫江從木涉棉入海。因仰光最近的地方，不過七十公里而已。

丁博士僕僕風塵，從卡瓦山區出來，又特別的去卡欽一趟，與他的領袖磋商合作之道。卡欽，同卡瓦山區一樣，本來都在單（從手，以下同）邦之內，但以種族特殊，也可以稱為一個特殊的區域。卡欽有卡欽的政治組織，卡欽有卡欽的軍事力量，他的領袖趙湘，是一個反共的人物，同丁博士非常談得來，他希望中國游擊隊幫助他爭取他的民族獨立。卡欽區域在靠近雲南邊境的地方，在雲南的左上方，薩爾溫江之旁。從臘戍方面可以去，從八莫方面也可以去。八莫在臘戍的西邊，即所謂不毛之地。

羅黑族在單邦也是特別的，他們散佈在卡瓦山區之右，在猛博一帶。羅黑族也是反共的。羅黑族有一個特點，那就是信教至篤。他們信的是天主教，丁博士曾拜訪過不少的教堂。教堂的教士都是意大利的法國的或西班牙的神父。神父在羅黑的心目中不但是宗教的領袖，而且是政治的領袖。他們非常聽神父的話。神父不辭辛苦，為他們的謀利益，也着實可佩。羅黑區域的教堂，保持着歐洲古代的格調，令人肅然起敬。在猛博稿子山（丁博士給的名字）前邊的一個，特別的引人注目。式樣是歐洲的教堂式樣，尖尖的高高的鐘樓，但顏色是白色，在廣大的綠色的野中，白色的高樓，特別的顯目。作禮拜，打鐘，大家聽到鐘聲響，就趕去教堂，虔誠的樣子，令人感動！對於他們的合作，丁博士具有無上的信心。

現在丁博士努力以赴的南聯吉倫。現在有吉倫的革命領袖蘇山波陣隨同，一切便利的多了。蘇山波陣他也是一位虔誠的基督教徒。但相信上帝常常是跟着他的，他相信他在執行上帝的意思。他對於吉倫的歷史有深切的研究。他的了解：吉倫，即英文所謂KARON，與中華民族是有深遠的淵源的。吉倫族的祖先，名叫陶米爸，本來就是雲南人。吉倫族是來自雲南的一個民族。吉倫人對於中國人絲毫並不陌生。吉倫人看中國人不但是他們的兄弟，不但是他們的親戚，可以說是他們的祖先——他們的祖宗。吉倫人同中國人有這麼深遠的關係，甚至血肉的關係，同中國游擊隊談合作是自然的。

自由報

中華郵政登記為第一類新聞紙
中國郵政台字第一二八二號執照登記為第一類新聞紙
中華民國內政部內版台誌字第〇三一號
中華民國僑務委員會登記證台僑新字第三二三號

（第一一八四期）

（半週刊每星期三、六出版）
每份港幣壹角・台幣零售價新台幣二元
督印黃行番・社長李運鵬
社址：香港九龍官塘康寧道117號後座二樓
117 HONG NING RD, 1/F REAR, KWUN TONG, KOWLOON, H.K.
TEL: K-433653
電報掛號：7191
郵箱：官塘郵政信箱9583
承印：景星印刷公司
地址：嘉咸街廿九號地下
台灣區業務管理中心：台北市許昌街廿六號
電話：三八〇〇〇二
台灣區直接訂戶　台灣劃撥戶
第五〇五六號張萬有（自由報會計室）
台灣分社：台北市西寧南路110號二樓
電話：三三〇三四六、台郵劃撥戶九二五二號

本報專論

關於司法革新問題

・天水客・

我國的司法的理論及制度，歷史悠久，自唐虞以來，所謂「刑期無刑」「罪疑惟輕」這些理論，至今仍然還用，奉爲司法界的最高理論原則；但是司法制度則抱殘守缺，過去很少革新，最爲人所詬病的，如刑訊，所謂苦打成招，及監獄的黑暗，不可以想像，到了清末，因而招致世界文明各國的反對，遂有不受中國司法裁判，建立領事裁判權的制度，清政府有鑒及此，着手革新司法制度，草擬各種法典，創設新式法院，成效尚未顯著；國府建都南京以後，頒佈民刑各種法律，增設法院，抗戰勝利之際，即取消各國領事裁判權，法制燦然大備。

政府遷台以來，尤銳意革新司法，如刑事偵查機構的嚴密，檢警聯繫的密切，審理案件的迅速，監所的改善，均有顯著的進步；近年來所謂司法風紀問題，各方責難甚多，自王部長就任以來，積極改革，嚴辦司法黃牛，嚴守整飭風紀，已有顯著的成效，但是司法方面，尚有不少重要問題，亟待革新，茲略述於左：

一，司法最高機關的割裂：國父創立五權制度，因此我國憲法第七十七條明定司法院爲國家最高司法機關，掌理民事、刑事、行政訴訟之審判及公務員之懲戒。但是司法行政部却屬於行政院，高等以下各級法院均受其指揮監督；最高法院則屬於司法院，因此事權不統一，司法權屬於兩院，發生種種問題，實則就法理言，司法院和司法行政部不能割裂，歷年來經監察院的糾正，司法院與行政院洽商多次，拖延又拖延，迄不肯改革，應由輿論界發動督促，才有實現的可能。

二，重要複雜案件辦理的遲緩：現在台灣省一二審法院辦理案件，均尚迅速，司法部督促依照審限規則，應如期辦結，但是有很多重大案件，數年不決，最高法院有發回更審有十次者，民間有發回法院之稱，頗爲外界所詬病及責難，因爲最高法院不自爲審判，而發回原法院更審，不久聯合報主張廢止更審制度，筆者從事司法工作多年，極力贊成此說，因爲我們民刑訴訟制度，係仿照日本的，據說日本大審院發回更審的案件，不過百分之一，而我們發回更審的案件，約有二分之一，發回之多，駭人聽聞，原因無他，就是推拖的手法，不肯負責對於重大案件，明知下級法院調查已極詳備，不肯負責核准，遂毛舉細故，撤銷原判，發回更審，發回多至十次，訴訟十餘年不結，外界輿論責難，人民痛苦不堪，當局者仍我行我素，不肯革新，今後如果要澈底改善，必須修正民刑訴訟法，毅然將最高法院發回更審制度取消，由該院自爲審判，迅速終結，因爲法律與事實必須密切配合運用，所謂法律審事實審，這是理論上的觀點，最高法院發回更審所指出的，多半是事實不明的問題，該院不把事實弄清楚，自無從爲法律上的判斷，因此該院審判案件，必須兼顧事實，如有不明確之處，應該囑托調查，或自行調查，亦必須自行開庭審理，方能爲正確之判斷，推回原審辦理，不是辦法的；而且我國傳統的最高審判機關，也是自爲審判，方能平反冤獄。例如清末最大刑事案件楊乃武與小白菜謀殺案經過知縣知府臬司巡撫等的審判，均判決有罪，最後北京刑部將屍棺運京，重行勘驗審理，遂判決楊乃武等無罪，平反冤獄，這才表現最高審判機關的權威與公正，才可以得到人民的信賴；照現在的辦法，發回第二審法院的案件，不判無罪，該院萬萬不能逕判無罪的，所以聯合報主張取消發回更審制度，是非常正確的，重大的案件，才可以迅速結案，實爲司法革新的要務。

三，司法人事制度亟待革新：司法官的升遷調補，迄無一定的制度，多年來全憑當局之喜怒及幕後重要官員的說項來決定的，我們推檢人員取得正式法官地位以後，如何平調，即如推檢互調，甲地調乙地之類，如何升遷，如推檢調升庭長，或一審推檢調二審，推檢調首長，二審調三審之類，如何任免職務，均應有嚴密詳細的規定，以免奔走情託，近日司法部雖有司法首長任期的規定，對於上述推檢人員的升降調轉，尚無完全的規定，我們亟須從速作通盤的規定。又如最高法院對於審判人員的任用，漫無標準，應該選擇下級法院合格的及品德學識經驗成績最優秀的人員來補充任用，今也不然，乃全憑幕後支持官員之力量來決定的，此次增設兩庭，首批發表四人，即有兩人爲該院負責人員的同鄉，另外以六十歲爲標準，將年長者排擠，要知世界各國最高級法院法官，均選擇年高德劭學識經驗最優秀的人員爲之，現在醫藥進步，六十歲正是壯年，學驗均豐富，能予以排擠不用；況查我憲法第八十一條，明定法官爲終身職，除非其年老多病，不能勝任，否則不能以年齡來限制其任用的，此種限制六十歲即係違憲的，該院違憲徇私的任用人員，亟應予以革除。

上述三點，爲目前司法革新問題之較大的，管見如此，希望拋磚引玉各界人士予以檢討，提出更具體的意見，爲我國司法革新的借鏡。

（完）

昨日與明日

國際上的勢利相

由於美總統尼克遜與毛共秘密勾搭上了，而本屆聯合國例會即將舉行，國際上某些勢利主義者，唯恐對毛共獻媚落後，甜頭被美國舐盡了，相率以聯合國的中國代表權問題，向毛共表示媚態，如英國希斯政府即其最著者。

英國搶先承認毛共偽政權已廿年，然其派駐北平的外交代辦，不特無事可辦，而且辦公處被焚燬，大小職員被毆辱，而英國在聯大會議中，始終對毛共進入聯合國案，採取消極抵制作風。現在瞧着美國跟毛共有所勾搭，乃急忙聲明今後不管美國計畫如何，英國對中國代表權問題，一定站在毛共方面了，且擬撤消久已設在台灣的英國領事館，以表誠意。一片趨炎赴勢的咀臉，令人夠瞧的了！更可笑的，還要自作聰明，說這項政策是在尼克遜宣佈訪問北平以前決定的，好不鴨屎臭也！

素以泱泱風度的紳士國自命的英國，竟作此淺陋的表情，自難怪等而下之的國際小丑式人物，如菲律賓的國會議員咸里西亞之流，居然藉着聯合國代表權問題，實施敲詐勒索技倆，聲言中華民國軍隊如不撤出南沙羣島，菲律賓即贊成毛共進入聯合國；而毛共若不同意菲律賓佔有該羣島，菲國對毛共參加聯合國就投反對票；好像菲律賓具有左右聯大會議的力量，這比咱們中國人所謂阿Q精神，尤爲低劣百倍，可恥又可哂已極！

聯合國早已成了落子館

聯合國之不成玩藝，世所共喻了。只因幾個強權國家要想利用它來玩弄弱小國家，乃敝帚自珍，視聯合國如寶物，每屆大會時，即以代表權問題喧囂鼓噪不休，你若表示重視，他就叫嚷得最熱烈。實則如西德並非聯合國的成員，然其國際地位毫無影響。所以，吾國今後大可不必斤斤於是，本着聯合國創立人的固有職權，以不變應萬變，依法行使，表示正義公道，遇事爲弱小國家抱不平，足矣。

台灣的英國領事館，當年我們撤退駐在英倫的使領館時，就應該請他關閉的，只因對方賴着不走，未斷然逐客，荏苒至今，乃使希斯政府[illegible]媚毛共的口實，好像是我們挽留似的，認爲這是英國不能取得毛共好感的障礙物，而聲言將於今年底實行關閉。我們應該通知對方，請他馬上撤走，毋得稽延，以爲捧紅踏黑的勢利主義者戒！

・何如・

自由談

相形見拙

美國參議院外委會主席傅伯萊，最近發表關於越南軍中有人販運毒品的談話，說副總統阮高祺亦參預其事云。以一個號稱爲友邦的著名政治人物，公然指摘友邦的副總統是販毒份子，即或眞有此事，亦不宜出此失態之言，這不但違悖國際間的禮貌，簡直是肆行誹謗，自貶參議員的身價。阮高祺斥其誣陷，發言傅氏若來越南，「我要一腳將他踢出去！」這是應有的反應，殊堪喝采。

美國參議員的權力甚爲崇隆，可說是政治上的「大好佬」，身爲參議員的人，應該都是些出類拔萃之士。然而我們所看到的一般參議員的言論主張，其淺薄幼稚程度，并不比中學畢業生的知識水準更高。如大名鼎鼎的傅伯萊，百事皆有說詞，而百事多不知其所解，又如被認爲具有下屆總統候選人資格的麥高文，最近主張尼克遜總統應該主動的對毛共實行親善結交；他如曼斯菲爾，愛德華・甘迺迪，薛明敦之流，對國際問題亦隨時發表意見，好似娛樂場所的說書人，總要侍候一段，然內容貧乏膚淺，旨在沽名吊譽而已。但皆不像傅伯萊那末醜陋，越南副總統阮高祺之反擊，不亦宜乎！

在我個人的觀察中，現任美參議員們，眞正表現着一貫立場和主張的，只有高華德一人。他始終反對共產主義，不相信「和平共存」之說，昌言「爲着國家利益，和平不一定就是道德，戰爭亦不一定就是罪惡」，他堅持己見，不顧毀譽，這樣纔不失其爲卓爾不羣，有爲有守的政治人物呢！

若干年來，美國的政客以及所謂學者教授，對中華民國所作的誹謗侮辱言論，不一而足，如費正清即其最著者，然我們却沒人說費某若來台灣，便要一腳將他踢出去的話，以視阮高祺之表示，得無相形見絀之感歟？

馮王先生

遊美將不需簽證

美國政府的兩個機構，目前正設法使外國人較易於到美國旅行及移居美國，這兩個機構是國務院及海關署。

海關人員現正加速行李搬運與檢查，國務院則正加速入境簽證之發給。

海關署曾在一九七〇年辦理超過二億七百萬人的出入境手續，預料在一九七一年將辦理更多遊客的出入境手續。美國駐外大使館及領事館，曾於一九七〇年發給接近二百萬份非移民入境簽證，遠較一九六〇年的六十七萬份爲多，而今年的申請數目，則創下紀錄。

美國務院安全及領事事務局局長華特遜稱，許多外國人完全由郵件得到入境簽證。他說：「美國駐倫敦大使館所發給的所有此種入境簽證中，有百分之八十是以郵件寄出」。她又說：「在法國，此數字爲百分之七十。」經常前往美國而顯然並非想做移民的外國人，可獲得無限期有效或「終生」入境簽證。

華特遜女士說：「在絕大多數情形下，外國人取得進入美國的入境簽證並不是一件困難或費時甚久的苦事。我們所採取的措施是有幫助的，制訂法律以完全廢除發給入境簽證的條例，在某種情形下將是鼓勵外人到美國旅行的一項重要步驟。」

由於美國在世界各地的領事工作主要是由聯邦法律約束，美國國會必須修改現行法律或通過新的法律，以改變發給入境簽證的條例。例如，美國國務院希望准許欲因生意或旅遊而到美國的某些國家的國民，可以不必入境簽證而進入美國逗留九十天。

近年來曾一再有人在美國國會提出立法議案，以使外國人在這種特殊情形下不必入境簽證即可進入美國，但這些議案都未獲得通過。美國務院官員仍深信此種議案在國會本會期內通過。

（未完）

天下事

官氣十足的婚禮

老正卯

七月十二日，中部某單位舉行過一次「國民禮儀範例結婚儀式演示」。任何一位好公民，對於任何移風易俗，興利除弊，有益世道人心的改革措施，都應該有支持、倡導、推動和力行的義務，因此筆者專誠躬與盛典，俾利日後大事吹噓，以多少盡一些國民的責任。

筆者屆時一進入「演示」會場，就感到一陣強烈的官僚氣息。掛圓形標幟的「服務員」（即招待員）們個個官派十足，作拒絕往來狀，客人簽到的地方計分「中央首長簽到處」；「省級首長簽到處」；「縣市首長簽到處」；「鄉鎮……」（大意如此）等，階級森嚴，壁壘分明恆古以來，得未曾有。筆者一時手足失措，匆忙中奔至最後一張桌子，猜想是「百姓簽到處」，胡亂在簿子上寫上了自己的名字。

進入禮堂，只見幾位官式人物，正在指手劃腳，口，橫張的宣勢。禮堂前面擺有三排座位，第一排是沙發椅，當非爲凡人準備，第二三排是木椅，可能並非禁地，筆者乃在第三排侷促就坐，但隨時提高警覺，準備相機轉進。果然；一位官員站在麥克風前打着官話說：「第一排座位是廳長們坐的，第二排是縣市長們坐的……吃飯的席次第一席是……最後兩席是新聞記者，長官司機，樂隊人員……」（大意如斯）。於是坐在第一二排的不識相的客人們，紛紛面帶愧色的抱頭鼠竄，坐在第三排的主婚人也尷尬的站起來不知所措，有客人斗胆的問道：「雙方家長坐在那裏」？官員不耐煩的答曰：「有他們的座位」！「在那兒」？「……」。

約莫在婚禮前十六七秒鐘的功夫，證婚的廳長大駕光臨，全場的官員們一霎時都矮了半截，而部的肌肉也活躍起來，舉座見狀，無不佩服此種「特技」表演。

婚禮和平常的儀式完全一樣，但取銷了講演比賽，疲勞轟炸的鏡頭，頗爲可取。而所有參加婚禮人士均着「夷裝」，而大奏古樂，稍顯生硬耳。

繼之是禮成入席時，舊雨新知們，因有「請勿大聲談笑」的規定，均默然就座，有如訓練單位進餐時之循規蹈矩。酒席進行中，又有「請勿酗酒及猜拳行令，保持安靜」禁例，率皆安份守己，肅靜淺酌。無復熱鬧喧囂場面，但缺少喜氣洋洋之氣氛。

總之，能有所改革總是好事情，但首要之點，是入情入理。

台北新聞信

法律之前人人平等　頂尖人物也不例外

經營保險業竟違反票據法　貴爲大少爺也得繳付罰款

（本報通信員柳一權台北消息）「文匯樓別記」中，曾寫台北五廉官受到廣大讀者讚揚後又有幾篇補遺，也非常公正，自由報揭發中興大學某院長有貪瀆嫌，惟判斷這位院長還能吃得住三級衙門，不會成爲案件，眞有先見之明，一份僑報內銷能逾一兩萬份以上非無由也。

今日台灣有一良好現象値得報導的，即官風在好轉中，這個好轉文匯樓主業已指出的從略，尚未指出的記者加以與分析作重點報導：

一、立法委員的地位，大家都知道，高於三十三層天外天外天，形成爲小派系領袖者，又儼若天外天裏凌霄殿，再高的話就等於站在凌霄殿的棋桿上。最近傳說有一位棋桿上人物的大少爺主持保險公司業務支票退了票，違犯票據法而被通緝，不僅使保險變成不保險，簡直像自己生病還要替別人醫痔瘡情形相彷彿，在法律之前人人平等的原則下，這位大少爺一條路歸案坐監，一條路繳掉罰款了事，結果走後一條路，照道理這件守法的「美德」，應當大宣傳而特宣傳才對，因爲事件的本身會對未來違犯票據法的人，發生啓迪和忠告作用，換句話就是站在棋桿尖上立法委員的大少爺犯了法都不能例外，其餘更得當心。

王任遠大整頓　司法風氣好轉

清除黃牛百餘人被起訴　對不肖司法官決予重罰

二、司法風氣在好轉中，六月十二日本報有：「王任遠好的開始」爲題指出：「司法行政部長王任遠上任已十個多月了，他對於司法風氣的整頓，使人們對於司法界有一新耳目之感。司法風氣遭人詬病，由來已久。司法風氣的敗壞，不特直接損害人民權益，而且也危及國家根本。因爲司法官吏是保障人民的最後藩籬，如果連司法機關也是非不明，善惡不分，人民有理不得伸，有寃不得訴，社會必得不亂，而國之不亡者亦將幾希矣。

以往不肖的司法官吏，所以能夠爲非作歹，貪污枉法，主要是靠幫兇：一是司法黃牛，二是壞的律師。司法黃牛曾經猖獗一時，橫行司法大廈，騙詐無知人民，不知有多少善良人民被他們欺騙，也不知有多少不肖司法官吏經過黃牛而大貪其污。至於不肖司法官吏和訟棍律師互相勾結，律師們在旅館長期包下房間，供法官吃喝玩樂，於是有條（金條）才有理，而司法風氣完蛋矣。

王部長來自國會，對於司法積習舊弊，知之已久，所以上任後，根據執政黨二中全會革新司法風氣的決議案以及秉承蔣總統政治革新的訓示，厲行整頓司法風氣，令檢察官組織專案小組，嚴查司法黃牛的不法活動一年間起訴一百零四案，法辦司法黃牛一百廿多人。對於若干與壞蛋律師共私生活的不肖司法官吏，也嚴密訪查。司法行政部爲嚴明紀律，對操守有問題司法人員過去一年採取了重罰辦法，凡查有實據的依刑法行政法規處置，查無實據但可信確有其事的，予以行政調動。王部長對司法官員的品德，學養並重，改考試辦法提高法官素質，加強職前訓練培養健全人才，並舉辦司法實務研究會，訓現職法官，建立人事評議制度，促人事的新陳代謝。

王任遠部長如此整頓司法風氣，不僅博得外界人士的讚揚，就是司法界人員也舉表擁護。因爲司法官究竟好的佔多數，過去受少數壞司法官之累，使全體司法官蒙羞，許多好的司法官至感忿恨與不平，現在好了，[illegible]長要整頓不肖的司法官，重振良好司法風氣，自然獲得司法界同人一致的支持了。」

台灣治安良好　爲亞洲各國冠

羅揚鞭負責任推行警政，以不要錢轉移社會風氣

三、治安成績良好，台灣治安良好爲亞洲之冠，這一頂「冠」說來並不簡單，除了警備總部，司法部調查局大方針把的穩外，親民機構要算是警察了，東南亞的國家都市政府尚可控制一面，也即農村，幾乎一半被共產黨幽靈所佔有，台灣則完全相反，都市裏匪徒還可偷偷摸摸作無關痛癢的小搗亂，越向農村治安越好，因之連想到台灣警政辦得相當好。

警政辦得好，不是說警察個個好，「一個老鼠壞一鍋湯」古有名言，台灣自難例外，記者僑居國外甚久，乃比較的看法，文匯樓主寫台北五廉官，重點就是不要錢，不要錢就不會有私，「無私乃天道，不役是人倫」繼台北五廉官後又援很多「補遺」稿，其中銀行界有兩篇，一看就知道是槍手代筆，司法界有兩篇，已登出一篇，警界兩篇，已登出一篇，今天一篇是談羅揚鞭的，經調查屬實，予以節錄合併報導：

警察風氣年來向好處轉，必有重大因素，這重大因素就是台灣警務領導人羅揚鞭做到「負責任，守紀律，明利害，辨是非」以身作則，推行警務工作。最基本而値得可圈可點的就是不要錢，他和王昇（化行）、沈之岳、蕭政之一樣，對錢沒有甚麼興趣，再加上幾分騾子脾氣，就沒有推不動的工作。他辦了幾個訓練班，成績都相當好，一、業訓班，訓練現任警官而無資格者。二、[illegible]班，專訓練年資深，成績優，有警員資格而無警官資格者。三、補訓班，訓練現任警員而無資格者。四、分隊長班是役警隊之分隊長而無資格者，看起來很簡單，但給部屬帶來希望，解決問題，誰不願意朝好處走呢？

就外國的看法，台灣官風在向好處轉，其實「良田千頃，日食一升，廣厦千間，夜宿八尺，錢太多有何用呢？也可以說聰明人才會不要錢，不要錢是蔣副院長從新贛南到台灣政治上一貫作風，所謂「轉移社會風氣，發揚時代使命」，官員們能以行動响應與服膺蔣副院長的改良社會風氣，是値得歌頌的，政治上也才有救藥，學人們的看法如此。

郵局問題多　須趕快改進

已腐化到不成話了　交部應該馬上糾正

（自由報通信員柳一權台北消息）台北郵政局本來有很好的聲譽，未到這一年來問題越來越多，多得使人非講話不可了。

拐款潛逃竟發生在郵政局（仁愛路郵局）可證明腐化到甚麼程度。如果不注意督促，這種事可能會再發生，郵局有一部份職員始終保持着借多還少晚娘面孔，簡直不像郵務員，使客戶受不了，多問幾句話，馬上打下官腔，說是妨害公務，有位客戶不明這一套，既然被指爲妨害公務，就請同道上警察局去，結果郵局職員自知理虧詞窮，不了了之，還有就是郵區號碼，替寄信人帶來無限煩惱，身邊如果未帶郵區號碼信封，是多麼的難爲人，本報早已建議趕快取消，台灣祗有這麼大的地區，與美國截然兩途，這種畫蛇添足的搞法太要不得了，至於報紙雜誌之經常被遺失誤投，替文化人帶來煩惱，更是家常便飯，希望台北郵局負責人注意改進，據傳郵政當局認爲公共關係負責人是立法委員的親屬，故一切都不在乎，這種比三歲孩子還幼稚的想法，那就太天眞了。交通部應該馬上徹查予以糾正。

劉半農記賽金花

這時候，我忙極了，客人們要到各處去應酬，在班子裏的工夫很短，班裏一切事務都交給了孫三爺照管。有一天半夜裏，我們都睡了，有位潘二爺，也是熟客，同着幾個朋友來敲門，他們是因在隔壁一家班家裏不知爲什麼吃了醋，轉到這邊來。看門的給他們開開門，請進來，又把自己的姑娘全都喚醒，拉開棹子就打牌，又說又唱，一直玩到天大亮他們纔走。我同白天去陶然亭，騎馬回來，路上受了涼，身上覺有些發燒，早早便歇息，也沒有起來打招呼。第二天，是鹿中堂的少爺約定在班裏請客喫午飯，八九點鐘，姑娘們就都忙着起來妝扮，那時正時興梳辮子，專雇了一個剃頭的給他們打辮，別人的全打好了，只剩下鳳鈴，她伏在桌上，低着頭，也不動也不說話，秀鈴在旁邊就問：「你是怎麼啦？」她也不理。她們就跑來告訴我，我過來一看，她仍然伏着桌子，就問她：「鳳鈴你怎麼啦？身上不舒服嗎？還是同那個嘔了氣？」她是一聲也不哼。我扶起她的頭來一看，眼睛通紅，兩隻手只抓胸口，我看樣子不好，像是吞了鴉片烟，就握着她的手急問：「鳳鈴，鳳鈴，你吃了什麼東西啦！是鴉片嗎？你不要想不開，有什麼心事，儘管對我講，有中意的人，可以隨便走，沒有不好辦的，平日我也沒有把你待錯呀？何必竟尋此短見？快快告訴我！」她聽了我這話，纔說是吃了鴉片，說着也掉下眼淚。原來是前幾天，管崇文門的崔老爺的小少給我送來一盒烟膏，我只燒了幾口，下賸的就放在小櫃櫥內，不曉得什麼時候被他拿去了，還吃了很不少。我趕緊派着夥計到街上買來藥，撬開她的嘴，灌了下去，見她還是不吐，這時候已快十一點鐘了，還要伺候鹿少爺請客呢，我就叫他們把她先抬到後邊，繼續灌救，恐怕鹿少爺來到，這成什麼樣子？一會兒，客人都來齊。我只顧陪他們吃酒也沒有到後邊去看。等席散以後，他們纔告訴我；鳳鈴已經死了！這孩子也算很伶俐，落得這樣死，眞是可憐！

這時我急得什麼似的！先打發三爺用二百五十兩銀子買來一口棺材，不敢就這麼裝殮哪，還要報城去來驗屍，正在這當兒，有個蒲二奶奶，是開裁縫舖的，來給我送衣服，一見這種情形，就說：「這樣去報，恐怕不妥當，不如我冒出個名，作爲鳳鈴的生母去報，扭起這個錯兒，你們可就輕省多了。」夥計們聽了她這話，都覺得有理，我心裏是又煩又慌，隨口說了句：「好，就憑你去報吧！」等一會城上派人來驗了一驗，也沒說什麼就走了。

（卅一）

發行自由報廿週年年鑑

·文圖樓主·

自由報廿週年年鑑，等於中華民國學人廿年文存，把這些皆有宰相資格的文章作綜合研究，處處表現出學人的偉大和遠見，他們認定在復國的過程中，一切私人財產及事業，精神上都應該屬國家所有，換句話，就是大家的看法沒有國就沒有家，如果不相信，你到國外作一次長途旅行就會嘗到國與國間的冷暖那種使人受不了的奚落味，樓主曾為此在飛機上痛哭流涕，高呼國父在天之靈到那裏去了。

中共竊據大陸後，全國同胞的事業財產幸福自由已大抵隨國權以俱淪，如果共產黨不被消滅的話，民主國家的後果則不堪想像，今後犧牲最大的，當然是美國。地主和資本家被砍頭固載於共黨憲章，其他國家的人即是能夠逃到美國，那也只是自我陶醉，五十步笑百步而已。至此止筆，講多了討人厭，話到嘴邊留半句，還是效法喜鵲祛難消災吧！

自由報能夠維持出版不中斷達廿一年，實際上只是幾十個人，此外毫無所有，而這些學人和報人能夠貢獻給國家者只是幾十根禿筆和幾十條老命，自審都絕對效忠國家，以文字及腦髓獻給國家，俾國家作最有效率的使用，從前是這樣，現在決心還是這樣，有關出香港自由報廿年年鑑的縱橫經緯詳下列函內：

「本報原名自由人，民國三十九年創刊於香港，其時大陸淪陷，反共人士相率抵港，乃本孤臣孽子之苦心，作反共自由之呼號，遂由一部份執政黨同仁，聯合各黨各派反共賢達集資集力創辦本報。一水之隔大陸反共反暴之撻伐，如椽之筆縱放民主自由之光輝。一時異軍突起左右論壇，嗣因創辦人士紛紛參加實際反共行列，人事業務均有變遷，乃改組為自由報，方針旨趣一仍舊貫，五十六年冬復由運鵬接辦，蕭規曹隨，賡續奮鬥，光陰荏苒，寒暑四易，上溯創辦之期已滿二十年矣。

二十年來，報名雖經變換，人事亦有更迭，然熱愛國家民族之忠忱，維護民主自由之原則，一脈相承，會不稍異，尤以運鵬承乏以來，除依循舊有風格，保持往日名流碩論外，復精益求精，敦請大批專家學者，權威教授，執筆為文，以光篇幅，並因本報篇幅有限，特別標榜「大作家寫小文章，小報紙談大問題」之作風，則使本報精萃卓越，不僅成為輿論之權威，是非之準衡，抑且成為學人國士之園地，民主自由之櫥窗，以是深荷讀者獎譽，銷路大增，運鵬與全體同仁於愉汗之餘，唯有益加奮勉日新又新，庶不負讀者之愛護也。

茲為答謝讀者愛護之雅意，及社會各界之鼓勵起見，特發行「自由報二十週年年鑑」以誌其盛，年鑑定于民國六十年國慶出刊，際此籌備期間尚祈台端一本愛護本報之德意惠予支持，撰述鴻文於信到兩週內擲下為感，藉以充實篇幅，而利刊作，尚祈指教以便遵行，事關宣揚海外文化，當蒙愛護，廿年一次想不以為忤也。

文酒樓別記

面紗後面的摩洛哥婦女

（摩洛哥消息）正值世界各地的婦女解放運動相繼地爆發起來，甚至有點如火如荼的時候，充滿古典色彩的非洲北部小國摩洛哥的婦女，也在醞釀着婦女解放運動。她們所不滿的，就是數百年來，摩洛哥的傳統一直規限着婦女要戴着面紗，不得隨便踏出家門，以免被人看到她的容貌。據說，摩洛哥有一個古怪的風俗，大凡女子在未出嫁之前，被某一個男子看到她的臉龐，她便要嫁給這個男人，不論他貧富美醜，也要終身伴隨着他。

但是最近，摩洛哥新組成一個摩洛哥婦女聯會。這個聯會出版一份名為「艾查」的雜誌，強調婦女的權利。

担任這個聯會主席一職的是蘇拉公主，她在第一期的「艾查」中，申明她的立場，表示並非要與有關當局進行鬥爭，但她卻會將一些現實的事情提供給某些政府部門，好使他們靜下來想一想。

這些現實事項中，包括已婚婦女的地位，對於局外人來說，摩洛哥婦女有着迷人的身材，在一些支柱齊列的屋子裏過着清閒而隱蔽的生活。她們穿着的絲質和錦緞的上等衣服，滿身珠光寶氣。但是，事實卻並非如此，清閒優雅這四個字，與現實環境實在相去千里。很多已婚的摩洛哥婦人，根本並不快樂，但這並不是因為她們的丈夫依照回教法例而可以娶四個太太，與及恃着經濟能力而隨便蓄養小妾。事實上，摩洛哥的男子已無力負担妻侍了。

那麼，問題在那裏呢？卻原來，摩洛哥婦女實際上是沒有法律的權利，雖然在法律上，她們比歐洲婦女享有更多的權利。

蘇拉公主的二十八歲私人秘書密素狄女士，已有兩個孩子，丈夫是個陸軍工程師，她自己是個社會主義學家，以過前當公務員，也曾花了好幾年的時間去研究摩洛哥婦女的一切。她在「艾查」雜誌內撰寫離婚的問題，她認為根據摩洛哥的法律，一個妻子是毋需徵得她的丈夫同意，而有權處理自己的財產和做生意的。不論她自的收入若干，她的開支，完全是由她丈夫完全掌握着控制權，作為妻子的，是完全沒有權力，甚至無權處置她自己的物件。如果她賺得一份薪金，她是要全數雙手奉上給丈夫的。至於妻子方面想離婚，那簡直是無可能的，在摩洛哥，離了婚的婦人被視作「社會上不可親近和低下的人」。結果使到婦女盡量避免離婚，而完全任由命運安排。

這種情形的發展，使到男人和太太之間的關係，就好像是主人和奴隸一樣。做丈夫的如果想拋棄妻子，而她又想離婚的話，他就會盡量的使她丟臉，特意與她斷絕關係，甚或把他們的結婚證書賣給她。

男人如果想要離婚，那是輕而易舉的事，最簡單的辦法就是拋棄了她算了。但是根據法律，妻子只可以在丈夫沒有負起供養責任。或是丈夫染上了類似痲瘋等重病，或是她已被拋棄的情形下，才可獲得離婚。

在一百宗妻子要求離婚案件中，有九十九宗是不能獲得法庭批准的，因為法官把她們視作丈夫的物產之一。

密素狄女士認為，要解決這個問題，摩洛哥的婦女必須停止現在的做，不要再把自己當作物件或是消費品。她們摩洛哥婦女加强她們的努力，將權力從當局搶回來，並建立一個適合現代的法律地位。

長壽有妙法（下）

·象伯·

荷蘭榮頓大學戴藍柏教授，是最著名的人壽科學家之一，他相信凍結，是生長術的秘訣。一九三八年，他在一個名叫布魯格的女人，施行了一種異常的試驗，這女人三十歲，但看來有五十歲那末老了，醫生們都說，她的體力已瀕於衰老。戴教授叫她斷食二十四小時對她施麻醉藥，然後把她放在一個氣溫的冰點的房間裏。但事前，他用一種叫長生素的特別血清，注射在她的血管裏，布魯格女士，一睡便是四十二天，房內氣溫逐漸增高，她終於悠然的醒了。

說也奇，她面孔上的縐文，完全消失；看來只如二十歲許的女子。她的病態的肝和腎，由於強迫休息和長期絕食，恢復了生活力。戴教授相信，一個人可活到二千年之久，如果每隔五十年，又受施這種返老還童術一次的話。

巴黎的巴斯德學院的科學家，最近發明了一種可以延年益壽的血清，一個攝影家，為了工作太過勤勞，而呈衰老之象，經試驗後，回復他青春的體力，連灰白的頭髮，都變成了黑色了。一個衰老的女伶，患了二十年的風濕症，使她的腳趾攣着，經過三次注射後，便恢復了青春。

特別有趣的是一位太太，已經過了生產的年齡，醫生給她注射這種血清之後，她不但恢復了青春，並且生下一個孩子。

美國人豪塞也曾提出人類怎樣才能够活到一百歲的方法，他以為只要在食物裏面，加强鮮啤酒酵母，撤去浮沫的牛乳乾，酸乳酪，麥芽和黑糖漿等份量，便可以達到成功的途徑。他同時忠告我們，要戒絕白糖，精品飲料和潔白食米。

豪塞又引述約克郡的農夫湯姆柏爾，來作他底食物有效證明，因為他，曾經活到榮譽之年一百五十二歲，他就是吃下等食物的。他的食物，大多數包括酸乳酪之類，很多青菜和純麥製成的粗麵包。

現代醫學和生物的研究所取得的藥劑，促使正在衰老的人精神飽滿和生命力充沛。有許多藥劑是很有效力的，它們以改善心臟活動和血液循環，促進毛髮的生長，使皮膚滋潤。醫學家與生物學家，正在進行種種試驗，使人的機體自動更新，長生不老。

（完）

讀書雜鈔　十一

·林倚·

神姦巨蠹，豪奪巧取之財；父子兄弟，隱匿偏得之財；朋友親戚，強求詐誘之財；黠奴幹役，侵漁乾沒之財；巨商富室，重息剝削之財；以及一切剝奪計較，損人利己之財；是取之無害。罪遺害者，雖至親人，亦無害，其人本天道之所惡也。若夫人本善良，是天道之所福也。（未完）

陳果夫講「藥」故事（一）

·門外生·

一、治麻瘋藥

江西有個人名叫胡卓人，年紀二十幾歲，隨着他的叔叔往江西廣東做生意。有一年，在廣東時間較多，住在旅館裏太寂寞了，就和幾個友人出去玩玩，走到某處一間酒廠附近，遇到一個女子生得很漂亮，站在酒廠的後門口，後門旁有一棵大樹，開了一樹的花，非常好看。胡卓人不識此樹，同伴也不曉得，就走向前去問這個女子。女子笑着向胡卓人說：

「這是一種木棉，你們江西沒有的。」

胡卓人不覺驚奇說：「你何以曉得我們是江西人呢？」

那女子又笑着說：「你剛才問我的話不是江西口音嗎？」

胡卓人聽了，佩服這個女子有見識，以及聰明伶俐，所以和她談起話來。一談談了一刻多鐘，其他的同伴等得不耐煩，而且天色漸晚，催促他回去。胡卓人已經曉得這女子的名字叫李玉嬌，也曾經讀過幾年書，家裏祇有一個母親，李玉嬌最後還希望胡卓人有空到她家裏去玩。胡卓人心裏高興，就此告辭。這幾位朋友在路上不免有許多鼓勵道賀的話，因為胡卓人尚未娶妻，大家認為這個女子可以算是胡卓人理想的老婆了。胡卓人到了晚上也翻來覆去的睡不着，總是想念到李玉嬌。

第二天清早胡卓人吃過早餐，立即到李玉嬌家裏去，那知李玉嬌和胡卓人一樣的多情，早已在門口守候了。這一次相談差不多兩個鐘點，又見了李玉嬌的母親。以後胡卓人一有空就到李玉嬌家裏去，在旅館裏，除了胡卓人的叔叔不知道這事外，其他各人都曉得這一段姻緣。胡卓人愛李玉嬌，李玉嬌也愛胡卓人，雙方愛到極點，可是胡卓人屢次要提到婚姻，都給李玉嬌打斷。胡卓人以為李玉嬌是虛偽的愛他，但是李玉嬌愈是聽到談婚姻，愈是愛胡卓人，就是不肯和胡卓人談結婚，有時背着胡卓人流了幾點淚。旅館裏的朋友們都以為這件婚事一定可以成功，誰知胡卓人始終沒有好消息給他們，所以大家很奇怪。有人以為李玉嬌已經有了丈夫，但是打聽下來沒有的；又有人以為他的母親不肯，但打聽下來，母親非常願意他們成為夫婦。祇知李玉嬌極愛胡卓人，就是不肯談婚姻，一談婚姻，就要暗中哭泣或者而背着胡卓人流淚。

有一天，胡卓人的叔叔，要他準備行裝回江西去。胡卓人立刻去告訴李玉嬌，並且又提到結婚的事情。不料李玉嬌抱了胡卓人大哭，哭了很久向胡卓人說：「我愛你，我因為愛你，我不能害你；所以我不能嫁你。」

這幾句話說得很沉痛，但是胡卓人還是莫明其妙。他說：

「究竟為什麼嫁了我，就是害了我呢？」

他再問李玉嬌，李玉嬌才把她自己有痲瘋病的事告知胡卓人。廣東省的傳說，女子有了痲瘋病時如果嫁了一個男子，這個男子發了病自己就不會死。所以李玉嬌說：

「我因為愛你，所以不應該把病傳染給你。這是我一片愛你的心，請你趕緊回江西，我自己也許不久要病死了。」李玉嬌說到這裏，又哭了一陣，於是交換通訊地址互道珍重地分別了。從這一天起，胡卓人當李玉嬌是一個道德高尚的女子如神一樣尊敬，就是同伴的朋友們聽了胡卓人講到最後離別的一段話，也莫不肅然起敬，大家公認為這是真誠的愛。

（未完）

從睡眠講到藥枕抄本

·馬騰雲·

營養研究

高級神經活動是由興奮與抑制的各式各樣的相互關係所組成，而興奮與抑制呢？好像是統一的神經過程兩條道路，當高級神經活動過程存在時，興奮與抑制不斷的相互作用，彼此照顧，藥枕中除藥的性能外，並含有抑制劑，抑制時皮膚細胞的作用非常重大，這個過程，就是藉毛細血管的吸收與自己的呼吸，使藥性慢慢的擴散到大腦皮層，或下行到腦子低級中樞，在適當的情況下，愈來愈加強，向皮層的其他據點擴散首先向鄰近的，而後再向較遠的拓展，普通的睡眠是大腦半球神經細胞的保護性抑制，腦在睡眠時的休息，是一種特殊方式休息，蘇東坡詩句有「主人勸我先足睡，倒床不復聞鐘鼓」睡後連鐘聲鼓聲都聽不到，可謂特殊方式休息，俄國生物學家巴夫洛夫更指出狗餓廿五天不會死，人祇要人爲的五日夜不眠，就可致死。睡眠既然這樣重要，話又回到本題，枕頭就不能不加以注意了。

馬氏藥枕係根據宮庭抄本，計有「菊花」、「參葉」、「枸杞葉」、「竹茹」、「金銀籐」、「桑葉」、「蠶沙」、「菖蒲」、「遠志」、「淡竹」、「燈心」、「荷葉」、「獨活」、「決明子」、「綠豆殼」、「薄荷」、「車前」，及另幾位草藥所組成。菊花的功用，治頭痛眩暈、血壓亢進，又爲清心明目要藥。參葉治神經衰弱、枸杞葉補精氣，除虛熱，竹茹解熱有咳、瀉上焦、清心肺，金銀籐爲利尿藥、解熱殺菌、治關節炎及化膿性疾症。桑葉利尿鎮咳、治高血壓、手足麻木。嫩枝熬膏治糖尿。蠶沙去風濕、治頭痛、麻木不仁半身不遂。菖蒲開心孔、補五臟、通九竅、及健胃驅風。遠志強心利尿、治氣管支炎及心悸失眠、記憶力減退。淡竹爲清涼解熱要藥，由於煩熱不寢。荷葉散瘀消暑，治脾虛泄瀉。獨活，骨節疼痛、風濕痛，各種神經痛。決明子對眼睛有特別功能。薄荷、治感冒鼻塞頭痛，便藥中沒有一樣能離開薄荷，可以萬金油爲證。

就以上所述，人的頭部，及睡眠的意義與藥枕中各種藥的性能，已有一個簡單的概念，茲再將人體內臟腑情形約要談談，例：中醫所謂三焦，一般能答出來的並不多，三焦者，上焦出胃口上脘，主納不主出，中焦在胃的中脘，凡食物到達，全靠他的消化腐熟，變成營養。下焦起闌門的下面，專主出不主進，三焦者，是人的三元真氣，統領五臟六腑，營衛經絡內外，三焦通泰，全身舒暢。

有關五臟六腑的部位功能，也得說明白。才瞭解生病的原故。人的身子，好比鐘錶一樣，外面的五官四肘，是鐘錶的時鍼，內面的臟腑，是鐘錶內裏的輪盤法條，內面的輪盤法條活動，外面的針就能應時報候不差，稍有不活動，外面的鍼就不能照常報時了，這個比仿，相信是正確的，臟腑的部位，肺的位置最高，肺的下面就是心，心的外面有赤黃色脂膜裹著的，就是心包絡，下有膈膜，與脊脇相聯，遮住下面的濁氣，方不能上熏心肺，想就是膻中了，心的左邊是肝，肝的短葉下面懸著的是胆、胃在心的右邊、脾又在胃底右邊稍下處，靠著脊骨下面，第十三推的地方，左右有兩顆如扁豆形式的是腎，再前面稍下處，就是膀胱、小腸靠著臍上，從前面左邊回轉，發做十六曲，大腸也靠著臍上，卻從右邊迴轉，發做十六曲，只有三焦有部位沒有形式，我們命作是一股真氣，通貫上中下三部。

馬氏藥枕很像擦鐘錶的油，祇是不必將鐘錶拆開，藉毛細血管與呼吸的關係，就將這副妙不可思義的機器——人體。各部門都隨時擦了油，從漢朝到滿清，沒有一個朝代未盛行藥枕的，凡中國人小時未用過藥枕的可能也很少，睡眠必須用藥枕，是中國人的「習慣法」，筆者講這話不算過火吧。

交筆友的教訓（二）

或用「抽籤的方式」隨便抽一粒，也許你會幸運地拿到一粒好蛋；但是，如果十粒全是臭蛋的話，則不管你用「抽籤」或其他甚麼方式去選擇，你都只可能選到臭蛋而已，永遠也不可能選到好蛋的。

交筆友，想從筆友當中去選擇一兩個好朋友，就像要從一堆壞蛋中去選擇一兩個好蛋一樣的困難。事實也證明，妳從二十位應徵者當中選出了十位筆友，卻未見有什麼值得妳一提的好人，妳只提出了一個與妳最「要好」的A君，卻說出了許多有關他的惡劣行爲。

妳認識了A君之後，給你帶來了不少的煩惱，如果妳不去搞「筆友」這一套，恐怕不會有這些事情發生，妳「自尋煩惱」此其一也。

妳和他通信之後，他信中說得有聲有色使妳對他產生了好感」，妳大概以爲他是一個怎麼了不起的人物吧？後來妳和他見了面，妳說：「我第一次見到他我就覺得他有點像花花公子。」

事實說明，書信中所說的不一定靠得住，別有居心的人交筆友，往往善于掩飾自己的眞實面目，而以一副僞善的明臉出現。按理，當妳發現他並不是一個好人的時候，妳就沒有必要和他繼續做甚麼朋友了，可就不知道妳爲了甚麼還和他繼續來往，而且「由于接觸的機會多，感情也開始在培養中」。妳繼續和他做朋友，乃犯上了「明知故犯」的錯誤，如果因此而惹上甚麼煩惱，可不是「自尋煩惱」嗎？

妳說，妳交朋友的目的是「互相交換知識」，這只是一個好的願望而已，對于A君來說，妳的願望是要落空的，因爲他並不和妳一般想法。妳說妳只「把他當哥哥」看待，也只是一個幻想，因爲A君另有企圖，並不把妳當「妹妹」看待。他滿腦子的歪主意，一開始就把妳當作了他追求的對象了。

妳哥哥說得對，A君根本不值得妳和他做朋友。

妳說妳終於下了決心，和A君斷了來往，妳寫了最後的一封信給他，「勸他改過自新，做一個有爲的青年」。妳的勸告是好意的，但妳的願望也不會成爲事實，因爲A君的思想本質如此，不是靠別人的勸告所能改變好的。（完）

黛眉小傳

·王幻·

顧太清

她的次子載初於道光二十七年丁未三月十八日娶婦。長子載釗又舉一子，同在子時，太清曾以七律一首記之。七女以文於道十光二八年庚午，歸富察氏。

同治九年庚午，毓乾毓兌兩曾孫皆患痘，半月之間，兄弟相繼而歿。太清有五律記之，時年已七十二。

太清於七十七歲雙目失明，但還不廢吟咏。其逝世不知在何年？但據日人鈴木鈔本東海漁歌最後一首有序曰，辛未十二月初六日夜夢一麗人云云。詞後又書曰西江月，光緒二年午日夢遊夕陽寺，時太清年已七十八歲。

總之，太清在子媳侍奉，兒孫滿堂的環境裏，安享她的餘年。（完）

秋瑾（一）

詠絮辭何敏，清才擅倚箴；可憐謝道韞，不嫁鮑參軍。

這是鑑湖女俠秋瑾的一首小詩，由此可知她內心的幽鬱，未能嫁得一位情投意合的好丈夫，是以她與「花蕊詞」作者，與漱有着同樣的感慨！

她生於晚清之承平時代，純乎一閨秀才人，對於李易安，管仲姬的際遇，平時津津樂道，最所心羨，設假她能嫁如趙明誠和趙子昂其人者，則當過着才子佳人美滿之生活，享受京兆畫眉之樂；徒以天壤王郎之憾，所遇非人，致思想上起急劇的變化，卒歸於烈士殉名，可云不幸，然革命成功，名垂國史，寧非不幸中的大幸。

秋瑾，字璿卿，浙江紹興人，生於清光緒元年（一八七五）十月十一日。因祖父官閩侯知府，寓籍福建，她便在那裏生長。父親候星先生，字益山，出身科甲，是一儒者，母親屈太夫人，乃浙江蕭公望族，也長於文學。她生長在這樣一個書香之家，幼隨大兒同塾讀書，兼習騎馬擊劍；稍長嫺於詞令，已詩文詞，寫作甚美；但賦性豪爽，平日喜讀劍俠傳，慕朱家郭解之爲人，又好騎馬，善飲酒，明媚倜儻，儼然花木蘭、秦良玉之流，全無一般閨秀千金妞妮之態。她二十二時，隨父到湖南湘潭知府任所，依父母之命，嫁與湘鄉王廷鈞（字子方）爲妻。（一）

胸相與乳相（九）

·錢一釗·

錢一釗談相

大胸者，百神之掖庭，萬機之府，宮庭平廣，則神安而氣和。府庫傾陷，則智淺而計小。故胸欲平而長，闊而厚，乃爲智、高、福、祿之人。若夫突而短，狹而薄者，乃是神、露、貧薄之人也。胸能覆於身，富貴。胸短於面者，貧賤。突然而起者，愚下。窪然而傾者、貧窮。平闊如砥者，英豪。狹窄如堆，頑鈍。骨起如柴者，貧苦。凹槽者，窮毒。胸中黑子者，爲兵萬里。胸中毫光，播名四方。一二毫長而胸闊，黑光者是胸闊而長者，財易積。胸狹而長者，謀難成。骨肉平勻者，仁智。骨肉高低者，愚狠。旣已論乎胸，次則評乎乳……。乳者，道血脈之英華，據心胸之左右，乃哺養子息元宮，爲辨別貴賤之表。故乳：欲得闊而黑，垂而堅，不可狹而白，曲而細也。以乳闊一尺二寸，至貴。乳闊一尺者，次貴。乳頭大者，志氣，而多兒。乳頭小者，懦弱，而絕嗣。乳頭狹，易貧賤。乳頭曲者，難養兒。乳頭仰者，子如玉。乳頭低者，兒如泥。乳頭壯而大者，富而福。乳頭白而黃者，賤面之偏。乳頭紫爛如柱者，貴子多孫。乳頭細如懸針者，財無一分，薄而無肉者，衣食不足。實而有肉者，財帛豐隆。乳頭生毛者，多藏見解。乳頭黑子者，必生貴子。胸中爲萬事之府。平正而廣闊者，富貴。凸凹而狹薄者，貧賤。男昂，則愚。女昂，則淫。乳爲血脈之穴。陷索而垂下者，富貴而多子。白小而斜狹者，窮困而鬱滯。

胸狹而長，不可求望。胸廣而長。主得公主。胸短於面，法主鄙賤。胸上黑紫爲兵萬里。胸獨高起，貧賤不已。胸若覆身，富貴名貴。胸不平均，未足爲人。胸均平滿，豪播天畔。胸有毫毛，必生貴豪。凡十豪以上三豪以下者必主人貴豪。多生毛者，亦多貧賤。胸廣而長，方智榮昌。

歌訣：胸爲血氣之宮庭。平廣方面衣祿榮。若是偏斜並凹凸，定知勞碌過平生。

驚人消息（二三七）

·胡慶蓉·

巨變歷險記！

昔英國人統治緬甸，他就是利用吉倫打緬甸，結果緬甸是被吉倫打垮了。丁博士認爲當前的形勢，比吉倫打敗緬甸當時的形勢還好而且好得多。在當前的形勢之下，吉倫再度的大敗緬甸也絕對沒有問題，特別加上中國游擊隊的合作。丁博士與蘇副總裁就在爲促成中國游擊隊與吉倫的合作而努力。丁博士南下的目的也就在此。博士從北部卡瓦，卡欽等地回到猛撒即準備南下。

爲爭取緬甸的領導權，吉倫曾組團前往倫敦，惜英國人不念舊功，把領導權給了緬甸。這在前面我已經說過了。以蘇巴宇枝爲首的吉倫革命武力，就普遍的發生革命行動，要推翻以宇汝爲首的緬甸政府，向仰光進軍，到處都非常順利，無如到兵薄仰光城下之際，敗於緬甸。於是東退到薩爾溫江流域，以巴奔爲首都。現在丁博士南下的目的地就是巴奔，再前是蒙區。

假若是坐飛機到仰光轉巴奔，或者是乘機到曼谷轉彭世洛再轉苗瓦地轉巴奔，那方便了，可以很快的到達。現在是完全走山路，從猛撒出發南行，出猛汗，再西行，到猛卯，再轉而之南，足足要五十天才可以到達，假如天氣不好，泥濘載途，兩個月也未必能到。

在剛要去出發的時候，李主席，眼睛迷迷的，神神秘秘的，低聲低氣的，笑謂丁博士曰：慢點……慢點……慢點走！明天有驚人的消息奉告……丁博士也只好等到明天。爲慶賀這個驚人的消息，晚上在五華山餐廳有個大宴會。各路司令！黨政軍學首腦無不在座。席間李主席還是沒有宣佈這驚人的消息是什麼，不過他說消息雖驚人，但是好消息，若對博士來說，那就更好了。丁博士想：會有什麼好消息呢？……他就坐在悶葫蘆裏。但不管怎樣，好消息總是好，於是他又轉悶爲樂，大量接受將軍們的敬酒。丁博士，在喝酒上；也眞不含糊，一杯一杯的下肚，面不改色。但面雖不改，腦子卻改了，自己漸漸的覺得有點動搖。但雖動搖，外表上還是挺精似的。怎樣回到他的住處，他一點也不記得了……第二天，一上午，丁博士在屋裏沒動，下午三點，李主席的緊急警報來了！快快！快到飛機場！好消息到了！驚人的好消息到了！丁博士強打精神，勤務鄭耀煊給背上馬，得得的就到了飛機場。呵……丁博士不由的發出驚訝之聲。啊！什麼大人物到了！這麼多的人在歡迎……李主席也在場。李主席，大家都望着博士笑，倒把博士鬧糊塗了。他也只好望着李主席望着大家笑。說時遲，那時快，藍天鵝的飛機，復興公司的飛機，也就是從台北往海南島，繞越南，橫過泰國十三個小時直飛到猛撒的飛機聲音有點聽到了！這聲音又慢慢的大起來，又慢慢的大起來。李主席，大家，丁博士都在迫不及待的仰天而望。特別丁博士，呆呆的在尋求答案：什麼驚人的好消息呢？……什麼至驚動這麼多的人呢？……啊！啊……。

中華民國內政部內版台港報字第○三一號
中華郵政台字第一二八二號執照登記為第一類新聞紙
中華民國僑務委員會登記僑報台新字第三二三號

自由報

（第一一八五期）

（半週刊每星期三、六出版）
每份港幣壹角・台幣零售價新台幣二元
督印黃行奮・社長李運鵬
社址：香港九龍官塘康寧道117號後座二樓
117 HONG NING RD, 1/F REAR, KWUN TONG, KOWLOON, H.K.
TEL: K-433653
電報掛號：7191
郵箱：官塘郵政信箱9583
承印：景星印刷公司
地址：嘉咸街廿九號地下
台灣區業務管理中心：台北市許昌街廿六號
電話：三八〇〇〇二
台灣區直接訂戶　台灣劃撥戶
第五〇五六號張萬有（自由報會計室）
台灣分社：台北市西寧南路110號二樓
電話：三三三〇三四六、台郵劃撥戶九二五二號

本報專論

人不可以年齡論

·丁作韶·

今天遇見一位法界很有資歷的人士談到最高法院增庭奔走者大有人在，某君已經「榜上有名」，呼之欲出，各方友好，登門道賀者，絡繹不絕，準備歡宴送行的也頗不乏人。他以為一切同上邊要求的完全符合，絕不會再起什麼變化，也決不會再起什麼變化，豈料竟起了變化，最高法院推事，本沒有什麼可以特別吸引人的地方，惟在一般的看來，總不免是升了一級。久在二審的，一旦有機會升一升總是好的。法國的司法官就是這種心理。這種心理也到了台灣的司法官。這是值得同情的，也是值得鼓勵的，這位資深的老司法官並不以為起了變化而生什麼慷慨，不過他不了然的是變化的原因。原因安在哉？經多方調查，現在可以說是在他的年齡上，單單在年齡上而起變化，他總不能釋然。

論他的年齡並不太高。他不是個胖子，也不是個瘦子，在初到台灣的時候，他還多報了幾歲，現在身體健康非常，許多年輕人的玩意還富有興趣保持着火力活力，看來眞是如五十許人。以年齡來論他這個人，他怎樣也不服格。特別處在司法界，對司法官來論年齡，更使他不甘，司法官不是終身職嗎？對司法官如何可以論年齡。同司法官論年齡，是不是有背於國家基本大法，有背於憲法？只要司法官能幹，應該盡量的讓他幹，如何可以以年齡來限制他的前程？

現在司法行政機構來同司法官論年齡，顯然是一般的歪風到了司法行政機構。吾所謂一般的歪風，就是以年齡論人的歪風已經吹到了司法行政機構。以年齡論人，在一般行政方面最為普遍。

人豈可以年歲論，人豈可以年歲定進退？人豈可以年歲定取捨？特別在政治方面，一個人物的養成，一個地位的養成，是不容易的。推而至於行政，推而至於任何方面的技能，都是隨着年歲前進的，年歲越大，他的經驗也就越富，他的能力也就越强，他的技能也就越高，他的地位，應該繼續維持他的地位，甚至提高他的地位，使他負更多的責任，負更大的責任，豈可硬打硬的把他拿下來？豈可硬打硬的命令他退休？

命令一個强的地位高的退休，把一個能幹的人不讓他去幹，這實在是國家的損失，社會的損失，這當然也是個人的損失。一個人的地位既然培植起來不容易，就應該繼續的培植到不能再培植的時候，讓他發生他最大的作用，最高的作用。一個人的能力，一個人的經驗，培植起來既然也是不易，也應該繼續不斷的予以培植到不能再培植的時候。一個人的地位，能力，經驗，越到後來越寶貴越有用。故自古以來，對於人的取捨進退，完全任其自然，到他不能幹的時候為止。人到了不能幹的時候，他自然會下來的，用不着去硬叫他下來。否則的話，硬把一個有用的人投諸閒散，這個人如何能甘心？這在他個人說來，也是很大的損失。人畢竟是一個動物，人不愛靜而愛動，天生此人，必有其用，若不讓他工作，豈不是暴殄天物！不但為個人造成不可補償的損失，並且也給國家社會造成不可補償的損失。

若說為的是新陳代謝？但新陳代謝是自然的。君不見葉落葉生乎？葉子老了萎謝下來，新生的葉子又代上去，這是自然的，中間沒一點人為。人的新陳代謝，也應該跟着這個定律，任其自然，決不可加以年歲的限制。國家把很多能幹的人有地位的人有經驗的人硬驅逐下來，用退休金來養活他們，另外再用一批人，豈不是國家金錢的損失？國家有多少錢來養這般閒人？國家雖然出了很多錢養活他們，但他們並不感激，他們還要怨恨。年來社會上充滿着一種乖戾不平之氣，是不是這個原因？

若說是為行新政用新人，但行新政一定要用新人嗎？什麼是新政？政有新舊之分嗎？年來革新之說盛極一時，這也要革新，那也要革新，以至於全面革新。但仔細的去看看，革新在那裏？那裏在革新？又如何去革新？縱令去革新，一定要用新人嗎？用新人才能行新政嗎？行新政不一定要用新人，而且用新人不一定準能行新政。

若說要為年輕的一代解決出路問題，但這也不是硬拉下來幾個人所能解決的。年輕的一代職業問題誠然嚴重非常，但這個問題是多方面造成的，必須從多面解決，決非退休制度所能解決。即令退休制度普遍實施，又能安插幾個呢？我還記得陳故副總統曾說：不能反攻，台灣的問題越來越多，且越來越沒辦法解決。特別關於國民失業的問題與就業的問題。以年齡來決定人的取捨去留不但不切實際有失公平，而且將來治絲而　公私交困。

我很希望政府能拋棄以年齡論人，以年齡定取捨，以年齡定進退的辦法。這樣不但與事無補而且造成國家社會個人莫大的損失，造成國家社會個人不平之氣。這雖是無形無蹤，然有政治頭腦的人，都會深深的意識到，最近中華日報南部版發為一連串的社論，強調這種不平之氣所伏下的危機。這種不平之氣將造成行政的癱瘓，政治的無力。於此而談自立自強，直南轅而北轍。在國際大勢與我不利之際，呼籲國人自立自強，誠屬必要，而政府本身如何自立自強，尤為當務之急。從一位法界的朋友不能進入最高法院之門，想到年齡人，想到由此造出來的種種惡果。垂涕以道，幸垂察焉！

（完）

昨日與明日

尼克遜何以解嘲？

在二次大戰期間，美國民主黨羅斯福政府引用了許多美共暨其同路人，佔據重要職位，為共作　，終使中國大陸斷送於毛共之手。

於是，共和黨人以參議員麥卡錫與尼克遜兩位反共鬥士為首倡，實行「非美調查」運動，摘奸發伏，把許多危害美國利益的共黨份子，如希斯，懷特，居里，拉鐵摩爾，謝偉志，戴維士，費正清之流，逐一揪出，置之於理，有的畏罪自殺，有的判處徒刑，有的流亡外國，有的銷聲匿跡，而民主黨政權亦因之大失民望，旋被共和黨艾森豪取而代之了。

不料事離十餘年之後，當年以武松打虎式的英雄人物，藉反共運動發迹起家，乃得入主白宮的尼克遜，竟採取了比上述那些被他打倒的美共份子更積極的親共政策，而自詡為創造世界和平的重大發展，不亦怪哉！

於是，曾被尼克遜指為「非美活動」的美共份子如謝偉志，戴維士，費正清之流，相率理直氣壯的出席參議院外委會召集的「中國問題」聽證會，嘵嘵譁咋，自認有先見之明，說是白宮當局如果早就聽從他們的主張，則韓戰越戰皆不致發生，實際就是譏刺尼克遜之前後言行矛盾，誤盡天下蒼生。尼克遜要想以親共姿態來爭取下屆總統連任的企圖，效用亦就很渺茫了。我不知尼氏心裏所感覺的滋味，是酸辣？還是甜蜜呢？

這是民主黨對尼克遜政權的一種鬥爭手段，好戲還在後頭，如居里，拉鐵摩爾等人，勢將繼續出面，發述他們過去的親共主張十分正確，也就表示民主黨政府比共和黨政府開明前進，而使尼克遜無法回咀，甘居下風。尼氏可謂其愚不可及也！

我們還有人恭維費正清嗎？

近年來，在台灣的輿論界，居然有人替費正清解嘲助勢，既說費氏已改變對中國問題的思想，又說吾國人士指摘費氏的言論不切實際，更有以曾在美國跟費氏晤談為得意，而不惜為之辯解者。現在瞧着費正清與著名的共諜謝偉志，戴維士在參議院聽證會的作證言論，原形畢露，一目了然。如果再有人為着私慾而渾忘國家利益，敢為費氏作說客，即應摒諸四夷，與衆共棄乃可！

要反共復國而不注重思想鬥爭，那我們又何必反對尼克遜之跟毛共妥協呢？

·何如·

自由談

反共英雄今昔觀

二十年前的美國政壇上，有兩位反共英雄人物，為着實行「非美活動調查」的任務，對潛伏在政府各部門的共諜份子及其同路人，摘奸發伏，不遺餘力。如著名的共諜首要希斯，懷特，皆被揪出來繩之以法，毫無寬假；如現時仍在中國大陸上為毛共服務以反抗「美帝」的柯佛朗（Frank Goe）艾德勒（Sol Adler），就是當時被指名追究，而畏罪逃往毛共區域的美國務官員。這兩位反共英雄即參議員麥卡錫與尼克遜是也。麥氏早已下世，尼氏於今貴為總統了。

二十年後的反共英雄尼克遜進入白宮主政，乃一反過去作風，而以對共產主義者獻媚妥協為能事，寧非令人拍案驚奇，認為不可思議嗎？如果仔細思量，也就不足詫異，這是基於商業主義立國精神的功利思想，專講現實利益，沒有高瞻遠矚的政治理想可言也。譬如我們東方人的軍人精神教育，對敵人作戰必須戰到最後一人，而以投降被俘為恥辱。西方人卻不然，估計沒有戰勝的把握，馬上懸掛白旗乞降，被俘釋放歸來，亦受到凱旋英雄式的歡迎優禮。這與做生意的手法並無二致，貿易若難成交，即自動殺價，實行薄利賤賣。

尼克遜為要連任總統的現實利益，不能不迎合選民大衆的苟安心理，一反過去的愛國思想，對共產主義表示妥協，即等於商業上的臨時殺價方法，所謂昧良心出於無奈，亦與商人標榜「忍痛犧牲」的用意相同。若說他眞是搞通了思想，誠心誠意的願向共產主義投降，那亦未必。同時亦不能笑他缺乏大政治家的智慧和魄力，因為他的才具原是屬於政客型的，何必强人所難，作過高的奢望呢？

馬五先生

遊美將不需簽證

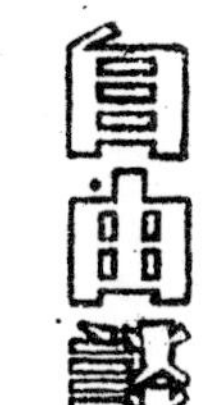

一旦外國遊客取得入境簽證，他就可以訂購機票，飛往紐約或其他美國入境港口。美國海關署已要求所有航空公司優先訂定國外班機到達時間，以免美國各機場的海關設備在一天中的某些時間太擁擠，並免使機場旅客室在其餘時間中幾乎空無一人。

例如，在紐約甘迺迪機場，每天從歐洲抵達的班機，有百分之三十至百分之四十是在下午四時至七時左右降落，白晝的其餘時間及夜則有如海關署一發言人所說的「異常沉悶」。

海關署副署長凌斯說，各航空公司使班機抵達時間相隔延長，對加速乘客在各主要關口辦理清關手續甚為重要，對於協助杜絕毒品走私也很重要。

紐約港口當局曾告各航空公司說，每小時獲准進入甘迺迪機場的「旅客入境大廈」的旅客不得超過二千五百人。各航空公司已依據港口當局的行動而舉行會議擬訂應付辦法。

凌斯副署長說：「我們將時時刻刻協助誠實的遊客，但他時時會被阻延，因為我們要查緝欺詐者，海洛英及古柯鹼的攜帶者」。美國吸毒者所使用的海洛英及古柯鹼，全部是偷運入境的。

在各大機場，旅客平均要在海關檢查處等候十五分鐘，雖則等候時間的長短，要視乎其他乘客有多少而定。在廣泛的杜絕走私措施於一九六九年實施時，等候時間較長是很平常的事，但在一九七一年等候時間已告縮短。

（完）

替中央日報打算

成公

天下事

台灣盜印書籍風氣之猖獗，令人痛心疾首，大者盜印外國成套大書，廉價傾銷出售，貽羞國際例如前多年的盜印大英百科全書是，小者則偷偷的盜印有利可圖的著述，廉價傾銷，反使作者的原著無法出手。近些年來，愈演愈烈，居然有人不顧作者的存在，公然明目張胆印行出售，例如本報的馬騰雲教授，其人身在台灣主持許多事業，而竟有人將其數年前所輯印的「中國近代學人信札」公然列名出書，自註住所，毫不含糊。盜印者這種態度，眞可算是「大胆作風」了。

五月十日中央日報副刊，登載梁實秋先生一篇短文，梁先生以幽默的口吻，稱他自己著作被盜印的事，為「強迫出書」。以梁先生的聲望和其動人的文筆，立即喚起社會上的共鳴，大家羣相指斥這種盜印的事實。「中副」在痛加批評之餘，率先採取對付之道，而在其刊頭上添註「本刊文字，未經同意，不得轉載」，十二個字，足見疾惡如仇的精神，至為欽佩。

但是若進而作「春秋責備賢者」的推敲，則這個註加的有點不像中央日報了，我們所以痛恨盜印，是因為著作，就作者而言，等於是他的私人財產，並且實際也有些文人就靠賣稿賣書吃飯，試問怎麼可以盜印，但報紙的副刊則是一個「以文會友」的場所，而不能作私人財產看，試問「中副」的投稿者有幾個是為了那幾文稿費？其目的不過是為了交換意見，或是傳名而已，因此，除了長篇連載，準備出書的以外，作者很少痛恨轉載，反之却往往視為榮耀或樂趣。現在中副註上這幾個字後，不僅忽略了這種「以文會友」的文化意義，並且也歪曲了報紙的功能。報紙的功能似乎應該呼籲正義維護人民而不是先來保護自己，而中副這一措施却有點像救火隊自己先澆一身水，站在火場遠遠的。

上面還都是可此可彼的，而最重要的一個原因，則是宣傳。原來中央日報乃是執政黨中國國民黨的黨報。並非一般的商業報。後者目的在賺錢，自可斤斤計較私人權益，而黨報的目的則是在宣傳，因此文章有人轉載，豈不正是宣傳的成功表現，求之而不可得嗎，為什麼還故加阻撓呢？我們借箸代籌，這添註的十二個字是否可改為「轉載本刊文字，務請註明出處」呢？

我們這並非慷他人之慨，例如本報是純營業的報紙，但所有的文章（絕大多數是出於名教授的手筆，身分並不低）都歡迎別人轉載，只要註明轉自「香港自由報」。

羅雲平談大專聯招

提出個人改進意見

透露教部正草私立學校法 將鼓勵私人興辦大專院校

（自由報台北消息）教育部長羅雲平說：教育部將鼓勵私人創辦大專院校，現已按照憲法規定，擬訂私立學校法，獎勵興學；並研究投資於教育事業的問題，俾提高人力資源，促進經濟發展。這是羅部長就任兩個多月後首次出席新聞局記者會答覆記者詢問時宣佈的。台北的氣溫高達攝氏三十七度以上，羅部長打破傳統的時間作了一百分鐘的談話。對大專聯招的問題，提出其個人的意見；並希望各方面多多提供意見，作為改進大專聯招的參考。

羅部長除鄭重宣佈明（六十一）年大專聯招仍維持現狀不變及廢止幼稚園小學考試制度以外，並就「大專入學考試問題」，提出檢討意見。

羅部長在檢討此一問題時，首表示其立場和態度，他不是大專聯招的「熱誠擁護者」。他認為：當前一般社會最關心最詬病的一個教育上的問題，就是大專聯招問題，教育部有絕對的決心，對這個問題，深入研討，徹底改進。而這個深入研究徹底改進的決心，是建築在教育觀點和為青年學子着想的觀點上。教育部最後的決定，絕不會存一點偏見。

這位主管全國教育行政的首長呼籲對聯招問題有研究或有興趣的人，不要存所「時希望在廣大的社會「偏見」，平心靜氣，謂「專家偏見」，同「上，不要存有「個人」來尋求一切可能的辦法，比較其利害得失，集中教育界和一般社會上廣大智慧，做最好的抉擇。惟天下事，沒有絕對的；沒有絕對好的，也沒有絕對壞的。聯合招生當然也不例外，我們所注意的是教育整體的，對絕大多數青年着想，中國有句俗語：「衆口難調」，吃飯尚且如此，其他事更不用說了。教育部就主管的立場，對大專聯招問題研究改進，所希望的是：

一、就教育觀點來說，大專入學考試不管採任何一種方式的決定，不能本末倒置，換句話說，不能因為因應幾天的入學考試，對整個教育，尤其高中這一個階段的正常化，發生不良的影響。

二、新的入學考試方式如何能符合解決青年的志趣。

三、新的入學考試方法如何能做到公平合理的地步。

四、考慮如何不增加青年學生對新的入學考試辦法在心理上和精神上的負担。

五、考慮到青年學生因為新的入學考試方法，所引起的經濟上的負担。

六、新的入學考試方法，須考慮到學校行政上的可行性，必須不影響學校正常作業，必須能依時授課而不受影響。

改進大專聯招

提出可行方式

教部將作深入研究 盼十個月內獲結論

羅部長在談到大專聯招改進辦法時，首先主張不用大專聯招的名詞，建議改用「大專院校入學考試研究解決辦法」。其可能性解決辦法列在下面：

（一）維持現在的聯招辦法：其優點有二，一是行之有年，已形成一種相當綿密的考試辦法。二是已做到公平合理的地步。其缺點有三，一是祇有考試機會，一錯過就是一年。二是目前一次考試，學生有時心理不正常，不見得能眞正鑑別學生成績的優點。三是不能依照考生志願。

（二）完全取消聯考，任各校自行辦理招生：這與前面說的辦法恰恰相反。照道理學校招考新生，本來是各校校務分內的事，教育部是可不過問的，由各校自己定日期，和考試地點，一切試務工作也由學校自理。其優點有三，一是學生可自由選擇學校去考。二是學生可多考幾次，心情上的壓力減輕不少。三是學生似乎可依志願。其缺點有五，一是對考生來說，如果各校的考試時間衝突，要想把聯招所有的一百多個志願都填上去，反而不可能。二是學生考幾個學校，要報幾次名，繳幾次報名費，如果考試再不在一個地點，考生還不但多花報名費，還要多花旅費。三是原來聯招考兩天，如果完全不聯招，有的學生，佔大多數中等程度的學生，就要考上十天、二十天，由原來的一次考，變成幾次考，學生身心負担加人不少。四是社會上不正確的看法，把學校根據好壞排成甲、乙、丙、丁順序，學生為安全起見，多報幾個學校，甚至十幾個學校，這是當然的事，這樣便會造成一個學生好幾個學校都錄取了，但是最後祇能就所被錄取的學校中，選擇一個學校註冊入學，而把其他被錄取的學校放棄，這樣以來，被放棄不入學的學校來說，可能有招生不足的現象，而就一般考生而言，相對喪失了錄取的機會，當然可採多錄取備取生的辦法，來彌補註冊學生不足的弊病。可是問題又來了，例如甲校核定一千名，因為甲校在一般考生的心目中是最嚮往的學校，當然不會發生註冊學生缺額的現象，少取幾個備取生沒有關係，可是順序下去，乙校如果核定一千名的話，那麼乙校就得考慮在它所按成績錄取的學生中，就有一部份或大部份被社會排在它前面的甲校所錄取，這樣以來，乙校就不能不考慮註冊學生不足額的問題，因之不得不採多錄取備取生的辦法來彌補，如此類推，排在下面的學校正取生之外，甚至發生備取生的名額比正取生還多的畸形現象。五是八行書滿天飛，將造成極大的困擾。

（三）大學獨立學院與專科分開聯招：照道理這是應該做的，以前曾經有這個決定，後來由於學校的反映又取消了。

（四）按現行的甲、乙、丙、丁分組分別辦理聯招。

（五）按南、北、中三區分區辦理聯招。

（六）自由辦理小型聯招。

（七）按實特殊的學校指定單獨招生，其餘採聯招。

（八）把高中畢業會考和大專入學考試合併在一起。

（九）取消入學考試，根據高中卒業成績，向所進的學校登記，由學校審檢，如人數超額，採甄試的辦法決定取捨。

這九種方式，都是教育部深入研究的對象，這是羅部長的意見，不是教育部最後決定。這項研究工作，希望在十個月內有個明確的結果。

監所人犯將予疏減

處理條例審議完畢

規定若干罪犯可以保釋

（自由報台北消息）立法院司法國防兩委員會聯席會議對行政院函請審議之中華民國六十年監所人犯處理條例草案，業已審議完畢，即將提出於立法院院會完成立法程序。其立法意旨謂：由於近年來全國各監所人犯日益增加，際此開國六十年紀念，監所人犯應加以疏減，使受刑人知過能改，其政治的、教育的、社會的意義至為重大。

該條例為特別法，故優於其他有關法律而適用，故明文規定來決案件之結案限期，如被告在地檢處偵查中羈押滿兩個月，在審判中滿五個月而未結案者，應自該條例施行之日起兩個月內辦結，否則，視為撤銷羈押，具保責付。

凡是在該條例施行前，判處有期徒刑七年以下之人犯，於執行達十分之二時，祇要具備保釋後獲得職業及有一定居住所者之條件，准予保釋；或判處逾七年有期徒刑之人犯，於執行達十分之三時，及判處無期徒刑之人犯於執行達七年時，亦准予保釋；如犯戡亂時期貪污治罪條例之罪者，在該條例施行前，經判處有期徒刑執行達二分之一，或無期徒刑執行達十年之時，均准予保釋。

至於在該條例施行前，偵查審判中之被告，在該條例施行後判處有期徒刑以下之刑，執行達十分之二，或十分之三、或二分之一時，均可按照有關規定准予保釋。

經軍事法院判處未滿七年以下有期徒刑之現役軍人身分之人犯，亦得按照有關規定准予保釋。

人犯保釋時，必須辦理下列手續：一、保證人之保狀。二、人犯應令具切結，以示其遷善之決心。三、人犯保釋後應向居住所在地之有關機關報到，其工作狀況及生活情形，每月應向有關機關報告一次，有關機關應注意其行動。否則，不予保釋。

不得保釋之限制：如犯罪在該條例施行後；如犯罪在該條例施行前，而發覺或追訴在該條例施行後；如通緝在該條例施行前，而歸案在該條例施行之後，均不得保釋。另一種人犯也不得保釋，如犯懲治叛亂條例之內亂罪、外患罪、通敵、參加叛亂組織或集會者，或妨害治安、或散佈謠言搖動人心者，或以文字有利於匪黨宣傳者；如犯刑法第二七二條殺直系血親尊親之殺人罪者；如犯盜匪罪者，如犯戡亂時期肅清烟毒條例所規定之罪者；如犯偽造國幣罪者；如犯對於上官為暴行及抗命之罪者，均不准保釋。再次是：人犯應追繳追征追賠之公有財物，在未執行完結前，暫緩保釋。

人犯應移送行政機關執行保安處分場所，為所餘刑期或保安處分之執行，不得保釋。因為如犯搶奪或盜罪者，或有犯罪之習慣，或以犯罪為常業者，或因遊蕩懶惰成習而犯罪者，不得保釋，因為這種人犯足以妨害社會安寧。

該條例之制訂，主要原因是現有各監所人犯有「人滿之患」，如不及時處理，政府每年需要增加財政上的支出，來維持現狀。

劉半農記賽金花

我想，這就算完了，不料，生出枝節，也不知道從那裏跑出來的屍親，也露頭不依不饒了，我班子裏的幾個夥計，還裏勾外串的從中傳消息，說壞話，說什麼鳳鈴是受我虐待，被逼服毒的，在城上這麼一告，城上只得派人來傳我，我一聽眞要氣昏，忙着披上一件掛子，就跟他們到了城上。我覺得我沒有作虧心事，害怕什麼。唉！那裏曉得，這裏面有洪先生的幾位老親友如陸潤庠、孫家鼐等，早想着找個題兒把我押起，解散了我的班子強迫我回籍呢。

遞解回籍

到城上，一句話也沒有問，就把我送了刑部。幸虧刑部裏的一班人差不多我都識得，很得了些關照。刑部正堂是孫家鼐，他隨駕往頤和園去了，故此沒有叫我過堂就押起來，在監裏，一點罪倒也未曾受，部裏的諸相好給我預備的太周到了，連澡盆全有，還許抽鴉片烟。悶了時就同傍的罪犯談談天，故不甚感覺寂寞，只是心裏總罣念着家中的事。他們是不許有人來看我的。後來只有德國使館派的四個武官來看了一次。他們先聽我遭了官司，就派四個武官到我家裏探詢，家裏有一個小聽差，名叫小七，他跟我學會說幾句德國話。對他們說：「賽太太在城上呢。」他們到了城上，城上推說不知，後來他們打聽出我在刑部，又到刑部，刑部的人一見都驚惶的了不得，又不敢不放他們進來；

（卅二）

介紹古今談與今日文摘

·文風撰述·

古今談雜誌，原在台南市出版有好幾年歷史發行人是立法委員蔣肇周，社長張徵馨後又一度更爲朱玖瑩（朱曾任湖南建設廳長，台灣鹽務局長），該社組織有社務委員會，三湘聞人如唐國楨，周天賢，湯如炎，朱如松，王宜聲，趙家焯，馬濟霖，胡維藩等皆爲社務委員，朱如松爲社務委員會主任委員，在台北一家純民營雜誌社而擁有十幾個立法委員者恐不太多，有的話要算古今談了。

古今談雜誌社於民國六十年一月由台南遷台北出版，內容印刷煥然一新，稿件除約專家撰述外，部份譯作由香港自由報供給，舉凡倫敦，紐約，華府，東京，柏林，巴黎，羅馬乃至於鐵幕內消息，應有盡有，稱得上是一份比較充實綜合性的雜誌，國內訂閱可直函台北市永吉路二七八巷四七弄七號之二古今談雜誌社。國外委託香港自由報總代理。

另一雜誌爲「今日文摘」決定在本月份內出版，標榜「今日文摘」才是文摘，其餘一切可以推想了，編輯方針「揹今日資料摘天下好文」。包括美國報業集團與雜誌集團廿幾家有份量的報章雜誌，歐洲各國幾十家有份量的報章雜誌，香港與東南亞一百多家有份量的報刊，雜誌均在「今日文摘」取材之內。做到使讀者們：「秀才不出門，能知天下事。」

今日文摘有三大特色值得向讀者特別介紹的：（一）除摘盡天下好文外，抱精益求精，敦請專家學者，權威教授，執筆爲文，以光篇幅，因篇幅有限，特別向自由報看齊，「大作家寫小文章，小報紙談大問題」之作風，期使本刊精萃卓越，不僅成爲雜誌之權威，是非之準衡，抑且成爲學人國士之園地，民主自由之櫥窗，天下好文章之展覽會。（二）科學的實用的趣味的反科學反實用固所不取沒有趣味，缺乏幽默，教科書或大學講義式的文章絕對不登，和自己都不看的文章，我們之視「毛語錄」如狗放屁者道理在此「（三）提倡中醫中藥，敦請馬騰雲教授主稿，馬騰雲指出：「占全世界四分之一的中國人未全部死亡之前，中醫中藥是廢除不了的，這是常識，而非强調……」不過我們對有關中醫中藥的文章，以通俗易懂，雖初中學生也能閱讀爲原則。不搖頭擺尾，不陷入八股。

附語：今日文摘暫定爲十六開本，約八十餘頁，每本定價新台幣一拾元，社址：台北市許昌街廿六號。海外總代理委託香港自由報。

諾貝爾苦研有成

·錫·

提起諾貝爾獎金，盡人皆知它是頒給學術成就達到最大貢獻者的一種獎金。可是，諾貝爾到底是怎樣奮鬥成功，知之者料必不多。

諾貝爾獎金的創設人全名是阿法雷德·諾貝爾，在家庭中排行第三，是瑞典籍人。當一八六一年，拿破崙三世以十萬法郎購買了他聲言「會爆炸的油」後，便奠定了他的財富基礎。

阿法雷德所謂「會爆炸的油」，是指硝酸甘油而言。初期，是由老諾貝爾研究，他深信這種心臟的興奮劑有被製成炸藥的可能，並知道這種油在某種情況下一定會爆炸，不過，研究經年結果，始終未獲答案。後來，阿法雷德得出一個結論：要使硝酸甘油爆炸，最重要是把它封閉在器具中，以便使它產生初次的爆炸。此後，父子兩人便本着這個理論去研究，直到一八六四年，在一次試驗中，硝酸甘油果然產生大爆炸，由於不小心，竟炸死了五個在場工作的人員。

由於這次意外事件發生，政府便禁止他們父子繼續研究炸藥的工作。此後，他的硝酸甘油又發生幾次爆炸事件，一八六五年，他在挪威的硝酸甘油製造廠發生爆炸，廠內器物亂飛，幸無傷亡報告，數十天後，一個鐵路工人因要打開冰凍的硝酸甘油，引起爆炸，腿被拋離半里外，令人怵目驚心。阿法雷德爲要避免政府的追查，費了很大的苦心才把試驗室移到一隻小船上，並把船停泊在遠離人跡的湖中，繼續從事研究，此後，他日以繼夜的研究，主要目的在於告訴世人說這種硝酸甘油是安全的；結果，他研究成功了，但身體却因過勞而顯得很衰弱。

爲了要向世人說明硝酸甘油是安全的，他有一次帶了數箱油到紐約，見之者都作鳥獸散，大家都深恐會發生意外爆炸事件。後來，他做了一次公開試驗，到場參觀的人只有寥寥的十餘二十人，而且都站得遠遠的。在那次試驗中，他以許多令人信服的方法消除了人們對硝酸甘油的畏懼心理。

阿法雷德年青時，在巴黎愛上了一個少女，誰知天妬紅顏，她的愛人竟突然死去，使他的精神大受打擊，自此以後，他心灰意冷，爲忘却這段往事，他便埋頭研究工作。一直到四十歲那年，他愛上了一個名叫蓓莎的波西米亞姑娘，並擬與她共偕白首。

（完）

充滿傳奇的巴沙尼

他現年八十八歲，長期住在茅舍中，是東巴唯一只顧攬農民運動而不顧當權的政治領袖。

（巴基斯坦消息）拉曼（東巴「人民同盟」首領）的被捕，使到東巴政壇上遺下一個眞空。評論家問起，那些一樣能夠得到東巴人民擁護的領袖，究竟跑到那裏去了？「印度報業托辣斯」最近發出一則新聞，暗示將來可能發生的演變。

它們報道，老練資深的農民領袖巴沙尼，已經號召他的五萬從者投入抵抗西巴軍隊的鬥爭中。

巴沙尼在東巴的勢力，一向不容忽視。這位意志堅强的左派領袖，一生專心致志在農村工作。

巴沙尼現已屆八十八高齡（他說，其中廿九年因政治罪名消磨在監獄裏），可是他意志堅定，精力充沛。

在屋內，他兩腿交叉坐在床上，頭上掛着捲起了的蚊帳，這是唯一可見的奢侈品。他的聽衆是一羣當地新聞工作者，他們端正坐在另一張床的床緣。人民不時接踵而來，恭恭敬敬地摸他的脚，然後靜靜坐下來聽講，他身體一面隨着詞句的押韻前後搖動，擦擦脚，有時會作出靈巧的手勢來强調論點，或者吐出緋紅色的檳榔汁在平坦的泥土地板上。

（上）

讀書雜鈔 十二

·林儔·

如干犯之，事爲悖天，悖天終必敗！汝兄弟前刼一節婦，使母子寃號，鬼神怒視，如不悛，禍不遠矣。」後歲餘，果並伏法。金梁就獄時，自知不免，爲刑房吏史眞儒述之。眞儒余里人也，嘗與以告姚安公，謂：「盜亦有道。」又述劇盜李志鴻之言曰：「吾鳴郊驪馬三十年，所刼奪多矣！見人刼奪亦多矣！蓋敗者十之二三，不敗者十之七八。若一汚婦女，屈指計之，從無一人不敗者。故恆以自戒其徒。蓋天道禍淫，理固不爽云。（閱微草堂筆記卷九）

時論曰：「史稱勝者王侯，敗者賊」，吾人讀史自古創業帝帝王出身於書香門第者究有幾人？僥倖成功，神武英明，頌之者何患無辭。不幸而敗，自然被斥爲亂臣賊子耳。但率衆征帝，不立紀律，任部下姦淫擄掠而成功者則未見史有記載。黃巢、張獻忠、李自成之必敗，一切作法，均罪民命於腦後故也。太平天國定都金陵，諸王荒淫享樂，乃致敗之主因。盜寇莠民羣中有「黑吃黑」之語，肉於自私遑能而自相殘殺，不待法律申張正義，即同歸於盡。紀文達公所記李金梁夢父之言，「不義所得，取之無害，其人本天道之所惡」云，實則未必盡然，政府播遷來台之初，軍法首長包某，備位中將，辦案之際，利用權勢，對當事人，勒索資財，占其妻室，被人舉發，付之審判，身受國法，是吃黑者亦天理國法所不容也。

烏魯木齊提督巴公弼彥言：「昔從征烏什時，夢至一處山麓，有六七行幄，而不見兵衞，有數十人出入往來，亦多似文吏，試往窺視，過故護軍統領某公，握手相勞苦。問：「公久逝，今何事到此？」曰：「吾以平生拙直，得受冥官，隨軍籍記載歿者也。」見其几上諸冊，有黃色、紅色、紫色、黑色數種。問：「此以旗分耶？」微笑曰：「安有紫旗、黑旗？此別甲乙之次第耳！」問「次第安在？」曰：「赤心爲國，奮不顧身者，登黃冊；格遵軍令，寧死不撓者，登紅冊；隨衆驅驅，轉輾而殞者，登紫冊；倉皇奔潰，無路求生，蹂踐裂尸，追殲斷體者，登黑冊。」問：「同時受命，血濺尸橫，豈能一一區分，毫無舛誤？」曰：「此冥惟官能辨矣！大抵人亡魂在，精氣如生。應登黃冊者，精氣如烈火熾騰，蓬蓬勃勃，應登紅冊者，其精氣如鋒烟直上，風不能搖；應登紫冊者，其精氣如雲漏電光，往來閃爍，此三等中，最上者爲神明，最下者亦歸善道。至應登黑冊者，其精氣瑟縮摧頹，如死灰無燄。在朝庭褒崇忠義，自一倒哀榮，陰曹則以常鬼視之，不復齒數矣！」巴公側耳敬聽，悚然心折。方欲自問將來，忽礮聲警覺。」後常以告麾下曰「吾臨陣每憶斯語，便覺捐身鋒鏑，輕若鴻毛矣！」（閱微草堂筆記卷十）

時論曰：自古死有重於泰山，輕若鴻毛。身臨戰陣，赴義恐後，自視輕若鴻毛，所謂視死如歸者，必能勇冠三軍，奮不顧身，成功成仁，名垂史冊，光芒萬丈，抗戰戡亂諸役如佟麟閣，趙登禹、張自忠、張靈甫，當之無愧。其有南征北戰，身先士卒，無役不與，出生入死，歷盡艱險，因不善肆應環境，孤高自賞，竟隨潮流而沒落，徒保令譽，空有戰功，甚且生活潦倒，受盡委屈。反之有人掌兵而不知戰陣軍旅，從政而不知民情，但加官進爵接踵而至，勳章獎狀，膺上累累，富貴並臻，顯赫一時。若言功德，虛幻飄渺，一旦壽終正寢，人死如燈滅，毫無事績可尋，枉生一世，而不自覺耳！

（未完）

陳果夫講「藥」故事（二）

·門外生·

胡卓人回到南昌，常常寫信給李玉嬌，但是李玉嬌接到信後，總是嗚咽哭泣。她的母親天天勸導她，但是李玉嬌心中總是不樂，常常發生短見想自殺。有一天自己感覺身上與以前不一樣。覺得瘋癲發作了，母親看到她這種情形，特爲請了一位醫生來爲她治病，那知這位醫生一看，說是沒救，使李玉嬌更加失望了。

李家隔壁是爿酒廠，鄰居們買酒格外便宜，所以李家常常備酒。玉嬌曉得自己生命危險，無藥可治，又有孝心，祇好在她母親面前喝酒解愁。有一天，李玉嬌清早起來，只見隔壁的酒缸上一天沒有蓋好，有一條烏紗蛇在樑上爬過失足跌了下去。李玉嬌一看，這條蛇已淹死在酒缸裏了。她想這蛇是有毒的，那末這缸酒也會變成毒酒了。於是引起了她的短見，心想我何不飲些毒酒了此生命呢？就向這只缸裏去掏些酒來喝，她的母親一點也不曉得，李玉嬌自己想喝牠一二個月一定會中毒死了。不料吃了這烏紗蛇浸的酒以後，身體竟會一天一天好起來，等到這一缸毒酒吃了三分之一，李玉嬌的病完全好了。於是他們就結婚了。

後來胡卓人的父親死了，遺產極少，叔叔的生意也失敗了，所以生活漸感困難。李玉嬌想到往事，勸胡卓人做藥酒生意，專治瘋癲，銷到廣東南洋一帶去。這才託人捕捉烏紗蛇，用缸及酒浸起來，每年浸牠十幾條，浸好後用瓶裝酒出賣救人，價值並不很貴，也救了不少病人。

二 神曲

二百幾十年前，福建泉州地方有一個人，叫「范老二」，年紀相當大了，兒子阿生已經十八歲，每天出外幫人做工，還有一個女兒阿細在家幫助母親管家事。范老二開爿蛋行，祇有三間矮屋，地點也不在鬧街，一間放蛋，兩間住家，屋後倒有個大園子，多少時候，沒有人整理過，蔓草叢生，蛇虫出沒，范家的人都不敢到後面去玩。

范家蛋行生意不壞，經常蛋房裏放着一二十十簍蛋。蛋簍大小不等，有的放三百個，有的放五百個，每次進貨，都是老二親自點驗收裝。送的蛋個個新鮮，蛋房裏前後有窗，空氣流通，還怕黃梅季節，容易受到潮濕，格外把地板抬高。這樣注意保藏，所以無論雞蛋鴨蛋，拿出來沒有個不好的，自然生意日見興隆。

可是後來有件怪事發生，每簍蛋賣完之後，檢查數目總要少掉五六個。老二起初疑心是學徒阿和偷出去的，一直留心注意，覺得阿和忠實可靠，絕不會有偷蛋行爲。細細檢查房子及門外足跡，也不像外人來過，祇好叫女兒阿細每天留意看守蛋房，始終沒有發現什麼異樣。

（未完）

非法縱惡的美國

輿論精華

美國與日本於十七日簽署「歸還琉球」協定，是非法的，縱惡的。

違法之一是：

一九四三年十二月一日中美英三國領袖共同發表開羅會議宣言：「三國之宗旨在剝奪日本自一九一四年第一次大戰開始以後在太平洋所奪得或佔領之一切島嶼……」「日本亦將被逐出於其以武力或貪慾攫取之所有土地……」

一九四五年七月廿六日中美英三國促使日本投降的波茨坦公告第八項更具體指出：「開羅宣言之條件必須實施，日本之主權必將限於本州、北海道、九州、四國及吾人所決定之其他小島之內」。

琉球本為我國藩屬，日本於一八七九年（光緒五年）派兵攻侵，滅了琉球國，改為「沖繩縣」。則日本之對琉球，即開羅宣言所指的「以武力或貪慾所攫取之所有土地」之一，和對韓國、台、澎一樣，自應在「被逐出」之列。再根據波茨坦宣言，琉球並不被指明在日本主權之內，該宣言之所謂「及吾人所決定之其他小島」，則這裏所謂「吾人」，當包括中美英三國。那麼，今日美國之悍然把琉球「歸還」日本，顯然違反開羅會議及波茨坦宣言，違反盟國意志，為了討好日本，不惜敗壞法理與中美兩國間，實行其強權的帝國主義。

違法之二是：

一九五一年九月一日舊金山對日和約第三條規定：「日本對於美國向聯合國所作任何將北緯二十九度以南之南西羣島（包括琉球羣島及大東羣島），孀婦巖以南之南方諸島（包括小笠原羣島，西之島及琉璜列島），及沖之鳥與南鳥島，置於託管制度之下，而以美國為其唯一管理當局之建議，將予同意。……」

聯合國憲章第十二章國際託管制度第七十五條丑項規定：「增進託管領土居民之政治、經濟、社會、及教育之進展，並以適合各領土及其人民之特殊情形及關係人民自由表示之願望為原則，且按照各託管協定之條款，增進其趨向自治或獨立之逐漸發展」。

北大西洋憲章第二條規定：「不應有未經民族自由意志所決定的領土改變」。

那麼，美國之取得琉球羣島託管權，是由盟國賦予的，是有聯合國託管制度限制的，為的就是要達到琉球人民自由意志決定自己政治地位的目的。今美國所為，顯然違反聯合國憲章，破壞託管制度，否定羅斯福所定大西洋憲章，蔑視盟國權力，出賣琉球人民，是十足新的帝國主義。

日本過去是一個窮兇極惡的侵略者，我們在其戰敗覺悟之後，予以寬大是應該的，但今日美國為了要利用日本，作出過分討好，使日本野心者驕恣桀驁，其為縱惡，有如養虎，這是可慮的。

讀「岳武穆年譜」書感（一）

·李安·

余因籍隸湯陰，對有關鄉先賢岳武穆將軍言行之著述論評文字，特別樂於研讀，李漢魂先生所編「岳武穆年譜」，更所喜閱，在其首頁自序有云：「岳武穆精忠大節，卓絕人寰，景仰遐徽，乃求一完書而不可得，傳紀既嫌簡畧，文集復苦殘缺，旁求於荒坵古壘，則斷碣殘碑，漫患零落，而稗乘流傳，更荒誕附會，無足論矣，夫以千古完人，竟無一完書以資紀傳，居常引以為憾。」此簡明深刻之卷頭數語，與余三十年來研究岳武穆事業文章之觀感實屬相同，對其於岳將軍之評贊：「竊以國本在民，而民族精神，尤為立國要素，岳武穆者，誠人倫之極則，所謂民族英雄，微斯人其誰與歸，至若志圖興復，而不事侵畧，心存匡濟，而不計功名，此則先得民族自決之眞諦，尤非彼徒以事功相炫耀者所可幾及也。」亦深佩為至屬恰當，共匪竊據大陸以來，於鬥爭近人胡適之思想後，近復鬥爭昔人岳武穆思想，蓋匪鬥爭之目的，在使人民認是為非，反黑為白，否定岳武穆為民族英雄，而認匪酋毛澤東為民族英雄，若以上述對岳氏評語加以分析，即可知毛澤東鬥爭岳武穆思想之原因所在，蓋武穆志圖興復，而不事侵畧，心存匡濟，而不計功名，而毛匪則既圖侵畧，尤圖功名，如千年萬世我中華兒女永以岳武穆為民族英雄，則必以毛澤東為民族罪人，故毛匪為妄圖垂名後世，乃冒天下之大不韙，而鬥爭岳武穆思想，我殊為鄉先賢之命定蒙冤而引痛，其生前也遇秦檜，死後八百六十多年又遇毛澤東，幸當時即有胡銓上書謂斬秦檜，今時更有海內外全體同胞必殺毛匪，是非自有公論，曲直自易辨分。

在李編「岳武穆年譜」更足稱道的，即岳武穆蒙冤於紹興十一年（一一四一）十二月致死之後，秦檜死於紹興二十五年（一一五五）之十月，其間相距十四載，而秦檜在此十多年中，威制上下，既專元宰之位，復秉筆削之權，自紹興八年參起，更兼竄修國史，當時日曆之官書於人曰：「岳飛每有奏捷，秦檜輒欲沒其實，至形於色，其間如關畧其姓名，隱匿其功狀者，殆不可一二數，大率欲薄其功，以欺後世。」因而討好擁當附合秦檜私意者流，乃對岳武穆以不近情理之誣衊，如誣指其夫人李氏曾經改嫁，其長子雲非所親生，而係養子，其得力之將張憲為其女婿等等，不一而足，最後世以「莫須有」罪名，誣其死，除其個人之冤，已早大白於天下，其夫人改嫁，雲為養子，憲為女婿之誣衊訛傳，於李編年譜中多得有所辨正，（按李心傳撰建炎以來繫年要錄亦受訛誤，有李夫人再嫁之記述，並宋史亦誤雲為養子。）茲更為說明如下：

1，關於岳夫人與長子雲者，在年譜中可以查悉夫人李氏，長於武穆二歲，於十八歲時與小於兩歲之武穆結婚，婚後之次年生長子雲，雲非養子可以由此辨正，李氏夫人連生五男二女，以武穆年齡計算，十七歲時（一一一九）長子雲生，二十四歲時（一一二六）次子雷生，二十八歲時（一一三〇）三子霖生，三十三歲時（一一三五）四子震生，三十七歲時（一一三九）五子霆生，又生二女，曰安娘，銀瓶，按李編年譜所述以上情節，實與岳氏宗譜「李夫人傳」紀述相同，按岳氏宗譜李夫人傳曰：

「夫人名娃，字孝娥，年十八歸於王，時政和八年（一一一八）戊戌也，懋著闓德，敬事尊章，越己亥，長子雲生，及王秉節鉞，夫人日夕佐王籌軍事，王出軍，夫人必至諸將軍家存問其妻子，以故能得將士歡，咸願為王盡死，王嘗赴行在，部下軍有謀叛者，夫人廉得之，不以言，一日會諸將於門，立命捕斬叛者，一軍肅然。（未完）

錢一劍談相

談腰、腹、臍（十）

·錢一劍·

腰相

行步緩而輕，坐起直而平，前視如負物，後視如甲形，有背無腰，初發平平，而中滯，有腰無背初困中享，但於橫發多憂疑也，背腰兩全，富貴雙全，毀辱不能及，利害不能動，此乃腰背好也。歌訣：腰背負物似甲形，行輕坐起直而平，有腰無背中年好，有背無腰早歲成。

腹相

腹者身之爐冶，所以包腸胃而蒞物者也。欲圓而長，厚而堅，勢欲垂而下，皮欲垂而淸，故曰腹圓向下，富貴壽長，腹墜而垂，智合天機，腹象陰而藏物，勢欲向下，萬物皆聚，此所以為貴也。腹近上者，賤而愚，腹上而短，飯不滿碗，腹如抱兒，四方聞知，皮厚者，少病而貴，皮薄者，多病而賤。又腹小而下長者，大富，腹大垂下，名遍天下，腹如抱兒，萬國名題，腹如雀腹，貧賤無屋，腹有三甲，背有三壬，如此之人，法蓄黃金，腹臍突出，壽命早卒。

臍相

臍為筋脈之舍，六府總領之關也，深闊者，智而有福，淺窄者，愚薄，向上者，福智，向下者，貧愚；低者，思慮遠，高者，無度量，大能容李，名播人耳，或凸而出，淺而小，非善之相。歌訣：臍為臟府之外表，只要深寬怕窄小，向上則智向下愚，此理凡人知者少。

黛眉小傳（二）

·王幻·

秋瑾

子方為人美丰儀，翩翩濁世佳公子，婚後夫妻尚稱和諧，不久生子女各一，子名沅德，女名燦芝。只是王氏家世業商，富於資財，惜其幼年不肯向學，而絀於文采，因此，伉儷之間，思想觀念頗多扞格，此為她最痛心之事。她的丈夫雖然未習舉業，難登科第，但由於清末捐官之風甚熾，准捐至三品，富家而非書香門第，或熱中利祿而又不願走「正途」者，多為子弟捐官。子方徵得父母同意，携資入北京捐官（後來簽分工部主事）她雖意殊不屑，但惟隨伴同行。（按清時京官恃印結費為生，印結者，出仕人分發引見，需同鄉京官出具認識並無違礙甘結，而納費若干，蘇浙之外，以湖南收入最多，每員月可出得數十乃至百數十金，一般富家子弟，多捐部曹而坐食此息，子方當然亦不例外）。

客居異鄉，乍別憶家又是人之恆情，她初到京師，中懷鬱結，南望雲天，不知親廬何處？便情不自禁吟道：

遠隔慈幃會面難，分飛湘水雁行單。
補天有術將誰倩，縮地無方使我嘆。
拼卻疏慵愁裏度，那禁銷瘦鏡中看。
簾前勾樣昏黃月，料得深閨也倚闌。

這首「乍別憶家」七言詩，意象平平，但可以見出她那時「拼卻疏慵愁裏度，那禁銷瘦鏡中看」的生活情形。秋瑾有妹秋呈，亦擅清才，適湖南安鄉縣令杭州王哲夫之子，伉儷頗為相得。她有「寄 妹」及「九日感賦」詩云：

年年常是感離居，兩地相思托鯉魚。
今日新愁因共晚，昔時舊恙近何如。
外寇 諸傷時暮，別院雞聲破夢初。
惆 寸懷言不盡，幾回涕淚濕衣裾。

× × ×

錦鱗杳杳雁沉沉，無限愁懷獨擁衾。
閨內惟餘燈作伴，欄前幸有月知心。
數聲落葉鳴空砌，一點無聊托素琴。
輸與花枝稱姊妹，不堪遙聽暮江碪。

× × ×

百結愁腸鬱不開，此生惆 異鄉來。
思親堂上萊初挿，憶妹窗前句乍裁。
對菊難逢元亮酒，登樓愧乏仲宣才。
良時佳節成辜負，舊日歡場半是苔。

所謂「百結愁腸」，遂形成「此生惆」的異鄉況味；而且又是秋天，悲秋病酒，所以她瘦了。至於「閨內惟餘燈作伴，欄前幸有月知心」，又是多麼的淒寂，這時她的丈夫——那位工部主事王子方，可能挾其資財和一幫酒肉朋友，到八大胡同尋花買醉去了。試看她「思親兼柬大兄」詩云：

巨變歷險記！

猛撒飛機場（二三八）

·胡慶蓉·

從台灣，經過十三個鐘點的直飛的飛機，現在在天空盤旋，盤旋幾個圈子，終於降落了，終於降落到猛撒機場！……一時萬頭鑽動，蜂擁向前，歡呼不絕。

當時猛撒飛機場，當然比不上今天香港的啟德機場或台北的松山機場，但這是就種種的設備而言，若就機場的本身，機場的四周，機場的遠景而言，我覺得並不亞於上開機場，不但不亞於，實有過之而且過之遠甚！

猛撒機場在一個廣大的平原上，而地是再沒那平的，平得幾乎像一面鏡子。尤其難能的可貴的，是那土質。猛撒機場的土不但不鬆，而且緊得很。不必放水泥，可以作放水泥的地來使用。在修的時候，丁博士也曾參加工作與官兵同甘共苦，丁博士作的是挑土的工作。降落在猛撒機場的飛機並不是巨型的飛機，而是小型的飛機，縱令土質鬆一點——也不會發生甚麼問題。猛撒飛機場位於五華山總部的前面，但距離還很遠，六七里是有的。猛撒飛機場的後邊是神水，再後面是老寨。神水，老寨距飛機場也有二三里至五六里。水以神名，是因為這水常年不乾，永遠沒乾過。尤其神的，是那一些長咀，白色毛羽，很細高高的腿，叫不出名字的寶貴的鳥。這些鳥也都成了神鳥，他們不傷人，人也不傷害他們。特別是晚間，一羣一羣的神鳥，翱翔天空或浮在水面，優哉遊哉的，令人想起滕王閣序中「落霞與孤鶩齊飛，秋水共長天一色」，那是如何的令人羨慕啦！老寨人口衆多，甫景雲師長的部隊駐紮在那裏。老寨有位女子，美麗非常，人都稱之曰皇后，再加上後面的山，猛撒飛機場是氣派是非常偉大的。不過這是說在乾季，假若是雨季，情形就不同，猛撒的氣候是東南亞一般的氣候：一年分成兩季，一是乾季，一是雨季。每年五月至十月是雨季。有時候還會長，在雨季的時候，猛撒飛機場有時候會成問題。甚至下雨一個月兩個月三個月……老是不停，任怎樣結實的地質也會鬆弛下來不是大型的飛機降落仍然不會成大的問題。

此次飛機降落很平安，大家都擁到飛機的四周，盡量的靠近，李主席，丁博士也是一樣，到底這驚人的消息是甚麼？……」現在可以告訴大家」！……「是丁博士的夫人胡慶蓉女士到了，李主席這樣宣布。丁博士的眼睛好像昏花似的，只聽見一陣熱烈的掌聲。李主席，大家向前同丁夫人握手，反而把丁博士擠到後面。丁博士通常稱他的太太是老婆，老太婆，或者是女人，這都是鄉下佬的稱呼，但丁博士並不改舊的習慣舊的家風。大家原以為丁太太眞的是老太婆，但現在面前的丁太太並不老，北平小姐，亭亭玉立，有的並且說：乃今日之昭君也！昔昭君出塞，今昭君到猛撒。今之昭君實勝過古之昭君。今之昭君不是作和番禮品，而是來陪向她丈夫打游擊。從北平趕到香港，從香港趕到台灣，今又由台灣趕到猛撒，萬里迢迢，來參加游擊隊工作，所用心可佩，其志可嘉，丁博士胡慶蓉對於李主席都萬分的感激。

自由報

中華民國內政部登記證內警台報字第〇三一號
中華民國僑務委員會登記證台報新字第三二三號
中國郵政台字第一二八二號執照登記為第一類新聞紙

（第一一八六期）

（半週刊每星期三、六出版）
每份港幣壹角・台幣零售價新台幣二元
社長李運鵬・督印黃行睿
社址：香港九龍官塘康寧道117號後座二樓
117 HONG NING RD, 1/F REAR, KWUN TONG, KOWLOON, H.K.
TEL: K-433653
電報掛號：7191
郵箱：官塘郵政信箱9583
承印：景星印刷公司
地址：嘉域街廿九號地下
台灣區業務管理中心：台北市許昌街廿六號
電話：三八〇〇〇二
台灣區直接訂戶　台灣劃撥戶
第五〇五六號張萬有（自由報會計室）
台灣分社：台北市西寧南路110號二樓
電話：三三〇三四六、台郵劃撥戶九二五二號

我主張大赦

・丁作韶・

自從司法行政部拿出來他的疏散監所辦法，在監所的人犯固然天天在談論，如大旱之望雲霓，希望能早日見諸實施，即整個的司法界也都為之震動，根據報上披露的事項，在扳着指頭計算，某罪犯疏散之列，某罪不在疏散之列，以及在疏散之列的某犯能不能就出來與什麼時候出來。現在該項辦法，還沒有完全決定。有的說正在立法院研討中。作韶不敏，認為茲事體大，關係政治前途至鉅，可不可以捨棄疏散辦法，改採大赦。這在憲法上是有根據的。大赦是不是比較疏散辦法更切合當前的政治需要。

「民不畏死，奈何以死畏之」！「民不畏死」，以死畏之，在政治上至發生不了多大的作用。若能大赦，或許可收政治上的效果。在台灣剛一光復的時候，國民政府也實施過減刑的辦法。這在當時，有其事實上的必要。今日的疏散辦法與過去的減刑辦法並無不同。疏散的辦法固在疏散，減刑的辦法也在疏散，詳言之即在減少監所現有的人數。不過，這未免太過於渺小，意義不大。大赦是不是比較好點？

所謂大赦，所謂大赦天下，是把監所的人都放出來的意思，即令要有限制，限制也是愈少愈好。這樣的大赦天下，在我國歷史上可說是屢見不鮮，在我國的歷史上，大赦天下，是一種德政，表示與民更新之意。在大陸，行憲的那一年，曾經大赦過一次。但到了台灣，除一度實行減刑辦法外，從來沒有過大赦天下。今天民國六十八年，為表示慶祝，民國誕生，實行大赦天下，是非常有意義的。在中國，六十年是一甲子，是一個值得紀念的日子，特別在過去的六十年，中華民國所歷的困難，眞是罄竹難書，但不管怎樣的變，不管變得怎樣的大，迄今還屹然不動，這未始不可以是歷史奇蹟。即從中華民國播遷台灣算起，現在也快二十五年了。這廿五年之中，也可以說中華民國無日不在驚濤駭浪之中，能平安的渡過，也不能說不是一大喜事。還有，總統已達八十四高齡。以八十四的高齡，還在為中華民國負責任，還在掌着中華民國的舵。誰說中華民國沒有福？誰又說七億人民沒有福。今年不值得大大的慶祝一番嗎？還有明年是選舉年，總統也要選，毫無疑問的，將來選舉出來的，一定還是　蔣公。連下一次，他也一連四任了，這不也值得大大的慶祝嗎？總之，大赦天下，今年是一個很好的年。

政府不是天天在倡導革新嗎？政府倡的革新是全面革新，司法當然也是其中重要的一環。若能大赦天下，清掃監所，實在是革新的舉措。在光復以前，在日據時代，監所就已經有掃清的必要，但沒有辦到，只是根據辦法，辦理減刑而已，中華民國播遷台灣，監所也沒有整個的掃清過，現在來一次擴清，以示與民更始，全面革新。這也很有意義。關於獄政，年來建議甚多，尤其在監獄方面，龜山的監獄，有人比作豪華大旅社，誠不為過。有沒有建築這麼漂亮監獄的必要，這是另外的問題。這麼漂亮的監獄能不能發生預期的效果，這也是另外的問題，現在監所已到了不夠分配的地步，人滿為患，則是一件不可掩蔽的事實，若能大赦天下，掃清監所，卻解決了獄政上面臨的一個莫大問題。

據傳出來的消息，現在的疏散辦法，將煙毒犯除外，貪污犯除外，謀財害命者除外，殺害尊親屬犯除外。這自然有他的道理。從另一方面說，這也有他的必要，但從大赦天下來說，他們這些人也應該同沐不世之恩，而知所自勉。還有，即就本身來說，並不見得罪大惡極，並不在不赦之列。特別在貪污犯來說，可以說眞正的大貪污，彰彰在人耳目的，那一個不是逍遙法外？長袖善舞，多財善賈，個個神通廣大，個個佛法無邊。現在判決確定的，押在監牢的，能有幾個？幾位立監委員是人所注目的。但細查查，這幾位立監委員也未始不都是勉強的。以現在在進行中的號稱兩億元的大貪污案——香蕉案，若用剝筍的辦法去一層一層的剝，到了最後恐怕還是恐無一物，幾個被押的，現在多已先後借外就醫了。此外在法院轉來轉去的所謂貪污案也都沒什麼了不起，往往微不足道。我說一個，或許有人不相信，眞是一百五十元牽涉了五個官員。這樣芝蔴綠豆的貪污案，有什麼不可以赦？不應該赦？赦了能有什麼？我想赦了他們，無論就那方面，都不會有不良的影響。報紙上宣傳的煙毒案，報紙不惜篇幅的大張旗鼓大事渲染，什麼黑狗，什麼紅貓，像有天大本領似的，實際上也都是微乎其微的，赦了他們對於社會也不見得有什麼不良的影響。這些人無多，假如能沐不世之國恩，他們會知道改過的。萬一將來有重犯的情形，儘可以加重的處罰。

照歷年來的統計來看，在監所的人犯似以竊盜犯佔最大多數，其次是傷害犯，或詐欺犯或票據犯。這都不是重犯，掃而清之，與國家不會有什麼不利。嚴格的講，刑法所保護的，直接是私人的利益，間接是公共的利益，國家的利益，社會的利益。以竊盜罪而論，過去都在批評處罰的太輕。大家的意思好像在說：處罰重了，犯罪的就可以減少了。年來不是處罰重了嗎？處罰重了，盜竊案減少了嗎？並不見得。有人甚至於認為關不如不關。竊盜犯關起來，彼此互相研究，互相學習，一旦再出去，竊盜的技術更高。監所成了技能講習所。這些人都放出去，不唯無害，反而有益。

我之為此言，是在希望王部長，希望司法行政部能拿出勇氣來，來一次赦免，來一[illegible]，而若要限制的話，也是愈少愈好。在不赦之列的究竟是少數。所在關在監所的人，有何值得同情的。孔子曰：「聽訟吾猶人也，必也使無訟乎。如得其情，則哀矜而勿喜。」從近代社會的眼光來看，所有的犯罪，其起因都不在個人而在社會。也可以所有的犯罪與社會的經濟狀況有關。語云：飽暖思淫慾，飢寒起盜心。這與管子所說的「衣食足，而知禮義，倉廩實而知榮辱」，孟子所說的「無恆產者無恆心，苟無恆心，放僻邪侈，無不為矣」！若從近代社會主義立法來看，從社會主義的觀點來看，對於犯罪的人，社會要負責任，政府更不能辭責。政府有責任給他們工作，政府有責任給他們的教養。政府已經注意到在學青年的職責，畢業學生的職業，其實他更應該注意到社會的失業的人羣，注意到監所的失業人犯，實行大赦，給所有的在監所的人犯以自新的機會，以謀職業的機會，使他們不再蹈法網，未始不是政治革新，未始不是全面革新應有的一環。希望王部長，司法行政部不再去同犯人斤斤較兩，一律予以赦免。

在中華民國建國六十年的今天而來大赦天下，還不只是一個面子問題，並且有他實際上的原因。中華日報台南版有一系列的社論，繼　總統六月十四日在國家安全會議昭示之後，來檢討今天的政局。　總統的昭示，到處都在發動研讀。想國人都讀過，我想都會起共鳴：中華民國六十年來所遭遇的橫逆之來無如今日之甚者也。總統告誡國人臨變不驚，慎謀能斷，孤軍奮鬥，自立自強，光復大陸，拯救同胞，這當然是應有的意義。中華民國本身存亡不可否認的已面臨最嚴重的危機。這不僅由於國際上的姑息逆流使然，更由於國內普遍存在的戾氣和不平有以致之。於此大赦天下，與民更始，是不是平國內戾氣的一種必要措施，一種有效措施。放所有的人犯出來，歸入革命的行列，這是不是國內國民革命應有的措施。國內的戾氣聚集在監所的最多最大，香蕉案其著者也，其他類似案件屈指難數。若能大赦天下，國內的戾氣，雖不能說掃而清之，亦必可大大的減少。這確切是一個值得討論的問題。我特別的提出來，就教於司法行政部王部長，並就教於國人。

（完）

昨日與明日

往事不堪回味

十餘年前——即在韓戰板門店和談協定簽立之後，海內外反共非共的華文報紙依然對美國表示推崇信仰的時候，區區卻不斷的在「香港時報」撰文，指摘美國的對外政策——特別是對華政策——諸多缺陷，應加警惕，曾因此受到我政府某鉅公當面告誡，認為大可不必。

五六年前，我在本報「自由談」中，申述台北的「羅斯福路」名稱應該更易，理由是：美國羅斯福總統在二次大戰時，雖然以財力物力援助吾國抗日戰爭，盛情可感，但他以「雅爾達協定」，秘密出賣吾國領土外蒙古於蘇俄，貽禍友邦甚烈，功不抵過，我們沒有以道路名稱來，永遠紀念，尊崇他的必要。我這項意見雖無人表示反對，卻亦未引起當局之一顧，「羅斯福路」至今屹然如故也。

時至今日，美國對我們的政策，比羅斯福，杜魯門，艾森豪，詹遜等歷任政府的情形更惡劣了，我一看到台北「羅斯福路」這名字，就與租界時代在上海瞧見甚末「辣斐德路」「福煦路」的心情一樣，無名火為之大發，悲憤不已。我雖不敢以梁任公所說：「十年以後方知我，舉國如狂欲語誰」的詞句，發抒其孤憤牢騷，只希望台北市政府快把那具有殖民地色彩的「羅斯福路」，另換新名，以彰國格為幸。但台北隆基間的高速公路的麥克阿瑟路名應該保存，因為麥帥對我們是名副其實的道義朋友，值得紀念的。是非不宜混淆，恩怨必須分明，這才叫作正義感。

斥「國際報協」美國分會

最近所謂國際報業協會美國分會也者，居然致函台灣的中華民國分會，要求我政府於七月卅一日前，釋放菲律賓華僑報人于長城兄弟，否則便要開除中華分會的會籍云。過去該「國際報協」提出此種威脅性的通牒，我們雖詞而闢之，指其妄事干涉別國的法制，然專就該協會的立場設想，多少尚扯得上維護新聞自由的口實。至於美國分會亦作此荒謬的要求，可謂膽大妄為，令人髮指了！

一個美國分會就可以向別國提出干涉內政的哀的美敦書，這祇有幼稚狂妄的美國人士，纔悍然為之。果如是，中華民國分會對美國政府控告紐約時報洩漏國防機密之舉，亦可提出抗議，指為摧殘新聞自由的非法行為嗎？

所謂「國際報協」，原係由美國幾個三四流的報紙從業者組織操縱着，沒有甚末分量和價值的，我們主張台灣分會復函痛斥其妄干吾國內政，並自動聲明退出「國際報協」，表示羞與為伍。至於于長城兄弟在感化期間未滿以前，決不可提早釋放。星加坡政府逮捕了四個報人，不審不判，該「國際報協」卻噤若寒蟬，不敢吭氣，而對我國乃再三攻訐，肆無忌憚，我們如不予以反擊，未免太自瀆了吧？

・何如・

自由談

因小失大

美總統尼克遜費盡心機，低首降格以乞得毛共允予訪問北平的預約，喜之不勝，認為創進了世界和平的蓋世名業，也穩操了連任下屆總統的左券。

然而，周曾恩來已提出所謂美，毛談判的先決條件，即須美軍連同一切裝備，完全從越南撤走，台灣海峽的第七艦隊以及駐在台澎的軍事人員，一律退開，台灣問題不容許別國過問。這些條件如不實現，尼克遜先生縱能移樽就教，叩訪北平，結果還是多此一舉。周曾且聲明這比美，毛關係正常化更為迫切，否則一切皆無從談起，更表示進不進聯合國，並無所謂。

觀此，則尼克遜總統的妥協勾當，乃處於絕對的被動地位，毛共把尼氏玩弄於股掌之上，有贏無輸。尼氏若答應這些先決條件，美國在自由世界即混不下去了；不答應吧，它就指摘「美帝」毫無和平誠意，振振有詞，而尼克遜先生千辛萬苦在國內造成的政治聲望，不特一落千丈，且比過去的信譽更糟！至於毛共方面，以逸待勞，主動肆應，無論結果如何，亦沒有絲毫損失的。

共產黨決不受別人利用的。當年尼克遜和約翰・甘迺第競選總統時，曾以要求蘇俄釋放兩名美國飛機師，作為競選題材，然赫魯歇夫拒不應允，認為還將增加尼氏的五十萬選票，迨尼氏落選，那兩名美國[illegible]亦就釋回了。於今毛共認許尼克遜訪問北平，使尼氏的民望大增，如果尼氏不能按照毛共的條件行事，它將來發出一篇「美帝破壞和平」的言論，而美國內的反對攻訐之聲，即乘機大作，尼氏連任總統的美夢，很可能歸於破滅，寧非因小失大，咎由自取乎？

尼克遜究有甚末本領以打開這種錯綜複雜的艱難局面，實在令人迷惘。他個人失敗了，固屬無關宏旨，因而貽害人類前途，豈不危乎殆哉！

馮玉先生

美國亡無日矣
——從尼克森宣佈訪中共談起——

成公

天下事

尼克森宣佈訪問中共後，舉世爲之譁然，自由世界人士，尤紛紛指摘尼氏背信忘義，不可思議。實在深刻處看，尼氏此舉，不能完全看作其個人的倒行逆施，反之卻正是美國立國制度下的自然產物，不過尼氏沒有迴天之力而已。

美國立國之始，就是東西兩大洋爲之屏障，而偏處在裏面過小日子的情調，其優點固是可以好好的實行民主制度；而其缺點，卻是大家全無世界眼光，只睜着兩雙眼睛看自己家裏的事。二次大戰後，雖已進入世界舞台，但是人們的觀念還是一時轉不過來，何況美國又成爲最富強的國家，倍受世人重視。而美國人的重視自己事的實質，也就與天下人的重視美國的觀念，無形中合而爲一了。因此美國的政治家和政客們，也就很自然的習於政黨，而以爭美國總統寶座爲天下第一椿大事，何況要作世界領袖，也必須是先當選總統呢。在這種情形下，美國的「政治一羣」（實很難稱他們爲政治家，但也不便斥之爲政客也）便一切不計，惟總統之是爭，在此一「至上無外」（？）的目標下，一切都可「爲」，一切也都可犧牲。

尼氏距離下屆總統大選的日子已近，但由於尼身背的「美國不爭氣的包袱」，民情輿論至爲不利，這雖都非尼氏個人的錯誤和責任，但是老百姓尤其是美國的老百姓是不管這一套的。尼氏和其共和黨人，爲了挽轉這一逆勢，便不得不出奇制勝，而打絕招了。越戰國防秘密的洩露，明眼人一看即知是打擊民主黨的把戲，不過作得天衣無縫，不給人口實而已，但這還究竟是查無實據的事，而此次尼克森的宣佈訪問中共就明顯的說明是競選的絕招。只看其訪問不是即刻，而是在明年五月之前，就是百分之百的明證，因爲明年五月正是兩黨推選候選人的前夕，而爲大選的高潮時期。

尼氏訪共，我們不必從台灣的觀點來評論，因爲美國並不是爲自由中國而活着，不過美國不爲「自由中國」活，却不能不爲美國自己活，中共正是十幾年前，美國在韓作戰的正式敵人，並且經聯合國（美國主持下的）判爲侵略者的，此案未完，而當前美國會力從事越戰，而中共又正是大家心照不宣的越戰幕後的眞正敵人，這是大家所公認的事。此一戰爭現在還正在進行之際，而尼氏竟以美國總統之尊，移樽就教，並且是就的周恩來之教。試問這把美國前綫流血的將士，置於何地？把美國的國體置於何地？尼克森是否眞要到「北京」扮演呼韓邪單于的角色。

爲了競選，可洩露國家秘密，爲了競選可以不顧國家體制，甚是可以委身事敵，如在小國還可以說是事出無奇；而不意以最強大的國家竟然出此，可見此國之強已是軀殼之強，而精神靈魂具已飛上半天了，照這樣下去，眞是亡無日矣，雖強有什麼用，羅馬帝國亡的時候，不也是又富又強嗎？

國科委會組織條例 立委審查引起激辯
吳延環指聘用人員不合法 修正案僅增十款小題大作

（自由報台北消息）立法院法制、教育兩委員會舉行第四次聯席會議，繼續審查行政院國家科學委員會組織條例草案及草案修正本，各委員發言踴躍，引起一場激烈辯論。

吳延環委員說：本席發現國科會有很多職位職等的人員聘用，嗣後又送來修正案，本人以爲是詢問階段大家都說「聘用」是一種違法的事情，一定是將其違法部份修正，故遇有友人詢其修正內容時，本人答覆大概是修正依法不合的「聘用」部份。但事實不然，修正案僅修正第九條加上一欵，至於第十七條違憲違法仍依然如故。實在是料想不到的事，本法最大的問題是第十七條，其他均爲小事，剛才王委員仍希望法制委員會同仁表示一點意見，本席現在簡單說一說。

一、憲法第八十五條規定：「公務人員之選拔，應實行公開競爭之考試制度，並應按省區分別規定名額，分區舉行考試，非經考試及格者，不得任用」。所有公務人員，不經考試及格就任用，就是違憲。

二、公務人員任用法第二十一條規定：「臨時機關與因臨時任務派用之人員，及各機關專司技術性研究設計工作而以契約定期聘用之人員，其派用及聘用，均另以法律定之。」這是聘用、派用人員母法的規定。就聘用人員而言，「各機關專司技術性研究設計工作而以契約定期聘用之人員」，用一個月就定期一個月，用一年就定期一年，絕不是常設機構永遠聘用下去。

三、聘用人員聘用條例第七條第二項規定：「各機關法定主管職位，不得以聘用人員充任之」。以上憲法及有關法律之規定已宣讀了，我們再看本法第十七條：「本會秘書長職位列第十四職等或聘用」。以下如副秘書長、處長、副處長等主管人員都列有職等或聘用。假使照原案通過了，既違憲又違法，根本拿不出去。這次的修正案，我以爲是修正這個最大的問題，萬想不到僅修正第九條加一欵，實在是小題大作，亦可說是一個奇怪的機關。所以在大體討論時，提供大家參考。

張委員志智說：國科會的組織條例，本人總有點感覺，如果照他的總說明，這個機構的主要工作約分三種。第一、全國性科學技術研究發展之規劃與推動。第二、科學基金之運用。第三、已有的科學研究發展機構之輔導、協調與考核。其本身並非研究發展機構，因此，這個機構的性質是一個綜合性的協調機構。亦就是凡與科學發展有關之機構，都要與他配合起來，故採用委員會制，他應該把所有與他業務有關之機構都羅致來，才好輔導與考核。否則就無法輔導、協調與考核。若就委員人選論，如果不把有關主管機關羅致來，而找一些沒有關係的人担任委員，將如何協調、考核、督導呢？這樣的話，該會之設立就毫無價值可言。同時這個委員會究竟是委員會制，抑或首長制？如果是委員會制，一切由委員會決定，而其本身並非研究機構，假使要他去決定人家的事，實在不大妥當。

其次，與國科會有關之機構很多，尤以教育部關係更切，凡有關全國性科學教育之研究，策劃與推動，爲教育部重要職掌之一，將來該會與教育部如何配合？本法內看不出來，如果各行各事，則變成雙軌科學教育。再者，國科會有五個研究中心設在各大學，均與教育部有直接關係，而事實上又與國科會直接發生關係，這個三角式的關係，將來又如何聯繫與配合？此外如經濟部的工業發展研究所，交通部的交通事業研究所，以及農復會等研究機構之研究工作，又如何輔導、聯繫及考核等，均未在本法中有所顯示。假使本法中設有明確的規定，其後果非矛盾即分歧，反不如成爲一個最高的策劃或研究機構，則不會發生矛盾與分歧的現象。因此本人對該會的基本性質發生疑問。最後關於該會副主任委員問題，如以教育部部長或政務次長兼任，在體制上、道現上均不妥當，請大家愼重考慮。

一再打在頭上 吳委員說話了
組織條例經人事局同意 不一定不違憲違法

魏委員佩蘭說：剛才聽了吳委員的意見，本人深覺本法案是行政院院會通過後送來的，一定透過人事行政局的，有關人事問題，職業分類問題，人事行政局如不同意，本案則無法送審，吳委員所顧慮的是既列等又聘用，是違憲又違法，似乎過於嚴重，若有這樣嚴重的問題，行政院是不會送審的，吳委員既認爲這樣嚴重，爲甚麼不在詢問階段詢問有關首長呢？假使吳委員當時沒有詢問，我認爲吳委員是失職，而今在大體討論時才提出違憲違法的嚴重問題，本案將如何審査呢？設如吳委員問過了，行政院如承認錯誤，本案應即撤回重擬。如果沒有承認錯誤，則同意可以這樣做，本人雖爲法制委員會委員，對人事法規雖沒有深切研究，但認爲本法中之聘用係一種約聘性質，既然是約聘的話，可以有限期的聘用，如一年期滿仍可續聘，亦未嘗不可。行政院其所以如此規定者，乃是不得已而爲之，因人才難求，只好於任用之外另以約聘方式來延攬人才，以資靈活運用。本席以爲國科會以聘用人員來協助發展科學，見於組織法中，似無不可，不必完全拘泥於人事法規，若認爲其係違憲違法，則應請其撤回重擬，但若認爲沒有問題，則立法權在於本院，爲延攬人才靈活運用計，於本法中明定其聘用，亦無不可。

吳委員延環說：本席一向不願與魏委員辯論，因爲魏委員與本人私人關係很深，不過今一再打在我的頭上，只好違背一回常例。

一、本席記憶不清，大概是第一次會詢問過，所以我就誤認爲這次的修正案是修正第十七條。因爲本席深覺本法除此以外，沒有其他更嚴重的問題。

二、關於第十七條條文，原本希望他送修正案來，結果沒有送，既然沒有送，我們只有依法審查。至於說經過人事行政局同意後，就絕對不會違憲違法，事實上並不盡然，如此例者，舉不勝舉，否則，經過人事行政局送來的法案，則無需要審查了。

國科會可聘用人員 不必明定於條文中
如有不合法可隨時修正

張委員子揚說：本席支持吳委員的意見，本案在詢問階段，有兩個問題，第一、該會的性質及地位問題。第二、就是第十七條的聘用問題。本席與吳委員曾提出詢問，當時人事行政局未予答覆。吳委員剛才之意見，是完全依法的，而謂其違憲違法，亦屬正確。憲法規定：「公務人員非經考試不得任用。」而組織法中以規定聘用人員，當然與憲法不符而且推翻了聘用人員條例。是不合法的。國科會所需人員若完全要經考試合格者，是有困難，可是只要其符合聘用人員聘用條例之規定，是可以聘用的，不必明定於組織法中，否則，其他組織法未明定者，則不能適用了。成們所以制定聘用人員聘用條例，就是便利各機關依聘用條例聘用人員，不必再在組織法中規定聘用條文。本院委員討論條文時如發現有不合法處，可以隨時提出修正。議事規則並未規定未提出質詢者，討論時就不能提出修正。

王委員碧純說：剛才吳委員與魏委員都是站在討論法案的立場而爭辯，但希望我們不要爲了意見不同而發生大的爭執。

本人覺得魏委員的話很有道理，因爲吳委員所說的違憲違法過於嚴重了，換言之，我們已經通過了該會的預算也是違憲違法的嗎？今天上下一心，通過了龐大的預算，是爲了要全力發展科學，如果將條例退回，而就擱了時日，則與初衷相違背，所以本席認爲如果確有問題的話，請主席把所有困難問題集中起來，可否再請國科會主持人員列席，再解答一次，以使交換意見。

[illegible]記賽金花

我見了他們謝了謝說：「不爲什麼要緊的事，因我有一個姑娘死了。幾天便可完事出獄，請回去告之貴公使放心吧！」他們又坐了一會，看我沒有受什麼罪，纔告辭去了。

我們刑部，說起來也有些因果關係，庚子前一年我住在高碑胡同，離刑部很近，總想進去看看，沒有去成；這回可算進來看了！

我在監裏很遇到幾個案子，我進刑部那天，就有個名叫沈進的，是革命黨被捕，因不招口供，打死在堂上。又有一位中堂夫人，不知犯的什麼罪，與我同日進來，還叫他過鐵鍊子，北京城著名的女光棍小撓戶也在監裏押着，——她會摔跌，到處敲詐不講道理，人人都怕她，因爲她騙了桂八爺，被捕入獄。在堂上很受了不少重刑，她眞有骨勁都煞過去，——哼也不哼。我原來不認識她，她見了我先打招呼，說話聲音洪亮，高高的身材，紫紅臉膛，很是威武。我兩一談還很投契，想不到在獄裏交了這麼一個朋友。還有一案，是「母女二人，犯罪的是姑娘。案情是：姑娘的父親是個廚子，品行汚濁，她們姊妹三人，她兩個姐姐全被她父親姦汚了，她出嫁後，永不敢歸寧，一天，因事到娘家，被雨留住，就宿在廚房裏，夜間她父親來撥門，急她，蓄足力氣開開門，照他父親下身猛打一拳，便把他打暈跌倒，撞在石上就死了。她覺着這種醜事，怎麼向外說。只好就認是自己故意打死的，他母親知道此事，不肯叫女兒抵償，就說是自己打死的。審判官也知她們很是冤枉，可是她們不說實話，沒有辦法。我同小撓戶很憐恤這個姑娘，就勸他說：「你若再不翻供，可就要定罪了，殺死父親是罪該凌遲的，他這禽獸既不把你當女兒，你還給他留的什麼體面？」在最後的一堂，她聽了我們的話，纔把實情訴出，總算減輕她的罪，沒有死。

等孫家鼐回來，把我提出，略問了問，就叫帶下，判的是罰我「三錢七分二厘」銀子，說就放我出去。待了幾天，又說要解我回籍，不准再住北京，我知道這都是陸潤庠同孫家鼐商量好了的要擺成走。

這時候，我的班子裏已糟踏得不堪了。我母親同三爺都嚇成呆傻，一下兩子的不定受多少罪，只管化錢打點，總以爲我在刑部胡扔，都被人家騙哄了去。也有趁機來敲詐的。等我出來時，貴重一點的東西，只剩一隻珠花。我房裏的幾隻箱子也被夥計跟媽子等趁火打搶的搬走了。馬棚中三十多匹馬沒有騰下一匹，底下人是走得精光。（卅三）

文滙樓劄記

再談「陳果夫發脾氣」
兼答覆苗培成先生

·文國清·

七月十日接到前兩湖監察使苗培成先生來函，謂其在兩湖監察使任內，從未受理過有關胡瀚案件等情。

湖南俗話：「小孩子沒有娘，說來話就長。」苗培成來函謂「從未受理過有關胡瀚案件」話一點未錯，胡瀚是衡陽市政府主任秘書，苗培成受理的是衡陽市長周異斌案，周聞訊迴避，胡瀚當其衝，在國光大戲院被捕，由憲警押送入獄，這是全湖南人幾乎都知道的一個事實。

話再說回頭，以中央執行委員兼湖南省政府委員及兼衡陽市長，又爲現任官員，非監察使下令，誰也不敢這樣魯莽逮捕人，執行逮捕任務的是當時衡陽地方法院檢察處首席檢察官申汝翼，申氏密語樓主，「苗監察使僅憑幾張便條作證，可能會有問題」，後來樓主又詢及幾位法官，他們也持同樣的看法，鑄定苗培成站不住脚。

不過當時的社會風氣，可能是受共產黨份子宣傳與煽惑的影響，甚麼進呀」「打老虎」「民主呀」「鬥爭呀」「反惡霸呀」稍爲意志薄弱及對政府缺乏信心的官員，常會隨波逐流，跟着這些口號，用行動表現自己「開明」「前進」「不畏權勢」的一些天眞動作，凡有演出左傾的報紙總是叫好，當然老謀深算的苗培成不會這樣，否則就是國民黨元老于右任看錯了人。

「陳果夫發脾氣」見七月七日自由報文匯樓別記，其中有一點未交待代清楚的，就是果夫先生囑晉京請願的湖南中華時報社長李運鵬「回湘後不得對苗同志有報復行爲」，從這一兩句話，可窺出果夫先生感人至深，這個樣的政治風度，非有幾十年的功力，和高度修養，實難表現出一股同志愛。

苗培成丟掉紗帽，一般的看法與上案有關，其實風馬牛不相及，照當時馬路消息，於彈劾武漢警備總司令郭懺有關。我們對苗培成的評語他究竟是一個讀書人，做了好幾任監察使，而能保持兩袖清風，實已難能可貴，有關苗培成政治上錯誤部份，不擬再多指，其來函我們還是照登如後：

苗培成來函

敬啓者：頃閱本年七月七日，貴報所載「陳果夫發脾氣」一文，其中有提到本人之處，不勝詫異！查本人在兩湖監察使任內，從未受理過有關胡瀚君案件，該文中涉及本人各節，均屬子虛。特此聲明，敬請惠予更正爲感，此致

自由報

苗培成敬啓

六十年七月十日

美國嬉皮不滿物質文明
嚮往中國淡泊生活

·生曉·

（一）

宣揚自己國家固有的文化，原是每一個離國在外的人由衷願做的事。但結論爲寄中國畫冊給外國青年，則非我始料所及。只是每次隨便談天，談到最後，總會自然而然的談到中國的哲理學思想，並談到現在西方思想界的混亂。他們在對物質文明感到懷疑之餘，迫切希望抓住一些能夠令他們崇服的人生哲學。嬉皮們固然是反對物質文明的最前衛，不顧一切的實行着「歸返自然」的生活方式，一般美國青年也以模仿嬉皮爲時尚。他們那不洗不梳的頭髮，不剃不修的鬍子，赤脚不穿鞋，表示對原始生活的嚮往，存心回到「石器時代」。毛料長褲不但毛邊，而且還故意打個補釘（店裏有賣打補釘的「新」褲子），表示他們反物質，反財貨。再加上「蔴袋片」式的墨西哥披肩，印第安式的髮攏，在在都顯示對他們父祖時代自命優越的「文明」的一種輕視。都顯示他們從前幾代美國人辛勤建立的那個富有的家園是何等的厭倦。他們不感謝物質文明，認爲空氣與水源的污染及新式武器的毀滅力，是物質文明最顯着的罪孽，他們輕視物質，嚮往原始，厭棄競爭。對他們父祖那種畢生辛勤，創造事業，發財致富的人生態度感到懷疏。儘管長一輩的美國人對他們子孫目前這種想法一方面感到大惑不解，一方面嘲弄的說：「他們祗知道在口頭上亂喊厭棄物質，但事實上，他們離開了冰琪淋就不知道怎麼活着！」說「他們以爲大自然一開始就給他們安好了自來水龍頭，隨時要喝就喝；他們以爲老天爺一開始就給他們裝好了電燈，一開就亮」。但很顯然的，他們誰也無法把誰說服。這已經不是平常所說的「兩代之間的隔離」，而是一種整個潮流的物極必反。物質享受到了極限，人們就嚮往自然；競爭到了無止境的超越，以致變成了無目的的追趕與攀援，而忘了這種唯恐被別人越過的競賽究係所爲何來。把原來爲改善生活而做的努力，變成了無目的的競爭與無情的淘汰，使人覺得一切的「有爲」，都是空虛與徒勞。小至個人的事業，如歌星、球員、拳擊選手等等，這些最引人注目的人物如何越過復越過，慘淡經營，剛剛登上寶座，却很快就在後來者更凌厲的攻勢下，慘遭淘汰。大至太空科學的發展，把原來求知的目的[illegible]國與國之間的競賽。他們不知道將來這種競賽對他們的實際生活有何助益，而只覺得這個競技場已由細小的範圍發展至無限大，而加重了他們對人生所感到的壓力。他們覺得那是一種「人生不滿百，常懷千歲憂」的狂妄。他們不禁要問：「我們爲甚麼不好好活着，而要給自己找那麼大的麻煩？」因此，他們希望回到簡單，找回純樸。

我們不能說他們父祖那一代的人不對，但美國青年之有今日，這種令他們上一代人失望而大惑不解的想法，却正是他們上一代所造成。造成的原因是：他們給了下一代一個事實，證明他們努力發展工業的結果是：有了種種人爲的方便，却破壞了自然界足以保衛人類生存的和諧與平衡。證明他們努力工作、熱心競爭的結果是精神病患者的增加，和老來一無所有的孤獨。證明由於做父母的必須參加這場無目的的競爭大賽，而使他們的孩子的童年孤獨寂寞。因此，青年們想求一條簡單而親切的要尋求另一途徑，尋一。（未完）

充滿傳奇的巴沙尼

外表看來他身材矮胖，大腹便便，穿着褐色的農民襯布。頭髮已經完全光禿，發亮得像個果殼。可是，蓬鬆的白鬍子從一耳邊延到另一耳，樣子怪異，宛如穿上一襲化裝舞會的服裝，使他像個和路狄斯尼影片中的慈善魔術家。

室內的擺設和農民服裝，都是別出心裁的。巴沙尼一向關心農民，在一九三一年開始他首次全面運動，爲回教農民反抗聖杜斯村的印度教土王，被逐出該村，繼續在鄰近地區活動，又被放逐。後來，孟加拉全境成爲禁區，他移居阿薩姆，從一九四二年四六年在阿薩姆担任回教同盟主席。獨立後，他當選爲孟加拉省議會議員，但只担任唯一官職十天又回到農村。

目前還不自客觀品評巴沙尼，還完全是因爲他的聲明經常像口號，解說也靈巧，不過毫無疑問，他的確爲廣大農民羣衆謀福利，他是唯一的只顧攙農民運動而不願當權的政治領袖，

（下）

讀書雜鈔　十三

·林僑·

吳惠叔言：「有疫死還魂者，在冥司遇其故人，襤褸荷支，相見悲喜，不覺握手太息曰：『君一生富貴，竟不能帶至此耶？』其人喟然曰：『富貴皆可帶至此，但人不肯帶耳！生前有功德者，至此何嘗不富貴耶？寄語世人，早作帶來計可也。』」李南澗曰：「善哉斯言！勝於謂富貴皆空也。」（閱微草堂筆記卷十）

時論曰：聖人仁德爲懷，推己愛人，以濟世救人爲天職，成功不必在我。英雄有我無人，相信權勢可以征服一切，世間所有，我所有固然屬我，人所有亦屬我。聖人篤於道，道不同不相爲謀，道不行，乘桴浮於海，棄之無憂，心地恬然。英雄則犧牲他人，成就自己，故施巧奪取，妨賢害能無所不用其極。天下大亂，只以聖賢太少，英雄太多，爾虞我詐，攘奪無已時，既得之又患失之，苦惱無窮。實則庸人自擾，而擾及世人。大而國家，小而與人合作共同經營，事同一理。猶憶某某學而優則仕，仕而優又商，來台後糾合親友組織一文化公司，長袖善舞，不數年獲利頗豐，基礎穩固。於是排斥異己，對合夥各個擊破，最後盡歸於己，自以爲手段高明，洋洋自得。豈知忽患血癌。（未完）

陳果夫講「藥」故事（三）

·門外生·

但是每天賣出幾籮蛋裏，難得有一籮把一籮缺少五個，有一籮缺少七個，只有一籮不缺少蛋的。老二不免惶惑，再也想不出其他道理。向他妻子說道：「難道我們家裏出妖怪嗎？」他妻子說：「好好的家庭怎會出妖怪？總是你自己糊塗，貨進來時數錯了的」。老二說：「你眞是蠻不講理，我做了這多年的生意，難道連點數還會弄錯。而且鄉下送來賣的蛋，向來規規矩矩從不欺人」。他妻子說：「既然沒有人來偷，不是你點進的時候少了數，就是你賣出去的時候多給了人家」。老二因此很窘，便說：「你總認爲是我糊塗，明天弄幾籮請你去數數看。數清以後你做個記號，後天你再去複查，看是不是有缺少？」妻子答允了，於是第二天清早她就點了三籮鷄蛋做好記號。到第三天再去點數，有一籮沒有缺數。她這才叫了起來，向老二說：「像這樣子無緣無故的缺少，我們今年恐怕賺不到錢了，也許還會蝕本，怎樣辦呢？」范老二說：「我想事情一定出在房子裏面，我們可以在前面窗子上開個小洞，窺看裏面有甚麼動靜。日裏仍舊要阿細看守，前半夜由你去看守，後半夜讓我起來去看守」。他們就照這樣決定去做了。第一天日裏阿細看不到甚麼，到了後半夜，范老二自己輪値。大約到丑時光景，忽然聽得裏面樑上發出聲音，那天正當月半，月亮光從後園窗檻射入，視綫分外清楚。聽得聲音之後，向樑上望去，只見黑黝黝一段東西在蠕動，漸漸掛了下來，仔細看去竟是一條大蛇。老二不覺膽寒，後來想到自己身在屋外，沒有甚麼危險，才定下心來。只見大蛇向蛋籮揀蛋吞食，一回兒在那籮裏吞幾個，一回兒在這籮裏吞幾個，一共吞了十多個。大蛇回到樑上，將身體盤捲一下，就把吃的蛋都弄破了，於是就從糞園邊一個牆洞裏出去了。

范老二看見牠去之後，躡足開後門去看，只見大蛇至少丈半長短，慢慢向園子西南雜草中游去。范老二才明白每天失去蛋的原因，雖然生氣，倒也安下心來回到房間預備睡覺。妻子被他關門的聲音驚醒，以爲是老二熬不得夜，偷回來睡覺呢！老二就把剛才所見情形告訴了她，一夜無話。其實老二根本沒有睡着，心裏在想制服蛇的辦法。第二天一早起來，到市上買了許多食而不化的東西回來，邊研邊拌，用水調和，裝到空的蛋殼裏看去，做成許多假蛋。妻子覺得奇怪說：「你做這些假蛋，做什麼？」老二說：「我打算把它放在每籮蛋上面，給蛇來吃的」。妻子好笑起來說：「你這人眞傻，化了錢，廢了精神去做假蛋，倒不如叫阿和把牠打死了以絕後患。要不然買毒蛇藥把蛇毒死也還値得」。老二說：「你那裏曉得，這蛇天天偷吃現成，貪得無厭，不叫牠活活脹死，實在舒不開這口氣」。老二一邊說着，就把假蛋拿到蛋房中佈置去了。

到了晚上，仍和妻子輪流看守，那蛇很守時間，仍舊在老二看守的時候蜿蜒而至，照樣一個個的吞蛋，再也不理會是眞蛋還是假蛋。直到回到樑上，盤捲的時候，那蛇覺得有些異樣了。行動獃笨，似乎不好過的樣子。後來仍由原路而去，看了快進園地，老二這回膽大，很快轉到後門探看，只見這蛇一路出去到草地裏吃了些草，突然[illegible]大轉彎，不向昨天那個方向爬去，轉向西面而行。西面正是圍牆盡處，牆外空地是一家糟坊堆棄廢物的地方，那蛇穿過牆洞，到了廢物堆裏，吃了很多糟坊廢棄的糟粕，從新穿進牆洞，回到園裏草深地方去了。

（未完）

誰破壞了法律？

輿論精華

「七七」學生和平示威，因為遭受干涉，造成血案後，警務處於八日下午發表聲明謂：「警方認為法律已受到破壞，因此必須為保障法律而採取行動。警方除此之外，別無其他聲明。」

警方為了保障法律而採取行動是對的，但從此次事件的全部經過看，流血事件是應該可以避免的。

有以萬計的在場市民見到；學生未經批准而示威，於法誠然不合，但，學生羣衆集合在事前指定地點的草坪上，並且是排排地坐着，有秩序地叫着他們的口號，發着他們的宣傳品（這些口號宣傳品並未觸犯香港法律），這樣的行動，似乎情有可原。

如果為了保障法律，對着一班手無寸鐵的青年學生，非必要的使用武力，使受傷的被拘者，帶着鮮血和呻吟聲被塞進豬籠車，這對法律是不是有點諷刺？

法律不外人情，在今日複雜微妙的香港環境中，在世界民主政治的激蕩下，執政者必須體察實情，對與公衆有關的事件，作適應的處理。一九六七年暴動初期，港督戴麟趾的泱泱風度，與警察當局的極度容忍，獲得了全港市民的讚賞與擁戴。事隔四年，何以對小巫與大巫之比的「維園」和平示威，不能再作同樣的表現？

我們覺得這一次「維園」的不幸事件：

破壞了香港的聲譽。

破壞了「維園」遊客應有的自由。

破壞了官民間的關係。

破壞了市民對警察的好感。

破壞了民族的感情。

破壞了市民對香港的「歸屬感」。

並不是危言聳聽，曾經為市民熱心支持的警察行動，今後再有同樣出現時，即使不成為過去，也要大打折扣。這一事件所產生的後果，是可想而知的。

此外，市民們所知道，亦為多時以來市民們所痛心疾首的，在本港破壞法律的大有其人，如飛黨、獵頭黨等，殺人越貨，強姦少女，造成社會恐怖，歷久不替。更有的是，公開秘密的賭檔、毒檔、黃色架步，在港九各區，如林立，如棋布，為了「保障法律」，警方如認真採取行動，我們相信，這類破壞法律的事實，必不會有今日的鴟張。這是市民們所期望於警方所負起的責任，即為市民們所期望於警方所要保障法律所採取的行動。

（摘自快報）

讀「岳武穆年譜」書感（二）

・李安・

其應變定猝如此，先封正德夫人，晉秦國夫人，加封楚國夫人，附會獄成，與子雷霖等徙嶺南，蠻烟瘴雨，流離瑣尾者二十年，孝宗郎錄時，年已六十餘，始由嶺南以言旋，再享從前之封號，諸子並與補官，孫枝競秀，門祚再興，淳熙二年壽終江西，賜葬江州。」

於右述傳記，得知李氏夫人實乃賢淑，並相夫以安軍人家屬，迭受朝室加封，何得妄加誣會再嫁，且雲為其所親生，何得誣為養子，且此傳出自岳氏宗譜，絕對信實，自可據以糾正不正之誣衊，又據年譜附編載錄：「李夫人墓，據志載在德化縣白鶴鄉太陽山之麓，去姚太夫人賜塋約十里，現因地名更易，道路變遷，實在九江縣黃金鄉之山口橋，去姚太夫人賜塋約五里，去縣治南約四十里，其他環峯面日，形勢頗佳，係淳熙二年孝宗賜葬，明嘉靖間因宸濠倡亂，居民星散，岳氏子孫，蕩然無存，其墓遂為陳姓淹沒，且於嘉靖十年盜葬其先人陳崖叟於其上，因之岳陳二姓構訟百年，各執一詞，久未能結，乾隆五年由巡道李根雲知府施廷翰知縣景師毅定案，畧以陳崖叟之墳，盜葬已久，免其起遷，即於陳墓之上，三丈以內，砌築拜台，狀如壇，豎立李夫人墓碑，以為神依之所，並由道府縣守土各官列銜，豎叙原委，另鐫一石，豎立墓側，永禁岳陳二姓添葬並擅伐樹木，此案遂結，現拜台久已傾圮，惟墓石及豎叙碑尚存，墓石文為：「宋岳忠武王夫人李氏之墓」，豎叙碑墓石之左，對於夫人墓地，辨證極詳，凡此均足見李夫人壽終與墓地之所在，亦因其賢德，其後人與後世官府乃經百年以上之涉訟查證，而必為其墓地結案也，何得妄加誣衊。

二、據行實編年載：「武穆旁無姬妾，蜀帥吳玠素服武穆善用兵，欲以子女交驩，嘗得名姝有國色，飾以金玉寶玉，資奩鉅萬，遣使遺武穆，次漢陽，使者先以書至，武穆讚之甚不樂，即日報書，厚遺使者，而歸其女，諸將或請曰，相公方圖關陝，何不留此以結好，武穆曰，吳少帥於飛厚矣，然國恥未雪，聖上宵旰不寧，豈大將宴安取樂時耶，左右莫敢言，玠見女歸，益敬服以為不可及。」按行實編年乃岳珂撰進史館之史料，至為正確，李編年譜，多引以為據，於此節紀事中，得見武穆之志切雪恥復國，生活謹嚴，並得間接以知其持重夫妻情感，不復另結新歡，其對夫人也如此，則其夫人對彼自必亦同樣情深意篤，於上述李夫人傳可以相互參證。

（未完）

×　×　×

談貧賤（十一）

・錢一劍・

錢一劍談相

頭小額窄。耳薄皮粗。口小肉緩。形俗神怯。氣濁聲破。腰折背薄。腿長肩促。鼠食蛇行。皆貧賤相也。二局中論備矣。

此乃大概論貧賤人形。有一貴壓百賤者，張之洞外貌難及九品（就是委任官）趙爾豐相，應貧無立錐，但前者做兩湖總督，後者四川總督又調東北總督，容另文討論。

歌訣：欲知貧賤人形貌。鼻抑無梁露齒牙。雀腹下輕空上重。攢眉蹙額髮交加。背陷成坑胸露骨。乳細如針額削瓜。腰闊露臂眉壓眼。髮粗藏黑面如花。開口欲言涎已墜。膝掌眉卓步敧斜。口尖一撮如吹火。掉臂搖頭喜嘆嗟。四水反傾神似困。三停長短鼻門空。食遲漏速如屍睡。縱文入口號騰蛇。蜂腰聲速及聲乾。氣短來從肝胆間。形過於體體不足。色因其色又奚安。準頭垂肉頤尖短。壽上懸針口縮囊。青藍其面生塵垢。皮若枯柴食祿慳。眼堂枯陷奸門聳。笑語無規身束寒。蛇行雀鼠聲雄濁蠅面毬頭法主奸。口臭生瘡兼顧地。勾紋鼻上切須看。五形不正體偏斜。笑語寒唇露齒牙。額小頭尖頤頷窄。面容憔悴髮交加。常懷悲色如啼泣。鎖蹙眉頭有怨嗟。此相定知終始薄。仍須防害破人家。又面細骨頭粗。膚乾爪更枯。準頭尖且細。邪解得安居。耳薄精神濁。額高顴腹尖。聚口如吹火，貧賤得人嫌。口闊無收拾。掀唇定破家。下輕空上重。怎得見榮華。行步身欹側。精神似醉疑。口渦言語亂。不是養兒家。牆壁皆傾倒。頭尖地閣無。鼻頭仍露孔。貧薄指頭粗。

黛眉小傳（三）

・王幻・

秋瑾

一樣朧前月，如何今照愁。
闌干深院靜，花影夜庭幽。
看雁縈歸思，題箋寫早秋。
閒中無解侶，誰伴數更籌。

×　×

久繞閒中步，徘徊意若何？
敲棋徒自譜，得句索誰和。
坐月無青眼，臨風惜翠蛾。
却憐同調少，感此淚痕多。

×

她初到京師的前兩年，即在「室因地僻知音少，人到無聊感慨多」的情況下借詩酒消愁而度過。因其為思親懷鄉的情緒所苦，曾攜子女回到湖南省親一次，她的丈夫是否同行不得而知。她的「重上京華申江題壁」詩有：「又是三千里外程，望雲同自倍關情；高堂有母髮垂白，同調無人服不青。……」之句，終於又在依依中，離別了高堂老母，重上京華。

人生最大的不幸，莫過於缺少知音，所以秋瑾對於子期和伯牙則十分心儀。從她的「詠琴」詩，可說其心情：「手抱綠綺琴，七絃發清響；但恐所好殊，不遇知音賞。」又「冷冷七絃琴，所思在翠岑；成連奮逸響，中散嘆銷沉；世俗惟趨利，人誰是賞音；若無子期耳，總負伯牙心。」這不僅是詠琴，無異是自怨自艾了。

後來得識她丈夫的同事，桐城廉惠卿（泉）的夫人吳芝瑛，文采昭曜，盛極一時，見者咸驚為珊瑚玉樹齊輝並美，由於彼此天涯同調，氣味相投，遂結盟為異姓姊妹。她贈盟姊吳芝瑛詩有「文字之交管鮑誼，願今相愛莫相乖」之句，總算得一知己，以償夙願，而慰平生了。

（二）

北京是當時的首都，也是全國的政治總樞。時天下喪亂，內外交閧，而清廷政治，日益腐敗……光緒二十六年（一九〇〇），由於義和團之亂，八國聯軍打入北京，慈禧太后帶着德宗小皇帝倉皇西奔，遂演成城下之盟。秋瑾身經目覩夷兵入城燒殺淫掠的情形，大受刺激，她的「感事」詩，即是抒寫那時的心情：

竟有危巢燕，應憐故國駝。
東侵憂未已，西望計如何？
儒士思投筆，閨人欲負戈。
誰為濟時彥，相與挽頹波。

詩中「東侵憂未已」是指中日甲午之戰，清廷戰敗，割地賠款而言。至於「西望計如何」則是八國聯軍之役，愛新覺羅王朝除了屈辱求和之外，仍是毫無所措。因此，她作黃帝紀元大事表，把這一年稱為「漢族將受制於西人」之年。就因為受西人侵畧的刺激，她開始閱新學書報，留心國事，對於中外大勢和世界潮流，逐漸有所認識。嘗獨慨然太息說：「人生處世，當匡濟艱危，以吐抱負，寧能米鹽瑣屑終其身乎？」她要效法班超投筆的精神，擺脫米鹽瑣屑等家務的羈絆，於是，便孕育了革命意識及女權思想。這時她最喜歡和人談論政治問題，有時議論風生，慷慨激昂。

巨變歷險記！

離開猛撒（二三九）

・胡慶蓉・

丁夫人飛抵猛撒，這在丁博士，實在是一大喜事。丁夫人逃離北平已經是一件極不容易的事。從北平坐火車到廣州，更是不易！火車萬分的擁擠，佔住那個位置，就得死守着不能動也不敢動。足足三天三夜粒米未進，連大小便都不敢。說起來，人或許是不相信的，但事實確實如此。到了廣州，錢就沒有了，幸有友人資助廿元港幣，及孫國棟君之照拂。到香港，有警察攔住過界。會講廣東話是佔便宜的，可惜丁夫人不會，但臨時抱佛脚，也學了幾句，又幸人擁擠非常，在警察沒注意到的時候也就混過了。到了香港一住就是幾年，丁博士現在緬甸，彼此也不能照顧，今李總指揮設法送來猛撒，丁夫人丁博士自然感激。十三個鐘頭在飛機上也够辛苦的。李總指揮設宴洗塵，各將領也都隨着，一時熱情洋溢，備極光榮。

丁夫人對於游擊工作，非常感到興趣。日常穿着軍服，背着槍桿，與士卒共甘苦。她的背槍戎服照片曾刊登香港新聞天地封面。她的騎馬術也高人一等。一次與李總指揮與各將領作比賽，她很順利的成功。由於李總指揮夫人龍女士參贊戎機非常辛勞，游擊隊方面的婦女工作，丁夫人比較做的多些，她對於話劇的演出，也常常躬親其事，她的扮做都很不錯。

丁博士還是照他的計劃進行。他的計劃就是聯合東南亞尤其緬甸一切反共的力量，在緬甸的反共力量中，他對於央子或所謂吉倫非常的注意。他認為央子最富戰鬥性，他的組織，他的力量足以對抗緬甸。同他一塊出來的蘇山波陣，在一方面看，他是緬甸的交通部長教育部長；在另一方面看，他又是緬甸民主黨的副黨魁；還有一方面，那就是吉倫族的獨立革命領袖。他敝屣尊榮，冒萬險，同丁博士出來，實可謂天下之大勇，亦天下之大仁。他追隨丁博士，尤其值得欽佩。

在猛撒的期間，蘇山波陣常同部隊講話，對反攻大學的學生他尤其有興趣。蘇山波陣體格非常好，並且非常會講話。他的英文是到家的，寫說都與本國的語言無異。此次南行！主要目的即在於團結薩爾溫江沿岸的各民族，尤其是吉倫族。吉倫族現在已經離開緬甸而獨立了。吉倫族自己成立了一個國家。這個國家的名字就是大理國，英文即是Kawthoulei Kaw就是國，他的發音就是國Thoulie就是大理，音也與大理的音接近。國而曰大理，其與中國的關係，也就可想而知。大理，國人都能言之，那就是雲南的大理。大理國在中國歷史上也是有的。大理是個地名，大理這個地方以出大理石著名。吉倫的祖先即大牙爸，也是在雲南的，而並且永遠在雲南，由這也可以看見吉倫與中國的關係，現在吉倫的總統是（韓德威），副總統是（斯高來多），武裝部隊總指揮是將軍，參謀總長是（蘇翁塔），外交部長是（大華），財政部長是（魏爾將），工商部長是（推爵），此次丁博士與蘇山波陣前往巴莽，其目的就在於同這些革命領袖會談，以策進反共的工作。

拿得起，放得下，是丁博士的美德。現在雖然丁夫人到，但丁博士對於他的工作，對於與蘇山波陣的工作，未嘗片刻忘懷。仍照他的計劃，與蘇山波陣同行，離開猛撒。

中華民國內政部登記證內警台誌字第一五一一號
中華郵政台字第一一三八號執照登記爲新聞紙類

自由報

（第一一八七期）

（半週刊每星期三，六出版）
每份港幣壹角・台幣零售價新台幣二元
社長李運鵬・督印黃行奮
社址：香港九龍官塘康寧道117號
後座二樓
117 HONG NING RD, 1/F REAR,
KWUN TONG, KOWLOON, H.K.
TEL: K-433653
電報掛號：7191
郵箱：官塘郵政信箱9583
承印：景星印刷公司
地址：嘉咸街廿九號地下
台灣區業務管理中心：台北市許昌街廿六號
電話：三八〇〇〇二
台灣區直接訂戶、台灣劃撥戶
第五〇五六號張寓（自由報會計室）
台灣分社：台北市西寧南路110號二樓
電話：三三〇三四六、台郵劃撥戶九二五二號

教育改革聲中 教師應有的地位

林清江

本報專論

編者按：林清江博士爲師範大學教育研究所教授，頃根據實際調查，及各國教育改革情況，撰成「教師角色理論與師範教育改革動向之比較研究」，文長約十七萬字，工力深厚，見地精闢，茲節錄其有關教師地位之意見於后，以爲介紹，讀者如欲作深入了解，請參閱林氏之原文：

根據上述的研究發現，本人提出下列各項結論：

（一）教師參與社會行動刻不容緩：廿世紀後半葉的社會係一教育化的社會，不僅教育機會普及，接受教育者增多，個人接受教育的程度提高，同時教育制度，在社會結構中成爲核心制度，影響力量大爲增加，舉凡政治、經濟、社會階級、文化各領域，無不受到教育之影響，在人類歷史上，特別以教育指數估量一國之政治、經濟、及社會潛力者，當推廿世紀下半葉。教育力量的影響幅度及深度，已經達到空前的境地。而推動教育影響力量的主體必爲教師。因此，教師的的許多新社會角色爲之產生。本文第一章已提出教師在教室、學校、專業團體、社區、社會文化中之角色。此種角色皆爲教育影響力量擴增之後所形成者。

在不同社會中，教師若欲扮演其各類社會角色，常受社會價值觀念之影響。一社會愈能尊崇教師，則教師的影響力愈大。在社會組成份子心目中，若教師地位低落的，則此種影響力量減低。本研究的結果已經指出，在我國人的價值觀念中，教師仍受尊崇，社會已具有廣泛接受教育制度影響力量的有利環境。問題的重點已非社會是否願意接受這種影響，而是教師是否願意提供這種影響，有無能力擴大這種影響。

換言之，教師是否（及能否）擴大這種影響，關係整個社會之進步，在這方面，以往的師範教育有其缺點。教師習於教授知識及個別輔導學生，而拙於參與社會行動，甚至對於社會需要之瞭解，亦予漠視。教師不僅缺乏參與社會行動之意願，同時缺乏參與社會行動之能力。若欲藉教育推動社會之進步，其最大之阻力並非社會價值觀念，而係教師本身之意願及能力。根據此種觀點，本研究導至如下之結論：師範教育應培養未來教師參與社會行動之意願及能力，本文第一章之研究結果爲此提供理論基礎及實施之參考資料。

（二）尊師重道的傳統依然存在：中國教師與西方社會教師最大的差異，在於二者生活並工作於不同的社會價值體系之中。正由於如此，提高教師專業團體地位的方法應有差別。一般人以爲中國有尊師重道的傳統，西方社會則無此傳統。因此在中國社會中若欲提高教師專業地位，可藉其他具體的措施，配合傳統價值觀念之維護，以竟其全功。西方社會則必須兼改變社會價值觀念，並提供教育與福利等具體措施，始能達成目的。但是也有人以爲，尊師道的傳統已漸式微，在社會價值體系中，教師工作已不受尊崇，此說果然，則提高教師專業地位，應循另一種途徑，與西方社會似無大異。此二說法，構成不同假定，須以實際研究結果予以證驗。

本研究第二章所列第一部份之調查結果證實，無論社會事實如何，社會組成份子在其價值觀念中，仍然尊崇教師之工作。從各級教師在整個職業聲望等級的地位，可以瞭解：在中國社會中，尊師重道的傳統依然存在，並未式微。這是從事教育決策所須特別注意的事實。

首先，提高教師專業地位應循的途徑可以確立。教師專業地位之所以低落，係由下列數種因素所形成：（1）專業團體發展過程中的不良歷史背景；（2）不利的職業價值觀念；（3）不適當或不充份的專業訓練；（4）不適當的薪資報酬。在很多社會中，提高教師專業地位，同時遭遇上述四種困難。可是根據我國社會現況分析，其最主要原因却爲（3）（4）兩項，而非（1）（2）兩項。因此目前我國提高教師專業地位的政策應爲：以改善教師專業訓練及薪資報酬，加强已有之尊師重道傳統，使良好的社會價值觀念得到適當制度的配合，化爲社會事實。

其次，教師對其地位焦慮的形成因素也可以確定。在第二章我列之教師角色期望調查結果中，教師認爲其未受社會尊崇者比率遠大於家長。換言之，家長以爲對於教師應該尊崇，並盡尊崇之責，而教師則仍有頗大之社會地位焦慮。其因素約有兩種：教師本身的錯誤觀念；及教師的工作條件不若其他專業工作。前一因素可由師範教育的改善予以消除，後一因素則須賴教育及社會制度的改善始能消除。

（三）教師「自成形象」與「公共形象」的主要差距，存在於下列三方面——（1）師生關係；（2）教師社會地位；（3）教師選擇角色：教師對於其本身的角色期望構成所謂「自我形象」；公衆對於教師的角色期望則構成所謂「公共形象」。二者如果協調配合，則教師所扮演的角色較無衝突的現象，否則便易有角色衝突的問題產生。教師的自我形象及公共形象交互影響，其間的衝突現象影響教師的行爲定式，而需要協調。根據本研究的調查結果，二者之間的衝突存在於三方面。第一，在師生關係方面，二者有其衝突之處。大多數教師期望以朋友的立場表示友愛，與學生共同計劃工作，並深切認識教師應注意學生同儕次級文化的實況，作爲施教根據。而家長則仍强調教師之尊長角色，要期望學生同儕文化符合成人社會的要求。在這方面，教師的角色期望遠較家長的角色期望適宜，不過教師在扮演其適當角色時，必受家長期望之掣肘，而有部份困難之產生。第二，家長給予教師尊崇之地位期望，教師則仍有地位焦慮，其形成因素已在第（二）項結論中分析。第三，在選擇角色方面，家長漸以爲教師評定之成績與學生就業產生密切關係，同時期望教師將蒐集及提供職業資料，視爲其責任，而教師對於此方面之角色則較忽畧，這是另一項値得注意的事實。

（四）實際的教師角色期望與理想的教師角色期望之間，有着三方面的主要差距——（1）教師的社區角色；（2）教師的理想條件；（3）教師所應維繫之家庭與學校關係：本研究第一章所提出者爲理想的教師角色期望，第二章所提出者則爲我國的實際教師角色期望。若加以比較，可以發現三方面的主要差距。第一，現代教師應爲社區關係的協調者，可是很多教師並無參與社區行動之意願，而且部份教師仍有孤立的社區角色期望，這類期望極端影響教師的實際行爲。其次，現代教師宜瞭解社會需要，以便適當地扮演其社會角色。但是無論就教師或家長的期望言，對於這方面都相當忽畧。家長及教師强調「瞭解兒童心理」及「具備專門知識」爲理想教師所應具備條件者，爲數頗多，但是强調「瞭解社會需要」爲其條件者，則爲數極少。此種態度一旦存在，教師參與社會行動便受其阻礙。第三，學校教育有其重要的社會化及選擇功能，不能以彌補家庭教育之不足或缺陷爲已足，但是部份教師及家長仍有這種不適宜的態度。

（下轉第三版）

昨日與明日

爭先獻媚的「美人」

被推荐爲下屆總統候選人的美國民主黨參議員麥高文，日前聲稱他已向中國的毛共政權申請到大陸訪問，而且要在尼克遜總統訪問北平之前成行，正等候毛共方面的答復云。一種爭先獻媚而迫不及待的心情，眞是奇醜無比，令人不忍卒覩。

這好像一個蕩婦瞧着另一女人跟折白黨的「荷花大少」眉來眼去，恣意勾搭，不覺妒念大發，趕快搶先一步去表示匿愛之情，以期有所收穫。由於尼克遜之宣佈赴北平叩訪，而國內之所謂民意測驗即反應着他的「民望」上昇了，麥高文深恐在來年的大選中居於劣勢，這才有此爭先獻媚毛共的下流作風，爲着個人的私慾，把國格與民族人格一概抹煞，實行爲目的不擇手段主義。

這就是現代美國政治上號稱爲第一流人物的言行表現，其才其識，如是而已！憑着這類的政治人物以秉持國鈞，還要領導自由世界以與共產世界爭一日之短長，若說可以制勝敵人，誰其信之呢？羅馬帝國的式微乃至於潰敗，是在極强盛的時期由內部開始的，美國現在正循着同一的規律前進，衰敗可立而待也。

台灣應該拒絕梅耶入境

報載國際報業協會秘書梅耶，將於八月上旬前來台灣，要求中華民國政府釋放非律賓華人于長城兄弟。

梅耶曾過去以國際報協秘書資格，致函台灣限於七月卅一日以前釋放于氏兄弟，否則即開除中華民國的會籍，無理取鬧，咄咄迫人，我們已嚴詞予以申斥，指爲妄干別國內政，我政府亦置之不理。於今他又不憚煩勞，再要親來台灣嘵瀆，可謂十足的「混球」，莫名其妙，我政府應該拒絕他入境，千萬不要以爲他是「美人」而容許其招搖過市，播弄是非。

我們亦是報人，當然不反對新聞自由，但不能將國家安全利益置於新聞自由之下；尤其不能忍受一個自由職業團體而妄干別國內政，且以「太上政府」的氣派命令別國違法徇私，而以開除別國的會籍相威脅。試問所謂「國際報協」究係甚末玩藝？有了它的會籍，光榮又在那兒呢？因此，希望中華民國分會幸勿爲着害怕開除會籍而對梅耶有所瞻徇，趁早通知梅耶，請他不必勞駕枉顧，自討沒趣。這是國格問題，講不得私人情面的！

·何如·

自由談

何以止貪污？

政治上之有貪官污吏，猶如人類居處之有臭虫跳蚤，並不稀奇，古今中外，皆所難免，只是程度上的差別而已。

要消弭貪污風氣，必須具備兩項基本條件，一爲公務人員俸祿足以養廉，二是政治紀綱嚴肅，議親議貴，賞罰分明，無稍瞻徇。民國初年袁世凱以五百元的貪污罪證，槍斃了一個高級官吏——京兆尹——王治馨，全國政風即爲之肅然，蓋當時行政官吏的俸給足以養廉也。一般公務人員的待遇如其過於菲薄，竟不能維持粗茶淡飯的起碼生活，則大不必法，小不必廉，政風自然趨於腐敗，貪污隨之盛行。大家笑貧不笑貪，弄錢至上，享受第一，紅包主義，相應盛行，而視貪污爲應有之義，是幹濟之才，其有廉潔自愛，有所不爲者，便是沒出息的笨伯，活該窮困以終。

貪污風氣既然大作，社會輿論不免有所責難，行政機關爲掩飾耳目計，乃發佈文告，教民衆檢證舉發貪污官吏，以便按法懲治不貸。說來冠冕堂皇，有聲有色，實際是官樣文章瞎扯談，不値一[illegible]。官吏得賄受賂，唯恐手脚做得不乾淨，除却交付賄賂的人證外，別無其他的證據給人檢舉。可是，法律明文規定賄賂行爲是「與受同科」，誰又願意失財之後，再找罪受嗎？行政首長不能整飭紀綱，砥勵廉隅，督率僚屬，自律自愛，而希望老百姓來檢舉貪官污吏，這不是虛僞的官樣文章是甚末？

政府果有剷除貪官污吏的決心，並不需要民衆檢舉，只把一些貪聲素著，顯迹彰聞，且在國內外存有鉅額私財的達官宦，擇其尤者，槍斃幾個，包管決無冤枉，然後繼之以足資溫飽的俸給待遇。如此標本兼施，清廉而有效率的政風，可立而待也。

馮五先生

「戰不求勝」解

文侯

天下事

戰爭行爲的唯一要求，就是勝利，否則毫無意義可言，這是極淺薄的常識，婦孺皆知的。

然而，美國自韓戰以至越戰，出兵數十萬衆，傷亡十餘萬人，耗財更無可估計，而結果乃採取「戰不求勝」主義，且美其名曰「警察行動」，其故安在呢？

原來美國在二次大戰後，獨霸原核子優勢武力的時候，經常夸述原核子武器破壞力量之鉅大酷烈，難以限量，意在恐嚇蘇俄，不要隨便掀起戰爭，徒召滅亡之禍，而名爲「嚇阻政策」，自鳴得意。詎料參預原核子秘密工作的「美奸」福治博士，接受俄共特務的鉅賄，竟將原核子秘密資料，供給俄帝。不久，蘇俄亦就擁有原核子武器了。

於是乎，原先所恃以恐嚇別人的玩藝，反而自我恐嚇起來了。因而對於自由世界——特別是亞洲方面——的局部反共戰爭，美國一面出兵參戰，却估計蘇俄最後可能介入，而以適可而止，能維持原有現狀爲滿足，俾免釀成全面大戰，致美國本土有挨到原核子武器襲擊的危險，所謂「警察行動」云云，只是一種懦怯心理表現的自我解嘲，此即「戰不求勝」主義的眞詮所在。麥克阿瑟元帥在韓戰時，昌言「除却勝利外，別無代價可尋」，即被免職了。

美國在過去的兩次世界大戰中，由於原子武器未曾出世之故，都是以別國的土地爲戰場，美國內不受戰火延及，人力財力雖稍有損傷，然國富爲之大增，戰後一躍而成爲世界霸王，幸運極了。現代原核子武器大興，若有戰爭，美國本土亦無安全可言了。所以，美國但求維護既得利益，通商如故，畏戰避戰的心理已形成歇斯特里狀態。最近尼克遜總統之率先撤消禁運令，不惜卑躬屈膝以與毛共勾搭，目的亦在恢復中國大陸地區的貿易而已。

職是之故，祇要共產集團不發生「珍珠港」事變，美國的「戰不求勝」主義，始終不會更改的。甚末自由與奴役之爭，甚末保證與承諾，都是些掩耳盜鈴的廢話，沒有絲毫可資信賴的價值也。

中油擴建高市油站
低價征收私有土地
立委質詢認侵犯人民權益
要求行政院飭令予以發還

（自由報台北消息）立法委員吳基福爲經濟部所屬國營事業機構「中油」與「台糖」等有關單位，罔顧國法人情侵害人民權益任意征收高屏地區私有土地及不法取得農民開墾二十餘年之耕地特向行政院提出緊急質詢。他說：

第一、經濟部所屬中國石油公司在高雄市苓雅住宅區，建油槽已達十餘年之久，其間數次擴建均未經高雄市政府核准。因該輪油站之位置對高雄市港之安全威脅頗大，自應拆遷爲宜，並由行政院台五一經字第八一四五號令，該輪油站應即遷移至大林埔，以策市民安全在案，且經第七六八次行政院會議決定，以台五一經字第三八三五號令，該輪油站疏遷工作由行政院責成台灣省政府轉飭高雄市政府，會同當地治安及有關機關組織疏遷委員會，而由經濟部派員參加辦理本案土地征用及居民疏遷事宜。

嗣由高雄市政府組成疏遷委員會，辦理居民疏遷事宜，但到了民國五十六年，突然變更其處理方針，經行政院五十六、七、十七台五十六內二八〇七號令僅以該站遷移時之安全爲由，將該站四週約一、四八二五公頃內的民有土地，以及房屋約一萬二千平方公尺，住戶四一四戶，於民國五十八年二月八日強制征收其土地，要求住民疏遷，而且以五十一年的公告地價每坪一八〇—三〇〇元征收，但五十八年當時公告之地價爲每坪一、八〇〇—三、〇〇〇元，如按市價每坪已達一萬元左右，使無辜居尸放棄祖先遺產，流離失所。而該輪油站既然決定遷移，爲何還要征收其周圍的民有土地？是否有不肖官員企圖「大秤買進，小秤賣出」之勾當？將每坪價値萬元之民有土地，以幾百元廉價征收，然後重劃分配，以高價出售，或大炒地皮圖利！

不過，依據土地法第二〇條第八欵之規定，中國石油公司應以國營事業所必需者爲限才能征收民有土地，而今該公司爲了避免其違章建築物之遷移拆除，竟征收其周圍一四、八二五公頃的民有土地，顯然於法不合。根據都市計劃法第四十八條，實施都市平均地權條例第四十七條，土地法第二四〇條規定，征收土地所補賠之地價，應依征收時之市價爲準，而中國石油公司以七年前的「公告現値」征收民有土地，顯然曲解法令，侵犯人民權益，應由貴院飭令所屬，發還被征收之私有土地，以維政府威信。

第二、屏東縣長治、鹽埔兩鄉隘寮溪河川地一百廿公頃，在本省光復前即由馮達祥、邱應秋等三百餘戶農民開墾耕作，廿餘年來，費盡心血，從事土地改良，增加農物生產，台灣光復後，政府扶植自耕農，實施耕者有其田政策，農民莫不額手稱慶，爲未來前景描繪美麗藍圖。不料民國五十七年，該地忽爲台糖公司辦理土地登記，取得所有權，並於民國五十八年五月，通知該地三百餘戶自耕農，要求交還土地，使農民驚慌莫知所措。嗣後雖經據理力爭，均無結果，迄今仍在紛爭中。

日人製糖會社的土地
農民開墾廿餘年後
台糖辦所有權登記
立委認爲不當主張放領

台糖不當取得所有權之一百廿公頃土地，係民國七年間，由原日人台灣製糖會社取得所有權者，後於民國十年前後，即被洪水冲失變爲河道，計有十八年之久，依據土地法第十二條規定，其所有權早已視爲消滅，及至民國廿七年建築隘寮溪浮復後，一直視爲荒地，任由當地兩鄉農民開墾，人人製糖會社從未過問或主張爲其所有。光復後直至民國五十八年其間歷廿四年，農民大事開墾改良，台糖公司及任何機關亦均未提出異議，或主張權利。依照民法七六九條及七七〇條規定之公開和平善意之占有，依法自耕農自應取得所有權，乃無疑義。

有關台糖公司接管日人製糖會社資產之登記，政府未經明令限定應於民國卅八年底前，依照土地法第五十二條履行登記爲國有，再以轉帳方式撥作該公司資產之案，而該公司却一再推諉延誤，且對該地更未接管，復未依行政院四十年所頒「在台生產事業機關土地權屬問題處理原則」之規定，辦理土地所有權登記，而且違誤政府寬限土地總登記至民國四十二年之期限，依土地法第五十七條規定，該土地早已視爲無主土地，經公告後應作爲國有之登記。何以在台灣光復後廿三年，亦即民國五十七年，始爲台糖公司所有之登記。此舉顯屬不當，而且有背法令，更何況台糖公司辦理該地所有權登記時，未依土地總登記之規定程序處理，使農民無從據出異議。

本案發生紛爭時，中國國民黨屏東縣黨部、警備總部、縣政府、縣議會、縣警察局、台糖公司、屏東縣及農民代表曾先後舉行多次協調會議，但其決定權在於台糖總公司，因此處理困難。

本席認爲依照民生主義現階段土地政策，應將農民開墾廿餘年之土地放領爲其所有，或由院令飭經濟部，着由台糖公司增產。如此，既可昭示政府威信，貫徹土地政策，又可維護農民權益，使其免於失去耕作土地，致生活陷於絕境。

停止出售短期公債
有失政府信用
立委質詢指責中央銀行
力促政院迅予糾正

（自由報台北消息）立法委員徐漢豪爲中央銀行命令台灣銀行停止賣出中央短期公債違背法律有失政府信用，向行政院提出質詢云：五月二十九日各報載中央銀行下令台灣銀行自今日起暫停賣出中央短期公債，僅繼續買進，以應付公債持有者要求變現。據該行俞總裁國華發表談話，停售之原因，由於「現行中央短期公債利率爲百份之十，二年以上定期存欵利率原爲百分之一〇、〇八，今日起將降低爲百分之九、五〇，反而低於公債利率」。閱之不勝駭異，查「公債各期債票，均得自由買賣；」歷年中央公債發行條例均有明文規定，中央銀行此種措施，顯然違背法律。近來政府鼓勵人民儲蓄，成立儲蓄推行委員會，勸導人民踴躍購買公債，到處都有標語張貼，各電台電視電影院亦每日均有播映，（甚至中央銀行宣佈停售公債以後，各電台電視仍在播映，向人民宣傳購買公債之利益），乃言猶在耳，而中央銀行竟命令台銀停止出售，不知置政府之信用於何地？且公債利率低時勸人民購買，公債利率高時即停止出售，似在與人民爭銖錙之利，事實上政府發行之公債均已售出，不過大部份在銀行手中，政府仍照樣付息，故停售公債，僅有銀行賺錢，於國庫毫無補益，中央銀行此種只知爲己不知爲民之作風，使政府勸導人民購買公債之宣傳，變成一大謊言！希望嚴院長對此違法而又使政府失信於民之措施迅予糾正，如另籌公債公開上市辦法，亦應令飭早日實施，毋再拖延，以昭政信。

省議員詢農會問題
指制度不健全
法令繁多難以適從

（自由報台北消息）省議員呂俊懋在台灣省議會第四屆第十七次大會第二十六次會議，向省主席陳大慶提出十七點質詢，長達兩萬餘言。

記者就有關農村經濟發展及農會問題的質詢，摘要報導。

呂議員質詢說：本省農會之所以發生問題，由於制度不健全及法令規章繁多而又矛盾所致。鄉鎮農會之主管機關計有十七個單位，形成「十七頭馬車」各自爲政；而農會有關法規有四十十多種，主管機關及法規如此之多，使農會無所適從，窮於應付，焉有不發生問題之理。

如一「農林廳農會調查研究小組」係由省府官員、省農會代表及省議員共同組成，顧名思義，爲一調查及研究農會問題的小組，並無決定政策或修不修改農會法令之權。不料該小組竟有修訂台灣省各級農會人事管理規程之權；竟有決議不修改農會有關家畜保險法令；竟有審議改進台灣省各級農會暫行辦法尚未審議之修正條文的職權，此項職權有何法律依據？

這位民意代表又指責省農林廳有關人員爲省農會互助會的問題撰文辯護的動機不純正。據省農林廳本年七月三日答詢說：「省農會互助會設立當時：四十七年，係由農會自行設立，未經任何機關備案，五十八年二月始納入農會人事管理規程。經派員調查結果，該互助會投資台灣日報七十五萬元，係在火災互助節餘項下撥出，業經通知收回有案。至該會高級人員赴日考察，係在火險互助業務費用開支，對支付員工離職互助金並無影響。」

呂省議員質詢說：台灣省政府、省農林廳均係省農會之主管機關，有監督之權；省農會互助會於四十七年開辦時未經報備，其主管機關之失職，省政府暨省農林廳未依職權即時糾查或制止，應管而不管是謂之失職。省農林廳不但不管，竟失立場於本年五月間刊佈所謂「台灣省各級農會員工離職互助會案研討分析資料」的文章，爲省農會辯解，增加紛擾，使全省各級農會員工信心發生動搖，不安於位而求去，進而使全省農會業務發展受到莫大之影響，省農林廳應負行政上的法律上的責任。台灣日報是誰核准的省農會非法投資經營？稽查省農會財務之主管官員顯有「失職」或「循私勾結」之情形，應依法移送偵辦。

劉半農記賽金花

發解回籍，就是那麼一說罷了，我並沒有同解差一齊動身，他們先行！我又住了幾天，摒擋些雜事，纔赴天津，由那裏乘火輪到上海，再返蘇州原籍到案。這時候我的寡弟婦還在蘇州。

在家裏住的工夫不久，就又到了上海，這時候已是光緒末年了。

附錄

小撲戶，即小撲虎之轉音，是一個女流氓，因她善摔交而又兇悍有膂力，人都懼怕；這個名字就是形容她的兇猛有如一隻撲虎，她是旗人，丈夫開剃頭店的，小撲虎雖然兇悍，但是生得一等好模樣，圓方臉、大眼、高鼻、小嘴，身段有如我們的顯媽，不長不短，她雖然長得很好看，但是力氣很大，又善摔交，常常到天橋披上棉坎肩，便和男人動手，因爲摔交是一種柔術角力，摔死了官廳也不管的，但小撲虎却未曾敗北過。她有一次在路上遇見楨紋銀上官廳的庫兵，坐了騾車經過，小撲虎眼看機會難得，一把將爲頭的庫兵抓住，雙手把他舉起來，全車的兵都嚇得呆了，誰也不敢近前。

（卅四）

從「記者證」說起

·文園樓主·

報館發「記者證」的用途，顧名思義，乃在證明記者身份之用，未料在台灣「記者證」的花樣多矣，尤其是報人，學人組合而成的自由報，社址遠處香港，報紙在台灣的發行數目特別多，政府對自由報的言論尺度又比較寬，因之很多文丐，乘機而混，打着自由報的招牌胡作非爲，賣書，賣雜誌還是上乘，等而下之者用採訪方式，威脅敲詐時有所聞。

今天我們要特別聲明：一、本報向採取發行本位，因篇幅有限不能容納很多廣告，同時有感香港的報在台灣招攬廣告會給工商業帶來麻煩和困擾。因之才決定採發行本位。二、本報發行實用叢書，受到廣大讀者愛護，乃不折不扣的事實。預約者先付欵，因同業批發例規，貨欵先惠，即台北方大書店前來配書也不例外，故從來不向人推售書。有者必爲假冒。三、自由報在台灣的發行，因有廿餘年歷史關係，訂戶在穩定中增長，去年即已突破萬份，只台北市一地擁有四千家訂戶，沒有強制推銷的必要，且不可能。四、自由報和自由報發行的實用叢書，要用的讀者則非看不可，不要看的必因看不下去，（非大學程度難以接受），強制看也看不下去。

基於上列各點，我們這張很少有機會找人麻煩，要發表的消息，我們報社有一個共同守則，事前絕對不會給人知道。消息既發表後，拒與當事人酬應連絡，這是杜絕謠言，潔身自愛無上法寶，也是積四十年辦報經驗得來的招數。李運鵬社長接自由報四年來了，報紙能受廣大讀者狂熱的擁戴與其個人言行能受海內外上百萬的讀者支持非偶然也。

幾個月前，有×××立法委員介紹一個人跑行政院新聞局消息，後被人檢舉是一個專門賣書的書販子，當然立即解除職務，追回服務證，未料他竟憑新聞局幾張開會通知當作記者證，在外招謠，從事賣書業務，像這樣的例子在外國很少聽到，還有一、二敗類，勾結治安人員的錢民，台灣警務處已有案可稽。到處訛詐。又一年前有位文丐×××到中央銀行騙得幾千元，後被報社發覺立予登報否認，本來這些苦水不必在報上公開的挖，但不挖可能使鼠輩更無顧忌或更胆大更擾人。

今後台灣地區農工商學兵各界遇到類似情形，敬請先索閱自由報服務證，核對年月是否相符，相符的話，限於接洽正當業務，否則可，就近報警，或電話三八〇〇〇二號香港自由報台灣區業務管理中心查詢，以憑立即轉報治安機關處理。

美國嬉皮不滿物質文明

響往中國淡泊生活（二）

·生晚·

更合乎人性自然要求的生活方式。於是他們向東方的佛教禪宗與道家思想去探索。可惜由於生存空間和思想源流的整個不同，他們所了解的實在只是一點皮毛。當然更談不上把這種思想哲學眞正的融入人生，而對他們所引爲不滿的現實生活發生作用了。

但儘管如此，美國青年對東方（尤其是中國）文化的熱愛，仍然令我這東方人十分感動。我幾乎在各處都發現美國青年對古老中國文化是何等的響往。在巴法格，一個被他父母談爲最不合作的青年，只聽我引用了一句老子所說「天之道，不爭而善勝」，就滔滔不絕的和我談了大半天他對現代生活的看法，和對道家思想的崇慕：使他父母大爲驚奇。在波士頓藝術館的中國古物陳列室，遇到一位青年，他聽說我是從中國來的，高興得不得了。連說：「我好喜歡中國！我好想去看看你們中國！」然後就一路讓我給他解釋陳列室中那些玉如意、瓷涼枕、古銅鏡，和宋朝四合院式的房屋的模型。當我告訴他，這些東西，我的老家裏就有，而那房屋的模型正和我老家的房屋太同小異時，他簡直覺得我這個人就是來自一部歷史。他又對那牆壁上掛着的中國古代的衣裳十分好奇。我對他說，中國這種寬袍大袖的衣裳很代表中國人的人生態度和思想方式——它們是寫意的，是不勉強的，聽其自然的，有斟酌的餘地而不斤斤計較的。而那上面的刺繡卻更顯示了我們天性的安詳與敏細。他在那陳列室中留連復留連，我本想再參觀一兩個其他的陳列室的，只因他不斷的問我問題，我以直到關館的時間已到，我們才匆匆ㄦ路出來。臨分手，他讓我留下地址，說他有一天會來台灣，看看我們故宮博物院的珍藏。一份對古老中國的崇仰之情，溢於言表。

在史丹佛大學胡佛圖書館，在匹茨堡大學圖書館，加州大學圖書館，以及密歇根大學圖書館，到處都可看到有美國學生在埋頭研究中國的典籍及畫冊。那ㄏ，我避開朋友的嚮導，獨自從舊金山乘灰狗車去巴城，只爲想多留連一上胡佛圖書館中的那份中國氣息。只爲要讓自己能仔細尋味一下那入門處的黑色的檀扇、那立屏、那王原新的國畫山水，以及迎門陳列着的康熙與乾隆年間的筆筒、瓷瓶、瓷碟、瓷碗。還有洛陽出土的酒器，中國銅鏡。想看看這些中國古物和那些到這裏去研讀中國文化的長頭髮的美國青年是怎樣一種對照。只要想獨自在那鋪着紅地氈的閱覽室的沙發上坐坐，看那些美國青年們怎樣埋首在綫裝的典籍中，認眞的探索古老中國的思想與精神。然後去登臨兩百八十五呎高的胡佛塔，想知道其中收藏着多少舊大陸的史料。午後的胡佛塔上，靜寂無人，在那裏俯瞰史丹佛校區及校外那一片廣闊的土地，想佛當年史丹佛參議員夫婦爲紀念他們夭折的兒子而傾家興學的魄力及財力。想像他們如何披荆斬棘，把這塊（高樹）地方興建爲一座大學城。歸途上，一路但見平直的高速公路。公路邊，一處接一處的石油廣告牌和加油站。那些石油廣告牌頗大顯著，老遠即可看到；（未完）

陳果夫講「藥」故事（四）

·門外生·

翌日清晨，范老二一覺醒來，凝神回想昨晚情形，忽然對他妻子說：「這蛇今晚上還會來的，我們還要做些假蛋給牠吃。」他妻子回答道：「你不說蛇會脹死嗎，怎樣還會來呢？」老二說：「恐怕脹不死了，牠吃過消化藥了。」他妻子好生有氣，說：「你怎樣曉得牠吃過消化藥呢？我說你是專幹傻事，牠吃了還會消化，那麼你再忙着有甚麼用處？」范老二說：「今天再試試看，看牠是否還吃那幾種藥。」妻子又氣又好笑說：「老二，你是做蛋生意的人，又不是開藥方要研究藥味。我們只要蛋不再損失就好了。你聽我的話，「叫阿和準備把牠打死算了。」老二半像認眞，半開玩笑的答道：「我就是想開藥方啊！你和阿細不是常常鬧停食嗎？你忘記那年你停食天天叫肚子痛，個把月都治不好嗎？假使有一種好的消化藥豈不省事！」妻子說：「要好的藥應該去請教醫生啊！」老二又笑着說：「就是醫生沒辦法，我才去研究蛇的消化藥呢！無論如何我再考驗一次，等下一次蛇再來偷蛋的時候，把牠打死不遲。」妻子聽他這樣說法，沒有做聲。當天仍舊照常守值，那蛇竟沒有來。老二心想蛇吃的藥不靈，恐怕脹死了。但是又懷疑到蛇或者在養病呢？所以堅持還要看兩天。有天正在老二看守的時候，那蛇果然又來了。對這些蛋，毫不疑心，還是吞吃很多。老二依樣留心跟看，看到牠和前回一樣，到園裏吃了些草，依然穿過牆洞又去吃了很多糟坊排出的廢物，回到草叢中去了。范老明瞭了蛇所吃的東西確是消化藥品，再過一天的晚上他曉得這條蛇要來，就邀了他的子阿生伴着阿和拿了刀棍看守，等牠來時，就把牠打死了。

（未完）

神醫華佗

周吉

人傑地靈·巨人之鄉

「安徽十三傑」可以說是「無傑不有」，行行皆有傑出之士，如果把「二流」之傑也點將出來，那眞可謂是「車載斗量」，不可勝數。在中國醫學史上的第一把交椅，又給安徽人坐了。這恐怕不是偶然的事，一定有他的人文地理環境的因素存在。

華佗名　，字元化，他出生在安徽一個地靈人傑之鄉，正是另一位大傑——曹孟德之鄉——譙郡沛縣，即今之安徽亳縣。後漢屬於徐州，是一個人文薈萃之地，也是當「四戰之地」，在那一個地方，歷代人傑輩出，單以曹氏一大家子，也就出過相國、太尉等巨官，曹孟德的父親曹嵩，官至中常侍大長秋費亭侯，他的祖父曹騰，官承太尉，再往上溯，漢相國曹參也就孟德的始祖（史稱曹操爲漢相國曹參之後），當時曹氏父子在文學方面，是一個「文學大家」。而華佗產於此地，這不是「地靈人傑」是甚麼？因此說亳縣是一個「巨人之鄉」，恐怕不是過言吧！

華佗的生年雖然史無明文，但是從史事及同時代的人物的關係上看來，他比曹操、劉備一般人都要大三十歲以上，他與關羽「刮骨療毒」，是在建安二十三年冬，與小同鄉曹孟德治頭風，也是他最後一次的爲人治病，那是建安二十五年，華佗是那一年遇害，曹操也是同一年死的。三國誌本傳記載他「年且百歲，而貌有壯容」。但是這種記載不管在時間上是何年何月，然而他的壽終獄內也有百歲的壽命。

劉備做徐州牧，是得力於陳登（元龍）、孔融、糜竺等人的推戴，陳登與劉備是同儕之輩。但是在陳登之父陳珪做沛國相的時候，華佗已經盛名滿天下了，因此陳珪曾舉華佗爲孝廉，他根本不願就。董宛爲太尉，知華佗之才學令名及醫術，曾請天子之詔辟他入朝做官，他仍然婉拒不就。從這些事實，我們可以看出華佗的生存年代，和他當時名氣與志節，他不但是安徽之一傑，也是傑中奇人，更是一位有氣節的醫藥學大家。

華佗曾經游學於徐州各地地，史稱「兼通數經」，很遺憾的是史籍不載他師承何人。照中國古代的傳統習慣，讀書人一面由於自己努力自修，一方面也要有師承，尤其是「方技」之術，更不能沒有師承，傳其衣缽。史籍不題師承何人，想必多得自於家學或隱士之類人物。舉凡方技一類人物，大多數是隱士之流，不願爲官，不願露眞實姓名，如張良之遇圯上老人，尤其是在亂世。華佗除了精通數經之外，且「精方藥」，對於用藥的分量，他不用度量，而用心量，即「心解分劑」，足見他對於藥物的造詣之深。

鍼灸麻醉外科始祖

華佗的師承雖不可考，所謂「禮失而求諸野」，在下於王勃的「八十一難經解」序中，找到一點不太詳細的綫索，不過這種綫索有些玄妙，但是爲對中國傳統醫道加以了解，不妨引錄佐證。

（一）

安徽十三傑

管仲　李紳　莊周　曹操
華佗　包拯　朱熹　朱元璋
戚繼光　李鴻章
段祺瑞　胡適　楊振寧

教師應有的地位

（上接第一版）

（五）師範教育的改革動向具有共同的目的：本研究第三章所提出之各種師範教育改革動向，具有共同的目的，即提高教師之專業地位及素養，適應社會事實及價值之演變情況，使教師得以成功地扮演其應有之社會角色。師範教育機構地位之提高、師範教育基礎課程及專修課程之改善、教育專業課程之平衡、教學實習之重現、教師進修體制之制度化、師範生學力程度之提高、及教師證書頒發體制之改善等等措施，皆具有上述共同目的。師範教育問題常因教師角色觀念、社會對於教師之需求、及師範教育機構之適三者之間的差距而形成。一種良善的師範教育制度須與社會事實及社會觀念，維持和諧協調的關係。我國師範教育之改革，必須注意及此。

上述諸項研究發現的精論，可爲改革我國師範教育的參考資料，以下根據此種發現與結論，提供改革我國師範教育的具體途徑。容後續誌。

（完）

自責重於責人

輿論精華

尼克遜訪問中共的決定，無疑給予中華民國以徹重無比的打擊，可以預想的，在這幾個月內，即在尼克遜實行訪問中共之前，必然作出更多對中共有利的行動，對聯合國席位問題，和各國改變對中共態度問題，也將增加對中華民國的不利。

中華民國將何以自處呢？這是今天我們面臨的一個必須解答的問題。

一、爲了表明我們的態度，發洩我們的憤慨，不能不向美國作出强烈的抗議，但又有什麼用呢？

二、警告、指摘、說服，企圖使尼克遜臨崖勒馬，這是空想的。

三、向國際申訴，希望獲得道義的同情與支持，但國際間只有利害，沒有正義，有之，也空洞而不切實際。

四、因此而沮喪嗎？這是失敗主義所爲，尤其要不得。任其自然發展嗎？這是低能顢頇之所爲，同樣是要不得。

五、還要等待一下嗎？廿一年來的等待，無非是因循、苟且、幻想，而等待出些什麼來呢？

這些，都不是我們當前問題的解答，正確的解答是：

自責重於責人。

今日之事，人固足責，但廿一年來自己不爭氣，難道不更應該自責嗎？

檢討廿一年來的經過，我們已盡了最大的努力嗎？機關林立，會議頻繁，計劃種種，除了以台灣爲單位的建設成就外，還有些什麼？政治革新了未？所謂「毋忘在莒」，「莒」就是歌舞昇平嗎？「莒」就是鮮衣美食嗎？「莒」就是粉飾鋪陳嗎？這些年來，人們視台灣爲旅遊勝地，何嘗意會到是一個反共反攻的神聖基地呢？

那麼，就算美國永遠地反對毛澤東政權，永遠地做着我們的好朋友，又有什麼作用？

過去的錯誤和不足，當局諸公，應該坦然承認，毅然改圖，今日已再不容有因循、推搪、怨尤、幻想、等待，唯一的是當機立斷，下大決心，以積極行動來昭示國人，領導國人，共赴國難，當前所要做的：

一、建立戰時政治體制，把過去虛浮的機構儘量精簡化。

二、召開海內外各黨派的國是會議。

三、以大陸工作爲中心的認眞加强各方面活動。

（錄自快報）

讀「岳武穆年譜」書感（三）

·李安·

3、按岳雲字會卿，爲武穆長子，已如上述，年十二歲即從張憲戰，累立顯功，積官忠州防禦使，終左武大夫提舉醴泉觀，死年二十三歲，有子二，曰甫，曰申，女一曰大娘，李心傳撰繫年要錄，於紹興三年，岳王來朝有「養子雲，年尚少，亦入見，帝賜以金槍戰馬」數語之記載，實則李書「養」字並無所據，乃依傳聞，宋史從之，亦誤爲「養」，查秦准宣付史館之「行實編年」對紹興三年（一一三三）武穆入朝有詳細紀載，時與人、事、地、物均可考，其原載如下：

「九月，武穆至行在所，上使人諭武穆，令繫金帶上殿，十三日入見，撫勞再三，賜衣甲馬鞍弓箭各一副，金錢戰袍金帶手刀銀纏槍戰馬海皮鞍各一，賜御扎於旗曰精忠岳某，令行師必建之，又賜武穆子雲弓箭戰袍銀纏槍各一，犒軍甚厚。」於此得知武穆來朝雖實，但未必偕子同入見，帝賜其子各物，即屬「犒軍甚厚」之物品，即或認爲借子同時入見，但行實編年祇有「子雲」之記述，而無「養」字，李撰要錄實無所據此其一，又查武穆文集公牘文書，集載辭男雲遷轉恩命等公文書多至十餘篇，其稱敘有：「臣男始就義方，尚存乳臭」，「父之教子，豈可責以近功」，「知子者父，誠不遑安」等等，均洋溢父子之情，在任樞密副使後，乞般家劄子亦有「欲乞先次般妻男雲一房來行在」之語，從無養子之文，此李撰要錄實無據者二，據此更可見李在要錄中亦曾紀岳夫人李氏南來，經過韓世忠防地，韓曾函致武穆請來迎接，武穆復以妻會改嫁，不願接納等等，更屬訛誤無稽，按岳夫人之淑德已如上節詳述，有宗譜傳記歷歷可考，所云韓世忠曾致函與岳武穆及岳武穆又復書，不但李撰要錄無其往返原文，即岳與韓之公私文集暨傳紀等等並其他有關岳韓著述亦均無一可考，除此之外，某宋史列傳卷二百二十三所記韓世忠有：「世忠在楚州十餘年，兵僅三萬，而金人不敢犯」等語，査宋時楚州，即今淮安，蓋韓世忠防地在今之蘇北，宋之淮東一帶，而岳武穆當時正在轉戰大江南北，以黃河北人南來路徑習慣言，均無繞道逾千里或竟捨順江而下而取逆水行舟之理，其屬不確者至易瞭解，更査武穆於紹興四年上章辭通泰鎮撫使之命，有「願將母妻爲質」之言，可見其母與妻當時已同在任所，又據行實編年載：「母歸有癎疾，武穆雖身服王事，軍旅應酬無虛刻，嘗以昏莫竊暇至親所，嘗藥進餌，衣服器用，視燥濕寒暖之節，語欬行履，未嘗有聲，遇出師，必嚴飭家人謹侍養，微有不至，譴罰自妻始。」按岳母姚太夫人歸自何年，史傳無徵，「實責其妻謹侍養於此可見，可得誤謂拒不接納，按岳夫人於靖康元年（一一二六）在湯陰生次子雷後，於建炎四年（一一三〇）在南來之地生三子，可見其南來當在建炎三四年間，迨可能隨母同時南來。

按李心傳著書甚多，除建炎以來繫年要錄二百卷外，尚有學易偏五卷，誦詩訓五卷，春秋考十二卷，舊訓聞誤十五卷，朝野雜記四十卷，道命錄五卷，西陲泰定錄九十卷，辨南遷錄一卷，詩文一百卷等，因著述之多，有據傳聞紀載失實之處，故宋史本傳對之有評曰：「心傳有史才，通故實，然其作吳獵，項世安傳，褒貶有愧秉筆之旨，蓋其志常重川蜀，而薄東南之士云」。我特以爲其對岳氏母子爲尤薄也。

4、關於張憲者，據年譜附編錄載：「按王部曲諸將，依附靑雲，垂名竹帛者，不可勝數，張憲，王愛將也，蜀之州人，驍勇絕倫，每戰與王子雲率先諸將，立功獨多」，此屬實在，惟誣誤以爲張憲乃武穆之婿，實至荒謬，按武穆有二女，長女名安娘，其婿爲高祚，曾封承信郎，次女即銀瓶，幼有至性，通書史，知大義，當武穆蒙冤至死時，痛父死於非命，慟哭含憤抱銀瓶投井死，卒時年只十三歲，尚未成人，更未結婚，何得有婿，此可證明岳武穆之愛張憲者乃愛其才與愛[illegible]，而絕非愛在因[illegible]爲婿，更非有私也。

（未完）

× × × × × ×

黛眉小傳（四）

·王幻·

秋瑾

同時毅然以提倡女權爲己任。她認爲「女學不興，種族不强，女權不振，國勢必弱。」她又認爲女子欲與男子平等，以雪男尊女卑之恥辱，必「當有學問，求自立，不當事事仰賴男子，恢復女子應享有之權利與應之義務。」她又認爲纏足是束縛女子的鎖鍊，「欲興女學，振女權，又必先自放足始。」因創辦天足會，提倡放足運動；到處演說宣傳，期喚起社會廣大注意。

她不斷的積極活動，愈促起舊社會的醒覺，同時愈引起舊勢力的嫉視，罵她的稱她爲中國的羅蘭夫人，毀她的說她是人羣的妖魔。她的盟姊吳芝瑛常告誡她說：「妹出言駭人聽聞，宜加審愼！」她答道：「姊勿怪！我所持宗旨如此，異日女學大興，必能達到目的。其收效雖或在數十年後，但今日我不提倡，後來何以爲繼？」可見其認識的透澈和立志的堅決。

纏足在今日已成爲歷史上的陳跡，女學在今日也沒有人再會反對了，但我試想，在半世紀前，「女子無才便是德」被視爲天經地義，和三寸金蓮被視爲標準美人的封建社會裏，她以一個舊式女子，提倡女學及放足運動，委實使人欽服不已的。

思想愈急進，愈使秋瑾對於當時的奢侈踰度，競爲靡靡的士習民風，感到寂寞的悲哀了。從她的作品「滿江紅」詞中，可以領略她的苦悶：

小住京華，早又是中秋佳節，爲籬下黃花開遍，秋容如拭。四面歌殘終破楚，八年風味徒思浙，苦將儂强派作蛾眉，殊未屑。

身不得，男兒列；心却比，男兒烈。平生肝胆，因人常熱。俗子胸襟誰識我？英雄末路當磨折。莽紅塵何處覓知音？靑衫濕！

她在這個時期，尚作有「寶刀歌」，「劍歌」等篇，一時和者甚衆。並攝有舞劍小影，英姿奮發，全無半點女兒態。尤喜著男裝，似對封建社會，一種潛意識的反托。有「自題小照」（男裝）詩云：

儼然在望此何人？俠骨前生悔寄身。
過世形骸原是幻，未來景界却疑眞。
相逢恨晚情應集，仰屋嗟時氣益振。
他日見余舊時友，爲言今已掃浮塵。

（四）

壽年與孤苦（十二）

·錢一劍·

錢一劍談相

仁者多壽，是一句習慣語，事實亦如此，仁而不壽的，則比較少，前湖南省黨部主任委員張星舫，不僅高壽，死時若睡眠而去，這種仁者自然現象，凡我湘人有目共睹，誰能說沒有一點道理呢？又湖南省議長趙恆惕，私德甚佳，今九十二歲了，望之若七十許人，又一例證。

歌訣，富貴在人誠易見。世所難知惟壽焉。休將形樣定長短。龜鶴未必有其然。神粹骨淸肉又堅，朗朗聲韻谷中傳。背膊如龜行亦似。人中甚滿手如綿。筋紋隱隱朝書上。法令相侵地閣寬。鶴行龜息頭皮厚。顴骨橫飛與耳連。毫生耳內眉長白。項下雙條成骨堅。陽不輕浮陰不賦。精實神鑑及若睡。伏犀三路貫天梁。溝血深平闊更長。陰騭龍宮更深滿。荊楊徐豫冀相當。壽長有骨須隆起。面從齊平頦齒方。目有守睛神隱藏。天庭生骨居中央。更若天根有雙隴。三甲壬八老鄉。

歌訣，肉緩精神爽。如龜背脊豐。雙條垂項下。此壽比椿松。耳大分成廓。人中深更長。眉高毫出白。宜入老人鄉。古貌雙眉起。神淸眼更深。自然期上壽。何必問三壬。安坐腹如囊。唇紅口更方。氣寬皮肉厚。享福坐高堂。壽堂深一指。知是老人鄉。眉耳毫長白。閑居百歲長。

人生孤獨事因何。顴骨高兮氣不和。更兼魚尾枯無肉。喉結眉交鼻骨斜。耳薄輪反唇翻綽。淚堂坑陷及眉嵯。堅埋人中應抱子。山根斷折六親孤。行如馬驟頭先進。食似豬餐淋漓多。項短齒疎顴骨高。突胸削額皮如。眉揭露稜羊目狼。吊庭低窄髮生過。色帶桃花仍不立。喉音焦細走奔波。輔骨露筋年上紋。準頭常赤汗何頻。舉步腳跟不至地。眉短何曾覆眼輪。日角缺陷足橫平。鬈髮渾騣弱冠人。尺陽紋理兼卑賤。背陷成坑赤主貧。若是時師依此訣。相中十有九人眞（齡音凝齒參差不齊也）

南訪吉蒙（二四〇）

·胡慶蓉·

巨變歷險記！

我在上邊屢次的說過，吉倫是緬甸的第二大族，約有人口約六百萬，居住在沿薩爾溫江一帶，尤其仰光近海的地區，蒙族是緬甸的第四大族，人口約二百五十萬到三百萬，住在薩爾溫江頭上到馬來亞邊境。自古以來，吉蒙是不分的。自古以來，吉蒙是兄弟之邦。彼此相依爲命。蒙非常服從吉，看吉好像是她們的長兄。

爲爭取吉蒙的合作，丁博士同蘇山波陣遂離開猛撒，前往吉蒙地區訪問。同行的還有錢伯英參謀長。我前邊已經介紹過錢參謀長，並且說過錢參謀長是李總指揮下第一大紅人。此人原來是王耀武的人。王耀武在山東，李彌也在山東，後來，錢參謀長投到李彌這邊來，在猛撒，錢參謀長與李彌非常相得。錢參謀長，個子也是小的。其貌非常平庸，簡直像個鄉巴佬。他最特別的地方，是他的兩個眼睛，簡直同耗子（老鼠）差不多，不但小，暗然無光，而且愛動。他在他面前，他會看見他的兩個眼睛總在不住的動不停的動。他本人雖不漂亮，但他的兒子萬選卻非常漂亮。他的太太明愛說愛道，他們一家，丁博士夫婦，與李總指揮夫婦，吃飯總在一塊，廚師是廣東弟兄，名字叫老夏，做的雖不大够味，但已經算不錯了。每到吃飯的時候，他總在喊「吃飯囉」！有錢太太的能說能道，加上李總指揮的富有高度的幽默，頗不寂寞。

錢參謀長是李總指揮的左右手，是不能離開總部的，也很少離開總部，此次訪問吉蒙，錢參謀長能同行，實出乎丁博士意料之外，丁博士也喜出望外。由他的同行，足證他也是同意丁博士團結吉蒙計劃的。又有人給這起個名詞，叫南進政策。這也是名符其實的。李總指揮已經在準備以他一部份的新武器裝備吉蒙軍。這，吉蒙非常的歡迎。

實則在丁博士，蘇副總裁，錢參謀長沒有動身以前，吉蒙的三位代表已經到了猛撒。這就是紅吉仁的領袖吳拉培，白吉仁的領袖蘇瑞，以及吉蒙的領袖魏爾爵。這三位代表到了猛撒，李總指揮至表歡迎，除闢壯懷廬爲他們的行轅外，並送他們很多的禮物。台席是他們最喜歡的。台席，睡起來，不熱不涼。猛撒好像已經介紹過是以席子出名的。「撒」就是「席」的名稱。不過猛撒的席是竹皮子編的——未免太涼了一點，而且又不好捲，不好携帶。

丁博士此行，等於報聘。丁博士還有他另外的目的，那就是在熟悉地理並瞭解吉蒙等地的實力。對敵固要知己知彼，對友也要知己知彼。

丁博士此行，還帶着電台，隨時與總部聯絡。當時派去的台長，丁博士還記得是呂森。電台在山區簡直成了神奇的玩意兒。他的功用是無窮的，除了台長，還有一排衛兵。用以保護電台，並保護丁博士。

自由報

中華民國內政部登記證內警台報字第〇三一號
中華民國僑務委員會登記證僑新字第二三三號
中國郵政台字第一一二八二號執照登記為第一類新聞紙

（第一一八八期）

（半週刊每星期三、六出版）
每份港幣壹角・台幣零售價新台幣二元
督印黃行蒼・社長李運鵬
社址：香港九龍官塘康寧道117號後座二樓
117 HONG NING RD, 1/F REAR, KWUN TONG, KOWLOON, H.K.
TEL: K-433653
電報掛號：7191
郵箱：官塘郵政信箱9583
承印：景星印刷公司
地址：嘉咸街廿九號地下
台灣區業務管理中心：台北市許昌街廿六號
電話：三八〇〇〇二
台灣區直接訂戶　台灣劃撥戶
第五〇五六號張萬有（自由報會計室）
台灣分社：台北市西寧南路110號二樓
電話：三三〇三四六、台郵劃撥戶九二五二號

本報專論

復興中國文化的願望（上）

・李漁叔・

復興中國文化工作，近年來似亦在不斷進行。然如求全責備，則實成效甚微。茲於全國上下共同致力復興中國文化聲中，提出三項意見如左：

第一：復興中國文化，必須徹底恢復民族信心。

滿運告終，民國肇建，軍閥乘機竊柄，國步多艱，兼以清末海禁大開，歐學東邁，我中國文化遭受空前激盪，復為甚多譁世取寵號稱前進學者所極口詆諆。彼輩於中國學術本無甚深之理解與研究，徒震於西方一切新銳之事物，遂養成一種崇洋媚外心理，中無所守，甘心屈膝，盡喪本來。還視本國所有文物制度，民俗政風，學術文藝等事，皆百無一當，漸至公然仇視，必欲全盤摧毀銷滅之而後快。凡所以懷疑，掊擊，侮慢，欺蔑，無不竭盡所能，愈刻深楚毒，愈為後生晚學所崇信。記某博士曾言：「我們如果想把國家救起來，只有一條生路，就是我們自己要認錯，我們必須承認自己百事不如人，不但物質機械上不如人，不但政治制度不如人，並且道德不如人，文學不如人，音樂不如人，藝術不如人，身體不如人。」（見其所著文存）另有一陳某（不煩稱其名）亦曾言：「東方文化我們領教了，他的效果，人人都是知道的，我們但還有一毫一忽的留戀心，也不至以此自誇。」（見其所著文學革命論）彼輩自相唱和，如出一口。若人當知，若有某家子弟，自有生以來，即蔑視其祖先，自居於污根謬種之列，一身自視，百不如人，一味俯首搏膊，但知認錯，此其人軀體雖存，精魂早逝，若非喪心病狂，亦必係一不肖之徒，為其父老兄弟所共棄。一人一身且不可，況為文化高明博大之中華民族，堂堂黃炎華胄子孫。試問祖宗有何愧恥，本身血胤有何缺憾，竟至如此不堪。吾人固知不宜固步自封，尤忌夜郎自大，然人類之所貴，乃在謀求進步，如本身有何不如人之處，不妨儘量虛心學習，撫人之所長，以自裨益，絕未聞自滅信心，侮辱祖先，搗毀本國固有文化，而自稱前進份子；人而如此，何以為人，國而如此，何以立國。此種錯誤觀念，直至現在，尚為一般淺識之輩所推尊，如「科學在中國不能生根」，「我們的祖先對於近代自然科學幾乎交了白卷」等謬論，仍在流行，言之者方自以為思想前進。而不悟徒然拾人牙慧，於先民崇高之學術，實屬一無所知。今日如不欲談復興中國文化則已，否則必須先將此種荒唐幼稚之思想，予以鏟除，信心既復，復興文化庶幾有效。

第二：復興中國文化，必須加強國文教學。

自「五四」運動以後，白話文學盛行，尤以近二十年來，青年人對文言文日漸生疏，於吾國最重要之經史典籍，已甚難理解，或竟對之茫然，甚者幾如讀異國文字。高中或大學一二年級學生國文較差者，如令其誦讀無標點之老、莊、孟、荀及史記漢書等文字，將通篇不知所云，若自由閱讀，不言手拋擲，即將引入睡鄉。今日各級學校學生，大致普遍如此，殆在日甚一日。吾人尋常多致慨於現時國文程度普遍低落，已至極嚴重階段，然尤足引為深憂者，則為現代青年人逐漸與本國高度文化絕緣，充其至，非使中國文化連根拔盡不止。其原因至為單純，因中國高度文化所培深植之一切有關安心立命，成己成物之學，均在現存之各種經史，子，集四部書中，如青年人不能直接研讀，則逐漸發生隔閡誤解，無異絕其成學入德之路，而使全國青年一律降為國文不通學力見解平庸之輩，前列之四部書，亦將變成無數白紙黑字之廢物。故近五十年還，表面為國文程度普遍低落，實際即全國青年智識普遍急劇低落。

更從今日大家所習知目睹之事而言，較自許為聰明之青年人，大多數志願學習理工或醫科，凡入國文系肄業者，則顛倒被人目為最無出息之人，近一二年情況尤劣，文科人數日形寥落，程度益見下降，從大學課堂平視，幾大部為女生。假定投考中西兩組者果眞較多優秀份子，則將來不獨文學藝術或不出第一流人才，政治經濟方面亦找不出第一流人才。較優人才，均當工程師或醫生而去。青年人至此，已不知中國儒家思想，已飢已溺遠大之精神抱負為何？而惟前途生活富裕，或長遠居住美國娶妻生子落籍是圖。今日如此，來日可知，瞻念前途，實使人不寒而慄。

推其所以致此之故，全由今日青年人自兒童以至成人，所讀之書，所受之教育，均不足造成高尚完美之人才，而惟迫緊人向一條極淺薄低劣之途徑走去；質言之，即係先將全國兒童智識普遍降低。編訂國語及國中課本諸君，似著意將青年人一律視為資質低劣，甚至全部為白痴。基此一概念以從事。舉例言，以往兒童讀三字經，千字文等，幾於每讀一句有一句之益處，此不具論，即至吾輩幼年時，尚能讀到孔融讓梨，司馬光擊破水缸救人，老萊子斑衣娛親等故事，文句亦較精整。而在今日，則國語一二冊只有「我是小草，不要踏壞了我們。」（一冊八課）「小馬長大了，什麼事也不會做，整天跟着小豬，在泥土裏打滾兒。」（二冊十八課）吾人未審編者究係何意；牛同小草，供人踐踏，已不成話，至於小馬長大，不能成為千里名駒，乃僅與小豬在泥中打滾，此等思想意境，乃使之貫入兒童腦中，影響之壞，實難以想像。至國中國文課本，多屬雜亂無章，漫無主旨，即如徐蔚南「初夏的庭院」一文，（初一下冊第二冊十九課）敘次繁冗，毫無內容；文中一再提及打算盤，有：「我……便又回頭去百二五十加三千四百的撥動算盤……等語，竟不知是何命意？此等作品，既劣不成文，又無義理，乃令青年學子，全體誦讀，豈非大奇。今時學校中，無論何種學科皆有一套較完整之教法，惟有國文毫無規範，人人可以教，頭腦冬烘及持八行介紹信者均可以濫竽充數，講解毫無見地，文義含混不清，遇白話文隨題敷衍一通，遇文言文則繙成白話了事，學生始終不知文章作法，大半胸中茅塞，思想枯窘可憐，國文程度安得不普遍低落。因此之故，由不感興趣而發生輕視與厭惡，索性相率背離，另走途徑。文言文之本國典籍，日漸無法讀通，後此將更加困難，若欲研讀，只有藉助白話注釋，將來或須還用外文繙譯。凡此，皆五十年來偏重白話文所食之惡果，如此後國文不能統一國語，國文教法不能徹底改進，青年人不能直接讀通文言文，欲談中國文化復興，仍等於南轅北轍。

第三：復興中國文化，必須振本清源。

自　總統提示復興中國文化後，全國上下，一致景從。然尋常對此一辭，仍多不甚理解，一部份人竟以復興中國文化，不是復古為言，此於復興中國文化之眞義，實欠領會。蓋吾國之眞正固有文化，即由我民族一貫之倫理哲學孕育而成，其宗旨不外仁與誠二字，仁者親人愛人之謂，誠者眞實不欺之謂，其始由於一身一家，父兄夫婦子弟，推而至於天下國家以逮全人類，莫不皆準。吾國先民在此中綜理密微，深切體會，其後聖師哲人相繼研尋，益加擴大。「仁」之一念，彌綸宇宙，至有「一夫不得其所，若己推而納諸溝中」之意境；「誠」則引申之為成己成物，如此而本末體用皆具。教人之法，小學先使之識字，至成人則全以此義灌輸之，大學之所謂三綱領八條目皆由此而生，政治上主要措施，教育上之根本教法，皆由此而定。此種高度倫理哲學，亦即吾國數千年來之最高政治指導要領。近百年來，因內政之變亂環生，外來之思潮再四衝擊，一時忘本者之厭棄背叛，遂漸次趨於衰微，而失其調御之道，猶幸吾人所恃以立國之三民主義，其精神思想全由是出。　國父曾明言其承堯舜禹湯文武周公孔子之道統，尤可證明。

（未完）

昨日與明日

尼克遜的謊言

美國務長官羅吉士奉命宣佈在本屆聯合國大會中，內當對於中國代表權問題採取所謂「雙重代表」政策。這原是吵鬧了很久的事情，並不新鮮，也不値得驚訝。

不過，有一點令人感到肉麻，即尼克遜總統為着掩飾他的姑息作風，竟將中國大陸上的人口誇稱為「八億人民」，以符合他所謂「佔有全球人類四分之一」的說法。毛共經常揚言大陸有七億民衆，已是無稽之談，於今尼克遜先生再替它增一億人口，不特咱們中國人受寵若驚，即毛共心裏亦覺得太離譜啦！尼克遜作此神話式的囈言，將來西方人士又藉此大發「黃禍論」，咱們中國人却認為豈有此理呢！

「當一個國家的外交政策，進入國家基本安全的問題時，還允許政黨利用外交政策作為玩弄政治的工具，那是令抱憾的事。」這是澳洲外交部長伯里，對美總統尼克遜媚事毛共的評判語，公正確切，正義凜然，我們毋須詞費了。

我國在聯大職權

美國對中國代表權的雙重制政策，還留下了一條狐狸尾巴，即關於中華民國的常任理事席位，主張由全體會員國共同解決，換言之，即聽由大家投票表決，美國不負責任。

中華民國係聯合國創立人與安理會永久常任理事，憲章上寫得明明白白。如果不修改聯合國憲章，對中華民國在聯大會議的地位和職權，根本就沒有研討之餘地，否則我們可以行使其法定的否決權。過去我們為着遷就美國，對於切身利害問題如外蒙古參加聯合國案，放棄了否決權，已是失策，現在美國更進一步的要犧牲我們了，我們還能夠容忍而不實行應有的職權嗎？

很可能，在以美國為首的姑息氣氛籠罩之下，若讓大會投票表決中國代表權案，站在正義公道立場而支持我們的，不會超過多數，我們唯有實施否決權，庶可申張正氣，協制邪謀。假使我們的否決權不為大會尊重，那便是聯合國自敲喪鐘，循着舊有「國際聯盟」的死路前進，聯合國即非散檔不可。果若是，對吾國毫無所損，且多裨益，何樂而不為呢？

尼克遜先生自認其媚共政策是創進世界和平，這與二次大戰前夕張伯倫親媚納粹德國的作風一模一樣，結果如何，誰也看得很清楚的。

・何如・

自由談

以不變應萬變

美國當局正在興高采烈地藉着聯合國席次作珍貴禮品，對毛共獻媚討好之際，毛共的「人代常委會」副主席郭沫若，向日本記者發表談話，認為聯合國是在美俄兩個強權國家控制之下，不成體統，毛共如果加入，非協同全體會員國加以改組不可。這對美國當局，不啻是表示「前面賣生薑，後面喊不辣」的一大諷刺，不知尼克遜總統先生作何感想？

郭丑沫若決不敢自由向外國人發表政治性的言論，他是奉命作傳聲筒而已。這證明毛共對於是否參加聯合國，並不在乎，要參加，就得依照毛共的意旨，改組聯合國，不能再讓美俄和英法各國從中控制玩弄了。毛共的內心裏是要與美俄共享控制權力，但在宣傳上很可以博得一般弱小國家的同情共鳴。這便是共黨好話說盡，壞事做絕的一貫魔術，只有天性幼稚而衝動的美國大少爺不易瞭解罷了。

聯合國秘書長宇丹認為毛共今年還不會加入聯合國，其言頗有見地。因為毛共的條件不僅是改組聯合國而已，更不會贊同美國所謂「雙重代表制」的主張，彼此反復爭執，很難獲致妥協的結論。於是乎，美國將來不特深感表錯了情，而且枉作了一次小人！

職是之故，中華民國當局對於代表權問題，儘可拿定主意，本其聯合國創立人暨安理會常任理事國的職權，隨時行使，決不瞻徇。馬爾他政府，可以驅逐北大西洋公約組織體系的盟軍統帥，可以拒絕美國的軍艦過訪，行所無事，咱們何必俯仰由人，顧忌多端呢？聯合國如果因為毛共參加問題而鬧到垮台，那是求之不得的事。所謂以不變應萬變的說法，祇有對聯合國問題是適當的，此外就應該斟酌了。

馮五先生

尼克森且慢高興

天下事

老正卯

曾經賣過一陣子百事可樂的尼克森先生，當選了美國總統之後，先說由「對抗」而「談判」，繼則由反共而親共，這位自稱絕不作第一個美國失敗的總統的失敗主義份子，最近終于露出了狐狸尾巴，揚言要在明年五月以前到中國大陸去「洗腦」了，一副洋洋自得甘願被「奴役」的臉譜，令人無法相信他就是堂堂美國的元首！以當年患了右傾幼稚病的戴高樂都不肯出這種洋相，而身為美國總統的尼克森居然替毛澤東扛起大旗來，公然和聯合國譴責老毛為侵略者的皇皇決議案作對；和中國大陸七億反對極權的人民為敵，却大言不慚的說是為了世世代代的和平，按共產黨和平的定義是共產黨征服世界，征服世界的前奏是「葬埋美國帝國主義」，美國共產黨也曾公開宣言征服美國後必須消滅美國人民的三分之一。而尼克森却躭心共產黨的瘋狂計劃難以實現，於是就開始為共產黨埋葬美國的工作開始鋪起路來，此人的精神狀況是否正常，實在值得懷疑。據說他這一行動的主要目的，是為了明年的大選，但如這種自暴自棄的總統都能連選連任的話，則美國一百九十幾年的立國精神，也就蕩然無存了。

最妙的是，尼克森要到大陸去洗腦，說是應偽總理周恩來的邀請，而前幾天毛記政權却說是出諸尼克森的請求，總之是破口大罵，毫不假以顏色，由此預測尼克森中國大陸之行，絕對討不到絲毫便宜，也解決不了任何問題，難乎美國國務院一再要官員們不必為此事預作推測，美國朋友也意識到這椿事的結果如何了！

這話又說回來，共產黨照例是反覆無常，詭變莫測。當年艾森豪總統把行李捲都打好了，要到俄國和黑魯雪夫去拉關係攀交情，不想老黑不吃這一套，表面雖同意，但暗地裏却指示防空部隊打下一架U2飛機來，艾森豪只好白唱了一齣「莫斯科之戀」！

尼克森要在明年五月之前去赤都，夜長夢多，是否能成行，恐怕要看共產黨認為尼克森的頭腦值不得洗一洗，才能作最後的決定。何況國際風雲瞬息萬變，毛澤東和周恩來的壽命，是否能活到明年，這都是問題，所以奉勸尼克森且慢高興！

北淡鐵路仍具價值　輕言拆除必貽後患

立委力陳鐵路運輸重要性　促研究維護之方改善之道

（自由報台北消息）湖南省籍立法委員朱如松對政府交通當局提出拆除台北至淡水綫鐵路，認為「誠屬荒唐之至。」以及將學年制度，由秋季始業，而改為春季始業，是政府一舉措之間，而使全國人民，解除此「考場即烤場」之痛苦，何樂而不為？並主張恢復夏令時間辦公，既不貽誤公務，復可維護軍公教人員之健康，增進其工作效率。今政府取銷夏令時間辦公，誠令人百思莫解？

朱委員為此三事，特向行政院提出質詢，此項質詢載於立法院第一屆第四十七會期第四十次會議議事日程，其質詢內容如下：

一、近月來，鐵路平交道，接二連三發生火車汽車互撞之重大慘案。政府交通當局，不查明車禍發生之原因，不研究避免車禍之辦法，即貿然提出拆除台北至淡水綫鐵路，誠屬荒唐之至。北淡鐵路之建設，維時數十年矣，其所負之水陸聯運任務，有其歷史之價值。將來淡水建港成功，其重要性更不可同日而語。今因一時之車禍，而不求其改善之道，即拆其路，拔其根。準此作風，如果南北縱貫鐵路，平交道上，發生同等事件，是否亦將其拆除？且公路車禍，日必三、五次，是否亦將其肇禍之段，予以廢除？值此國際風雲日趨緊張之秋，我台澎基地，維持陸上交通運輸者，首重鐵路。不僅原有綫路設備，應加強維護，力求改進，使能早日電氣化，以發揮其最大之功能。而於環島鐵路之興築，尤當視為重大交通建設，促其早日完成。若再昧於客觀環境，迷醉東施之效顰，欲以發展公路，代替鐵道，以汽車運輸，執行火車業務，試問我國汽車何來？汽油何來？今者中東油價波動，影響我國交通與物價，何等重大？一旦中東變起，海運受阻，油運中斷，則今日之公路運輸，將陷於癱瘓之境地，若以運輸量與運輸速度而言，汽車對火車，更不可相提並論。因此我以為不僅北淡鐵路不可拆除，即佔全國鐵道綫路最長，面積最廣之台糖鐵路，亦不可以其設備陳舊，經濟價值漸低而予以拆除！須知台糖鐵路，深入中南部之窮鄉僻壤，其對貨運客運，文化國防，在過去有極大之貢獻，今後仍具極大之價值。惟當研究維護之方，力求改善之道，若徒顧目前之小利，輕言拆除，必將遺無窮之後患，可不慎歟！

二、每年暑期，家家戶戶都為了女升學而憂心，而繁忙！因為我國現行學制，自幼稚園以至大專院校皆係秋季始業，凡有子女者，無論進幼稚園，讀高初（私立）中或大專院校，都需要經過一度入學戰鬥，獲取勝利後，方有就讀之機會。天下父母心，誰不願自己的女子，能適時完成學業？

解除學子赴考痛苦　何不改為春季始業

立委質詢力促當局考慮　并認取消夏令時間不當

所以在考期前，準備這，準備那，東求神，西拜佛，忙得日夜不寧。臨考之日，老父老母，莫不手攜飲料食品，徬徨考場之外；青年少婦，攜男帶女，佇立樹蔭之間。為子女者，一入考場，如臨大敵，如履薄冰，戰戰兢兢，全神貫注，深恐成績欠佳，名落孫山之外。當此之時，家長內心之煎熬，若熱鍋中之螞蟻，學子精力之疲竭，幾片刻以難支。何況炎陽當空，熱氣蒸室，場內場外，何異「烤場」？此情此景，誠令人寄無限之同情！我教育當局應深切體認此種教訓，為數十萬赴考之青年學子，數十萬陪考之年邁家長，解除此「考場即烤場」之痛苦，將年制度，由秋季始業，而改為春季始業，是政府在一舉措之間，而使全國人民，獲無窮之幸福，何樂而不為？

三、政府規定夏令時間，是依據季節氣候之變遷，適應軍公教人員身心健康之需要，因為台灣地處亞熱帶，七至九月間，氣候炎熱，每逢日正當中，氣溫幾達百度，所以軍公教人員，在辦公室，在炎陽下，熱氣蒸煎，汗流如洗。身心較弱者，就地暈倒，屢見不鮮。尤其中午下班，下午上班，坐在交通車上，如置身蒸籠之中，其痛苦難熬之情態，豈坐冷氣車，住冷氣房者，所能想像！因此我以為夏令工作時間，應自上午六時起，至中午十二時止——每日辦公六小時，既不貽誤公務，復可維護軍公教人員之健康，增進其工作效率。今我政府不此之圖，更進而將過去規定之夏令時間，予以取消，誠令人百思莫解？徒興「富人不知窮人苦」之歎！何不思之甚也？

×　×　×　×　×

美對歐洲共同市場的看法（一）

漢夫

英國已獲准參加目前只有西德、法國、義大利、比利時、荷蘭及盧森堡六國的歐洲共同市場，如果愛爾蘭、挪威及丹麥再加入後，那麼世界上將出現一股僅次於美國的龐大工業力量。

組成這樣一個的十國共同市場，可能對美國的經濟發生不良的影響，但美國還是採取支持性的態度。甚至該項組織統一演進成為防衛與外交方面的聯合，也不認為會對美國發生嚴重影響。

美國認為政治上的利益，可以低消經濟上所能產生的不利。尼克遜總統於今年二月致送與國會的外交政策咨文中，即申明美國繼續支持歐洲共同市場，他說：「因為它使歐洲成為和平結構的一個較堅固支柱……而美國與西歐的的基本利益在政策方面大部份是相等的。」

該項政治信念，已導致美國的決策者，自推行馬歇爾計劃以來，即鼓勵歐洲走向統一，雖則這樣的統一進行途中發生許多波折。

（未完）

國產肥料價高　影响農業發展

立委促請檢討改進

（本報記者台北訊）立法委員高語和對行政院答復其關於慕華公司與台肥新竹廠之比較質詢，表示不滿，於七月二十七日再提出質詢。

他說：行政院答復本人關於慕華公司與台肥新竹廠之比較質詢，有云：「慕華因有合約之保障，每年均能按全能產量生產，數字自屬較高。而新竹廠則受台灣省糧食局提運不足之影響，無法全能生產，產量無法提高，數字自屬偏低。」似不完全確實。因為果如所云，則慕華（下稱「苗粟廠」）尿素所受合約保障，每年不過十萬公噸，政府無在十萬公噸以外再購買該廠尿素之義務，而政府何以在新竹廠於五十七年下半年開始生產以後，三年來每年購買苗粟廠之尿素，均超過十萬公噸？（計五十七年為一十一萬七千公噸，五十八年最多，為一十二萬六千一百六十四公噸，五十九年亦為一十二萬五千七百二十八公噸）。按常理，政府各該年度多購苗粟廠之一兩萬多公噸尿素，本應購自新竹廠，以免利權外溢，不知是政府故意不多買新竹廠的尿素，而故意多買苗粟廠的尿素呢，還是新竹廠生產不出那麼多尿素來，而飾詞搪塞。

糧食局對新竹廠所生產之肥料，何以「提運不足」？難道說是對苗粟廠所生產之肥料提運偏多？

國際尿素價格，每公噸間為五十美元左右，而在幾度降價之後，我農民付給糧食局之價格，尚為每公噸四千元，易言之，即我農民對每公噸尿素較國際價格多付約一倍的價欵，只合約保障的苗粟廠每年十萬公噸而言，我農民即須較國際價格多負担兩億元，何況苗粟廠之尿素只為售與農民尿素之一部呢？這樣怎能不影響成農業發展？農業收益率又如何能不降低？農民所得何能提高？這種肥料工業何能支持農業現代化？

聞我各肥料廠生產尿素成本，減去折舊及攤銷外，為每公噸一千六百餘元，但每公噸以三千四百元售與糧食局，利潤不為不高，有的肥料廠却仍虧損。糧食局一轉建之間，每公噸亦有差價六百元，為數亦頗可觀！

凡此種種，雖不免有外行之言，膚淺之見，似均應檢討。

我們現有的七個肥料廠，據云一廠在虧損中，二廠亦不賺錢，三廠尚好，四廠則虧損得甚至即將關門，五廠設備最新，但已停工三個半月，六廠目前仍停工中，早已停擺，員工五六百人，負債一兩億元，苗粟廠生產正常，半年來盈餘約四五千萬。而本年一至五月台肥公司總賬，已虧損約五千萬，如無苗粟廠，則虧損已近一億，不知上述種種是否接近事實？倘不幸確屬接近事實，主管機關有何打算？

似詞集

寄語趙峯樵

・平凡・

紐約「文薈雜誌」報導台灣著名國醫趙峯樵，研究癌症頗有心得，數月前來美在紐約長島那梳紀念醫院，研究中藥治癌的可能性。現以應此間友好與病患者之請，特在華埠擺也街掛牌應診。

希望這位名國醫趙峯樵，這次要作好的搞，千萬不要在可憐和垂死的病人身上撈，人要重視人道，醫要懷有醫德，未審趙峯樵以為然否？

劉半農說賽金花

小撲虎高聲說：「快拿銀子來，不然我便把我手上的庫兵摔死。」大家都知道她是一個兇悍的女人，誰敢和她講理，結果是送了她一些銀子了事，其實那些庫兵所以懼怕她的原因，是因為他們每當上庫的時候，便想法子偷官銀，但是庫裏檢查得很嚴的，每個庫兵，在庫裏上下身都不許穿衣裳，只准裹一條僅能遮掩住下體的三角形的布，防他們夾帶官銀，但他們偷銀却另有妙計，他們的妙計只有兩條，一條是特別須備一個兩層底的茶壺，把銀子藏在茶壺底，然後上面蓋上一塊磁片，再投上一點茶葉，誰也看不出破綻，還有一條就是把光滑的銀條弄進肛門裏，任你怎樣仔細檢查，也決不能把庫兵的肛門掙開，使檢查官知道了，也決不會注意到這個妙處，看看裏面有沒有銀子，他們便以這個為偷銀上策。後來官庫房想出一個法子，把十幾張長凳，擺在門口，他們必定要跨過十幾張長凳，才可以出門，沒有夾帶的，當然連跨帶跳的奪門而出，有些夾帶了銀條的，也一樣能從容跨凳而過，但倘若你一個不得法，銀子便會脫離你的臀部，掉了下來，這個他們叫做「下蛋」，其實庫兵下銀了，他們事前必要服一付開胃散，使得恥骨易於擴開，這樣慣了，身體自然軟弱，你想，那裏經得起小撲虎之一舉一摔呢」，所以祇好屈服。

又有一回她和家人賭酒席比武，結果是她勝了，於肆筵請客，席間朋友和她說：「你能和男子一樣摔交！你也能和男子一樣到澡堂洗澡嗎？」小撲虎不假思索地回答說：「成，你們幹甚麼，我便幹甚麼。」朋友們於是又和她打賭酒席，只要他敢一同到澡堂洗池子，他們便認輸，小撲虎，一聲：「走。」拿起帽子便同朋友洗澡去，那時女人很流行男子打扮，她戴了一頂翻沿紅纓帽，穿着古銅色的長袍，腰間束一條白縐紗帶，外面套上一件馬褂，走道時扳起腰，挺住胸，誰也不敢說她是女子，到了澡堂，別人脫衣裳，她也照樣脫衣裳，別人下池子，她也照樣下池子，澡堂裏發現了這樣一個怪女人，把客人都嚇得雞飛狗走。小撲虎生平諸如此類的事跡很多。

（卅五）

四川人「擺龍門陣」

·文匯樓主·

四川人「擺龍門陣」就是茶館談天，街頭清議，有了「擺龍門陣」的習慣，就有「擺龍門陣」的場合，這場合就是大街小巷到處是茶館，化一個銅元（合新台幣一元）可泡上幾個鐘點，這幾個鐘點的時間都用在「擺龍門陣」，四川人之會講話，也「冰凍長江，非一日之寒」。四川人的「國罵」帶有「龜」字也是出了名的。

美國總統尼克遜突然有訪問中國大陸之計劃，幾位四川朋友就此事大擺龍門陣，「你哥仔」，「我老子」，「夷你先人」，「夷他媽喲」，「龜兒子」，各就所見，頗饒風趣，樓主特將其富幽感及含有哲理的語句，摘要誌之，以饗文滙樓讀者。

尼克遜要訪問中國大陸，照季辛吉與周恩來聲明，此事已醞釀很久，是否想出賣中華民國。（甲問）

不會的，美國是中華民國的盟邦，台灣一旦發生問題，夷他媽，日本的國防立即陷於癱瘓，在不沉的母艦——台灣監視之下，再想武裝進軍，不啻緣木以求魚，照老子的看法，日本應當比我們更焦灼。（乙答）

龜兒子，俄國人焦急的心情，不會低於日本，如果尼克遜出賣盟友成功，全世界共產國家領導權，眞是孫悟空的說法，「玉皇輪流坐，明年到我家」。毛澤東變成第一把交椅了，越共領袖胡志明看到這着棋，臨死前老淚縱橫，謂毛澤東如不能與俄合作，會走向毀滅的路，夷他媽喲，胡志明的看法，硬是有道理。（丙插咀的話）

照你哥仔的意思，俄國人急，日本人焦，韓國、越南與共黨是交戰國更不在話下，尼克遜訪問中國大陸要重新攷慮了。（乙問）

話也沒有這麼簡單，尼克遜的頸子已被周恩來套上，不去也不行，且要帶着很多禮物去，這些禮物包括很多反共果實。（丙答）

尼克遜既不能取消訪問中國大陸，盟友是被他賣空的了，怎麼叫作「話沒有這麼簡單？」（甲問）

你哥仔聽我說，不是這個意思，美國眞的出賣盟友，乃給俄國爭取亞洲國家的一個機會，印度洋七八個國家早投入蘇俄精神防綫，入他媽喲，俄國眞的走死運。（丙答）

照你哥仔的說法，尼克遜與毛澤東的生意很難成交了。（乙問）

生意不成人情在，古有名言。由於美國共和黨領袖們發現尼克遜主義有毛病，和若干反共國家對尼克遜主張不滿，待尼克遜眞能訪問大陸時再說，還其中還有變化，像上次艾森豪訪日的意外，及取消訪俄即其一例。（丙答）

爲甚麼共產國家輿論也反對毛澤東的做法呢，埋葬帝國主義難道共產國家不贊成嗎？（甲問）

龜兒子這就是胡志明臨死前最担心的毛共與俄分裂，乃走向毀滅的道路，不是埋葬不埋葬的問題，而是共黨領導權屬誰問題，直到昨天爲止，北京「人民日報」還在破口大罵尼克遜主義，胡志明的看法硬是要得，不過話又說回，尼克遜不到黃河不會死的。（丙答）

美國嬉皮不滿物質文明 嚮往中國淡泊生活（三）

·生晚·

而村鎮地名的牌示却其小如無，不細心話，根本難找到於人覺是飛速的建設復建設，改造復改造。疾馳如矢的汽車是人力征服自然之後勝利的呼嘯。它們隨時橫掃自然界一切固有的面貌，小鎮地名當然無關緊要。美國人的積極表現人力、崇尚物力，與善於開拓似是來自天性。我們可以相信，當初移民到新大陸的美國人的祖先們，先天就有一份開拓慾與冒險。他們半是生來的拓荒者，樂於嘗試新生活與創造新環境。他們和那片土地的關係和我們與土地的關係自始就不相同。他們當初遠涉重洋，拋離故鄉，來到一片全新的土地，目的就是拓展，是開發，是充份利用這片土地。因此他們是主人，而土地是工具。大地山川對他們來說，使用的價值遠超過欣賞的價值。而我們却是生於斯，長於斯，自己與土地有親切的血源關係。我們不是「私植的花木」。我們對土地的感情在先天上有一份切，我們先天上就知道自己是屬於這塊大地，這塊大地就是我們的母親。因此，我們對它尊敬、崇慕、拜服、讚譽，因而產生了奉自然崇敬的道家思想；爲產生了奉祖先爲神祇的儒家思想。我們無需在天地與自然之外另去尋覓上帝，這份對大地與自然的崇慕與禮讚，表現在我們的詩、畫、以至於音樂裏，成爲我們文學及藝術的一個最大的特色。在我們古人的詩裏所最值得珍視的並非羅曼帝克的情詩，而是歌頌自然，澈悟人生必須與自然契合的哲學思想。每一位詩人到了晚年，他必須充滿了歸返自然的純樸幽遠之美，比他們青年時作品深湛空靈而極富哲理。不像西方詩人，當年輕感情充沛時，寫動人的情詩，老的即覺靈泉枯涸。我們的畫家畫山水，是把他們那崇服自然的人生觀的具象化。當被世俗瑣事糾纏之餘，抽暇畫一幅畫，畫無人的深山，茂密的幽林，畫浩闊的江河，或白雲深處幽隱的小屋。中國人的「隱」不是逃避，而是歸返；不是反抗，而是皈依。因爲我們深知自然才是我們的來處與去處。「嬉皮」却似是在逃避。他們那理世俗的行徑中隱含着憤怒與反抗，却缺少我們那份眞正的豁達與淡泊。他們只在形跡上力求原始，而精神上却並未眞正的歸返自然。只因他們先天上缺少那份由衷的對土地的孺慕依戀之情，他們只是厭棄世俗，却缺少厭棄之後的那份虔誠皈依。

美國青年的苦悶，是由於物質文明的懷疑，對各種競爭的厭俗。同時也更由於人們太過自作聰明，以致對宗教信仰的動搖。宗教的力量已不足像過去那樣維持人們心境的平和與寧靜，特別是知識份子，在人事紛紜，角度烈的生存競爭之餘，人們找不到地方去斷[illegible]。沒有一個對象可以容納人們精神上的空乏，並給他鼓勵與安慰。因此，他們在對自己失望之餘，寄望於東方——特別是文化最久，影響最廣的中國。（完）

神醫華佗（二）

周吉

序云：「岐伯以授黃帝，黃帝歷九師以授伊尹，伊尹以授醫和，醫和歷六師以授秦越人，秦越人立章句，歷九師以授華佗」。這是中國醫術傳統大脈絡，也就是華佗的醫術醫學乃是得之於秦越人的「章句」醫學，好像我們今天某些學者說教一樣，說中國的道統從堯、舜、禹、湯、文、武、周公、孔子、孟子……。雖然不够詳細，但是也還尋到一點脈絡，華佗還是學有淵源，史家因當時史料缺乏，傳播不易，所以諸史皆簡略。現在我終於找到一些綫索，如果史家、方家有更好的史料，在下也樂予求教。不過我們說華佗把中國的醫藥學與醫術的領域擴大了，把前人的醫藥學和醫術光大了，更集其大成的話，相信是不致過言的。

中國的鍼灸術，是獨步全世界，無人可以否認。如果我們的鍼灸學會要崇拜一位祖師爺的話，在下不佞爲之推介華佗先生，因爲祇有他才當之而無愧。不僅此也，今日的外科醫師，尤其是動大手術的，要崇拜祖師的話，華佗更是第一上選。關於鍼灸術的歷史考證，留在暇後再說。

華佗生在二世紀，那正是後漢末年，他那個時代，已經施用麻醉藥品，動開腸破肚的大手術。他對病人先行鍼灸治療，史稱「鍼灸不過一兩處，每處七八壯。」（三國志），後漢書則說「鍼灸不過數處」。「七八壯」是什麼？廣雅釋是「壯，鍼也」。也就用鍼灸治病不過一兩處，每處七八鍼就可以了。如果是碰到病在五臟內，用鍼灸不能及的，使施行手術，未開刀之前，光用「麻沸散」將病人麻醉，然後施行手術。爲了求眞，在下引這一段醫術原文：「若病結在內，針藥所不能及，當須刳割者，便飲麻沸散。須臾便如醉死無所知，因破取病。若在腸中，便腸滌洗，縫腹摩膏。四五日差不痛，人亦不自寤，一月之間，即平復矣。」這不是今日所謂的大手術是什麼？而且在當時的醫生，不但沒有許多助手，甚至於藥方也是由醫生自己調配，所以古代的醫生，也是藥學專家。

有人也許不相信，可是三國志，後漢書正文記載得明明白白，爲了再找一點佐證，在漢書王莽傳中也找到一點解剖人體的例證。書云：「翟義黨、王孫慶捕得，莽使，太醫尚方與巧屠共刳剝之，量度五臟，以竹筵導其脈，知所終始。」這一段記載，眞可以對妄自菲薄中國醫學者當頭，說中國古代沒有科學，說中醫不科學，是迷信。殊不知中國在漢代就有醫施行解剖，用罪人來作試驗，比今天西洋人用豬、兔之類更合乎科學。我想妄自菲薄，「數典忘祖」的傢伙還是書未讀通，醉心洋人一切都是科學的。在下說到此處，就不禁「怒髮衝冠」，怒火直冒。好在本人近日常飲馬氏藥茶，枕的是馬騰雲教授創製的「馬氏藥枕」，否則血壓不大增才怪！

安徽十三傑

管仲 李聃 莊周 曹操 華佗 包拯 朱熹 朱元璋 戚繼光 李鴻章 段祺瑞 胡適 楊振寧

讀書雜鈔 十四

·林倚·

，日夜怒斥其妻，不肯用錢爲其醫治，其妻受刺激，不敢以絕症實告，錢雖多而無濟於事，如早知枉費心機，不克久享，則何若安貧樂道，心無煩惱，神怡身心，增壽延年之爲愈，惜乎此公悔之晚矣！

滄州學者翁某，每過南山樓下，即有一叟邀之談明日對飲，漸相狎，來時至其家共酌。自云姓滿，江西人，因販磁到此。久而覺其爲狐，然契合甚深，狐不諱，翁亦不畏也。偶有以閨閫蜚語涉訟者，翁議不一。偶與言及，曰：「君既通靈，必有所審？」叟慨然曰：「我輩修道人，豈干預人家瑣事！夫房幃秘地，男女幽期，曖昧難明。嫌疑易起，一犬吠影，百犬吠聲。

（未完）

陳果夫講「藥」故事（五）

·門外生·

過了不久，正當節日。老二家中因爲除去一害，大家情緒特別高興，預備鷄鴨魚肉，大吃一頓，不免吃得過量。況且平日節儉，吃慣蘿蔔青菜。這一下子油水吃得太多，老二的妻子和阿細本來腸胃不好，又病了起來。請醫生吃幾味藥，總不見效，尤其老二的老婆一天到晚喊肚痛，再請醫生，她又捨不得錢，還要咕嚕，弄得老二眠食不安。一天晚上，老二提燈籠準備出去，他妻子當是又要請醫生，不免咕嚕起來說：「這些醫生都沒有用，晚上請醫生花錢更多，我不要你這樣假惺惺。」老二沒辦法說：「不請醫生就不請醫生好了，我到想起蛇吃的消化藥了，你願不願意試一試呢？」他妻子不响。老二自從發現蛇吃的藥草和廢糟之後，弄了好些放在家中，這才拿出來，也不敢多用，撮了稍許煎碗湯，叫他妻子試服。他妻子心裏懷疑，但是爲了省錢畢竟吃了，吃過之後又不放心，向老二說：「這是你叫我吃的啊！」老二給她這一說，到也不安起來，想到「萬一吃壞怎麼辦呢？不想倒還好，愈想愈覺得荒唐，正是愁思不展，過了個把小時，他妻子居然呻吟漸減，老二疲乏過甚，也就迷糊睡去。第二天起來，覺得這藥似乎倒有些效，因此又煎了些給他妻子服下。到晚上忽然大便暢通，肚痛難過一齊消失。又叫阿細照樣服用，病也好了。

老二心裏高興，對這種藥有了自信，以後凡遇親朋有不消化毛病就送些藥去，無不藥到病除，傳播漸廣，自己登門要藥也的多起來。老二的妻子向老二說：「這種糟坊裏的廢物取之不盡，我們何不都拿來做藥，開個藥坊，豈不比做糟生意容易賺錢嗎？」老二說：「正式做藥，總還要道地些，我先和族裏學醫的四老伯商量加點藥在內，也免得人家容易做假啊！」

（未完）

經師人師顧亭林先生

・陳霆銳・

顧炎武，號寧人，又字亭林，江蘇崑山人。世人統稱之爲亭林先生，爲明末一代大儒。家本富有，承祖父命，出繼堂叔爲子。母親王氏，十六歲未婚守節，知書達禮，愛國憂民。明亡絕食十有五天，以身殉難。臨終時，堅囑其子，不許爲貳，洵爲有明一代之奇女子焉。亭林先生幼時即立志向學，得力於母者多。及長留心經世之學，遍覽二十一史，明代十三朝實錄。天下圖經，前輩文編說部，以至公移邸鈔之類。有關於民生利害者，分類錄出，旁推互證，著天下郡國利病書、日知錄、金石文字記、詩文集若干卷。其著書立說，必詳必確，不尙空談，畢生痛恨宋明之理學家，明心見性，毫無實際可言，國家大事，生民苦痛，一概置之不問不聞，及至外敵臨境，一籌莫展，「惟有一死報君王」，有何益哉？故其治學之道，最重實踐，與一般閉門造車，出門不能合轍之學者迥異。明亡之後，離家北游，相度形勢，陰結天下賢豪之士，以圖光復，會五謁孝陵，六謁思陵，到處墾田生產，田熟之後，即諉之友人，重往他處開墾，無不成功。故在江北之淮安，山東之章邱，山西雁門之北，五台之東，無不有其墾田之遺跡，眞人傑也。當其旅行之時，從未一日忘其所學，相傳其在途次中，隨以兩馬換班騎乘，並帶有兩匹騾子，馱帶應用書籍，每過一險要之區，遍訪老兵退卒，父老長者，問其沿革，相其形勢。倘有懷疑，便即打開騾背書本，以資研究而昭核實。其治學之勤，律己之嚴，近古以來，一人而已。先生爲學之目的，不外行己有恥，博學於文兩件大事。先生之言曰：禮義廉恥，國之四維，四維不張，國乃滅亡。而四者之中，恥爲尤重。故夫子之論士曰，行己有恥。孟子曰，人不可以無恥，無恥之恥，無恥矣。又曰，恥之於人大矣，爲機變之巧者，無所用恥焉。所以然者，人之不廉，而至於悖理犯義，其原皆生於無恥也。故士大夫之無恥，謂之國恥。教人學問，專標博學於文一語，所謂文者，並非辭章之謂文之本訓，指木之紋理，故凡事物之條理，亦皆謂之文。其意以爲人生哲學，宇宙原理，都作寄於事務條理之中。我們做學問，最要緊是用客觀工夫，講求事務條理，愈詳博愈好，這就是博學於文。康熙十七年，開博學鴻儒科，朝廷及其知交，頗有羅致先生之意。先生答之曰：七十之年只欠一死，若必相逼，則以身殉之矣！先生一生之出處與學業正合行己有恥，博學於文之兩大原則，眞千古儒家之完人也。

讀「岳武穆年譜」書感（四）

・李安・

總之，我讀李先生所編「岳武穆年譜」一書，感敬其取材比較正確，對鄉先賢之言行事跡，較之嘗閱其他有關岳氏諸書，內容比較完備，尤以精裝版式而專述武穆事蹟之書，以此爲首冊，故樂爲向同鄉與喜研究武穆事功者懇切介紹，憶故鄉長董作賓（彥堂）先生生前知余喜讀有關武穆著述書籍，特親持其所存鄉烈先生著「精忠柏史劇」四冊蒞臨舍下見贈，並爲余將岳武穆書「還我河山」四字用甲骨文集成，我爲感謝董故鄉長，當時即曾以李編「岳武穆年譜」一冊相回敬，並加書曰：「彥堂先生賜存，鄉後學李安持贈」，我想彥堂先生遺存書室，當尚有此存書，並在我拜輓彥堂先生聯中有「含悲對遺墨」一語，亦即情出於此。

再李編武穆年譜在余感有美中不足者，即於武穆立功、立言、立行或遺跡有關之文字，搜輯附記固多，然尚有欠周全者，謹略舉一二如次，尚希李先生於再版時酌加補充。

一、在遺跡「湯陰第一」中，僅述及先塋所在地周流與先宅所在地程崗二村之情狀，而未就湯陰之人文地理與武穆出生之時代背景，加以引述，蓋湯陰在殷商之際，實爲王畿，在岳公先宅附近之司馬泊乃殷太甲之居所，再東即爲王伐紂時所築之羈台，與伐紂成功用封有功之爵城，而北更有文王演易亭台遺址，西南復有信陵君之故壘，山川鬱秀，挺爲賢哲，代有其人，宜乎生此民族偉人。

二、在湯陰「精忠廟」一節中，對嘉靖十八年特遣端遠伯王瑾諭祭，遺未附列，按御製祭文，對武穆景贊至切，其文曰：「昔宋運將終，爾克盡大義，精忠丕著，敵者畏之，使當時檜賊不生，則有宋或未至絕，豈但爾亡于賊乎哉，朕繼承天位，今有事顯陵南之荊楚，道經爾祠，特命重臣諭祭于爾，惟爾欽承哉。」

三、湯陰縣志載：「岳觀甫之子，忠武王曾孫，任處州慶元縣尉，嘗通書于文文山，文山復書曰：惟中興之初，先武穆王手扶天戈，忠義與日月爭光，名在旂常，功在社稷，天報勳勞，克昌厥復，雖百世可知也，縣尉先北平龍虎家，而又偉然植立，誰不知敬，幸出結習，乃託一日之嘗僚，判論批歷亦既欽，承遠畀鱗緘，爲禮過矣。」似宜附及「歷朝論評選輯」之中，以見文天祥對岳武穆之景仰并英雄之如何識英雄也。

四、岳珂編「行實編年」共分五卷，在第五卷最末一節結語有曰：「查禽嘗謂人曰，虜自叛河南之盟，岳飛深入不已，檜私於金人，勸上班師，金人謂檜曰，爾朝夕以和請，而岳飛方爲河北圖，且殺吾婿，不可以不報，必殺岳飛而後和可成也，檜於是殺先臣以爲信，沈尙書亦謂先臣霖曰，先臣之忤張俊也以廉，忤秦檜也以忠，俊方厚賛，而先臣獨淸，檜方私虜，而先臣獨力戰，此所以不免也，時以爲名言。」此節明確無之死因，在年譜中惜未照原文引錄。

五、在年譜中述及武穆死後之二十一年，金主亮大舉入寇，朝廷欲振作士氣，遂挺太學士程宏圖等議，詔飛家自便，因得盡室自嶺南生還，次年，孝宗受禪，詔追復岳飛原官，查後者詔書追復原官，在附編中有錄，唯對太學士程宏圖等上書原文則未附，按程宏圖上書全文如次：

建炎以來繫年要錄卷一百九十載，紹興三十一年（按即一一六一年）五月戊戌，上成服於几筵殿，大學生程宏圖等上書曰：

××××

××××

（未完）

心相論（十三）

・錢一劍・

錢一劍談相

本篇研究的是看相，絕對算命一道。不擬多論，現在我們繼續研究看相，諺云：有心無相，相逐心生；有相無心，相隨心滅。此言人以心相爲上，靑箱雜記說，心相有三十六種，一、人常思從政自須如此。二、爲事有剛有柔。三、稟善近君子。四、有美食善脊分惠人、五不近小人。六、常行陰德，每事方便。七、從小能治家。八、不厭人乞覓。九、利人克己。十、不逐惡貪殺。十一、鬪事不驚張。十二、與人約不失信。十三、不易行改操。十四、夜臥不胡思。十五、馬上不回頭顧。十六、不令人憎怒。十七、不文過飾非。十八、爲人作事周詳。十九、得人恩不忘。二十、自小便大量。二十一、不毀善害惡。二十二、憐孤濟寡。二十三、不助強欺弱。二十四、不忘故舊之分。二十五、爲事衆人用之。二十六、不多言妄語。二十七、得人物每生慚愧。二十八、聲美言有序。二十九、當人語次不搶話。三十、常言人善事。三十一、不嫌惡衣惡食。三十二、方圓曲直隨時。三十三、聞善行之不倦。三十四、知人飢渴勞苦嘗有以恤之。三十五、不念舊惡。三十六、故舊有難竭力救之。以上三十六條皆全，一定位極人臣，壽考令終，若有不全禍福照拆，具備二十條者也剌史之位，具備十條以上者大富無疑。

黛眉小傳

・王幻・

秋瑾

她的丈夫王子玉乃是忠厚拘謹不求前進的人，和她的意見自然不相投合，於是兩人之間，感情愈離愈遠，竟成怨偶，終至引起小家庭的破裂。戚友們調解無效，兩人協議結果，由子玉分一部財產給她，兩人實行分居了。

（三）

那時留學風氣方開，國內有志之士，因受時代刺激，都紛紛負笈出洋，以吸收新知識，日本留學界尤極盛一時。但女界則未曾有，秋瑾悠然有出國之念，以爲女界倡。因將所分得財產化爲資本經商，欲以所得做留學基金，但因所托非人，結果完全失敗，資本蕩然。她至是乃决心把所有的首飾變賣，作爲學費，就於光緒三十年三月起程東渡。時適有寧波人王昭，因戊戌政變自首，被繫下獄，她聽到這個消息，便分出學費一部分，托人輾轉送入獄中，以濟其急，並囑勿告姓名，昭後來被赦出獄，始知其事，欲往謝之，而瑾已東渡，事後與人談及，輒爲感激流涕，因其二人原不相識，由此可見她的「俠義」心腸，出自天性。某女士贈詩：「隱娘俠氣原仙客，良玉英風豈女兒」，仍能髣髴其平生。

她到東京後，入留學會館日語傳習所學習日語，僅三個月，日本語文都已通曉，便入青山實踐女校正式肄業，刻苦用功，學問大進。爲了結合革命力量，便和最親密的同志劉道一等九人組織秘密團體，名曰十人會，以「反抗滿廷，恢復中原」爲宗旨。旋聞馮自由、梁慕光等在橫濱組織三合會分部，聯合革命，乃報名參加，受封爲白紙扇之職，即俗所謂「軍師」。其後又結識黨人陶成立，在其介紹她回國去見蔡元培，她回到上海，在愛國女校見到蔡氏，又到紹興熱誠小學會晤她的表哥徐錫麟，取得聯絡，然後返日。

清光緒三十一年七月，孫中山先生由歐洲赴日本，聯合十七省留學志士組織中國同盟會於江戶，以她抱負弘遠，且邀之入會，自是更字「競雄」，號「鑑湖女俠」，因此被推爲浙省主盟人。她也以物色人材，宣傳主義爲職志，其後浙人入會者，多爲她所介紹。

在這個時期內，她又聯絡女同志，組織「共愛會」，互相策勵，藉挽頹風，她自任會長。每次集會，必登壇演說，其詞淋漓悲壯，對社會人心痛下針砭，聽者多爲之感動愧赧而繼之以泣的。同時，她常常寄信回國，勸女界出洋留學。其致湖南第一女同學書云：「今聞貴學堂遭頑固破壞，然我諸姊妹切勿因此一挫，自頽其志，而永永沉埋男子壓制之下。欲脫男子之範圍，非自立不可；欲自立非求學不可，非合羣不可。東洋女學之興，日見其盛，人人皆執一藝以謀生，上可以扶助父母，下可以助夫教子，使男子無坐食之人，其國焉有不強耶？我諸姊妹如有此志，非游學日本不可。如願來者，妹處俱可照拂一切。」提倡女權的熱忱，未因熱心革命而稍減，反因熱心革命而增加了。

（五）

巨變歷險記！

猛毛會談（一）

（二四一）・胡慶蓉・

吉蒙的首都當時在巴奔！在薩爾溫江的沿岸，在木淡棉之上，仰光之旁。這假若是坐飛機去，恐怕不會超過兩小時，但假如是步行，就非兩個月不可。就是騎馬，也得兩個月，再加上中間有很多地方要停留，就得作三個月打算。但這次前往，在第一個階段，在猛毛以前是騎馬，與丁博士同行的，有錢參謀長伯英，有蘇副總裁山波陣，電台呂台長等。

從猛撒到猛汗是一條直綫，由猛汗到猛毛，是一條橫綫，照地圖上看，是折而之西，沿着景棟的邊境，沿着泰國的邊境。猛撒猛汗之間，道路情況，已經敘述過：雖然還是山地，但並沒有高山，[illegible]很多，物產豐富，林木尤其好。特別是猛汗附近一帶的森林。一棵一棵的柚木，大大的葉子，在裏邊行走，人覺得很幽美。幽谷也還是有的，有時候也會走在幽谷中，但因爲兩旁的山不太高，谷就不顯得怎樣的幽。幽谷裏邊是有水的，不過不大，可以繞着走。出幽谷，登高山，在山上走，有的地方，巖石林立，紛然雜陳，天然成趣。不過，旁邊就是懸崖陡壁，下邊是滾滾大河，一不小心，就會落下去。在這些地方，丁博士會下馬走行，這樣比較安全，但還是會落下馬來。不過，古人天相，常常會化險爲夷。河的那邊，又是茂實的森林。從猛撒到猛汗，普通四天至五天的路程，這次丁博士一行只走了四天。

每天總可以遇到一個村莊。太大的，沒有；普通都是幾家人家，有十幾家的，算是大的了，他們的房子，千篇一律，如鳥巢一般，在一個架子上，下邊空空如也，距地至少有五尺高，鳥巢般的房屋，四面八方上下通風，人在裏邊，空氣流暢，會感到非常舒適。草蓋蓋，不吸收太陽，不保留太陽，牆壁是竹子的，地板也是竹子的，竹子涼快，躺在上邊，更令人感到舒適。

由猛汗轉而之西，前往猛毛，地勢更低，山更矮，田地更多，最特別的一點是溫泉多。我是不是說過——猛撒也有一個溫泉，在五華山的背後。丁博士蘇副總裁每早一定去洗一次。這裏的水，溫度非常適中。在胡慶蓉著的滇邊游擊史話一書的照片裏，就有五華山後面的游泳池。天然的佈置，澄淸的水面。現在，剛過猛汗不遠，又是一個溫泉。但這不如猛撒的遠甚！水不淸，宛如台灣北投的溫泉，尤其像台灣關子嶺的溫泉，水很混，但溫度還適中。不過，沒有人士的佈置。假如加以佈置的話，一定還是很好的。不管好與不好，遇到溫泉，一定停下來，大家洗個痛快。

由猛汗到猛毛，需要兩個禮拜的時間。每天天不亮就動身，天剛黑就「安營下寨」休息。這一路的山更少見，偶而有的話，那都是些小土山，上邊的樹木也都是小的。但每一個休息的村莊，必定有條大河。……

自由報

中華民國內政部登記證內版台誌字第三一號
中華民國僑務委員會登記證台僑新字第三二三號
中國郵政台字第一二八二號執照登記爲第一類新聞紙

（第一一八九期）

（半週刊每星期三、六出版）
每份港幣壹角・台幣零售價新台幣二元
督印兼發行：黃行　社長：李運鵬
社址：香港九龍官塘康寧道117號後座二樓
117 HONG NING RD, 1/F REAR, KWUN TONG, KOWLOON, H.K.
TEL: K-433653
電報掛號：7191
郵箱：官塘郵政信箱9583
承印：景星印刷公司
地址：嘉咸街廿九號地下
台灣區業務管理中心：台北市許昌街廿六號
電話：三八〇〇〇二
台灣區直接訂戶　台灣劃撥戶
第五〇五六號張萬有（自由報會計室）
台灣分社：台北市西寧南路110號二樓
電話：三三〇三四六、台郵劃撥戶九二五二號

本報專論

復興中國文化的願望（下）

・李漁叔・

至　總統則益加發揚而光大之，其所詔示之倫理科學民主，亦終始不踰此義。吾人今日言復興中國文化，其目的在如何恢復其已日漸沉淪之高度中國固有文化，亦即此一民族特有之倫理哲學。至於所有歷代以還之政治制度，文物衣冠，人民生活方式，在歷史上轉瞬便成陳跡，更絕無恢復之可言。尤以衆所詬病之暴政，如殺人野戰等；秕政，橫征暴斂等；陋習，讀死書，夜郎自大等；惡習，裹小足，吃毒，不衛生等；不惟與中國文化無關，抑且爲歷史上暴君，別士，宵人等違反中國文化者之一手導演製造；今日談復興中國固有文化而顧慮到復古，所謂古者，其爲歷史上之陳跡乎？則無論良　，凡爲陳跡即如渣滓，如秕糠，如飈風，早成過去，不可再復。若指吾先民所創立之親民愛衆，成己成物之政治哲學以爲古乎？則此種思想，實萬古常新，並無今昔之別，如以此爲復古，不僅全然不明中國文化之特質，亦且於吾人立國建國之三民主義，暨　總統號召之宗旨相違。

吾人當知中國文化復興與宏揚，今後將切實負起兩種責任。

其一：對治匪幫共產主義。共產主義爲唯物論者，爲反倫理哲學者。其政策與行爲，爲殘暴之統治，殺戮，仇恨，鬥爭，及不擇手段之欺騙詐僞，無所不用其極。前者勝之以仁，後者則勝之以誠。惟仁誠之倫理哲學，所培育之健全人才，始能洞燭其奸，絕對不爲其所欺騙搖惑，而終足以制其死命。

其二：全世界最前進之民主自由國家，近年來在科學方面雖有飛躍之成就與進步，而在政治哲學思想方面，則日感空虛，不足以應付無窮之變。今後欲充實其政治內容，加強其心理建設，與一切政畧戰畧之必勝措施信念，必須藉助於東方之最高政治指導要領，親愛仁誠之倫理哲學，蓋惟此爲能維繫全人類之眞正和平，彼此互不侵畧，推誠相助，而共同聯合爲一種堅強無比之與正義力量，殄滅暴政，永遠消弭戰禍。

以上三者，爲全國上下復興中國文化聲中，所共宜深切體認者。匪勢尙張，攻心爲上，願共勉之。

（完）

兒童的天國丹麥

（本報丹麥通訊）在現代的世界中，只有極少數的國家，能够全力運用其政治機構，以最有理性、最具智慧、最富有理想與最大的信心訂定政策，使國民享有舒適安逸的生活，而消除貧困與飢餓的發生，除了瑞典外，丹麥也是其中之一。

丹麥是北歐三國之中最古老的王國，其國土、國民、政治、文化、社會均與瑞典十分相似，在十五世紀時，丹麥、瑞典、挪威三個國家還是一個聯合王國，因此丹麥的社會福利制度，和瑞典有許多相似的地方。

丹麥在社會福利措施方面，雖然不及瑞典社會福利制度的廣泛，如在婚姻、住宅的保障，寡婦的生活保障，家庭服務制度，兒童之休假與旅行等方面，均不及瑞典的完善和周詳。但丹麥在保育、養老、教育、醫療制度等方面，却辦得很有成就。

在丹麥全國中，幾乎每個小鎭裏都設有保育所，那裏收容的兒童約有三十名，都是自三歲至六歲的兒童，職業婦女爲了上班，以增加收入，從早上六點鐘便絡絡續續地把自己的子女，送到保育院裏，在下班後，才領回自己的子女。

丹麥保育院的最大特徵，是自由、活潑、健康與快樂，他們的保育院裏，有圖書室、工作室、玩具的設備、模型的汽車、火車、小房子、小船等等，如果兒童有興趣，也可以自己製造模型，藉以啓發兒童的創造能力。

年輕的保姆、老師，不斷地在兒童的旁邊觀察和保護，絕不干涉兒童的行爲，在這裏不要敬禮、排隊，更沒有處罰與教訓的事件發生，沒有過份的保護和指導，純粹是站在母親的立場來愛護兒童。在天氣晴朗的日子，保姆們還帶着較大的兒童到戶外去遊玩，在大自然中培養自主與獨立的精神。他們的祖先，一百年前的「童話大王」安徒生所說的童話世界」，現在已由他們建立在自己的國土裏，因此有人常說丹麥是「兒童的天國」。

至於保育的費用，則大部份由政府供給，然後不够的再視雙親收入的多寡而定，因此雙親均能無憂無慮地安心工作，養成大部份國民的就業精神。

丹麥的老人，自六十七歲起，無論是否有其他收入，皆可領到一份最低限度的養老金，一對夫婦每年七，七〇〇克郎，單身五，一〇〇克郎，並且還容許夫婦兩人，每年七，〇〇〇克郎，單身三，五〇〇克郎的額外收入（按：每百克郎約合港幣八十元）。

丹麥的教育制度是從一八一七年開始實施七年義務教育，兒童滿七歲入學，學費和其他雜費一律由政府供給。自第一學年至第五學年實施的是基礎教育，自六年起卽分學術班及實業班，學術班畢業後則進入二年制的中學及二年制的高等學校就讀，實業班進二年制或五年制的職業學校。

七年制的義務以及二年制的中學和職業學校，收容的是七歲至十五歲的兒童，學校分十幾棟平房，各棟之間設有小型的運動場，學校不但運動設備良好，教育設備也相當完善。

中學畢業生經考試入高等學校，經過高等學校的畢業考試後，卽可無條件的進入大學研究。雖然高等學校畢業考試的學生相當多，但希望進入大學的學生却不多，這是因爲高等學校的畢業生均能找到很理想的職業，同時在社會上的地位也相當高，學位的觀念並不太重。

丹麥的教育制度，最完善而聞名於世界的是「國民高等教育」。開辦於一八八四年，現已有一百二十年的歷史。這種國民高等學校，目前全國約有七十間，每校平均收容百名學生，每年約有七千名學生畢業，該校是以培養高尙人格與民主教育爲目的，全部都是私立學校，在農閒期間的十一月至翌年的三月授課，學生全部住在學校，與校長的家庭一起生活，畢業後不授與證書，這種國民教育對丹麥的農村建設實有很大的貢獻。

丹麥在五十年前還是一個相當貧窮的國家，它能在短短的幾十年內，由貧窮而變成富裕的社會福利國家，完全是靠他們高度的政治藝術，富有理想和信心奮鬥出來的，現在不但使其國家脫離了貧窮，並且使得他們的國民在精神上和物質上均能享受幸福的生活。

（完）

昨日與明日

靜觀聯合國的鬧劇

美國宣佈對聯合國所謂「兩個中國代表權」的政策後，毛共一反常態，未予嚴詞斥責，僅由新華社以報導性的新聞題材，簡畧披露，只附以「荒謬」二字的評述而已。這情形，可能是尼克遜的代表基辛加上次在北平秘密訪談時，對毛共進入聯合國的方法和步驟，已有某種默契，所以，毛共即不便痛詆「美帝」玩弄陰謀了。

聯合國早已成爲表演鬧劇的場所，對世界和平不發生絲毫作用，而尼克遜却認爲非讓毛共加入聯合國，世界和平即無從維持，可說是閉着眼睛說瞎話，不値一哂也。

中華民國是聯合國創立人兼安理會永久常任理事國，美國主張將中華民國的常任理事問題，交由各會員國處理，這是根據聯合國憲章那一條的規定而云然呢？言語道斷，莫此爲甚！如果不先修改憲章，則美國的非法主張即無商討之餘地，否則我們儘可名正言順的依法行使否決權。這問題，在這次的聯大會議中，够大家爭吵的，等着瞧罷！

弱國有外交

國際外交固然是只講「交易」，不講「交情」的，但在某種情況之下，未嘗沒有交情可資運用，所謂弱國外交，即基於此。但必需平日注意外交人才之任使得宜，肆應有方。

就中華民國最近二十餘年來的外交環境設想，日本，大韓民國和泰國這些自由國家，應是首要的外交對象，特別以日本的關係尤爲重要。可是，從日本在佔領時期中，我們派遣的軍事代表團長起，直到以後的正式大使期間，我們派駐日本的使節，皆缺乏從事弱國外交的人選，迨到緊要關頭，纔以臨時抱佛脚的方法，另派大員去講交情，縱有所獲，亦事倍而功半了。

吾國外交耆宿陸徵祥有言：「凡是辦政治，尤其是辦外交，決不可用外行。武人做外交官，只可認爲一時的變態」（見羅光主教所寫「訪問陸徵祥神父日記」）。這話很値得省察。強國的外交是專講「交易」的，過去我們祇注意於對美外交，今天美國爲着「交易」的利益，不惜出賣我們，而我們的弱國外交似不足以抗衡強權主義的陰謀詭計。國際局勢瞬息變遷，我們未始沒有運用弱國外交的機會，問題只在刷新外交陣營，愼選適才適任的使節，再不能因循貽誤了。

・何如・

自由談

西化主義的弊害

近五十年來的吾國政事，講究西化主義，動則效法西洋作風，實際上不是橘逾淮卽成枳，名實乖戾，卽係莫名其妙，囫圇吞棗地亂搞一通，構成四不像，無裨治道，適以誤國耳。

中央各部之增設常務次長，原是仿效英國制。英國的常務次官係事務人員，不隨政務官進退的，事務官皆由考試而來，若不違法瀆職，卽不能隨便辭退。然而，我們各級行政機構的事務官，百分之九十五以上都非考選的人才，因而常務次長亦就毫無保障，職權更混淆不淆，只是多添了一名高官，與部長同進退，倒不如北洋政府時代不設常務次長之爲逾也。

法國有一小省份的教育行政，不另設機構，而由當地的大學校兼理之。民國十七八年間，我們亦妄事效顰，把教育部改爲大學院，將首都附近各省的教育廳皆予撤消，由當地的大學校兼管教育行政事宜，弄得一塌糊塗，再又恢復舊制。幸而尙未通行全國，貽患不大。

西洋國家——特別是美英——公務人員講求退休制，凡是年滿五十五歲以上的，皆在退休之列，至多可延長二三年而已。他們的教育普及，生產發達，人才的出路亦廣，及時退出政界，對國家并無妨碍。我們的條件決不如人，却要厲行退休制，而且還有勒令退休者，但又因人而異，並非一視同仁，這是爲的甚末呢？

西洋人的工廠，對工人生產勞動按件或按時計酬，因而實行打卡制以資管理。我們的行政機關，亦居然仿效這一套，把一般公務員的自尊心摧毀無餘，而政事之泄泄沓沓如故也，除却按時簽到，虛應故事外，效用究安在耶？

這一切，只是表示咱們的文化精神之空虛墮落，亦證明半世紀以來的留學政策整個破產，西化主義的糟粕洋洋大觀，而國家受害深矣！

馮王曉生

套上了來勒索
——看尼克森怎麼辦——

成　公

天下事

如所週知的，尼克森打出「聯中共」這一着棋，主要的是爲了下屆競選總統。大家都知道，難道周恩來這般人還不知道麼？既然知道，試問中共憑什麼替尼克森捧場助選，尤其憑什麼爲一個日夜咒罵（迄今未曾停止）的「美帝」來撐台？話到這裏，就思過半矣。

美國中共互相勾結，自然有其共同的利害，但也當然有其利害分歧，和相反之處。而中共的狡詐，就在能善於利用這錯誤複雜的矛盾，而虛實的去實行騙局，尼克森只看到了彼此互相勾結之利，却忘了彼此分歧的衝突，尤其尼氏此招是單獨在密室內偕同季辛吉作的，並未與任何人商量，而此事又作得極爲機密俐落，直到廣播宣佈的前夕，尚無人知悉，我們可以想的到尼氏在「局中者迷」的心情下，將是如何的自我欣賞其「乾綱獨斷，出奇致勝」，絕不會想到引起的後果，這就與齊人鬧市搶金，乃是「只見金，不見人」的心理一樣，後果之遠大的姑且不論，只就達成訪問的本身而言，就將使尼氏無法應付，進退維谷。

兵法說：「善戰者致人而不致於人」，今天尼氏的訪問中共，正是「致於人」，而將受制於中共，假如尼氏是代替了季辛吉偷偷的去北京一趟，那問題倒簡單，除了當場去人以外，倒還沒有什麼難題，現在尼氏宣佈即將訪共，人到此刻還未去，那問題就多了。在這種情形下，中共可以隨時取消其邀請，而拒絕尼氏的前往，一如當年赫魯曉夫之拒絕艾森豪的往事，但是尼克森却不能向國人，向世人改變宣佈的事實，而取消其訪問，只這一點事實，便使中共把繩索套在尼克森的頸子上，而牽着他走了。中共將利用尼氏想造成訪問的事實，肆意向尼氏敲詐勒索，並且將是得寸進尺一索再索，永無止境，要談嗎，則問題儘是附件，全是「但書」，一有不隨，便將拒絕，試問尼克森在未來的幾個月中將怎樣應付，不滿足勒索，則遭拒絕，一切成爲畫餅，未來大選，鑄定的要失敗，答應要求，則非塡無底之洞。要不付出沉重的代價，休想踏進中共之門。

尼氏目前當然是正在顧盼自雄，深慶得計，但當年張伯倫自柏林回去時，不還是受到英國舉國的歡呼，甚至倫敦的大小教堂都鳴鐘相慶嗎？但後來的事如何呢，奉勸尼氏且慢高興，「這苦嗎，還在後頭呢」。我們也就拭目看看這台戲吧。

六一年度地方預算 台省議會予以核減
提出審核意見作附帶決議 促速修訂財政收支劃分法

（本報台北消息）台灣省六十一年度地方總預算案，業經省議會審議完畢，歲入歲出各爲新台幣一百四十八億五千三百四十五萬一千二百九十九元，較原預算數核減二千五百萬元。較六十年度法定預算約增百分之二點八五，計增一十六億餘元。

省議會對六十一年度省地方歲入科目，曾分別提出審議意見，作爲附帶決議送請台灣省政府執行。

關稅課收入，審查意見認爲：六十一年度（以下簡稱本年度）所列稅課收入爲三、九九五、五三三、五一五元，較上年度（即六十年度）預算數增六〇三、七八〇、〇五五元，其增加率達百分之十七點八〇，如與五十七年度決算數相比較，其增加率幾達百分之一三〇，衡之當前國民經濟能力，能否負荷，殊堪顧慮，切望省府分飭稅征機關，勿以達到稅課預算，而調整課征標準，強之人民負担，以免阻碍經濟之發展。

關於煙酒公賣利益收入，省議會審查意見指省地方歲入本年度列菸酒公賣利益爲六、八一〇、八六六、一五四元，較上年度預算數增加四八一、八二三、八二九元，其增加率僅達百分之七點六一，顯示國民之消費能力，已有今不如昔之感。按公賣利益，本居各項稅收之首位，近年來，由於工業發達輸入增加，中央之機關稅、貨物稅、所得稅均有大量增加，因之使公賣利益收入退於第三位，而今公賣事業機構仍維持二十多年前之體制，反足以阻碍公賣事業之發展，而有重新考慮之必要。按本省菸酒公賣係沿襲日據時代之制度，於本省光復之初，中央鑑於本省災害頻仍，並以本省地理環境特殊，而本因地制宜原則，經中央令由當時之行政長官公署接受繼續經營，使本省財政得以確立，迨民國四十年間，立法院於制訂財政收支劃分法時，未曾衡視本省之實際情形，乃將行政院所擬財政收支劃分草案第二十一條但書刪除，致使本省菸酒公賣局，既屬於本省之財政廳，復隸屬於行政院之財政部，以是該局之事業預算，既須送經省議會審議，又應咨請立法院審議，導致該局對事業預算之執行，困難重重，而影響公賣事業之發展。我國公賣施於菸酒公賣，在台灣地區係屬首創，而本省菸酒公賣局所以有今日龐大規模，實係省民之血汗累積，純爲本省之財產，至爲明顯，由於本省財政面臨危機，重新提請省政府據理力爭，促請中央視本省菸酒公賣事業之歷史淵源，並顧念本省目前之處境，速予修訂財政收支劃分法，確定菸酒公賣事業歸由本省經營，以維體制，期使本省災害救濟等緊急措施，得有財源挹注。

關於經建借欵收入，本年度列九一〇、二九八、〇〇〇元，較上年度預算數六八七、八六〇、〇〇〇元，增二二二、四三八、〇〇〇元，其增加率爲百分之三二點三四，如與前年度（五十九年度）決算數四二七、五七六、〇〇〇元相比較，則增加新台幣四八二、四二二、〇〇〇元，其增加率達百分之一一三，由此可見，本省財政日趨困難之情形。至於本省因從事經濟建設，而負債日深，依本省五十九年度地方總決算所列，截至該年度借入欵項爲新台幣一十五億零四百六十九萬八年一百六十七元，而償還之本息，僅新台幣三億零八百六十八萬七千八百八十五元，結欠新台幣一十一億九千六百零二百八十一元。

解除財政困難 從事經濟建設
省議促迅予籌劃

至上年度預算所借入欵項六億八千七百八十六萬元，在歲出所列經建債務支出爲新台幣二億四千二百九十九萬一千七百四十五元，增加債務四億四千四百八十六萬九千二百四十五元。

本年度預算復列借入欵項新台幣九億一千零二十九萬八千元，於歲出內列經建債務支出亦僅列四億五千六百一十三萬一千八百一十元，又復增加債務四億五千三百一十六萬八千一百九十元。易言之，本省因經濟建設而負債者，截至本年度實負債務已達二十億零九千四百二十四萬七千七百十六元，以是今後本省地方總預算之籌編，將爲債務之償還所困擾，有何餘力從事經濟建設？深望政府迅予籌劃，以挽財政之危機。省議會並提出意見如次：

一是本年度所列經建借欵之內容，最主要者爲曾文水庫之新台幣三億三千六百一十三萬六千元（其中關於中美基金借欵爲新台幣一億元），餘爲基隆港投資一億五千零三十五萬二千元，高雄港投資三千六百七十萬元，北迴鐵路投資兩億元，台航公司投資三千三百六十萬元，南部橫貫公路新建工程一億二千萬元，能高大圳灌溉工程三千三百五十一萬元，經查所投資之經建事業事先均未專案送省議會審議，至如列在省營事業基金支出項下者，亦僅各港務局、鐵路局、台航公司、曾文水庫、石門水庫等列有單位預算及計劃，其餘如能高大圳灌溉工程則無從查核，今後經建借欵之投資，應請政府事先提出計劃，送經省議會核議。

一是本省債務之日趨龐大，固由於財源枯竭所致，但本所辦之事業，間有涉省市，應由省市共同負担，或應由中央擔辦者，仍未獲得合理解決者，頗不乏例，中央有鑑於本省財政日益艱困，已分別接辦氣象，觀光等業務。但安置榮民之業務，尚未由中央接辦，應請省政府建議中央接辦安置榮民之業務，藉以減輕本省之負荷。

省營事業基金 動支應擬計劃
須事先專案送議會審議

歲出部份省議會對省主計處提出審查意見有四點：第一、一般行政項下總務及管理所列支房地租金一十七萬二千元，依說明，係退休人員所租用台北市之宿舍租金，應請政府迅作妥善之處理，或另購公寓宿舍配給居住，以免長期負担鉅額之租金。第二、主計業務項下之家庭收支調查，近年之辦理情形如何？其記帳家庭之酬勞金及記帳調查之補助費之分類標準如何？應請政府檢送有關資料送省議會備查。第三、主計業務項下之民間經濟抽樣調查，依說明，爲調查補助費，易流爲變相津貼，應請政府研究改善，改出各企業單位提供資料，以資撙節開支。第四、省政資料業務項下所列辦理省政資料，僅臨時人員薪津及其他報酬，則達三十一萬九千一百元，其中尤以報酬開支，最易流爲變相之津貼，應請政府依據實際核定編列人員，以免浮濫。

財務支出，省議會有三點意見：第一、一般行政之總務及管理項下所列房地租金一十三萬餘元，政府應作妥善處理。第二、財政業務之籌劃實施省庫集中支付計劃項下所列研究費九萬六千元，依說明，係承辦有關工作人員每月發給研究費四百元，易流爲變相之津貼，應請政府研究改善，以免浮濫。第三、稅課業務列支一千七百六十萬元，刪減二十三萬六千餘元。如本年度國稅督導列支四百五十一元，較上年度預算四百二十八萬餘元，增加四十二萬六千餘元，其增加率達百分之一〇點四三，其中業務費項下所列營利所得稅公告及宣傳費列支十二萬元，係新增項目，據說明，係配合台北市國稅局分担電視廣播費用。按所得稅係屬國稅，應請政府轉洽台北市國稅局負担，本項應悉數刪除，改列國稅督導爲四百三十九萬餘元。如整頓風紀協助違章漏稅及業務督導爲六百二十九萬餘元，較上年度預算增加七十三萬五千餘元，其增加率達百分之一三點二四，其中所列重大案件查緝費二十三萬二千餘元，依報所修正之說明，係緝機動查緝小組人員會同有關單位人員查緝所用車輛油料費一十一萬二千餘元，及會同有關單位查緝重大案件所需辦案費，綫民費獎邮費十二萬元，仍嫌偏高，應各減半核列。

補助支出列支之市政建設補助新台幣三億一千六百八十萬元，及各縣市鄉鎮補助二十四億七千二百八十五萬八千六百八十元，既未列編制單位，預算亦未附送分配表，今後應請附送，以利審核。

省營事業基金支出，原以政府投資之營業機構，因擴充設備，業將各該機構繳庫之營業盈餘或事業結餘爲財原，而今須以舉債挹注，依經濟法則以有限度之舉債，作爲經建投資，固有助於經濟發展，但負債過於龐大，亦堪顧慮，以是今後政府對於省營事業基金支出，應請政府事先擬訂計劃票案，送省議會核議。

至於本年度省營事業基金支出項下所列之投資事業，除台航公司、各港務局、鐵路局、石門水庫、曾文水庫、公共給水事業基金、保護自耕農、公共造產基金等附有單位預算及計劃內容外，其他如電力公司、肥料公司、糖業公司、台灣書店、澄清湖工業水廠、國民住宅事業基金、土地開發保證基金，均未編附單位預算及計劃內容，應請政府分飭補送省議會查核。

美對歐洲共同市場的看法（二）

漢夫

歐洲在第二次世界大戰後，演進爲進向統一的行動，實際是始自當時的美國國務卿馬歇爾在一九四七年六月所作的著名談話，當時他宣佈說：「美國已認定其對重建戰爭蹂躪後的歐洲所作的貢獻一，不能在零碎的基礎上進行……在美國政府能大事進行之前……歐洲各國必須就情勢需要及各國本身所採取的行動，達致若干任何行動有適當的效果。」這就是宣佈馬歇爾計劃當時所揭示的美國對歐洲國家的希望。

（未完）

依調集

食在中國談起

·平凡·

紐約華僑出入口商會調查結果全美現有華僑餐館九千三百五十五家。其中東部十三州及華府地區，計有三千七百五十五家。以紐約市及波士頓分佈最密，紐約全州占一千七百家，居美國首位。

全世界公認「食在中國」，手藝最重要者，「精益求精」尤其是吃，語云：「口無閑嗜，則無易牙」易牙爲中國古代名廚，以一廚師能名傳千古，證明「食」在人生過程中的重要性。

政府近年來也很注意這些問題，如出國廚師要經過訓練等，可惜訓練單位並未把這門差事看得很重要，應當加以檢討。

劉半農記賽金花

在滬重張艷幟

我二次又到上海當妓女，却是爲了生活的驅使，不得不然哪！租賃了一所兩樓兩底的房子，月租是一百二十圓。門上寫：「京都賽寓」，旁邊附註洋文，還是像住家的樣子，也不懸招，也不掛牌，一班舊交們知道以後，倒都來捧場，事情很是不錯。因我在北京遭那件倒霉事受了打擊，對「妓女生活」起了一種厭惡心思，不似從前那樣的有興致了，總想遇機會覓求一個合適的人，能匹配終身，就不再作這勾當了。

在民國二年，便認識了魏先生（名斯炅，字阜甌，江西金谿人，做過江西民政廳長，參議院議員）他因從事革命，逃難到上海。

（四六）

美國的新亞洲政策

·文園樓主·

文滙樓剪記

尼克遜訪問中國大陸消息宣佈後，引起全世界國家的注意。已共的「人民日報」突然大罵尼克遜，指美國新亞洲政策乃公開挑釁。

此間（香港）一家比較客觀的報紙以「美國的新亞洲政策」為題評稱：中共「人民日報」發表文章，評論美國國防部長賴爾德最近到日本和南韓訪問，以及他在日韓所作的談話，題目是「明目張胆的挑釁」，文中分析「尼克遜主義」中的「新亞洲政策」，歸納而為四點：

第一，美國要在亞洲保持「核子威懾力」，向亞洲的盟國提供「核子保護傘」。

第二，美國在亞洲將繼續駐紮海陸空軍，第七艦隊並不撤走。

第三，美國要繼續推行「越南化計劃」，希望亞洲各盟國擴充自己的部隊，特別是希望日本在軍事上發揮更大的作用。

第四，美國表示要履行在亞洲的共同安全承諾和條約，主要是對台灣和對南韓的承諾。

這四點分析，我們認為基本上是正確的。美國的新亞洲政策，主要內容就是這樣。這個政策之所以「新」，與以前主要的不同，是在：美國今後要避免使用美國的人力在亞洲作戰，韓戰、越戰一類的仗是決心不打的了。但美國要協助裝備和訓練亞洲反共國家的軍隊，如果發生了戰爭，要亞洲各國用自己的軍隊應付。

至於「核子保護傘」，留駐海陸空軍，履行共同安全條約等等，以前是如此，今後仍是如此，並無甚麼分別。

唯一「新」的分別，歸納起來實只有一件：「美國兵今後不在亞洲流血。」除此之外，一切照常。出錢可以，出力可以，就是不出人命。

美國的「新亞洲政策」，並不是從亞洲撤出，而是決心不讓美國軍隊，（尤其是陸軍）在亞洲流血作戰。這個政策，中共自然不滿意的。中共要求美國的力量全部撤出亞洲，至少是軍事力量全部撤出。這個要求，美國也是決計不會接納的。美國國會內反對越戰的呼聲極高，但不參加越戰，並不等於撤出亞洲，和中共改善關係，甚至建立正式邦交，也決不等於撤出亞洲。中共的軍事力量，並不足以迫使美國全部撤出亞洲；正如蘇聯的軍事力量，並不足以迫使美國撤出歐洲。」

另一家此間（香港）銷路甚廣的報紙在其短評中也指出：「美國國防部長賴德日前說過：『與中共改善關係的努力，一定不可導致削弱美國的軍事阻嚇力，或減少美國在太平洋地區的條約義務。』事實上，現時台澎金馬的防衛，也不是倚仗美國軍力的。」

所謂：「維新政府」

·本報資料室·

（一）

編者按：陳存仁教授寫維新政府一台戲頗饒風趣內容充實言之有物本報資料室特予檢出連載以饗讀者。

現在我要講的是南京成立所謂「維新政府」的一台戲。我這篇文字是以在上海的觀察所得為出發點，因為其時維新政府的政令，對上海始終沒有影响，只是在這一段時期中，有些離奇古怪的事件可以寫出來，作為反映當時的一般情況。

日軍侵佔南京之後，第一件事是要成立一個政府，因為要是沒有這個行政組織，那，對中國的老百姓，沒有一種統治力量，而且蘇、浙、皖三省的治安，日軍無暇顧及，所以醞釀着要組織一個政府，作為代替國民政府的一個行政機構。雖然「維新政府」已在民國二十七年三月二十七日成立，但日本方面最高特務頭目土肥原賢二，還不滿意，因為他早就擬了一個計劃，北方請吳佩孚出山，南方則以唐紹儀作為對象，組成一個聯合政府，那就可以統治一切了。他們在北方對吳佩孚的籠絡工作，做得很顯明，而在南方拉攏唐紹儀的這齣，卻進行得很秘密，一點也沒有消息走漏出來。

唐紹儀在民國史上，身世煊赫，他雖然不是國民黨的開國元勳，但是做過南北議和的清廷代表和國民黨有密切聯系。國民政府成立之時，對他也相當器重，因為當時外界名流的大使政要，都是他的親戚故舊，只是對他本身，反而無法安置。

唐紹儀是廣東中山縣人，後來國民政府就請他做中山縣縣長而且把中山縣政府的組織，改變為是直屬於中央的「模範縣」，縣長是簡任職。唐氏對這個職位，未必滿意，但因一時無事可為，只得勉勉強強的走馬上任，在他內心其實是很委屈的。

唐紹儀當了中山縣模範縣長之後，就引用中山石岐的許多同鄉担任縣府大小各職，又因為他是石岐唐家灣人，所以多數職員都是姓唐，他自己就住在唐家灣花園住宅中享清福，對政務極少過問。過了一個時期，這個模範縣，不但沒有什麼模範的政績做出來，反而當地人的控訴狀如雪片一般的遞到中樞，大概有好幾件非常違甚多，胡漢民力主撤查，於是唐紹儀連小小的模範縣長都做不成了。

此後，唐紹儀便移居上海老靶子路的舊宅中，韜光養晦，頤養天年。

唐紹儀的日常生活是很奢侈的，單單每個月的雪茄烟費用，已甚驚人，就因為開支浩繁，積蓄越吃越短，所以日方和他幾度秘密接觸之後，他就有點半推半就的意思，並且搬到一座更大的洋房中，草擬改組聯合政府的計劃，消息秘密得很，當時上海極少人知道。（未完）

陳果夫講「藥」故事

·門外生·

（六）

他和四老伯商量結果，四老伯又替他開了兩味開胃消炎藥加入在內，說：「這兩樣加進去有益無損，而且會有香味，煎出來不像以前那樣難吃了。」又向老二說：「這些廢物中主要的東西實在還是一種廢麴，我倒還是初次曉得牠的效用哩。那末，你賣的藥預備取個甚麼名字呢！」老二說：「我想就取大蛇消化藥好不好？」四老伯搖頭道：「這個名字萬萬用不得，用了沒有人來買，只能在麴字上想名稱。」老二說：「單用麴字也沒有人來買的。」四老伯道：「那你就用神麴兩個字罷！有個『麴』字表示他主要的藥名，加個『神』字，表示他有神奇的效驗。」范老二覺得很好，就道謝了四老伯，決定採用這個名稱。回來試驗做藥，製成一塊一塊的小方塊，正式開起藥舖，並且請四老伯做經理。大家本已曉得這藥靈驗，又價格便宜，所以生意十分興隆，范老二漸漸成了財主。但是老二得財不自私，每年總要提出大半剩餘在地方上做好事，所以泉州地方稱他為范善人。

以後大家曉得麴這樣東西，可以做藥賺錢，所各地仿效的很多，雖然做法各有不同，實在都是以麴為主藥。不過人家總認為泉州的發明最早是眞貨，更加一「建」字以別省名，所以有「建神麴」之稱。一直經過二百多年，外國人把神麴買去化驗，才曉得他的主藥是麴，就是做酒的酵母。因此，就把酵母做成一種新藥叫Yast，其實這種藥的發明人還是范老二後園裏那條蛇呢！可是給外國人學了去，已變成近代消化良藥了。

（未完）

神醫華佗

周吉

（三）

治療奇難怪症

前面說過，華佗經地方長官——陳珪推舉孝廉，中央最高武官太尉黃琬的詔辟，他都不予考慮，滿口謝絕作官，他願意懸壺濟世，情願揹着銅搖鈴，往來於廣陵、東陽、彭城各地，以他的醫術救人為本，極得其樂，安貧樂道，不畏強權，濟危扶傾，這是他的志節，也是他高尚的情操。華佗能夠名滿天下，有他種種的內在因素：如他博學廣聞的知識，豐富的經驗；在醫學方面，他可算得是一位「全能」醫生，內科，外科，婦產科，小兒科，鍼灸科，衞生學，藥物學等等，無不精通。接下去我們可以看他所遭遇到的疑難雜症，奇病怪治，無藥療病法等等傑作吧！

已故的甘陵相國夫人，懷孕六個月，忽然腹痛不止，延華佗診治。華佗視之後說道：「胎兒已死，所以腹痛不止。如胎兒在先則男，在右則女。」於是華佗為之煎湯藥飲下，約一時辰，胎兒立下。以胎兒在左，生下果為一男兒。

有一位縣吏尹世者，四肢嘛木，口渴，小便不利，又不喜歡聽到人的聲音。延華佗為之診斷。他把病看了之後說道：「先試飲熱湯，如果汗出便好，如不出汗，則三天便死。」於是為之下熱湯，結果汗不出。華佗道：「臟氣已絕於內，當哭泣而死。」結果正如華佗所說的「哭泣而死」。

有兩個府吏，一名倪尋，一名李延。二人都患頭痛身熱，病情相同。求華佗診治。華佗對二人說道：「你二人病況相同而病因各異，李君當發汗，倪君當下（瀉下）。」二人感到奇怪，問其病痛相同，為何治法不同。華佗說：「倪君外實，李君內實，所以治法不同。」語畢，華佗各給以藥，明日二人的病都好了。

徐州廣陵的一位鹽讀丞，名叫嚴昕，一日多飲了幾杯，聽說華佗經過廣陵，與幾個難治的病人一起，等候華佗看病。華佗問嚴昕道：「君身體如何？」嚴昕答道：「體軀如常」。華佗道：「君有急病見於面，切勿多飲酒。」嚴乘車回家，約行數里，忽然頭眩，倒下車來。僕人扶起載回家中，當夜即死。華佗好像會相看相似的，一看便知人生死。其實也是科學的事，不常人都能夠「久病成良醫」，何況他那樣豐富的臨床經驗和那樣深淵的醫學。

更有一件趣事，是一個督郵（官名）名叫頓子獻，患病難治，去求華佗醫治。華佗為他看了脈，然後復從容對他說：「君的身體尚虛，未得恢復，不要多操勞，更切忌房事。如果不信我所言，臨死當吐舌三寸。切記切記！」督郵之妻聞聽其夫有病，從百里的家中來看他的病。夫妻宿於旅次，因久別勝新婚，當晚就在床上勞累。到了第三天，正在與妻交接之中，吐舌數寸而死。

一個病人經過鍼灸後，病情惡化，求華佗看病。原來那位誤用鍼灸的醫生卻是一個醫曹吏（醫官）劉租，病人是督郵。華佗看了之後大驚道：「鍼刺不到胃管，誤中於肝。現在已無可救，飲食日減，五天必死。」結果正如華佗所說。這是一個庸醫，正是「鍼到命除」。如果是在今天，準吃人命官司不可。

讀書雜鈔

十五

·林傳·

即使果眞，何關外人之事，乃快一日之口，為子孫數世之羞！斯已傷天地之和，召鬼神之忌矣！況杯弓蛇影，恍惚無憑，而點綴鋪張，宛如目覩，使人忍之不可，辨之不能，往往致鬱抑難言，含冤畢命，其怨毒之氣，尤歷劫難消。苟有幽靈，豈無業報。恐刀山劍樹之上，不能不為是人設一座也。汝素樸誠，聞此事亦當掩耳，乃考求眞偽，意欲何為？豈以失明不足，尚欲犂舌乎？」投杯徑去，從此遂絕。余愧悔，自批其頰，恆述以戒人，不自隱匿也。（閱微草堂筆記卷十）

時論門，閒談莫論人非，自古引為處世格言，但誰能守此不渝又幾乎其難。卽深具修養之讀史君子，每言人之私，輒先發明，「有損口德，本不應言」，結果絮絮道來，無稍隱飾，君子不能免，是人之天性歟？抑又人之劣根性所使歟？至小人羣居，言不及義，揭發友黨隱私，更不足為奇！尤以若干為民喉舌者，大肆陰損，形成終身職務，對任何人不須顧忌，待遇優厚，一家生活無所憂慮，飽食終日，專以造謠中傷逞其能，美其名根據分析推測而來，賣弄聰明，逞一時快意。昔者城隍廟有拔舌地獄，意在使人修口德耳，彼羅圖序為神道設教，迷信之談也。於今所處工商社會，科學昌明，一切皆從現實，鬼神之事，報應之說，雖不可採。但作人應以「恕道」為本，信奉眞理，庶乎近之。（未完）

× × × × × × ×

名人小傳（一）

・塞翁・

幽默大師紀曉嵐

紀昀（曉嵐）不但學富五車，而且詼諧幽默，往往一語解頤，令人絕倒。四庫全書的編成，他即為總纂，四庫全書提要，是其不朽傑作。

曉嵐出身乾隆十九年進士，中年後患近視，身體肥胖，最怕熱。傳說一日正冒酷暑赤膊振筆疾書，突然聽到「萬歲駕到」！同院官員皆肅然起立恭候。紀赤膊，不及穿衣，急避於案下。乾隆不聲不响，坐在他的坐位上，閱他的工作。紀伏了一陣，一院鴉鵲無聲，他以為萬歲已去，探頭問道：「喂！老頭子走了沒有？」高宗無聲的笑了，衆大臣都笑了，他心知不妙，方從案下出來，穿了衣服前來請罪。高宗不責他失禮，專問「你為什麼叫我老頭子？老頭子是何解釋？」曉嵐答道：「萬壽無疆謂之老，兆民之首道謂之頭，天地父母謂之子。羣臣呼萬歲，還不老嗎？君為元首不是頭嗎？天子而子萬民，不是子嗎？」高宗改容暗中微笑，為他的急智而折服，君臣一笑了之。

曉嵐的笑話，個個愛聽。一天入宮，守門太監請他講一個笑話再進去吧！紀無法，故作細思說：「從前有一個太監……」說了囘頭就走。太監那裏放過，急攔住問道：「紀老還沒講完，還有下頭呢？」紀昀道：「下頭沒有了」。太監不解其妙，再問道：「為何下頭沒有了？」紀昀道：「下頭有還成個笑話嗎？」紀昀尤工書法，在泰山題一亭曰「而小魯」尤絕。歷事乾隆、雍正二朝，深得寵信，享壽八十有三，亦文壇中之健者也。（未完）

讀「岳武穆年譜」書感（五）

・李安・

「今日之事，國家所以應之者，其先務有四，一曰，留使者以欵敵人之謀，一白，下詔書以感南北之士，一曰，先舉事以決進取之策，一曰，用人望以激忠義之心，蓋金人憑陵之計甚久，前日二使殿上之對，軍民士夫，恨不寢其皮而食其肉，臣等願朝廷姑善留之，為之詞曰，前日所請，皆汝等口語，非國書所載，吾將遣使以實汝言，非獨使其未知所請之可否，吾且得以措置為前進之策，亦可以挫彼之銳，而示吾之未弱也，國家自和議以後，為故相秦檜所誤，沮天下忠臣義士之氣，三十餘年矣，一旦使所以得其戮力，必有以感動其心而奮起之可也，故哀痛之詔，不可不亟下，然詔不可徒下也，要當首正秦檜之罪，追奪其官爵，而籍其家財，追賜宇文虛中之爵，而為之立祠，雪趙鼎，岳飛之冤，而又下親征之詔，移　建康，則其氣固足以吞強敵矣，今敵重兵已臨汝潁，使吾不先發，則敵直窺襄陽，突至淮西，襄陽失利，則可以控蜀，且有順流東下之勢，兩淮失守，則唇亡齒寒，江非所恃，而環海而東，又有不可以不早計者，夫所謂人望，雖不可偏舉，如張浚、張燾、胡銓、辛次膺，皆其人也，浚，尤天下所屬望者，夫豈可以一失而遽棄之哉！銓以直言獲罪於秦檜，不以死於檜手，亦天意有所待也，陛下若能付一諫台之任，則說陛下為苟安之計者，皆屛息而不敢為也，今日之事，勢已急矣，然臣恐朝廷之上，猶以強弱不敵之為憂，財用不足之為慮，臣謂兵之強弱，不以多寡，曲直所在，勝負係焉，國家自休兵以來，凡百冗費，豈無可減罷者，願俾有司枚舉條具，凡非係軍民之急者，不以大小一切能去，則民可不加歛，調發有餘，庶中興之切，指日可冀矣。」

又同前載太學生宋苞上書於知樞密院事葉義問曰：「今使者在廷，口傳敵意，欲需我漢東，江北之地，及邀我二三用事之臣，而其意豈在於其地與其人哉，挾難塞之請以釁我也，地不可割，人不可道，則彼長驅而來耳，為今之計，不若誅其正使一人，尸諸通衢，以申其叛盟之罪，此不惟可以挫彼之強，亦足以激吾之弱，乃釋其副使一人，使歸告其主曰，吾與汝約和以來，吾攻苦食淡，傾內帑之儲以賄汝者，三十年矣，吾於汝無負矣，汝欲戰，吾率三軍之士，與汝周旋，若無厭之求，吾不能聽，亦使之知東南有人，而示吾之不弱也，然後下責躬之詔，以播告中外，誓與天下，上報父兄之仇，雪生民之恥，凡前日中外之臣，誤我國以和議者，無問存沒，悉正典刑，於是斲秦檜之棺，而戮其尸，貶竄其子孫，而籍其資產以助軍，以正其首唱和議，欺君誤國之罪，復岳飛之爵邑，而錄用其子孫，以謝三軍之士，以激忠義之氣，詔下之日，使東南之民聞之，莫不怒髮衝冠，而西北之民聞之，莫不感激流涕，如此則師出之日，吾之民將見人自為戰，彼之民必有倒戈者，願朝廷決意行之無疑，自今日以往，由宰執以及台諫侍從之臣，則當日造於便朝，由郎曹而下以及百職事之臣，則當日會於都堂，凡防守江淮之策，圖取中原之計，朝夕相與討論，次第而施行之，規模籌畫，必定於旬浹之間，以解東南倒懸之急，以慰西北來蘇之望，則天下幸甚。

6，金佗續編百代昭忠錄載：「王為秦檜所陷而歿，孝宗皇帝踐位，蠢還寵數，又論其子霖曰，卿家紀律用兵之法，張韓遠不及，卿家寃枉，朕悉知之。」年譜中引述亦未盡詳。

7，武穆三子霖，（曾知欽州，與朱熹，張式為友）之第三子岳珂，（曾知嘉興府），於嘉定間為籲天辨誣五卷，對淮西十五御札，辨驗彙次，凡出師與應援之先後皆可考，上之於朝，奉旨宣付史館，武穆之寃，得以大白，此項文獻，關係辨忠奸。（未完）

心相論（下）（十四）

・錢一劍・

錢一劍談相

有心無相，相逐心生。有相無心，相隨心滅。斯言雖簡，實人倫綱領之妙。心又為五臟之主宅，神形體內，不可得而見也，其可見者，心之外表也。是知心乃神之宮室，玉戶金闕智慮之所居。心欲寬平博厚，不欲抗陷窄狹。寬博者智，慮深。窄狹者愚。心頭生毛，其性剛毅。心頭骨凹，其性貧酷。

歌訣：心為身主，五宮之先，神為合止，智慮之元，寬博平厚，榮祿高遷，抗陷偏側，貧弱夭年，善則福至，惡則禍纏，心宜坦然，先觀動靜，次見心田，運智藏神，一體之生，相者但能觀外表，內者誰能識得全。又人倫何處定枯榮，先相心田後相形，心發善端諸福集，時藏霧害禍須生。

寬平，榮貴。狹隘，無錢。不言不語心機重。發語無私梗直入。最怕笑來嗔怒者，口唇平蕩語非真。詳三十六善養心要訣又曰，身凸心須慄。心寬氣必和。深沉言語少。終是福來多。心思立功名。此心有剛柔。慕善近君子。有美食分人。不評近小人。行陰德方便。能治家有法，不厭人乞覓。常利人克己。不逐惡貪殺。聞事而不驚，與人不失信。不易行改換。夜臥不便着。馬上不回顧。見人不憎怒。不文過飾非。作事務周匝。受人恩不忘。度量不窄偏。不毀善害惡。能濟人之急。不助強欺弱。常不忘故舊。為事衆人同。不多言妄語。得人物知感。言語有次序。語次不先起。常務行善事。不嫌惡衣食。能方圓隨時。行善常不倦。能知人勞苦。不念人舊惡。能竭心救難。

秋瑾（四）

黛眉小傳（六）

・王幻・

自同盟會成立後，革命空氣彌漫整個日本留學界，清廷大感焦灼，乃令駐日公使楊樞向日本政府交涉。是年冬，日本文部省頒佈了取締中國留學生規則，留學界聞之大憤，陳天華投海自殺。革命黨人對此事抱着兩種不同意見：一以主張休學歸國，一以主張暫時忍辱。結果各行其是。秋瑾是前一主張最力的人，就和易本羲等相率返國了。她曾寫信給一位尚留在日本的女同志說：

吾歸國後，亦當盡力策劃，以期光復舊物，與君相見於中原。成敗雖未可知，然苟留此未死之餘生，則吾志不敢一日息也。吾自庚子以來，已置吾生死於不顧，即不獲成功，而死亦吾所不悔也。且光復之事，不可一日緩，而男子之死於謀光復者，則自唐才常、沈若藎、史堅如、吳樾諸君子不乏其人，而女子則無聞焉，亦吾女界之羞也，願與諸君交勉之。

所謂「庚子」，即光緒二十六年八國聯軍之役，由此可見她的志向與決心。返抵上海後，得識石門徐夫人自華，結為異姓骨肉，留主潯溪女校教員，未久辭去。旋與其他同志創設中國公學，以安置歸國學生，並作黨人活動機關，開始運動長江一帶會黨，相機發動。復由她的表兄徐錫麟介紹，加入光復會。時有同志董鴻禕在南洋爪哇辦學，來函邀往相助，她頗有行意，後為陶成章等力阻而止。乃賃居上海虹口祥慶里，為同志往來通問地點。有一次，她和中國公學教員陳伯平等暗中製造炸彈，以備起事之用，不料炸藥忽然爆炸，聲震屋瓦，伯平傷目，她則傷手，里巷驚駭，巡警聞聲趕來查究，幸佐證已毀滅得免。

在革命進行中，她仍不忘女權運動，是時她在上海刊行中國女報，為鼓吹婦女解放機關。她親撰發刊辭說：

吾今欲結二萬萬大團體於一致，通全國女界聲息於朝夕，為女界之總機關，使我女子生機活潑，精神奮飛，絕塵而奔，以速進於大光明世界，為醒獅之前驅，為文明之先導，為迷津筏，為闇室燈，使我中國女界中放一光明燦爛之異彩，使全球人種，驚心奪目，拍手而歡呼，無量願力，請以此報刊，吾願與同胞共勉之。

可見她的抱負之偉大！她對於婦女解放運動所抱的見解，仍和往時一樣。也就是女子要想與男子平等，固然須打破封建社會的枷鎖，但最緊的，仍然要靠女子本身的努力，如果女子本身沒有自立的能力，喊也是枉然的。

人間謫仙葉小鸞女士

・陳霆銳・

葉小鸞女士，江蘇吳江人。生於明代崇楨年間，為葉仲韶之第三女也。一生而靈異，慧性夙成，長而容采端麗，明秀絕倫，翠羽朝霞，同於圖畫，輕雲迴雪，有似神人，年十餘知詞賦，十三四工篇章，并古文及齊梁體，皆過目能誦，翰成章，朗儁遒逸，咸邊其致。十五學琴與奕，摹古人書畫，無師而解其意，舉止莊靜，不忘言笑，史書稱無以過也。及至年十七，將嫁而遽隕」。闔邑哀之。天既生之，何又折之，豈眞人間謫仙不能久留塵耶？

嗚呼傷已！小鸞所著疏香閣集，琳瑯滿目，美不勝收。詩賦文詞，各體咸備，當日已傳誦于世。各家詩詞選本，收入甚多。光緒二十有二年，其同族人葉衍蘭先生已過古稀，筆力遒健，將其全集以工楷抄正，海內外孤本也。藏之于高要梁寒操先生家。先生邀同在台葉姓文學之士多人，共同斥資景印若干冊行世。余蒙梁先生惠贈一冊，視同拱璧，玩賞不已，合誌忱於此。

猛毛會談（二四二）

・胡慶蓉・

巨變歷險記！（二）

在到達猛毛之前，有一條大江，汪洋浩瀚，拔涉非易。現在倒不是望洋興嘆，現在是望路興嘆。還只有求助於馬求助於騎的馬。總算好，騎過去了。同渡紅河一樣，是非常危險的。馬力量弱的，會順流直下，慘遭滅頂。騎在馬上，若馬鬃抓的不緊，蹬踏的不穩，也會被水冲走。邀天之幸，丁博士又一次的渡過了。……

這大河以上是茫茫無際的森林，大河以下也還是茫茫無際的森林。就是河邊上，丁博士一行露宿野餐是名符其實的。砍些芭蕉葉鋪在地上當褥子，上邊是滿天星斗，但清風徐來，倒也舒適。帶的有鍋有米，附近找些野菜，找些乾樹枝，也就煮煮吃了。錢參謀長來自台灣，沒有吃過這些苦頭，沿途拔涉，身感不適，但還是勉為其難，繼續前進。蘇副總裁，身體很好，而且擅長游泳，他騎的馬未能渡過來，但他本人却游泳過來了，是不是受了凉，他也身感不適。

過江，向猛毛走去，風景非常優美。像似在平地，却在山上。猛毛就在山脚。在山上就看見了。坡並不太陡，慢慢的下來，白吉倫的吳拉培，白吉倫的領袖蘇瑞已經在山脚下相候，這是一個很大的村莊，房子不是擺夷式的房子了。房子是漢人式的房子。我們知道擺夷式的房子是諸葛亮帽式的房子鳥巢式的房子，架在高空，是不着地的，現在我們看見的房子，則是中國式房子，躺着地的房子。裏邊的陳設亦與漢人無異。吃飯更是同漢人一樣。吳拉培，蘇瑞法丁博士等一同吃飯，烤了一個小豬，而且烤的非常好，有廣東烤豬的味道。皮子烤得黃黃的，而且又香又脆。酒是自己製的酒，用大米製的，酒味不重，帶點甜頭。彼此談話，還是用的擺夷話。地方上說的已經是吉倫話了。吉倫話，同漢話也很接近。就係我們說「舌」，他們說「霞」，舌，霞，音雖不同，音還是相近的。我們說「有」，他們說「噢」，我們說「不」，他們說「特」，我們說有沒有，他們說「噢特噢」。我們說好，他們說「思雅」，我們說好極啦，他們說思雅極「嚶」，再說細話，他們也都很熟悉。

與吉倫的領袖會談是在猛毛的一個田裏邊的房子裏，大家席地而坐。由錢參謀長任主席。錢謀參長表示中國游擊隊與吉倫合作之意，他們欣然贊同，他們歡迎中國的部隊開進來，他們願意補給。他們說明他們同中國的歷史。他們希望獨立。他們願意中國的弟兄們手牽手的共同奮鬥。他們武器缺乏，尤其是新式的。中國游擊隊能裝備他們，裝備他們新式的武器尤所歡迎。在山區裏邊，人有的是，只差裝備。

會議的結果非常圓滿，特別那一份兄弟之情令人難以忘懷。還要前去巴奔，自吉蒙的總領袖韓德威會談，猛毛的會談不啻巴奔會談的先奏。

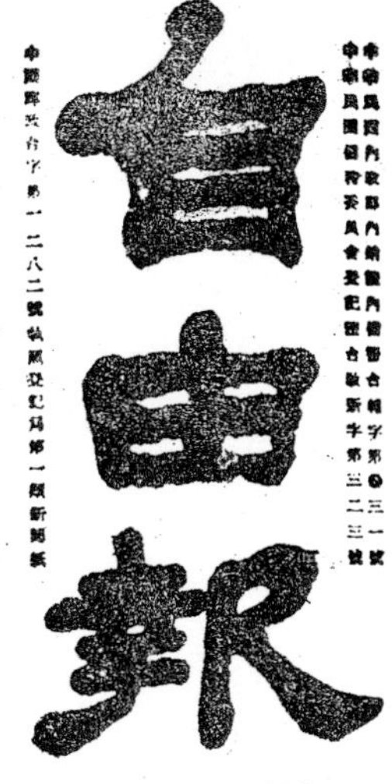
（第一一九〇期）
社址：香港九龍官塘道117號後座二樓
117 HONG NING RD, 1/F REAR, KWUN TONG, KOWLOON, H.K.
TEL: K-439653
電報掛號：7191
郵箱：官塘郵政信箱9583
承印：景星印刷公司
台灣區直接訂戶 台灣劃撥戶 第五〇五六號張萬有（自由報會計室）
台灣分社：台北市西寧南路110號二樓
電話：三三〇三四六、台郵劃撥戶九二五二號

談尼克遜訪問中國大陸（一）

·侯立朝·

季辛吉，是德籍猶裔的美國人。在哈佛大學唸書，而後執教於哈佛大學。哈佛大學有三大金剛，其一是日本通的賴世和，其二是中國通的費正清，其三是歐洲通的季辛吉。賴世和的思想特別是政治路綫，是以日制俄，以日制毛論者；費正清的思想特別是政治路綫，是以毛制俄，以毛制日論者；這兩位日、中通已爲中國人所熟知，且受到批評及討論，茲不復論。現在要特別注意的是季辛吉，他已成爲白宮的諸葛亮了。他的主要著作如下：

（1）重建的世界：拿破崙以後之歐洲。

（2）核武器與外交政策。

（3）抉擇的必要：美國外交政策之前瞻。

（4）麻煩的夥伴：再評估北大西洋公約。

論季辛吉這個人，其身世、教育、背景、思想著作都告訴我們：他的反蘇傾向大於反毛傾向。甚且可以這樣說：他對中國任何樣的政權都不在乎，重要之點在能使其作爲平衡蘇俄擴張的工具，特別是要使其作爲平衡蘇俄對歐洲威脅之工具。即藉中國扯住蘇俄，以挽救歐洲。如果歐洲不保，則美國亦不能自全。爲之美國的自全，得先保歐洲。保衛歐洲不一定要在歐洲建立碉堡，而是要在蘇俄的背後建立碉堡。結論是：中國大陸是看守歐洲的大門。美毛聯綫，在他的思想中就成爲必然的邏輯推演成爲事實了。

我們知道，季辛吉的第一本書是研究拿破崙以後之歐洲的，特別是梅特湼時代之歐洲，他現在自居於梅特湼時代，而他的確是一位倨傲的人物，只講利害關係不講道義的人物。他認爲：道義是外交的背包，利害才是外交的刺刀。辦外交的是刺刀，而不是背包。因此，他批評美國外交政策上的道義觀念，是不切實際的。「道義」，如果不是騙人的手段，那麼就是自欺之談。

在拿破崙時代（一七九九——一八一五），向全歐洲宣佈的是：自由，平等，博愛。到梅特湼時代（一八一五——一八三〇），向全歐洲宣佈的是：歐洲人民需要的是和平而非自由。梅特湼時代的口號，正是季辛吉的口號，而由「自由民主」的美國於二十世紀七十年代重新唱出，這不能不說是歷史的倒流。由此，我們看到美國外交政策的歐洲化與保守化及反動化，這已象徵了美國的沉淪。

在梅特湼時代，最重要的特點在於：

（1）和平重要自由的原則。

（2）復原重於革命的原則。

（3）大國均勢原則。

（4）利害相交原則。

有名的維也納會議，是梅特湼時代的開始，同時也是歐洲自由平等博愛精神的告終。有人說：從拿破崙戰爭結束之後到一九一四年第一次歐洲大戰開始，在這一百年中歐洲由於梅特湼時代樹立的基礎，已爲歐洲帶來了百年和平，其中只有一次普法戰爭，對於繁榮的歐洲不是沒有貢獻的。此說沒有理由。歷史告訴我們，梅特湼絕對沒有繁榮歐洲的野膽，也沒有建立持久和平的抱負，他有而且只有維持現狀的動機，以現狀維持他自己或奧國的利益。歐洲特別是西歐洲在一八一五——一九一四年之能維持和平與繁榮是資本主義，工業主義擴展的結果，即謀取工業化的結果，而不是梅特湼外交政策的結果。因爲工業化，跟着產生了社會化的問題，使歐洲社會的內部爆發了無產階級與資產階級鬥爭的激化，每個國家都忙於內政之求安定，自顧不暇，所以減少了歐洲各國之間的戰爭，有時甚至於在海外聯合一致去爭奪殖民地（如英法聯軍攻打中國，八國聯軍攻打中國）。

梅特湼時代，是歐洲激揚時代的倒退，是自由歐洲的倒退，是歐洲人道主義的倒退，他壓制歐洲歷史前進的新芽，新芽之成長約二十年，結果被歐洲社會內部的衝力驅退，使歐洲重新再造而有民主國家及民族國家。現在又輪到季辛吉來埋葬世界歷史了。他認爲現在世界上有幾大勢力圈：（1）美國，（2）西歐洲，（3）蘇俄，（4）日本。這幾大勢力亦如梅特湼時代的奧、俄、普、法、英五國。梅特湼玩弄四強同盟（俄、奧、普、英。而後法國隨之，是爲五國均勢），犧牲弱小，鎮壓平民階級，以維持歐洲的均勢及所謂和平，而後有階級的覺醒及民族之覺醒，打倒梅特湼所代表的集團勢力。一八四八年，匈牙利大詩人裴多菲寫的名詩：生命誠可貴，愛情價更高，若爲自由故，兩者皆可拋——震動了歐洲，掀起了歐洲民族國家的新時代。而馬克思也喊出了「一個陰影在歐洲搖擺起來了！」此後，有無產階級革命。

季辛吉策動尼克遜的口號：只要和平，不要別的。在國內是如此，在國際也是如此。和平，眞的是建立在均勢上，就不要任何倫理的原則嗎？歷史告訴我們說「不是」！季辛吉能夠給世界什麼回答呢？

（未完）

本報專論

一、解題

這篇文章的題目，包含兩個意義或兩個境界：其一是「尼克遜訪問毛共」，指的是美毛勾搭的現實性。其二是「中美關係」，指的是美國與中華民國外交關係的歷史性。

七月十六日，尼克遜正式發表聲明將於明年五月之前訪問中國大陸，全世界爲之驚愕！這種驚愕之情，不是爲了尼克遜降尊紆貴，移樽就教，而是爲了美國秘密外交的可恥。

在二十世紀的七十年代，美國總統的顧問季辛吉，竟然玩起十九世紀式的外交的詭術，秘密潛入北平與周恩來洽談，並爲尼克遜總統安排訪問大陸，演出了一幕驚悄的特洛式之老戲，使號稱爲民主開放的美國，披起黑紗頭巾，所以才使世界爲之驚愕！民主云乎哉？開放云乎哉？季辛吉與密封飛機，是美國黑手在亞洲的新標誌。這與列寧的密封火車有相映之趣，都很黑色。

二，白宮軍師季辛吉

促成尼克遜行程的馬前卒子是季辛吉。他於七月五日到亞洲訪問，七月六日在曼谷與他們會談，而後經印度到東巴基斯坦，在印度他受到印度羣衆的斥喝示威歡迎。七月八日到東巴基斯坦，而後秘密飛赴北平，與周恩來會談三天，轉回飛往巴黎，虛幌一圈之後回美，完成了他的黑色任務，於是尼克遜有了十六日的聲明。同時，季辛吉又是白宮的外交軍師，出謀定計者也是他，因此，他又不止於馬前卒，而是陣後軍師。

昨日與明日

世界和平的區域性

中東以色列與阿拉伯聯盟國家的戰爭行爲，對於世界和平前途的危險性，無論如何亦比亞洲的中南半島暨台灣地區的反共鬥爭嚴重多了。

阿拉伯國家只要收回被以色列侵佔的土地，即可重開蘇彝士運河，與以色列和平共處。然美國始終袒護以色列，隨時供給現代化的新式飛機大砲，增加該國的戰爭力量，而蘇俄亦就如法應援埃及，構成美俄對立局勢，然美國的反戰分子並不認爲這是危害世界和平，觸發全面大戰的因素，且經常給以色列張目助勢，唯恐以、阿戰爭不再發作。

可是，美國對中南半島與台灣海峽的反共鬥爭，既迫使越南政府與越共和談，宣告美國實行撤退，又阻止中華民國作反共救國的軍事行動，而託詞爲維護世界和平，避免全面大戰，這不是笑話嗎？所謂尼克遜主義是要亞洲國家自己解決本身的問題，美國想不負責，却不惜背着全面大戰的危險，爲以色列保鏢到底，維護和平云乎哉，製造戰禍而已！

所以，尼克遜的和平觀念，是有區域性的，事實顯然，無可掩飾也。

我們不能任人支配

經過二十多年來的事實考驗，美國對中華民國的所謂「友誼」和條約義務，作用只是一點，即希望永遠保持台灣這一戰略要地，勿落入共黨之手，其他的問題，美國儘可讓步妥協，並不在乎。因此，我懷疑美國最近宣佈關於聯合國代表權問題的建議案。其中尚有文章，很可能與毛共已有默契，到聯大會議時，還有花招施展哩！

蔣總統教國人慎謀能斷，處變不驚，雖然很正確，但我們必須有新的作法，急起直追，不致織有「人爲刀俎，我爲魚肉」之虞。以色列全國不到三百幾萬人，能夠戰勝擁有數億人口的阿拉伯國家，台灣有一千三百萬以上的人民，豈可長此受人支配？

自立自強的基本力量是經濟。台灣經濟發展情況固然可觀，但其吸收外資的工商企業，主權是否操之在我呢？這是很重要的條件，應該特別注意，不能忽視的。次則切實革新庶政，藉以團結海內外人民的向心力，亦係當務之急。這問題空談了二十年的時間，迄無實績可視，癥結何在，值得當國者虛懷省察，而以事實行動來進行，表示信用。只是憑一二委瑣低能的腐化分子，在海外以官僚化作風，實行報銷主義，便算是「統戰」工作，不特無益，且產生反作用，決無是處。海外僑民對中華民國多感報國有心，請纓無路，筆者認爲政府應該節省許多不必要的浪費（如各機關大興土木。建造新廈，即其最著者。）在台灣設置若干所「華僑中學」，免費專收華僑子弟，將來的作用亦很大，不僅是團結人心而已。

·何如·

自由談

老生常談

國父孫公一生以「天下爲公」的精神，領導革命建國事業，身體力行，有目共睹。國民革命運動之得告成功，國民政府之能夠統一全國，實拜孫公這種天下爲公精神的遺澤所致，非偶然也。

實現天下爲公的義理很簡單，即一般鐘鳴鼎食的領導階層人物，不積非份的私財，不用無能的私人就得了。可是，這道理說來很容易，要篤行以與天下人共見，那却相當困難，這需有大智大仁大勇的氣質，庶足以語此。孫公在生時，未聞有私積財貨之事，他逝世後，除却遺留中外圖書萬卷外，沒有分文的私財存在。他對於用人的恢宏豁達，立賢無方，更是古今罕有，陳炯明稱兵叛亂，罪不容誅，然他只要陳氏誠心悔過，即可信任如故，這是何等偉大的氣度！即此一端，可概其餘了。

國父領導黨政數十年，全國各方的文武老少與新舊人士受其器使驅策者，盈千累萬，却沒人搞甚末政治派系小組織的勾當，因其天下爲公的用人方針，大家明白，有才幹的不愁棄置，有勞績的不怕埋沒，用不着朋黨比周，直尺枉尋了。這樣，政治上自然而然地充滿着開明奮發氣象，各盡所能，力圖報載，而革命精神乃不致有腐化惡化之虞。這原是老生常談，却有至理存焉。

目前中華民國的國運，正處天危急存亡之秋，比較國父在生之日的任何階段更爲險惡，唯一自立自強以自救之策，就要集中人才，共赴國難。咱們每以「中山信徒」自任，開口閉口不離國父遺教，試問一般政治人物，究竟做到了不積私財，不用私人這種天下爲公的事實否耶？又揚棄了政治派系小組織的天下爲私的作風否耶？希望大家捫心自問，有所省察，再不能口是心非，欺世人以無知，現代人沒有多少是愚昧的蚩蚩之氓，眼睛雪亮，其誰欺乎？

馬五先生

幾件小好事

成公

在沉悶的空氣中也有幾件好事，這些事聊破寂寥，是不關宏旨，無補大局，總還不失爲一個小點綴，有總比沒有好。

天下事

福岡謝恩大會

八月一日有五千多人在日本的福岡，舉行謝恩大會，感謝蔣總統的恩德，這樣的會在二十六年來還屬首次，雖然是晚了點，但總比沒有好，何況又是在目前這種黯淡的局勢下，因此不論主持謝恩會的背景是什麼；不論促成這大會的因素是什麼，孔子說「與其進也，不與其退也」，總不失一件好事。

共和黨人的正義感

一向對中國並不大友好的美國新聞週刊，這次在八月二日的一期中刊載，共和黨的最重要的捐款人們，相率告訴參衆兩院共和黨的負責人，他們已停止對共和黨的競選捐款，原因是爲了「出賣蔣介石」，可見公道還在人心，而吾人也還大有可用之勢。只可惜當局的人「忠實」「服從」則有餘，「識見」、「招數」則平平，所以才落到今日也，聽說政府用人有一定的常規，今天局勢已緊，是否能「立賢無方」破格而求點眞人才，那怕事辦好後，再把這些人去掉呢。

大學校長相率產生

一年多來，台灣有一個最奇怪的現象，就是各大學校長，虛懸無人，包括私立大學在內。其中最爲突出的是師大校長，辭職照准後，一年有半，而無人接替，可稱史無前例，其次私立東海大學校長也辭了一年，而產生不出新校長。據說：是找不到適當人選，以台灣藏龍臥虎之地，怎麼會找不到幾個校長？那才眞叫怪呢（試問假如要是收復了大陸，那怎麼辦），這個原因，我們也只好筆下留德吧。最近幾天都先後發表了新人，雖不太理想，但總算解決了問題，我們希望這幾位新人不僅勵精圖治好好的作，並且不要忘了大學的學術性，千萬不要以「辦成個井井有條的衙門」爲滿足。

考選首長行己有恥

考選部新舊部長業已交接，考選部自發現牙醫考試舞弊之事，部長李壽雍氏立即呈請辭職，雖經慰留，終於掛冠而去，並且次長周邦道、梅嶙高、主任秘書陳起鳳，一起辭職引退，眞是辭的漂亮，給鬼混熱中的政界，樹立一個「行己有恥」的風範。比起某部次長，部長辭職，自己硬是賴着不走，還發動了數十位民意代表和政要向新部長保駕，（這就好比唱戲，生角換了，拉胡琴的硬要給新角拉，一樣試問怎麼可以）相形之下，眞是天淵之別。這到底是學養不同之所致，李壽雍部長不用說了，周邦道氏當第一屆高考的狀元，學識操守衆所稱讚，梅嶙高氏則遠在抗戰時即在侍從室担任要職，受總統陶冶極深，故能有此知恥負責的表現，豈是一般官迷所能比。我們希望政府對於這些有風骨的人員能器重。

全力加强國防外交
發展經濟從事建設
省議員力促改善社會風氣

（自由報台北消息）省議員蕭錫齡就反攻復國之重要課題提出質詢云：本席於去年應美國國務院之邀，環視美國一週。本年又復與同仁聯袂赴東南亞各國考察。深感我國外交之軟弱，實有待加强之必要。返觀國內一片昇平氣象，舉國上下不是爭權奪利，即是追求物質享受，實深浩嘆，目前本省地方財政陷於極端困乏，如不先謀確立財政，而致力於選舉，將使財力益形分散，削弱經濟建設之力量。試問將如何完成時代所賦予之艱鉅使命？時至今日我們認爲當前反攻復國之重要課題，必須革除社會風氣，消彌奢靡浮華之風，儘量避免不必要之選舉，集中財力從事於地方建設，發展經濟，建立台灣爲三民主義之模範省。在中央則應全力於加强國防、外交，以提高我國之國際地位，未審主席亦以爲然否？本席用陳芻蕘之見，深望轉請中央參考：

今日我國之外交，具有雙重之使命，其主要之工作，固然在於維護並開拓本國之權益，但我國在外交上，不僅須維護並開拓我中華民國之權益，同時負有爲全世界反共鬥爭之艱鉅任務。因之我國之外交工作與一般國家迥然不同，實具有「自衛」與「衛人」之雙重性質。

我們認爲外交工作人員，在今日之處境下，應是作戰之革命鬥士，除須有盡忠體國，冒險犯難之革命精神外，同時應具有充份之國際知識與外交技能，尤須深切瞭解三民主義與我國國策，斯能應付多變之國際局勢，而提高我國在國際上之地位。

今日我國外交，不獨負有雙重使命，且是反共總體戰中最重要之一環，因此我國外交絕對不能依賴傳統之外交方式，而必須採取革命作風，運用總體戰之作戰方式，使自由世界能認識國際共產主義國家之統戰陰謀，徹底瞭解共產主義與非共產主義之間，絕對不能永久和平共存。然後始能對我國奮鬥之最高目標發生同情，因此我們不僅希望中央能加强外交，更須改絃易轍，致力於反共鬥爭之大業。

「使人想不通的事」讀後（一）

起鈞學兄大鑒：近在自由報拜讀大作，「使人想不通的事」，深具同感。世變日亟，而國內人心麻木，無論政治、社會、政育各方面，均令人不勝懷於而心憂：各非心死，實係別具用心。年來與友好及家人論及，均有類似之看法。以弟在國中教育小圈中所見所聞，已是無人困惑不解，例如國中嚴禁課業輔導及三年級生之升學指導，而在學期將盡之時，命令各國中在學生畢業考試後，在校參加所謂「統整學習」至少兩週，（教師不另支鐘點費）結果不但毫無成效，且使學生與教師均不滿意，以致怨聲載道，又如高市新設立之國中無限制增班，舊初中改組之國中則大量減班。如高二中及七中，下學年定餘教室至少各有廿間以上，而增班之國中，即原有學生已感教室不敷，如再增班，勢必分上下午上課。（未完）

・趙憶華・

推拖拉積習深
政風壞由來久
省議員促澄清吏治

（自由報台北消息）省議員呂英傑對如何革新當前政風問題提出質詢云：政風問題之敗壞，由來久矣。導致政風敗壞的原因：一是人爲因素，一是法令規章繁瑣所致。由於吏治不清，政風日下，憂時之士，懸爲深戒。以其攸關民心士氣，中興復國至鉅；倘廉能政治的基礎未立，則一切建設，恐將成爲沙上之塔，經不起客觀的考驗。

陳主席說：「整飭政治風氣，已收到察吏保民的收果。」本席不能完全同意此說。我們政治上的大病，是推諉拖拉的積習太深。機關辦事，能把責任推給別人，就算了事。凡遇到困難的事，便不免甲機關推到乙機關，或上級機關推到上級機關；推來推去，問題並未解決。機關處理公文，經辦人把責任推到主管，主管再逐級推上去，最後由首長一人負責，這種積弊，使行政效率減低，行政功能萎縮。今舉一實例，來說明上級機關與下級機關互相推諉不負責任。

現住彰化縣溪湖鎮西溪里員鹿路七十七號農民洪丁山，從日據時期起，即與其同曾祖之堂兄洪曉共同耕種該鎮四塊厝巫厝小段五七〇之一地號公有耕地，洪丁山且在其分耕之四分餘耕地內，有房屋居住，並有[illegible]地農田水利會冊籍及耕地四隣莊傳和等可資證明，按照本省習慣，由大房長子之名義承領，洪曉爲大房長子，故由其名義出面辦理承領手續，實際上仍與洪丁山分耕，此一事實，主辦放領人員未能查明，已屬失誤。迨洪曉自民國四十年起分期十年繳納地價期間，洪丁山繳納地價半數，彰化縣政府於民國四十四年至五十年奉令每年舉辦放領農戶檢查，承辦檢查人員又未能善盡職責，切實查明予以更正，乃使洪曉得以個人名義取得該地之全部所有權，進而轉賣他人圖利，迫使洪丁山將二十餘年所耕種之地交付他人，致令全家生活，失所憑依，陷於絕境，實嚴違反憲法第一四三條「土地之分配，應扶植自行使用之人」之原則，喪失國家扶植自耕農實施公地放領之重大意義。本案經立法委員徐中齊提出質詢及監察院派員調查屬實之後，彰化縣政府及台灣省政府均承認係承辦農戶總檢查人員失職所致。不但如此，彰化縣政府五十七年十一月八日以彰府地用字第七八六六三號呈請台灣省政府核示補救之方式，其呈文略謂：「爲維護耕者有其田成果，惟應有補救之道，究採何種方式補救，因案涉過廣，本府未敢擅專，擬請鈞府核示，以資遵循」云，推到上級機關。上級機關復往下級機關推諉。此觀之於台灣省政府58 1 29府民地丙字第一〇六八號令彰化縣政府：該府來文所稱：「至於該府爲維護耕者有其田成果，認爲應有補救辦法」一節，應由該府報府核辦。」如此推來推去，問題至今尚未解決。

彰化縣政府明知王功海埔地土質鹽份太重，及土壤不良於耕種農作物；亦明知[illegible]，免費放租而無人承耕，竟指洪丁山不申購王功海埔地作爲敷衍了事之藉口，這種「官」之作風，焉能不使民心喪失，使政府威信掃地？政府果有維護耕者有其田成果之意念，則解決此一問題並不很困難，可於溪湖鎮等地區本年下半年度實施土地重劃時，政府以專案核定「剩餘地」比照民國四十年公地放領辦法分十年付清地價放領與洪丁山承耕，這種一舉兩得且不失爲解決本案之辦法，何樂而不爲呢？從省縣政府處理補救洪丁山一案，看出政風推諉拖拉的積習如此，並未如陳主席所說「已收到察吏保民的效果」。

美對歐洲共同市場的看法（三）

漢夫

飽受戰禍的歐洲各國，在二十四年前，對於美國的請求迅速作出反應，終於導致合作事業而演進至目前的階段，結成歐洲共同市場，儘管美國初期對於「加入歐洲」問題採取保留態度，儘管戴高樂將軍曾兩度否決英國加入共同市場，但現在法國總統龐皮度和英國首相希斯均認爲：他們現已開闢建立十國共同市場之路。不過，目前可能實現的統一歐洲，與一九四七年當時的歐洲顯然有所不同。正如尼克遜總統所指出的，在當年「一般確信一個統一的西歐將自動起原來由美國負担的責任。但現在似已眞正可能出現「一個潛在的經濟巨人」，然而「事實上沒有那麼簡單。歐洲統一亦將給美國政策帶來問題，美國是不會忽視這些問題的。」

歐洲在經濟合一方面有了重大進展之後，自將意識改進其在貿易及投資方面的競爭地位。尼克遜總統曾說美國可以接受該項競爭，但須在較自由與擴大貿易方面，并在保護特殊利益方面有所抑制……總之，美國必須以最廣義的範疇闡釋自我的利益，着眼於美國的根本目標而非策略上的目標。

歐洲統一的會議與自然的演進，可以想到在防衛與外交方面，美國與歐洲的利益是相輔相成而非競爭性的。但如何把一個統一的歐洲與美國的外交及防衛政策連結起來，將是美國與歐洲的共同利益所具的能力的另一次考驗。美國認爲它已在應付該項考驗的能力方面下了很多工夫，因爲美國曾協助歐洲共同市場取得平等伙伴地位，美國希望在這方面的努力由結伴關係上的表現獲得證明。美國希望共同市場「在保持自由世界貿易秩序方面，負起較大的責任。」（續完）

劉半農訪賽金花

我們認識以後，很覺投緣，感情日益濃厚，他是個性子爽直的人，又俠氣，故我們對他很敬佩。這時候他正在革命活動，時來時走，行蹤不定，但每次到上海，總要來我家看看我，慢慢在言語間，他就露出向我求婚的意思，我是早有了意思，只因還要作多方的考慮，還躊躇着沒有決定，直到六年，我跟魏先生一同到北京，住在前門外櫻桃斜街，住了有幾個月，纔完全決定了我倆的婚事，七年又回到上海，把一切事情料理了一下，六月二十日便在上海新旅社正式舉行婚禮，那天賀客來的還很不少，有在上海名人[illegible]樓，等，證婚人是信昌隆報關行的經理朱先生。婚禮純是新式，用的花馬車，[illegible]年，我是四十五歲，想起我十四歲那一次，坐綠呢轎，打紅紗燈，前後相隔已三十幾年了！

魏先生同我雖然可以算正式結婚，但他家裏還有一個太太，和一個因[illegible]到南洋時娶的姨太太。

我們結婚不久，便來北京，這時魏先生正做參議院議員。

魏先生待我好極了，可謂「體貼入微」，對待我母親也頗盡孝心。十一年春天，我母親因病死在京裏，他很哀痛，裝殮發葬都很厚，[illegible]我看實在感激，那想到同年閏五月魏先生忽也死去，他的身體本來很強健，一點病也沒有，就因洗澡用冷水澆了一下，激着了，得不幾天便死去！

魏先生一死，他家裏的人平日就和我不大過得去的，常常是起鬨吵鬧，這時他們更要給我過不去，放冷語了，甚至說魏先生的死都是我害的，在江西會館開弔時，他們還有好些都是罵我，[illegible]樣的欺侮，我怎麼能同他們同居下去呢？在不得已，纔帶了自己的東西，同一女僕，自民初相隨至今，主人雖貧困已極，尚戀依不忍去，忠實可風）搬到居仁里的這個房子裏。我們一主一僕，[illegible]年來因素鮮與外面通欵曲，幾無人知余尚在人間矣！

附言：

遜解回籍以後的此事，伊多推諉掩蓋不肯說出，據撰者所知，在光緒末宣統間，再至上海，伊尚嫁一滬寧鐵路職員黃某，民初黃先[illegible]，始識魏斯炅，意其不肯說出者，或箇中別有隱衷歟？伊最愛談嫁魏後之一切生活，起輒剌剌不休，實則伊嫁魏後之生活已極爲平凡，無何足以傳述矣！（卅七）

宰相集團話怪癖

·文匯樓主·

樓主助編「香港自由報廿年年鑑」從文章裏發現做過大學校長的有卅餘人，做過中華民國合法政黨領袖約有廿餘人，做過院長部長省主席的有五十餘人，做過國立與私立大學校長，系主任，研究所長的約百餘人，做過第一流報社社長的有卅餘人，連同知名的政論家，報人，學人總數約在三千名以上，外間謂香港自由報酷似一個宰相集團非無由也。

歷史上有怪癖的人很多；今祇敘述本報作者們的怪癖。

胡適喜歡搜集火柴盒，爲世人皆知之怪癖。張君勱（民社黨領袖）不懂政治而喜歡談政治，且熱中政治。（這是他令弟張嘉敖的評語。）左舜生（青年黨領袖），毛澤東曾經稱他一聲左家四爹，（湖南習慣對人的尊稱），左舜生掛在口上講，不止有若干次了，左喊過毛澤東「潤之」毛的別號，也是掛在口上講，有時會使人皮膚上起鷄皮皺。王雲五在應酬場合，常常顯露胡適之是他的學生。程滄波（政論家）寫文章，慣用「筆者久居英倫」字樣。雷嘯岑（政論家）每談到台灣幾位「偏公」時，常謂「比我還偏」這種爽朗的個性，使人更爲欽服，王世昭（名詩人）書酸味最濃，有一次在其九龍青山道寓所請樓主便飯，殺了一隻太太飼養的四年半五斤重老母鷄，桌上連講十幾次，且謂正在生蛋期間，弄得客人不好意思下筷子。自由人創辦人之一成舍我（名報人）節儉的美德是出了名的，在自由人上寫文章，一定要稿費先付，否則擱筆。伍憲子（民社黨領袖）喜歡在文章裏教訓人，有一次被湖南中華時報主筆黃潮和，以「伍憲子冬烘」爲題，罵得伍啞口無言。卜少夫（名報人，新聞天地發行人）雖無怪癖，則寫一手怪字，使人無法模仿。

熊式一（文學家）廿幾歲時即在英國成名，平日嗜着唐衫，即中國長袍，手上戴好幾副玉鐲，外國飯店侍應生與空小姐總以爲他是土包子，每問熊懂英文嗎？即鬧出很多笑話。沙學浚（國立台灣師範大學文學院長）酬聲時席不正不坐，打電話進來直去，刪寒暄語句。丁作韶（法學博士，成大夜間部主任）每天用冷水冲涼十幾次，冬日結冰季候也不例外。張起鈞（哲學家）講話快，寫文章慢，如果字體難認，有獎的話，準可得冠軍。陳光棣（國立清華大學史學教授），王靜芝（輔仁大學國文系主任）兩公胡琴比文章好，唱戲又比胡琴高。曹敏（政論家）談起易經興趣就來了，有一次在公共汽車上，遇曹觸及易經，他談得有勁，樓主聽得出神，下車時樓主發現一千五百元新台幣被三隻手光顧。馬騰雲（醫藥理論權威）月賺新台幣好幾萬，全部投入自由報，自己則衣履都欠週，仍怡然自得，可謂標準怪人。

所謂：「維新政府」（二）

·本報資料室·

那時節靜安寺路上國際飯店有一座華安合羣保險公司的大廈，然矗立於跑馬廳前面，還是上海一座極著名的建築物，這大廈除了下面三層作爲公司之用外，其餘的都租給西人居住，作爲公寓。八一三戰爭開始之後，小部份西人離開上海，但大部份英美還未撤退，這座大廈，就有若干房間空了出來，我有幾個朋友，把它租了下來，租約是長期性的，以一年爲一期，租金相當昂貴，因此這幾個朋友，就想出一個辦法，把它作爲十個人共有的集合場所，幾個年紀比較大的，一早都跑到那邊去談生意，進早餐，我則每天午餐之後，總到那裏去作午睡，而且因爲有熱水設備，各人的家眷常來洗澡，晚間大家約點朋友來聚晤傾談，那裏一連有四間房，所以有時也在這些房間中設席宴客，其中一間房間，常有人打麻將和玩撲克，所以租金的維持，可以應付裕如，尤其是那時上海很少高樓大廈，大家到了這個地方都興致很好。

一天，華安公司當局極誠懇的來和我們商量，要求我們退租遷出，並且允許給我們一些津貼，我們當然因爲有合約在前，當然嚴詞拒絕，華安當局顯得很尷尬。次日又繼續派員來講，說是：「這不是我們公司爽約，而是日本指定要這層樓的房間作爲他們辦公之用。」我們一聽了這些話，便覺得這個租約無法堅持，於是就在第三天默默無言的退了租。

初退租時，我們十個人紛紛通知親友，再也不要到華安大廈來，免得遭到麻煩，但是百密一疏，有一位朋友的岳父，他沒有知道這件事，仍然闖到這個房間去，見到房間裏的人很多，且都不相識。那位老人家氣派很好，所以來在一旁，有人敬茶遞烟，待以上賓之禮。他坐了很久，不見熟人來到，心中正在奇怪，突然有一個書記模樣的人來說：「唐先生現在有空了，請你到裏面去談談。」那位老人家一時想不起那位唐先生？那人進施施然的跟了那人進去，看見房中坐着一位正是他的舊友唐紹儀，兩人已十多年未見面，當然雙方寒暄一會，後來唐紹儀問他：「你想担任些什麼職位，我可以代你設法。」那老翁一聽此言心知不妙，他就說出：「我原是這個房間的常客，我是來看我的女婿的。」唐氏才明白，這是一場誤會，依然很客氣的送他出門。

我們還出華安大廈之後，本以爲是日人借用，後來經這位老人家的說明，才知道原來這個房間已被唐紹儀所租用，其中有一位朋友心中很不服氣，竟然走到華安去交涉，華安當局吞吞吐吐不敢說明眞相，只把新租約拿出來給他看，簽約的人果然是日本人，語氣中還隱隱約約表示唐紹儀已經「落水」，那位朋友才無言而退。不久，報紙上隱約透露出新的聯合政府正在組織中，並且顯示某元老將出任「總統」。我們朋友間就推測到這位總統的人選，必然是唐紹儀了。

時隔不久，也就是民國二十七年的九月三十日，報紙上又爆出一件唐紹儀在自己住宅中，被人用利斧斬死的新聞，新聞中說出：唐氏愛好古玩，有不少相熟古董商人，常在早晨帶了大小不等的瓷器玉器等向唐氏求售，其中有一個最熟的掮客姓謝，那天早晨手捧着一隻四五尺高的大花瓶，坐着汽車，伴同一個姓林的人，手中拿着一個楠木小盒去見唐紹儀。當時守門的人，因爲姓謝的常客，所以叫他把汽車開進住宅內，即刻再把園門鎖上。

謝林兩人進入內室等候，唐氏起身之後，只有一個女傭端茶奉烟，姓林的人就把楠木盒中的八件玉器，一一取出，唐氏細加把玩，愛不釋手，姓謝的就在女傭退出之後，突然抽出一把利斧，向唐紹儀後腦劈去，傷痕深達二三寸，唐氏未出一聲已經瞑目而逝。之後，姓謝的從從容容的還是捧着花瓶出來，由姓林的將內室的門鎖上，同時還作鞠躬道謝狀退出。

守門人問姓謝的人：「你的花怎麼賣不掉？」姓謝的就說：「老爺看不中，也沒有辦法」，說完這句話，守門的人就開了鐵閘讓他們登車，揚長而去。

唐紹儀總統沒有做成，老命反而因之送掉。（未完）

× × × ×

× × ×

陳果夫講「藥」故事（七）

·門外生·

三、雲南白藥

相傳有個姓曲名六的人，住在大理附近的小鎮裏，以採草藥爲生。有一天他入山採藥，遇到一隻花白兔子，老是隨着他來往，時時嗅他採的藥，要來偷吃藥草。他討厭兔子，就把採藥的工具把兔子打傷了，但是兔子還是負着傷要偷他藥籠裏的藥。不過不是偷吃原來這一種，偷吃着另一種。吃了之後，就一拐一拐地跑到樹林裏去。曲六因爲懷疑兔子這次所偷吃的藥有治傷作用，所以倒要看看兔子是否就會好。祇見兔子跑進樹林，還在那裏找其他的藥草。吃了三四種，就回洞去了。

過了幾天，他又到這個山裏去，又有兔子跟來，回頭看去，還是原來那一隻，不過傷處已完全好了。曲六一想，又把牠打傷了。兔子仍和前回一樣吃了他籠裏已採得的治傷藥，逃進樹林，又吃了前回那幾種草回去休息了。隔不多久，曲六入山，兔子仍舊跟來。于是曲六就不忍再打了，索性把這隻兔子捉了回來，養在家裏。

又過了些時，曲六又入山採藥，回頭路上遇到一隻野狗向他奔來，聲勢洶洶，他不得已拿工具用力把這隻野狗打傷了，流了很多的血。曲六看過兔子受傷的經驗，心想狗也許會自己治傷的，所以就坐在路旁看傷狗怎樣。果然那隻野狗翻來覆去的用鼻嗅着，漸漸嗅到曲六採來裝滿草藥的籠中去，在籠的洞裏吃了一種藥草，吃過之後血就止了。曲六細看原來這種藥會有人說起有止血功用的，曲六覺得有趣。這隻狗的血止住之後，似乎口渴就在路旁水潭中吃了幾口水，又在水潭四旁找藥草吃，曲六更加留心。看看天氣還早，背起草籠跟着狗走來。狗嗅嗅吃吃，吃到一種小樹的皮，吃得最多，最後倒地睡着了。曲六看到凡是狗吃過的東西都西都採了一點回來做樣子，並註明治狗傷的藥。（未完）

神醫華佗

周吉

，東陽陳叔山的兩歲小孩子，正在哺乳。因患下痢，下痢時先啼哭。延華佗醫治。華佗看了之後說道：「嬰兒之母懷中了陽氣內養，乳中虛冷。嬰兒得母寒，所以痢下。」華佗與之藥物，服之十日即癒。其神妙的醫如此。

史稱「彭城夫人」的，夜晚入廁，被蠆傷其手，痛疼難當。求華佗診治。華佗令人用溫湯漬其手，每過一個時辰，必須換熱，使湯不至涼，如此便能安睡，過了一天便癒，但溫湯中是否有其他藥物，就不得而知。因爲在下不是醫生。

有一個廣陵人，姓梅名平，在徐州充當下級公務員，因病被除名，回家途中，順便探親適華佗至其親家。主人請華佗爲梅平看病。華佗一看驚問道：「君如早見我，可以得救，現在病已結，無藥可救。趕緊回家，尚可與家人相見，否則五日必死。」梅平回家與家人相見，痛哭流涕，後果然五天後而亡。如華佗所言，一日不差。

華佗有一天在路上碰到一個餓鬼，因狼吞之故，食物阻塞於咽喉不能下，家人用車載去求醫。華佗聞其痛苦之聲，即問其病因。家人以實情相告。華佗毛遂自荐道：「此去路邊飯店，買蒜虀大酢三升，煮湯飲下，病可痊癒」。華佗說畢便去。結果病者吐蛇一條，其病立癒。病者將蛇繫在車邊，往訪華佗於其家，見華佗堂壁懸掛蛇數十條。這就是今天所謂的「標本」是也。在今一千八九百年前，華佗已在施行治病搜集「標本」了，因此不可說中國古代人不懂科學。

按陶宏景（仲景）的「藥總訣」中所說「餅店蒜虀乃下蛇之藥」。這與華佗所用的藥方相同，也足見中國醫術之一脈相傳，並非如西洋人的偶然發明。

有一個太守久病不癒，延華佗治病。華佗診視病情，心知病之癥結所在。故多索其酬金，而不加診治。小住數日，留了一封書，大罵太守一頓。太守大怒，派了兵去追捕華佗。太守的兒子知道這其中用意，令追兵勿捕殺華佗，佯裝追了一陣子，回去交差。太守更怒，這一怒之下，口吐黑血數升而癒。這不是無藥療病法是什麼？

華佗此種奇妙的醫術，原來也有所本，古代已有先例。如呂氏春秋卷十一，仲冬紀至忠篇載：齊王有痼疾，使人到宋國延名醫文摯醫治。文摯到齊國，見了太子問明病情。文摯對太子說：「此病易治，但是大王的病雖治得好，恐怕我的性命難保。」

太子怪而問道：「你的話是什麼意思？」

文摯道：「要將大王的病治好，非使大王大怒不可，如果大王發怒，則我命難保。」所以華佗的醫術乃是中華民族固有醫術，皆係歷代相傳，足見華佗對於醫術的造詣。

一位士大夫久病不癒，痛苦不能忍，延華佗醫治。華佗診斷後，對士大夫說道：「閣下的病當動手術，破腹割治，但閣下的壽命亦不過十年，如不破肚，亦可活十年。閣下可以忍痛十年如何？」

士大夫道：「我不能忍受十年的痛苦，先生即爲我除之」。於是華佗乃爲之剖腹除之。結果那位士大夫竟活了十年而逝。可惜史籍記載語焉不詳，未說明究竟是何病症，如何治療。而華佗動手術剖腹，似必使用麻沸散麻醉。這是理所當然的事，固然不在話下。

（四）

諷聯

·嘯月·

民二十七年夏，日軍攻陷武漢，大有直取長沙之勢，當時湖南主席張治中聞訊驚惶萬狀！遂借焦土抗戰之名，縱火將長沙市付之一炬。市城損失慘重，恨之入骨，乃以「張治中」三字撰成一聯諷之曰：

橫匾：「張」皇失措。

對聯：「治」績與稱，兩大方案一把火；

「中」心何忍？三顆頭顱萬古冤。

附註：（一）兩大方案：組織民衆，訓練民衆。

（二）三顆頭顱：即酆悌，文重孚，徐昆等。

（三）三人均張師逆諉過槍決。

名人小傳（二）

·塞翁·

金聖歎玩世不恭

金聖歎是大家所熟知的奇人，但是他究竟是姓甚麼名甚麼，却很少有人知道。他本來姓張名采，他自己改為金聖歎，字人瑞，又字若采，號聖歎，連名帶姓一齊，這是極少見的。他說姓名不過一個符號，高興怎樣改就怎樣改。如他生在今天那就不太容易改了。

金聖歎是天生才子，也是狂士，生平的隱憂，一是明室之亡，二是懷才不遇。生性不僅狂放，簡直是狂妄。因此玩世不恭，作文喜、笑、怒、罵。考試譏諷主考，常坐講台講解五經，注疏莊子、離騷、史記、三國演義、水滸傳、西廂記等書。合稱六才子，他的批注令人捧腹叫絕。他一個人獨自看離騷下酒，實乃天下奇聞。

最後一次他是為百姓重稅帶頭請願被判死刑。留給他家人的信說：「殺頭是最痛快的事，抄家是最慘的事，現在都於無意中得到，倒也難得。如果朝廷赦免還可以見，要不然我就要死了。」臨死時另一封信罵縣官的，他知道他的信要被官員查拘，因此故意寫道：「字付大兒知悉：醃菜與黃豆同吃，大有胡桃滋味，此法一傳，我無遺憾矣！」到了法場上，他仍不放過狂動，朗誦詩一首：「法鼓冬冬響，西方日已斜，黃泉無旅店，今夜宿誰家？」於是這位喜笑怒罵都成文章的一代才子，就與人間離別了。一個有了怪癖的人，不遭奇貧，便遭奇禍，旨哉斯言！

（完）

今日的佛山

·容易·

農曆十二月廿五日，奉父命返故鄉佛山渡春節，行期十二天。今年的關口檢查，似乎非常順利。在華界的火車車站，無論秩序與衛生都比英界的好。在火車上已不像文化大革命時期那樣，經常起立學習毛語錄，惟車上時常有「革命歌曲」播出，但音響效果很差，經常走音，聽起來全不對勁。在廣州的石圍塘火車站乘火車返佛山時，發現所有車卡都是貨卡，全無座位，只好席地而坐。車上時常發出陣陣異味，原來車卡本來是用來載牛隻的。

到佛山後，原本想僱三輪車的，但等了很久，一部車也沒有，原來自三輪車收歸國營後，三輪車伕的收入有了限制，故有時寧願兜圈子偷懶而不願載客。馬路上來往的單車非常之多。有段路是封鎖的，只見一班人在那裏挖來挖去，返家打聽之下，知道一些端倪，據表兄透露，當局原本計劃建一個地道網，每家在屋內挖一個防空洞，再由屋內通到小街上，由小街通出馬路，由馬路一直到佛山近郊的石灣。

在石灣可以看見以前的山墳被挖掉了，周圍有一排排圓拱形的洞口，用紅磚砌成，配上水泥鋼筋，每一山洞可藏數萬人。工程之浩太，可想而知。但不知怎樣，由屋內通往街上的一段地道的計劃取消了。重要的工廠如鐵工廠之類，亦有計劃轉入地下生產，以防一旦有戰事發生，可以繼續生產。經費全部由中央撥給。

在不久的將來，又將舉行一次成份清查運動，以前幹過什麼有違毛澤東思想的事的人，將逃不了被清算的命運。在大陸讀書所讀的外語科目中，已由英語代替了俄語。所讀的全是英語文的毛語錄。

所有學生，不論中小學，都要參加目前的行軍運動，時間半個月至三數月不等，費用自備，當局只補助一小部份口糧。這完全是為了響應毛澤東的備戰號召，以達到全國皆兵的目的，「好仔不當兵」這種傳統觀念，在大陸似乎行不通了，因為無論中、小學畢了業的人，都離不了做所謂「支青」（即下放去農村支農），但有些農村的待遇十分之差，連吃也吃不飽。當軍人起碼可以溫飽，而且每月又有大約六元人民幣作為零用。服役為期二年。退役後有優先入廠工作的機會。

我的二弟亦是「支青」，由農村返家過春節，他是下放到距香港約四十里的農村，一見面就問我有無看過本港的武俠片「魔王」，他對片中主角展飛的英勇救人行動十分感動。又說「龍虎門」打得非常精彩，使我為之愕然。原來二弟每日休息時就生產隊的隊長收聽香港電台廣播的蘇影小說，因離香港不遠，收來非常清楚，對於哄動香港的潘婉莊，抱着愛人的屍體偷渡的新聞，都非常清楚，對於偷渡路綫，以及如何分辨蛇口與青山灣，如何避開照射燈等各樣細節，都非常內行，使我又喜又憂的是，終有一天，他可能會衝出鐵幕，冒死爭取自由，逃來香港。

（完）

商山四皓

·陳霆銳·

漢商山四皓，年八十餘，皆以為高祖常慢侮人，不肯敬長者，故逃匿山中，義不為漢用，天下義之。後上欲廢太子，立戚夫人子趙王如意，呂后急使建成侯呂澤，問計於張良。良曰：此難以口舌爭也，顧上有不能致者，今惟商山四皓耳。然上高此四人，今公誠能無愛金玉璧帛，令太子為書卑辭，安車迎此四人，客建成侯所，奉以上賓之禮，若上知此四人，已受太子之聘輔佐太子，事可諧矣。上從擊破黥布軍歸，疾益甚，愈欲易太子。張良叔孫通力諫不聽，及燕置酒，太子侍，四人從太子，鬚眉皓白，衣冠甚偉。上問曰，彼等何人，又在此何為？四人前對，各言姓名。上乃大驚曰：吾求公數歲，公避逃我，今何自從吾兒游乎？四人皆曰：陛下輕士善罵，臣等義不受辱，故逃之山中，竊聞太子為人仁厚，天下莫不延頸，欲為太子死者，故臣等來耳。上召戚夫人曰：太子羽翼已成，難動搖，呂后真而主矣。夫漢高祖起自微末，提三尺劍，平定天下，創漢室三百年之基業，跡其功業，英明果斷，誠非他人所能及，故能芟除羣雄，為天下主，不料在晚年病革之時，竟為此四老所紿。彼四老者，何嘗以漢高之輕士善罵，而義不為漢臣，其所以未臣事高祖者，以無金玉璧帛為聘耳，真小人，偽君子兼而有之，有何義士之可言哉？

讀書雜鈔　十六

·林倚·

新城王符九言，其友人某，選貴州一令，貸於西商，抑勒剝削，機械百出。某迫於程限，委曲遷就，而西商枝節益多。論至夜分；始茹痛書券，計券上百金，實得不及三十金耳！西商去後，持金儲箱，方獨坐太息，忽聞簷上人語曰：「世間無此不平事，公太柔懦，使人憤填胸臆，吾不歛來資公，今且一繳西商，為天下窮官吐氣也。」某怪不敢答，俄屋角悉索有聲，已越垣徑去。次日，聞西商被盜，中新有債券，皆席捲去矣。此盜殊多俠氣，然亦西商所為太甚，干造物之忌，故鬼神巧使相宜也。（閱微草堂筆記卷十）

時論日語云「忠厚傳家遠，詩書繼世長」，朱柏廬又警告人說：「刻薄成家，理無久享」。世人每多執迷不怪，以積財為樂，貪墨之徒，更以巧取豪奪為得計，私慾作祟，原為子孫計，適又貽害子孫，尤非始料所及，多少破落公子，皆因父祖貪墨好貨所造成。取財不以其道，財之盈失亦必偶然而致之。紀文達公所舉西商，可謂工於心機者矣，其敗也偶然頃刻之事，所謂枉費心機，其內心所感受痛苦，遠非局外人所能體會得知。

（未完）

談女相(一)（十五）

·錢一劍·

錢一劍談相

男兒腰細難有財福，女子肩寒孤刑再嫁，以下數條言女人之相也。男子腰細不豐者福必薄，上海浴德池，三多池等，以擁有漂亮男茶房而出名，這些男茶房十有七八都生得楊柳細腰，儀態婀娜，女人肩寒似縮者命必獨。

頭大頷大終主刑夫，聲粗骨粗寬為孀婦。

若女人頭額俱大聲音粗濁骨多肉少皆孤刑之相。賽金花與香港有位名女人××皆屬此型。

眼露光口闊貪淫求食之人擺手搖頭詭激刑夫之婦。

眼露光而口闊大者，貪淫度日，蘇非亞羅蘭小姐等是也。頭首輕搖而不重者蕩淫刑夫。

髮濃眉重兼斜視以多淫聲神清必益夫而得食。髮濃眉重而視瞻不正血氣旺而心必邪主淫蕩之相聲音響亮眼神清明益夫食祿之婦也。名星葛蘭音亮神清。

山根不斷必得賢夫部位停勻應招貴子。鼻位不斷者配必佳部梁不偏者子必多。師大教授張中董夫人此相，擁子半打。

骨格細膩富貴自主清閒髮眉粗濃勞苦終為貧賤。骨肉相稱細膩者清閒髮眉低亂濁而粗濃者辛苦。

秋瑾

據吳芝瑛「紀秋女俠遺事」云：「後女士自東歸，過滬上，述其留學艱苦狀，既出其新得倭刀相示曰：「吾以弱女子隻身走萬里求學，往返者數，搭船只三等艙，與苦力等雜處；長途觸暑，一病幾不起，所賴以自衛者，惟此刀耳；故與吾形影不相離。」余戲曰：「當此黑暗時代，留學風潮且大起，勃發不可遏，倘遇關吏詰問，得毋疑妹為女革命黨乎？女士笑曰：「革命黨與革命不同，妹固知吾非新少年之革命者。」既而行酒，酒罷，女士拔刀起舞，唱日本歌數闋，命吾女以風琴和之，歌聲悲壯動人，旋別去，不復見。……」自這段描述，恍如看到秋瑾當年的巾幗風采，英氣逼人。

（五）

光緒三十二年冬，劉道一等回湖南活動，密謀起事，各省同志集議於上海，欲起兵為援，秋瑾也參與其事，她自告奮勇，願担任浙江方面的事。議既定，乃從上海回到紹興，入居大通學校，大通學校為徐錫麟所設，是金處紹三府同志和會黨聚集的地點。她又親自到諸暨、金華、蘭溪各地去接洽，並和各會黨的首領商定，待湖南舉事後，即起事響應。未久回紹，聞湖南萍瀏起事已失敗，各地同志被株連甚多，她非常憤恨，決再接再厲，俟機再圖大舉。

次年春，徐錫麟因同鄉好友陶成章來書，勸他捐一官階，厠入仕途，以便暗中行事。錫麟深以為然，他家本是小康，又經同志幫助，湊成了萬餘金，捐了一個安徽候補道，銀兩上兌，執照下頒，錫麟領照到省，參見巡撫恩銘，由於他的口才好，又曲意逢迎，居然把恩銘的一副冷腸，漸漸變熱，傳見數次，就委他作陸軍小學堂總辦；又因他是警察學業，兼任巡警會辦。於是，錫麟盡心竭力，格外討好，暗中通信海外，託同志密運軍火，相機起事……。

因錫麟已赴安徽，大通學人乏人主持，秋瑾被舉為督辦，主持校務。開學之日，紹興知府貴福及山陰會稽兩縣令皆蒞臨致頌詞，貴福且贈一聯云：「競爭世界，雄冠全球。」她至是更為所欲為。常來往各地，運動會黨及軍學兩界，使參加革命。

（七）

黛眉小傳

·王幻·

美麗碑會談(一)（二四三）

·胡慶榮·

巨變歷險記！

從猛毛起，完全進入了吉倫區。從猛毛以下，走向薩爾溫江。但到薩爾溫江，還有十幾廿天的路程。沿途有山，但都非常的矮，非常的小，幾與平地無異，但竹林，森林却非常之多。沿途的莊村，均與猛毛無異，但人口並不太茂盛，三家村，五家村還是所在多有。他們種的田都多犂的田，即把地上的樹木伐倒，用火焚燒，將地予以開墾，然後靠這地方生活。沿途都是燒林的耕田。因為新墾的地種上幾年又不肥了又得換地方，於是就有沒人的莊村。莊村到了沒人，戶子也就壞了，所以荒涼得很。新的莊村，聚族而居，往往有傳教的教士，大家朝夕祈禱，情至虔誠。

出猛毛，不騎馬了，換上象騎。馬交給錢參謀長帶回去，或者存在猛毛，待回來的時候再騎。馬同象不能在一起，這聽來或者奇怪，實際確是如此。馬見了象就驚，往往一跑就是幾里十幾里，若是正在馬上，馬驚起來，是非常危險的，他跳起來，躍起來，跑起來，好像命都不要了，上邊的人牠更是不顧了。人騎馬術不精，往往會摔下來，會摔死，……象也是不好騎的。象看起來很馴，但到了發起脾氣來，也會令人驚的，甚至也會把人摔死。象一發脾氣，就是怒吼。我們常常說獅子吼，但沒有說象吼的。其實象吼起來，比獅子吼更利害。象一怒發出吼聲，真不亞於火車頭發氣的聲音，其大，有如打雷一般，在靜靜的山裏林裏，更是感到震動。大象怕火，牠不敢通過。但沿途燒火的情形很多，每到烟火彌漫的地方，牠就退縮不前。但又非通過不可，於是象僮不能不拿出他的三把斧來。象僮騎在象的頭上，人坐在象僮的後邊一個籃子裏或一個籠子裏。象僮彷彿是一個駕駛員，他手裏有一個小竹竿，彷彿是方向盤，他口中唱着歌給大象聽。他的腳彷彿是輪盤，快慢完全看他的腳。他的腳放在大象的耳朵後邊，踢着大象的耳葉，叫牠快就踢得快些，叫牠慢就踢得慢些。象僮還掛着一把刀子，到象發脾氣或停止前進的，即用刀砍他的前額，牠流出來的血是黏的。誰都知道象皮是厚的，牠一看見血流，牠就聽話了。

丁博士騎馬有過見大象的時候，丁博士騎大象也有發脾的時候，惟吉人天相，幸都沒被摔死，但已險矣。到了江邊，又換象乘船，這船是划的。薩爾溫江恐怕是世界上最美麗的江了！特別在他的下一段。水面寬而且深。由於兩旁的山不高，但林茂竹修，相映成趣，江水也都變成了藍色。水之平是沒有的！水平如鏡，山上的林木倒影在水中，清晰可辨，那該是如何的美麗啊！有時候，水忽然窄起來，兩旁的山忽然直起來，有如四川之巫峽，台灣的天祥太魯閣，那美麗極了，船下去，有如箭一般。在這上面，又有一天半才到達了美麗碑，與吉倫領袖會談。

中華民國內政部[illegible]
中華民國僑務委員會登記證[illegible]
中國郵政台字第一二八二號執照登記為第一類新聞紙

自由報

（第一一九一期）

（半週刊每星期三、六出版）
每份港幣壹角·台幣零售價新台幣二元
社長李運鵬·督印黃行斋
社址：香港九龍官塘康寧道117號後座二樓
117 HONG NING RD, 1/F REAR, KWUN TONG, KOWLOON, H.K.
TEL: K-433653
電報掛號：7191
郵箱：官塘郵政信箱9583
承印：景昌印刷公司
地址：嘉咸街廿九號地下
台灣區業務管理中心：台北市許昌街廿六號
電話：三八〇〇〇二
台灣區直接訂戶　台灣劃撥戶
第五〇五六號張萬有（自由報會計室）
台灣分社：台北市西寧南路110號二樓
電話：三三〇三四六、台郵劃撥戶九二五二號

本報專論

談尼克遜訪問中國大陸（二）

·侯立朝·

三、美國聯毛的現實性

在梅特涅執政時還有一個特點，即不必多關心內政，而以外交代替之。尼克遜在其外交軍師季辛吉的挾持下，也走上了梅特涅的這個路綫，以外交的圓滑來解除內政的危機。

上面提到現實世界有四大勢力圈，根據季辛吉的構想，這四大勢力圈應該維持現狀，以保和平，任何一圈要打破此一均勢，美國必須加深關切，設法維持均勢。此四大勢力圈為：

（A）美國勢力圈。
（B）日本勢力圈。
（C）蘇俄勢力圈。
（D）西歐勢力圈。

在這四大勢力圈之外，是勢力伸張或尚待開發之地帶，如南美、黑色非洲、中東等地帶。這些地帶的勢力目前尚沒有支配世界的力量，只有被這四大勢力圈之一支配的可能，故被視為四大勢力的外延地帶。只要這四大勢力圈能夠維持勢力的平衡，即可影響到外延地帶的平衡。因此，世界和平的維持力是四大勢力圈，而不是外延地區。

怎樣維持這四大勢力圈的平衡呢？這就產生了縱橫的組合術。如果任何一個勢力圈能夠獨霸世界，勢力概念即不成立。問題就在於這四大勢力圈任何一國都無法有獨霸世界的條件，所以只有講求均勢方法了。均勢有幾個形式：

（1）兩極之均勢。
（2）三頭馬車之均勢。
（3）四綫大道之均勢。
（4）多元中心之均勢。

戰後的莫斯科與華盛頓兩極化，是兩極對立的均勢。戰時的德義日軸心，是三頭馬車的均勢。梅特涅時代的四國同盟，是四綫大道的均勢。中國戰國時代的七雄爭霸，可以稱之為多元中心的均勢。一九五六年之後，莫斯科中心由於匈牙利革命破壞了，它變成了兩個中心，即莫斯科中心與北平中心。而華盛頓中心也於一九五六年蘇伊士運河事件破壞了，它變成了兩個中心，即西歐中心與華盛頓中心，日本在一九六〇年之後，也漸漸與華盛頓中心脫軌了。因此，在本世紀七十年代的世界政治舞台上，最起碼的幾大勢力中心：

（1）莫斯科勢力中心。
（2）華盛頓勢力中心。
（3）西歐勢力中心。

至於日本，它處在美、毛，俄的三角架之下，在七十年代中它會轉向，但必依附於此三角之一角，故很難成為一個中心。美國面臨到如此的形勢，將如何組成均勢呢？有幾個公式可循：

（1）以俄均歐兼均毛之勢。
（2）以歐均俄均毛之勢。
（3）以歐以俄均毛之勢。
（4）以歐以毛均俄之勢。
（5）以毛以俄均歐之勢。

美國在戰後第一個十年，使用的第（2）公式；甘迺迪時代，使用的是第（3）公式；目前則有使用第（4）公式的趨勢。至於第（1）和第（5）公式，美國沒有使用它的基礎，故那只是公式的組合，沒有實質的可能。為什麼美國人要以蘇俄為假想敵？還有歷史的因素特別是歐洲移民對於美國政策的影響，也有現實的因素特別是政治形態及科學競爭。同時由於日本與美國的商戰及政治上漸有脫軌行動，以及蘇俄在西歐的統戰很成功，美國漸漸感到它的兩翼有失去的可能，因而把第（4）公式提早使用。

不僅此也，美國還面臨到兩個特殊問題，也必須求助於毛共，其一是越戰的結束問題，其二是美國的社會問題。最後一項才是尼克遜的選票問題。由此，我們可以知道，美國在對蘇俄的均勢布局上，外在的兩翼的喪失，即失去均勢的助力，內在的越戰不結束，內爭即不能平息，也失去均勢的基力，當然明年選票也就靠不住了。尼克遜有了這樣的五大危機（西歐的脫軌、日本的脫軌、越戰困擾、社會問題、選票問題），想以聯毛來平衡它，這不僅僅是尼克遜的政治手腕，同時也是美國的「救亡」措施，我們必須深透一層來了解它。

四、毛共聯美的辯証法

一九六〇年的毛共，對外鬥爭有兩條戰綫，此即：反蘇修，反美帝。由於歷史的發展特別是由於「文化大革命」的發展，使[illegible]共對外鬥爭不得不把反蘇修放到第一綫。

檢查毛共的外交史，使我們感到很可笑，也使我們感到他們的幼稚及肉麻與肉緊的幾回表現。事實證明是：資本主義的朋友是靠不住的，而所謂社會主義兄弟更靠不住。一九四九年，毛共以在北平宣布其對內的「四大政策」和對外的「一面倒」，並隨即赴俄朝拜史大林。一九五〇年，史毛條約訂定，韓戰爆發，毛共有「抗美援朝」運動，十一月毛共參與韓戰打美國。

一九五六年，赫魯曉夫鞭史運動，並與狄托修好，以「和平共存」作為莫斯科的新路綫。此時，毛共與莫斯科有爭論，基本上仍是「一面倒」的。一九五七年莫斯科宣言，毛共仍在高聲地呼叫：東風壓倒西風，社會主義兄弟回家必須有一個頭，這個頭就是蘇俄。

一九五八年，毛共開始搞「大躍進」運動，並炮打金門，赫魯曉夫不將核子知識供給毛共，俄毛之間裂痕擴大。於是乃有劉少奇代替毛澤東出任偽「主席」，毛被放到「第二綫」。一九五九年，毛共與印度之戰。一九六〇年莫斯科聲明，沒有能夠拉平俄毛之關係，雙方展開論戰，邊境時有衝突，俄毛正式分裂。

一九六四年，越戰由美國介入而擴大，毛共第一次核試，赫魯曉夫下台。一九六五年，印度反共，把毛共的「萬隆會議」五原則驅逐。毛共開始向劉少奇反攻，「文化大革命」奪權鬥爭爆發，劉鄧集團被整，毛林集團重新以槍桿子執政，實行軍事統治，一直到現在它的黨政解體沒有復原。一九六九年，俄軍壓境，有珍寶島事件。一九七〇年，俄德互不侵犯條約訂立，蘇俄採取了西守東攻，要鎮壓毛共。

從毛澤東的處境來看，它目前有六大危機，有一個危機擴大，即有被翻覆之，此六大危機即是：

（1）俄共軍事的壓力（北綫）。
（2）日本經濟的壓力（東北綫）。
（3）黨政解體的壓力（內綫）。
（4）台灣出擊的壓力（東南綫）。
（5）美國擴大越戰的壓力（南綫）。
（6）蘇俄印度的壓力（西南綫）。

這種處境容我們用兩句文言文來形容：四圍荊棘，腹背受敵。毛共要面對世界的前三名（俄、毛、日）的政經壓力，又要面對內部的壓力及台灣的政治壓力，其危機之狀是不言而喻的，惶恐以虛張之勢來掩護，也是可以理解的。目前毛共的日子不好過，遠超過慈禧太后而臨到八國聯軍的時代。

毛共有了這六大危機，為什麼它還未曾遭受到如八國聯軍攻北京的惡運呢？這由於下列的四大矛盾發生作用：

（1）日本侵略中國失敗的經驗，教訓了後來者。
（2）毛共的人造衛星核子武器的報復力。
（3）誤把大陸人力與毛共聯結在一起。
（4）美、俄、西歐、日各國間的矛盾，特別是西歐美國與蘇俄均勢的矛盾。

毛共在其「一面倒」之後，敢於兩面反（反蘇修反美帝）者，就依靠這四大矛盾的運用。這四大矛盾畢竟解除不了它的六大危機，於是乃有尼毛勾搭的聲明，聯美以解除其六大危機。（未完）

昨日與明日

莫再斤斤於聯合國問題

自從美國當局硬要牽毛共進入聯合國，而提出所謂「雙重代表權」建議案以來，咱們朝野上下人士，相率表示意見，議論不歇，固屬義所應爾。可是，咱們縱然舌敝唇焦，振振有詞，不特美國置若罔聞，即其他的友邦如日本等等，亦不敢仗義執言，拔刀相助的。國與國之間只講「交易」，無所謂「交情」，咱們何必斤斤於是呢？

聯合國席位的價值，只是一種面子問題罷了，我們自身能有自立自強的力量，你不想參列於其間，別人亦非請求加入不可；空言爭論，毫無用場，并且利未見而害已先奮，如最近台灣美元價格之突告上升，即其一例。

美元價格暴漲的裏因

台灣美元市價之暴漲，表面原因當然是美國對華政策突變所使然，許多有錢人相驚伯有，要把私財向外國逃避，不惜擾亂金融，搖動人心。但台灣素來嚴禁美元公開交易，犯者繩之以總動員法，決不寬假，何以竟有此等現象發生呢？

如係普通人民所為，主管機關很容易控制，因為資金向外逃避，必須通過金融機構或中外合資經營的工商企業單位，不能隨便將大量美元套匯出去的。只有一般貪官污吏，憑藉地位和人事關係，即有方法將其造孽錢流入異域，備作他日遠走他邦作寓公的張本。所以，我認為台灣美元市價之狂漲，必係有權有勢的貪官污吏從中作祟，與普通老百姓無涉，而主管機關不能辭其責。

「多難興邦」不是空談

「殷憂啓聖，多難興邦」這兩句話，正是我國現階段的寫照，大家應該在日常生活中篤實履踐，表示苦幹精神，却非空喊口號所能濟事的。

然而，綜觀現實情況，論經濟建設，只見豪華的觀光旅社和夜總會日新月異，而行政[illegible]則競事大興土木，營建辦公大廈，美輪美奐，充分表現着「此間樂」的心情。談政治改革，最重要的就是實行所謂「三卡制」，關於如何團結海內外人心和力量問題，喧嚷了二十年亦僅止於議論而已。許多事情但見一肚虛矯之氣，自我陶醉，只靠最高領袖一個人宵旰憂勤，以期獲致「多難興邦」的績業，烏乎可呢！領袖早就告誡大家要知恥自強，咱們捫心自問，究竟實行了沒有？顧亭林說：「士大夫之無恥，是為國恥」，可以深長思也！

·何如·

自由談

美國人的犯罪觀

美國有一民間組織的「犯罪研究委員會」，最近提出一種研究報告書，認為欲求社會犯罪情況減少乃至於消除，必須使同性戀愛合法化，男女裸體結婚或游行，百無禁忌，嬉痞生活自由，吸大蔴不受干涉……云云。

在這種構想之下的社會生活，一切作奸犯科的事情，皆視為是個人自由權利，任情恣肆，根本就無所謂「犯罪」觀念，法律成為無用之長物，政府亦失去存在的意義，詎不懿歟？可是，這樣的社會生活，勢非構成「率獸食人」的狀態不可，而文化與文明隨之毀滅殆盡，人與禽獸何別乎？

美總統尼克遜目擊着一般社會羣衆生活之腐敗惡化，主張重整道德，這是隔靴搔癢之談。美國的個人自由主義，冠絕全球，而其資本主義生產力之發達，亦獨步世界，但分配不合理，社會貧富懸殊，拜金與享樂，是至高無上的人生觀，乃至於競選總統，亦以金錢為勝負的決定因素。所謂道德標準，根本就不存在，重整之說，從何談起呢？

職是之故，大多數人的心情，由不滿現實而趨於煩悶失望；因失望而憤世嫉俗，而頹廢墮落，無所不為。思想混亂，是非駁雜，上自國計民生，下迄飲食起居，皆為利己自私，滿足眼前慾望是務，甚末國家利益，公共福祉，誰也不屑措意。這纔是今日美國的危機所在，決非空喊重整道德所可挽救的。必也注意於文化思想體系之健全，糾正漫無限制的個人自由主義，而輔以生產與分配合理化，進而改革社會制度，消弭一切畸形發展的社會現象，人們的犯罪行為必卜相應減少，不成問題。

這亦可以說明吾國現時的復興中國文化運動，何以只鬧口號而無實績之所以然，值得大家深思熟慮的。

馮五先生

天下事

尼克森的唐吉阿德精神

屠格涅夫在一百年以前曾經說：「人性可分成兩面；那些不顧對錯，直奔目的的唐吉訶德先生們，和那些一事無成的哈姆雷特們」。時值二十世紀七十年代，却出現了一位標準正宗的唐吉訶德；就是那位不顧國家的羞辱而一廂情願的向毛共告饒乞憐的尼克森先生，他這種投降的作風還有個名堂，叫作什麼「尼克森主義」，實際上却是喪權辱國的壞主意。

唐吉訶德有個跟班。尼克森也有個跟班；名字是季辛吉，這位花花公子出身的政客最精采的表演是假裝肚子痛，這比過去羅斯福的跟班：那位出名的蘇聯間諜居禮顯然多出一樣本領。

尼克森在七月十五日晚上十點鐘，出現在螢光幕上，發布要到赤都去「洗腦」的時候，竟然得意洋洋的以和平使者自誇。但十五分鐘以後，毛記的「北京人民電台」，便以「打倒美國帝國主義和一切的走狗」來回敬了。季辛吉亦以能不讓居禮專美於前，比尼克森還得意洋洋幾十倍。

目前美國內部最嚴重的問題；是通貨膨脹和社會失業，尼克森應該就這兩個課題多份努力，才是根本之圖，而他偏偏該脊打鑼去打鼓，妄想以有奶便是娘的辦法，解決越戰問題。夫北越共黨一向受蘇聯、毛共的共同支援，和[illegible]，毛共大不了能作三分之一的主，何況北越已一再表示態度，說「要戰鬥到底」的。在處理中南半島問題上，尼克森簡直走錯了路，很可能一事無成，白忙活一陣。

我們一向愛護尼克森，眼看着他以唐吉訶德開始，以哈姆雷特收尾，眞有說不盡的惋惜。

八月二日尼克森政府又宣布了在聯合國兩個中國的政策，這眞是「左」的離譜了，處此逆流，我們上乘的辦法，就是以靜制動，以「挺」（曾國藩的挺經）制「左」。讓尼克森走他的「投降」的獨木橋，我們走我們「勝利」的陽關道。假如有人懷疑代表正義和眞理的自由中國得不到最後勝利，那這人的精神狀態也就和尼克森先生差不多了。

・老正卯・

國中發生不良偏差 惡性補習死灰復燃

省議員指責教育當局敷衍 對學校違反禁令不加制止

（自由報台北消息）省議員蔡介雄就國民中學所發生的不良偏差問題提出質詢，他說：惡性補習死灰復燃，惡性補習已由小學轉入國中，有老師要學生去他家補習，也有介紹學生去補習班自己收取佣金，還有甲老師介紹學生去乙老師處補習，乙老師介紹學生去甲老師處補習，互招生意，更有老師自己辦補習班，要本校學生去補習，以及老師租借補習班教室要學生去補習等惡風頗熾，如不及時法遏止，則九年國民教育將全功盡棄。

國中三年級課業輔導：學生家長都抱同樣心情「望子成龍」「望女成鳳」，都希望自己子女能考上一所理想的高中，在此升學競爭激烈的時代，不設法補習就放心不下，且學校既遵令不得正式的舉辦升學輔導，其對學校失却信賴，對自己子女前途渺茫惶恐之餘，只有求諸補習班或私下找老師補習，於是放學後學生爲補習到處奔走，惡補之風，因之而盛，既傷身心，又不安全且增加家長精神與金錢之雙重負担。台北市教育局爲輔導畢業生升學，已斷然地准許國中升學輔導，恢復過去初中的升學課業輔導辦法規定輔導時間由校方按規定統一收費，并由學生自由選擇參加與否，此種明智之措施，業已深受各界歡迎與支持，此舉非但解決了學生在學習上的困難，同時也可減輕學生家長們的精神與金錢的負担，更能有效地杜絕補習轉爲地下與滋生惡性之邪途，化暗爲明，轉惡性爲正規，方爲疏導補習，消弭惡補之正道。

教育當局負責人皆推託塞責，敷衍了事：據聞部份國中擅將職業選修科和藝能科課程，暗上英、數、理化和國文，又有班級學生集體，自行收費公開請老師補習，更有少數教師利誘威逼學生參加地下補習，政府雖三申五令不按課程標準授課或收費補習者，甚至在家私設補習班收容學生補習者，校長及教務主任等有關人員應受處分，但至今惡補仍自惡補，禁令自禁令，始終未聞駐區督學，和縣市教育當局有所行動，亦未聞校長或惡補教師受到處分，如此下去學校陽奉陰違，政府威信掃地，使九年國教的神聖目標，將被摧毀無遺。

課本獨家包攬 銷售價格奇昂

教科書由獨家包攬，價格昂貴，又未能及時發下，影響入學率：現行國中教科書係由國立編譯負責編輯，而歸台灣書店獨家銷售，若干原是道道地地的正當書局被摒棄在外，因而造成孤行獨市，獨家壟斷銷售的局面，致全國國中學生任其搜刮與剝削，其價格各方面早有敦促降低售價，以減輕家長負担之議，然直至如今，價格不但未見降低，反有變本加厲之勢，尤其甚者爲主管當局，每年還將各科教科書做極小部份的修訂，有的甚至整書只有兩三句的刪改，而使兄姊使用過之課本，無法繼續供弟妹接用，無形中逼其新購，實有變相強迫推銷及官商勾結圖利之嫌。又部分國中學生課本遲遲不發，嚴重地影響到學生之課業。

明年起高中高職入學考試不採取四育均衡發展的考試辦法，將影響九年國教正常發展：國中教育特別強調四育均衡發展，以培養健全的國民，但在「考試領導教學」的情況下，高中高職入學考試不採取四育均衡發展辦法，倖考智育有關科目將嚴重影響教學正常化，尤其一向以「加強主科之教學時數」爲號召的私立國中，更可一意孤行爲所欲爲的大招廣徠，致有部分家長寧捨近就遠甚至願多花錢讓自己的子弟去就讀私立國中這樣一來就違背延長九年義務教育的宗旨。

私立初中仍在自由招生 與推行國教政策有牴觸

私立初中招生問題：延長九年國民教育，以國小免試升學國中爲其中心策政，積極方而在實施德智體羣四育并重的教學，提高國民素質，發揮人力資源，消極方面在遏止戕害國民幼苗的惡補歪風，因此現在尚有甚多私立初中仍自由招考新生，便與施行國民教育政策相抵觸，并有導致惡補死灰復燃之趨勢，在此紛歧矛盾的教育形態中，必須找出一個合情合理合法的妥善解決辦法，才能使九年國民教育完整體制與一貫精神推行盡利，私立初中改設高中、高職或五專，自屬一種好途徑，不然改爲代用國中亦屬良策。

「使人想不通的事」讀後（二）

且有地址狹隘，事實上即欲增建教室，亦無空地可資利用者。使部分國中教室空閒，部分國中教室不敷應用，若非無能，定係存心搗亂。至於教師問題，更爲各校校長增加不少困難，增班之國中自有不少所謂經過「職前訓練」人員可資補充，其減班之國中超額教師，又將如何解決？似乎國中亦有「親生」與「油瓶」之別，此非製造問題而何！若就其他各方面言之，幾乎皆是。吾　兄所謂「想不通的事」也。近者如計程車之加價，螢光號等對號車之雙票制，以及各機關辦公時間之改訂等，指不勝屈矣。國外情形如何，吾　兄常遠赴海外講學，當有不少見聞。據小女由美來函，偶亦述及，頗多國內報紙未載者。今日台灣表面安定，自社會上種種表現觀之，則文化、教育界尤其大衆傳播事業，均不能令人滿意。蓋鼓舞民心士氣者太少，而腐蝕人心，製造混亂者太多也。此指如走私、販毒、僞藥等案，層出不窮，疑其另有主持者，當係有組織之陰謀活動。大凡走私必與販毒有關，而販毒必與匪諜有關，至僞藥製造與銷售，經費之鉅，組織之大，亦殊驚人，其目的亦在擾亂社會。甚至製售有毒素之各種食品如罐頭等，縱非有人主謀，亦足以造成人心遑遑不安，其害亦不下於匪諜也。在大陸失敗之慘痛教訓，使弟不能不變，不能不惑。吾　兄其何以教我乎？本校因超額教師廿餘人，以致時至今日，聘書當無消息，自前亦未作打算。如繼續在本校任教，擬再教兩年即請退休，另謀私立學校任教，勉爲糊口也。日前張君××來舍，閱及自由報版感興趣，又拜讀吾　兄大作，因詢及如何訂閱。茲附另紙，擬請費　神代訂一份爲感。暑假尚有一月之久，如有所感，當利用假期草爲短文寄呈也。餘俟再陳，

敬頌

雙綏　並請閤第均吉

弟趙憶華拜啓　六十年七月廿七日

（續完）

・趙憶華・

審查動物用藥品法 立委意見不一

白如初主張限於家畜用 魏壽永認不宜局限範圍

（自由報台北消息）立法院討論「動物用藥品法草案審查修正案時，立法委員白如初說：第三條所稱的「動物」，究竟是指何種動物？民國五十六年八月八日制定家畜傳染病防治條例，第四條謂：「本條例所稱家畜係指牛、水牛、馬、騾、驢、駱駝、綿羊、山羊、兔、豬、犬、貓、鷄、火鷄、鴨、鵝及其他經中央或省（市）主管機關依實際情形，指定之家畜而言。」所以本席認爲動物就是指這家畜，本條例應將動物之界說予以規定，否則顯得模糊不清。是否應加上一條「本法所稱之動物包括……」，尚請院會公決。

立法委員吳延環說：本席認爲動物用藥品使用的範圍不應只限於家畜使用，否則有時就不合用。例如動物園或馬戲團的獅子、老虎、大象等生了病，就要用動物用藥品，而獅、虎、象等很明顯的不是家畜，所以本席認爲動物不應僅指家畜。

立法委員魏壽永說：白委員說應規定出動物所包括的種類這個意見很好，但是本席也認爲不宜將動物範圍局限於家畜。現在世界上有很多動物因特殊環境，即將絕種，而新趨勢是要保護之，不使之絕種。所以本席認爲動物的範圍除家畜外，其他玩賞的動物顯然亦應包括在內。希望白委員勿再堅持。

新加坡的蝨子市場

（新加坡通訊）位於梧槽河畔的虱子市場，是一個令人留連忘返的地方。許多人都有逛這個平價市場的習慣，有些人並不是要想買什麼東西才到這市場上來，他們只是習慣地在空閑的時候到這個遠近知名的市場走一趟。

我們這裏并沒有人把這個平價市場稱爲虱子市場，可是這個市場的名稱却很多，有人將這個地方叫「江仔地」（也就是閩語河畔的意思），有人叫它「淡水河」，也有人叫它「結霜橋邊」，西方人或受英文教育較多的人叫它爲「宋溪路」，馬來人管叫「午市的羅敏中」。（未完）

劉半農記賽金花

中報北平通信

關於賽金花（本名傅彩雲，又名曹夢蘭，在庚子前後，北京人呼之爲賽二爺，現她自命代魏趙靈守節之故，又自稱魏趙靈飛。）之最近消息，及其爲人種種情態，自兩年前，經某小報發現其尚在人間，困居春明以後，各報記者，以其爲關係中國一段與亡史實之有名女子，迭紛紛訪問，不斷記載，每遇新聞平淡。消息枯竭之際，即將賽氏請出，縷縷述其談話，詳其起居，故賽金花三字，三年來，幾成新聞界常年借用之必需題材。不過三旬，各報必發現一次，以此原因。賽氏以垂老之年，既窮且病，忽得社會之垂青，引起南北一般之注意，其冷落門巷，既不斷學者名士之事跡而電影戲劇文學小說各項文人及營業家，尤視爲奇貨，咸欲一識其人，假之爲唯一號召羣衆之媒介。（平市某戲園，前曾請其演說，事前大登廣告，賣票竟貴至五元一座，年內某飯館開市，亦將賽氏拉到，遍約各界名流，與以參觀。賽氏，經此意外發展，其個人生計。固因此稍稍充裕，不無小補；（如張競生劉半農均先後濟以小款，）而同時社會上，對人之誤解，亦愈呈隔閡，而理想中之賽金花，乃去事實不可以道理計矣。記者與賽氏，有頗有通家往來之雅，故知之最清。

（附註：）

半儂先生所謂伊當嫁一滬寧鐵路局職員黃某，或即是曹瑞忠其人，因賽金花第二次携舟重到上海在小花園重張艷幟，這樣的混了幾年，她的年紀已三十三歲了，徐娘半老，她感覺到時光如白駒過隙去時已多，來日便少了，便在宣統三年，結識了滬寧鐵路的總稽查曹瑞忠，年齡比他小三歲。他待她眞是體貼入微，雖然他也是中年的人了，但他有一片熱烈的心懷，和誠摯的情感，他的收入也不算少數，可是他不像那豪富少年的那樣揮霍，不會鬧玩，她覺得他是閱歷中的一個特殊漢子，經過幾次的考慮，他們便毅然決然排除一切，舉行結婚實行同居了。她和曹瑞忠過着愉快的家庭生活，她眞感到「入家人」的樂處，比較賣笑生涯，有天淵之別了，然而花不常好，月圓易缺，一年之後，她的良人突然受了流行性感冒，臥在床榻了，起先醫生說他是時疫，祇須服兩劑疎化的藥，便會全愈的。但經過了三四天，症狀突然轉劇，醫藥罔效，終於一語不發闔目長逝了。因此，她又第二次做了孀婦。

鍾皎光官運亨通

·文匯樓主·

文匯樓別記

曾文正公求闕齋日記說：「古來聖哲名儒之所以彪炳宇宙者，無非由於文學事功，然文學則資質居其七分，人力不過三分，事功則運氣居其七分，人力不過三分」，又說：「思人心所以擾擾不定者，只為不知命，陶淵明、白香山、蘇子瞻，所以受用者，只為知命，吾涉世數十年，而有時猶起計較之心，若信命不及者，深不媿也」。

把上邊這幾句話讀後，苟知自安於命，為所當為，無為其所不當為，對轉移世道人心與社會風氣不無幫助，我們以前任教育部長鍾皎光來說，MIT博士落伍已久，聽過他課的台大學生可作證明。工學院弄的一團糟中晉升教務長，任內除背數字外，沒有甚麼顯著建樹，又昇為交通大學校長，任內未聞延攬知名教授，有者帶了外甥及姨妹，走馬上任。於無災無難中再升為教育部政次，不到七個月官拜教育部長。影子梅縣同鄉會很快跟着產生，一些未聽到的笑話於今皆慢慢的傳出。

鍾皎光不會做事，為政壇所公認，據說：人並不太壞，這次奉命出國考察，回國後有安排做台南成功大學校長之說，未料突然爆出安徽雙傑，一是張宗良出長國立台灣師範大學，一是倪超出長台南成功大學，這樣一來，鍾皎光豈不是落了空嗎？

不！一個人要「不信書、信運氣」，且聽樓主道來：以孔子的大才，而器不周於魯衛，以孔子的雄辯，而言不行於定哀。以孔子的謙，而見忌於子西。以孔子的[illegible]，而取讎於桓[illegible]，以孔子的智，而屈厄於陳蔡。以孔子的行，而招毀叔孫。孔子的道足以濟天下，而不得貴於人，言足以經萬世，而不見信於時，行足以應神明，而不能彌綸於俗，應聘七十個國家，而不能一獲其主，驅驟於蠻夏之域，屈辱於公卿之門，其不遇可以推想了。以證於埋沒人才，古之較今猶有過之。

本篇開頭，就引證曾國藩的話：「事功則運氣居其七分，人力不過三分，」鍾皎光回國後，成功大學校長既有倪超出任，鍾的政績本文已概略敘述，於情於理祗好冷一個時間再說，鍾即不做參顧，也得到公家銀行，或公營事業董事一番。真是無巧不成書，台灣的牙醫師考試出了舞弊案，考選部長李壽雍的紗帽在炎暑之中被搞下來涼快涼快。考選與教育本有分不開的關係，就這樣一湊一和之間，鍾皎光又做了考選部長，孫嚴越將受命為政次。一般咸信，考選部這一次應當不會再有梅縣同鄉會出現了。

所謂：「維新政府」（三）

·本報資料室·

唐紹儀做不成聯合政府的總統，竟死於非命，無數人對他的不保晚節，深當惋惜。而最感失望的就是日軍當局，因為他們認為唐紹儀是組織聯合政府的理想人選，現在唐紹儀一死，他們又要傷腦筋了！

唐紹儀慘斃之後，日方着令租界警方全力出動調查偵緝，認為謝林二人隱伏租界之內，非拘捕歸案不可，何況當時慘案現場，還遺留着一盒用楠木盒子裝的古玩。

原來盒中的古玉件，共有八件，其中一件還緊緊的握在唐紹儀手中，大約姓林的人見到唐氏已經倒在血泊之中，不免有些心慌，就匆匆的離開現場，這一盒東西，就留在唐氏陳屍的室中。

這一盒古玩裝在一個很精緻的楠木盒中，盒蓋上刻着四個大字，下款刻的是「莫釐席氏珍藏。」警方得到這件東西，就召集幾個古董商人來研究，問這盒東西的原主是誰？幾個古董商人一看見這件東西，都面有難色，不發一言，後經警方再三追問，才有一人說出，莫釐即是洞庭山的別稱，席姓是洞庭山的大族，警方得到這線索，就傳訊一位曾經做過銀行買辦的席某，這位席某人年事已高，一些受不起驚嚇，很爽快的說出來：「看來這是席裕昌的東西。」於是警方接着就傳訊席裕昌。

席裕昌業律師，家中十分富有，喜歡收藏古玩，他家中的一切傢俬設備都是用楠木製成的，而且在蘇州自建花園，規模很不小。

席大律師在上海本也有相當聲譽，可是八一三戰爭之後，一因年事已老，二因業務清淡，所以他就靠出售歷年珍藏的古玩來度日，在唐氏命案的前幾天，姓謝的古玩商人曾說：「你的那盒『翠玉八駿』，我已經有了受主，現在我想拿去給他看看。」席裕昌認為謝某向來很有信用，所以就把這盒八駿交給他，後來報紙上一透露這件命案之後，席氏看到了，不但驚駭，而且大跳其腳，認為姓謝的一定會帶了這盒古玩逃逸無踪了。

一天，席裕昌正在愁眉不展之際，忽然警方來了四個人，傳他到四馬路總巡捕房去問話，他本來對捕房中人都很熟稔，但是這一天他也提心吊膽起來，怕牽涉到自己頭上。他到了捕房，承認這些東西的確是他的，是由一位姓謝的古董掮客取去代為經銷的，當時許多警探都很原諒他，惟有一個日籍警探不以為然，說：「這是珍貴的東西，何以會輕輕的落在別人手上？」席裕昌迫得沒有辦法，推說：「這件古玩，並非上品，乃是玻璃做的，價值不高，所以隨便給姓謝的拿去。」日籍警官也不出是真是假？竟被席裕昌這句話混過了，後來席氏便把姓謝的店舖以及日常行踪，一一告訴了警方，方能脫身。

警方得到席氏的資料，便大事搜索，但是四處搜尋，都不得要領，大約隔了十五天光景，席裕昌收到一封由香港發出謝姓來信，筆跡很工整，詞句很婉轉，向席氏道歉，席裕昌得到這封信，即向警方報案，同時向警中請發還這件古玩，其中一個華籍捕頭對他說：「你申請發還，夜長夢多，不如另外仿製一盒，偷天換日，省事得多。」

事前，席裕昌為了要銷售這件古玩，早已攝成許多相片，於是連夜請人依照相片雕刻同樣的八駿，以假換真，才收回他所失去了的原物，只是一隻楠木盒子還留在捕房。

後來，捕房得到席裕昌報案的一封信，及在謝姓家中搜到的許多文件，核對筆跡完全相符，因此也在毫無辦法之中銷案了事。

那時節，租界捕房貪汙成風，連日籍警官也同流合汙，可是日籍警官，不知道古玩已經換去，他提議將這盒古玩大家瓜分，他拿了四件和一隻楠木盒子，其餘四件由華籍捕頭拿去。（未完）

陳果夫講「藥」故事（八）

·門外生·

一天，曲六走路上看到一個獵人打到一隻小豹回來，小豹打傷了臀部還可以走路，曲六就聯想到兔與狗能自己找傷藥的事，就向那個打獵的朋友買了來。回家之後，找了一根繩子把牠帶着，又叫他老婆做了一只豹用的口罩防牠咬人。第二天曲六起早帶了豹子到山中去找藥，豹子和狗一樣用鼻子嗅着，嗅得某種草要吃時候，曲六就把牠的口罩解開一部份讓牠吃，一共吃五六種藥草及樹皮，曲六每種都取了一些樣品回來。豹子回家以後，似乎好了一半。第三天早晨，曲六又帶來了牠出去，豹所吃的東西仍舊是那一套，豹子吃了兩次藥休養幾天竟然好了。曲六把狗吃的藥和豹子吃的藥兩相比較，其中大半是相同的。曲六好奇，又好作研究，有一天他把狗吃的和豹吃的藥取了很多來放在家裏，再把這隻豹子打傷。各種藥草都放在豹籠旁邊，於是豹子向四周嗅着，先嗅得那種狗吃的止血的藥，吃了很多。也與狗一樣向水槽裏吃了一些水，血就止住了。然後再嗅其他的藥，又一樣一樣的吃，吃了就睡，醒了再吃。幾天之後，傷又好了。曲六越發覺得有趣。於是每次出去採藥的時候，總想法打傷一樣動物，繼續作研究。一共打傷了十幾種動物，如鹿、牛、馬、山羊、猴子、蛇、獾、狐、野豬、野貓等，牠們都會自己找藥來醫治，不過打得太重，就沒有能力去找了。把頭部打暈，失了知覺，就更無辦法發展牠的本能了。曲六做了一年多的工作，常常跟着動物，並且每次都帶回一大批的藥。這種藥採的多，竟把原來採藥的工作耽誤了，那一年幾乎家裏沒有飯吃。他的老婆責備他，旁人也勸他，他總是不聽。一直到他把各種動物自己治傷的藥一一記錄下來作一比較。

（未完）

讀書雜鈔　十七

·林傳·

後漢敦煌太守裴岑破呼衍王碑，在巴坤海子上關帝祠中，屯軍耕墾，得之土中也。其事不見後漢書，然文句古奧，字畫渾樸，斷非後人所依託。以僻西域，無人摹仿。石刻鋒棱，猶完整。乾隆庚寅，游擊劉存存，（此其字，其名偶忘之矣，武進人也。）摹刻一木本，灑火藥於其上，燒為斑駁，絕似古碑，二本並傳於世，鑒賞家率以舊石本為新，新木本為舊，與之辨，傲然弗信也。以同時之物，有目心之人，而猶顛倒如此，況以千百年外哉！易之象數，詩之小序，春秋之三傳，或親見聖人，或去古未遠，經師授受，端緒分明，宋儒曰：「漢前人皆不知，吾以理知之也。」豈類此夫！（閱微草堂筆記卷十）

時論曰：書畫古董真偽難辨，自古為然，從前鑑賞家或稱鑒定家。今人略知皮毛，人稱專家，竟自亦瓦釜雷鳴，輒扯某某專家旗號，招搖中外。「專家」一詞被汙，凡擁有專家之名者，人格亦被汙貲而不知耳。真正精於鑒定者須經長時間磨練，經過三個階段，蓋喜愛書畫古董者必好收藏。第一階段，因不懂而上當，被人矇蔽，無能力分別真贗，往往以高價收購贗品，上當之後，悔已無及。第二階段懂得之後不致上當，在第一階段上當吃虧既多，因上當而得教訓，由教訓而增經驗，外行變成內行，真正懂了，即不再上當。

（未完）

神醫華佗

周吉

前面提到過的陳登（元龍），為廣陵太守時，病在胸中煩悶，面紅不食。延華佗醫治。

華佗診斷已畢說：「太守胃中有蟲數升，乃是喜吃腥味所致。」即開藥熬湯，先飲一升，過兩個時辰再飲一升，再過一個時辰，陳登口吐紅頭蟲三升，痛苦立癒。

華佗臨行時，特別告誡說：「太守的病後三年當發，若遇良醫療可得救」。後三年，陳登由廣陵太守遷東城太守。當陳登遷東太守時，全郡的吏都願與他去東城。陳登最後發病，是在東城，故華佗不在。結果果如華佗所言如期而死。因有人說曹操之所以要殺害他，就是為此。即如孟德所說：「養吾病以自重」是也。是否真正是「養病自重」，留待後面再說，暫且按下慢表。

李將軍（抱朴子說是李通，本傳未着姓名）的夫人，說是因產後失調，延華佗診治。視脈已畢，華佗對李將軍說：「傷娠而胎不去。」而將軍說「胎已去」，然佗按脈理，則胎未去，將軍以為不然，若此，則可另請高明」。華佗遂辭去。李通的夫人過了百多天，忽然覺得腹中有東西在動，方信華佗所說的不虛。於是再請華佗診治。華佗說道：「前胎小產，當生兩個兒子，一個因母流血過多，後面一個尚不及出世，母不自覺，旁人更無從得知，故不再使人接生，所以不得生產，胎死腹中，血脈不復歸，必燥著母脊，故使母體多脊痛，現今須以湯藥與鍼內外雙管齊下，死胎必出。」結果湯鍼齊下，婦人痛如生產，並使婦人用手探取，果得一男死嬰。華佗的絕技神妙如此。而且也是他治婦科例證之一。

關羽中毒箭　華佗術回春

且說漢獻帝建安二十四年，關雲長自引大軍圍攻樊城，親自騎馬至北門指揮，立馬揚鞭，指着城樓上的曹兵叫道：「汝等鼠輩，不早開城請降，更待何時」？正在之間，曹操大將曹仁在鼓樓之上看得清楚，見關羽身穿鐵甲，只披護心甲，斜袒綠戰袍，乃急令五百弓弩手一齊放箭。關羽急勒馬迴避，說時遲那時快，那裏避得及，一枝箭正中右臂，翻身落馬，幸虧關平動作敏捷，急忙救起，隨即揮軍抵拒衝出城來的一隊曹兵，將關羽護回本寨。拔出毒箭，可是箭毒已入臂骨，右臂青腫，不能搬運動。諸將勸關公暫回荊州調養，卻被關公訓斥一頓。諸將無奈，火速四方訪求名醫。忽一日，有一人從江東駕小舟而來，直至關公大寨。小校引見關平，關平一見其人，方巾闊服，臂挽青囊，自通姓名，這原來就是神醫華佗。因聽說關公乃天下英雄，今中毒箭特來醫治。關平道：「莫非昔日醫東吳周泰的那位神醫華元化先生麼？」華佗道：「正是在下」。關平大喜，即與衆將同引華佗入帳見關公。時關公本是臂痛，恐誤軍心，無可消遣，正與馬良奕棋，聞說有醫生到來，即請引見。禮畢賜坐。茶罷，關公袒下衣袍，伸臂令佗看視，華佗視畢，對關公說道：「此乃毒箭所傷，其中毒有烏頭（即附子，莖葉根皆有毒），直透入骨，若不早治，此臂無用矣。」

關公道：「用何物治療？」

華佗道：「在下自有妙方，但恐君侯痛苦耳」

（五）

安徽十三傑

管仲　李時　莊周　曹操　華佗　包拯　朱熹　朱元璋　戚繼光　李鴻章　段祺瑞　胡適　楊振寧

名人小傳（三）

·塞翁·

譚嗣同變法維新

譚嗣同，字復生，又號壯飛，湖南瀏陽人。他的父親曾任湖北巡撫，他要做官眞如探囊取物。十五歲能詩文，因見滿政腐敗，立志遠圖，旋投軍於新疆劉錦堂部，劉以為奇才，劉因不久調職，推介未果。旋遊甘肅、陝西、河南、河北、江蘇、安徽、浙江及台灣各地，以廣見聞。

一次與他哥哥旅行於長江之上，不期突然狂風大作，波濤洶湧，高過船頭，船上的人皆面如土色，他却認為是難得的奇景，談笑自若，且乘機吟出詩章。其胆識機智如此。甲午中日戰爭，清廷大敗，力圖維新，他在湖南也設立了强學會，以應康、梁的維新，並特往北京見康、梁，因康有為同南海，良晤於梁啓超，相談甚洽，於是更耳目一新。旋因其父反對，奉命去金陵作候補知府。此時湖南有志之士勵行新政，欣然返鄉參與推行，在各地先後創辦內河輪船，開礦產，築湘粵鐵路，設立新式學堂，作育人才，期以湖南為新政之模範。

光緒接受康、梁維新之後，譚嗣同也成了新政主要人物之一，而與楊銳、林旭、劉光第四人，並稱為軍機四鄉。光緒給了康、梁等密詔求救，嗣同奉詔感慟痛哭。於是他密往說袁世凱，天津解救光緒帝。袁佯為應之，乃暗中密奏慈禧。於是密洩禍至，嗣同不肯避，遺書啓超云：「不有行者，無以圖將來，不有死者，無以酬聖主。請你為國珍重！」勸啓超速避，而自己則靜候逮捕，終於不屈成仁。眞傑士也！

（完）

讀「岳武穆年譜」書感（六）

·李安·

明曲直與武穆之榮譽者，至為重大，李編年譜未附及之，茲錄其卷首之叙言全文如後，以見全卷之梗概，並以為本文之殿。

臣聞天上之不可泯沒者，惟其理之正也，藏于人心，散于事物，雖或晦而未彰，抑而未揚，瞭昧而未白，然事理之在人心，自有隱然而不可厚誣者，是故屈伸有時而不同，而自判，昔日之辱，未必不為今日之榮，而今日之屈，未必不甚後日之伸也。臣先臣飛，奮自單卒，宣政之間，已著功河朔，高宗皇帝受密詔，開霸府而先臣，首被識拔，蓋自是而歷官孤鄉，專制閫外，未嘗有蜉蟻子之援，獨以孤忠結知明主，自信不疑，勳名既高，纔甚橫出，而先臣之跡始危矣。是時城狐負恃，勢可炙手，天下之士，莫敢一攖其鋒，而先臣之得罪也，何鑄，薛仁輔，以不顧推鞫而逐，李若樸，何彥猷以辯其非辜而罷。士褭以百口保任，而幽之閩。韓世忠以莫須有三字，何以服天下為問，而奪之柄。最後而劉允升以布衣扣閽而坐極典矣。一時附檜之徒，如萬俟卨則以願備鍛鍊，自諫議而得中丞，王俊則以希旨誣告，自遙防而得廡軍，姚政龐榮傅選之流，亦以阿附而且沐累遷之寵矣，夫賞者人之所慕，而刑者，人之所甚懼也。顧豹狼朵頤而當路，乃相率而犯之，至於軒冕在傍，睨而不覩，是豈人之情哉，其必有大不安於心，而後不敢為也。蓋非特縉紳之流，心知義理之所在，乎恕之史，目擊冤抑之莫伸者之為也，而異時同列之將，不敢以嫌疑而不言，衛茅之士，不忍以非位而不言，療柄而未至於僇，謂未足以懲，猶之可也。朝上亟，寡拘天風旨之下，凌虐可知，訖不能追寸草之命，僇及其身，為世大恥。先臣既歿之後復有程宏圖者，大書直指以明先臣之冤，幸而大明當天，纔佞悉殄而宏圖之言，適合聖意而宏圖蓋未敢逆為此望也。然則是理之在人心，蓋如何哉。紹興更化，逐纔黨，復純州，還諸孤之在嶺嶠者，重以念先臣不忘之德意屬之，孝宗皇帝嗣位之初，首加昭雪，復其官爵，又錫之塚地，䘏以龍命，而錄其子孫，以予以錢，而恤其家族，給以元業，而使之不糊口於四方，旌以廟貌，而俾有以慰部曲三軍之心。日月照臨，下燭幽隱，雨露沾溉，遍及死生，功槩思洋洋，優出史牒。蓋自漢魏以來，臣被誣，誕讒無實，未有如先臣之抑，及其昭雪之際，眷渥有加，亦未有如先臣之榮者也。聖詔之下，老朝闕庭而暮四海，蠢輩辭，不謀同辭，咸曰此太山之本心，而今皇所以奉承而行之者也。忠憤之氣，固有時而伸，而殉國之臣，亦非奸邪之所能過已，蓋於是，而三軍北首死敵之志銳，中原來蘇望覺之心益切，天下抵掌撫足者，亦遂少舒其鬱抑之氣，此非臣私其祖之言，天下之公言也。先臣果何以得此於天下哉，其必有不泯於人心者存，而非可以智力使，抑以其理之正而已。何以明之，汪澈宣諭荆襄，周行舊壘，見其萬竈鱗比，寂無歡譁，三軍蜚屯動有紀律，乃歎然嘆曰，眞將之遺烈，蓋如此。繼而列校造前，捧牘訟先臣之冤甚，遂諭之以當奏知之意。此語一出，哭聲如雷，咸願各効死力，至有為臣久之，而嗷泣者。澈慰諭公爭氣之語。末止也。故先臣復官之旨，亦略叙其歸功之意，先臣御軍嚴整，雖小犯不貸，非專以姑息結之，而使之然也。即此以明先臣之事，蓋有人心之所同，而不待區區之辯。然先臣之得罪，天下莫知其冤，而不知其所以冤，請叙先臣之所以冤，而後它可言也。（未完）

談女相（二）（十六）

·錢一劍·

錢一劍談相

皮膚香膩乃富室之女娘，而色端嚴必豪門之德婦。

皮肉清香而細膩者而色潤潔而端者賢德之婦。與夫同殉國之楊幹才將軍夫人生此相。

髮細光潤稟性溫良神緊眼圓為人急燥，髮細微而有光者氣必和而性良神獨而目圓者氣必急而性燥。

二顴高凸刑夫未了期年兩耳反薄尅子終無成日。

顴骨高削者刑夫不定耳若反而薄者尅子無休，國會議員×××名教授×××生此相。

手粗脚大必是姨婆鼻尖額低終為侍妾。

手脚大者巫姨婆之相鼻額尖低者姬妾之形。

臥蠶明潤而紫色必產貴兒甲匱豐盈而黃光終興家道。

眼下有兩肉如臥蠶紫色者必生貴子，前清狀元孫家鼐太夫人生此相，見壽縣誌。而主福也金甲二匱在鼻兩傍若豐盈而黃光明必旺家也。

婦人口闊先食庄田而後貧美人背圓必嫁秀士而得貴。

女人之口闊大而無收者貪食懶作而後貧乏，背若圓厚而清秀者必配良夫。

身肥肉重得陰相而反華榮，面圓腰肥類男形大富。盤谷銀行老闆陳弼臣夫人姚文莉生此相。

杜魯門總統望之不似人君（一）

·東建銳·

民國三十三年冬間，余奉居院長之命，赴美考察司法。美國務院遴選海爾米克法官，專誠招待。海氏本任美國駐華上海法院法官，與余業審（言旁）。異地重逢，倍形親熱。余駐華府期間幾乎無日不為其座上客，暢談天下大事。偶然缺席，彼必四處招尋，探余行蹤，强之至其家始已。其故有二：第一，余與海氏俱為司法界人，志同道合，不論對任何事，往往所見略同，一日不見如三秋兮，彼此俱有同感。第二，海氏酷嗜杯中物，惟其夫人管之極嚴，禁其多飲，故在平時將冰箱封閉，使不得逞。當酒癮發，惟有招請友朋至家，共圖暢飲，至此夫人不能不畧弛禁令矣。海先生每天挾余至其家談天者，此亦為其大原因也。海先生為人忠實誠懇，和易近人。當余客居華府期間，待余如手足，一片眞情，朋輩中所少見，自稱為中國之友，對於中國文化，愛之如家珍。一生廓然無我，無種族之見，無權利之私，其在法官任中，所寫之判決書公正允當，傳論法界。當杜魯門初任時，有人保荐其為駐華大使，惜為左傾者所傾軋，事未得成。否則戰後外交，當不至日趨惡化，應另換一付新局面矣？雖曰人歹，豈非天命哉？余在民國四十四年三來美國，而海先生已于前一年作古。每至華府，經其舊廬所在，眞不勝黃壚之痛也。

當余初至華府之第一月，海先生陪余遍謁政府各部要人。是時中美比肩作戰，勝利在望，兩國邦交正登尖峯，所以余當時雖僅為一區區調查美國司法專員，而美國各政府機關表示相當熱誠。國務院特為余在白美雅大廈（為美政府招待貴賓之所，至今仍存在）開雞尾酒會，以示歡迎之意。要人到者甚多，尤其在司法方面，其最高法院之大法官九位，幾乎全體參加，而主持其事者，即為前國務卿艾契遜氏（當時為助理國務卿，當時國務卿為前駐日大使格魯氏，是日因病未到），場面偉大，余受寵若驚。因思予小子名不見經傳，一生從事律務，對于國家從無汗馬之勞，而美政府竟待之上賓之禮，絲毫不苟，不禁慚汗萬分，此豈非受我國英明領袖與前方浴血將士之所賜乎？否則雖夢寐求之，何可得也？（未完）

秋瑾

·王幻·

黛眉小傳

而以大通學校為其中樞，其後又在校中附設體育會，學習兵操，她身着男裝，親率學生到野外去操演，騎馬出入城中，大遭舊社會非議，但她全不理會，舊勢力也莫奈她何！由於聯絡會黨的工作，進行得非常順利，部署甚衆，得數千人，悉編定為八軍，用「光復漢族，大振國權」八個字做標誌，統稱為「光復軍」，每軍設大將、副將、行軍正副參謀，以迄中左中軍，中左右佑尉各職；旗幟用白布製成，中間書一大「漢」字，另有一種三角旗，書「復漢」二字，是黃地黑字的。其他軍服、文書、勅令、鈐記之類，都有所定制。又鎔金指環二十八枚，鐫詩其上：「黃沙源溯浙江湖，衛為中華漢族豪；莫使滿胡留片甲，軒轅神胄是天驕。」從黃字到使字，凡分十六級，即以黃字為首領。首領凡五人，推徐錫麟担任；河字為協領，員額不定，她自居其一；源字為分統，由洪門首領担任；浙字以下為部長副部長等職。佈署既定，她便和諸將領議定計劃：先由金華發難，處州立即響應，待杭州清兵開去金處後，即以紹興黨城軍、攻省城內軍學界起為內應。萬一攻城不克，則退紹興轉攻金華，取道處州出江西，以通安徽，和安慶徐錫麟相呼應。定五月二十六日依計起事，到期之前，她招選壯士三十二人編為敢死隊，由周華昌、俞煒、葉頌清帶領潛入杭州，另派二百餘人散伏江干，相機應援。事畢並親赴上海晤陳伯平，囑其通知徐錫麟按期起事。同時，她還因為籌餉，前往會晤盟姊徐自華一次，據「返釧記」說：「丁未夏至，予方居父憂，在語谿親舍。忽璿卿自杭州來，云：「將返越舉義矣，顧餉絀，將奈何？」予雖心以為危，然義不能阻其行，乃悉傾囊中物納之，曰：「持以贈卿，可乎？」君展然曰「感姊厚貽，何以為報？」遽脫雙翠釧示，余曰：「事之成敗未可知，此區區物，畀姊紀念，何如？」予為悚然，顧弗得却，因相與涕泣，以「埋骨西泠」舊約相屬而別。……」這種從容赴義的氣魄，確是不讓鬚眉的男子。

（八）

美麗碑會談（二四四）（二）

·胡安馨·

巨變歷險記！

薩爾溫江的，是再沒那美的！薩爾溫江的水也再沒那平的！薩爾溫江（Salween River），名符其實。薩爾溫江是怒江的延長怒江的下游。怒江在雲南境內是如何的可怕啊！怒不可當，怒不可遏，急流勇湍，波濤洶湧，使人望而生畏，現在擺夷地，到了吉倫地，竟變得像個東方的美人，是那麼幽嫻貞靜。水波不興，宛如美人的皮膚情，如凝脂穀。水波不興，宛如美人的默默含情，嬌嫩欲滴。

我們的船是吉倫政府派來的。一坐上去，大家的興致勃勃，尤是蘇副總裁，他是老英國留學生，他也久在美國，對於划船，有他的獨到處。在水波不興的薩爾溫江上，像箭一般的順流直下。丁博士則在靜靜的欣賞兩岸的風光。他覺得薩爾溫江的薩字應該改為沙字。薩爾溫江應該改為沙爾溫江。沙應該是薩爾溫江的一景。沙在江的左面。沿着江，有半里路一里路寬的沙，色白，那更平了！平得像鏡面。何以會這樣的平？豈不是天造地設？豈不是神使鬼差？有些地方，沙又形成了種種的東西，有的像台階，有的像桌面，有的像亭台，有的……有的像……有的像……眞是一言難盡……間中也有一兩棵甚麼小樹。至於薩爾溫江的溫字，形容江水的情況也形容得最恰當不面，從整個的來看，薩爾溫江的色調情調都是柔和的。好像一個躺着的美人，令人流連不忍捨去。

沿江有捕魚的柵欄，有存魚的水池。丁博士足跡遍中國遍世界，他感覺沒有一個地方的魚能賽過薩爾溫江之魚的。松江之鱸，黃河之鯉，台灣之鯉，金門之黃魚算是名貴的了，但以之與薩爾溫江之鯉來較，尚不如遠甚！薩爾溫江之鯉有以！〔？〕鯉之長，他的個頭之大……是無與倫比的。黃河之鯉，個並不大但肥，約摸半斤一斤大，松江的，鱸江的也大不了那去，台灣的鯉魚，金門的黃魚，稍大，也大了那去，而薩爾溫江之鯉則不然，一個有十幾斤重，幾十斤重，尤其妙的，是雖重並不影响他的肉之細肉之嫩肉之油肉之味，無一不美，無一不好。活活的搬到船上來，活活的殺着吃，眞不知道世界上還有沒有更好的味道。

在薩爾溫江沿岸，還有更好吃的東西，那就是鹿了肉，鹿子，我在前邊介紹過。好像，字印錯了，將鹿印作鹿。　，鹿是相近的。這是在身體的大小說，這是在體型上說，但若在頭就不同了；鹿子頭上沒角，而鹿則有角，而且有很多的角。鹿字是在鹿字下邊加一個几字，仍讀几音。鹿子肉，顏色與我們的黃牛肉彷彿，但比黃牛肉美，絕沒有一點點的腥味，而且我們的黃牛肉普通是老的，而鹿子肉則是嫩的，而且其嫩無比，一到咀裏，好像就化了似的，一碰到牙齒，好像就爛了似的。殺了就吃，恐怕也是世界上的美味了。

自由報

（第二一一九期）

中華民國內政部登記證內警台報字第○三一號
中華民國僑務委員會登記證台僑新字第三二三號
中華郵政台字第一二八二號執照登記為第一類新聞紙

（半週刊每星期三、六出版）
每份港幣壹角・台幣零售價新台幣二元
督印兼行黃鵬運、李長社
社址：香港九龍官塘康寧道117號後座二樓
117 HONG NING RD, 1/F REAR, KWUN TONG, KOWLOON, H.K.
TEL: K-433653
電報掛號：7191
郵箱：官塘郵政信箱9583
承印：景星印刷公司
地址：鑒咸街廿九號地下
台灣區業務管理中心：台北市許昌街廿六號
電話：三八○○○二
台灣區直接訂戶　台灣劃撥戶
第五○五六號張萬有（自由報會計室）
台灣分社：台北市西寧南路110號二樓
電話：三三○三四六、台郵劃撥戶九二五二號

談尼克遜訪問中國大陸（三）

・侯立朝・

本報專論

因此，美聯毛共有其現實性的基礎；毛聯美有其辯證的運用；雙方均在利用對方以救亡，尼毛蜜月花期，有成為鏡花水月之可能。

尼聯毛共，預期有以下這些有冀望之點：（1）以外交影解內政的緊張，（42）以毛均俄日之勢，（3）結束越戰，（4）以毛的一票產生國際替代作用，（5）以美式生活方式影响毛共的修正傾向。

毛聯美者，則有這些有利之點：（1）聯美解除南線、西南線之威脅，（2）聯美解除或均掉北線之威脅，（3）聯美解除日本的威脅，並化掉日本於懷抱，（4）聯美以解決台灣問題，（5）以既聯合又鬥爭的方式瓦解美國打擊美國。

雙方各以第（5）點作為戰略，以（1）至（4）點作為戰術。誰輸誰贏？不診就短期來看或長期來看，毛共獲利大於美國，美國救助了毛共之危亡，毛共促成了美國之危亡。

五、中美關係的結算

美國與中國的關係，如果從美國立國之後即開始追溯，從一七八四年美國海船「中國皇后號」到廣州起直到現在，在這一百八十餘年來的中美關係歷史紀錄中顯示，美國獲利的時候多，中國獲利的時候少，中國是一直吃大虧的。如果從中華民國開國起算，在這六十年來的中美關係歷史紀錄中顯示，中華民國更是吃了美國的大虧！

美國人說美國對中國有一種莫名的多情，中國人說中國對美國有一種莫名的多情，究竟是誰多情？請去美國官方發表的「中美關係白皮書」（一九四九年八月五日）及中國民間發表的「中美關係黃皮書」（一九七一年七月一日），兩相對照，以歷史的事實做為判斷的依據，才是客觀的。也惟有根據歷史紀錄來判斷，才不會意氣用事或隨着利害關係的轉變作價值轉換之判斷。

從歷史的紀錄中有一個事實任誰都無法否定的，即是：美國有欺侮中國的可恥之紀錄，中國沒有欺侮美國的紀錄。往事可以不論，即從中華民國成立之後算起，美國對中國就有這些可恥的紀錄：

（1）脅服中國參加第一次世界大戰，使中國隨着美國放棄中立。

（2）巴黎和會中，美國同意原由德國租借的山東青島由日本佔領。但他竟忘記中國是由美國脅同參戰的戰勝國。

（3）珍珠港事變前，美國一直支援日本以戰略物資侵略中國，蘇俄反而支援中國。珍珠港事變後，美國又多方牽制使中日有停戰之機會。

（4）第二次世界大戰期中，美英一直歧視黃種人，最後有雅爾達會議秘密出賣中國，羅斯福亦如威爾遜那樣出賣中國的山東而出賣中國的東北。

（5）舊金山對日和約，竟然排斥中國於門外，這是千古遺臭的醜行。

（6）派馬歇爾來干涉中國內政，助毛共盤踞中國大陸。

（7）協防台灣只為美國本土安全。

（8）美國以白銀購買法案破壞中國金融制度。目前美國堅持黃金釘住價格正與它對付我國相反。

（9）中國在戰時既沒有在租借法案項下爭取到船舶，戰後又未能分配到敵船，反而由美國代表日本向我國索利用敵船的代價千萬美元。

（10）美國以十五年分期付欵辦法賣給美國船舶一百五十九艘，價值七千六百萬美金，但規定要中國組成聯合政府後，國務院始能承認。

（11）美國只借中國三艘自由輪，且在美軍方管制下使用。（以上9至11點，見黃浩雲著「七十年代話航業」。）

（12）美將史迪威抗命干涉軍事指揮權。

這些經濟的、政治的、軍事的、外交的欺侮中國，中國是它的戰勝侵略的盟友，它仍如此對待，假若是它的戰敗國，那它非把中國毀滅不可。

世界歷史記載着，戰敗國是受辱的，未聞有戰勝國受辱的。有之，則自美國對待中國開始。兩次世界大戰，中國均與美國併肩作戰，戰勝後兩次都受美國侮辱，兩次都被美國出賣。

現在又輪到美國的梅特涅——季辛吉來表演了。梅特涅的紀錄是：强權外交，大國同盟，只講利害，不講道義，只問和平，不管自由，犧牲小國，以求均勢。季辛吉玩的也是這一套。

六、中國存亡問題

在這個歷史時刻——毛共進入聯合國案提早列入議程，美國會收回總統授權案，尼克遜聲明要訪毛共，美國壓迫中華民國表示對聯合國席位的態度，琉球釣魚台被美國出賣給日本的今天，重讀孫中山先生的「中國存亡問題」，不是無益的，歷史啊！假如人們不能記取你的教訓，他們將自取滅亡。

孫中山先生曰：

論者必曰：我今不加入，禍在目前，加入協商，禍在日後。我國既無防衛之力，即使仍舊維持中立，何能保英國不以我為犧牲；不如及此時機親美國，以圖公道之援助。此說非無一理，然不可不知者，在今日我國決不能以無端之脅嚇而畏縮。故目前之害可以不言，在他日美國決不能為我利害無干他國，與世界至强之國為敵，故不可恃。美洲人言公道、言正誼者，皆以白種當範圍，未嘗及我黃人也。美為平等自由之國，亦即為最先倡言排斥黃種之國。……不覩高麗乎？高麗[illegible]國之屬邦，數千年來未之或改，而[illegible]高麗獨立、首派遣公使來與高麗訂條約者，美國也。及英日既合，高麗合併將成，首撤公使不應高麗之求援者，亦美國也。

美國在兩次世界大戰之對待中國，亦如它對待高麗者然。孫中山先生這段話，不知道執政者之外交當局，曾有讀到否？有人說美國是最壞的朋友，最好的敵人，信然。中國為什麼在外交上一直吃虧呢？除了外在的敵手强力壓迫之外，孫中山先生歸結為中國人不懂外交手段，滿清如此，中華民國從開國到現在仍然。如此那麼我們怎麼辦？

孫中山先生曰：

夫治國有必亡之道，而無必存之術。凡所謂亡國者，有一發生，即足亡國。而單防止一亡國原因者，未得謂國甚已固之不憂亡也。故不中立必亡，此可證明也。中立必存，則所不敢言也。……

存者不亡之謂也。從無有而使之有，則為興；不使從有而之無有，則存；故不可亡而後能存。

一國所以興所以亡者，或以一種手段，為其直接原因，可以指數。至於存在之根源，無不在於國家及其國民不撓獨立之精神，其國不可以利誘，不可以勢刼，而後可以自存於世界。即令摧敗，旋可復立。不然者，雖號獨立，其亡可指日而待也。此非徒肆理論也。凡其國民有獨立不撓之精神者，人以尊重其獨立為有利，即從國際利害打算，亦必不可敢輕犯其獨立。此可從歷史證明之，亦可從現代事實歸納得之。……

基於孫中山先生的提示，我們認為目前面對如此之外交困局，只有兩條路可走：

（1）對聯合國會籍問題，我們要堅守立場。

（2）以獨立不撓的精神，勵精圖治，保住台灣基地。

嚴守立場以爭取友邦，保基地不使從有而之無有。而後，進則逐鹿中原以平天下，退則修明內政光大文化，歷史則操之在我矣。

（完）

昨日與明日

國家內在的憂患

共產黨對自由地區滲透顛覆的伎倆很多，而其最拿手亦最可怕的一着，就是貌為忠貞愛國，過異常人，先取得當權者的寵信，然後利用機會權力，建議實行一些表面言之成理，實際却是喪失人心，敗壞政府信譽的法制政令。

過去我政府在大陸時期，共諜冀朝鼎滲透中央銀行，貴為行務委員兼經濟研究室主任，對於國家的財政金融事業，出過許多壞主意，使政府於對日抗戰復員後，財經情況日益惡化，不可收拾。他於毛共竊據大陸之初，曾在報上發佈丑表功的文字，歷述他如何設計殘害我政府的財政金融情形，而其方法即是利用中央銀行大員貝某的關係，藉以取得上峯信用，言聽計從。

前事不忘，後事之師。今日中華民國最大的隱憂不是外來的國際影响，而是內在的共諜顛覆活動。我們在海外，有機會看到若干參攷資料，也聽到許多異常的傳聞，固不敢信其有，亦不敢必其無，但望當國者在用新人，行新政之餘，對人對事作客觀而縝密的稽考省察，見微知著，提高警覺，毋為私情與派系觀念所蔽，而給共諜以可乘之機，實深企幸！

古今無二的政理

古人垂訓的求治之道，是要親賢遠佞，網羅人才，綜核名實，信賞必罰。時代儘管進化到了核子世紀，但古人所示的治國平天下的法則，有如實樹之長綠，無可否認的。誰能說現代的用人行政，必須遠賢親佞，專用奴才，不顧名實，顛倒賞罰，纔是救國救民的良法美政嗎？

人才的標準固不易言，但明試以功，無能者退，即不失為求才用才的有效方法，而使社會上的智勇辯力之士，聞風嚮往，有以自見。如其功過不分，賞罰不明，專耳私人關係，而以「所識窮乏者得我」為求治之道，越是低能僨事，聲名狼藉的，越就飛黃騰達，竊據要津，國事即未有不敗壞之理。

準此以觀吾國當前政治上的某些人事進退現象，竊滋惑焉。明明是折鼎覆餗，信譽掃地的教育行政大吏，搖身一變，再長最高學府，兼主國家科學發展的宏業，或依然轉任同等官職如故，而毫無文教實質的，亦可以師表人倫，儼然一代的大宗師。

亂離之世，最易發掘人才，我不相信今日中華民國的人才寥落，就看是否有人願意發掘而已，眞正的人才，是不願奔競求售的！

・何如・

自由談

所謂「核子傘」

美國優先發展核子武器，而在歐亞自由國家的領土上，分別儲存着各種核子彈，說是保護該地區的安全，名之為「核子傘」。但對於保管和使用核武器的事情，却不許別國預聞，一切聽從美國擺佈，因而激起法國强人戴高樂的反感，實行退出「北大西洋公約」組織，請美軍連同核武器搬出法國境界，表示不需要美國的「核子傘」庇護。

戴高樂認為美國決不會為着別國的安全而從事核子戰爭的，所謂「核子傘」，實係不切實際的空話，有如巫師在病人家裏畫符張貼門上，毫無作用可言。惟有自己能製造核子彈，才是可靠的安全保障。所以，法國不惜悉索敝賦以發展核武器，這其間，亦未受到蘇俄的核子突襲，可見所謂「核子傘」云云，只是夜行吹口哨的玩藝，有點胆量的人，決不相信的。

事實上，核武器具有無遠弗屆的破壞力，大家都瞭解，而專靠核子彈亦沒法占領敵國的土地，毀滅其抵抗力量，亦所共喻，這對疆土廣漠的國家尤然。現在擁有核武器的國家，先求禁止核子擴散，但不可能，繼求締結一種毀棄核武器的公約，正在盡力談判之中。將來很可能像第二次大戰時的情形，交戰國皆擁有毒氣戰具，却備而不用，希特勒會有從事毒氣與細菌戰的計劃，美總統羅斯福即提出警告，教希魔不要同歸於盡，而納粹德軍只好敗潰，亦不敢冒險進行毒氣戰了。今天的核武器亦然，以之相互恐嚇則可，說它是「核子傘」，足以保護別國的安全，那便是欺人之談。日本人藉着美國「核子傘」而沾沾自喜，實屬幼稚可笑，誰能相信美國為着亞洲某一自由國家的安全，即肯冒本土被摧毀的危險，而毅然掀起核子戰爭嗎？果如是，尼克遜先生就不會甘作「衰仔」，向毛共俯首告饒了！

馬五先生

死！讓他死去吧

平凡

天下事

美國參院國內安全小組委員會發表了一項研究報告，估計共產主義在中國大陸橫行以來，至小已造成了三千四百萬人的生命損失，或者可能多至六千三百萬人。

這一報告的主稿人，南卡羅林納大學國際研究所主任華克教授說：「這一數字接近五千萬，是完全可能的合理估計。」

伊斯特蘭讚揚華克為家所承認的美國最傑出的中國問題學者，他於去秋應小組委員會之邀，在故民主黨參議員陶德的發起下，草擬此項研究報告。

伊斯特蘭說：「這一研究報告的最大價值，是說明共產主義在中國大陸使人的生命所遭受的重大損失。」

他說：「北平邀請美國乒乓球隊前往訪問後，大多數代表美國報界前往中國大陸的情況時，忽畧了足以證明中國大陸上共黨統治的那種不人道與侵畧特性的大量證據。」

共產黨人之好殺與不人道，在世界公論之前，已成了普通常識，共產黨人的思想，是以征服世界革命為中心，尤其毛澤東的搞法，乃承襲李闖，黃巢遺習，再加以好戰嗜殺的現代化訓練，本質上充滿了征服慾，殺戮慾，根本就沒有人道觀念，中國共產黨在「解放」初期的大屠殺，殺到最後，幾乎以平民為殘殺對象，嚴格的說，被殺的人，絕對不止六千萬人。

其實，自中國共產黨竊到政權後，餓死的人比被殺的人多，民國卅八年，盧漢叛變，雲南版圖變色，昆明街頭每天餓死的人數以百計，地方人民團體代表忍受不下去了，冒萬險向軍管會司令陳庚請願謂「食既然翻身做了主人，為甚麼都活活的被餓死？」陳庚首先指出請願代表中有反動派，然後在請願書上批示：「史達林有句名言，死！讓他死去吧！」

尼克遜圖拉攏中共
將會招致身敗名裂
認敵以為友毫無信義可言
港報著論分析幷予以指責

（自由報本港消息）此間快報以「尼克遜將名裂而身敗繼之」為題評稱：「政治上的人物，許多由於智慧、閱歷、見識等之所限，總是失敗的居多，成功的較少，而一個失敗了的政治家，也很難免於身敗名裂的懲罰，例如那個曾在慕尼黑會議犧牲正義、出賣捷克的英國首相張伯倫，隨着二次大戰發生便身敗名裂，受盡世人的唾罵，與邱吉爾的成為歷史英雄，恰是一個強烈的對照，張伯倫在戰後孤寂中死去，親友遠殘的寥若晨星，因為英國人都不願把自己名字和他連繫在一起，所以即使是生前至交，也避之若浼，這正是身敗名裂的典型。

但今天的美國總統尼克遜，卻似乎要另創一個「身未敗而名先裂」，或「名先裂而身敗繼之」的新例子，和身敗名裂的相因而至，可能畧有不同，茲就我們的觀感所及，解釋如左：

尼克遜現在還是美國白宮的主人，就他這個政治「身」份看，當然可以說「未敗」，但是談到聲譽之「名」，却可肯定的說已經「裂」了。其中一項最足表示尼克遜「身未敗而名先裂」的事實，是他公開宣佈「兩個中國」或「一中一台」的所謂對華「新政策」，由此造成他的聲名破裂是肯定無可救藥的，一個最簡單的比喻，甲和乙、丙是一友一敵，假定甲為了一己之私而將乙丙的敵友易位，則失之於此的得之於彼，雖然那是毫無信義可言了，但如果這種賣友求榮和認敵為友確有利於某甲，仍可說並無「損失」（就自私觀點言）。可是尼克遜的對華「新策」却絕不是這樣，他背棄中華民國是少了一個朋友，無形之中更增加了許多「半敵人」或「準敵人」，譬如那些不滿美國不顧信義以求討好中共的亞洲自由國家，便皆屬於「半敵人」或「準敵人」之列，而在中共這方面，它也並不因為尼克遜的存心拉攏而改變其敵意，當羅傑斯發表了尼克遜的「兩個中國」計劃後，中共更把「美帝」罵到狗血淋頭。

或者有人說，尼克遜雖然在國外「名裂」，但在國內却頗獲得某些鴿派人士喝采的，這對他的政治生命，未必就會構成「身敗」的影響。我們不是預言家，暫時還不想對他的明年競選下判斷，但也不妨指出，當年希特勒未身敗名裂前，他簡直是獲得全德國人民無條件擁護的，現在事實又如何呢？而今天的尼克遜，在國內聲望固然遠不如當年希特勒，而且他本來藉共和黨的「保守派」擁護起家，如今却出賣了那些政流朋友，向鴿派投降在其中孰得孰失，尚是一個未知數，何況尼克遜的對華「新策」一定行不通，當一切反響皆顯出對美國有害無利時，誰敢保證美國人民（即所謂沉默大多數）還要這個成事不足、敗事有餘的總統？誰敢說他不會落入「名先裂而身敗繼之」的悲劇終局，從政治舞台下，一個觔斗的倒了下來呢？」

依詞集

京戲小故事

林豐

京戲裏有一齣「斬鄭文」，亦名「戰北原」，魏將司馬懿遣部將鄭文投向蜀相諸葛孔明詐降。被孔明懷疑，將計就計，於魏軍來襲，派鄭文應戰，孔明遠處觀察，終於識破，鄭將當時發伏兵斬之。觀此劇者，都欽佩孔明，奉為神聖，其實這個道理極簡單。孔明有一基本觀念，認定了蜀、魏不可能合作，以此斷定鄭文來降是詐，不是真！先佯為安撫，親予追問，鄭果坦承是司馬懿定下苦肉計，命他混進蜀營，以便裏應外合，一舉滅蜀。孔明好言慰之，鄭誤會孔明已經上當，出戰殺同僚秦朗，又同戈進帳，孔明早已證實其推測正確，所以鄭文中伏而死，蜀營免了一場大禍。孔明自己也保了安全。

尼克森忽畧了資本主義與共產主義基本上勢不兩立，更不瞭解「引狼入室」的後果是甚麼？短視而淺見，惧人惧己，這不是好玩的事！

尼克遜與中共談判
將不會有任何結果
雙方基本矛盾難以調和
對立狀態仍將繼續存在

又明報與成報也相繼發表評論，明報說：在前天的記者招待會中，尼克遜總統詳細分析他到中國大陸去訪問的目的。總結來說，那是「進行談判，不一定期望有甚麼具體協議」，他說，這種會談，不一定會立刻導致緊張局面的消除。他以美蘇關係作比喻，先是互不往來，互相對抗，然後轉變為進行談判，有所磋商，「中美關係也在逐步從第一階段發展到第二階段」。他說：「我們之間的歧見極為巨大，我們進行會談，但雙方都不會對這些歧見存有甚麼幻想。基辛格博士和周恩來作了非常廣泛的談話，在談話之中，雙方都承認，我們的利益是非常不同的。我們並不期望通過這些會談，就可以解決一切歧見」他說，重要的是進行溝通，明瞭歧見的所在，對於不可調和的問題，設法以和平方式來處理，而在可以取得協議的某些問題上，爭取得到協議。

中共對於將來這場會見，態度似乎也差不多。美國記者斯諾在最近的一篇文章中提到曾聽毛澤東說：「尼克遜代表壟斷資本家，應當歡迎他來，因為目前中共和美國之間的問題必須和他解決。」又說：「是的。尼克遜只要坐上一架飛機就可以來。談得「行」，談不成也行。」斯諾寫道：「如果他（尼克遜）願意來，這位主席（毛氏）將願意和他談，吵架也行，不吵架也行。尼克遜當作旅行者來也行，當作總統來也行。他認為他不會和尼克遜吵架，但是，他當然要批評尼克遜。」

這種情形，大致上就如本報七月十九日的社評中所指出：「我們決不認為，由於這次訪問，美國和中共的基本政策會有任何重大的改變或修正。」「充其量，「中」「美之間的關係，也不過是發展到美蘇之間的情況而已。」美國和中共的基本矛盾，仍是不可調和的，雙方的對立狀態，在許多問題上仍將繼續存在。」

成報說：土耳其已正式宣佈承認中共政府，同時與台北斷絕外交關係。

自去年十月以來，承認中共的國家，已有十二個之多。根據昨天消息，最近將要承認的，還有希臘。這樣的趨勢，顯然對台北愈來愈不利了。但是，土耳其又表明：反對在聯合國中把台北的代表逐出。

因此，目前最明顯的一個趨勢，就是許多國家，都要玩弄其「兩個中國」的手法。可以預見的，則是在本屆聯大中，更要大耍這把戲。

成報又說：中共指出：日本在聯合國中攪「兩個中國」政策，其目的就在於企圖再佔台灣。

關於「兩個中國」的搬演，中共在較早一天，已特別向美國加以抨擊。指出美國販賣「兩中」的荒謬主張，充分暴露其言行不符的欺詐詭計。

接着，又特別向日本提出指摘。日本已伸手向釣魚台列嶼了，其積極攪「兩中」陰謀，自然又是準備再伸手向台灣。

大家都知道，目前攪「台獨」的，日本是一個極重要的基地。中共雖責日，但日本仍是野心勃勃的。

新加坡的蝨子市場

這些稱呼都有一點根據，將這個市場稱為「江子敏」的原因，是這些攤販均集中在貫穿市中心區的「淡水河」畔。稱「淡水河」的原因，可能是指梧槽河是一條淡水河。為甚麼要叫它為「結霜橋」呢？原來在這個市場中間有一間歷史相當久的結冰廠，而在附近又有一座橋，所以有人俗稱此地為「結霜橋」。「宋溪路」是這個市場中間一條靠河邊的路名，宋溪是為馬來語河流的意思。最後一個名稱為「午市羅敏申」，是馬來同胞將它比為本地著名的羅敏申百貨公司，另一方面是指該市場貨品包羅萬象，各種貨品應有盡有，好像一間很大的百貨公司。

從上述這些名稱看來，可以看出，大家都以梧槽河為主來稱呼這個虱子市場。

這個市場的存在已經有數十年的歷史了，在戰前，這個市場並沒有今日這麼多攤位，而在市場內有一個建築簡陋的小巴剎，巴剎內有許多可以上銷的攤位，當時英政府的意思是要將擺在路邊的攤販集中在這個小市場內，誰知道許多人對這個市場不感興趣，致使巴剎裏頭的攤位沒有甚麼人光顧，逼得這些攤位主人要將他們的攤位擺在巴剎外面靠河邊的路上，巴剎的攤位就成為存放貨物的地方。

來這地方買東西的人士，包括新加坡各民族人士，有馬來人、印度人、中國人、歐西人，他們各懷着不同的心情來這裏買東西。在這裏出售的貨品除了日常用品之外，還有一些食物攤位，你可以在這裏吃到牛肉丸、沙爹、炒粿條、雲吞麵、牛肉麵、拉沙、黃梨、各種冰水攤。（二、未完）

劉半農訪賽金花

以記者觀察，（中畧）賽所以享大名之原因，要不外二途（一）曾孟樸之孽海花小說，筆力雄奇，風行一世，賽氏當其全書唯一之線索，其書全為政治問題，並不專傳賽金花，故林琴南稱之為「史也非小說也。」（即指此書所記皆清末政局真相而言。）（二）不期賽乃與曾氏之書，同享傳世盛名。

庚子一役，為中國興亡有關之痛史，賽在庚子無政府時代，與瓦德西居處儀鑾殿中，有時且攜手出行，招搖於北京市上，故北京人全國人，對賽之印象極深，凡知庚子事者，幾無人不知有賽金花。於是賽氏名，遂與庚子國難之史實不期而同垂不朽，茲誌記者訪問賽氏之談話於次，讀者當愈可了解其真實情況矣以下記者問，賽答。問：近況安否？答：就是病體老不見好，雖然天天念佛，狐仙爺仍是夜夜附體但我亦幸賴大仙保護，免去許多危險！問：生活困難否？答：永久是窮的，近來幸有張競生，劉半農，諸先生援濟，勉可度過冬季矣！問：近來有人又請你演說乎？答：我一生最怕演說，當年跟隨洪老爺（指狀元洪文卿而言）之時，一切皆舊規矩，男朋友都不見面，那裏會出門演說，所以去年哈爾飛大戲園請我上台，我一句也講不出來，又加上嗓子痛，還是代表替我說的才勉強下台，我還記得歐戰和平紀念會，老段率眾位大官，在東城街上，拆下那塊克林碑，（即庚子遇害之德公使克林）我當日同着魏老爺（即其最末之丈夫魏斯靈）去參觀，他問我為什麼不說兩句話，你與此碑有關係呢，我即斷然拒其演說之請，僅取回紅花一朵，存我箱中，作為紀念！問：你與此碑之關係如何？答：李鴻章與各國議和不妥，即因克林夫人要求條件太苛，僵僵室石碑，她不答應，我乃從中拉攏，對她說，此碑在中國，只有皇帝家能立，平民是不許的，今為克林立碑，可謂中國對德國最優的條件。克林夫人，經我這一說，始慨然允諾！問：你在庚子時候，可云女界先覺，最能愛國的？答我也不過當時我與他們外國官認識，有時講兩句和平話，只因德國兵打中國人，我看着最不忍，那是我竭心竭力與瓦德西說的，他才下命令不准再用粗木棍打死中國人了，我在德國兵手中救了北京人，一共有一萬多名。當時送錢與我的，可多了，我母親囑咐我，只准收禮物，不許要錢，所以我今天這樣窮！問：你在皇宮住了幾天？答：我與瓦德西住在儀鑾殿，共四個月，（此殿即今日中南海中之懷仁堂）他走的時候，要帶我回德國去，我不願，他又叫我隨便拿宮中寶物，我說沒敢要！（卅九）

陳立夫函吳惠平說起

・文園樓主・

七月廿三日高棉經濟日報載稱：中華民國總統府資政陳立夫先生，閱讀了在金邊出版的高棉國營經濟日報中文版報導，欣悉，中華民國針灸專家吳惠平博士爲高棉總理龍奈元帥治療體康，極爲成功。

因此，陳立夫資政在日前特從台灣來函向吳惠平博士祝賀，同時鼓勵吳博士繼續努力爲高棉總理龍奈元帥治療，審愼從事，爲國醫增光。

吳惠平博士經于七月十六日再度來金邊繼續爲我國總理龍奈元帥進行針灸治療，在七月十八日起，龍奈元帥終日放棄手杖步行，步履輕捷靈活，每天由上午七時至十二時在元帥府處理國家政務，達五小時之久，目前龍奈元帥體康甚爲良好，精神愉快。

這是中華民國總統府資政陳立夫先生從台灣寄給吳惠平博士的親筆函件。

惠平兄：

迭接寄來剪報，欣悉兄爲龍奈元帥治療宿疾極爲成功，最近彼能飛赴前綫視察，足徵其行動自如，已爲國人所引慰，深盼吾兄繼續努力，審愼從事，以底于成。此不獨爲國醫增光，復興可期，且於國民外交助益甚大也。專函申賀，並頌旅祺。

弟陳立夫

民國廿年前後，由於汪精衛、胡適、朱家驊、傅斯年等都力主張廢棄中醫，認爲中醫太不科學，乃至於認爲中醫所講的陰陽五行簡直胡說八道，中醫界有識之士深感憤恨與痛惜，憑藉民間一點單薄人力物力，用衛道的精神，致力於中醫改進工作，企圖將中醫「科學化」，當時的吳稚暉、陳果夫、焦易堂都是支持中醫的人，尤其中國國民黨元老陳立夫，對毛共發展中醫，並未一筆抹煞，這種開闊的胸襟，認爲中醫的不能廢除，正與中國文化復興運動，有不可分割的關係。

陳立夫函勉吳惠平，關心高棉總理龍奈，對中醫的前途及國民外交方面皆有甚深長含義，不能以應酬文字目之。末了我們還值得一叙的，自由中國的吳惠平博士，和日本中谷義雄博士，於研究「良導絡」的過程中，對經絡、陰陽表裏五行生尅的反應等，都得到客觀基礎上的結論，使煩雜的中醫學術獲得科學研究若干綫索，應當得到各方重視的。

所謂：「維新政府」（四）

・本報資料室・

這件案子，表面上好像已結束，但事實上完全不是那麼一回事，姓謝的人在最初一個月，始終匿居白克路一位老中醫馬壽民家的一間斗室之中，未離上海一步。馬壽民即是已故名醫丁濟萬的舅父，他原本不認識姓謝的，這個亭房間是由當時上海辦小型報的毛子佩承租，姓謝來居住，也是由毛氏領去，對馬壽民說：這人是寫文章的，他預備在這裏寫一部書，你們每天只要供給一些茶水，吃的東西有人會按時送來。」馬壽民年高龍鍾，不以爲意，就讓他住下去。有一家包飯作天天將飯菜送到，他閉門獨食，馬氏家人始終不會同他談過話。住了一個多月之後，此人一去無蹤。隔了很久很久，連毛子佩也失蹤了，直到抗戰勝利後，毛子佩爲了表示他的功績，才把暗殺唐紹儀的經過透露出來，連香港發的一封信，也是預先佈置好，由香港工作人員代爲付郵。

至於席裕昌所掉換回的那八件古玩，原來是一件價値連城翠玉所雕刻的八駿，這種翡翠，叫作「玻璃翠」。雕刻之精不必說，單就翡翠而論，其價値已經無法估計。現在時勢轉移，翡翠漲得比一切都貴，如今這翡翠玉八駿，又不知落在誰家了？

唐紹儀死了之後，日本人大爲失望，因爲這塊老招牌的號召力，在華中地區眞是不作第二人想，但唐紹儀在未死之前，何以拖延着遲遲不到南京去取「維新政府」而代之呢？因爲唐紹儀提出的名目，要把新的政府稱作「聯合政府」，他不願當主席，要做總統，華北方面已經成立的一切組織，都要歸聯合政府管轄，這一點就受到華北方面的反對，因爲華北臨時政府成立在先，認爲新來的媳婦，何以竟要做起阿婆來？而且反對用總統名義，認爲總統兩字一定要人民投票才行，爲了這一點爭執，時間便延宕下來，結果弄出這一件慘案。

北方籠絡吳佩孚的工作，因南方唐紹儀一死，做得更積極，本來吳佩孚住在北平東城什錦花園，門庭冷落，車馬稀疏，但是吳氏的聲望，名震全國，所以日本軍人要演成這台戲，一定要利用這種大角色的名望來號召，可是，吳佩孚主意甚堅，儘管日本人百般誘惑，不爲所動。

吳佩孚在那時節對時局絕口不提，許多人去訪問他，總是唯唯否否，作「王顧左右而言他」之狀，滿口儒學理教，一會兒說孔子，一會兒講老子，有時候談乩，有時候論鬼神，使得去的人無法可以談得入港。這時吳佩孚幕下還設立有八大處，這八大處就是參謀處、軍事處、執法處、軍械處、政務處、教育處、交際處、副官處，個個處長都窮得要命，追隨吳的許多老部下，祇有大鍋飯可吃，有辦法的人早已經各奔前程。有關方面屢次拜訪後，消息傳出，不但若干窮苦的傀儡心中躍躍欲試，而且許多多年不相來往的軍人和政客，紛紛來拜謁和送禮，吳佩孚仍是高談闊論，不着邊際，吳的太太張夫人則不問什麼人什麼事，凡是送禮送錢來的，一律照單全收。而吳佩孚對時局的意見却一無表示，這樣過了好多時間，始終不得要領，後來到民國二十八年十二月四日吳佩孚患了牙疾，請日本醫生診治，得了敗血症不治身亡，使得日本軍方更爲失望。

在「維新政府」成立之前，「華北臨時政府」早已在民國二十七年十二月十四日在北平成立，華北的首腦是王克敏，維新的首腦是梁鴻志，同他們的頂頭上司，爲日酋寺內壽一。至於華北政府，何以要冠上「臨時」二字，據說就是要等唐紹儀主政、吳佩孚主軍的聯合政府上場，現在唐、吳相繼死去，華北臨時政府這「臨時」二字，也就隨之取消了。

以下又要介紹一位當時先爲維新政府局長，後來又在汪政府的活躍份子陳羣出塲，這件事將用倒叙法把他寫下來。

那時節，我們在上海大家感到政治的氣壓漸漸低下來，生活却也有許多壓迫，作爲燃料的「煤球」，搶購米糧不必說，也貴到幾倍，原來因爲上海的存煤越來越少，所以這時電力限制使用，每一戶的電燈，最初限制每月祇能用十五度，後來最少限到七度，超過了限度，要加倍付費。馬路上的霓虹燈及電燈裝置，幾乎全部停止。我們就感覺到整個上海快要成爲黑暗世界了！

五洋雜貨，大待拼命囤積，天天漲價。祇有一樣東西，不但不漲，反而跌價，那就是出售綫裝木版書的舊書舖，儘管價値一天天低落，依然無人過問。

我向來有搜集舊書的癖好，業餘有閒，常到三馬路一帶舊書舖去看書，即使售價低廉，買的人還是不多，因爲大家認爲這些舊書舖，遲早都要關門，那末書價還會看低，所以想買書的人，都抱着觀望態度。

在三馬路書舖中間，有一家專門裱畫的舖子叫「米家船」，是我的老友錢化佛所開設的。這家舖子的市招很雅，取義於大米小米畫的山水，名爲米家山，他這房屋長方，形似一船，借裱畫生涯，博升斗之利。（未完）

陳果夫講「藥」故事（九）

・門外生・

才曉得有若干種藥，有共同的止血止痛治傷生肌等作用，于是按照其所吃的多少合起來，配成一種藥粉，製成這種藥粉以後，算這隻豹最倒霉，曲六把這隻豹一共打傷了六次，作爲試驗，但都能治好。

過了幾個月，曲六鄰居屋漏，僱了個泥水匠修理，不料這個泥水匠不小心從屋上跌下來，出血不止，幾乎神志不清。背骨又斷了，大家認爲無法可救。曲六正在家裏聽到這個消息，立刻拿了一瓶自製的藥趕去給他服了一些，血止了，再服一些，痛也止了，於是請一位接骨醫生把骨接好，又吃了幾次曲六所製的藥，泥水匠竟完全好了。於是大家曉得曲六有好藥可以治跌打損傷，索藥的絡繹不絕，曲六從此出名。

這種藥叫什麼名字呢，曲六想不出，而大家來向曲六要的時候，都是要白藥。久而久之，白藥的名氣大了，曲六自己也只好稱牠爲白藥。後來他想老是送藥賠累不起，索性開了一爿店，出賣白藥，遠近聞名，來買的太多，曲六發了財，再也不到山裏去尋各種的草藥了，僅僅每年到山裏一次，採取製造白藥的原料，子子孫孫下去，一直到現在還做這一筆生意。

（未完）

讀書雜鈔　十八

・林傳・

第三階段，自己成爲行家而使人上當，初期受騙買來之物，賴專家之名，予外行人，把冤枉用出之金錢，再由外行手中騙回來。以社會上每稱鑒賞或鑒定家謂爲骨董鬼子，不無輕慢之意存焉。石刻拓片夙稱爲黑老虎，玩之者，偶一不愼，即被創傷也。陳定山寫春申舊聞，內載一則，吳湖帆居滬上，久負鑒定專家盛名，吳亦頗自賞，大千居士自製石濤巨幅山水，輾轉求售，吳初誤爲珍品，高價買去，及後拆穿，乃大千惡作劇，吳老羞成怒，終生不與大千同席，今之所謂專家，又何足掛齒哉！

（未完）

神醫華佗

周吉

、關公笑道：「某視死如歸，何懼之有？」

華佗道：「請在靜處立一標柱，上面釘了大鐵環，請君侯將臂穿於環中，用繩綑住，然後用布蒙面。我用尖刀割開臂肉，直至於骨，刮去骨上箭毒，用藥敷之，以綫縫起創口，方可無事。」

關公手撫美髯，朗聲笑道：「如此容易，何用環柱？閣下儘管施術吧！」一面且吩咐設宴相待，一面與馬良對奕圍棋。飲酒數杯，關公伸臂令華佗開刀割治。華佗取了利刃在手，令一小校手捧大盆於臂下接血。

華佗語關公道：「在下要施術了，君侯勿驚。」

關公道：「任憑先生施爲，吾豈世間俗子，而懼區區之痛苦乎？」

於是華佗乃用刀劃開肉皮，直至於骨，骨上已經發青。華佗用刀刮骨，悉悉有聲。帳上帳下見者，皆掩面失色。關公飲酒食菜，談笑下棋，全無痛苦之色。

約一個時辰，血流盈盆。華佗刮盡烏毒，敷上了藥，縫合創口。關公便起身伸臂，對衆將吏笑道：「此臂伸縮自如，已無痛苦，先生眞神醫也！」

華佗以欽佩的口吻贊道：「在下行醫一生，未見有如將軍者，君侯眞天神也！」

關公箭創已癒，設宴欵待華佗。華佗道：「君侯箭創雖癒，然而必須息心愛護，切忌怒氣傷觸，過了百天，方始平復如故。」

關公以金百兩酬謝華佗。華佗不受，謂關公道：「某聞君侯大義昭彰，薄於海內，故特來醫治，豈爲百金之報酬而來不成！」堅辭不受，另留藥一帖以敷創口，拜別關羽，離荊州而去。

關羽以義勇著於天下，時人稱「萬人之敵」。華佗乃一代名醫，慕義而來。關羽因未見如此神醫，華佗行醫一世，亦未見如此「天神」之將，正是一對雙絕。

華佗爲羽「刮骨療毒」之後，名播遐邇。神醫之名，傳播海內。因此，華佗的這位當代人傑——小同鄉曹丞相，患了頭風症，才把華佗請到。但是世間的萬事，似乎都沒絕對的利，也無絕對的害，名與利有時似乎雙收，其實也有因名、利而招害假禍的。華佗就是如此，他爲關羽「刮骨療毒」，一舉成名，結果遭致殺身之禍。如此觀之，做人難，做事更不易。更證明一件事，一個人的內在條件無論你有多優越，假若碰到外在環境惡劣，那非但不能發展懷抱大志，而且反而因其才華絕技或奇術而假禍的。神醫華佗就是一個例子。在下寫過「岳飛」，這位大英雄的文武條件之優越，中國幾千年找不到幾個，而可惜外在條件却惡劣極了，時代環境政治環境之不宜，其如英雄何！我舉此二人，是最顯明的例證。華佗以醫術假禍，在歷史上是很少有的例證。不過有的史家以華佗爲陳登治病未能斷根，是「養病自重」，爲曹操治頭風，曹孟德更明白說他是「養病以自重」，因而將他殺害，究竟如何，且看事實的如何經過。

曹操頭痛難治，神醫何不斷根

建安二十四年，曹孟德的老毛病——頭風又發了，命人去召華佗診治。華歆在一旁極力介紹華佗的神醫絕技，華歆說：「華佗字元化，沛國譙郡人也，與大王同鄉里。此人醫術之妙，世所罕有。但有病者，或用藥，或用鍼，或用灸，隨手而癒。若患五臟六腑之疾，藥不能效者，以麻沸湯飲之，使病者如同醉死，却用尖刀剖開其腹，用藥湯洗其臟腑，病人不感痛苦。洗畢之後，然後用藥綫縫口，用藥敷之，或一月或二十天即告平復。其神妙如此。」

（六）

安徽十三傑
管仲　李時　莊周　曹操
華佗　包拯　朱熹　朱元璋
戚繼光　李鴻章
段祺瑞　胡適　楊振寧

名人小傳（四）

・塞翁・

林則徐炮轟英艦

清道光十八年，廣東虎門要塞地方，曾經發生一件轟動世界的大事，就是在虎門要塞的廣場上，堆積如山的一箱箱鴉片，四周堆滿了引火的乾柴，接着一聲「放火燒」的令下，立刻火海啟龍一遍。廣州城的居民都仰首遙望南方的天空，祇見一股股的濃烟柱上升，直冲霄空，好似一把巨傘高張在天空中，同時隨風飄、送到人們的呼吸中，眞是令人作嘔三日。這就是近代歷史上著名的虎門禁烟的情景。而這個故事的主角就是林則徐。

林則徐福建侯官人，嘉慶十六年進士，任翰林院編修，浙江鹽運使，江蘇按察使，和江蘇福建，湖北，湖南等省佈政使。道光十七年，由兩廣總督調任湖廣總督。時已倡議禁烟，各帝國主義者，常以鴉片運中國傾銷，則徐沉痛說：「要是不趕快禁絕鴉片，則國日貧，民日弱，幾十年之後，豈祇沒有可籌之餉，抑且無可用之兵了」。於是訂定六條禁烟規程，嚴格執行，限令外商將帶鴉片一律繳出，否則不准離港。奉將英商鴉片一火而焚之。

至道光二十年，英國增援廿六艘兵艦，一萬五千海軍，一百四十門大炮來攻打虎門，却被虎門大炮打得落花流水，英人乃轉而攻下定海、寧波。因此清廷將此罪歸過於林則徐，說他勞師勳衆，耗費糧餉，應交刑部嚴加議處。英人更得寸進尺，清廷與之議和。賠軍費二千一百萬兩，開福州、廈門、廣州、寧波、上海爲商埠。則徐充軍伊犁三年，道光廿五年赦，廿八年太平軍起，於去廣東途死卒。（完）

讀「岳武穆年譜」書感（七）

・李安・

蓋先臣之禍，造端於張俊，而奏檜者實成之也。俊之怨先臣，不一也，而大者有三：

焉淮西俊之分地，趙鼎命之，怯敵不行，迨先臣一戰而捷，俊則恥之，一也。視韓世忠軍，俊迎檜意，欲分其背嵬，先臣執義不可，此行楚州城，俊欲興版築，先臣又白，吾曹當戮力圖恢復，豈可爲退保計耶，俊則怒之，二也。疆虜大寇，俊等不能制，先臣談笑取之，主上眷寵加厚，遂於諸將，先臣於俊爲後輩，不十數年，爵位相埒，俊則嫉之，三也。檜之怨先臣，亦不一也。而大者亦有三焉：金家南還，已莫於撻辣歸之跡，草檄辱國，復汗覦於室撚寄蠻之問，以至二策之不合，不得輒易大臣之盟，檜之私敵如此，則主和之際，豈容有異議，然先臣一則曰恢復，二則曰恢復，犯其其所甚諱，一也。昔先兄臣甫，守鄞會稽，文惠王史浩謂之曰，方代邸侍燕間，嘗一及時事，檜怒之，輒捐一月之俸，趙鼎兄資善之議忤秦檜，卒以貶死，其謀危國本之意，非一日矣。然先臣誓衆出師，乃首進建儲之議，犯其所不欲，二也。韓世忠謀刼使者，賠和議，得罪於檜，檜命先臣使山陽，以拾撫世忠軍事，且戒令備反側，托以上意。先臣曰，主上幸以世忠隆宥府，楚之軍，則朝廷軍也，公相命飛以自衛，果何爲者若使飛拾撫同列之私，尤非所望於公相者。及興耿著獄，將究分軍之說，連及世忠，先臣嘆曰，飛與世忠同王事，而使之不辜被罪，吾爲負世忠。乃馳書告以奏檜意。世忠亟奏求見，上驚諭之曰，安有是。既而詰檜，且促其著獄，得減死，犯其所深惡，三也。夫俊以憾先臣之心，而諂事於檜，檜之憾先臣者，視俊爲尤切，唱和一辭，遂成大獄。況當是時之以羅汝楫之迎合，王鵰兒之告訐，萬俟卨挾故怨而助虐，王貴刼於私而強從，則先臣固非以淮西之逗留，而先伯臣雲，非以通書而改變，張憲亦非以謀復先臣掌軍而得罪也。雖然，淮西之事，御札可攷也。通書之跡書已焚矣，惟鍛鍊之是從矣，復掌軍之謀，則又取信於讎人之說，而必成於狼奸之內，甚而陳首之事自廿軍法以實其言，至行府興獄，雖張俊極力以文致，而其半亦自云妄矣，明辯益可復也。嗚呼，寃哉，鑄天莫聞。洪皓常奏事，而論及先臣，不覺大慟，以爲彼中所大畏服，不敢以名稱者惟先臣，至號之爲岳爺爺。及先臣之死，虜之諸酋莫不酌酒相賀，以爲和議自是可堅。而查籥嘗謂人曰，虜自叛河南之盟，先臣深入不已，檜私於金，勸上班師，兀朮遺檜書曰。爾朝夕以和請，而岳飛方爲河北圖，且殺吾婿，不可以不報，必殺岳飛而後和可成也。檜於是殺先臣以爲信，卽皓之所奏而觀之，籥之言其不妄也。臣故先述先臣之寃，而後述所以爲鑄天辦誣之意。蓋先臣結髮從戎，凡歷數百戰。而其內剪外攘之尤彰大著見者，雖三尺之童，亦能言其事，破張用，收曹成，翳虎冠而歸之農，斥叛將而降其衆，擒楊么，以清重湖，戰李成以復六郡。秘計成而劉豫廢，忠義者而梁興來。兩至淮西而敵騎遁跡，一至朱仙，而虜將願降。忠義百餘萬，應於河北，潁陳數十郡，復於河南。境上殷殷乎返舊矣。而奸臣誤國，亟命班師，使先臣之勳，不克自究，此又雖三尺之童，亦能不爲先臣扼腕而太息也。此皆不必備論，獨以先臣受誣昧不根之謗，于今幾七十載，雖忠義之心，昭昭乎天下，而山林之史，疑以傳疑，或者猶有以議先臣之未盡，臣竊痛焉。臣自髫齡，侍先父臣霖，日聞先臣行事之大畧，誠恨不及逮事，以親其所聞，惟先父臣霖易簀而命臣者，言猶在耳，不敢不卒厥志，自束髮以來，朝夕憂惕，廣搜旁訪，而訂正之，一言以上，必有據依，而參之以家藏之詔本，月日不謬而後書，蓋如是者，累年而僅成，誠懼無以終父志，而使先臣之忠，無所別白，乃於行實之中，摘其未明者，自建儲而下，凡五條，條皆有辨，辨必有據，庶幾上附信史，下答先命，使先臣之誣，得因是而暴白於天下萬世，臣死且不朽矣。先臣得罪于紹興十一年之十二月，而秦檜死於紹興二十五年之十月，其相距凡十四載，而檜是時兇焰熾赫，威制上下，蓋專元宰之位，而秉剸之權。（未完）

談女相（三）（十七）

・錢一劍・

錢一劍談相

身體肥滿而肉不虛浮貌稱女形者主榮貴之相也女人腰肥腹肥垂似男子者主富貴。

乾薑之手女子必善持家，前我國駐緬甸武官何景同夫人與國民黨駐緬甸總支部負責人王輝夫人皆生此相，綿囊之拳男子定與財產。

女人皮肉故宜細潤惟手指瘦實不露肉者善持家若男子腕如綿軟不求自富。

頭小腹大一生不過多食，骨少肉多三十焉能可過。

女人頭小腹大者不過多食若又肉有餘而骨不足者定主夭亡，平均每年自殺一個的香港名星，其相貌多合乎本條。

眉粗眼惡頻數刑夫聲雄氣濁終無厚福。

眼光如醉桑中之約無窮，媚態漸生月下之期難定。

眼露光而神醉者多淫慾野合之人，笑多嬌媚者，下賤之婦也，經云媚笑漸生非良婦，豈能無月下之幽會乎。

面如滿月家道興隆唇似紅蓮衣食豐足。

面色光潤而無缺陷唇如抹丹而不尖露者主富貴，前安徽省主席劉鎭華夫人生此相，前安徽懷遠縣令（有清官之稱）孫克寬夫人生此相。

山根黑子若無宿疾必刑夫眼下皺紋亦主六親若冰炭。（完）

杜魯門總統望之不似人君（二）

・陳霆銳・

一日，海先生陪余至參院拜訪兩黨領袖，當時參院主席卽爲副總統杜魯門氏（按副總統應兼任參院主席，係美國憲法文明規定），海先生陪余晉謁十餘位參議員，最後往訪杜魯門氏。雖其在辦公室僅逗留一、二十分鐘，未經長談，卽開啓冰箱拿出酒瓶邀客飲酒數巡，談吐粗俗，不着要點。自頂至踵，無一些靈秀、或高貴之氣，完全鄉曲，望之不似人君。余暗自吃驚，以爲美國之大人才之衆，何竟讓此鄉曲之輩，高居副座，豈不羞煞天下才智之人哉！既所不解，又不禁大爲失望。翌朝，余照往例登海先生之門辭行。余謂海先生曰：余爲東方人，先生爲西方人，兩人見解，容有不同，昨日，余見了貴副總統之後，認爲風格不凡，才非出衆，大爲失望，倘能如此而止美國之福也。海先生聳肩而笑曰，余有同感。乃不及兩天羅斯福以中風逝世，杜魯門遂一躍而爲美國之總統矣。受任之後，爲功爲罪，歷史自有定論，余何必多贅一辭。（完）

秋瑾

旋因時間迫促，準備未及，改期爲六月初十日。可是各縣黨人却以爲舉事日仍在五月二十六日，咸躍躍欲試。五月初，紹興黨人發文高忽召台州黨軍由東陽到乘縣，駐紮西鄉，高樹革命旗幟，風聲漸洩，清軍嚴加防範，大索黨人，武義，金華各方面相繼敗露，風聲緊急，錫[illegible]的皖局，又因消息走露，迫不及待，就在五月二十六日藉陸軍小學堂畢業禮的機會，請巡撫恩銘到堂舉行畢業典禮，倉猝刺殺恩銘起事，不幸失敗，徐錫麟與陳伯平、馬宗漢等均就義。

過了幾天，秋瑾在紹興看到上海報紙，始知其事，非常悲痛。時金華黨軍既已被破，處州方面又消息未通，只有乘縣一路可以調動。校中同志見事急，咸主張驟殺貴福，佔領紹城，先發制人，勝於束手待斃。她獨主張必待乘縣黨軍到後，始得起事。又分派體育會學生二十餘人出發杭州，分途埋伏，以爲內應，力量分散，大通學校愈陷於孤立。適時有紹興劣紳胡道南，素和秋瑾有隙，風聞她聯合會黨起軍，便密向紹興知府滿人貴福報告，貴福大驚，親自微服夜行，晉省請兵。浙江巡撫張曾敭據報，立卽派兵渡江到紹興來圍捕。……事爲武備學生所聞，派人飛報消息，她六月初三日聞報，便指揮學生把槍械藏起。初四日王金發自乘縣來，她邀從容和他商議十日起事計劃。金發離去，黨軍偵察隊陸續飛報清兵已到紹興，大家勸她離開，她不肯，但命學生逃避。及至清兵已臨學堂門外，因恐遭埋伏，不敢遽進。留在左右的人又勸她從後門乘船渡江逃走，她也不應，而仍鎮定如故：因她早已抱不成功卽成仁的決心，到了生死關頭，心地反覺寧靜了。於是，她從容就縛，被解去紹興府署，當被審訊時，她態度安詳，默不一語，施之酷刑，仍忍痛不言。強迫作供狀，始寫一「秋」字，再三逼迫，勉成「秋風秋雨愁煞人」一語。貴福遂說這句便是謀反的意思。遂於翌日，卽光緒三十三年六月六日被殺於紹興古軒亭口，慷慨就義，年僅三十三歲。

後人有聯挽之云：「六月六日，秋風秋雨」，言簡意賅，極盡哀悼之忱！

這一代的巾幗英雄雖然死了，但她所倡導的女學及女權運動的偉大抱負，不僅在我中國女界中放一光明燦爛的異彩，而且澤被後世，光耀千秋！至於她所寫的有血有淚和慷慨激昂的詩作，更是永垂不朽的。尤其是那首最著名的「寶刀歌」，猶如黃鐘大呂的聲音，可以振聾起懦，喚起古國的靈魂！歌曰：

（九）

・王幻・

美麗碑會談（三）

（二四五）

・胡慶蓉・

巨變歷險記

美麗碑，位於薩爾溫江邊。這僅僅是一個地名。這是一個背山面江非常美麗的一個所在。在密密的森林中，有一個非常小的房子，而且是竹子搭的草蓋的。一出房子就是浩浩乎無垠的平沙。沙，厚得很，不敢作大的停留，停留久了，人就會陷下去。在沒有太陽的時候，沙是涼的。隨着太陽的下墜，沙會漸漸的涼下來，若是炎炎的太陽之下，沙會熱起來，到太陽非常熱的時候，沙也就變成了非常熱。中國成語上有炙手可熱之句。當前薩爾溫江之沙就是如此。但假如你用沙搓身，用沙把身子埋上，然後跳到水裏去洗，異常的有提神作用。

吉倫方面的出席代表，個個戎裝，還掛着東洋的軍刀。代表的發言人是副總統斯高雷多，其次是武裝部隊的總指揮官蘇翁培。這兩位都是非常熱中吉歷史的。他們又述說陶米巴的故事。陶就是大，米就是牙，巴就是爸。陶米巴者，大牙爸也。陶米巴是吉倫族的始祖，吉倫族的黃帝。陶米巴一日帶着他的兒子逐水草而居，沿江而下，停在一個地方，放下遊牧的生活，來從事耕種。嘉禾成熟，大家充滿希望，以爲一定可以豐收，不意忽來一條大豬，橫衝直撞，將充滿希望的禾苗全部踏壞了。陶米巴聞悉之餘，義憤塡膺，發出不共戴天的誓言，號令他的兒子一齊出戰，無奈戰了一天，不分勝負。兒子回來，陶米巴本人親自出戰，戰了一天，總算把野豬打敗了。回到家裏，又叫孩子們去把那野豬抬回家來，寢其皮而食其肉。誰知孩子們，到了，豬不見了，地下祇拾了一個大牙回來。此牙經鋸成梳子，用以梳頭。陶米巴變成了年輕。他永遠的梳，他永遠的年輕。在吉倫的心目中，陶米巴至今還是活着的。每遇有災難，吉倫人都是向陶米巴祈禱，陶米巴總是來打救他們。此次李彌統帥的中國游擊隊，他們看來等於是陶米巴的部隊，他們一再重述的這一個神話大有助於吉倫與我部隊的合作。

吉倫所夢寐以求之的，是脫離緬甸而獨立，共幫助我們反共。我們在共同反共的立場下，我們願意幫忙他們獨立，甚至改組緬甸政府，成爲我們的友邦。假若我們的部隊能開進吉倫區，尤爲他們所歡迎。他們對我們還希望有武器彈藥的補助，錢財經濟的補助。吉倫這個社會也還是農業的社會，工業產品缺乏，武器彈藥尤其缺乏。若武器彈藥能有補助，吉倫規復失地是沒問題的，今後他們要派代表團到中國游擊隊猛撒總部並長期住在那里。道，丁博士欣然予以接受，他們派出蘇翁培來，又派出大華和魏爾爵來。將來隨同丁博士一齊去猛撒。

同吉倫美麗碑的會談，一共有兩天。第一天，所涉及的，都是一些中吉的關係，第二天都是彼此相需之處。

自由報

（第三一九一期）

中華民國內政部[illegible]台報字第○三一號
中華民國[illegible]委員會登記證台誌新字第三二三號
中國郵政台字第一二八二號執照登記為第一類新聞紙

（半週刊每星期三、六出版）
每份港幣壹角・台幣零售價新台幣二元
社長李運鵬、督印黃行發
社址：香港九龍官塘康寧道117號後座二樓
117 HONG NING RD, 1/F REAR, KWUN TONG, KOWLOON, H.K.
TEL: K-433653
電報掛號：7191
郵箱：官塘郵政信箱9583
承印：景星印刷公司
地址：嘉咸街廿九號地下
台灣區業務管理中心：台北市許昌街廿六號
電話：三八○○○二
台灣區直接訂戶　台灣劃撥戶
第五○五六號張萬有（自由報會計室）
台灣分社：台北市西寧南路110號二樓
電話：三三○三四六、台郵劃撥戶九二五二號

本報專論

豈可一再出賣友邦
——對尼克遜訪問大陸抗議——

・自明・

美國總統尼克遜派其顧問季辛吉經由巴基斯坦秘密轉赴北平，與共酋周恩來安排尼克遜總統於一九七二年五月以前親赴中國大陸訪問，消息經尼克遜與周恩來分別發佈後，整個自由世界莫不為之震驚，而有「山雨欲來風滿樓」的態勢。尤其亞洲身受毛共威脅的國家，其惶恐不安的情緒更是情見乎辭；無不大聲疾呼希望尼克遜總統能改弦易轍，懸崖勒馬，中止訪問中國大陸之行。各國之所以反對尼克遜訪問中國大陸之動機，不外乎憂慮尼克遜與毛共從事暗盤交易，犧牲友邦利益。事實上亞洲反共國家如此的正義呼聲，早在尼克遜預料之中，尼氏為欲獨行其是，避免招致國內外反對輿論的紛擾，故乃保持高度機密於季氏行動之前。迨至正式宣佈，舉世譁然，再向亞洲各國駐美使節，解說於後，其意念之堅定殆已牢不可破，非言語辯說所能爭也。故亞洲各反共國家似乎不必為此而逾分辭費，不如冷靜旁觀，視其發展，自求多福，善為因應之為愈也。

尼克遜總統訪問中國大陸之行，姑且不論將來與毛共從事何種暗盤交易，即以此時此地此人此事而言，嚴感難堪而又有切膚之痛者莫如中華民國，因為毛共乃中華民國罪無可逭之叛亂集團，彼據中國大陸以後，不獨中國人民慘遭屠戮，即整個自由世界亦深受其禍，尤其與美國有勢不兩立之仇，故毛共政權存在一日，世界即無安寧秩序可言，若干年來美國政府深明此旨故與中華民國政府締結盟好，協力阻止毛共侵略矛頭之繼續擴張，二十年來毛共之所以未能再越雷池半步，即中美合作之成效所在。今尼克遜總統入主白宮，若能一本「蕭規曹隨」之原則，繼續強化亞洲反共力量，不難坐收立竿見影之效。茲乃一反前人之所為，不惜以美利堅合衆國總統之尊，而向其忠實友邦之叛亂集團移樽就教，天下反常之事，莫過於此。致使中美一向合作無間傳統精神，蒙受不利影響，而使中美關係形成貌合神離之尷尬局面。此中華民國之所以感到難堪而有切膚之痛也。

尼克遜總統既然要作中國大陸之行，站在盟邦立場亦無強顏極諫之必要，且更無權阻擾彼邦元首之任何決策。但我中華民國必須鄭重昭告世人，尼克遜總統將來中國大陸之行，若再與毛共從事不利於中華民國之暗盤交易，則我們寧為玉碎，不為瓦全，決不受其約束。顧念「黃台之瓜不堪再摘」也。

我們之所以提出此一警告，并非杞人憂天，而係由於美國過去予中國人民之創傷太重，不得不悚然興起恐懼戒慎之感，中華民國之所以落得今日境地，原因固多，但若非雅爾達協定之越俎代庖，馬歇爾調停之偏袒毛共，白皮書之百般責難等等予中國政府以致命打擊，毛共未必能逞其狼子野心。尤足令人齒冷者，三十八年我政府播遷廣州之時，各國駐華使節均隨政府南移，即蘇俄駐華大使羅申亦不例外，唯獨美國駐華大使司徒雷登獨留南京不去，顯然企圖予毛共政權以外交承認。事之所以不成，乃由毛共不肯假以顏色，嗤之以鼻，始不得不難堪自退。當我政府播遷台灣之初，外無友邦唇齒之援，內有羽毛零落之漸，艱難罷弊，岌岌可危，然後由我政府放棄舟山，撤兵南海，收離集散，安撫流亡，台灣防務賴以永安，國家命脈得以不墜。其後若非韓共再啟戰端，台灣地位益形重要，美國豈肯重申援助之手？二十年來中華民國政府與人民痛定思痛，慘澹經營，使得台灣形勢轉危為安，化弱為強，替自由世界負起太平洋東海岸的尖兵任務，使毛共不敢逾越雷池，此皆尼克遜總統所深知洞見者也。

今乃不惜紆尊降貴圖與毛共勾搭，即以此一舉措而言已屬自貶聲威，棋輸一着，何況毛共之陰森狡獪遠非天真無邪之美國人士所能望其項背，毛共之歡迎尼克遜往訪，斷非反美政策有所修正，而係另有更大陰謀欲假尼克遜之手而脫售，如尼克遜甘心虧損美國利益則我們無權過問，如重演雅爾達協定之類的悲劇，則中華民國全體軍民決以最大的決心，與任何姑息主義，投降主義，沙文主義奮戰到底，決不再受愚弄與宰割。

尼克遜將來中國大陸之行，究竟有何錦囊妙計可與毛共折衝尊俎而不墮其術中，我們無由窺其涯岸，但必須以不犧牲友邦利益為基礎，否則此行災難將不堪聞問。我們之所以不厭其詳一再提出警告的原因，並非我們不肯信賴美國，而係美國過去若干作為使人不敢相信，諸如美國對接受美援的國家，一向擺出頤指氣使越俎代庖的姿態，往往不顧客觀事實，只憑主觀願望，強迫盟邦接受自以為是的方式去作，稍有拂逆，即意氣用事，中國大陸之所以關入鐵幕，李承晚、吳廷琰政府崩潰以後韓、越政局之所以長期動亂不安，都是美人此種作風下的產物。故亞洲國家雖因感受共黨威脅而不得不接受美援，但對美國信心畢竟有其一定限度，這是美國出錢出力，流血流汗，仍難獲致盟邦信任的癥結所在。再說美國對亞洲接受美援國家根本不應擺出市恩市德的驕矜姿態，若非美國以往政策錯誤，亞洲赤禍何至如此氾濫成災？故美國今日援助亞洲國家反共，只不過為自己彌補過而已。尤有進者毛共政權早將美國列為征服對象，若非亞洲反共國家屹立不移，美國西海岸豈有寧日？故從軍事經濟方面說亞洲反共國家是接受美援，從政治戰略方面說亞洲反共國家是一致援美。彼此處於平等互惠的地位，絕非主從關係，亞洲國家與美國合作反共的情緒方殷，美國若於此時突然出賣亞洲反共國家的利益，勢必造成「崑岡失火，玉石俱焚」的悲劇，願尼克遜總統將來中國大陸之行，慎之慎之，勿又歷史重演悲劇。（完）

昨日與明日

美國的文化市儈

青年黨元老李幼椿先生最近從美國回到香港後，某日他告語我：十餘年前我在香港刊行的拙著「卅年動亂中國」史料書，美國已有節譯本發行，書名仍係「30 Years Vicissitudes in China」，但未註明原著作人的名字云。

記得三年前，美國加州大學研究院有個學員，曾來台北找到我，提出當年國共兩黨在大陸上明爭暗鬥的若干問題，有所稽考，我們連續談了三次，為我們作舌人的就是現任攷選部常務次長程德受兄。這位美國朋友曾經贊恿我將原書譯成英文，送到美國出版，我答以自信他書沒有向外國銷售的價值，敬謝盛意。這却不是故示謙抑，而係由衷之言，因為這書在國內且未許公開銷售，當然的無足重視的覆瓿之作。

現即外邦有人節譯發行了，却不註明原著者的名字，似乎缺乏了出版事業的道德，允屬奸商市儈行徑，但我不想追究。為的是咱們的出版界，藉着我國未曾加入國際著作權公約的關係，常有盜印別國人的作品如「韋伯氏大字典」之類，為世詬病。於今美國出版商亦盜印我的著作，即證明美國的月亮並不比中國的光圓，多少可以抵消一些中國出版界的慚德，我就只好認了！同時亦希望不許我的著作公開銷售的先生們，理解「知識」之為物，是不脛而走，無遠弗屆的精神食糧，跟「思想」一樣，絕對統制不了的，何必枉費心機呢？

文章何價？

香港街邊的「寫信佬」——即替文盲撰寫普通函件的人，每月可收入港幣一千五百元，折合台灣發行的鈔票，使有萬餘元之多，殆非吾輩終日爬格子的所謂記者作家之流，所能望其項背。那些「寫信佬」的知識程度，不過粗識之無而已，文盲的信件很簡單，文言白話，信手拈來，似通非通，皆無所謂，然其代價乃高過新聞記者不翅十倍。可見亂世文章之不值錢，良有以也，豈徒然哉！

區區對於在街邊替文盲寫信的技能，自信綽有餘裕，但不屑於從事，情願爬格子以換取升斗之資，何也？這却不是降格不降格的問題，而係一股書生之見從中作祟。總認為讀聖賢書，所學何事，至少亦應該文章報國，聊盡匹夫之責。

殊不知國家大事，自有鐘鳴鼎食的名公鉅卿經管着，毋須書生置喙的。書生論政，徒亂人意，如其喋喋不休，便是「思想不正確」，屬於「問題人物」之列，而知識即成了罪惡！實則亂世人生，越庸愚即越有辦法，也絕少煩惱。例如香港街邊的「寫信佬」，他憑着似通非通的本事，生活無愁，悠然自得，傲視通才，氣煞學者，市場如此，官場亦若是也！

・何如・

自由談

人類是有理智的高等動物，號稱為萬物之靈。可是，人類有許多行為，乃多見其為萬物之愚的現象，可怪也矣。

一般對於某些禽獸的愛護心情，比對人類更為真誠而深摯。西方人士珍惜狗貓的情形，有目共覩，香港有禁止「虐畜」法令，人們以鷄籠裝載家禽赴市場販賣，如果籠中的鷄類過於擁塞，即觸犯虐畜禁令，受到處罰，其仁愛可知也。然南非和美國對黑人的歧視，殆狗貓之不若，而香港街巷中常有貧苦無告的人，露宿行乞，雖隆冬亦蜷伏縮瑟者，却視為尋常之事，滿不在乎。這不足禽獸的生命價值貴重過人類嗎？今恩足以及禽獸，而德澤不被於庶民，理智云乎哉！

人為萬物之愚？

據說，人類皆有是非、羞惡、惻隱之心，這也不盡然，而以幹政治生活的人最缺乏這種心性。古往今來，政治上有甚末真正的是非可言呢？順我者存，逆我者亡，成王敗寇，昨是今非，成了人類的真理和定律。等而下之，就是以脅肩諂笑，奴顏婢膝者為忠誠之士，幹濟之才，而以知恥自愛，有所不為者，為不可任使的問題人物，且在鳴鼓而攻之之列，羞惡惻隱之心又安在耶？

人類愈進化，生存競爭即愈激烈，而人心亦日益陷溺於物慾之中，相率趨於形而下的發展，充分表現着「人性本惡」的劣性根。共產主義者就利用這種趨勢，從而煽揚之，刼持之，乃得到處滲透作亂，以致舉世惶惶不安，罔知所屆。人類如不大徹大悟，於日常生活中實踐其向上發展，惡居下流的人生觀，對人對事皆不忘是非，羞惡，惻隱的義理，身體力行，而以政治人物為倡率，揚棄其口反共而行師共的作風，則邪惡的共產主義思想，永無滌蕩之可能，唯有同歸於盡罷了。

馮玉先生

有明一代之第一奇女子

・陳霆銳・

明末大儒顧亭林先生之嗣母王氏，若不稱之為中國歷史上第一奇女子，至少為有明一代第一奇女子也，不可以不記。王氏者，同邑儒生顧同老之未婚妻也，嫁有日矣，顧生忽染病而亡。氏不食數日，衣素，告父母曰，兒願一奠顧郎，歸乃食，父母知不可奪，為治奠挈氏往，氏拜顧生柩，嗚咽勿哭。奠已，入拜太姑與姑，請依居焉。謂其父曰，為我謝母，兒不歸矣。顧王兩家人皆相顧失色，勸之歸，氏不聽，曰：兒志已決。母相強，自是依太姑與姑，侍奉極孝，朝夕一室，送迎不踰閾，其他婉淑之行，筆難盡述。氏幼承庭訓，博覽羣書，既待翁姑十二年，翁姑為其定嗣。其所嗣之子，即明末一代大儒顧亭林先生是也。氏撫嗣子如己出，晝則紡績，夜教讀嗣子，至二更乃息。好觀史記通鑑，及本朝政紀諸書，而於劉文成、方忠烈、于忠肅諸人事，在亭林先生十餘歲時，即舉以教。厥後亭林先生在學問修養方面，實是求是，身體力行，著作等身，卒成一代大儒，皆得自其母訓育之功。當王氏年五十一歲時，亭林先生學已大成，開名於天下。朝廷知其母之賢，旌其門曰貞孝。于是三吳之人，其耆舊隱德及能文奇偉之士，與亭林先生游者，莫不牽羊持酒，踵門稱賀。謂史冊所記，罕有前例，可謂榮矣。甲申之年，崇禎皇帝殉國北京，又一年，而南京陷。其時亭林先生奉母僑居常熟之鄉，介於兩縣之間。而七月乙卯，崑山陷；癸亥，常熟陷，王氏聞之，遂不食，絕粒者十有五日而卒。于其大殮之翌日，而清兵至矣。臨終時，謂其子曰：我雖婦人，身受國恩，與國俱亡，義也。汝無為異國子！無負世世國恩，無忘先祖遺訓，則吾可以瞑目于地下。嗚呼！若王氏女，貞于其夫，孝于其翁姑，知書識大體，教子有方，義不帝秦，卒致以身殉國，風骨凜然，此非一代之奇女子哉！

毛周何不赴台

公孫談

天下事

尼克森一聲宣稱要訪問大陸，簡直把中共捧上雲霄，陶醉得眼暈了頭腦，接着就飄飄然作威作福起來。只看周恩來的許多談話吧，儼然是以亞洲主人自居了，是否真作了主人呢，早得很哩！這還不是買空賣空，虛張聲勢，想藉尼克森這點禮物肆行敲詐一番。

就拿對台灣方面的問題來說，周恩來除了表示其一貫的要求「美帝」撤離台灣外，並且一派召降的態度；裝出假仁假義的樣子向自由中國的人民們，行其蠱惑的慣技，最可笑的許多外國記者還有梗添葉的替他瞎吹，甚至路透社的記者都替周氏造謠幫腔，說什麼周氏「急於要和八十三歲愛國的蔣介石元帥，覓取問題的解決」，這種話只好騙騙美國人，特別是尼克森那些一廂情願的人們，中國人是沒有相信的。

現在我們來反證一下，假如你們真有誠意時，何不由你們的毛澤東、周恩來到台灣去登門就教，尼克森既然可以紆尊到大陸，你們又何嘗不可以去台灣？尤其你們可以放心，兩國交兵不斬來使，古有明訓，難道仁慈的蔣總統還會加害你們，他老人家對日本還以德報怨哩！何況對自己的舊部，要下毒手在重慶時就早對毛澤東下手了，重慶時都未為難，現在還會下手嗎？說不定為以勵來茲起見還許會招待呢。

或者說毛周那裏會去，對了這就揭穿了他們的騙局，一切謊言，不攻自破。

開會主義的病根

成公

現時政治上為舉世所詬病的的開會主義，是中央政府播遷到台灣來纔盛行的。過去各級文武機關在大陸時期，會議固亦不免，但不若今日之形式化與複雜化，這是事實。

年來大家倡導改革政風，其他的政事，多少都有些效果，唯有開會主義依然流行罔替，好似病入膏肓，無可救藥，輿論儘管諄諄指摘，聽者藐藐無所容心，其故安在呢？吾思之，吾重思之，乃恍然於其病根之所在，即機關太多，地方太小，管理眾人之事的公僕過多，而被管理的阿斗嫌少也。

政府現有的各級行政機構，比過去在大陸時期更多，然其管理的地域和民眾，却只是千百分之一而已。濟濟蹌蹌的行政官吏，既然享受了國家的俸祿，即不能尸位素餐，垂拱而治，總得表現一些成績，以求心之所安。但在小國寡民的環境之下，人浮於事，深感英雄無用武之地，於是乎，開會主義乃油然興起，沛然莫之能禦矣。事無鉅細，動則召集所謂「有關單位」，大開其會議，正式會議之不足，還有小組會議，專案小組會議，臨時檢討會議等等，名目繁多，不及備載。例如一個觀光飯店應否准許設置舞廳，亦要由中樞的行政衙門成立「專案小組」，隨時開會討論；一種在海外發行的書刊是否准予內銷，亦要召集五六個有關單位開會決定，而每個單位皆有否決權，會議的次數自然繁多了。這樣一來，各機關的官吏即不特表示有事可故，而且甚為忙碌，這便是成績表現！

所以，行政機構如果不能簡化，職權如果不能集中，責任如果不能分明，則開會主義永遠沒法改革，殆所謂勢所必至，理有固然，雖聖賢在位，亦無如何也。

美改變對中共立場
係受姑息主義壓力
雙方接觸由羅馬尼亞牽綫
「乒乓外交」祇是表面活動

（自由報本港消息）此間先驅報，以「華府北京交歡內幕」為題報導謂：

美國國務院於八月二日宣佈在今年聯大中將不反對中共進入聯合國之後，在中國人士的心目中，是一個認為非常刺激的宣佈，不管你是反對美國這種「兩個中國」的政策也好，認為「並無不可」亦好，至少會感到深切的關懷，現在，我們不妨就這個問題，提供一些幕後綫索，以供國人參考。

美國之所以作上述的宣佈，可以說是外交政策上一個戰略性的轉變，但這樣的轉變，卻也自有其不得已的苦衷，正所謂形格勢禁，不得不爾。

我們知道，美國之所以改變其仇視中共的政策，實在是出自兩大壓力。

這兩股壓力，一股是來自國際，另一股則是來自美國的姑息主義者。

我們知道，在去年聯大開會的前後，國際間對中共的態度就已有了一個重大的改變，當聯大表決阿爾巴尼亞提案時，其投票結果，竟是五十一票對四十九票。

這一次投票結果，已造成了國際間的一個口實。而事實上，國際間也有一個「一窩風」的傾向，既然大家都不排拒中共，她們也就無可無不可的跟着走了。

再以反對中共加入聯國的一方面來說，有些國家是因為她們與美國的關係太深，對美國的倚賴太多，所以才不能不跟着美國走，現在美國轉變，她們當然也恨不得更快轉變。主要原因，便是她們本身對中共也懷有一定的恐懼，或是在經濟貿易方面懷有一定的憧憬，比美國更為迫切，這更迫使美國「放開了一條路」。

我們知道，中共在國際間統戰的進展，也就是尼克遜的失敗，最失敗的地方是甚麼？

就是美國國內的人民，受到這股潮流的冲擊，更不能不催促尼克遜快點與中共作和平的交手！

美國人的特點是，在世界上，做甚麼事都要講第一，居於領導地位，所以即使是「化敵為友」他們也不容許別人先走一步，於是就不能不勇往直前，尼克遜也極盡討好中共的能事，以求能夠達到「為天下先」，並由此而保住他明年十一月的選票了。

至於美國與中共的交往，人家都知道真正發生「接觸」的，乃是今年四月間的「乒乓外交」，但實際上，早在華沙會談以至通過羅馬尼亞的接觸中，就已有了安排，「乒乓外交」不過是經過政治安排後的一種表面化活動而已。美國所為中共安排的，最大甜頭，就是接納中共加入聯國！所以，美國國務院的聲明，一決不是突如其來的，一定是早就與中共有了默契。

土國雖與中共勾搭
仍支持我聯國席位
中共企圖分化西方陣營
拉攏法國邀龐皮杜往訪

又據星島晚報時事剖析稱：土耳其與北平政權建立外交關係的談判，四日已達成協議。建立外交關係的「聯合公報」，已經發表。

公報的內容相當的簡單。其中最重要的一句，是：「土耳其政府承認中華人民共和國政府為中國的唯一合法政府」。卻並未提及台灣的地位。台灣是中國的一部份，這是絕無可否認的。

承認「中華人民共和國為中國的唯一合法政府」，可能意味承認北平政權對台灣的主權。

但是，任何人也都知道：台灣目前是在中華民國政府的統治之下。北京政權實際無法過問台灣的事務。這就一如台北國民政府，實際無法過問中國大陸的事務。

現在所爭的，就是「統屬問題」。

我們撇開這一點不談，最值得注意的，是安哥拉方面在聲明與中華民國斷絕外交關係的同一時間，又聲明將不在聯合國投票「驅逐」中華民國。

土耳其政府顯然追隨「兩個中國」的美國「中國代表權」路綫。

土耳其與北平政權的建交談判，是在巴黎舉行。我們現在並不明白：在進行談判的時候，土耳其代表是否就已經表示過，他們在聯合國裏面，將支持「中國代表權」的「雙重代表制」。

假如土耳其代表有了說明在先，而北平政權的代表（負責談判的是北平駐法大使黃鎮）不加反對，這其間就有值得我們大加注意的原因存在。

原因可能也極為簡單。即僅在於削弱台北國民政府在世界各國之間的外交關係。

土耳其走向北平，就是土耳其摒棄台北。

僅此一點，對北平就有好處。因為，凡有損於台北國民政府的，就有利於北平政權。

希臘可能也將走土耳其同一的路綫。

根據來自巴黎的消息：北平政權已經對法國總統龐皮杜發出請柬，邀請其前往中國大陸訪問。

法國政府並未證實上項消息。

但是，我們以為這是極可能的。

這是因為北平方面，最近正在極力的爭取西方國家的「友好」，而法國是最有興趣這種關係。

法國自戴高樂開始，就極力企圖在世界建立第三勢力。

第三勢力對共產集團有好處，則是由於第三勢力是由西方陣營中分裂出來的。

北平政權拉攏法國，也就是在分化西方陣營。而西方陣營，目前正呈現了分崩之態。

發展觀光事業
必先正確觀念
日記者在台作實地考察後
認為台灣不是男人的樂園

（自由報台北消息）觀光局認為外國記者故作驚人之筆，把台灣形容成「男人的樂園」，於心不甘！乃邀請東鄰友邦日籍女記者和女作家們親來實地考察，冀作公正報導，以正視聽。

日本女貴賓們果不負觀光局所期，全體廿人來台後，經一周盤桓，她們於返國之前，公開表示，否定了台灣是「男人的樂園」的謬說。他們欣賞「台灣具有吸引觀光客的條件，故宮博物院的寶藏，墾丁的熱帶植物園，阿里山觀日出，澄清湖，太魯閣的壯觀，日月潭的幽雅等等都是在別的地方沒有的。」

她們同時提醒我們對觀光事業的疏忽缺點，花木太少，旅館環境清潔不夠理想，汽車司機不守行車規則，收費也欠合理（在機場加收行李運費），莒光號火車上有發霉的麵包。我們自始認為不論從事任何經營，必須先有正確觀念，而後可以談正常的發展。單就觀光事業而言，必須有「風光」可供人觀賞，對觀光客服務要周到，經濟舒適，使客人有賓主如歸之感，否則就是不務正業！

四年前，記者同朋友在觀光號火車餐廳裏，吃到過已經腐臭的鮮魚。事後曾向主管談起，他倒沒有巧辯，但說：不應有此現象，因為車上有電冰箱可以防止腐臭，而且公家經營，承辦人不要担心賠損，何偷工減料，作此喪德之事，他聲明定要徹查。日本朋友所說發霉的麵包，相信是必有的。

在觀念上不肯負責，是今天各種公營事業的通病，凡係公營事業，價昂而不講求品質，絲毫不替顧客想一想，幾乎沒有例外。譬如公賣局的烟酒，這是最普遍的必需自用消耗品，捨其質劣而價昂不談，而私烟私酒層出不窮，這種行為有如殺人放火，危害社會。侵害公賣利益，而公賣局置若罔聞，豈非失職而何？

所以必須喚起，不論負甚麼責任，必要先有正確觀念，拿出勇氣勇往直前。上級任命一位主管，要先請他談談究竟有沒有正確觀念，再定取捨！

新加坡的蝨子市塲

此外，除了穿的、用的、玩的之外，還有唱片、收音機等電器與電子用具、舊家私、舊書攤、兒童玩具，以及一些軍部標回來的剩餘物品等等。

來這裏買東西的人們都知道，這裏是一個自由講價的市場，賣貨的人可以漫天開價，買貨的人也可以落地還錢，他們也不會生氣。這裏的攤販主人有一個好處，就是無論你還價那麼低，他們也不會生氣，最多開玩笑講幾句話，你很少會聽到這裏的小販隨意出價，不合意時不還價掉頭便走，也不會受到奚落，這一點是其他市場所沒有的。每逢週末假期，有許多人非到這裏逛逛不可。（三、續完）

劉半農記賽金花

問：孽海花所說是風流事，是事實否？答：全是謠言罵我的！問：曾孟樸為何要罵你？答：還不是為的我嗎！問：此又何說？答：我幼時與孟樸相識，極親熱，他十分愛我，後來我「領家」圖錢將我許與文卿了，孟樸當然實力不適狀元，情場失意，還作小說，憤而罵我與文卿，但現在孟樸已有六十多了？問：胡蝶要約你演電影，願否？答：我極願上鏡頭！問：去年秦腔易俗社來平，所演之頤和園，合乎事實否？答：那天我到場去看啦。所演我的奔走調停議和，李鴻章請我等事，均非事實，所演我與瓦德西調情之態，尤為肉麻過火，不合我倆之當時情形，問：近日坤伶新豔秋，有將你一生歷史，編劇上台之說，你同意？答：最同意，新伶長的臉子，太像我青年時代了。所以她來問我什麼事，我盡量的告訴她。記者談至此，天暮，遂辭歸。

賽金花之聰明

歷盡慾海滄桑之一代美人賽金花死矣！賽之一生黃金時代，厥為嫁蘇州狀元洪文卿（鈞）之時，其時賽年才十四，早隸平康，洪遊滬上，識之風塵之中，遂為脫籍，藏之金屋，寵擅專房，洪後出使英國，偕賽同行。（四十）

讀馬樹禮談話後

・文園樓主・

結束訪問東南亞各國的中國國民黨中央委員會第三組主任馬樹禮，於昨天返國時表示：「尼克遜擬赴匪區訪問之舉，並不影響東南亞各國的反共立場，且更激發了各地僑胞的愛國熱情，踴躍組團，準備回國參加十月慶典。」

於上月初出國訪問的馬樹禮主任說：國際姑息逆流，促使僑胞們更形團結奮發。他在各地見到了很多可歌可泣的事實，常使他自己感動得流下淚來。

他說，就以今年各地僑胞組團準備回國參加十月慶典來說，每年要到八月底才有人登記：而今年七月間，就已有超過往年一倍以上的人數組好了團。香港昨天一天就有四十多個團，向華僑旅運社登記，到目前爲止，香港已組成一百廿個團，共有四千多人參加，其人數也較往年超出一倍。」

中華民國六秩大慶，祇馬樹禮就從東南亞邀來四百多桌客人，還有歐洲，美洲，澳洲其他各地區且未包括在內，眞是慶典年年有，未有今年熱，我們也會高興得和馬樹禮一樣流出眼淚來，今天特帶着眼淚向馬樹禮作幾點簡短建議。

第一，參加國家慶典的歸僑，千萬不可以讓匪諜混進來，俗話「一個饅頭得蒸熟」我們要愼重防範。其次是販毒，販假鈔票，走私漏稅的歸僑須注意，往日的錯誤，厠所裏的大糞不欲再去翻，領隊旗桿裏裝海洛英的人，可能服刑期還未滿，法院尙有案可稽，像這個樣子的歸僑是少幾桌比較好，否則，寧靜的社會，會被他們衝亂的，尤某一些洗盤洗碗之輩，祖國沒有那麽多盤須要洗，還是越少來越好。

第二，留在台北一批難僑，今年希望稍加選擇，才讓他們的主席台上跑，若干賣生瓜梨果，和混飩麵的還無所謂，有些形同扒竊詐騙之輩，西裝畢挺看起像人，坐在僑領的位子上實在不妥。例：有一位印尼周姓難僑，在長安西路虛設行號，勾結地痞流氓，幾年前騙人約一兩百萬元，用惡人先告狀的老方法，僑委會還替他去囪幫腔，凡此皆得清一清，查一查。萬不可以馬馬虎虎。

更等而下之的爛污行爲，登出後怕被共匪報紙轉戰，又觸及到一些不愉快的問題。我們對馬樹禮的誠摯能幹舉雙手贊成，但因歸僑隱藏着一些政治上的敗血病，希望趕快澄清和治療。早點結束報喜不報憂的」一種錯誤想法。

所謂：「維新政府」（五）

・本報資料室・

所以題名「米家船」。我常常在看書之後，總到那邊去聊天，那裏是一座二層的樓房，下面是裱畫店，樓上租給陳羣居住，有一個木梯可以登樓。早些時候，陳羣不知在那裏弄來了很多舊書，名目繁多，這些舊書是三馬路一帶舊書舖所求之不得的，陳羣就在那裏陸續出售，以維生計。

陳羣字人鶴，本來是北伐後上海威靈顯赫的人物，與楊虎合作。那時有錢的人常常被套上一頂帽子，捉到警備司令部去，加以勒索。因爲他們兩人殺人殺得快，所以被捕的人用錢也要用得快，楊虎陳羣發財也發得快，因此他們兩人被人背地裏稱爲「養虎成羣」。

楊虎在杭州西湖畔蓋了一座極大的「湖濱別墅」，一天，最高當局到杭州遊覽，在「樓外樓」頭，望見文瀾閣附近添了這一座綠瓦紅牆的華屋，就問起這是「這是誰家的別墅？」有人告訴說是「楊虎新造的」，當局大爲震怒，隨即把楊虎撤職，別墅充公，而且認爲楊虎的一切罪惡，都是陳羣策劃的，所以對陳羣也定了「永不敘用」四個字的考語，陳羣祇得匿居租界中，不敢越雷池一步。

陳羣失勢之後，曾經担任的杜月笙辦的正始中學校長，但因妻妾衆多，揮霍無度，不久正始中學的職位也失掉了，所以潛伏在錢化佛的「米家船」裱畫舖樓上，以買舊書度日。

八一三國軍撤退之後，杜月笙曾派秘書胡叙五去勸他到香港，陳羣開口就要三萬塊錢安家費才肯動身，那時杜氏也覺得他有點「獅子大開口」，祇能聽他留在上海。

我因爲常到「米家船」，所以也認識了陳羣，陳羣生得很斯文瀟洒，但是接觸多了之後，覺得他常常會講滿口粗話，談的都是男女之私，令人忍俊不禁。

陳羣又喜歡打麻將，但是來打牌的人很少，入局的老是幾張熟面孔，而且輸贏很小，足見那時陳羣的經濟情形並不佳妙，而和他來往的人也不多。有時我到錢化佛處去閒談，陳羣會走下來，拉我們上去一同聊天，談上兩三小時，往往沒有人來訪。他對戰事的看法，認爲日本的泥足越陷越深，打不出什麽名堂來的。

但時隔不久，就無數陌生面孔的人來訪陳羣，每天晚上總有從妓院中發出的請客帖，送到「米家船」來。

錢化佛見到陳羣忽然活躍起來，已經有些懷疑，又隔了不久，陳羣對錢化佛說：「我先付你三個月房租，房屋請你代爲看着，你有客來往儘可使用，我不一定來，也不一定不來。」交代清楚之後，陳羣就離開了「米家船」裱畫舖的居處，好久沒有回來。

有一天，錢化佛告訴我，陳羣離開之後，還是有不少人來找他，有人問他：「陳羣住在新亞大飯店幾處房間？電話幾號？」錢化佛祇能回說：「不知道」，可是別人以爲他不肯講，苦苦的纏着他，要有一個答覆，錢化佛迫於無奈，就說：「據我所知，古拔路他有一個小公館，你們自己去找他好了」，可是電話打到古拔路，聽的人說：「此地沒有陳先生，陳先生和家眷都已搬走。」由此看來，陳羣也已經落水了。

後來才知道，梁鴻志等一批人都集在新亞大酒店，籌備南京新組織，他們認爲租界上不安全，所以全部人馬都住進虹口日軍司令部的大本營新亞大酒店去，輕易不肯離開虹口一步。（未完）

讀書雜鈔　十九

・林儔・

族姪肇先言：「有書生讀書僧寺，遇放燄口，見其威儀整肅，指揮號令，若可驅役鬼神，喟然曰：「冥司之敬彼教，乃逾於儒。」一燈影朦朧間，一叟在旁語曰：「經綸宇宙，惟賴聖賢，彼仙佛特以神道補所不及耳！故冥司之重聖賢，在仙佛上。然所重者眞聖賢，若僞聖賢，則陰干天怒，罪亦在僞仙僞佛上，古風淳樸，此類差稀，四五百年以來，桑因日象，已別增一獄矣。蓋釋道之徒，不過巧陳罪福，誘人施捨，自妖黨聚徒，謀爲不軌外，其僞稱我仙我佛者，千萬中無一。儒則自命聖賢者，比比皆是，民聽可感，神理難誣，是以生擁皐比，歿沉阿鼻，以其貽害人心，爲聖賢所拜故也。」書生駭愕，問：「此地府事，公何由知？」一彈指間，已無所睹矣！」（閱微草堂筆記卷十）

時論曰：聖賢講道德、說仁義，引天下爲己任，向以德服人，最惡以力服人，有人自命爲聖賢，好話說盡，以讀書欠通，冒聖賢之名，自恃手腕靈活，愚弄儕輩，自以爲聰明，實則愚不可及，自命聰明，不足病，病在自恃聰明，視天下蒼生皆愚騃耳，僥倖成功一時，又何能置基於民心，政治固不易爲，昔者稱爲官迷，今則名曰政客之流，一意瞞上欺下，心中無民命疾苦，雖藉權勢固寵名位於暫時，終未能以才能政罪深獲民心愛戴，徒冒聖賢之虛名，弗能成大功，立大業。大智若愚，與小聰明正相悖，賣弄聰明於國家社會又有何益？讀書人，宜猛省也。

（未完）

陳果夫講「藥」故事（十）

・門外生・

我們還聽到一段故事，就是雲南從前有兩個土司不和，因爲曲六是住在姶龍的土司這一邊，姓楊的土司原準備和姓龍的打仗，怕曲六的藥好打不勝，所以先把曲六騙了來。曲六不屈，姓龍的土司也以爲失去曲六，是一個很大是損失，雙方倒爲這件事促成了戰事，結果姓楊的土司失敗，曲六仍回姓龍的土司之下做他的藥生意了。

四、大葱可以治腎臟結石嗎？

四川有位姓聶的人，一向在教育界做事。民國二十五年到了南京，覺得身體有病，到鼓樓醫院去醫治，照了X光，發覺是腎臟結石症，醫生主張要開刀，他最初猶豫不決，後來和若干好朋友商量才決定了。但是不敢請教南京的醫師，特爲寫信託上海朋友向寶隆醫院預定房間，該想請醫院一位著名外科醫師開刀。

本去之前，有一位姓王的朋友，新僱用一個揚州廚子，燒得一手揚州名菜。聽說他不久要施行手術，請他去吃晚飯，他抱病赴宴。吃了回來，到睡覺的時候，忽然覺得小便時有點痛，細察夜壺裏發現了許多小粒砂子的東西，疑心是腎臟結石化小由尿中流出來了。

次早打電話去詢問姓王的朋友說：「你昨天給我吃了些什麽東西？」朋友回答說：「沒有什麽啊，就是我關照了新廚子，獅子頭裏多放些葱。我看你吃得很有味，怎麽樣？你今天身體好嗎？」他就把昨晚小便情形談了一遍，他朋友聽說就又做了碗葱燒獅子頭送他。他吃過之後，小便中果然又有小粒砂子出來，覺得身體如釋重負，腎臟也不痛了。就去電話感謝這位朋友。

（未完）

神醫華佗

周吉

曹操雖然久聞華佗之名，但對於華佗的過去却不太知曉。曹操聽了華歆這一段話，引起了他的興趣。欣然聞其詳。這位華佗先生的本家繼續又說：

如廣陵太守陳龍，華佗治之，吐紅頭三升而癒，且斷定其三年必發不能得救。又有爲蜀將關雲長刮骨療毒，稱爲神醫。又有一人，眉間生一肉瘤，癢不可當，請華佗視之。華佗道：「內有飛物」。人皆笑其妄言。華佗用刀割開，一隻黃雀飛去，病者即癒，眞是神妙極了。

又有一人，被狗咬傷足指，傷處長肉兩塊，一塊痛，一塊癢，痛癢都不可忍。延華佗視之，華佗說：「痛者內有針十枚，癢者內有黑白棋子二枚。」衆人不信，華佗用刀割開，果如華佗所言。他人眞扁鵲，倉公再世，不能及也！（扁鵲：姓秦名越人，春秋時名醫。倉公姓淳于名意，西漢名醫。）

曹操聽得興起，插口問道：「莫非曾醫江東周泰的那位神醫麽？」

華歆道：「正是此人」。曹操聽他道樣說，更增加了信心。即星夜召華佗來到許昌，令診脈視疾。華佗視畢說道：「大王頭腦疼痛，因患風而起。病根在腦袋中，風涎不能出。枉服湯藥，不可治療。某有一法，先飲麻沸湯，然後利斧剖開腦袋，取出風涎，方可除根。」曹操怒道：「頭破豈能活！」

華佗道：「大王曾聞關公中毒箭，傷其右臂，某刮骨療毒，關公署無懼色。今大王小可之疾，何必多疑？」

曹操怒道：「臂可刮，腦袋安可砍開？汝必與關羽情熟，乘此機會，欲報仇耳！」喝令武士拿下收入獄中，拷問其情。

此時關羽已死，曹操說是爲關羽報仇，其故在此。以上爲是「三國演義」小說家之言，似不宜盡信。根據正史（三國志後漢書），其實不然。

曹操延華佗來治，華佗仍以鍼灸療法。雖然不痛，但是時癒時痛，因此曹操就把華佗留在王府，專門爲他隨身醫師。過了一個多月以後，華佗對曹操說：「大王的病，近日難濟恆事，政治可延歲月。某離家既久，今得家書，促返鄉里一行再來。」曹操許之。

華佗回家之後，藉故妻病，請曹操延期。因曹操的頭風時有復發，曹操且「累書」華佗來許昌，華佗不行。又敕郡縣發遣，華佗一則恃能，再則厭倦他的「因人之役而食」的行道，「猶不上道」。

曹操大怒，派了專吏率了武士前彼拘捕。曹操對使者說：「此去華佗家，檢視其妻是否有病？如其妻眞的有病，賜小豆四十斗，寬假限日。如若虛妄，便收送入獄拷問治之以罪。」

使者搜華佗家，以妻無疾病，遂付許[illegible]拷問，華佗坦然承認妄稱妻病。按律當死。

謀士荀文若（彧）進言道：「華佗的醫術，實繫人命，其罪宜寬宥之」。

曹操怒猶未息，怒聲言道：「吾不憂天下，世間當無此鼠輩邪！」於是華佗當賜死。

有一個不知姓名的獄吏，平日侍華佗不錯。華佗自知必死，把他携帶隨身的一本書送給獄吏說道：「這本書可以活人。」獄吏畏法不敢接受，華佗亦不勉強，取火焚燒之。次日我們這一位偉大的神醫華佗遇害於許昌。時爲建安二十五年事也。

安徽十三傑之中，曹操與華佗是唯一的小同鄉，也是唯一的雙傑，生在同一時代而又發生過，自相殘害的兩位人傑。

華佗死了，不久曹孟德也入地府相見。但是在華佗死後不久，曹操的愛子倉舒病困，他自懊不該將華佗置於死地，否則愛子得救了。

（七）

安徽十三傑

管仲　李時　莊周　曹操　華佗　包拯　朱熹　朱元璋　戚繼光　李鴻章　段祺瑞　胡適　楊振寧

名人小傳（五）

怪儒辜鴻銘

．塞翁．

辜鴻銘與胡適之，二人乃士林之寶，讀書人皆知。二君同執教於北大，然而二人思想言行迥異其趣：辜守舊而胡維新，辜美女人小足，胡以小足爲不仁道，胡服西裝，辜則長辮、長袍、短馬褂。蔡元培校長則兩皆優禮之。

一日胡適講中國哲學史，生徒雲集，室門爲之塞。鴻銘作色曰：「何物小子，如此大胆，少間令過我！」學生以告適之，適之大笑曰：「大學固宜包羅萬有，學術公器也，守一隅，拘一格，我通人之雅量，尤我所以爲大學，諸君令其通可耳！」竟不赴鴻銘約。

辜字湯生，振奇人也。由於忠君思想濃厚，因此所以常單槍匹馬，受革命黨人之攻擊，但辜精通英文、德文、俄文、法文、希臘文、拉丁文等，於我國固有文化造詣甚深。他將春秋譯成英文，中山先生曾說：「中國人眞通英文者，有三個半人，一個辜鴻銘，一個伍朝樞，一個陳友仁」。還有半個他沒有說出來，想必是他自己算半個。可見他在一個偉大人物心目中地位。

辜初受英文教育於香港，一八七七年獲愛丁堡大學碩士，返國任之洞幕僚，南洋大學教務長，北大教授，卒於民國十七年，享年七十一歲。生平對於多妻與小脚最感興趣，雖貌古行辟，而亦滑稽突迄，往往片語解頤。一日有西人問曰：「貴國風尙，乃崇多妻，先生亦有說乎？」鴻銘答曰：「君知象杯翼壺之理乎？壺一而杯衆，宜也；夫一而妻多，亦宜也。」西洋人大笑而去，此事貽爲笑談。

讀「岳武穆年譜」書感（八）

．李安．

當時日歷之官，言於人曰：自八年冬，檜既監修國史，岳飛每有捷奏，秦檜輒欲沒其實，至形於色，其間如闊略其姓名，隱匿其功狀者殆不可一二數，大率欲薄先臣之功，以欺後世，使後世以爲不足多根，天下莫不哀先臣之不幸，且慨千載之後，何以傳信如臣，前所陳致禍之六條，後所陳辯誣之五條，雖天下之人，戶知之，人誦之，野老賤來，得於傳，小夫庸俗，騰於說，按之詔旨而不謬，驗之歲月而有稽，可謂不誣矣，然臣竊意國史未之書也。抑臣聞之檜之始能罷相也，上詔當制學士綦崇禮，出檜二策，示以御札，明著其罪，日星炳耀，垂戒萬古，豈易磨滅哉。暨檜再相，深掩諱三，公騰函章下台州于崇禮之婿謝伋家，取之以滅跡，惶惶奎畫，尙敢擧而去之，於先臣之事何恤哉，嗚呼！此豈特先臣之不幸，廟謨神爵，鬱而不彰，檜之罪，尤不勝誅矣，金匱石室之書，固非臣所得而見，然臣所以附其言於此者，亦特見天下之所以哀先臣之不幸之意而痛直筆之無放也，嗚乎！此籲天辨誣之所以不得不作也，司馬遷之言曰，要之死日，而後是非乃定，是非定於既死，此人心之公論也，而先臣既死之後，秦檜方柄國鈞，天下噤不敢議，稔惡而斃，繼之者，猶一時之黨也，中經更化，嘗欲復先臣官，而時宰以爲虜方願和，無故而錄故將，且召禍，不可，故還嶺嶠之諸孤，復純州之舊號，皆出一時之特斷，而拳拳聖眷，首發於緝遜面命之頃，故先臣復官錄孤之事，皆高宗之所親見，而先父臣霖欽州召還，賜對便殿，玉音宣諭，謂家鄉寃枉，朕悉知之，天下共知其寃，則孝宗之所以得先臣誣枉於問安視膳之餘者，蓋詳矣，故一時辨先臣之事，如李若樸，何彥猷，或生拜郎曹之除，或死沐褒贈之典，而睿旨曲頒，且有秦檜誣岳飛，擧朝莫敢言之語，則先臣之事，蓋不辨而自明，嗚乎！聖恩厚矣，而時宰之所以進言，得非以先臣則虜之功爲罪乎，建炎初，僞楚不就，北面一時肉食者，獻言曰，張邦昌虜之所立，宜有以尊顯之，李綱虜所惡，置散可也，上歛容曰，恐朕之立，亦非金之所喜，即聖謨而論之，則先臣之事可明，時宰之言可闢，獨以古人之言，所謂至死而後定者，蓋已出於不幸，而先臣之死，於二十年，然後奸邪闢，正論興，九泉孤忠，始遂昭雪，此其不幸，尤可哀也，臣尙忍言之哉，其他，如以不附和議爲懷奸，以深入奮戰爲輕敵，以恢復遠略爲不量彼己，以不事家產，爲萌異志，以不結權貴，爲妄自驕傲，此臣又將哀檜之愚，而以爲不必辨，謹敘。

（完）

左舜生談杜甫（一）

．文輯公．

因爲想好好的把杜詩溫習一遍，現在先就杜甫的一生來作一次初步的檢查。孟子說：「頌其詩，讀其書，不知其人可乎，是以論其世也」。像杜甫這樣一個偉大的詩人，假如我們對他所處的時代和他一生的經歷，不有相當的了解，便想進而去欣賞他的作品，這當然是不可能的。

杜字子美，本襄陽人，曾祖依藝，曾作河南的鞏令，因徙居鞏，因此杜甫的出生地乃在河南的鞏縣。依藝生審言，初唐有名的詩人；審言生閑，終奉天令（陝西乾縣），便是子美的父親。

子美生於唐睿宗先天元年壬子（一七一二），卒代宗大歷五年庚戌（七七〇），歷玄宗、肅宗、代宗三代，得年五十有九。他的母親出於清河崔氏，但在子美的幼年便已死了，因此我們在子美的詩中只看見他提到他的舅父和表弟們，絕沒有看見提到他的母親。

子美在唐肅宗的至德二年（一七五七），曾任過短時期的左拾遺，（官不大，但可接近皇帝）所以有不少的人稱他爲「杜拾遺」。肅宗的廣德二年（一七六四），嚴武表他爲節度參謀檢校工部員外郎，因此大家又稱他爲「杜工部」。在長安南五十里，爲古杜伯國，漢宣帝葬此，因稱杜陵。（見漢書地理志杜陵注）杜陵東南十餘里，又有一陵差小，爲許后所葬，謂之少陵。子美曾在這附近住過，因此他自稱「杜陵布衣」、「少陵野老」。約後於杜甫九十年，我們又得着一位天才詩人杜牧，因此大家又稱甫爲「老杜」，而以牧爲「小杜」。這些都是讀杜集的時候，所應當首先知道的。

李白和杜甫，都是有生夙慧的人，李白自己說：「五歲誦六甲，十歲觀百家」；又說：「十五觀奇書，作賦凌相如」，這與杜甫自述：「往昔十四五，出遊翰墨場，斯文崔魏徒，以我似班揚，七齡思即壯，開口詠鳳凰，九齡書大字，有作成一囊」，可以看出他們自小便都是自命不凡的。本來，一個偉大詩人的成就，假如他們不是具得有過人的天才，確實是一件不可能的事哩。

李杜所處的時代相同，兩人的遭遇相似之點也不少，但究竟因爲他們的所學不同，因此影響到他們的人生態度，也就有了很大的差別。我們讀李白的詩，總覺得他有一種「飛揚跋扈」的氣概，浪漫的色彩甚濃；杜甫則一生謹愼小心，好像終日都是愁眉苦臉，因此論到能使人胸次開廓，似乎是杜不如李；能使人情感深厚，又似乎李不如杜。我們要超脫時代而不爲時代所苦，宜於讀李；要理解時代，因而激發自己的同情，則宜於讀杜；在今天，則確實兩者都有需要。至於他們兩位作品的優劣，實在是「見智見仁」，要自己去領悟，強爲軒輊，似乎是大可不必的。

（未完）

黛眉小傳（十）

．王幻．

秋瑾

漢家宮闕斜陽裏，五千餘年古國死；一睡沉沉數百年，大家不識做奴恥。憶昔我祖名軒轅，發祥根據在崑崙；闢地黃河及長江，大刀霍霍定中原。痛哭煤山可奈何？帝城荆棘埋銅駝；幾番回頭京華望，亡國悲歌淚涕多。北上聯軍八國衆，把我江山又贈送；白鬼西來做警鐘，漢人驚破奴才夢。主人贈我金錯刀，我今得此心雄豪；赤鐵主義當今日，百萬頭顱等一毛。沐日浴月百寶光，輕生七尺可昂藏；誓將死裏求生路，世界和平賴武裝。不觀荆軻作秦客，圖窮匕首見盈尺；殿前一擊雖不中，已奪專制魔王魄。我欲隻手援祖國，奴種流傳徧禹域；心死人人奈爾何？援華作此寶刀歌；寶刀之歌壯肝胆，死國靈魂喚起多。寶刀俠劍孰與儔，平生了了舊恩仇；莫嫌刀鐵非英物，救國奇功賴爾收。願從茲以天地爲鑪陰陽爲灰兮，鐵聚大州！鑄造出千柄萬柄刀兮，澄淸神州！上繼我祖黃帝赫赫之威名兮，一洗數百年國史之奇羞！

（六）

秋瑾死後，初時沒有人敢去收拾屍體，及後她的盟姊吳芝瑛（時廉惠卿夫婦已棄官南歸，寓居滬上）和徐自華自上海聞訊趕來，出面爲她收殮，爲之營葬西湖，樹碣銘墓，攝影題詞，徧貽友好，各報又爲之刊載，大違當局之忌。滿御史常徽希旨糾彈，說吳芝瑛是秋瑾同路人，將與大獄，有旨着浙江巡撫嚴究，幸巡撫增韞（十固）人尙開通，江督端方亦不欲株連，其夫廉惠卿遂上書申辯，一切輿論紛起支持，又得各方有力者馳書緩頰，事乃不了了之，僅遷葬湖南結案。

（十）

談眼相（一）

．錢一釗．

（十八）

欲察神氣，先觀目睛，賢良澄澈，豪俊精英，人之神在目，夜則神寢于心，晝則神游于目，欲察神氣，虛實心術美惡，必當先視其目，故觀其外者，則知其內，賢良之士，眼神澄澈若水，豪俊英傑之流，神和惠而黑白分明。

性端正者，平視無頗，情流蕩者，轉盼不寧，人秉性端正則平視不側，心情流蕩之徒，目睛往來轉盼不息顧下言徐，叔向知其必死，視端趨疾，魏王見平得情，昭公十一年夏五月，單子會韓宣子于戚，視下言徐，視不登帶，言不過步，無寸身之氣，死將至矣，是年冬單于果卒。

神陷短壽，睛凸極刑人之壽夭，皆在于神氣所主，若目神已陷，必當兵死，睛凸謂之蜂目，其人必受極刑。

斜盼者人遭其毒，癡視者自尅其形，斜盼之人謂眼神側視，必遭而身亡或至兵死。神癡不秀轉盼無力者，雖面部貴顯，自尅無祿也。

淫眼神蕩，姦心內萌。淫亂者眼神流蕩而不收，狡佞姦罪之人，目若塵垢之蒙深，不可以爲交友。

睡眼神濁而如睡，驚眼神怯而如驚目神濁者不清也，如睡者謂神困濁，無力終當夭壽，驚眼者，謂視物急而驚其人當至暴死。

病眼神困而如病未愈，醉眼神昏而如醉不醒。

病眼神困謂情倦如久病未痊，其人終無遠壽。醉眼神昏者，神力倦怠，恆如帶酒必至服毒而死，洪波在未服毒前住空軍醫院時，即出醉眼神昏。

美麗碑會談（四）

巨變歷險記！

（二四六）

．胡慶蓉．

薩爾溫求上的這一段旅途，丁博士感到十分的滿意，不但兩旁江山如畫，面前水平如鏡，而且有山珍吃。關於子肉，上邊說過了，關於金鯉魚也說過了，還要說一說雉雞。雉雞即鳳凰的別名。雉雞，沿薩爾溫江兩岸特別的多。在船飛馳的前進中，在兩岸沙地上常常看見一個一個的雉雞，一羣一羣的雉雞。牠們在沙地上展開牠們美麗的羽毛，像一把一把切開來的大羽毛扇，在那裏跳扇子舞。顏色，花樣是那麼的美麗……在太陽光反映之下，更顯着鮮艷美麗；……有時候他們到江邊來喝水，打牠們，並不困難，可以說百發百中。雉雞似乎是一種純良的鳥，一點也不狡猾，更無所謂機警。路上打的雉雞，就都裝在船上來，每餐配着吃。雉雞的肉，很彷彿雞肉，但沒有雞肉那麼香。肉多，油少。

有時候，停下來，還會打到野豬。有時候，也會打野牛。牠們的味道都不錯。熊也是有的。熊掌，因爲孟夫人給一種宣揚，就成了中國的一種名菜。在北平，前門外大柵欄厚德福就有這道名菜。但做來並不好吃。現在薩爾溫江的熊掌，就比較的新鮮。但實在講，熊掌的肉是沒什麼可吃的，同豬蹄的肉差不多，可能還不如豬蹄肉好吃。孟子曰：「魚我所欲也，熊掌亦我所欲也，二者不可得兼，捨魚而取熊掌者也」！要在丁博士來說，却正相反，丁博士則是捨熊掌而取魚者也。薩爾溫江之熊掌遠沒有薩爾溫江之鯉好吃。

薩爾溫江沿途的酒，別有一番風味。薩爾溫江沿途的酒有他的特別製法。喝起來甜甜的，酒精還是有，但分量似乎很輕。水菓以大椰子水爲上選。

會議的地點選在美麗碑。吉倫沿途都派有人招待。吉倫招待的大員是恩沙爾（Richard）將軍。我個離開船，到岸上陸地，有一段是坐吉普車。這太危險了！道路沒有，爬山越嶺，忽上忽下，忽而水裏，忽而林裏，人在車上，有時頭向地，有時頭向前，有時……有時……還是丁博士建議不再坐吉普車，改乘大象。有象就來得比較合適。

有幾天，恩沙爾將軍招待丁博士一行吃西餐。這是沒有想到的。做西餐的人是位留英的老吉倫。這位老吉倫，恐怕父親是吉倫人母親是英國人，因爲這個人名叫推爵（Twe Gyaw），面容與英國人無異。他英文很好，並操一口流利的英話。推爵的英國西餐做的着實不錯，以久居歐州各國的丁博士，吃着非常够味道。

開會的地點——美麗碑，在巴奔之上，本基之旁，巴奔我說過了，本基則是英國人手創的一個工業城市，本基不但有工業自來水，有電力，而且吃的用的也都很完全了。參加會談，這邊有丁博士，有吉倫的副總統斯高來多，那邊的人就多了，有吉倫的武裝部隊總指揮明茂將軍（Ming Maung），參謀長……

中華民國內政部登記證內警台誌字第〇三一號
中華民國僑務委員會登記證台僑新字第三二三號
中國郵政台字第一二八二號執照登記為第一類新聞紙

（第一一九四期）

（半週刊每星期三、六出版）
每份港幣壹角・台幣零售價新台幣二元
督印黄行齋・社長李運鵬
社址：香港九龍官塘康寧道117號後座二樓
117 HONG NING RD, 1/F REAR, KWUN TONG, KOWLOON, H.K.
TEL: K-433653
電報掛號：7191
郵箱：官塘郵政信箱9583
承印：景星印刷公司
地址：嘉咸街廿九號地下
台灣區業務管理中心：台北市許昌街廿六號
電話：三八〇〇〇二
台灣區直接訂戶　台灣劃撥戶
第五〇五六號張萬有（自由報會計室）
台灣分社：台北市西寧南路110號二樓
電話：三三〇三四六、台郵劃撥戶九二五二號

本報專論

論貪污犯不應赦

・劉清波・

（上）

（一）前言

本（八）月四日自由報，刊有丁教授作韶先生大文一篇，「我主張大赦」，並主張赦免貪污犯。拜讀之餘，敬悉丁先生係對司法行政部為紀念中華民國六十年，疏通監所人犯，而擬定之「中華民國六十年監所人犯處理條例草案」而來。按該草案凡廿一條，五月末由行政院函送立法院審議，並經立法院司法、國防兩委員會一字不易通過，尚待「院會」討論中。該草案第一條規定緣由，第二條揭明為特別法，第四、五、六各條規定保釋條件，第九條規定現役軍人之保釋，第十條規定不適用本條例之罪名，其餘多屬手續上之規定。本草案第六條規定曰：「犯戡亂時期貪污治罪條例之罪，在本條例施行前，經判處有期徒刑，執行達二分之一，或無期徒刑，執行達十年時，依第四條之規定，准予保釋」。準此規定，則知貪污犯為保釋對象之一。換言之，即貪污犯亦在大赦之中。丁教授之主張與本條例草案之精神，雖皆在「以仁治國家，以德感天下」，依時依理，本應讚許；惟政府播遷以來，世風不古，官吏貪污，比比皆是，「紅包」之風，幾成公開秘密。各級公務員之待遇，雖較重慶抗戰時期優裕特多，而廉潔風氣則一落千丈。社會祇崇拜金錢勢力，不尊重學問人格。筆者於日本投降後還都南京，一時承辦不少漢奸、貪污案件。回憶貪污犯之犯罪事實，與今日贓官扒錢之情形無殊。若夫為感化主義之刑事政策計，對該草案固無可厚非。關於赦免一般犯罪，因篇幅所限，姑存不論，茲就赦免貪污一事，論列如左。

（二）赦免概說

所謂赦免，乃指國家元首基於憲法所賦予之特權（憲法四〇），依法令消滅刑罰權，或變更刑種，減輕刑罰，為因應不同之情況，而緩和嚴格的刑罰，以行政權救濟司法權權之窮之謂。赦制運用得當，非獨足以補救法律之不備，糾正裁判之錯誤，而且足以鼓勵受刑人改過遷善，符合近代感化主義刑事政策之要求。然則赦免權究係本於行政權而來，其影響刑罰權者甚大，是故不宜濫赦。赦免之法，要有四種：其一、大赦，即指基於法律之規定，消滅一般或特定犯罪法律上效力之謂。大赦之範圍，由行政院提出，立法院制定法律，總統行使赦免權（憲法五八之二，六二，六三，四〇）。其效力有二：（1）已受刑之宣告者其宣告為無效，（2）未受刑之宣告者其追訴權消滅（赦免法二）。其二，特赦，係指對於受刑宣告之特定人犯，免除刑之執行而言。其效力與大赦同（赦免法三）。其三，減刑，即以命令對於受科刑裁判已確定之特定人犯，變更或減輕所宣告之刑（赦免法四）。其四，復權，謂以行政命令回復因受刑之宣告而喪失或停止之法定資格。

我國赦制，施行最早。尚書堯典之「眚災肆赦」，呂刑之「五刑之疑有赦，五罰之疑有赦」，周禮秋官司刺掌三宥三赦之法，「一宥不識，再宥過失，三宥遺忘」，「一赦幼弱，二赦老耆，三赦惷愚」，開我赦制嚆矢，惟均係指特赦而言。關於大赦之制，則始於秦二世四年之「大赦天下」，將當時全國所有囚犯，完全開釋，編為軍隊，征伐楚國。自秦之後歷代帝王均有大赦令之頒行。例如漢有「赦除」之法，唐有「赦降」之條，宋代大赦尤其漫無限制。所謂「常赦」、「郊赦」、「典赦」、「德音」諸稱，皆大赦之別名。宏恩濫施，失去赦免恤刑之本義，致國家法令威信掃地。元、明、清各代，亦曾屢頒大赦令。民國肇造，大赦令曾經五次頒佈。北京政府時代，十四年段祺瑞入京建號執政，大赦一次。十六年張作霖入關，自立為大元帥，又大赦一次，三年兩赦，非謂不頻。國民政府北伐統一以來，正式頒布大赦令者，一為二十年一月一日政治犯大赦條例，限於十九年十二月卅一日以前之政治犯始於赦免，其範圍亟小。二為廿一年六月廿四日頒布之大赦條例，赦免與減刑併列。三為三十六年元月一日頒布之大赦令。前後合計，共有五次之多。

民國三十六年之大赦令，其理由與意義，委實非常重大，蓋我國堅苦抗戰八年，獲得勝利。且制定憲法，實行法治。政府為慶祝「大時代」，表示仁政盛典，使為囚犯者，亦隨民族史新而自新，國家博愛賢明可以概見，而全國二十萬以上得吻赦典之囚犯，則可重新恢復自由。此次之大赦令，最重要者計共四項：（1）犯罪在中華民國卅五年十二月底以前其最重本刑為有期徒刑以下之刑者，均赦免之。普通犯罪與軍人犯罪，均可適用，範圍甚廣。（2）戰爭罪犯及左列各欵之罪，均不赦免或減刑。甲、懲治漢奸條例第二條至第四條之罪，乙、懲治貪污條例第三條第五條及第八條之罪（因所列各罪均為官吏貪污或包庇貪污與官吏共犯貪污之人犯），丙、殺直系血親尊親屬之罪（即刑法第二七二條之罪），丁、禁烟禁毒治罪條例將科死刑或無期徒刑之罪。（3）除（2）項各罪外，其最重本刑為無期徒刑以上之刑者，依左列標準減刑：甲、死刑減為有期徒刑十五年，乙、無期徒刑減為有期徒刑十年，丙、有期徒刑或或併科罰金者減其刑期或金額二分之一。如此規定，一則示政府恤刑重赦之本旨，一則可免貽害社會之患，刑與德二者兼顧，可稱兩全之道，亦為近世各國頒行大赦令所同取。此我國大赦制之概畧也。

（三）監所人犯處理條例草案

此次行政院函送立法院審議中之「中華民國六十年監所人犯處理條例草案」，在名義上雖非政府所頒之大赦令，但按諸本文前陳大赦之義意，其實質上則與大赦並無二致。觀其內容，始則規定：本條例施行前，在監獄、軍人監獄之人犯、看守所、軍事看守所之被告，在偵查中羈押滿兩個月，審判中滿五個月，尚未偵查終結或判決者，應自本條例施行之日起二個月內辦結之，逾期尚未起訴或判決者，視為撤銷羈押，就命具保，責付或限制居住。在審判中之案件，因案情繁雜或情節重大，經依法裁定，或核准延長其羈押，或判決者，得不受前項二個月之限制，但仍應於本條例施行之日起一年內判決，逾期視為撤銷羈押，得命具保、責付或限制居住（草案二、三條）。

次則又規定：在本條例施行前，判處七年以下有期徒刑之人犯，於執行達十分之二時，無情狀不良之事實，具備左列情形之一者，由其親屬或其他適當之人具保，准予保釋，拘役或科罰金，而易服勞役者，亦同。（1）保釋後能獲得職業者。（2）保釋後有一定住所或居所者。上項執行期間如有羈押日數，或監外調服勞役日數折抵刑期者，折抵日數均算入之（草案四條）。判處七年徒刑之人犯，執行達十分之三時，准予保釋，判處無期徒刑之人犯，執行達七年時，亦同。犯戡亂時期貪污治罪條例之罪，經判處有期徒刑，執行達二分之一或無期徒刑執行達十年時，亦准予保釋（草案五、六條）。但犯（1）懲治判亂條例第二條至第七條之罪，（2）殺直系血親尊親屬之罪，（3）盜匪罪，（4）戡時期肅清烟毒條例所規定之罪，（5）偽造國幣罪，（6）對於上官為暴行及抗命之罪，則不適用本條例之規定。上列規定之範圍甚廣，本文未便一一深論，惟就貪污不赦，畧抒所見。

（未完）

昨日與明日

是誰造成越南的選舉潮？

相距祇有一個月時間的越南大選，由於參加競選的在野軍人楊文明，暨在朝的副總統阮高祺，先後宣告退出，又釀成了嚴重的政潮，目的在反對阮文紹總統連任，阮高祺且要求阮文紹跟他一道宣告辭職。

當阮高祺宣稱競選時，美國的參議員指摘他有串通越南軍人販毒的嫌疑，打擊其信譽，因而阮氏乃得不到法定簽署人數以從事競選的資格。迨楊文明藉口選舉不公平，攻訐阮文紹總統有操縱陰謀，宣告退出競選後，美國參議院多數黨領袖曼斯菲爾，即主張停止對越南政府的軍經援助，白宮當局亦表示不贊成阮文紹一人競選，以免影響今後對越南的援助，而美國駐越大使彭克僕僕於華府西貢之間，專為越南選舉問題孜孜活動。

這證明越南的選舉潮，乃是美國造成的，所謂不干涉別國內政的美援政策，完全係欺人之談，而且毫不隱諱的公然干涉，比蘇俄對付東歐附庸國家的作風，更有甚焉。此其所以全世界接受美援的國家，無不充滿着反美情緒也歟？

看情形，越南的選舉糾紛將層出不窮，非把目前稍為穩定的局勢搞垮不可，誠不知美國參加越戰的目的，究竟是反共呢？抑係助共？

怎樣才算是公平的選舉？

民主政治的精神所在，就是選舉。邱吉爾說過：「現代的民主制，可說是一種最壞的制度，但在沒有更好的代替方法以前，只好實施下去。」這是明心見性的確評。

老實說，有了政黨作用，則任何一種選舉都不能說是十分公平的結果，而政黨作用却認為是民主政治的靈魂，即證明選舉的本質，先天上幷不具備公正無私的性能。美國的政黨作用比較是不嚴密的，但美國的選舉全靠金錢之力，一次大選的競選人，動則耗費幾千萬美元的金錢，才有獲勝希望，這樣拿金錢換取選票，算是公平的選舉嗎？

阮文紹是在任的總統，他的政府要維持選舉事宜，他在競選運動中，自比別人占着多少便利，若說這就是玩弄陰謀，就是不公平的措施，那除非教全體選民來辦理選政才行，然落選的人還是振振有詞的指為不公平呢！

美國人總想把楊文明捧成下屆越南總統，却不問楊氏的人望與才幹是否勝過阮文紹？他的思想主張是否對共妥協？專是喜新厭舊，而視友邦的安危存亡毋關宏旨，不亦怪哉！

・何如・

自由談

退化的世界

現在世界上的強權國家——實際是帝國主義者——經常標榜着和平共存主義，強調不干涉別國內政政策，一派正義公道的詞色，令人悅耳醉心，十分欣慰，而事實適得其反！

對於上述兩項主張說最熱烈的，就毋過於蘇俄和美國了。然俄帝却不許其所謂「社會主義兄弟之邦」的內政外交行為，有不受「蘇俄老大哥」控制、干涉的自由，俄軍且可以隨便進入「兄弟之邦」，從事鎮壓和屠殺人民的舉動。美國呢，烏龜不笑　，大家泥裏歇，動則指摘這個友邦不民主，那個友邦太獨裁，且不惜策動友邦人民發生政變，或推翻其政府（如南韓），或危害其當政者（如越南）。這種情形，在五十年前帝國主義盛行於國際間的時代，亦係罕見的。今日大家異口同聲反對帝國主義和沙文主義，然實際乃變本加厲，達於極點。即此可知人類進化的實質，是由文明而回到野蠻，一切科技之進步發展，文化思想之日新月異，都是對人類罪孽深重的禍事！

由今之道，不變今之法，若說可以創進世界和平，增加人類幸福，那就等於說太陽可以從西邊出來而東邊落下，你相信不？人類眞要過着永久和平生活的方法只有一種，那便是把全球的各種資源，歸諸全人類共有共享，進而消除國家界限和種族觀念，眞正構成世界大同境況，而以聯合國為世界政府，人類即不致再有戰爭行為了。若照蘇俄與美國現在的搞法，不特沒有和平共存的秩序可言，也決無民主自由的生活可覩，人類很可能同歸於盡，靜候上帝再教亞當、夏娃重新創造世界樂園罷，阿門！

馮五先生

天下事

男孩子應該爭爭氣

老正卯

今年大專聯考，女生的錄取比例，引起了社會的重視和爭論。原因是乙組盡是女生天下，竟迫使東海、師範、輔仁等幾個大學採取對策，為男生保障名額。而錄取分數自然亦以女生為高，如師大教育學系男生最高分是四九〇分，女生是五〇七分，男生最低分是四三〇分，女生是四四四分，而且男生的國文是五十七分，女生是七十五分。

引起爭論的焦點是：有人認為硬性限制女生名額，是違反教育原理與男女平等權利。誰考的好誰就應該錄取，考不好的活該，這是公平競爭，男女生應該一視同仁。有人認為女生的智力，耐力都不比男生差，但是生理的限制，使得女生的成就不能達到極限，如不予以平衡，將來發生的問題更多。

結果是第二個理由佔了上風，這是為了長遠打算，女生犧牲一點是應該的，因為將來她們生的兒女因此得利，豈不就拉平了。但如此則發生了另一個長久打算的問題；即十幾年來的現象，男孩子都以念甲組為目標，而甲組的考生也是實力比較雄厚，也可以說甲組的學生幾乎都是第一流的。其他各組當然也有第一流的，但究竟是少數。

問題在第一流的青年都念理工，理工是自然科學，研究的對象是物，即講究「御物」，而二三流角色則在文法科系研究「治世」。三十年之後，社會上的幹部或領導人才就是他們，這情形豈不成了現在的美國；第一流人才都在工商界，二三流角色都高據政治舞台，如尼克遜先生之出任美國的統總，把美國立國將近兩百年的臉皮都丟光了，專門在國際舞台上表演天方夜譚的故事，不是很糟糕嗎？

大家為了我們的孩子着想，不是也應該想個辦法平衡平衡嗎？

汽車進口稅率大增

立委提出激烈質詢

認為是保護裕隆壟斷市場

（自由報台北消息）立法委員徐中齊為財政部大幅度增加汽車進口稅率，實寓有協助裕隆公司剝削國人之私情，特向行政院提出質詢：裕隆汽車公司原僅二百萬元新台幣之資本，裝配日本三流產品，日產汽車株式會社之青鳥牌客車，用五年全部自製之欺騙承諾，假冒國產名義，以高於國際市價三倍以上之價格，壟斷台灣之公私市場，憑藉政治關係，取得保護，限制設廠，低利貸款，指定購買等獨家專利，用以杜絕工業競爭，牟取剝削暴利，作為日本資本家掌握台灣經濟之爪牙，迄今十餘年矣。實開惡性私人資本集中之先例，破壞民生主義節制資本之國策。本席屢次質詢均強調汽車工業理應國營，俾增公產而平民憤。貴院都以改善研究作復，不圖仍復變本加厲，嚮中為裕隆公司張目，盯衡時勢，期期以為不可。

財政部此次將汽車進口稅率自原百分之五十，增加為百分之八十五，名為保護國產汽車工業之幼苗，實則為專門協助裕隆公司之壟斷，蓋以（一）美國福特公司擬在台生產每輛美金千元（新台幣四萬元）之轎車，其品質高於裕隆甚多，而價格則低於裕隆三至四倍，政府為着裕隆之利益，竟致予以拒絕，對國人之消費者，實有難以交待之感。（二）在國人反對裕隆以日本貨大量剝削國人的聲浪之下，經濟部迫於情勢，批准四千輛轎車進口，財政部為着裕隆利益，於批准尚未進口之際，大幅增加關稅，用以打擊申請進口者，而達保護裕隆完全控制台灣市場之目的。

倘若裕隆公司的汽車已能百分之百的自製，政府為此保護，雖暴利屬嚴家私人，本席亦衷心贊成，以其雖然賺了大錢，仍有為國人揚眉吐氣之快也。但實際上裕隆公司仍停滯於裝配階段仍是日本日產，車的在台總代銷商汽雖加高報低的美其名曰：「自製率百分六十」。實際仍未走上汽車工業的軌道，政府如此無微不至的曲意保護，無異為日本掌握台灣經濟的政策增加助力，徒增國人之反感而已。

工業進步在於競爭如若十年以上政府開放汽車工業之競爭，則今日或已達到百分之百的自製。若十年以前政府將汽車工業國營或軍營，則技術之進步，亦將數倍於今日，國家之利益，竟不此之圖，仍然走着以國稅保護私人，不求進步的方式，真令人百思不能其解。

裕隆汽車公司計劃南部設廠

立委認若不完成自製率

對國家不能有好處

近來本院同仁們都接到了裕隆公司嚴慶齡先生的親筆影印函，和所附印刷精美的「裕隆汽車製造公司南部設廠計劃」書。在信函裏，用盡了漂亮的政治名詞，來強調汽車工業可以帶動其他工業之起飛。

在計劃書裏，更提出可以集資新台幣三十七億元，年銷三十萬輛的十年遠景，只是缺少一點，就是沒有說明何年何月可以完成百分之百的自製率，此種非自製的產銷數字，究和福特公司來台設廠或日產會社來台設廠，有什麼兩樣，假使硬說有不同的話，祗是他們設廠的售價將比裕隆的售價，便宜三至四倍而已，對於我們國家有什麼好處？對於將來反攻有什麼好處？對於消費者的國民又有什麼好處？所以有識之士，一致認為這是裕隆公司為着緩和國人反對氣氛，謀求繼續壟斷台灣市場牟取暴利的烟幕。

汽車工業之自製，最重要的一環，還是鍊鋼工業，此種常識，不但經濟部官員應該有，連國民中學的學生，也應該有。但是裕隆公司以新台幣二百萬元之資本，和日產會社定立五年全部自製的技術合作契約，却騙過了當時的經濟部大員，取得獨家設廠的優待，和低利貸款之補助，神通不為不大。及至承諾無法兌現之際，政府不但不敢責其背信，且主動改其自製率為百分之六十，一切保護和壟斷的措施，無一不是讓裕隆公司牽着鼻子走，尤其是李部長何以和裕隆公司合作無間，在經濟部長任內，為該公司訂下了許多曲意保護的法令，在財政部長任內，又毅然為其增加大幅的的保護關稅，以李部長之英明，尚不致為裕隆公司玩弄於股掌之上，明知受騙還不敢說，其他更可知矣。

基於上述裕隆公司百分之百自製不能兌現之騙局，我敢斷定今日其南部設廠的計劃，也是騙局，到頭來還是讓裕隆撈了一筆大財，汽車依然不能全部自製。

裕隆公司賺的錢已經不少了，光是小轎車一項，如以裕隆歷年銷量乘以一二六、一〇〇減去其歷年銷量，乘以五四、〇〇〇（日產外銷價），統計淨利即達四十餘億，而日產大批銷與裕隆之折扣，尚不在內。所以裕隆不但買了幾個大紡織廠，還投資其他事業。財、經兩部實應責令其將盈利投資於汽車工業，不應准其再吸外資在南部設廠，以蹈唐榮公司之覆轍。

總之裕隆公司之暴利，全係剝削自在台之國民，依據取之於民用之於民的原則，依據國家節制資本的國策，希望行政院對於國營汽車工業的主張，能夠大公無私的接受。幸甚。

從越戰報告書中看美國

侯立朝

本年六月十三日，紐約時報刊出了美國國防部越戰報告書，在美國的國內，引起了「言論自由」與「國家安全」的法律之爭；在國外也引起了美國的友邦極大的關切。在中華民國的台灣具體的反應是：有三家報紙在爭着譯載，對於此事的評論是：言論自由不能危害國家安全，但由於此一報告之公開，使我們了解到美國對外政策特別是在亞洲執行的政策的真面目，勿寧說是好事。

我們知道，美國的勢力直接包蓋亞洲，是第二次世界大戰之後的事。珍珠港事變之前，美國勢力在亞洲的表現，除了征服夏威夷和佔領菲律賓之外，都是採取和平的間接的征服政策，且受到了日、英、法、俄一定的阻滯。因此，亞洲人對於美國這種內藏不露的政策，雖然心中有數，但總是忍受下去。直到戰後，它在亞洲處處表現優越感的新大王作風，才引起亞洲人的反感。

美國在亞洲表現的優越感的自大作風具體的模式是什麼？舉要地說，不是它的生活方式，也不是它的經濟方式，更不是它的幼稚心靈，最主要的是它的政治方式。它想把它的政治模式推廣於亞洲，不管亞洲各國的人文環境及歷史條件，一律要亞洲各國跟着它實行所謂美式的民主，合模則為是，不合模則為非。這種強迫的美國化作風，特別積極地推銷於美國的盟邦，中國首當其衝，所以中華民國也就首先吃足了它的苦頭。

虛無主義者同時又是荒謬學之父巴枯寧曾說：假如人類需要上帝，我們就得替他們造一個。美國於戰後在亞洲推銷美式的民主，比巴枯寧還要荒謬，即使亞洲人民不需要美式的民主，它也要替亞洲人製造一個。於是，中華民國首先是它的試驗場。身為盟邦的美國，在戰後硬是壓迫中華民國政府，接受與共產黨組織聯合政府的條件，還特別派來馬歇爾到中國，以促成其實現。美國的民主理論很簡單，認為國民黨是執政黨，共產黨應為合法的反對黨，如無反對黨即是不民主。結果，它說國民黨不民主，扯國民黨的後腿，把中國大陸送到共產黨的手。國民黨退到台灣，美國又在台灣搞反對黨，搞學術殖民地運動，一直到今天它從未罷手。

中華民國政府對這種慘痛的歷史經驗從未爽快地揭開來大白於天下，總是忍隱未發，但是，百忍堂中無太和，反而為美國製造另一個藉口所誣傷，此即「貪污無能，獨裁不民主」。只要中華民國政府處理任何一個政治案件及匪諜案件，美國的一批政客及偏見與論，一定提出干涉之恫嚇，而在國內的一批假民主真走狗的政客，亦必幫腔狂吠不已。例如于氏兄弟一案。美國人也會捧手，如果誰要仗義執言說，政府處理匪諜是應該的，他們一定展開圍攻說你是國民黨的打手。一句話：他們要阻止陷害中國人愛中國。這種行為不是帝國主義是什麼呢？

越戰問題，追源溯流，它是隨着中國大陸的赤化而起的，沒有中國大陸被赤化，就沒有越戰，當然也就沒有了韓戰，麥克阿瑟將軍就不會有被免職的下場，這是歷史背景的映照。因此，越戰的第一階段（一九五〇——一九五四），是越共與法國之戰，美國先是採中立態度，等候法軍灰塵落地。這與中國大陸被赤化一樣，美國這種態度到越共是一種鼓勵，也就是共黨稱之為「帝國主義之間的矛盾」。當奠邊府之役結束，美國開始參與了一九五四年的日內瓦會議。其中，英國對於美國政策的牽制，似乎是英法之間的矛盾，終於由美英法這三角矛盾的關係，胡志明取得勝利。越戰的第二階段（一九五四——一九七一），是美國支配了越南，代替了法國當年的權力，俄毛支配了北越，以代替了法國當年的權力。如此看來，整個越南的命運並沒有走到自由獨立的道路，相反爽它由一個的殖民地走到了三國支配的殖民地。北越胡志明在分界線之北加強它的統治權力，南越的吳廷琰在分界線之南加強它的統治權力，雙方的對峙直到了甘迺迪做了美國總統，情況開始有了變化。

從越戰報告書中，使我們了解，美國為了打破吳廷琰總統的「越戰南化」政策，代之以「越戰美國化」的政策，不惜花了兩千五百萬美金，購買佛教徒暴動及自焚，並由美國總統、國務院、中央情報局、美國駐越大使聯合起來殺死吳廷琰，以達到美國的「越戰美國化」政策。美國為什麼一定要使「越戰美國化」呢？越戰報告書告訴世界說：那是因為美國在古巴突擊失敗，（即一九六一年四月十二日，進攻古巴豬羅灣事件，娃娃失敗後第二天，娃娃總統甘迺迪即下令檢討越南局勢）要在亞洲扳回一點面子，顯顯威風。（上、未完）

×　×　×　×　×　×　×　×

偶然公使夫人也，賽與英女皇維多利亞之並肩合影一幀，即於隨使時所攝，賽歸國後每炫耀於人，引為殊榮，當時自那拉后以至王公大臣，均艷羨之，但後經識者說破，是影實由兩照拼合收攝而成者，賽特借以欺人，時國人缺乏攝影常識。故誤信為與英女皇同攝影，然於此亦可見賽之聰明矣。

賽嫁洪後，洪顛倒過甚，日旦而伐，終於病消渴而死，時賽正青春，豈甘寂寞，遂與洪宅一僕僕姘識，因不安於室，卒下洪氏之堂，偕僕遊滬，不久又重墮風塵。

賽本姓趙，原籍蘇州，父為蘇州一典當之小職員，幼年，寄養於曹氏，遂從其姓，十三歲來滬，初入娼門，芳標為「曹夢蘭」。嫁洪時名「傅彩雲」，後張幟於北京，仍之。庚子八國聯軍入北京，賽與統帥德將瓦德西宣淫儀鑾殿，時穿男子裝，出輒乘駿馬與瓦並轡招搖過市，時人均呼為「賽二爺」。

劉半農記賽金花

賽金花的別名多

賽金花的別名甚多，計有趙彩雲、洪夢蘭，曹夢鸞、魏趙靈飛、賽二爺等。本姓趙，原籍安徽，洪楊時移居蘇州，遂為蘇人，兄趙八哥，母潘氏，十三歲在蘇之倉橋濱及山塘為妓，名傅彩雲，嫁姑蘇狀元洪文卿，改名洪夢鸞，隨洪出使俄德荷奧，以貌美，馳譽交際界，即於此時識德軍官瓦德西，洪歿，賽年未滿二十，不能守，下堂，離京赴滬，仍操舊業，改名曹夢蘭，與林黛玉齊名，光緒廿四年又遷津，懸「賽金花」幟應徵，又號賽二爺。光緒二十六年庚子，八國聯軍破京津，賽遇聯軍統帥瓦德西，固舊識，遂同宿而太后之儀鸞殿，並向瓦進言勿在京屠殺，舊都人士頗銜其德，後因虐婢案發，被江蘇同鄉京官驅逐出京，乃借母重走海上，又入風塵，寓三馬路，徐娘半老，丰韻猶存，仍極受人愛憐，旋嫁江西民政廳長魏斯炅，時年四十六，易名魏趙靈飛，同寓北平，魏死，又下堂，移寓天橋居仁里，卒以老病侵尋而卒。

功不可沒

一個普通的妓女，竟能替自己的國家與人民服務，保留了無數的生命，解除了外交上的若干阻碍，只有賽金花能犧牲才做到的。

樊樊山前後彩雲曲，其後篇記賽金花的事說：「言和言戰紛紜久，亂殺平人及雞狗，彩雲一點菩提心，操縱夷獠在纖手。張休探赤仄錢，探刀莫逼紅顏首，始信傾城哲婦言，強於辯士儀秦口。」花史賽金花傳，也曾提到。

（四十一）

介紹「馬氏萬能鍋」

·文圖樓主·

醫藥理論權威馬騰雲教授，爲適應工業社會需要，研究出一種萬能鍋，取名「馬氏萬能鍋」本月份內將在台大量推銷。

馬氏萬能鍋可製作廿幾種醬味，包括醬肉，醬蹄，醬筋，醬肚，醬肝，醬肥腸，醬牛肉，醬鷄，醬鴨，醬鵝，醬各種野味，醬蛋，醬魚，醬豆干，醬筍，醬禾花雀，醬乳鴿，醬冬菇，醬大頭菜，醬烤麩，醬牛尾，醬牛舌等，馬騰雲有感南方人喜歡吃醬味，北方人喜歡吃鹵味，特別將配料製成兩種，卽醬味配料，與鹵味配料，眞的做到一家烹飪百家香；解決主婦們買菜的煩惱，照馬騰雲的製作方法醬或鹵出的口味，可壓倒任何名廚，說不該講的話，在這「早晚市價不同」國際動蕩的社會裏，如能身懷一技，勝過良田千畝，手無分文到處可以謀生，講不講在我，信不信由你，馬氏萬能鍋可製作十八種一品鍋，計有：一，「百鳥朝鳳」，二，「羅漢齋」，三，「龍鳳鬥」（治皮膚病），四，「豬八件」（雲南邊區菜席研進成道道菜），五，「李鴻章什錦」（完全徽菜），六，「猴頭煨甲魚」（卽大冬菇燉甲魚），七，「紅燉鮑翅」，八，「金錢鮑燉老鴨」，九，「清湯魚肚」，十，「三元燉鷄」，十一，「紅棗燉羊肉」，十二，「紅燒牛腩」，十三，「醋椒魚」，十四，「油悶菜心」，（與寧波油悶大頭菜畧同），十五「東坡肉」，十六，「清燉河鰻」，十七，「老薑燉童鷄」，十八，「龜洋湯」（長沙名菜）。馬氏萬能鍋可製作三十二種粥類，宋代大賢蘇軾，寫文章常夜飢，有人勸他食稀粥，後果然感到利膈益胃，精神倍增，昔食粥之功效，今特將可常食的粥類錄後：一，芡實粥，功能補腎益精，補虧祛濕，利於患有遺精的人。二，青菜粥，雖係窮人，亦可常食，因菜內維他命最多。三，蓮子粥，健脾胃，補心腎。四，苡米粥，除濕熱，補肺脾，患風濕之人最宜。五，黑豆粥，補精補腦，益腎健脾，腎虧之人最宜。六，綠豆粥，功能祛暑解熱，夏天瘡癤遍生的人最宜。七，赤小豆粥，利小便消水腫，一切濕重之人宜食。八，百合粥，最補心肺臟，凡患有心肺病的人，宜經常食之。九，豬肝粥，十，羊肝粥，十一，牛肝粥，十二，鷄肝粥，十三，鴨肝粥爲最營養之貧血治療劑，乃中國古方，俄國發現吃肝補肝爲組織療法，最近才公開承認。十四，神仙粥，治感冒風寒暑濕頭痛，病初起食之卽愈，用糯米合水兩碗，老生薑六片於鍋內煮一兩沸，次入帶鬚大葱約六七個煮至米熟，再加米醋小半杯（勿用化學醋）葱薑棄去，乘熱食之。十五，羊肉粥，補力强大，勞損之輩最宜，惟陰虛火盛的人，不食爲宜，牛羊性皆熱，容易以出汗爲度，爲有效驗方。十六，紅棗粥，安神補氣。十七，粥油，煮稀飯時面上浮沫，米之精華盡在於此，維他命最多，惟須大鍋飯浮沫才有功力，瘦弱如排骨型的人，食過百日，身體有顯著碩健，其滋陰之力，勝過中藥中的熟地黃。十八，白粥和以蜂蜜，淸補潤腸，利便益氣。十九，白粥和以生鷄蛋爲緩和滋養品，適用於慢性咽喉病，乾咳，咽喉失音等。十九，白粥和以牛奶最富營養。二十，胡蘿蔔粥，爲健胃消化劑，富營養治久痢，調腸胃，安五臟，令人健食，胡蘿蔔榨汁生飲，去條虫，利胸膈。二十一，枸杞粥。二十二，烏肝粥。二十三，小腸骨髓粥。二十四，八珍粥。（此爲乾隆皇帝嗜食之粥）。二十五，茗粥，（蘇東坡詩：「會爲老僧煮茗粥」。）二十六，粟子粥。二十七，豬腰粥。二十八，豬肚粥。二十九，松子粥。三十，鍋巴粥，三十一，蠶豆粥。三十二，麥皮粥。

五十六種砂鍋烹飪在本報中縫連載中（從畧），馬騰雲企業公司總經理蘇東水表示，馬氏萬能鍋在工業社會非常適用，爲主婦們解決買菜思索之苦，爲帶便當的學童造福，請客時端上一品鍋，顯得高雅華貴，實惠大方。五十六種砂鍋，更多與延年益壽有關，凡買馬氏萬能鍋一只隨鹵贈送「一，馬氏醬與鹵味製作卡全套。二，馬氏十八種一品鍋製作卡全套。三，馬氏三十二種粥類製作卡全套。四，馬氏五十六種烹飪卡全套，五，馬氏十五年老鹵一瓶。

聞馬氏萬能鍋爲不銹鋼鑄製，容水量約拾磅，美觀淸潔永不生銹，其凹凸深度皆經過馬騰雲精心研究，做到臻於至善，在國內用固非常別緻，帶到外國連同所得高級烹飪技術，更屬無價之寶。樓主用爲介紹。

所謂：「維新政府」（六）

·本報資料室·

消息漸漸透露出來，南京的僞組織定名「維新政府」，這是梁鴻志想出來的名目，是根據詩經：「周雖舊邦，其命維新」而訂定的，意思是要實行新政。

因爲日本人的原則，在淪陷區不願意有一個統一的政府，當初和唐紹儀之所以談不攏，癥結卽在此點，所以華北有華北的組織，華中有華中的組織，大家不相聯繫，祇是旗幟都是用紅、黃、藍、白、黑五族共和的老國旗而已。

一天，陳羣突然約錢化佛談話，他很坦白的告訴錢化佛：「兩年以來，鬱鬱不得志，而且戰爭之後，窮得要命，現在決定落水了，希望你對我諒解，而且我有一個使命，要想請你邀約幾個報界朋友，到南京去出版一張官方報紙，那邊報館設備俱全，祇缺一個主持人，而維新政府的人，一部份來自北方，一部份是南方湊集的，最缺少的是能辦報的文人，你多年以來，對報界方面完全熟悉，這件事想來你一定有辦法的。」

錢化佛聽了他的話說：「我一向比你還窮，現在房租積欠多時，戰事一起，賣畫的生涯等於停頓，我所靠的就是你每月付給我的房租挪作家用，現在祇求你按月付租，我就能勉强度日，我也不想升官發財，你要我約報界朋友到南京去辦報，只怕一開口，就被人家罵出來，所謂鞋子不着落個樣，我對這件事實在無能爲力。」

當時陳羣顯得很不自在，祇批評了錢化佛六個字：是「硬到底，苦到死！」

第二天，陳羣又來說：「你有沒有現成的畫？我要買二十幅，作爲送禮之用。」錢化佛認爲這是生意，不便拒絕，就尋出了二十幅畫給他，陳羣掏出一大疊鈔票，塞入錢化佛袋中，臨走時留下一個電話給他，希望他同心轉意，要他介紹一個主筆，及編輯人員。並且說：「這個報館希望由你來當總經理。」錢化佛祇能報以苦笑。

我聽到錢化佛這番話之後，就覺得維新政府的組織人才，實在寥落得很，連一張報紙都辦不起來，果然後來維新政府在南京成立，祇有日本人辦的「新申報」爲他們張目。

維新政府在南京成立起來，我們住在上海孤島的人民都沒有什麼表示。據說上海僞市政府，也不過派了幾個代表去道賀。所以南京政府儘管鑼鼓喧天的登場，孤島上大多數人民都不知道。

那一年的冬天，天氣很冷，每天早晨總有幾十個吃紅丸白粉的人倒斃在街頭，仁濟善堂召集開會，要設法募集衣被，救濟街頭窮人。仁濟善堂自從戰爭開始時，做了許多救濟難民工作之後，再加上經濟已很困難，租出的屋宇收不到租，除了仁濟育嬰堂以及施診贈藥的事情之外，種種工作都無法展開。（未完）

陳果夫講「藥」故事　十一

·門外生·

他朋友又勸他再到鼓樓醫院照一次X光。聶君很高興地跑到鼓樓醫院，找原來看病的醫生，醫生說：「你不必再照X光，我們已經確定是腎臟結石，非開刀不可。你就決定開刀好了。」聶君說：「身體有了變化，現在也許沒有結石了。」醫生笑着說：「不開刀那會變得沒有的呢？你要照，那末再替你照一次也不妨。」等到照看的時候，幾個醫師看來看去竟看不到結石，大家喊着奇怪，「怎麼結石會沒有了？你究竟吃了什麼藥呢？」他就把這故事原原本本說出來，但是這些醫生都不敢相信。（未完）

神醫華佗

周吉

華佗被曹操殺了，然而他的頭痛更無法解救。不過一代梟雄的曹操仍然不服華佗自恃其能的一套，他說：「華佗雖能癒吾疾，此小人養吾病之自重！然吾不殺此人，是老於也終不爲我斷此根原耳！」

依曹操的說法，乃是華佗不願爲他根治，「養病自重」。是否眞正如此？有人以爲華佗乃是恨曹操之奸，挾天子以令諸侯，逼宮欺君弑太子等等罪惡，而不屑爲他治病。這些都是後人各種說法。

另外三國演義所說的：華佗是爲關羽報仇，更不可信。關羽之臂刮骨療毒，有關羽本傳記載明白，可是醫生並未指明是誰，華佗本傳亦不載。故說華佗爲關羽報仇，更不用多說是不可信的廢話。

但是華佗爲何不願意爲他根治？我想是「非不爲也，實不能也」。華佗究竟是一個血肉之軀的醫生，雖然是懂得健康長壽術，但是他並不是神仙，竟管他治了不少的奇難雜症，但總不是全能的醫生，何況那在一千九百年的時代，豈能無病不效。所以在下對此問題的結論，認定華佗並不是「養病自重」，是他不能根治。況且他與曹操並無私人的恩怨，更無政治上的利害鬥爭。在搜檢之中，尚對使者說：若是眞是其妻有病，可賜小豆四十斛，寬假限日。定見他倆人之間並沒有恩怨存在。

另外一個疑問，華佗果眞不能根治，爲何不坦白的對曹操說呢？（也許有人如是問）這事情很簡單，他不能說。曹操當時名爲漢獻帝的「魏王」，但其實權比漢天子得多，獻帝不過傀儡而已。誰敢說他的病乃不治之症。卽早說早死，晚說晚死。

華佗眞的不能根治曹操的病，我們尚有一種因素可證。華佗如果眞能根治的話，曹操一定是自己的命要緊，而不會要華佗的命。曹操的聰明機智，難倒不知這一點？既然以病求華佗，把他拘來，病未除，輒貿然置之死地！焉有此理？況且曹操正是晚年，「夕陽無限好」，輕人之命猶可說，輕己之命則情理不通。在下認爲：一是無把握根治，二是他厭惡官場生活。（常留操身邊）

華佗在許昌爲曹孟德治頭風的期中，曾經一位軍吏治癒了一種怪病。這位軍吏名李成，患了咳嗽病，日夜不能入睡，時吐膿血，因病問華佗，華佗說道：「君病爲腸癰，咳嗽所吐的血，並非從肺出來。今與君散二錢，飲後當吐膿血二升，自養一月，可以小起，好好休養。一年，身體逐漸健康，十八年復有微發，再服此散，可再痊癒，若不得此藥便不得救。」於是華佗留散二錢而去。

過了五六年，李成有一位親戚患了同樣的病，因對李求華佗所賜的藥方。並對李成道：「君現在身體健康，我現在要死了，你何忍見我卽死呢！請先將藥借我，待我病癒，再求華佗再索藥豈不兩全。」李成不得已，便將藥讓與之。李成復至沛尋華佗，而華佗已被收入許昌獄中去了。因此藥不可得。後來果然過了十八年，李成病發，無藥可醫而死。正如華佗所言，一年不差。

華佗別傳中，尚有許多奇病怪治。如邪劉勳，爲河內太守時，有女年約二十左右，左脚膝上有瘡奇癢不痛，治癒數十日復發，如此十七八年不能根治。延華佗診治。佗道：「這病容易治療，請準備稻糠數升，黃狗一條，好馬二匹，用繩細住黃犬的頭，使馬牽狗而行，馬跑了三十餘里，黃狗已走不動了，再拖二十里，黃狗已死。華佗令將黃狗近後腿腹部一節斬斷，以斷處緊接瘡口，約莫一個時辰，有小蛇一條自瘡口中出，便用鐵槌橫擊蛇頭，蛇一半在皮中動顫，頃刻不動，用手牽出，蛇長二三尺，但蛇只有眼孔而無眼珠。華佗以膏散敷於瘡口，七日而癒。（八）

安徽十三傑

管仲　李聃　莊周　曹操

華佗　包拯　朱熹　朱元璋

戚繼光　李鴻章

段祺瑞　胡適　楊振寧

讀書雜鈔　二十

·林儔·

族孫樹森言：「晉人有以貲產託其弟而行商於外者，客中納婦生一子，越十餘年，婦病卒，乃携子歸。弟恐其索還貲產也，誣其子抱養異姓，不得承父業。糾紛不決，竟嗚於官。官固憒憒，不牒其商所問眞贋，而以古法滴血試，幸血相合，乃笞逐其弟。弟殊不信滴血事，自有一子，刺血驗之，果不合，遂執以上訴，謂縣令所斷不足據。鄉人惡其貪而無人理，僉曰：『其婦夙與某私，子非其子，血宜不合。』衆口分明，具有徵驗，卒證實姦狀，拘婦所歡，之亦伏首引伏，弟愧不自容，不別而出，婦逐子竄，身逃去，貲產反盡歸其兄。聞者快之。」按陳業滴血，見汝南先賢傳，則自漢已有此說。然余聞諸老吏曰：骨肉滴血必相合，論其常也。或冬月以器置冰雪上，凍使極冷，或夏月以鹽醋拭器，使有酸鹹之味，則所滴之血入器卽凝，雖至親亦不合，故滴血不足成信讞。然此令不刺血，則商之弟不上訴，則其婦之野合生子，亦無從而敗。此殆若或使之，亦未可全咎此令之泥古矣！（閱微草堂筆記卷十一）（未完）

巨變歷險記！

丁博士與吉倫美麗碑的會談非常成功。

中國游擊隊願幫助吉倫獨立。吉倫願幫助中國游擊隊反攻。在吉倫的領土上，中國游擊隊可以隨便的駐紮，與吉倫軍受同樣的待遇。吉倫派代表團隨同丁博士到猛撒，並常州住在那里，與中國游擊隊總部同進退，以便取得密切的聯繫與取得密切的合作。吉倫原來的組織是K・N・D・O・即Koren National Defense Organigation或吉倫國防組織。後改稱大理國。設總統一人，副總統一人，武裝部隊總指揮官或最高指揮官一人。當時的大理國總統是韓德威，副總統是武裝部隊最高指揮官明茂將軍兼，財政部長是魏腳爵，工商部長是推將，外交部長是大華。他們都強調就是中國人，他們的祖先陶米巴就在中國的雲南。

陶米巴李彌（二四六）

・胡慶蓉・

關於陶米巴率子沿江而下，途遇野豬，踏毀他們的田園，不得已命子出戰，子戰沒有成功，自己又出來戰，成功之後，再命子去把這野豬抬回來的時候，野豬突然不見了，剩下來只是野豬的牙齒，以此作成梳子梳頭，這梳子就成了神梳子，陶米巴用這梳子梳他的頭，他就變成年輕了，他就返老還童。因為這梳子永遠他在用——他就永遠是年輕的，他就永遠存在，一直到今天，他還存在，在永遠的將來，他也永遠的存在。此次中國游擊隊前來——就是陶米巴派來打救吉倫族的，那麼中國游擊隊這樣一來就變成了陶米巴的部隊。吉倫族看陶米巴如同我們看着黃帝。但也有大不同的地方。黃帝在我們心目中，只不過是一個人而已，而吉族的看陶米巴則是一個神。也奇怪，李彌的彌與陶米巴的米音完全相同，李與陶音雖有區別，但在說出來的時候又像是一樣，由是李彌就變成了陶米，陶米巴就變成了李彌巴，李彌這樣一來在吉族心目中就變成了無上權威的人物。李彌就成了陶米巴的化身。他領導的部隊不啻天兵天將。這對於中國游擊隊與吉倫的合作就變成了非常自然非常容易。

因為吉倫在薩爾溫江流域是最大的民族，等於是一個龍頭，他向李彌這方面攏，他們大家也都向着這方面奔，在心理上先就變成了一家人，與他無不迎刃而解。在吉倫領導之下，薩爾溫江流域的蒙，吉倫，白吉倫，紅吉倫，單，卡館就合組了一個形同薩爾溫江聯邦共和國。這都是反共的，又進一步成立東南亞自由人民反共聯軍。丁博士就是這裏邊的總代表。

這都是後話。現在美麗碑建立了，奠定了一個非常好的基礎。以後一切都是站在這個基礎上向外擴張以至於緬甸的其他種族，寮、泰、越各族。一時聲勢浩大，無不為刮目以待。

左舜生談杜甫（二）

・文輯公・

因為把杜甫的一生在我腦子裏描繪一個輪廓，乃引起了我一種感想，這個感想儘管還沒有成熟，但在大體上是不會錯到那裏去的。據我想，中國的讀書人，在過去好像是以做官為唯一的出路，一直到最近的五六十年，才開始在這裏起變化，而且這種變化還是變得很慢，不要說一般研究文哲或社會科學的人還沒有完全脫出從前那條歷史的老路，乃至研究一種應用科學或自然科學的人，也還是多少不能自外。在清朝末年，一個從外國學牙醫的回來，只能做一個縣長，就到了民國的四十年代，一個搞地質的人，似乎也還以做到一任行政院長為榮。儘管近年的風氣是在這裏變，可是研究學問或從事藝術的人想要離開政治圈子獨立生活，依然還是很難很難。最近胡適之先生在台灣演說，好像曾提到他從前辦雜誌寫文章不拿稿費的話，我自己確也會以這種辦法為相當高尚，而不大以目前這種按稿計值的辦法為然。現在仔細一想，覺得這個意思不對：無論你講學也罷，賣稿也罷，假定是以你最善的努力去換得一碗飯吃，便沒有什麼不妥，更沒有什麼不高尚，惟有把所有的讀書人一律趕到政治一方面去求生存，這才是一個最要不得的現象，而且會把政治永遠弄得不上軌道，文化的各方面，也不會得着健全的而均衡的發展。

中國的偉大詩人像陶潛，李白，杜甫之類，以今天的眼光看來，他們都是應該在社會上各有其崇高的地位的，可是非所論於舊日的時代，（就在今天，一個純粹的詩人，又何嘗活得下去？）假如你真不願『為五斗米折腰』，就得去討飯，陶潛有一首『乞食』詩便這樣說：

飢來驅我去，不知竟何之？行行至斯里，叩門拙言辭。主人解余意，遺贈豈虛來？談諧終日夕，觴至輒傾杯，情欣新知歡，言詠遂賦詩。感子漂母惠，愧我非韓才，銜戢知何謝，冥報以相貽。』

吃了別人一頓，乃至發願以『冥報』相貽，其心情是何等的慘痛！李白在少年時代是闊過的，入中年以後，也偶然得意過，但也還是靠做官，到他晚年客死當塗，其情況也就很慘了。杜甫當年和青年時代的情況，我們知道得很少，但因為他的父親杜閑做過開封尉，武康尉，袞州司馬，因此當他離開洛陽未到長安以前在齊趙吳越一帶漫遊的一段，似乎生活還可以過得去，例如他在「登袞州城樓」那首五律所說：「東郡趨庭日，南樓縱目初」的時候，也就要算我們這位詩人相當舒適的時候了。他後來回憶少年時代的一段生活，居然有：「放蕩齊趙間，裘馬頗清狂，快意八九年，西歸到咸陽。」（壯遊詩）這樣的句子，在他的一生中總算十分難得。（完）

楚辭的詩及其篇數問題

・李漁叔・

夏曆五月五日——端陽，國定為「詩人節」！大家知道是紀念民族偉大詩人屈原靈均，這是極有意義的。但是，屈子的楚辭二十五篇，究竟那些篇數，算得上是詩，而屈子又是不是詩人，為正名計，似乎都有加以研討的必要。

離騷繼詩經之後，並稱詩騷，但以其文體論，為西漢辭賦之祖，是賦而不是詩，其餘的九歌九章以及天問卜居、遠遊、漁父之類，也一樣屬於詞賦，嚴格的說來，只有大招，和招魂兩篇，才是眞正的詩。近代學者章炳麟太炎先生論到中國的七言詩，曾說：「七言在周世，大招為其萌芽。漢則柏梁。」可惜太炎先生沒有說出一個究竟，而歷代論詩的人，也沒有把這個問題仔細討論過。

本來在漢以前詩文是不分家的，但也大致有一個規定，凡是詩都是可以入樂歌唱的，而辭賦不能唱，所以說：「不歌而誦謂之賦。」而歌的方面則分兩種，一是帶兮字的，如：「力拔山兮氣蓋世。」「大風起兮雲飛揚。」之類，叫作楚調，意即楚人的辭調。這種句式，和九歌中的：「青雲衣兮白霓裳，舉長矢兮射天狼。」等大致相似。一是不帶兮字的全四言，五言，七言詩。

五言詩究竟起於何時，暫不置論，只就七言詩方面來講，問題就多了。現在坊間盛行的劉大杰中國文學發達史，鄭振鐸郭紹虞的中國文學史，陳鍾凡的韻文通論，他們有一個共通的看法，就是否定中國傳統的舊說，而極力翻新。他們往往不顧是非，甚至把一切眞實可靠的證據，置之不顧，逕行草率論斷，這種不算深入的治學方法，是極其危險而又十分落伍的！如像他們一致主張中國七言詩，應該是曹丕的那篇燕歌行開始。

這樣推翻了無數專家詞流學者的說法，大胆地將中國的七言詩往後挪了兩三個世紀，這是絕對說不通的，他們對漢武帝元封三年柏梁台聯句，附和明人顧炎武日知錄所說，不從這詩的風骨，辭調，以及用韻等等方面來衡量，而單只就詩句下面所注的官名來推翻一切，（關於炎武所論，漁另有專文駁之。）目為偽作。他們也對大風，下和秋風辭，認為句中有一個兮，不能算是七言，但他們忽略了昭帝的淋池歌，只有首二句有一兮字，如「秋素景兮泛洪波，揮纖手兮折荷，涼風凄凄揚棹歌，雲光開曙月低河，萬歲為樂豈云多。」第三句以下，都是很美的七言詩。還有張衡的四愁詩，一共四首，除首句有兮字外，其餘一律都是整齊的七言詩，如：「美人贈我金錯刀，何以報之英瓊瑤，路遠莫致倚逍遙，何為懷憂心煩勞。」如果說這還不算單純淨的七言詩，那麼我可以再舉兩首如下：（未完）

名人小傳（六）

鐵路彗星詹天佑

・塞翁・

火車車廂一撞就連接上了，這就是中國鐵路工程師——詹天佑所發明的，這名「天佑勾」，西洋人叫「詹天佑」。詹天佑號眷誠，廣東南海縣人。他十二歲考取中國最早的一批留學美國的學生，也是最小的留學生。

他在美國由小學讀起，一直升到著名的耶魯大學，專修土木及鐵路工程。他於光緒廿二年回國，開始在福州船政局當駕駛員，教授。張之洞非常賞識他，調他在水陸學堂當教授，請他繪了中國沿海各省地形圖，作為設置海防之參考。過了七年，津榆鐵路興建，他被任為工程師，得展露才華。英國工程研究會聞其大名，特別歡迎他參加工程研究會會員。津榆鐵路通車，他升了道員。

光緒三十一年，清廷計劃建京張鐵路，被任為總工程師。由於英俄爭議京張路的權益不下，清廷斷然宣佈：京張路完全用中國自己的人力完成之。但是英、俄笑我們說：「……可惜他們的築路人才還沒有出世」。根據外國工程師的估計建築費要九百萬元，時間七年。結果詹天佑只四年完成，只花了五百多萬。京張路通車，外國人震驚了，詹天佑的銅像也豎立在青龍橋，供人們瞻仰。

後來京綏、粵津等路，也由他完成，「天佑鈎」是他發明的。後來中國為了插足中東鐵路，這一代鐵路彗星，因參加遠東會議而辛勞去世，眞是可惜也。

談眼相（二）（十九）

・錢一釗・

錢一釗談相

豁如視而有威，名揚四海，驟驚然而不瞬，神躍三清，神藏于豁，視威嚴而有力，儼然人望而畏之，主聲名播揚于天下。

人若偶遇不測之驚眼神澄然不改，蓋不染塵俗之污出于造物之外，是謂大賢之相。

背圓者其機深于城域，堂露者乃子是乎螟蛉背為眼蓋圓成者，言行深奧，人莫測其高深敬機深于城域，眼堂破露養螟蛉之子。

犬羊鵝鴨何足算，雞鼠猴蛇奚可憑，犬眼荒淫，羊眼招禍，鵝鴨之眼不善終。人似雞鼠猴蛇之目，皆相之賤者，像，應本形者為吉。

豕視心圓而無定，狼顧性狠而難明，豬眼曚矓黑白不分，主心術不正，貪而多欲。狼顧者，謂回顧與身皆懷殺人害物之心，多為毒害之行，絕不可交往。

後尾有如刀裁，文斯博雅，前背似乎曲鉤智足經營。

目若刀裁，文章自來。眼前背若曲鉤，必能賈貿深藏而能規運。

黛眉小傳

秋瑾

・王幻・

辛亥革命成功後，她們又將秋墓移到西湖，以踐「埋骨西冷」的舊約。常言道：「不識其人視其友」，吳芝瑛和徐自華如此篤於友誼，可稱為女中丈夫。芝瑛乃桐城派古文學家吳汝綸的侄女，除能文工詩外，尤擅長書法，寫得一手好字，她的丈夫廉惠卿也是頗有詩名的名士，事後夫婦二人隱居上海小萬柳堂，寄託文學研究，以消永日。當她火葬秋瑾遺骸時，曾親撰輓詩五律二首：

昔日同遊地，今朝來哭君。百年誰不死，三尺此孤墳。時事那堪道，英靈自有羣。行人痛冤獄，掩淚話殷勤。

×　×　×

碧血千年事，悠悠那足論。此心天可白，一死我何言。玄酒空山奠，孤亭落日昏。舊交三兩在，誰與訴煩冤。

當時曾有人寫了一首詩讚她道：「死後秋心比月明，一棺風雨泣同盟；誰為埋入深深土，女士爭傳吳芝瑛。」這幾句讚美詩，曾傳誦一時。

後來吳芝瑛和徐自華還為秋瑾立傳，寫墓表石，建悲秋閣，造風雨亭，組織秋社，編印遺著；又創設競雄女校於上海，以資紀念。徐自華的「返釧記」後段有云：「戊申以還，予即屢為營墓，建祠湖上；又與秋社同志創設競雄女校於滬，以資紀念。黽勉劬瘁，凡十六年。而君之女公子燦芝，學日有成，英挺明爽，不啻秋俠當年；爰悉以女校事務相委，並舉釧而授之曰（「此汝母物，亦汝王氏聘禮中物也，而予為之外府。日月已邁，今老且病，不完璧歸趙，將欲奚為？子其寶之，見釧猶見汝母也！」……時距秋瑾殉國已二十年，她的女兒王燦芝約在二十五歲左右，由於學日有成，秋社同志悉委以競雄女校的事務（亦即校務的實際負責人或校長），繼承乃母「提倡女學」的遺志，從事教育工作；有女如此，秋俠在天之靈，也足以欣慰了。（完）

自由報

中華民國內政部內版台誌字第〇三一號
中華民國僑務委員會登記證僑新字第三二三號
中國郵政台字第一二八二號執照登記爲第一類新聞紙

（第一一九五期）

（半週刊每星期三、六出版）
每份港幣壹角・台幣零售價新台幣二元
社長李運鵬・督印黃行蒼
社址：香港九龍官塘康寧道117號後座二樓
117 HONG NING RD, 1/F REAR,
KWUN TONG, KOWLOON, H.K.
TEL: K-433653
電報掛號：7191
郵箱：官塘郵政信箱9583
承印：景星印刷公司
地址：嘉咸街廿九號地下
台灣區業務管理中心：台北市許昌街廿六號
電話：三八〇〇〇二
台灣區直接訂戶、台灣劃撥戶
第五〇五六號張萬有（自由報會計室）
台灣分社：台北市西寧南路110號二樓
電話：三三〇三四六、台郵劃撥戶九二五二號

本報專論

論貪污犯不應赦

・劉清波・

（下）

（四）貪污不赦之理由

貪污者，即舊律之受贓也。犯此罪者與犯奸同爲行止有虧，破壞廉恥，是故我國歷史上對於受贓，均列「常赦不宥」之內。例如宋法大赦十惡，不赦墨吏犯贓、獎勵廉隅，因得循吏。民國三十六年之大赦令，貪污人犯亦在「常赦不宥」之列。今天下之俗，貪財賤義，好聲色，侈靡，薄廉恥之節，縱淫僻之慾，以致綱紀失序。改過遷善之道，在教擊感化而不在貪污犯之赦。大赦所以示哀矜，非所以啓僥倖。此所以主張不應赦貪污犯者一也。

目前政治風氣最稱敗壞者，莫過貪污事件層出不窮，而海內外最感失望者，爲政府懲貪不力。戡亂時期貪污治罪條例，明定以死刑爲最高之懲處，然自公布以來，迄無一犯判決死刑者，法官之發落本已從輕，今則適逢其會，因「獄中表現良好」，而提早恢復自由。夫貪污之害，勝過盜匪，蓋盜匪不過「公然搶刼」，而貪污者則溜辦公室中「技術搶奪」公庫金銀，影响國家之深切，自非盜匪所可企及。本草案規定盜匪尚在不赦之列，貪污犯甚於盜匪，何以得邀政府之寬典？監犯保釋，寓大赦於疏散，既爲慶祝開國六十年之一「恩惠」，然此對不起革命先烈，對不起國家民族，對不起忍辱負重的政府之貪污犯，根本無承受此一「恩澤」之資格。此所以主張不應赦貪污犯者二也。

戡亂時期貪污治罪條例第一條明定：「爲嚴懲貪污，澄清吏治，特制定本條例」。依此規定，是知本條例之制定，則因若干年來，大小官吏，各級民意代表，貪污犯罪頻不乏人而來。本條例所以明定最高刑可處死刑者，原期假「治亂用重」之說，對貪贓枉法之徒，發生「嚇阻」之作用，達成「澄清吏治」之目的。厚培邦本，開拓復國之機運。今立法精神未嘗充分發揮，而奸狡之徒，則懸不畏法，貪污舞弊仍接踵而來。此時此勢，吾人固不宜「諱疾忌醫」，亦不得謂「貪污絕跡」，爲紛飾官吏清廉，而將該條例廢止。便知遏止貪瀆之風，對於政治之隆污，實有直接重大之影响。肅清貪污則國强，貪污充斥則國弱。此所以主張不應赦貪污犯者三也。

論者有謂：在反共復國之基地上，有兩大「內憂」，其一，爲潛伏之匪諜，其二，爲貪污犯罪。其所以將「貪污」與「匪諜」二者相提併論者，即知貪污爲害之嚴重性。蓋匪諜爲「外來之敵人」，而貪污則爲「內在之敵人」，二者同具腐潰霉朽政府組織之破壞力。此種嚴重情形，或爲一般平民所不知，然豈爲各部院會首長所不解者？尼克遜總統宣布訪問我國大陸以來，國際局勢險惡，國步益艱，吾人處於危急存亡之秋，貪污官吏如再不嚴加懲治，堅固自己陣營，眞恐不幸祇有亡國之恨。本草案已明定叛亂匪諜不可赦、盜匪不可赦、忤逆、販毒不可赦，然則較其嚴重之貪污犯又何嘗可赦耶？此所以主張不應赦貪污犯者四也。

觀之「戡亂時期貪污治罪條例」第十八條規定：「犯本條例之罪者，不適用污法假釋之規定」。今司法行政部所擬「民國六十年監所人犯處理條例草案」，竟將貪污犯列入「赦」、「釋」之範圍，就法言法，豈非與「貪污治罪條例」第十八條之立法精神，互爲衝突，自相矛盾？如立法院「院會」將該草案通過，實無異將八年前自己所築防範貪污之堤防，自行破壞，使洪流潰決。此所以主張不應赦貪污犯者五也。

作部先生在其「我主張大赦」一文中，似在指出不辦大惡重罪；而毛舉細故，甚或爲羅織成罪者，只是拍了幾隻「蒼蠅」，沒有打倒「老虎」外，現在監所之貪污犯罪者，頗堪憐憫，遂主張大赦之。此番惻隱之心，實仁者行爲之表現也。若夫如顧亭林論明朝之政曰：「贓吏巨萬，僅得罷官；而小小刑名，反有凝脂之蜜」。誠今日之寫照，亦不免失其輕重本末也。惟察貪污爲一事；而懲治貪污爲又一事。前者屬於個人道德修養之範圍；後者則爲國家一時之政策。刑罰乃手段；而非目的。所罰者在矯正其惡性，而不全然在於貪污之多寡。爲維護法律之平等，爲維護法律之尊嚴，若貪污者可望獲赦，非特鼓勵來茲，而且將釀致不堪想像的惡劣後果，當毋待贅言。是所以主張貪污犯不應赦者六也。

（五）結論

綜上所陳，筆者以爲非但不赦貪污犯，而且今後急須肅清貪污。肅清貪污，首在對於貪污的個人爲有效之制裁。在政府嚴懲貪污之下，對於貪污之徒，人人應盡量揭發，非惟使其名譽掃地，爲社會所不齒；而司法機關亦可因證據之完備，「重典」定讞，使善良者有所警惕。所謂「重典」，係指擇重要犯人，加重其刑罰，而非指每一案件被告必量法定最重刑之謂。司馬遷描述堯舜時代「刑一人而天下服」。當今之世，若犧牲一人換得天下之治，最堪理想。有爲者亦若是！

爲消弭貪污風氣，須先具備二大條件，其一，公務員之俸祿須足以養廉。蓋人生起碼生活不能維持，則大不必法，小不必廉，政風自然腐敗，貪污亦隨之盛行。其二，政治紀綱須嚴加整肅。行政首長務應督率僚屬，自律自愛，賞罰分明，勿稍瞻徇。若果能就貪污有據，在國外存有鉅額私欵者，擇其尤者舉發之，槍斃一二人，清廉而有效之政治風氣，可立而待也。

最後，謹向立委諸公致意，俟「院會」審議此一法案時，務請再三思之，議中時弊。否則，本草案一旦完成三讀，通過立法程序，形成法律，殆總統發見缺失，依法核可，送請覆議（憲法五七），倘閣員堅持原議，即使欲求補救，亦將無能爲力矣！韓非曰：「不赦死，不宥刑。赦死宥刑，是謂淫威，社稷將危，國家偏威」。管子曰：「赦出則民不敬。赦者利小而害大，久而不勝其禍」。荀卿曰：「罪至重而刑至輕，庸人不知惡矣，亂莫大焉。刑稱罪則治，不稱罪則亂。故治則刑重，亂則刑輕」。漢匡衡曰：「臣竊見大赦之後，姦邪不爲衰止。今日大赦，明日犯法，相隨入獄」。赦制之弊，古有定論。今擬大赦貪污，然歟？豈然歟？當勢諸公，請多加考慮！多加考慮！

一九七一，八，十二，於台北政大。

（完）

昨日與明日

關於特赦問題

報載：今年爲中華民國創立六十周甲，總統令飭行政院依照赦免法第六條之規定，擬訂減刑條例，以便在雙十國慶節，頒佈特赦令，表示與民更始。此乃甚盛事也，我們極端贊成。

可是，按諸行政院所擬不在減刑之列的七項規定，如果照案實行，屆時能夠身受政府特赦曠典之賜的犯人，爲數勢必甚少，似乎值得商榷。

我們認爲除却叛亂罪，結夥搶刼罪，強姦殺人以及殺害直系尊親罪（應該包括學生殺害師長罪）這幾類人犯外，其餘皆可減刑或特赦。例如貪污罪犯，若論現階段貪官污吏之橫行無忌，不特無可寬宥，即一律執行槍斃，亦有必要。然而，事實上那些最大的貪官污吏，大都逍遙法外，行所無事，而置之於理的，不是窃鈎者流，便係時運不濟而已。即如因黃豆案而遭受貪污治罪條例處分的幾個中央民意代表，尚有跟他們情形相同，甚或超過他們情形的同類人士，却依然無恙，今逢國家沛施仁政的機會，何不加以赦免呢？此外販毒吸毒，破壞金融幣制，對上官爲暴行及抗命的罪犯，基於總統所示「啓其更新向善之機」的德意，似可一例矜全，酌予減刑。

關於資金逃避問題

據香港工商署的調查統計，最近半月之間，由台灣流到香港的外匯資金，有二億港幣之多！這鉅額資金中，十九都是私人逃避出來的，既非政府公帑，也不是工商業者的正當用費。香港一隅如此，其他向美、日等國逃避的資金，爲數將更有甚於此者，這是台灣金融前途的一大隱憂！

台灣對外匯的管制甚嚴密，普通人民絕對沒法將以億計的資金，套匯出境的。顯而易見乃係一些具有特權的特級貪官污吏所爲，毫無疑問。這亦就我們對於那些因貪取了一點小錢，而被判處罪刑者表示憫恕的所以然。現在又有這種大量資金向外國逃避的情形發生，我們不知道主管金融業務的大人先生們作何感想？

我們是旅居異域的新聞記者，對於國內的政治和金融情況，原係門外漢，但根據許多參考資料與事實印證，亦能夠認知這種鉅額資金向外逃避的個中癥結所在，爲着國家的安危利害計。未敢噤嘲而息，希望當局者特別注意，迅予防制爲幸！

・何如・

自由談

文野之義

人類由初民社會的穴居野處，茹毛飲血，演化到今日這種文物燦然的景況，該是從野蠻進入文明的現象吧？

可是，有許多現實情形，却令人對於文野的界說，深感迷惘。就大的方面看，戰爭是人類無可避免的行爲，然古人的戰鬥武器是木石，戈矛及刀劍之類，殺傷力很有限，今人的原核子武器之戕害生靈，却無可估計，連無機體的生物亦同歸於盡，這是野蠻呢？抑是文明？很難論斷。就小的方面看，衣裳原係章身之物，使人類的身體有所掩蔽，免碍觀瞻，且以彰人與人之間的禮貌，這亦不能不說是文明的象徵。然今之婦女服裝，乃以暴露爲原則，特別是在夏季，男人衣褲整齊，最多不過短袖，若遇宴會場合，即短袖亦所不許，但婦女却以袒胸露臂，裸足顯腿爲能事，甚至流行所謂「熱褲」亦恬不爲怪，而認爲時髦裝束，更於稠人廣衆之前，表演脫衣舞，一絲不掛，美國男女且公然裸體遊行或結婚。人身究竟是以掩飾爲合理呢？抑以暴露爲美觀？如果暴露是文明進步的結果，那末，穿着衣裳便是野蠻退化生活了！文野的界說，豈非混淆莫明乎？

再就倫理道德來看，父慈子孝，兄友弟恭，這原係人性正常發展的規律，無所謂時代新舊之別。然而，號稱爲先進文明國家的社會人士却異是，兒女長大自立了，父母便成陌路之人，兄弟更無友愛可言。中國人亦就倡出「打倒吃人的禮教」口號，响往西化主義，視孝弟之道若腐鼠。這是文明進步的人生觀呢？抑爲野蠻時代的生活現象？五倫之內以親睦和諧爲幸福呢？抑以敵對猜忌爲合宜？

因此，現代人類文明的本質，表面是進化的，實際却是退化，文野之義，蓋有難言者矣！

馮五先生

談大專夜間部聯招

朱如松

自余向行政院提出變更學制，改秋季始業爲春季始業之質詢後，社會反映，極表贊同，而青年學子及學生家長多方來信，鞭策於余，繼續爭取，俾底於成。且間有以改良聯合招生制度囑余者，足見學制變更，關係重要。希望教育當局，詳加考慮，早作決定，以慰衆望。至於現行聯考制度之得失，社會迭有批評，立法　亦有不同之見解。余於此事，向在研討之中，不敢遽提建議。惟余基於青年學子及其家長之寄望，特藉星期假日之便，先後至北市合江街中興大學及和平東路師範大學，參觀大專院校夜間部乙丁兩組報名情形，兩校報名處人山人海，長龍大排，聲音嘈雜，怨言盈耳，余覩此景像，對青年學子之同情，油然而生，認爲此種情况，有改善之必要。特將管見提出，質之行政當局：

第一、現行聯考制度，教育行政當局認爲比較合理公平可行之制度，因此不顧社會批評，家長反對，行之今日而不變，此種固執決策，力行不懈之精神，未可厚非。惟大專院校夜間部之設立，一方面利用原有設備，增加教育功能，一方面使參加日間部考試而未獲錄取之青年學子，有就讀之機會，用意至善。今夜間部聯合招生之規定，其分組，與日間部同，其考試課目，與日間部無異。何以不將已經參加日間部考試之學生，按照其志願及成績，分別分院發校就讀，而必須重新報名重加考試？

（下轉第三版）

小啓

本報因印刷機障碍，九月四、八兩期無報，由九月十一1195期照常出版，敬希讀者原諒。

天下事

欠妥的行為

林傳

今年大專聯考有幾處大學暗自規定錄取男女生各半，引起輿論譁然。立、監委以職責攸關，也紛紛發言指摘。

教育部長羅雲平則辯稱：「教育部為護憲法的男女平等精神，絕不會在大專聯考中實施任何限制措施。」并且進一步說明：「培育人才應往長遠處看，不僅顧及當前的需要，更需為將來作長久打算。」

羅部長的話是未錯，但我們認為，如果真正是國家需要，有板有眼拿出計劃來、即是專辦男子大學，女子只准讀到國中為止，或者回到廚房裏去，也未嘗不可。

但，應當在報名考試以前正大光明的宣布，勿在張榜之後，弄得民怨沸騰，羅雲平倘以長官替屬僚負責代人受過的態度還是值得稱道的！如能在事先宣布限制，有計劃，有做法，讓考生們報名填志願，自己選擇自己的前途，就不會有這多問題，事後無論怎樣辯，顯然欠妥。

顢頇與無能

台北區本屆高中聯招會，對考生申請複查，鬧出一件極不可原諒的錯誤，十足表現其顢頇，顢頇是無能而又自負的結果不禁令人替那些混進教育界冒教育家之名，擅作威福，誤人子弟的新式官僚們擲筆三歎！

有一位考生是景美國中應屆畢業生周政仁，成績通知單載明四〇三分，周生因而名落榜外。周生於心不甘，請求複查，聯招會答覆社會學科實係一九分錯填為一七分，總成績差了二分。他的一位林姓老師還是懷疑周生成績決不止此，因為平日在校成績優異，定然有錯。又陪同周生家長再往聯招會申請第二次複查，該會以規定複查只許一次為由，嚴予拒絕。幸好周生有位能幹的姐夫，到處拜托，終於透過關係，獲得第三次複查機會，這纔發現社會學科成績原應為一九分，通知單錯成一七分，總成績應該是五〇五分，事實上相差了一〇二分，不得不重行分發師大附中夜間部就讀。

這件計分錯誤，又重行分發的案子，通知單明明少寫了一〇二分，還可免強說是「忙中有錯」情有可原。憑甚麼拒絕複查，不說顢頇，說甚麼呢？

醫藥廣告誇大宣傳
管理法令仍嫌不足
立委指中醫藥委員會缺額
應遴選生化病理專家補充

（自由報台北消息）立法院內政委員會四七次會第九次全體會議，立法委員吳基福說：光復以來，台灣各項建設，均有顯著的進步，很多人遂稱台灣的衛生工作成果頁好，依本席之見，這僅止於表面一層而已，目前偽藥、密醫滿天下，世界上任何一地區，未有甚於此地者，誠是無法無天，宛如沒有衛生法規可資管理一般，究其原因，最主要者係政府對於衛生行政工作之重視，顯然不足，今衛生署正式成立，對於國民而言，無異帶來了無窮的新希望，故在該署組織法送至本院審查時，很多同仁都担心主持人選恐成問題，如今以顏署長來主持衛生署，正是各方面所倚重，可謂最適當，最理想的人選，各部門主管亦多為國外回來之優秀人才，在人事上而言，已不成問題，只要署長有魄力、有作為、有幹勁、各部門人員能不辭堅苦奮鬥，將來我們的醫政、藥政，將是大有前途。

一、關於醫療院所行政管理問題，應從速研訂醫療法草案送來本院審查。對於醫藥廣告，雖已有藥物藥商管理法，可作為藥品誇張廣告管理之依據，但僅及藥商而未提及傳播機構之處罰尚有不足之嫌，且至今仍未施行。醫院誇大廣告，亦為嚴重問題，醫師法亦未實施，是否先行頒佈實施其他辦法而予以管理。

二、關於中醫藥之研究發展，雖有中醫藥委員會之成立，用意在促使中醫藥科學化，以達發揚中醫藥之目的，然其首要工作乃在中藥之分析及實驗等事項，從事該項工作則必須委由生物、化學、藥學、病理等專家為之，但中醫藥委員會中之委員，却乏此類人員，這種是否能達到該委員會之預期工作目標，頗值令人懷疑。因此本席建議應在尚餘數位空額中，補充遴選此類專家。又現有若干現任中醫藥委員，利用其委員名響、地位、廣為宣傳，甚欠妥善。

三、藥物藥商管理法業經公佈，將來在施行上可能遭遇若干困難，但有一點應予提醒衛生署者，即將來在執行上絕對不可違背本法意旨，在本法中對於成藥商之存在，並非是承認的，此為本法最大意旨。衛生署在執行上如何處理業經領有執照者之成藥商，又如何不使它繼續擴增，應該多加研究。

四、衛生署對食品衛生管理頗為重視，但本席對其成效却表示懷疑，現舉代奶粉為例，一年來使用代奶粉受害之嬰兒幾達一百五十多人，雖衛生署曾通令省衛生處嚴加取締，而今受害之病例仍繼續發生，現代奶粉還是仍舊普遍充斥市面，且繼續大做虛偽誇張之廣告，屬下之衛生機關不能貫徹上級機關命令，形同護航一樣。地方衛生機構根本不顧中央衛生主管機關，以致代奶粉問題提了半年了，拖至現今尚不能解決，又將來防疫工作怎能做？如此之衛生機關對於我們下一代的國民將要如何交代？不禁要令人痛心氣憤。今後衛生署除了要研究如何加強各級衛生機構之指揮監督外，關於食品管理，再也不容遲緩了，為求解決問題，將來衛生署應在擬訂食品衛生管理條例草案中，設置食品管理委員會，也請經濟部人員及部份專家學者共同組成，做為食品管理之執行機構。

醫院診所雖多　夠水準者寥寥
亟應鼓勵醫院增新設備

五、在進步的社會福利國家中，醫療保險問題，皆由衛生主管機關管理，但我們的衛生署却對勞保、公保之監督，完全不參與其事，如此之公保、勞保要說它能把醫療保險工作辦得如何如何理想，本席亦頗感懷疑，衛生署組織法內有明文規定對於醫療保險負管理之責，故應多多研究，同時，亦應盡力向行政院爭取對勞保、公保管理監督之權，將來全部工作由衛生署主持，目前雖一時無法完全做到，這還是我們希望衛生署所應努力的方向。

六、現時國內醫院診所雖多，但以設備水準合格之大醫院者却寥寥無幾。勞保局須覓求指定醫院一百九十多家，實際上勉強夠水準的才僅[illegible]到一百三十多家，由此可見[illegible]乏之好的醫院可供指定，換句話說，即我們當前乏一套完善可行的醫療政策，對於醫院診所之人員、設備、無妥善的辦法可資管理。以目前台灣一千三百萬人口言，則應有四萬個左右的病床之需要，但現全國公私立醫院診所合併計算尚不足八千，將來一旦戰事發生，勢必形成嚴重問題。為此，亟應鼓勵醫院診所加強設備，添購新式醫療儀器，擴建院舍，籌設大型醫院等，以前對於醫院診所之稅收向訂有優待辦法，近年來行政部門不知為何取消，反而認為醫院診所容易賺錢，可大做為稅收來源，可是其却造成私人不願建置大型醫院的阻礙因素，經濟部對於投資訂有獎勵辦法，衛生署是否也可以仿傚其方式訂定獎勵辦法，設置大型醫院，以確保國民健康。

七、有關醫學檢驗方面的法規，現時僅有檢驗師管理辦法之頒行，尚無母法之制定，且該辦法中對檢驗師檢驗員之規定，尚有未盡合理者，其中有規定五年以上經驗，即可獲得檢驗生檢驗師的資格，引起很多大學畢業生致前來本院請願，如何處理，請多加注意。

八、一般進步的國家所頒行的衛生法令皆在七十種左右，如此才能有所依據，才可辦好衛生行政工作。目前我國已頒行的衛生法律僅有十種左右，請衛生署儘速擬訂。

從越戰報告書中看美國

·侯立朝·

於是在一九六三年十一月一日，由美國人一手導演的流血政變，殺死了吳廷琰、廷柔兄弟，代之以楊文明，三個月之後，受美國教育的阮慶又代替了楊文明。政變要殺死吳廷琰的「理由」是可以出現一個不與共黨聯合的政府。這個「理由」五年之後，又由美國強迫越南政府去行它與共黨妥協。一九六四年八月的東京灣事件（美國兩艘驅逐艦被北越魚雷攻擊），據越戰報告書透露，乃是美國自己製造的事件，以便大規模地介入越戰，使「越戰美國化」，此即是「三四A」隱秘作戰計劃。不僅此也，美國為了擴大越戰，事先通知北越，此即加拿大代表代表美國到河內通知范文同那回事。越戰擴大了，美國膽子變小了，等到三任總統都未能打下越戰時，尼克遜又重新執行吳廷琰的「越戰越南化」政策。面對美國這種顛三倒四的手法，吳廷琰死得多冤枉。

因此越戰報告書證明了美國是帝國主義，專門顛覆盟友的政府打擊盟友的士氣。在二次大戰後於中國大陸出現「民盟」、「反對黨」等等，無一不與美國覆政策有關。而泰國的「乃炮被逐事件」、韓國的「李承晚被逐事件」，又無一不是美國中央情報局導演的。只要美國參加反共，反共政府無一不被它整垮，也沒有一國獲得反共的成功。這是越戰報告書的價值，也是反共的亞洲各國政府所要加倍警惕的。（下、續完）

柳一權台北消息
郵局來函說從頭
欲查晚娘面孔郵務員

一、貴報本年七月廿八日第二版，刊載貴報通信員柳一權先生發自台北消息一則，提示祖國郵政應行改進事項，茲分別奉復如次：（一）本轄台北郵政支局最近發生虧短公欵，經本局視察人員查覺後，即將相關支局局長移送司法機關依法究辦。（二）本局一向重視所屬各郵局窗口人員服務態度，前此曾訂有獎懲辦法，經常考核，以防杜窗口人員與顧客間之糾紛。上文所稱：「……借多還少晚娘面孔……」一節，不知何時發生在何處郵局，尚請明教，以便根據事實查證，對相關人員予以處分。（三）本局鑒於我國近年來經濟發展、教育進步，每年收寄郵件數量均有巨幅增加，而處理郵件之工作場所及工作人員，受客觀環境限制，無法比例增加，復為求保持我國郵政既有服務水準，加速郵遞，根據郵件數量之統計及今後發展之預測，乃奉准實施郵遞區號制度，採用電子自動分信機分揀信件，郵局不僅可以緩和人手增加并縮短郵件處理時間，而公衆更可以提前收到信件。此一制度之實施，在寄件人而言，僅需使用標準信封寫上收件人郵遞區號的三個阿拉伯數字即可，實屬一舉手之勞。據本局最新統計，目前各地郵局所收寄的郵件中，已寫郵遞區號的，平均已達百分之八十以上，足徵此一措施已獲國內大多數人士之支持。（四）郵寄報紙、雜誌如有遺失誤投情事，務請將收件人或寄件人詳確地址及交寄日期查明見示，以便派員查證處理改進。（五）我國郵政素極重視輿論，經常作民意調查，舉凡公衆有所建議或指責，莫不樂意接受，徹底查明，充分檢討，力求改進，并對提供建議者必有忠實之答覆。

二、貴報關心祖國郵政事務，特函復謝，敬請察照並予發表為荷。局長簡爾廉。

×　×　×　×　×

劉半農記賽金花

按傅當聯軍初入都時，以能操德語，故不為西兵所侮，而欲媚於瓦德西元帥者，輒挽傅為介紹，傅甚工辭辯，所言瓦帥無弗應，由是所保全者甚多。在她自述的「賽金花本事」裏也提到的。

我每次出來，只要碰着了這樣，就急忙跑過去說：「他不是義和團，我敢担保，我敢担保。」這時候洋兵差不多也都認得我，見我一担保，他們就放開了，就這麼着，很救下不少人的性命。……」

當時克林德夫人因夫被殺，提出許多的苛刻條件，後幸賽金花的殷勸，才算建一石碑了事。

以賽金花這樣的不辭勞悴的為國努力，現代智識豐富的人民，是會同情的。

夜事夷寢

賽金花不是一個普通女子，雖是以肉體去博取敵人的歡心，而苟延性命於亂世。她所以肯犧牲肉體，是為了人民，不然的話，一個妓女，是祇知歡樂金錢，那肯殷勸瓦斯西和克林德夫人呢？在愷著的花吏裏，是表露她的見識非常的透切；

「文忠（李鴻章）與諸大臣惶迫無能為計，有謂傅玉蓮（即賽金花）能辦此者，乃召至，許以厚酬，以華服遺之……瓦帥欣然日：諾，即日宮禁肅清，文忠喜，酬金，不受，以所被華服飾贈之亦弗受。……」

但是一般人都不同情她，認為她是一個極淫蕩的娼婦，責備她在洪狀元逝世後，應當守節，不可穿奇裝異服在京畿招搖，不該穢亂宮禁，夜事夷寢，傷害了華國的尊嚴，這些都是匹夫之見，封建思想罷了，以夜事夷寢，傷害華國尊嚴來責備她，也是錯誤的，要知道當時從李鴻章孫家鼐一直到求為一個洋大人的聽差而不可得的魏邦賢，都是屈膝蛇行，服侍洋人，這難道不丟臉，同華國的尊嚴安在？況且她為了人民犧牲肉體的弱女子，祇要瓦帥能夠嚴禁軍隊，不殺人民，其餘的一切，也不去顧到了！

結識了瓦德西

關於賽金花的結識了瓦德西，據曾繁的訪問記是說：「我在德國時結識了瓦德西將軍，是因他和洪先生常常來往的。故而我們也很熟識，外界傳說我在八個聯軍入京時才識瓦德西，那是不對的，傳說我在德國怎樣浪漫放蕩，天天交際，夜夜跳舞，也是絲毫沒有根據。」

（四十二）

命理談奇姑妄誌之

·文滙樓主·

今日社會人心所以擾擾不定者，其因素多屬不自諒，也可謂不知命，曾國藩之「不信書信運氣」太受用了。

樓主生辰，月宿直斗，以磨蝎爲身宮，與蘇東坡以磨蝎爲命，大同小異，一生貴人成黨，小人成羣，多譽多謗，命中註定。大公報總主筆張季鸞評列寧謂：「譽之者謂作『革命導師』毀之者咒爲『洪水猛獸』」姑無論譽與毀列寧屬非常人殆無疑問……」樓主之從事筆耕生涯，固受曹子建一篇古文所影響，再進一步來說，與丑宮爲磨蝎，也有很大關聯。不做官，以杜絕官非。

軍閥時期有林庚白者精於命學，算出自己民國五年必定入閣，（時林任職國務總理顧維鈞的幕僚）命有習俗，說破不驗，林庚白屈指待機之際，顧維鈞突然生病，休假三個月，院務交由林庚白代理，林拍案叫道：「這是最窩囊的一種入閣，休矣！休矣！命也，運也，時也，定也。」

民國二十五年知友李君遊滬上，請袁樹珊老先生批命，某年起，某年落，乃至於家庭瑣事無有不應，批到去年要拿一次尙書印，但祇能曇花一現，李君問有一年嗎？渠答沒有。問有一個月嗎？渠答沒有。再問有五天嗎？（這是爲官最短的說法）他很乾脆的說，連五天也沒有。李認玄妙之言，不足過信，何況自己連七品官都未做過，那裏會有尙書印交給我拿一次呢？

後來李也避秦來台，遇到一位好朋友兒子結婚，請司法行政部長查良鑑證婚，李被派爲介紹人，臨赴宴前忘記帶章，查部長說：「回家去拿太遠了，拿我的另一顆印做做樣子，禮成後再補蓋好了」李這時恍然大悟，拿一個鐘點尙書印，正與曇花開的時間相吻合，事實經過如此，信不信由你。

又樓主民國二十八年到卅一年，命中文昌星現，廿九年畢業如儀領到一張大學遮羞文憑後，一躍而爲西南某大報總經理，祇九個月再躍而爲省營某大報總編輯，不到半年被發表一家省營某大報社長。樓主年齡雖比民國還小幾歲，乃命運有以致之，裝模作樣，儼然有介事，且常出席各機關，各學術團體，各大學講演。（新聞記載剪貼在卷爲憑。）今日比昔日成熟百倍，反在這張巴掌報上寫小方塊，自我陶醉文章報國。非命運而何？

文滙樓剪記

所謂「維新政府」（七）

·本報資料室·

仁濟善堂開會那天，董到會的很少，祇有普善山莊，同仁輔元堂兩個收屍葬埋的團體，派代表來報告，說是英法兩租界，每天死亡在街頭的人平均有四十人左右，而南市閘北兩區死亡的達六十人之多。我們初時只知兩租界的情況，南市閘北根根本不知道，因爲向來消息隔絕，這個報導，令人聽到了惻然動容。

可是仁濟善堂的貨源越來越少，維持一個施診贈藥部，每天要施藥八百劑，已經十分吃力，仁濟育嬰堂由於有些外界捐款還能自給自足，要是向街頭貧民送棉衣棉被，眞是有心無力，那時節一般居民多數自顧不暇，對社會救濟的熱情也跟着消失。大家面面相覷，認爲這件事要是舉辦的話，又會得有成千萬貧民會湧到仁濟善堂來，所以主席宣佈這件事，斷然表示不能接受。

這次會議，大約談了三個鐘頭，我聽到好多消息，都是聞所未聞。

第一件事：上海表面上大家鬧着米荒，底層中還鬧着鴉片烟荒，因爲上海成爲孤島之後，剩餘的鴉片，越吃越少，一般烟民越吃越窮，既吃不起鴉片，又打不起嗎啡針，於是大家改吃白粉和紅丸，尤其是紅丸，銷行更廣。這種有嗜好的人，飯可以不吃，而紅丸是一天也省不了的，張羅錢財，東奔西走，有些有家，有些沒有家，只要一到晚間，天氣寒冷，兩腳就會軟下來，縮瑟蹲伏在一個角落裏，一動也不會動。深夜天氣更冷，一陣西北風起，就會嗚呼哀哉，所以死亡的人數很多。

據普善山莊的人說：所有的「路倒屍」僵直的很少，多數彎曲得像一隻蝦。租界上的工部局，對普善山莊，有小部份津貼費，祇是限制他們每天早晨九點之前，一定要把這些屍體集體搬運出去，葬在滬西荒地中。

有一個笑話，一天，他們的運屍車正走向滬西途中，突然有聲音發自屍棺堆中，仔細一看，原來這人還未死，那個半死的人聲聲喊着：「爺叔，幫幫忙，我還活着，請你把我搬出來放我走，」車上的工役對他說：「你遲早會死，車到郊外再說。」那個半死人又說：「做做好事，我祇要五粒紅丸吞下肚，立刻可以起死回生。」那個工役說：「我們祇管運屍，那裏有紅丸供給你？」說着不管三七二十一的馳赴目的地，那個半死人聽到沒有紅丸救濟，兩眼一翻，向來每一個屍首，都有一具薄皮棺材，但是這一年因爲屍體多，木料漲，於是祇好兩屍三屍合一棺，車到荒郊之後，開棺把屍體搬出，丟在深坑中，而棺木仍帶返市區，再裝屍之作用，所以這種棺木，也成了象徵式的道具了。

第三件事：有講出毒品的來源，在未開戰前，上海的毒品來自四面八方，最上等的鴉片是「雲土」，產自雲南，由雲南經暹羅香港運到上海，較次的是「川土」，是四川產的，由四川經長江運到上海，再次等的叫作「紅土」，是東三省熱河區域的產品，品質劣，其中毒素重，吃的人少，但是經過「滬人」加工提煉，能製成白粉和紅丸，專門適應一般貧苦階級中人吸食。

毒品的推銷買賣，都操縱在黑色人物手上，自從上海成爲孤島之後，雲土川土均已絕跡，祇有紅土源源不絕的從關外運來，這是一個巨大的財源，收入是很驚人的。

談論毒品事件的人說：「仁濟善堂，現在緊縮得不像樣子，可是另有一個宏濟善堂，却成爲淪陷區中最富庶的機構，他們的收入比海關收入的數字還要大，他們的財富幾十銀間行局的存款都敵不過他。」有人就問：「這個善堂做些什麼善事呢？」那人就說：「這個善堂名爲善堂，暗地裏却是供應整個淪陷區毒品的機構，主持人是盛文頤，號幼儻，人家叫他盛老三，是一位名門後裔，通過了敵軍最高路綫，獨家包辦包銷熱河省所出的紅土。」

宏濟善堂，沒有招牌，祇有烟土箱子上貼上一張「宏濟善堂封」的封條，無論軍、警、政的人，碰也不敢碰。

維新政府成立初期，收入無着，支出龐大，一切經濟來源，都靠宏濟善堂撥付，所以所謂維新政府。（未完）

陳果夫講「藥」故事 二十

·門外生·

聶君回家高興極了，趕快電告上海朋友退去寶隆醫院所定的房間，不久回四川辦學校去了。這件事是聶君朋友王先生當面告訴我的，確是事實。不過，何以葱燒獅子頭能治腎臟結石症？還要醫藥界來研究。

我想北方平原地帶，人民好吃大葱，但是土性多碱，喝井水容易叫身體當中含有過量的碱性。腎臟膀胱結石可能由於碱集積而成，吃大葱也許是解除碱的集積作用，但古人提倡的用意無從查考。現在只有在試驗室作研究，來確定葱的作用，藉以證明北方吃大葱的眞意所在了。

（全文完）

讀書雜鈔 二十一

·林傳·

時論曰：語云一分耕耘，一分收穫，不勞而穫者，事或有之，然得之易，失之亦易。理無久享，事之常情。若巧取豪奪，及身而報，禍在眼前。晉人之弟居心不良，謀人固巧，害己亦奇，所謂弄巧成拙，惹來風波，原欲損人利己，其結果適得其反，竟致身敗名裂，死無葬身之地，非出其兄之報復，而出之於自謀，成之於公憤，是兄爲君子，弟乃小人，小人之自食惡果，又必咎由自取，誠然。

（未完）

談大專夜間部聯招

（上接第一版）此種措施，對政府決策言，能固執，而不能一以貫之，降低行政效率，浪費人力財力，對青年學子言，加重其精神體力之額外負担，構成其心理怨恨之始基。得失分明，不待詞費，値此厲行便民運動之秋，何不急起直追，予以改進，廢除重複之考試，按其志願與成績分發適當之院校，而便青年學子乎？

第二、依據大專院校夜間部聯合招生之規定，其中有三點，必須改進：

其一：考生領取報名表時，須呈驗畢業證書，並由聯招會加蓋「六十、北夜，報名表領訖」之圓形章於證書之背面。由於辦理此項手續，有排除整天，而未能領取報名表者，使其廢然而去，情殊可憫，請問教育當局，考生領取報名表，要驗畢業證書，加蓋領訖圖章，其用意何在？與考試有何關聯？

其二：考生報名依規定繳交像片，何以昔日聯招會規定准用之像片，今日不准使用，必令其重新拍攝。雖經考生提出昔日准考證，以作證明，辦事者仍不接受，何不便民甚！其故安在？

其三：考生報名有規定時日，每日數千人之衆，自早至晚忍飢渴之煎熬，冒炎陽之蒸晒，大排長龍，狀極悽慘！如果此種直接報名辦法，不予改善，不僅使青年學子廢日曠時，甚至有失其報考之機會。此種責任其誰之過？何以不兼採通訊報名辦法，以資補救？

以上各點，希望行政院轉飭教育當局親臨視察，俾能了解實際情況，而求改善之道，教育幸甚！青年幸甚！

（完）

神醫華佗

·周吉·

又「獨異志」中所載的一個華佗故事，與此相同。

御覽卷七百四十三引「志怪」的一個關於華佗的故事說。有一個人得了病，日夜腹痛如刀切，臨死之時告其子說：「我氣絕以後，可剖視之。」其子不忍全割，僅稍割一片，得一銅酒槍。後來華佗聞知此一怪病，乃以藉中藥投入槍中，槍立變成爲酒。此一故事更奇怪。

有一個人苦患頭眩而不能抬，目不能觀。華佗令解去衣衫，將兩足倒懸於樹上，頭離地一二寸用濡布拭周身待諸脈盡出五色，華佗令弟子用刀決脈，五色血盡，赤血出，乃以膏摩被上，蓋其身體，汗猛四出，再用亭歷狗血散，其病即癒。

有一婦人久病經年，世稱「寒熱生病」者，冬十一月中，華佗爲之診治。使婦人坐在石槽中，使人汲取寒水，灌頂及身，須百桶而止，開始七八桶，婦人冷得抖戰欲死，灌水者懼怕灌人致死，不敢再灌，華佗令勿停止，及到八十灌，婦人熱氣乃蒸出，至滿百灌，乃使人燃火溫床，加以厚被，大汗復出而癒。

華佗此種醫法，並不是妄誕不經，南史卷三十二張邵傳所載，直閣將軍房伯玉所患的病與此相同。而醫生徐嗣伯的醫法，也與華佗之術相同，如非託前史，那便是華佗的醫術有了衣砵傳人。

又一人病痛在腹中，痛時如刀切，且中鬢眉脫落。華佗爲之診治說：「閣下的脾已經半腐爛，可割腹取腐脾。」於是令飲麻沸散，使之麻醉，臥於床上，割破肚皮檢視，果然脾已半腐，華佗用刀割斷腐脾，刮去惡肉，用藥膏敷瘡口，再飲湯藥，百日平復如常。

華佗的弟子與健康長壽術

如照「三國演義」的說法，一代神醫華佗似乎沒有傳人，一部「青囊書」送給獄吏，却給他老婆燒了，只剩下兩頁，乃是治狗醫豬數則而已。華佗的老婆說得極對她說：「縱然說得與華佗一般神妙，只落得死在牢中，要他何用？」吳押獄嗟歎而已。因此「青囊書」不曾傳於世間云。其實不然，華佗的弟子至少有好幾位，像他這樣高超醫術，何患沒有高足？

最著名的，而且著於華佗本傳的，就有兩位著名的弟子，一位廣陵人吳普，一位是彭城樊阿，二人皆從華佗學藝。尤其是吳普，最得華佗心傳，一切內外治療，皆準照華佗的手法，因此華佗也樂於傳授，可以說是知無不言，言無不盡。也祇有他最得華佗眞傳。

有一次華佗對他大弟子吳普講了一篇「健康長壽」之術，而且他自己本人也是身體力行，活到一百餘歲，如不是遇到他的小同鄉照顧，很可能活到一百五十的天年。華佗在一千八九年前，便已知道一種體操養身，健康長壽之術，他用一套名叫「五禽之戲」的體操，他說人體必須勞動，但不可太過度的勞動。人體動搖則穀氣得消，血脈流通，病不得生。他譬喻說「戶樞不朽」是也。古代的仙者導引之士，常常行熊頸鴟顧」，「引輓腰體」，「動諸關節，以求難老。」

熊頸即是熊徑，熊之攀枝自懸的日常動作。鴟顧即是身體不動，頭轉向後迴顧。華佗說：「吾有一術，名五禽之戲：一日虎，二日鹿，三日熊，四日猴，五日鳥。亦以除疾，並利蹄足……」

（九）

巨變歷險記！

分兵南下（二四七）

・胡慶蓉・

繼丁博士會談之後，中國游擊隊便分兵南下。

南部的總指揮就是我上邊介紹過的錢伯英參謀長。錢參謀長兼第一軍軍長。當時中國游擊隊分五個軍，一個軍駐猛撒四週，一個軍在單（才旁，以下同）邦，一個軍在卡欽，一個軍在卡瓦山區與羅黑地區。錢參謀長兼第一軍軍長，大本營設在苗瓦第。這是緬甸東南接近泰國的地方，位於高格里克山山脚。苗瓦地之西，高格里克山之東，有兩個重要的據點，那就是蘭桂與賓寶庫。蘭桂在高格里克山下來不遠的地方，而賓寶庫則在高格里克山的左邊。苗瓦第在靠泰國的這一方面是一條大河，大河過來是泰國的飛機場。在高格里克山上，在高格里克山過去，在薩爾溫江沿岸，在薩爾溫江出海的附近——孟達榜，也都駐有中國的游擊隊。薩爾溫江沿岸，著名的，除已介紹過的本甚，巴奔外，還有不少別的地方，也都駐有中國的游擊隊。

錢軍長之下，是田副軍長。田副軍長，名字是田中田。他本來是胡宗南部隊的一位名將。在從西北向四川西康撤退的時候，他曾到達西康，後來不得已退出，轉而進入雲南，下到緬甸猛撒，加入中國游擊隊工作。在中國游擊隊南下之際，他也爭先恐後的下來，李彌總指揮委以第一軍副軍長之職。

此外在錢軍長田副軍長之下的還有胡景愛師長，李達人師長，姚昭師長，熊占甲副師長，陳顯魁副師長，牛金石團長，南文敏團長，劉沛然團長。田副軍長坐鎮苗瓦第。因爲錢軍長還有參謀長的職務，常常要策應各方面，要辦[illegible]方面的事情，很少有工夫住苗[illegible]，田副軍長就成了實際上的軍長。田副軍長負的責任比較多。他非常能吃苦，對於軍事也非常內行。姚昭是李軍長國輝的最忠實的幹部，同陳顯魁同是李國輝最初的營長都非常能幹。李達人，熊占甲在一塊，屬於前雲南主席盧漢方面的，南文敏則是屬於土司罕裕卿方面的，都非常合作。彼此在錢軍長領導之下，

就地方而論，第一軍的區域是屬於吉倫的，吉倫同我中國游擊隊非常融洽，形同一體，今大我們來幫助他們完成獨立，他日對於我們的反攻，他們也必然竭力的幫忙，丁博士的口號：不開展不能生存，今中國游擊隊南下，就是這句口號的實行。一切，中國游擊隊在後面，吉倫軍在前面，大家穿着一樣，是很難分誰是吉倫人誰是中國人。對於吉倫歡迎我們進入他們的版圖，也使我們得到莫大的鼓勵。中國游擊隊與吉倫的結合非常自然，中國游擊隊好像是久別的親人，一旦進入了吉倫的領土，令人處置有賓至如歸之感。丁博士在吉倫區的所作所爲，也都有老大哥的派頭，愛護有加。

楚辭的詩及其篇數問題

・李漁叔・

「天長地久歲不留。俟河之淸心懷憂。願得遠渡以自娛。上下無常窮六區。超踰騰躍絕世俗。飄搖神舉逞所欲。天不可階仙乎稀。柏舟悄悄不飛。松喬高侍孰能離。結精遠遊使心攜。迴志竭來從玄謀。獲我所思復何求。」

「近世雙笛從羌起。羌人伐竹未及已。龍鳴水中不見已。截竹吹之聲相似。剡其上孔通洞之。裁以當便易持。易京君明識音律。故本四孔加以一。君明所加孔後出。是謂商聲五音畢。」

以上兩篇，一是張衡思玄賦的系辭，一是馬融財笛賦的鑽詞，全文均見昭明文選，詩雖樸拙，但不能不說是眞正成篇的七言詩。張馬都是東漢和安帝時人，比曹丕早了一百年左右，而且也並非贋作。據近人王了一所作的中國詩律研究第三節，說明這兩篇詩很合於古韻：「除娛，區離，攜可認爲漢韻外，娛屬古韻魚部，離屬歌部攜屬支部，其餘都是和先秦韻部相符……起，已，己，似，之，持屬之部，律，出屬物部；一，畢，屬質部。歌微通韻，在楚辭中已是常見，可見這兩篇詩一定不是僞作。」他並說及柏梁詩：「從押韻上說「之」「同部」，正是先秦古韻，可見這詩，即使不出於武帝時代，也不會相差太遠。」

我們再來看那些主張中國五七言詩，均起於漢末建安的說法，就完全不同了。爲互相比較其長短，姑舉陳鍾凡韻文通論，第六章七古起原一節，陳鍾凡於引述顧炎武論柏梁詩後，很肯定地說道：

「考其時代，核其官名，均不符合，其爲後人擬作，（指柏梁詩）昭然易知，安得謂七言詩權輿於此？逮建安之際，曹丕作燕歌行「秋風蕭瑟天氣涼……」一首，通篇七古，乃爲七古詩之所託始，然則五七言古體，並東漢末葉建安初期新發生之創作。建安一代，實中古文上一大嬗變時期。」

陳鍾凡不僅沒有見到後漢書　元，趙壹所作的五言詩，也並不曾讀過漢書東方朔及東平王蒼傳，不知道他們都曾作過七言詩，也不曾讀過文選張衡馬融的兩篇賦，如果確曾寓目過，即斷不會像這樣信口開河。在詩方面說來，凡是某種體裁，必須經過長時間的醞釀，嘗試與鍾鍊，然後才成爲一種製作，决不會在某一時期突然興起的。（未完）

×　×　×

左舜生談杜甫（三）

・文輯公・

唐朝以詩賦取士，一般有志於功名的人，當然對於詩賦一道十分的講究，杜甫生長於一個讀書的家庭，而且是一個以官爲業的家庭，因此他到了開元二十三年（七三五），其時正是他的二十四歲，他自己覺得已經是「賦料揚雄敵，詩看子建親」了，於是他到當時的東都洛陽，去應了第一次的進士考試。這次的考試雖然是失敗，但他的年紀還很輕，氣還很盛，並不因此而怎樣懊喪，依然繼續他的漫遊生活。大致從開元二十五年，到天寶五年，（七三七—七四六）他的行蹤，總在山東一帶，也隨時回到他所住的洛陽。

在這一段期間，於杜甫一生有一重大的事，便是他和李白（七〇一—七六二）的見面。李白本來大於杜甫十一二歲，在天寶元年，（七四二）他便已到了長安，而且毫不費力的便已取得了一個「供奉翰林」的位置。可是李白得意時時間並不太長，到第三年便已自翰林放歸，從此遊於河南山東一帶者，也歷數年之久。天寶三年，杜甫在東都——大致李杜的見面便在洛陽或另在河南境內的某一地點。杜甫贈李白的第一首詩是這樣的：

「二年客東都，所歷厭機巧，野人對腥羶，蔬食常不飽。豈無靑精飯，使我顏色好？苦乏大藥資，山林跡如掃。李侯金閨彥，脫身事幽討，亦有梁宋遊，方期拾瑤草。」

在杜甫集子裏面涉及李白以及若干專爲李白而作的詩，共有一十五首，我們知道在天寶三年以後，到天寶五年杜去長安以前，他們有若干的時候同在一塊兒遊，一塊兒喝酒，一同去訪朋友，至於在一塊兒談詩文，當然更不在話下。杜有一首「與李白同尋范十隱居」的詩是這樣說：「李侯有佳句，往往似陰鏗，余亦東蒙客，憐君如弟兄。醉眠秋共被，攜手日同行：……。」

（未完）

旁門左道決非正宗修煉

・畨僧・

正道修煉無神通

很多的人都以爲凡是修道的人，必有其神通，神通愈高，法力愈大，即以此點來說，便爲正道所不取。事實上眞正的修丹之士，却無絲毫神通，有之，便是生理與性理逐漸變化，身體轉弱爲強，兩目炯炯如電。除此以外，沒有任何奇異，一定要丹成法備，才具有萬智萬能的本領。到了那種地步，便成了神仙，試想既已成仙，又怎會隨便顯示其法力哩？不明者往往看到有神通的人，便以其爲眞師，就這樣便很易入於旁門了。

不久以前，我便遇到一位修道的朋友，自誇其爲正宗，在其打坐入定之後，說是可以表現神功，原來他在入定之後，便手之舞之，足之蹈之，說是打拳，叫坐神功，反之我入定後，却寂然不動，週身內部聽其自然運動，他反而指爲非是。像他那樣明明是後天的作爲與道的本義「靜」字完全相反，何況道經所說的「人法地，地法天，天法道」，法道自然明明告訴我們「道法自然」並無作爲。悟眞篇也說，「慢守藥爐看火候，但安神息任天然，羣陰剝盡丹成熟，跳出樊籠壽萬年。」也是叫人從靜處着手，自然調息逐漸外息停止，而成胎息，胎息停止變爲神息，那就羣陰剝盡而成丹了。

像他那樣連丹經的道理都不能理解，還自誇爲正宗，你說，非旁門而何？其實大道雖然至妙，却也至簡至易，所以紫陽眞人在悟眞篇中文說：「此道至神至聖，憂君分薄難消，調和鉛汞不終朝，工夫容易非遙，說破人須失笑！」

凡有作爲皆非真

認眞說起來，三千六百旁門，要想一一加以指出，實在也非易事。成都二仙庵藏有古仙所作之「旁門小術錄」，把爲惡害人最甚的選出十多種，用詩體寫出來告誡好道之士，足借吾人之參考。它的第一節說：

「錯認彼我當作眞，誰知陰陽在本身，買妾宿娼行採戰，欲奪元氣補精神，豈有蓬萊仙家客，反類滾子貪淫行？」這一類的旁門，以奪取女人的元氣，而行功，因而買妾宿娼，它的根據便是誤解了丹經

（一）

名人小傳（七）

・塞翁・

壯哉吳孟俠（樾）

民國紀元前七年八月廿六日，在北平前門車站，忽然在車廂內一聲巨響，把那淸廷派出的五位北洋大臣嚇得要死。結果被炸死的不是一位淸廷的五大臣任何一人，而是一位視死如歸的革命志士——吳樾。

提起此人，凡是辛亥革命時期的老前輩，對他無不景仰。吳樾是安徽桐城人，可惜他死的太早，不然安徽十三傑也有他一份。樾字孟俠，是一位不折不扣的民族英雄。

由於庚子事變後，朝野言變法，惟吳樾一士之諤諤，予以毫不留情之痛斥，他常僕僕於北京，保定間，與趙聲等志士結交，革命救國相許，嘗說：「君爲其難，我爲其易」。他自此卽以「暗殺先鋒」自任。

光緒三十一年八月廿六日，淸廷派了戴澤、戴鴻慈、徐世昌、端方、紹英等五大臣，分赴各國考察憲政。吳樾聞訊，乃身懷炸彈二枚，僕人打扮，尾隨前門車站登車，意欲俟車駛出站時便拉開炸彈引綫，企圖同歸於盡。但不幸得很，當他剛步入車門時，因車相接的一撞，那炸彈受震，兩枚同時轟然巨響，紹英等人只受微傷，而吳烈士已自己中彈血肉橫飛，慘死於車上。由於死狀甚慘，終不能辨其爲誰，姓名更無從得知。直到後來桐城會館捕得同志汪圻時，方知那次因暗殺而犧牲的烈士乃是吳樾。我們從他事前所「暗殺時代」一文，和致其妻和子書中獲知，他並不是「暴虎馮河」的匹夫之勇，而是有志氣有計劃的。他說排滿之道二：一曰暗殺，一曰革命，前者爲因，後者爲果。豈不壯哉！

錢一劍談相

五短五合五露五小（二十）

・錢一劍・

五短之形，一頭短，二面短，三身短，四手短，五足短，五者俱短而骨肉細滑，印堂明闊，五嶽朝揖者，乃爲公卿之相也，陳布雷、陳辭修、鄭彥棻、熊式一、程滄波、曹偉修等皆屬此一類型。雖是五短而骨肉粗惡傾陷則爲下賤之人，或上長下短則多富貴，上短下長主居貧下也。

歌訣：五短之人形要小，更須骨細印堂豐，竅門五嶽相朝拱，食祿封侯有始終，眉圓眼大額如熊，脚短身長上下同，五短氣全爲諸侯，自然官祿至三分，拿破崙、史達林、戴高樂是也。

五合，骨正直而有陰陽，言正直而有剛柔，是爲天地相合也。視瞻穩而聲音淸，體貌重而行步輕是爲天官相合也。氣溫粹而有光華，色淨潔而無暗昧，是爲天心相合也。識量多而體亦重，度量大而面可是爲天機相合也。敬上下而懷忠厚，愛朋友而足信行，是爲天倫相合也。解曰應多合少官崇聲，譽合多應少名重官侯應合相。

五露，眼突鼻仰耳反唇掀結喉是也。眼突促壽耳反無智識鼻仰主路死唇掀懸死結喉必貧薄。

歌訣：一露二露有衫無褲，露不全至貧天孤苦，五露俱全福祿綿綿。台北市議員建宗明太夫人爲五露相。

歌訣：五露俱全福自來二露三露反爲凶胸闊臂高爲外露平生此相有何財若遇三尖五露人，但言此相便埃塵，有時驛馬臨邊地，也作加官食祿人。

五小，五小之形一頭小，二眼小，三腹小，四耳小，五口小，五小者若端正無缺陷而俱小者乃合貴之相也。其或三四小而一二大者則不應而貧賤也，若夫頭小而有角，眼小而淸秀，腹小而圓垂，耳小而輪廓成，口小而唇齒正，則反爲貴人矣。台北市一女中青年教員王邦雄生此相，目前雖未貴，其文章必可傳世。

中華民國內政部登記證內警台報字第○三一號
中華民國僑務委員會登記證台僑新字第三二三號
中國郵政台字第一二八二號執照登記為第一類新聞紙

自由報

（第一一九六期）

（中週刊每星期三、六出版）
每份港幣壹角・台灣每份售價台幣二元
社長李運鵬・督印黃行奮
社址：香港九龍官塘康寧道117號後座二樓
117 HONG NING RD, 1/F REAR, KWUN TONG, KOWLOON, H.K.
TEL: K-433653
電報掛號：7191
郵箱：官塘郵政信箱9583
承印：景星印刷公司
地址：嘉咸街廿九號地下
台灣區業務管理中心：台北市許昌街廿六號
電話：三八〇〇〇二
台灣區直接訂戶　台灣劃撥戶
第五〇五六號張萬有（自由報會計室）
台灣分社：台北市西寧南路110號二樓
電話：三三〇三四六、台郵劃撥戶九二五二號

本報專論

評尼克遜的新經濟政策

．侯立朝．

七月十五日，尼克遜宣布了訪問中國大陸的聲明，是美國在外交上的救亡運動。

八月十五日，尼克遜宣布了「和平的挑戰」的新經濟政策，是美國在經濟上的救亡運動。

現時的美國，在政治上有病，在經濟上有病，在社會上有病，這不是太空人所能掩飾得了的。所以，尼克遜在開出治療政治的藥方之後，又開出了診斷經濟的藥方，相信在不久的將來，他也會開出醫治社會的藥方。這些藥方救得了美國嗎？連美國人自己也不大相信。

首先分析尼克遜的新經濟政策，在他的「和平的挑戰」之宣布中，提出了醫治美國經濟之病有八大項：

（1）從今天起生效的一年以內的一種百分之十的職位發展貸欵，以及一九七二年八月十五日以後的一種百分之五的貸欵。

（2）撤銷對汽車征收百分之七稅率的消費稅。

（3）把預定於一九七三年一月實施的個人所得稅免稅額提前到一九七二年一月實施。

（4）減少聯邦政府經費四十七億美元。

（5）暫緩提高公務員待遇並裁員百分之五。

（6）歲入分享案延緩三個月福利改革案延緩一年實施。

（7）凍結工資和物價九十天。

（8）加征百分之十的進口附加稅。停止美元兌換黃金。削減對外援助費百分之十。

這八項措施，是為了達成三個目的：第一是創造就業職位，第二是平抑生活費用上漲，第三是保護美元。反過來說，就是為了減少失業，平抑物價和使美元與黃金分離。而在這八項措施中，前七項影響到美國國內經濟，後一項影響到國際經濟。因此，在「和平的挑戰」發布之後，美國國內掀起了搶購外國貨的風潮，在西歐和日本的金融市場，是一個混亂，不得不暫時關閉，停止交易。

這個國家現在的流動負債約有五百億，實質負債也在三百億左右，它的黃金儲備量只值一百一十億左右，等於負債數的三分之一。如果債權國（保有美元儲備的國家如日本一百二十億西德一百八十億）把存有的美元向美國要求兌換黃金，美國付不出了，只有撤賴了。而美國人民負債也大得驚人，年平均每一戶人家，收入在三千元以下的，負債四百三十三元；收入三千到五千的，負債八百五十元；收入五千到七千五百元的，負債一千二百二十元；收入七千五到一萬的，負債一千五百九十元；收入一萬到一萬五的，負債一千九百四十元；超過一萬五以上的，負債二千二百四十元。只說明在美國的小市民及中產階級無一家不負債。在資本主義制度的國家，負債是家常便飯，不負債才是奇事。這就是中國人常說的「寅吃卯粮」，美國的繁榮，就是建築在寅吃卯粮的制度上——即分期付欵制度。

尼克遜的新經濟政策，其實也無甚新奇之處，在國內的經濟措施上，歸結來說無非是裁員、減稅、縮小開支、管制物價及工資以求減輕負担及降低生產成本，刺激生產，創造就業機會，爭取國際貿易的競爭能力。在國際的經濟措施上，歸結來說無非是保護關稅，減少進口，增加出口，平衡國際收支逆差。這都是經濟學上的老方法，很傳統的老方法。問題在於：經濟危機是可以單用經濟學的方法可以解決得了嗎？我們基於歷史經驗的對證，說否。它必須以經濟學之外的方法來解決，即以政治的社會的方法來解決。羅斯福的「新政」就是證據，那不是以純經濟學的方法來解除三十年代初期的經濟大恐慌的。從這一點來看尼克遜的新經濟政策，它的特點只是一些行政措施，並不如當年「新政」那樣有社會性的深度，其效果當然也不能達到如「新政」之效果，這是可以斷言的。想把美國經濟再刺激到超世界的高度，這是夢想，因為外部的經濟條件業已消失，只能作內部的經濟條件之改良，這才是美國經濟的大難題，無可奈何的難題。

尼克遜的新經濟政策中的第八項，是帶有政治嚇詐的意味，特別是對進口貨的百分之十之附加稅，是以經濟的措施達到政治的要求，不，這是要脅。我們知道，同美國做生意最多的國家，是西歐及日本，手裏握有美元最多的國家是西德和日本。而西德和日本，在戰後又是最受美國之惠的國家。十年河東，十年河西，到現在的西德和日本，是美國在商業上最堅強的兩個敵手，對美國在貿易上一點都不客氣，終於形成美、日、西德在貿易上展開了商戰。由於美國在近十年來的中氣不足，被西德與日本在經濟上壓迫得喘不過氣來，大量的黃金外流於西德和日本，使美國在國際收支上產生了有史以來的大逆差，即美國欠德日的債增加上，美元大量地握在德日的中央銀行的手裏，隨時可致美國以死命。戰勝國落得如此下塲，慘哉羞哉，華爾街的大亨們，憂心如焚了。

尼克遜的新經濟政策中的進口附加稅，主要的要迫使日元及馬克升值。現在西德已經宣布採取浮動匯率，法國採取兩價制，日本仍在徘徊瞻望，採取浮動匯率乎？日元升值乎？仍在推敲之中。八月二十四日的美聯社東京消息說：「日本代理外相木村俊夫今日拒絕與美國談判重估日元價值問題，變更日元比值，應在多國會談中解決。」這就是日本不願意將日元升值，升值會影響日本的出口貿易的。我們贊揚日本不受嚇詐的武士精神。如此看來，附加稅也救不了美國的國際收支逆差。

最後一項是美元與黃金分離，這牽涉到國際貨幣的基準問題，美國想利用國際貨幣基金會來壓迫世界，建立一個國際貨幣的新體制，對美國有利。這更是一個複雜辣手的問題，一時不易解決的。

美元是不折不扣的貶值了！美國黃金不够還債了！美國生產力的外部條件枯竭了！尼克遜的新經濟政策，恐怕救不了美國經濟的萎枯。（八月二十五日）

自由談

談博士頭銜

由於洋人——特別是美國人——好講究「學位」頭銜如博士、碩士之類的玩藝，而中國近五十年來的文教與政治界，留美學生充斥於其間。於是乎，亦以學位相炫耀，不問學識如何，只看有無學位，更不管那學位是眞的，抑係贋品，贴着名片上刻有博士碩士頭銜的，便認為是高人一等的學者專家。因而有些並無學位的人，一旦在文教界或政治界担任較高的職位時，亦以自撰的新聞稿件，送請報館編輯部予以發表，註明某某博士，即儼然以博士姿態出現了。

實則具有眞實學問的人，雖無學位而同樣為社會大衆所尊重，吾國晚近學人辜鴻銘，嚴復，即其最著者。空有學位而無實學，適所以彰其醜陋相，使通人齒冷而已。尤其是花旗牌出產的社會科學博士頭銜，殊不足貴，假使有人在美國寫一篇「抽水馬桶之起源及其對人類的使用價值」的博士論文，我相信一定通過無疑也。這樣的博士，值得尊重嗎？

至於本無學位而臨時向外國的神學機構，購買一個博士頭銜，或由外國某些不入流的大學，贈予博士學位名義，更無足取，吾國伶人梅蘭芳亦係美國某大學的文學博士呢！但梅氏從不藉以招搖自炫，可謂知恥自愛，雖曰未學，吾必謂之學也。最可惱是那些冒牌博士之流，胸無點墨，識同稗販，却唯恐別人不知道他的學位，敝帚自珍，逢人賣弄，眞是笑話之至！

文化根基的深淺，關係國家隆替興亡。近五十年來，吾國知識份子對本國固有文化表示鄙薄，而斤斤於西化主義；西化又不取法乎上，但襲衣皮毛；專講表面，不問實質，盜名欺世，恬不知羞。此即文化精神之所以空虛墮落，而國運之所以日益也歟！

馬五先生

昨日與明日

聯合國的本質

美英法俄四國對於西柏林問題的秘密談判，最近已達成協議，可以消除西歐方面的緊張氣氛，亦大佳事。據說，今後東西德政府皆將加入聯合國，形成兩個德國的代表權，亦屬大有可能，因有美英法俄這所謂四強從中擺佈也。

等由准此，則南北韓與南北越自可跟進，不成問題。非洲若干新告獨立自主的彈丸小邦，年來俱已加入了聯合國，而錫蘭，馬來西亞，星加坡，巴拿馬，尼泊爾，馬爾他等，迄今尚未參加所謂「世界政府」的聯合國，却不聞美英法俄四強——特別是美國尼克遜政府，為着維護世界和平，有如對中共政權之所為，提出建議案，邀請這些邦國加入聯合國，豈得謂平？

即此可知所謂聯合國席位也者，不過是國際強權主義者一種玩弄政治陰謀的工具，與世界和平渺不相干，因而聯合國自創立以來，對於國際間發生的一切爭論，並未能作有效的調處，而對人類和平生活，眞有裨助。這一龐大組織的國際機構，除却由會員國攤派經費，豢養着許多職員，成為美國工商業者的消費顧客外，就是每年約集一大羣的各國代表，到美國旅遊幾個月，增加美國社會的一些「觀光」收入而已。

而今而後，我們對於聯合國的席位問題，應該視為無足輕重，少費心機。只要自身有力量，表現着自立自強的本能，予天下以共見，那些強權主義者亦會以維護世界和平的說法，向我們親善結交的。「不患無位，患所以立」。個人如此，國家亦然。

美國的新經濟政策

美國由於本國生產過程的成本高昂，受着外來廉價產品的侵襲，以致發生貿易逆差甚鉅，乃採取所謂新經濟政策，增加外來生產品的附加稅，又要別國把幣值昇高，而將自己的美元無形貶值，並停止以美元兌換黃金，藉以消除貿易逆差現象。數管齊下，完全是一種霸道作風，使全球金融市場大為震動，其中受損失最大的，首推日本。

俄共認為這是資本主義無可避免的危機，似乎不無理由。新經濟政策固可以濟一時之急，但戰後貽留在歐洲的四百億美元，以及貽留在亞洲的兩百億以上的美元，都是不許進入美國去的，停止兌換黃金，如非暫時措施，這六百億美元，勢將成為廢紙，問題亦很嚴重。

美國在戰後的國際政治領導地位，已經喪失了大半，再加以經濟勢力之式微，前途實在未可樂觀也。

．何如．

輿論精華

不再讓美國出賣

史學家梁敬錞在「史迪威事件」一文中，指出了美國多次出賣中華民國。這是不可否認的事實。

二次世界大戰結束後，美國的雅爾達密約，一九四九年的對華白皮書，一九五一年舊金山和會排除我國參加，一九五五年八月一日舉行美毛談判，一九五八年中美聯合宣言，除制中國軍事行動，以至最近尼克遜所採取的降毛政策。這些，都美國出賣中華民國的事實。

我們曾指出過：太平洋戰爭後，美國在均勢論的腹案中，一直想着扶植中共，勾結中共，企圖利用中共作為美國在遠東的助手，亦即藉中共作為美國在遠東的助手，亦即藉中共作為防日制俄的工具，馬歇爾的使華，向國民政府施加壓力，迫成所謂「國共和談」，其主要作用在此。據梁教授說：美國當時曾向中共表示，只要中共肯與美國合作，將以一百億美元作酬，但不料中共却向俄共一面倒，使美國碰了一鼻子灰。梁教授又謂：大陸易手後，美駐華大使司徒雷登賴着不走，極力向中共拉關係，企圖通過黃華（那時尚是燕京大學司徒雷登的學生）與中共建立關係，並予以承認，不料到他反被趕出大陸。這說明了美國一直是對中共發生幻想的。

美國既然對中共有所癡戀，當然要犧牲中華民國。在今天，不止犧牲中華民國，而且也犧牲日本。自馬歇爾使華活動失敗，中共向俄共一面倒後，美國即銳意扶植日本，視為寵兒，把日本當為在遠東第一號夥伴。

（下轉第三版）

天下事

從少棒喇叭隊談起

成公

又一度風靡了在美的留學生和華僑，風靡的事實自是少棒得了冠軍，風靡的原因則是出自愛國的熱情，大家携妻帶子，成羣結伴的趕到威利斯堡來給少棒加油，狂歡的唱國歌，舞國旗，直到力竭聲嘶而不知止，場面之眞誠熱烈令人感動，而使許多膚淺的美國人才知道中國人原來如此團結，如此愛國。

從政治的角度，這無疑的是我們一大勝利，尤其在近來世局黯淡，情調低落的時候，這對鼓舞士氣，團結人心，實有不可思議的貢獻，但這一果實可以導引利用，却不可依賴憑藉，而掉以輕心。何以呢？須知這些海外人士所以有此熱烈的表現，基本的是出於愛國，而對國內的政治立場却並不清楚，也不熱心，甚至有許多老華僑，和在國外待久了的留學生，竟以不介入政治立場相標榜，現在他們甚于愛國的熱忱，而去捧少年棒球隊的場，而這少年棒球隊是來自台灣，因此遂把他們那股愛國心輕描淡寫的接引到自由中國的份上，這是一個非常好的團結妙用，假如我們能善爲培養，自然可以有效地增強我們海外的基礎，擴大反共的力量。

但「人心惟危，道心惟微」，這些海外人士，與我們國內人士的心情不同，他們愛國心雖强，但政治意識並不明顯，立場尤難期其堅定，假定共產黨要作出幾件招搖撞騙的事，彷彿給國家吐了口氣似的，那說不定也會把他們的愛國心轉向，而投到共產黨方面去，例如尼克遜這次宣佈訪問大陸，共黨便神氣活現的大吹大擂，彷彿多麼神氣，而就在這種表演炫耀下，若干在美的留學生竟不勝其誘惑，而跑到到加拿大去換護照，甚至楊振寧也居然回去「探親」（？）在這種情形下，我們勢必要嚴密注意力加防範，千萬不可陶醉在少棒勝利後的歡呼，尤其不可掉以輕心把這股點燃拉攏的愛國心，被別人騙走。

然則用什麼方法來對付這個問題呢？語云「不誠無物」，今天面對這事實，絕不是要點花槍可以解決的，因此也就絕不是派幾位黨務的「職業工作員」宣傳敷衍一下，或是派幾位親信的「逢迎報告家」巡視調查一番，甚至不是施些小惠收買攏絡所能濟事，今天必須以至誠大公之道來推行，尤其要設法和這些留學生建立精神上和業務上的實質聯繫，使他們感覺精神，利害，道義都與我們息息相關，織成一體，例如我們在國內設法開創（而不是安插）研究和學術的工作機會，延攬留學生，集體回國工作，使他們學有所用，促成我們科學和經濟的發展，尤其要打開門戶私見，用人唯才，升遷以功，使海外的人士，特別是知識份子感覺到我們是有希望，有活力，有正義的政府，自然會把愛國心牢牢的繫在我們這一邊。

私立高雄醫學院的怪現象
法院院長兼董事長
校風敗壞迭生事端
立委提出質詢認事態嚴重

（自由報台北消息）立法委員蘇汝淦，爲現任公務人員是否得兼私立學校董事長職務，特向行政院提出質詢，錄之如下：

（一）茲根據高雄醫學院學生函陳：該校董事長洪壽南先生係台南高分院院長，現任該校董事長已達六、七年之久。但據行政院五十七年二月二十七日頒佈台(57)人政二字第一一八〇號令禁止公務員兼任私立學校董事、董事長、校長等職。查洪壽南先生既係台南高分院院長是實，高分院院長可兼任該私立高雄醫學院董事長以迄於今？

（二）復據該校學生函陳：因該校董事長洪壽南先生藐視法令，因而導致學生不守校規，校規廢亂，校風自壞。迭次發生職員聚賭，盜取該校中醫療用嗎啡，更有學生僱人偷開保險箱，盜取考卷等事件。又該校會計陳登枝、鄭清進等曾爲賭博被檢舉處罰。最近陳登枝等又侵吞病人繳納之住院費，經警察局調查屬實，移送地檢處起訴。此等傷德敗行之事實有污夙稱清高之教育界。姻陳登枝、鄭清進等皆爲洪董事長所引進，因洪董事長公事繁忙，未克分身，礙於情面，無人管理，致令該陳登枝等無法無天，造成目前該校混亂之狀態。基於此種原因，教育行政當局是否早應予以處理與解決？

（三）本席接獲高雄醫學院學生函件後，復閱其附來之陳江山（現任監察委員）董事在該校最近董事會議所提之臨時動議觀察，由於洪董事長知法而不守法，導致校內醜態百出，駭人聽聞，本席認爲事態嚴重，不僅事關教育前途，抑且影響司法尊嚴，至堪憂慮。特提出質詢。

茲抄附高雄醫學院學生函件乙份及陳江山董事臨時動議乙件。

× × ×

醫學院學生函件

一，抄附高雄醫學院學生來函

汝淦委員大教育家鈞鑒：

我們的兄長是，尊者長震西大學教務時的學生，不時稍頌尊者管教之法，密而善導，比諸當時教育之設施有天淵之別。昨聞尊者對家兄詢及高雄醫學院情形，茲不敢不據實奉告，用祈有以挽救本校之危機。

本校之創辦成功，除得力於杜聰明與陳啓川兩先生之外；還有陳江山先生其功不可沒。後來是杜聰明與陳啓川兩先生爲人事經濟發生糾紛，轟動全省，想尊者亦有所聞。其間之是非曲直，我們不能置辯，學校董事會係在妥協糾紛的辦法之下而改組，才有洪壽南先生來充董事長。洪先生當年是台南高分院首席檢察官，現升爲分院院長，兼本校董事長迄今已六、七年矣。

竊以國有國法，校有校規，董事長爲全校最高表率人物，若不以國法爲守，而欲率學校必守校規，無有是處。洪董事長爲法律家，明知：行政院於五十七年二月二十七日頒佈台(57)人政二字第一一八〇號令「查公務員服務法第十四條第一項規定『公務員除法令所規定外，不得兼任他項公職或業務』兼任私立學校董事、董事長、校長自難謂非該條所稱之務業，應予依法制止」。是洪董事長顯爲違反法令之董事長，因而影響全校遵守校規之心理，導致校風日壞，迭次發生職員聚賭，盜取嗎啡，僱人偷開保險箱，盜取考卷等事件。又學校會計陳登枝、鄭清進等係洪董事長所引進，曾爲賭博被檢舉處罰。最近陳登枝等因侵吞病人繳納之住院費，經警局調查屬實，移地檢處起訴。又附設醫院收費林新發等竟將醫院收費飽入私囊達二百萬元，被提起公訴。若輩貪污人員皆董事會派來。還有一位身爲法院的書記。（附台灣新聞七月十八日第五版）總之校風之壞已到極度。滿以爲本月十九日在台北召開之董事會必能改換董事長，有徹底革新本校的希望，詎又以開會不足改組董事會之法定人數（因規定要三分之二董事出席）在出席董事爲陳啓川董事本身及其同派，間是受洪董事長之密契，名故辭職而實謀留任，此手法行之已多次云。

洪董事長我們不是不歡迎，祇要求其辭去法院兼職，不帶有違反國家法令之嫌，而專心致力於董事會任務。聞其從學校每月明暗收入有五萬餘元，亦不爲多，又何須兼取法院之四、五千元職薪？今渠必兼而不捨，不但以執國法之身遭遇破壞國法之謗，且更起人有執法必貪之疑，我們同學深爲洪師長嘆惜！

抑事之最可怪者，法院首長違法兼任學校董事長公職六、七年，董事會一再違限不改組，依然非法存在，司法部與教部亦一再令飭糾正而無效，所謂一手遮天眞有其事於今日。試問有何理由禁勿相率效尤？此風若長，國事何堪設想耶？究竟事出之眞因何在？國人深感謎惘。

耑肅並叩

高雄醫學院學生〇〇〇敬上　七月二十三日。

陳江山董事會建議
改選下屆新任董事
幷列十五弊端促謀改進

二，陳董事江山臨時動議乙份

臨時動議，提案人：董事陳江山

案由：爲高雄學院校務革新未收實效，校風日趨敗壞，私辦弊事件層出不窮，法定負責人應予引咎辭職，退避賢路。茲列舉有關弊端十五項，請報主管機關究辦，幷力求改進由。

查高雄醫學院係於民國四十二年由杜聰明先生與提案人邀請陳啓川先生共同籌辦，此爲衆所週知之事實。創辦成功之後，陳、杜之間積不相容，糾紛迭起，以致董事會形同虛設，及至教育部嚴令改進，陳、杜雙雙去職，由陳氏於五十二年起推荐洪壽南先生担任董事長，原寄厚望於洪先生本諸司法經驗及威信，主持院務，力加整頓，詎料革新未具實效，積弊未減，而校風日趨敗壞，私辦弊仍舊公行，茲列舉如次：

一、職員聚賭被檢舉處罰後，被處罰者不久反而調升職階。

二、校存嗎啡被盜，足見管理無方。

三、學生雇人偷開保險箱盜取考卷，影響重大。

四、會計課貪污達三百萬元，法院有案可稽。

五、附屬醫院收費員周錦樹貪污九十餘萬元，法院亦有案可稽。

六、附屬醫院門診部發生收費員黃美二萬元舞弊案。

七、員工無過失而竟任意調動，人事方面之處理，已失公允，有過失祇調動了事，除良安暴，是非不分。

八、董事長及院長不顧員工之生活，員工情緒低落，工作效率極低。

九、學院之教授研究室，幷非無屋可撥，事實上有空屋而不利用，浪費虛擲教授研究時間。間接損害學生功課。

十、學生主辦之刊物「鼎」刊載，據統計考試作弊者達百分之八十四以上，足證學院管理有問題，董事長亦應負監督不週之責。

十一、興建之附屬醫院病房，建築費約三千萬元，工程尚未驗收，而建築費早已付清，顯有情弊。

十二、上開工程係成功大學某教授所設計，應無疑問，不意竣工甫及數月，逢雨即漏，地下室浸水，電梯故障，冷氣不靈；千瘡百孔，不能使用，有待修繕達數十處之多，若非偷工減料，徇私舞弊，其誰能信？

十三、前開工程之補修，依照規定應由原承包商免費爲之，實則，不惟未請承包商修繕，幷追加經費，另行招商承修，顯有勾結徇私情事。

十四、董事會曾以鉅款出借他人，亦曾用董事會名義向銀行借貸千萬元，但董事會之收支帳項，從未向董事會報核，何能取信於人？

十五、董事會之收成帳據不存放學校保管，而存置陳啓川先生家中，俱見公私不分。

先賢胡林翼格言：「是非不分，節義不明，此天下之所以大亂也」。確爲至理名言。高雄醫學院久處不安狀態，未有長足進步者，要爲主持人私心自用，排除異己，是非不分，節義不明所致。深望各位董事先生，爲杜絕學院亂源計，爲發展學院前途計，幡下決斷，適當改選下屆新任董事，務使具有改造之新機，則高雄醫學院師生幸甚矣！

劉半農記賽金花

談到這裏，賽金花抬起他的右腳——那幼時纏成步步金蓮，如今放得不大不小的文明腳——對我說：「你看，我這一隻小腳，還能跳舞嗎？而且洪先生又是個道地的老學究，素來絕對保守中國禮教的，豈能容我這樣放肆！（編者按，賽和瓦德西是先在德國認識的，後因拳匪之亂，聯軍佔據了北京，不期而遇，發生關係，曾孟樸的孽海花中說：「賽於隨洪出使德國時，與瓦德西有染，故八國聯軍入北京時，瓦德西尋之。」及劉半農所記賽金花本事說：「我同瓦的交情固然很好，但彼此間的關係，却是清清白白。就是平時在一起談話，也非常的守規矩，從無一語涉及過邪淫」的兩種話，都非眞確，但不知讀者意見如何？）

儀鑾殿被焚

「京師儀鑾殿被焚，火起時爲二月二十九之夜十一下鐘，燒越二十分時此殿本太后所居，自聯軍入京，由華爾西佔住，賽金花亦常入侍。是夜，火從廚房中起，一霎時宮殿二所，悉化劫灰，當事急時，華帥與賽不遑由戶出，經人援手，始得從窗口狼狽躍出逃生。宮中器物書籍，悉付焚如，其時，正參贊沙索夫氏即呼令副參贊陸軍大佐夫鐵伊海路氏、麥路布耶路氏、大尉夫嗝痕氏、路笛氏、餓立堺痕氏，將重要之件，從火窟中取出，施復隻身竄入，擬携取各項文籍，及所豢小犬，以致目被烟迷，跌仆，遂慘死火窟中。迨翌日，雖即尋獲遺骸。而華帥及諸將所居之處，亭臺器物，皆己摧毀無存。事後思之，疑係華人縱火所致，目下方將庖丁人等嚴密稽查云。」

訪賽回憶（曾繁訪問記）

賽金花的病的消息，我曾經幾次給本報的讀者報告過，如今這「風中之燭」終於熄滅了。回憶起我自己三次會見她的談話，索性也寫了出來留個紀念，何況在這些談話裏，還着實有一些前所未知的重要的史蹟之存在呢！

第一次去會見她，是在廿二年的秋天；在警署探知了這陌生的居仁里是在香廠一角，便雇車而去，那是靠近香廠的東部的一個小胡同裏，門前貼的一個紅色紙條「江西魏寓」已經舊了。經過她的僕人的傳達，我會到了這位落拓的英雄。

豐滿的前額，整齊的鬢角，水汪汪的眼睛，她雖然是將近六十歲的人了，但精神還是異常飽滿，面皮是豐潤白皙，招待人的禮節還不脫呼奴喚婢的氣派。我首先問她：（四十三）

監委曹啓文再駁陶百川（上）

·又陵樓主·

按：模華公司經台肥收購後，原已灰塵落地。不料監察委員陶百川突對前任經濟部長楊繼曾石油公司總經理金開英等提出彈劾，因事關行政決策與失職無關，經監察院會以十四票對一票否決。陶百川以少數脅迫多數，違背民主原則，曹啓文先生發表聲明斥其欺世盜名，陶百川為文答辯曰：「怪哉曹委員啓文之聲明」。曹委員在病塌執筆再作此文駁之，大白天下。經樓主採摘發表。

余擬聲明文之動機，起於赴張鏡影兄為其公子訂婚之晚宴，以當時與於此宴者尙有陳委員壽丞兄，一見之初，即以大衆日報七月十七日所登之文見示，其標題：

監察殿堂，
何等莊嚴！
草草處理慕華案，
否定彈劾案，
惱了陶百川！

尋讀其全文，遂觸動余元月十四日在經濟委員會反對陶委員百川進行調查慕華案之回憶，回家後，又見案頭置有秘書處審查彈劾案之通知書一則，余忖度之，必為慕華案，以與百川委員私誼論，似不宜出席，若以辯明是非論，負有白寃辯謗之責者，豈容因私害公，為此輾轉床褥，整夜未能入睡，最後下定決心出席，並本春秋責備賢者之義，擬「出席否決此案之聲明文」，以盡余對老友勸善規過之心，惜不善屬文，乃致辭不達意，使老友興怪哉之嘆，迨讀其文後，余又感痛哉之苦，今再擬此文，痛何堪言，余豈好辯哉？出於愛老友情深而不得已也。希陶百川委員鑒而諒之！

以上敍述，正表示余寫聲明時，光明正大，毫無隱私，陶委員百川最後一段文字云：「不够正大，但我為保持風度故不再多說」，能保持風度，甚可欽敬，惜未深思余為此聲明時之苦心，若稍加反省，當不至責以「不正大」之貶辭。何則直筆詰責老友必傷及友誼，何若以嚴正之辭，秉公論事，訴諸公論，見之同仁之為得計也。

余文聲明之四段；無一段不寓貶於勸之中，如第一段文字重點二：先言陶百川委員向院提案之非，次言深恐第二次遭否決後其故態自必復萌，陶百川委員為法學專家，不惜違濫事權，將第一次審查會一致否決彈章之經過，竟向院會提案，余之用心，見之「深恐」及「不惜」四字，勸阻之意，自屬顯而易見，何陶委員不思之甚耶！

第二段為本案實質之追述，勸阻之意更顯，因事隔多年，始則為行政院之決策，終則亦由行政院決定，並專設小組輔導執行，何可嫁罪於奉令執行之人，有傷忠厚，其非忠告而善道之意！

第三段：值得此國際風雲變幻，國步艱困之際，讀書明理之人，應體時艱，此乃以大義貶責陶百川委員之用心，深恐老友因此自損聲譽，蒙受不講大體之譏也。

第四段：之寓意，已述於前，茲不贅。

請陶委員百川就此釋疑，再加深思，茲順帶聲明者三：

一、陶委員百川認為聲明文「為惡意之人身攻擊」非也，乃明辨是非之論，嚴於斧鉞之貶，曷可誣以「攻擊人身」之罪名，文過飾非莫此為甚！

又陵樓劄記

所謂「維新政府」（八）

·本報資料室·

實際上是靠淪陷區的烟民來支持的，各地大小偽組織儘管表面上官冕堂皇的欺壓民衆，實際上這班耀武揚威的官員，都是宏濟善堂所飼養的。這多消息，我聽到之後，令我見聞大開，感慨萬千。

維新政府成立時的宣言，說是：「周雖舊邦，其命維新」，維新維新，如是而已。

維新政府不設主席，由梁鴻志担任行政院長，梁鴻志他是一個著名詩人，民國初年當過段執政府段祺瑞的秘書長，人稱安福系。

維新政府成立後，上海租界上的報紙，有些一味攻擊，有些隻字不提，不過有一次說梁鴻志提出辭呈，堅決的要丟掉烏紗帽，報上還說陳羣等也隨之提出辭呈，當時我們不知道他們鬧的是什麼把戲，以為總不外乎爭權奪利，那知倒是一件力爭國寶的公案。

當時的上海人，除了看報之外，私底下有一種口頭新聞，大家奔走相告，稱作「螞蟻傳」，意思說這些新聞的傳佈，好像螞蟻傳達消息一般。所以報紙之外的消息，也散佈得很快。

這時節民間的傳說，國民政府在撤退時有一批故宮博物院的古物，未曾帶走，保存在「朝天宮」中。這批古物本來藏在北京故宮中，因為當華北情況緊張時，國民政府想把一部份古物運到南京來，但是受到北方政界和文化界的反對，所以一時未能實現，不知道那幾位高明人士，和倫敦博物館洽商之後，要選擇故宮的精品運到倫敦去展覽，於是組織了一個龐大的委員會，選擇歷朝銅器、玉器、磁器漆器、以及古畫古書千餘件，就用這個名義把它運出北京，到倫敦去展覽，當時上海商務印書館出版過好幾本彩色精印的圖冊，把這批珍貴的古物，都有詳細的中英文目錄和圖片說明，載在上面。

這批古物展覽完畢之後，英國如期運回，可是北京已經淪陷，於是展覽品要由船隻陸續裝運到南京，那時節時局已極紊亂，正是上海的八一三戰爭的前夕，國民政府急電倫敦，將運回古物的事情，從緩實行，可是英國主辦機構已將一部份古物由船運出，直運南京，南京政府就把它珍藏在「朝天宮」中，用箱籠鎖好，再加牆一磚封砌，外表不容易看得出來。（未完）

不再讓美國出賣

（上接第一版）但是，美國政客們念念不忘中共的，所以，儘管在廿年來，中共如何的輕美、仇美、反美，美國始終是忍讓，不但如此，而且不斷地謀求架搭起華盛頓通達北平的橋樑。現在，這橋樑搭好了，於是馬上冷淡了日本（尼克遜訪平一事，日本事前毫無所知），不消說，有了中共，不會再重視日本，他們還是要利用中共作為制俄防日的工具。

美國的現行政策當不止對中華民國和日本出賣和犧牲，而且對亞洲反共國家也一樣的出賣和犧牲。尼克遜為了要同亞洲人公敵的中共打交道，不惜把防共力量從亞洲退却，不惜自己「舉着白旗走訪北京」，他過去大叫亞洲人起來反共，要亞洲人同美國合作，現在他自己向共黨表示不反共了，高擧白旗了，這不是出賣亞洲人，犧牲亞洲人嗎？

美國終難不了帝國主義的本質，在我們的觀念中，應該根據事實作一次痛苦的檢討。（摘自快報）

名人小傳（八）

·塞翁·

陳二庵氣死袁世凱

陳二庵是袁世凱練兵時收的下級幹部，後因他很會拍馬上路綫，被袁氏所重用，官拜四川督軍。他的老婆乃是袁氏的丫頭，義女名義嫁陳，長官部下再加上裙帶的岳翁關係，陳在當時也是不可一世的親信人物，袁氏倚重之。

一次陳入見袁世凱，跪地不起，痛哭流涕的說：「方今天下初定，人心不安，亂黨更倡邪說，青年學生盲從，總統尙避嫌疑，不正大位。如天下再生變化，則人民更苦了……」好不精采。其情意懇切，忠貞言於言表。袁氏沉默了半晌道：「你去與雲台商議好了」。按雲台即袁氏大兒子，初不理采陳二庵的為人，旋經老子的吩咐，要他同陳換帖拜把子，然後他才以禮待陳，共商大計。

後來陳回四川任所不久，袁世凱也就不幹總統，而已過皇帝癮了。緊接着蔡松坡在雲南討袁氏號角一響，各地響應。陳二庵在袁氏登極後，乃屬勸進功臣，自然不在話下。可是當蔡松坡大兵打進四川，兵抵瀘州時，陳二庵大驚，環顧大局，面對現實，陳二庵一見苗頭不對，遂順風轉舵，於是也通電宣佈獨立，並數袁氏罪狀，文中且有「袁氏不死，天下大亂不止」。眞是越來越精采了。末世人心叵測已如此。

袁世凱看見了他的女婿的通電之後，當時氣得發昏倒地，旋經救醒，帝制而可惜，才慢慢的說：「我並不為了！」不多時候，也就一命嗚呼哀哉了。如果以此故事搬上銀幕，陳二庵倒不失是一個反派丑角。

讀書雜鈔 二十二

·林傳·

錢塘俞君琪（偶忘其字），乾隆癸未在余學署，偶見其野泊不寐詩曰：「蘆荻荒寒野水平，四圍唧唧夜蟲聲，長眠人亦眠難穩，斜依枯松看月明。」余曰：「杜甫詩曰：『巴童渾不寢，夜半有行舟。』張繼詩曰：『姑蘇城外寒山寺，夜半鐘聲到客船。』均從對面落筆，以夜[illegible]出未眠。非[illegible]寒山寺鐘也。君用此法，可謂善[illegible]。然杜張所指，是眼前景物，君忽然說鬼，不太突兀乎？」俞君曰：「是夕實遙見月下一人依樹立，擬就談以破寂，相去十餘步，竟冉冉沒，故有此語。」余曰：「雲中雞犬劉安過，月裏笙歌煬帝歸，唐人謂之見鬼詩，如公此作，眞不愧此名。」（閱微草堂筆記卷七）

時論：前有人爭論，張繼楓橋夜泊詩，余因不語詩詞，未知孰是？紀文達與其幕友兪君琪「野泊不寐」詩，又兼論張詩，紀文達固一代文宗，徐志摩、胡適之再生，亦不能否定其在詩壇所占地位，特錄之以供讀友參考。（完）

神醫華佗

周吉

他的一套「五禽戲」，不過是五種動物的動作，今天的一種體操，「引輓腰體，動諸關節」，「以求難老」。這也就是當時他們的健康長壽體操術。華佗本身行之一身，「且百歲而貌有壯容」（本傳）。吳普深得老師之法，終身行之不輟，他在九十歲的時候，魏明帝召他去表演「禽戲」，並將其方法教導宮中御醫。吳普近百歲，「耳不聾，目不瞑，牙齒完堅，飲食無損」。

據筆者的考察，華佗的一套「五禽戲」，在華佗之前，蒙莊稱為「導引」。華佗確已傳授世人，後代不知何人仿照「隨志」「導引圖例」，採「易筋經」「韋　獻杵等勢，分為十二圖，又稱十二段錦。馬騰驤教授主編的「張三丰武術道術匯宗」一書武術篇中，就有十二段錦，變化至今，也就是今天的太極拳的一部分。

另外在考察到華佗的醫術，在另外尚有根據：如嵇超伯的「南　橫語」卷六說：「熊經，鳥伸雖延歷之術，非傷寒之理，呼吸吐納雖度紀之道，非纖骨之胄，然蒙莊之書已稱導引，華佗之伎尤重五禽，倘能習之，亦養生一法也。近人仿「隨志」導引圖例，採「易筋經」「韋　獻杵等勢，分十二圖，一稱十二段錦云」。

現在所謂「太極拳」，也就是出自中國神醫華佗的「五禽戲」及蒙莊的「導引」等書，更可想見，許多拳術仙術，大多本源於古代的醫術，也就是預防疾病的衛生學，今天也有人說是「健康長壽」術，或者「養身術」。追源溯頭，也就是中國古代的醫術。誰說這一套老東西不科學？老祖宗在二千年時代已有了這一種極科學的健康術，却被妄人一口否定中醫不科學，實乃妄語，應當嗤之以鼻，視之以妄，不屑以爭者。

華佗的第二位高足樊阿，阿是彭城人。這一位高足是專攻鍼術，深得其法。一般醫生的鍼術，對於背部、胸部臟腑間不敢妄鍼，縱然在這些部位施行鍼術，不只能下鍼四分，而樊阿用鍼，無論胸臟，鍼可下五六寸，凡經樊阿施術者，無不鍼到病除，足見獲致眞傳。

樊阿也是一位長壽專家，後來也活到百餘歲。他要求華佗之術，是「可服食益於人者」。華佗授以「漆葉青黏散」，漆葉屑一升，青黏屑十四兩。照他這一種藥方劑份量久服之，可去三蟲、利五臟，輕體，使人頭髮不白。樊阿能活百多歲的長壽，就得力於此方。「抱朴子」把「漆葉青蓁，凡弊之草，樊阿服之，得壽二百歲」。不管他是一百餘歲或者二百歲，都已經是長壽的人瑞。古人所稱的「仙人」，揭穿來說，也就是健康長壽的人而已，並不是天上的神仙，所謂「長生不老」，以為是「仙人」，因為他壽命活得大，知道的世故很多，一般人就以為是「仙人」，「長生不老」也並不是永遠不死，後人不知道「白髮紅顏」的長者是一種健康長壽之術，說那是「仙人」。今天我們可以明白了此中奧妙，健康長生可行，長生不死之藥絕對沒有。「仙術」也就是「長壽術」，原來如此。

華佗本傳上面指明「漆葉處所而有青黏，生於豐沛、彭城及朝歌」等地。也就是今天的蘇北、河南地方。

青黏的別稱：又叫地節，一名黃芝，主理五臟，益精氣。這兩種藥，本出於迷人山。樊阿之注引華佗別傳說是「見仙人服之，以告佗，佗以為佳，則語阿，阿又祕之。」與樊阿接近的人見他如此長壽，「氣力強盛」，甚感奇怪，責他不該隱秘不爭。有一次，就有人故意把他灌醉，詐他說出所服秘方，因此果然「皆有大驗」。因此青黏、漆葉就長生藥，但願專家研究其中道理，貢獻人類。

（十）

巨變歷險記！

忽傳撤軍（二四八）

・胡慶蓉・

在緬甸方面，對於我游擊部隊的佈署，自始卽視爲眼中釘，必欲拔之而後快。

我游擊部隊並不因之而鬆懈，還在加緊向寮向越向馬來亞新嘉坡努力，務達到團結東南亞一切反共力量的目標，台灣方面，對於東南亞的反共力量自然視爲珍寶。如何去幫助他，也在當局計劃之中，不惟計劃已也，並且採取行動予以支援。台灣的有志之士，欲前來投軍者，也所在多有。於是坐船前來木淡棉孟達榜登陸。一切的措施都準備好了，借船以不甚熟悉地理，忽又退回去，這給中國游擊隊的打擊很大。

但丁博士有他的看法。丁博士則以爲塞翁失馬，焉知非福。在許多人垂頭喪氣之際，丁博士却引以爲慰，以當時我游擊隊的力量，已足以執行支援東南亞反共力量圖謀獨立或改組政府的任務。建立大西南反共基地，就必需與基地的人民打成一片。能在當地生根更好。正在南進進行十分順利之際，忽傳撤軍之議。這實在是一大逆轉，有如晴天霹靂，震在心弦。這是從仰光的報紙傳出來的。

這是民國四十一年的下半年，韓戰甫告結束之際，美國不願意在東南亞重啓釁端，美國想在東南亞維持和平，由副總統尼克森到東南亞各國報聘。當他來到仰光，緬甸認爲這是一個絕好的機會，他就要求尼克森幫忙將所謂國民黨軍撤出緬甸國境之外，而尼克森不察也就答應緬甸的這種請求。

緬甸，蘇副總裁稱之爲表子。他的外交，蘇副總裁稱之爲表子外交。以表子來形容緬甸，以表子來形容緬甸的外交，猛一看來，或以爲未免失之粗俗，有近乎辱罵的意思，其實不然。以表子來形容緬甸，以表子來形容緬甸外交，是再沒那切當的。表子，在中國是一句罵人的話。但在罵裏邊，却又包含着不勝欽佩之意。表子在對人方面有他獨到的技術，有他獨到的技藝，使人墜到他的手中而不自知，使人墜到他的手中而不克自拔。表子最高的手法是柔，柔能克剛，柔到繞指，更神乎其神了！

今日聯合國的秘書長宇譚，就是緬甸人，當尼克森到仰光，担任外交之衝的，是緬甸政的國務總理宇努（U hu），宇努的外交手法自必更較宇譚高明十百倍。玩尼克森於股掌之上，緬甸說服尼克森壓迫台灣將所有東南亞的中國游擊隊特別緬甸的中國游擊隊完全撤出緬境，現在回頭看一看，緬甸是成功的，緬甸的外交是成功的。不戰而屈人之兵，不戰而使中國游擊撤出緬境，緬甸的外交足以當之。在將來的發展中，可以慢慢的體會出來。現在回過頭來看看，令人猶有無限愁悵，無限懷念！……

創業哲學

眞理與事實（一）

・丁熊照・

引言

什麼叫做「是」，什麼叫做「非」，本無一定的標準，而且由於時代之先後和地理環境民族文化宗教信仰種種情況之不同，人類社會中的是非觀念，事實上也是隨時有變化，隨地有差異，今日之是者，可能爲明日之非，甲地之非者，未嘗不可爲乙地之是，甚至在每一個人心目中的是非，也未必與另一個人的看法完全相同，然而不論有怎樣的變化，不論有多少的歧異，人類認識是非與辨別是非的基本原則，總還是相同的。譬如每一種宗教，雖有教義之不同，說法之不同，但其勸人爲善則一，又譬如任何主義思想，雖所主張的政治制度，各有不同，所構想的社會型式，更有分別，然其終極的目標，都無非要將人類帶到合理進步的途徑去。要而言之，崇善排惡，獎勞懲逸，和承認在競爭中優勝劣敗的自然定律，乃是人類共有的人性之所在。

但自戰後二十餘年來，世界上所曾發生的那些事，像共產主義陣營中史太林身後之遭受鞭屍，赫魯曉夫之繼起與倒台和蘇聯與衛星國家之發生歧見，而在自由世界中則有美國甘迺迪兄弟與金博士之遭暗殺，黑人民權運動與青年學生運動所引起之騷亂與越戰之形成既不能戰又不易和的局面，無一不是令人目迷五色，迷惑萬分。而在東方之中國大陸，自從中共政權建立後，七億中國人便只能過着毫無自由的生活，特別是在所謂文化大革命運動之後，傳統的文化道德觀念，全被推翻，更提出「興無滅資」的口號，要將所有資產階級份子全予消滅，這種瘋狂的行徑與想法，眞使人懷疑世界上究竟還有沒有是非？還有沒有人性？在人類科學發展已經進步到登陸月球的今日，而代表人類精神文明的道德與理性觀念，反而沒有一點進步，各種宗教的崇高教義，也都無非是可望而不可卽的理想，並沒有可能實現的徵候，究竟是什麼理由，更是令人不解。

以我個人來說，本是貧寒出身，經過四十餘年的努力奮鬥，方在事業上畧有成就，雖然從未加入過任何黨派，也對實際政治並無興趣，但自中共佔據中國大陸後，我不但喪失留在國內百分之九十以上的事業財產，而且中共的統治，也不容許我繼續爲中國工業努力，而不得不放棄手建成功，半生盡瘁的事業，前來香港寄居，（最初我也還對中共存有過幻想，倘若中共確能如其在未獲得政權之前，所宣傳的爲人民謀福利，則我的犧牲，可說是犧牲小我，完成大我，犧牲並不足惜，可惜的是我的幻想，在看過二十年來中共的暴虐統治事實之後，終於全部破滅了。）雖然現在，我仍然能在工業崗位上爲社會作些貢獻，但我自不能不常想到，自己無家可歸的悲哀，和留在國內的老朋友，乃至千千萬萬的中國人遭受折磨的痛苦，我更不能不想到，像我本是窮人，全憑努力奮鬥方獲成功，究竟是對社會人類有利，還是像中共所謂應該消滅，和世界上究竟有沒有眞理？如果有眞理，什麼才是眞理的根據？這些問題。特別是前年經過一場大病之後，雖承醫生悉心治療，家人仔細看顧，幸從極可能演變成半身不遂的險疾中，奇蹟似的挽救過來，現已恢復健康十之八九，或許再能多活五年十年，甚至二十年，也未可知，但我想到那個時候，老朋友想必剩留不多，孩子們也都長大成人，各有事業，自己多活下去，也沒有什麼意思，爲着盡我的做人責任和對社會服務的天職起見，我覺得不妨將我的想法，和我在社會上數十年奮鬥的事實經驗，特別是我親歷確知而足以證明中共騙人宣傳階級鬥爭與消滅資產階級的理論，都是不合理的事實寫出來，藉供世界上許多還不了解中共的人士作爲參考。並因病中，常常覺得人生之空虛，益發想到要爲社會多做點有益之事，更使我有比無的責任感和興趣來寫這本小書。當然，在這本書內所提出的，祇不過是我個人所經歷的事實，和我自己的經驗與看法，我也並不希望人人都有興趣看我這本書，和在看過之後，都會同意我的觀點，但祇要有人在看過後，還能發生多少同感共鳴的作用，而這本書還能對下一代的青年人有多少益處，還能鼓勵世界上一部份人繼續去信仰，去堅持是非與眞理，那就已經使我足够感覺快慰了，我寫這本書的動機，旨在於此。（未完）

五行相應相生相剋（廿一）

・錢一劍・

錢一劍談相

（五行應相）眉是南方丙丁家，切宜疏秀有英華，高高細曲橫天貴，不用低濃壓眼斜。眼爲甲乙屬東方，黑白分明勢要長，凝然不動藏正視，必向淸朝作棟樑。鼻爲庚辛屬西方，切要隆高貫印堂，偏曲左父右傷母，山根還斷失須防。口爲戊己土中央，唇若丹砂勢要長，齒白細多齊更密，自然平地作公王。耳爲壬癸北方甲，輪廓相朝白又紅，下有垂珠飛過口，壽齊松柏與山同。

（五行相生歌）耳爲輪珠鼻爲果，金水相生主大昌，眼明耳好多神氣，若不爲官富更強。口方鼻直人雖貴，金土相生紫綬郎，唇紅眼黑木生火，爲人志氣足財粮，舌長唇正火生土，此人有福中年聚，眼長眉秀足風流，自掛金章朝省位。

（五行剋歌）耳大唇薄土剋水，衣食貧寒空有智，唇大耳薄亦如前，此相之人終不貴，鼻大眼小金剋木，一世貧寒主孤獨，眼大耳小學難成，雖有資財壽命促。口大水剋火，急性孤單足人我，耳小鼻縊亦不佳，慳貧心惡多凶禍。舌大鼻小火剋金，錢帛方盛禍來侵，鼻大舌小招貧苦，壽長無子送郊林。眼大唇小木剋土，此相之人終不富，唇大眼小貴難求，到老貧寒死無葬。

楚辭的詩及其篇數問題

・李漁叔・

我們試看：淮南子所載甯戚飯牛歌：「短布單衣適至干（骨旁），從昏飯牛薄夜半，長夜漫漫何時旦。」以及「滄浪之水白石粲，中有鯉魚長尺半。」等句，如果可靠，那在春秋齊桓公時，七言詩在修詞上已經很熟練了。至於柏梁詩的：「日月星辰和四時。」「驂駕駟馬從梁來。」「撞鐘伐鼓該中詩。」淋池歌的「雲光開曙月低河」諸句，更是聲調詞藻俱美。卽如張馬之製，雖拙而不工，但亦可斷言其非新興的創作，蓋東漢人工力多在辭賦，詩甚樸質，五言像班固的是（系旁）榮詩，孔融的雜詩等，蔡邕的飲馬長城窟等，比起古詩十九首和蘇李諸詩，那種風神飄逸，詞美意工，眞覺得有天壤之別。五言如此，七言詩當然也沒有兩樣，從有記載以來，七言詩如茅盈皇娥歌等，大部皆係僞託，不可不知，然而僞者自僞，眞者自眞，若一倒無覩，悍然不顧一切，全出臆斷，那麼，所謂通論，就成爲不通之論了。

然則；七言詩究以何時興起之說爲是？前面所引述的章太炎先生所謂：「大招爲其萌芽」，是否可靠？我的答案是：七言詩雖不能確實指證起於何時，但至少在春秋戰國之世，業已達於十分成熟穩練的境地，卽以大招和招魂兩篇論，我們如果作進一步的研究，卽會知道太炎先生所謂「七言萌芽」一辭，說得過於保守。率直的說，就是對這兩篇詞句的研析，還需要加以重審。（未完）

旁門左道決非正宗修煉

・番僧・

不知丹經上所稱的彼我，彼者爲元氣，喻爲少郎，我者爲元神，喻爲少女，原意是使本身之陽氣點化本身之陰神，使其混而爲一，結爲靈丹，旁門却把比喻的男女，當作眞的男女來行淫採補，你說是多大的罪過，假如旁門左道的這一套東西眞可以成仙，那不是蓬萊的上仙，豈非盡了淫子淫婆了？

「修道最要念頭淸，先煉慧劍斬淫根，不知煉劍反試劍，猶如猛火滋油薪，任是降龍伏虎手，難免滲漏成濁精。」這一派的左道把煉慧劍除雜念，誤認爲陽物爲劍，並以男女交媾爲試劍，謂不動念則劍利，一動念則劍鈍，種種邪說，言之可笑。修道的人避色如避虎修煉到臨結丹之前，陽物便煉成龜宿不舉，所以謂之斬斷淫根，旁門則以煉劍行淫爲主，可知其錯之甚矣。

「陽舉風吹引尾閭，數次不散起周天，三十六次陽火進，陰符接用廿四全，試問麗世修眞者，此法考自何仙傳？」修丹之士每逢陽生之時，却起而行功，陽舉自息，旁門行小術者則有進陽火，退陰符之說，默念後到三十六，前降二十四，接着又眼向左轉三十六，右圈二十四以達週天之數；行畢凝神打坐謂之沐浴，補潤餘等說法。這種作法又是犯了有作爲的說法，而且拘拘默數，神何能安？丹何能結？所以爲正道所不取，道德經說：「常無欲以觀其妙，常有欲以觀其竅」，這兩句話才是眞正的修煉之法。

「滾轆圓圓轉胸前，妄說傳自兩口仙，強用方術把性煉，未識眞性是先天，仙佛傳下安神法，妙無作爲聽自然。」這派旁門於行動時，在胸前旋轉，以大圈爲小圈，謂之煉性，反誣指爲呂祖所傳，所以古仙斥其非，並明示大道只是妙無作爲，聽其自然，於此可知，凡有作爲均屬旁門小術了。

左道千奇百怪

「朝朝面東口朝天，鼓起眼睛聳着肩，吐盡濁氣納淸氣，脫胎換骨返童顏，那知戾風入臟腑，下田膨脹命難延。」此爲專講納氣的旁門，照他的修煉方法，必須每晨向東，鼓眼聳肩，以鼻吸氣，將淸氣納於內，濁氣吐於外，說是依法勤煉，便可成仙作佛，那知過着戾氣積於五臟六臟，久之下田膨脹，胸前壅塞而死，你說是否可笑，可憐。

「痴人妄想作神仙，惠渴不飲飢不餐，自成餓鬼三塗墮，反望飛昇大羅天，許多聰明被此誤，意魔一起外魔纏。」這類便是專講辟穀的旁門，未得眞傳自作聰明的認起眞來，結果只好去做餓鬼。正途的修道之士，絕不違反生理強猜亂爲，修到元氣充溢的時候，烟火自然斷絕，功到不飲不渴，不食不飢，那便成了住世的神仙了。

「無端種火妄添油，鼻吸淸氣向外求，引上泥丸雙關止，逆而行之下重樓，無火弄火復止火，枉費精神到白頭。」這一派名其爲種火添油之法，以鼻吸天地之氣至下丹田，再用意引上泥丸而至雙關，復由雙關轉上泥丸而下，經喉部十二重樓入中丹田。像這樣的修煉，好有一比，本無邪火，却故意弄火，而又止火。你想，這是那一們的道法？又是一種什麼道？無怪乎古仙說他是枉費精神到白頭了。（二）

中華民國內政部登記證內版台報字第○三一號
中華民國僑務委員會登記證台僑新字第三二三號
中華郵政台字第一二八二號執照登記為第一類新聞紙

自由報

（第一一九七期）

（半週刊每星期三、六出版）
每份港幣壹角・台幣零售價新台幣二元
督印黃行蕃・社長李運鵬
社址：香港九龍官塘康寧道117號後座二樓
117 HONG NING RD. 1/F REAR, KWUN TONG, KOWLOON, H.K.
TEL: K-433653
電報掛號：7191
郵箱：官塘郵政信箱9583
承印：景星印刷公司
地址：嘉咸街廿九號地下
台灣區業務管理中心：台北市許昌街廿六號
電話：三八〇〇〇二
台灣區直接訂戶　台灣劃撥戶：第五〇五六號張萬有（自由報會計室）
台灣分社：台北市西寧南路110號二樓
電話：三三〇三四六、台郵劃撥戶九二五二號

復興中國文化中的國畫發展問題

鄭文光

編者按：鄭文光將軍早歲激於愛國義憤，投筆從戎，率軍深入敵後，與日寇週旋轉戰萬里，甫弱冠即積功升上校，歷任軍中要職，平素喜丹青，以畫馬馳譽藝壇，今夏七月在香港大會堂舉行畫展，備受歡迎。頃為本報撰文述其發展國畫之意見焉。

一、引言——發展國畫之商榷

民卅八年，由於中國大陸上的大動亂，許多飽學之士到了台灣香港。造成了廿多年來台港兩地中國固有文化興起的一段時期。在台灣有一位老先生曾向我說：「滿清之世出了一百零八個狀元，其中有八十幾個是江南人，原因是遠自晉宋以迄元明許多有學問的人都因避亂到了江南，所以蘊育成滿清時期江南文風之盛。處今國家多事之秋，台灣香港的在如此小的地區集中了這麼多的學者、教育家、藝術家可以說是得天獨厚」。而從另一方面來講，台港兩地的學者、教育家、藝術家對於如何復興與發揚中華固有文化，也應負有一種特別重大的時代使命。繪畫藝術毫無疑問的代表着文化的一部份，復由於晚近台港兩地觀光事業發達，我們國畫更形成了一項特別被重視的現象。香港幾乎每天都有畫展，也都有許多中外人士參觀，可見中國國畫在香港鼎盛之一斑。發展國畫既有這樣好的環境與時機，那麼究竟應該走那些路才算正路，才能達成復興與發揚中華固有文化的目的呢？這是亟待研討的問題。有人說：「方今之世奇邪百出，影响及於畫藝」竊以為此種不正常的發展非常值得重視。

二、國畫自有其法則

國畫歷史，源遠流長，各朝各代各家各派筆難盡述。後學者或獨其慧心，自創一格；或有宗法師承研究發展；亦有吸取西方畫藝揉和創新者。要想從這些古今名家宗派中找出一條正統應循的發展之路，自非易事。但我們國畫由於所使用的筆、墨、彩色、紙張與西方迥異，繪藝法則亦自不同；假如從法則方面去探討這個問題，自然就比較容易了。按南齊謝赫撰畫品錄云：「畫有六法，罕能盡讀。……六法者何？一氣韻生動是也，二骨法用筆是也，三應物象形是也，四隨類賦彩是也，五經營位置是也，六傳遺模寫是也」。這六法就是我們國畫的法則，古今宗派雖多，但品其畫藝之高低，概不出其範疇。善其一節即可步入畫藝之林；如能兼顧備讀，則自然可以給國畫放出異彩。

三、目前國畫值得商榷的問題

上邊談到國畫六法，也就是發展國畫最基本的法門。假如再能吸取西畫之長，或有名家創意心得，納入六法之中而發揚之，當然更可將國畫發展推進至一個新的境界。但如捨六法而不顧，只注意到標新立異，或者偏廢而只特別强調其中之一法。則均非發展國畫之福音。近數年來我國畫壇上似乎流行兩種說法：一是重神韻不重形似，一是貴潑墨畫法。重神韻與潑墨在畫藝上說都是對的，也時合於潮流的，但却不能以偏蓋全。如象所知「神韻」是一個抽象的名詞，古人將「氣韻生動」列為六法之首，旨在說明作一幅畫，應該貫注給它活力。明顯一點講，畫本身雖然是死物，但不論畫什麼，最好讓它能生動傳神，富有朝氣，成為活畫一片。法則雖然是列在首位，實際在學畫的人得之的順序却應該在最後。「傳移模寫」在法則中雖列第六，而方是初學入門的不二法門。試想形既不似神將安表，畫什麼不是什麼再神氣活現有何價值？假如學畫的人不知道這個道理，捨本逐末，勢難有眞成就。有人說：要重形似何如照像。豈不知作畫的形似是講的藝術形，它所要表現的有很多是不能用照像取得的。畫馬的韓幹曾答玄宗說：「陛下後廐之馬皆臣師也。」由此我們可知不論才氣高低都應該先從傳移模寫應物象形入門，只是所費時間長短不同耳。自十八世紀末葉以來西畫有印象派抽象派畫之興起，對繪畫藝術似乎掀起了一個新潮。晚近論者亦隨之發生了具象與抽象之爭。實在說這兩者並不是矛盾與對立的，按理講應該是並存的。也可以說印象抽象是另一種表達畫藝的方式，它可以與具象在一幅畫面上出現而並不衝突。沒有下過素描與寫生的工夫就畫抽象，同樣難得其精髓。有一位從歐洲回來的朋友帶了一幅抽象畫給我看，他說這畫幅非常名貴，是朋友花了五千美金買了送他的。畫面非常簡單，畫布上有一條從底到頂粗壯的綠油彩，在這條綠油彩中間部位上面又有幾點紅油彩，其餘就是雜亂的背景。使我看了半天也想不出它名貴的道理，只好請教這位朋友。他說這條綠的代表樹幹，上邊的幾點紅代表血手印，這是鐵幕的寫照。費了許多唇舌，才能讓我了解它的意義所在。我想這也許不能說是眞的抽象藝術。如果發展國畫走這條路，必將愈走愈遠。我們國畫的寫意常以簡單的筆墨或留白，使它生出幅射效果來表達抽象，這就比較高明多了。再談到潑墨畫法，按六法中的「骨法用筆」及「隨類賦彩」來說，是屬於對用筆、水、墨、或彩色而言。用水與墨本亦有六種方法：即潑墨、破墨、積墨、焦墨、濃墨、淡墨是也。潑墨僅是其中之一種。近五六年來，張大千先生因病於目乃少用工筆而多用大筆淋漓的潑墨畫法，又因他用色的效果極佳，稍加筆著即能勢態雄偉，氣象萬千，而使他的畫展現了一個新的境界。但大家都知道大千先生自幼才氣縱橫，且曾讀萬卷書觀萬卷畫，足跡遍天下，遊盡名山大川，古跡名勝，臨古研今學兼中外積畢生作畫之修為，故能有此卓越之成就也。豈求採用潑墨也哉。故初學者如求走潑墨道路同樣難得其精奧。再談到用筆的問題，現代畫家多畫用「寫」畫兩字，蓋繪畫與寫字有連帶關係並取其字義之高雅也。實則寫字與繪畫雖然相通，但用筆之法仍不盡同。寫字用筆講求中鋒；繪畫用筆則含鈎、點、寫、畫、掃、抹、六種方法，除用中鋒以外有時亦得用偏鋒，甚至用豎筆之外有時還用躺筆。例如潑墨則很少用中鋒，所以潑墨畫法有見墨不見筆之說。因而在用筆上竊以為不應泥於中鋒或强調「寫」為上品。至於在骨法上自應以筆力遒勁，轉拆破筆有神為佳。

四、結語

我們國畫，由於所用的筆墨紙張等之不同，畫法有別，而自成風格。在世界畫壇藝術上將永遠佔有重要而不得被人漠視的地位。繪畫藝術既屬文化的一部份，國畫又有如此深遠優越的基礎，我們應該以國畫六法為張本力求發揚而充實之。既要合於潮流又要不失國畫之特色。如此集思廣益並多培植後起之秀，來合力共求國畫之發展才算正途。筆者所見未必允當，僅以熱愛國畫之赤忱，提供一得之見，意在就教於高明，拋磚引玉也。

自由談

嗤之以鼻

我們如果將近廿年來毛澤東個人的演說，以及秧歌政權的宣言文告等，比較觀察一下，必感覺毛骨悚然，莫名其妙！

毛酋曾在莫斯科的克里姆林宮公開宣稱：「蘇聯是全世界社會主義國家的頭」；回到國內又在所謂全國政協會議中，講演一面倒向蘇俄的外交政策，說是「可愛的先生，我們是一面倒！」毛共的報刊上，經常寫出「遵從蘇聯老大哥的先進經驗」的文章，宣傳不休。至於「仇視，藐視，鄙視美帝」的言論文字，更是汗牛充棟，若論這類白紙黑字的重量，至少也要以噸計啊！

於今呢，「蘇聯老大哥」成了新帝國主義的「蘇修」，是中國「人民」的頭號敵人，而素所仇視，藐視，鄙視的紙老虎「美帝」，却向它笑臉相迎，視為貴賓了。共產黨人動則講原則，在任何情況之下，決不犧牲原則的，似此前後矛盾萬分的外交行為，原則何在耶？

毛酋利用幼稚的青年學生對劉少奇奪權，搞甚末「文化革命」運動時，指劉少奇是「走資派」，是勾結美帝國主義的叛徒走狗。口血未乾，自己乃公然跟美帝携手聯歡，然劉少奇當政之際，却從未跟美帝有所接觸「劉修」乎？「毛修」也！當年毛酋站在天安門上，對着紅衛兵代表握手稱讚，親筆給紅衛兵寫臂章，於今却視這般青年學生如同爛草鞋，棄置道旁，供人踐踏了。試翻閱當年毛和其宣傳機構恭維歌頌紅衛兵的言論文字，能不教人噁心作嘔嗎？

世人每以共產黨擅長宣傳，表示欽佩，實則他們只是前言不顧後語的瞎三話四，沒有原則，不管信用，今天說你是聖人，明天又罵你是盜賊。他們今日可以指說劉少奇是「國民黨的特務」，對日抗戰時亦指陳獨秀是日本帝國主義的特務，這樣的宣傳伎倆，那有絲毫效用與價值呢？

誰謂共產黨擅長宣傳，大可嗤之以鼻！

馬五先生

昨日與明日

從嚇阻到談判

美國在擁有優勢的核武器實力時，對俄共集團侵略擴張的行動，採取所謂「戰爭邊沿論」的嚇阻政策，沾沾自喜；且以韓戰時杜魯門聲言要使用原子彈，而史大林即倡議和談為例證，相信嚇阻政策係萬應靈丹，無往而不利的。因而隨時宣傳核子武器的毀滅性能如何强烈，一顆氫彈即可以毀滅幾千萬人口的大都會，說來駭人聽聞。

詎料曾幾何時，蘇俄亦擁有核武器了，於是，美國當局乃大呼「原子僵局」，處處對蘇俄表示退讓，而對於亞洲地區發生的任何事變，既要挺身過問，又以神經過敏的心情，估計蘇俄可能介入，終則臨事而懼，縮手縮脚，變成了「自我恐嚇」，害怕蘇俄的洲際飛彈會射到紐約，華盛頓來。

現在尼克遜以中國大陸上的毛共政權亦可以製造原子火箭了，「自我恐嚇」之餘，不惜降志辱身，要求妥協，而美其名曰「以談判代替對抗」。假使世界和平生活眞能以談判手段達成，誰也不會反對的。可是，在大家皆以發展殺人利器的原核子彈為討價的條件之下，即或苟安於一時，結果還是爾詐我虞，冷戰不休，尼克遜所謂創進下一代的和平云云，自欺欺人之談而已。

尼克遜的談判手段

尼克遜既以撤消禁運令暨建議邀請毛共政權加入聯合國，為乞取毛共同意談判的禮品，而於尚未走訪北平之前，又向聯大會議提出「兩個中國」的方案，這似乎沒有談判的誠意，因為毛共發言人周酋恩來已有聲明，只要中華民國代表仍在聯合國佔有席位，毛共政權決不加入的。實則這便是尼克遜的談判手段。

美、毛談判前途即使順利，亦決非短時期所能蕆事的。尼氏不能不利用中華民國在聯合國的席位，作其政治賭博的一種籌碼，亦表示他所說「不出賣朋友」的諾言好像是眞的。等他將來北平之行若有所獲，到明年聯大會議時，美國另提出新的主張亦不為遲呢！日本外務大臣福田赳夫認為美國的外交諾言殊不可靠，信不虛也。

因此，我們相信今年的聯大會議中，美國建議案一定通過，毛共亦必然表示代不接受，且看尼克遜到北平付出的談判拒價如何再說。所以，中華民國政府與人民所應協力以赴者，不是聯合國席位問題，而係能够自立自强，使强權主義者不敢隨便犧牲我們，纔是唯一的要務。

（完）

・何如・

背城借一的決心；指日可待的勝利

成公

天下事

聯合國第廿六屆大會即將於本月二十一日正式揭幕，我政府派出龐大的代表團，由外長周書楷氏親自率領前往出席。

多年來，我政府的代表權問題，幾乎成為聯合國大會中的例行點綴，每次必有人藉此吵吵鬧鬧以便表示立場，好向主子報帳。而最後也就必然的歸於相安無事，雖有緊張鏡頭，但是結論却早已胸有成竹，台上演戲的，台下看戲的，誰也沒有把這事當作眞正的問題。

但今年的情形，不同了，由於尼克遜患單相思，一味要拉中共進聯合國，而中共又架子大不肯來，要以排我出局為先決條件，尼克遜奉命惟謹之下，說不定眞會有倒行逆施的想法，一如其想訪問中共之不可思議，又加上媚共之風年來甚囂塵上，因此今年聯大的局面，係不能不令人躭心了，周外長此行率團出征，頗有背水借一的氣氛，情勢緊迫大異於往昔。

話雖如此，我們却不可沮喪，反之天下事，往往是山窮水盡疑無路，柳暗花明又一村，目前局勢雖對我不利，但必要說一定要把我排除，也不那麼簡單，就法理講，我為聯合國的發起國，中華民國的名字，昭然列於憲章，除了修改憲章，無法把我除名不算，再就技術上講，把我排除乃是重要事項，必須經過三分之二的否决，才可以通過議案，實行排除。今天固然有不少媚匪親共之徒，但公道自在人心，主持正義的還大有人在，若想湊足三分之二的數目，也非易事，尤其有一個不可忽畧的重要因素，就是最近國際局勢的百變。

二十多年來，國際局勢，大體是分列於兩大壁壘，民主和共產陣綫分明，但自七月內尼克遜宣佈訪問中共後，整個國際局勢發生混亂，陣綫不再成為拘束國際外交的力量，民主國的領袖固然可以不計一切，勾搭中共，而共產國家的頭子蘇聯，也伸過手來和印度定約向日本拉攏，而其中心對抗的目標則又恰恰是其共產陣營中的伙伴中共，蘇俄目前如所週知，是怕美毛勾結共同對付他，因此拚命作打擊中共的工作，在這種情形蘇俄及其附庸國家不會甘心支持中共的，此外東鄰日本近年，本已有附匪欺我的趨勢，但也由於最近的局勢突變，對匪懷有介心，而不敢再給中共錦上添花！——這一些複雜的局勢，我們若能善為運用，則暗中增加的助力，是可抵消明白失去的票數而有餘。

總之，今次聯合國的大會，局勢雖然險惡，但在另一角度看却是大有可用之勢，我們相信周書楷外長一定能不負衆望，能夠縱橫議壇，凱旋而歸，我們謹以虔誠心的情竚待此一勝利。

發展經濟拓展外銷 亟應建立大型企業
省議員書面質詢提出建議

（自由報台北消息）台灣省議員郭雨新，就當前發展經濟問題，向省政府提出書面質詢。他說：二十餘年來，生聚教訓，我們之目的在於反攻大陸，建國復國。從近百年來，世界歷史演變中，可以獲得證實，掌握工業發展處於領導地位之國家，具有影響世界之決定性力量。數年來政府在發展工業上，確具相當收穫，而今更在致力發展關鍵工業與精密工業，確是値得讚譽。但經檢討結果，我們之經濟發展仍有許多迫切問題，亟待解決。否則不獨不能迎頭趕上先進國家，即目前之高度經濟成長率，亦將無法維持？為達到眞正起飛之境界，茲提出幾個問題加以檢討；

（一）目前國內小型企業，有如雨後春筍，競相設立，形成惡性競爭，至於大型工業，甚至小型企業，仍然少之又少，幾乎毫無進展，政府雖然訂有鼓勵中小企業合併之方針，始終未見奏效。在美國、日本等先進國家，企業合併是常事。而在我國由於小型企業多屬個人或家族經營，有極大之排他性，欲使其合併確屬困難，現在工業產品，欲在國際市場建立良好之品牌與聲譽，如無大型之企業，或專門之中型之企業，試問其能在國際市場競爭乎？

（二）最近新聞報導，在台灣裝配之黑白電視機銷美之數量日增，一九七〇年已在美國進口黑白電視機總額中佔一八·七%，彩色電視機亦在美國進口彩色電視機總額中佔二·三%。但所銷美國之電視機，幾乎全部為美國之名廠，如飛歌、通用、安培等利用我國低廉工資在台設廠所裝配者，出口時仍用原有之廠牌，所以才能大量銷美，國人自行開設之工廠，根本沾不到邊，以此情形，試問我國工業何時才能起飛乎？

（三）我國之工業產品，大部份為中小企業所製，缺乏商譽，必須假手有聲譽之大貿易公司協助外銷，其品質可靠性亦往往不夠標準，尤其是電氣製品，如果品質不良，可能釀成災禍。然而所有工業產品，概由經濟部商品檢驗局辦理，試問能達成其任務乎？

（四）由於我國尚無大規模之貿易公司，而國內之工業，幾乎全是籍籍無名之中小企業，廠牌既乏號召力，其產品外銷，自須假手外國之大貿易商，利用其在國際市場之信譽，否則無法外銷。依據估計，我國之出口貿易可能有八〇%是經由外國大貿易商出口，尤其是日本之三井與三菱經手者，佔我國出口總額五〇%以上，結果又是利權外溢。我國政府雖於六年前倡組中華貿易開發公司，使在國際貿易上與外國貿易商競爭，但該公司之業務，目前仍偏重於開發性之投資，在貿易方面並無重大成就，試問今後將如何謀求改進？本席認為最有效之途徑，仍然是鼓勵小貿易商合組為大貿易公司，或倡導華僑投資組織大貿易公司以資抗衡。

（五）至於我國之經濟生產中，對於生產力低落之礦物開採，由於礦藏漸少，設備與開採技術落伍，勞工供應缺乏情形下，在經濟價值上，似已不値得加以維持，有關當局應即從事深入研究與調查，如斷定確無維持之價値，寧可向國外進口，以供應國內需要，絕不應拘泥於自給自足之想法。

行政首長接近民衆 必能充分瞭解民隱
官僚習風將可一掃而空

（自由報台北消息）台灣省議員郭雨新，就政府頒訂「行政首長接見民衆辦法」，向省府提出書面質詢。他說：政府為瞭解民衆之遺願，解決民衆之困難，而頒訂各級行政首長接見民衆辦法，舉凡民衆有重大冤屈，或對行政措施有重要建議，甚至發現政府官員有重大違法失職案件，均可請求省府主席，或廳處局首長，或縣市長予以接見。同時規定各行政機關應設置「民衆約談室」，辦理登記或安排接見事宜，對約談結案，應予紀錄處理。

我國歷史上對於親民措施，頗不乏例，惟失傳已久，熟料能復見於今日，能不使人歡欣鼓舞乎？地方首長稱為「親民之官」，既然親民，自須便民，而舊時代行政工作之觀念，是「便官」非「便民」，一切以官廳為中心，一切以官吏為第一，人民視官廳與官吏，是門深似海，高不可攀，而官員之視人民，亦距離十萬八千里，因之有：「笑罵由他笑罵，好我自官為之」之譏。現在之行政工作，則是由服務民衆而出發，以民衆之利益為依歸，不僅要打破官廳與民衆對立之不合理現象，而且要求官員儘量與民衆接近。如果能確確實實建立此一制度，則其政績，將永垂不朽矣。

從古以來政治即是要切合民衆之願望，所謂「所欲與之聚之，所惡勿施爾也」。此次省政府正式在中興新村大門口之右側設立「台灣省政府聯合服務中心」。陳主席於前往巡視時，更要求聯合服務中心之工作人員，要有耐心發掘問題，解決問題。更使人敬佩者，陳主席復指示該中心，應增加女性服務人員，與熟諳閩南語之工作人員，以增進民衆服務之工作效率。

本席認為省政府所頒訂之各級行政首長接見民衆辦法，如能有效實施，則不僅官員可以充份瞭解民衆之「隱情」，而一切推諉、延宕、示惠、挾制、中飽、漁利、濫用職權、盛氣淩人之官僚習氣，將一掃而空矣，因此深望此一時代之創舉，能夠獲得親民求治之成果。不過在推行之初，容有未能盡如人意，但亦望能不斷改進，而使之行而有效，成為良好之制度。

聯合國代表權問題

對於聯合國的中國代表權問題，美國已正式提出「兩個中國」的建議，其他親華國家，也退到「保華容毛」的最後防綫，要再力爭「只此一家」，事實已不可能。

時至今日，台北再不能以正義責諸功利立場的國家，也不能以聯合國憲章作為抗爭有效的武器，就算台北被迫到使用安理會常任理事的否決權，也於事無補，唯一的只有對這個「失敗」，將作如何的決定。

和中共坐在一起嗎？抑毅然退出聯合國？世人必須認識到，聯合國也者，不過是廟宇中的一座神龕，面貌莊嚴，每年一次舉行秋祭，香烟繚繞，鑼鈸聲喧，擾攘一番，就此完了。要問那些參加廟會的善男信女們得到些什麼呢？除了花掉幾文香油錢，瞧瞧熱鬧之外，什麼也沒有。（上、未完）

兼差之風熾盛 亟應加以整頓
以免杜塞賢路浪費公帑

（自由報台北消息）台灣省議員郭雨新，向省府提出書面質詢，主張消除兼職之風，以收革新政風之效。他說：依據報載，立法院鄧立法委員指責中央政府機構中，兼差之風，甚為流行，政府雖下令不許兼差，厲行一人一職，但所屬單位率多陽奉陰違。復以兼差機關太多，汽車幾無法使用，據聞有本身使用一輛，太太使用一輛，秘書亦得使用一輛，其是法治國家應有之現象乎？鄧立法委員不為私情，而提出有分量之質詢，能不使人敬佩乎！

反觀省政府所屬廳處局會，其兼差之風，何遜於中央政府之所屬機構。依本省六十一年度地方總預算中所列之大小委員會，形形式式之小組，每一高級人員均有兼差，甚有一兼數職差事者，且明確規定凡所兼差事，每月發給車馬費，簡任伍百元，荐任四百元，委任三百元，其與變相津貼何異？此一不良政風，如不改革，即政治風氣能望革新乎？大家知道，兼職最大之弊害，為杜塞賢路，使優秀之人才，各項專家，無法出頭，本省現在每年畢業之大學生，高考及格之各項專業人才，以及海外回國之碩士博士，幾乎車載斗量，能謂人才缺乏乎？然而我們何以兼職如是之多乎？政府自從專設人事行政局，積極整頓人事後，即已確定「一人一職」之原則，規定公務員不得兼職。為避免杜塞賢路，浪費公帑，深望能予積極整頓各廳處局會巧立名目，所設置之駢枝單位，而免嚴重削減行政效率。

劉半農記賽金花

「曾孟樸的孽海花，是拿魏太太的事作資料寫成，你對於這本小說的描寫有什麼感想？」

「唉！孽海花的事，我眞不願提起，當初孟樸在我未嫁洪先生時候，很喜歡我，然而後來我跟了洪先生以後，他懷恨我，便拿小說來出氣，尤其是為我在上海時候的事。……唉！過去的事眞不願再提它啦！她重重的嘆一口氣。

我問起八國聯軍佔據京城的事，先以小事來引起；「聽說魏太太聯軍入京城以後，前門外關帝廟中有一軸吳道子親筆繪的關聖帝像，為聯軍取去，後經魏太太會索還收存，不知這幅圖後來流落在何處……」

「哦！沒有這件事！當初我如果喜歡好東西時候，宮中好東西，不是隨便我拿麼？可是我並不為財寶才去見瓦德西呢。……」她臉上露出得意的神情。

「瓦德西元帥離開中國以後和魏太太通過信沒有？你德國話還能說麼……」

「沒有通過信，不過他的外甥現在燕京大學上學，不久之前來看過我，德國話聽能聽得好，至予說，那就不行了！」

上邊是我第一次見她所得的印象和記事，關於她說樸孟啣因了失戀而作孽海花小說事，曾氏生前曾極力否認過，自然我們也不必過分相信賽金花的話。

我第二次見她，是去年夏天在中山公園水榭送別張恨水赴滬和歡喜畫家李苦禪返平的茶話會上。那次到會的藝術家很多，有許多女畫家圍繞着她，問七訪八。她們離開了她，我便和她閑談起來，談到死了的劉半農博士給她寫的「賽金花本事」版稅的事，她說：「劉先生本意是拿這部書版稅補助我一點生活費，可憐我命薄福淺，劉先生死了，由高先生續成，但我得到的幫助是很少；聽說這書銷路很好呢，幫助過我的人我永遠忘不了，過去在上海有位張先生（按即張競生）從上海給我寄了十六塊錢來，還有位徐先生（按即徐悲鴻）給我畫了幾張畫，這些人我永遠忘不了哪！」

這是第二次給她談的話，至於第三次的談話（已在本報上發表過，）她的神情似乎不及上兩次好了！而從此以後，我便沒再會見過她。

她死了的那天上午，我又跑去弔唁她。那小院子裏給悲哀空氣包圍着。棺材中她靜靜的在躺着，她的眼輕輕地閉着，額上的皺紋也舒開了。

故都書攤上，「賽金花本事」最近又被人地擺出了，定價五角，風行一時。這本書純用語體文以自述形式分章寫出，有人批評說「非信史」，理由是由本人自述，一則有隱惡揚善之弊，二則賽年事已高，半生事蹟無記載可尋，口述者誤處甚多。（四十四）

監委曹啓文再駁陶百川（中）

·文滙樓主·

二、陶委員百川熱心盡職，認眞負責，余從不否認，或存嫉妒之心，反之，有如余在日記中對陶委員曾評云：「厲志廉潔，任職勤恪，奉公盡職，克己無倦，年近古稀，廉尚愈高。冰心與貪流爭激，霜志與勁節彌茂，惜好名心切，未思名者實之累，不為世所諒耳，余文出之善意，抑為惡意，亟請百川委員三思。」

三、此次之爭辯，乃「公事公辦」，亦激於一時之情感，並未存心為此而與廿餘年患難與共之老友絕交，且處處本諸忠厚，以留有見面餘地。

其次引聲明文第一段，文甚長，為省同仁過目省時計，只就百川委員所疑之「破壞」「誣罔」「詆毀」加以證實余之文確有所云：

第一提案到院會討論，出席說明後時間已無，不容出席審查會之委員，登台辯駁，即自動撤回，議會政治，豈可開此惡例，以破壞此一良好制度，姑認其提案到院以及撤回，不為破壞，請看監察法第十條：「彈劾案之審查，與案有關係者應行迴避。」

施行細則第十條第三項：「彈劾案審查委員經審查會議認定，應行迴避或自行迴避者，由其他委員依次遞補。」

四十六年五月廿八日本院第四百九十三次會議，決議：「參加審查委員如與被糾彈人有特殊關係者，必須迴避。」

依以上規定，迴避之認定，為審查委員或自行迴避，陶委員百川於程序委員會開會時以便條請參與第一次審查彈劾之委員迴避致程序委員會因人數不足而留會，經主席余俊賢委員當面告此情形後，始撤回便條文。程序委員會方開議以決定上次會議之議事日程。

第二次審查會開會時，又便條請王枕華委員迴避，經審查會認定不必迴避而作罷，此種條請是否為「破壞審查制度與程序」，陶委員百川向以守法聞，對此「破壞」二字焉能卸責？

監察法第十條規定：「……與案有關係者應行迴避」，第一次審查會議之委員，何人與案有關係，而陶委員百川以條請迴避時並無說明，一律請其迴避，非「誣罔」而何？請再細思決議案之「審查委員如與被糾彈人有特殊關係者，必須迴避」，此「特殊關係」四字，意甚嚴厲，陶委員百川請迴避，必應想到，此四字不可隨意加諸同仁之身，今竟為之，非「詆毀」而何？經此釋疑後，應反省請迴避之舉，實欠考慮，不必再責聲明文之「眞不知所云也」。

陶委員百川聲明第三段之辯答分為左列五段，釋之如次：

一、陶委員曾一月十四日開會時，爭辯之激烈，為與會同仁所共見共聞，初爭辯調查委員人選問題，繼爭辯本案實質，因經濟委員會經濟部巡察委員王委員文光孫委員式菴以及經濟部長孫運璿就嘉華尿素收購案，均有詳細報告，無絲毫可資調查之疑竇，存乎其間，因之余力加反對，起立請付表決者不下十次以上，主席吳委員大宇見僵局無法打開，始請王委員文光協調，方折衷輪派委員調查，此一事實，可閱發言紀錄立可大白，余曾向速記室調此紀錄，據該室主任楊欣泉云：黃速記員將紀錄遺失，又云：陶委員亦調閱而未得。如果無爭辯，何得來之紀錄？陶委員百川辦事細心，記憶力很强，如無爭辯何勞調閱紀錄哉？、

文滙樓別記

所謂「維新政府」（九）

·本報資料室·

八一三戰事既起，不過三個月的時間，就進攻南京，南京政局在很短時間中，變得面目全非，那有時間顧得到這批古物，不過教育部方面派了若干可靠人士搶出幾百件名貴的古物，如銅器瓷器以及石鼓等，由專人運往後方，那個石鼓，既重且笨，搬運途中經過無數週折，居然也運到重慶。

可是還有無數銅器和幾箱古物古書，留存在南京；此外還有大批古物，在重慶政府安定之後，由英國用飛機運到香港，再由香港運到重慶，勝利之後，又由重慶運回南京，不久又從南京運到台灣，所以在台灣還保存着一大批故宮珍品。

日本軍人向來每到一地，必盡其搜掠之能事，把搜刼到的東西，作為『戰利品』運日本展覽，藉以鼓勵士氣。在進佔南京初期，當然也刼掠了不少東西去，可是並沒有發現『朝天宮』中的一批古物。

等到維新政府成立之後，日本軍人忽然發現了『朝天宮』內部暗藏了無數箱籠，打開箱籠一看，發覺原來是一批古董古書古畫，但是他們不知道是甚麽來歷？只是決定要把它運往東京。

陳羣得到這個消息，就告訴梁鴻志這批古物的來歷，梁鴻志就向日本人要求，停止搬運，日本人並未加以理會，梁鴻志急得沒有辦法，只好提出辭呈，說是『不幹了！』所有屬下各部長也隨之提出辭呈，都以去就力爭，日本人初時不知道這批古物的名貴，見到梁鴻志堅決到如此地步，不願因些破爛的東西，把維新政府拆散，所以這批古物得以保存在南京，待到勝利之後，點收的結果，還留存一半以上。

這件事情，上海的『螞蟻傳』講得有聲有色，對梁鴻志的這次措置，頗獲好評，大家認為梁鴻志究竟還不失為一個讀書種子。

陳羣在三馬路「米家船」樓上的居處，佈置相當雅緻，中央掛着一個小扁額，叫作『雙宋樓』，我常常上去和他閑聊，我說：『清朝浙江歸安陸心源有一個「百宋樓」，藏了兩百部宋版書，著有「百宋樓藏書志」，現在你這個「雙宋樓」的意思，是不是也藏着兩件宋代的古物或是兩部宋版書？』陳羣輕輕的搖着摺扇說：『你年紀不大，肚裏倒有些貨色，竟被你一語道破，我的確藏有兩部宋版書。』

當時我就講出：『從前藏二百部宋版書百宋樓的那位主人，照書目看來，實際上只得一百二十部書，後來主人逝世，全被日人買去。現在中國人藏有一部宋版書的人已極稀少，而你竟藏到兩部，眞是難得！』接着我又講出上海雖有幾位收藏家，據我所知只有南潯劉家有一部宋版「史記」。哈同花園曾經藏過一本宋版「孝經」。袁寒雲有過一部宋版詩集，賣給丁福保。張菊生的「涵芬樓」也藏有宋版書幾種，後來編印成為「百衲本二十四史」，是由幾個藏家湊集完成的，但是這件事情已成為學術界空前盛舉。現在宋版書已成稀世之珍，民國二十年，北京琉璃廠富普書舖曾經搜集到一部散佚的宋版「大觀本草」，因為殘缺不全，鋪主人把它拆開來賣給人家，每一張的代價，是銀幣十元，丁福保曾經買到一張，把它裱成冊頁，作為醫室的裝飾品。』陳羣聽我如數家珍的講了一大篇，他點頭含笑，極為高興，我又說：『同樣是宋版書，也分為幾種：一種是南宋版，一種是北宋版，一種是南宋版而是元代重印的，有一種是南宋版而在元代複刻的，所以版本大有區別，你所藏的兩部，可能是複刻的，而不是眞正的南宋版。』

（未完）

名人小傳（九）

·塞翁·

段祺瑞圍棋着迷

「安徽十三傑」中，祺瑞馬廠誓師一幕令人振奮，北洋軍中，亦是三傑之一。袁世凱失敗後會出任責任內閣執政。段一生轟轟烈烈固不用多言。下野以後，息影天津，度其晚年。段為人耿介，與許世英及王揖唐為拜把弟兄。九一八事變後，日人欲加利用，百般誘惑，王逆尤極力勸誘，拉其下水，段不為所動，秘密南下，寄寓滬濱。王逆心尤不死，拍一隱語電報給段云：「商人願出重金，宋版毛詩願出售嗎？」段亦隱語復電云：「古籍將傳之子孫，不售。」足見其尚固於民族大義，不失為俊傑也。

段氏酷好圍棋，日人會給予「名譽七段」，而實際不過初段而已。時人與之奕者，皆禮讓之，而且要讓的得體。可是與其子（駿良）對奕時，父子鬩牆火拼，各不相讓，老子常為兒子手下敗將。段氏每輸必罵曰：「你什麽都不會，只會下棋！」兒答道：「我的棋下得並不好，不過別人肯讓你，我則當仁不讓罷了。」合肥與子對奕，可稱得上是「屢敗屢戰」，輸了不肯罷休。其子為脫身他去，以後也故意禮讓，佯敗而北，早輸早走。如其子不在，則與「圍棋顧問」下棋。當時知名圍棋高手如顏冰如，劉棣槐，王鳳嵐等，皆為合肥之「圍棋顧問」眞棋迷也！

段祺瑞本為貧農子弟，幼入私塾，無力付束修，老師竟索乃祖父遺留硯池一方以為學費。後段升統制駐兵保定，老師聞知，特往訪之，段甚高興，一但不忌過去，且以房契一紙相贈。老師感激五體投地而別。大人不記小人過也。

讀書雜鈔　二十三

·林倚·

吳林塘言：「有少為狐所媚，日漸羸困，狐猶時時來，後復共寢，已頗頓不能御女，狐乃披衣欲辭去。少年涕泣挽留，狐殊不顧。怒責其寡情。狐亦怒曰『與君本無夫妻義，特為採補來耳！汝膏髓已竭，吾何所取而不去。此如以勢交者，勢敗則離；以財交者，財盡則散；當其委曲相媚，非有情於其人也。君於某家某家，昔何日附門牆？今何久絕音問？今乃獨責我？其音甚厲。侍疾者聞之皆歎惜，少年乃反面相向，寂無一言。』」（閱微草堂筆記卷十一）

時論曰：少年怨狐，為狐反唇相譏，竟至寂無一言。但，不知再遇狐媚，尚能記取教訓，不為所惑？抑仍飲鴆止渴，自掘墳墓？夫天下小人，未有自稱小人者，豈惟不自稱，且無不痛詆小人以自明非小人。小人無所不能，亦無所不為。君子乃有所不為者，但君子可欺以其方，偶一不察，即為小人所惑，況下駟之才乎？勢與財有其一，必為小人逐鹿之目標，蓋有所圖耳！倘其所謀不遂，或本身勢窮財盡，裏仔獻敵仇者必當日最寵信之小人。僅僅音問從此決絕，尚屬良心未泯者。語云樹倒猢猻散，輕描淡寫之筆也。當日附門牆時，奴顏膝婢，百般委屈，雖出自願，終覺付出相當代價，故必借機報復取償始得甘心。君子無所怨，亦無取償之心。無論招賢納士以及交友，君子小人，必也愼擇其可否！（未完）

神醫華佗

周吉

筆者按「本草」圖經陳藏器解說，青黏一名黃芝，一名地節，又名萎蕤（地節又名萎蕤）極似偏精（因黃精葉偏，而不對生，對生名為正精，功用不如正精）。「這種藥的功效：主聰明，調氣血，補人强壯。即將漆葉為散，又主五臟，益精，去三蟲輕身不老，但是熱症則不可服。」廣東新語說：萎蕤補益之功比黃精更佳，方家名黃芝，又名青黏，以漆葉同為散，可以延壽。

如此一來，就把華佗師徒所用的青黏、漆葉解釋得更明白了，原來都是人間的中藥，並非天上仙丹。

在三國時代，似乎懂得健康長壽之術的人特別多。除了華佗師徒之外，魏文帝曹丕的異論曾提到幾個：潁川人郤儉，甘陵人甘始，善行氣，老有少容。廬江左慈知補導之術。曹植的「辨道論」也說：「世有方士，吾王悉所招致。甘陵有始，廬江有左慈，陽城有郤儉，始（甘）能行氣導引，慈（左）曉房中之術，儉（郤）善辟穀，悉號三百歲。卒所以集之於魏者，誠恐斯人之徒，接姦宄以欺衆，行妖慝於惑民，豈復欲覩神仙於瀛洲，求安期於海島。」

這些老不死的老頭子為什麼都集中在中原的機密，却被魏文帝（曹丕）的弟弟——曹植一文道破。如此說來，曹孟德的殺害神醫華佗，是不是也基於政治的因素，就令人有些質疑了。

華佗鍼灸術探源

現在關於華佗的鍼灸之術，應該再補說幾句。咱們不是只往自己臉上貼金，中國的醫術醫藥發達最早，尤其是鍼、灸道一門醫術，可以說是獨步傲視全世界，所謂「神農氏嘗百草」，也就是對中藥的一種研究，距今也有三千年以上，這還不值得中國人驕傲末？

鍼，即是「針」，「鍼灸」本來是兩種治病的方術。在文字學上，我們可以考證出它的起源和演進。針術之前，本是「砭」，這是最初的工具，因為當時是在石器時代，當時是用「砭」，「山海經」上面說：「高氏之山，有石如玉，可以為鍼」。這就是砭石治病之根源，也就是「鍼」的前身，到了殷周時代，金屬出世，漸漸始由金屬取代了砭。所以我們說規過之言，叫做「鍼砭」，就是說你的話正如「良藥苦口」，或者說「金石良言」，都是由於「砭」「鍼」能治病的意思演繹而來。

砭鍼醫術發軔時代　應該是在「石器時代」中末期，而且我也可以肯定這絕非是一人一時所發明的。在石器時代，開始用如玉一樣細的一種石針（砭），作為發潰決膿砭刺筋骨，及緩解疼痛的醫療術，歷經我們列祖列宗的苦心經營，以及日久經驗的積累，隨着時代的進步，此術由砭而鍼，逐漸完成了今日的「針灸術」。

（十一）

巨變歷險記！

壓迫撤退（二四九）

·胡慶蓉·

緬甸政府誘導美國尼克森副總統承認中國游擊隊是東南亞和平的擾亂者，他希望尼克森副總統能採取他的觀點，希望尼克森副總統能把他的這個觀點帶到美國去，能想辦法達到國民黨軍全部撤出緬甸。這尼克森副總統答應了。

據仰光報紙的報導，緬總理宇努一口釘住現在在緬甸的中國游擊隊是中華民國國民政府的正式部隊，從他的總指揮起到他的士兵止，每一個人都是中華民國國民政府所委派的。緬甸所請求撤出的就是中華民國國民政府的部隊。一切唯中華民國國民政府所是問，一切要中華民國國民政府負其責。

尼克森副總統也採納了緬政府宇努總理的意見。尼克森副總統在今後撤退緬甸中國游擊隊的工作，就照着宇努總理所劃的道很堅定的前進！他始終抓住中華民國國民政府，始終以他爲交涉的對象，始終叫他來撤，步法非常穩定，百變不離其宗。最後，尼克森副總統是成功的。中國游擊隊是撤離了。

尼克森副總統回到美國，他就透過總統透過國務院叫他駐在台北的大使藍欽與我交涉。擒賊先擒王。藍欽就在找他的交涉對象。藍欽並不同我們的外交人員談，也不同我們的軍事大員談，更不同我們的政治人物談，來同我們的最高當局談。我最高當局並沒有答應什麼。他深知道今日在滇邊的中國游擊隊將來可以發揮多大的作用。反共反攻復國要靠大陸上的力量，今日滇邊的中國游擊隊就是中華民國國民政府在大陸上的力量。假如反攻的戰略是以大陸爲主戰場以台海爲支戰場的話，如何把主戰場與支戰場聯繫起來，那就非東南亞的中國游擊隊莫屬了。對於東南亞的中國游擊隊在將來所能發生的偉大作用，最高當局非常瞭解。故無論怎樣說，撤退在緬甸的中國游擊隊，怎樣他也不肯。這實在明智，實在睿智！

最高當局並拿從前美軍三千人駐在華北爲例。這人雖不多，但發生的作用却偉大無比。

召回中國游擊隊總指揮李彌來談。李彌當然更不願意。李彌有他偉大的抱負，李彌一切站在中華民國的立場爲中華民國的前途，他對於中國游擊隊是只有擴大只有光大，撤退絕不談，撤退不能談！可惜他到了台灣他病了。並且是一種怪病，歪咀病。臥病台北，全體游擊隊弟兄都異常懷念！

美國藍欽大使又回過來與我最高當局談。這一次是答應了。美國對我手中握有很多的武器，可以拿來壓迫我，使我屈服。他拿什麼說動最高當局？他是拿我在聯合國的位置。他深知道我們對於這個位置的重視，爲保留他至不惜任何的犧牲。其他美國所採用的壓迫方法一定還有很多……。

創業哲學

眞理與事實（二）

·丁熊照·

一、中共「與無滅資」論之違背人性

中國大陸上在文化大革命期中，有許多流行的口號，其中之一便是「與無滅資」了，雖然鼓吹階級鬥爭，本是共產主義的基本精神所在，中共進而主張要將資產階級消滅，原非出奇之事。尤其是照近年來中共政權，種種全無是非可言，翻雲覆雨的作法，敵友之分，功罪之別，隨時可因奪權的結果，力量的消長，而有變化，在純粹是「成則爲王敗則爲寇」的不講理社會中，除了暴力之外，也別無眞理，所謂「與無滅資」的口號，只不過是騙騙人民人民作爲進行黨爭的藉口，並無任何實際意義之可言，因爲在今日大陸上，既已無資產階級可供消滅，再則什麼人才是眞正的無產階級？什麼人才是眞正的資產階級？誰也說不上來，更不必談誰還敢問爲什麼要興無，爲什麼要滅資，和這種說法究竟是對還是不對了。

雖然如此，但從大陸之外自由世界中的人看來，爲着幫助我們認識中共政權的眞面目，和他們政策之違背人性，我以爲對於「興無滅資」的說法，和資產階級到底對人類社會是有貢獻，還是有罪問題，依據事實，作一個客觀冷靜的分析，也許還有點用處。

當然，在研究這個問題之前，首先我們知道資產階級與無產階級如何分法，不幸的是，從中共的宣傳文件中，我們既並不能對於這點獲得任何滿意的解釋，（如照中共這兩年多面說某人是走資派，忽而捧某人是無產階級的親愛同志情形而言，只有使人更加糊塗，而莫明所以。）而事實上，何謂資產階級

（未完）

旁門左道决非正宗修煉

·番僧·

「最厭盲師冒仙才，五龍捧聖任意猜，鑿出爐誇絕技，物褻大便更痴呆，詐人財物誤性命，死受冥刑生受災。」這種修煉的方法，更是異想天開，或謂出自方士。其法在陽舉的時候猛烹急煉（其法不詳）凝神交戰之後，又以五指捧外腎，緊握龍頭，如同行手淫一般，精來時名爲鑿出爐，用撮，舐，吸，閉四字訣，將非法所成之濁精，以意搬引，從三關而逆上泥丸，下入黃庭，再接周天圈左圈右共六十次。又有火藥過關之時用木器將大便抵塞，以防走丹。像這樣胡作亂爲的修煉法盲師竟視爲秘訣，甚至還有人深信，你說是否怪事？

黃白之術是騙人

身藏仙丹藥最靈，何勞奇方身外尋，金石妄服多虧損，紫河車味臭難聞，更有下愚無知輩自食敗精類畜生。」道家煉丹的方法，不少人都認作用眞的爐鼎以及鉛汞藥物來燒煉，最近還有一位友人在書中找出一張藥方來，說是以法燒煉，便可成丹。不知歷代仙哲均曾一再指出人身自有大藥，何用外尋。紫陽眞人在悟眞篇說得尤爲清晰，「休煉三黃及四神，若尋衆草更非眞，陰陽得類歸交感，二八相當是合親，潭底日紅陰怪滅，山頭月白藥苗新，時人要識眞鉛汞，不是凡沙及水銀。」仙哲的指示雖然已經非常明白，而旁門外道因爲得不到眞訣，於妄是服金石有之，傷天害理，甚至爲畜類一樣，於交媾之後連敗精也拿來蝕服了。

「欲使周身骨節通，自誇搬運是神功」，這就是我在前面所說說那位朋友所行的神功。這種修煉的方法是先吸氣一口，運至丹田，從兩脚至膝至脚背轉入湧泉穴，又從脚後跟至腿後，上陽關透邊夾脊上兩膀，至手背翻入手心，又從手彎至後頸上至枕至泥丸下雀橋，經喉部落丹田爲一週天。試想這樣的做法，元神不停的轉動，又何能靜？神既不靜，豈非與道大違了。

「龜首緊縮龜難死，龍頭顚倒龍愈雄，還有名爲八段錦，一切蠻幹似顚瘋！」這一節中包括了三個不同的旁門，都是蠻幹而不合情理的作法，甚至把陽物綑綁起來，你說是否痴人作夢？

「點石成金鐵成銀，黃白僞術惑貧夫，創造丹室與丹器，妄說萬兩始能成，豈知修煉在心性，不分貧富俱可行。」黃白之術，爲道家研究的陰陽金石，草木的性能，變化的學術之一，換言之，卽今日科學化學研究。這一方法屬於道家之秘，故知者甚稀，元末明初時代，張三豐眞人爲沈萬三練成丹母，並將丹製成一盤，凡屬銅鐵之物放入盤內，一夜卽變成黃金白銀。後人不明白眞相，於是傳說沈萬三有聚寶盤之事。

因爲有其眞，所以便有其假，後來方士以此而騙人，誇說黃白之術。實則如果人無貪心，又如何能受騙？至於道家修煉之金丹，根本不用鼎爐。丹經上所指之藥物，卽人身上自有三寶，爐鼎也只是比喻之詞。外道因不明眞訣，所以一切所爲，均免不了自欺，欺人。

清靜自然乃是真

「手捧腎囊試丹田，九九陽數左右全。蘇秦背劍眞難過，懷中抱月笑溫丹，反躬曬肚情更苦，自投羅網太迂酸。」這一節中包括了數種旁門，頭一句是說：修煉之時，左手捧腎囊，右手按摸下丹田八十一次；按畢再以右手捧腎囊，左手按丹田八十一次，說是煉陽。第二句「蘇秦背劍眞難過」，是用一女人作爲娥媚樹，改成娥媚板，凭着壁，頭以拱處拭背，將髮繫在板上上細右脚，下細左脚。這究竟是種什麼修煉，怎樣煉法？有何用途，均莫明其妙，第三句是說，其法在冷天時，用銅瓶裝開水，放在臍上，兩手捧着，名爲溫丹。第四句「反躬曬肚情更苦」其法用一極彎之木，仰臥其上，用日光照曬，名爲曬丹。

類似上述的一切，明明是左道愚弄人的玩意兒，可是偏偏的有人相信，所以說：旁門左道决非正宗修煉。（完）

楚辭的詩及其篇數問題

·李漁叔·

招魂的句尾，有一個「些」字。大招則用一個「只」字落句。我們知道這是每唱完一句的餘音，也叫語辭，例如：

芙蓉始發雜芰（草頭）荷些，紫莖屛風文緣波些，文異豹飾侍陂陀些。……（招魂）

「代秦鄭衛鳴竽張只，伏戲駕辯楚勞商只，謳和陽阿趙簫倡只……」（大招）

這一語辭的分析比較，約如左述：

一、大風起兮雲飛揚，除去兮字，實際只有六字，而威加海內兮歸故鄉，安得猛士兮守四方，把兮字一併計算，又係八字，不比些字只字只在句尾，除幫助歌唱外，不能算在句內。

二，五七言詩句是以韻爲主的。王了一詩律研究也說得對，他說：「韻文的要素不在於句，而在於韻，有了韻腳，韻文節奏就算有了一個安頓，沒有韻腳，雖然成句，詩的節奏還是沒有完。我們研究詩句的時候，應該以有韻腳的地方爲一句的終結。若依西洋詩式，就是一行的終結。」由此我們可以知道上引招魂三句以姦，安，軒三字爲韻，大招三句以張，商，倡爲韻，些字只字與句語無關。

三、兩漢以前的七言詩，都是單句，直到建安末期曹丕作的那首燕歌行，如「秋風蕭瑟天氣涼。草木搖落露爲霜。羣燕辭歸雁南翔。……」

還是句句押韻，後來一直到六朝時的鮑照，方才有了隔句爲韻的七言詩，例如：

紅顏零落歲將暮，寒光宛轉時欲沉。不見柏梁銅雀上，寧聞古時清吹音。

兩種句式，加以比較，可知前者是每句獨立，自成音節：後者有起句，有落句，以十四字爲一節奏。依西洋詩式，前者應該是一句七字爲一行，後者是兩句十四字爲一行，猶立成句的加上些字只字，可以作一逗頓緩口氣；而有起落的句子，卽不好安排，因爲：如擺在第一句旣非落韻處，擺在第二句，又不能把兩句十四字一口氣唱完，所以七言詩越進步，這兩個語詞，就廢棄不用了。

就些字只字本身來講，也是很容易了解的。按沈存中筆談云：「今夔峽湖湘及南北江獠人，凡禁咒語末云『娑婆訶』，三合而爲『些』也。」三合而爲些，是說把「娑婆訶」三字；快口唸出變成「些」，些字本有「思遮切」和「桑何切」兩音，這裏却應讀作「蘇箇切」，娑的去聲。王夫之楚辭通釋云：「些，蘇娑切，楚人歌曲之餘聲。」又云：「只，餘聲，讀如止。」可知娑婆訶的些與只，僅是歌唱時的餘聲，比起漢短簫鐃（金旁）歌中朱鷺的「烏路邪」，有所思的「妃呼豨」，臨高臺的「收中吾」。以及樂錄中所引用的「羊無夷」，「伊那和」之類，正是一樣的作用。

明乎此，我們即可以確知楚辭大招和招魂，大部分明用七言詩組成的，且看下面兩段：

「天地四方多賊姦。像設君室靜閒安，高堂邃宇檻層軒。層臺累榭臨高山。網戶朱綴刻方連。冬有突廈夏室寒。

（三　未完）

錢一釗談相

談氣色（廿二）

·錢一釗·

天道週歲有二十四節氣，人面一年氣色，亦二十四變，以五行配之，無不驗者。但色最難審，當于清明昧爽之時，觀之尤須隔絕不醉不近色乃可决耳。愼之愼之，氣色半月一換，交一節氣，子時卽變矣。氣色在皮內肉外，隱隱可揣者，方是眞氣色。

氣色而安靜者，應之遲。若點點飂動不定者，應之速。春要青。夏要紅。秋要白。抗戰時，長沙三次大捷，薛岳滿面紅光爲一劍所睹。冬要黑。四季月要黃。此天時氣色也。

木形人要青。火形人要紅。金形人要白。水形人要黑。土形人要黃，此人身之氣色也。

木形色青，要帶黑（水）忌白（金）火形色紅，要帶青（木），忌黑（水）。金形色白，要帶黃，忌紅（火）。水形色黑，要帶白（金）忌黃（土）。土形色黃，要帶紅（火）忌青（木）此五形生尅之氣色也。」青如晴天日未出之色，而有潤澤，爲正。爲、中央常務委員谷正綱生此色。如打傷痕而乾焦，則爲邪。爲兇。

紅，如隙中日影之色，而有潤澤，爲正。爲吉。台中高分院院長曹偉修生此色，如打傷痕而焦枯，爲邪。爲兇。

白如玉，而有潤澤，爲正。爲吉。如粉，如雪，而起粟，則爲邪爲兇。

黑，如漆，而有潤澤，爲正。爲吉。如烟煤而暗，則爲邪。爲兇。民國廿七年秋宜長警備司令蔡繼倫突然印堂發黑，儼若煤烟，未幾因案被槍决。

黃，如鵝雛毛，潤澤，爲正，爲吉。如敗葉色而焦枯，則爲邪。爲兇。

邪色白，主服。紅，主訟。及搶[illegible]破財。如火珠餤發者，主火災。靑，主驚恐疾病。黑，主大病死亡。黃，主疾病尖脫。

氣色雖現，亦要看神。色正，而神脫，色亦空耳。色邪，而神旺，色終莫能爲大害也。

中華民國內政部登記證內警台報字第○三一號
中華民國僑務委員會登記證台報新字第三二三號
中國郵政台字第一二八二號執照登記為第一類新聞紙

自由報

（第一一八九期）

（半週刊每星期三、六出版）
每份港幣壹角・台幣零售價新台幣二元
社長李運鵬、督印黃行奮
社址：香港九龍官塘康寧道117號後座二樓
117 HONG NING RD, 1/F REAR, KWUN TONG, KOWLOON, H.K.
TEL: K-433653
電報掛號：7191
郵箱：官塘郵政信箱9583
承印：景星印刷公司
地址：嘉成街廿九號地下
台灣區業務管理中心：台北市許昌街廿六號
電話：三八〇〇〇
台灣區直接訂戶　台灣劃撥戶
第五〇五六號張萬有（自由報會計室）
台灣分社：台北市西寧南路110號二樓
電話：三三〇二四六、台郵劃撥戶九二五二號

本報專論

俄毛大戰何時爆發？（上）

・侯立朝・

戰爭，起於利益的不平衡。如果國家與國家之間的利益不平衡，早晚必觸發大戰；如果集團與集團之間的利益不平衡，早晚必觸發大戰。今天的世界局勢，在政治的大流上有兩大集團，一個是資本主義集團，一個是共產主義集團，這兩大集團之間的利益的平衡，故有長期的政治鬥爭，但未觸發大戰，其中雖有柏林封鎖、韓戰、越戰、古巴事件等次級的世界之戰，均未形成兩個集團之間的總動員之大戰，其原因在於：

（1）核武器的平衡。

（2）經濟力的平衡。

（3）集團內部的不平衡。

任何一方均無絕對優勝的條件，故戰爭的大規模化或總體化未能實現。因此，雙方都把戰爭的等第分為三級來處理：

（1）世界大戰（兩個集團的總決戰）

（2）區域大戰（局部性如越戰韓戰）

（3）國與國之戰（單一性國家對國家之戰如以埃之戰）

而共產黨對於戰爭在性質及形式上又有妳們自己的特殊的定義，此即把戰爭的性質分為「正義戰爭」與「非正義戰爭」，而把戰爭的形式分為「國內戰爭」（解放戰爭）・「國家戰爭」及所謂「國際戰爭」這三國梯次來對待的。

集團與集團之間或體系與體系之間的大戰雖未到來，然而表現在政治上的是鬥爭的長期化，此即所謂「和平的形式」——和平過渡、和平競賽的辯證法，在共產黨的詞典裏，和平即是戰爭。

在兩個集團之間經過戰後二十五六年的互相鬥爭、互相激盪的結果，事實證明了雙方內部的單位構成份子——國家，特別是以「國際主義」及「社會主義兄弟國家」為標榜的共產集團中的國家關係，矛盾日深，利益不平衡，造成了集團的分裂，其白熱化的程度，有時超過了集團與集團之間的矛盾，演出鬩牆之鬥，如莫斯科與匈牙利、捷克及毛共之爭，是為顯例。而資本主義集團中的國家關係，由於利益不平衡的衝突，白熱化的程度亦如共產集團中的國家關係，如英法與埃及的蘇伊士運河事件，戴高樂對美國的黃金戰及脫離北大西洋公約等行動，是為顯例。此即集團內部的不平衡。

英法對埃及的蘇伊士運河事件，造成了資本主義集團的分裂歐洲中心分化了華盛頓之勢。俄毛衝突，基本上說或從集團立場對比上說，那是國家與國家之爭，也表現是集團內部的不平衡，從而衝擊為國際局勢的不平衡，使國際組合由戰後的二元中心演出了多元中心來，即由戰後的莫斯科中心與華盛頓中心的對峙，變成了莫斯科、北平、華盛頓三角的鈎心鬥角，歐洲及日本與中東、印度都變成了這三角鬥爭的輔翼。故，俄毛之爭，對於世界局勢影響的深刻性，實在大於歐洲與華盛頓中心的分離。也就因此之故，俄毛大戰的可能性及現實性，從六十年代到七十年代，就變成為舉世注目的焦點了。

筆者六年前在香港出版一本書，名為「美國與東方」分析毛共剛剛試驗核子裝置之後，它的原子彈會投向何處？因答這個問題，我當時就說那是基於兩個因素：（一）地理的因素，（二）政治的因素：「地理的因素：也就是瀕臨中共的四鄰之國，看看誰是它的對手。從地理上說，現在中共有四大強鄰，這四大強鄰乃是蘇聯、美國、日本、印度。

偏偏不巧得很，這四個國家中共現在對它們都不甚友好，將來對它們也不會太友好，這說明這四個國家都有嘗到毛澤東的核子牙的可能。只憑地理的因素來判斷，還是不夠的，最主要的是政治因素。而，政治因素不僅是政治意識的問題，還包括歷史的舊賬在內的，當然還有經濟利益。從政治的對立和經濟的衝突來說，美國被中共視為顯號的敵人，因此，華盛頓該是中共第一顆原子彈投擲的對象。從歷史的舊賬和經濟利益的衝突來說，日本將是中共的第一號敵人，因此，東京該會首先嘗到中共核子牙的滋味。從政治意識和歷史舊賬及經濟利益的衝突來說，蘇聯也是中共第一號敵人，因此，莫斯科的防空設備將會被中共的原子彈首先擊破。……」那時雖有這樣的分析並預見到俄毛衝突的深刻性及爆發大戰的可能，但並未作引證的分析，只有經過帝國主義壓迫的中國人看了才能相信它。最近，由於美國與毛共有建立統一戰綫的可能及俄共攻毛之佈局，俄毛大戰的可能性已不再被懷疑，進一步要問的是：俄毛大戰的現實性如何？它何時爆發？

回答這個問題，我們得從歷史綫索及現實情勢這兩方面來考察，也就是作遠距離的和近距離的結合來考察：

（1）從歷史綫索考察——莫斯科與北平之間的大戰，前哨戰早於一九五六年即已開始。一九五六年二月，俄共第二十次黨全大會，赫魯曉夫有貶史運動，揭開了俄毛鬥爭的序幕。二月二十四日，赫魯曉夫提出了反史太林的秘密報告，三月二十九日，毛共「新華社」轉載了「眞理報」二十八日的評論「為什麼個人崇拜是違反馬克思列寧主義的精神？」四月五日，「人民日報」發表了「關於無產階級專政的歷史經驗」，替史太林辯護。於是，俄毛雙方在自我約制的情況下，展開了思想的冷戰。一九五七年的莫斯科共產黨國際代表大會，使俄毛思想冷戰趨於白熱化，升級為政治戰，也就是說由共產黨的內部領導的形式問題，提升到國際領導的路綫問題，使莫斯科與北平之間的距離拉長了，從而展開了對列寧主義及所謂無產階級國際鬥爭總路綫的大論戰。從「莫斯科宣言」走到「莫斯科聲明」，雙方不僅沒有取得原則上的一致性，而且變成了公開的分裂，毛澤東大聲呼喊北平是無產階級的世界革命之中心，蘇俄的赫魯曉夫主義被批評為「修正主義」，北平貼出了相反的標語，即「反赫修」與「反美帝」。俄毛雙方的政治戰，發展到最高潮的是一九六四年之赫魯曉夫的下台及毛共核試之後，在形式上似乎是俄共對毛共的妥協，而毛共不僅不作讓步，相反地他說莫斯科的政治路綫仍然是在執行沒有赫魯曉夫的赫魯曉夫主義。一九六五年，毛共開始搞「文化大革命」，要從內部整掉所謂「中國的赫魯曉夫」，經過了兩年的鬥爭，劉少奇鄧小平集團被鬥垮，毛澤東從第二綫又走到第一綫變成為毛皇帝，莫斯科對於中共的影響力到此可謂完全除根了，由此也就從政治戰提升為軍事戰，一九六九年珍寶島事件，俄毛兩軍正式開火武鬥起來，使俄毛關係發展到了軍事戰的階段，直到今天，俄毛兩軍還在五千多公里的邊境上武裝對峙着，隨時可能發展射擊戰。

（2）從現實情勢考察——莫斯科在一九六〇年之後，在外交上的布局，一切在圍堵毛共。古巴事件的讓步，是在圍堵毛共；白宮與克里姆林宮的熱綫電話，也是在圍堵毛共。珍寶島武裝衝突之後，俄共的布局更是在孤立毛共，完成其大迂迴大包圍的部署，而後突擊毛共或壓迫作內部的轉變。情況發展到七十時代，俄共在孤立毛共的具體行為中有如此的表現：

（1）德俄互不侵犯條約——一九七〇年八月。

（2）俄印二十年和平友好條約——一九七一年八月。

（3）柏林問題四國協議——一九七一年九月。

（4）蘇維埃主席包戈尼將訪河內——一九七一年十月。

（5）柯錫金將訪問加拿大——一九七一年十月。

（6）布里滋涅將訪南斯拉夫——一九七一年十月。

（7）俄貝加爾軍區軍事演習——一九七一年八月。

（8）俄報刊攻擊尼毛勾結為加速戰爭——一九七一年八月。

（9）盧布貶值（對美元貶值的反應）——一九七一年八月。

（01）歐洲會議（北大西洋公約及華沙公約國）——預計本年底召開。

（11）亞洲安全體系倡議——一九七〇年。

（未完）

昨日與明日

共產世界的緊張相

對於美國與毛共勾搭情形，最感覺不安的，殆莫過於蘇俄了。它既怕美，毛眞正合作以對莫斯科，更耽心毛共挾其特級修正主義的作風，鼓勵東歐各個受着蘇俄控制的共黨政權，跟南斯拉夫與羅馬尼亞走同一路綫，採取獨立自主政策，而其結果很可能產生新的「共產國際」。毛共即有這種野心，美國亦樂於看到這種演變。

事實上，東歐各個共黨政權，除卻保加利亞以外，都對蘇俄具有離心傾向，如果南斯拉夫與羅馬尼亞同心協力，實行奧修斯古所謂「社會主義國家不需要有領導中心」的政策，蘇俄在東歐的勢力，馬上就化為泡影！

所以，蘇俄一面跟印度簽訂二十年的安全互助條約，一面由柯錫金等三巨頭，分赴東歐和北韓、北越各個共黨政權，從事團結工作。這確係蘇俄生死存亡攸關的形勢，不得不然。目前，美國當局和毛共當然竊竊深喜，自鳴得意，尤其是美國的尼克遜，以為稍施其外交小技，即使蘇俄惶惶不安，不亦樂乎！然而事情沒有那末簡單的。

美俄鬥爭更趨尖銳

美俄對立爭霸的形勢，必不致因美、毛勾搭而趨緩和，相反地只有激化。美國對於蘇俄提倡舉行歐洲安全會議表示冷淡，用意即在等待美、毛勾搭的結果如何？目的是要促成俄、毛直接火拼。

假使毛共藉着特級修正主義的作風，眞把東歐的「華沙公約」搞垮了，蘇俄為着生死關係，揮軍鎮壓它所認為叛徒的共黨政權，並非不可能。周恩來對紐約時報副社長列斯頓說過，北平和其他的大陸上各大都市皆已掘好縱深的隧道，為的就是防備來自蘇俄的核子彈襲擊呢！

尼克遜以為造成了俄、毛的大衝突，即可避免美俄間的核子戰爭，實際是自說自話的防性觀念，與事實恰相反，不特下一代的世界和平無從創造，即這一代亦難免核子大戰之災。

日本頗有發展原核子武器的雄心，實係慰藉上身的淺見。日本最上之策，祇有以全力聯合亞太地區的自由國家，共同防禦外來侵略，構成一種强亞洲的安定力量，以靜觀美俄兩强帝主義者爭霸的後果。日本若要發展原核子武器，後患將不堪設想也。（完）

・何如・

自由談

我思古人

中外的歷史紀錄，敘述一般王侯將相之流的言行很多，我總是以「姑妄聽之」的心情來看待它，因為不是親自見聞的，即不敢相信史家的話有如當事人在法庭上具結所云，「句句實言」也。

職是之故，在我的心目中，對於歷史上的大人物，眞正表示推崇敬仰的只有一位，就是中華民國國父孫中山。愚生也晚，雖未曾追隨過孫公，卻親眼看到他在革命數十年之中的一切言行，也跟他見過一面——民十四年冬曾在日本神戶——此外的當代名公鉅卿，老實講，那就少所許可了！

我和另外兩位青年學生即謁孫公時，並未經過登記候見的手續，他聽說我們是東京來的青年同志，立刻出來相晤，而以慈和親切的詞色，鼓勵我們讀書不忘革命，沒有絲毫矜持作態的習氣。他一生以「天下為公」作革命建國的原則，身體力行，毫無假借。民國元年廣東咨議局要推舉他的哥哥孫眉作粵省都督，他聞訊即電告咨議局「毋誤粵局」，力予制止，終其生亦未曾讓乃兄在政治上担任過一官半職。哲嗣孫哲生先生於孫公在世時，只做過普通市的廣州市長，而且是出於古應芬等人的意思。他教革命黨人公爾忘私，潔己自愛，自己逝世後，亦祇剩下藏書若干卷，無論國內或國外，沒有分文的資財餘存着。昔諸葛武侯死後，僅在成都有桑八百株，傳為歷史美談，以視孫公之身後情況，渺乎小矣。陳炯明稱兵反叛後，孫公表示只要上書悔過，照舊任用，其恢宏豁達之氣度為何如者！這些就是我由衷地崇拜孫公的事實根據，舉世周知，無可否認。

今日許多當代要人，皆以孫公的忠實信徒自居，也常常教導別人效法國父對人對事的德行矩範，然自己的所作所為，每與國父的風格背道而馳，國難之連綿不輟，良有以也，豈徒然哉！

馬五先生

平息聯俄讕言

公孫談

天下事

香港是國際心戰的戰場，是世界神經反應的中樞，多少記者在這裏採訪新聞，多少心戰人士在這裏放散政治空氣，因此平素就是蜚聲流言的製造廠，而今天在這世局紛擾巨變中，就更是謠諑横行的旺地。

如所週知，自尼克遜宣佈訪問大陸後，敏感的政治虫子，就傳出種種有關自由中國的謠言，這謠言之一，便是說自由中國準備聯俄來對抗大陸，（這就一如斯諾宣稱，台灣已與大陸已在幕後進行和談一樣的讕言）——謠言止於智者，誰去信它，只是茶餘酒後的笑料而已。

雖然，這一謠言之來，也非起于一日，遠在三年前塔斯社的記者過台，便有這種疑神疑鬼的馬路謠傳，（實際應該是「謠測」），今年周書楷就職外長前在美國的談話，又一度使許多人神經過敏，因此當美國要與台灣的敵人中共勾結時，大家便自然想到台灣將也會與中共的敵人俄共合作了。

語云「姑妄言之，姑妄聽之」，現在我們且進一步的「姑妄編之」，這種揣測，全出於縱横捭闔之道而不切實際，更不合乎正義。如從縱横之道，則自大陸滔滔之後，俄共便勢必暗中要衷心的支持自由中國，雖則口頭上攻的不遺餘力，因爲只有台灣存在，才能扯着大陸的腿而便於俄國對中共的控制，俄國一向是玩鬼，定有不明此理之道——但這會是俄共「以華制華」的一嚮情願的想法，我們豈願受其利用，反之自清朝康熙帝以後，俄國一直是侵畧我們大仇大敵，所有各國帝國主義者侵佔我們的土地，加在一起，却沒有俄國所佔的多，勝利後的洗刼東北，更是慘不忍睹，只有倒行逆施的毛共，才會不顧這民族的血海深仇，公然違反人民的意願，而稱之爲「老大哥」實行「一面倒」的政策，但後來到底倒不下去了，到底扭不過人民的憤怒了，這才與之決裂，而演變到今天的局勢，我們自由中國豈能傻到在這一個時期，甘冒天下大不韙，而與之聯合。三個月前，台灣出的東方雜誌中有一篇文章說得好，假如俄毛決裂開戰，而我們竟是站在俄國一邊，試問我們還怎麼收拾大陸人心，那不是自絕於國人嗎，台灣比起大陸，地狹人少，力也單，然而今天竟爲所有中國人所嚮往（包括大陸人的內心，只看逃亡者，便是明證），就是由於自由中國的道義力量，道義精神，我們若把道義犧牲了，還憑什麼號召羣倫，收拾大陸的人心。

蔣總統二十年內，領導我們「反共抗俄」，並著有「蘇俄在中國」，痛陳其禍，豈有忽然變計聯俄之理，西太后曾有「寧與外人不與家奴」的想法，奉勸造謠者不要忘了那是西太后。

中大傳出貪污醜聞 教務主任檢舉院長

立委提質詢主張徹查嚴辦 指檢舉者如誣陷亦應反坐

（自由報台北消息）立法委員李文齋爲國立中央大學教務主任楊珍檢舉該院院長載運軌貪污瀆職摧殘青年學業，一案，特向政院提出質詢。他說：

教育爲國家命脈所繫，豈容輕率從事，貽誤國基，據國立中央大學理學院教務主任楊珍檢舉書所載，中央最高學府竟如此黑暗，難怪教育將瀕破產之現象，特將檢舉書原件及附件八件，轉致貴院徹查，如有行政錯誤，教育部應予糾正，關於財務方面應轉知審計部前往查帳，貪污瀆職部分，應令司法行政部調查局徹查，如若屬實，即移送法院嚴辦，若檢舉者有所誣陷，亦應反坐，以遏刁玩，否則，亦應予以保障，以示公正廉明，與再革新之決心。

國立中央大學理學院教務主任楊珍的檢舉書，錄之如下：

事由：爲檢舉國立中央大學理學院院長載運軌貪污瀆職，濫法亂紀，摧殘青年學業，敬請賜予提出質詢，移請法辦由。

（一）珍感荷黨國栽培，早年留學德邦，返國迭任海軍機械學校，海軍專科學院，海軍工程學院等院長暨國防研究院講座，嗣以限齡轉任交通大學訓導長，客夏經中大戴院長宣稱延聘來院整頓教務，瞬屆一載，爲職權拘限，毫無建白，愧負良多，在此期間洞悉戴運軌院長有虧職守，自臨晚節，且貽誤青年學業，更肆無忌憚，擅用內戚私人，狼狽爲奸，敗壞校風，摧殘中大傳統榮譽，其貪污瀆職不法情事，罄竹難書，値此國事蜩螗之際，領袖訓廸莊敬體國昭示，諄諄在耳，無如慶父不除，魯難未已，儻將戴院長貽誤教育，違法瀆職情事，概畧臚述如次：一、貪污事項例證，二、擅用內親、私人，壟斷校政，三、祖護內戚，敗壞教育風氣，四、包庇部屬違法亂紀，五、缺乏領導能力，毫無行政經驗，六、師資缺之，不能羅致眞才，七、不能爭取學術合作，喪失中大固有地位，八、教育落後學生紛紛轉學與申請重考，（以上附件均畧）。（二）右列僅草述犖犖大端，其不法情事層出不窮，倘經有司澈查，不難次第發現，夙仰我公忠愛爲懷，讜論風高，剔弊搜奸，不遺餘力，爲恪遵總統莊敬體國訓示，謹掬忱據實檢舉，恭請賜予提出質詢，移請澈查辦理，以儆貪頑，則國家幸甚：教育幸甚：

刋布外交檔案 對國家無損害

對周之鳴公開信指責事 王世杰郭廷以提出說明

（自由報台北消息）周之鳴以費正清事件上立法院一封公開標明「再斥王世杰、郭廷以公開信」，立委李文齋據以向行政院再提書面質詢案，頃悉王世杰郭廷以分別提出書面說明茲誌王、郭兩函於后：

甲、王世杰先生之書面說明

一、李委員此次質詢，其前段所依據爲周之鳴君上立法院之公開信。姑無論信內所舉事實以及依以作成之論斷，多屬偏激，未堪採信，本人亦無意一一辯論，且其中對本人指責各點，仍不外李委員以前質詢之內容，本人前已兩次書面分別說明，無待重述。

二、質詢後段對於「中國近代史中美會議報告」附有全部譯文，其內容爲前次質詢所未涉及。茲請細讀該會所作多項決議，均純屬學術研究範圍，並無政治意味，不特毫無損及我國之利益，抑且對我學人之研究工作，多所讚揚與鼓勵。

至於一部分清季外交檔案，曾由中研院近史所整理與印行，係以往已曾說明，係經過審慎選擇並徵得外交部之同意爲之，其內容已非屬機密。此在各先進民主國家，均不斷由政府選擇刋布其重要外交檔案，乃至包含第二次世界大戰以後之文件，凡此乃以供史學家之蒐集研究，對國家殊無損害可言也。

乙、郭廷以先生之書面說明

關於中美中國近代史會議經過，已於本年一月據實答覆。所有此次會議討論及建議事項，均逐一說明，會議涉及範圍，僅限於發展中國近代史之研究，促進研究之便利。建議之具體問題，一爲擬舉行中國近代史上重要題目討論會，如光緒中期之歷史等；二爲整理編印資料，增添建築；三爲鼓勵國內青年著作；四爲稱道國際關係研究所之工作；五爲介紹圖書史料；六爲增强國內社會人文科學西文圖書資料；七爲支持台北之聯

聯合國代表權問題

人情冷暖，早晚不同，這是不足詫異的。我們不會忘記廿五年前，中華民國是建立聯合國五個發起國之一（中、英、美、蘇、法國勉强加入），那時候，非中不行，而現在，竟然有人要提出驅逐中華民國了。這只能怪國府不爭氣，要是有一天再來廿五年前的聲威，還怕別人不急於奉承？

故今日主要的問題，不是能不能保有聯合國的席位，而是如何再來廿五年前的聲威。

摘自快報

（下、續完）

聯合國就是這麼一個東西，棄之也並不覺得可惜，但大家既然需要這一座神廟神龕來玩玩，也不妨佔個份兒，當然，「不妨」而已，並非有什麼了不起的關係，試問，這個東西建立了廿五年，有過什麼了不起的事實。這是說：

因此，台北絕不應重視聯合國席位這個問題，只重視自己的努力。

聯合國已不是什麼維持世界和平，伸張正義，保障人權的神聖機構，而是一個毫無靈驗的神龕，明智者不作愚夫愚婦，但也可以趁趁熱鬧。

今研究中心。其中大亞大學會議中所作之決議，則待雙方負責機構裁決議，至採行與否，半爲第一次在哥倫比亞大學會議中所作之決議，至採行與否，則待雙方負責機構裁定。

八一三的血債

紫如

民國二十六年八月十三日九時十五分，日軍向上海、江灣、閘北全力進攻。我家住在浦東，與上海僅一水之隔。在戰畧的觀點言，浦東不失爲一個軍事上的要點。於是，我們的刼難，亦從這一天開始了。

炮聲漸漸的近了，貼着醜惡象徵——紅皮膏藥標誌的日機，成天的濫施炸射，人們的心頭，蒙下了一層陰影。平日，那些頭上紮着土布花巾，脚下穿着[illegible]草鞋的村姑，在清晨叫賣：「長江豆，嘮洛素（茄子）啊——摩來頭嘮草子乾啊——」的美妙呼聲，亦從那時聽不到了。

十六浦的輪渡，份外忙碌起來了；有辦法的人，已在作逃難的打算了。

我家很窮，父親又是一個眷戀鄉土的人，對於這塊住了三代的美麗土地，始終不忍離棄。遠房的一位叔公，全家搬到上海租界避難去了，留下一幢剛蓋不久的二樓洋房，教父親去住管。父親的臥室原在樓上，爲了安全，却把我們安置在樓下的客廳裏。客廳很寬，父親用兩張楠木八仙桌，拼在一起，緊靠在左邊的牆角上；桌上疊了幾層棉絮，鉛皮之類的軟硬物體，以防萬一。我們兄妹三個，就每天蹲在桌肚裏磨日子，不敢越雷池半步。

多半總在下午五點以後，我們就面臨着隨時被毀滅的危機。先是鬼子的炮彈，在屋頂上呼嘯而過，聽得人心驚肉跳。有時炮彈落在附近，整個房子就會格支格支地搖幌起來；所有玻璃窗，幾經震盪，已是支離破碎，滿目瘡痍了。炮聲停歇以後，敵機就接着來了。每天兩架，輪番的，在四房子密集的所在，扔顆炸彈：然後，在人羣最多的地方，盲目的掃射一陣，才洋洋得意的擺着翅膀走了。（一未完）

女推事純化司法

白下大夫

依洞集

司法一向爲人所詬病，經歷了三任部長之後的司法部，由王任遠出任部長後，口碑好轉，聲譽上升，大赦減刑之實施，當更能取得人民的信任。

在經驗了旁聽審訊的過程中，我發現女推事表現比較更能使司法的聲譽有純度和廣度，例如台中高分院城壁連女推事，她不僅法律知識優越，而且邏輯嚴密，口齒清晰，態度莊敬，更難得的他們都有一幅好心腸，訊問原告被告都是以性善爲出發點，這是傳統的美德，也是至性的涵養。因此，多用女推事，司法會更爲純美，更能淨化，也更能獲得好評。男性總比女性做壞事多，歷史可以作證。

劉半農記賽金花

最後丈夫魏阜歐

賽金花十三入娼門，稱擺客已不可考，十四嫁洪狀元，（實年十六歲），是謂第一任丈夫，人咸知之矣。其最後一任之丈夫則爲魏舉人。知者較少，魏名斯靈，（他報有誤靈爲炅者，按靈炅耿。）號阜歐。江西金谿籍，會中式前清光緒甲午科舉人，於光緒乙巳丙午間，東渡日本留學，入東京中央大學，習法政，既畢業，應清廷留學生考試復得舉人，光復後，在李烈鈞督贛時，曾一度爲江西財政司長，嗣因個人經濟，往南洋羣島，曾娶巫來由一種婦女，即舍之歸國，其與賽金花結婚在民國七年六月二十日，一對新夫婦，均近大衍之齡，時魏由舊友江天鐸之介紹，得充北京國務院諮議，江氏固張國淦門下士；方任農商部次長，其黨徒隱隱有一團體，曰憲政討論會，魏亦與其列，未幾，安福系興，魏遂夤緣得一安福議員，隨挈賽金花居楊梅竹斜街左近。一時喧傳金花有孕，朋輩多駭怪之，然望之眞嘗三十許佳人也。厥後不久魏以小恙，蒙被而臥，適有友來訪，聞其病，自言工於鍼灸，立可愈之。金花遂請一試，乃鍼治後未及三時。魏竟溘然長逝矣。金花自是孤帷獨守，魏友有勸其長齋禮佛者，遂偃蹇以迄於死。按魏與洪文卿本老友，魏第一次識賽，即在洪宅也。

賽金花的二僕

賽金花指着顧媽對記者說：「這個人眞是一個義僕，太太這樣窮了，她還是捨不得離開，她非但不受太太的工資而有了錢還拿來給太太花，世上還有這等人嗎？她今年已經五十四歲了，她自從民國元年起，便到我家，她來時，我正富貴，而今我潦到這個境地，她仍是寸步不離，朝夕隨侍，我是孤苦零仃的人，惟有顧媽親奉湯藥，愁了，惟有顧媽長夜相陪，悲了，惟有顧媽婉爲勸解，喜了，惟有顧媽相對而笑，——然而昊天是不輕易降一點歡悅與我的。江蘇離崇明八里，有個小縣叫海門，顧媽就是那裏人，她叔父是上海的包探，她還有兩個兒子，大兒子今年三十四歲了，在上海西門自來水公司任役，次子也三十了，在上海鹽務處供差，今年還屢屢催信，叫她回家，但那癡人竟與我難分難捨。說死也不肯回南，人間尚有這等癡心的人，她還有一個弟弟叫蔣全芳，今年三十九歲了，自民國十四年起也隨着他的姊姊來侍候我，他兩人對我眞忠心呀！」

（四十五）

監委曹啓文再駁陶百川（中）

・文匯樓主・

二、對臺明嚴貶之「欺世盜名」四字，認爲是「惡毒」，更憤怒而責我爲「利口」爲「血口」爲「巧言」爲「胡說」，我之釋疑爲「案未成立，或調查案未經法定程序之前，陶委員百川一貫之作風，先宣之於報章雜誌，此次慕華案即爲鐵證，經合法會議討論後，與事實大有出入，貶之以「欺世盜名」不亦宜乎？余之嚴貶爲「利口」乎？爲「巧言」乎？抑爲「胡說」乎？陶委員百川未自反省，絕非余之胡說，再進一步勸陶委員百川曰：何執迷而不悟，永走糊塗路也哉！

三、此點用數語即可釋之，週六上午到委員辦公室，　委員景福當衆言之，我既在場，焉有充耳不聞之理，即而錄之，絕非捏造。

四、彈劾案之攻擊重點，在前任經濟部長楊繼曾，前任石油公司總經理金開英，據陶委員百川彈章綜述稱：「前經濟部長楊繼曾與石油公司前總理金開英，處理慕華公司外人投資及中外合資案，將一百七十五萬美元之外人投資冒稱爲二千二百萬之巨，以聳動聽聞，圖利外人，建廠費用悉聽外商任意增加，不加審核，以致浪費公帑，有負國家託付投資之重任」，果屬實則前者爲犯刑事罪嫌，後者則爲廢職之行政責任，但事實則創辦之始及收購議價之果，均出自行政院之決策，鐵案如山，豈可嫁楊、金以刑事及瀆職之罪過，非多所羅致（羅織乃庭尉之標，且過重。御史僅能用羅織之權，較輕。）必欲置之法網而後快，眞無法瞭解其用心安在？至於聲明不提前肥料公司袁夢鴻，並非認彈劾袁之部份可取，乃行文時，略其輕而爲之省筆也，陶委員百川爲時文作家，何以對此，故事詭辯耶？

五段：以上各段文，均曾詳述，應釋陶委員百川之疑，再不多費筆墨。

綜上所述，此案之本質，始則經財政部召集各有關機關多人會商後，報請行政院通過，再送立法院經財經兩委員會初步審查，與會者，亦不下數十人，然後送請院會審議通過，又不下三五百人，收售購案亦經行政院通過，設專案小組輔導執行，若再送立法院審議（此點我未查故爲假設之辭）亦不下三五百人，再加本案所提出之彈章廿七位同仁否決，經如此多之程序，近千人之審議，豈皆聾啞之輩，竟而未發現其如陶委員百川所指責之情弊，而指爲楊、金瞞哄乎，陶委員百川爲民主之倡導者，民主者少數服從多數之謂也。俗云：「衆人是聖人」，豈可允許陶委員百川一人獨斷獨行，置絕對多數人之意見於不顧？

所謂「維新政府」（十）

・本報資料室・

我這句話一出口，他瞪着兩眼說：「你怎麼知道這樣多？」我就說：「日本人印過兩種書，一種叫作『宋版書影』，另一種叫作『支那宋版書研究』，他們把全國圖書館收藏的中國宋版書，都攝了書影加以評述，北京的中央圖書館也藏有許多宋版書，是根據日本這兩種書作爲參攷鑑定的。」陳羣聽我講完，就說三天之後，準定把他藏的兩部宋版書拿出來給我看。

後來我看到他的兩部宋版書，書名極冷僻，都是南宋的刻本，我告訴他北宋比南宋本價值高得多，陳羣就問我北宋本究竟是怎樣的？我立刻走到隔壁來青閣書店，借了一部鐵橅影印的『宋版內經』給他看，是北宋的本子，陳羣看了之後，呆了些時，因爲北宋的字體粗壯，版口寬闊，魚尾美觀，他自己的南宋版本書，就差得遠了。接着他問鐵橅的北宋版內經是那裏來的？我說：「講穿了一文不值，鐵橅根本就沒有這部書，只是把日本人的影印本複印而已。」後來他又問南北宋版書的紙張怎樣辨別？

我說：「南北宋版本用的紙多數都帶些黃色，純白色的極爲稀見，有些即使原來是白色，久藏之後，也漸漸的變成淺黃色了。」陳羣高興起來說：「我想看看丁福保醫室中的那張北宋版冊頁。」我說：「那很容易，每逢星期五丁氏有一個『粥會』，到時我來陪你同去增加。」（按粥會，最初是丁福保所發起，因爲無錫人晚上都喜歡吃粥，後來吳稚暉也加入了這個會，因此聲名大震，第一次參加的，一定要有一個老會員介紹，隨到隨吃，並且大家都隨帶一些書畫古玩，互相觀摩，至今這個粥會在台灣仍繼續舉行。）陳羣由我介紹參加「粥會」之後，對書籍版本之學的興趣大爲提高。

自從維新政府成立之後，陳羣就到南京去了，我和他便沒有見面的機會，不過聽說維新政府的各部部長，多數是庸碌無能，對江浙兩省的情況，知道得不多，惟有陳羣頭角崢嶸，是這一羣人中的智囊。

大約相別了七八個月之後，陳羣回到上海，又在『雙宋樓』一出現，打電話找我去看書，我應約而往，祇見樓上已經堆了一大批舊書，看來琳瑯滿目，都是善本，首先我看到的是一部陶淵明集初刻本，其版本之佳紙張之美，已是愛不釋手，陳羣還在招待別的客人，他說：『老弟，你不要光看這本書，在書桌上面有二十多部書，請你觀摩一下，這批書是什麼版本？』我就不客氣的坐在書桌旁，仔細的看了一個多鐘頭，因爲我對日本所影印的「宋版書影」，印象深刻，就看出這二十多部書的魚尾，都是宋版，但是我又懷疑不可能有這麼多的宋版書集中在一處，後來我忽然有一個靈感，其中有幾部書，書的第一頁好像見到過，想了半天才想起來。就是在商務印書館出版的幾巨冊倫敦古物展覽畫冊圖片中見到過，再一想，就想到了這批書可能就是南京『朝天宮』中的東西，被陳羣據爲私有了。但是我又不便說穿他，所以祇是看而不說一句話。（未完）

×　×　×

名人小傳（十）

塞翁

徐樹錚一身是胆

四十歲以下的人對徐樹錚是不甚了了的。此人民國六年一度出任張作霖的副總司令，他的兒子就是在台的徐道鄰教授。曾作「廊坊事變紀實」，對於其父被害事甚詳。

樹錚江蘇蕭縣人，又字又錚，此人天賦極高，文武兼資，才氣縱橫，幼承段合肥特達之知，保送日本士官學校畢業，故始終追隨段祺瑞，以師事之。此人在合肥幕下，謀斷兼擅，有諸葛之譽，段祺瑞深倚重之。

黎元洪任大總統，合肥任國務總理。民五年，由於祺瑞力保，樹錚任國務院秘書長，由是更恃才傲物。時因府院不和，被迫免職。但樹錚雖已免職，仍留合肥之幕，策劃一切，如對德絕交，對德宣戰，樹錚則躬其事。

民國七年，直皖兩系因西南問題破裂，奉軍忽以聲討馮玉祥爲名，設奉軍司令部，以樹錚爲副司令。時反段者幕後奔走爲陸建章，樹錚恨之，同年六月，設計誘殺陸建章於天津，但禍亦由是起矣。

民八年被派爲籌邊兼西北邊防司令，常單車來往於北京庫倫間。同年十一月又兼外蒙善後督辦。民九年，直皖戰起，曹錕、吳佩孚皆欲得徐樹錚之頭乃甘心。卒皖軍敗，直軍迫都城，是日晨樹錚仍乘汽車至銀行取欵，再赴舊書店還債。店主異其勇毅沉着，佩服不已。最後由琉璃廠至東交民巷時，直軍已躡其後，其胆大如此。民十四年冬，樹錚在廊坊遇害，也因胆大之過。因是日段祺瑞及友人均勸其化裝奔天津不聽，仍掛專車而行，卒至殞命。

左舜生談杜甫（四）

・文輯公・

我們從這裏可看出他們倆位的交情，是何等的深厚。李白爲人灑灑落落，對杜甫自然也很好，可是比起杜甫那些「懷李白」，「懷李白」，「夢李白」的眞摯之感。我們不能不承認老杜實在是千古的多情種子之一。

此外我還有一種臆見：我總覺得杜甫在未見李白以前，他的作品帶得有傳統或因襲的臭味很重，自與李白發生交往以後，實在使得他在詩體上得到一大解放。自然，時代和杜甫的身世也是使得他的詩在形式上與內容上發生變化的原因，但我總覺他受了李白的影響不少。這個話我決不敢自以爲是，不過我把杜甫初期的作品和他後來的一些名篇鉅製一比較，確實有這一種直覺而已。

從玄宗的天寶五年（七四六），一直到肅宗的乾元元年（七五八），前後十二年之久，杜甫的生活與活動，實以長安爲中心。中間雖然也偶然回到東都，到天寶十四年以後，他又曾赴奉先，往白水，往徐州，並謁肅宗於鳳翔，但一直到他出任華州司馬以前，他全部的精神總是繫於長安的。

杜甫之到長安，所追求的無非想在當時的政府中，得一個位置。

「讀書破萬卷，下筆如有神，賦料揚雄敵，詩看子建親，」

這是他所自信的本領：

「致君堯舜上，再使風俗淳，」（贈韋左丞文）

這是他的目標：

「窮年憂黎元，歎息腸內熱，」（詠懷）

這是他一貫的態度；

「朝扣富兒門，暮隨肥馬塵，殘杯與冷炙，到處潛悲辛，」（贈韋左丞文）

「飢臥動即向一旬，敝衣何啻聯百結，君不見空牆日色晚，此老淚血無聲垂！」（投簡咸華二縣諸子）

這是他實在在所得的結果。

原來到了這個時候，唐代統治的權威，已走下坡：李隆基這位老先生，到了晚年乃變得大墮落而特墮落；他所寵信的不外李林甫楊國忠這類的小人，他所追求的也不出一種本能的享受，而楊氏姊妹，乃尤爲烜赫一時。我們的詩人，不度德，不量力，更不諳得現實，既不能師李白之遠走高飛，又不能效高適岑參之暫甘小就，而一定要「葵藿傾太陽，物性固難奪」的向長安這個臭水缸裏跳，其一碰釘子，再碰釘子，以至於弄得狼狽不堪，平心而論，也實在自取之也。

一直到天寶十年（七五一），因爲玄宗祭祀玄元皇帝，太廟和天地，杜乃獻了三大禮賦，這一次居然爲玄宗所賞識，召試文章，把他「送隸有司，參列選序。」可是一等再等，又等了四年，一直到天寶十四年（七五五），才給了他一個「河西尉」，等是縣衙門裏一個屬員，他覺得太無聊，畢竟辭謝了；再改，也不過改了一名「右衛率府胄曹參軍」，其職務是看守兵器，管理門禁鎖鑰，他雖勉強接受了，但對於我們的詩人，實際乃是一種侮辱。（未完）

神醫華佗

周吉

談鍼醫術，本是以一定方法，用針在人身一定的部位爲刺激點，如骨骼關節筋脈的一點，或肌肉組織之中而刺入之，用一定的手法，以刺激其內部的神經，激發其本體主宰的大腦皮質，發生調整其生活機能變異的作用，以達到治療疾病的目的。這就是「鍼術」。

灸術呢！乃是發源於北方，「素問」異醫方宜論說是：「北方者，天地所閉藏之域也，其地高，陵居風寒凜冽，其民穴居野處而食乳，臟寒生病，其治宜艾灸」。根據「路史」說的，灸法尚在針術之先，因當時遍地艾草，日久經驗獲得較易，此說可信。根據「內經」素問異醫方宜論說，乃是發源於南方：「南方者，其民病攣痺，其治宜微針，故九針者，亦從南方來。」針、灸原本兩回事，後來鍼術灸法一齊施行，遂將此二事連爲一詞了。

就華佗根據中國醫道而言，醫學記載最早的書，是黃帝與歧伯相對而問答所記的「內經」，但「內經」恐非黃帝所作，可能是黃帝時代所完成的醫藥經之談，流傳在民間者多，著於記載者少，因考甲骨文中，僅發現三十六片是記載有疾病的名稱，如疾鼻、疾身、疾足、疾止、盲疾、小兒病、疾首、疾目、病耳、疾石、瓷針等簡單疾名而已，「內經」爲後人（恐係春秋戰國或先秦時人）所作，因記述起源之故，託古以示悠久。我們在二千二百年前，「內經」才出現在漢初，包括有「靈樞」與「素問」，又被稱爲「針經」，也就是一部專講針灸理論的古代作品，也是一部經穴與治療的醫書，如十四經絡的起迄，骨骼的尺寸，一部份孔穴的名稱，九針的記載，補瀉的原始學說等，都在內經中首先發現。所以「內經」一書，可算是針灸醫學的發展史。最使我們驚奇的，我們老祖宗已經指出人體經穴所在，並明白人體有三百六十五個穴位。這不是中國醫學上的科學是甚麼？今天有假洋鬼子和不肖子孫沒有把中國的書讀通，對於西洋科學生吞活剝之故，信口譏評中國醫學不科，眞是妄人，不値一哂！

神醫華佗，把我們的醫術發揚光大了，鍼灸術大行其道，獨步世界，此術流傳到了日本、高麗、摩洛哥等國，使得西洋人震驚，遠渡重洋，來中國拜師學藝。在世界藥學大辭中，有鍼灸的一條，說是中國華佗善此術，傳播亞洲各地。這不僅中國人値得驕傲，安徽人更神氣。最後我們希望有志之士，尚須努力，把華佗的健康長壽術、鍼灸術再加以精益求精，發揚於世界貢獻於人類。（完）

巨變歷險記！

緬甸不但利用美國來壓迫我們撤退在他境內的中國游擊隊，同時利用聯合國用投票的方式來壓迫我們從緬境撤退。聯合國大會決議撤退緬境外軍。

緬甸採取聯合國的這個路綫也非常毒辣。緬甸外交所以爲表子外交者在此。罵儘管罵，但不能不警惕。

緬甸是以撤退外軍的大帽子來進行聯合國投票的。一個國家的軍隊只能在他自己的地方上活動，是不能在另外一個國家的地方上活動的。這個地方在國際公法稱之爲領土，領土之外，還可以加上領空，領海。緬甸就是根據這規定向聯合國提出的。他更聰明的，是他並沒有提到中華民國，沒有提到中華民國的部隊，他只是作原則性的提出，他請求大會通過所有在緬境的一切外國軍隊應一律撤出緬境。雖說沒提中國的游擊隊，但中國的游擊隊已經在內了。中國游擊隊變成緬甸的外軍，緬甸更振振有詞。

聯合國大會對緬甸的撤退外軍案是予以通過。那一個國家也不願意外國的部隊留在他的境內。奇怪的是我們的聯合國常任代表蔣廷黻先生。這位以研究歷史著名的外交家，卻完全不依照歷史來說話，也

聯合國決議撤離（二五〇）

胡慶蓉

不顧中國游擊隊的立場——在聯合國大會上，在聯合國大會前，一味依從美國的意思，支持緬甸的主張。一個中華民國的代表，不支持自己游擊隊的主張，竟去支持緬甸的主張，怎不令人感到奇怪！蔣廷黻從聯合國回來，要見李彌，李彌氣的拒不與見，是有道理的。

緬甸在聯合國主張（一）上緬甸是緬甸的領土，（二）中國游擊隊是國民黨軍是中華民國的部隊。我們的蔣廷黻也照着說（一）上緬甸是緬甸的領土（二）與中國游擊隊是中華民國的部隊。既承認中國游擊隊是中華民國的部隊在緬甸的國土，當然聯合國的票一面倒，一面倒向緬甸的方面，於是緬甸撤退外軍的提案，經聯合國大會一致通過。

有人說蔣廷黻知道歷史，故意裝作不知。尤其是美國的駐聯合國代表要蔣廷黻這樣說。美國叫他這樣說，他能不這樣嗎？他的外交完全是俯仰由人的外交，聯合國大會一通過，中國在滇邊的游擊隊立刻被戴上外軍的帽子。既然是外軍，中國游擊隊就得從緬境撤出來。從此，緬甸對我們的軍事行動隨其心意就師出有名。

話又說回來，用聯合國來壓迫我們政府將滇邊的中國游擊隊撤退台灣，還是美國要的一套好主意。我們本來是可以不照辦，但我們還是終於照辦……。

創業哲學

眞理與事實（三）

・丁熊照・

何謂無產階級，本來就沒有明顯的界限也沒有絕對可以劃分的標準，如以財產多少來分，多與少，只是一個相對的觀念，多還有更多，少還有更少，儘能以個人與個人來作比較，而決無成爲兩種階級的可能；如以人來分，有些人可以最初是有錢人，因爲貪吃懶做，揮霍墮落，失去信用而後來變爲窮人，又有些人，最初雖是窮人，因背努力奮鬥，誠實守信，而後來變爲有錢人，究應依何時爲準，何種情況爲準，也很難說。何況，以中國人來講，按歐美水準，祇不過「大貧」與「小貧」之分，可以說沒有人眞正够得上稱爲大資本家，又何從有資產階級呢？因此，中共對於本來不可分，不必分，也分不清的中國人之中，硬要分爲無產與資產兩個階級，再提出要將資產階級消滅的論調，自然是在基本上站不住腳的說法。

其次，我們再可研究資產階級是否確如中共所謂萬惡不赦應予消滅的問題，除掉對於資產階級，是否一定是剝削者一點，在下一章中將作更詳細的討論之外，單從表面來看，也可知道中共說法的錯誤，乃在於不顧事實，武斷資產階級都是壞人，無產階級都是好人，其實無產階級也好，資產階級也好，其中有好人也有壞人，而人之好壞，也與所謂階級成份根本無關，且不必說資產階級與無產階級，已是無法分得清，就算可以劃分，我們當也不能祇因一個人是資產階級，便說他不好，何況事實上，有數不清的例子，告訴我們窮人翻身當權後所作所爲，只有比有錢人更壞，今日中國大陸上情形，便是一個活生生的證明，倘若中共「與無滅資」的口號，就是要將爲社會努力有貢獻的有錢的好人，不分皂白，予以消滅，反而對懶惰不事生產的窮人予以鼓勵，那自更是毫無是非，滅絕人性荒謬之論了。

雖然，我們也不必諱言，在資本主義社會中，確仍存在着許多不甚合理令人詬病的缺點，特別是貧富不均的現象，和西方民主國家中若干過份民主的習氣，都有待於改進，然因人類是有智慧有理性，更有修正錯誤的本能，必然可以在歷史演變的過程中；認識到體驗到這些錯誤的存在，逐漸改正過來，而這種改正工作，是不需要，也不可能以中共所主張的絕對的致條主義方式能够完成的，這一點，我們從世界上第一個成立的共產主義國家——蘇聯，爲什麼在立國五十年之後，終於還拋棄了硬性共產主義經典的理論，走上了修正主義的途徑，可以得到證明，也多少可以得到一點啓示。（未完）

財神爺沈萬三

馬騰雲

我們常聽到「財神」這個名稱，究竟財神在那裏，財神生的甚麼樣，是否眞如年畫上，面前堆着大元寶紗帽翅還刻劃出乾隆通寶有眼錢作圖案。乃至於財神又分爲路，每逢元月五號，均由天下降，烹血食人間，接財神的老百姓，燃紅燭、燒檀香，持酒待旦，誠心恭迎，發財心切一點的人，扣準了半夜子時，叩頭如搗蒜，結果並未有誰見過財神，但心理上都懷着孔聖人的話：「敬神如在」或沿用習慣法「心到神知」聊以塡補心靈上的空虛。文人們常缺德，藉財神廟的門聯；戲弄一些財迷，試舉一聯可謂諷刺也可說含有教育性門聯的上首是：「能有幾何錢，你也要！他也要！給誰是好。」下首是：「不做半點事，今來求！明來求！教我如何。」

有關財神的面貌，這裏有一個正確答案，即財神和我們都住在同一世界上，財神的面貌與常人沒有兩樣，而且世界上不止一個財神，有一國之內好多財神的，美國數不清的大王，換句話也就是數不清的財神，不過財神無分中外古今，他們都有同一嗜好，耳朵喜歡聽金銀鏗然之聲，他們認爲這種聲音最悅耳，眼睛最愛看自己錢財增長的數字，財神眼中數字增長的美，勝過維納斯女神，越過吳道子那支神筆。

今天本文介紹的是一位標準財神沈萬三先生，沈萬三生於元代天曆元年九月十八日未時，另一位被人稱爲民族革命英雄朱元璋與沈萬三恰爲同年同月同日同時生人，沈萬三籍貫江蘇蘇州，朱元璋是安徽鳳陽，沈早年做過傭工，船伕漁民，朱早年做過牧童，傭工，和尚，當沈萬三點石成金富甲天下的時候，朱元璋亦登峯造極到九五之尊，沈沒有朱貴，朱沒有沈富，朱建金陵城沒有經費和發不出軍餉常向沈貸欵，證明天子無財不能澤萬民，不能辦一事，蓋大學十章重在理財是有道理的，在中國野史上這件饒富風趣耐人尋味的問題，恐將傳之永遠。

沈萬三雖是蘇州人，外間皆稱爲金陵沈萬三，又名萬山，他的職業已如上述，做漁民的時間比較久，南京秦淮河兩岸不識沈萬三的很少，因爲沈窮而好施，誠以待人，這就是他後來發跡的本錢，日常打魚的收入，除了自己的起碼生活費外，多餘的錢照例分贈給比自己更窮的親鄰，同時沈萬三又好五客，魚蝦酒席地圍飽的朋友，幾乎無日無之，道家張三豐先生就是其中一個，照史典描寫沈萬三初晤張三豐時印象：「遇三豐眞人，見其生有異質，修髯龜形鶴骨，圓目大耳，身長七尺餘，修髯如戟，頂作一髻，或戴偃月冠，無分寒暑單衣一件，邊幅素不飾……。」萬三知其爲異人，常邀飲於蘆叢扁舟之中，或皓月當空的沙灘上，酒話連篇，漫談天下，張三豐在經濟上每有所需，沈竭全力供奉，有一天在月色濛濛，細雨紛紛，舟中對酌，三豐興起，願收萬三爲徒，允投萬三煉鐵成金之術，這是沈一生的大轉捩點，也是神仙中人的可貴處，（用現代眼光看就是江湖人物）張三豐先講解學理，然後告以方術屈指計算一本萬利，「一本萬利」的成語可能就是這樣來的，因爲除點鐵成金外，沒有任何生意可獲利一萬倍的。（一、未完）

楚辭的詩及其篇數問題

・李漁叔・

川谷徑復流潺湲。光風轉蕙氾崇蘭。經堂入奧朱塵筵。砥室翠翹掛曲瓊。翡翠珠被爛齊光。弱（草頭）阿拂壁羅幬張。纂組綺縞結琦璜。（招魂。以上些字餘聲均畧去。）

看羞未通女樂羅。陳鐘按鼓造新歌。涉江采菱發揚荷。美人既醉朱顏酡。矣（女旁）光眇視目曾波。（同上）

大招的辭句，更爲偉麗，轉換過節，清妙流動，尤其描寫美人極爲出色，如：

朱唇皓齒嫭以夸（女旁）。比德好閑習以都。豐肉微骨調以娛。

奈修滂浩麗以佳。靨頰倚耳曲眉規。滂心綽態姣麗施。小腰秀頸若鮮卑。

靑色直眉美目面（女旁）（音綿）。靨輔奇才宜笑嫣。豐肉微骨體便娟。（大招。以上只字餘聲均畧去）

句中兩用豐肉微骨字，大概古代審美以肉多骨少爲主。最妙的是「小腰秀頸若鮮卑。」鮮卑是古代東胡種族，居於匈奴之地，這說明不似燕趙佳人，而有着一種外國美人的情態。（王逸注以鮮卑爲腰帶鈎，大誤。）這也是寫生的手法。

那些詩，也有用仄韻的，如：

夏屋廣大沙堂秀。南房小壇觀絕溜。曲屋步櫩宜擾畜。騰駕步遊獵映囿。（大招）

名聲若日照四海。德譽配天萬民理，北至幽陵南交趾。西薄羊腸東窮海。（同上）

以上各種句法，最值得我們研究的，就是每句獨立，而各有一種特殊的音調，這種特殊之處，即與後來六朝隋唐詩句的構造全然不同，細元（習旁）之，可以看出這不僅是南朝宮體及唐代律絕終沒有形成以前之作而且也是平上去入四聲沒有發明以前之作。其平仄調配組合，全在低昂抗墜，控制得恰到好處。

孰習了招魂大招的句法，即恍然於兩漢人七言詩構造的來源。他們一律用的是四兮，每句押韻，也每句可以安上那個些字和只字。句內七個字的組合，完全和招魂大招一樣。例如：「撞鐘伐鼓聲中詩（柏梁）。」「美人贈我貂襜褕（兩字衣旁）（四愁）。」「牽牛織女遙相望（燕歌行）。」不是和招魂大招：「層臺累榭臨高山。」「經堂入奧朱塵筵。」「美人既醉朱顏酡。」的聲調一樣麼？又如：「雲光開曙月低河（淋池）」不是和招魂：「陳鐘按鼓發新歌。」「涉江采菱發揚荷。」聲調很接近麼？「爾獨何辜限河梁。」「羣燕辭歸雁南翔。」「賤妾熒熒守空房。」（燕歌行）不是和大招：「諷和陽阿趙簫倡。」幾乎同一音節麼？這些，都可以十分肯定漢詩完全出於楚辭，而大招招魂確實是詩，民族偉人屈原，也是一個不折不扣的詩人。

至於楚辭的篇數，漢書藝文志著錄爲二十五篇。依次應爲

離騷（一）

天問（一）

九歌（九）

九章（九）

（四、未完）

× × × × ×

談貴賤（廿三）

・錢一釗・

錢一釗談相

夫人者，以頭爲主，以眼爲權。頭則身體之首。眼則形容之光，觀頭之方圓，視眼之黑白。頭圓而必貴。目善而必慈。馬騰雲教授是也。眼豎而性毒。前衛陽警備司令歐冠（綽號屠戶）是也。斜視而懷妒忌。近覷眼而神晴藏，性剛强而心必曲。前倒戈將軍石友三生此相。氣溫柔而貌必和。滿面靑藍，多逢逆否。紅黃不改，必遇榮昌。薛岳將軍生紅火石臉，黑白色侵，憂橫疾病紛紛。色紫，見福祿以猶遲。赤色縱橫，信官災而將至。監察委員孫玉琳黃豆案發生時突生此色。要知魁子害兒，必是眼下無肉。臥蠶平起，後嗣相從。眉中若旋，兄弟必全。眉橫一字，足義愛人。要知奸詐孤貧，看他鼻頭尖薄。官高位顯，準頭圓似截筒。我駐菲大使孫碧奇，駐澳大使沈錡，駐希臘大使杭立武皆生此鼻。發困中年，定是風門牙露露齒結喉相中大忌，防夫絕子。口小唇薄分離。婦人如此，男子如此，骨肉，此人多是多非。印上雜紋，決定離逃刑法。口角兩垂向下，因知奸詐便宜。欲知富貴聰明，須知眼如點漆。口如四字，唇似朱紅，兩角朝於天倉，定是公侯之位。眉高，耳聳，官祿榮遷。看部位，相學堂，須要六處不陷。在僧道、則出入千人之上。在仕途，位至三公之際。初年水厄之憂，但看眉間黑子。痣生眼尾，中年必遭水厄。身肥項促，命不久長。台大前故校長傅斯年，教授崔秀琴是也。要知貴賤吉兇須有此本風鑑。

滿庭芳：額廣，耳珠，頭圓，足厚，瑩然美貌光輝。寬舒豐厚。形氣類相隨。皆在五行分定。豐衣足食兩相宜。智慧者，眉淸目秀。聲價少年知附龍並虎臂。山根明朗，地閣豐肥，鼻垂懸胆，項有餘皮，賦性高名磊落。面方背宛如龜？個好安全，五岳壽數介齊眉。中國國民黨元老譚延闓，國民政府主席林森，虎標萬金油老闆胡文虎，香港工業家丁熊照生此相。

中華民國內政部登記證內版台誌字第三一號
中華民國僑務委員會登記證台僑新字第三二三號
中華郵政台字第一二八二號執照登記爲第一類新聞紙

自由報

（第一一九九期）

（半週刊每星期三、六出版）
每份港幣壹角・台幣零售價新台幣二元
社長李運鵬・督印黃行喬
社址：香港九龍官塘康寧道117號後座二樓
117 HONG NING RD, 1/F REAR, KWUN TONG, KOWLOON, H.K.
TEL: K-433653
電報掛號：7191
郵箱：官塘郵政信箱9583
承印：景星印刷公司
地址：嘉咸街廿九號地下
台灣區業務管理中心：台北市許昌街廿六號
電話：三八〇〇〇二
台灣區直接訂戶　台灣劃撥戶
第五〇五六號張萬有（自由報會計室）
台灣分社：台北市西寧南路110號二樓
電話：三三〇三四六、台郵劃撥戶九二五二號

俄毛大戰何時爆發？（下）

・侯立朝・

（12）出版專書批判毛思——一九七一年八月。

（13）華沙公約國高層會議防毛——一九七一年八月。

（14）援助印度擴軍——一九七一年八月。

（15）向泰國印尼示好——一九七〇年。

（16）俄與錫蘭訂船舶停泊協會——一九七一年。

俄共這些外交的、軍事的、經濟的施爲，顯然的目的在包圍毛共。這種包圍圈不僅備有廣度而且有深度，分析如下：

（1）西綫作兩層部署——强化東歐聯結西歐。强化東歐之控制，在於鞏固莫斯科中心兼以防阻西歐。聯結西歐取得友誼，以免除後顧之憂。

（2）右翼作海陸部署——拉緊巴爾幹半島聯盟印度錫蘭。拉緊巴爾幹半島的國家如南斯拉夫、羅馬尼亞等國，以鞏固右翼的後方。聯盟印度錫蘭，使俄共陸海軍迂迴東南亞。

（3）左翼作陸空部署——加强沿俄毛邊界一綫的兵力部署，以陸空軍爲主，共約一百六十萬人，大炮一萬四千餘門，坦克萬輛，飛機三千架。

（4）東綫作兩層部署——强化拉丁美洲攻勢牽制美國。强化拉丁美洲的攻勢，在於求東綫後方之鞏固，以此牽制美國的行動，使美國不起作用。

冷眼看莫斯科的布局，其東西兩綫是左右兩翼的輔翼，即使不能發生直接攻毛作用，亦使其不發生助毛作用。而其主力部署在左右兩翼，其右翼在攻擊毛共的南綫，其左翼在攻擊毛共的北綫，兩綫夾擊，毛共危矣。

毛共眼看俄共之布局乃爲一甕中捉鼈的布局，心驚肉跳，寢食難安，不得已乃有如下的反包圍之攻勢：

（1）增强北綫之兵力，以防堵俄共左翼之攻擊，大約一百三四十個師，大炮近萬門，坦克四五千輛，飛機一千多架，並輔以民兵及生產建設兵團的縱深配備。

（2）大陸大城市之備戰，各戶有防空壕通到戰壕，重要工廠建在地下。

（3）增强西藏及雲貴之兵力，以防堵俄印南綫之威脅，並與美國妥協結束越戰，以減輕南綫之壓力。

（4）聯結巴基斯坦、土耳其、伊朗及羅馬尼亞、保加利亞、南斯拉夫，以打破俄共右翼之輔翼。

（5）聯結美國與尼克遜妥協，以減輕俄共左翼之威脅，毛尼勾結其作用在此。並支援古巴，以擊破俄共左翼之輔翼。

這樣看起來，俄毛雙方的攻防綫，實在就是準備大戰的前奏，雙方不僅僅在外交陣綫上短兵相接，實際的軍事衝突，更在北綫箭拔弩張，軍事大戰如暴雨之將臨。就雙方戰力而論，俄共佔有三大優勢：其一是核子武器，其二是經濟力，其三是內部的穩定力，這三個條件是俄毛大戰觸發的存在點，即不平衡之點，如果此三點平衡了，俄毛大戰即失去機會而回到對峙之局。故俄共急求進攻，在雙方不平衡點未消失前實行進攻。而毛共實處在防守地位，尼克遜之訪毛，實在是給毛共的一大助力，同時也是激發俄毛大戰的新動力，表面上看尼的行動可以嚇阻俄共，實際上看也未嘗不有刺激俄共加速行動之藉口。但，俄國人畢竟是一個深沉的民族，沒有一定的把握，它是不會盲動的。

在列寧主義的軌道中，有一條規律說：只要資本主義存在，戰爭是不可避免的。這一條規律可以轉過來用於社會主義體系的國家，因爲在所謂「社會主義兄弟國家中」，已經發生了三次戰爭，第一次是一九五六年的俄共出兵鎮壓匈牙利革命的戰爭，第二次是一九六八年的俄共出兵鎮壓捷克自由化的戰爭，第三次是一九六九年的俄共與毛共的珍寶島之戰。這三次戰爭說明了俄共與毛共爆發大戰的現實性，如果能夠拖過一九七五年，俄毛大戰或可以避免，因爲雙方不平衡之點到那時可以取得平衡之故。目前俄毛大戰的危機很高很高的，如果不是考慮核子武器的問題，戰爭早就打起兩年了。

在這三四年以內，是俄毛大戰的決定年，也是俄毛大戰的危機最危機之年。有人問：如果毛澤東在今天死去，戰爭危機仍舊存在嗎？我們說存在的。因爲蘇俄既然能夠出現過「沒有赫魯曉夫的赫魯曉夫主義」，誰能保證在毛澤東死後不會出現「沒有毛澤東的毛澤東主義」？

（完）

昨日與明日

越南的危機

目前越南潛存着一大危機，很可能使整個越南人民淪於越共魔掌之中，而中南半島亦隨之變色。製造這項危機的，就是美國！

越南的反共戰爭，在美國執行「越南化」政策之下，將士用命，近數月來已趨入穩定態勢，加以北越洪水爲災，死傷百萬以上的生靈，財物損失不計其數。越南政府大可乘機革新庶政，增强戰鬥實力，以期立於不敗之地。

詎外患稍戢，而內憂突起，爲着總統選擧事項，兩個候選人——楊文明與阮高祺——以退出競選的手段，反對現任總統阮文紹一人候選，這種私人的權利之爭，美國如果眞是不干涉立場，無論勝負誰屬，對大局皆不致有多大影響的。然美國表面說是不插手，實際却左袒楊文明而不以阮文紹爲然，理由是一人候選非民主。楊文明等既已宣告退出競選，則除却停止選擧進行外，另外又無人繼起競選，別無所謂「民主」方法了。卽令如阮高祺主張，把選擧延期辦理，到時候若又有競選人亦以選擧不公平的口實，宣告退出，則政潮永無平息之日，如何得了呢？

所以，越南選擧潮之發生，美國對候選人表示是甲非乙的好惡態度，實爲主要原因。現在距離正式投票期間不過二十天了，而美國參議員乃紛起主張干涉越南內政，非將阮文紹搞垮不可，這是專爲越共造機會而已。

重演助長共禍的舊劇

最近從越南視察回去的美參議員史提芬生，指摘阮文紹利用恐嚇和賄賂來保證競選獲勝，要求尼克遜政府「影響」——實際就是干涉——越南從事公平的競選，否則便係「爲獨立而自由的戰爭，淪於爲保持一個貪汚政權的延續而奮鬥的戰爭」。另一位參議員傑克遜亦猛烈抨擊尼克遜政府允許阮文紹一人候選，爲蔑視法律，藉以保持自己的權力。如果白宮再不加以干涉，他將來在參議院對越南的軍經援助計劃，必須有所「保留」。這兩個參議員都是迫使尼克遜政府要把越南總統阮文紹搞垮，才算是「民主政治」。

這情形，跟一九四七——八年間，美國停止援華，說中華民國政府貪汚不民主，而大力爲毛共張目助勢的作風，完全一樣，有如翻版文章，這不是越南潛在的一大危機嗎？阮文紹政府一垮台，越南內部必然動亂不已；阮文紹如不垮，美國對越南的援助勢必削減，乃至於全停，而越共的勝利卽來臨了。

吾友侯立朝說：「祇要美國參加反共，反共政府無一不被整垮，也沒有一國獲得反共的成功。」旨哉斯言，信有徵也。

・何如・

自由談

談反淘汰主義

自古迄今，有一項人類社會的現象，成爲普遍化的必然律，毫無二致，那就是動亂時代一般社會生活的反淘汰主義盛行。這不是所謂「優勝劣敗」的適者生存之道，而係「劣勝優敗」的反常生活，反映着亂世人心的趨向，無可理喻。

凡屬讀書有得，講究做人的道理，遇事知恥自愛，有所不爲智識份子，在亂世便成了時代的落伍者，所如不合，淪於飢寒交迫境地的，比比皆是，社會人士亦指爲無用的書生。反之，越是昧廉鮮恥，無所不爲的士大夫，他在社會上卽無往而不利，且被譽爲幹練之才。一旦從政，必卜飛黃騰達，聲華藉甚，成爲無所不能的非常人物。縱然胸無點墨，却隨時在報紙上看到他的大作發表；縱然提不動毛筆，却到處有他書寫的屛條或市招；縱然腹如偃瓦，學識淺陋，却常常被邀請在稠人廣衆中登壇講演，儼然是博學鴻儒，見重當世。儘管貪污低能，毫無建樹，但官運亨通，一帆風順，而且加官晉爵，顯赫不已。總之：表現着小人道長，君子道消的景色。

亂世雖亦有些有爲有守之士，與反淘汰主義相抗衡，企圖撥亂反正，但多見其賈禍招尤，甚且喪失生命，因而只好以「保全性命於亂世，不求聞達於諸侯」爲生活守則，更使反淘汰主義積極發展，而天下爲之大亂矣！

曠觀歷史，亂極必治，而求治的唯一途徑，即須從澈底反淘汰主義入手。必有命世的英雄豪傑，崇尚氣節，重義輕利，綜覈名實，虛僞不尚，且以事實和行動來昭示大衆，樹之風聲，把陷溺已久的人心振奮起來，大家見利不先，赴義孔後，形成時代風氣，而反淘汰主義自然日趨消沉，終歸破滅。市場上劣幣驅逐良幣的原因，是國家貨幣政策失當，幣制信用不堅，反淘汰主義在亂世之所以盛行，道理正復相同，謀國者其三思之！

馮王先生

行政人員應該知恥

諸葛文侯

去年南韓境內發生小學生的車禍慘案後，教育、交通部長馬上引咎辭職，最近該國的軍事監獄發生空軍囚犯暴動，而國防部長與空軍首長亦相繼呈辭現職，朴正熙總統均予接受。這是國家公務人員知恥負責的表示，南韓這一充滿朝氣的新興國家，前途似錦，未可限量也。

知恥即係負責的精神表現，凡屬沒有廉恥的行政人員，不必問，他是個毫無責任心的官僚主義者，絕對不會有成績的。所以，我對於以開會爲服務之本，請示爲負責之本的政治作風，認爲是公務員不知恥，不負責的腐敗行爲，不惜口誅筆伐，鳴鼓而攻。此絕非對人問題，而係就憂着國家太沒有一點朝氣，因而社會大衆亦缺乏正義感，政治上的是非泯滅，更告混淆莫明了！

台灣曾經發生過女教員以鏹水潑淋校長，學生殘殺教師與教師毆打學生致死等項怪事，却未聞負有教育行政責任的各級官員，有如南韓各個行政首長知恥負責的表示，眞是「笑罵由人，好官自爲」，看別人，想自己，不亦可爲太息長歎乎？

簡化法令與機構

時人昌言革新政治已有年矣，實際成效如何，大家靜言思之，心眞必有數也。

我認爲要奏革新的實效，先得做到兩樁事，即簡化現行法令與裁併行政機構是也。

吾國現行的法令，是集「軍政時期」「訓政時期」與「憲政時期」法令之大成，爲世界所罕有的。有的是不合時宜了，有的是窒礙難行，有的是過於繁複，不特一般民衆弄不清楚，卽如吾儕號稱爲高級知識份子，亦復莫測高深，如所謂綜合所得稅法則，我就不知道怎樣塡報纔合法呢？至於其他若干大經大法必須變改者，更復不少，法令滋章的結果，必然妨害行政效率，同時又使行政機構繁複化。這兩項先決條件不做到，革新政治云云，永遠是徒託空言，成爲宣傳口號罷了。

簡化法令的手續似不簡單。我認爲政府可將軍政與訓政時期頒佈的法令，檢送立法機關詳加審核，分別去取或修正，也就差不多了。若夫行政機構之改革簡化，那是輕而易擧之事，只看有無決心而已。還有司法機構亦有改革簡化之必要，其詳非短言所能盡，但通人皆很明白，如果實行，不愁沒有止於至善之結果的。

華僑的熱忱感人

老正卯

天下事

我國巨人棒球隊，這次在美國威廉波特爭奪一九七一年世界少年棒球錦標王座，第一場以七比〇的懸殊比數，大破頑強的波多黎各隊，消息傳來，莫不欣慰。竟然高興的許錫溫先生昏厥不醒，撒手人間，一縷陰魂，直奔威廉波特球場而去。

按許君住馬公中央里保街三號，在二十五日凌晨收看電視少棒賽實地轉播，到三時四十分興奮過度，一倒不起。這雖是一不幸的插曲，但也足見國人對體育的重視。

我國近年來，體育界呈現一片頹風，既使經常參加國際比賽，也無非是觀光遊埠，虛幌一槍而已。這原因綜錯複雜，說起來都是是非，這些倒胃口的事兒，不說也罷，反正冰凍三尺，非一日之寒。

誰知正在體育界半死不活的情形下，我們的少年朋友竟然脫穎而出，在棒球場、在游泳池大顯身手，重振我中華在東方體育界的聲威。其意義不只是拿幾個銀杯，奪幾塊金牌，而是代表中華民國的新希望。誰都知道，現在這些活崩亂跳的少年，就是將來國家的主人翁，等我們一天一天的衰老下去，而他們則一天一天的健壯起來，以揮棒跳水爭取勝利的精神，從事建國工作，那該是多麼一幅美麗的遠景？怎不教人充滿了欣慰呢？

說到這裏，又想起華僑愛國的熱忱，真是能感動的使人落淚（我如有心臟病，也將隨許錫溫而去），第一局少棒賽爭霸戰在威廉波特舉行的時候，真是人山人海，但百分之八十都是炎黃子孫，他們奔波竟日，趕到球場，為祖國的球隊加油，揮舞青天白日旗高聲叫喊，這種場面之精采，絕不下於李文瑞小國手的一支全壘打。

這些華僑，身處異域，為了生活終日忙碌，而能在百忙中抽出時間，帶着乾糧和國旗去為祖國棒隊球捧場，說穿了其目的不在看球，而在熱愛祖國的一片至誠。

我們政府官員，不要光爭着給巨人隊拍發賀電，也應該印點什麼東西在比賽現場分發給華僑們，謝謝他們對祖國的關心和支持，不比喊幾個口號有作用的多嗎？

是留芳還是遺臭

公孫談

尼克遜的一聲訪問大陸，不僅使沉靜的國際局勢頓起波瀾，洶湧激盪，並且使國際的陣綫整個動搖，而要醞釀新的面貌，自二次大戰以還，國際間即形成陣綫分明的兩大壁壘，而經尼氏這一攪，變得一片混亂，本來跟美國站在一起的國家，個個動搖寒心，印度且索性倒在蘇聯的懷抱裏，而共產黨陣營中，毛共和蘇聯，也不容諱言的而趨向對立，真是三十年來的大變化。

這混亂正在方興未艾的當中，尼氏又宣佈了美元暫停兌付黃金，使得國際金融也隨着政治外交而陷入混亂，自西方的英法德以至東方的日本連同港台，無不震動，外幣買賣為之停市，後患還不知如何演變。

美國人一向喜歡風頭，尼氏這一連串噱的，風頭真是出足了，玩笑也就開的夠大了，對世界，對人類，究將如何，且不必說。單就美國本身說，到底是禍，還是福，現在誰也不便說，而尼氏本人是要留芳還是遺臭，且看歷史的評判嗎。

香港入境新法不當 根本削弱居民權益

半數人隨時可喪失居留權 關門下鍵妨碍未來的發展

（自由報本港消息）此間一家報紙評本港「入境新法案」說：嚴格說來，港府提出的一九七一年人民入境法案，並不表示要使本港民權獲得應有的發展，它只是想把本港從事實上承認了的民權加以根本削弱。

法案規定，「本土人」只限於本港出生及在本港歸化英籍者。其他一切「入境人士」，依法都有被遞解出境或被拒絕入境的可能。

除非有更適當的解釋，則如根據所提的入境新法案，本港四百萬人中將會有一半可被隨時宣佈喪失居留權；「香港身份證」並不證明就是香港人身份；至於「公民」或「民選」的基本權利就怕被拋得更遠更遠了！

官方在為新例說話時，只有那麼的輕描淡寫，謂新例與舊例並沒有甚麼改變，只是增加一條對英屬公民之入境限制云。但是，人們顯然注意到這個法案最重要的一點，就是非本港人或英國人，政府都得依法予以遞解出境。

無可否認，如果沒有數以百萬計的「入境人士」，香港安能有今日的「空前繁榮」。香港的資源，包括龐大的人力和財力，實在都是與「入境人士」而俱來；而新的入境法案，卻與香港的發展條件根本相反，它不是準備叫離人心，就是有意對外關門。

在長遠說來，入境新例對本港的親民政策將有不好的影响，對本港所要求的「歸屬感」是一大打擊，對本港設法推進中的民權改革就簡直離行離轍了！最成問題的是，本港賴以生存的經濟動力，外來的投資和建設，是否也有一種「英化或港化」的戒心呢？

當然，移民新法案的最大用意，可能只是針對壞人——一切犯法的，旁門左道的，滲透及「攪攪震」的，以及對本港不利的人。簡是言之，法案的目的，就是要把任何反香港的企圖置於遞解的刀法之下，以便有根據地進行本港內部的安全控制。

用法律對不利本港的人作必要的排除，人們當沒有意見，但應明示一個界限不能令人覺得政府以偏蓋全，圖為否定許多居民底政治地位而製造一套鑲了彈簧的法律。

對於教育貸款問題 立委再提質詢

認為財教人員文過飾非 政院提出六點書面答復

（自由報台北消息）立委喬一凡對財政部與國際開發銀行教育貸款合約前向行政院提案質詢。喬氏接得答復後，認為財教人員文過飾非，再提書面質詢，行政院又以書面答復如下：

一、查教育計劃貸款，旨在運用國際資金，協助我國加速發展職業技術教育，培養技術人力，以應經建需要。至合約條款內容，前經答復，悉依照一般規定，並適用於任何會員國間之任何貸款合約（我國向世銀所訂電力、鐵路、電信等合約亦同），實際上雙方權利義務均等，且世銀為一國際性之組織，網羅各類專門人才，延聘來華，就其知識與經驗，協助改進我教育方面各項措施，提供積極性之建議以供採擇。世銀每次派遣專家來華，其費用均由該行負担發給。

二、教育部為有效執行本教育貸款計劃，特於內部設置專案小組，辦理有關事宜，所聘外籍專家顧問及我方配合人員，均受教育部之指揮監督。

三、合約中規定我方須供給世銀各項有關貸款計劃之資料，及給予世銀代表訪問機會一節。事實上僅以本貸款計劃之有關教育資料，及有關地區訪問為限，並由我國配合人員陪同，並悉依教育部專案小組之安排進行。

四、我國為世界銀行理事國之一，我向世銀貸款有關規定，既為義務，亦係一項權利，於九百萬美元貸款中，無論國外採購部份，無須經世銀同意，係指技術方面之內容，如設備規格建築設計及標準等而言，其意在協助我方有效運用貸款，但實際採購時仍須經由中央信託局按規定招標方式處理。

五、關於另設教育計劃小組一節，旨在邀聘教育計劃及教育經濟等專家，協助我國研訂短、中、長期教育發展計劃，以便針對我國情勢，使教育發展各級各類有限之教育資源，能獲得有效分配運用，並可配合國家發展人力之需要。

六、查爭取國外中長期資金，為當前我國一貫政策，此項長期低利教育貸款，既可保持我國庫存外匯之運用裕如，又可減輕省市政府教育經費負担，於發展專科職業教育，頗有助益。

八一三的血債

紫如

爛泥渡與陸家嘴從此失去原有的繁榮與喧鬧。鄉民們的臉容上，泛現一層從未有過的悲憤與沉痛。

一個陽光絢麗的中午，父親正在灶間將昨夜摘來的南瓜，茄子和毛豆混在一起炒。我們兄妹三個仍舊在桌底下玩香烟牌紙，突然一陣驚心動魄的炮火，挾着淒厲的嘯聲，在我們屋頂左右飛舞，四週響起了一連串爆裂聲。當我一手一個將弟妹撳倒在草席上以後。轟然一響，一股濃烈的硫硝味，直衝我的鼻腔；之後，我似乎失去了知覺。

恍惚間，聽得父親焦急的呼喚，睜不開眼，烟硝倒是消散不少；靠近我們的牆壁上，已開了幾個碗口般大的洞。了身邊還留有幾塊炙手的破片，檢視一下每人，感謝天，我和弟妹們均安然無恙，父親一把摟住了我們，竟高興得掉下眼淚來。

樓房炸了一個大洞，不能住了，父親在屋前挖了一個防空洞，把我們關在裏面。除了早晨可以出來呼吸幾小時新鮮空氣以外，其餘時間都要在幽暗潮濕的泥洞裏，渡那漫漫長日。

米缸早已空了，就是週圍二三里內的瓜菓菜蔬，也被我們摘食光了。為了不願挨餓，那天，父親背了一隻大竹籃，帶了我外出覓食去，而把弟妹鎖在屋內。

屋外，戰爭的氣氛更濃，到處堆着彈藥的沙包，荷槍實彈的士兵，在寒風凜冽中，屹然而立。每一條街衢，見不到半個悠閒的行人。沉寂、恐怖、籠罩着這個危城。

當竹籃的瓜菜裝滿時，我們已離家七八里遠了。

看看這滿籃的食糧，父親削瘦的臉上，綻開了一絲欣愉的笑意。他說：「夠我們吃幾天了，回去吧！」回頭才走了幾步，鬼子的飛機，就像幽靈似的出現在上空了。父親一把將我推倒在路旁的田溝裏；然後，他也迅速的伏在我的腳後。我仰首偷眼望着那兩架低飛的日機，只見牠盤旋兩圈以後，機聲一息，就撲撲的朝我臥伏的地方俯衝下來，嚇得我趕緊就將腦袋埋進泥水裏，就讓命運來決定我的生死吧！

轟！轟！又聽見巨大的兩響後，飛機拉起的刺耳聲，漸漸地去遠了。

父親一把抓緊我的後領，將我從田溝裏拉了起來，我們回首一望，那個小鎮上濃烟四起，哭聲震天。但眼見這些被毀的生命，正是自己同胞的血肉，雖倖免於難，亦不禁悲恨交集。

第二天，我們搬回楊家宅的老家，雖是破屋殘壁，可是離炮坑可遠多了。始終，鬼子的鐵蹄，緊踏着我們的心腹上，使我們無法喘過氣來。

（二、未完）

依洞集

世界良心

白下大夫

美國參議院安全小組在尼克遜宣布訪毛聲明之後，也發表了一份對毛共的研究報告，指出在毛共二十年統治的中國大陸，被殺五千萬人，「就人類生命與人類所受的痛苦而言，就道德和文化價值的毀滅而言，這一代價不為任何理性所寬恕。」這個判斷是對的，並說「世界良心不可原宥其作俑者」。問題是：在尼克遜宣布其將於明年五月之前訪問此一殺人集團時，美國在「世界良心」的審判之下，能有可以「寬恕」及「原宥」的理由嗎？二十年前，美國幫助此一殺人集團佔了大陸，二十年後，尼克遜又要去訪問，五千萬人的生命被殘殺，美國人要負多少良心的責任？

曾孟樸追求賽金花之謎

劉半農記賽金花

光緒末葉，常熟進士曾孟樸先生，以「東亞病夫」筆名著「孽海花」說部，書中女主角傅彩雲，即逝世之賽金花。描寫賽之前半生浪漫史，淋漓盡致，不無使賽難堪處，曾氏已先賽於前年作古，當曾氏生前，某記者訪賽，詢及孽海花所記各節，賽輒否認，並謂：當時曾氏與洪狀元有嫌，且曾一度單戀賽，追求甚力，賽不理，曾氏挾嫌，故著書以揚其醜，某記者記其言於報端，曾氏見報不慊，乃作聲明曰：「此殆記者誤聽賽氏之言，不然，則係有意捏造，以予揣度，賽氏決不能言予與之有愛情關係，因兩人間決無此事實也，今為解除外間誤解計，予姑略述予與賽氏之關係，及孽海花創作之動機。（以下皆曾氏自述語）：

賽金花原籍鹽城，伊自稱蘇州，十六歲歸洪鈞，洪字文卿，為吾父之義兄，故誼屬「太老師」。同時又為余闈師之師，當時每稱賽金花為「小太師母」，賽嫁洪文卿時年十六歲，時予僅十三歲，焉解戀愛為何物，此非予信口亂說，現有文獻足徵，予手頭現有袁爽秋先生昶安般簃（穴頭）詩集，按丁集，即作於光緒丁亥，此集中在「送黎蒓齋觀察重使日本」之前，有詩題「送洪文卿閣學奉使俄德諸國」詩，即孽海花中所載「詔持龍節度西溟，又捧天書向北庭」云云四律詩。文卿本與黎蒓齋薛福成等同年出使，據此則文卿出使的年份，確為丁亥，是年我正十六歲，而賽金花的歸文卿，在出使兩年或三年，為光緒甲申或乙酉，樊山詩集「彩雲曲」稱，彩雲嫁文卿時為十六歲，那年余僅十三武，即使再推下一年，至多十四歲，如何會有與賽認識且發生愛情的事。

予初識賽於北京，時余任內閣中書，常出入洪宅，故常相見，彼時豐度甚好，眼睛靈活，縱不說話，而眼目中傳出像是一種說話的神氣。譬如同席吃飯，一桌有十人，賽可以用手，用眼，用口，使十人俱極愉快而滿意。換言之，伊決不冷落任何人，賽並非具洛神之姿的美人，惟面貌端正而已，為人落拓，不拘小節，見人極易相熟，予與賽識時，伊年約二十七八，着水脚繡花衣，梳當時流行之髻，已在隨洪出使西歐歸來之後也。昶安般簃（穴頭）詩集癸集，為癸巳年作，中有一題云：「葱嶺雪山間，界務未定，楊與裳侍御宜治，奮然請行，戲作詩趣之。」

監委曹啓文再駁陶百川（下）

·文壇旗主·

五陶委員百川爲懺辭之懺悔，無愧疑之質責，畧省而不釋。第三段分四節，逐節釋之如次：

一引聲明文中「認同仁均不配負柏台重任，唯己一人乃係監察院之皎皎上選，請提出證據來。」以往不必多引，就此次彈章審查之糾葛，目中尚有同仁乎？眞乃事實勝於雄辯，何用其他證據徵聲明文之可信耶！

二對聲明文中「曾一再明告或暗示以好名之非」質疑釋例，則爲在經濟委員會反對慕華案時，我之第一句話：「不容明星委員」任意指派調查委員，請注意「明星」二字之貶辭，在內政委員會討論陶委員百川向院會提議增加最低工資案，我激言厲色之嚴貶，此二事非對老友之明告而何？至於暗示，爲某君爲文攻擊陶委員百川，一日二人相談，百川不勝感慨！我勸慰曾云：天下事知其不可爲而爲之，盡其在我，不必再爲此感傷，此一暗示語，眞是語重心長，盡我護老友之心焉，百川不悟及之，於我何尤？而否認之，更於我何傷？

三聲明文嚴於斧鉞之貶，卽指「風頭主義」，若聲明文爲不確，則陶委員百川常破例，先發表意見，然後再提會討論之事實俱在，如慕華案二次審查會開會時所提出之書面說明，駁第一次審查會之審查否決該案之決議（、陶委員百川在怪哉曹啓文委員之聲明文第三節曾云無此審定書）卽見於當天之大象日報，若非出風頭，則何苦來哉！

四陶委員百川之質疑，究竟誰在毁監察院？誰在毁同仁？誰是不仁不義！誰至瘋狂程度，我之釋疑，請閱七月十六日大象日報之標題：

在齊太史簡
在晉董狐筆

自毁監察權
民族失志節

先釋旣毁監察院而不足一句，自毁監察權，尙存監察院於何地，非毁之耶，再釋幷將同仁全毁之，請詳閱正氣歌，在齊太史簡在晉董狐筆之註解，以此筆伐奸賊之文，加諸同仁之身，非將同仁全毁之？何以假罪如此之殘耶？民族失志節，指誰而言，此種言論，豈可稱之爲仁義乎？若非瘋狂，何以不加片言之更正？而任傳播於社會，使監察院及同仁久蒙此洗不清之污點與不白之寃！

行文至此，百感交集，不得不再進忠言於陶委員百川，孔子曰：「毋意毋必，毋固毋我」爲作事應守之大道，敢請細思而猛省，我對朋友，向以眞心相見，我之兩文之用心，可引「子曰法語之言，能無從乎，改之爲貴，巽與之言，能無說（同悅）乎，繹之爲貴，說而不繹，從而不改，吾莫如之何也已矣」聲明文爲法話之言，陶委員百川旣不從又不改，爲友誼不得不抱病再寫此篇巽與之言，希望於能說之後，能速繹之，言盡於斯，知我罪我，余豈能自我假定哉？嗣後陶委員百川再發表任何有關此事之文章，絕不再爲文駁辯，以免騰笑國人焉！（八月二日於病榻之側）

所謂「維新政府」

·本報資料室·　十一

陳羣週旋在許多客人中，一忽兒已經排定筵席，筵席是由小有天閩菜館送來的，陳羣招呼我入席，對我說：「你看了這批書有何意見？」要我用耳語方式輕輕的告訴他是眞還是假？我心想這些書眞到不能再眞，明明是「朝天宮」中北京故宮舊藏的珍品，但是說穿了有所不便，我祇能說這是「國寶」而已。

我在回家途中一路的想，原來維新政府的內政部長，已把「朝天宮」中的珍本古書，都化公爲私了。

維新政府成立之後，南京的治安，除了警察是中國人，所有軍事上的防備，還是依賴日軍和他們的憲兵。那時前方戰事打得很劇烈，軍隊不敷支配，對南京的防衛，希望維新政府能組織一支軍隊，來減輕他們的負担。但是維新政府一直沒有組織軍隊的力量，一再催促，不斷協商，總算成立了一隊規模極小綏靖軍，這一點，日本軍方極爲不滿。

維新政府的一般大員，祇是做官，人人抱定「無爲而治」的宗旨，有得撈就撈，沒有得撈就算了，所以更形成一種「無能而治」的狀態，一般低級的公務員，也抱着坐以待「幣」的姿態，什麼事都沒有成績，祇是按月拿鈔票而已。

還有一件滑天下之大稽的事情，從南京僞府起一直到上海的僞市府止，其間包括無錫常州各縣政府，發薪水時，都是使用國民政府所發行的中、中、交、農老四行的鈔票，日本人雖有軍票發行，但是推行時發生許多困難，而且中中交農四大銀行以及中南銀行等四家小銀行的鈔票依然到處通行無阻，原來那幾家銀行仍在上海租界繼續營業，沒有撤退，江南幾省雖然失守，而金融的大權依然操在國民政府手中。關於這一點情形，日方屢向僞府建議，要仿華北的辦法，發行聯銀票、軍票一類的華中獨立的紙幣，這一點要求，從維新政府成立，一直到民國二十八年五月一日，方才成立華興商業銀行，鈔票發行，更在以後，上海人多數沒有見過華興票。足見上海的租界的存在，對一切還是有很大的影響，特別是金融的支配權力，一些也沒有動搖。

上列幾件日本人的重大要求，維新政府祇是拖延着沒有交代，令到日本軍方非常失望，此時又不能隨便更換人馬，因此祇能拖一天算一天。

南京的情況，除了夫子廟，秦淮河以及新街口一帶市面比較熱鬧，祇有若干倚仗日本人勢力的漢奸，各自爲政的在那些區域中辦歌場、舞場、賭場、烟窟以及一切色情場所。此外，除了五洋雜貨之外，其它商業都蕭條得很，尤其是日軍進佔南京的一個時期，受到炮火和火災的洗刼，瓦礫之場不知其數，新屋一座也沒有建設，所以南京維新政府成立之後，生氣全無，到了晚間更等於「死市」一般。

維新政府也有一種好處，就是始終不會發表過什麼冠冕堂皇的文告，也沒有什麼大規模的民衆運動，儘管日本人罵他們無力無能，維新政府的人，抱定「笑罵由他笑罵，好官我自爲之」的宗旨，一天一天的混下去。

汪政權成立，維新政府的人物如梁鴻志改任監察院長，溫宗堯任司法院長，日本人還一力主張，佔領區的地方官吏，不可驟然更動，如陳則民的江蘇省長、汪瑞闓的浙江省長、倪道烺的安徽省長、楊揆一的湖北省長，其餘如南京市長高冠吾、蘇浙皖三省統稅局長邵式軍等，都是維新舊人；其中最妙的是上海市長傅筱庵，若非爲他家廚子宰死，汪政權且始終奈何他不得，論其中本事最大的還是陳羣，旣做過江蘇省長，又轉任內政部長，任期很久，一直做到勝利來臨，他自殺爲止。

汪政權成立後各式各樣的報紙紛紛出版，所謂和平救國軍也組織起來，中央儲備銀行的「儲備票」也普遍發行起來，凡是維新政府辦不到的事，汪精衛時代都一一辦到了。

我這篇回憶錄，寫到這裏可以不再寫下去，因爲汪精衛時代的紀載，在香港見到的很多，何況年代已經隔了很久，記憶中不免有錯誤，所以寫到此處，便算告一段落了。（完）

名人小傳

·寒翁·　十一

吳佩孚威武不屈

在衆多的北洋軍閥中，統數十萬大軍而志在國家統一，而富於民族氣節者惟子玉一夫。

吳氏爲山東蓬萊人，清末秀才。後入戎行，以第三師師長崛起衡陽，由直、魯、豫三省巡閱使，而十八省聯軍總司令，調兵四照堂，再起査家墩，叱咤風雲，大有身繫天下安危之勢，方其以孚威上將軍坐鎮洛陽時，度其五十大慶時，保、洛道上，冠蓋雲集，賀客盈門，康有爲撰一聯賀云：「牧野鷹揚，百歲勛名纔一半，洛陽虎視，八方風雨會中州」。好不威風得想，是乃吳氏之如日方中時也。

二次直、奉戰，因基督將軍倒戈，曹錕被囚延慶樓，吳氏敗退鷄公山，由黃崗取道岳陽，應湖南省長趙恒惕邀，泛舟洞庭，時値吳氏五二壽辰，回首二年前的「八方風雨會中州」，直是判若兩人。趙夷午撰一聯云：「一生憂樂關天下，此日神山醉岳陽」。以上兩聯，前者充滿富貴氣，後者却安閒瀟灑多矣。

抗戰期中，獨能威武不能屈，富貴不能淫，大節凜然，和他「三不主義」，同樣遺美人間。七七抗戰暴發時，吳居故都，日人屢欲加以利用，始終爲吳氏所峻拒，威逼利誘，不爲所動。淸風亮節，雖自可敬。與段祺瑞相比美。二十九年在北平逝世，舉國哀之，中樞於重慶舉行追悼大會。生榮死哀，亦不辱矣。

讀書雜鈔

·林傳·　二十四

邱孝廉二田言：「永春山中廢寺，皆焦土也。相傳初有僧居之，僧善咒術，其徒夜或見山魈，請禁治之，僧曰：『人自人，妖自妖，兩無涉也。人自行於晝，妖自於夜，兩無害也。萬物並生，各適其適，妖不禁人晝出，而人禁妖夜出乎？』久而晝亦魑人，僧寮無寧字，始施咒術，而氣候已成，黨羽亦衆，竟不可禁治矣！憤而雲游，求善劾治者，偕之歸，登壇檄將，雷火下擊，妖殲而寺亦燼矣。僧拊膺曰：『吾之罪也。夫吾咒術，始足以勝之，而弗肯勝也，力不足以勝之，而妄欲勝也，博善化之虛名，潰敗決裂而至此，養癰貽患，我之謂也夫。』」（閱微草堂筆記卷十一）

時論曰：共產黨亦人間妖魅，號稱民主世界盟主的美利堅合衆國，初則背昧不分敵友，原可輕而易舉制勝於共產主義。可惜，美國近世無政治家，羅斯福風雲一時，勉強與中國古代蘇秦、張儀差可比擬，合縱連橫，弄人手腕則有之，聖人所稱王道政治大仁大義的道德觀念則無之。（未完）

老百姓心目中的包青天

包拯

太史私

如果要選出中國歷代十大「廉官」，也被安徽合肥人——包拯佔了首席，司法官們如但要崇拜一位模範司法偶像，那包拯又是當之無愧。

不過今天我們要把這一位歷史人物的眞面目描繪得正確無訛，實在不是一件簡單的事。爲了不失歷史人物的眞實性，不失本報一貫的風格，而且要兼顧到國人心目中對包拯的崇拜，故不得不分別來寫，方不致有所偏頗。下面我們把他分爲三方面來寫：卽老百姓心目中「包青天」，戲劇小說中的「包公」，以及歷史的包拯。現在讓我先講一個明代一位文學家唐順之所講的故事。

宋人范知之，是開封府的一位鉅商，後來生意做垮了，而且又漸漸墮落，喜歡喝酒，不理正業，弄得家道蕩然，孑然一身。

有一天晚上，他飲酒大醉，深夜冶遊。那時深更半夜是不准夜行的。因此被守夜的官兵逮捕，次日知府包拯親自審問他：

「你祖上有人做官嗎？」包大人問。

「有的，我是宰相的後代」。范知之答。

「你做宰相的祖先是誰？」包大人又問。

「就是霸王號令天下的范增」范知之回答。

「年代太久遠了，起不了作用，還是該打二十大板！」包知府的話把兩旁差役都引得大笑起來。

這雖然是一個笑話，可是也說明一些小人的「狗丈人勢」的歪風，也說明了包大人是不信邪的鐵面人物。包青天在人們的心目中就是一個「包青天」。爲甚麼包拯在老百姓心目中是一個如此的人物呢？用現代的名詞來講，勉強可解釋是人們的一種變態心理。明白的說：也就是在君主專治之下，老百姓對貪官污吏的一種反抗，人心在高壓之下不敢公然反抗，只有心中希望有這樣一個不畏豪強的司法官，出來爲老百姓伸寃。因此就由一些識字的文人口講出來的故事，便把宋代的包拯推出來做了偶像，繼之又有人從「話本」的故事來編寫劇本。因此，奇案越來越多，故事越來越出奇，包拯也就越來越「神化」。

在宋代的說書人，就是講史書，或者是說平話，那時是極盛的時期，借古諷今，以免被官方問罪。元代的雜劇便是由說書人的「話本」改編而來。後來在民間流行的一部「包公案」便是由此演譯而成。把包拯塑造爲一個典型的「包青天」，一個不畏勢的司法官，一個能斷奇案的鐵面包公。但是包公案所有的奇案，十之八九都是小說，戲劇家所揑造虛構的，知識份子一見便知其僞，只可供一般粗識字的老百姓消閒聊天，懂得歷史的人是不會相信的。不過我們特別在此說明的，就是爲什麼包拯會在老百姓心目中成爲一個偶像——包青天。（一）

巨變歷險記！

在緬甸把中國游擊隊告到聯合國的時候，丁博士曾以東南亞自由人民反共聯軍總代表的名義致函聯合國說明緬甸告的不是事實。

首先在緬甸境內並沒有所謂外軍的存在。緬甸所謂外軍，並不是外軍，都是土著，都是當地人民自己的部隊，都是當地人民自己起來反共的，聯合起來反共的。像吉倫的部隊，單（才旁，以下同）邦的部隊，卡欽的部隊，都是吉倫人民自己的部隊，單邦人民自己的部隊，卡邦人民自己的部隊，他們生在吉倫，生在單邦，生在卡邦，長在吉倫單邦卡邦怎樣能說是外軍？就是中國的游擊隊，也不能稱為外軍，中國游擊隊在中國的邊境上，在中英的未定界上，原來是中國的領土，現在還是中國的領土，中國的游擊隊在中國的領土上，又如何能說他是外軍？他並不是外軍。

其次，反共是人人的自由，是人人的權利，東南亞自由人民為自由而反共，聯合國有什麼權可以阻止？東南亞人民為自由而聯合反共，聯合國有什麼權可以起而阻止？聯合國縱不能予以援助也不應予以打擊，這是一個內部的問題，最多內政的問題，聯合國不應過問。

緬甸自從英國人手中獨立以後，他忘記了他自己也是一個被壓迫的民族，吉倫也，單也，卡欽也等等，也都是被壓迫的民族。他獨立了以後，他不顧其他民族也一樣的同他獨立，反而用種種不良的手段，使其他民族同化於緬甸族，永遠為緬族的奴隸，這實在是帝國主義的行徑。自己沒有力量來消滅其他民族，現在假手聯合國了，聯合國決不能讓他來利用！

總代表函聯合國（二五一）

胡慶蓉

緬甸告到聯合國顯然沒有理由。聯合國，照他的憲章來說，是以世界和平為主旨的。共產主義是一種擾亂世界和平的主義，大家聯合起來予以打倒才是，怎能自相摧殘，自己削弱自己的力量，自己破壞自己的團結？……

東南亞自由人民反共聯軍決不受緬甸的威脅，他固然希望聯合國不予受理。聯合國萬一受理，照緬甸的請求通過，他是沒有服從的義務的，他們向那裏撤？他們怎樣撤？這是沒有理由的，不可能的。決定自行其是，團結更多的東南亞自由人民，從事更大規模的反共工作。

聯合國還是照緬甸的提案通過了。照聯合國的決議，所有在緬甸內的外軍應一律撤退。中國的滇邊游擊部隊自然被視為外軍。從此，緬甸政府壓迫中國游擊部隊撤離緬甸境內更振振有詞！從此，緬甸又有聯合國的決議可以利用。

奇怪的，令人大惑不解的是對滇邊的中國游擊部隊，中華民國駐聯合國的常任代表蔣廷黻先生幫着緬甸講話，公然承認是中華民國的部隊，公然承認中國游擊部隊是在緬甸的領土上，這樣蔣廷黻先生不是不打自招嗎？不是自毀長城嗎？

創業哲學

眞理與事實（四）

・丁熊照・

因此「與無滅資」的口號，雖然在今日中國大陸上，叫得震天的響，然因它所依據的，仍是一個百年前馬克斯在資本論中所提出早已過時的階級鬥爭理論，與現時代的人類生活眞實情況，已有不符，與基本人性，更有矛盾，除掉以霸道高壓方式，强迫人民跟着叫喊外，豈能騙到任何人，又豈能行得通。

二、資產階級與剝削

依據大陸上中國共產黨的說法，凡是資產階級都是「剝削者」，我認為完全是欺人之談，而且是中共為着達到其宣傳目的的一種歪曲論調，與事實頗有出入。譬如資本主義社會中的遺產制度，允許先人的財產以及種種權利名譽，都可留存給子孫，固有不公平之處，但現已有遺產法來控制補救過去的不合理制度，使得不公平盡量減少，同時資產階級中即如有人是剝削者，也絕非所有的資產階級都是剝削者，尚要看每件事情之不同，譬如經營工商業的人，並不一定保證人人都能賺錢，虧蝕失敗破產的，正不知有多少，如果是剝削者，又怎麼會虧蝕失敗，既然有人經營事業也會虧蝕失敗，請問這些失敗的資產階級又為誰剝削去了？又何以同樣剝削，竟會有不同的結果？這又將如何解釋？還有，有些資產階級他們本是窮人出身，後來之所以變為資產階級，既不是由於獲得祖先的餘蔭，也不是因機會僥倖而暴富，全憑本身智慧精神，正正當當，刻苦努力所得來，其中，甚至於有人在興辦事業之中，只知為事業而做事業，並非為一己蓄積享受或留傳子孫着想，此種資產階級，祇對社會有幫助，有貢獻，更堪欽佩，我認為世界上此種人祇嫌其少而決不會嫌其多，如果社會不能給他們鼓勵或獎勵，至少，也沒有理由要消滅他們，即如有些事業成功的資產階級，在奮鬥過程之中，難免不有愛護事業心切，或過份看重自己個人私利的情形，也是過去舊社會環境習慣所造成，堪可諒解，更不妨以種種教育方式，勸導改正，何況，每一個成功的事業家，都知道要辦好一個事業就不得不認眞，否則事業決不會成功，而事實上，他們在做事業之中，也祇有比別人更努力、更辛苦、更航風險，在這種情形下，如果說「剝削」，也許祇有少數職工是剝削資本主，而並非是資本主在剝削職工吧，所以共產黨硬說祇有資產階級是剝削者，更要不論事實，不分善惡，要將所有資產階級都予消滅，而不問無產階級中是否也有剝削的情事，自然是別有用心，淆亂視聽的謬見。退一步言，就照共產黨的理論，既然資產階級都是剝削者，而無產階級都是被剝削者，在這樣優劣力量形勢分明將比懸殊之下，又如何有的人先是資產階級而後來變為無產階級？又如何有的人先是無產階級而後來又變為資產階級？難道是剝削人或被人剝削得太久了覺得厭煩，而自動換換口味嗎？當然更是不通之論，讀者諸君如可仔細想想，也當知共產黨這種理論是否是有成見了。

我記得在一九五六年與上海資方代理人沈君，在通訊中就曾為剝削問題作過强烈的辯論，（註一）他告訴我，上海工商界一班老朋友都曾在政治學校讀書學習公開討論過剝削二字，結論是：「凡擁有生產工具的人，就是剝削者，」我覺得這個道理並不能夠成立，因為事實上，擁有生產工具的資產階級的人，既未必都是剝削者，而未獲有生產工具但實際上有剝削行為的，也未嘗沒有可能，全要看每一個個別的情形，並不能一概而論。然而當我擧出我所依據的事實論點，去函反駁之後，他們說將此事由我的老友上海華通電器廠工程師，當時為華東區政治協商會委員孫鼎先生轉達與華東區政治協商會議後，再給我答覆，但遺憾的是等到十幾年，一直到今天都沒有再從國內方面，聽到將於這場辯論的下文。（雖然後來據來信說華東區政協會書記，曾經數次查詢過我過去的經歷。）

（未完）

×××

×××

財神爺沈萬三

馬騰雲

沈得到張三豐眞傳後，賣去魚船漁網，籌集資金購置原料，擇定黃道吉日開煉，那時候面無剪彩和揭幕形式，無疑的開煉業務，統由張三豐包辦，未料煉到中途，丹爐突然起火，不僅自己的廠房被燒燬，還波及到鄰舍，「失火挨板子」是中國歷朝懲治火首的習慣法，萬三不僅肉體上受刑，還得背起有犯罪前科的汚點，三豐於出來後，揚長而去，萬三自嘆福薄，沈萬三的夫人不僅沒有怨意；反憂念三豐的去處，一邊張帖尋人，（那時還沒有報紙）一邊轉向朋友借貸張羅，沈從痛苦經歷中，說出：「上山擒虎易，開口求人難」沈因借貸受非議及刺激過深，夫婦商酌賣去愛女，圖盡全功，這時三豐飄然而至，勸其止煉，沈夫婦不僅不止，苦留三豐協助再煉，三豐感其夫婦意誠志堅，乃從錦囊中，取出妙藥投入，煉爐不及三個時辰，全爐鐵汁悉成黃金，三豐將其最後眞傳授沈萬三夫婦，飄飄然不知去向。

用現在的眼光看當時的煉鐵成金術，可能就是今天的化學金子，沈萬三其所以能得到張三豐眞傳絕技，無疑的得歸功於自己的賢能而誠摯的內助，今天倡導「太太萬歲」「太太至上」的朋友們，應該多向沈萬三夫婦學習。

沈自煉鐵成金之術獲得成功後，不到三年就富甲天下，凡遇貧患，廣為週濟，全國各地遇到水災、旱災、瘟疫，萬三必專人馳赴災區救助受難的百姓，沈在生前被社會推崇和享譽超過一國之君，未死時已被民意尊為活財神，這種仁風義擧，深及萬民，在中華民族歷史上面找不到第二個人。

正因為沈當時的功高震主，朱元璋蓄意除之，有一天聖旨宣沈萬三到，謂「朕欲犒軍，全國軍隊數近千萬，每人由沈發犒金十兩如何」萬三如數輸之，朱元璋睹其氣魄豪邁，圖誅萬三更急經馬后苦諫乃議流南嶺，另一說法沈萬三看到亂世雄兵，知不可爲，自動毀棄丹爐器皿，入西南深山，林泉高隱，做一個逍遙自在的富翁，成仙成神之說，可能淵源於此，死後竟受到萬世香火崇拜，為沈自己也料想不到的事了。（摘自古今談）

（完）

楚辭的詩及其篇數問題

・李漁叔・

遠遊（一）卜居（一）漁父（一）招魂（一）大招（一）

但這中間有一個問題，就是九歌實際是十一篇，有些人主張把招魂大招除掉。先說招魂，自王逸以招魂為宋玉所作，學者多從之，朱熹氏主之最力，他說：「招魂者，古人已死，則使人以其上服，升屋履危，北面而號，曰皋某復，遂以其衣三招之乃下，以覆尸，蓋猶冀其復生也。」這與實際情形是不對的，朱子是安徽人，不懂得湖湘的風俗。湘人對於生病受驚的人，以為他們魂魄散失，招其生魂；所以歌吟設祭，若是已死，則不再招魂。還有招魂本文開始數句，大致與離騷相似，完全是屈子的口吻，他係自招其魂，如指宋玉作此文以招其師之魂，那就全篇文不對題了。以外還有一個最可靠的證明，即是司馬遷在屈原傳後，明言：「余讀離騷，天問，招魂，哀郢，悲其志」云云，司馬遷是漢初人，又世為史官，與屈子時代相距不遠，所說的話，其可靠性，應遠在王逸之上。

其次是大招。據王逸說：「大招為原所作，或曰景差，疑莫能明也。」詞語閃爍不定，不足徵信。昭明文選只錄招魂而不載大招。朱熹氏謂大招為景差作無疑。清姚鼐氏古文辭類纂則逕題景差作，只有晁无咎謂大招古奧，非原莫能作。實則既有招魂，即有大招，辭氣語法如出一轍，不過招魂自招，大招乃招懷王耳。其時懷王已被秦誑騙，扣留不還，中間一度逃亡，死生莫卜，故作此篇招之，言大者，尊之之辭耳。

蔣驥楚辭注言：「九歌雖十一篇，而名止稱九，如不合之二招，僅二十三篇耳。即謂二招在二十五篇之內可也，於玉與差何涉。」

因此我曾經想到，九歌皆祭神之作，從雲中君至河伯山鬼九篇皆是，禮魂已有人主張為全章送神之曲，國殤應是附屬的一篇。如這兩篇應該獨立，就當提出與遠遊，卜居，漁父等並列。而現在仍稱之為九歌，則只宜算上篇的九篇，才為合理，若剔去二招，二十五篇的總數，就有問題了。

（完）

談耳相（上）（廿四）

・錢一劍・

耳為採聽官，成，敗，傾，缺，欹。關係人一生甚大，傾，缺也。欹，低也。傾欹，主破散。成敗也。萬金相云：左耳缺，先損父。右耳缺，先損母。左右廳缺，雙親並損。主妨尅，離祖產。偏欹低於眉也。詩曰偏堂降地，破祖無疑。兄弟稀少，自身不利。偏堂耳名也。降地耳低於眉。

聰，明，高，聳。高聳過於眉也。耳為君，眉為臣，君宜上，而臣宜下，高起過眉者，主貴聰明。文學才俊富貴也，萬金相云：耳高眉一寸，永不受貧困，又謂：耳如携起名播人耳。耳齊日角曰大貴。耳能齊日角曾服不死藥，又主平生病少，壽長才智過人。台北中泰賓館老闆林國長生此相，一生冒險而無險，誰能說相沒有關係。

郭林宗云：左耳為金星，右耳為木星，色鮮者貴財安穩。若皮粗及青，根黑而乾者，一生奔馳南北，散走他鄉，終無定基也。宋齊丘曰：皮粗青黑走異鄉。廣鑑集云：耳輪青黑腎臟喪不久也。華僑通訊社長何高億在死前幾個月，耳輪現出青黑，彼與包遵彭一樣，堅不承認有病。飄蓬謂如蓬草也，中原郊野多生蓬，其枝葉如楊柳，盤盤旋旋團團如燈球，秋天枯死之時，風吹出土若下，風起吹　往而無阻者，迤邐進去，忽然換西風復吹還東而去，若耳皮粗青黑者為人似蓬草，朝暮走他鄉無定止也。

色如瑩玉，年少作三公。耳若貴賤不取大小先要色鮮瑩白為上，昔歐陽文忠公耳白過面，名聲天下，人倫大統賦謂：白或過面，主聲譽之飛揚，瑩白貫輪，主信行敦厚。

中華民國內政部登記證內警台報字第〇三一號
中華民國僑務委員會登記證台僑新字第三二三號
中國郵政台字第一二八二號執照登記為第一類新聞紙

自由報

（第一二〇〇期）

（逢星期三、六出版）
每份港幣壹角・台幣零售價新台幣二元
社長李運鵬、督印黃行畬
社址：香港九龍官塘康寧道117號後座二樓
117 HONG NING RD, 1/F REAR, KWUN TONG, KOWLOON, H.K.
TEL: K-433653
電報掛號：7191
郵箱：官塘郵政信箱9583
承印：景星印刷公司
地址：嘉咸街廿九號地下
台灣區業務管理中心：台北市許昌街廿六號
電話：三八〇〇〇二
台灣區直接訂戶　台灣劃撥戶
第五〇五六號張萬有（自由報會計室）
台灣分社：台北市西寧南路110號二樓
電話：三三三〇三四六、台郵劃撥戶九二五二號

本報專論

美金與日圓的激烈戰爭（上）

・侯立朝・

一，錢的鬥爭與階級鬥爭

在共產主義的世界，把人類一切的鬥爭，歸結為「階級鬥爭」，其意識形態偏重於社會學的。

在資本主義的世界，把人類一切的鬥爭，體現為「錢的鬥爭」，其意識形態偏重於經濟學的。

階級鬥爭為的是生活——人類追求較美好的生活；錢的鬥爭為的是享受——人類追求較美好的享受。這兩種人生觀及世界觀，出發點或最後的目的都是有理由的，都是一種倫理。但是，階級鬥爭的結果，產生了新階級，人類追求美好生活的目的，並沒有獲致；錢的鬥爭的結果，產生了新痛苦，人類追求美好享受的目的，並沒有達到。這兩種制度都給人類帶來了一種沉思、一種焦慮、一種痛苦、一種無可奈何的失望。

階級鬥爭是帶有國際性的，它的前提是假定在資本主義的世界性上面。因為，資本主義世界性的前提存在一天，則階級鬥爭就存在一天，而作為無產階級的先鋒隊之共產黨，就有可能團結如兄弟一般地共同鬥爭資本主義，始終不渝。當南斯拉夫反對莫斯科的共產國際情報局的支配及毛共對抗莫斯科的無限主權領導時，階級鬥爭的前提被打破，在所謂「社會主義兄弟國家」間，出現了新的階級鬥爭，亦即新的國際鬥爭，其紛亂性及尖銳性不下於資本主義國家間的鬥爭。

錢的鬥爭是帶有國際性的，它的前提是建立在資本無國界這一學理上面，同時錢也表現在世界性的事實上面，它是國際性的。某一種錢之所以成為國際性的，這與它代表的國家之經濟力有一定關係。例如義大利的「里拉」，就曾經是十五六世紀時期的國際貨幣，荷蘭的「盾」有其光榮的時代，法國的「法郎」曾經風行世界，英國的「英鎊」在第二次世界大戰之前仍是世界性的通貨。大戰之後的「美金」，代替了一切貨幣，成為國際性的貨幣，形成了美元時代的高峯。

由這歷史的簡單說明，錢的鬥爭即國際鬥爭，它常以國家的經濟力的升沉而有升沉，此一時稱霸世界，彼一時即消聲匿跡，由國際性通貨變為國家性通貨。在國際貨幣沒有超國家定制之前，任何一個國家的通貨由歷史的證明，都沒有永久的持續力能夠獨霸世界於不墜。現在，美金的憔悴，正顯示是美國經濟力的下降。於是，錢的鬥爭開始，強貨幣一定要代替弱貨幣，否則，即須出現一種超國家的貨幣成為世界公認的通貨。

二，美金出了問題

美金逃不出歷史的規律，亦即是指它逃不出沒落的命運。尼克遜八月十五日的「和平的挑戰」，對外的一面即在保衞美元，也就等於公開承認美元的貶值。因此，他宣佈了兩項措施：其一是課征進口附加稅百分之十，其二是停止美元兌現黃金。進口附加稅等於保護貿易，停止兌現黃金等於借着破產。美國不是一直被認為是世界上最富足的黃金之國及自由貿易之國嗎？為什麼會做出這種自喪信用之行為來？這就得要檢查檢查美國的經濟力，看看它沒有支持美元作為強幣的持續力。

錢，在美國常常出問題，第一次出現大問題是在一九二九年到一九三三年的經濟大恐慌，波及全世界，使史太林誇耀社會主義制度強於資本主義的具體證據之一，同時在一九二九年北伐成功統一中國，或多或少是受到此次經濟大恐慌的影響，列強未暇干涉，否則不堪設想。三十年代的經濟大恐慌，雖然不是從美國開始，可是在美國爆炸最烈，足以說明當時美國在經濟力的地位，它已超過英國成為世界之最。那次經濟大恐慌延續了四年，其主要原因據經濟學家們的事後分析在於：

（1）證券市場的投機。

（2）工業生產過剩的恐慌。

（3）金融市場的恐慌。

如果以貨幣學的角度來說，這都是用錢不當，才造成這樣的結果。錢少了固然使人有窮迫之感，錢多了如果調配不當更會發生大毛病，富家子弟作惡多這又增加了倫理上的麻煩。三十年代美國的經濟大恐慌，特別是一九三一年的金融恐慌，與這一次七十年代的金元恐慌不同，上一次的金融恐慌，是因為銀行裏的錢太多，不願放出去，用學術的術語說，即是「通貨緊縮」。銀行的存款餘額增加，顯示投資市場沒有出路，而銀行是靠存放款吃飯的，存放款的循環系統一旦發生阻礙，銀行只有倒閉了，一九三〇年到一九三三年，美國倒閉了五千餘家銀行。這一次的金融恐慌，是外國持有的美元太多，美國黃金不足承兌，也就意味着美元在國內緊縮了在國際膨脹了，特別是在日本及西德這兩國手裏就握有三百多億美元的外匯頭寸（日本一百三十多億，西德一百八十億），這使美國非常焦急。因為美元流到外國去，即是象徵國際貿易上的收支不平衡，進口大於出口，本國美元都被外國賺去了。進口多出口少，又是象徵經濟的生產力不能與人競賽及產品不受人歡迎，這就又變成了國內的問題了。美國的經濟力在一九五六年之後，即開始相對地下降，日本與西德的經濟力相對地提高了。同時由於美國貨的生產成本高（工資高）影響了貿易的競爭力，軍事支銷大，稅重造成資金外逃，這是使美元外流亦即黃金外流的原因。直到現在，美國在今年的第二季度的國際貿易上出現了赤字，黃金存儲只有一百〇五億，國際流動負債有五百億。美國窮了，還不起債了，所以尼克遜宣布他的新經濟措施了。進口附加稅在阻止進口的增加，相對地即鼓勵了出口的增加。美元不兌現金，使美元與黃金脫離關係，即等於放棄黃金本位了。

三，日圓行情看高

美元不値錢，即它與黃金價格之比是跌落了，而它的購買力減弱了，法償的能力是薄弱了，這樣的貨幣當然在國際上不受歡迎了。所以我們看到在西歐金融市場和東京的金融市場上，大家拼命地把手中的美元賣出，買進馬克及日元或其他貨幣，害得日本銀行一天以官定價格一美元對三六〇日元收買了六億美金，而當日的市價美金一元只値三四二日元。日本銀行維持美元官價，目的在使日元不升値，因為日元一升値，即影響了日本的進出口貿易，特別是對於出口貿易是不利的。美國更用附加稅方法迫使日本作日元之升値。相持一週之後，日本不得已宣布採取浮動匯率，希望日元只能升漲到百分之五到百分之七之間，低於美國進口附加稅的百分率，以期談判取銷附加稅的限制。

日本的繁榮，是日本國民勤勞努力的結果，絕對不只是受美國恩賜的結果。美國從戰前到戰後都是侵害日的戎首，在歷史上是有罪的，在現實上更有罪。在戰前，美國鼓勵了日本侵華戰爭之發動，並售賣戰畧物資給日本，賺日本人的錢，日本侵畧中國的八年戰爭，使日本與中國兩受其害，美國要對此一不幸的歷史負大部份的激發責任。而蘇俄正挑逗中國對日之抗戰，這是歷史的後果。因此，中日之間的八年戰爭，美國負激發戰爭的責任，蘇俄負結束戰爭的責任，中日兩國都被它們害苦了，現在美蘇兩國也都自食其苦了，報應循環，屢驗不爽。因此，毛共正給與蘇俄以政治的苦頭，日本正給與美國以經濟的苦頭，而現在美國又想插手挑起毛俄之戰，製造世界緊張，好大賣軍火，以平衡其收支的赤字。

戰後日本的經濟繁榮，特別是一九六〇年之後的繁榮，美國人如果說那是它的恩賜的話，那恩賜也不過是為了繁榮日本以對抗毛俄勢力，替美國看守太平洋的大門而已，這仍然有利於美國，換句話說：是出於美國的私利。兩次世界大戰，美國先是兩邊做生意，賺飽了鈔票而後才參戰的國家，它絕對不是世界的自由神，而是世界的無道之勇者。

（未完）

自由談

良心話

愚闡揚民主思想，凡四十年，積四十年之經驗，深知在中國談民主憲政，離題尚遠，欲求國泰民安，自立自强，必須擁護英明公正的獨裁主義者，綜持國事，綰領羣倫。這決非牢騷語，而是甘苦有得的良心話。

中國歷史上的君主，如漢光武劉秀，唐太宗李世民，宋太祖趙匡胤，都可稱為英明公正的獨裁主義者，試問何害於國家民族呢？就是滿清康熙皇帝玄燁，也比後來號稱共和總統的袁世凱之流的軍閥人物，對國家民族有益得多。若夫英吉利的大英聯邦君主，實際上視任何主民國家更民主些。皇帝、總統、主席這類名稱，不過是文字游戲之作，屬於觀念論，與實際政治無關，只要英明公正，能替人民謀幸福，為國家增富強，他叫作皇帝又有甚末不可以呢？史大林的職銜是俄共書記兼部長會議主席，亦名曰總理，可謂民主之至了。但其專制獨裁的作風，超過皇帝、總統不知若干倍，人民所受到的痛苦更無法形容，虛名實禍，昭昭在目。

中國人談民主政治還有一種特質，即政權有我一份，便係民主，沒有我就是獨裁；攻訐別人專制獨裁時，張脈僨興，振振有詞，而自己對事對人的作風，又不愧為希特勒、史大林的入室弟子。這是區區四十年來經驗之談，因而對民主運動減少熱情了。

今有人焉，能以天下為公的精神，主持國家政務，用人親賢遠佞，唯才唯賢；處事講究是非，獎功懲過；又能納諫受辯，虛己以聽，有如唐太宗之所為。他縱作皇帝，好獨裁，對國家民族亦有益無害，應該予以擁護的。如果天下為私，剛愎自用，即令他如史大林之號稱為「書記」，亦在反對之列。

民主民主，天下許多罪惡，皆假汝之名義以行。此即區區對民主政治之所以滋生反感也！

昨日與明日

美國人媚共的醜態

中國大陸上毛共通行的服裝，即所謂「列寧裝」，又名「解放裝」也者，上下一般大小，長不及膝蓋，男女皆然，僅布料色彩稍有區別耳。這與全世界的勞工服式相同，沒有甚末新穎之處。然美國的服裝設計家認為十分美好，稱讚不置，雖係市儈心理作祟，希望乘機誘惑人們仿效新裝，賺取一筆改裝錢，卻充分表現着美國文化精神之幼稚淺陋，可哂可驚。

毛共的服裝在大陸上通行廿年了，美國人早已瞧見過，何以未聞有人羨慕而讚美之，今日由於尼克遜政府向毛共獻媚乞憐，乃對毛共的服裝亦羣聲歌頌，這跟咱們中國的諧談故事中所說：一個士子聞得閻羅王放屁之聲，而認為饒有「絲竹之音，蘭麝之氣」的醜態，可謂先後媲美，令人絕倒。所謂自由世界盟主的本質，竟是這末一種貨色，嗚呼哀哉！

中山裝應訂為國民常服

服裝是一個國家民族的文化象徵。中華民國肇建已六十年，然服制凌亂，迄無準則，國民政府雖然規定長袍馬褂為「國民常服」，但很少人遵從，原因是太累贅，行動殊不方便也。民國十六年大革命時期流行的「中山裝」，既簡便，又美觀，亦大方，且足以紀念偉大的國父，何不定為國民常服，而由一般作官的人以身作則，示範提倡，乃相率以穿西裝為豪貴，一派洋化思想下的殖民地生活意識，不亦愼乎！吾國號稱為禮義之邦，服制即係禮儀的表現，長袍馬褂可以不禁，卻不宜定為國民常服。我們每逢孔子誕辰，參加典禮的人儘可穿長袍馬褂，奏笙簫古樂，若在民間一般的喜慶場合，亦如法泡製，那便是表示國家民族之落後不長進。於今捨棄美好大方的中山裝而崇尚西服，這不是復興中華文化運動的自我諷刺嗎？謀國者何其不思之甚也！

・何如・

賭場、學店、市議員！

天下事

九月二日某晚報地方版，刊載了一篇專訪，叫人看完了有今世何世之感。

在這篇專訪裏說：在高雄市有個姓王的議員，開設了一家賭場，每天營業二十小時，每月至少淨賺兩百萬元。有一個姓陳的市民，在該賭場打了一晚上麻將，就被老千吃掉了二百萬；一位富孀在一週之間，輸掉了七千萬。最令人震驚的是，賭場裏還有某治安單位的人員保鑣，難怪經營兩年，而能平安無事了。

在台灣靠賭吃飯的人很多，而因爲賭傾家蕩產的也所在皆有。像這種特權垃圾所開的賭場，輸贏之大，害人之深，開設的壽命之長，倒還少見。主其事者，即使身爲議員，何如不和當地治安人員互通聲息，也不合篤定泰山。這是一個嚴重的社會問題，鐵面無私，廉潔不苟的警務處長先生應該下令澈查，勿任惡勢力腐蝕台灣的反攻基地。

另一件案子，是有一位前科累累的葉吉其人，在既無校址，又無校舍的情形之下，居然能請准有關機關立案，開辦了一間「竟成中學」，而又居然登報招生，騙局拆穿，葉某已身入監牢，而還連累了一位姓王的教局督學，據說這件案子內情複雜，牽扯有頭有臉的人士不少，檢察官正在積極查證中。

據說該中學之能順利獲得立案，都是市議員孫鳴奔走之功，又據說孫某二十年前曾被管訓，後來以辦學店起家，有錢的王八大三輩，最近幾年乃得側身政壇，儼然社會聞人。最可怪的是，地方政府各機關官員，就怕民意代表，眞是所謂「不作虧心事，不怕鬼叫門」。要是都像社會局長彭德的骨氣和操守，儘管市議員有三頭六臂，又有什麼可怕的呢？

因此我們有個假定，即凡是「□」議員，而對議員有求必應的官員，都不是好傢伙。信不信由你！

老正卯

政治革新雖未收效　新弊絕對不容產生

監察委員馬空群大聲疾呼

（自由報台北消息）政治革新年來談得很多，以監察委員馬空羣之「嚴防新弊產生爲革新之先務」，有見解百份量，特就其原文錄後爲革新者鑑：

今日我們的政治，無論從那一個角度去看，的確都存在着不少的弊端，所以我們政府正大聲急呼的從事全面的革新，這是一個非常可喜的現象。不過，革新工作做起來實在也不是一件易事，因爲我們許多的毛病已經根深蒂固，而且錯綜複雜，動一動就彼此牽連，好像一些亂籐，互相糾纏，越理越亂。所以革新之道，必須從根本着手。若僅就一些枝節問題來表面的革新一下，必無成效可言。要如何從根本着手，近幾年來我已提出過不少意見，現在不擬贅說。今天我要講的很簡單，就是舊的毛病縱然沒有革除，新的毛病決不可再增加。換句話說：就是我們今日嚴防新弊的產生，應該更重於努力舊弊的革除。舊弊固已重重堆積，然而若能把它凍結起來，不再加新的因素進去，使它更形發展，我們還是有辦法可以把它革除的；斷不可又產生新的弊病，使新弊與舊弊互相結合，則病情必定愈來愈重，將會無法收拾了。不幸的是今天我們舊弊既不能革除，新弊又不斷產生。不但有人在隨時製造新弊，而且有的機關還公然的在製造新弊。在今天正從事全面革新的時候，這就使我們感覺萬分的奇怪了。

所以我今天要大聲的呼籲：希望全國各機關，不斷可在有意或無意中製造新弊，尤其不可製造「不平」的新弊，不可製造「不安」的新弊，不可製造「不法」的新弊。因爲這「不平」「不安」「不法」三者，乃弊病之根，百病由此而出。假若我們舊的毛病當中，有此三病，已經夠嚴重了，若是我們今日還猶嫌不足，還要來再加被造，則我們的革新工作，豈非南轅北轍，甚麼時候可以到達目的地呢？然而奇怪得很，我們有些機關竟會異了這種嚴重的錯誤，還在那裏製造新的「不平」，製造新的「不安」，製造新的「不法」。我們今天假若緘默不言，那就實在對不起我們的國家了。

政府一切措施　必須顧及公衆

不要只顧一方製造不平

一、不要製造不平

「不平」是政治進步的大敵，道路不平，不能行車，基地不平，不能造屋，政治的措施不得其平，怎麼能使政令暢行呢？政治若要有所施爲，惟有以「平」字作基礎，在「平」字上面才能從事建設。古語說：「不平則鳴」，一切紛亂的產生，均由不平二字而來。若要人民無怨言，無行，愛戴政府，全心全力支持政府，與政府精誠團結，共謀復興，唯一之道，便是要政府把一切都擺得平平的。無容諱言，過去我們各機關對於這不平字做得實在太不夠了，人民對於政府機關只要有所接觸，得到的結果總是不平。同是一樁事件，某甲可以通過，某乙則受刁難，人民焉得不怨？這且不說，只就一端而言，過去公營事業機關，金融機關，美援機關的待遇，與一般普通機關的待遇已經很多差別，不得其平，弄得到處一片怨聲，我們沒有辦法可以把它擺平，倒也罷了，爲甚麼又要偏偏去增加某一部份人員的待遇，（如稅務司法警察人員等）以製造新的不平。若說這些人員生活清苦，試問今天甚麼人員生活不清苦，容易生弊，甚麼一個角落不是弊端百出呢？容易生弊就增加待遇，豈不成了獎勵生弊嗎？事實上有不少舞弊成性的人員，決不會看上一點待遇的增加就會洗手的。這種部份增加小小待遇的辦法，既收不到絲毫阻弊的效果，反而引起大家的不平和怨言。照理說，似此製造不平的措施，應該至此止步了，誰知還有人看到稅務方面起了，有人主張大幅增加稅務人員的待遇，有人看到教育方面，主張大幅的增加教育人員的待遇，猶如瞎子摸象，只摸到一小部份就不管其他的了。不知今日我們所患的病相當複雜，豈是頭痛醫頭，腳痛醫腳可以治愈的。決不能把一問題看得那麼簡單，一件一件的孤立起來就可以解決的。幸而若干有識之士，反對此舉，稅務人員大幅增加待遇之議始罷。誰知到了今年，又有大幅增加一部份教授待遇的辦法忽然出現。過去大幅增加稅務人員待遇的擬議，是在稅務人員與一般公務人員之間製造不平。今日的大幅增加部份教授待遇的辦法，乃是在教育人員與教育人員之間——不是在教授與教授之間製造不平，越來越短兵相接了。固然，我們因爲感到一般學人的生活清苦，爲要鼓勵研究興趣，設置所謂研究教授，特別提高其待遇，原意本來無可厚非；無如只顧一方，未顧全面，不知如此製造不平的措施，將會釀出極大的紛亂來。幸經主持其事者採納衆議，斷然停止此項辦法。這種知過速改的作風，是值得稱道的。然而今天這種由機關公然製造不平的現象，非只一端。譬如最爲虐民的，所謂公共設施預定地，我們的主管機關評定「公定地價」時，儘管遇到兩塊地相隣在一起，而且同樣的條件，建有房屋，有人居住，我們偏要，對非預定地的一塊，把地價提得高高的，而對預定地的一塊，把地價壓得低低的，相差常達若干倍之多。其所以要盡量提高者，爲多收地價稅，而要盡量壓低者，爲便於以低價收購人民的土地。政府機關如此公然的製造不平，人民如何不抱怨政府？呂氏春秋有言：「昔先聖王之治天下也，必先公，公則天下平矣。平得於公」「公平」這四個字，公就是公衆，並非只是某一部份的人。政府的一切措施，要能照顧到全體的公衆，然後才得其平。今天我們許多機關的措施，往往只注意到一部份人，甚至只注意到政府機關。沒有想到人民的便利權益，這怎麼能不平呢？所以我要呼籲我們政府機關，今後的一切措施，必須照顧到全體的公衆，決不可再製造新的不平了。

二、不要製造「不安」

「不安」是動亂發生的根源，有句很普通的俗語是「相安無事」，由這句話裏，我們可以知道，必須相安，然後無事。若不相安，必會有事。所以政府的一切措施，必須盡量不要煩擾人民，使人民能夠相安。只有「民安」，然後才能「國泰」。我們愛國的政府的設施，因爲在此戡亂的非常時期，有不能不對國家的利益有些不能不使之處，一般人民無可如何的，這是人民當能加以體諒的苦衷。無如竟有一些政府的無關重要的小事，由於主管機關的輕舉妄動，結果又在那裏製造若干不安，使人民遭受不必要的煩擾。譬如今年台北市要把原來的中正路改換一個名稱，這本是一件無關重要的小事，若要改名，就單獨將中正路改名好了，誰知又要把別的道路牽扯進去，將原來八德路的路名，拿來移給中正路，又爲八德路另取一個名稱叫做四維路，這樣拉拉扯扯了一大堆，使得住居這兩條長路上成千成萬的居民，無端迄受若干煩擾與不安。而且還將一些門牌又編錯，請求更正，又是許多煩難。像這一類無端給予人民的不安，政府究竟有甚麼必要，一定要這樣做呢？再就一些大一點的事件來說，政府爲要加速實施政治的現代化，所以有一些新的設施，雖然在人財兩個條件都感不足的情況下，也勉強掙扎去進行，這本是可喜的現象；無如有些事件，進行起來並非想像的那樣順利，但因求速

勿因求速心切　不顧一切去做

必須盡量不擾人民

心切，不顧一切的去做，往往因此發生許多意外的問題，增加了社會的不安，這也是值得我們注意的。近如政府計劃在林口、內湖等地開闢新社區，採用區段征收的辦法，以征收人民的土地。林口地區因未公佈都市計劃，實施平均地權，所以還沒有公定地價，征購土地尚用議價的方式。而補償人民的地價，據說在三千萬元以上的，就要搭發土地債券百分之九十，地價在八十萬元以上的，要搭發土地債券百分之一百。一般鄉民歷代都是依附其上地去生活，現在一旦失去土地，所得地價現金最多不過三十餘萬元，如果一家弟兄多人，每人僅分得數萬元，在土地被征收，房屋被拆除的情況下，將向何處去立足謀生。至於內湖地區，則政府早已公定地價，與市價已有極大距離，現在政府征購土地時，將用公價標準補償地價，人民更將叫苦連天，走投無路了。所以這種用低價征收人民土地，並搭發鉅額債券的辦法，只圖政府的便利，不顧人民的權益，使人民頓失生活的憑依，這豈不又是在製造社會的不安嗎？現林口特區開發的辦法，幸經行政院讓其即自然加以變更，只是依據其早既定開發計劃，管理這一地區的建築申請，至於開闢道路等公共設施，則以征收受益費去籌措經費。這才是一種明智之舉。希望以後的新社區，都乃至用其他的辦法，使人民能夠相安。如政府現正籌建南北高速公路，站在便利貨物運輸，促進經濟發展的立場來說，是不錯的。過來說，就建計劃看來，首期工程僅完成基隆至楊梅一小段，這筆經費五十九億，就要新台幣並無的款，要全靠舉債籌措。而整條高速公路的經費，約需新台幣兩百億，如此龐大預算，對於整個社會將發生何等影響，實在不能不多加研究。我們來看鐵路方面，光復二十多年來，台灣西部幹線還是單軌，台南間，不能說對於貨物運輸沒有影響，但這一段鐵路直至民國五十六年九月才興工鋪設雙軌，到今年十月才告竣工，歷時三載，工程費僅三億七千四百餘萬元。如此一個並不算大的工程，經費亦不太多，從光復至今，也拖了二十多年才完成。固然鐵路方面的建設太慢，而公路方面的建設亦不可求之過速的，有要一段充裕的時間總來多加準備，必須從各個角度去作綜合的考慮。假若我們的眼光只看到交通這一個範圍，而不顧其他的一切，極其勉強的做下去，結果會不會又造成社會的種種不安，而所希望的成果還相當遙遠，所受的弊害已迫在眼前了。所以我們凡是從事一項措施，必先考慮對於當前社會的安定會發生怎樣的影響，斷不可只顧一方面，勉強的去做，因而直接間接使人民不安。至於其他並不必要的一些舉措，更不可輕率從事，去無端的增加人民不安的因素。（未完）

八一三的血債

紫如

那晚，我剛跳上床，屋頂就有流彈嘶嘶飛過，彈頭掉在瓦礫上，劈拍作響。不一會，門也霹然嘩噪，地起來，父親驚覺地披衣出去看了一下，就面色凝重的奔進房來，將熟睡中的妹妹抱了起來，很快的給他們穿好衣服；然後將床上的被褥一捲，從肩上一抗，拉了我們就衝出屋去。

街上全是逃命的人羣，直向黃浦江邊急奔而去。槍彈發着尖銳的呼嘯聲，從我們頭上掠過；間歇的還夾雜着格格的機槍聲，聽來彷彿就在我們身後不遠。

到達江邊，有一列高大的石牆擋住去路。我知道這是一家英國人開設的棉花廠，母親在生時曾在廠裏工作過。這時，洶湧的人潮中，從兩扇敞開的大門中，拼命的擠進去。兩邊還有幾架很長的竹梯，靠在牆頭上，竹梯上也掛滿了越牆而入的人。站在牆下及人羣後面的人，拉開了粗啞的喊嚾，焦急地在催促着：「快爬，快爬」。（未完）

劉半農記賽金花

即所謂蔥嶺雪山間界務，因文卿中俄交界圖發生了國界的問題，楊儒史卽揭參文卿的人，奉使勘界，後來文卿的事，伙他斡旋，然文卿不久卽因此案，鬱鬱致死，推算大約在是年秋冬間。

因甲午洪脅南返，金花就在此時，從船上逃，與洪家脫離關係，在上海掛牌做生意，名曹夢蘭，蘇州士紳陸潤庠及其他士紳，因賽失蘇州人的面子，迫之離滬，乃北走天津。又掛牌於是賽名賽金花。賽於隨洪出使德國時，與瓦德西將軍有故，八國聯軍入北京時，瓦德西尋之，賽應瓦德西之召，到北京去；仍掛牌子，日夜陪伴瓦德西，騎馬招搖過市，紅極一時。瓦德西返德，北京市民因打死一丫頭爲「一號」，入賽二爺」刑部獄，同牢者有沈××（上海蘇報案主角）有官僚蘇元春（法越之戰，彼在鎮南關親與其役）號稱「三名獄」。（四十七）

香港自由報廿年合集

・文滙樓主・

香港自由報爲答謝讀者愛護之雅意，原計劃發行「自由報二十週年年鑑」，頃據編輯人員座談結論，對各名家文章取捨，見仁見智，甚感不易，經研究後，決定改出「香港自由報廿年合集」作爲迎接開國六秩慶典紀念。

出版香港自由報合集，乃自由中國二十年來創舉，三千學人執筆，內容包羅古今，洋洋數千萬言，計有一萬萬七千八百餘萬字，因自由報平日發行，高達上層社會，故已形成爲當今輿論權威，自從李運鵬社長接辦以來，除台灣區設置業務管理中心外，海外各地改以直綫發行方式，老式分銷制度，漸第淘汰，報紙由報社直寄給讀者，讀者報費直滙到報社，我們的目標是有太陽的地方就有中國人，有中國人的地方就有自由報，今日只南非各地已擁有百餘訂戶，就是直綫發行方式的效果。

抑有進者，凡中華民國第一流哲學家，歷史學家，政治家，經濟學家，社會學家，科學家，教育家，文學家，政論家，軍事家，合法黨派領袖，及社會賢達們，沒有在自由報上寫過文章的很少，當年對國際局勢之分析，及政治發展的趨向，今日印證，泰多言中，名著之所以成爲名著，學人之所以稱爲學人，自有其至理存焉，與豬尿泡冒充豬肚子的官僚政客截然兩途。凡第一流政治家不能不讀，第一流學者不能不讀，第一流事業家不能不讀，要成功爲第一流的人更非讀不可。第一流的圖書館不能不藏，第一流的學校不能不藏，第一流的事業機構不能不藏，各機關團體內只要有讀書人，一定會購藏一部自由報合集，今日看來沒有甚麼，若干年後就變成爲價值連城的寶貝。

合集執筆人初步統計有兩千餘。如胡適、蔣廷黻、王雲五、程滄波、成舍我、張知本、雷嘯岑、許孝炎、陳克文、端木愷、左舜生、丁文淵、查良鑑、卜少夫、林語堂、張君勱、蔣勻、李璜、沙學浚、于斌、陳霆銳、梁寒操、王厚生、曹敏、徐復觀、陳立人、張起鈞、陳光棣、郭垣、辛學祥、丁作韶、毛以亨、郭雨新、劉振東、劉光炎、梁嘉彬、劉清波、王靜芝、侯立朝、胥端甫、傅斯年等，外間謂香港自由報是宰相結團非無由也。

談鄭孝胥及其字（一）

・克耑・

書法是中國唯一特殊的美術，外國人也有把名人學者的手迹當作紀念品來保存的，但絕對沒有把它當作美術品，和畫相提並論的。至於我們中國人的看法就絕對不同了，不管是商店也好，農人也好，新年總得掛兩付對聯點綴，這一方面是表示喜慶的意思另一方面還是對於寫字是當作美術品的眼光來看的。字與畫雖然同是美術，但這兩種藝術比較起來，難易却大大不同。我曾問過許多朋友說：「寫字容易呢還是繪畫容易呢？」他們都異口同聲的說：寫字比繪畫難多了。你不看我們的孩子一進學堂門，那一個不學寫字，但是寫到老了有成功的有幾個人？畫却不同了，雖然學畫的比寫字的來得少，但是你只要志去學，少則三五年，遲則十年八年，總會有點規模的。因爲畫的描繪物象，在學的和看的兩方面，都比較容易得着興趣，只要你畫貓像貓，畫狗像狗，那就差不多了。但是提到字呢，你一開筆，便保不定你寫貓字是個貓，寫狗字是個狗，因爲畫是可以先打輪廓，一筆不對可以再描的，再加上顏色來遮蓋。字却不然，不許先畫輪廓的，無從上顏色的，所以一下筆便定了好壞，一出手就判了優劣，所以比較難的多。

甚麼叫做書家呢？當然是他們的字寫的好，自具一種與別不同的面目，所以成了專家。字怎樣判別好不好呢？當然是根據字的美不美。怎樣才能做到「美」的階段呢？那便是這「雅」和「俗」兩個字，這便是字的美不美極重要的區別點分水嶺，也可以說是生死關頭，如果寫字的人們得着這「雅」字，那便可登「大雅之堂」，就譬如學服道的人了換骨金丹，馬上可以羽化登仙，學佛的人得了三藐三菩提，馬上可成佛作祖的，你在書壇便能夠站住了一個優越穩定的地位。但是我們用甚麼方法來判別雅俗呢？從那一種觀點斷定雅俗呢？這可很難講了。我們判定雅俗是在字筆畫的粗細上面分麼？是外形的漂亮和醜怪上面分麼？或是像古人不像古人來區別麼？不是不是，絕對不是，這一切都是寫字求外表，而不是作書者精神意態氣韻味道的表現啊！

字這件東西，是相當奇怪的，它可以把每一個人的性情、意態、胸襟、精神、品質、氣度、人生的一切一切表現出來；甚至於似乎人的富貴貧賤窮通壽夭，都可以在你筆下看出來；這種奇特的道理，不是用科學方法可以馬上分析說明的。然而中國人寫了二千多年的字，在這裏頭便產生了許多玩意，許多證驗，不由得你不相信，因爲字是表現人生的，所以字要寫得好，便要在你做人上面下功夫。我們怎樣學會做人，那就非讀書不可；簡括說來，如果一個人學寫字，只是在臨帖摹碑上用功夫，而不講究做人，那縱然你學得很像，摹顏像顏，摹柳像柳，也不過成爲一個字匠罷了，不會在書壇占有地位的。如果一個人他是學者詩人富有學問，或者是忠臣義士英雄豪傑，縱然他讀的書並不像學者詩人多，但他們的作品，是必爲一般內行所寶貴的。不用說歷來書法大家，都是富有學問的人，就是歷代名人學者如歐陽文忠、朱文公、司馬文正、王陽明、岳武穆諸公，他們的字也都是富有書卷氣，英雄氣，儒者氣的。不用說這些正人君子，就是向來爲人們所指摘的亂臣賊子，如像曹操、蔡京、嚴嵩、阮大鋮這一般人，那一個的字不是氣概雄偉，筆力嶄絕的，這是甚麼道理呢？

就是我前面所說的字可以表現人生。大凡一個人能做大奸大忠大惡大仁的，他的胸襟意度一定是不凡的，他在字裏表現，也是不凡的。既然是不凡的，那還能說他不好麼？我記得前人曾說朱夫子的字是學曹操的。蔡京的字，我們在清宮收藏裏還可以看到，至於嚴嵩寫的北京「六必居」「西鶴年堂」的匾額，這是凡到過北京的，無論他是考古家，書法家，是必然看見過的。阮大鬍子的字極富北魏意味，葉遐庵家有收藏，我在詠懷堂詩集前面，曾見過銅版攝印葉氏收藏的墨跡，眞是氣魄大極了。（未完）

名人小傳　二十

・塞翁・

周起渭打賭爲官

周起渭，字漁璜，貴州靑巖人，幼年奇笨，一次背書不出，被老師用石硯打在腦袋上，流了些血。不料從此以後，竟然聰明過人，過目不忘，此亦奇蹟。

他赴北京應試，因考期未到，獨自逛書店看書，只看不買，時已半月，每日必到。一日老闆生氣了，當面斥道：「你也是個讀書人，爲何天天只看不買。個個如你這樣白看，我們早該關門大吉了」，起渭道：「貴店的書我都看過了，背都背得出，你叫我買那一本呢？」店東道：「好，你如背得一本，我就把店子輸給你」！起渭道：「君子一言。」次日店東輸了，結果將書店折成銀子，起渭以之作爲貴州會館，供鄉人連絡會談之地。

當他不得志時，在鄉梓教書，東翁甚重之。一次東翁請客，座有一武官，目空一切，瞧不起窮文人，經主人介紹，而不爲禮。起渭道：「胸無點墨，何敢在我面前放肆？」武官亦不甘示弱便道：「我雖胸中無墨，大小總是官員，你是滿腹裝的墨水的人，也不過是如此沒出息的窮教書學究。」起渭氣極道：「十年再見」！那武官道：「十年後你的官比我大，我做你的更夫好了」！大家不歡而散。同年起渭中了翰林。

起渭入翰林不久，旋充太子詹事。一年奉命爲欽差大臣，巡察西南，途經貴陽，那武官已升提督。在歡宴欽差大臣席上，起渭專語那武官道：「閣下認得我嗎？十年之約忘了沒有」？那提督知是十年前打賭學究，起立忙道「有眼不識泰山，該死！」當晚提督果打更一夜。起渭即吟詩云：「靑草湖邊百萬兵，紅綃帳內一書生，而今始識文章貴，臥聽元戎報五更。」其得如此。

讀書雜鈔　二十五

・林傳・

又沒有政治家銳敏遠大的觀力。等如下之，更不足論。所以歷任總統對共產國家極盡養癰之能事，致使共黨坐大。初則犧牲盟邦，馬歇爾一意孤行，促致中國政府放棄大陸，繼而韓戰，越戰接踵而至，正面與爲敵屠殺美國青年，美國政府猶不覺悟，作戰而不求勝利，更是千古奇聞，爲妖魔侵陵糾纏，不得脫身。尼克森又要親訪大陸，貽悞戎機，貽患無窮。最後玉石俱焚，悔之無及矣！

飛車劉八，從孫樹珊之御者也。其御車極鞭策之威，盡驅之力，遇同行者，必躐越其前而後已，故得此名。馬之強弱所不問，馬之生死亦所不問也。歷數主，殺馬頗多。一日，御樹珊往鞏從家，以空車返，中路馬軼，爲輪所軋，仆轍中，其傷頗輕，竟昏迷不知人，舁歸，則氣已絕矣！好勝者必自及，不仁者亦必自及，東野稷以善御馬，名一國，而極馬之力，終以敗駕，況此役夫哉！自隕其生，非不幸也。（閱微草堂筆記卷十一）

時論曰：劉八之死在逞能，古訓教人講修養，內藏不露，相反的，精神外露必遭忌。而內練功夫，則非讀書與修養俱臻上乘者所不能，又豈可人人皆能。物質文明，地面交通工具進步到摩托機械化，已經便利人羣得多，車禍隨之層出不窮，但而車禍統計數字以機車占第一位，其次是計程車。考其原因，類皆由於駕駛人不守交通規則，尤以超車爲最多。是皆出自劉八門下之流所爲。常見騎士自隕或撞殺無辜行人。（未完）

包拯

太史私

中國人心目中的反應，也就是中國人的一種傳統精神——崇德報功。正人死而爲神，也就是基於此理。如中國人稱某「公」，這是對於一個有功有德的人的尊稱。如軍人的偶像「關公」而不名，稱「包公」不而名，如稱朱熹稱朱文公，曾國藩稱曾文正公，都是一種尊稱；但是都沒有簡單的稱「關公」「包公」更爲偉大。諸如「關公」，「包公」在中國人的心目中，早已經過了一種「淨化」，也就是把一個偶像的歷史人物的人格加以淨化。包拯也就是由此人格的淨化而來，所以許多神奇的故事中只有他的精神，而並沒有歷史的實事。包拯之所以成爲「包靑天」，「包公」就是由此而來。至於包公案中的許多「奇案」的破案，斷案，本文在此是不可採用的。如果讀者尚有雅興，請去閱讀「包公案」好了。但那在本報上是站不住的。

戲劇中的包拯

戲劇無論是那一省的戲，包拯都是黑面，也就是正宗的「黑頭戲」。只要包拯的戲，他一出場便知他是「包公」，因爲他的黑面黑袍，相冠，好像就成了包公的代表。不過戲就「戲」，却不是歷史，戲劇人物不是歷史人物。包拯在宋朝最大的官是樞密副使，在宋代的官制，中樞省與樞密院俗稱二府，中樞主政治，樞密管軍事，樞密副使雖然也是參知政事，等於副宰相，但是也相當於今日的國防副部長，眞是的宰相是中書省尙書令和樞密使，即文武二相，因此宋代的宰相地位與職掌並不大，比漢、唐以前的宰相相差的太多。因此戲劇中的所謂「包相」「包公」，或稱「包文正」以及「包龍圖」等等，都是與歷史不合的。包拯既不是丞相，也不是龍圖閣大學士，更不是謚「文正」，而是謚「孝肅」。致於他的「黑頭」更不像話，如果包拯地下有知，也將大叫「氣煞我也！」告他個侮辱之罪。

按戲劇中的臉譜，是象徵一個角色的忠、奸、粗、細、神、道、丑、末，所以把包拯弄成黑面者，也即是象徵「鐵面無私」，在戲劇中文官開黑頭的，恐怕只有包拯一個，別無他人。同時戲中的包拯都是宰相的裝扮，別無其他地位，這更不合於歷史人物的包大人。

斷太后與「貍貓換太子」

包括在戲劇中的事更多，包公的戲，可以說是婦女小兒皆知，其實都是「戲」，如「斷太后」一戲，在歷史上只有太后的是眞的但是並非包公所斷，與包拯知開封府的時候，此一問題已經解決了二十年了，何得與包拯發關係？「斷太后」問題，就是海派的「貍貓換太子」之所本。故事內容是這樣的：

原來宋眞宗晚年的皇后爲劉氏，劉氏家世寒微，到開封時還住在別人家裏。後來選入宮中，地位也很低。但其人很聰慧能幹，眞宗很寵愛她，因此得漸漸上爬，有一次眞宗要升她爲貴妃，已經寫好詔書，請宰相李沆簽字。李沆把詔書燒了。對持詔來宰相府的太監說道，「你向皇上報告：『臣沆以爲不可』」。（一）

安徽十三傑

管仲　李聃　莊周　曹操　華佗　包拯　朱熹　朱元璋　戚繼光　李鴻章　段祺瑞　胡適　楊振寧

巨變歷險記

四國會議（二五二）

胡慶蓉

美國支持緬甸撤退外軍的主張，一方面壓迫我中央政府，一方面運用聯合國通過決議，還有一方面，那就是召開四國會議。

這四國，第一當然是美國，第二是泰國，第三是緬甸，第四是中華民國。美國最熱心，泰國也頗為關心，緬甸與中華民國都是當事國。四國會議所討論的已經不是原則，原則是執行了。詳言之，撤退在緬境的中國游擊隊原則已經聯合國大會決定，現在所要討論的是如何撤退的問題，撤多少？從那裏撤？撤到那裏？怎樣撤法？……都是問題。

撤多少？這個問題，爭執最多。在丁博士，一個也不能撤，一個也不該撤。在李總指揮，可以象徵性的撤幾個，但以不超過五百人為限。作為中華民國出席四國會議的代表則要求中國游擊隊儘量的多撤，能撤多少就撤多少。緬甸的要求，美國的要求，則為在緬境的所有中國的游擊隊一個不留的乾乾淨淨的撤光。在中國游擊隊方面，為顧到政府的困難，接受李總指揮的意見。但五百，四國會議是不接受的。

從那裏撤？四國會議討論的結果是從大其力，苗瓦第兩地撤。所有上緬甸中緬甸的中國游擊隊一律集中在大其力，所有南緬甸的中國游擊隊一律集中在苗瓦第。關於大其力，我想讀者會很熟悉，在緬泰的邊境上，與泰國的夜柿隔河相望，從大其力到夜柿，然後轉車可以到清邁，喃邦，曼谷。清邁有飛機場，喃邦有飛機場，曼谷也有飛機場。苗瓦第也是與泰境毗連，也是一河之隔，河那邊也有飛機場。由此去喃邦去曼谷也很方便。

撤到那裏？說起來，沒有人會料到的，那就是撤退到台灣。

怎樣撤法？這沒什麼問題，這全聽美國的，由美國負責一切交通工具，最初，在喃邦，用美國的飛機相送。這問題不大，這是沒問題。

四國會議，中國游擊隊代表派了四位代表。首席是副總指揮李虞夫。他那個時代在蚌八青。他那個時候住車蚌八青的河邊，他是無所謂的，撤五百，撤五千，撤百萬，都無所謂。但丁博士則不然，他反對任何的撤退，他反對撤退任何的游擊隊。他是四位代表之一。但他不願意去，他並且決定不去。李首席代表像煞有介事似的，給四位代表一人做一套西裝，丁博士還記得是一套白禮服呢的西服，當時在泰國是非常時髦的，當時泰國總理鑾坡汶都是白西服。

創業哲學

眞理與事實（五）

・丁熊照・

三，共產黨要消滅資產階級的陰謀與目的

我一直認為共產黨之所以要打倒資產階級，本非特別有憾於資產階級，所以要高捧無產階級，也並非特別有愛於無產階級，他們之如此做法，祇不過是利用社會中少數與多數現象，以貧富不均作搗亂藉口，俾易於誇大宣傳，挑撥離間，造成人與人之間的仇恨心理，從而達到其破壞傳統秩序，掌握羣象，奪取政權，排除異己的目的而已。實際上，在共產黨心目中無論是無產階級也好，資產階級也好，都不過是一種奴役工具，在共產黨統治勢力下，也從來沒有重視過人的價值，這從中共獲得政權後，中國的資產階級固然受到極大的損害，而中國的無產階級也並沒有得到絲毫的好處，甚至可以說比過去生活更悽慘，從蘇俄共產黨人，也要走修正主義路綫的事實，便可得到證明。至於共產黨為什麼特別標榜一定要打倒資產階級，要消滅資產階級呢？我認為不外是：

一：藉此可以騙取無產階級的同情與幻想，因為無產階級的人數，畢竟是多於資產階級，因此而建立了羣衆的基礎。

二、可以順理成章，掠奪全民的財產，並可以使自己搖身一變為全國最大權力和唯一的剝削者。

三、消滅反對派，一來資產階級因人數少和自私無組織，無產階級人數多，易於欺騙，將資產階級打倒後，自對社會易於控制，而可鞏固政權，何況在必要的情形下，更可對異己份子，甚至黨內的高級幹部也可以加上一個走資派的罪名，加以清算，更是巧妙無窮了。

共產黨的陰謀與目的，其實便是如此的簡單明顯，可惜一般世人，往往見不及此，反以為共產黨眞是代表人民的公正政黨，反以為共產黨眞會實行社會主義，一方面在自由社會中，每天還有種種矛盾與自私自利的現象的發生，無不在在足以鼓勵促成共產黨的蔓延，另一方面對於共產黨世界總是痴心妄想的要妥協共存，過去在韓國，目前在越南，都祇是不勝不和，拖延歲月，由於這種祇為本身暫時利益打算，不計自由世界前途安危的苟安心理，益發造成共產黨日益強大的局面，這眞是人類的不幸。

四、努力奮鬥由窮變富

我原是窮人出身，經過多年奮鬥努力，經過無數次困難阻礙，事業成功後，愛國家、愛社會、辦教育、幫助窮人，自問我盡到做人之責任，而現照共產黨「興無滅資」的說法，反要消滅，甚覺不解。因從我自己看來，我還是我，前後並沒有兩樣，我之由窮人變為有錢人，全由立志堅定，吃苦耐勞，努力奮鬥的結果。我之成功，也於社會不無貢獻。就照地球上每種生物都要受優勝劣敗的自然律支配情形而言，以人類之聰明智慧，難道還不如低等生物？吃苦耐勞，努力工作，於社會有貢獻的人，一定要鼓勵，懶惰無能，不事生產的寄生蟲，一定要受懲罰，此乃千古不易之至理，而現時中國大陸上的中共政策，在文化大革命中所公開標榜的「興無滅資」的理論，竟然不分青紅皂白，要將所有的資產階級，一律消滅，無論如何，我總覺得不合情理，也違背人性。因此，我願意將我努力奮鬥由窮變富的過程事實，在下列各章中詳細的寫出來，讓世人明白，共產黨的說法是如何的荒謬。（未完）

「加價競爭」決非香港之福

現在可說是個競爭時代，注重經濟發展的國家，則致力於「生產競爭」，「貿易競爭」。要逞強稱霸，或存心支配別人的國家，則傾力於「軍備競爭」，「太空競爭」。唯有香港却與別不同的走了一條「加價競爭」的道路。

從事生產競爭或貿易競爭的國家，其目的或為增加工人就業，或為促進對外輸出，這都是對本身和大家有利的，祇有香港的「加價競爭」，却祇能解釋為是通貨膨脹的不良現象，無論從任何角度看，都決非社會之福。

香港的加價競爭可以說是多方面的，而更壞的一個現象是這種加價已經演為「連環性」和「週期性」。先就政府方面說，自食水加價以後，最近郵政服務也加價了，食水的加價，還因各方一致反對，官方作了「象徵的讓步」，但郵政加價則是採取「加了便算」的方式，而根本不理民間的反響。政府替民衆「服務」的事項原不很多，郵政便是其中之一，但由事實顯示，郵費的加價却是比率最大也最不合理的，例如，一安士印刷品的由五分加為一角，其增加率即為百分之百，本港掛號信，由四角增至一元，其增加率即為百分之一百五十，政府的預算原本是通盤籌劃，而不是個別計算的，政府有許多部門入不敷出，或者完全有支無進，都可藉稅收有餘以補不足，為甚麼郵政服務就非要孜孜為利不可呢？所以說，郵費加價的比率之大，是絕不合理的。

再說民間方面，商業樓宇的無限度加租，早已成為本港物價高漲的「發動機」，現據接近官方人士透露說，九龍巴士將在本月十五日起開始作全面的加價，而最為使人不解和無法容忍接受的，是據說九巴財政狀況異常惡劣，估計本年度要虧蝕二千萬元，如不加價，就會陷於「破產」。因此，政府除了准予加價，還打算補貼九巴公司八百萬元。這種傳聞如果獲得證實，這簡直是現代的「天方夜談」，試想九巴是個公營事業的專利機構，政府已經免了它一年五百萬元的專利稅，其維護體貼也已經無微不至了，如果因它經營不善還要補貼它比豁免專利稅更大的鉅欵，這是等於香港納稅人金錢去保護一個對公衆服務缺乏效果的「特權階級」，這是事實所能容許和人們所能容忍的麼？

同時還可了解，九巴把它經營不善歸咎於小巴競爭，這也是自欺欺人而站不住腳的說法，因為市民乘搭小巴祇是由於大巴服務的不週，但即使今天小巴完全絕跡於新界及九龍，九巴也沒有可能獲得二千萬元以上的溢利，因此即使加價，也不能保證不虧本。假定明年的情況少有改善，或者其虧累數字減為一千萬元，那政府是否又要給它鉅欵補貼，以免這個擁腫機構的不幸「破產」呢？這種措施，任何人都可知其不可為法也沒有可能對市民交代的。

還有一點不容忽視的影響，九巴準備將學生月票由六元加為九元，其增加比率雖為百分之五十，但對港府今秋實施的小學免費教育，無形之中已抵消了一大半。如此「加價競爭」的結果，其決非社會之福，又何待言？

在此我們不禁要問，政府的服務要加價，公用事業也要加價，公務員最近也獲得加薪，假如他們都能夠在「加」字上獲益，其如衆多無法增加收入的受薪階級何？

（摘自快報）

左舜生談杜甫（五）

・文輯公・

杜甫的家屬從洛陽搬到長安，大致是天寶十年以後的事，在長安住過一個時期，因為他實在負担不了，才不得已把他們送往奉先。杜甫的夫人姓楊，其時奉先令也姓楊，可能是他的親戚，而他的舅父崔頊，又任白水尉，白水正是奉先的鄰縣，他覺得那裏有親戚可依，總比較在長安好，所以他才採了這樣一個辦法。

杜甫以至德二年（757）自賊中竄歸鳳翔，拜左拾遺，因疏救房琯，幾乎得罪，卒於是年八月，放還　州，省妻子，這便是我前面舉的那篇「北征」之所由作，是年九月，收復長安，老杜在家住了兩月，便又趕回鳳翔，隨着肅宗一陣還京，仍舊做了半年以上的拾遺：到第二年六月，（乾元元年（758）便出為華州司馬，到華州後除曾一度回到洛陽以外，他便永遠沒有再到長安了，乾元二年（759）春，他由洛陽回華州，這個時候，依然還是一個飄搖不定的局面，他在路上目覩不少的慘象，於是他寫了「新安吏」，「石壕吏」，「潼關吏」，「新婚別」，「垂老別」，「無家別」這六首有名的傑作。其所描繪當日老百姓的遭遇，雖然還趕不上今天「抗美援朝」的十一，但也就足夠表現人世的慘痛了。

他回到華州，約半年，正遇着關輔大飢，不得已棄官西去，客秦州：十月，往同谷縣，住同谷不一月，便自隴右入川。

「賢有不黔突，聖有不煖席，況我飢愚人，焉能尚安宅？始來茲山中，（指同谷）休駕喜地僻，奈何迫物累，一歲四行役……（發同谷縣）

所謂「一歲四行役」者，便是說明他在乾元二年這一年中，春天由洛陽回華州，秋自華州客秦州，冬自秦赴同谷，又自同谷入川而言。我在前前曾提到我最欣賞老杜紀行一類的詩，這個時候，他的年齡已經四十八，未老先衰，復為飢寒所困，逼得他不能不是這樣東奔西走，白居易所謂「天意君須會，人間要好詩，」大概詩人的大不幸，乃正是我們後代這些讀詩者的大幸了。下面我就姑舉幾個例子來供大家欣賞吧。

「……靡靡踰阡陌，人烟眇蕭瑟，所遇多被傷，呻吟更流血，回首鳳翔縣，旌旗晚明滅。前登寒山重，屢得飲馬窟，　郊入地底，涇水中蕩　，猛虎立我前，蒼崖吼時裂。菊垂今秋花，石戴古車轍，青雲動高興，幽事亦可悅。

（未完）

錢一劍談相

談耳相（下）（廿五）

・錢一劍・

貼肉垂珠紅潤自然主財祿亨通。貼肉者隱伏也，紅潤者垂珠鮮澤也，平生財祿綿綿，百謀百成，千求千遂，天生自然富貴。大統賦云，耳越眉兮貴，血聽重明兮富。貼肉師。許負云，耳貼肉富貴足。前國立台灣師範大學校長劉眞生此相。大清神鑑云，對面不見耳，問是誰家子，前行政院長孔祥熙生此相，以此貼肉一隱伏而垂珠者，主平生旺相而長富貴，一歲隱連至垂十五歲，陰成父母病少之相。若尖少者，小直如箭羽，安得不孤窮。形直豎似矢之謂之猴耳，最為貧賤之相，主十五歲男女並有妨財破敗長大。

貧賤孤獨之相。九總龜云，反耳無輪最不堪。直如箭羽少資糧。前西北軍名將石友三生此相雖有兵權終無作為。

雙耳尖多妨剋。

命門難入指，壽原慳短志淺愚蒙。命門者耳孔也，若窄小難入小指尖者，主愚頑短壽無智之人，洞中經云耳孔容針家無分金。大清神鑑耳門如墨八十之客大壽也。

無輪兼反薄，家破囊空。薄者主貧也，一歲至十五之內妨剋破祖，長大孤負壽夭之相。大清神鑑云輪為城內為廓兜廓吉廓兜城兜。金鏡曰耳無輪廓多破散。大統賦云耳薄如紙貧而早死。厚大垂眉極貴天年過八十方終。廣鑒集云耳大四寸高聳垂眉者主大貴壽長蜀劉先主耳毫垂肩，目顧其耳，宋太祖口方耳大，只因是毫生竅內，頭白老龍鐘。安徽懷遠有首富劉大吼者，耳大若豬，口能容拳，嗜嫖，做夜皇帝廿年，上演三宮六院七十二妃，快活而死。

毫者孔內生毫也龍鐘竹名其曲頭垂眉地若人生耳毫主長壽，似龍鐘之竹綴曲頭低極老之相也，郭林宗曰借問何人年過百，耳內生毫頭半白，項下雙縧成一縷，此是人間壽星魄。

（未完）

自由報
（第一二〇一期）
（中國內地版 每週星期三、六出版）
社長李運鵬　督印黃行書
社址：香港九龍官塘康寧道117號後座二樓
117 HONG NING RD, 1/F REAR, KWUN TONG, KOWLOON, H.K.
TEL: K-433653
電報掛號：7191
郵箱：官塘郵政信箱9583
承印：藝星印刷公司
地址：嘉咸街廿七號地下
台灣區業務管理中心：台北市許昌街廿六號
電話：二三八〇〇二
第五〇五六號張萬有（自由報會計室）
台灣分社：台北市西寧南路110號二樓
電話：三三〇三四六、台郵劃撥戶九二五二號

美金與日圓的激烈戰爭（下）

·侯立朝·

戰後的日本，在經濟上經過了三個十年，第一個十年是一九四五年——一九五四，這個十年是痛苦的，戰後滿目瘡痍，窮困、飢餓、卑下、被美國兵統制於腳下。韓戰發生，給日本帶來了經濟的好況，而後漸漸步上康莊大道。第二個十年是一九五四——一九六四，這個十年是日本經濟中度成長的十年，有所得倍增計劃、鋼鐵、銀行的聯組計劃、及提倡消費大量化計劃，金色的六十年代，使日本女人美麗起來。第三個十年是一九六四年到現在及延續，這個十年因爲有越戰，美國在政治與經濟上萎縮，日本經濟得到高速的奔馳，日本人有三C的享受，全國出產毛額在一九七〇——七一年度，達到二千餘億美元，出口貿易日增，順差高達六十多億美元。即對美國輸出而論，去年順差二十億，今年預算超過二十億到三十億之間。美國恐慌了！以兩記耳光攔打日本：（一）進口附加稅百分之十，（二）迫使日元升值。前者等於是直接的限制進口，後者是間接的限制競爭。

日本也很厲害，它的銀行界在尼克遜宣布新經濟措施之後的一週之內，吸進了三十多億美元，使美元統統跑進銀行，無法在市場上打游擊。而後再宣布採取外滙浮動滙率，使日元不致於漲幅太大，在百分之五到百分之七之間浮動，最高也不能使它超過百分之十，日元不固定升值。第三步即倡合多國談判解決滙率問題，日元決不單獨升值。第四步請求美國取消進口附加稅，否則報復。這是美國的新經濟措施向日本挑戰後日本的回應，具體的發展，將要在九月中的三大會議中才能看到雙方尖銳的還是退步的表現。

此三大會議即：美日經濟貿易委員會議（九月上旬舉行），十國財政部長會議（九月中旬舉行），國際貨幣基金年會（九月底舉行）。這三大會議，我們預料在美日經濟貿易委員會議中，美日雙方會有激烈的鬥爭，日方將堅持美國必須放棄進口附加稅，因爲此舉將造成關稅壁壘化，不能促進貿易自由化；而美國是保護工業政策之祖，很難放棄其保護立場，除非日元單獨升值百分之二十五，或開放美貨的進口管制。雙方如果協議而成，則日本較美國有紀律，仍可以一戰。我們支持日本的堅定立場，雖然日元升值對我們中華民國出口有利，但基於同文同種及美國在政治與經濟上這兩個月來的多行不義，我們支援日本在經濟鬥爭上的勝利。第二個會議即十國（美、日、加、法、英、德、義、比、荷、瑞典）財長會議，日本將在該會中受擠，日本應以堅決的態度作平等合理的爭取日元的平價，否則，應斷然退出該會議，不受白人優越感的恫嚇和屈服。第三個會議即國際貨幣基金會，它一向是受美國支配的，現在歷史不同了，美元到處碰壁，現在美元存儲量以德國居第一，一百八十億，日本第二，一百三十億，美國第三，一百〇五億。如果德日能攜手，則發言權不應該是美國，而應該是西德和日本，對於國際貨幣體系的改制，日本應該聯合德國，提出多元中心的貨幣體系，歐洲市場以馬克爲中心，東方市場以日元爲中心，美元要讓它退回老家去罷，它不可能再作爲壟斷世界的國際通貨。日本人應該向世界挺進再挺進。

綜合來看九月中的三大會議，日本在第二、第三兩大會議中，是孤單的，一定會遭到西方中心主義者的排擠，以壓迫日元的升值。因爲日元升值，對它們都有好處，都可以減少競爭的壓力。而此次世界經濟市場及金融市場的大戰，又都是美國挑起來的，美國不僅僅是政治戰的禍首，同時也是經濟戰的禍首。

美國此次掀起了世界的經濟大戰，也無法挽救美國的經濟危機和美元危機。因爲美國的經濟結構已經定着僵化，即內部條件已經失去活力，無法起死回生，除非天翻地覆，而古羅馬的例子正是美國的寫照。它的外部措施，進口附加稅增加了外在的報復力，美元不承兌黃金，是信用破產的賴帳。這是尼克遜在朝毛聲明激起政治鬥爭緊張之後的又一個加深世界經濟緊張的邪惡政策，世界歷史將紀錄着美國政治信用的破產及經濟信用的破產，也加速了美國國運的危亡。（八月三十日）（完）

昨日與明日

爲政的道理

記得民國廿一年，我奉「豫鄂皖三省剿匪總部」派任爲某省區的行政督察專員時，因係新設機構，沒有班底可資遴用，而自己亦缺乏幹部，乃請求總部秘書長楊永泰先生給我介紹一二秘書科長之類的人才，楊哂然道：「我介紹的人你能夠指揮如意嗎？另向別的朋友商量罷，我未便推荐！」在我作行政專員的三年任期內，楊先生不特是未曾介紹過一名屬員，對行政事宜亦絕不干預或有所示意，只隨時寫信教我遇事要以細針密縷的心情相處理，切忌粗枝大葉。這是曾國藩對僚屬實行私下「勸教」的作風，令人感奮。據我的觀察所及，吾國現代顯貴人物中，眞正懂得政治的道理者，除楊氏而外，但似乎未有第二人呢！

今之大人先生提拔了一個方面之任的行政首長，每將其夾袋中具有裙帶關係或派系關係的人士，儘量交去任用，甚至於任命一個省主席，同時把省委和廳處長都派定了。行政首長既無自由物色助手之權，對所屬幹部不稱職守的，亦不能加以究處，而那些背景優越的僚屬，則有恃無恐，吊兒郎當，滿不在乎。如此的用人方針，怎能夠產生政績呢？祇要敷衍過去，不出漏，就算是能員了。

綜觀近卅年來的政治現象，就在官僚主義，派系主義，洋化主義這三種作用之下，把行政機能腐蝕摧殘淨盡，迫不獲已，乃乞靈於外洋的工場管理工人的方法，以求革新庶政，這跟政治的道理格格不相入，豈能獲致預期的成效？

古人說：「王者與師處，霸者與友處，亡國者與役處」，爲政者縱不能與師處，如能聽取一些站在政治圈外的朋友諍言，未嘗不是求治之道。如其無師無友，只有部下的報告可聽，政治即永無清明進步之望，可斷言也。

革新政治的竅要

政治之隆污，國運之盛衰，在一般達官顯宦的出處進退之間，即昭然可覩，固毋須作縱深的考究也。

凡是有爲有守的政治人才，他的出處進退決不隨便，非其人不事，非其位不居，非其祿不取，既進矣，必期施展抱負，有以自見，否則急流勇退，無所顧惜，表現着難進易退，志在作事而不是作官的風格。這樣的政風，必上賢者在位，能者在朝，使僻倖的羣人物，根本就無從入仕途，僭竊國家名器，政治自然清明進步，國運隨之興隆昌替，決無例外。

衰亂之世却異是。所有紆青紐紫，鍾鳴鼎食之輩，皆以倖進爲能事，不問其職位是否跟自己的才學相適合，也不管自己的能力是否勝任愉快，四出奔競鑽營，貪祿求進，有奶便是娘，毫無所擇。既進矣，但期鞏固官位，不識廉恥爲何物，任憑輿論攻擊，自謂「主公厚我」，不忍言去！對外且聲稱「我是來作事，不是來作官的。」這一官位坐久了，另換新位，再不然，就設法弄個公營事業的董事長噹噹。總之：易進而難退，既沒有責任感，更缺乏羞惡之心。

世人昌言革新政治，其說甚是，但革新之道未能切中竅要，則收效必微。欲求革新的實績，須從養成「難進易退」的政風着手，使一般士大夫儼然於政治節操與個人人格之可貴，行己有恥，有所不爲，一旦從政，乃有所爲，而革新政治的效果，即不期然而自然會實現的。不此之圖，使係藥不對症，厥疾永不瘳，政治現象依然如曾國藩所說的：「欲求摒利不先，赴義恐後，忠憤耿耿者不可亟得，而貪饕退縮者則驟肓而上騰，而富貴，而名譽，而老健不死」，可不懼哉！

·何如·

自由談

進步的修正主義

自號爲馬克斯主義政權的智利總統阿倫第說，他的政府無興趣使報章與廣播皆受國家管制。這纔是十足的修正主義，不知中國大陸上的毛共政權，作何感想？

一種政治思想和政策，必然受到時間與空間的制約，否則便係沒有適應性的幻想空談而已。馬克斯在世時，未曾夢想到二十世紀的人類，會發明原子能這項怪物，而利用原子能與機器作用，可將人力勞動減少到微乎其微的程度。因而他所強調的勞動價值說，階級剝削論等等說法，在現代人的事實體驗中，乃成爲深堪發噱的天方夜談了。

俄共經過了半世紀以上的實際考驗，深知機械式的馬克斯教條完全不合時宜，不能不加以修正，而採取以利潤刺激生產力的方法，作爲經濟建設路綫，良非得已。然毛共指爲「蘇修」，大事抨擊，且要與蘇俄競爭共產世界的領導權，眞是笑話！

就現階段全球各個共產政府的統治方針而言，最反動而又落伍的，即爲毛共政權，表面上死背住馬克斯教條，夸夸其談，事實上把數億人民淪於奴役勞動的悲慘境況，啼飢號寒，視爲義所應爾。這樣的政權若謂可以長期存在，那便是不可思議的神話，誰其信之呢？

如南斯拉夫，羅馬尼亞，智利這類修正主義的所謂馬克斯主義政權，也不過是稍爲適應時間與空間，藉以遷延命運罷了。共產主義根本就是違悖人性的邪說，決不能冒稱爲「社會主義」。眞正的社會主義是以愛爲出發點，通過民主方式以達到貧富，無階級的安樂生活，進而實現天下一家的大同世界。不過，倫第的修正主義又比其他的共產政權更前進些，將來他的政府亦可能苟延歲月，成爲馬克斯信徒的最後失敗者。

馬五先生

漫談中西醫

對中醫的基本認識

本報資料室

中醫西醫間最大的隔閡是彼此詞語不通，難以相互了解。中醫藥書，雖然是用中國文字所寫，但所用的醫學術語是古人創造的，它的意義不能按現代的「字義」來解釋。「肝火旺盛」，「陰陽兩氣」，「丹田」有中醫的意義。「腎虧」不是腎臟功能衰竭，而是指陽萎。中醫所用的藥名，在美國最新的植物學辭典上也找不到。所以一個受過現代醫學教育的人僅從中醫藥書上很難了解它的眞實價值。用醫學術語解釋病情是一件很難的事。即以醫學發達的今天來講，醫學名詞有了統一的定義，對一個不懂醫學的人講解心臟冠狀動脈梗症，那些冠狀動脈、血拴、心肌梗死、側枝循環等醫學名詞，亦使人很難明白。古時候醫學名詞沒有標準可循，用文字描述一種病情更難。甚至有些病情無法用文字描述，只好用口語流傳下來。今天中醫所用的醫學術語，仍然是古人用的，並不是任意創造的。

當前中西醫的問題，是西醫沒有機會去學習中醫，了解中醫，中醫也沒有機會接受現代醫學教育，把他們的知識用現代醫學術語表達出來。中醫藥決不是巫醫，而是科學的醫學。全世界各原始民族雖然都有使用草藥的知識，但在以後人類生存競爭中，有些民族被消滅了，有些遠遷他處或與另一民族混合（今天埃及的阿拉伯人與古時的埃及人文化和人種完全不同），把使用草藥的知識傳失了。只有中國民族比較幸運，在這個大變動中，仍然能把前人使用草藥的知識，用文字或口語一代一代流傳了下來。可以這麼說：今天全世界各民族中，知道應用草藥，有文字記載成爲藥方，經後人無數次驗方繼續使用者（今天仍用），只有中國人。古國歷史記載最早會用草藥的人是神農氏，可能在神農氏以前，在沒有文字的更古時代的中國人已知道使用草藥，神農氏祗是中國歷史上第一個驗方中醫。以後又經無數的人繼續驗方（臨床應用），到了「傷寒論」、「本草綱目」等中醫藥書出版的時候，中藥已成千錘百煉的藥方了。（下轉第四版）

最安全的是台灣

天下事

成公

自從尼克遜宣佈訪問中共之後，國內國外多少有錢有勢的人，發生莫名其妙的敏感，（這種敏感一般老百姓是不會有的）尤其台灣許多有錢的人，都產生一種不安的感覺，只看國外報紙，即不斷登載，台灣的資金，大量流出，以及在尼克遜宣佈新經濟政策後，舉世美金都跌價，獨有台灣的美金黑市反而上升……這一些都說明了台灣有錢人的蠢蠢動醜態，他們心中汲汲惶惶，好像以爲台灣到了危險地步，趕緊要跑的樣子。

這種望文生義的膚淺看法，實在幼稚可笑，說句古話：「未之深思耳」，今天美共勾結，看着好似很神氣，但要往裏面深入的摸一下，他們實都是「色厲內荏」，美國的內憂外患：並深懼毛蘇合作對付他，這是衆皆知的，不用說了，而中共方面則只看周恩來的親口招供，就明白了，周氏有一次對北越的記者說：「你應該知道，在北方威脅我們的是什麼人」，周氏雖是極狡猾的老狐狸，但這句話也同樣一葉知秋的，透露了他們裝腔作勢的底蘊，這話直接告訴我們對蘇聯威脅的恐懼，間接告訴我們所以一百八十度的轉彎，與竟然與「美帝」勾結乃是爲了解除這北方的強大威脅，這並不是一種心裏的幻覺，試想蘇聯在與中共的邊境上，最近已陳兵到一百八十萬，是作什麼的。（曹操下江南不過才號稱八十三萬，美國出兵越南最多也不過五十三萬）。

國際間的對抗，往往像小孩玩翹翹板，此間升起即是彼端的落下，經過這一勾結後，美元的威脅減低，而蘇聯的恐懼大增，深怕美毛合作對付他，只看其急急忙忙的與印度訂約，就是明證，這「三國」之外，還有唱配角的日本，本來與得到美國支持，作威作福，甚至還想對台灣開始肆虐，但尼克遜這連續的「絕招」打出後，不僅暫時不敢染指台灣了，並且深自恐懼毛共得到美國合作後，會爲不利於日本。

總而言之，今天環顧世界，無一片乾淨土，愈是強國愈有戰禍光臨的危機，美、毛、蘇俄以及日本，無一不惴惴不安，而也確實隨時有被攻擊（當然這種可能性不太大），甚至是原子彈攻擊的可能，反觀自由中國所在地的台灣，倒在夾縫中，獨享安福，美蘇固然不會來攻打台灣，也就是中共拋開他的「招降伎倆」外，今天也絕不敢越節外生枝來向台灣作攻堅之戰，而自找麻煩，因此在目前的國際巨變中，眞不是像那些膚淺人所想像的危險，反之却是最要安全的樂土，這不是我們的自我陶醉，而手邊就有一件事，可爲明證，英國的巨商大賈，往往深刻而現實，現在就有某巨商想把機器設備轉移到台灣，託本報代爲物色下家，只要條件適合，一切機器設備，不僅分文不取，並且包運至台，代爲安裝，而在七年後收欵。假如台灣不安全，還敢約定七年後收欵嗎？

因此寄語政府當局，和自由中國的全國人士，應該好好利用這一安定局勢，發奮圖強，堅固內部，開誠心佈公道，用人不要唯私，上下不要苟且敷衍，則前途實大有可爲。

羅馬尼亞穿針引線
美與中共早有來往
「乒乓外交」使活動表面化

（自由報本港消息）美與毛的外交，與日本蘇俄之間秘密外交，此間一家權威報紙分析說：尼克遜一九六九年一月廿日就任美國總統之後，不到十天便下令研究如何能夠與中共政權恢復交往。導致尼克遜總統這樣急亟行動，是由於中共曾於一九六八年十一月，當尼克遜當選總統後，會提出要求與美進行談判，簽訂類似和平共處五項原則的協定，以期改善中共與美國的外交關係。尼克遜於翌年一月廿日就職典禮致詞中，提出以談判代替對抗的主張，宣稱「談判時代」已告來臨。希望以和平談判方式來轉變局勢，替亞洲帶來和平，已暗示要與中共恢復交往。

美國務院奉命研究與中共恢復交往的準備工作，就是在上述的情形下展開的。第一個階段是在尼克遜的第一年半任期之內，經由一般性的努力，使中共方面知道，美國是在準備與他們進行認眞的談判，並表示美國是不會做歷史的俘虜。──準備突破常規，不計較中共對美國的敵視政策──第二個階段是由今年四月開始，美國從一般性的努力進入較具體的試探，然後在過去三個月間，進行了一連串的連繫，交往，始決定派遣總統安全事務顧問基辛加秘密前往北平訪問周恩來。

在外交連繫方面，白宮對於這些行動的詳情，迄今尙未有絲毫透露，華府權威人士却說出一些蛛絲馬跡，表示尼克遜總統會藉出國訪問的機會，透過第三者將他打算訪問中共的意願，告訴與中共領袖們這些第三者是誰呢？白宮方面當然無所表示，但去年尼克遜總統訪問法國時，即曾向戴高樂與羅馬尼亞修西斯古表示過他有意與中共改善關係。戴高樂與中共關係密切，他與尼克遜的會談，尼氏會否託其轉致中共，願與中共談判解決，雖然未見透露，惟不能抹煞其可能性，羅國總統之願作美國與中共的掮客間，奔走於華府北平之間，早就引起觀察家的注意。相信此次尼克遜總統訪問北平之能成行，修西斯古的努力是不可忽畧的。此外，加拿大、日本、巴基斯坦等國在穿針引綫方面，料亦做過一番工夫，到了中共打起「友誼第一，比賽第二」的口號，派乒乓球隊到日本去的一段時間裏，借着邀請美乒乓球隊訪問大陸的幌子已表明了中共對美國探討關係正常化的意願，允予接納，一方面笑臉招待來自美國的訪客，一方面暗裏與美國白宮秘密安排，終而使基辛加得以成行。基辛加乃携着尼克遜總統於在白宮私人會客室，與基辛加經過長時間商議將來與周恩來會談的議程和實質問題，作成厚若書卷的親筆指示，交他帶往北平，以便在會談時答覆周恩來所提出的任何問題。

種種跡象顯示，儘管中共在宣佈招待尼克遜總統的訪問後，仍然不斷的對美國發出惡意抨擊之詞，還再三申明中共的立場不變。話雖如此，骨子裏却是有與美探討恢復關係的意願的。中共基本政策的改變，這似乎是開始於一九六八年的，而其最後的決定，則在一九六九年中國共產黨全國代表大會舉行之後。

一九六七年中共的文化大革命會使它外交活動陷於停頓，除了駐埃及大使之外，所有的駐外使節幾已全部被召回國，當時英駐北平代辦處被火焚毁，英外交官員被毆辱，事態的嚴重，好像表示中共要把所有外交關係均予摧翻，實行走孤立主義路綫之概。

經過一九六八年的整頓與一九六九年的「全大」的舉行，北平顯已決心恢復對外關係的秩序，到去年五月至八月間，又重新的委派駐外國新大使達二十四名之多，而以發動「乒乓外交」尼克遜總統宣佈訪問大陸爲其政策發展的巔峯，可說是中共的「外交復興時期」。

由於尼克遜要訪中國大陸
佐藤將前往莫斯科
與蘇商亞洲新局勢

根據來自東京的消息：日本首相佐藤榮作，可能於九月之前，赴莫斯科訪問。透露這一消息的，是日本的「讀賣新聞」。

但是，日本官方還未證實這一消息。蘇聯方面也並無任何官方的有關公報。

我們相信這消息決不是全無來由的。換言之，佐藤訪問莫斯科，現在可能已經到了「成熟時期」。

東京的消息還指出：佐藤榮作訪問莫斯科的目標，是爲了：──

一、與蘇聯簽訂「和平條約」。

二、討論日本協助發展西伯利亞的計劃。

這兩個問題對日本都是急切需要的。不過，在過去若干之年間，日本的自民黨政府，一直爲了北部領土的問題，而距絕與蘇聯討論「和平條約」。

日本的北部領土，有些島嶼，在第二次世界大戰的末期，爲蘇聯軍隊所佔領。日本好幾次向蘇聯提出交涉，希望蘇聯將其所佔領的土地歸還，屢次受到拒絕：蘇聯的口實是：「這個問題已成過去。」

假定佐藤榮作決定到莫斯科去訪問，不論主動是日本或者是蘇聯，他們顯然是打算將日本北部領土的問題，放在一邊，暫不談論，而其主要的目標，則在於應付亞洲的新局勢。

此一亞洲新局勢之產生，明顯的、是由於尼克遜決定訪問中國大陸所觸發的。尼克遜訪問中國大陸：不理其眞正的動機何在，但是，日本和蘇聯，首先受到了刺激。

日本於尼克遜決定訪問中國大陸之前，完全被蒙在鼓裏，這已經是公開的事實。

日本所關心的，就是美國撇開了日本，而討好其西面的強大鄰人。

這個鄰人對日本並不友好。日本過去和現在，都認爲在亞洲的唯一對手，就是這個鄰人。

我們早在尼克遜宣佈其決定訪問北平之際，就曾經指出：當日本確信美國已經有意或者決定「撤檔」，他們爲了本身的利益，將會尋求一個新的伙伴。

我們同時也指出：日本在新形勢出現的時候，將會被迫而走向北面去。

這就是與北面的蘇聯，結成一個對抗美國和對抗中共的聯合陣綫。

就思想上和歷史背境而言，日本不易與蘇聯結盟。

但是，今日的世界，許多原先被視爲「固定原則」的理論，早已被一些新的權力鬥爭所衝破。

一些照常規不可能出現的事物，却出現在我們的眼前。

因此之故，誰也無法保證，日本不可能走向北方去！

蘇聯於六月二十三日提出的五國裁軍會議，北平方面，昨日正式予以指斥。

北平方面認爲：蘇聯的建議，是在於確保大國的「核武控制」。

所以，北平政權爲了擊破大國的「核攏斷」，決不參加這種會議。

依調集

三缺一

白下大夫

台灣經濟發展，市面繁榮已經超過香港，美中不足的是有幾個三缺一：有聲、色、狗而缺「馬」，跑馬場據說由錢大鈞提請開設，卒被打銷。有酒、色、財而獨缺「氣」，氣者氣節之謂也。有吃、喝、嫖而缺「賭」，公開賭場在禁止之例，私家麻將是例外。有法、令、會而獨缺「行」，會者會議之謂也。目前台灣各機關開會之多，是超古邁外獨霸世界的，就是缺乏力行的實踐。有將、十相而缺「才」，才者人才之謂也。有三卡獨缺一拔，拔者提拔之謂也。至於有報紙無報人，有代表無民意，有市長無市政，則又是缺之缺者矣

八一三的血債

紫如

父親花了九牛二虎之力，才帶着我們擠進大門去。但一間廠房的人，都肩並肩，背貼背的擠得水洩不通；最後，承兩位難友的幫忙，才讓出一角之地，供我們立足。

夜，是在驚惶甫定的心情下過去了。一覺醒來，天已大亮，槍聲也停止了。大人們三五成堆的圍着閒談。有的說，鬼子已進入浦東了，但誰也無法獲得證實；倒是每一個人背井離鄉的悲痛心情，却是一致的。

父親不顧別人的勸阻，堅持要回家一轉。臨走，父親對我說：「小心照顧弟妹，爸爸回家去一轉，很快回來的。」

誰知，直到天黑了，還不見父親的影子。鬼子的殘暴，我是耳聞目見的；萬一父親遭了毒害，茫茫苦海，憑我們三個加起來還不足二十歲的小孩，往哪裏去找生路？

當天，我們僅靠別人施捨的兩碗薄粥過去了。（四未完）

劉半農與賽金花

後來由刑部發到蘇州、長洲、元和、吳縣、三堂會審，有人從中幫忙，乃得釋放，到上海再掛牌子，仍名賽金花，後嫁與滬寧鐵路小職員曹某，感情甚好。直到曹死，三度到上海掛牌子，在大舞台隔壁，仍名賽金花，迺國會議員魏某，與之結婚，時已五十歲左右；約在民國二三年之間也。

余最後晤賽，即在此時，賽神氣尙好，惟塗粉甚厚，細看可見其皮已皺，尙着男裝，關於孽海花，賽曾提出二點抗議：（一）不承認是輪夫的女兒。（二）不承認渡歐與船主發生關係，其他均未提及，賽確懂外國語，至少會說英、法、德三國語，文字則不識，有人說他不懂一句外國語，實之過火，試思賽與瓦德西前後有兩度密切關係。時日亦非三天二日，焉有不懂一句德國語之理乎。

某報記者，責予在孽海花中，描寫賽金花過於美麗，聰明而偉大，以爲言過其實。實則該記者頭腦欠清楚，竟分不出文學作品與歷史之區別，孽海花乃小說。而非傳記。小說家對於其所描寫之人物，有自由想像之權利，該記者不此之察，以爲書中之賽金花，即今日之賽金花，無怪其大失所望也。賽金花謂予因情場失敗而作孽海花，予于上述談話中，已指摘其謬，今再畧述予著孽海花之動機，光緒三十年，余因病休養滬上，創小說林書局於上海，蘇州金一（字松岑）投來一稿，題名孽海花，計六回，余爲之修改，且函商以賽金花爲經，以清末三十年朝野軼事爲緯，編成一部長篇小說，金一復函謂無此魄力，乃全委之於予，故第一版的孽海花第一回尙係金一手筆。

余作孽海花第一冊既竟，岳父沈梅孫見之，因內容俱係先輩及友人軼事，恐予開罪親友，乃藏之不允出版。但余以此乃余心血之結晶，不甘使之埋沒，乃乘隙偸出印行，時光緒三十二年也。「孽海花」別署東亞病夫著，無人知東亞病夫爲誰氏，但友人林琴南，在「賊史」序上，揭明孽海花爲曾孟樸所著，一時向余打交涉者甚多。至於孽海花之內容，誠如林琴南在「紅礁畫槳錄」序上說，「孽海花非小說也，乃三十年之歷史也。」

惟小說着筆時，雖不免有相當對象，然遽認爲信史，斤斤相持，則太不瞭解文藝作品爲何物矣。

以上曾之聲明，遍載民國二十三年十一月京滬平津各報，後某記者又持報往詢，賽始怔怩，蓋前言欲藉以抹煞孽海花所記，自掩其醜耳。曾固未嘗戀賽也。

（四十八）

毛俄可能打起來

·文匯樓主·

蘇俄加強印度洋公共關係之際，一邊大舉進兵西伯利亞邊境，毛澤東的兵來將擋，水來土屯，也成爲習慣法了。

這次不同的，毛蘇之間多了一個尼克遜問題介入，使蘇俄一直感到非常不安，革命本不能搞手段，俄國不能因毛澤東是「同志」就可原諒其向「美帝國主義」妥協，同時毛澤東既與「美帝國主義」打交道了，又不能不防範蘇俄猛虎洗臉下的攻勢就在這個時候，尼克遜要在下月間前往大陸訪問。

根據聖克里門日路透社電白宮發言人今日宣稱一項報導說尼克遜總統會於今年十月底訪問北京只是推測和極之不正確的。

發言人齊格勒拒絕說出尼克遜何時會去中國大陸，只是重申在明年五月某個時間前往訪問。這可能是在毛蘇邊界風聲緊張之際，湊湊熱鬧，也可說是火上加油。

不過此間一家銷數相當大的晚報專欄新聞說：「中蘇可能開戰」其內容多係引述美國主管東南亞與太平洋事務副助理國務卿蘇利文的看法，特將全文錄後：

「美國主管東亞與太平洋事務副助理國務卿蘇利文在分析中蘇共與美國的情勢時說，中共已「不再是我們認爲它會變成的威脅了。」但是中共與蘇聯之間有發生戰爭的可能性，而中共將會獲勝。

蘇利文這一看法，與西方許多專家不會而合。中共也是爲了担心蘇俄會出其不意，先下手爲強，揮軍進攻，而連忙展開「笑臉」外交，與美國大打交通的。不過，蘇利文認爲，中蘇共如爆發大戰，中共將會獲勝，不知是根據甚麼資料作出的判斷。

美國務卿羅傑斯昨天在談及尼克遜大陸行時說，蘇俄不必爲此感到憂心忡忡，因爲美國既尋求與中共改善關係，也設法與蘇俄交好。然而，中蘇在日益交惡，雙方互相爭取美國。倫敦外交人士更傳出舉行近二年的邊境談判可能宣告破裂。這一切都是對美國有利的，雖然華府一而再，再而三強調不「坐收漁利」，然而華府却是盡量利用這一情勢的。

談鄭孝胥及其字（二）

·克尚·

我嘗說凡是要想拿寫字成名的，一定要在讀書上用工夫。人的氣概胸襟，固然是天生的，但是古書上不會說過嗎？「讀書可以變化氣質」，氣質都能變化，你可想到讀書的功用了。就是氣質不能化，只要有了讀書人的氣度，這也就可以了。所以我動人，讀書要緊，做人更要緊。

鄭孝胥先生是位「殷勤函札待雲鬟」的風流才子，他和沈子培先生都是張文襄幕府裏知名之士，同是同光體詩派的領袖。他們交情是相當的厚，唱和的詩也是相當的多，而在字學上面，却各有他各人的面目，自開一宗的。

鄭先生名孝胥，字蘇戡，又號太夷，福建閩縣人，孝字是他家的排行，胥字是因爲他生時在蘇州胥門，所以他太爺便用這個胥字來作名字。他生平好談政治，以爲天下事一舉手便可弄好，但對於人情世故，歷史成敗，世界潮流，可以說完全不懂得；可以說是毫無智識亂出主意的急功近名之士而已。你說他忠於清室嗎？他第一炮主張鐵路國有，便把大清國送掉了；第二炮主張溥儀出關出關依附日本，便把愛新覺羅的種子斬絕了。你說他是漢奸嗎？我以爲他恐怕連這兩字的解釋，還弄不清楚。你罵他漢奸，他還自以爲是滿臣呢。他在清末雖是一們負有盛名的人物，我恐怕他對於國家和民族的概念是絕對沒有的。

我記得從前我的同學潘伯鷹和陳弢庵先生談天，陳先生忽然問伯鷹道：「你以爲蘇戡是那一種人？」伯鷹答道：「大概是戰國的策士罷？」弢庵笑道：「我恐怕他連策士還不够哪！」「我起初以爲這是憤激之談，後來想到戰國策士如蘇秦、張儀這批人，雖然是急功近名之士，但他們對於歷史成敗，當時各國情形，是瞭如指掌的，那有像他這樣蒙住頭腦，塞起耳朵，閉起眼睛，拍起胸脯來談政治呢？

他在政治上是絕對失敗了，但是他的詩和字是絕成功的。這也像前人說過的，宋徽宗李後主這般人，如果不做皇帝，只做藝術家、詞章家，那裏會弄到亡國，並且嘗到亡國的慘痛呢？他早年的字，是從柳而蘇而黃的，他五十歲以前的字並不算好，雖然有筆力，但是瘦得可憐，尤其是轉折的地方，一定要突出一塊東西，就好像鴉片鬼聳着肩膀似的，眞是怪難看的。後來他學張遷碑，又寫北魏裏像李超墓志等碑，這一變可大大的成功了。我曾在上海四馬路小有天看見他用張遷碑碑陰的筆法寫的一付五言大對聯，眞力彌滿，淳古樸逸，並世寫隸書的人們，是不能和他競賽的。他用碑體所寫的碑誌墓銘榜書等，都寫得遒美峭拔，眞獨出冠時，我以爲比張廉卿好得多了。他的行書，完全在行氣，整幅看起來眞是一神片韻，一氣呵成，無處不好，若一筆一筆拆開來看看，簡直沒有一筆要得的。至於他草書禮部韻畧，還是用他寫行書的筆法，簡直可以說是門外漢，要不得。我們對一個有名氣的書家，縱然崇拜他，但是他那一種字好，那一種不高明，也還要弄明白，不能一味胡捧，也不可一味胡罵的。好就是好，壞就是壞。

他生平對於寫字，十分用功，也很自負。他每天早上四點鐘便起來，所以自稱夜起翁，起來便自己動手磨墨寫字，天亮以後，才替人寫屏聯等。他所作的海藏樓詩集裏，關於論書的詩很多，可以綜合起來寫一篇文章的。我聽說他有一次把他寫的字，請他同年河南書家秦右衡先生批評。秦先生對他說：「你寫的字夠得上明朝人的字，你是破法的，我是守法的，我們各行其是罷了。」

（完）

讀書雜鈔

二十六

·林僑·

陳尸道旁，血肉橫飛，慘不忍睹者，又皆肇禍於駕駛遲能，倘能稍一謹慎即可保住自己或他人性命，輕能之輩，不待法律制裁，而自裁之，聰明耶？糊塗耶？有其因，必有其果，亦事理之宜然也。

朱定遠言：「一士人夜坐納涼，忽聞屋上有譟聲，駭而起視，則兩女自簷際格鬥墮，厲聲問曰：「先生是讀書人，姊妹共一婿，有是禮耶？」士人噤不敢語，女又促問，戰慄囁嚅曰：「僕是人，僅知人禮，鬼有鬼禮，狐有狐禮，非僕之所知也。」二女唾曰：「此人模稜不了事，當別問能了事人耳！」仍糾結而去。蘇味道模稜，誠自全之善計也。然以推諉僨事獲譴者，亦在在有之。蓋世故太深，自謀太巧，恆避其不必避者，而亦避，遂於必當爲者而亦不爲，往往坐失事機，留爲禍本，決裂有不可收拾者。此士人見誚於狐，其小焉耳。」（閱微草堂筆記卷十三）

時論曰：昔之鄉愿，今之官僚，皆模稜不了事，嚴格言之，鄉愿與官僚皆非僞君子，而是眞小人。但其人必有小聰明，始能迷惑其主，在人與人間製造矛盾，以利自存，然其手法巧妙，不輕爲人覺。官僚不作事，只作官。因此只要有官可作，欺師滅祖，出賣其主，陷害親友，無所不爲。鬼狐不屑一顧，豈人人則未能免俗，而不如鬼狐歟？一言以蔽之，無他，聰明爲私慾所蔽耳。故無論經商自任老闆，從政作一主管，凡有役人條件者，皆宜冷靜，先公後私，始可幸而免，庶不爲小人所祟。

葉守甫，德州老醫也。往來余家，余幼時猶及見之，憶其與先姚安公常言：「一從平原謁海豐，夜行失道，僕從皆迷，風雨將至，四無村墟，望有廢寺，往投暫避。寺門虛掩，而門扉隱隱有白粉大書字，敲火視之，則「此寺多鬼，行人勿住」二語也。進退無路，乃推門再拜曰：過客遇雨，求神庇蔭，雨止即行，不敢久稽。聞承塵板上語曰：「感君有禮，但今日大醉，不能見客奈何？君可就東壁坐，西壁蝎窟，恐遭其螫；渴勿飲簷溜，恐有蛇涎；殿後酸梨已熟，可摘食也。」毛髮直立，嘿不敢語，雨稍止，即惶遽拜謝出，如脫虎口焉。」先姚安公曰：「題門榜示，必傷人多矣，而君得無恙，且得其委曲告語。蓋以理自處，無不可以禮服者，以誠相感，無不可以情動者，雖異類無間也。君非老於醫，抑亦老於涉世矣！」

時論曰：人之相與，貴相知心，相知基本觀念，必須平等相視，倘自懷優越感，必視人爲奴隸，如聰明自恃，必視人爲傻爲呆，事事虛僞，處處無誠心，只知自身之滿足，忽視他人之存在。（未完）

名人小傳

十三

·塞翁·

陸小曼聰明自誤

民國九年，有一位中國在美國西點大學畢業，與美前總統艾森豪爲同期同學。回國後供職外交部。有一次爲外交部翻譯幾件長篇文件，頓時聲譽鵲起，譽爲文武全才，此人就是女人才子陸小曼的第一任丈夫——王賡。

陸小曼是陸定的掌上明珠，爲江蘇武進人。陸定東京帝大畢業，與伊藤博文同學。小曼幼聰慧過人，十五六歲時，英文論文信札已能意到筆隨。後習法文，英，法文都很流利極點。而面目端莊清秀，在北平大家閨秀中，是數一數二的名姝，公子哥兒以一親芳澤爲榮，拜倒石榴裙下者不知凡幾。在一次舞會中認識了王賡。小曼之母亦認爲佳婿，不到一月，即舉行婚禮。當時女儐相就有九位之多，來賓數千人，盛極一時，轟動九城。

王賡爲人品學文武兼資，好學不倦，惟不善事女人，不久任哈爾濱警察廳長，小曼仍留北平，是時以前故人便拚命追求，在衆多情人之下，她却中意於徐志摩。徐志摩畢業於英國劍橋大學，回國後文名四播。王賡之短，徐志摩則善之，二人相戀過密，事爲王賡所知。時王賡已任孫傳芳參謀長，回到北平，即與小曼離婚。志摩乃使君有婦，而且有子，其妻乃張君勱之妹，竟狠心離異。小曼與志摩結婚，其師章太炎爲證婚人，在婚禮中大訓一頓，場面非常難堪。

陸徐婚後，在上海居住，因小曼揮金如土，志摩應胡適之的聘於北平，不幸飛機觸山殞命。小曼吸毒，後爲共黨利用，身陷匪窟，聰明自誤，實在令人歎息。

包拯

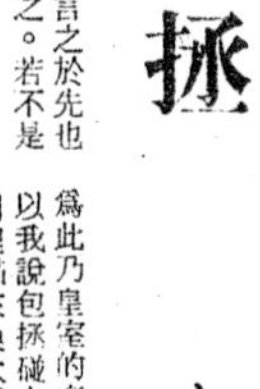

太史私

在那時來說，這是極太的欺辱君皇的大罪，誰敢燒了皇帝的詔書？如在別的任何朝代都會斬首，如在明代要滅誅九族。但眞宗皇帝因碰了宰相的硬釘，居然不敢再立劉氏爲妃。後來李沆死了，眞宗才立劉氏爲妃，後來竟立爲皇后。劉皇后由此而來。

皇后的宮內有一個宮女姓李，有一天忽然被眞宗賞識了，因此生了一子，這就是後來的仁宗皇帝，因爲劉皇后根本無所出，她就就把李女的兒子抱來來養，視爲自己所出，李女仍以宮女身份留在宮中，後來皇子長大成人，不准宮人告訴他是李氏所生，所以一直以爲是皇后所生。自己的生母雖常見面，也只當是宮女。

眞宗駕崩之後，皇子才十三歲，眞宗遺詔，由皇后聽政。此時母子關係尚好，仁宗也對劉皇后很孝順。到了仁宗在位的十年，仁宗的生母李氏死了，劉皇后將她用普通宮女安葬。次日坐朝時，宰相呂美簡（蒙正的姪兒）忽奏道：「有一宮女死了」。劉太后恐怕洩漏機密，即刻携皇帝退朝，但不久自己却一個人出來問呂美簡道：「相公爲何管我們的家事？」呂美簡道：「我說的是太后的家，若太后不顧劉家，臣不敢言；若念劉家前途，則喪禮宜從厚。」劉后恍然悟其意，乃將以一品制服殮之，殯於洪福院。呂美簡又告太后的寵用太監羅崇勳道：「宸妃當用后服殯，用水銀實棺。將來不要說我不言之於先也。」崇勳乃告太后，太后乃許之。若不是呂美簡有遠見，幾釀成大禍。

第二年劉太后死了，仁宗自己主政，荆王元儼（太宗第八子，號八大王，爲仁宗之叔輩）始將他親生母親相告。並且說是李氏死於非命。仁宗大哭，即開棺檢驗，見穿的是后服，因水銀之故，死者面如生前，遂因此未發生問題。仁宗說：「人言之不可信如此」。此時的仁宗已經二十四歲了，不用包拯來「斷太后」。因爲仁宗四十五歲時，嘉祐元年，包拯始權開封府，對於此事已相差了二十年，何勞包拯來斷，縱然包拯在那時碰上此事，他未必敢說。其實知道底蘊的人不祇呂美簡，宰相且不敢明言，而是由荆王說出來的。因爲此乃皇室的家事，大臣是要避嫌疑，所以我說包拯碰上也不致由他來斷的。致於用狸貓來換太子也更是妄構，荒謬已極，絕非事實。

另外附帶値得一說的是「狸貓換太子」的主角——程琳，他並不是太監，却是一個大大的好人，曾知過開封府，後來做到參知政事。那時劉太后與王蒙正有親戚關係，王蒙正的兒子殺了人，乃以金錢賄賂被殺者的妻子，買通說他病死，不是王的兒子殺的。可是在開封府說話時詞色不正，令捕吏官檢驗，知是被殺的。於是王蒙正擾通劉太后，向程琳請託，稱王齊雄未殺人，乃是他的家奴殺的。程琳說：「奴無自專之理，且王齊雄使奴殺人，與自己殺同罪。」太后默然。遂照法律定罪。此雖太后請託，程琳仍照國法，這正像是包拯的作風一樣，更是見程琳並非壞人，更不是太監。

（圖）

巨變歷險記！

孤軍奮鬥（二五三）

・胡慶蓉

在美國壓力緬甸壓力聯合國壓力台灣壓力之下，丁博士仍在孤軍奮鬥。

丁博士堅決反對撤退滇邊的中國游擊隊到台灣。他有四十條不撤的理由。他把這四十條理由提到軍政會議。軍政會議是中國游擊隊的最高會議，由十三個委員組織之。丁博士是其中之一。其他的十二個是總指揮，副指揮，五個軍的軍長，參謀長，黨部書記長，政治部的主任。軍政會議是李彌從台灣打電報本組織的。他個概是感覺到自已不大可能再回去，但又不願代理他的副總指揮大權獨攬，始有軍政會議之組織。無奈這決定的太遲了。代理他的副總指揮大權獨攬。他名為代總指揮，實際就是總指揮。他這代總指揮，他代的並不是李彌而是另外的一個力量，以至於完全拋棄了李彌的路綫，大力在作撤乾撤淨的努力。其他的十一位委員，不能說沒有反對撤的，但都敢怒而不敢言，一面倒向代總指揮方面。

只有丁博士在作孤軍奮鬥。他同代總指揮坐在對面，其他十一個委員連同會議的秘書長分坐兩旁。這是一個長桌，在總指揮的樓上。關於會議的發展，丁博士早已料到了。除丁博士外，一律都贊成撤退。

猛撒的霧是很大的，往往在早上九點還不散。會九點鐘開，十三個軍政委員，足足有十個都先後到博士房面晤博士，勸告他，警告他，恐嚇他，懇求他不要反對撤退。大勢已往明白，大勢已去。他們都希望丁博士作個識時務的俊傑，但無論怎樣的勸嚇……丁博士毫不為動，還在携着他手寫的四十條不撤的理由到達會場。一時空氣沉悶非常！這十三個軍政委員好像看大殮的人送殯的人。最難過的是這位游擊隊的家長——丁博士。他滿腔的熱血，他滿腦子的智慧，他在想法子挽回這垂死的命運，但已經不能夠了。

軍政會議開始，主席說明意義，只是決定中國游擊部隊的撤不撤退到台灣，會場靜的一絲絲聲音都沒有。大家都噤若寒蟬……臨到丁博士。他不能不發言。他雖然語調低沉，但充滿着剛毅，他絕對不贊成撤。他說大陸是撤光的，要光復大陸，要反攻大陸，在台灣是不行的。要光復大陸，要反攻大陸，一定要立足在大陸，立足在滇邊，立足在東南亞。台灣不需要撤退，台灣需要撤出。忠於國家，忠於領袖，是人同此心，心同此理的。但要有辦法。撤回台灣是什麼辦法……他並且力勸所有在座的軍政委員同他一樣的反對撤退……這是空谷傳音，乃大仁大智之所表現，大家雖在仔細的聽，恭敬的聽，但到了表決的時候，到了舉手表示的時候……只看見一隻手，只看見丁博士的一隻手……

創業哲學

眞理與事實

・丁熊照・（六）

五、創辦匯明廠的成功

我於一九〇三年出生於江蘇無錫洛社高明橋西面下圻，（後因我在鄉間創設一間小學校，以村為名，覺得下圻太俗，改稱華圻小學，於是鄉人也都將下圻村稱為華圻村了。）下圻雖說是一個村莊，但集居有五百多戶人家，比當時國內普通的鄉鎮還要大得多，我家原是世家，但久已中落，到我父燦培公這一代，已經不甚寬裕，而我在十四歲，還是不懂事的幼童時，先父就不幸見背，所留下來的財產，祇有兩畝餘的桑，一小間破舊住屋，家庭生活甚是困苦，我又是家中的獨子，並無兄弟，祇有一個大我五歲的阿姊，於廿三歲嫁給楊家，廿四歲就在產後過世了，我幼時全賴先母茹苦含辛，撫養長大，因家貧，遲至九歲才有機會到一位堂叔作先生的私塾裏去開蒙讀書識書識字，到十五歲時，由於先母不願他的獨子在鄉間種田，埋沒了一生，便托本村茂泉公介紹送我到我到當時已有相當繁華的中國第一大城市——上海去學生意，從無錫鄉間初出來的我，就在虹口一間寧波人與無錫人合股開設的綢緞洋布莊做起學徒來了。我記得當時店裏，是由寧波三北人陳紹和先生做經理，我做了一年後，店裏改組，經理換了葉萬根先生，等我三年滿師，依例升任職員，但在我當年年青人的心理中，總覺得一般綢緞洋布莊的夥友，每月祇不過賺幾塊錢的薪工，實在沒有什麼前途，而我又沒有什麼依靠，也沒有什人來指導，祇有靠着報紙，像上海申報的常識版，天虛我生的文章和中國固有道德格言自己晉修，此時恰有在日商鈴木洋行工作的同學吳君談起，皮包業務不錯，可以合作經營，我為之心動，便囘鄉下和母親商量，向親友貸借湊成數百元回到上海後，不料對方失信，祇剩我一個人開設皮包廠，——實際祇是個作場，當時傳價給甚高的日式皮包，這轉傳個計劃也很狹窄，自己觀察，本來不壞，但以利潤直接的，可以又銷不到我半年的辛苦，經營無如何之成，羅我也並無乃感覺既無門可前途。我將廠收結，希望自己托友人介紹，歇船的工作，正在等行落船的時候，適遇一待一位同鄉談起上海大東電池廠的東家甚好，現正需要人手，我便放棄行船，進入大東電池廠任職。當然我初進大東廠的時候，是從小職員做起，薪工不過每月八元，後來才加到十四元，但我做事非常努力，對廠中事務，確實好像對自己事業一樣的盡心，所有推銷，收賬，購料等的工作，都由我一人負担起，雖是紮忙，我也不以為苦，時常出去辦事，在未辦妥之前，連飯都記不起要吃，又有時為着顧慮廠中頭寸之不夠，在未收到賬款之前，連自己的薪工也不願去支取。論理以我如此勤謹負責的態度，一定可以獲得廠方的器重，但因大東主事人張老生，人雖是好人，可惜優柔寡斷，不能分清好醜，我在做了三年之後，使因廠中人事之不能協調，而辭職辭職出來後，同行廠家中如中國蓄電池廠的胡國光先生，和自新電池廠鮑德貴先生諸位，都知道我對電池推銷業務，很有能力，就請我替他們推銷電池，薪金超過原來的四五倍以上，但我為顧及和舊東家大東業務發生衝突，便和張老先生談妥也為大東推銷，薪金酬勞則由月薪改為佣金，經我銷開的客戶由我繼續去處理，客戶向購何家出品，由他們自行決定，至於大東原有的客戶，則仍由大東直接辦理，如此做下來，每月收入較前增加數倍，我因環境改善，何務母親和家眷自鄉下接來上海定居。

到了一九二五年，我因經過一年多的時間推銷電池與材料的工作，對這方面的業務，略有了解，而此時電池與電筒出品，在質上亦有基本的改變，過去在市面銷行的，祇有日本製造，紙板上漆的散光玻璃電筒，所用的電池也是數節用灰紙捲連包裝的，價雖便宜，而品質易壞。旋有美國製造的永備牌和滬商司特牌等銅殼聚光的電筒來滬銷售，所用電池改為單節，用堅韌製造，品質較佳，儲藏亦能耐久，實是進步不少，我看到前途，便以在這個時期所賺來的一千餘元，開設滙明電池廠，自行製造這種新的電池，奠定了我一生事業的基礎。（未完）

漫談中西醫

本報資料室

（上接第一版）

李時珍著「本草綱目」的時候，何以從千萬種植物中獨選上那一千八百多種作為藥用呢？可見他每選一種藥物必有所依據，一是依據前人流傳下來的文字藥方，收集民間使用草藥的知識，一是他自己用藥治病的經驗，否則，憑他一個人的精力，決不能完成這樣偉大的著作。「傷寒論」、「本草綱目」等中醫藥書，所記載的都是「醫術」「藥方」，其中每一句話必有所根據（與文學文字不同）。也就是說，中醫藥書上的每一種草藥，每一副藥方，都是經過無數中醫（農夫用草藥治毒蛇咬傷也是中醫）在無數病人身上試用過的，其中一定有千萬次嘗試錯誤把病人治死了。有的無效，有的有效。把有效的紀錄流傳下來，成了以後的中醫藥書。所以中醫藥書是用草藥在活人身上所得出來的臨床實驗報告，它是全人類最珍貴的寶書之一，當今世界上沒有任何一本醫書有這樣多以活人來實驗的醫藥報告。

醫學上有許多病用現代醫學儀器診斷出來了，但找不到適當的藥物治療，如癲狂，癌症，血管硬化。目前全世界有這麼多臨床醫生，製藥學家，生物化學家，細菌學家，都在努力尋求新藥，苦于難得。每年大概有上千種「新藥」上市吧，但是除了製藥商巧立名目，改頭換面，騙取銷路以外，真够得上「新」的藥實在太少了。發明一種新藥治病，真如大海撈針，談何容易！尤其在今天的法治時代，不容許拿人來作實驗，更加限制了新藥的發明。動物實驗固然得到了極大的方便與幫助，但是動物到底不同于人。現在的人發明一種新藥這麼難，古時候的人找一種新藥容易麼？古人找藥更難。那時沒有分析化學，不懂動物實驗，只好用活人來實驗。幸運的病人被治好了，紀錄流傳下來，不幸的病人被治死了，這個藥方下次不用了。當時唯一好處是醫生不是為了賺錢治病，一副中藥的配劑是極嚴格的，要求每樣皆全，份量一定，缺一不可，也不能代替。中藥店也重藥道，缺一樣，原方退回，決不賣出。古時的中醫，為了找全一副藥方治病，寧願自己冒着被毒蛇猛獸攻擊的危險，步行到深山大澤之中去找尋，可見他們用藥是何等慎重。大多數中醫是半農半醫，治病是義務幫助，不收錢的。這種「疾病相扶持」的民族情感，在中國農村很濃厚，這大概是中國民族沒有被消滅的主要原因之一。

從針灸上的穴道（刺入的部位）看來，中醫是懂得解剖學的（但不是今天每一個中醫都會）。針灸中醫，嚴格要求認穴準確，刺入深淺一定。認穴的方法以骨隆凸為準點，完全合乎現代解剖學原理。今天的西醫行腰椎穿刺及靜脈切開也是用骨隆凸作為識別點。針灸是一種金屬細針（比西醫打針所用最細針頭還要細很多倍），長約十公分，自穴道刺入病人身體內，約十分鐘後再抽出來，步驟很簡單。從現代醫學知道，使用針灸沒有多大危險（用人作實驗是西方醫學權威拿來嚇人最有力的法寶之一，極易獲得不懂醫學的人相信），不僅四肢，頭皮，背上穴道可以刺，就算刺到了大動脈，肝臟，腎臟也不一定死人（其實內臟是一般針灸中醫禁刺的）。

（一、未完）

左舜生談杜甫

・文輯公・（六）

山果多瑣細，羅生雜橡栗，或紅如丹砂，或黑如點漆，雨露之所濡，甘苦齊結實，緬想桃源內，益歎身世拙。坡陀望鄜時，巖谷互出沒，我行已水濱，我僕猶木末，鴟鳥鳴黃桑，野鼠拱亂穴。夜深經戰場，寒月照白骨，潼關百萬師，往者散何卒，遂令半秦民，殘害為異物。……」

這便是「北征」篇中的一段，詩人的心情是那樣抑鬱，環境是那樣愁苦，而風景卻是這樣優美，去鳳翔愈遠，去州愈近，曲曲寫來，無一景不明，無一筆不暢，如以不高明的散文出之，眞不知要費幾許筆墨也。

杜甫由秦州赴同谷，再由同谷赴成都，各有紀行詩十二首，他在經濟萬分艱難的情況之下，不得已携帶家小，作此長途旅行，心理上雖不無鬱鬱，但究竟還有一種詩人的浪漫情緒，因此他把所遭遇的困苦，一切發之於詩，雖是那樣的陰沉，卻仍是那樣的淒艷。

「……日色隱孤戍，烏啼滿城頭，中宵驅車去，飲馬寒塘流。磊落星月高，蒼茫雲霧浮，大哉乾坤內，吾道長悠悠。」（發秦州）

這是描寫他從秦州出發時的那種情景和心境，態度畢竟是很雍容的。

「……山深苦多風，落日童稚飢，悄然村墟迥，烟火何由追？……」（赤谷）

「徑摩穹蒼蟠，石與厚地裂，修纖無垠竹，嵌空太始雪，威遲哀壑底，徒旅慘不悅，水寒長冰橫，我馬骨正折。……」（鐵堂峽）

「行邁日悄悄，山谷勢多端，雲門轉絕岸，積阻霾天寒，寒硤不可度，我實衣裳單。況當仲冬交，泝沿增波瀾，野人尋烟話，行子傍水餐，此生免荷殳，未敢辭路難。」（寒硤）

（未完）

錢一劍談相

談妻妾（廿六）

・錢一劍・

妻妾者位居魚尾，號曰奸門。光潤無紋必保妻全四德，豐隆平滿娶妻財帛盈箱，顴星侵位，因妻得祿。奸門深陷長作新郎，魚尾紋多妻防惡死，奸門黯淡黑痣斜紋外情好而心多淫慝。強盜軍人張宗昌，褚玉璞殺人不眨眼，姦良家婦女各有一師數目以上。

歌訣：奸門光澤保妻宮，財帛盈箱見始終，若是奸門生黯淡，斜紋黑痣蕩淫奔。

妻妾宮論曰，魚尾須要平滿，不宜鼓陷，豐滿則夫貴妻榮，奴僕成行，婦女魚尾奸門明潤得貴人為夫，女人鼻如懸膽，則主富貴，缺陷則主防夫，淫亂，敗家，放蕩，不旺夫。婦面如滿月，下顎豐滿，主國母之貴，氣色青則主妻妾憂愁思慮，赤主夫妻口舌，黑白主夫妻男女之悲，紅黃色見主夫妻男女和諧之喜，如有暗昧主夫妻分離，不然斷角少情。

談疾厄

疾厄者印堂之下，位居山根，隆如豐滿，福祿無窮。連接伏犀定主文章。瑩然光彩，五福俱全，年壽高平，和鳴相守。紋痕低陷，連年速疾沉疴，枯骨尖斜，未免終身受苦，氣如烟霧，災厄纏身。

歌訣：山根疾厄起平平，一世無災禍不生，若值紋痕並枯骨，平生辛苦却難成。

疾厄宮論曰，年壽明潤康泰，昏暗疾病至。氣色青主憂驚，赤防重災，白主妻子之悲。黑主身死，紅黃紫主喜氣之兆也。

自由報

中華民國內政部登記證內版台報字第一三一號
中華民國僑務委員會登記證僑新字第三二三號
中華郵政台字第一二八二號執照登記爲第一類新聞紙

（第一二〇二期）

（半週刊每星期三、六出版）
每份港幣壹角・台灣零售價新台幣二元
社長李運鵬・督印黃行奮
社址：香港九龍官塘康寧道117號後座二樓
117 HONG NING RD, 1/F REAR, KWUN TONG, KOWLOON, H.K.
TEL: K-433653
電報掛號：7191
郵箱：官塘郵政信箱9583
承印：景星印刷公司
地址：嘉咸街廿九號地下
台灣區業務管理中心：台北市許昌街廿六號
電話：三八〇〇〇二
台灣區直接訂戶　台灣劃撥戶
第五〇五六號張萬有（自由報會計室）
台灣分社：台北市西寧南路110號二樓
電話：三三〇三四六、台郵劃撥戶九二五二號

聯合國存亡之戰
——中華民國保衛代表權的意義——

侯立朝

九月十五日，外交部長周書楷率領了號稱有史以來最堅強的代表團，出席本屆聯合國大會，聯大之戰也就跟着短兵相接了。

在聯合國成立以來，中華民國即是它的創始國之一，同時即是它的會員國，照理照法來說，中華民國在聯合國的會籍還會有什麼問題？中華民國的代表性還會有什麼問題？然而，事實的演變往往有違於法理之外者，此即由於強權政治的形勢迫人而來，理爲勢蔽，法爲權屈，使國際政治社會充滿了烟霧迷濛的氣流，眞理正義遭受到姑息奸邪的扭曲，令人爲之嘆息。

國際政治社會中出現了「國聯」到「聯合國」這一種類型的組織，其創意者都是美國。美國民主黨籍的總統威爾遜，在第一次世界大戰之後，倡組國際聯盟以解決國際的紛爭，求取國際的和平，用意至善而崇高。其結果因美國不能堅持正義的原則，不僅使威爾遜十四點聲明付諸流水，更由於美國之姑息，使日本得以強佔原屬於德國之租借地應交中國之領土——山東部份，並承認它是日本應得之利益。於是中國有「五四」運動，亦如現在留美學生及台港學生之保衛釣魚台運動，在歷史的基因上來說，都是由於美國出賣中國而刺激起來的，此後並由此基因而累積成爲中日兩國間的十四五年的戰爭，中日雙方損失慘重，歷史的賬簿到現在還沒有結算淸楚。在第二次世界大戰之時，美國又一民主黨籍的總統羅斯福，繼成了威爾遜的精神，倡組了聯合國，作爲戰後恢復國際政治社會秩序的工具，兼負有國際警察的任務，以白人爲中心，實現如羅素式的「世界之新希望」，其基點即是偏頗的白人中心主義，難以擺平世界的公平與正義。因此，從聯合國成立那一天起，就沒有負担起國際道義的責任，例如波羅的海三個小國之被史太林吞蝕，捷克、匈牙利與波蘭之被赤化，德國之被分裂，中國大陸被染色，韓國被分割……這一系列的國際事件，聯合國絲毫沒有發生過制衡的力量，而任令強盜恣意地打刼，其中雖有聯合國軍隊干涉韓戰事件，其結果也是不體面的終結。不僅此也，聯合國既未在實質上對於國際政治有所盡力，而在形式上也沒有一次眞正聯合一致的表現，在安全理事會中有所謂理事——五個握有否決權之國，在會議中有所謂會議——五外長會議，四外長會議，高階層會議，這充份說明聯合國徒有其名，它不能也無力解決任何一次有大國爲背景的國際紛爭。故而，羅斯福在威爾遜之後，再一次表現了美國在國際政治的社會中的天眞行動。

中國在第一次世界大戰時，受美國唆使放棄中立參加戰爭，勝利後成爲美國的盟友，結果被其出賣山東。中國在第二次世界大戰時，獨力抵抗日本的侵略，牽制了日軍攻佔美國本土的行動，是救美國危亡之命的大恩人，勝利後成爲美國的戰友，結果被其雅爾達會議中出賣，並力迫國民政府組織聯合政府干涉中國內政，使中國遭受到千古未有的赤禍，在共軍渡江時美國駐華大使司徒雷登正準備歡迎，承認毛政權。

歷史紀錄的功用，是叫人熟記，而不是叫人遺忘。遺忘歷史的教訓，歷史將有大災禍。因此，中華民國在聯大席位之所以成爲問題，追源溯流是美國造成的，美國是使這個問題成爲問題的主犯之一。沒有威爾遜之出賣山東，即沒有七七戰爭，沒有七七戰爭，即沒有雅爾達協定，沒有雅爾達協定，即沒有俄佔東北裝備共軍，沒有俄佔東北裝備共軍，即沒有毛澤東竊佔中國大陸，沒有毛澤東竊佔中國大陸，那裏會有聯合國的席位問題之爭？歷史紀錄是如此明白，而美國不敢面對歷史作反省的贖罪，在今年的聯合國大會之前夕，它反而提出了支持毛偽政權進入聯合國的提案，尼克遜步武威爾遜、羅斯福的後塵，作第三次的出賣中華民國的買賣，到此時也就替聯合國敲響了最後的喪鐘。

中華民國在聯合國的會籍或代表權問題，依據聯合國憲章，它根本是沒有問題的問題；依據中華民國憲法，它更是沒有問題的問題。也就是說在國際法和國內法的前提下，中華民國在聯合國的會籍或代表權都是合法的而沒有問題，所有對於此一問題的任何提議都是非法的。因爲（一）中華民國是聯合國的創始國之一，它的行爲表現從沒有違背聯合國憲法的原則，它對於聯合國應盡的義務完全盡到了，它對於應享的權利（如否決權）沒有分享，且一直在遭到不義的壓迫它從不計較，一個如此守法的會員國要遭受到排除的命運？如果要排除它必須把聯合國憲章修改得更黑些，否則，中華民國有權在安理會否決任何對它不義的提議。（二）中華民國政府是依法選舉出來的，是民主表現的方式產生出來的；毛共偽政權是拿槍桿子打出來的，是暴力產生出來的，它在大陸二十多年來從沒有一天穩定過，就在它統治大陸二十年之後，現在竟然實行軍事統治即軍事專政起來，這說明中國大陸人民的意願，也說明了毛共偽政權之不能代表中國大陸人民。從這個國際法與國內法的前提出發，中華民國的代表權怎會成爲問題呢？說它成爲問題者，正是製造問題的非法之論。中華民國應該依法保衛它的席位，不辭別的，也只有依法才能維持正義。

今年的聯大，就其對於中國問題而言，可以說是光明與黑暗、法律與權勢、聰明與愚昧、眞理與邪惡、公平與偏頗、正義與非正義的決定年。因此，中華民國政府除了組織一龐大代表團勇往直前開赴聯合國堂堂作戰之外，並在八月初派出了五個經濟代表團訪問友好國家，作爲這個回合的側面作戰，抱定了必勝的信心，作爲保衛人類的光明、法律、聰明、眞理、公平、正義而奮鬥，也正是爲了挽救聯合國的危亡而獻出它的力量。

但是，我們必須再一次告訴我們的代表團者，假如這一次在聯合國眞理不能抬頭，正義不能挺腰，人類依然溺於權勢而失去理智之時，我們應該有拋棄鷄肋的精神，作木鐸最後之一敲，正如聖經上所說：此地既然對我如此無理，我就踢掉腳根的泥土，離開。

（九月十六日）

昨日與明日

美軍來台休假

遠在一九六五年以來，美國軍方即指定香港爲在越作戰美軍的休假地區，但這一規定將在本月底停止，西貢的美軍指揮部已於九月十九日正式宣佈：從九月三十日起，停止美軍前往香港的「休假計劃」。這並不是說美兵從此嚴肅不玩，一心作戰了，而是由於某種因素（特別是安全及諜報的原因）要離開香港。而換個玩的地方而已。這個玩的地方，非他，即是台灣，指揮部宣佈「自九月三十日後，台灣將成爲一個官兵休假計劃的指定地點。」

這本是一個不算壞的消息，但我們聽到後的反應，却是憂多於喜。美軍之驕奢淫蕩，不守禮法，所至之處，無不引起傷風敗俗的後果，而其酗酒縱色，更是口碑載道，招致人們的指責。今後美軍大批來台，美鈔（現在是全世界不太受歡迎的貨幣，當然，台灣例外。）固然是可帶來一些，但精神上的敗壞損失，則是不可計量，尤其台灣近年從事觀光事業的商人，競相採取不肖手段，發展色情勾當，使旅客一提到台灣，不是說台灣唯一好的是「小姐」，就是台灣男人的樂園，而是太太們不敢讓丈夫去的地方，眞使自由中國的人士含冤莫白，蒙羞不已。現在大批的美軍來後，無疑的那些中山北路，林森北路……的不肖之徒，又要大耍花樣了。結果只有造成更多傷風敗俗的事例，帶來更多的羞辱不名譽。思之令人心寒。

反之，我們主持觀光事業的機關，若能配合治安機關，和文教宣傳機關，而予以有計劃的安排和指導，則一方可使這些美軍能有高尚優美的享受，從而加深對我中國文化的了解與贊歎，那勢必要造成無數對中國同情，對中國文化敬佩的眞正朋友，這些人回去後不備會在美國成爲有力有作用的。「中國之友」，並且將對溝通人類文化，有實質的貢獻，那我們又何樂而不歡迎美軍大量來台休假呢。

這一弊一利，一失一得，關鍵就全在我們的運用了。

・成公・

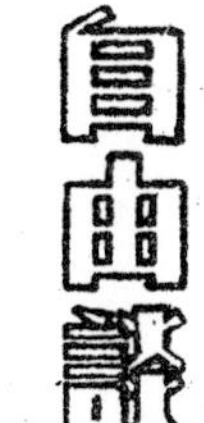

凡是一個國家的盛衰，都是以人心向背爲斷。如果人民對政府歡喜擁護，上下一心，則國家必強，反之如怨恨咨嗟，衆心離散，則社會必亂。從歷史上看來，沒有逃過這一個公例的。

論收攬人心之道

從前唐代的德宗，被賊臣朱此（水旁），趕到奉天，唐室危亡，已間不容髮，差幸德宗還有恢復的雄心，那時有一個翰林學士陸贄，他看淸了當前的形勢，是由於喪失人心所致。他代德宗發布文告，全部自己認罪，文字中對那些將吏和人民，就像細話家常，十分親切，據史傳所載，詔令一出，天下的父老人民，甚至武夫悍卒，爭先誦讀，讀了都爲之感動泣下，因此人心歸附，不久即平亂還都，論者以爲敉平叛亂，多屬將帥之功，而陸贄的文章，也佔了一半。

諸葛亮治蜀最高的政策，就是「開誠心，布公道。」這六字實際講起來，即係收攬人心之道，而今用之於自由中國政府，倒恰恰是對症的良藥，我們從各方面看，人心固然還是趨嚮政府，但繩以春秋責備賢者之義，則今天收攬人心的工作，實在做得不够，甚至還有意無意向相反的方面進行。舉其大者言之，即係於開誠布公，尚待研討。過去一些損失人心的措施，一方面是有關單位，疏於審慮，一方面則說竟有匪徒滲入，從中搗亂，故意倒行逆施，一經俘誠無所遁形，謠諑所傳，呼之欲出。逝者已矣，來軫方新，今當中華民國建國六十年開始，甚願當局從新檢討，爲實事求是，似仍應從收攬人心開始。

馮五先生

教育弊端何時了

高林

我們的教育似乎沒有政策，幾個負責的主管大員又只知攬權，會作官而不會作事，鬧出問題來，自在意料中，他們遇上問題沒辦法挽救，也是必然的。高階層若不速謀補救，將來愈演愈遭更是必然的趨勢。

教育的目的是教導和培育國家幼苗作人作事，俗語說：「學以致用。」灌輸知識不過是目標之一，教導作人最爲重要，從事教育的人，必須學養二者道德兼備，偏一不可，尤其要言行一致，以身作則，所謂潛移默化，這才是教育。

今日教育只教學生考試升學，最後目標是出外留洋，如何作人作事則一切免談。除了前者努力考試，將來準備出國的，有了精神寄託。問題靑少年比比皆是，造成社會嚴重問題。教育主管從不檢討，謀求根治，相反任其發展。即在治標亦推拖爲上，好像不在學校生事端，即與我教育毫無相干。六十年第一學期剛剛開學，即暴露了許多嚴重問題，台中市宜寧中學殺傷校長案，高雄師範學院拒絕新生胡蓓靈入學案，台北私立市專畢業生七人沒有學籍，私立右德中學藥劑，美工兩班畢業生一百餘人也沒有學籍案。這些問題是否都是主管當局不負責任所造成？宜寧中學兇殺案，兇手先跑教育廳官員不以應有的嚴正態度說應該說的話來糾正其非分之想，竟告訴他「學校通過，即沒問題」，這明明是教猿升木。高雄師院不依法令，全憑自己好惡，拒收新生。別無以名之，只好說他是「蠻幹」，辦教育而出之以蠻幹，寧非天下奇聞！市專、右德兩校學籍案，學校出之以兒戲，那末教育部，台北市教育局列位督學所司何事？主管當局如果拿不出辦法來作合理解決，誠不知其向國民將作何樣交代！

主管當局還是不能管？不會管？二者有其一，以是構成瀆職，明明所用非人，粉飾太平，眼看敷衍不下去了。問題太多，紙是包不住火的，終歸要冒出大漏來。善善而不能用，惡惡而不能去，是爲政之大忌，任其壞下去？還是亟謀挽救之道？革新聲中，政府應該有所作爲了？

再扯「竟成中學」詐騙案

天下事

自從「竟成中學」作騙案爆發了以後，頓時引起社會的普遍重視。本月八日偵辦此案的檢警人員，曾在高度機密情形下，傳訊一位花名「小影」的酒家女郎，並將一些官員的放「大影」片請小影小姐驗明正身。按驗看「大影」的小影曾在詐騙案主角葉吉邀請市府官員的酒宴中陪酒，據小影在偵訊中表示：在酒宴中聽到有人被稱為「科長」和「處長」的，至於什麼人是「科長」，什麼人是「處長」，她表示不大清楚云云。

希望台北市政府所屬教育局，工務局的科座，處座們，沒有和小影小姐打過交道，否則小影就變成「陰影」了。

又據台北教育局主計主任王昆爲在八日應訊時說：他在市議員「孫鳴」的壓力下，確曾爲竟成中學董事會備案一事，向當局第二科跑了一次腿，但未涉及該校立案的事，也沒有受到什麼好處。

查此案從頭到尾，是由一個前科累累的葉吉，和一個曾被「管訓」的市議員孫鳴合作的鬧劇，一個用利誘，一個用威脅（每次請託，都要表示他是議會教育小組召集人），表演的天衣「裂」縫。梳了洒。

値得同情的是一批被波及的官員，有的人不過喝了點「花酒」，有的人也許只搞到一兩瓶洋酒，而就牽扯到是非窩裏面。說來這些官兒們，也太不自愛了，想喝「花酒」的話，不會自己去喝嗎？雖然進酒家有違禁例，但自己掏腰包究竟麻煩少些。

近年來，社會對於工務局，教育局的批評最多，希望這兩局的官員們，澈底自律自清一番，拿出良心來，多爲市民作一些事情。不要身在市府，心在酒家才好。

・老正卯

中共大施統戰陰謀
製造日本政壇分裂
發動左翼份子來困擾佐藤
對在野黨人士却擺出笑臉

（自由報東京消息）日本政府對聯合國中國代表權問題，意見分歧，迫得佐藤政府宣佈在聯大投票中，支持中華民國保留席位，但是却不與美國連署有關這個支持的提案。據消息說：日本若果連署時，可能會導致佐藤首相和福田外相的辭職。這是受了中共統戰的影響，以下是一篇權威性的報導：

身負對日滲透重要任務的中共「中日友好協會」副會長王國權，假藉參加一位日本人的葬禮，到東京招搖了一個星期之後，緊接着有九名日本執政黨的國會議員前往北平訪問，在聯大「中國代表權」的爭議接近決定階段之際，中共與日本左傾份子加强接觸，必有特殊陰謀，台北外交界對此至爲關切。

以往大聲疾呼，叫嚷着要跟中共建立關係的多爲在野黨人士，這次自民黨部份議員也附和左派意見，採取了「激進」的行動，留心日本局勢的外交界人士，對佐藤政府的處境，及日本的前途至表憂慮。

近年來「中國問題」一直是日本政壇爭論不休的題目，日本首相佐藤榮作對「中國問題」的處理向極慎重，他同意與中國大陸建立貿易關係，但堅持「政經分離」，不主張與中共建交。包圍在佐藤四週的各派「政敵」，爲攻擊佐藤的施政措施，則盲目主張改善與中共的關係，這種左傾的政治主張，平時已對佐藤政府形成重大壓力，現在聯合國大會開幕，中國代表權問題成爲熱門的議案，日本左派人士又借題發揮，企圖給佐藤政府製造困擾，達成其政治野心。

中共採取的對日政策，是循着「製造矛盾，製造分裂」的路綫。一方面公開指責「日本軍國主義的復活」，以加深大陸人民仇日心理，並使日本在國際間遭受種種困難；一方面却又對日本企業界和在野黨人士擺出笑臉，逐步拉攏彼此的關係。其滲透顚覆之手段極爲陰險毒辣，使許多民間人士中其圈套，而向政府施加壓力。

六月間，中共邀請日本公明黨代表團赴大陸訪問，其團員包括公明黨委員長竹入義勝，副委員長淺井美幸等人，在大陸上停留半個月之後，該團竟與「中日友好協會」簽署了一項聯合聲明，叫嚷着要恢復「中華人民共和國」在聯合國的「合法權利」，同時要求日本政府接受中共的條件，與中共簽訂「中日互不侵犯條約」。日本公明黨是實力僅次於社會黨的第二大在野黨，在日本衆議院佔有四十七席，參議院佔有二十三席。中共對該黨加緊拉攏，其目的顯然在利用公明黨日趨強大的力量，以擴張其對日統戰的聲勢，中共這種統戰陰謀，值得我們特別注意。

據了解，王國權在日本招搖了一陣，確會帶給佐藤不少煩惱，即以聯合國中國代表權問題而言，自從美國提出「雙重代表權」主張後，國際上咸認日本將與美國採取同一步調，並將成爲美國提案的連署國之一。事實上，從佐藤首相和福田外相一再表明的態度來看，日本政府的確有意附和美國的意見。但是，這幾天，日本自民黨內部意見的分歧，日趨嚴重，連該黨第二大派系的頭目大平正芳，也改變了較早支持佐藤政策的態度，而反對「反重要問題提案」，這顯然是中了中共的圈套。

中共對日本拉攏的多半是政壇上年輕一輩的有力人士，這些活動力較强的議員或政黨幹部，受中共誘騙而一時喪失判斷是非的能力，已給日本前途帶來危機。

× × × × ×

弒師案的判決

高林

台中市私立宜寧中學校長熊復光被學生侯武雄連砍六刀，經檢察官以殺人未遂提起公訴，十五日宣判，凶嫌侯武雄被判徒刑六年，本案自八月卅一日發生，九月七日提起公訴，十五日宣判，歷時僅有半箇月，進行速度爲歷年所僅見，也可能是司法革新以來第一次。但，回憶去年師大校長孫亢曾被院警滋鬧辦公室，孫校長並未受傷，該院警受到保安處分移送管訓；今年九月九日台北各報刊了一則新聞，說一對李姓兄妹因好心警告同車乘客防竊却被三名青年毆傷，警方將嫌犯之一孫海陽移送管訓，將另兩名嫌犯楊治華、楊劍平釋放，台北地檢處褚首席非常重視，下令澈查三名嫌犯的刑責。兩相對照，類似事件兩種處分，到底是台北和台中兩地法院引用的法條是否兩種本子，還是因地而異，應該依據不同的法條來處分？熊校長受傷後，也未見教育當局有何適當措施。司法當局、教育當局，寬大爲懷乎？不敢聞問乎？我們不是法學專家，只可說——不無可疑——而已。

蘇聯出專册批判毛澤東
使用暴力壓制人民
忽視工業經濟落後

（自由報本港消息）蘇聯正在連續發行有關毛澤東思想批判的書籍，攻擊毛澤東爲暴力主義。

據莫斯科電台最近的廣播中透露，蘇聯目前出版的批判毛澤東的書籍有：「毛澤東的經濟理論及對毛澤東理論主張的批判」等兩書。前者是由「莫斯科政治文獻出版社」所出版，後者是由「蘇聯科學院哲學研究所和遠東研究所」工作人員所編輯。

莫斯科電台並簡單的介紹了這兩本書的內容，它說：由于西方報刊對毛澤東思想本質的誤解，以及共產集團內部所進行的反毛思想的鬥爭的兩項因素，使蘇聯對毛澤東理論進行這種批判是必要的。

這家蘇聯電台說：蘇聯出版了不少分析毛澤東思想本質的書籍，克蘭巴史寫的「毛澤東的經濟理論」就是其中的一種。這本書裏指責毛澤東濫用「政治掛帥」的這個口號，忽視客觀經濟規律的作用。

莫斯科電台說，這本書又批評毛澤東及其一夥，把農業與工業分開，貶低物質生產率在發展農業生產率方面的作用，因爲毛澤東忽視工業化，而使中國大陸落後的現象長久存在，作者並舉出大量的事實，說明中共波瀾式的發展，使中國大陸經濟造成嚴重損失。

莫斯科電台說：關於「毛澤東理論主張的批判」的這部文集，是說明毛澤東所主張的是一種霸權主義，用強制羣衆的方法，去實現毛澤東及其周圍人的主觀主義的見解，因此產生了對人民的鄙視態度，毛澤東曾把人民比作一張紙，說可以在這張紙上寫最新最美的字，畫最新最美的圖畫。毛澤東的這種態度，在「大躍進」和「文化革命」時期都明顯的表現出來。

這家蘇聯電台說：這部文集曾指責毛澤東把其意志和暴力宣佈爲社會發展的因素，把軍營看成是理想的社會制度。因此無怪乎在「文化革命」過程中，中共中央和地方政權機構全部遭解散，工會組織和共青團的機構均被搗毀，黨的機構遭到大規模清洗，不忠于毛澤東及其親信者心意的人，都被擯出黨去。

這部文集又說：在毛派分子建立的社會裏，不需要那種能獨立判斷事務的、有思考能力的自覺的人、有文化的人，無怪乎他們的目的，是把社會上的自覺公民，改變爲所謂「毛澤東的不生銹的螺絲釘」。

馮堯春將競選下屆桃園縣長

（自由報台北消息）明年是台灣選舉年，省議會議員及縣市長，議員均將任期屆滿，部分現任的碍於規定，不能再競選連任，勢必有新人出馬角逐。桃園縣接近台北，又要關建國際機場，地位重要，未來競選定必熱烈。現任省立竹山高中校長馮堯春在其親友敦促下，將先參加國民黨桃園縣下屆縣長提名登記，俾便競選。茲誌其簡歷如下：

馮堯春，籍貫桃園縣觀音鄉富源村人。現年四十五歲。民國三十九年畢業於省立師範學院。同年秋參加高等考試教育行政人員考試第一名及格。四十年服務教育廳。初任科員、專員、秘書、視察、督學、服務期間，兩度參加留美進修考試，均以第一名錄取。四十八年赴美，在賓州大學研究教育一年。五十四年七月應聘，方以其學識經驗特派長省立武陵中學。武陵中學素負盛譽，馮氏接長後，在原有基礎上，繼續積極耕耘灌溉，收穫特爲豐碩，升學率之高，已可與其他著名省中媲美，惟以辛勞過度，身體不適者有時。五十八年秋，調長省立竹山高中迄今。

馮氏爲人坦率忠厚，和藹可親。平生服膺「服務信條。厥爲「服務、助人」，故凡有所請託，無不盡力以赴。又以出身農家，深曉民間疾苦，將來獲選縣長，必能爲基層民衆作最大最滿意之服務。

初，馮氏之聞勸駕也，以所學係教育，且二十年來均服務教育界，育英才外無他樂者，堅然不擬他選，親友深知其才能，足以濟時艱，且世勸之者再，最後始以義允，今者馮氏已決定參加黨內縣長提名登記，甚盼地方父老兄弟諸姑姊妹，鼎力支持，俾君子道長，國福而民利也。

八一三的血債

紫如

第一天上午，我信步走出了廠房，來到江邊。江邊停泊着兩艘的英國兵艦。有一個瘦長的水兵，伏在船欄邊，嬉笑地將手中的麵包撕成一片片的，在碼頭上丟；碼頭上匯着廿十個大人和小孩，在爭搶着。

我的小腦筋一轉，就偷偷的來到另一艘船舷下，對着那一個個畸形的鼻孔，「哈囉，哈囉」的叫着。直到那鼻孔內冒出了半個面孔，我就用父親教我的簡易會話，向他們要包吃；或許水兵們驚異我這個小東西的伶俐和幾句洋涇濱的英語，每次總有點吃的丟出來。

兩天，三天一連過了五天半飢餓的苦日子。每想起父親，總以爲凶多吉少了。我想哭；却把眼淚逼往肚裏流。（五未完）

賽金花的貧乏

賽金花的逝世，引起了不少人的悲感，他報有北平通訊，對於賽之臨死記得很詳。

賽金花寓故都前門外居仁里十六號，平時生活極爲困窮。數月前曾因欠租爲房主控於法院，賽氏因思鄉心切，復以貧乏不能扶母柩南歸，老懷抑鬱，時感不適，九月間患腹瀉，時發時止，最近便血舊疾復作，轉爲慢性胃炎，不思飲食，祇以鴉片提神，迨後病愈甚。本月三日下午，湯水亦不能進，女僕跪勸，略飲藕粉，吃酥糖一塊，四日上午，臉突現紅，且狂笑，復作囈語曰：「如來佛，觀世音，教皇皆來了，洪老爺，魏老爺接我去同住了」至二時三十分，此一代名花，便永辭塵世矣。

賽氏死前曾將其心愛之五犬二貓，撫摩數次，并令女僕將所蓋舊綢被易以女僕之布被，謂生前享盡榮華，老來貧苦正宜，不願死時再覆綢被也，賽氏死後，家中分文無存，僅收到賻禮十四元，後由各界人士爲之募款辦理善後。一面爲之收殮。

棺木價值百餘元，入殮時內穿白布小褂褲、布襪，外着藍綢面粉紅布裏棉襖褲，藍色綢粉紅綢裏旗袍，白布襪子，淡綠色紅蓮花華絲葛靴，頭戴藍色紅蓮花綢製觀音兜，粉紅色棉被，陀羅經被各一，紅蓮花枕一，噫！出入德國皇宮之貴賓，結局乃如此耶。

賽於彌留時曾鄭重告其女僕，謂伊屬猴，今年六十五歲，自幼至今，瞞去二歲，人因之僅知其爲六十三歲，賽氏生前嘗謂一生惟一魏斯靈是其知己，故爲之守節不嫁。

并且這位記者，到最後更因爲賽之貧乏，而不勝感慨。其實這感慨，是十分滑稽，「賽金花」這一個人的貧乏，是命定的，她在純粹封建社會之下既不能相容，而在資本主義社會裏，又無謀生之道，這樣的人而不貧困，到是一個奇跡，所以。我們對於賽金花的不必要的憐惜，是錯誤的。

現在，賽死了，莫明其妙的人的廉價的感傷，是很多的，那末，我們在這裏也將不勝其指正了。

（四九）

為陳孝威將軍辯

·文匯樓主·

陳孝威將軍文章報國為世人所共知，其在抗日戡亂兩期，對國家的貢獻，也為世人所共知，他和羅斯福，邱吉爾，杜勒斯往返的信件討論大局也沒有一封是假的，竟有人謂陳孝威太好名，把天文台辦壞了，這句話是有問題的。

宋朝田況，上朝奏事論政，宋仁宗說他太好名了，田退朝後說：「為帝的人，就怕讀書的人不好名好名的人一定重義，雖不能肯定亦盡忠，但絕對不會做出不忠的事。」又蔡襄謂：「忠臣論事若避好名之嫌，則販夫走卒土木之人皆可為之了。」張忠恕談：「險佞之徒，于直言正論，指為好名歸過，今言者望風見疑，此為國家之鴆毒也。」范純仁永州安置時，雙目突然失明，怡然就道，有人也指范好名，范純仁很傷心的說：「行年七十，兩眼俱喪，萬里之行是我自己願意的嗎？若避好名之嫌，則沒有為善的路了。」張繹謂：鄒浩以極諫為罪，一般人歎其過份剛直。伊川說君子當於有過中求無過，不當於無過中求有過，如果以好名掯忠義之口，那就完全錯了。宋魏　與人交往，後進以禮來者，苟有寸長，必推挽成就之，有人也說他好名，魏謂：「若避此嫌，為善之路絕矣！」元朝程思廉交友，有始有終，疾病死傷，問遺慰恤非常週到，且喜歡推薦人才，很像安徽許世英，馬壽華，如果也被人認為好名，而避好名之嫌，不再有人敢為善了。

十五年前樓主僑居國外，因同班或同期同學都是政府中的部次長與大使班子，樓主雖不才，豬尿泡冒充豬肚子，還不太算是贋品有感爭取東南亞國家非常重要，乃上書陳誠（辭修）指緬甸，泰國越南，馬來之間，應當派一位懂得軍事政治外交的人做巡迴大使，彌補外交工作之不足且直言以陳孝威將軍為最合適，就軍事他是保定軍校二期榜首人物，談政治乃現代傑出的政論家，論外交，他所做的國民外交實績中而是最好的例證。陳辭修對樓主講的很客氣，亦認為陳孝威是人才，但並未考慮增設巡迴大使的事。

陳孝威將軍個今句高齡了，聽說眼睛已經失明，因政府在東南亞廿年來的外交工作，亦報喜不報憂，連想到政府，未能集中黨內黨外一切力量，應付非常局面，總感到有點遺憾。

漫談中西醫（二）

·本報資料室·

因為西醫用粗大針頭可以作腹主動脈攝影術，肝臟刺片檢查，腎臟刺片檢查。針灸的用針很細，損害組織也少。病人是在意識狀態下接受治療的，針刺進去，如病人不舒服，立即拔出來，意外事件的可能性極少（我不同意一個從未學過醫的人使用針灸，那沒有醫學意義，而且用針灸也有發生內出血的危險）。針灸的最大好處是使用簡單，病人不要服藥，它對於神經痛、關節痛很有療效，而這些病在西醫除了給止痛藥以外，無能為力。由于西醫可以用粗針頭行心包腔穿刺術以及心內臟注射術，針灸也許可以醫治心肌沒有顯明梗死的完全心傳導阻滯，這個病在目前美國醫院所用的心率調整器並不理想。西醫可以行腦室穿刺術，腦切片檢查，針灸也許可以刺到腦組織內醫治某些神經病或精神病。針灸治病的原理可能是一種電生物化學反應，金屬帶電，與體內組織產生療效。但真正機轉未明。

基本上要認識的是中醫藥不是萬病皆可以治的，對於大流血，骨折，外傷等急診病人，一定要用現代的外科、麻醉、輸血技術來治療。但中醫藥對于某些病極有療效，今天的日本、中國大陸、香港、台灣、法國、非洲（中國醫療隊）每天有成千上萬的病人接受中醫藥治療，如果真是一點療效也沒有，不可能繼續使用到今天。祇是中醫藥治病的臨床實驗報告，可能在美國醫院的圖書館裏看不到而已。

中醫藥科學驗方

未經科學驗方以前，中醫中藥是無法分開的，那些中醫藥書，只有學過中醫的人才能了解，才能運用中藥。西醫攻擊中醫治病沒有根據，不明生理解剖，不用現代診斷儀器，如何下診斷開藥方？結果治好了病竟不知怎麼好的，治死了不知怎麼死的。但中醫也有理由：無論西醫用何種診斷儀器，目的是把病人治好，現在中醫把病人治好了，「治好了」就是證據。至於那個病名中醫叫腎虧，西醫叫Impotence，無關重要。其實中醫並非沒有根據，只是說出來的醫學術語，少人能懂而已。

要實行科學驗方的理由很多，其中之一是想從那裏面找出一些比現在為好的藥，因為現代發明一種藥實在太難。但科學驗方也有困難，茲將各種可能的方法畧述如下：

（一）化學分析：把所有草藥中藥方一一拿來，用現化學法分析其中有效成份，作成藥丸或針藥，以便携帶和服用。這個辦法很理想，但目前的化學技術很難辦到，不經濟也無此必要。一副中藥含有十多種植物（或礦物，動物）加水混合，煮煎三四小時，病人飲其藥汁。這十種藥物，各有不同的分子結構，在這樣的壓力、溫度、時間內，各分子間相互所起的化學反應可能很複雜。提出其中「有效成份」，也不是那麼容易，必須有龐大的生物化學實驗室，並與臨床醫生配合才可以進行。中藥方草藥有那麼多，恐怕費數十年時間也難竟其全功。更困難的是，沒有這麼大筆經費。有些中藥方已經很多人使用過，只能對一種病有效（如肝火旺盛），花那麼大精力去分析，似乎無此必要。

（二）動物實驗：把藥物先作動物實驗再使用到人體內是現代的科學方法。但中醫藥不適于作動物實驗。動物那裏會有「關節痛」、「腎虧」？中醫藥是我們祖先用活人作出來的實驗，不能用動物替代。中醫用藥的依據是對人，針灸也是對人。而不是對動物。

（三）個別發展：中醫學西醫，目前不可自。中醫沒有機會學習西醫，那家西醫教學醫院願意收他？即使買了現代醫學儀器，因無人教他，只好亂用。留美中國醫生想學中醫也很困難，那些中國醫藥書，無人能看懂，就算遇上一位中醫朋友，談來也是格格不入，不會有什麼好效果。

（四）醫院使用：中醫藥在醫院裏使用，一面用現代診斷儀器觀察病人，這是最理想的辦法，可是世事在目前這個醫療制度下行不通（理由很多，後述）。美國有那一家教學醫院敢用中醫藥（有些醫院是私辦的）？不僅報上要攻擊醫院把病人當實驗，那個病人可能也不願意。萬一把病人弄死了，上法庭，法官只說：「擅自使用沒有科學根據的藥物於病人身體，」這場官司準輸，誰敢負這個責任？

（未完）

×　×　×　×　×

讀書雜鈔　二十七

·林儔·

其人必無親無故，無師無友，自陷於孤立，如在順境，尚有人為生存而接近，一入困境，首之所親，必齊來下石，速其毀滅。是處人必誠，不誠無物，互為關懷，為情所鍾，故曰，人世事洞明皆學問，人情練達即文章也。

李玉典言：有舊家子夜行深山中，迷不得路，望一巖洞，聊投憩息，則前輩某公在焉。懼不敢進，然某公招邀甚切，度無他害，姑前拜謁。寒溫勞苦如平生，畧問家事，共相悲慨。因問：「公佳城在某所，何獨遊至此？」某公喟然曰：「我在世無過失，然讀書第隨人作計，為官第循分供職，亦無所樹立。不意葬數年後，墓前忽見一巨碑，離額篆文，是我官階姓字。碑文所述，則我皆不知，其中畧有影響者，文都過實。我一生樸拙，意已不安，加以遊人過讀，時見譏評，鬼物聚觀，更多姍笑。我不耐其聒，因避居於此。惟歲時祭掃，前彼一視子孫耳！」士人曲相寬慰曰：「仁人孝子非此不足以榮親，蔡中郎不免愧詞，韓吏部亦嘗諛墓，古事此例，公亦何必介懷。」某公正色曰：「是非之公，人心具在。人即可誣，自問已慚。況公論俱存，誰亦何盛。榮親當在顯揚，何必以虛詞招謗乎？不謂後起者流，所見皆如是也。」拂衣竟起。士人惘惘而歸。」余謂此玉典寓言也，其婦翁田白岩曰：「此事不必果有，此論則不可不存。」（閱微草堂筆記卷十三）

時論曰：舊家子之所遇，乃知死後始見真正是非公論，此可為「蓋棺論定」進一解矣。既不能掩飾，冒充掠美亦不可也。某公迫於環境輿論，棄佳城而避之巖洞。蔡伯喈、韓文公浪費筆墨矣！子孫又何嘗不妄費心機耶。今人不明事理，傳說文學代碑銘而興起，是徒自陶醉而已。例如某下台隊長之自傳瓦釜雷鳴，自拉自唱，傳記文學利用其欺世盜名大發利市，實則五十歲左右之人，縱未親見其為某臣公提皮包，開車門，亦從讀報而知之，其同仁斥之曰：「光屁股殺豬」客問應作何解？乃知為無恤之往耳獨論不知其死後有何公論？

先外祖母曹太恭人，嘗告先太夫人曰：「滄州有宦家婦，不見容於夫，鬱鬱將成心疾，性情乖剌，琴瑟愈不調。會有高行尼至，詣問因果，尼曰：「吾非冥吏，不能稽配偶之籍也。亦非佛菩薩，不能照見三生也。然因緣之理。

（未完）

名人小傳　十四

·塞翁·

張之洞輕視袁世凱

談到「中學為體，西學為用」的論調，莫不知為張之洞的主張。這位政治家是由童子試直至殿試，中探花，入翰林院編修，三年後歷任湖北學政、山西巡撫、兩廣總督、湖廣總督、兩江總督等職。八國聯軍之役，張氏入閣宰輔。時袁世凱任直隸總督，紅得發紫，按清室慣例直隸總督兼北洋大臣，兩江總督兼南洋大臣。袁之位稍優，但對張則敬畏之。一次張以湖廣總督北上，道出保定，袁則率僚屬往迎，並設宴款待。相見之時，袁儀容整肅，恭敬異常，而張則斜歪椅上，兩眼半閉，愛理不理之態，只與一位楊藩台談論詩詞。事後語左右曰：「想不到袁世凱手下居然也有這樣一位藩台」！足見張氏輕視袁世凱如此。

張氏入閣之後，聲譽日隆。凡有省官晉京拜見袁世凱者。袁必問「你見了張中堂否？」善於逢迎者便曰：「還沒有見你之前，怎末敢去見張中堂呢？」此即袁氏最高興聽的話。

張氏對於中國實業之貢獻尤大，宣統元年七十三歲病重，攝政王親視其疾，謂其公忠體國。張氏曰：「公忠體國不敢當，我只常以廉正無私勉勵自己」。臨死時說：「國運盡了，國運盡了」！這位眼光遠大的政治家已斷定滿清之必亡了。

包拯

太史私

關節不到，有閻羅老包

包拯，字希仁，宋安徽合肥人。他一生的奇怪事蹟，正史上都沒有根據，而且是很簡畧，但是這也不能否定他是一個不簡單的人物。二十五年中，宋史是最雜蕪的一史，取材十分博雜，篇幅浩繁，如果包拯有那多奇怪事蹟，宋史本傳都是不會放過的。包拯斷了一宗奇案，是有根據的，就是包拯知天長縣的時候，有一個老百姓向包大人告了一狀，說他的中舌被人割了。包拯叫牛主把牛殺了賣牛肉好了。正當牛主賣牛肉的時候，又有一個人來告了一狀，說是他的牛被人盜殺去了。包拯即刻升堂斷案說：你先割了人家的牛舌，現在又告人家殺你的牛。

那告殺牛的人被包大人說中了，祇好從實招來。包拯傳中的斷案也只此一件。其他都是附會。

宋仁宗嘉祐元年十二月，始「權」知開封府，「權」是暫代之意，不是真除，但祇權知了一年半，到了嘉祐三年六月，始升為御史中丞。御史中丞相當於現在的監察院的監察委員，地位沒監察院長這麼崇高。這御史中丞是中國的諷諫之官，有彈劾官吏之權，皇帝有錯也敢諷諫。包拯在御史中丞任內，表現得非常好，令人叫好。他有兩次彈劾三司史。三司史是掌理財政大權的長官，等於今天的的財政部長。使得朝中官員不敢貪污，宦官為之斂手。婦孺兒童盡知包拯之名，皆呼曰「包侍制」。京師為之語曰：「關節不到，有閻羅老包」。其公正嚴明如此。

包拯在朝，本其公正廉潔，剛毅不苟之精神，實行他的監察權，一時無論貴族、宦官，以及皇親國戚，他一律一絲不苟，毫不懼怕。聞聽老包之名，皆忌憚之，開封府的人以「包拯笑比黃河清」，這是形容他之「鐵面無私」。是他嚴肅的一面。因為黃河是很不容易清的。

他之所以為時人以及後人的敬仰，是建立了「公正廉明」的司法體制。以及無私無畏的言官楷模。當包拯知開封府的任內，包拯力矯過去司法的弊。舊制的開封府，凡是訴訟人不得直造庭下伸冤告狀，必須經過前面種種關節。自包拯權知開封府後，每有審理訴訟，必須打開正門，讓訴訟伸冤的平民可以直造庭下鳴冤。他如此一來，不知道伸了多少冤案，因此他在人民的心目中簡直就成了中國人崇拜的典型司法官。而以前的開封府不開正門，不知道冤枉了多少生命的枉死，讓手下貪了多少的賄賂。所以包拯在開封府的一大改革，不啻為中國司法革新的先聲。

當時的「中官」（中央官吏）以及有權的大族，可以說是極盡魚肉人民之能事，包拯到任之後，他不理會這些擅作威福，玩法弄權的權貴。

（四）

巨變歷險記！

一木大廈（二五四）

胡慶蓉

在決定中國游擊隊命運的軍政會議，主張不撤的，只有丁博士，舉起手來的士，也只有丁博士。丁博士的那隻手高高的舉起。全場鴉雀無聲，都在看丁博士的那隻手，那隻直直的手，那隻鋼鐵的手……只是那隻手，只有那隻手，在指示正確的路綫。他老在舉着不放。主席代總指揮也不願意叫他放下來，大家也都有無限的同情。但最後這隻手還是放下來了……不能不放下來。放下來吧……。

主席表示要把丁博士四十條不撤的理由印出來，分散給大家，供大家參考。丁博士的手放下來，中國游擊隊遂形成了兩大壁壘，那就是主張撤的與反對撤的。在會場上好像要撤光的樣子，但事實上並不然！一木難支大廈，但丁博士的這一木還是把大廈支住了！要撤的固然不少，但不撤的人也還是多。

原來丁博士是主張全不撤的，李總指揮答應五百，後來政府派來的邵毓麟專使同大家商談，談到兩千名。邵專使同丁博士遇於泰國邊境上的外南村。二千好像是可能撤退的最高額了。邵專使也並沒有怎樣的相強。後來政府又派來撤軍大員，此人非他，即李總指揮的副總指揮。他也姓李，叫文彬。他與部隊的接觸較多，他親身到部隊裏活動，但成績也並不佳。後來政府又派衣復得前往，在曼谷設一「撤退專署」，小洋房一座，舉行開幕，常常大請其客，作個別的活動，暗中的交易，但成績也無足道。最後還是代總指揮唐華（假名）摸到了重點，實行重點活動。他成功了大撤退，一共撤退了多達八千四百人。

同唐華代總指揮對抗的，表面上只丁博士一人而已。唐代總指揮摸到的重心，就是丁博士領導進來的李國輝。李國輝由團長升到副師長，又由副師長到師長到軍長。他是中國游擊隊的王牌，他也是撤不撤的關鍵人物。他的聲望，他的地位，除李總指揮，丁博士外，無與倫比。他一直在聽丁博士的話，丁博士對他一直深信不疑。對於撤不撤，他對丁博士表示的非常明白，一直到現在丁博士還握有他的親筆函。他說：我們游擊隊只有前進，只有反攻大陸。丁博士說他說的好，說的對。既然只有前進，撤退當然談不到。丁博士很放心。有一段時間，幾乎四個月，他不同代總指揮見面，一切由丁博士代達。這樣，丁博士更放心。不料代總指揮也有他的一套，終於打動了李國輝。這一套是什麼，我們不願在這裏說明，但讀者會猜得出來。李國輝終於被代總指揮誘惑而上了套。李國輝一說撤，很多就受了影響。但不撤的，始終堅持在丁博士的立場的，仍大有人在！……

創業哲學

眞理與事實（七）

丁熊照

此時一般人對於辦工業既不重視，也無興趣，社會上尚有以做洋行買辦為榮的不正常心理，我國市場上的日用消費品，多由外洋輸入，主要是從日本輸來，每年漏巵數可觀，於是乃有少數有識之士，發起提倡國貨，自行設廠製造，如天虛我生創辦家庭工業社，所出無敵牌牙粉，抵制了日本貨金剛石牌牙粉，沈九成先生創辦的三友實業社，所出的三角牌毛巾，抵制了日本貨鐵錨牌毛巾，便是極顯明的例子。此外如方逸仙先生開設中國化學工業社，製造三星牌蚊香，任士剛先生開設五和織造廠出鵝牌內衫，項松茂先生開設五洲藥房出固本肥皂，金宗城先生幫助設立的三五牌鐘廠，都做得有相當成績，加上商務印書館，中華書局，南洋兄弟烟草公司，美亞織綢廠，華生電器廠，康元製罐廠，亞浦耳燈泡廠，天廚味精廠……諸家，就是這個時期中國工業的代表了。雖然當時國人經營的工廠，技術等等，尚有不够，其幹部人員多由中華職業學校訓練出來，甚感缺乏，在任何一方面，都不足與近代化工業相提並論，然而各廠的主事人，在當時社會風氣未開環境下之埋頭努力，和為中國工業所起的帶頭領導作用，實是功不可沒，尤其是一部份有識之士，如天虛我生，沈九成、葉友才、胡西園、崔守華諸先生，能夠看到工業對於社會國家之重要，大聲疾呼來為提倡，和張公權、陳光甫、李馥蓀、金宗城諸位銀行家，對於工業之協助扶持，中國銀行更指定由王振芳先生担任經理的虹口分行，由符志弦先生負責專辦工業貸放款業務，都對中國早期工業之發展，貢獻極多。

雖然銀行為着本身的利益安全，自不能儘量供應每一個工業和每一個廠家所需要的全部周轉資金，在這一方面，舊式銀錢業中（無限責任）的滙劃錢莊（俗稱小錢莊）與跳打兩種，也起過相當作用。當時上海錢莊之地位為高，以滙劃錢莊所打出的十天期本票，通常可以在市面上當現金流通，當然一間錢莊，能夠被接納加入滙劃錢莊，而能稱為滙劃錢莊也並不容易，須先加入錢莊公所為會員，並必須具有相當實力與信用，才有希望。據說在決定一間錢莊申請入會時，須經全體會員投黑白子的手續，視贊成與反對的多數而取決，有如現代選舉中的不記名投票方式，十分民主。該時滙劃錢莊經營借貸業務，全靠信用，二千三千元大洋的款項進出，或借貸担保，祇憑一句話就可算數，並不需要任何手續，錢莊貸放款，全憑信用，無需担保，而到期一定會如數歸還清楚，可見我國商場中傳統守信之美德。但在另一方面，由於舊式錢莊多是無限責任的獨資組織，究竟不合現代化的潮流，故當陳光甫先生以數萬元大洋資本創設上海商業銀行，採用新式管理方法經營之後，有限公司的組織才在中國錢業中流行起來。

談到上海商業銀行，使我不能不想到陳光甫先生手創的中國旅行社了。我曾有一次親歷的事實，足以說明該社幫助商旅之服務精神，那一年，大概是民國二十年（一九三一）年初，我由青島到濟南去推銷大無畏牌電池，回程想順便在徐州蚌埠做點推銷工作，由濟南乘津浦鐵路火車到徐州後，住在花園飯店，那時恰當閻馮戰爭剛結束不久，徐州還有點兵荒馬亂的氣息，花園飯店裏，都住滿了兵，我在當地停留一天之後，已經於市面情形，略有所知，打算搭翌日下午五時南下班車到蚌埠去，在時，我乘人力車去火車站，途經中國旅行社一問火車抵埠的正確時間，比承社裏一位王先生誠懇見告，此時火車交通，極不正常，時間表上訂明五點鐘到站的，也許會脫班到深夜二三點鐘，或到明天早晨九十點鐘也未可知。（未完）

看未來的尼毛會談

輿論精華

東京消息：未來的尼克遜，毛澤東會談，能發表一項聯合公報，闡明兩國合作維持亞洲和平，其主要內容，將為：

一、美國答允把美軍撤出台灣。

二、中共答允不使用武力「解放台灣」。

三、美軍自南越撤退後，印支和平問題亦當仿台灣問題的解決辦法而解決。

這些當然是出於推測，但也接近事實。根據周恩來對紐約時報副社長列斯頓的說法：「我們將繼續支援越南，直至美軍全部撤出為止。在當前，越南仍然是最緊急的問題。你覺得奇怪，為什麼我對關心亞洲學者委員會的學者們說，我們把解決越南和印支問題，而不是台灣或其他的問題放在首位。美國不但派軍隊進行侵略越南，而且還把戰爭擴大」。又說：「我們希望印支問題能先解決，因為那裏還在打仗」。那麼，在尼毛會談程序上，毛方故意加重越南和印支問題的分量，表示對印支共黨的忠誠支持，將是一定的。但是，在他們心目中的重點，還是在於台灣問題。

關於台灣問題，毛方一貫的立場是：

一、台灣是「中華人民共和國」的一省，所以「一定解放台灣」。

二、認定美國軍事竊佔台灣，所以必須美國在台灣地區及台灣海峽撤退一切武裝。

周恩來對此也同列斯頓說過：「美國侵略並佔據着中國領土台灣省和台灣海峽，所以我們願意坐下來同美國政府進行談判，解決這個問題。這個談判已進行了十六年，起初是在日內瓦，後來則在華沙」。以人們所知，美毛談判最大的爭持，是毛方要美方撤出在台灣地區及台灣海峽的一切武裝，美方要毛方發出對台灣地區不使用武力的聲明，那麼，這爭持在未來尼毛會談中能否消除呢？以我們的看法：

一、美國最近仍然說着尊重對中華民國的承諾，即仍然遵守中美共同防禦條約，但在某些方面，還是可以對中共相當遷讓的。——例如撤退台灣海峽第七艦隊，撤消駐華軍事代表團。

二、中共方面，反正不能對台灣作軍事冒險，為了換取美國對台灣問題的讓步，大可暗示不使用武力對待台灣的。

這兩個看法假如不差，則留下的是有關台灣的政治解決問題可以斷言：

中華民國政府絕不會接受，因此，局面還是保持僵持狀態。最後解決如何？且看以後變化。

左舜生談杜甫（七）

文輯公

有人把杜甫的詩分作三個時期：第一期是天寶十四年（七五五）安祿山造反以前，其時杜甫住在長安歷十年，年齡由三十幾到四十幾，正是人生大可有為的一個時期，而他也抱着濟世之心甚切，但不幸玄宗昏瞶於上，李林甫及楊氏兄弟擅於下，同時對外還要黷武窮兵，弄得民不堪命，我們這位詩人對政治的抱負雖是一籌莫展，但他目擊當時這種景象，却增加了他不少的詩料如大家所熟悉的『麗人行』，『兵車行』一類的名篇，便都是這一時期的作品。第二期是天寶之亂以後，杜甫乃開始了他的流亡生活，且曾一度陷在賊中，他既體驗了這種亂離的慘痛，又親見親聞了當時人民那種流離顛沛的情形，於是他以悲天憫人的心情，產生了不少長歌當哭的鉅製，例如『哀江頭』，『哀王孫』，『新安吏』，『石壕吏』，『潼關吏』，『新婚別』，『無家別』，『垂老別』……乃至『北征』那樣的傑稱，而我個人所特別愛好的，尤其在他『紀行』那類的雜詩。第三期是乾元二年（七五九）他到達四川以後，其時他的年齡已快到五十，總算在成都有了一個安定的住所，時局也在逐漸好轉中，雖說依然還是窮困，但究竟多得了幾個朋友的照顧，於是他的心情也安定了許多，像少年時期那種好誤天下大事的氣概已不復存在，作品如『夜歸』，『茅屋為秋風所破歌』，以及其他若干有名的五律七律，也就大體上趨於平淡的一路了。

現在我只想舉出『麗人行』，（天寶十三年作）『自京赴奉先縣詠』，（十四年作）和『北征』（至德二年作）這首作為例子來談一談。

『麗人行』是顯然諷刺楊氏姊妹和楊國忠的一首詩。杜甫所寫的詩在當時雖不一定出版，可是依然有人在口頭傳誦，在他『奉贈韋左丞丈二十二韻』這首詩裏，他便說這位韋老先生『每於百寮上，猥誦佳句新。』可見得他的詩便在當時也是很行的。可是老杜並沒有因此得罪，這足以證明就在一千多年前那種君主專制時代，中國人也還是有言論自由：在「詠懷」這一首裏有這樣的句子：「……彤庭所分帛，本自寒女出，鞭撻其夫家，聚斂貢城闕，聖人筐篚恩，實欲邦國治，臣如忽至理，君豈棄此物？多士盈朝廷，仁者宜戰慄，況聞內金盤，盡在衛霍室，中堂舞神仙，烟霧散玉質，煖客貂鼠裘，悲管逐清瑟，勸客駝蹄羹，霜橙壓香橘，朱門酒肉臭，路有凍死骨，榮枯咫尺異，惆悵難再述。」這不更是明明白白責備當時的統治階級，把人民的東西搜括得來，過這窮奢極慾的生活，而使得多數的人民簡直無法生活下去嗎？然而我們的詩人竟是這樣大胆的寫下來了，他並沒有人去加以干涉！（未完）

錢一劍談相

談男女（廿七）

錢一劍

男女者，位居兩眼下，名曰淚堂。三陽平滿，兒孫福祿榮昌，隱隱臥蠶子息還須清貴，淚堂深陷，定為男女無緣。黑痣斜紋到老兒孫有剋，口如吹火，獨坐蘭房。若是平滿人中，難得兒孫送老。毛澤東面生黑痣，顴橫斜紋兒子被剋光了（指懸針紋入印堂）。歌訣：男女三陽起臥蠶，瑩然光彩好兒郎。懸針理亂侵來位，宿債平生不可當。

男女宮論曰，三陰三陽位雖豐厚，不宜枯陷。左三陽枯剋損男。右三陰枯剋損女。左眼下有臥蠶紋生貴子。凡男女眼下無肉者，妨害男女。臥蠶陷者陰騭少，當絕嗣也。亂紋侵者主假子及招義女。魚尾及龍宮黃色環遶主為陰騭紋見，曾懷陰德濟於人。必有果報，又云精寒血竭不華色，男不旺，女不育。若陰陽調和精血敷暢，男女交合，故生成之道不絕，宜推於形象外當以理言，玄妙自見也。氣色青，主產厄，黑白主男女悲哀，紅黃主喜至，三陽位紅生兒，三陰位青生女。

談奴僕

奴僕者，位居地閣，重接水星，頰圓豐滿，侍立成羣，輔弼星朝，一呼百諾，口如四字，主呼聚喝散之權。地閣尖斜，受恩深而反成怨恨。紋紋敗陷，奴僕不周，牆壁低傾，恩成仇隙。歌訣：奴僕還須地閣豐，水星兩角不相容。若言三處都無應，傾陷紋痕總不同。

奴僕宮論曰，懸壁無虧奴僕不少，如若枯陷，僕馬俱無。氣色青主奴馬損傷，白黑主僕馬墜，今日却有墜機翻車之險，陸運海會生此色。不宜遠行，亦主僕馬口舌，損馬失財。黃色勝，牛馬奴僕自旺。左門右戶排立成行。

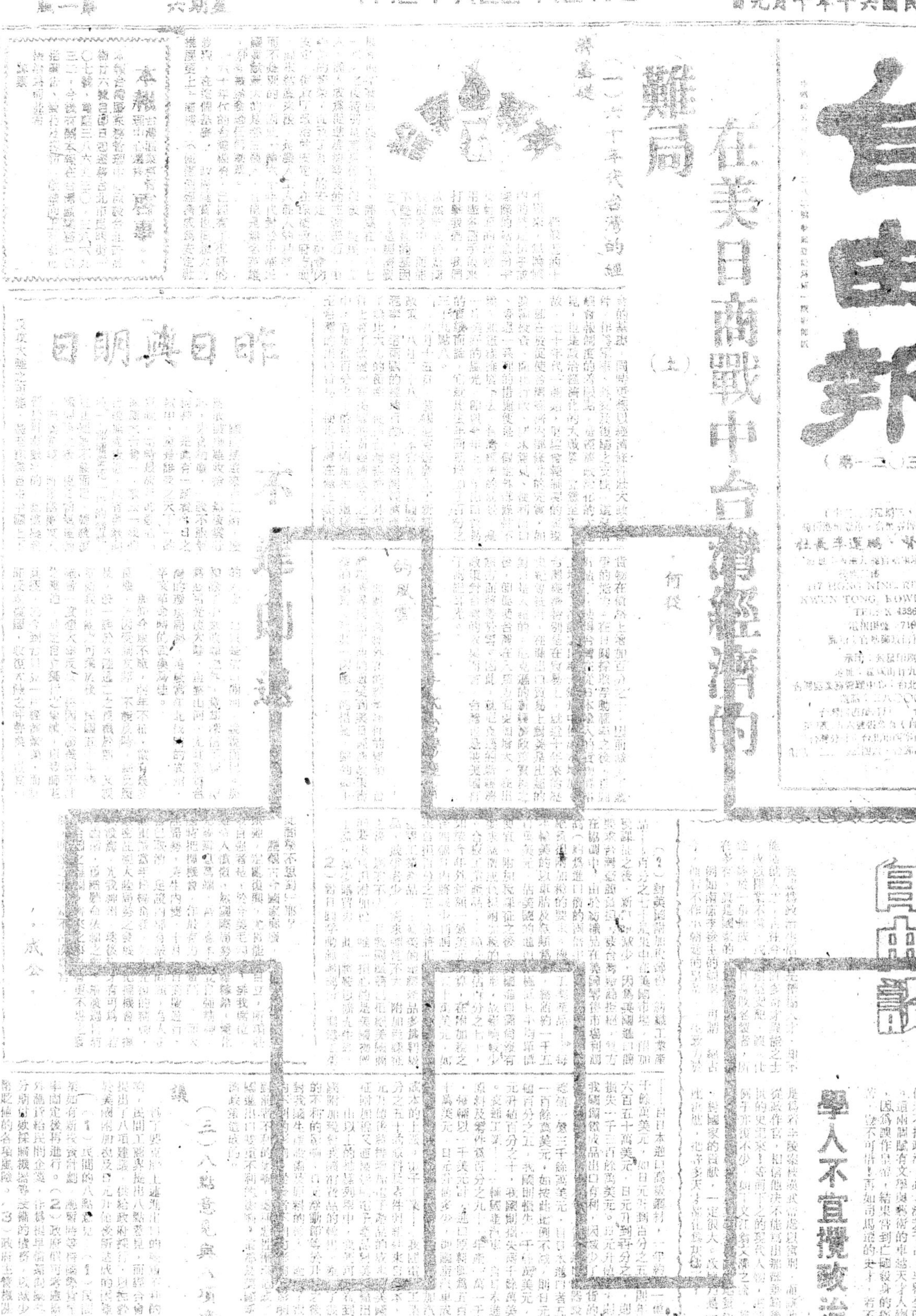

自由報
（第一二三期）
117 HOONG NING RD., 8/F REAR, KWUN TONG, KOWLOON, H.K.

在美日商戰中台灣經濟向何處去

何　俊

難局

——（二）六十年代台灣的經濟……

昨日與明日

自由談

學人不宜攪政治

詞章之學，其成就超了得嗎？北宋趙徽宗的繪畫，天才橫溢，得未曾有，我在故宮博物院（在大陸時期）看過他所藏的「秋禽圖」真蹟，充屬見所未見的稀世傑作。他若不搞政治，必卜流芳千古，享譽全球。這兩個賦有文學與藝術的卓越天才人物，因為誤作皇帝，結果得到亡國殺身的痛苦，豈不可惜！再如司馬遷的史才，若不……

政治生活的本質很污穢，最不適宜於有學問與藝術專長的人，唯有不學無術而具備流氓氣質者，纔算適才適事。劉邦的流氓氣質最豐富，見着讀書人就要取下讀書人的帽子作溺器，可是他就能夠打下江山，貴為天子。所以，真正保得政治本質的統治人物，即不輕易使一般學有專長的讀書人……

日皇出國訪問歐美

天下事

[illegible]

在美與中共力謀接觸聲中
蘇俄展開反擊行動
拉攏日本印度北越
井上大肆宣傳離間美日關係

[illegible]在美國與中共力謀接觸聲中，局於三角鬥爭之另一角的蘇聯正日益表示不安，爲突破美國與中共關係和對蘇聯所構成的壓力，莫斯科當局已發動全面性外交攻勢，繼最近在柏林問題談判中讓步，四強達致協議，及與印度簽定二十年友好合作條約之後，莫斯科又把目標指向東京和河內。

因爲國際情勢之轉變，莫斯科和東京似乎均有意在經濟合作之外，進一步推展政治關係，河內共黨政權對美國與中共之接近最爲疑慮，其拉攏蘇聯以自保當爲意料中之事。

莫斯科與東京之間，早已經有密切的經濟關係，但其政治[illegible]

[illegible]自由民主黨政治委員會主席小坂善太郎在八月下旬訪問蘇聯，日方稱，這次訪問是其基於蘇聯外長三年前所作的邀請，但因爲小坂事忙，最近才得本邁訪莫斯科。

不論日方如何解釋，小坂在世局遽變中訪問蘇聯，很難說只是時間上的巧合，小坂在莫斯科會拜會蘇聯外交羅狄諾夫，副總理兼國家計劃委員會主席拜貝科夫及第一副總理馬佐羅夫，並邀請馬佐羅夫訪問日本。

小坂離開莫斯科時曾有一段談話，日[illegible]

基於政治及經濟觀點，莫斯科想利用美日間關係陷入低潮，及北平與佐藤政府關係無法改善之際，加緊抓住日本，不失爲一手好棋，日本經濟力急速擴張，政治影響也隨之俱來。目前亞洲勢力之消長仍維繫在美、中（共）蘇三角關係上，但有許多外交觀察家已經預言，[illegible]

[illegible]係，將來可能加入日本，即使日本因受主觀及客觀條件之限制，不能擴充軍備，軍力不足以成爲亞洲均勢的支柱之一，但它已成爲經濟上超級強國，在國際政治舞台上將更加舉足輕重，國際間縱橫捭闔，日本將扮演一份主要的角色，這是莫斯科不能不[illegible]的演變。

[illegible]利感興趣的是日本目前的國際處境，日本被尼克遜政府在政治及經濟兩方面連打兩巴掌之後，已經深感「國際政治舞台遠較想像中還冷酷」。蘇聯利用日本此刻迷惘的心情，如能增進與東京之政治關係，即使不能算是美國的失敗，但絕對是克里姆林宮的勝利，另一方面，北京仍不斷攻擊[illegible]

日本成爲經濟強國
在國際間舉足輕重
與美關係目前陷入低潮
增進與俄交往有此可能

[illegible]佐藤政府妥協，中共不斷宣佈日本軍國主義可能復活，以引起亞洲各國對日本之猜忌，同時爲東京與蘇聯之關係製造問題，離間美日及其他友邦的感情，在美、中（共）蘇三角鬥爭中，美、中共接近旨在對付蘇聯，而蘇聯設法抓住日本，另一方[illegible]

在此情況下，[illegible]訪問河內，可能迫使河內共黨政權依莫斯科之主張解決越南問題，以奪爲北京所用[illegible]

[illegible]巴黎和談之途徑，而另謀其他解決方式，減少蘇聯在中南半島的影響力，蘇聯[illegible]最近的表示，美國與中共可能正醞釀北越，暗地進行某種安排。

蘇聯頭目訪問河內
可能迫使北越
解決越戰問題

[illegible]

依聞集

空頭學校

白下大夫

現在社會上流行的有空頭支票、空頭行號、空頭銜，尚未聞有空頭學校出現。因爲空頭學校之所以一枝獨秀者，乃因學校要面對羣衆——即面對學生，你總得有個校舍才能容納進去。故學店到處有，而空頭學校不多見。棄吉其人，確有兩手，竟然能辦起空頭學校來，使得市議員、教局督學、教育名流都入其彀中，不能不使人覺得棄吉也是另一種人才，假如社會上能發現這種人才，放到國外市場去賺外匯，亦乃生財之道。才有長短，開明的社會，是在於能用人才之長，用人才之短，[illegible]能如此，驅才外流，則學歷將「一元」矣。

八一三的血債

紫如

這天深夜，我在睡夢中，忽覺臉面一陣灼熱，睜眼一看，原來父親坐在我的身旁。從那深陷的眼珠裏，流了熱淚，正一顆顆的掉落在我的面頰上我叫一聲：「爸爸」，就撲起投入父親的懷抱裏，哭了[illegible]妹們也相繼醒來了，父親又將我們摟住了，緊緊的。

翌日一早，父親[illegible]我們越過了[illegible]去，在路上，父親悄悄地告訴我一些被鬼子抓去後被生死的情形，最是慘酷萬狀，最後，他撩起衣襟，在背脊上印有十幾條紫色的血痕。父親說：「這是鬼子用皮鞭抽打我的記號。」我默記着，這也是一筆血債。

（六未完）

賽金花本事

[illegible]

賽金花死之俄頃

賽金花於上月患肺病便血及爛舌症，曾由國醫汪逢春爲之醫治，惟所開藥方，須七八元，賽力不能勝，由汪氏簽字向藥店借欠。

惟雖經診治，病勢仍日益沉重，已半月未進食，僅食酥糖月餅等物。因賽吸鴉片，故生命得稍延長。三日晚十二時，適賽已二十五年之情婦顧簪氏，見賽神志昏迷，急爲之燒烟，賽勉強吸三四口，神志稍清。顧簪氏之弟簪乾方，亦隨侍賽氏十一年，此時乃爲賽出外購買酥糖，賽勉強進食一塊，似頗不安，目光發直，並作囈語，曰：「……我要上萬國公墓去了，教主來，阿彌陀佛，觀世音菩薩也來了，洪老爺也來接我了……」云云。

顧簪以此乃急拍其肩，予以安慰。

（五十一）

越南人學會「點腊燭」

．文國棟主．

中國有句俗話：「臘燭不點不亮」，只有南越所掀起的反美高潮，就是中國人的所謂「點臘燭」。

美國在越南化去上千億的美元，投擲青年生命達十萬以上，不僅未能達到越南的友誼，反被越南人「點臘燭」，其實還不止越南點美國人的臘燭，他如南韓，日本，泰國，菲律賓等，也都發生過反美事件，尤其泰國，美國駐泰大使曾被十輪卡車撞毀全家，細究根由，莫非都看不了美國人若干作風是「臘燭」，不點不會亮的。

中國共產黨血腥統制雖成功，但政治則陷於不可挽救的失敗，何以見得呢？一，中蘇邊界的中國人向蘇俄逃，俄國也是共產黨，每將這些人原封押回，所謂「明知山有虎，偏向山內行。」逃亡人的痛苦可以推想。中印，中緬，中越，中泰以及區的中國人不惜被槍彈射擊紛向那國逃亡。華南[illegible]的中國人都向香港澳門逃亡，逃亡冒險方式千奇百怪令人所[illegible]。但從未聞中國人向大陸逃亡的紀錄。二，七億人民很多已不願[illegible]救，若大旱之望雲霓，心理嚮往自由[illegible]的台灣，是歸依國民[illegible]一種精神武力，也是共產黨的痛苦。[illegible]，國民政府在任何情況下，斷不屈服，簡言之，不是說過去，就是那中共使過來，尼克遜於此時與地帶交涉，而實際交情並帮不上，每天都受到最嚴的尊嚴，尼克遜究竟爲了甚麼，我們無以名之，祇好用「臘燭」去形容，與魯迅所指的「阿Q」精神同一道理。

我們也知道，世界大勢，國家諸利害，民衆需要心，中共急欲加入聯合國，乃基於本身利害，將外交戰場移於紐約，從事破壞美帝的最後任務，對內可以此「勝利」鎮壓所謂蘇修與各種各形的反共力量，同時可以示七億人民渴望的自由民主生活方式，業已被全部摧毀，尼克遜今日竟幫助中共做出這樣的事情，使人百思難得其解。

白崇禧在戰亂期自任華中行政長官，親擁七八個省，統率大軍幾十萬，不在武漢戰場與敵人週旋，不在衡陽與敵人決戰，[illegible]在廣西[illegible]，這句話就是要把[illegible]（廣西是李白的大本營）[illegible]曾指定爲臘燭，今[illegible]竟步白崇禧的後塵，不在[illegible]，越南與敵人週旋，不在[illegible]人週旋，在「烈士斷腕」的精神不惜到天安門去朝拜要把你押回家門口去打，不是臘燭是甚麼呢？

漫談中西醫（三）

．本報資料室．

（五）理想醫院：科學驗方中醫藥只有在理想醫院裏才可以進行。理想醫院由國家管理，具有現代最新醫療設備，病人醫藥費用全免。裏面有受過現代醫學教育的醫師，也有實際行醫多年的中醫師。中西醫師由國家供給薪餉，地位完全平等。政府與病人對醫師完全相信，除了犯「不可原諒的錯誤」之外，醫師永不要担心上法庭或被病人敲詐。

病人來了，由中醫師檢查，診斷，開藥方，完全照他的古老辦法去做。未服用中藥以前，由現代醫師作詳細體格檢查及一切可能的化驗工作。病人住到心肺急症病房內，由特別護士照顧，飲食大小便一一詳細記錄。在治療期間，每天詳細檢查，必要時把放射性同位元素放到中藥汁內，以追蹤其在體的內動向。（假如病人死了，再作病理解剖。）治療過程終了，由現代醫師收集一切資料，用通俗的中文記載這次治療經過，作成個案病例報告。這個方法絕對不是用活人來實驗。因爲那位中醫以前確實用過這樣的藥治好了病人（不管他當時是合法或非法）。其實在這樣週密的安排下，未服用中藥前，現代醫師根據各項檢查結果，已淸楚病人體內各內臟器官的功能，即使眞的發生了反應，用現代醫法急救，致死的可能性很少。如若病人不幸死了，因爲醫生沒有收病人的錢，病人家屬也不會鬧。

這個科學驗方工作看起來很難，但要比盲目的去找一種新藥容易得多。全部中醫藥有多少藥方！除了正規書本上記載的以外，還有無數的偏方，單方，祖傳秘方散佈在民間。這些偏方，單方，秘方大多數沒有文字記載，都是一代一代口傳下來的，由於簡單易記，不致傳錯，使用經驗豐富，所以也不可輕視了它們的價值。科學驗方是一項偉大而極有意義的工作。說不定可以從那裏面找到治療癌症、血管硬化的藥 那將是對整個人類的重大貢獻。

（六）中醫出路：到那時候，中醫也有機會學習現代醫學，正常體格檢查、利用顯微鏡，看X光片，簡單的醫療技術都可以學。千萬不要迷信那是美國M．D．的「禁學」。任何人可以學，大學畢業，中小學畢業，學過中醫或沒有學過醫的人全可以學。醫學是合理，有趣，實際的知識，很容易學的。若實在良好的教學環境下（醫院設備齊全，有足够的病人實習，教的人熱心，學的人認眞），在內科部門學二三年，一定成爲高明的中西醫師了，這時，西醫也可以學習中醫藥。

（七）未來的醫學：經科學驗方以後的理想醫院，採用現代診斷儀器及外科麻醉輸血技術，但大部份慢性病人用針灸中藥治療。那時每一個人受國家義務教育十二年，醫院本身就是一所學校。老百姓進步了，國會議員進步了，開診所賺錢的事沒有了。學徒制的中醫不會存在。黃金和收入也少了，比較公平合理了，[illegible]的醫生也決不會存在。現在一個心臟外科醫生比一起開刀的護士，管人工心肺機的技術員高幾十等，這沒有理由。也許有人担心這樣一來，醫學不會進步，其實恰好相反，由古今中外無數事例證明，賺錢愈多的人愈窮（不追求知識）。那些對人類有重大貢獻的都是淡方名利的人。理想醫院的醫生，由國家供給薪餉，把全部時間從事研究，醫學一定比現代的美國進步得快。

（八）中藥光芒初露：醫學上有些病一定要靠儀器才可以準確地診斷出來，如X光檢查骨折，膽結石症，肺炎，心導管，檢查先天性心臟病，化驗小便血液診斷糖尿病，心電圖識別心率不整，以及心肌梗塞症。但也有些病不需要任何儀器就可以認識的，如火傷、癩瘡，哮喘，即使一個沒有學過醫的人，看了幾次就會終生難忘。這些病不是現在才發生的新病，很早就有了的，中醫藥對這些病一定試用過很多治療方法，在千萬次試用中，可能早已發現了比目前西醫所用的方法好。尤其是火傷，診斷容易，臨床實驗簡單，眞正是「一有沒有效，一試便知」。因爲火傷頗常見，現在把目前美國醫院治療傷積百分五十、傷情二至三度火傷方法概述如下：用嗎啡止痛（也有人主張用冷水毛巾敷於傷處，以免病人因劇烈疼痛而致休克），靜脈注射大量葡萄糖鹽水，血漿，氣管切開給予氧氣。病人嚴密隔離護理，用抗生素。傷部暴露，用一種名叫藥劑塗上，以人工腎臟行，除去血中過多的尿素氮。去痂，植皮，最成功的治療病例，也要兩個月才可以離開醫院。如病人不幸在郊區設備不足的小醫院，多一點，肺炎或由創傷所死於休克，急性腎衰竭引起的毒血症。

（未完）

名人小傳　十五

．塞翁．

徐志摩尊人之愛

徐志摩係浙江硤石人，父親徐申如，當地首富，經商上海。志摩畢業於英國劍橋大學，回國後，任北京晨報副刊主筆，頗負文名。本與張君勱、張嘉[illegible]之妹結婚，已有一子。自陸小曼見過幾面，即已拜倒石榴裙下。一次義務[illegible]一齣「[illegible]」，志摩飾[illegible]，小曼飾丫環，由於二人[illegible]從此便[illegible]，志摩更利用王賡不在家時的一點，[illegible]居，侯門深似海，兩人不易相見，雁來千遍，均爲門者擋駕，好在錢能通神，每得時時門公五百元而謀一晤，彼此熱情洶湧，不能抑止，事爲父母所知，且爲王賡察覺了。

有一天王賡回家，拔出手槍威脅小曼，叫她說出這一段事實來，小曼表面只有屈服，但雙方感情從此破裂。小曼父母爲維護志摩利益，乃相率南下，不料火車到上海北站、小曼等在這節車廂下車，而志摩[illegible]

讀書雜鈔　二十八

．林倚．

則吾知之矣，夫因愛無猜故而合者也，大抵以愛合者必相歡；以怨結者必[illegible]，又有非恩非怨，亦恩亦怨者，必負欠使相取相償也，如是而已。爾之夫婦，其宜怨結者，天所定也，非人也。雖然，天定勝人，人定亦勝天。故釋迦立法，許人懺悔。但，消除勝心，抗爾傲氣，逆來順受，以情感而不以理爭，修爾內職，事翁姑以孝，處娣姒以和，待婢妾以恩，盡其在我，而不問其在人，庶幾可以挽回乎？徒問何因，無益也。」婦用其言，果相睦如初。」先夫人當以告諸婦曰：「此是前說，[illegible]世也。[illegible]不有驗，[illegible]尚是行持未至耳。」[illegible]時論曰：「[illegible]，克己工夫[illegible]相處而相安，與任何人相處，[illegible]事理，又何獨不然。」

（未完）

包拯

．太史私．

當時有一些中官勢族，在開封營建築宅，擴築花園，侵佔惠民河，使得河流不通。時值京師大水，包拯命人將那些侵佔的「違章建築」通通一律拆毀。那些有權勢的人物竟持了地券向包拯抗辯，於是，包拯就來一次大淸查的地籍整理，結果發現了許多與原數不符，多有增加者，包拯一一審驗勘察之，使「奸僞無所施其技」。蒼蠅、老虎一齊打，一時權貴爲之斂手。以前那些用金錢打通關節的權貴們，在包拯任內，「紅包」一律不靈。如包拯生在今日，保證「紅包社會」風氣爲之丕變。

包拯並非亂殺人

關於戲劇中有許多把包拯弄得極越職權的作法，令人稱快，而不知反把他貶爲濫殺大臣，濫用職權者。把包拯神化了，殊不知反把他的眞正功績毁了，這是不知道宋代歷史之故。如「 美案」，包公了駙馬陳世美，宋史不但沒有陳世美其人，包公也不會胡亂把當朝駙馬「鍘」了。此一故事是：陳世美已有了前妻名叫秦香蓮，而且已有子女，陳上京應試，中了狀元，天子以公主招爲駙馬，陳世美沒坦白說明他已有前妻，居然招了駙馬不但犯了重婚之罪，而且更有欺君之罪。結果秦香蓮攜了子女跑到京師，獲悉丈夫已招爲駙馬，棄了糟糠，而且秦香蓮化裝了一個唱琵琶的歌女去駙馬府，唱出了一曲哀怨的曲子，希望他收下妻兒子女，結果陳世美爲了保持榮華富貴，狠心不認，將她母子逐了出去。秦香蓮無奈何，聽說包大人鐵面無私，不畏權勢此事非去向包大人告狀不可。於是她就在包公那裏告了一狀，包公大怒，認爲此事重大，先特別用請客方式把陳世美請來飲宴，在飲宴中就把秦香蓮引了出來唱了一曲，唱出她的遭遇，最後要他認下前妻，不料陳世美仍然堅持不認，竟想回府一走了之。這時惹了包公說道：「此地你來得就去不得！」陳世美以爲包公的小小開封府，怎斷得我當朝駙馬。於是包公就取出來了皇帝賜給他的上方寶劍，陳世美一見也就慌了。這一下又驚動了公主以及皇太后，先後都來講情，包公居然不畏權，結果包公是以頭上烏紗帽脫下，就是丟了烏紗也要執法如山。皇后甚至把頭也引伸在上面，不准包公行刑，結果包公仍請了上方寶劍出來，太后也沒有法子再抗拒，陳世美就被包拯用龍頭劍殺了。

此一齣戲的故事，乃是根據「包公案」而來，另外一種根據就是「琵琶記」（高則誠著作）。故事內容完全是虛構。凡是懂得歷史的人，也明白這是捏造的。

宋史不但沒有陳世美其人，縱然有其人其事，重婚罪也不致於殺頭。宋史所載包拯[illegible]：包拯[illegible]，但仍本[illegible]之心，並不想以此殺人，更沒有什麼「上方寶劍」，可以對大小官員先斬後奏。宋代卻不像明朝那樣，皇帝隨便殺人，宋代雖然沒有今日所謂「人權」一類名詞，但是絕無隨便殺大臣[illegible]，最多是充軍流放。只有宋高宗爲了保持其帝位[illegible]。

（五）

巨變歷險記！

力挽狂瀾（一五五）

胡慶蓉

創業哲學

眞理與事實（八）

是誰屠殺校長

高林

左舜生談杜甫（八）

談辯氣（廿八）

錢一劍

錢一劍談相

自由報

中國郵政台字第一二八二號執照登記為第一類新聞紙

（第一二〇四期）

（半週刊每星期三、六出版）
每份港幣壹角・台幣零售價新台幣二元
社長李選鵬・督印黃行齋
社址：香港九龍官塘康寧道117號後座二樓
117 HONG NING RD, 1/F REAR, KWUN TONG, KOWLOON, H.K.
TEL: K-433653
電報掛號：7191
郵箱：官塘郵政信箱9583
承印：景星印刷公司
地址：嘉咸街廿九號地下
台灣區業務管理中心：台北市許昌街廿六號
電話：三八〇〇〇二
台灣區直接訂戶　台灣劃撥戶
第五〇五六號張萬有（自由報會計室）
台灣分社：台北市西寧南路110號二樓
電話：三三〇三四六、台郵劃撥戶九二五二號

本報專論

在美日商戰中台灣經濟的難局（下）

·何從·

民間的八點意見，着眼在實際的與短期的效應，貴在立竿見影。經合會的八項建議，着眼點在長短期互為效應，趁機改變經濟結構。容我們說：民間的意見較切實際，因為由美國的新經濟政策引發的國際金融危機，影響到各國的貨幣政策及貿易政策，是短期的趨勢，對症下藥，在因應此一短期情勢的措施中，自應以短期速效的措施為有效。長期性的措施如改變經濟結構，那是屬於國家經濟建設的基本目標，不因短期性的情形變動而變動，是合在理中的。

（四）複式滙率的爭論

日圓採取浮動匯率之後，對台灣從日本進口有極為不利的影響，不幸的是，台灣經濟在資本財貨方面是日本的輸出市場，幾年來台灣對日本貿易一直是入超國，只有農產品輸出於日本，而農產品或初級商品又是缺乏彈性的，這樣一來，台灣就更要在進口方面吃大虧了。怎麼辦呢？複式滙率問題就變成了爭論的主題了。

（1）商界的意見：一般認為最有效的措施，是採取複式滙率，即新台幣對美元維持原來平價不動（四十比一），這是出口滙率；進口滙率則隨同輸出國家幣值浮動而浮動，日元升值多少新台幣亦升值多少，另訂一個滙率。如此，則便利出口，成本不增加，使強勢貨幣升值所造成的損失，減少到最低限度。其他補救辦法如外銷補貼，減稅退稅，獎勵投資等，均屬緩不濟急。

（2）學者的意見：有正反兩面的不同，一些專家反對使用複式滙率或登記外滙，認為不見得會有利。因為我國對外貿易幾乎都是以美元為計算單位，日元升值對我國衝擊不大，還是維持單一滙率的好。一些專家認為，我國為了因應國際經濟的新情勢，新台幣亦可採取浮動滙率為宜，以後外滙存底不應限於美元，應分散為其他的強勢貨幣如馬克、日元、法郎、里拉等，則不致一味依賴美元由滙率變動造成損失。

（3）中央銀行通知：八月二十四日，中央銀行通知各外滙銀行，除美元外，對其他外幣一律採取浮動滙率，每天按新滙價掛牌結滙。對日本的任何貿易或借貸往來，中央銀行均反對以日元計價。

政府此一決策，大體上受到民間及學者專家的滿意。而我政府原握有八億美元的外滙存底，如以日元浮動率計價，則中央銀行又為國家損失了不少新台幣，實在保守得可惜。

（五）未發表的經濟報告

面對着美日商戰貨幣戰的白熱化，經合會研提了一個「美國新經濟措施對台灣經濟可能影響的初步分析報告」，於九月一日討論，未公開發表。據新聞報導其部份內容，乃假定美國進口附加稅不變及日元升值為百分之十左右，分析對台灣經濟的影響為：「（1）美國征收百分之十的進口附加稅，係臨時性和全面性的，對我輸美的貿易條件不變，亦即對我無顯著之不利，且可由美國隨時宣佈取消，故無需研擬對策。（2）我國對外貿易之情勢，將由五十九年的順差，轉為小數的逆差。（3）進口貨價因項目不同，上漲約在百分之零點三至零點七不等，上漲幅度不大，但連鎖反應，可達二至三倍，依此推算，則全年物價指數可能上升百分之二。（4）對我國經濟成長率影響不大，約為二十分之一左右，亦即在我國百分之十的年經濟成長率中將減退百分之零點五。」上述之八項建議，即為此一報告的結論。在此報告研擬的同時，雖然使用了新式武器（電腦）來工作，但依然發現我們的經濟資料搜集不能得心應手，例如進出口商品細目分類不夠，物價指數敏感度不夠，廠商填報數不實等。這說明我們的物價統計選用的指數公式有問題，平時好看（物價升降的隱匿），真正作科學的分析時，則反應不佳了。而我們的進出口貿易商，因為繳稅及其相關知識程度問題，影響了實況的反應。機器人的檢驗是最不講情的，這是一次活的教訓，值得痛切反省與改正。

（六）股票市場的暴跌

台灣股票市場，從開始到現在，一直處於不正常狀態，前期是屬於上海型的搶帽子時期，即大投機的時期，五十三年的成立額高達三百五十五億元。此後即轉為小家碧玉捉蝴蝶的時期，即半職業式的小投機時期，五十八年，每月成交額只有四十餘億元。今年一至七月，每月成交額在十億、十五億、三十億元之間，特別是六七兩月份因為受到出口順差的刺激，各月成交額有三十億。八月成交額則退縮到二十億八百餘萬元，由七月十四日的加數指數一四九・九降到八月十七日的一一七・六八，跌幅為基期（五十五年平均數）的百分之三十二點二五。使持有股票的現值在一個月內，損失了二十五億八千餘萬元。此種暴跌行市恰與美元在台北黑市中升值為一有趣之對照，說明台灣經濟知識的不健全，及政治心理的衰敗之徵。九月六日，中央銀行撥出長期資金，買賣優良股票之後，股票價格方始穩定。此處說明一個原理，即上市股票之原屬公司，假定在不擴充設備條件之下，則其產品出口是有利的，股票是有利可分的，股票價格應該上升才對。

（七）聯合進出口總體作戰

美日都是經濟大國，不幸這兩個經濟大國展開了一場經濟大戰，首由美國點火，日本則堅決抗戰，直到目前仍沒有熄火的迹象，美日經濟會議則毫無結果。最不幸的是台灣經濟，在進出口貿易上對美日兩國依存度太高，無法自拔自主。並且由於資本小，產品初級，很難超越於美日戰綫的影響之外。在出口方面，對美是出超，則因附加稅的影響而減低了順差的可能性；在進口方面，對日是入超，則因日元升值的影響而擴大了逆差的必然性。而在交易進行中，美方進口商後出要求將附加稅責由我方出口商負担；在我方進口商方面，則亦應要求將日元升值加價部份責由日方出口商負担。還有其他許多的進出口技術上的問題都須要有一套整體作戰的方法，一方面為進口商設計，一方面為出口商設計，以減少進出口的損失，謀取對外貿易的最大利益。因此，一個聯合貿易中心或一個聯合貿易公司就有組織的必要了。這個聯合貿易單位的任務，最起碼要做到下面六件大事：

（1）搜集世界貿易機會的情報。
（2）統一運用外滙資金信用。
（3）統一進出口報價免受剝削。
（4）為進出口商處理有關技術性問題。
（5）市場調查及信用調查。
（6）進出口意見步調的協調。

這是用大兵團作戰的方式，也是聯合作戰的方式，在分工上雖由各進出口商自行配置，但在資金、信用、價格、滙率、談判上有一總體機構為之作參謀作業，其效果定會超過現在零星作戰的陣式，希望民間與官方聯合起來，提調此事，以完成貿易的戰鬥體制。

美國宣布美元不兌現黃金，不僅僅破壞了布萊頓森林會議的協議，也一手撕毀了國際貨幣的本位制度，全世界的抗議，它都無動於中，只為了它一國的利益，不惜搗亂世界金融，其行為是不義的。美國的保護關稅的新措施，也破壞了國際關稅總協定的條例，將造成關稅壁壘，影響世界貿易的運轉率，對人類幸福是一個很大的打擊。可見，經濟的行為，不是專靠經濟學理來解釋的，也不是單單依靠純經濟的範疇所能解決的。當一個政府以財政手段來支持或支配經濟的運行時，此一行為就不是經濟的而是政治的了。

（完）

昨日與明日

開國六十年

六十年前的今天，武昌一聲槍響，點燃了全國的革命烈火，轉瞬間，燎原一片，推翻了滿清三百年的天下，革新了歷史的傳統，建立了中華民國，這實是五千年中的一件大事，於今已屆滿六十周年，達到花甲之數，莫不令人稱慶。

但在花甲之慶的時光，緬懷前塵，卻令人不勝無限感慨。這一「民國嬰兒」不僅誕生於憂患之晨，並且六十年來一直熬煎在災難之中，肇建之始，即有袁世凱的竊國弄權，終致稱帝改制。接着就是袁逝世，虎狼出柙，形成軍閥割據混戰的局面，其後方慶北伐統一，軍閥俯首，而不旋踵，外患又至，日本公然入寇，揮兵侵佔，誓必征服臣虜而甘心，幸經全國萬衆一心，共赴國難，歷經十四載之艱辛抵抗，八年餘之浴血抗戰，方得殲此兇寇，復我神洲，而國際地位，有躋列四強，一吐我百年來受辱之悶氣，那知復員未竣，神洲竟又陸沉，大好河山，善良億衆，突然陷於暴秦之手，於今已是二十二年了，縱然退一萬步，拋開一切主義思想、法統國權不論，而大陸七億人民水深火熱的奴役生活，乃是鐵一般的事實。於今大陸同胞，恐怕想作帝王專制下的老百姓而不可得，這種悲慘的後果，豈是締造民國的先賢先烈之始料所及。

歷觀我國往史，各朝代之統一大業，除了西晉以外，無不是在統一後最多二十年即步入安定政治的境界，獨我民國肇造，迄今已六十年，而仍在國家動亂，人民苦難之中，這實在是歷代所未有的現象。真所以如此者，除了由於革命不徹底，而為梟雄袁世凱所乘之外，我們春秋責備賢者，實由於開國的人士，少年熱誠有餘，老謀深算則不足。當年只憑一腔熱血，冒險犯難把清室推倒，但推翻後，政權拿到手裏，卻毫無經驗，一上來即被老奸巨滑的袁世凱玩之於股掌，輕輕的把天下拿去，即為明證，因此對於開國的規模，長治久安的措施，全無成算，甚至忙於眼前的現實問題，而根本未曾認真想過，所以才釀成爾後不可收拾的動亂。

但今天我們既不是感慨憑弔的時候，也不是清算舊帳的時候，我們要面對當前的課題，一方要推翻暴政，拯民於水火，一方面更要人運用我們的智慧，為國家樹立國家長治久安的大經大法，然後才辜負當年拋頭顱洒熱血的先烈，才不愧紀念雙十國慶的真意。

·成公·

自由談

養氣的工夫

近在海隅偶遇着一位年逾九旬而精神矍鑠的老人，問他亦有特別的養生之道否？他說平生只注意三樣生活習慣：「吃飯不要飽，走路不要跑，說話不要吵」。

節制飲食對生理有益，現代醫學界已公認為正確的論斷了。日常步履從容，不作急遽的馳驟，尤屬健身運動，理固然。尤其是上了年紀的人，若從事劇烈的操作，即有心臟擴大之虞，亦係人所共喻的常識，誰都可以做到的。唯有「說話不要吵」。這項習慣，關係人的生命力之強弱修短甚鉅，沒有相當的休養工夫，真是談何容易！

所謂「吵」的真詮，即是生氣。人而遇着拂逆恥辱之襲擊，心情很少不衝動的，一經衝動，氣憤即隨之湧起，說話便失卻自然節奏，甚且張脈僨興，大聲爭論，這當然傷害身心，足以折損天年。但人們十九都未能免此，須有「動心忍性，曾益其所不能」的剋制精神，纔可望懲忿養氣自召天和。

養氣的工夫最難，就社會各階層人士而言，祇有作官的人比較方便見效。因為忍辱含垢，唾面自甘的情況，在政治生活中原係尋常的事，為着官位利祿，雖受到主子無理的凌辱作踐，亦得逆來順受，忙賠不迭，還要說「主公厚我！」初時或勉強而行之，久則習慣成自然，毫不介意了。所以，凡是在政治上成為不倒翁的官兒，一定都有平心氣和，八面玲瓏的休養工夫，多見其延年益壽，老健異常，而個性較強，抱負甚大，出處進退皆以能否貫徹政見政策為依歸的，不特常告失敗，亦復多不永年。孟子說，「我善養吾浩然之氣」，這是想像之詞，孟子未曾作過官，更不是老官僚，怎能養成浩然之氣呢？養氣的工夫，大矣哉，除卻向一般久於仕途的老官僚領教外，別無其他方法可想也！

毛澤東今年必死

香港業餘星相家預言

（自由報本港消息）「根據毛澤東的命理八字推斷，毛澤東必會在今年死亡，而且更會有死於本年內的可能。」

這是一位以談相論命名噪一時的業餘星相學家陳君推算多時的判斷。陳君在一九六八年五月十九日批判美國羅拔甘迺迪議員當年必死，果然當年六月六日甘迺迪便死於被人行刺於途中。上面的話是陳君接受記者訪問時所說。

陳君指出：「毛澤東是生於光緒十九年十一月十八日巳時（很多人說毛是辰時出生是不確的，如是在辰時出生，則應在去年死亡），毛澤東的時辰是「癸巳、甲子、丁酉、乙巳」，命理生成五行忌「星、水」，毛澤東的命局注重於「甲、乙」，今年應行「丙辰」運，今年屬辛亥年，辛屬金，亥屬水，今年「金、水」齊至，辛冲乙，亥冲己，年份時辰（太歲）相尅，而「丙」與流年之「辛」合而化「水」，是忌神，即所謂「撞正尅星」。

陳君指出：「以大自然的節氣計算，農曆八月份已過了很多天了，今年八月是丁酉月，遇「酉」字，酉屬金，與年份近「辛」字相助，故尅」死時辰時辰之「乙」字及月份之「甲」字，毛澤東命局注重「甲、乙」，被尅到正，無法可避，故其必死是命理注定者。」

陳君說：「毛澤東之病，應是心臟病，因爲毛之代表命定時「丁」字，屬「火」，照中醫陰陽五行來說，「火」代表心臟，現時日子是秋天，屬水，故註定其心臟非常弱，更因今年一冲一尅，故心臟病一發不可收拾。」

陳君指出：「毛澤東在五十七歲是戊午運，「火」與「土」齊至，以後其運程均佳，至一九六六年（丙午）年時，屬純火年，命中受助，遂有文化大革命之產生，能打倒劉少奇，證明「火」對毛是絕對有助的，更由此反證，「水」則是毛命運中之最大尅星。」

陳君指出：「不獨毛澤東本人命運受尅，而其中共整批高層人物，包括周恩來、林彪，均命中忌「金、水」，今年屬「金、水」年，明年「壬子」則屬「純水」年，此一相尅，遂可使中共高層人物相繼死亡。」

陳君說：「以易經來說，由民國廿四年甲子）開始，中國的國運應行至「巽」卦，應行六十年，「巽」字拆開爲兩個已共，一表示是共和，一則表示共產，至一九七四年（甲寅），應行至巽卦的「第六卦」，易經之卦詞曰：「巽在床下，喪其資斧，凶。」而且「甲寅」屬「火」，歷史上凡虎年必有轟動全球的事發生，一九一四年（甲寅）年是發生歐戰，一九三八（戊寅）年爆發全面對日抗戰，一九五〇（庚寅）年爆發韓戰，一九六二（壬寅）年發生大逃亡，那麼，下一個「虎」年，一九七四（甲寅）年有什麼大變，那就值得尋味了。

與軍方頭目起鬥爭

毛婆江青大鬧情緒

接待外賓不露使毛難看

林彪繼承人地位似亦動搖

（自由報香港消息）本港一家權威雜誌說：羅共頭目修西斯古六月訪中共時，江青鬧情緒會大出洋相。例如她不同其他政治局委員去機場歡迎，自己孤零零的站在賓館門前迎貴賓。當毛出見修西斯古夫婦時，她不陪同出見，迫得請周恩來的老婆鄧穎超代替招呼女賓。

無獨有偶，八月六日緬甸革命委員會主席尼溫訪問中共。江青再大出洋相。

八月一日和八月三日那兩大，江青還帶着她的中央文革小組兩個伙計張春橋和姚文元，和法國電影導演尤里斯•伊文思等觀看「現代革命舞劇」「紅色娘子軍」及「沂蒙頌」，說明這三個傢伙無災無病。可是自從六日尼溫率代表團抵達北平之後，到九日離開爲止，一連五、六個應酬場面，她和張、姚兩個嘍囉一概不露面。甚至八月七日毛澤東出見尼溫時，她也不出來陪客。而尼溫這次不但帶了老婆一齊來，並且連妹妹也帶了來。江青放棄女主人資格，弄得老毛面上無光。爲了進一步了解江青這次鬧情緒的經過及其背景，茲將尼溫到訪情況列述如左：

八月六日尼溫率隨員抵北平，前往機場歡迎的政治局委員級的頭目僅有周恩來、黃永勝、李先念三個。這與以往的傾巢而出大不相同。但是周、黃二人是握實權的，也足以代表中共；可注意的是毛派的政治委員一人也不露面，這是近年來所未會有的事情。

當天下午周、黃等與尼溫等會見。當晚有歡迎宴會。以上三個節目，毛派無一人參加。因此「新華社」報導這些消息時，特別簡短，報上刊登也極力縮小。

七日共有三個節目：（一）會見毛澤東，中共方面僅由周恩來、李光念兩人陪同，黃永勝沒有露面。這是文革以來毛見外賓黃永勝第一次缺席。顯示毛黃之間似有緊張。（二）雙方舉行會談，中共方面仍由周恩來、李先念領頭，黃永勝仍未露面。（三）當晚周恩來、李先念陪同尼溫等觀看「紅色娘子軍」。黃永勝未露面，江青和她的嘍囉也未露面。這種場合黃多半不露面，但江青及其嘍囉之不露面，顯示情緒低到極點，意懶心灰。

八日，尼溫設宴答謝招待，中共方面領頭出席爲周恩來、黃永勝。仍不見毛派一個人影。

九日，周恩來陪同尼溫離北平去到廣州。新華社竟未報導尼溫離平時送行的行列。多半因仍無一個毛派露頭。

綜計尼溫在北平訪問期間的活動場面，發現左列幾個問題。

（一）除毛澤東自己以外，沒有一個毛派主要人物露面。自從去年十一月康生不能露面以來，在重大公開集會場面，姚文元總是單槍匹馬，代表毛派出席；張春橋因爲是上海市委第一書記不常在北平，可是這次二人都在，不出席陪江青觀劇，更由黃招待外賓的集會，顯然有點意氣用事。（二）黃永勝未陪同毛出見尼溫，也未陪同尼溫觀看紅色娘子軍（爲了怕碰上江青？）。顯示毛及其妻江青對實力軍人首腦黃永勝之嫌惡。（三）由於江青死不肯出頭，在八月八日，尼溫設宴答謝之前，周恩來之妻鄧穎超，特別跑到賓館去拜會尼溫夫人及妹妹。可見江青之不出頭，使中共在接待禮節上不周到。由此判斷江青及張春橋、姚文元三人一齊不露面，是一種杯葛行動。（四）毛在接見重要外賓時，向來偕林彪一齊露面，這次林彪缺席，林妻葉羣又未出席「八•一」招待會。使人懷疑林的繼承人地位似已動搖。

江青杯葛新當權派

表示毛派勢窮力衰

槍桿子不在手徒呼奈何

現在要追問，江青爲什麼又偏在貴賓訪問的時候鬧情緒出洋相呢？連同六月初那一次情況來綜合考慮，筆者認爲還是爲了權力鬥爭，鬥爭焦點是江青不甘陳伯達、康生、謝富治等之被鬥。

六月初那一次，康生突然在毛澤東出見修西斯古時出現，以及謝富治深夜獨自拜會修西斯古，可能是江青鼓動毛澤東，在強制要脅下達成的，使新當權派惱了火，修西斯古離開北平僅三天，就召開羣象大會鬥爭姚登山，藉此以打擊和威脅江青和姚文元。因爲當年江青曾拉攏和縱容姚登山鬥陳毅和周恩來。經過這麼一鬥，姚文元、張春橋等當然要渾身不自在，但是江青仗着老毛的殘餘權勢，可以破罐子破摔，大鬧特鬧。

「八•一」招待會江青出席，在中共報導中排名僅次於周恩來而在黃永勝之上，這顯然是「安慰獎」。陳、康、謝三人不能復出，把她的排名列在周恩來之上也沒有用。羽翼被剪除了，她和老毛都成了無根浮萍了。

中共「九全大會」之後，政治局常務委員五人：毛、林、周、陳伯達、康生。四對一絕對優勢。在政治局二十一名委員中，毛派有九名：毛、林、江青、葉羣、陳伯達、康生、謝富治、張春橋、姚文元。以九對十二稍居劣勢。自去年春天起，謝富治、陳伯達、康生三人相繼在「一打三反」運動之下，被打得不能公開露面，使政治局常委會開不成會，政治局裏九對十二的形勢，變成六對十二的形勢了。毛派焉能不惱火？

目前毛派剩下的六政治局委員，林彪及其妻葉羣已有如陳伯達、康生，露面正越來越少。姚文元和張春橋如熱鍋螞蟻，毛及江青燈下拍對必牢騷滿腹，但是槍桿子不在自己手裏，天不應，地不靈，無可如何。

江青不惜自己出頭杯葛新當權派，表示毛派已勢窮力促了。

美新經濟措施

引起美日不快

咸料日元終將升值

（自由報本港消息）此間一家報紙以「國際貨幣危機的根源爲題評論稱：這次美國施行新經濟政策是被日本「不設防貿易政策」逼出來的，全文這樣說：日圓是這次國際貨幣危機的罪魁禍首，尼克遜總統的「新經濟政策」，其中的主要項目徵收百分之十的入口稅，可說是針對日圓而發的。美國政府會聲明，如果日圓升值，這項入口稅即可取銷。

美國和日本的經濟關係，自前正陷於幾乎不能調解的境地，雙方都似有無限苦衷。年前當日本外滙儲存達四十億美元時，美國就開始試圖使日圓升值，當時日本表示升值問題，要待外滙儲存達六十億時才攷慮，但未幾又食前言，說外滙儲存不達一百億，實不足以言升值。日本政府這種自私自利的政策，當然惹起與她有貿易往來的國家的反感，特別是今年一月至四月，對日貿易逆差達二十四億的美國。

日本政府在外國要求日圓升值聲中，大耍太極，其初說可採用增加對援助及放寬入口限制，以減低外滙儲存，但事實證明這些僅是理論，并未付諸實踐；六月間，當日本外滙儲存創下新高紀錄時，日本又發表了一個「八點經貿計劃」像煞有介事，要大力改善外滙過多的死結，那知結果亦淺强人意，充其量祇象徵性的放寬若干物品進口及降低一些關稅而已。日本人這種作風，已既不能和外滙儲存泛濫現狀，更不能取諒於與之有貿易往來的國家

極具影響力的日本「經濟新聞報」（英文版）十七日的社論指出：「……假如日本在二、三年前就適度節制輸出，並大幅度開放進口，那麼，美國的國際收支可望不致惡化到非動大手術不可的程度；」日本政府如果這樣做了，則可避免「讓外滙完全集中到日本手裏。」但不及此。「終於釀成今天這個國際貨幣體制迹近崩潰的局面。」該報進一步指出：尼克遜的「新經濟計劃」一部份是由日本催生的。

設法增加輸出，限制輸入，以求對外貿易的出超，並非明智的辦法。[illegible]「不設防」[illegible]「活不下去」[illegible]官式或變相貶值將走[illegible]。

依詞集

揚惡

白下大夫

中國人有兩條慣例必須推翻，其一是「隱惡揚善」的正道，其二是「父爲子隱，子爲父隱」的直道。父爲子隱子爲父隱出乎情，此乃家族倫理大於社會倫理的時代產物，尚可原諒。而，作爲止風化俗的「隱惡揚善」之觀念，不僅僅在兩千年前要不得，處在科學、民主、倫理的時代，尤其要不得。在實際的社會中，特別是在眼前的社會中，我們看到的社會之病，是「揚善」不成，大惡不除而隱之，上下相隱、官官相隱，圈圈相隱，隱之不成再加利誘勢迫强行之隱。善未揚而惡又隱之，則社會閉塞而國運日落了。揚惡懲惡，爲政治革新之不二法門，如此乃可振衰起蔽，中興大業可圖也。

八一三的血債

紫如

到了上海，無親友可投靠，父親就帶了我們到處鑽收容所，均以客滿遭拒。最後，又拖着我們來到仁濟堂門口。誰知，麕集在此地的難民，亦數以千計；把前後兩條街的行人道全佔滿了。好不容易在一家五金店的門口，得了一點空隙，却只有半個榻榻米大的地方。

打開僅有的一床薄被，躺下以後，竟連轉身的氣力都沒有了。整天滴水粒米未進，弟妹們受不住飢餓的煎熬終於哭嚷着向父親要飯吃。

經一日的奔波碰壁，父親原就心煩意亂；而弟妹的飢餓又豈是空言所能哄壓得住的？一氣之下，摑了小弟一記耳光，打得父親自己也掩面飲泣起來，弟妹們更哭得傷心了。

天啦，這是誰的罪惡呀！

夜，更深了，風一陣緊似一陣，使我們這羣既要忍受飢餓之苦的人，還要抵禦寒風的侵襲。

（七未完）

劉半農話賽金花

賽乃曰：「我一世闊綽，實不料今日死於此破屋中，起初尚以爲老年可享清福，誰知今日竟如此窮困。人死不足悲，惟你（指顧蔣氏）及你弟弟隨我一二十年，由籍隨我北來，同受艱辛，實望一日得志，厚報你們，今此願成泡影矣」云云。

顧蔣氏尚欲上前安慰，而賽已瞑目，撫之氣絕矣。是時，屋中無鐘，大約爲二時半。至此，具有光榮歷史之賽金花，遂與世長辭，享年六十五歲。（賽一向謊報歲數小二年，故六十三歲之說，不確。）

賽死後僵臥床上，迄下午三時，棺木尚無着落，僅有將廷梓者，送去大洋四元而已。

下午三時以後，晚報將賽之死訊傳播，各界乃紛往探視。計到有賽同鄉之周少舫、表妹易太太、女友林太太、鄰居王竹嚴、李青山、經議論之後，向市會會長孫晉卿請求資助棺木。（五十一）

醫藥救命牌與馬氏藥枕（上）

·文園樓主·

按：醫藥救命牌爲本港成報刊出，馬氏藥枕台灣各報皆有刊載，很多患有糖尿病，血壓高，血壓低，心臟病或癲癇症的人士，隨時隨地均會在公共場所或街道中昏迷，以致救治不及而死亡，因此國際醫藥警告基金會，乃製造一種救命牌，佩帶在病人身上，隨時隨地均會救回自己的性命，本報不久亦將有這種救命牌出售。這和台灣市上流行的「馬氏藥枕」有異曲同工之妙，詳情請閱下期中國醫藥理論權威馬騰雲答客問。

新潮男女佩帶的胸牌，現在已成爲一種可以救命的金屬牌，而不是美國大兵的「認屍牌」了，因爲醫學人士，發現利用金屬牌可以發生「醫藥警告」的效能，而且更在救命牌流傳之後，也眞正能够救同很多幾乎意外地送掉了性命的人。

救命牌的正確名稱是「醫藥警告牌」，是美國加利福尼亞州一個國際醫藥警告基金會的組織所發明的，今天英國。加拿大，馬來亞，非律賓，及歐洲和非洲等二十九個國家，都分別組織了國際醫藥警告牌，并用各國本身的文字，刻在救命牌上，香港現時亦有醫學界人士，進行考慮推動這麽樣一個組織，挽救那些本來可以救回一命的人之寶貴生命。

一位醫學界人士透露：救命牌在美國及其他國家，是用不銹鋼製成的小牌仔，可以連結在鍊子上當手鐲，也可串在項鍊上掛在胸前。救命牌正面是紅色的標誌，并書上「醫藥警告」字樣，另外刻上佩帶人的姓名，住址和電話號碼。而小牌另一面則刻上「本人是糖尿病患者」，或是「本人患血壓高」，以及「本人對盤尼西林有敏感反應」等等字樣

在美國和其他二十八個國家，都由當地的國際醫藥警告基金會負責出售救命牌，買者必需登記，并將各種病歷和健康情形詳細紀錄，以便他一旦發生意外時其他醫生可以向國際醫藥警告基金會查詢，對症下藥。本港目前情形不同，故可能簡化這種手續。

急救病人時知道他的病歷和健康是非常重要的，例如對盤尼西林有敏感反應的人，要是一旦有急病，不明內裏的醫生冒失地替注射盤尼西林，無異是送他一貼命符，加速他的死亡。有糖尿病的人，萬一遇到意外要施行急救時，亦不能用葡萄糖之類的東西，不然亦會產生嚴重的後果，甚至會令病人送掉性命。此種情形也同時會發生在癲癇症（即洋癲瘋），心臟病，血友病，血壓高和血壓低的人。只要你會有「暈一陣」的習慣，救命牌便可能發揮很大的功効，當你病發時昏迷不醒，救命牌便可以防止不幸的意外事情發生，因爲當你被送入了醫院急症室時，醫生便會特別留意你底特殊病况，而施以特別的急救方法。

此外「本人戴有隱形眼鏡」的字句刻在救命牌上，也大有作用。突然昏倒的人醫生照例要檢查病人的眼睛瞳孔，若醫生知道戴上隱形眼鏡，便會小心將眼鏡片取出，不致眼睛受到不必要的損害。

本港醫學界人士估計，每年本港會有好幾百人，會在意外昏倒街頭或交際場所中，而沒有得到特別的照顧而送掉了性命。美國現時有三十五萬人採用救命牌，在香港流行時，相信有幾萬人要爲着自己的安全而購買。

（未完）

漫談中西醫（四）

·本報資料室·

前些日子，看到報上一則消息說一九七〇年秋季在廣州舉行的商品展覽會上，有一種名叫「京萬紅」的草藥膏，對大面積火傷有良好效果，並把兩名傷積百分七十，傷情二至三度的火傷病人治好。它的優點是止痛，不要去痂植皮，治療過程只要二十天。作爲一種國家產品輸出，一定是經過了嚴格的臨床實驗。由上面的例子比較了中西醫對火傷治療之後，就可以知道了「京萬紅」的治療價値了。也許這是第一種適用於全世界的中藥。

有人也許會問，醫學是國際性的科學，像針灸、「京萬紅」一類這樣好的中醫藥，能不能在所謂「自由民主科學的美國」醫院使用？目前不可能。因爲：A美國醫學會不同意，今天的美國自視是世界醫學權威，並且掛着招牌要爲「落後國家」訓練醫生，用了「落後的中醫藥」何以向留美醫生解釋？B美國醫師公會不同意：未經醫師公會登記的醫師不能診病，即使中醫願意替貧民（無錢付醫藥保險的貧民，沒有醫藥照顧，任其自生自滅）義診也是犯法的。中醫藥把慢性疾病減少了，斷了美國醫生的財源，他們不會同意。C美國藥學會不同意：未經藥學會登記的藥品不能在美國使用，即使「京萬紅」免費治療火傷也是不許可的。把火傷治程縮短了，那些鹽水血漿製藥商也不願意。

由於這些複雜的利害關係，他們可以說出一千個不能用的理由。其中最動聽的理由之一是沒有學理根據或「政治宣傳」。

西醫的底牌

西醫稱爲西方醫學（當時的歐洲醫學）或現代醫學，也就是今天的所謂「自由民主國家」的醫學（各國醫學系統相似）。自由民主國家又以美國爲代表，所以叫美國醫學。美國醫學的特點是醫生名氣大，賺錢多，醫院建築漂亮，設備最新（？）。除此之外，最値得美國醫學會向世人誇耀的是他們的醫學教育年限長（小中學十二年，醫預科二年，醫學院五年，共十九年。學生申請入學，不考試，錄取標準不明。醫院訓練由住院醫師到專科醫師四年，全程二十三年）。他們對外又一再强調，只有最聰明、最用功的學生才可以入醫學院。醫學是最難學的。醫生工作最重要，最忙，最辛苦賺錢比一個普通工人多二十倍是天經地義（！）。大家信以爲眞。任誰也會想到，以這麼一個資質好，又肯用功的學生，在那樣好的環境下苦讀二十三年，怎能不成爲「大學問家」，「名專家」？把美國政府官員，老百姓嚇住了，全世界大部份人被嚇住了。美國醫生慣於拿這套法寶嚇人，受了美國醫院訓練以後的留美醫生，也拿這個法寶去嚇他自己國家的人，這麼一來，更是高深莫測。

只有同美國醫生在一起工作過以後，從縱橫各方面去了解他們，自醫科學生起、四年級見習生、五年級實習生、住院醫師、專科醫師「專家」、主任教授「權威」」，這時才發覺與外間傳說的相差很遠，他們不是最聰明的，也不是最用功的學生，醫學並不難學。學生很自由，缺課無人過問，老師從不責備學生，上課不用筆記，教室裏打瞌睡是許可的。四年級生在醫院看一年不能動手，五年級實習生，這時也有外來留美學生）很忙，開刀只有拉鈎的份，記病歷、打鹽水針跑腿的工作很多。到了住院醫師稍有分別，將來可以賺大錢的內、外、婦產科，絕大多數是美籍醫生。至於拿固定薪餉鑽牛角尖又解剖死人的病理科、傷身體的X光科、推病人的麻醉科，大部份是外來留美學生。住院醫師自己在摸索，病房裏永遠忙不完的瑣事（病歷記錄，抽血，靜脈注射，清洗傷口，綁帶包紮，打電話給專科醫生）。這時的專家，整天去他外面的診所裏，在錢上打主意。

（未完）

讀書雜鈔　二十九

·林偉·

此可僥倖一時，經不起常久考驗，張逆治中在長沙大火案，誣陷部屬，殺之滅口，雖當時掩飾得過，久而自明，無所逃於天地之間，大陸危急及認賊作父，恬然投匪，尤嫌不自誅滅，奉獻女兒爲賊酋作妾，其下場誠慘，實由於不知懺悔，有以致之耳。

李應絃言：「甲與乙鄰居世好，幼同嬉戲，長同硯席，相契如兄弟。兩家男子時往來，雖隔牆猶一宅也。或爲甲婦造謗，謂私其表弟。甲偵無跡，然疑不釋。密以情告乙，祈代偵之。乙故謹密畏事，謝不能。甲私念未偵，而謝不能，是知其事而不肯偵也，遂不再問，亦不明言，然由是不答其婦。婦無以自明，竟鬱鬱死。死而附魂於乙曰：「愛莫親於夫婦，夫婦之事，乃密祈汝偵，此其信汝何如也？使汝力白我冤，甲疑必釋。或許偵，而徐告以無據，甲疑亦必釋。汝乃慮脫偵得實，不告則負甲，告則汝將任怨也。遂置身事外，恝然自全。致我含恨於九泉，是殺人而不操兵也。今日訴汝於冥王，汝其往質。」竟顚擲數日死。甲亦曰：「所以需朋友，爲其緩急相資也。此事可欺我，豈能欺人！人疎者或可欺，豈能欺我。我以心腹託汝，無則當言無，直詞責我，勿以浮言間夫婦，有則宜密告我，使善爲計，勿以穢聲累子孫。乃視若路人，推諉起疑竇，何貴有此朋友哉！」遂亦與絕，死竟不弔焉。」乙豈願欲殺人哉，世故太深，則趨避太巧耳！然畏小怨，致大怨，畏一人之怨，致兩人之怨，其卒殺人而以身償，其巧安排乎？故曰：「非極聰明人，不能作懵懂事！」（閱微草堂筆記卷十三）

時論曰：朋友有患難，事業，酒肉之分，話云，君子之交淡如水，平日似不相識，遇事則拔刀相助。小人之交甜如蜜，實則口蜜心劍，旨在利用以遂其私。故交友須愼，君子之交亦稱刎頸交，可與共患難，共生死，共事業。小人只可酒食徵逐。有利用價値則甜言蜜語，投其所好；事事率先承意，無微不至。一旦財竭勢衰，則投井下石，無所不用其極，若有世仇，睚眦必報。

（未完）

包拯

太史私

不讓岳飛迎還二聖一打到黃龍府去，使秦檜殺了岳飛，那是基於政府因素，其他是很少殺大臣的。何況一個開封府尹，怎麼可以斬殺了駙馬？宋代自太祖定天下以後，就有禁止殺人的詔令，對老百姓尙且如此，何況大臣？皇帝都不得亂殺大臣，包拯雖然是立朝剛毅清廉，皇親國戚皆畏之者，乃是恐他的鐵面無私，不賣他們有權人的帳，任何有錢有權的人，在老包面前是過不了關的，並不是怕他殺人。碰到犯法的大臣權貴，包拯也只能照章劾奏，但是包拯只是今日的監察官，而不是司法官，他只有權劾奏，沒有判刑之權的。一般小說，戲劇的著者，只顧穿挿曲折動人，根本不知歷史事實，只圖大快人心。甚至於把一個負心郎弄到駙馬的頭上，諸如此類太多了，不勝枚擧。小說戲劇家如此編寫，乃是一種變態心理所爲。中國民間許多歷史人物變成了典型人物，都是由這種心理變態之下演繹而來的。由於包拯的公正廉明，所以包拯在老百姓的心目中就成了中國人的典型司法官，神化之後，他死後便成了閻王，因爲閻王爺是最公平的。其他如典型的軍人——關公，典型的軍師參謀——諸葛亮，典型的商人陶朱公，典型的工人——魯班，典型的水利專家大禹等等……。都是由此而來的。

包公智斬魯齋郎的妄誕

戲劇家爲了捧包拯，不惜任何手段。有一件事情是給帮了倒忙，那就是一齣名叫「包公智斬魯齋郎」的，簡直是妄誕不經，這是元曲所編。

魯齋郎是國舅，深得皇帝信任，包拯要殺國舅，皇帝不准，包拯想了一個辦法，將魚齊即奏了上去，皇帝批准以後，包拯將魚、齊、即改作魯齋郎斬了國舅。

如此一來，元曲的作者想捧包拯，反而將包拯演成了欺君騙人的奸臣了，因爲在公文上面加字，不但對皇帝不可以，就是今天也犯了「僞造文書」的刑法。豈不是把包大人捧成爲舞文弄墨的滑吏，爲包拯喝倒采，幫倒忙。小說，戲劇，以及說書人之無識可知。如果我們相信小說，戲劇是可信的，那末二十萬字也寫它不完，不過那又算什麼呢？

包拯打過鑾駕嗎？

戲劇裏尙有一齣名叫「打鑾駕」，也是憑空虛構，總之也是老百姓痛恨權貴擅作威福，魚肉人民，社會上的人心有此一種反抗心理，戲劇家不過是作了代言人。如今天的影劇編劇以及小說家，也是迎合大衆的人心，俗稱迎合觀衆或讀者的口味。「打鑾駕」的故事是這樣的：

龐籍是當朝太師，痛恨包拯，因爲他女兒做了妃子之故，所以是才做了太師，爲了要報復，乃苦求其女在皇帝面前說話，殺掉包拯，其女不敢從，後經乃父苦口哀求，乃借得太后半副鑾駕，在大街上故意去阻止包拯的去路，包拯屢次避開他的道，龐妃屢次阻擋，包拯大怒之下，才命打鑾。打的一個抱頭鼠竄。

（六）

巨變歷險記！

「軍法從事」！（二五六）

胡慶蓉

一天，丁博士同代總指揮唐華，李軍長國輝一塊兒吃早點，李軍長眼睇睇的哈哈大笑對着代總指揮說：「博士就是一個腦筋，一個想法，一個主意！不撤！不撤！不撤！……怎樣就是不撤，橫豎就是不撤，三七廿一，四七二十八，九九八十一，還是不撤不撤不撤！」丁博士的不撤不是一句話，不是一種構想，而是有行動的。他在用他所有的方法，他可能的方法，在說服所有的游擊隊不撤不撤不撤！……

這當然是同代總指揮唱對台戲。代總指揮也採取一切的方法對丁博士，丁博士周圍滿佈他的情報員，滿佈他的耳目。有一位劉副官也者，本來也是博士二萬里拔涉中的難友。他並且娶了民族英雄李希哲的女公子爲妻，爲人非常活潑可愛，他平常對丁博士非常客氣，丁博士不疑心他。殊不知這也是代總指揮的一個情報員。其他的還有很多很多。但丁博士並不介意，他還是以游擊隊家長的心情在進行不撤的工作。他日夜不息的在做，他不惜犧牲一切的在做。

代總指揮要撤退撤光撤淨，對於丁博士的作法非常不滿，他就決定對付丁博士。在李國輝聽丁博士話的時候，代總指揮是不敢下手的，他也設法下手。反而言之丁博士想對付代總指揮，有李國輝的支持，却易如反掌。但丁博士不做。及至李國輝被代總指揮拉去，代總指揮就下手了！他就無所顧忌了。

這是民國四十一年的三月廿一日所謂自由日的早晨，猛撤的霧還沒有散，代總指揮突然召開臨時大會在猛撤反共大學的大操場，所有駐猛撤的部隊一律荷槍實彈參加，會場一時空氣非常緊張。大家都意識到會有什麼重大事件發生。當時在猛撤的所有軍政大員也都一律參加。彼此面面相覷，不發一言。最後，代總指揮，丁博士登台「點將」，只見台下槍如林筆挺挺的站着爲數約三千人以上的弟兄，個個望着台上，聽候台上發佈什麼命令，以便採取行動。

代總指揮往日參加什麼大會態度均和藹可親。他是浙江人，充任總統侍衛十×年，同丁博士素稱私善。他住在非懷廬，與博士相距不過百多步，平常在博士這裏與博士話天下大事。代總指揮喜歡摸百分，喜歡喝威士忌酒，喜歡吸加里克香烟，有說有笑，但今天早上的情況有異，總是氣冲冲的不理人，丁博士同他像往日一樣一齊進入會場。從博士房代總指揮官邸走到大操場，要下山，要過田野。今天一一反常態，一路上未與丁博士交一言，丁博士也感到有異！

大會開始，代總指揮很激昂的數丁博士的罪狀。他說：「丁作韶，總部的總顧問，省府的秘書長：…竟敢阻撓撤退……姑念……否則軍法從事……。」

創業哲學

眞理與事實（九）

·丁熊照·

所以我在滙明廠設立之後，一方面研究提高出品的品質，一方面也於推銷的方法特別注意。我記得，我在此時方始學會吸上香烟，吸烟雖是壞習慣，但對多接觸交際之中，往往一枝香烟可以增人與人之間不少感情而可發生交談推銷的便利，就由於吸香烟，使我在華北推銷時，發現到在當時上海一帶流行白錫包與雪茄力克牌香烟，而華北地區則流行大前門、三炮台牌香烟，其實都是英美烟廠公司出品，烟質烟味既差不多，價錢也相近，何以在不同的地區，竟有如此銷量上的差異，經我仔細研究之後，才明白這種情形，純粹是由於推銷商的重要，華北地區因爲銷開了大前門與三炮台牌子，才使這兩種牌子在人們吸用的心理習慣上，佔了優勢，因而更促成它們的流行，反之在上海地區之流行白錫包與茄力克牌香烟，也是同樣道理。

由於如此的觀察研究，使我深深認識到推銷貨物技巧與方法的重要，我的推銷術也可謂由吸烟體會得來，於是便對新出的大無畏牌電池，在外埠的代理，想出一個與衆不同的分區負額獨家經銷辦法，既對經銷商予以確定的保障權利，只要他每年每月銷滿事前規定的數額之後，使一直可以保留經銷權之利益。不但如此，而且在銷額超過規定數字時，更可視超額之多少獲得獎金的鼓勵，獎金的成數也增多。同時我又看到外商洋貨在各地的獨家代理辦法，雖對經銷戶頗有保障，但却限定該家商號，只能銷售其一家之出品，絕不准代銷別廠同類性質之出品，雖在推銷獲得專心，惟反使經銷商手足被束縛，正亦有其利亦有其弊，我的辦法，只以銷額作限制，既使經銷商不因限銷一家出品而感覺困難，使經營商活動自由，而我們又可獲知同類貨品在當地的市面消息，供作競銷的參考，並不吃虧，自然是比較更進步，更有效。果然，此一辦法在實行之後，便爲各地代理商所歡迎，無形中都願爲推廣大無畏牌電池的銷路盡其最大的努力了。此外，我在廣告宣傳方面，因想到電池在當時廣大的內地城鎮與農村中，需求最大，若只在大都市報紙上登廣告，實在收效不多，我也就不願效法其他廠商盲目在上海報紙上海報紙上大登廣告，而將廣告費改用於印製宣傳信紙、信封、摺扇、團扇贈送客戶使用，並又定製很多影色鐵皮廣告牌，分送各地經銷商釘在當眼的地方，使人們看到之後，便首先對大無畏牌電池獲有印象，因而也能使銷途大增，到了中日戰爭前夕，大無畏牌電池在山東、山西、河北、蘇北各地之銷售，已可說是深入農村，爲任何別廠出品所無法追及。

由於談到推銷，更使我想起當年中國國內貨物運輸的不合理現象，那時候，入口關稅，規定爲值百抽十，論理，上海製造的國貨，輸銷到國內地區，貨不應付稅，但我們如將貨物由上海軍裝往青島轉往山東濟南各地，因爲上海是海口，經過海關，便也須與洋貨同樣繳付百分之十的進口稅，便是在滬以郵包寄出，也還不免要付關稅，如由轉運公司轉運，數量少時，手續複雜，不易辦理，但如交郵包公司在上海附近的城鎮眞茹、南翔等地投寄，就可不需付關稅了，於是，便有一種專門代廠家郵寄小包貨物（每包廿二磅）的郵包公司趁時而興，這類公司雖設在上海，然投寄郵包，則在南翔，因可取巧不須付稅之故，業務不錯，後來，因爲（一）小包郵件不足以應大宗貨運之需要，（二）又因國內交通部對鐵道路輸辦法已有改進，乃由廠商直接辦理運輸貨物前往內地，也可不必付稅，每件貨物，可以有二百二十磅重量名爲快件，貨物較多時，還可專包一二節火車運出，更較前便利不少，不過這當然都是在國家政治未上軌道前，由於制度不健全才會發生的畸形現象而已。（未完）

輿論精華

蘇印友好條約

——是針對美毛勾結的有力布置

前天我們在「美毛勾結與俄毛矛盾」一文中，指出了「美毛的勾結，表示了俄毛矛盾的加深」，而斷言俄共的應付：「對美將採取強硬態度，對毛將採取反攻策略」。事實正是如此。

俄共最近的措施，一面召開東歐集團高層會議，針對羅馬尼亞、南斯拉夫的動向，從政治、經濟、軍事三者施加壓力，俾安定東歐，以便專心對付美毛勾結的新形勢。另一面則派出葛羅米柯前赴印度，於八日抵達印度，九日即簽訂了一個爲期廿年的「蘇印友好合作條約」。該條約主要的一點：「任何一方一旦受到進攻威脅，簽約國最高當局必須立即進行互相磋商，來消除這種威脅，並採取適當的有效措施，來保證他們國家的和平與安全」，實質上，這是一個軍事同盟的條約（雖然印官方解釋不是）。

這兩者，正是俄共針對美毛勾結的對抗性戰略布置。

這一個蘇印軍盟的締結，其布置的作用，可以看出：

一、俄共在南亞建立起軍事政治的根據，以阻擊中共向南亞的擴展，並增加中共在這方面的威脅。

二、在印巴交惡中，使印度獲得大的助力，以對抗美毛同時對巴基斯坦的作助。

三、俄共藉此增加在印度洋的威脅作用，使西方親毛國家有所戒懼。

四、俄共拉攏了印度以後，影響了其他亞洲國家，斯能引起他們的意圖，轉向俄共。因而，這一舉，使得美國未必得到中共，但已失去印度，可能失去更多亞洲友邦，形成了今後亞洲新形勢。

所以，俄共這一戰略性布置，正如我們前日說的：對美強硬，對中共攻勢。

誰都認定，尼克遜的親毛，目的是利用中共來對俄，這一點，俄共是看得清清楚楚的，因而俄共必須於此時加強對中共的威脅，使中共動彈不得。

如何加強對中共的威脅呢？

一、繼續中俄邊境百萬大軍的示威。

二、建立在印度軍事據點，完成由海參威至印度洋對中共的包圍圈。

此外，我們看到俄共此時在亞洲地區的活動，比過去爲具有新的便利：其一是中共對亞洲地區的威脅性增加，使亞洲國家急謀自保。其一是美國親毛政策，使亞洲國家對之失望，有此兩點，只要俄共伸出手來，徬徨中的亞洲國家將樂於爲友的。此次蘇印友好合作條約之急於完成，這是一大因。

由蘇印的新結合看來，今後美俄毛三角鬥爭，將在亞洲展開，是大有可能的。（摘自快報）

左舜生談杜甫（九）

·文輯公·

還能提出什麼異議呢？可惜中國還沒有什麼了不起的油畫家，假如有的話，只要他能把這篇「北征」作爲題材，繪成若干鉅幅，成可保證他與老杜一樣的名重千古！

第四段從「至尊尚蒙塵，幾日休練卒」起，到「胡命其能久，皇綱未宜絕」止，對於當時時局的好轉，我們的詩人雖表示了他高度的信心，但對於借助回紇，却依然抱着非常的憂慮。杜甫之所以成爲一個愛國詩人，我們從他這種嚴華夷之防的態度，也可看得非常的清楚。

從「憶昨狼狽初，事與古先別」，一直到最後「煌煌太宗業，樹立甚宏達」爲止，這是他在追溯既往，但並沒有把匡復之功完全歸之於李光弼郭子儀，而認誅楊國忠與楊太眞的陳元禮才眞是了不起的人物。「桓桓陳將軍，仗鉞奮忠烈，微爾人盡非，於今國猶活」，當時肅宗初立，玄宗仍在，像這樣一種露骨的批判，我們的詩人眞可算得是毫無顧忌的暢所欲言了。

在一篇牽涉到各方面的詩歌，寫得這樣周到，這樣生動，這樣有力，這樣大胆，我古今的詩人中，實在舉不出這類同樣的例子來。這一千多年來中國民族的墮落，可以說到今天已達了極點，像郭沫若這類的東西，根本就不懂得詩是怎一回事，但也居然盜竊了一個「詩人」之名，我們且看他對於他的「親愛的鋼」之捨他面去，又將表示一種怎樣，涕洒交流的醜態吧！

杜甫住在同谷不到一個月光景，乃起程入川。他在同谷的這一期間，生活依然無着！

「……歲拾橡栗隨狙公，天寒日暮山谷裏……」

「黃精無苗山雪盛，短衣數挽不掩脛，此時與子（指他手裏那把鑱黃精的長刀）空歸來，男呻女吟四壁靜。……」（乾元中寓居同谷縣作歌七首）

窮到靠採集一點野生的橡栗黃精來果腹且不可得，其艱苦情況，以我們今天這些流亡人士和他去比一比，豈不仍有天淵之別？然而他是中國第一個偉大的詩人，其對我們民族一種精神上的貢獻，眞是無可比擬，假如我們在這裏小不如意的情況之下。（未完）

談十二宮（上）（廿九）

·錢一釗·

錢一釗談相

一、命宮

命宮者，居兩眉之間。山根之上，光明如鏡，學問皆通。山根平滿，乃主福壽。土星聳直，扶拱財星。眼若分明，財帛豐盈。額如川字，命逢驛馬官星。果若如斯，必保雙全富貴。凹沉必定貧寒，眉接交相成下賤，亂理離鄉又尅妻。額窄眉枯破財。

歌訣：眉眼中央是命宮，光明瑩淨學須通，若還紋理多迍滯，破盡家財及祖宗。

命宮論曰，印堂要明潤，主壽長久。眉交者，身命早傾。懸針主破尅妻害子。山居不宜昏暗，有川字紋者，爲將相。平正明潤身常吉，得貴人之力，氣色青黃榮盛。赤主刑傷。白主喪服哭悲。黑主身亡。紅黃主壽安，終身吉兆。

二、財帛

鼻乃財星，位居土宿，截筒懸膽，千倉萬箱。孔祥熙生此鼻相，聳直豐隆，一生財旺富貴。中正不偏，須知永遠滔滔。鷹嘴尖峰，破財貧寒。莫教孔仰，主無隔宿之糧。廚竈若空，必是家無所積。凡生此相經筆者研究奇驗。

歌訣：鼻主財星瑩若隆，兩邊廚竈莫教空，仰露家無財與粟，地閣相朝甲櫃豐。

財帛宮論曰，天倉、地庫、金甲、櫃、井、竈，總曰財帛宮，須要豐滿明潤，財帛有餘，忽然枯削，財帛消乏。有天無地，先富後貧，天薄地豐始終富，天高地厚，富貴滿足，蔭及子孫。額尖窄狹，一生貧寒。井廚破露，廚無宿食。金甲缺陷，富貴不彰。氣色昏黑，主破失財祿。紅黃色現，主進財祿。二櫃豐厚，明潤青黃貴，主得橫財。清和，居官而受賞賜。赤主口舌。

自由報

（第一二〇五期）

中國郵政台字第一二八二號執照登記為第一類新聞紙

（半週刊每星期三、六出版）
每份港幣壹角・台幣零售價新台幣二元
社長李運鵬・督印黃行番
社址：香港九龍官塘康寧道117號後座二樓
117 HONG NING RD, 1/F REAR, KWUN TONG, KOWLOON, H.K.
TEL: K-433653
電報掛號：7191
郵箱：官塘郵政信箱9583
承印：景星印刷公司
地址：嘉咸街廿九號地下
台灣區業務管理中心：台北市許昌街廿六號
電話：三八〇〇〇二
台灣區直接訂戶　台灣劃撥戶
第五〇五六號張萬有（自由報會計室）
台灣分社：台北市西寧南路110號二樓
電話：三三〇三四六、台郵劃撥戶九二五二號

本報專論

綜論當前的國際形勢（一）

・谷正鼎・

當前國際形勢，是若干年來的最低潮時期。這種低潮之形成，是由於多種因素的輻湊所造成的。首先，共匪於「文革」之後，為了解除其內外在的危機，突然轉變姿態，發動外交攻勢，引起了若干國家的幻想；其次，自由國家因經濟發達，生活舒適，忽視共產威脅，苟安厭戰；美國由於多年來越戰政略、戰略的錯誤——不求勝，造成內外交困的局面，外而越戰欲罷不能，勢成騎虎，內而經濟困頓，民怨沸騰，加以共黨及其同路人的煽惑鼓動，姑息氣氛遂達到無理可喻的程度；再就是我們自己的外交政策，多年來一直停在守株待兔的狀態之中，我們的外交始終是守勢的，被動的，肆應的，缺乏積極的，主動的與創造的進取意圖和鬥志；在共匪文革時期，我未能利用我在聯合國的優勢，對我代表團問題作長期合理的解決，只是跟着美國的老辦法走，致有今日不利的轉變。我們外交人員的素質還與當前的任務不能適應，他們肆應普通外交雖有餘，折衝於對國際共黨外交戰場則不足，而現在的外交則又是以對共產鬥爭為核心。綜合以上的原因，才形成今天的局面：共匪有進入聯合國的可能，若干與我友好國家也背信棄義，向匪靠近，我們在國際上的處境，日益艱苦。不過，這一切情況，只代表問題的一面。事實上，還有問題的另一面，我們要看到問題的另一面並充分估計其可能的發展，同時加強我們的努力，掌握當前有利和不利的因素予以運用和克服，這才是我們當前應有態度。

所謂問題的另一面

一、共匪外交攻勢及其內在的危機——

共匪過去在所謂生產大躍進時期，曾有過極活躍的外交攻勢，這一攻勢至一九六五策動印尼共黨政變失敗而告一結束。「文革」時期共匪停止了對外活動，「文革」的暴亂使共匪對內對外都受到很大的創傷，現在共匪這種創傷並未完全恢復，而由「文革」導發的內外危機，較之以前更為嚴重。（1）它與蘇俄的對立更尖銳了，雙方在邊境上陳列大軍，時刻在戰爭的邊緣上徘徊；（2）「文革」後共匪又把已經證明失敗的生產大躍進各項壓搾措施重又施之於人民，它與人民的對立也更尖銳了；（3）「文革」期中毛匪利用造反的青年以破毀了匪黨，又利用了匪軍以鎮壓了青年，現在匪區的青年與匪黨匪軍相對抗，匪黨、匪軍也相互在對抗，而匪軍之中林匪系也在與非林匪系的部隊相對抗。就是由於這些紛爭，使毛共的建黨工作，一直到今年八月才勉強拼湊成省級組織，而這些省級組織的領導大權，卻又落在軍人的手上，今後共匪已是「槍領導黨」，而不再是「黨領導槍」的組織。這只會加深內部的紛爭，大陸上隨時都可能發生驚人的變亂。

毛匪的統治就建立在這些矛盾的焦點上，其危險的情形眞如坐在火口上一樣。毛匪為了緩和內外在壓力，特又不惜搜刮民脂民膏，以發動強大的外交攻勢，它除加強支援韓共、越共等的軍事攻勢及其實力以外，還把觸角伸至中東，伸至巴爾幹，伸至非洲，伸至拉丁美洲，近更放棄其一向標榜的反美立場，背叛共產集團，向美國拉攏。毛匪企圖藉着這些外交攻勢，外以嚇阻可能的蘇俄軍事入侵，內以鎮壓憤怒不滿的幹部和人民。可是這種攻勢，一則需要強大的經濟力量作後盾，迫使共匪更需加強對人民的搜刮，再則它嚴重的擾亂了國際形勢的均衡。（如印巴地區、如東非），也會觸及野心國家的敏感地帶（如蘇俄的附庸國）。在不可預料的情形之下，隨時都可能有意外的事件發生，每一意外的發生，都可能是毛共的末日（當年毛共與蘇加諾互相勾搭，製造政變，豈料到後來的失敗）。

尼克遜現雖媚匪，陷入共匪的陰謀陷阱，但終有上當覺悟之日，而美國是民主社會，有自動調節其政策偏向的機能，物極必反，終有一天美國人會起來糾正尼克遜的錯誤，而走向反共的道路。當自由世界對共黨幻想破滅之時，也就是全球反共大團結邁向勝利之日。我們只要能莊敬自強，堅持立場，不屈不撓的奮鬥，世界局勢必定會有利的轉變。

目前我們的外交對下列問題，必須有正確的決策奮鬥方向，特為提出：

在聯合國的奮鬥

目前外交的中心，集中於聯合國。阿爾巴利亞等國的排我納匪案已於兩月前送交聯大秘書處列入本屆大會議程，阿案與往年不同者，為本年之案，加入了要將安理會常任理事交給共匪。查阿案在根本上係一違憲的提案，原不應成立，即應打銷。因該案主旨在要求恢復偽中華人民共和國合法權利，並驅逐我國代表。匪偽在聯合國並無任何權利可恢復，而所要求驅逐我代表，乃為排除一個聯合國的創始國，即使係排除一個普通會員國，亦應當依據憲章第十八條第二款處理。即「大會對於重要問題之決議，應以到會及投票之會員國三分之二多數決定之，此項問題應包括……對新會員加入聯合國之准許，會員國權利及特權之停止，會員國之除名……」今如阿案要求排除會員國而以二分之一過半數票通過，則今後國際共黨將可在任何國家內以滲透顛覆的方式，成立一個非法組織，然後在聯合國內以過半數排除原有合法政府，取而代之，則聯合國豈不將變成共產國際嗎？本來依據聯合國憲章，各會員國代表權問題屬於內政問題，聯合國不得干涉。而聯合國之討論中國代表權問題係根據聯合國大會第五屆常會於一九五〇年十二月十四日通過第三九六（伍）號決議案規定：凡遇主張有權代表某一會員國出席聯合國之政府，不止一個，而該問題又成為聯合國爭執之點時，則此一問題應由大會依據憲章宗旨及原則並就個別情形予以審議。」外交部在答復立法委員質詢說：「聯合國早已認定中國代表權問題，應由大會審議，並不認為本質上係純屬我國內政問題。」「我方基本立場係認定匪共為叛亂集團！不能代表中國人民……是我自始即不認此一問題為新會員入會或舊會員除名問題，……亦自始即無法援用憲章十八條第二款」，但我以為我國雖不認為共匪為新會員入會，但我國為聯合國創始國，阿案要求排我，自然是對「會員國之除名」，而聯合國上項決議又說：「對此一問題應由大會依據憲章宗旨及原則……予以審議。」當然要適用第十八條第二款排除會員國。係重要問題需要三分之二決定。因「會員國之除名問題」已列舉於第十八條第二款自不屬於同條三款「關於其他問題之決議。」故我們多年來對中國代表權問題用十八條三款處理，每年均需過半數來決定為重要問題，係屬錯誤。

美國向聯大提案為：一、排除中華民國為重要問題需三分之二通過；二、採用雙重代表，偽中華人民共和國應入聯合國，中華民國應留在聯合國。尼克遜總統最近更宣佈美國擬以安理會常任理事席位給予共匪，並將此點加入美國提案之中。目前我們應當集中力量優先表決通過排除中華民國係重要問題，需要三分之二，並全力否決阿爾巴尼亞等國所提排我納匪案。但目前關鍵問題為我國安理會常任理事問題，憲章第二十三載明「中華民國」為安理會常任理事國」是我國的常任理事地位是受憲章保障的，如想變更我國安理會常任理事地位，除修改憲法外，別無其他辦法。今尼克遜竟主張美國提案將安理會給予共匪，這是「違憲」、「毀憲」的行為，任何國家均無權作此提案，即尼克遜本人在記者招待會亦自覺法理有虧，理屈詞窮。將關係世界和平人類安危的常任理事給予曾被聯合國裁定為侵略者，狂妄好戰，殘暴嗜殺的共匪，是對聯合國的侮辱，是對世界和平與人類安全的極大威脅。我們當誓死堅決反對。且聯合國大會亦無權解決安理會席位誰屬的問題，如聯合國大會通過尼克遜的上述主張，即是聯合國大會違反憲章，自趨滅亡。尼克遜訪匪不會有結果。但在無把握與匪達成協議之前，竟將安理會席位與匪，是危險行為，對美國對世界均有大害。

本年的阿案特加入安理會席位問題（往年無此點）以我觀察，共匪倘能得到常任理事席位，即可入會，周匪恩來及匪偽外交部八月二十日的聲明，所謂不排除中華民國即不與聯合國發生任何關係，是在抓住尼克遜以訪匪為競選連任的弱點，大肆敲索，要尼氏作背信棄義的賣友行為，以離間中美的關係。尼克遜對安理會常理席位早已準備給予共匪，他於七月六日在堪薩斯市對記者的演說稱共匪為經濟五強之一，並要代替過去的蘇俄為共匪安排入聯合國。季辛吉秘密訪匪，當以安理會席理席位為交換邀請的禮物，可能係雙方協議事項之一，故尼克遜千方百計即使冒違憲之責而亦必提出。羅吉斯所謂安理會席位讓聯合國多數會員國決定，及所謂如不將安理會席位給予共匪一節，加入提案之內，則阿案排我納匪勢將通過，這無非是美國製造輿論的手法，彼誤認我國目的僅求保住普通會員國席位，故利用吾人「患失」心理，以排我為威脅，迫我不經奮鬥即讓出安理會席位。其實假設排我納匪之阿案一旦通過，而美國提案失敗，則尼克遜政府即難以向美國人民交代。憲章為聯合國的根本大法，必須遵守。我常聽我們的外交人員說，現在聯合國只談力量，不談憲章。我深深不以為然，因為力量是由主張產生的，我如有正大堅定的主張，即可產生力量。尼克遜因為要用權宜之計姑息共匪，所以不講憲章，我們要維護正義生存，一定要尊重憲章。即以阿爾巴利亞所提之荒謬排我納匪案，其開首即標明「復按聯合國憲章之各項原則，認為恢復中華人民共和國之合法權利，對保護聯合國憲章……均屬必要。」

（未完）

昨日與明日

吃耳光的總理

據合衆社九月二十四日報導，西德總理布蘭德在慕尼黑主持世運會籌備會，下車時被一位西德青年當街打了一記耳光，並指着他鼻子說：「誰叫你採取跟東歐共黨國家和好的政策」。布蘭德被打耳光之後，毫不在意，繼續去主持會議。布蘭德的表現，眞有政治家面孔，臉厚而心不黑。該一名西德青年，眞有愛國拳，打出理由來。

挨過耳光的總理，可能是好總理，不挨耳光只打別人耳光的總理，一定是個壞總理。周恩來就沒有挨過耳光，還有其他的，也沒有挨過耳光。耳光之下有眞理，信不信由你。

拔毛

台北市祭孔大典，每年照例於孔子誕辰之日在孔廟舉行，祭祀官穿長袍馬掛，由小學生組成的古樂與舞隊，則穿明代服裝，就此而論，祭孔禮儀，仍要從長計議。在典禮進行中，最不守禮者，是照相的和攝影記，他們把一場莊嚴肅穆的場面像蝴蝶穿梭於花叢中那樣，破壞無餘。典禮之後，羣衆一擁而上，爭拔牛毛（太牢），謂此毛乃智慧之毛，拔取之人可以增加智慧云云。但是，此一爭拔牛毛的場面，浩大壯觀，較之攝影羣衆之穿梭，仍有其迷人之處，如能把此一拔毛精神用到拔除彼一毛之精神，則大陸可復矣。

・胡迭・

自由談

莫非數乎

尼克遜之被要求撤除第七艦隊，和周恩來所謂台灣問題和平解決，都是騙局。周恩來要求美國共同制止日本武裝，要美國撤退台灣，韓國，越南所駐扎的海陸空軍，整個亞洲要實現以中國共產黨為首的征服式「和平」一般的看法，尼克遜可能會答應，因為尼克遜方寸早亂，有時幾陷於語無倫次境界。

中國共產黨欲以滲透方式「解放」美國，三年不行五年，五年不行十年，有中華民國的存在，七億人口嚮往生活方式自由，乃是一支無比的反共精神力量，中共之急欲與「美帝」建交者，就是要消滅這支精神力量，而尼克遜所做所為都是幫助對方從事埋葬自己的工作，我為美國人悲，更為美國人嘆惜。

不過話又說回來，美國兩百年的富強生活已到達顛峯，眞如馬克斯的看法：「凡一件事物發展至其極，即被其自己含有之所否定。」這是共產黨徒埋葬「美帝」的共同信條，尼克遜眞陷於不知嗎？還是為了競選下屆總統裝出糊塗。

末了我們願意再提醒美國選民幾句話，整個共產黨，包括蘇俄及其他附屬國，沒有事業家，沒有資本家，中國大陸工農商全部被消滅就是最可靠的列證，共產黨在世界革命未實現前，他們的政權始終是搖動，二次大戰原子彈為美國祇此一家並無分號時，地球竟被他們分去一半，尼克遜不朝這方面着眼，專要小聰明莫非數乎。

馬五先生

對雙重代表制提案 美國認爲可獲通過 未來情勢演變尚難預測

（自由報本港消息）根據來自紐約的消息：依照美國國務卿羅傑士的看法，「保持中華民國在聯合國的席位」，現在的情勢是「甚爲有利的」。

羅傑士所說的就是「美國提案」將可在聯合國大會獲得支持。

因爲「排除」中華民國的提案非有三分之二的多數，不能通過；這一提案就必不容易通過。

美國的計劃，現在已經十分明顯。讓北平政權加入聯合國，並且取得安全理事會的常任理事席。

中華民國仍然爲聯合國的會員。

這就是的構想。「雙重代表制」。「雙重代表制」，即「一中一台」。亦即「兩個中國」。

中共一再開炮轟擊美國政府的這一政策。

北平方面透過其喉舌「人民日報」，表明了對聯合國的立場。

九月二十五日的「人民日報」，刊出了一篇「評論員」的專文，題目爲「堅決反對美國製造兩個中國的陰謀」。

在這篇文章裏面，北平方面除了極力抨擊美國在聯合國的活動之外，就表明：只要聯合國裏出現「兩個中國」、「一中一台」、「台灣地位未定」或類似情況，中共就堅決不同聯合國發生任何關係。

假定「美國提案」在經過討論，表決的時候，再度獲得多數支持，而擊敗反對者，那麼，今年在聯合國，對「中國代表權」，勢必出現下列的結果：

中共成爲聯合國的會員國，獲得多數票通過。

但是，北平政權拒絕與聯合國「發生任何關係」，其席位因此成爲虛懸。

中華民國仍然保持在聯合國的代表席位。

自此以後，中華民國在聯合國的代表席位，可能被確定了下來。

以後北平政權的支持者，也不能以「排除中華民國」作爲藉口，來搞中共進入聯國的運動。

這是因爲聯合國已經將席位給予中共，而中共卻拒絕合作。

北平方面在抨擊美國的，同時也轟擊日本的佐藤政府。

中共認爲美國製造「兩個中國」的「陰謀」，是「伙同」佐藤政府所策劃的。

日本國內，有一些人現在正在極力搞中共關係，這樣一來，就很難搞得攏了。

大陸情勢有大變化 可能發生政治鬥爭 親蘇聯派系準備進行奪權 採取措施避免引起大混亂

（自由報本港消息）中共已正式證實取消十月一日傳統性巡行，這是二十二年來的空前舉動，於是外國通訊社就傳出毛澤東垂危或嚴重患病的傳說，也有的則說是毛的接班人林彪病重。

由於毛林自「文革」以來，每逢「十一」都要雙雙在天安門上亮相，不論是那一個生病，而無法參加巡行以放烟火節目，都會迫使取消的。

但是中共取消「十．一」巡行，是爲了毛或林生病，還是有其他原因，如發生政治鬥爭，或如北平自己所解釋的，是經濟上的原因，由於巡行「耗費」許多工作日，因爲羣衆成千成萬，因此應一如今年五月一日舉行較小規模的。據一個中共人員說：這些較小型聚會，允許「羣衆與幹部較易於接觸」，因此，如中共的「外交部新聞司」發言人所說：「今年，我們決定改革慶祝的型式。」還有一個中共說出的原因，是中共頭目不能參加今年的遊行，因爲他們忙於籌備人代會的會議，據消息靈通人士得到的消息，人代會定於這幾天內舉行。這次人代會是一九六五年以來的第一次，其工作是通過新憲法，選舉一個新國家主席及一個新「人民共和國」政府。

毛澤東已七十七歲了，風燭殘年，如果一病不起，也不足爲奇，而林彪有「病君」之稱，他病重更預料中事。但是，從近日來的發展來看，毛澤東可能並不患病，不過林彪的健康情況令人懷疑。毛澤東健康無礙的一個跡象，在大陸上的毛像紛紛被拆除，有些人認爲這是他失勢或死亡的跡象，其實這是出諸他自己的主意，認爲應取消個人崇拜，在三個月前已經開始，如果毛果眞病危或經已撒手人間，那麼大陸許多派系就會藉捧他來爭權，在這種情形下，毛像是不會拆下的。

取消「十．一」巡行的最大可能，是發生新權力鬥爭，大陸上有一派可能聯結蘇聯，準備進行奪權也說不定。這次取消巡行的決定，據說是九月十一日晚上，由中共中央決定，而在十三日及十五日之間，中共的飛機活動完全停止，同時東京又傳出中共軍隊在幾天前全部取消休假，而經已休假的軍人也被召回。這樣的發展，除非是毛澤東眞的逝世，中共担心宣佈他的死訊，可能引起混亂，因而作出預防措施，不然就是政治上有重大變化，內鬥可能再起。

依詞集

讀史邪氣錄

白下大夫

偶然讀到一本「讀史正氣錄」，輯錄者姓名不詳，書首印有光緒乙丑仲春刊成字樣。這本書把中國歷史上有氣節道行的人物，分爲十八類：君德、后妃、臣道、交道、母教、子道、夫妻、兄弟、朋友、師第、爲學、居官、修己、處事、待人、豪俠、隱逸、婦女，用作人格之典型，啓迪後世。這當然是正統的角度：隱惡揚善的角度。

中國歷史上的邪奸之典型，也非常之多，險詐厚黑卑劣的手段，實在也有把他們輯錄出來作爲國人識奸的必要。因爲人人能懂得奸術奸計，識破奸術奸計，則奸臣賊子就無所施其計矣。

毛澤東生死謎難解 傳已被周恩來控制 撤除毛像將是風暴前奏 大陸迹象顯示異乎尋常

（自由報本港消息）最近來，大陸出現了一些十分奇怪和異乎尋常的迹象，使得許多觀察家揣測，北平可能有變，甚至一些比較敏感的觀察家竟認爲，毛澤東可能心臟病發而死亡。這些奇怪的迹象如下：

（一）中共突然決定取消十月一日天安門的大檢閱。這是二十二年來的第一次取消。中共在文化大革命那樣混亂的年頭每年的十．一仍舉行大檢閱，爲何在今年取消，而且是十分突然的，因爲一週前，北平各處還在籌備大遊行工作。

（二）美國兩位心臟病專家保羅．懷特和格雷．戴蒙德前往大陸進行不尋常的訪問，他們可能是在美國醫生代表團的掩護下，秘密治療毛澤東的心臟病。

（三）從上月十七日起，整個大陸的飛機，已有好幾天沒有起飛，因此預測中共內部可能發生某種變化。

（四）中共向整個大陸各地發下了一套有關毛澤東生活的照片特輯，準備在各地展覽，其中有些照片，據說是過去從來沒有發表的。據香港左報報導，香港不久也將展出這一套照片。

（五）據外國駐北平記者親眼看見，新僑飯店內的毛澤東座像，已被移去。上海、天津、北平等地方的毛澤東巨像和語錄標語，也大部被取下。

根據上述種種迹象，觀察家推測，北平可能發生的變動如下：

（一）毛澤東可能因心臟病發垂危，或竟因此病亡。因爲美國心臟病專家可能在北平替毛澤東治療，毛澤東不可能站到天安門上檢閱軍隊，被迫破例取消此次大遊行。同時，中共向大陸各地宣傳毛澤東的生平事蹟，料理後事。

（二）毛澤東可能故意取消「個人崇拜」的作法，下令撤除各地過份喧染毛主席的像和標語，因此導致各地撤去毛像毛語錄。這一點，毛澤東對美國作家史諾發表談話時曾有提及。因此取消十、一遊行，可能是減少「個人崇拜」的活動之一。

（三）毛澤東和林彪已被周恩來所控制。因爲近月來，周恩來大出風頭，周恩來的溫和政策大行其道。文革前，毛澤東也曾把全國劉少奇的像語錄撤除，後來及就發生了文革的奪權運動。此次周恩來下令撤除毛像和語錄，可能是一次風暴的先奏、

（四）中共發言人說，由於領導人忙於籌備人代會，故由中央委員會決定，取消遊行，英法等國中共大使卻聲明，毛澤東健康良好。這是中共官方的聲明。

無論如何，北平出現這些異動，決不是普通的事件，毛澤東怎樣了？已成爲這些事件的焦點。今後的發展，十分值得注意？

傳林彪患肺癌 多月來未露面 動過手術住院休養

（自由報本港消息）中共的第二號人物林彪病危了嗎？這是世界各國希望知道的答案。

六十三歲的林彪未公開露面已有幾個月。在乒乓外交中他沒有積極參與，在尼克遜訪大陸的重要發展中他也沒有份。

林是毛澤東最親密的戰友，他是一九二七年南昌暴動的「英雄」，一九四八年，他以兩星期時間將四野軍從六百哩外推進到北平。

若林生病，毛有充分理由取消國慶的遊行，北平宣佈遊行取消，並否認毛澤東病重或去世的報導，中共外交部發言人說：「七十七歲的毛澤東主席一身體非常健康。」

可是在本港的中共問題專家及外交觀察家一般皆不願接受中共的一個解釋，說取消遊行是爲了節省，是爲了經濟。

那麼不舉行遊行的眞正原因是什麼呢？林彪的身體向來不大好，每年十、一，他皆站在天安門上毛澤東的身旁，揮動着毛語錄紅小書。可是去年底非正式的消息自大陸傳出，說林動過肺癌手術。自後，他不再露面，可能是在醫院休養。若林彪去世，現在是毛哀悼的時刻，而非慶祝的時間。

取消遊行的消息是先由法新社駐北平記者發出，并又得中共外交部新聞司證實。他說，未來的慶祝方式，將集中于「實際的行動」，因此今年的遊行決定取消。

八一三的血債

·紫如·

四週不時傳來陣陣低微的呻吟，偶而還夾雜着一些悲切的訊咒和淒楚的啼泣。在這靜寂的黑夜，每一種聲音，聽起來，都會使人想到死亡的恐怖。

醒來，街心停着兩輛標着「普善山莊」的運屍車。七八個穿着像清道夫背心的工人，從街的那一頭，將一具具僵硬的屍體，像裝貨似地直往車上扔。見了這種情景，不由混身顫慄。想想我們這四條脆弱的生命，究竟能延留到那一天呢？

第二天再到浦東同鄉會去時，承蒙那位好心的先生答應爲我們寫一封介紹信，要我們到茄勒路法藏寺的「尊聖善會」去碰碰運氣。

我們的運氣總算不壞，收下我們了。

三個月以後，我遠走奉化讀書。不久，父親病死在上海，如今連骨灰都不到一點，等到抗戰勝利回鄉，弟妹們也不知漂流到那裏去了。

我的家，就這樣被鬼子一手毁滅了，一筆仇恨的血債，能教我忘得了嗎？

（全文完）

劉半農記賽金花

孫以賽於八國聯軍入城時，曾出力保民，當即應允，並允出面向各方募款，此時已晚上八時，由孫簽字，欠棺木，於八時半送到居仁里，九時許乃在各女友哭聲中入殮。

入殮後，棺材並未上槽，因尚須俟其弟婦來看遺容也。入殮畢即由扛夫八人，抬至三興菴暫厝，定六日接引，至於埋葬地點，經孫哲聯與各關係各方面商妥，在城南陶然亭香妃塚及鸚鵡塚旁安葬，以留後世之憑弔。

據隨賽已二十五年之顧媽氏云：「賽對人極和藹，對傭人亦極厚道，故本人及弱弟隨賽多年，近數年雖分文不取，並將自己存款供賽使用，亦極甘心。賽死前希望有人爲她購一千元之楠木棺材，並希望將她母親之棺啓出，一併南運安葬？今此願併不可實現矣。」

又北平名畫家李苦禪、王青芳等，近以賽環境惡劣，曾發起畫展會，向徐悲鴻等徵集作品共得六十幅，自四日起，在中山公園舉行，將售畫所得，悉數捐助賽氏，不料賽竟於開幕之日，即與世長辭矣。

（五十二）

醫藥救命牌與馬氏藥枕（下）

·文匯樓主·

按：醫藥救命牌為本港成報刊出，馬氏藥枕台灣各報皆有刊載，很多患有糖尿病，血壓高，血壓低，心臟病或癲癇症的人士，隨時隨地均會在公共場所或街道中昏迷，以致救治不及而死亡，因此國際醫藥警告基金會，乃製造一種救命牌，佩帶在病人身上，隨時隨地均會救回自己的性命，本港不久亦將有這種救命牌出售。這和台灣市上流行的「馬氏藥枕」有異曲同工之妙，詳情請閱下期中國醫藥理論權威馬騰雲答客問。

問：甚麼叫做：「時代病」？

答：風濕關節痛、高血壓、失眠、半身不遂、心臟病、手足痲木、肝硬化、癌症、心煩燥、驚悸、貧血、經常頭暈腦熱、糖尿、皮膚敏感等，通謂之「時代病」。

問：得了時代病有什麼藥可以根治？

答：沒有根治的方法，如果不相信，請到台北名著名醫院看看上氧氣筒與死亡掙扎的朋友，十有七八都因上列「時代病」，儻若上刑。

問：時代病可以預防嗎？

答：用馬氏各種藥枕，不打針，不吃藥，不延醫，可有效預防各種時代病。六十年前中國沒有時代病名稱，因在兒童時期做父母的就知道為自己孩子用藥枕枕頭了。

問：藥枕計分那幾種，從甚麼年代開始的？

答：藥枕起自漢代，盛行於宋，日本人近代多用綠豆黃豆枕頭，藉毛細血管與呼吸吸收藥性，有實際正確慢性療效，而無服藥愁眉之苦，對症時藥性自然被吸收，不對症時，就等於未撥到電波呼號，絕對不會受到損害，台北儒醫有隱士風的藥物學家雷少平謂：「馬騰雲提倡用古代藥枕對社會貢獻極大，願全力支持此一關係人體健康的善行……」

藥枕計分：大聖枕、靈沙枕、竹葉枕、荷葉枕、綠豆枕、菜花枕、竹茹枕、茶葉枕、燈心枕、甜睡枕、健腦枕等十二種。

問：照馬教授所說，得了時代病沒有根治方法，莫非死了？

答：問題沒有那麼嚴重，可以拖，有時也能拖到很久，祇是「息勞歸主」與「奔赴極樂」，常在腦子徘徊而已。因此馬騰雲極力主張防患未然。

問：人的天年應該是多少歲？

答：人的天年應該是一百五十歲，有的預支精神過多，有的於疏預防病患，詳請參閱拙作「生活漫談」，曾在台北香港及東南亞各大報公開發表過百次以上，本月份騰雲編著有「營養研究」約五萬字，免費贈閱，隨到隨取，函索附回郵即寄，（信封請寫明馬騰雲收索「營養研究」），對藥枕效能有詳盡說明與分析，兼談若干藥常識。

問：藥枕配方可否公開？

答：可以公開由客戶自行配製我們賣的便宜，因藥直接進口。

（完）

文滙樓別記

漫談中西醫（五）

·本報資料室·

止痛麻醉藥，抗生素，腎上腺皮質激素成了內科專家萬病皆治的藥。外科專家整天在病人身上找刀開（一次可以開好的分作兩次開（按次算錢），小孩快出來了也用產鉗（手術算錢）。如子宮炎，骨科病，心臟病，糖尿病，哮喘病等慢性疾病，一拖數十年，好不了也死不了，但離不開醫藥，正是美國醫生最好的顧客。學術研究方面令人失望，名目多，內容空洞。偶有別處大學的「名教授」來講學，很早就在各處貼滿了大標貼，同時除了介紹人捧他吹噓一頓之外，名教授也不過是根據加利福尼亞不學某某名權威所作試驗如何如何，並無新奇之處。醫院裏弄死人是常有的事，只有護士，實習醫生，病理科醫生最清楚，但誰也不敢講也不願講，講了也沒有人相信，都信「專家」。

至於醫學成就上，近十年來唯一可以向美國老百姓吹牛的是作了幾次心臟移植手術。對于一個不懂醫學的人來講，以為換一個心臟是很了不起的事。其實只有受過現代醫學教育，又有外科基礎的人，才知道當今世界上最難的手術是前臂肢再植術，這個手術要把很微細的血管、神經、肌肉、骨頭準確地連接起來，極不容易，更難的是沒有時間準備，必須在緊急狀況下完成。說也奇怪，這個手術成功的地點不在「世界醫學權威」的美國，而在那個「一切都落伍」的中國大陸。作那個手術的醫生，不是美國的M.D.，也不是美國訓練出來的專家，祇是一個普通醫生。這件事，美國外科專家極不願對留美醫生（尤其是中國醫生）談論，因為太損他們面子了。其實也難怪他們，有那一個美國外科專家這樣傻，放棄賺大錢的機會不要，「浪費時間」去下苦功研究那個什麼「對人有益」的斷肢再植手術？一次接好了，病人不再求他，自斷一條財路。義肢工廠老板也不高興，把斷手斷腳全接起來，他工廠裏的義肢賣給誰？

美國的醫學招牌，令人望而生敬。醫學叫醫學科學，嬰兒病房叫新生兒學，照X光片叫放射綫學，解剖死人叫病理學，上麻醉叫麻醉學，查白血球叫血液學，血液又有生物化學，免疫學，酵學。此外還有實驗室與研究所，真是琳瑯滿目，每一個部門都是「科學」，好像只有「科學」才可以代表美國。這些科學招牌，對于一個初來美國的外國醫生具有莫大的誘惑力，以為到了科學王國，一切都是科學的，於是乎便死心塌地學習美利堅的「科學」。令人費解的是美國一方面是全世界最進步的科學國家，却又採用連「落伍的中國」也早已廢棄不用的「考八股」制度，使留美醫生忙不完的考試（五年內要通過三四種考試），整天在清一色的英文圖書館裏鑽牛角尖。對于四週那些科學部門，連看一次的緣份也沒有，還一直信以為真他們在搞研究發明。領到美國醫學會那張「外觀美麗」的專家證書之後，在美國醫學的通才教育訓練出來的專家「不通」。內科，小兒科，X光科專家從來沒有作過闌尾切除術，外科專家、婦產科專家未見過心導管檢查，臨床醫生與化驗部門完全脫節。

美國人並不是傻子，雖然他們在口頭上大喊中醫藥落伍，其實他們的製藥商正在實驗室裏大搞中藥實驗。他們並不是為了要發揚中國文化，祇希望由那裏，出一條發財的捷徑。如果「他」出了一種新藥，給它一個英文名字，說是美國人發明的，他們又可以嚇別了。嚇別了技術之高明，令人嘆為觀止。

中西醫之爭，本來是個學術問題，但細想起來，似與國家興盛有關。

（完）

名人小傳　十六

劉半農專訪賽金花

·塞翁·

劉半農本名劉壽彭，原籍江蘇江陰，初為上海禮拜六派撰稿台柱，筆名半儂，又名伴儂。其為文也多滑稽突梯，陳獨秀辦新青年主張文學革命，半儂首舉義旗應之，提出許多文學改革意見，成為新文學陣中的一員驍將。

民國七年秋天，他出國留學，初赴英，繼留法，前後六載，研究語言學，曾獲巴黎大學國家文學博士，返國後歷任北大、中法大學教授，北平大學女子文理學院院長，輔仁大學教務長，兼世界日報副刊主編。他的著作甚多，最有趣的作品是他的「芝麻綠豆詩鈔」詼諧雜出，妙趣橫生，讀之保證笑破肚皮，有幽愛之疾的人若能有此一冊置諸座右，包你無須醫藥，貴恙自痊。劉氏作品有文言、白話，無論詩歌、散文，滑稽趣味洋溢字裏行間，時人稱之為新文壇的東方溯。

劉氏在北平　到了賽金花，與她發生交涉，躬親拜訪，命其弟子桌筆錄賽金花口述，從她與洪狀元赴英倫及庚子聯軍之役與瓦德西邂合的經過，原原本本的寫了下來，就是本報連載過的「劉半儂記賽金花」。民國廿三年，赴綏遠考察方言，被地方性毒虫所叮，逝於北平協和醫院，享年僅四十四歲。學術殉身，誠可佩也。

包拯

·太史私·

這件事宋史絕對沒有，可是包拯有其人，而龐籍也有其人，而且是一個好人，並不是一個壞蛋。只有龐妃與打鑾根本沒有這回事。龐籍是宋朝的有名的宰相，為人正直，他做地方官的時候，非常幹練。宋與西夏用兵，他帶兵與西夏人對過敵，夏人由叛而降，是龐經辦的，後來因功做了宰相，雖然沒有韓琦、范仲俺、司馬光那樣名氣，但在宋史上也算二等角色，人品亦高，絕不致鼓女兒去報復包拯，何況他的女兒並沒有嫁皇上皇上也沒一個姓龐的妃子，所以除有同一個名字之外，其他的事都是虛構，但把一個好人誣為壞蛋，厚誣了古人。戲劇，小說家常常是如此張冠李戴，要塑造一個好人，什麼好的都歸他，正如三國演義中諸葛亮和關羽，凡是用詭計的奇謀，都是孔明的，凡是講義氣的都是關羽的，凡是做壞事的，都是曹操，董卓幹的。宋史中的奇案，通通歸併入了包拯的身上，佛塊由誇，不畏權貴的事，也送給包拯。這是古代小說，戲劇家一貫伎倆，明于此，拯的本來面目也就可知了。諸葛亮、關羽、包拯等人，在正史中有他們的地位，絕不因小說，戲劇的影響而貶其地位。包拯在開封人的心目中，仍然是大大的廉官，優良的言官，公正廉明的司法官。

為官犯貪污者不得回家

前讀文滙樓主的「台北五廉官」，在下非常有同感，不過他只限於今日的台北。寫到此地，不能不把宋代這位大廉官說幾句。

宋史稱包拯性質：拯立朝剛毅，貴戚宦為之斂手，聞者皆憚之，以包拯笑比黃河清。童稚婦女亦知其名，呼曰「包待制」。京為之語曰：「關節不到，有閻羅老包。」舊制：凡訴訟不得直造庭下，拯開正門，使得至前，始得至前，陳述曲直，吏不敢欺。

就只這幾點，也足以不朽了。他做御史，那可以說真正的諫官，以他的性質為人，最適合做這樣的官。史稱包拯峭直，惡吏苛刻，務求敦厚，雖甚嫉惡，而未嘗不推以忠恕也。

包拯與任何人都不苟合，絕不以虛言取悅於人，平日居家無私書，雖屬老友親戚，也不通音問。他雖然做了那樣大的官，衣服器用飲食，仍如老百姓。他曾口告誡家人說：「後世子孫，有官犯貪污者，不得回家，死後不得葬祖墳中。不從吾言，非我子孫也。」

包拯不但一生廉潔，越其子孫如此之嚴格，歷史上真是少有。

包拯由權知開封府後，升任御史中丞。他三次彈劾三司使之後，仁宗要他去辭，他不去到職，後來才調升了樞密副使，等於今天的國防副部長，名義上比今天的部長要大，因為副使是副宰相，宋時由軍，政二相分掌之。樞密副使之後，調任禮部侍郎，可是這等於明升暗降，他不就職退休，不久也就病故在他的故鄉——合肥。不過包拯的遺風，至今仍為中國人所普遍的崇拜着。可是讀者不要弄錯了，在我不是戲台上的黑頭包公，或包文正，他死後謚「孝肅」，不要被小說戲劇所惑。

（七）

安徽十三傑

管仲　李聃　莊周　曹操　華佗　包拯　朱熹　朱元璋　戚繼光　李鴻章　段祺瑞　胡適　楊振寧

讀書雜鈔　三十

·林傳·

某乙不過偶遇太巧，未料邂逅而致人死耳。近世人情澆薄，重現實，尤甚於往昔。若十中央級民意代表、環境造成終身職位，少數俱有劣根性者，除有病看醫生，餘則萬事不求人，加以出身微賤，雖自滿而猶自卑，悖理忘義之事，恬然為之，又故敬子孫，胡作非為，反為得計，國家社會其於余何？今以視昔，誠可哀矣。

蔡太守必昌云判冥，論者疑之，然朱竹君之先德，蔡君先告以亡期，蔡君之母，亦自預知其亡期，皆日辰不爽，是又何說歟？朱石君撫軍言其他事甚悉，石君非妄語人也。顧郎中德懋，亦云判冥後，自言「以洩漏陰府事，謫為社公。」無可驗也。余嘗聞其論冥律，已載灤陽消夏錄中，其論鬼之存亡亦頗有理，大意謂一人之餘氣為鬼，氣久則漸消，其不消者有三，忠孝節義，正氣不消，猛將勁卒，剛氣不消，鴻才碩學，靈氣不消，不遽消者，亦有冤魂恨魄，茹痛黃泉，其怨結則氣亦聚也。大富大貴，取多用宏，其精壯，則其氣亦盛也。兒女盧紹埋，變寶恨。

（未完）

巨變歷險記！

僅以身免（二五七）

胡慶蓉

唐副總指揮公然要對丁博士軍法從事，而且聲色俱厲的向官兵宣佈，其處心積慮，不問可知。丁博士坐在台上，一如平常，沒有任何的表情，也沒有任何的答辯。好像有什麼風暴發生似的，全體將士無不爲之黯然神傷。整個的猛撤爲陰霾所籠罩。

在唐副總指揮疾言厲色在對丁博士要軍法從事的時候，全體在場的將士無不爲之掩泣。雖然唐副總指揮姑念丁博士千辛萬苦帶領中國游擊隊來到緬甸，姑念丁博士千辛萬苦把中國游擊隊在滇邊建立起來，姑念丁博士南跑北奔從事中國游擊隊功業之開展，但大家總以爲這樣公開的鬥爭丁博士未免太過。假若丁博士起來也疾言厲色的對唐副總指揮，可能又是一個局面，但丁博士不這樣做，他很鎮定的很自然的聽唐副總指揮講，在唐副總指揮的話裏，極盡威脅的能事。散會之後，他並且就採取行動。在總指揮房與博士房之間，從來是沒有距離的，更談不到隔離。李總指揮在的時候，中間雖然有個籬笆，但並沒有門，來來往往，自由自在。在李總指揮來台之後，李太太把房後邊的樹砍了一些，將籬笆加強加厚加高，但通丁博士這邊的門也還是常開的。丁博士，丁夫人，丁博士的人客，出出入入，還像一家子，但在唐副總指揮鬥爭丁博士之後，唐副總指揮就在通丁博士的門加上崗，荷槍實彈，斷絕兩方面的交通，倒不如說斷絕丁博士的交通。總部的警衛營，在博士房前有警戒的，現在突然撤除，並傳出即將採取最嚴厲之手段，對外邊的聯絡完全中斷，暗中並有很多替副總指揮作諜報的人，在到處監視。這樣一來，丁博士等於被孤立起來。在猛撤已無能爲力，且有生命的危險，於是決心逃出虎口，前往蚌八菁繼續作不撤的鬥爭。

這是鬥爭大會當天的晚上丁博士決定的。他沒有告訴任何人，連他的夫人胡慶蓉女士也沒有告訴。如同往常一樣，早上四點半鐘就起來了，裝做到山後溫泉洗澡的樣子，沿途衛兵，不疑有他。他到了溫泉，並沒有停留，繼續向前，以蚌八菁爲目標。這個路程，平常需要四天，有時需要五日，丁博士不到三天就走到了。沒有白天沒有夜裏，丁博士兼程前進。丁博士很能走路，但這次差不多走垮了，這次走得太快太急。沿途不敢見人，凡有人的地方，都躲着走或藏起來，深怕唐副總指揮派人來追。假若被他抓到，那就糟了！有部隊的地方又繞着走。在山裏邊，繞路是很危險的，往往迷失路徑。人走的不走，單走沒人走的。吃什麼？喝什麼？不堪聞問！形同一個乞食的人，到處化緣。我上邊說過，擺夷，對這並不介意。

到了蚌八菁是在下午的三四點鐘。在到蚌八菁以前，先到猛汗，丁博士已到了心力交瘁的地步。他一直到現在，他還記得在猛汗的情况。古語說「狼狽不堪」，不足以形容。當地無不識丁博士，尤其樂葦社老板，忙着給丁博士做飯。因爲麵較便當，就給丁博士下了兩大盤，他都吃光了。丁博士餘勇可嘉，還是繼續前進，不達到蚌八菁不止。

本來是蘇副總指揮坐鎮在這裏，現在換了丁博士來坐鎮。丁博士到了蚌八菁，原希望能與蘇副總指揮一塊兒坐鎮，他不幸先丁博士離開了。在字紙簍裏還看到蘇副總指揮給台灣的電話稿，他剛剛走，剛離開蚌八菁，但已追不上了。

創業哲學

眞理與事實（十）

·丁熊照·

雖然滙明廠的業務，一開始便能獲得成功，然而在人事管理方面，並不是立刻就上軌道，我記得在最初共祇有八個工人的時候，大家能同心協力，很有興趣爲這個新事業的成功而努力，有時候工作過忙，在工作時間後，除我本人外，也還有部份工人自願幫忙工作，大家做得非常開心，根本分不出勞資的界限，也就因此使我第一個實行在年終派發獎金時，工友也分到有十五份之一紅利的辦法，（過去國內廠商，年終時祇有對經理與職員有花紅派發，工人向來沒有派紅利的事，而有些由東主自兼經理的商號，甚至連賬冊紀錄都不完全，盈虧多少而已。）

然俟廠中人數逐漸增多後，我便遭遇了職員管理的難題，廠中有些同事的想法與做法，就不很明白，不很公正，有時候令我解釋開導都感覺非常吃力，雖然我總抱着「豈能盡如人意，但求無負我心」的主張原則去處理，仍然不時遭遇到許多意想不到的煩惱，我乃想到任何一個組織之成功與失敗，必定有其原因，經詳細研究後，我就發現到在每一個組織中，照百分比計算，大約好的與壞的份子各佔百份之三十，剩下來的百份之四十多數都是並無如何主張主的普通人，倘若好份子在組織中佔優勢，便會將百份之三十壞份子及百份之四十中間普通份子，帶到走上好的路上去，剩下來少數不能接受開導轉變的壞份子，如果除掉後，就可獲得效果。反之，如果壞份子佔有力量，也會將整個組織帶壞。我對同事素抱誠懇說服的態度，有時候爲着希望轉變一個人錯誤的見解，和他談話幾小時也很平常，但這種辦法，對於無可理喻的極端頑劣份子，有時也還是不能生效，其原因可能由於環境所造成，所以我在研究發現上列百分比數字後，有一次在沒有辦法下，會將一個部門的職員全部停職，方才解決，可見我國所謂辦工業易而用人難之事實。滙明廠從創辦時起，經過了四五年的苦心整頓，一直到一九三一年才可說走上軌道，那時上海幾家大的電筒電池廠都有錢可賺，而滙明廠更是跑得特別快，遠遠走在同業的前面，我記得很清楚，從一九三一年起到一九三七年，那六年間，滙明廠每年營業生產和利潤數字，都可較前一年度有加倍的成長，由三萬元而六萬元，而十二萬元，而廿四萬元，而四十八萬元，而九六萬元，如此一年翻一倍的發展速度，可以說是辦工業當中很難做到，而且是很少見的，後來如果不是因爲一九三七年中日戰起，我凜於民族國家的大義，不願與敵偽合作自動緊縮業務，滙明廠照當時情況如此加倍發展速度，至少還好幾年可以繼續維持下去。

因爲在一九三一年至一九三七年幾年間，我的事業有上有上述的特殊飛躍發展，到了一九三七年中日戰爭的前夕，我全部的事業財產總計已達當時法幣數百萬元，而對於廠內職工同人，我從開廠時起，便認定工作必須認眞，待遇必須合理，不應苛刻，雖然初期滙明廠職工，平時每月薪工也並不太多，但因我實行年終獎金的辦法，最初將每年盈餘按十三份分派，後來再改爲十五份分派，即股東十份，公積金一份，經理一份，職員兩份，工人一份，這在當時上海算得是創舉，因爲有如前述，普通獨資經營的事業由東主自兼經理的，都無統一賬冊，對於職工向例是不派花紅的，而滙明廠不但對於職員，連工人也都有紅利派給，並是按一年中工作成績，看努力盡職的實際情況，而定每個人獎金數字的多少，使得大家於工作極覺興趣。在那幾年滙明廠業務特別好的時期中，每個人平時薪工雖不甚多，然每年連獎金在內的總收入却很可觀，也就達到了我所主張「公司好，大家好」的理想，使我感覺到非常快慰。（未完）

衆生羣相之一

羅素的婚姻觀

高瞻

一九五二年，記者們包圍了剛從法院公證結婚的一對新人——羅素夫婦。

記者甲：「羅素先生，請問這是你的第幾次結婚？」

羅素：「我不以爲你會忘了這麼美妙而簡易的數字，不過我還是願意給你答案：第四次。」

記者乙：「這次會不會是你最後一次的結婚？」

羅素：「請別輕估了三年前我才在一次飛機失事的海難中游泳獲救的事實，同時不要忘了我還是個不可知論者。」（註一）

記者甲：「羅素先生，假如我的記憶不錯的話，你今年已達八十高齡，從你過去將近六十年婚姻生活的經驗裏，難道還不足以推斷出未來的可能性嗎？」

羅素：「祗有經驗主義是不够的，同時我的類似不變公式（the Postulate of Quasi-Permanerce）（註二）並不適用於人類的愛情遊戲中。」

記者乙：你是個反神秘主義者，可不可以請你告訴我們：支持你第一次離婚的理由？」

羅素：「依據我的理論：婚姻的目的在於子女，強使人們居於無子女的婚姻中，無異是個殘忍的欺騙。」

記者丙：「不過，據我所知，你的第二任夫人已爲你生了好幾個子女，爲什麼婚姻也終告破裂？」

（一未完）

左舜生談杜甫（十）

·文犇公·

不能堅其固窮之節，動輒還要怨天尤人，對着我們的詩人，能不愧死！

他在「同谷七歌」的最後一首說：「男兒生不成名身已老，三年飢走荒山道，長安卿相多少年，富貴應須致身早，山中儒生舊相識，但話宿昔傷懷抱，嗚呼七歌兮悄終曲，仰視黃天白日速！」

注意：老杜窮到這樣一種境地，他却只說到「仰視黃天白日速」爲止，以我們的近代詩人黃仲則處此，他便不能不叫出：「茫茫來日愁如海，寄語羲和快着鞭」了，這種地方也止可看出杜老先生的修養爲如何啊！

據老杜自己說，他從同谷赴成都，在「乾元二年的十二月一日」，正是一個天寒地凍的季節，所以走到隔同谷二十里的「木皮嶺」便說：

「季冬携童稚，辛苦赴蜀門，南登木皮嶺，艱險不易論，汗流被我體，祁寒爲之暄！……」

繼此以往，他所過的「白沙渡」，「水會渡」，「飛仙閣」，「五盤」，「龍門閣」，「石櫃閣」，「桔柏渡」，「劍門」，均一一有詩，以描繪途中所歷的艱苦，一直到經過了「鹿頭山」，隔成都只有一百五十里了，才漸入佳境，所以他說：

「鹿頭何亭亭，是日慰飢渴，連山西南斷，俯見千里豁，遊子出京華，劍門不可越，及茲險阻盡，始喜原野闊。……」

及至到達成都，他的心境更是豁然開朗，其地去長安二三百七十九里，去東都洛陽三千二百一十六里，他回顧這一段艱難的旅程，居然携妻帶子到了這樣一個暫可小休的所在，安得不心花怒發？我們再來欣賞他這一首「初到成都」的好詩吧！

「翳翳桑榆日，照我征衣裳，我行山川異，忽在天一方。但逢新人民，未卜見故鄉，大江東流去，遊子日月長。曾城塡華屋，季冬樹木蒼，喧然名都會，吹簫間笙簧。信美無與適，側身望川梁，鳥雀夜各歸，中原杳茫茫。初出月不高，衆星尚爭光，自古有羈旅，我何苦悲傷？」

杜甫到達成都後，（七五九）生活總算是比較的安定了一點；第一，他在浣花溪之西，百花潭之北，靠近錦江的所在，經營了一座「草堂」，雖說是僕素簡單，却還相稱和他一個詩人的身分；第二，朋友和親戚也多一些，假如不得着這些人的幫助，便連這草堂也不見得能夠成功；第三，他還有兩個關係較密的朋友，其一爲高適，其一爲嚴武，也先後到了成都；高適做過彭州刺史，蜀州刺史，也暫代過一時期的成都尹；嚴武則於上元二年（七六一）正式做成都尹；這兩個大都對他有些幫助，而且都到草堂去和他喝過酒。

可是這種情形也並不長久，到第二年（寶應元年七六二）玄宗死了，肅宗也死了，嚴武被召還京，而成都少尹兼御史徐知道忽然發生叛變，杜甫不得已乃又避地到梓州　州一帶，一直到廣德二年（七六四）的春天嚴武再鎭成都的時候，他也才再度回到他的草堂。

（未完）

錢一劍談相

談十二宮（下）（三十）

·錢一劍·

三、兄弟

兄弟位居兩眉，屬羅計。眉長過目，三四兄弟無刑。眉秀而疏，枝幹自然端正，有如新月，和同永遠超羣。若是短粗，同氣連枝見別。眉環塞眼，雁行必疏。兩樣眉毛，定須異母，交連黃薄，自喪他鄉。旋結回毛，兄弟蛇鼠。

歌訣：眉爲兄弟軟徑長，兄弟生成四五強，兩角不齊須異母，交連黃薄送他鄉。

兄弟宮論曰，兄弟羅計須要豐蔚不宜虧陷，長秀則兄弟和睦，短促不足則有分離孤獨，眉有旋毛兄弟衆多，眉毛散者錢財不聚，眉毛逆生，仇兄賊弟互相妒害，或是異姓同居。眉清有彩孤騰清高之士，眉毛過目兄弟和睦，眉毛中斷，兄弟分散，濃淡豐盈義友兄弟，氣色青主兄弟鬥爭。紅黃之氣榮貴喜慶。

四、田宅

田宅者位居兩眼最怕赤脈侵睛，初年破盡家園，到老無糧作孽。眼如點漆，終身產業榮榮，陳故副總統生此相，鳳目高眉貴置三州五縣，陰陽枯骨，莫保田園，火眼水輪家財傾盡。

歌訣：眼爲田宅主其宮，清秀分明一樣同，若是陰陽枯更露，父母家財總是空。

田宅宮論曰，土星爲田宅，主地閣要朝。天庭豐滿明潤，主田宅進益。低塌昏暗傾欹，主破田宅。若飛走不朝，田宅居無，氣脊主官，非田宅無成。黑主杖責，白主丁憂，紅主成田宅喜重重。黃明吉昌，謀無不遂。君子加官即日得陞。小人得寵利見，貴人武識或領兵馬，殺氣旺者，即行師。主管財賦，或入渾司等處五品至三品至二品。如是詳看，六品以下另作區處。

中華民國內政部登記證內版台報字第〇三一一號
中華民國僑務委員會登記證台僑新字第二二三號
中國郵政局字第一二八二號執照登記為第一類新聞紙

自由報

（第一二〇六期）

（半週刊每星期三、六出版）
每份港幣壹角・台幣零售價新台幣二元
發行兼督印・社長李運鵬
社址：香港九龍官塘康寧道117號後座二樓
117 HONG NING RD, 1/F REAR, KWUN TONG, KOWLOON, H.K.
TEL: K-439653
電報掛號：7191
郵箱：官塘郵政信箱9583
承印：景星印刷公司
地址：[illegible]
台灣區業務管理中心：台北市許昌街廿七號
電話：三八〇〇〇二
台灣區直接訂戶　台灣劃撥戶
第五五六號[illegible]（自由報台灣）
台灣分社：台北市西寧南路110號二樓
電話：三三〇三四六、台郵劃撥戶九二五二號[illegible]

綜論當前的國際形勢（下）

・谷正鼎・

本報專論

以一個被聯合國裁定為侵略者的共匪尚且要透過其附庸曲解憲章，以為護符，而我國乃堂堂正正的聯合國創始國，不談憲章，不堅持憲章以維護我安理會之合法地位，這說得過去嗎？卽以聯合國大會第五屆常會於一九五〇年通過之第三九六（伍）號決議案對於有爭執之代表權問題亦係規定：「應由大會依憲章宗旨及原則予以審議。」故我國堅守憲章二十三條，以維護我安理會地位，實為天經地義，我國代表應在聯大與安理會，不屈不撓堅強奮鬥，運用一切方法，（包括安理會的否決權）聯絡各方朋友，以維護聯合國憲章的尊嚴，這是公理對強權，正義對邪魔的鬥爭，堅持到底一定勝利。我們要不怕被排除，才能不屈不撓的奮鬥，以達到我維護憲章的目的。我曾主張：

「萬一不幸而共匪入會時，則我應繼續與匪奮鬥，非到最後關頭，決不輕言退出。因為漢賊不兩立並非敵來我走，而係要與敵作殊死鬥爭，務須戰勝敵人，決不與敵人和平共存之意。但我亦決不在聯合國內靦顏偷安。倘使聯合國違反憲章第十八條及二十三條的規定，通過了排我納匪案，並危害中華民國在聯合國安理會之合法地位時，我國卽應堂堂正正，毅然決然的退出，並宣佈聯合國違憲，自趨滅亡，我國應以護憲為號召，團結主張正義之國家，為維護聯合國憲章精神，重組織國際正義和平組織而奮鬥。

至對國內而言，吾人應先作精神準備，不要太對聯合國席位過份重視，不可將我國家前途與聯合國席位混為一談。今日之聯合國已失去其生存價值，中華民國之生存發展與在聯合國與否無關，萬一退出聯合國我亦應有自存之道」。

我現在仍然是以上的主張，因為「國有國格」一個國家被人憑借強權，毀法亂紀，欺侮到無地自容，而仍不知維護自己合法權利，起而奮鬥，這樣的國家，還能生存嗎？我主張留在聯合國奮鬥，非到最後關頭決不輕言退出，決不予共匪以可乘之機，但一旦最後關頭到來，我卽應有積極護憲的精神，重組聯合國之勇氣與決心。有了共匪盤據安理會要津的聯合國，還成什麼體統，主張正義的國家一定要團結起來，拒絕共匪，驅逐共匪，不然就宣告聯合國的死亡。

無論尼克遜如何玩弄大國強權，摧毀聯合國憲章，牽匪入會，我們對此項決議，不可默認，我們應在聯大申明，吾人對光復大陸，解救同胞之神聖任務，一定要努力完成。

對美外交問題

近年來美國社會的惡化，及其對華政策的轉變，主張是由於共黨多年來有組織有計劃的滲透結果，冰凍三尺，非一日之寒。

美國報紙及大眾傳播工具大多為左傾份子所把持，以有組織的少數人活動，來操縱輿論，蒙蔽大眾。如不急圖挽救，共黨終有不用暴力而以選票將美國變為第二智利的企圖。

太平洋學會份子費正清輩二十餘年來，以福特基金為資助，形成中國問題權威，發為邪說，為共匪張目，積非成是，貽禍無窮。其實費正清的理論是「共產黨的陰謀，加上帝國主義的思想。」我政府應集中國內外學者及匪情專家對費正清理論作有系統的駁斥，使美國人對中國問題，能有正確的了解，美國左傾份子每多自稱為「自由份子」，以前進自居。我們要認清，法國革命時代自由主義者的精神，是「不自由毋寧死」，現在英美所謂自由份子的口號，是「寧赤勿死」，前者為自由而犧牲，何等崇高，後者為奴役而歌頌，何等鄙劣，自由份子之稱，不能讓左傾份子所僭竊。

尼克遜原係反共人士，其後因見美國社會左傾，卽順風轉舵，而最嚴重之錯誤，則為其熱衷於季辛吉「權謀外交」之說，誤中共匪反俄宣傳的詭計，而採取了「聯匪制俄」的策略。季辛吉原為猶太人，別有用心，惟恐天下不亂，而共匪則正利用反俄宣傳，以向自由國家謀利。尼之訪匪的主要作用，乃在「聯匪制俄」。目前共匪在對外與對內的邏輯上，均渴望尼克遜訪匪，以蘇其困。而在對內宣傳，則視尼克遜訪匪為尼氏打着白旗來投降，是美帝的末路，是美總統來朝。尼克遜旣以訪匪為競選號召，而能訪與否之權，操諸共匪，尼氏無異將頸上繩套上校，將繩給與共匪，匪當然一定利用此機會，要挾尼克遜先行「立功」，始准來朝。聯合國安理會常任理事席位的給匪，可能就是「立功」的表現。我們要喚起美國人士注意：尼克遜「聯匪制俄」捲入匪俄鬥爭，中了共匪的陰謀，將為美國帶來核子浩刼，因匪係「以美抗俄」，促進美俄衝突，匪平昔所蓄謀者，卽為挑起美蘇核子大戰（克魯曉夫曾公開說過）坐收漁利。且匪俄鬥爭係國際共黨內部派系之爭，並非中俄兩國之爭。共黨政權本無國界之分，所謂「領土」問題，不過是匪俄兩黨動員備戰之工具而已。毛匪在史達林時代臣服蘇俄時，何曾有領土之爭？

如一旦匪俄兩黨當權者易人，或毛匪倒斃，則匪俄均可重修舊好，屆時美國將如何自處？美國為自由世界的領導者，對匪俄鬥爭不應「聯俄制匪」，亦不應「聯匪制俄」，應當採取中立超然態度，聽匪俄鬥爭自行演變，對自由世界將是有利的。美國素以保衛民主、保衛自由的領袖國自任，而其過去在這一方面確曾作過重大的貢獻，有過傑出的表現，現在尼克遜放棄立場放棄原則，它不願作民主國家的領導者，却願與最狂妄好戰最殘暴血腥的毛匪互相勾搭結盟拜把。二次大戰後與共產奴役對抗的民主國家陣容，竟為尼氏所摧毀。這是自由世界的不幸，也是美國立國精神的恥辱。共產集團的俄、毛雖分裂，但它們對自由世界的進攻，是異床同夢，殊途同歸的。共黨征服世界的手段，並不注重直接的軍事侵略，而是以統戰手段分化對方，然後再各個擊破，民主國家經尼克遜所謂權謀外交的搗弄，秘密外交的出賣，旣無原則立場可以遵循，又無同盟友誼的保障，勢必互相疑懼，各奔前程，這種情況正好給予共黨集團以各個擊破的機會。在這種情形之下，民主國家最脆弱的份子，將必最先落於共黨的魔掌，而破壞民主陣容，斷送民主國家的也是尼克遜。處今日世界任何一個國家，如果沒有同目標同理想的國家互相結合，卽將暴露於敵人的四面環攻之下（試想蘇俄如失去附庸國的結合，將是什麼狀態）。所以從國家的長遠利益看，同盟友誼實是國家現實利益的一部份。尼克遜自稱為了國家現實的利益竟不惜以秘密外交，出賣同盟國家的利益，這完全是自毀長城的行為，照這一路綫發展下去，同盟結合完全被拆散的時候，也就是美國暴露於敵人環攻之下的時候，到那時美國不必作戰於國境之外，而是作戰於國境之內，不是對着入侵的敵軍作戰，而是對着自己的叛變者、暴徒作戰。經過尼克遜的倒行逆施，我恐屆時美國連起來自衛作戰的精神與力量都沒有，而自甘接受奴役。誰導致美國走入這種的絕境呢，就是尼克遜。

中華民國為美國多年來最忠實的盟友，倘被美國出賣背棄，則世界上有那個國家敢與美國為友？這是美國朝野應當三思的問題。尼克遜要「聯匪制俄」多方扶助共匪，是美國將變為共匪之友，卽為亞洲反共國家之敵。如是則亞洲國家除中華民國自強自立，獨立不撓外，其餘或被共匪顛覆或投降共匪，而大多數則將投入蘇俄懷抱，屆時蘇俄所倡之亞洲集體安全制度，將成為結合亞洲國家之號召。（印俄結盟不過開端而已。）美國在亞洲勢力將蕩然無存，亞洲旣失，歐洲繼之，美國何以自存。西德之忍氣吞聲承認第二次世界大戰所造成之現況，而與蘇俄簽約，卽是對美國的不信任。隨着柏林問題和緩，歐洲安全會議召開，美國勢力將被摒除於歐洲之外。

尼克遜政策如果照當前狀態發展下去，對美國，對自由國家這眞是一件可怕的事。然則，有沒有挽轉這種發展的因素呢？當然有的，第一個因素是敵人的錯誤，共匪與俄共也是在經常發生錯誤的，他們的錯誤將有助有尼克遜迷夢的覺醒；第二個因素是美國人民的覺悟，美國是一民主國家，美國在朝在野都不乏有卓越遠見之士，他們鑒於尼克遜政策的危機，團結起來登高一呼，喚起人心，將是扭轉尼克遜政策最有力的因素；第三個因素是亞洲人的自救運動，尼克遜政策可以給予亞洲人一個深刻的教訓，過去亞洲人從沒認眞做過團結自救的運動，只把希望寄托在美援的身上，現在亞洲人應該覺醒了，美國只是亞洲人的朋友，他自己沒有問題的時候。

（下轉第三版）

昨日與明日

寬得寬失

明太祖朱元璋，經過了十五年苦戰，終於驅逐元蒙，建立帝業，定都於南京。洪武元年，徵元故官至京師，問元政得失。馬翌對曰：「元有天下，以寬得之，亦以寬失之。」帝曰：「以寬得之則聞之矣，以寬失之則未之聞也。元季君臣，耽於逸樂，馴至淪亡。其失在縱弛，實非寬也。聖王之道，寬而有制，不以廢事為寬；簡而有節，不以慢易為簡；施之適中，則無弊矣。」

寬的意義，絕對不是縱弛，縱弛則廢紀，廢紀則無制，無制則廢事，廢事則誤國害民，其政未有不亡者也。故寬嚴宜適中，剛柔宜相濟。專務姑息部下，一味護短，必乖明允之方；遇事要求剔釐，巨細都要過問，亦為智者所不取。治事治人之要領，在當其位而執其權，當其權而執其事，是非分明，權責分開，自可以御天下矣。西洋的組織管理或科學管理，亦莫不若是：首重組織層級，建立分級授權系統；次重權責劃分，建立工作循環系統；主管或領袖人物，在工作循環系統及分級授權系統之上，僅作一政策之裁決或目標之掌正而已。政府近迭倡分層負責之制，而各級官吏有責不肯負，有權不肯用，又將奈何？

侈大之詞

洪武三年，頒平定朔漠詔於天下，中書省草詔進，有侈大之詞，帝責省臣曰：「元主中國百年，朕與卿等父母皆賴其生養，元之興亡，自是氣運，于朕何預？而以此張之四方，有識之士，口雖不言，心未必以為是也，可更草以進。」侈大之詞，用之於商品廣告則可，用之於政事則不可，用之於史事以尤不可。

・胡迭・

自由談

筆者自從脫離學生生活，涉足文教界與政治場中以來，垂四十年於茲矣。憑四十年之經驗與閱歷，胸中潛滋一大疑問，至今惶惑莫解，卽今昔一般政治人物立身行己之風格，迥不相侔，昔人多敦厚恢闊，而今人每見其為斗筲之器，渺小狹隘，殊不足觀。遠者姑勿論，試以近代人物為例證，藉明吾說焉。

做人的風度

曾國藩於左宗棠初在湖南巡撫駱秉章幕中作「文案師爺」時，因罣吏議而奉朝廷嚴令查辦，將遭「就地正法」之大禍關頭，挺身予以營救得免後，復奏薦左文襄辦江皖軍務稱贊其「才堪獨當一面」，旋分兵授左氏援浙，逐漸蜚黃騰達，寖成方面大員。洎是左對曾乃抗顏齡，積不相能，常以訾議曾氏缺乏為言談之資。然國藩雖已位極人臣，終且封侯拜相，而對左氏從無修怨之言行，終其身保持犯而不校之風度，此一事也。

同治二年夏間，曾軍圍攻南京苦戰不下之際，李鴻章方領淮軍戍上海，得英人戈登之助，自外洋購入新式武器，號稱「洋槍隊」，戰鬥力特強，維時清帝嚴旨飭令李氏派兵協攻金陵，以期汎奏膚功。然李氏私語左右，謂太平軍已成強弩之末，曾軍必可克之，淮軍不宜乘機擄奪曾九帥（國荃）及其恩師（國藩）之功，而託詞覆奏清廷，謂洋槍隊訓練尚欠嫻熟，盛夏作戰，容易走火失事，稍緩時日，自當馳援効命云云，藉以搪塞朝命，未幾，南京卽告克復，曾氏兄弟獨膺懋賞，榮寵有加，此又一事也。

假使今人而處曾國藩之地位，必以左宗棠忘恩負義，忌恨在心，恃其功高爵顯之權能，非將左氏挫抑而殘毀之不可。若使今人而有李鴻章之武力與機會，朝廷旣令其協攻南京，大可爭取奇勳，求之不得，所謂師友恩義，何足顧念哉！今人但知尚功利，言鬥爭，而視謙讓涵容為不合時宜之腐敗觀念，世亂日亟，有由來也。

馬五先生

馬騰雲　又一卓越貢獻
馬氏萬能鍋問世
敬請注意下列十二特點

一、馬氏萬能鍋不銹鋼製作名貴堅實永不生銹。二、馬氏萬能鍋包括有蒸籠、蒸盤、菜盆蛋糕模，一個鑊頭內一次可做出八個菜一道點心，一鍋數品，請一次客即可省出買馬氏萬能鍋的錢。三、省炭省電省瓦斯猶其適合旅行野餐隨便撿一點樹枝當柴即可燒出美好的筵席。四、馬氏萬能鍋同一鑊點內可製出四川味、湖北味、廣東味、湖南味、安徽味、山東味、上海味乃做廚師的闢所未聞。五、馬氏萬能鍋千變萬化，比如你早晨請客牠可製出湯包燒賣蝦餃叉燒包菜肉包干絲鍋肉及名貴小菜萬級粥類。六、參考馬氏烹飪卡一百餘種烹調法用馬氏萬能鍋十次以上，你將變為第一流名廚，「食在中國」這句話未錯的話，你可一技在手吃滿天下。七、馬騰雲提倡「營養抗百病、百病可食療」，你能買馬氏萬能鍋一隻，照卡烹調可賺到抵抗百病與益壽延年。八、馬氏萬能鍋又可作飯鍋、粥鍋、鹵鍋、豐鍋、蒸鍋、燉鍋眞所謂一鍋多用妙不可言，簡直是烹調革命。九、隨鍋贈送的馬氏各種烹飪卡，製潮香港函授講義每種最少須港幣一百元以上，而且沒有給你天天實習機會。十、馬騰雲積四十年吃的經驗全部無條件傳授，這種便宜如果不撿，可謂傻瓜矣！凡信任馬騰雲的人都趕快來。十一、馬氏萬能鍋可容物七台斤。附件：四個蒸籠，可容物四台斤，一個兩用蒸盤，一個兩用大拼盤，一個蛋糕模。十二、馬氏萬能鍋預約戶可得到馬氏一百幾十種烹飪卡大贈送，包括幾十種鹵味、醬味卡，十八種一品鍋卡，卅種粥類卡，五十六種砂鍋烹飪卡。

馬氏萬能鍋
馬騰雲企業公司監製

每隻定價五百元預約六折，係因品樣經到，延長預約半個月到十月廿日截止，已經預約的十月廿五日可交貨，未預約的趕快前來預約，過年頭一技在身勝過良田千畝，全球各地飯館幾乎變成華僑專利就是最好的證明。臺北門市預約：許昌街廿六號，外縣市郵政劃撥一七六五四號馬騰雲公司電話三八〇〇〇二號

特別注意此時寄往歐美各國聖誕禮品用海運掛號恰於聖誕前到達

運河兩岸情勢緊張
中東戰事可能再起
蘇聯大軍屯駐於埃及境內
是否將捲入戰爭咸表憂慮

（自由報開羅消息）雖然蘇彝士運河目前恢復平靜，可是，最近來以埃雙方的發射飛彈，及一架以色列運輸機被擊落等事件，却令到本來已經高度緊張中東危機更形緊張起來，甚至令人担心新中東大戰可能一觸即發。

以色列國防部長達仁最近已經這樣表示：「如果中東在今年年底前又發生大戰的話，我不會覺得驚訝。」達仁這幾句話已經暗示出中東的局勢，特別是蘇彝士運河兩岸的局勢，事實上潛伏着隨時會再次打起來的危險因素。

蘇聯龐大軍事部隊屯駐埃及境內，已經令人覺得情況有點類似美國在南越境內所受到的教訓，目前令華盛頓至泰拉維夫及其它政府深感憂慮的，就是兩項基本的問題：

（一）假如以埃雙方部隊沿蘇彝士運河恢復射擊戰的話，蘇聯屆時是否會被捲入漩渦？

（二）如果蘇聯屆時眞的會捲入以埃衝突漩渦內的話，那麼美國是否仍然能够置身事外，站在一旁觀戰？

在過去數個星期裏面，記者曾經在華盛頓、開羅、安曼、泰拉維夫及倫敦這些首都裏面和政界領袖、外交官員，及軍方人士就中東局勢及其問題而交換意見與商談，結果發現上述首都裏面的政界領袖、外交官員，及軍方人士一致地認爲：克里姆林宮的集體統治者無意參與任何中東戰事。

不過就另一方面來話，如東埃及炮轟蘇彝士運河東岸的以色列部隊陣地，或者派遣突擊敢死隊度過運河而偷襲以色列部隊據爲己有的陣地時，則以色列和蘇聯的機師是否會形成攤牌的行動？當這項問題被提出來的時候。軍政及外交界人士沒有人認爲不可能。

中東問題專家一般地認爲：能够令蘇聯捲入直接戰鬥行動中的，不是長遠的計劃而是那些特別的決定。

中東問題專家指出如下的一項例子：

蘇聯毫無疑問地沒有將部署飛彈，飛機及人員包括在援助埃及的計劃裏面。可是，埃及總統納薩於一九七〇年一月卅往莫斯科要求協助保護埃及，從而對付以色列的空襲後，克里姆林宮於是才派遣防空戰鬥部隊前往埃及。

依詞集

美軍休假
白下大夫

台灣，被列爲駐越美軍的休假之地，站在發達觀光事業的立場，當然要歡迎，賺一點貶值的美金，也不無小補。戰後法國能存三十億外滙，據戴高樂自己說，要感謝巴黎的女人。但是，時代變了，美國大兵們，一面是手持貶值美金，沒舍苗頭，一面是吸毒成癖，恐怕到台北後，決不是女人可以滿足得了的，還必須替他們準備其他。設若不然，他們自己會帶來毒品，在吸食之餘，也會給台北毒化一番，美軍販毒亦將如何？因此之故，我們認爲不歡迎美軍來台渡假也罷，美軍駐越部隊有百分之六十吸毒，這一問題，最好是慎重考慮，作一周密的預防才好。

以色列軍方已決定
避免與蘇聯軍衝突
中東均勢如一旦遭破壞
美蘇將有發生對抗危險

時至今日，駐埃及境內的蘇聯軍事人員約一萬五千至二萬人，其中半數是空中防衛人員。

最初，蘇聯只有小數軍事顧問駐在埃及境內，正如初期越戰階段的時候，只有少數美國軍事顧問駐南越境內一樣。當越戰問題擴大的時候，美國軍事人員駐南越的數額宣告成正比例般增加，結果高至數十萬美國大軍在南越境內作戰。駐埃及的蘇聯軍事人數正復如是。

去年，蘇聯部署戰鬥部隊。當然這些部隊是防衛性的，可是到了今年，人數上不斷地增加。

在越南方面，美國於一九六五年決定以自己的軍隊扮演一項積極的防衛性角色。當時美國當局作出這項決定的原因，是爲了當時越戰局勢演變到令美國人覺得投資會化爲烏有，除非美軍大量援助南越當局。

若干政府担心，一旦以色列和埃及發生戰鬥，蘇聯會派遣大軍援助埃及。

以色列的設計者表示：他們將設法在新戰事中避免和蘇聯軍事人員衝突。不過「戰爭乃具爆炸性的東西」，根本令人無法揣測。

在若干分析家的心目中，假如以色列的空軍衝入「尼羅河」區附近的蘇聯防空網，擊落若干蘇聯飛機，同時在上述的過程中令到莫斯科當局感到尷尬的話，蘇聯駐埃及境內的蘇聯飛機便可能將保護的飛行範圍擴大至「西奈半島」，從而較接近以色列飛機基地。分析家至此指出：到了那時，蘇聯飛機很快地會獲致權力攻擊這些西奈半島佔領區內的以色列軍事基地。

假如那時蘇聯飛機在埃及外面大量擊落以色列軍用機的話，中東危機將出現新的局面。最低限度地，美國可能以較多的「鬼怪」式噴射戰鬥轟炸機急促地運交以色列作爲補充被擊落的。以色列人士指出，專責中東事務的美國助理國務卿西斯古最近訪問耶路撒冷時，曾試圖說服以色列政府冒險從運河區撤退。當時西斯古這樣表示：如果以色列軍隊冒險撤出運河東岸而埃及部隊不自量力渡河追擊以軍的話，結果將發生什麼事？屆時美國有可能以急促行動派遣「一百架」「幽靈」式噴射戰鬥轟炸機給以色列進行反擊。

上述觀察家認爲美國這種舉動並非沒有可能性的，他們指出：當一個強國被一個小國激怒時就會發生這樣的事情。美軍大量在南越集結的原因，就是被北越部隊所激怒。屆時美國政府進一步地考慮採取如下的步驟——派遣由美國空軍駕駛的「幽靈」戰鬥機及「飛鷹」飛彈協助防衛以色列的領空，正如蘇聯在埃及所進行的那樣。屆時，美蘇兩國將陷於對抗危險情況中，而且危險的程度，將較古巴飛彈危機更令人担心。

尼克遜計劃訪大陸
北越北韓起了反應
對中共起疑心要採獨立行動
河內更與莫斯科加強接觸

（自由報本港消息）非共亞洲仍對尼克遜訪問北平的宣佈的影響起着反應。東京一直籠罩着危機的氣氛，如果其他地方所產生的反應沒有這麼極端的話，這個地區內所有首都均在苦惱地重新檢討他們的政策，以尋求他們所需的適應。

很少聽到有人談起北平及其伙伴在對美國的新政策主動中所面對的種種困難。

這是因爲一個公開的社會和一個閉關的社會有基本上的歧異，對于美國總統或日本首相的壓力是有目共睹的。公衆的輿論，有組織的反對和民選的立法機構都有壓力產生出來。也有由過去的承諾所產生的壓力。

尼克遜總統和佐藤首相也罕能作秘密行動。雖然北平沒有代表駐在華盛頓或東京，但它可以從許多消息來源得悉那兩個首都的動態。

在北平，官方機構所討論的事是完全秘密進行的。沒有反對黨也沒有公衆輿論的壓力。在理論上，其行動自由是沒有限度的。

但事實是不是這樣呢？在共產社會是一個整體而由莫斯科訂定法律，現在已不再是這樣了，雖然我們仍很少知道北平與河內與平壤有疑懼的存在，但其重新調整的程序可能也像非共亞洲一般，尤其是河內，它現在可能使北平的頭痛。

尼克遜訪北平消息宣佈，使河內北東京更加驚奇。華盛頓與北平對此項訪問的範圍都沒有甚麼透露。

因此，河內開始從壞處去想。越南問題的解決會不會背着它而進行，北平暗示，一個亞洲具有較大代表權的新日內瓦式會議非不可能，更加強了河內的恐懼。河內立即發出通知，它不願意聽到談商解決的地點由巴黎轉移到北平或日內瓦。爲了強調此點，河內發動了新的七點和平攻勢，用意在美軍撤退的日期一旦安排妥當之時釋放美國戰俘。

北平迅速採取補救行動。它不尋常地立即讚揚河內的主動爲「公平與合理」的，雖然有些證據顯示，河內的這個主要軍火及其他援助供應人道一次並沒有參預七點計劃的擬訂。

然而，在嗣後對河內計劃的批評中，北平忍不住提出一項隱約的警告。[illegible]意思是說，單獨外交行動不足以產生結果。不論如何，北平仍[illegible]支持河內的[illegible]戰爭。[illegible]但河內有充分的辦法以使北平蒙受不便。

[illegible]它跟尼克遜向北平的商談所應保持的範圍。

歐美人紛到港
專爲學中國話
語文教師吃香身價突升

（自由報本港消息）外國人學中國話的，有兩種攻讀的對象，一些純粹是學說派的，他們學國話，一些只爲了應付香港的需要，故此學粵語。這些多數是傳教士及在香港經商的人。

無論學國語及粵語，他們都是利用羅馬字拼音方法，先學單字，再學整句。學國語組的有一樣好處，因爲國語是白話文，通常講得出便寫得出，粵語則不然，有很多俗語，根本只是語助字，不能寫爲文章。但學得一口國語，在香港進行傳教及推銷，沒有幫助，故此教會明知地方言有局限性，但亦無可奈何，要付錢給教士學習。（未完）

辦報眞難，易得罪人

·文園樓主·

有好幾部書報索引，都將這張巴掌大的小報——自由報，列入為中華民國唯一政論性的報紙，這張報雖小，創作和寫作的人則並不小，例如在自由人時期，劉百閔，雷嘯岑，陶百川，彭昭賢，程滄波，陳石孚，許孝炎，張丕介，吳俊升，金侯成，成舍我，左舜生，王雲五，卜少夫等，都是編輯委員，到自由人改稱為自由報，雷嘯岑担任社長，黃行奮為督印人，董品楨為總編輯，黨政要人中黃少谷，唐縱，趙聚鈺等，都相當支持直到民國五十六年，經濟困難到難以繼續維持，再度徹底改組，由李運鵬接辦。

李接辦自由報後，以治大國像廚師烹飪一條小魚手法，宣示自由報的風格：一、做到報紙中的報紙，言論中的言論。二、大作家寫小文章，小報紙談大問題。三、以眞確見聞，闡事實癥結，作翔實貢獻，指弊病所在。四、本報是學人國士的園地，本報是民主自由的櫥窗。自由報的經濟：一、不向政府討錢，不向政府求津貼。二、以報養報自給自足，不敷之數經營正當副業補貼。面對現實考驗的結果，李運鵬勝利了，再不會克羅斯了。

兩年前，一年前都有人主張修理自由報，那祇代表提案人腦筋不清楚，或冬烘之輩，當然無法通過，如果通過不讓自由報進口，笑話就鬧大了，因自由報從社長，督印人到總編輯，皆曾直接受教於總裁門下，四川擺龍門陣稱之為「天子門生」，香港人認自由報是國民黨的機關報，天子門生辦的機關報都不能進入台灣，共匪把握這個機會有文章可侮辱我們了。假定自由報李運鵬不能行使職權時，必將陷入汪波（汪精衛）一批政客文人手中，他們會表示以自由報的人才，如果走中間路綫，在香港可銷二十萬份，引明報，成報，眞報為例，很奇怪，香港吃這一套，可惜我們這批正統報人學人沒有福份享受。

最近聽說某在野黨，對本報迭次要求不遂（原件保存備中央機關調閱）也對自由報提出修理意見，自由報為甚麼拒絕登該在野黨所發佈的新聞，一，自由報不能稱該黨為「本黨」。二，對人身作攻擊，攻擊得無聊。三，視其自己「同志」若小偷强盜，太失恕道。當然這些被攻擊的「同志」還手亦很重，將上列該黨大員祖宗三代醜事都翻出來，為使兩造都認為本報處理新聞公平起見，正考慮雙方互攻文件能在同一時間發表，以昭公允。

檢討日本軍國主義（一）

·本報資料室·

一、歷史的鏡子

一九三一年九月十八日夜裏，日本少壯軍人在瀋陽掀起的侵略行動，是中國現代史大風暴的起點，也是二次世界大戰的前奏曲。

從「九·一八」到「八·一三」這十四年裏，中國一直在日軍的鐵蹄下掙扎，遭受歷史所未有的规難。元氣大傷，至今猶未完全平復。

當此九·一八事變四十周年，日本軍國主義復活之聲浪日高之際，對當年九·一八前後日本軍國主義形成的經過作一省察，實有其嚴肅的意義。

俗云：「歷史是一面鏡子」，「前事不忘，後事之師」。今天反對日本軍國主義之復活，是做中國人的大義；但是我們必須了解日本軍國主義的本質，形成的關鍵，發展的過程，然後才能看清目標，有的放矢。

二、日本軍國主義的特質

三十年代的日本軍國主義，與德國的納粹主義和意大利的法西斯主義，都是反動殘暴的政治運動。在對內專制對外侵略的本質上完全相同，但是形成過程和表現形態則有很大區別。

最明顯的是法西斯主義和納粹主義，皆具有一軍隊式的政黨，並且狂熱擁戴奉若神明的領袖。而日本的軍國主義則完全不具備這一形式。它只是由一羣狂激的少壯軍人，以暗殺手段脅制軍部，又藉軍部的特權來脅制議會和內閣，假天皇的神道思想來牢籠國民思想：在這一奇形怪狀的體制之下，集全國之力向外擴張和侵略。

法西斯和納粹，都在攫取權力之後，徹底乾淨的廢除了議會制度。而日本的軍國主義者，則始終維持議會的形式，迫使內閣成為他們馴順的工具。

因為沒有集中力量的政黨，及一尊獨裁的領袖，日本軍國主義者乃更為可怕。因為凡事沒有確定的計劃和步驟，全憑少數軍人的盲目衝動，任意胡為。被侵略者欲想割地賠款，忍辱屈膝，換取一段喘息的時間都不可得。例如從九·一八到七·七蘆溝橋事變國民政府曾無數次承認日軍侵奪領土的事實，可是每次簽署協定之後，日軍隨着即採取新的侵略行動，先是侵佔東北三省，繼而熱河、冀東、察北、綏東，進而是整個華北；於是激起了中國的全面的抗戰。

三、七首相五被行刺

軍國主義的主體既是少數少壯軍人，因此議會、內閣、政黨、財團、國民甚至天皇，都成了軍人的工具。實際上內閣、財團和天皇多反對軍人的行為，但是在少壯軍人所掀起的狂飆之下，不能不被軍人牽着鼻子走。（未完）

綜論當前的國際形勢

（上接第一版）

他可以向我們伸出慷慨的援助之手來，當他自己受着若干問題的困擾時，他就可以撒手走開了，從今日起亞洲人必須團結自救，當亞洲人眞的能團結自救時，也定可扭轉尼克遜政策所能發生的不利影響。

最重要者我們要澈底放棄依賴美國的心理，自立自强，回憶民國十六年我們一面反帝，一面清黨，絕俄，外交環境之惡劣，甚於今日，幸有 總統的英明領導，獨立不撓，終能勝利完成北伐。抗戰後因全國存依賴美國心理，一旦美國背棄，我全國即惶惶然不可終日，以致有大陸之淪陷。

美國的病根是在共黨的滲透與操縱，而美國社會仍有雄厚的自由潛力，其立國精神與我國相同，其人民的生活方式與共產絕不相容，這是我們反共的友邦與盟國，中美兩國人民必須團結，共同為自由反共而合作。今日要務，乃在如何喚起與團結自由反共力量以對抗共產，確保美國自由。我們要將共黨姑息份子與美國人民分開，我們反對的是共黨姑息份子，我們要希望美國人民起來糾正其政府的錯誤。尼克遜常保證他不出賣老友，決對尊重條約義務，我們希望他能切實遵守，就不會墮入共匪的陰謀陷阱，終有迷途知返之一日。我們對尼克遜政府仍須以合作友好的態度，及獨立不撓的精神尋求共同努力的友誼，我們的態度是「抗爭而不破裂」「協調而不苟同」。（完）

名人小傳　十七

徐悲鴻風流倜儻

·塞翁·

在台灣一度風靡的一部「蔣碧薇回憶錄」，其作者就是名畫家徐悲鴻的第二任夫人——蔣碧薇。後與徐離異後，嫁張道藩者。

徐悲鴻江蘇宜興人，畢業於震旦大學，原為有婦之使君，蔣雖非羅敷有夫，但已聘富室待嫁。蔡孑民長北大，提倡美術學代替宗教，徐為一青年畫家，未曾循入小中學，竟被延攬，得任北大圖畫導師，少年得志，風流自賞，不知如何與蔣碧薇搭上了綫，一見鍾情，從此安東市場，中南海畔，風雨晨昏，雙飛雙行。蓋當時固為名教所不許，為兩造家庭所反對。於是情急智生，遂萌遠走高飛之念。幸得蔡元培之助，謀得留學獎金，欣然携手同行放洋，從此雙宿雙飛於巴黎矣。在法習西洋畫，造詣甚高，學成返國，自成一格，文章書法，皆為世所宗，風靡一時。

抗戰中曾遠遊印度，訪泰戈爾，遊大吉嶺，寫喜拉馬雅山風景，賦詩十三首，實為近代畫家之少見者。返國後為李宗仁、白崇禧賞識，邂逅湖女廖靜文，繼而結婚，棄碧薇而不顧後由其弟子呂斯百調解離婚。此君風流成性，不久又愛上女弟子孫多慈，孫知其不可為，不辭而別，方未成事。孫今仍在台執教，曾開畫展多次，頗有徐風。

徐於抗戰中，得朱家驊之助，創中國美術學系於盤溪。勝利後，被聘為北平國立美術專科學校校長，及至大陸淪陷，不得自拔。而蔣碧薇後嫁張道藩。故其著作上部題「我與悲鴻」，下部題「我與道藩」，情文之佳作也。

讀書雜鈔　三十一

·林倩·

其情專，則氣亦凝也。至於凶殘狠戾，氣亦不遽消，然墮泥犁者十之九，又不在此數中矣。」言之鑿鑿，或亦有所徵也。（閱微草堂筆記卷十三）

時論曰，忠孝節義正氣不消，鴻文碩學靈氣不消，即近人所謂精神不死，哲學家所稱鬼為過去，神為未來。關雲長、岳武穆、文天祥，後人奉若神明，祭祀膜拜，感其忠烈，懸為榜樣，期以教人，念之敬之。俗云，人過留名，雁過留聲，欲使人不忘，必有超人之事業，澤及億萬生民，死後為神，不為鬼，庶乎近之。

臨清李名儒言：「其鄉屠者買一牛，牛知為屠也，縋不肯前，鞭之則橫逸，氣力殆竭，始强曳以行。牛過一錢肆，忽向門屈兩膝跪，淚涔涔下，錢肆惻之，問知價錢八千，如數乞贖。屠者很其獰，堅不肯賣。加以子錢，亦不許。曰：「此牛可惡，必宰刃而甘心。雖萬貫不易也。」牛聞是言，蹶然自起，隨之去。屠者煑其肉於釜，然後就寢。五更自起開釜，妻子怪不回，疑而趨視，則已自投釜中，腰以上與牛俱熟矣！」凡屬生物，無不畏死，不以其畏惻惻，反以其畏而悲憤。牛之怨毒，加尋常數等矣。厲氣所怨，報不旋踵，宜哉！（未完）

抗倭名將戚繼光

馬識途

（一）

家世與幼年

話說山東登州衛指揮僉事戚景通，他的兒子戚繼光，當他九歲的時候，就常常喜歡畫地作陣，領導一羣小兒們，作打仗演習的遊戲，指指點點，小兒們都得聽他的號令指揮，前進後退，包圍，迂迴，儼然像一位小將軍。

有一天他和一羣小兒正用泥土瓦石作陣營，削了竹竿穿了有色的紙旗為軍旗，玩的興起的時候，他的一個小妹妹忽然跑來搗亂，佔據了他所作的營地，拔去了旗幟。繼光叫他妹妹走開，妹妹不聽，他心生一計，去捉了一條蛇來放在妹妹面前，妹妹嚇的去旗幟，趕快跑開了。站在一旁，看繼光和一羣小兒玩着打仗的遊戲。

戚繼光從小就這樣奇奇怪怪的愛玩軍隊打仗。這大概是受了他祖傳的遺風，後來成了一位傑出的抗倭名將，建立不世之功，自非偶然。

戚繼光字元敬，號南塘，是安徽定遠人。當明太祖朱元璋驅逐異族元蒙之時，繼光的遠祖——戚詳，便是蕩平羣雄的一員戰將，頗有戰功。後來戚詳在征雲南時陣亡，明太祖追錄功臣之後，乃封他的兒子戚斌為明威將軍世襲登州衛指揮僉事。四傳至戚景通，因功升充為指揮司。後來又升任大寧（熱河平泉縣東北）都司。又以平亂有功，由大寧都司調入京師，升為神機坐營。神機坐營乃明朝禁軍習用火槍之營。景通生平不治產業，操守廉潔，雖然為官多年，家中仍然僅有公俸而已。

明武宗正德初年，宦官劉瑾擅權，圖謀異志，以景通為世豪傑，深欲結納，以備為已用，並約於舉事協助。景通因迫於權勢，佯為諉蛇，乃於暗中喬裝道士遁出京師。故後來劉瑾伏誅時，被株連者不少，而景通未被株連，且受清譽嘉許。事後景通復被任為登州衛指揮僉事。

繼光生於明世宗嘉靖七年（一五二八），在登州衛所。母親王氏，為其父晚年所娶的妾所生，正是老年得子。父母雖非常憐愛，但對於他的教育却不馬虎，除了自己親授其武藝之外，另延名師授書。故鄰里中人常說他「非童子中人」。曾經有一位相士相他將來要作大將，果然有驗。

有一天景通問他將來的志願，他回說「志在讀書」。問他讀書何用？他答稱：「忠孝廉潔，否則焉用？」景通非常高興。有朋友問景通：「你做官一生廉潔，有何物交給子孫呢？」景通把繼光叫了過來對他說：「為父沒財產給你，我只有把國家的土地交給你就是了」。繼光回答道：「大人所付土地，孩兒誓死保存就是了。」

「戚家軍」的創立

嘉靖二十三年（一五四四）景通病故，時繼光年僅十七，繼光襲任父職。時山東臨海，倭寇出沒侵擾，繼光繼任之後重新着手訓練新軍，綏靖地方，後來所稱「戚家軍」的，就是他一手訓練出來的新軍，在兵學史上，繼光是訓練軍隊的國防專家。他的兵學是實用不空談理論的。

巨變歷險記！

丁博士逃出猛撤，前往蚌八箐，日夜不停的前進，把四天半五天的路，當作兩天半走，可說是備極辛苦。深恐怕唐副總指揮派人來追，又怕唐副總指揮電沿途各地守軍截留，即自行躲避起來，凡遇到有人來往的地方，即自行繞道而走，總算安全的到達猛汗，猛汗到達蚌八箐，還有一段路程，稍為休息了一下，丁博士仍繼續前進，到了天快黑的時候，蚌八箐又在望了。

過猛汗以下是不撤退的勢力範圍，不撤退的官兵，聽說丁博士已到達蚌八箐，無不喜出望外。他們聽到的傳言，丁博士已經被害了，今覩丁博士還留在人間，快何如之！不撤的陣營，聲勢驟然達到高潮。原來蘇副總指揮先到了蚌八箐，主持不撤退事宜，因為受不了外邊的壓力自行退却。當丁博士到了蚌八箐的時候，他剛剛走，他剛剛前往清邁，轉來台灣。話又說回來，蘇副總指揮剛走，丁博士就追來，接替有人，也來得非常湊巧。

坐鎮蚌八箐（二五八）

胡慶蓉

蚌八箐，彷彿約略的，紹過，位於泰國的邊境，背山面水，是非常好的一個基地。假若猛撤是抗戰首都的話，蚌八箐不啻就是一個陪都。原來什麼都沒有，是李彌總指揮一手造成的。現在已經有了一個總指揮官邸，同時也就是總部的辦公地點，也可以說是一個工字形的樓房，但下邊一如擺夷式的諸葛亮帽子樑子的房屋，下邊一層空空，全是就地取材蓋成的。就地有的是木材，有的是大樹葉，以大樹葉作房蓋，以木板作牆壁，以木頭作樑柱，倒也堂哉皇也，堅固耐用。

辦公大樓之兩旁，是一棟一棟的長房，作學校訓練用的，又有很多別的房子作宿舍之用，房屋櫛比，後面是一座山，並不太高，但天然的巖洞非常之多。在辦公大房之旁，也是在山之下，在向東的地方，又給丁博士蓋了一個房子，風景十分優美。此山，丁博士名之曰中興山，他常常登臨其上，往往到最高的地方，極目遠眺，一片森林。他計劃在這裏集天下反共人士為復興中華民國而奮鬥。

在這裏守衛的部隊是朱鴻鴻的一營，刁斗森嚴，緊防來襲。在不撤退總部之中，還是有很多要撤退的人在隱伏着。常常的發現人不見了，人到那裏去了呢？人都偷偷的到猛撤方面去了。到最後，連看守總部倉庫的龔起國也不見了，連給總部做飯的大師傅也不見了，連……連……，也都不見了。……丁博士還是堅守在總部，與不撤的部隊連繫，替他們想辦法，給他們打氣。

不撤方面的軍事領袖是段希文，其次是李文煥，還有其他很多。大體說來，要撤退的是外省人，不撤退的是雲南人。段希文，李文煥都是雲南人。雲南人領導雲南人不撤，登高一呼，全體響應。作為雲南人，為什麼要撤呢？撤到那裏去呢？去台灣？為什麼要去台灣？與其回到台灣，何如要留在原地。台灣不是以反攻大陸，拯救同胞為號召嗎？只要把現有的游擊隊全留在雲南邊區，才能談反攻。邊區是自己的家鄉，他們都願意留在自己的家鄉，他們都不撤，他們都集在丁博士大旗之下。他們堅決的不撤，他們不同猛撤連繫，猛撤有命令給他們，他們一概置若罔聞。

創業哲學

眞理與事實（十一）

·丁熊照·

這時候，我已算得上是一個有錢人，並在事業方面也已很有基礎，我本計劃在每年盈餘中提出百分數若干，聘請專才，設立一間工業研究所，為本廠原有工業及其他工業作研究，和拿些錢出來辦點公益事業，略表我取之於社會，用之於社會的本意，但因不久，戰爭爆發，大部份計劃皆未及實現，甚覺惋惜。

六 挽回利權設立保久小燈泡廠

在滬明廠的電池出品銷開獲得成功之後，為了業務上的配合需要，我又陸續開設了電筒廠，炭精廠和小燈泡（電珠）廠，其中尤以保久牌小燈泡，在開始之後，瞬即獲得暢銷，打倒了洋貨在中國市場上一貫獨佔的優越地位，使我頗有幾分達到「振興實業，挽回利權」的感覺，更是開心。因為過去在電筒上所配用的小燈泡，國人雖也有設廠製造，但品質低劣，技術很差，一般出品，不是光度不夠，便是不能耐久，遠遠比不上外國貨，和設在上海美商愛迪生奇異牌的售價也相差很遠。我記得中國貨的小燈泡，當時（一九三四年間），僅售七十元至八十元一萬只，日本進口的，約售一百餘一萬只，而愛迪生奇異牌則賣到七百五十元一萬只，其實，用料成本都差不多，他們每日生產六萬只至六萬五千只，利潤之優厚，可想而知，從國家經濟着想，單這一樣小小物品，便被洋商每年賺去大洋百萬元以上，實是可惜。我為着配裝大無畏牌電筒的需要，用國貨既不夠水準，用洋貨又不情願，何況洋貨價錢既高，對光性能也還有不能集中之弊，雖然早期我也曾開過一間大昌明小燈泡廠，稍有經驗，但該廠出品還是不夠理想，後因無暇兼顧而收歇，到一九三四年，我國「關稅自主」成功，在上海電器製造業同業公會極力主張下，小燈泡的入口關稅，被提高到每只一角錢（論件計算與大燈泡相同），雖外國貨雖因提高成本而減少輸入，但也幫助了在華設廠的美商愛迪生奇異牌銷途的增加，此時奇異牌每月約出一百八十萬至二百萬只左右，一年間賺去我國的金錢很是可觀，我為着本身大無畏牌電筒上的需要和電池銷途着想，乃不得不自己研究改進，總算經過了多少次試驗以後，終於把握到技術要點，製出的小燈泡，可以達到普通出品不能兼顧的既光亮又耐久的雙重要求，以愛迪生奇異牌作依據比較，光度可比他們更亮二度，耐久可以提高一倍時間，（用同樣正常電量時，愛迪生奇異牌光度祇有六——七度，保久牌能達八——九度，同樣加高電量時，愛迪生奇異牌祇有三十秒的壽命，保久牌則能維持六十秒鐘以上壽命。）而且在聚光性能方面還有特別改進之處，成績相當滿意。本來，我因電池電筒業務已是很忙，並不想自己再去設廠，祇想將我鑽研出來的製造技術，委交上海兩家小燈泡廠——公明和福安代製保久牌出品，並給予他們相當豐厚的利潤，以達我一貫利己利人的目的，但後來，總覺委人代製有很多問題不符理想，於是便在一九三五年，邀約公明廠的許君，並幫忙同業公會內另外一位姓林的朋友，合夥開設新亞廠，（此廠在太平洋戰爭爆發後拆夥，我再另設保久機製燈泡廠，）專製保久牌小燈泡，在開始時就將定價提高到三百八十元一萬隻，並對裝璜也特別講究，以示與下價貨之不同，雖然如此價錢，是在一般國貨五倍之上，而且也沒有作如何大力廣告宣傳。（未完）

衆生羣相之一

羅素的婚姻觀

高瞻

羅素：「因為四個子女當中，只有兩個是屬於貴族羅素的血統。」

記者甲：「羅素先生，記得你在婚姻與道統一書中，強調與人私通不應是構成離婚的條件，而且你也曾公開表示過，願意把太太的情人接同家同住，難道會是嫉妒心泯沒了你的理性嗎？」

羅素：「記者先生，你似乎沒有看懂我的書。在我的理論中，與人私通要在不生孩子的前提下才被允許，否則就嚴重的破壞了父系社會的家庭制度。」

記者丙：「我能不能再請你分析一下你第三度離婚的事件，又是為了什麼？」

羅素：「很簡單，因為理性告訴我：浪漫的愛已消失無蹤了。」

記者乙：「你向來是一個人道主義者，但你幾度的與太太離異，不會覺得自己太無情了嗎？」

羅素：「怎麼會？她們也可以去找別的男人呀！」

記者甲：「羅素先生，我想最後再請教你一個問題：假如將來你有第四次離婚記錄的話，可能是為什麼？」

羅素：「為什麼？為了貫徹我的理論呀：記者先生，你還是用點心去讀我的書吧！」

羅素挽著他的新娘愛迪思衝出了記者的包圍，然後在她的耳邊說了一句話：「親愛的，是我「蓋」他們的，事實上，對於妳，至少到目前為止，我還找不出有什麼可以跟妳離婚的理由！」

註一：他晚年曾說過：「所謂的知識都是不確定的，不夠精確的，而且是部份的。對這條原則，無論如何，我們未會發現有任何的限制。」

註二：譬如A事件，它是經常重複地發生，那麼在任何相近的時間內，在相近的空間上，將會有類似A的事件存在。（完）

左舜生談杜甫（十一）

·文蘋公·

他這次回到成都，居然到嚴武的幕府裏做過一個短時期的事，武還表薦他為節度參謀檢校工部員外郎，賜緋魚袋，可是到第二年春天他便辭了，仍回草堂，不幸嚴武乃於是年的四月死去，而高適也正是這一年的正月死的。我們只看他們倆的往還和唱的詩，大體總算是不壞的，但舊書杜甫本傳，却說老杜酒後有對武很不客氣的舉動。甚至還有人說嚴武也曾有一度要殺老杜的意思嚴武之為人如何且不去管他，以老杜的性格，且證之於他的作品，大概這些都是莫須有的。現在我把老杜這首「哭僕射歸櫬」的詩錄在下面：

「素幔隨流水，歸舟返舊京，老親如宿昔，部曲異平生。風送蛟龍匣，天長驃騎宮，一哀三峽暮，遺教見君情。」

詩不太好，但足證他們兩人的交情是生死不渝的。

老杜之再回成都，本來是以嚴武之故，現在嚴武再度鎮蜀既死了，他更不能不離開四川。於是他乃於是年的五月，拋棄他的草堂南下，自戎州至渝州，再至忠州，在雲安縣住過一個時期，到大歷元年（七六六）才到？州？州差不多住了兩年，然後出川入鄂，由鄂入湘，這已經是大歷三年（七六八）冬天的事了。流寓湖南將及兩年，卒於大歷五年（七七零）死在耒陽。中國幾個最偉大的文人，屈子沉於汨羅，賈誼終於長沙太傅，杜甫又死在耒陽，湖南之於文人，大概算是一個不祥之地了。

杜甫死的時候才五十九歲，因為他的生活情形太壞，而且又常在流離轉徙之中，已經弄得遍身是病，本來隨時都可以死，而好事者却要造作謠言，說他一夕吃牛肉白酒而卒，還有人說他是淹死的，這大概都是不可靠的了。

古今評杜詩者多矣，在舊的詩國裏，說杜甫是一個「集大成者」，大概決不算是過譽。因為他不僅兼擅各體，而又奄有衆長，宋秦觀說：「昔蘇武李陵之詩，長於高妙；曹植劉公幹之詩，長於豪逸；陶潛阮籍之詩，長於沖淡；謝靈運鮑照之詩，長於峻潔；徐陵庾信之詩，長於藻麗；於是子美窮高妙之格，極豪逸之氣，包沖淡之趣，兼峻潔之姿，備藻麗之態……」我想對杜集全部涉獵過的人，於這樣一種看法，總應該是可以首肯的。

凡把李杜相提並論的批評者，總覺得老杜的五七言絕句之不如李，也猶乎五七言律詩之李不如杜，這個話自然不無相當理由，實際講起來，就是老杜的絕句，又何可妄加非薄？如「八陣圖」云：

「功蓋三分國，名成八陣圖，江流石不轉，遺恨失吞吳！」寥寥二十字，乃夾着一篇大議論，能把武侯的心事曲曲道出，非大手筆何能辦此？

文他在成都寫春景的兩首說：

「遲日江山麗，春風花草香，泥融飛燕子，沙暖睡鴛鴦。」「江碧鳥逾白，山青花欲燃，今春看又過，何日是歸年？」（未完）

體與氣（卅一）

·錢一劍·

錢一劍談相

歌訣：試聽聲氣最為先。體論目前分貴賤。舉動堂堂出象儀吐珠出語超羣彥。行之若流坐如擲。動似浮雲靜似石。動靜之中體用殊。更看作事操胸臆。鴨步鵝行主富榮。鶴形龜息壽彌高。結喉露齒多貧賤。驟嘴豬唇身必勞。身如橘皮必下愚。面若塵灰多乞化。鼻露竅兮主無安。齒露齦兮文學失。荀卿非相殊可鄙，徒見文兮不見斷。相形不論心所為慢特形容寧富貴。仁存心兮義處身。何必情眸與高鼻。「屈原鼻斷竅，莊周唇露齒。原豈虛誕妄。周豈文學鄙。」目下分明有臥蠶。隱隱侵年陰騭氣。耳內生毫忽夭亡。鵝行鴨步忽零替。目下如有痣。終歲常氣淚。口低二角垂。乞食與街市。憑君目看神氣。人道更將人事比。內狠之人言語默、內熱之人言語利。善人簡略言談間。舉止謙恭不自滿。「以仁擇其心。以義斷其人。」敬老慈幼憐寒賤。過物常懷不惡看。「積毀可消骨。積德可忘怨。」每在人事不在遠。天理之。為君試。看相與神氣。更在常為善。一如成金人。始因逢百鍊。

歌訣：五行秀氣生英特。體貌堂堂佐明國。其由如百舟之之搖動不可得。頭圓象天足象地。血脈江河與同類。草木既與毛髮俱。聲象雷霆分巨細。骨肉須相配皮膚須潤膩。步驟輕快怕偏側。又要骨重兼軟美。五長之人。隔江聲可聞，五短之人。要堅實。眼不欲滿。長眉目分（形象相刑相尅）存斯句。五短推排細尋。其言人定形。以剛柔應。五位皆有相尅。勝氣在相最為定。不用他覩與我求。識取休囚旺神。且如木形生修長。頭短肩縮幼年亡，忽然乍肥與乍白。定知客死在他鄉。金形方兮水圓秀。骨肉敦宏上重厚。土形氣青官鬼臨水形金形司納音。金得赤兮主憂滯。金得青兮多稱意。要識人生俱五行。乍勝乍舉同斯文。

自由報

中華民國內政部內警台報字第〇三一號
中華民國僑務委員會登記證僑新字第三二一號
中華郵政台字第一二八二號執照登記為第一類新聞紙

（第一二〇七期）

（半週刊每星期三、六出版）
每份港幣壹角·台灣零售價新台幣二元
社長李運鵬·督印兼發行人
社址：香港九龍官塘康寧道117號後座二樓
117 HONG NING RD, 1/F REAR, KWUN TONG, KOWLOON, H.K.
TEL: K-433653
電報掛號：7191
郵箱：官塘郵政信箱9583
承印：集昌印刷公司
地址：鯉咸街廿九號地下
台灣區業務管理中心：台北市許昌街廿六號
電話：三八〇〇〇二
台灣區直接訂戶　台灣劃撥戶
第五〇五六號張萬有（自由報會計室）
台灣分社：台北市西寧南路110號二樓
電話：三三〇三四六、台郵劃撥戶九二五二號

本報專論

最强的奮鬥，最壞的打算

·張起鈞·

在讀者諸君看到這篇評論時，我們的外交人員正在紐約聯合國會內會外，作殊死肉搏戰。我們為了維護聯合國的憲章，為了維護聯合國創辦時的精神，以及我們反共復國的立場，我們堅决阻止毛共混入聯合國，成敗利鈍在所不計。我們所知道的就是竭盡全力，勇往以赴。

我們這種奮鬥，本該是博得所有聯合國會員一致支持的，只要他還贊成聯合國組成的原則。但不幸許多國家只講現實不講原則，甚至是趨炎附勢，媚畏强暴，因此竟有一面牽引毛共，打擊我們的倒行逆施。此在共產黨的陣營中還可說，而近來在自由陣營裏竟也大亂脚步，盲目效顰，身為自由世界盟主的美國，居然爭先媚共，安排毛共混入聯合國的進程，而忘了他是聯合國正式判為侵略者的罪犯。

在這種混亂悖逆的局勢下，我們雖是在全力奮鬥，阻毛共混入，並且也有勝利在握的信心，但為了謹防意外，未雨綢繆，也不能不作最惡劣的打算，即是假如毛共一旦眞個混進去了，我們應該怎麼辦？我們勢必要預有對策，不能臨時慌張自亂。——儘管這種結果，可能根本不會出現。

我們的原則，一貫的是「漢賊不兩立」，這是不用說的，但這原則付諸實踐，却大有斟酌伸縮的餘地。一般最簡單最直覺的反應，就是毛共要混入，我們馬上就退出，絕不與其同坐在一處。這種嚴正不苟的精神，自是可佩，但謀國不是賭氣，表現正氣的精神，也並非只有一個方式，試想果眞負氣而去，那不是正中毛共的下懷，風骨雖有棱角，實是愚忠愚孝暴虎憑河之流而已，殊不取於孔子。其所以有那種想法，我們從哲理上來分析，乃是對世事採取機械的看法，只要毛共一登宣佈入局，好像事情的發展就告結局落幕，一如球賽終了，勝負已判一樣，當然認輸出場，殊不知，國際的鬥爭與球賽不一樣，它是永無終局落幕的，縱令毛共混入，我們失利，也應該看成只是上半場輸了兩分而已。下半場非要繼續奮鬥，贏回四分不可，絕不可自行負氣退出，使宜了敵人。

聯合國本不是一件什麼了不起的大事，加入不加入原無多大關係，但在這種場合而退出，那就是承認失敗，而自絕於各會員，試問以後還怎麼在會內發動反擊毛共的作用？因此我們事前要竭盡一切力量阻止毛共混入，萬一天有不測風雲，毛共眞個混入，我們只要仍能在會內存在，便絕不退出。我們要蹲在會裏把毛共趕出會外，因為只有蹲在裏面，才容易聯絡與團發動反攻。

我們要把「漢賊不兩立」的精神帶到任何一個角落，包括聯合國全場之內，我們要把「漢賊不兩立」的精神，無限延展，直到最後勝利，包括暫時輸了兩分，只有這樣，才是「漢賊不兩立精神」的積極發揮。（完）

昨日與明日

識途之言

在聯大辯論中國代表權之前，我們動員了一切力量，準備作最猛之一搏，不能說不緊張。而大陸上的毛共，雖然表示了無所謂的姿態，實際上它的內部更緊張，其一是九月十三至十五日，軍民航機停航三天。其二是「十、一」偽慶走革象鑼鼓路綫取消了黨官像在天安門上亮相的特權路綫。其三是一架機在蒙古撞毁，引起了某些匪幹死亡的傳說。而這三項大事，在台北也引起了熱心的分析。而一些美國到台灣的旅客，對台北的政治情勢穩定，顯然也很吃驚，美國如此出賣台灣，而台灣軍民竟然如此安靜如常，這是希奇的事，他們說中國人不可思議。由此，可以看到台北與北平的對比，一位老政治家立法委員說，台灣所以能滿不在乎而且仍為中國人心之所繫，不是別的而是得力於四大因素，（一）蔣總統的處變不驚的訓示，此文為總統自己執筆，非一般文客所能道，安定了人心。（二）全球華僑的熱愛祖國，反對毛共統治的形式，其熱情表現超過了台北。（四）保衛釣魚台的學生愛國運動，政府處理得很好，而毛共空口說白話，反而與出賣釣魚台的美國勾結，證明台灣立場的正確，匪諜份子想藉題發揮，鬼計落空。（四）台灣經濟的發展，確實讓人民發財，享受高級消費時代的繁榮，蔣經國主持財經會報，一心便民利民，埋頭苦幹有功。

所以，聯大對於中國代表權問題之爭論，我國是採取一戰到底的策略，成則聯合國正義仍在，敗則宣佈聯合國法理與正義的死亡。得失計較不高，而法理與正義之曲直，則將永為後世史家所評論，這又不是現實得失所可計量的。因此，這位老政治家說：政府官吏們，要同人民一起去爭生存，而不是一味向外國人低頭，這才是獨立永生之道。可謂識途之言者，當局垂鑒！

·胡逸·

自由談

講話的重要

政治生活有如演戲然，登台獻藝者不論飾演何種角色，必須保持劇中人的份際與其應有的風格，不能隨便，否則觀衆即當場指摘，甚至喝倒采，「通」「通」之聲大作，未免大煞風景矣。

政治人物最容易失態或失格的，莫過於在公共場合的言語情形，稍不留心，便鬧笑話。這等於舞台上的演員臨場說錯了台詞，把一齣戲給唱軋了，永貽笑柄於人間，政治飯之不容易吃，有如是者，茲述數例以明之：

民國十九年至廿一年間，浙人高淩百任國民政府秘書，每週一，中樞各行政部門簡任職以上人員，照例集合於國府大禮堂，舉行紀念週會，高氏奉主席之命登台報告重要政事，按其份際，應以「報告」為限度，方合體制。然高氏每次發言皆作訓話口吻，劈頭就說是「我上次對大家說過的事情，想必都已照辦了」。他忘記了站在台下前排的官員盡是些選任、特任級的部長，餘衆即為簡任官，如黨國元老于右任、王寵惠諸公皆在其列，聽到這位毛頭小子的訓話式論調，寧不啼笑皆非嗎？有一次我站在于右老的背後，當高氏聲言「我上次對大家說過」這句台詞時，右老即搖首輕說「胡鬧」二字。高淩百不久亦就外放星嘉坡總領事了。

對日抗戰時期，國民黨中央黨部在重慶舉行某次紀念週會，指派皖人安懷音登台講述國父遺教，他提出國父對於「人性問題」的一篇演說來作題材，首先闡明人類的先天本質有「人性」與「獸性」兩種性能。然後暢論每個人必須發揚人性，泯滅獸性道理，夸夸其談。由於情緒激動之故，他伸手指着台下的人說道：「你們若不注意人性的發揚，而讓獸性抬頭，那你就是禽獸，就是豬，就是狗！」好像父親責教兒子氣度，然居心固無他也。台下聽衆感覺難以忍受，為之譁然起哄，不歡而散，且聯名簽呈中常委，要求對安氏加以處分。

馬五先生

塵埃與「石灰肺」

妙公

在空氣染污的情形愈來愈嚴重的趨勢下，大多數人都集中注意到由工廠發電廠和燒爐以及汽車所噴出的廢氣，而忽略了塵埃對人體健康的危險性。直到最近紅磡區民發出了警號，於是才了解到塵埃是慢性殺人的兇手。

原來啓德機場延長跑道的工程開始，紅磡大環山海傍也填海，於是由今年六月起六十架泥運車全日廿四小時穿梭不息運泥，十萬居民的住所都被飛揚的塵埃所害，除了弄污房子及各種衣物外，食飯時如不掩上窗門，餸菜也加上塵埃一味；當然呼吸時也從鼻孔裏吸入不少塵埃，於是不少居民的喉頭都發現有毛病。

塵埃不但弄污東西，而且傳染疾病，能令人永久喪失工作的能力。塵埃往往窩藏着微菌，家庭主婦如清理家裏堆積了多時的塵埃時，應防被塵埃帶着病菌，混入呼吸器管裏，以致患感冒，喉病，甚致引起哮喘。當你清理雜物，或甚致翻開一本很久沒有看過的書，突然打噴嚏。便是塵埃在作祟了。如果家裏有人患哮喘，醫生建議要經常用吸塵機吸去病者床蓆的塵埃，就是這個道理。

塵埃當中以主（石旁）石塵埃最危險，如果長時間吸入含有遊離狀態的主石塵埃，便很容易染上「肺積塵」，又名「石灰肺」這種不治之症。

勞工處發言人表示，有多個行業的工人，最容易患上石灰肺這種疾病，他們是石礦場那些鑽孔和碎石的工人，建築業那些碎石和琢磨石塊的工人，採礦和掘隧道會鑿含有主石成份的花崗石工人，利用含有砂石成份磨石和各行磨光業的工人，使用砂和石英或花崗石的砂噴業工人，從事修飾業切削或琢磨已由砂模鑄成金屬模型的工人，造紀念碑從事刻和鑿或磨光花崗石以作碑的工人。玻璃業及搪瓷業的工人。

肺積塵這個病學名詞比石灰肺較為貼切，病的起因就是肺部積滿這些有害的塵埃而引起，通常會在十五年才發現有病徵，但亦會在六個月內，也許會在四十年間始發作。而當你在用力工作後發現不尋常的呼吸緊促，便可能是病發了，稍後時呼吸會更為急促，甚至休息時也會出現喘息的狀況。這種病在最初期不能診斷，但病況加深時便會從X光檢驗得出來。

到目前為止還沒有特效的方法去治療這種病，同時患上石灰肺疾病時，又很易發展成為嚴重的肺病，終而致患者的各部機能消失，無法工作，甚至死亡。打石工人最是不幸，他們長年累月在鑿石，口和鼻都變成了「吸塵機」，故打石工人普遍患上這個病症，讓塵埃慢慢取去他們寶貴的生命。石灰肺這種職業病只有預防這一途徑，及早治療亦可以避免肺部受進一步的損害。

也談政治革新

文報國

政治乃管理衆人的事，民主國家的官吏（台灣通稱公務員）理應一體奉公守法，為民服務，庶不愧為公僕，虛耗祿俸實即納稅人的血汗錢。但事實大謬不然，低能時代，任何國家，總有等數不肖官吏，在法弄權，貪污舞弊。原因很簡單，權力容易使人腐化而已。

貪贓枉法既是現實政治中難以避免的事，因為人終究是人，有權力而不濫用的，為數極少，因此，凡公忠謀國或掌握政權的人，當盡力設法防止各級政府官吏營私舞弊，殘民自肥。

溯自政府遷台，各種建設均有長足進步，固屬有目共睹，唯獨政治風氣泄沓如故，甚至較過去大陸時期尤有過之，則亦不可諱言。目前在台灣辦事若與政府機構接觸，特別是下級親民機關，幾乎非紅包不行。過去的盜豆案，割蕉案，且不必說，最近甚至發現職司查證與審理此類案件的人員，亦牽涉於貪污舞弊案件之中，則不能不令人不寒而慄，深感事態之嚴重。

雖然政府一向對於肅整官常，懲治貪污不遺餘力，如以前有「懲治貪污條例」的公佈，最近又有「加強檢查貪污實施方案」的頒行，然而懲者自懲，貪者自貪，似乎絲毫未能發生嚇阻作用，癥結何在，令人尋味。如若深入探究，則亦不難發現其中原因。這個原因是甚麼？就是各級政府首長缺乏一種政治上的負責任精神。

近二十年來，由於各種現實因素的牽制，政府從未大刀闊斧或劍及履及地澈底革新與整頓，因此文恬武嬉，大家都祇做官而不做事。既不見武將因丟機沉艦而自殺，也不聞文官因被彈劾或以連帶責任而去職。比起我們的鄰邦韓國，國防部長因軍事監獄暴動而引咎辭職，交通部長因火車出軌而求去，眞不知我們的官吏良心何在，風骨何存？

「天下風俗之厚薄奚自處？繫於一二人之心而已！」願我政府各高級官員，以負責的精神，形成一種新的政治風氣，而幫助政治革新，比今日發起一個甚麼運動，喊幾句口號，要切實際多了。

詹森的財產

斯明

康納利在一九五五年成為億萬石油富商薛甲察遜的律師，由是這位富商與一羣內閣人物發生關係了。當時做參議員的詹森是這一個圈子裏的中心人物，康納利以自己的事務日多，遂把KVET電台的控制權交給詹森的舊同學狄遜。

現在往訪電台總經理狄遜的老友，會聽到他的昔日回憶，他們又見到那掛在辦公廳牆上的兩幀照片。其中一幀是一九三二年所拍攝的舊同學詹森。另一幀是美國總統詹森的親筆簽字的人像。

詹森總統在獲選後宣佈他的財產數字是史無前例的。他的主要財產包括德薩斯廣播公司及物業，總值是三百四十八萬四千零九十八美元。直系家族名義上擁有這一筆財產，故他只佔三十七萬八千零八十一美元，他的太太佔二百一十二萬六千二百九十八美元，而兩個女兒各得五十萬美元。至于詹森城基金的財產沒有被提及。

紐約時報指出他的財產只依照原有價錢來透露，而不計及其時值。

共和黨人士認為他列出的財產數目低至令人不敢置信的。其計算的方法等于紐約市以廿四美元向印第安人購得曼克頓島的價目相同。

財政分析家認為詹森所透露的財產已達到一千五百萬美元或以上。

發表的報告書根本有矛盾的地方。德薩斯州牧場在決算表出現的數宗是五十萬二千四百七十八美元。如逐項計算及把它們加起來，最少達到一百四十四萬五千八百二十二美元。

在就職前十年的詹森家庭所收入的現金，超過一百八十萬美元，並未計及財產價值增加四倍的數目。在一九四四至四七年的時候，那一個廣播台只值二萬四千八百五十美元。減去資本增值的稅項以外，沒有分發的利潤約有二百四十四萬五千八百三十美元。資本增值的稅只在廣播台售賣的時候才要繳納。

這一個廣播台完全由詹森夫人及兩女兒所擁有。這一電台又對德州的奧斯汀、華高、布里安及維多利亞以及奧拉荷馬州的阿摩爾各城市的廣播設備，擁有其權益。總統與他的夫人分別擁有十五萬九千二百七十美元與二十三萬九千二百七十美元的免稅政府債券。每一人都擁有牧場的產業價值二十二萬七千一百一十四美元及其他產業。

詹森在一九六三年十一月就任總統後，立即把產業交由信託委員會管理，直至離開聯邦政府的事務為止，事實上他在担任聯邦高層職務以前，他已設立這一個信託委員會，而委員會把財產交由提名人管理，而不是把財產分給他們。

以仁制暴以正壓邪 何憂國際姑息主義

立委質詢力促以王道政治來擊敗中共政權殘民暴政

（自由報台北消息）立法委員段劍岷在立院四十八會期第一次會提出質詢，他說：近來國際間，姑息氣氛濃厚，本席深覺國仇家恨未報，感慨萬千。

現在先對吾土吾民說起：我們炎黃血冑，已有五千年以上的歷史。三代以下有過六次的變亂，才「南走越、北走胡」，向外發展。

第一次是逃避嬴秦暴政。中原民族相率南移。南越王趙佗，就是移民的領袖。漢書上有南越王傳，漢文帝致趙佗書，趙佗復漢文帝書，均是史證。

第二次是漢末黃巾之亂。汝南人許靖，携中原難民十餘萬人渡江南下。先至閩粵，後至南詔，（今越南）皆居留落戶。蜀先主劉備稱帝，靖至蜀，以碩德宿望，拜為太傅，位在諸葛亮之上。（有三國志許靖傳可考。）

第三次是五胡亂華，中原民族，不事夷狄，避地東南，（閩越江浙）佐晉中興。如王謝等氏是其首也。（晉書及南北史有詳細記載。）

第四次是閩南移民及黃巢之亂。唐儀鳳三年，派陳元光父子開闢閩南漳泉二州，先後移民數萬居之。陳氏潁川人，有惠政，民感其德，追尊為開漳王立廟祀之。

唐末黃巢作亂，固始人王潮起兵自保，率衆十餘萬入閩，據其地。潮死，族弟審知繼其位，保境安民，後梁封為閩王。以上皆載在唐書及五代史王潮王審知傳。

以上四次移民，在先閩粵同胞或稱廣老或稱福老由斯來也。

第五次是宋末避敵。金兵南侵，宋帝遷浙元滅宋，忠臣義士，不甘降敵，逃避閩粵荒山僻野，用以自保。兵士遺民，隨之而行。（宋史崖山紀事，鐵函心史等書，均有記載。）

第六次是明末抗胡。滿兵入關，中原大亂，士民紛紛渡江南下。唐王聿鍵，原在南陽，號召忠義在閩稱帝，年號隆武。其後滅亡，所部遺民，逃竄閩粵皆落戶成家。

後兩次南來較晚，因多遺民，地方稱為客家。以上在明史稿，明季南畧中皆有比較詳細之記載，可以查證。

滿清武力強大，佔領中國大陸，暴政虐民。鄭成功先生，不為威屈，與之抗衡。乃率領忠義豪傑之士，驅走荷蘭人，披荊棘，斬草萊，用全力開發台澎，作反清復明的反攻基地。流亡閩南粵東的義民志士，乃先後來台，無分閩南客家，其精神皆在抵抗暴力也。其後漢奸施琅降清，台澎易手。地方人心始終思漢，滿清政府視同化外。馬關條約，割給日本，遂陷台澎於萬刧不復之地。吾土雖失，民心未死。台灣志士丘滄海詩：「宰相有權能割地，志士無力可回天。」其沉痛又如何也。台澎失去了五十餘年，眞是「父老淚落胡塵裏，南望王師又一年」。蔣中正先生繼承　國父孫中山的遺志，經過八年抗戰，犧牲了千千萬萬的生命財產，打敗了日本軍閥，在開羅會議中提議，台澎歸還祖國。這是婦孺皆知的歷史。吾土吾民，葉落歸根，火流千年歸大海，乃是一家人豈容他人分化離間。壯大漢之天聲，揚民族之文化，端在吾輩。吾土吾民，生存非易。飲水應當思源，崇德必須報本。若無鄭成功先生，那有台澎。若無蔣中正先生，台澎也歸不回來。飲水思源，崇德報本，吾們尊鄭成功蔣中正二先生為台澎之父，誰曰不宜。請政府博采民意見之實行。此其一：

四書云：「堯舜率天下以仁，而民從之。桀紂率天下以暴，而民從之。以其令反其所好，而民不從」。孔子曰：「民為邦本，本固邦寧」。又曰：「老吾老以及人之老，幼吾幼以及人之幼」。又曰：「民有飢者，如吾飢也，民有溺者，如吾溺也。」孟子曰：「天時不如地利，地利不如人和。」　國父孫中山曰：「民權時代，民為主人，大總統以下，皆是公僕，為民服務。」又曰：「人盡其才，地盡其利，物盡其用，貨暢其流。」以往聖賢對我們的指示，就是治國方針。也就是王道政治。不外乎行仁政，得民心而已。外交是內政的延續，仁政是暴政的剋星。國際姑息主義不足憂，陰霾去而後見青天。共匪強暴威力無足懼，人和可以克服一切。

毛匪奴役人民，實行暴政，民怨雖深，只有從之。若無仁政與之對比，久將人心麻木，喚醒不易。共匪的統戰陰謀，鴿派政客們，分化手段，無孔不入。不以仁政為基礎，士氣民心必受其影響。以仁制暴，以正壓邪，今其時也。

澄清吏治肅清貪汚 起用賢才力戒奢靡

罰自近施處賞自遠處始 必須輕刑薄賦嘉惠貧民

政府實行三民主義，由來久矣，廣行仁政，如同甘霖。美中不足者，仍有未遍，或有偏差，茲畧述其一二：

一、用人賞罰方面：古人云：「內舉不避親，外舉不避仇。」尤其本省賢才，是否公平起用，使野無遺才。是否一人一職，或一族一家彈冠相慶，有無同鄉同學裙帶及派系觀念。各級首長，是否才德相稱，有無濫竽倖進。罰自遠處始。前綫將士，必須優先，一切補給供應前綫第一。後方奢靡，應加裁抑，賞疑必重，罪疑必輕，必須輕刑薄賦，寬容大度。稅收不責苛細，嘉惠貧民。中國文化是五倫教化，由家及國，天下為公。不應有階級、地域、老幼、男女等敵視的鬥爭分化觀念。吾們是一個民族──中華民族。一個國家──中華民國。一個主義──三民主義。一個敵人──毛共偽政權。

二、行政方面：何謂仁政。孔子曰：「民之所好好之。民之所惡惡之。」孟子曰：「王施仁政，使民無飢者。內無怨女，外無曠夫。」又云：「斧斤以時入山林，材木不可勝用也。數罟不入汚池，魚，不可勝食也。」仁民愛物，各遂其生，各得其長，就是仁政。現在全省同胞已漸達足衣足食地步。可是仍有貧苦人家，賣女為娼者，乃至酒家茶室酒吧等淫業到處林立。是否窮鄉山地仍有貧民缺衣食醫藥。都市富人驕奢淫逸，財產集中，甚且存欵外邦者。貧富不均，應注意也。而礦工漁民，死亡率高，生活仍苦，救濟扶助，不可緩也。以往之官僚政客，推行官僚政治，有害仁政。其三字秘訣是（一）推（二）拖（三）騙。現在是否有此偏差？如法令如毛，機關林立，互相推卸責任，動輒向老百姓要證明。科員政治，吹毛求疵，一推二拖。老百姓不明法令，不知手續，一遭困難，則請教掮客代書，非錢莫辦。舉辦一事，省市責之縣區鄉鎮。縣市鄉鎮缺乏財源，為求考成，乃責之科員、警察、稅吏、法官等。他們管事多，待遇低，又與代書、律師、建築師、司法黃牛等下級掮客經紀人接近。好者固多，不肖者也有。小之說情送禮請客，大之納賄貪汚，所由來也。

地方建設如購買機器、材料、汽車底盤，以及投標包工、借欵、外滙等。傳言不無暗有佣金、回扣、手續費等陋規，若官商勾結，集體貪汚，多則千百萬，少亦數十萬。貪汚一次，足夠半生享用。又如香蕉出口，中間人皆發大財，林班標售，社會上流言孔多。澄清吏治，肅清貪汚，民德歸厚矣。

依詞集

澈底唯物

白下大夫

蘇聯經濟學家李伯曼，提出了利潤獎金的辦法來刺激工業生產，一時自由世界狂熱地宣傳那是蘇聯經濟制度修正的表示，好像物質鼓勵就不屬於共產經濟制度似的。其實，馬列主義是唯物主義，不過在鼓勵的手段上是澈底唯心罷，如「勞動模範」、「生產英雄」這些封號，都是精神刺激，屬於唯心的範疇。反之，反共者及唯心世界中對於生產及勞動的鼓勵，倒是澈底唯物主義的，如獎金、花紅、加薪、獎品等等都是物質刺激，連薪金制度（例如我們公教待遇）也是社會主義的，一人勞動，全家都是補助配給。這是兩個世界的顚倒：一個強調唯物主義，手段絕對唯心主義化；一個強調唯心主義，手段絕對唯物主義化。這究竟是怎樣一回事呢？

歐美人紛到港 專為學中國話

語文教師吃香身價突升

此間最大的語言中心，是美國耶魯大學跟中大合辦的，名為雅禮語言中心，校址是天光道新亞書院內，在那兒，很多「皓首窮經」之士，遠道由歐美來港，有一部份是研習東方語言的交換學生，有些則是宗教人士。

畢竟，在本地學中國話的，還有一些外交使節及其太太，這些人是享受公費學習的，但他們要拿到證書才可以交差。

其他還有很多語言學校及私人上門補習的教師，他們有些受過專業訓練的，本身有一套入門的方法，學習的講義也循序漸進的。

一部份是以中國「部首」為依歸，如：日部，有明字，暗字之類，這是教會內部學習的方法，有些是從會話開始的，壓根兒不必認得字，只由拼音讀出，例如「你食飯未？」之類。

因此，會話上往往會遇上難題，比方「抵死」與「第四」這兩個詞彙，眞是差之毫厘，失之千里。另外「枕頭」及「斬頭」也常常會鬧出笑話。

（下續完）

周恩來下令各軍區 將領逃亡格殺勿論

墜機事件引起中共不安

（自由報本港消息）由於外蒙上空中共軍機被擊落事件發生後，已引起北平內部極度之不安，尤以軍人為最。

據此間熟悉大陸情勢人士消息，中共當局，為防範在整肅期間，高級將領及劉派份子逃亡，已由周恩來以政治局副主席身份通令各軍區，以後各將級軍官調動或出任務，均須持有軍委所簽署之手令，抵達出任務之目的地後，且須立即持此證明至當地之黨委處報驗，否則即以擅離崗位論處，加以拘捕，遇有反抗或企圖逃匿者，不論其官階如何，一概格殺勿論。

除此之外，據悉北平當局且已就外蒙軍機被擊落事件，向莫斯科提出照會，指摘蘇聯引誘及協助中共「叛國份子」逃亡，並表示嗣後再有類似事件發生，必將加以儼厲之報復，但蘇聯對於此一指責，雖然未有正面答覆，只係強調中共軍機越境，侵犯外蒙領空，且諱言有關中共將領之事件，因此中共與蘇共之關係，已愈見惡化。

懸樑自縊曹教授

·文園樓主·

台北法商學院上次鬧瀆職案，以龍名登那股勁，樓上判斷不會有甚麼問題，大事化小小事化無皆在意料之中。

最近法商學院，又鬧出一幕教授曹先瑞懸樑自縊案，起因是學校當局不予配給房子，既配祇五個榻榻米大，曹生前語人，祇配到兩榻之地，堆書就沒有地方安床，安了床又沒有方法擺桌子，氣憤之下用一條麻繩，結束了人生旅程最後一站。

人之同情弱者乃天性，又兼有一位高級職員，同樣情形也差一點自殺，校內校外對龍名登的閒話當然越傳越多，乃至於說，連副教授都不够資格，竟然當了院長，不出問題是偶然，出問題是必然的。又謂龍某非常自私，對待別人應當解決的問題，不太感覺興趣，總之你一吼我一舌，不堪入耳的話很多就是了，監察委員某公搖頭嘆息說，死者已已，今後多注意生者的問題吧！

一說龍名登與教授們的照顧相當好，祇是分出三六九等，有後台的教授與沒有後台的教授有區別，會搗亂與不會搗亂，分出輕重，大陶陶中劃小圈圈已經不算是新聞了，洋博士，土博士涇渭分明更不在話下，曹先瑞因受刺激過多鬧嗎？讀書人愛面子，不鬧嗎？目覩到一些不平等待遇，是可忍孰不可忍，演繹的結果一了百了。

本報也常接法商學院師生投書，有的不滿學校一些措施，有的不滿龍"長一副官架子，也有些作人身攻擊的，樓主認爲人生不如意事十之八九，使各方都能滿意，乃不可能的，但有一點希望龍名登能注意的，教育者是這一代對下一代的負債，同時得瞭解教人就是教己，尤其大專院校負責人，少弄權術，少耍花槍，不怕有過，但要知過必改，喜歡聽好話無所謂，但千萬不要畏懼直言，比如這次曹教授的事，遇到問題，即不肯替別人多想想使然，末了，引證史搢臣兩句名言作本文的結束。亦供給一般主管人作參考，「我如爲善，雖一介寒士，有人服其德，我如爲惡，雖位極人臣，有人議其過。」

檢討日本軍國主義（二）

·本報資料室·

以內閣的總理大臣而論，試看九、一八前後的七任首相：田中義一、濱口雄幸、若槻禮次郎、犬養毅、齋藤實、岡田啓介、廣田弘毅：頭一個田中義一是陸軍大將出身，爲侵略中國最初的藍圖「大陸政策」的製訂者；末一個廣田弘毅則是軍人的忠實走狗，是「北支五省之分治完成方針」的製訂者；前一政策引出了九．一八事變，後一政策則是促發七．七蘆溝橋事變的基本原因。除田中及廣田之外，中間的五位首相，每人都曾遭受暗殺。其中濱口（一九三〇年十一月），犬養（一九三二年五月十五日），皆被刺死，其餘三人則被刺未遂。若槻則是未及行動，暗殺計劃已被揭發。其中岡田之未死，是因爲他的秘書松尾大佐作了替死鬼，因爲二人相貌酷似，叛軍會以相片對照，發覺無誤始離開首相官邸，而岡田則隱藏於女僕房中，幸免於難。首相以下閣僚及政黨領導人被殺者更多了，在此不須一一列舉。

關於天皇裕仁，雖被狡狰的軍人捧若神明，但是實際上只是被利用來行使政策，在他們內心獨不過是傀儡。因爲盡人皆知，日本皇自十二世紀末即進入軍人干政的時代，到十九世紀末葉明治維新才告結束，前後達七百年。軍人干政已成根深蒂固的傳統，明治維新雖廢除德川氏的幕府統治，但是軍人干政的意識並未泯滅，在他們眼裏，天皇不過是高高在上的一個牌位。這些軍人在敗戰「玉碎」時，雖橫刀高呼天皇萬歲，然後切腹，但卻絕不聽天皇的意旨。

當日本關東軍於九．一八發動瀋陽事變時，因爲自感兵力單薄，很怕中國軍隊抵抗（可惜當時採取了不抵抗政策），因此必須借重駐朝鮮的部隊。但是調動駐朝鮮部隊，須事前由參謀總長呈請日皇批准。但是在少壯軍人的秘密計劃之下，未得命令即擅自行動。後來少壯軍人壓迫總參謀長金谷範三，請日皇追加認可。被日皇拒絕。再後經若槻首相疏通始予追認。（未完）

讀書雜鈔　三十二

·林僑·

又先叔儀南公，常見屠者諳學，牽一牛，牛見先叔跪不起，先叔贖之，以與佃戶張存，豢之數年，其犢本服軛，力作較他牛爲倍。然則恩怨之間，物猶如此，人可不深長思哉！（閱微草堂筆記卷十三）

時論曰：凡事不爲已甚，適可而止，積德之道也。反之，必爲招禍之由，臨淸屠者，不知進止，人贖其牛，而殺之，終致葬身釜中，同歸於盡！處事弗能通情達理，逞一時快意，焉能善其後？紀儀南贖牛付之張存，張存能善視之，牛亦報恩力作，張存得其惠多矣！聖人主中庸，逞強必招禍，前事兩事案一見不爽，得意忘形，不計其後者，讀之能無感耶！（未完）

抗倭名將戚繼光

馬驥途

歷史上所稱的「倭」寇，就是現在的日本。日本自西漢時代稱爲「倭國」，世代受漢封號，直以天朝尊之。千餘年來朝貢不絕。直至元世祖征討喪師而還，自此乃有輕視天朝之心，暗萌西進之志。元末天下大亂，方國珍、張士誠等人與倭人勾結，進擾山東沿海各地，有明一帶一直是沿海大患。繼光繼承父職之時，正倭人猖狂洶洶之日，而山東尤爲首當其衝。而繼光歷代對於抗倭多有戰鬥經驗，他繼任之後，便開始了剿倭的功業。因此而有「戚家軍」的創立。由於他自己設計的一套防禦計劃，把登州的防務鞏固起來，倭寇不敢進窺山東。不久朝廷便升爲都指僉事，專任山東防禦倭寇之責。

山東防務堅強，倭人乃改侵浙江，朝廷因知繼光對付倭寇有獨到之謀署，於是在嘉靖三十四年調升他爲浙江參將，鎮守寧波、紹興、台州三郡。此時的繼光才二十八歲的青年將軍。

繼光初到浙江見防衛兵將，大都久不習戰，打起仗來每每未見敵人，先自潰散，臨時調來廣東、廣西的狼兵，山東的箭手，河南的毛兵，以及江、浙、閩、湖的潛兵，皆爲蒼卒成軍的雜牌隊伍，毫無紀律，統一指揮皆不如命。他有鑒於如此部隊去對付兇悍的倭寇，等於是投食於狼，以卵擊石，實難取勝。因此他以爲除非訓練一批新軍不爲功。於是在浙江任內不久，即擬定了一套創練新軍的計劃，上書給提督阮鶚說：

「爲今之計，必隊設火頭行鍋，兵以隨軍，身帶乾糧備之以炊，兵有營器具，立之以相持。飽宿於野，庶爲有制。故本職處，以爲必先用剿營壁之法，退則後有可恃以更番，進則對壘可恃以無虞。或又謂方今倭至不時，急求目前之用，而必待從容創練營伍，緩不濟急。此誠是迂論。殊不知三年之艾，不蓄不得，而殺賊練兵，可以並行不悖。除一面照常督集官兵戰剿，一面統集新兵，或儲器、教藝、練營。待教練有成，即可期實用矣。卒於臨敵制受，防詐設奇，在將自出，難以遂計。……」

他的練兵方案很快獲准，於是乃積極訓練新軍起來。

選兵與練兵

戚繼光可以算得上是中國有史以來第一位訓練軍隊的的專家，他訓練軍隊實有古人所不及的獨到地方。他對於侵擾沿海的倭寇，有着深遠的見解，和卓越的對策。他認爲倭寇沒有什麼過人之處，只是中國軍隊太不行了。所以他決心從頭練起。他看中了浙江金華、義烏一帶地方的民間鄉勇，抗倭非常驍勇，民情士氣亦很盛。因爲遠在南宋，名將如宗澤就曾組訓義烏兵，抗拒金兵。因此他招募的新兵的對像，就集中於此地。

安徽十三傑（二）

管仲　李時　蔡國　曹操
華佗　包拯　朱熹　朱元璋
戚繼光　李鴻章
段祺瑞　胡適　楊振寧

名人小傳　十八

·塞翁·

鮑超勇敢善戰

鮑超幼年爲苦力出身，十七歲值太平軍起，入川勇充小兵，後隸胡林翼，屢立戰功，視爲愛將，時予培植之。在胡軍以勇敢善戰著稱，軍旗爲一黑太[illegible]，太平軍望之披靡。胡攻金口、武昌、漢陽，超皆立赫赫之功。一次胡被圍於德安，自分必死，誰知超從天而降，親駕小舟率水軍一枝殺來，始將胡解救出來，深受胡之知遇。

由同鄉人李中甫在曾國藩之前極力推介，調歸曾部。太平軍攻打黃梅，清軍大敗，超乃率本軍拒戰，卒破陳玉成四十八堡壘，陳玉成僅以身免。次年太平軍陳玉成攻太湖，又破玉成十一壘。超在九江被圍甚急，求救公文，一時書寫不及，超乃拌筆畫一「鮑」字，四週加無數小圈，曾國藩一看知是老鮑被圍，立遣另一勇將多隆阿援救得出。國藩贅於江西祁門，被太平軍所困，十分危急，曾拔刀自盡曰：「不成功便成仁！」不料超從百里之外趕來解困。曾胡皆稱「超勇冠三軍，每戰必克，轉危爲安，功勞甚大」。此外超又有剿捻之功。在江西卒擒洪秀全小兒子。同治十三年日軍入台灣，清廷詔超重出，超因病重，乃遣部將孫開華進兵駐基隆，始穩定了局勢。中俄戰起，受命爲湖南省提督，召湘軍舊部衛之。法軍侵越，在出兵雲南之際，超乃病死於鄉，惜哉！

尼克遜特使李根

·本報資料室·

看過「金石盟」影片的人，大概都能憶及男主角浪蕩子，他就是當今美國加州州長羅納李根，曾演過五十部影片，都是擔任男主角。近日代表尼克遜總統來華參加我國雙十國慶慶典，在中美外交低潮的今日，這是值得重視的一件事。

李根雖是一位電影明星，在一九六六年獲共和黨提名，能以毫無從政經驗的一介平民，以「奇兵」的姿態，一舉擊敗盤據加州州長八年之久的民主黨「老將」布朗，當選加州州長，去年十一月美國的中期選舉，二度當選，在世界上的政治人物中，可說是罕有的先例。

他個子魁梧，風度翩翩，儀表出眾，當演講時，宛如在演戲背台詞，娓娓動聽。一般分析，其所以當選州長，許是要歸功於他當過電影明星的關係，其實那是表面上的看法而已。倘使深刻的觀察，李根與其他政客不同之處，由於賦性喜愛公共事務，樂於爲人效勞；尤以平實謙和，不放言高論，不開空頭支票，腳踏實地，言行一致。他自稱爲公民政治家，曾這樣的說：「我不是一個政治家，我祇是一個普通的公民，我深信使我們困擾的事，多半都是政客們所造成，如果我們這些普通公民不來參加政府，那麼政府就要來控制我們了。」從上面的話，可見其對政治的懷抱。他當選初時，當地一部分人士認爲他乏行政經驗，恐難順利推行政務。由於他精誠待人，虛心以求，更以高度的技巧和靈活的頭腦，結果使當時仍在民主黨控制下的州議會成爲他施政的輔助工具，政府與議會合作無間，在施政上有了不少的建樹，而獲得選民的愛戴。

李根生於一九一一年，現年六十歲，其父是推銷員，家庭並非富有，一九三二年畢業於伊利諾州尤里卡學院，得經濟和社會學的雙料學士，隨即在一家廣播電台擔任體育記者，一九三七年開始他多采多姿的影星生涯，此後一帆風順，五年之後，已是一顆燦爛的紅星了。二次大戰期間，服役陸軍，官拜上尉，退役後繼續從事電影，並曾當選電影演員工會主席，在此值得一提者，當好萊塢電影圈內的共黨分子極爲活躍，李獨任艱鉅，奮起大事清除，對其後來踏進政壇自有相當的影響。

一九四八年他與女星珍惠曼離婚，比又與女星南施．戴維斯結婚，現在共有三個兒子。

李根州長由夫人陪同，於十月九日抵台北訪問三天，繼續轉往其他亞洲五國的訪問。外交人士指出，李根是共和黨中反共立場堅強者，此次以尼克遜總統特使身份來華，是很適當的人選。

本報評論委員香港清華學院校長張翰書一九六八年訪美時與李根合影。

巨變歷險記！

段希文入蚌八箐（二五九）

胡慶蓉

丁博士坐鎭蚌八箐之後，所有不撤的都集中在丁博士旗幟之下，同丁博士取得聯繫，一時蚌八箐儼然不撤退的首都，不撤退的陣容突然加强。坐鎭猛撤的唐副總指揮，對丁博士更恨之刺骨，必欲置之死地而後快。蚌八箐猛撤之間電報還是暢通，唐副總指揮丁博士之間常有電報往返。唐副總指揮總是想方法多撤，丁博士則在想方法少撤，最好不撤。丁博士終於激怒了唐副總指揮，唐副總指揮命令段希文軍長率兵到蚌八箐，解決丁博士。他沒有想到段軍長却是站在不撤退方面的，而且是不撤退的軍事領袖，叫他到丁博士這邊來，可說是正中下懷。段軍長是不會解決丁博士的，段軍長對丁博士保護猶恐不及，豈能把丁博士置之死地！在他未到達蚌八箐之前，他已經派人到蚌八箐與丁博士協商。

丁博士但求不撤，其他一切均非所計，他把他住總指揮房子讓給段軍長，這個房有游擊區惟一的西門子彈簧牀。原來是蘇副總指揮令總住，他走了以後，丁博士住，現在丁博士又要讓段軍長了。大的辦公廳連同整個的房舍當然也全部讓給段軍長。還有一個很大的三座倉庫房屋。丁博士自己則退到吉倫代表團給他蓋的小小竹子房。吉倫代表團，以蘇翁培爲領導，還住在總指揮房旁，博士房下，在撤軍聲中，吉倫代表團還是留住在總部。在撤軍聲中，吉倫前途罩上一段陰影，這是很自然的，但蘇翁人極沉默，還是在靜以觀變，總希望不至成爲事實，爲表示他們的願望，拚命的給丁博士造房，猛撤總部沒有忘懷丁博士，也沒有忘懷吉倫代表團，他催着吉倫代表團速速離開，並給他們送來一批槍彈，作爲回去旅途之用。吉倫還有留住猛撤的代表，最馳名的是蘇山波陣，他也來電報，說要前來蚌八箐，與蘇翁培一行滙合。

適値丁博士夫人胡慶蓉女士她也要來蚌八箐——蘇山波陣遂與丁夫人聯合行動。丁博士逃離猛撤後，撤退方面的人更形猖獗肆無忌憚。就中尤以李國輝爲甚。李國輝一天到總指揮官邸，適丁夫人亦在座。丁夫人歷數李國輝忘恩負義，像彌衡擊鼓罵曹一樣，把李國輝罵得個痛快。李國輝洗耳恭聽之外，突然大發脾氣，要把丁夫人拉出去槍斃，幸唐代總指揮加以阻止，慘劇未至發生，並且隨着給丁博士夫人找了一匹大騾子，也給吉倫的蘇山波陣找了一匹馬，但天不隨人願，李國輝橫加阻止，什麽馬也不給丁夫人蘇山波陣，在僵持之下，唐代總指揮力排衆議，還是將丁夫人的馬送給丁夫人，蘇山波陣的馬給了蘇山波陣，在專人照顧之下，到了蚌八箐。他們一行比丁博士本人好得多了。

創業哲學

眞理與事實

·丁熊照·

二十

紙在每只大無畏牌電筒上附有一張說明請配用保久牌小燈泡的封紙，但其銷路開展，幾乎達到令人難以相信的程度，由每月三十萬只而一百萬只，增加甚快，雖儘量擴充趕製，也還有供不應求之勢，而其利潤之多，甚至還超過了電池與電筒出品之上，本來我計劃在五年內，可以趕上愛迪生奇異牌的銷路，但後來事實在三年內便將他們打倒了。抗戰發生之後，內銷很不便當，然而有人竟願意付出四百元一萬只的航空運費，訂購三百八十元一萬只的保久牌小燈泡，空運到重慶等地發售，可見其品質信譽之佳，等到一九三九年歐戰爆發，英倫時時遭受空襲期間，電筒電池銷路大增，上海有間洋行，將保久牌小燈泡運銷到英國去，彼邦人士對其品質精美，十分驚奇，我記得倫敦有一家維泰利電料行，還特地寫信來表揚，認爲從未見過，也不相信中國工業會有如此高水準的出品，更是我生平所覺得最爲快慰之事之一。

雖然在太平洋戰爭爆發後，因受物質缺乏限制，保久小燈泡的生產和消途擴充，遭受影響，但廠依然維持下去，一直到上海淪陷前，在台灣市場上，還是比日本貨更受歡迎，品質和售價也都在日本貨之上，我認爲保久牌小燈泡，可說是我投身工業以來最得意的一項成功，於挽回國家利權，確有相當的貢獻。

七；改修道路啓導農民

我在上海辦工業已到抗戰發生之前，可算略有成就，每次由滬回鄉，時間甚短，在洛社鎭下火車後，乘搭去楊墅園的公司船到財神堂擺渡口上岸，回華圻村，祇有泥路可走，兩邊都是農田，在六七月間，田裏的儲水常常與路面相平，並因鄉人的自私心理，每每掘去路基，擴展種田面積，至使路越來越狹，並有凹灣情形，夜間行路，隨時有跌落水田的危險，如遇天雨，更是泥濘不堪，穿著鞋子的人，就是寸步難行，不便之至，而由華圻村向外，東向高明橋，北去葉巷的道路，也大多如此，從無人想到去改善，我在此時，事業既略有基礎，便在利人利己的原則下，決心將鄉下泥路修好，那一年，恰遇先母六十歲大壽，我便將親友送來的禮金數千元，移作修改泥路費用，另外還向地方上寫捐，也捐到約千餘元，乃先將華圻村南至財神堂擺渡口一段路修好，然後再續修東到高明橋，東北到葉巷，北到孫巷的幾條路，經費不夠了，便將我那時在上海幫忙朋友開的大鴻樓菜館所兼任的經理名義，每月薪金和小賬收入，全部撥作修路之用，另外聘族叔丁曉初等協助，直接向磚窰廠採辦青磚，再加有幾位熱心的鄉下人，自動參加工作，在抗戰發生之前，終於全部完成了。

我在那時所用的修路方式，是先按原有路綫將兩邊堆實，中間路面再看路的寬狹與需要情形，用青磚砌成一個至二個半人字形，達到平整堅固的要求，既是實用，並使此後鄉人再不會侵佔掘路，永遠保持路綫完整，同時實地丈量，將一公里分爲二十段，每一段即每隔五十公尺處，加鋪一塊五英呎長左右，（視路面之寬狹而定）一英呎寬黃石板一塊，每廿塊石爲一公里，每十塊石爲一華里，作爲標誌，使一般鄉下人，對於長度里數的觀念，無形中獲有基本的認識，我覺得尤其富有教育的意義，甚至比路的本身價值還要大，因爲在此之前，一般鄉下人，對於路程遠近的距離，祇有一個模糊的印象，既無人實地測量過，也沒有人想起過要進一步研究清楚，所謂兩地相距多少華里，祇不過憑古老相傳下來「人云亦云」的一般叫法，實際上同樣稱爲五華里或十華里的路程中，可能相差很大，我記得在初次改建華圻村到高明橋一段路之前，曾經請教過許多鄉下老先生，這條路究竟有多長？有的說一華里，有的說一華里半，誰都不敢肯定，甚至一華里應該有多少長，也沒有人能夠解釋清楚，等我修改妥當，丈量之後，才知道這條路有一公里半之長，合起來應該有三華里，可證一般說法之不可靠，從此鄉下人於距離長度，甚至於數字觀念，才有一較清楚的認識，也在無形中獲得一點科學觀念的啓導作用。

這幾條路雖然總共長度不過三四公里，但在修改好之後，華圻村對外交通確是增加便利不少，可算是我對本鄉的一點貢獻。

在中共佔據大陸後，我在無錫鄉間修建的幾條路，還是照舊使用，一直到大躍進煉鋼時期，才聽說拆去一部份路面磚，修建小高爐，詳細情形，不得而知，如果已遭破壞，在我當初修路人看來，自然是十分可惜之事。（未完）

薪火集

·吳怡·

編者按：吳怡博士爲後起之禪學權威，現任中國文化學院哲學系主任，前者本報發表之「禪的火花」膾炙人口，備受歡迎。茲敦請其將有關禪學哲學之意見，寫成有系統之短文，由本報連載以饗讀者，命曰薪火集，本文卽爲其首篇也。

一、禪在今天

有一次，筆者和張師起鈞教授閒談到禪宗時，他幽默的說：「慧能雖然智慧過人，但如果他生在今天，請他做行政院長的話，恐怕也未必能勝任。」

這段話本是站在儒家立場，批評禪學。認爲禪宗在內修方面固然高妙，但在外王方面畢竟有所欠缺。也許有很多學禪的朋友對於這段話感覺不太舒服，好像有損禪學的崇高性。其實，依筆者的看法，這段話倒實實在在是禪門的諍語。因爲其中可以引申出兩個問題，一爲禪在今天該如何？一爲禪是否萬能？

先談第一個問題：

禪的產生，與印度的關係暫且不論，就拿中國禪來說，自達摩開始離今天也將近有一千年的歷史，而且在其發展過程中，盛於唐宋之間，亂於宋末之後，雖然在日本曾異地開花，但在中國本土自明淸以來，也只是細水長流，並無波瀾起伏。最近有一次，筆者在文化學院的校車內，聽到巴師壺天教授和一位朋友的閒談。當那位朋友問起巴教授學禪的經過時，巴教授說：

「在當時，學禪的人並不多，我只是由於對詩詞有興趣，發現禪宗的公案可以用比興的詩例去研究，因此對禪也產生興趣，可是想不到當時冷門的東西，今天却變成了熱潮。」

由這段話中，可以足證在三十年前，禪學還只是專家門研究的冷門學科，可是在今天却變成和存在主義同樣時髦的思潮了。

固然站在中國人的立場，我們對於禪的再度走上高潮感覺無比的欣慰，尤其看到日本人熱心的宏揚，西方人醉心的嚮往，使我們更爲祖宗的偉大感到光榮。然而在這股意想不到的熱浪中，我們千萬不可沖昏了頭腦。身在禪學本源地的中國人（印度人不承認禪宗是他們的產物），我們實在有義務平心靜氣的想一想：今天禪學的風靡，究竟是代表人性的向上呢？或低落？今天禪學的浪潮是否像凌波迷一樣，是由於某些因素所促成的？今天禪學的研究方向究竟要走那一條路？舊有的如何傳承，新來的如何消融？這些問題我們如果不自動的加以研究的話，那麼在西方人歡頌禪學時，我們只做了搖旗　喊的小卒，而在西方人厭倦禪學時，我們又做了被冷落的棄婦。到那時，我們的禪門非但不能再細水流長，恐怕還會蕩盡家產呢！

左舜生談杜甫

·文輯公·

二十

體物抒情，工秀至於此，我實在看不出比之李白，有何遜色。

至於我們小孫子時代便唸過的兩首，如「贈花卿」云：「錦城絲管日紛紛，半入江風半入雲，此曲只應天上有，人間能得幾回聞？」「江南逢李龜年」云：「岐王宅裏尋常見，崔九堂前幾度聞，正是江南好風景，落花時節又逢君！」

前者寓諷刺於頌揚而使人不覺，後者出語輕鬆，乃包涵無限盛衰之感，絕句做到這個樣子，總也算得妙入化工了吧！

老杜五七律之最爲人所傳誦者，大抵都是他的後期作品，尤以入川以後爲然，其例舉不勝舉。他自己說：「新詩改罷自長吟」，又說：「老去漸於詩律細，」可見一藝之成，無不自苦修苦煉而來，率爾操觚，而謂盛名可以儻得，至少在藝術這一方面總是沒有這回事的。

話雖如此，像老杜的那些排律，我總覺得過於堆砌，元微之恭維他，說他「鋪陳始終，排比聲韻，大或千言，次猶數百，……則李（白）尚不能歷其藩籬，況堂奧乎？」元遺山的論詩絕句駁他說：「排比鋪張特一途，藩籬如此亦區區，少陵自有連城璧，爭奈微之識　！」我對於二元的杜詩觀，比較的是同情於遺山的。

（本篇完）

×× ×× ×× ××

錢一劍談相

通玄賦（上）（卅二）

·錢一劍·

吳心鑑謂：陽生陰育。天尊地卑。賦絕通玄。大父親傳于心鑑。術高神異。麻衣于希夷。實口傳而心授。皆意領而神智。

蠢蠢羣生。按五行而取像。紛紛品彙，列八卦以開頤。驗風土之厚薄，識人物之賢愚，問其年中高下，知其運限興衰，觀形貌而可取。分貴賤以無疑。淸奇古怪，骨法見而貴必殊。老幼嫩弱，氣色濁而貧可知。聽其聲而審其滯與不滯。察其神而觀乎離與不離。無神必壽夭，無聲必命危。聲韻似破鑼，終身孤獨。神淸如電灼，才學衆推，南人似北相家有青蝶，而縉紫綬，北人類南相身登翰苑而衣朱衣。瘦人木形見重金而最怕瘦，肥人土局遇濁水而贊嫌肥。火尖水下，未年不遂。金方聳上初主爲魁。形色焦枯，大折易相。面皮繃急，壽不可期。魚尾陷枯，安有賢妻倭妾。蠶囊綻裂，必無親子孫枝。準小鼻狹而最慳最吝，齒疎唇薄，而多是多非，眼露睛凸性剛氣暴。色昏神散，夢杳魂飛。腐肉橫生，夭亡之兆。人中短促速死之期。赤脈貫瞳，性惡而亡塡溝壑，騰蛇入口，項折而倒死街衢。陰、不宜相反，君臣要得其正，三陰三陽俱陷，難爲子息。魚尾奸門黯露，豈獲賢妻。婦人口角癋生親夫早喪。男子眼下黑見，有子先歸，龍宮要乎平滿，子位豈宜偏虧，臥蠶豬滿而多男足女。淚堂深廣而無妾少妾。眉淸而平生性無偏無黨。睛明而轉處心知變知機，手如綿囊，一生享安閒之福祿，面似灰袋，半世遭夭折而傷悲，頭額尖而早被刑害，骨法見而顯達不遲，五岳相朝，仕路早登于金闕。四瀆俱美，顯官正守于邊陲。耳白過面，名標虎榜。睛黑如漆，而身到鳳池，名聲視乎兩耳，及第在乎雙眉，文官淸秀，掛金魚而朝玉闕。武將古怪，佩虎符而拜丹墀，法令顯見皆金縷，鎭江山之求固。虎眉露凸連牛角，保社稷以無危。龍瞻虎視，而平定北狄。

（未完）

中華民國內政部內版台港報字第○三一號
中華民國僑務委員會登記證台報新字第三二三號
中華郵政台字第一二八二號執照登記為第一類新聞紙

自由報

（第一二〇八期）

（半週刊每星期三，六出版）
每份港幣壹角。台幣零售價新台幣二元
社長李運鵬・督印黃行喬
社址：香港九龍官塘康寧道117號後座二樓
117 HONG NING RD, 1/F REAR, KWUN TONG, KOWLOON, H.K.
TEL: K-433653
電報掛號：7191
郵箱：官塘郵政信箱9583
承印：景星印刷公司
地址：嘉咸街廿九號地下
台灣區業務管理中心：台北市許昌街廿六號
電話：三八〇〇〇二
台灣區直接訂戶　台灣劃撥戶
第五〇五六號張萬有（自由報會計室）
台灣分社：台北市西寧南路110號二樓
電話：三三〇三四六、台郵劃撥戶第二五二號

本報專論

聯大「中國代表權問題」的展望

・葉琳・

自大陸沉淪，匪偽政權出現後，二十一年來，所謂聯合國中國代表權問題，一年一度地在聯合國大會中提出討論。一九五〇——一九六〇這十一年中，一直以本屆不討論此問題的表決方式，用打「太極拳」的手法，為延宕擱置之計。一九六一——一九七〇這十年中，則以重要問題，需三分之二的絕大多數，為表決的張本。本年八月二日，美國國務卿羅傑士代表尼克遜政府宣稱：（1）美國不再反對毛共進入聯合國，但卻不同意將中華民國排除聯合國之外。（2）安理會常任理事國席位誰屬？由聯大討論決定。至此，本年聯大的新形勢，將進入「納匪」而不「排我」，所謂「雙重代表」的另一階段，多年來早已喧騰國際「兩個中國」政策的幽靈，又將借屍還魂。吾人於此，願畧抒所見如次：

（一）一般而論，聯合國的宗旨，係標榜正義、和平、人權……。我中華民國之得為聯合國會員國，是經過八年的對日抗戰，並與同盟國對軸心國家四年的比肩作戰，犧牲了無數國人的生命財產，始獲得戰後五强之一的光榮地位。我中華民國憲法第一四一條並明定：「……尊重條約及聯合國憲章，以……促進國際合作，提倡國際正義，確保世界和平。」故我中華民國，不但為聯合國的創始國之一，並為遵守聯合國憲章，履行國際義務，最忠實的會員國之一。反觀毛共政權，初以「農村土地改革者」的姿態出現，以欺罔世人，繼則假名抗日，以壯大自己；迨全面武裝叛亂後，遂竊據大陸，實行其飢餓、血腥統治。二十二年來，已屠殺六千萬中國同胞。故毛共政權，是徹頭徹尾「非中國人」的叛亂集團。其內在關係如此，其對外方面，毛共組織是「抗美援朝」「韓戰」的發動者，是「越戰」中北越的支持者，是一九五一年二月一日被聯合國大會通過所確認的「侵畧者」，是國際「販毒犯」的罪魁禍首。（見美衆議員艾希布魯克語。）如此這般的毛共組織，能混進聯合國，則聯合國所揭櫫的宗旨之謂何？聯大堂皇莊嚴的決議之謂何？是不啻為聯合國敲響了喪鐘，重蹈過去國際聯盟的覆轍。

（二）以否決權來維護我國在安理會的席位。聯合國憲章第二十三條明文規定，安理會常任理事國席位，屬於中華民國，且列於序首。依此規定，除非聯合國修改其神聖的憲章，是無法排斥我國於安理會之外的。但從另一角度去看，一九四八年聯合國第三屆大會中，會通過第三九六號議決案：「各種理事會的代表權，雖然得自行決定，但大會有所決定時應遵從其決定。」基乎此，聯合國大會，如果通過了毛共的席位，無異對安理會的席位，也作了同樣底意思表示。何況九月十六日美國已明白表示：「中華民國及中共在聯合國中都有代表權，安理會的席位則給予中共。」席位移轉，自屬「實質問題」。「實質問題」，我為安理會五常任理事國之一，當可行使否決權，以推翻一切。按安理會的表決方法與大會無殊，屬於「程序問題」，祇需十五個理事國中九個理事國的贊同，即告成立。但「實質問題」，必須包括五常任理事國在內的九國贊同，始可成立。如此，縱然聯大通過將理會席位轉讓給毛共的話，我中華民國仍可在安理會中，行使否決權，以阻止毛共的進入安理會。美國出席聯大首席代表布希大使，於聯大開會前夕，對往訪記者聲稱：「……有關安理會席位問題，一些聯合國的法律專家，認為，這並非一項可以否決的事項。也就是說，中華民國在嘗試使用否決權拒北平於安理會之外時，勢將遭遇困難。」（見美國新聞與世界報導週刊。）困難何在？另有人為之解釋稱：變更安理會中國席位問題，是內部組織問題，依一九四五年聯合國發起國的共同協議，是屬於程序問題，不容否決。上面兩種說法，都是強詞奪理。因中國席位問題，是代表權誰屬的問題，與變更安理會內部組織不同。在聯合國中有所謂「雙重否決權」，即任何一常任理事國，可先否決一程序問題，使之成為一實質問題，再使用否決權以否決這一議案。依此公式，我中華民國可在安理會中將中國席位問題，演化為一爭執的議題，接着將有一連串的程序問題陸續發生。從是否程序案否決為實質案，再從實質案否決毛共的入會。觀於美國以佛羅里達州衆議員席克斯為首的三百餘名國會議員，聯名請願，敦促美國政府，「相信美國有合法的權利，否決排除中華民國的任何決定。」以彼例此，我中華民國豈可妄自菲薄，放棄應享的權利，行使否決權拒匪入會嗎？聯合國成立迄今二十六年來，蘇聯已使用了一百零五次否決權，我國過去僅使用了否決權兩次；一為一九五〇年，否決邀請毛共偽政權列席安理會為程序問題；一為一九六〇年，否決「外蒙」入會。這次是我們在聯合國中，「漢立而賊不立」勝敗所繫的緊要關頭，我們豈可放棄否決權而不行使，坐令敵人毛共安然入會嗎？

（三）表決程序，應予特別注意。依聯合國議事規程，議案提出在先，就自然有優先討論與表決的機會。阿爾巴尼亞案，（邀請毛共入會，排斥中華民國，將安理會中國常任理事國席位轉讓給毛共。）早在本屆聯大國會前兩個月又一週，即行提出，其目的是在搶程序上優先表決的機會。而美國提案，（一是「雙重代表權」，並將安理會中國常任理事國席位轉讓給毛共。二是任何排除中華民國或剝奪其代表權的問題，均為重要問題，必須大會三分之二的通過。）則舉棋不定，一波三折，直到聯大開幕第二天，方始提出。這已註定在表決程序上，居於不利的地位。但此並非無補救之法，觀於一九六七年的事件，就是一個先例。那年阿案提出在先，十五國的「重要問題」案提出在後。依聯合國議事規程「自然優先」的規定，阿案自應優先表決。但在表決前，澳大利亞等國忽提出一程序問題，要求先表決十五國「重要問題」案，結果以六十七票對四十一票獲勝。但當時美國的態度，實可左右全局的形勢。現在國際上「為虎作倀」，「落井下石」者，確大有人在，當「今」非「昔」比。觀於本屆聯大議程有關中國代表權問題，一為編入一〇一號的阿爾巴尼亞案，一為編入一〇五號的美國提案。這在維護我中華民國代表權問題上，依「自然優先」的規定，顯然居於不利的地位。唯一補救之道，則在於確認此一問題的先決問題為一程序問題。依聯合國議事規程另一規定，凡是程序案應先於實質案而表決。排除我中華民國會籍，是否為重要問題？其先決條件當屬於程序性質。因此，儘管阿爾巴尼亞案，提出在先；而美國案仍必須先行表決。否則阿案若先得通過，其他提案勢將完全失其效力。此不得不三注意焉。當然，這其中有關爭取與穩定票源方面，尤為首務之亟。總統府秘書長張岳軍先生日本之行，「非洲先生」楊西崑次長第二十一次非洲之行，及中南美洲經濟訪問團，對這方面均有卓越的貢獻。以特別使節來輔助正常外交之不足，亦外交上「應變」措施必循的途徑。

吾人處此國際姑息逆流氾濫之際，國際風雲危疑震撼之秋，全國上下，應以總統「莊敬自強，處變不驚，慎謀能斷」的訓示，為我們今日努力奮鬥的南針，同心協力，挽此狂瀾。切勿自亂步驟而自貽伊戚，孟子所謂「持其志，毋暴其氣」是。亦即總統於本年雙十節國慶紀念日文告中所示：「戒慎而不恐懼」，「鬥志而不鬥氣」的要義所在。

（完）

昨日與明日

美國與蘇聯的實力

第一次世界大戰的結果，打出了兩個特別的國家，此即經濟上的美國與政治上的蘇聯是也。這兩個國家在戰前，不是支配世界的主力，及至戰後，方始顯露頭角。美國由經濟上的債務國一變而為債權國，蘇聯的所謂「社會主義國家」，根本還被視為一個特例一個臨時的現象。及至第二次世界大戰之後，成了超級的強國，分霸世界。

美國在第二次世界大戰之後的前十年，它與蘇聯的對比，不論工業生產、科學發展、原子武力、海空軍力都在蘇聯之上，可以說是絕對優勢的時代，可以一舉摧毀蘇聯，獨霸世界，眞能以民主自由的精神，領導世界，未嘗不是人類之福。可是，由於美國沒有政治家和眞正有世界胸襟的政黨，只有資本家權利的代表的所謂民主黨與共和黨，根本不足成大事，只注意幾個資本家族、集團的利益，視人類福祉為多餘，漸漸地萎縮了美國的力量，失去了整個世界的人心，美國自身的災禍也就日益走向自焚之路。

一九五六年匈牙利革命，美國見死不救之後，蘇聯日益得寸進尺，及至一九五七年蘇聯在太空競賽方面領先美國之後，美國由絕對優勢的時代，走到了比較優勢的時代，這是戰後第二個十年美、蘇力量對比的變化。七十年代的登月競賽，美國在某些方面優於蘇聯而在軍力方面特別是海軍方面，蘇聯漸漸追上美國並超越了美國，本年美國新聞與世界報導有分析，這是美國由比較優勢走向比較劣勢的初步，也是戰後第三個十年美蘇力量對比的變化。

故，美國聯毛，其在政治上是分化俄毛，其在經濟上是爭取市場，其在軍力上是爭取優勢，其基本目標在救美國於危亡。是以，儘管大陸毛政權有變化，尼克遜的決策，不會改變的。

・何適・

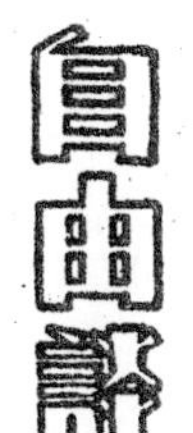

自由談

再談政治革新

前以「也談政治革新」為題，畧抒對於當前政治革新的意見，認為要改革政治風氣，須自樹立負責任的精神始。但以篇幅所限，未盡欲言。茲特為文談談，俾暢其意。

所謂負責任的精神乃是針對當前官場的陋習而言。目下官場陋習甚多，但歸結一句話，病根都在於不負責任。因為不負責任，所以該做的不做，當改的不改，一切因循敷衍，積重難返。我們只要看各級政府機關各種會議之多，便可發現這種不負責任的態度。任何事只要牽涉責任問題，誰都不肯承担，必須召開一次（甚至幾十次）會議來商量，大家在會議中充分發揮推拖拉的作風，有責任推出去，有好處拉進來，相持不下便拖。如果大的會議解決不了，再開小組會議，以資協調，或另成立專案小組，取代常設機構的職權。這些都是不負責任的具體表現。由於大家不負責任，因此辦事的手續與程序便很複雜，任何公事如手續不到或程序不對，絕對辦不通。如此一來，不但需要與政府打交道（如申請執照及收取貨物之類）的民衆感到不便，並且今天政府一切效率低落，冗員充塞，以及貪污舞弊均由此產生。因為辦理公務手續複雜，程序衆多，而一般民衆却不諳此項規定，不得已只有「破財消災」，以紅包開路，於是不肖官吏遂得以上下其手，魚肉下民了。

是不是秉國者對此一無所知或竟有意視若無睹呢？那也不見得。不過所見不確，並且所採取的改進辦法不切實際而已。舉例而言，前些時候執政黨曾推行一陣子的「便民」運動，就是針對目前政府機關手續繁雜，辦事曠時廢日而發動的。然而由於沒有抓到病根的所在，致而提出的解決辦法遂如同「隔靴搔癢」，却搔不着癢處，並且也未解決問題。不但沒有解決問題，現在連運動也漸沉寂了。前面指出，當前政治的病根在於大家不負責任，因此治病的辦法，在於建立制度，培養負責任的精神。事有專責，人有專職，凡所經管經辦的事，一概責成，如有違誤，嚴加追究。這樣不用多久，必可收立竿見影之效，而一向流行的遇事請示，開會解決，或藉故刁難的政風，必可有所改變了。

馮□先生

在杜魯多統治之下 加拿大有赤化危險

杜某個性偏激傾向於共黨 中國大陸淪陷曾到過上海

（自由報本港消息）此間一家權威雜誌刊出一篇專文，指「杜魯多致力加拿大赤化」，摘要如下：

對於美國，許多加拿大人是有一些瞭解的。他們看美國播映的電視，閱讀美國出版的雜誌，對美國所發生的事，他們不會陌生。可是美國人對加拿大的事情便不怎麼清楚了，截至數年之前，美國大多數人瞭解的加拿大，只限於加拿大的騎警，卡加立省的民間活動，普列斯頓警官和他的義犬等幾椿事而已。

去年在加國所發生的事件，證明加拿大若不及早防止的話，不久加國就會變成「古巴第二」了。

事情得從加拿大總理杜魯多這個人說起。杜魯多的年齡現在大約是五十一歲，如同有關他的許多事情一樣，確實的年齡亦是一個謎。二次世界大戰納粹瓜分波蘭時，杜魯多因較規定徵兵的年齡輕了兩歲，而未被加國徵募。他反對二次大戰，據他說是：「像大多數魁北克人一樣，我被教導不可參加帝國主義的戰爭」。當時杜魯多在軍官訓練營接受訓練，後因「不守紀律」而被開除。他參加過共黨支持的「民衆團」，從事破壞戰爭的活動，就像當時的共產黨人的想法一樣，他顯然相信希特勒並不是壞傢伙。

一九四七年，杜魯多到倫敦的經濟學院讀書，這個學院是費邊社的社會黨人創辦的，目的在訓練和推行馬克思主義。當時費邊社的負責人拉斯基教授，便公開主張過暴力革命。二十年之後，杜魯多快當上加拿大總理時，曾向記者迪波透露他接受過費邊社的訓練，並稱拉斯基是他「遇到的人當中最具影響力及吸引力的人」。

受影響的一個例子是，他在巴黎當學生時和其他示威分子一起示威，被警方拘捕，後得以逃脫。

此後過了兩年神秘的生活，在這兩年當中，據說他過的是無業游民生活。因爲生活不成問題，他便到共黨國家南斯拉夫訪問，以色列與阿拉伯發生第一次戰爭時，他恰在中東。一九四九年毛澤東奪得大陸政權時，杜魯多也趕到了上海。他經歷過各種冒險，遇到過强盜與海盜，但他的雄偉體魄使他逐走强盜，化險爲夷。

隨後這位年輕的百萬富翁買棹回國了，他的模樣打扮得像一個嬉皮士似的，還蓄了長鬍子。一九四九年，杜魯多任渥太華樞密院的經濟顧問，這工作據說是得當時任樞密院書記的布萊斯之介才獲得的。據二次大戰後暴露加國共黨活動內幕的蘇聯大使館官員哥任科透露，布萊斯曾在華盛頓工作過，參加過一個共產黨讀書班之類的組織，而且是蘇聯間諜希士的好友。

×　×　×　×　×

杜某率團訪莫斯科 撰寫文章大捧蘇聯

有些報紙指他是共產黨 要求訪美國吃了閉門羹

在巴黎時，杜魯多曾與加拿大人柏勒提亞交往，柏勒提亞當時是在世界大學服務社工作，而這組織據說是「將美國的金錢給將要赤化的國家」。一九五一年在蒙特里爾，杜魯多與柏勒提亞合辦了一份叫做「自由城」的雜誌，刊登了一些知識分子的文章，這些撰稿的知識分子是與共黨組織有關的。

同年共黨世界和平委員會及共黨世界工會聯合會安排翌年在莫斯科召開一個國際經濟會議。這個會議的性質是極爲明顯的，加拿大司法部長加遜乃警告所有內閣部長，說這會議乃是一個共黨會議，所有加國官員不得參加這會議。

加拿大六人代表團中的一位代表漢柯克說，加國代表團是由加拿大共產黨組織起來的，並負責代表團的一切費用。本身爲共產黨員的漢柯克說，代表團中他認識的人皆爲共產黨員。這個會議的報告，現在要找起來，可不容易了，存在加拿大國書館中的所有會議的資料，也都不翼而飛了。不過據在蘇聯刊印的國家經濟會議的報告指出，杜魯多是加拿大代表團的一員，而且據排名的次序，杜魯多名列榜首，可知他是率領加國代表團的領隊。

漢柯克說，他不認識杜魯多，因爲當時杜魯多自己住在另外一間酒店中，百萬富翁當然不會與農民雜居在一起的。杜魯多訪問莫斯科後，顯然對這個所謂「工人祖國」獲有良好印象，於是等不及回國，便在蘇聯撰寫親蘇的文章。他不知道何以有些報紙稱他爲共產黨員，他認爲自己只是率領一個共產黨代表團以共產黨的貴賓身分去參加共產黨主辦的會議。他同時亦不明白，何以在一九五三年被禁人美國。當時美國的艾森豪政府正準備批准蘇聯的幾位秘密警察人境，參加在美舉行的世界教會理事會的會議，可是杜魯多卻吃了閉門羹，奇怪乎？

杜魯多後來解釋說，他在莫斯科開會時，曾用雪球投擲史達林的銅像，而且記得當時史達林還沒有死。照這情形看來，杜魯多的精力豈不是顯得過剩了嗎？

「多倫多電訊報」的記者華丁頓曾查過資料，知道在國際經濟會議於莫斯科開會時，當時蘇京並沒有下雪，他將這個事實公佈出來，杜魯多於是遷怒於他。

在以後的數年當中，杜魯多經常與魁北克省的警察衝突，刊登親共文章，並組織一個政治陣綫，他曾數次申請要求到蒙特里爾大學執教，但因他的親共活動而遭拒絕。

杜魯多對領導代表團參加共黨國家的會議，似乎有了偏好。一九六〇年他又率領另一個代表團到中國大陸訪問。

更巧的是杜魯多喜歡旅行，喜歡在有重大事故發生時，到出事的地區旅行。當恩克魯瑪奪得加納政權時，他恰在加納；當彭貝拉奪得政權時，他在阿爾及利亞；當古巴的猪灣事件發生時，他自基韋斯特（佛羅里達州）駕着小獨木舟前往古巴。這一切太過巧合，令人不能不起疑。

一九六二年，當傳統派的魁北克總理杜布里西斯逝世時，杜魯多終於有機會到蒙特里爾大學當教授，他崇拜卡斯特羅，一如崇拜毛澤東，結果他在這所大學裏培養了不少卡斯特羅派分子。

杜魯多圖赤化加拿大

一九六三年，他帮助馬克思主義的新民主黨從事競選活動。自由黨因爲主張以核子武器作爲國防武器，杜魯多便指稱這些自由派分子爲「白痴」，他還說這些自由派分子是一羣「沒有脊椎」的人。

上面所述的是有關杜魯多的出身與生平，至於他的思想與政策又是怎樣？

「杜魯多主席」的思想——在一九六八年出版的「聯邦主義與法裔加拿大人」一書中，杜魯多曾表示他的政治觀點：「爭取權力的運動，必須首先建立灘頭堡。因爲先爭取特殊團體或地方派系，較之爭取全國大多數人，明顯地要容易得多。」

從他的政治觀點可以知道，杜魯多不只是要統治加拿大，不只是要保護加拿大，他是以權力作爲一項武器。他眞正需要的，和他的偶像毛澤東一樣，是權力。

他說，要一下子建立社會主義是不必要的，亦是行不通的。像中國或加拿大這樣的大國中，實行社會主義最佳的途徑，便是解放一部份團體，先奪取一部份土地。他說：「聯邦主義是可加以歡迎的，作爲有價值的工具，使一些有力團體在某些省份建立社會主義政府，然後再慢慢地散佈激進主義的種子。」

讀者在這裏必須注意到一個極爲重要的事實，杜魯多反對加拿大分裂，並不是像林肯一樣，是基於國家保持團結。聯邦主義在杜魯多看來只不過是一種工具，以便利用它在加拿大實行共產主義。他說，加拿大的一個省份若實行社會主義，便很容易向另一個省份滲透。

可是若分裂派得勢，加拿大的一省變成外國的話，那麼這種滲透行動便會更加困難。此外聯邦下的某一個省你還需要有某種程度的自主權，不然他的實行社會主義的努力也將遭遇困難。爲了這個緣故，他希望有一個聯邦，而且每一省有足夠的自主權。

杜魯多的特殊策略又是怎樣呢？杜魯多解釋說：「講到政治的策略，民主社會黨人必須解答的一個眞正問題是：目前大多數人希望獲得多大的改革呢？」杜魯多還說：「我希望看到社會黨人利用各種政治趨勢，或利用各種憲法的工具，在特殊的情況下去解決特殊的問題。」

他主張利用法律，政府，及政黨去推行社會主義。若爲了達到目的，被迫採用某種行動，也應所不免。他說：「政府不在魁北克，不在渥太華，是在街道上。我們必須走上街道，因爲我們社會要走上哪一個方向，是要在街上決定的。」

對於杜魯多，人們應下怎樣的結論呢？

在紐約時報同意之前，毛澤東早已是一名共產黨員；在古巴的卡斯特羅，宣佈他是一名共產黨員之前，他早已是共產黨員。就杜魯多的情形來說，他是共產黨員一點，比毛、卡他們更爲明顯，無庸置疑。

在蒙特里爾，有一位前警方情報官員曾經對筆者說，加拿大警方多年來搜集了有關杜魯多的資料檔案，但後爲杜魯多毀掉。

種種事實可以湊攏起來作一結論，杜魯多是共產黨員，他曾經當過共產黨員，現在他有意要把共產主義的專制制度强加到加拿大人民的身上。但是有一個問題會引人不解的，如何像杜魯多這樣一位百萬富翁，要終生爲共產主義工作呢？他豈不是跟自己過不去嗎？若人人聲竿而起，帶着饑餓的肚皮和疾病起來倒他時將怎麼辦呢？這一點倒不必替杜魯多担心，因爲共產主義乃是「無產階級專政」，是專無產階級的政，是由頭頭來專政的，譬如像杜魯多他們，吃好穿暖之餘才來行專政的。何況杜魯多所要的是權力，而這也是每一個共產黨人所要的。

三年前，有電視記者問杜魯多，歷史上那一個政治家他最欽佩的？杜答「馬基維利」。（按馬基維利乃義大利政治家及著述家，一四六九年生，一五二七年歿，主張權謀霸術者。）像這樣以權謀是尚的人，怎麼能夠當加拿大的總理呢？誠令人哀嘆！

——一百八十度的轉變——

讀者當會記得，杜魯多在一九六三年曾爲馬克思主義的新民主黨從事競選運動，可是到了一九六五年時，杜魯多一變而成爲曾經被他斥責爲「白痴」的自由黨人，自行競選國會議員。在給新民主黨的解釋聲明中，杜魯多說：「我們追求的是同一目標，堅守的同一政治理想。」在他的政治理想中，便是實行「左傾政治」。杜魯多的解釋聲明還說：「政黨不是目標而是手段。」

換句話說，杜魯多雖以自由黨黨員的身分競選，其實仍是爲共產主義工作，他所以要利用自由黨，是因爲自由黨有獲勝的希望，而新民主黨則沒有獲勝的希望。他要的完全是毛澤東的那一套策略。

一九六八年六月，杜魯多當選加國總理，美國的鄰邦現在有了一位比卡斯特羅還有赤胆忠心的共產黨員總理。

杜魯多與魁北克解放陣綫之間有沒有關係？

如果讀者還不健忘的話，當會記得一九七〇年十月五日，有一個魁北克解放陣綫的組織曾綁架了英國商務專員克魯斯，過了五天，解放陣綫的另一個組織綁走了魁北克勞工部長拉波特。

「魁北克解放陣綫」當然是共黨的恐怖組織，和南越的越共組織是一樣的。它於一九六三年由一個三十三歲的比利時人休特斯創立。而這人是在古巴接受過卡斯特羅的訓練的。在「魁解」的文件「革命策略與前衛者的角色」中，革命分子曾這樣表示：「在魁北克，推翻資本主義的鬥爭與民族獨立的鬥爭，是分不開的。缺一不可，缺一無法成事。」

「魁解」的領袖們是共產黨員，而加拿大總理亦是共產黨員，共產黨員需要的是什麼呢？他們需要「無產階級專政」——絕對的權力。

一九七〇年十月十六日黎明前，杜魯多運用了戰時權利法案，終止了加拿大實施的法治，對此杜魯多現在有檢查的權力，可以無需搜查令便可搜查民居，無需拘捕令便可隨意拘捕人，與審訊他的同黨。魁解分子故意給了他採取專制行動的藉口。

一九六七年，杜魯多當司法部長時，他本可鎮壓共黨分子，但他沒有採取行動。一九七〇年，他可以利用法律鎮壓共黨，但他亦沒有做。現在魁解的問題來了，而他乘機採取了專制行動，使加拿大人因他的專制行動而受苦不少。以直接和間接的方式，杜魯多與共產黨人正企圖在加拿大撩起納粹式的火儀。

讀者還可有趣地注意到一件事，在「魁解」綁架事件發生時，杜魯多宣佈加拿大與中共建交。這時中共的特務網已在加拿大設立大使館。就像蘇聯的大使館一樣，中共使館亦將成爲顛覆中心。

加拿大慢慢地快要淪爲共黨國家了。不久加拿大就要變成一九五九年四月卡斯特羅奪取古巴政權之後的情況。像卡斯特羅一樣，杜魯多會在全面奪得加國政權後才宣佈自己是共產黨員，若加拿大人讓他這麼做；最後他會鄭重宣佈，他一開始便是共產黨員，只是人們不認識罷了。

在西貢存在的同樣錯誤，依然可在蒙特里爾發現。加拿大雖爲美國近鄰，但加拿大境內可看到反美國人的標語，而且對美國人的投資亦不表歡迎。加拿大常說的口號是「加拿大是加拿大人的加拿大」！

若杜魯多和他的黨羽成功的話，美國所面臨的將是一個和美國有四千哩共同邊界的共黨國家。美國人的摯友將一變而成最危險的敵人，美國將陷於鉗形的共黨勢力的包圍。對於這種即將來臨的危險情勢，美國人及加拿大人必須共同合作，加以防阻才行。

留美華僑表現良好 實爲我國眞正力量

立委力促掌握人民向心力 對貪污腐化份子勿再姑息

（自由報台北消息）立法委員李文齋提出施政質詢說：現在國際局勢，姑息主義猖獗，許多文化落後及短見之國家隨而附和，對造成後世禍患而不計。蘇聯自然科學發達，軍事設備許多已超過美國，而美國人文科學又在趨向頹敗，社會已動蕩不定，强權勝過公理，形成於我們極端不利之局勢。我向來持悲觀而不絕望之看法，近確因留美華僑及留美學生之請願，其情緒之激昂，團結之堅定，意志之集中，大出意料。這才是我們眞正力量的表現，也是我們復國極大的曙光。美國政府若不徹底覺悟，改變作風，不祇失掉其領導地位。

（一、未完）

介紹馬氏萬能鍋

・文壇樓主・

昨日有幾個朋友試用馬騰雲教授設計的萬能鍋，眞所謂巧奪天工，正如馬騰雲企業公司宣傳所指的十二特點，我們於試用時又發現三點該公司未標出的。一，炸油器（油器是廣東話）用不銹鋼鍋炸出的蝦，肉圓，餃子，油條，鷄蛋油餅，湯圓，糖糕，鷄片，肉片，魚片味道都非常好。且有淋油版設備。二，用不銹鋼鍋做四川成都的「姑姑宴」名菜眞味不變，鮮美可口。三，不銹鋼鍋又可當作妙菜鍋用，居家旅行方便到極點。該公司的廣告錄後用爲普遍介紹。

馬氏萬能鍋問世，馬騰雲四十年吃經全部傳授，馬騰雲的營養研究食盤托出，解決買菜與孩子帶便當煩惱，解決旅美親人兒女頭痛問題。

敬請注意下列十二特點：一、馬氏萬能鍋不銹鋼製作名貴堅實永不生銹。二、馬氏萬能鍋包括有蒸籠、蒸盤、菜盆、蛋糕模，一個鍋頭內一次可做出八個菜一道點心，一鍋燉品，請一次客即可省出買馬氏萬能鍋的錢。三、省炭省電省瓦斯尤其適合旅行野餐隨便檢一點樹枝當柴即可燒出美好的筵席。四、馬氏萬能鍋同一鐘點內可製出四川味、湖北味、廣東味、湖南味、安徽味、山東味、河南味、上海味乃做廚師的聞所未聞。五、馬氏萬能鍋千變萬化，比如你早晨請客牠可製出湯包燒賣蝦餃义燒包菜肉包干絲餚肉及名貴小菜高級粥類。六、參考馬氏烹飪卡一百餘種烹調法用馬氏萬能鍋十次以上，你將變爲第一流名廚，「食在中國」這句該未錯的話，你可一技在手吃滿天下。七、馬騰雲提倡「營養抗百病、百病可食療」你能買馬氏萬能鍋一隻，照卡烹調可賺到抵抗百病益壽延年。八、馬氏萬能鍋又可作飯鍋、粥鍋、鹵鍋、醬鍋、蒸鍋、燉鍋眞眞所謂一鍋多用妙不可言，爲烹飪術上一大革命。九、隨鍋贈送的馬氏各種烹飪卡，要到香港函授講義每種最少須港幣一百元以上，全部學到非幾千元不可。十、馬騰雲積四十年吃的經驗全部無條件傳授，這種便宜如果不檢，可謂傻瓜矣！十一、馬氏萬能鍋可容物七台斤。附件：四個蒸籠（可容四斤），一個兩用蒸盤，（兼蒸珍珠丸、燒賣虎皮肉。下邊仍不誤做其他菜）一個兩用大拼盤（可容二斤），一個三用蛋糕模。（開封鐵鍋蛋）（各種蛋糕）（菜盤架）。十二、馬氏萬能鍋預約戶可得到馬氏一百幾種烹飪卡大贈送包括幾十種鹵味卡。十八種一品鍋卡，卅種粥類卡，五十六種砂鍋烹飪卡。各種烹飪卡每張零售新台幣兩元。

馬氏萬能鍋每隻定價五百元預約六折，茲因樣品遲到，延長預約半個月到十月廿日截止，已經預約的十月十五日可交貨未預約的趕快前來預約，這年頭一技在身勝過買田千畝，全球各地飯館幾乎變成華僑專利就是最好的證明。打油詩：「人有黃金白玉樓，我有手藝渡春秋，黃金終有用完日，手藝陪我到白頭。」台北門市預約：許昌街廿六號，外縣市預約台北郵政劃撥一七六五四號馬騰雲公司電話三八〇〇〇二號。

特別注意：馬氏萬能鍋爲最佳聖誕禮品，馬上交海運寄歐美贈親友正在聖誕節前到達。海運掛號郵包加拿大、歐美寄費每磅約四十元台幣，馬氏萬能鍋寄費約兩百元。

馬騰雲企業公司監製

檢討日本軍國主義（三）

・本報資料室・

一九三四年四月侵佔熱河的日軍續向山海關內進攻，日皇裕仁，立即召侍從武官長本庄繁，要求即刻上命令制止關東軍。總參謀部雖已下令，但關東軍不聽。五月二十一日當日軍進抵通州，迫近北平時，日皇再次命令撤回到長城綫。恰巧國民政府要求談判，關東軍始在有利條件下撤兵。

一九三六年二月二十六日，日本一部份靑年軍人發動政變，即有名的「二•二六事件」，會殺害宮內府大臣齋藤等數首要。所謂宮內府大臣是直承日皇意旨的官員。從這一點可知軍人對天皇的崇拜有名無實。

從上述事實得知，日皇裕仁對軍人侵略中國並不完全贊成。因此日皇對軍國主義的體系中，只是被動的因素。這是裕仁戰後仍得各方諒解，未被迫去位的原因。

四、外務省侵華老手

談戰前日本軍國主義的人，每怨署兩個因素：（一）是外務省，（二）是輿論和教育。

日本的外務省實行文官制度，內閣的更替，只更動外務大臣，其他外交官員繼續留任。明治維新以來，外務省實是侵略中國的主要策劃者。在少壯軍人掀起九•一八以前，外務省不但是侵略中國的策劃者，並且是執行者。欲亡中國的二十一條件就是外務省的傑作之一。

戰前日本軍人雖也與外務省有衝突，那是因爲軍人嫌外務省侵略中國的步驟太緩慢，外務省討厭軍人，是因爲軍人干預他們的職權。雙方對於侵略中國的目標並無二至。雙方合作最大的一項便是田中內閣所決定的「大陸政策」。即由久據外務省的政務次長森恪的擬意，由當時駐瀋陽的總領事吉田茂所起草。

留心中國近代史的人會發現一條明晰的綫索。不論是任何一個政府，任何時候，日本駐華外交官員都無條件的暗中支持反對派；無論是中國任何一次內戰，日本都積極供應軍火。

戊戌政變梁啓超逃出北京是日本使館包辦的，一九一六年蔡松坡自天津脫出也是日本使館包辦，國民黨二次革命，日本予以庇護和支持；他們又會支持段祺瑞、張作霖、張宗昌等軍閥。

支持反對派和搭救反對派逃亡，乍看來類似西方國家的政治庇護，是國際正義，在日本則大謬不然。例如一九一六年他一方面協助蔡松坡、梁啓超脫出天津，並援助護國軍二百萬軍費（岑春煊出名，黃興簽字），等護國軍起來了與袁世凱的軍隊打得難分難解之際，便秘密向袁世凱提出了「二十一條」。可知援助護國軍完全是爲了削弱袁世凱的力量、製造中國的分裂，以便於日本侵略中國。

再如日本支持段祺瑞擴編參戰軍，製造直皖兩系軍閥的矛盾，終於演成直皖戰爭。

在國民革命軍北伐的時期，日本支持張作霖的奉軍，並在山東出兵阻止北伐軍；但是張作霖一旦兵敗出山海關，便在皇姑屯埋設地雷將他炸死。

以上分化、破壞、侵略中國的行動，多是日本外務省所策動的。在侵略中國的歷史上，外務省與日本少壯軍人實在各有千秋。

五、軍國民教育

戰前日本少壯軍人所以恣意橫行，肆無忌憚，與當時的日本國民心理密切相關。日本慶應大學中村菊男教授在所著「昭和政治史」中，曾作如下的描述：

「少壯軍人這種想法（按：指侵奪中國的東北和內蒙），可以說是迎合當時走頭無路的國民心理。至少是九•一八事變以後，當滿洲國進行開發建設之際，日本國民的確抱有此一「企圖」。

「及至蘆溝橋事變，太平洋戰爭，國民生活開始受到統制和壓迫，指責軍部的聲浪雖然日高，但是距離表面化成爲羣衆運動還差得很遠。當然這是受了當局的言論統制的影響，羣衆意識的交流受到抑制。但是陶醉於統治中國大陸及南洋資源的國民聲音甚高也是事實。關於軍國主義體制的進展，並非軍部單方面硬造成的，而是在支持這個風氣和國民中間醞成的。這是由於一無所有的貧窮國家的國民，憧憬『富有國家』的資源和工作機會。可以說軍部代表了這一國民的聲音。」

不但多數日本人有上述的想法，而且當時的輿論也在助長這種想法。當時銷路最大的每日新聞、日日新聞都是絕對支持軍部的，唯有「朝日新聞」孤軍苦戰。戰後「朝日新聞」所以凌駕各報，突飛猛進，主要因爲它在戰時反抗不屈的奮鬥。

國民的想法，輿論的說法，爲甚麼多支持少壯軍人的瘋狂侵略呢，根本原因又是明治維新以來的軍國民育造成的。可以說軍國民教育實是日本軍國主義的根子。戰前的日本中小學精神教育的重點是「忠君愛國」及崇敬軍人。而「軍人優先，尊重軍部的想法與天皇中心主義」又結合在一起。

總括以上來說，少壯軍人，外務省官僚，軍國民教育，這三者實是戰前日本軍國主義的實質和主體。

八•一三的敗戰和無條件投降，日本軍國主義雖然崩潰瓦解了，但是並未斬草除根。戰後盟軍總部在東京進行的戰犯審判，只處罰了少數首惡的軍人和政客。起草「大陸政策」的吉田茂和在戰前日本侵華時期數任文相（教育部長）的鳩山一郎，於戰後出任首相，可知並不徹底。但是殺鷄足以警猴，仍起了相當的帶頭作用。例如吉田茂就曾不得不拒絕麥克阿瑟的要求——重整軍備，參加韓戰。（未完）

名人小傳　十九

丁寶楨怒斬安德海

・塞翁・

同治八年，太監安德海奉命出京採辦御用衣物，在路上逢州吃州，逢縣吃縣，大肆搜括地方官的孝敬。一日行至泰安地方，安歇署衙中。當晚忽有山東總兵王正起前來叩見，小爪牙答稱「安公公已休息了」。不料王總兵却不肯走，說奉丁巡撫之命有密事面謁，非見不可！」安德海以爲是丁有所孝敬，於是傳話出來有請。少頃王總兵全副武裝，且領衛士而入，向安拱手道：「奉丁巡撫命，請安公公前往相見」！安大怒道：「豈有此理！」正要大發雷霆，忽然一聲「給我拿下！」，於是將安太監押了就走。安德海大叫「反了反了！」可是王總兵却不理這套，押見巡撫。

丁寶楨貴州人，咸豐三年進士，十年出任岳州知府，旋調長沙知府，繼而山東巡撫，爲官正直剛強。當時拿了安德海後，立即請旨就地處決，終由同治批就地正法。於是炙手可熱的權宦安太監就斷送在丁寶楨手上。聞慈禧敕救而不可得。以太監不得離京三十里故也。

丁寶楨在山東巡撫任內大修治黃河，聲聞全國。光緒三年升四川總督，罷粃政，減賦稅，改建江都堰，整頓鹽政，大著成效。一生爲官淸正。所至有聲，誠不可多得之良吏也。

抗倭名將戚繼光

馬鐵途

在金華、義烏招了三千精壯，編成新的部隊，施以嚴格訓練。因爲當時各地軍隊紀律大壞，因此他特別注重精神訓練。在戰術方面，則教以刺擊技術、攻守要器，遠用槍刺，近著刀劈，長短兵刃互用。當時已有火藥槍，名叫「鳥銃」，火力強猛，教以實用新兵器的方法。

尤其是在紀律方面，特別重視。他的治軍森嚴，歷史上著了名的。相傳他在福建連江進兵寧德抗禦倭寇時，他的兒子做先鋒，傳下命令，「回顧者斬！」兵到白鶴嶺，他的兒子勒馬回顧，打算有事報告，被他看到了，立即把兒子斬首號令。後人爲表示哀思，就在該地建立了一座「戚公子廟」，爲了就是紀念他的兒子。

又在浙江地方民間尚流傳着一種「光餅」，就是繼光的軍隊遺傳下來的。餅的中心有一個洞，是用來繩穿的，携帶行軍十分方便，不必臨時炊膳。相傳是繼光的發明。在他上書計劃中有「身帶乾糧」的話，想必並非無稽之談。由這些民間遺留傳下來的種種故事，可爲繼光治軍嚴格的佐證。後來他調到北方，指定要浙江兵士作軍紀示範。

除陸師之外，他又特別選練水軍。他在嚴州七里瀧附近招募漁民，編成特種水師，將所有戰艦，火器重新整理裝備，施以新的戰技訓練。繼光的行軍，佈陣的方法，攻守戰術，都由自己別出心裁。帶兵方法更有一種新的觀念。一切都煥然革新，有明一代的軍隊陋習，他一律革除了。儼然是一枝嶄新的軍隊，當時號爲「戚家軍」。在他的「紀效新書」中可以看出他選兵的着眼：

「第一切記：不可用城市游滑之人。但看面目光白，行動伶俐者是也。奸巧之人，神色不定，見官府藐然無忌者也。第一可用，只是鄉野老實之人，所謂鄉野老實之人者，黑大粗壯，辛苦手面皮肉堅實，有土著之色。此爲第一。無[illegible]人之柄者，或專於豐偉，或專取於力大，或專取於伶俐。此不可爲訓。……」

發前人所未發的戰術

繼光對豐偉、力大、伶俐、武藝專取之弊端，說的更爲清楚，看他的說法，很有相法之哲學道理。他說：

豐大而胆不充，則緩急之際，脂重不能急趨，反爲肉累，此豐偉之不可恃也。藝精而胆不充，則臨事怕死，手足倉卒，至有倒執矛戈，居先其態，乃常先衆而走，此藝精之不可恃也。伶俐而胆不充，則未遇敵之先，愛揮便宜，未陣之際，預思自全之路，又復以利害恐人，使作他藩己避罪之地，此伶俐之不可恃也。力大而胆不充，則臨時[illegible]軟眼花，呼之不聞，推之不動，是力大不可恃也。（三）

巨變歷險記！

當然是爲打擊丁博士的意志，打擊不撤退的人的意志，緬甸大舉轟炸不撤退首都蚌八箐。緬機對於猛撤也轟炸過。因爲我方沒有飛機，緬機的胆子就大起來了。緬機在轟炸猛撤的時候，飛的非常非常低，低得幾乎可以擦着房頂。他所經過之處，隨着落下燒夷彈，觸着的房屋都會燃燒起來。因爲房屋都是木頭竹子樹葉劍草等所蓋成，都極富於燃燒性，一經觸着燒夷彈，會馬上燃燒起來，緬機過處，火光熊熊。大家對於緬機，缺乏經驗，東西損失甚多，幸人還都安全。緬機是從五華山山的那邊飛來，過到山的這一邊才曉得，待曉得的時候，緬機已經到了頭上，已經來不及躲避，但因爲房子外邊就是天然的防空洞，且森林茂密，躲避倒還容易。有些異想天開，爪到樹上，藏在樹林邊。外國的幾位顧問就是如此。

緬機轟炸蚌八箐（二六〇）

胡慶棨

猛撤總部沒有防空的設備，蚌八箐亦復如是。蚌八箐的房子也都是木頭竹子樹葉蓋成，燃燒起來也都非常的容易。因爲緬機不斷的來光顧，蚌八箐的房子被燒去的很多，但總指揮官邸，丁博士房，依然無恙。這恐怕因爲太靠中興山的緣故。我彷彿說過，中興山的天然防空洞，極利於防護。中興山是一個石頭山，非常堅固，不管什麼彈擲在上邊，都不會發生什麼危險。當然這是指小的炸彈而言。實際上，緬甸來炸的飛機都是小飛機，他所帶的炸彈也都是一些小的炸彈。但不管多麼大多麼小，對於蚌八箐總部的威脅都是很大的，因爲房子都是草房，極易燃火。

也實在巧得很，緬甸開始轟炸蚌八箐的那一天，正是段軍長追來的那一天，又適值龍昌華（李彌夫人龍慧娛女士的令弟）開吉普車前來搬運東西，丁夫人胡慶蓉登這輛車前往外南（泰境的村莊），眞所謂吉人天相，這車子剛開出沒有五分鐘，緬甸的飛機就來到了。以中山爲目標，來回往返的炸，幸大家動作快，又加天然防空好，雖然房子被燒去的多，但人死的並不多。

丁博士也安然無恙。蚌八箐總部的房子都是就地取材。就在中興山的周圍，有的是木頭，有的是竹子，有的是大葉，加上人工也有的是，那邊燒去，這邊又建築起來。人定勝天，人工也實在了不起，什麼都不要，單單木頭，竹子，大葉子，就可以把房子蓋起來。竹子的作用也實在了不起，他可以當柱子，也可以當橫樑，他可以鋪地板，也可以當瓦，他可以作綳。竹子的房子，令人感到非常的舒適涼爽！

守衞蚌八箐總部的是朱鴻遠營長。段軍長進來，他的部隊也並沒有進來。總部的警戒也還是朱營長雖年歲不大，但非常勇敢。

創業哲學

眞理與事實

十三

・丁熊照・

八、濟貧興學幫助鄉人

我原是窮人出身，在無錫鄉間，祖遺的產業，祇有二畝餘的桑田，和一椽破屋，當我的事業漸爲成功之後，也祇有將鄉下的住屋略加修葺，全部面積不過千呎左右，價值祇合港幣一萬餘元之譜，實在很簡陋，戰前那些年，我回鄉小住，時間次數雖很少，但頗覺愉快。（然而就是此簡陋之小屋，聽說也已被國內共產黨沒收，派別人入住，現在的住戶究是誰人，我也不甚了了，雖然在共產黨獲得政權初期，還將我列爲開明地主，何以後來連我祖遺的簡陋住屋也要沒收，我既不想去研究，也並不在乎，但他們在沒收派由別人入住後，竟連通知都不通知我一聲，却不得不令我感到遺憾。）

至於田地，雖然當時一般鄉下人，在外做事業略有積資之後，多數都想回家買田置業，但我本人却從未有過這樣念頭，祇有時爲幫助鄉間窮人，解決一時的經濟困難，在抗戰前，實際是幫忙性質，前後購入了約四十餘畝農田，按照無錫情形，一畝田大約一年可收到租米一石，小麥三斗，這些田地，每年也有四十餘石米，十二三石小麥可收，我本志不在此，更以在上海已有許多發展甚好的事業，也不需賴租米生活，我本想免除租戶此項租米，但再一想，此例一開，對整個社會都有影響，何況這些租戶也未必是最需要幫助的窮人，倘若不分淸楚，隨便做善事，不但收不到效果，反有流弊，我於是乃托一位族叔丁曉初管理此事，雖然在八年抗戰期中，我未曾回過鄉下，而應收的租米，都可照收，但我在每年收來之後，再看每一租戶的困難情形給他幫忙，就是村中其他貧苦鄉人有需要的，也按實際情況分別派送，一年中所收來的租米，總是不够派發，還要另外購入一二十石米方可敷用。

等到抗戰勝利之後，我原想國家從此可以太平，我就動念在鄉間興辦學校，藉求用教育方法，在基本上改變鄉人過去的愚昧與無知，我本意以改良農業爲目標，第一步先設一所完全小學，名曰華圻小學，我記得我捐出約四千石白米的代價（因該時幣值變動甚巨，故用白米計算），在本村之東的稻田中央，建立校舍，那時因我設有一間木材公司，自福建採辦木材來滬發售，存有楠木料很多，市價祇與洋松板差不多，我便關囑校內的課桌傢具等等，都採用楠木料，並特地自滬聘來出名的浦東木匠師傅來製造，可說是特別講究。

在師資方面，我因本身對於教育原屬外行，便請好友孫錫英先生介紹石塘灣孫克明先生担任校長，孫克明先生原任無錫匡村中學校長，爲了此事，我親自特地數次拜訪孫克明先生，講明我爲本鄉興學的動機與期望，承他甚覺贊同，便寧肯辭掉了當地著名的匡村中學校長不做，而來屈就華圻小學校長，自然令我十分感動，而學校在孫校長全權主持下，也很快便辦得極有成績，自開辦之後所需的經常費用，也都由我一人負責，每年大約要化四五百石白米左右。（所收的學費，祇是象徵性質，當然遠不够應付學校的支出。）

華圻小學在中共佔據大陸之後，雖爲共產黨政權接收，仍然繼續辦下去，一直到前數年，校長爲擴建校舍，還寫信來港要我捐款，祇是在這樣情況之下，我當然不願爲共產黨所利用，也就不管了。對於孫校長，在中共政權建立之後，我一直就心怕他爲華圻小學而遭到痛苦的折磨，曾間接勸他擺脫，到了一九五二年聽說他已獲准辭職，我才略覺安慰，後來我還另外送他一筆錢，不過晉信也久已未通，不知他的近況如何，及是否尚在人世耳？

至於爲我代管鄉間田地租項的族叔曉初先生，我在離滬來港前，就已考慮到他在環境變化後可能遭遇麻煩，爲他着想，我就將他的職務解除，但即令如此，聽說他在這些年來，還爲曾經代我管過租務，而有說不清的痛苦，我眞是感覺抱憾。

九、八年抗戰在上海

一九三七年的中日戰爭，終於隨「八一三」的滬戰而全面爆發，匯明廠恰於此時遷入接近法租界醫眞人路局門路口擴建的新廠，廠址在醫眞人路口老廠附近，全廠職工有一千人左右，大多由廠中供給膳宿，在戰爭發生之後，眼看到每天路上搬家逃難的人，絡繹不絕，廠中人心，不免浮動恐慌，雖然我已看到這場戰爭決不是短期之事，就算是離滬回鄉或再逃入內地幾百里，也還是不能逃得脫戰火的威脅，但對於牽涉到每個人安全的去留問題，廠方自然不能也不便有任何的確定主張，祇有聽同人自加考慮決定，我記得在當時時局緊張之下，全廠曾經先後開過三次全體會議，我將我的看法提出說明後，並且宣佈匯明的應變方針，廠方已經準備有不少的糧食和現金，如果同人有願意留廠的，我們繼續維持，有自願回鄉的，每人發十元現金，（約合當時普通工友一個月薪金，）何去何從，聽大家自由抉擇，在第一次會後，就有三分之一的員工離了廠，第二次會後，又走了剩下的三分之一，第三次會後，

薪火集

・吳怡・

二、禪非萬能

慧能和世界上許多偉人，如歌德、莎士比亞一樣，都是不世出的天才。對於歌德和莎士比亞，我們都讚賞他們智慧的過人，我們都把他們放在文學的頂峯上，根本沒有考慮到他們是否能做行政院長。因爲我們都了解他們只是屬於文學的天地。同樣對於慧能，我們也應把他放在佛學的園地上，而不應請他出來做行政院長。因爲他所擅長的只是心性之學。

既然如此，那麼筆者爲什麼說張師起鈞教授所謂慧能做不了行政院長的話，却是禪門的諍語呢？這是因爲今天（其實自古已然）許多學禪而未達禪理的人，把禪看作萬事通，或者學禪而心胸不廣的人，往往對於禪的批評，衛道心切，自囿於門戶之見。所以張教授的話，對於禪的過份泛濫，却是當頭棒喝。

這一棒喝的意義，是要我們認淸禪不是萬能的，而是有其自限性。

禪在知識的追求上，有它極具威力的消解作用；禪在生命的實證上，有它了不起的透視力。這方面是不容我們否認的。但禪只是消解知識所造成的障礙，並不能否定知識，如果以禪去推翻所有的知識，還在佛學上又犯了一重法執。我國宋末的狂禪，今天西方的嬉皮禪便是犯了這個毛病。禪固然能透視生命之眞，却未必能包括生命之全。因爲我們的這個眞我，雖然有其本來的一面，但也有其發展的一面，如果只求本來，而抹煞了發展的一面，這正同慧能批評神秀一派「長坐不臥」是「病」，非「禪」。

唯有了解「禪」的自限性，我們才能把禪用在應有的範圍，才能發揮它應有的效能。到這時，慧能固然不必去做行政院長，但一位行政院長學點禪，也可以使他的心智更開闊，對於經國濟民之業自然也會有間接的助益。

（起鈞按：傳禪者每爲循循誘人入道計，而倡言：苟能通禪，自能一通百通，爲學治事，了無障礙。是眞萬能之捷徑也，及至美國，余非崇洋媚外者流，然眼見其家給人足，精進有序，寧能不敬，縱有潛憂，不得謂其非治，然美人初不通禪。反觀唐朝偉大禪師備出之際，亦即國勢衰敗，社會混亂之時，其無補於世道民生，而禪之非萬能，明矣，感慨之餘，乃有「『慧能恐亦不能爲相』之語，雖謂之語重心長可也，非對禪道故爲唐突也。）

讀書雜鈔

・林倫・

三十三

余嘗惜西域漢畫毀於烟煤，而疑一二千年筆跡，何以能在？從姪虞惇曰：「朱墨著石，苟風雨所不及，苔蘚所不生，則歷久能存。易州滿城接壤處，有村曰「神星」，大河北來，復折而東南，有兩峯對峙河南北，相傳爲落星所結，故以名村。其峯上哆下斂，如雲朵之出地，險峻無路，好事者，攀踏出孔穴，可至山腰，多有舊人題名，最古者有北魏人，五代人，皆手跡宛然可辨。」然則洞中漢畫之存於今，不爲怪矣。惜其姓名，虞惇未一一記也。易州滿城近地，當訪其土人問之。（閱微草堂筆記卷十四）

時論曰：近年紹釋發現古代文物，益證皆是得力於未受風水之侵蝕。有陰濟前考古學家李濟之率在豫境安陽縣發掘之甲骨文，及鄉慶耕作發現漢石經，敦煌石室經卷及武威漢簡（儀禮全文）之出現，爲因地氣乾燥不受潮濕之侵蝕。史記載漢族文化發源於黃河流域，今茲先後發現遺跡，使中外治史者獲有事實根據，豈非幸事！我國歷史文物之遭破壞，主要受戰亂影響。不毀於炮火，即遭戰陣摧殘。北伐成功，全國統一，中央研究院致之於考古研究，不遺餘力，惜大陸爲共匪竊據而中輟。民初政府未重視保護，致流落海外者甚夥，軍閥自私，豈僅愧國之罪人也。（未完）

通玄賦（下）（卅三）

・錢一劍・

錢一劍談相

燕頷狼顧而淸澹東夷。背厚腰圓九州威鎮。面方耳大，四海名馳。劍眉骨縱，而性好殺。駢脅胸闊而戰多奇。貴官有全於五嶽，富貴豈削於兩頤，天地必相朝揖，岳瀆勿要傾欹。地閣厚而多田宅，天倉闊而實資基。家肥屋潤，腑厚面肥。四倉豐盈。而玉醬珠履。九州平滿。而金鎖銀匙。口闊唇方，必定有財有祿，鼻隆頤滿，果然豐食豐衣，金匱豐盈，庫中青蚨聚積。日角輔角平起。廠中寶馬交馳。耳有垂珠更朝口。毫長一寸可延期。行若龍奔。英雄出衆。坐如虎踞，富貴當時。發越覩乎神氣，厚實視於面皮，氣淸出自丹田，貯積千鍾之粟，背隆高脊肩膊堆積萬鈞之珠。貌古形殊，富格先覩于面貌，神淸精實，壽考早見于雙眉，項修明而多福再生於中國。法令長而壽根永現于面貌厚福，坐立如虎，美德高面，人中長積而背厚闊，頭肩厚倉，庫滿，福命全美。詩骨高，隼頭厚，其雅。龍宮黃氣鬱，魚尾紡紋，朝耳非常，而三甲三壬退齡永保。四反三露塞壽何依。口小唇掀，食難充服，眉寒齒露，身無所居，四瀆淤滯，五岳俱隣，背陷胸窄面骸疏。天倉陷糧米破敗，地角尖賤產灰飛。面上闊下尖是反形，初年勞碌，身若上短下長爲局，一世遷移。面貌昏暗無米，精神怯而舍沒埔池，耳反無輪，偏斜觀手常攀，厨薄屑束口似吹，眉濃兮田賓盡。頭尖少肉兮家業遷移，頂百，倉庫陷飢，食不充飢，鼻小耳小，對人言無頂而面常羞澀，與人行未動而足先東西，歲缺而語多妄，謊言汎而信不可期，格局察乎雜與不雜，氣色觀乎移與不移，形像取乎彷彿，禍福不差毫釐，賦語精熟，果然神見，相法明徹，參透玄機。

中華民國內政部登記證內警台報字第〇三一號
中華民國僑務委員會登記證僑台報新字第三二三號
中華郵政台字第一二八二號執照登記為第一類新聞紙
（第一二〇九期）
（半週刊每星期三、六出版）
每份港幣壹角・台幣零售價新台幣二元
社長李運鵬・督印黃行書
社址：香港九龍官塘康寧道117號後座二樓
117 HONG NING RD, 1/F REAR, KWUN TONG, KOWLOON, H.K.
TEL: K-433653
電報掛號：7191
郵箱：官塘郵政信箱9583
承印：景星印刷公司
地址：嘉咸街廿九號地下
台灣區業務管理中心：台北市許昌街廿六號
電話：三八〇〇〇二
台灣區直接訂戶　台灣劃撥戶
第五〇五六號張萬有（自由報會計室）
台灣分社：台北市西寧南路110號二樓
電話：三三〇三四六、台郵劃撥戶九二五二號

本報專論

師道今昔面面觀

・高瞻・

目前，師生關係日趨淡薄，尊師重道的傳統，已逐步的變質，杏壇染上了濃厚的商場氣息，昔日「程門立雪」與「如沐春風」師生相得融洽的佳話，而今已成歷史的陳跡。

老師的地位，由天地君親師並列，而成為今日的軍公教人員，已發生了巨大的變動。老師不再是眞理道統的傳播者，再也受不到學生無條件的敬禮；同時，在相對等的轉換之下，學生們再也無福消受老師「誨人不倦」的關愛，與「潛移默化」的教育。近年來，老師體罰學生，學生傷害老師的消息，時有所聞，師道的尊嚴，堪稱淪落無餘，血灑學園的悲劇，已為今天的教育界亮起了紅燈。

於是，衞道之士，喊出了「人心不古，世風日下」的譴責呼聲，社會輿論也一至感歎年輕一代的墮落；然而，依筆者看來，這個轉變是必然的，也應由教師本身負起太部分的責任。

政府主管教育者，顯然未能盡善職責，政策把不穩，發生問題又拿不出整頓辦法。只注重數量的增加，而忽視實質的造詣，官而不管，造成今日險象環生，政府何能辭其咎？

，事實上，在西方工業化的現代社會中，向來以金錢來衡量價值，教師待遇的微薄，很自然的失去了昔日的重要。同時，也由於知識的普及，教師不再擁有知識傳承的專利權，甚至有些是工商界淘汰下來的失敗者（至少是不能適應者），才走上講壇，謀一席立身之地的；教師地位的沒落，在此一情況下，應是有跡可尋的。但是在我們的國度裏，教書不是職業，而是事業，讀書人的理想抱負，總是進則「治國平天下」，退則「得天下英才而教育之」，以求達成「為往聖繼絕學，為萬世開太平」的使命。兩千五百年來，從孔、孟、荀以至於程、朱、陸、王莫不如是，師道的尊嚴早已根深蒂固，就是在逐漸西化的今天，教師的地位仍是別具一格，高高在上的。問題在教師的本身，拆毀了屬於自己的王宮城堡，而把商場上「唯利是圖」的咀臉，與「勾心鬥角」的習氣，帶進了「傳道、授業、解惑」的校園。於是，人間幾無一片乾淨土，教師也就失去了往昔「四民之首」的地位。

首先，我們從瀰漫在中、小學的補習風氣裏，來尋求師生之間，向心力減弱，而離心力增強的原因。小學惡補理應隨着免試升上國中的實施而告結束；但問題是未來劇烈的升學競爭，仍舊存在，只不過延緩了三年而已。多少年來，教師們已習慣於此一額外的收入，如今突告中斷，幾乎發生全面怠工的現象；放縱學生，聽任自習，然後大伙兒閒聊或聚賭（此風鄉下甚盛），竟連小學的正當課程，也不按部就班做去。這一偷工減料，遂造成學生程度普遍低落的現象，使得有的國中教師叫苦連天。於是家長們在望子成龍的心情下，只好請求老師們再度出山，進行惡補，甚至連二、三年級的小學生，無補習之實，老師也自動的徵收補習費，家長不願意自己尙在稚齡階段的學生，為了區區之數，而被老師另眼相看，只好化錢消災了事。而國中、高中的學生，為了能在未來的聯考中順利過關，為了能獲取某些程度的安全感，幾乎都參加補習，其中尤以英、數兩科號稱熱門。老師們大都在自己的家中開班（少數明星學校更是厲害），為了爭取學生，搶奪市場，不免在校內施展手段，大事競爭。他們慣常在月攷期攷中，故意出怪僻難題，來「剋」死學生，打擊學生的信心，然後才會自動的上門補習；而且花招迭出，輪由自己出題時，專攷自己講授過的補充題，以攷垮其他老師的班級為榮，而建立本身的聲譽。有時竟發生彼此在課堂上攻擊對方，大唱生意經的現象。某些大牌老師，上課故意保留幾分，而把精華留在課後的私相授受中，學生為了攷上理想學校，也就紛紛擠進老師的家中補習（據聞，某些明星學校的數學老師，月入在五萬元之譜，可見其生意興隆之一斑了）。試問，在充滿了市儈氣的講堂上，在師生的金錢交往之中，師道那能不淪落？

其次，現代的學校教育，幾乎只成為知識的販賣場所，與整個生活脫節。既然愛的教育不復存在，加上師生之間距離遙遠，缺之共同的生活基礎，以從事所謂「身教重於言教」的人格修養教育。於是，學生們專以老師學識及口才段數的高下，來評斷老師的地位。滿腹經綸，滔滔不絕者備受崇拜，肚子裏沒有墨水，表達力差的老師，則飽受怨罵，甚至有被學生轟出趕走之虞（在這一點上、中學生遠比大學生更具豪氣）。蓋老師的優劣，與自己的未來，息息相關，他們不能為了一念慈悲，而斷送自己的前程；相反的，大學生的沉默與過分容忍，使大學幾乎成為養老（及收容所，可以說是一種非常令人意外的發展）。殊不知學術界是最無情的，學生們也是最現實的，本身學養不足又不事進修的老師，儘管心腸好，給分高，還是得不到學生的敬重的。

第三，教師與學生道義上的關係消逝無存，情感又無由建立，在教材生硬，教法呆板之下，上課對學生已失去了吸引力；但為了保存自己的臉面，為了顧全自己的飯碗，只好以體罰，以分數，以記過來壓制學生，終於造成師生的對立，引起學生的反感。在公立學校裏，學生為了升學只好忍氣吞聲，彼此尙能相安無事；但在某些私立學校裏，學生自認升學無望（此指高中而言，國中則看好私中），就難免會發生傷害老師的不幸案件了。

由上述分析，可知目前師道淪落的主要原因有三：一是老師的市儈作風，處處討好學生，在金錢的交往之中，養成學生的驕橫，他們以老闆自居，老師不過是受僱的店員罷了；二是老師本身的學養差，不能令學生欽服（尤以大學更趨嚴重）；三是老師以體罰、留級、退學做為武器，來控制學生，使學生大為不滿。此三點皆由老師的失職而起，故師道的淪落，也應由教師負起大部分的責任。

總之，師嚴而後道尊，兩千五百年來的師道尊嚴，完全建立在師生的道義關係上，建立在教師本身的學養上，也建立在教師對待學生無比的關愛上，舍此三事，而談尊師重道，（昔日之道，可以是人生的寄託與理想；今日之道，則不過是手段的獲取而已）無異緣木而求魚？目前之教育現況，適與此三事背道而馳，師道淪落，自屬必然。吾人若不從整頓學校教育，提高教師的素質與倡導愛的教育諸端上着手的話，而空喊世風日下是於事無補的。年輕一代並不墮落，墮落的是教師本身，「迫上梁山」的反教育表現，令人痛心，誤人子弟事小，毀壞國本事大。教師節已過，緬懷古聖先賢，願天下身為人師者，能於午夜夢醒之時，三思斯言！

（完）

昨日與明日

不講信義

政治學講究一個義字，義者宜也，即把政治權力運用恰如其份或恰到好處之謂也。

經濟學講究一個信字信者守也，即把經濟的信用保持到勿損勿失取信於人之謂也。

今者，有一國焉，號稱世界之強，超級大國，自由世界的堡壘，國際秩序之憲兵，在政治上失義，在經濟上失信，弄得自由世界在政治上疏離，在經濟上混亂，惶惶不可終日，就是美利堅合衆國。它的大總統尼克遜，在七月十五日發表了朝毛聲明，八月十五日又發表了新經濟政策，這一個聲明和一個政策的具體內容及其破壞世界和平與世界經濟繁榮的深刻影響，吾友侯立朝已作了明白的分析，刊於本報。而我此不能不言者，是政治與經濟的關係，特別是經濟影響到政治的關係及人民生活的關係。昔德國經濟學家宋巴特也早已說過：十九世紀是政治的經濟時代，二十世紀是經濟的政治時代。在經濟的政治時代中，尼克遜的新經濟政策，其利害得失不在於對付日本和西德的競爭，而在於它阻滯了或延遲了落後國家的經濟發展，打破了窮人的飯碗，只為有錢的國家爭一點利潤，這是最不人道的自利政策。我們知道，由美國新經濟政策實施的結果，第一影響了落後國家的出口貿易，第二影響到落後國家的物價上揚。第三由此影響了通貨就有膨脹的可能。通貨膨脹，物價上漲，出口貨又銷不出去，其結果是經濟破產，民不聊生，那裏還能安定建設？又怎麼不引起社會動亂？社會一動亂，則是共黨插手的大好機會矣。

在戰後二十餘年中，自由世界在對抗共黨的鬥爭中，每每失利之由，不在於共黨有三頭六臂，而是自由世界的美國常常在政策的作為上，有意或無意地助共，才使共黨坐大吞掉半個世界。若干東方國家不察，仍有人高呼以美國的民主為民主，以美國的生活為生活，以美國的學術為學術，以美國的政策為政策，結果無不一敗塗地。

・何適・

自由談

讀史有感

史載齊孟嘗君得勢時，門下食客三千人，迨一旦失勢，客皆散去，只有馮驩一人尙在門下。孟嘗君甚不以衆食客的勢利行為為然，馮即說道：「富貴多士，貧賤寡友，事之固然也。君獨不見夫朝趨市者乎？明旦側肩，爭門而入，日暮之後，過市朝者掉臂而不顧，非好朝而惡暮，所期物忘其中。」這段話把政治人物趨炎附勢，捧紅踏黑的道理，剖析得透闢極了，古今一揆，毫無二致。

政治生活和貿易行為完全相同，都是講求現實需要的。市場中沒有人們所需要的貨品了，誰還樂意光顧呢？政治人物背時失勢後，原來奔走門下的一般熱中富貴功名之徒，當然避之若浼。別謀出路，一點亦不稀奇。政治的本質既是專講現實利害的，所謂政治道德與節操也者，那是一些不懂政治的書獃子們的下意識觀感，不足為訓，自古迄今，幾曾見有講道德說仁義的達官貴人嗎？要想在政治上蜚黃騰達，如果沒有趨炎附勢，昧廉寡恥的本能，永遠是幻想而已。

現代人搞政治，喜歡弄小組織，認為凡是入吾彀中的，便夠可靠的忠貞不貳份子，可與共患難的，這亦是不切實際的幻想，殷鑑不遠，請看今日許多在大陸上高呼「毛主席萬歲」的傢伙，過去都是反共小組織中的鬥士呀！沒有現實的富貴功名作香餌，而徒藉小組織以籠絡門下食客，結果未有不失望者。市場上既然「所期物忘其中」，顧客自必掉臂不顧，理固然也，何怪之有？

從政與經商的性質及其作用，一模一樣，若想在營利之外，多少還要保持一點人格的尊嚴性，與其從政即不如經商，這是我的看法，然歟？否歟？請仔細讀讀史記的孟嘗君列傳罷！

馮五先生

恭祝 總統蔣公八秩晉五嵩壽獻詩

・陳邁子・

皇皇中華開國史。六十重周新甲子。
上承傳統五千年。下啓炎黃億萬世。嵩呼
嶽降峻極天。吉月逢辰欣萃至。國壽人壽
壽萬千。軒轅鴻鈞自茲始。堯天舜日三王
繼。聖聖相承惟禮義。歲十象民闢草萊。
泱泱大國吾華是。萬國衣冠拜冕旒。物阜
民康輝大地。浩浩江河長萬里。崑崙山高
孰與比。風物秀美氣淵煦。錦繡江山如畫
裏。人性之愛最闡揚。五倫立教敦倫紀。
人生眞善美畢求。親親老老幼吾幼。尼山
垂統衍宗脈。儒學昌明惠物周。漢武尊儒
黜百家。兩千年來文教嘉。彌綸八德行之
表。粲粲八綱若明霞。和平大道善為寶。
民胞物與心杲杲。貴德賤兵仁無敵。忠信
甲冑義了了。中山崛起紹尼山。中華文化
道統傳。闡揚聖學昭典謨。三民五權大同
篇。奉化繼往復開來。擎天一柱命世才。
拯饑濟溺禹稷志。手扶日月開雲霾。大業
艱難謀再造。河山百戰有沈哀。蒼涼一念
救民生。滔天溺淚意未灰。興復文化吾有
責。人禽戰代立綱維。大智仁勇宜若此。
蘇我黃魂烈戰摧。還以王道淑斯世。大同
盛治定宏開。始信光芒來東方。解救人類
之禍災。萬物之性人為貴。君子役物意雄
恢。國於天地必有立。立之以道復何疑。
行見牧野鷹揚烈。九州四海起風雷。澄清
寰宇酬素願。貔貅百萬凱歌歸。開樽普天
忭慶中。黃花秋妍獨芳馨。日月並明光天
德。與國同壽不老春。

民國第一辛亥十月

留美華僑表現良好 實為我國眞正力量

立委力促掌握人民向心力 對貪污腐化份子勿再姑息

恐無論其內政與外交之垮臺，為期不遠矣。我在十年以前在世界書局曾與德國派來文化代辦嵇穆先生及楊家駱馬廷英、董作賓、吳英荃諸先生，妄言看美國雖然為赫赫世界領袖，因為人文科學的頹敗，為期絕不能過長，今不幸而言中。

我想過去無論華僑與留學生對我政府有所不滿，而共匪處心積慮，煽動破壞，離間其與我政府的關係，這是不必諱言的事實，而這次在紐約向聯合國請願，表現出感人的場面，其原因何在？一、我想不外是政府對釣魚台之聲明處理得當；二、六月十五日 總統在國家安全會議之訓詞，字字金石之聲，也可以說滿紙血淚，扣人心絃，感人肺腑所致。我政府應絕對掌握住所有人民之向心力，一切措施應特別愼重，尤以對立場不堅定之份子，不能再有所容忍，對貪污腐化份子，不能再有所寬恕與姑息，內政清明，則國體鞏固，聯合國中有九十餘國，其土地人口皆不如我強大，國際環境何足畏哉。

我們的好機會快要來到了，我這句話並不是憑空構想，確有理論與事實的根據，茲分述於下：

一、極權統治之工作效率，遠超過於民主制度及感化政策之效率許多倍，不過控制壓迫人民絕對不能忍受的程度，即其政權崩潰之時，我們看大陸現在的情況，除少數特殊階級者外，人民終日不得一飽，滿野餓殍，而父母兄弟妻子離散，人民對於統治者憤恨的程度，可以說遠超過當我們撤退大陸時，對我們不滿之程度若干倍，此其快要垮台理由之一。所不同者，只是在我們撤退前，共匪有相當大的軍事力量，現在我們在大陸沒有成形的軍事部隊而已。

二、據最近報載各方消息，大陸共匪已失去領導中心，其實力派之派系鬥爭將要開始，我們知道唐朝亡於藩鎮之禍，現在大陸共匪實力派之割據情形，其形成之原因，雖與唐朝之藩鎮不同，但其彼此間之私見，因受其統一戰綫之心理影響，想協調是很難的一件事，抗戰初期，我在晉南王家石溝曾發表一篇駁毛匪澤東論新階段，其中說到毛匪所論之統一戰綫是「歸我者為一，不歸我者即二；必須清除。可謂之為一統戰綫。使人各自我為一，請問是統一呢，是分裂呢？毛匪之割據野心，已顯然若揭。」其軍事幹部，我想不能不受其影響，故其軍事各派系的鬥爭，即將發生，其鬥爭愈烈，分崩離析，垮台愈快，我們高舉義旗反攻，人民如大旱之望雲霓，我們登陸，如水之就濕，火之就燥，當可一戰成功也。

三、上乘智慧創造機會，中乘智慧利用機會，我們要機警的把握此一好機會，積極運用，復國大業自可完成也。

（下、續完）

崇法務實發奮圖强 堅强團結埋頭苦幹

立委促尋求民隱廣納輿情 循客觀環境需要處變行權

（自由報台北消息）立法委員朱如松向政院提書面質詢，他說：立院會議，已進入第四十八會期，在這二十四年的歲月中，我們的國家，遭遇到多少天災人禍的艱難困苦。幸賴我 總統蔣公，英明的領導，使我們的國家，能夠站得起，挺得住。而且我國的社會，是這樣地安定；我國的經濟，是日趨繁榮；我國的國民教育，能與日本並駕齊驅；我國的人民，不僅生活水準，一天一天的提高，而且能享受民主政治的自由。這是在今日獨裁極權政治的洪流中，我國是民主自由政治的中流砥柱，是對抗共匪滲透與姑息逆潮的主力前衛。在過去，我們有光榮的歷史，今後我們更應該負起救人救世的偉大使命。因此，我們今天應該遵循 總統蔣公的處變不驚莊敬自強的訓示，團結奮鬥，以達成我們反毛復國的革命使命。特提出管見如下：

第一、要崇法務實，發奮圖強。崇法務實，是嚴院長就任行政院院長時，所揭示的行政指標。由於這一個正確的指標，獲得我國今天的軍民一體，上下一心，團結一致，社會安定的成果。現在的國際局勢，雖然為姑息逆流所瀰漫，我國的處境，更進入一個艱難的新時代。我們的責任，自然更繁重，我們的工作，也更艱苦。但是，只要我們能堅守反毛救國的一貫政策，遵照憲法的規定，廣納輿情，尋求民隱，起用新人，革新政治。對內：力求鞏固團結，分工合作，繁榮經濟，安定社會。對外：拓展國際貿易市場，爭取正義與國，發展合作互助的區域安全。我相信敵雖頑強，必有消滅之日；姑息主義雖泛濫，自有澄清之時。不過，當此之時，必有愛國志士，本同赴國難之義，將貢獻其復國建國之灼見；亦必有蟄伏海外清流自貴之名士，將藉國家興亡匹夫有責之大道理，提出其高明偉論，我希望我政府，對此或多或少，或是或非之建議，都應該虛心聽取，愼謀能斷。因為政治是不能離開現實。無論處變行權，都應循客觀環境之需要，以為取捨。否則，不失之於空，必流之於幻。由於我們二十餘年來艱苦工作的體認：堅強的團結，才能發生偉大的力量；安定的社會，才能促進建設的成功。所以崇法務實，擇善固執，埋首苦幹，發奮圖強，才是我們處變圖存，復國建國的主要措施。

第二、要明責任，愼賞罰：凡人立身行事，貴乎責之所在，義不反顧；責有攸歸，雖死無懼：以此治事，事無不成；以此攻堅，堅無不破。如果為政者，做的少，說的多；負責犯難的少，推諉敷衍的多，甚至功則據為己有，過則諉之於人，欲求政治之清明，政風之純樸，其可得乎？今我政府對於違法、瀆職事件之處理，始則調查事件發生之原因，繼則移送司法機關追求法律責任。從表面看來，這種做法，是合情合理，堂哉皇哉。其實：無異為機關首長推卸責任，諉過於人之至高伎倆。嘗見報載，日本軍機失事，而其防衛廳長去職；韓國軍犯脫逃，而其國防教育兩部長同時辭職。我國飛機失事，公路車禍，層出不窮，然而不僅未開部長級官員之引咎辭職，即如台北市竟成藉學騙詐案之處理，其移送法辦者，督學科員而已。台灣省公路局林口慘案之發生，據說純係該局局長違法違章派用司機所造成，其結果，撫邮死傷而已。其為主管之局長，幾皆任其置身事外，而不究其違法失職之責任。如此責任不明，賞罰不愼，將何以勵來茲，正政風？因此我希望政府處事，責任要分明，明則無所推諉，賞罰要愼重，愼則不嚴不寬，毋枉毋縱。

克勤克儉崇禮尚義

第三、要尚勤儉，重廉恥：勤與儉為做人接物之美德。凡人能一勤儉，在家庭必做一個興家立業的好子弟；在社會必是一個為人表率的公民。今天我們的社會生活，律以勤儉，必求諸鄉村。城市居民，莫不競尚奢侈。以致詐欺搶奪，為非作歹者，時有所聞，使善良居民，時懷恐懼之心；社會治安，日陷不寧之境。如果人人能安份守己，勤儉自持，不僅可以豐衣足食，而且可以富國強種。有友人自以色列歸來，言其人民生活之儉樸，工作之勤勞，幾乎世無倫比。無怪乎以彈丸之地，百萬之眾，能擊敗四週來犯之敵，屹立中東，威震世界。良足法也。

禮義廉恥，國之四維，四維不張，國乃滅亡，古之訓也。我總統 蔣公於抗戰之役，曾以此四事，訓勉部屬，鼓勵軍民，使全國軍民，團結奮鬥，終獲勝利戰果。今國際形勢，已為姑息逆潮所衝激，我政府與人民，已做到「處變不驚」，但是，要實踐「莊敬自強」，則有待於繼續努力。我以為我們要發奮圖強，必須提倡禮義廉恥，以為發聾啓聵，挽救失敗主義者之頹心。要清除社會上欺世盜名投機取巧者流，以敦厚社會風氣；要清除官場中文過飾非爭權奪利之徒，以革新政治風尚。使人人尚禮義，知廉恥，則救亡圖存之大業，其庶幾近矣！

提倡科學扶植青年

第四、要提倡科學，扶植青年：今天我國的科學落伍，知識份子的思想落伍，已是不可否認的事實。其致此之由，多在學術研究機關設備的不完善，學者名流的固步自封。我們看看清華原子爐之設備，十六七年矣，而其研究實驗之成果如何？研究長期科學發展之計劃，亦行之十五六年矣，而其所得又在那裏？即以大專院校之教材而論，依然落伍於十九世紀之歷史紀錄。誠可慨嘆！今者充實大專院校之現代科學設備，禮聘現代科學人才，為我教育工作之重大措施。我們必須使青年學人，能學以致用，樂於為國服務。然後不僅我青年學子有享受現代科學教育之機會，即我政府各機關，社會生產各部門，亦將有新人新政新興之氣象。

適應地區環境改變學制 檢討聯招俾能盡善盡美

第五、要改變學制，統一聯招：關於改變秋季始業為春季始業一事，說政院曾於答復本席七月三十日質詢中，允由主管部門審愼研究，期能有所改進。惟改變學制，純係適應地區環境，有益青年學子，甚盼我政府首長，能秉承總統 蔣公，實施九年國民教育之大智大勇，排除萬難，早觀厥成。至於聯招制度，見仁見智，各有所長，尚望繼續檢討，俾達盡善盡美之境。惟日間部與夜間部之新生，其應考者同，其所考課程同，則應於一次聯招中，按其成績，依其志願，分別取錄，分發院校。既可使主事者，能一事權，而不浪費人力財力，又可使青年學子，不受東奔西走之精神虐待，且免虛耗其寶貴光陰。

最後有一點，希望嚴院長有所說明。社會傳言，海外人士，有改組政府，充實中央民意機關之書面意見；其意見如何？可否公開賜教？

嚴院長答立委詢問 尚無改組政府構想

衡量國家需要力求進步

行政院長嚴家淦答覆朱委員質詢說：在看過朱委員的書面質詢及聽過朱委員口頭的詢問後，我們對朱委員的看法深為欽佩。朱委員的看法與我們是很相同的。在朱委員的書面質詢中很清楚地提到：第一、要崇法務實，發奮圖強。第二、要明責任，愼賞罰。第三、要尚勤儉，重廉恥。對於朱委員的看法，本院除了遵循外，至於在書面中關於明責任，愼賞罰之事所提出的若干實例，一定要把事實查明後，依法辦理，以明賞罰。

朱委員最後提到，海外人士主張改組政府，擴大民意代表的基礎。當然，這不屬行政院職權範圍之內。據了解有關方面正在研究這個問題；不過，無論如何，我們還是以憲政為基礎的。朱委員所提出的當然也請有關方面參考。政府在現在憲政基礎上，就是要多登用才俊，但並沒有改組政府的構想，祇是我們應當求進步，無論在人事上行政技術上及政策上，都要根據國家的需要與衡量世界情況力求進步！使國家不但能站得起來，而且能在進步中求進步！

教育部長羅雲平答覆說：有關於科學教育方面的，本人很敬佩朱委員的看法。關於科學教育，教育部已採若干措施，如通令各學校就圖書，師資方面確實加強，不求學校形式上的擴充。本部已有一系列的措施，希望各學校能切切實實的去做。至於清華大學，在徐校長接長後，對各種應興應革的事項，也已埋頭推動，假以時日，必可有耳目一新的成就。

至於朱委員所提到的改變學制的問題，教育部曾就此問題成立了一個小組，就春季始業與秋季始業的正反兩面加以討論，已有初步結論；此一問題事關重大，必須愼之於始，故擬擴大其基礎而加以討論，相信不久必能達成結論。

關於日間部、夜間部一次招生的問題，大專聯招會對於本身之研究改進，在明年四月前可得到結論，故在討論此一問題時，當一併作通盤研究，俾使聯招問題能求得一個更好的結論。

×　×　×

優旃的幽默

哈公

秦始皇統一六國之後，雄心萬丈，收天下兵器，鑄金人十二，企圖永世為皇帝，命人求不死之藥，種種行為，近於瘋狂的幻想。

為了滿足他的物質享樂之欲，他下令要造一座大的動物園。被短小機警而幽默的優旃知道了，他很滑稽地使不可一世的始皇打消此念。

優旃對始皇說：「大王這樣很好！多養些禽獸，將來有敵人來了的時候，只叫動物園中的禽獸去抵抗就好了！」始皇聽了，便把建築動物園的意思打消了。

介紹自由報合訂本

·文國棋主·

你關心中共佔領大陸後的遠東問題嗎？那就請你購置一套香港自由報合訂本。

香港自由報是一般地位極高的反共人士於大陸淪陷後在香港自己集資創辦的（原名自由人）。創辦人中有在野黨的著名領袖（如左舜生），有名政論家（如陶百川，雷嘯岑，程滄波，成舍我，卜少夫，陳克文。）有國際馳名的學者（如與俊升，劉百閔），也有曾在政府任職的要員（如王雲五）……包括各黨各派，學者名流，立場超然，言論獨立，是一個純粹論政而無廣告混雜篇幅的精緻報紙。這種旨趣得博所有海內外的學者收士和一般讀者贊同和支持。二十多年來，所有自由世界中著名的學者名流幾乎沒有人未曾在這裏寫過文章。諸如大家熟知的錢穆，吳經熊，熊式一，林語堂，沙學俊，胡秋原，唐君毅，顧翊羣，李璜鵬，張起鈞，陳香梅……無不都是常見的作者。因此，自由報不僅是二十年來遠東問題的記載和評論，並且成爲這兩個年代知識份子政見的總滙。自由報原是對面臨史實的檢討。但由於作者的份量和時間的積累而這自由報本身竟成了近代史中的珍貴史料。

正因如此，所以本報決定把二十年史料，彙集起來出印合訂本，提供給全世界關心近代遠東問題的讀者和研究機構。

我們認爲這一合訂本會對從事下列研究的人士，提供最有價值的貢獻：

研究近代遠東問題和東方學的；

研究中共的理論和實際的；

想知道近代中國知識份子的思想和其反共見解的；

執政黨與在野學人政治上的距離。

對於這些人士，我們都願虔誠的爲他們服務，協助他們備置一套自由報合訂本。

檢討日本軍國主義（四）

·本報資料室·

關於教育方面，由於「日教組」（日本教育工作者工會，爲左派工會之一）的興起，大事清洗了軍國主義思想。雖然他們在某些方面的作法有點過份，例如不許教授日本歷史；同時又帶有濃厚的馬克斯主義傾向，但是在防制和打擊軍國主義思想方面，卻起了極重大的作用。

關於輿論方面，戰後的日本報刊，幾乎是一面倒的左傾，軍國主義已經沒有陣地。任何有保守傾向的報刊都難以存在。官方的時事通訊社，十餘年來一直不受歡迎，所出版的叢書也甚少人問津。一般出版的書籍銷五萬冊即已嫌少，「時事」出版的書多不能銷過五千冊。

關於國民心理方面，對於軍人干政、挑起世界大戰之非，戰敗爲全國所共鑒，戰後又嘗被佔領的苦果，今天絕大多數人無論是左派還是右派，對軍國主義已經少興趣。否則去年三島由紀夫切腹一幕，絕不會還能風平浪靜的成爲過去，很可能造成戰前軍國主義抬頭前夕、風起雲湧的暴力反應。

戰後從自民黨連續執政的事實說明多數日本人仍是傾向於保守的。這裏所說保守，文化的社會的意義實大過政治的意義。受了一千餘年禮教薰陶的日本人，對於那些藐視日皇，輕蔑神道（日本傳統宗教）的左派政黨，總是格格不入。尤其是對於那些不顧國家利益、追隨外國政治路線的社會黨左派更爲冷淡。

六、潛在性的隱患

今天執政的自民黨，頗似戰前的政友會和民政黨，他們雖非軍國主義者，但是卻包容若干軍國主義成分，對軍國主義乏警覺，很容易被軍國主義者所滲透和利用。

最大的一個隱患，就是戰前外務省那些思想頑固的官僚，仍原封不動的盤踞在外務省各機構之中。他們的思想觀念和對華的傳統政策仍在起作用。

今天在日本極右派的軍國主義團體數以百計，但是皆因乏人支持，忽生忽滅，雖有重大發展。相信今後亦難有甚麼發展。但值得注意的不斷擴充的自衛隊，和具有近百年侵華經驗的外務省的職業官僚。最可憂的是在此二者的結合下，對於保守政客的影響，我們是必須提高萬萬分警惕的。

（完）

抗倭名將戚繼光

馬識途

繼光選兵與人不同，投與的兵器也是因人而異。不像一般軍隊，一律使用某種兵器，繼光的新方法是：

四十歲以下，二十歲以上的健卒，投以長短相雜，刺擊與衛擊合用。

狼筅長牌，配備給身材雄偉的戰士。

長槍短兵宜於精敏有殺氣的人。

聰明伶俐者，投以火鳥銃。

如果不分材幹投以兵器則有下列之害。他說：

苟一概給之，則年近四旬者，筋力已減，豈能以圓徑二尺之牌，而跪伏委曲，蛇行龜息，以蔽堂堂七尺之軀，伸縮進退，神出鬼沒，以縱橫於鋒鏑耶？若狼筅長牌等投之以少年健兒，則筋力未充，豈能負大執重，老老成成，立於前行。以三軍之領袖翼蔽也哉！」

他認爲「古今名將用兵，未有無節制號令，不用金鼓旗幟，而浪戰百戰者。」因此他的練兵嚴守紀律，服從節制。「紀效新書」內所載的「操令」、「陣令」、「練兵」、「法禁」、「行營」、「出征」等篇，都非常具有兵學價值。除了精神訓練之外，就是技藝訓練。他說「平日十分武藝，臨時若用得五分出，亦可成功，用得八分，天無敵，未有臨陣用盡平日十分本領，而能從容活潑也。我們看他的「紀效新書」中的「長兵」、「短兵」、「牌筅」、「射法」、「拳經」各篇，可以說都是往古兵家所未發的新戰術。此所謂「謀事在人」者是也。

繼光所的陣法說：「開大陣對大敵，與場中較藝擒捕小賊不同。堂堂之陣，千百人列隊而前，勇者不得先，怯者不得後，叢槍戳來，叢槍戳去，亂刀砍來，亂刀還他，只是一齊擁進，轉手皆難，焉能容得左右跳動，一人回顧，大衆同疑，一人轉移寸步，大衆亦要奪心，焉能容得或進或退。」故繼光用兵切忌回顧，回顧者斬的號令之意義在此。

禦倭的方針

原來沿海的倭寇，多與中國內地商閥勾結。繼光正訓練新軍之際，倭寇犯清樂，繼光與俞大猷奉命增援。由紹興到清樂，路途遙遠，而且須經崇山峻嶺，行軍不便。援軍尚未到達，清樂已陷倭手，瑞安，臨海相繼失守。這一般倭寇乃是勾結漢人商梟汪直，徐海，陳東，麻葉等人爲內應。汪直被侍郎胡宗憲設計誘殺之後，其他的餘黨乃乘此次倭寇進攻，聚衆盤踞岑山，阻岑港爲守，爲首者名叫汪滶。岑港在浙江定海西北，相傳爲古六國的港口，地勢險要。繼光，大猷之軍仰攻不易，致久未得手。朝廷以他們老無功，便欲免了繼光，大猷之官，責令一月之內平賊，否則逮京問罪。結果於嘉靖三十七年七月將岑港攻下，岑港倭寇造船泛海而去。

當繼光攻岑港之時，另一艘倭寇乘機攻掠台州。給事中羅嘉賓等彈劾繼光剿匪無功，且私通倭寇，應予嚴辦。朝廷正擬加以審按，恰好已經攻克岑港，立了大功，於是乃置之不問，且恢復原官，改守台州，金華，嚴州三郡。

繼光到台州，見沿海一帶衛所異常腐敗，乃于嘉靖三十九五月上書總督胡宗憲，說明各衛所軍隊之腐化，並建議了下列各點：

一曰首正名分，使指揮千百戶旗軍丁舍，秩然有序，而衛守之號令必行於上下。

二曰懲治制軍貪官，以蘇久困之卒，使士氣漸振。

三曰重治刁軍刁官，使衛所之官敢於任事。

安徽十三傑（四）

管仲　李紳　莊周　曹操　華佗　包拯　朱熹　朱元璋　戚繼光　李鴻章　段祺瑞　胡適　楊振寧

名人小傳　十二

頹廢大師郁達夫

·塞翁·

郁達夫浙江富陽人，留日本東帝大，習經濟法政科。他的第一部作品「沉淪」，原寄上海時事新報的學燈，主編宗白華爲它壓了很久，後來退回送泰東書局刊行。該書色情性氣氛太濃，爲社會攻擊激烈。可是卻被周作人爲文辯護，稱之爲「受戒的文學」，從此一躍而成新文壇的驕子。且罵宗白華有眼無珠。

民十一年，郁與郭沫若、張資平在上海設創造社，鼓吹浪漫主義，與倡寫實主義的文學研究會相抗衡。這三位巨頭攻勢猛烈，招式狠毒，連五四大師胡適，女詩人冰心等都被挨罵，因此浪漫主義文壇氣勢囂張一時。

郁達夫後來任教武昌，中山，北京，上海法科大學教授，一面寫作。作品有雞肋，過去，敝帚，懺餘，斷殘，作品之中充滿了鴉片，酒精，麻將，娼妓，以及牢騷，怨恨，憤世，嫉俗色彩。曾一度加入左翼聯盟，後來又轉變到民族文學陣營，又一面爲左派張目。抗戰前曾任福建省政府諮議。他最黃的「她是一個弱女子」，因此號稱「頹廢大師」。抗戰時竟跑到蘇門答臘，改名趙廉，開設酒店，做日軍顧問，人稱趙大人，抗戰勝利，被日軍以奸細罪槍殺（或謂其爲政府地下工作者）此事存一疑問。

中醫眞的不科學嗎？（一）

·本報資料室·

本文作者吳湘泉爲中醫專業研究者，是本港「中國醫藥研究所」的主持人。多年來從事中醫學術的研究。在香港出版的衆多刊物中，比較學術性最濃厚的要算「明報月刊」，這是廣大讀者所公認的事實。但歷來對於治病救人的醫學很少登載，尤其關於中醫學術的問題從未討論，這是它美中不足的地方。可是從今年七月號（總第五五期）起，它刊出討論中醫學術問題的文章了。誠如編者所說：「因爲中醫是中國人民所不能捨棄的醫藥。」凡是中國人都應該重視這個問題，我很希望就此問題討論出一個正確的結果來。

可是看到（明報月刊」九月號（總第五十七期）登載加拿大譚齡燕醫生的來信，竟然勸該刊編者不應刊登討論中醫學術的文章，認爲「都是在「講古仔」」，「並無討論的價值」；尤其說「中醫術也者，巫醫的一種而已。」……由於一般中國人的無知，中醫才能殘存下來，許多人，大概爲了保衛所謂中國固有文化，乃在這個太空時代與拼命爲中醫術作垂死之掙扎，更可笑者，他們都拉上一些現代醫術似乎有相同的地方誇大起來，強調中醫術也合科學，中國幾千年前已知現代醫學之道等等胡言亂語。但是中醫完全不懂生理解剖，所以一切理論都毫無基礎，正如嚴東詰所謂得個講字瞎子摸象的故事正好作爲中醫術的寫照……。」總之，譚醫生這篇長達四千字的全文，簡直把中醫罵得一文不值，比當年余雲岫主張「消滅中醫」的議論還要偏激萬分，而且對中醫學術作了全盤否定。筆者認爲這未免太武斷、太霸道了！因此未能緘默，特就譚醫生所持的論點，平心靜氣地擇要申論如下：

一、中醫是「巫醫」、真的不科學嗎？

關于中醫與「巫醫」的問題，已由華谷月先生在「明報月刊」九月號介紹「李約瑟論中國古代醫學」一文有所論述了，凡懂中國歷史和中醫學的人，都會知道「巫」「醫」不分的時代已成陳迹了，尤其中共統治大陸二十一年來，連最偏僻、最落後的少數民族地區，也不存在有「巫」「醫」不分的現象，茲就毋需再作辯正。中醫學術是否合科學的大問題，客申管見。

什麼是「科學」廣義地說，凡是在自然、社會、歷史……任何方面，發現某一種現象在變化中所存在的規律與法則，都叫做「科學」。按「辯正法唯物論辭典」（米丁・易希金柯編著）對「科學」所下的定義是：「科學是人類知識原理和經驗所整理出來的體系，是有系統的關于客觀現實事物的知識，以及關于所謂計劃的變更這客觀現實事物的知識的學問。」具體地說，人們對事物實踐過程中，經過綜合、分析、判斷、推理而提煉出來的理性知識，正確指導實踐與反映客觀現實的法則，這就叫做科學。科學是不受時間和空間限制的，現代有科學，古代也有科學；既有研究室專業人員作着許多圖表、利用高深數學和精密儀器所研究出來的科學，也有研究室外爲一般人在日常生活體驗中所得來的科學。例如以吃飯問題來說，人們已經吃了早飯，爲何知道還要吃午飯和晚飯？

（未完）

書楊故監察委員仁天先生入祀忠烈祠事

吾華當春秋之世，禮崩樂壞，王綱解紐，五伯相斫，倫紀不修。尼聖垂統立極，首倡正名。褒善貶惡，以肅紀綱。秉筆直書，乃作春秋。蓋所以勸忠斥邪，撥亂反正。以教禮俗而救天下。故曰：「春秋經世，先王之志」。體邦經野，莫此爲要也。由此政教愈明，禮義愈興。國家定崇忠之典，宗廟有祀忠之祠。古禮所傳，由來尚矣。竊當締造艱難，夷狄交侵之會。書生報國，矢志忠愛。效命捐軀，勁節堅貞。碧血丹忱，剖心碎首。正義凜凜，氣作山河。乃可見大忠大賢之節概，亦民心國命之所賴以維繫者也。如漢之麒麟閣，唐之凌烟閣，皆圖功臣於其中，示世人以典範，垂千秋之儀型。而近世忠烈祠之創制，亦皆所以崇功報德，其義一也。秦中楊故監察委員仁天先生之事功煊赫，殉職以沒，樞府頒榮褒之令，復入祀忠烈祠，其碩德懿行，有足稱者。

先生籍陝西藍田縣，耕讀傳家，奕葉清芬，生而岐嶷，讀書穎慧異常人。年十九入府庠，繼選優貢，受業於關中理學大師牛夢周先生，寢饋關學，篤敦古道。清末入中國同盟會。辛亥西安舉義，起兵渭南，任敢死軍標統。會於醴泉甘河之役，擊退由隴東犯之清軍，陝局以定。厥後陝督陸建章，陳樹藩摧抑革命，屠戮黨人。先後兩被抄家之禍，先生僅以身免。陝西靖國軍之興起，先生與同門劉守中、張義安諸先烈，奔走策劃，厥功甚偉。猶復參贊軍務，運籌帷幄，並任簡練隊長，以革命方畧，三民主義，陶鑄革命幹部，頗多建樹。時靖國軍爲北方惟一之革命武力，孤軍奮鬥，與國父領導之南方革命，遙相呼應，其有造於我黨國者至大。十年靖國軍解體後，被選爲省議會議員，先生結合同志，抨擊時政，頗著直聲。十五年，鎮嵩軍圍西安八閱月；先生時居城中，參與堅守機謀，得保持西北革命勢力於不墜，有造於北伐事功者至鉅。西安解圍後，瘡痍滿目，先生以不忍人之心，承命掩埋屍骸數千具於城東北隅，即今所謂負土墳也。十八年，關中大饑，先生主持陝西救災振濟事宜，殫精竭慮，全活無算。十九年，南北用兵，先生與甄壽山等，密組民軍，響應中央，有功統一。廿二年，任監察院監察委員。

先生清望素著，職司風憲，凡所糾彈，不避權要，有古御史之風。蓋嘗服膺明楊椒山先生之言「椒山自有膽」也。抗日軍興，駐節西安。嚴寒炎暑，沐雨櫛風，盡瘁國事，殫智竭忠，可謂勞矣。廿八年七月，赴行都渝市述職，時日機肆虐，轟炸無已。九月四日晨，于重慶西郊小龍坎，遇敵機空襲受傷，竟爾殉職，嗚呼慟矣。是年十月十八日，國府明令褒揚，十二月十八日安葬於故籍藍田宋呂氏四獻祠北岡。先生生性果毅，少承關學，以自任。其犧牲爲國，蓋有由也。于公右任爲撰墓志，繫以銘曰：「抱義戴仁，胱胱儒行。關學之功，著於革命。小龍坎之血，四獻祠之風勁。逝靈爽兮來歸，示民族之眞性」。人文並傳，豈不猗歟。五十九年秋，總統蔣公明令入祀忠烈祠，崇忠褒賢，固所應爾。其哲嗣大乾君，現任立法委員，蜚聲議席，孝友稱於朋儕。今歲辛亥九月四日，爲先生殉職卅二周年紀念，先生之舊雨，及其哲嗣之知交多人，均屬朝野勝流，邦國碩彥。撫今追昔，仰止彌深。會發起公祭，以表崇敬之誠，聊申追念之懷，兼示勵節勸忠之義。是日禮行三獻，讀祭文，備極肅穆，觀者爲之動容。實爲近年來倡忠孝，匡澆俗，正世風，興復吾華文化之盛事也。

·陳邁子·

創業哲學

眞理與事實

·丁熊照·　十四

因爲戰局更緊張，再走了三分之一，所留下來的二三百人，都是決心留廠，仍是照常開工。那時日本飛機轟炸頻繁，廠中也備有在當時甚覺穩妥的防空壕，遇有日機臨頭的時候，大家便放下工作躲進壕裏去，充份體會到戰時的景色。我的住宅和辦公處所，雖是在法租界西藏路南陽橋，暫時尚未直接受到炮火的威脅，但爲着與廠內職工共甘苦起見，我還是日日照常到廠中去處理事務，因爲滙明廠址距離上海南火車站不遠，日本飛機轟炸南站的時候，我們便常常受到威脅，有一次我在廠中用膳，會經躲入防空壕三次，才將一頓飯吃完。

身爲全廠主持人的我，在那種環境下，雖然對於全民奮起對日本軍閥抗戰，一舒幾十年受壓迫的悶氣，甚覺興奮，但要將這些留廠的員工，安頓維持下去，卻也不得不頗費躊躇，那時政府爲準備長期抗戰，設別有遷廠委員會，號召上海較有份量的廠家，內遷到大後方去開業，屬於電池業的，有資源委員會經營的合衆廠和民營的滙明廠兩家，爲政府選出，指定內遷，我當然十分願意爲國家抗戰，稍盡天職的機會，能有刻就準備一批器材，預備遷運到內地去爲國家服務。我記得當時政府派在上海主持此事的林繼庸先生，臨時辦公處設在法租界馬浪路，他辦事極有精神，有天清晨，我去看他商談搬遷之事，還未八點鐘，他已經在辦公了，令我印象極深，甚覺欽佩。那時候政府爲鼓勵上海工廠內遷，還規定於運出的器材設備，每噸有數十元裝箱費的補貼，滙明廠計劃首批運出的器材有幾百噸，本也應有數千元的裝箱費可領，但我那時爲着盡愛國的天職，政府發行的愛國公債也已自動購有三萬元，對於這幾千的裝箱費，自無再領取的理由，因就放棄不領。滙明廠這批器材在當時軍運緊張之下，是先由上海南黃浦江裝木船運到鎮江，再轉駁到漢口，我因主持廠務，無法離滬，乃另派二位同事前往照料，但此時漢口戰事已甚緊張，還往漢口之工廠，都紛紛作遷川之計，我所派去的同事因不願再往內走，我祇好讓他們回來，另函林先生將過程事實說明，請他幫忙將滙明廠內遷器材轉運四川，後來這批器材，林先生提前設法運到重慶，甚令我感謝林先生的熱誠幫助，但運到後堆放在河灘上，無人負責妥善料理，後據重慶代理商函告，全爲日本飛機空襲所炸燬，對於這些器材所犧牲的價值，我倒並不覺得可惜，但以此時我國沿海口岸和腹地的大部份，已爲日軍所佔據，我再要作第二次的計劃內遷，事實上已不可能，因此使我終抗戰八年，不得不羈留在上海孤島內，失去了爲國家效力的機會，至今想來尚覺遺憾。留在上海的滙明廠，這時職工尚有數百人，我的內遷計劃既已失敗，而京滬一帶均已爲日軍所佔領，我原想就此停業，也不願在敵僞統治下做順民來發國難財，但面對這些自願追隨的職工與他們家屬的生活問題，自也不能放棄不管，同時我更想到就將全廠閉歇，我個人雖損失百分之百，對於國家也無絲毫利益，甚或有害，我再想到中國工業締造的歷程，歷經困難，爲着保存國家經濟命脈的一點力量，我也應該將滙明廠繼續維持下去。那時候日軍軍的勢力還未進入上海租界，我便在法租界馬白路一四一號另購置了廠房，繼續生產，祇不過爲着表示不願與敵僞合作的決心，對於業務儘量不求擴充，而我本人更是在八年淪陷期內始終未出租界，甚至連北火車站也未去過，以示消極反抗之意。（未完）

語言的改革

今年是辛亥革命的六十周年，在語文改革的運動上，六十年前的辛亥年時，除了政治上的革命外，在語文上也有了新的改革。因此，就趁着紀念辛亥革命的同時，讓我們也來回溯一下六十年前語文改革的一段往史，以及它對日後的影響。

民國建立後不久，教育部召開「臨時教育會議」於北京。其後，會上並通過「採用注音字母案」，後來教育部長依此決議案，並根據「教育部管制」第八條第七項「籌備國語統一之進行方法」，製定公佈「讀音統一會章程」八條，先設籌備處於部中，聘吳敬恒爲主任。這個章程要點是：

甲、會員組織：一、教育部延聘人員，無定額。二、各地代表，每省二人，由行政長官選派；蒙藏各一人，由在京蒙藏機關選派；華僑一人，由華僑聯合會選派。

乙、會員資格（須合下列四種資格之一）：一、精通音韻。二、深通小學。三、通一種或二種以上之外國文字。四、諳多處方言。

丙、本會職務：一、審定一切字音爲法定國音。二、將所有國音均析爲至單至純的音素，核定所有音素總數。三、採定字母；每一音系，均以一字母表之。

當時會員共八十人，其中教育部延聘員約三十餘人，又部派員十餘人，餘則爲各省選派的代表。當時各省籍的代表計江蘇十七人，爲吳敬恒、陳懋治（頌平）、汪榮寶（袞父）、顧實（惕生）、華南圭、陸爾奎（煒士）、董瑞椿（懋堂）、邢島（瘦山）、王祺（雲軒）、胡雨人、白振民、朱炎（炎之）、謝冰（仁冰）、胡明人、黃中（適園）、伍達（博純）、朱孔彰（字仲我，係安徽代表）。

浙江九人：胡以魯（仰曾）、杜亞泉（億父）、錢稻孫、汪怡（一庵）、馬裕藻（幼漁）、朱希祖（逖先）、許壽裳（季黻）、楊麴（潛臣）、陳濬（子英）。

直隸八人：王照（小航）、王璞（蘊山）、馬體乾（子良）、劉繼善（敬之）、張謹（仲蘇）、王修德（新邦）、王儀型（式文）、陳恩榮（哲甫）。

福建四人：盧戇章（雪樵）、蔡璋（子英）、林志、陳宗蕃（表）。

上面我只列出了江蘇、浙江、直隸、福建四省的代表，其餘如湖南、廣東、湖北、四川、廣西、山東、山西、河南、陝西、甘肅、安徽、江西、奉天、吉林、黑龍江、雲南、貴州、新疆、蒙古等代表，一概從畧。這種做法，就因爲這四省的代表中，都有着後來名重一時的語文改革專家，而其他省的代表中，至少就筆者所知，並沒有對語文有特別專攻的學者。（一）

讀書雜鈔

·林偉·　三十四

董曲江言：「一儒生頗講學，平日亦循謹無過失，然崖岸太甚，動有不情之論責人。友人於五月釋服，七月欲納妾。此生抵以書曰：「終制未三月而納妾，知其蓄志久矣！春秋誅心，魯文公雖不喪娶，猶喪娶也。朋友規過之義，不敢不以告，其以教我？」其持論大抵類此。一日，其婦歸寧，約某日返，乃先期一日歸。某詰之。曰：吾誤以爲月小也，亦不以爲訝。次日，又一婦至，大駭愕，覺昨婦，已失所在矣。然自是日漸羸瘠，因以成瘦。蓋狐女假形攝其精，一夕所耗亦多也。前納妾者聞之，亦抵以書曰：「夫婦居室，不能謂之不正也。狐魅假形，亦非意料之所及也。然一夕而大損眞元，非恣情縱慾不至是，無乃燕爾之私，尚有不節以禮者乎？且妖不勝德，古之訓也。周張程朱，不聞曾有遇魅事。而魅事。而此魅公然犯函丈，無乃先生之德，尚有所不足乎？先生賢者也，責備賢者，春秋之義也。朋友規過之義，不敢不以告先生，其何以教我？」此生得書，但力辯實無此事，里人造言而已。宗濤遠先生聞之曰：「此所謂以子之矛，陷子之盾。」（閱微草堂筆記卷十四）

時論曰：世人有道學，有假道學。後者乃僞君子，假貌僞善，實則男盜女娼，不惡不作。潮流進步，促成社會文明，作惡技術亦有不同，近竟有假教育、宗教、慈善……種種美名，結黨營私，惟利是務，逢人輒口稱某爲某教徒，不說謊話，尤不作壞事，似恐所爲已被人知，先放烟幕，正圖掩人耳目，實則欲蓋彌彰。至於對人稍有可乘則惡言中傷，毀人前途，喪人生命，亦毫不顧恤，以示己爲清高。彼等多半有相當社會地位，又具備某些條件，有待無恐。受其害者，亦無可奈何，任其所爲。然而肆無忌憚，終必招禍，民意代表不知自愛，不務正業，而自食惡果者多矣。觀乎最近出獄中央級三委員，台北市議員孫鳴之受鞫法堂，皆心誅之輩，何待春秋筆法而始論定。

烏魯木齊千總某，患寒疾，有道士踵門求診，云有夙緣，特相拯也。會一流人高某婦頗能醫，見其方，駭曰：「桂枝下咽，陽盛乃亡，藥病相反，烏可輕試！」力阻之。道士嘆息曰：「命也夫，振衣竟去。然高婦用承氣湯，竟愈，乃以道士爲妄。歸以後，忽見某以侵蝕屯糧伏法。乃悟道士非常人，欲以藥之，全其首領也。此與舊所記兵部書吏事相類，豈非孽由自作，非智力所可挽回歟？（閱微草堂筆記卷十四）

時論曰：語云如何耕耘，則必如何收穫。已種惡因，即不能幸免惡果。民國以來，軍閥官僚，不以救國爲職志，升官發財，只圖利己，試看有幾人悠然暢寄，頤養天年？縱非引頸就戮。（未完）

談聲音（上）

·錢一釗·　（卅四）

錢一劍談相

五形散而爲萬物。人生萬物之上。聲亦辨其五聲。故木音嘹喨，高暢激越而和。火音焦烈燥怒，如火烈之聲。金音和而不戾。潤而不枯。如調簧奏曲，玉磬流音。水音圓而清，急而暢，感佳之間也。土音沉而洪厚而穩潤而有序，如鼓鼓震音。與形相養相生者吉。與形相尅相犯者凶。

論聲

夫人之有聲，如鐘鼓之響，器大則聲宏，器小則聲短，神清則氣和，氣和則聲潤，深而圓暢也，神濁則聲促，氣促則聲焦急而輕嘶也，故貴人之聲多出於丹田之中，與心氣相通，混然而外達，丹田者，聲之根也，舌端者，聲之表也。夫根深則表實，亮，緩而烈，急而和，短而有力，勇而有節，大如洪鐘騰韻，鼉鼓振音，小如玉水流鳴，琴徽奏曲，見其色則粹然而後動，與其言久而後應，皆貴人之相也，小人之言，皆發舌端之上，促急而不達，何則急而嘶，緩而澀，深而滯，淺而燥，大則散，散則亂，或輕重不均，或如破鑼之響。（待續）

中華民國內政部內版台業字第〇三一號
中華民國僑務委員會登記證台報新字第三二三號
自由報
中國郵政台字第一二六二號執照登記為第一類新聞紙
（第一二一〇期）
（半週刊每星期三、六出版）
每份港幣壹角。台幣零售價新台幣二元
社長李運鴻・督印黃行齋
社址：香港九龍官塘康寧道117號後座二樓
117 HONG NING RD, 1/F REAR, KWUN TONG, KOWLOON, H.K.
TEL: K-433653
電報掛號：7191
郵箱：官塘郵政信箱9583
承印：景星印刷公司
地址：嘉咸街廿九號地下
台灣區業務管理中心：台北市許昌街廿六號
電話：三八〇〇〇二
台灣區直接訂戶　台灣劃撥戶
第五〇五六號張萬有（自由報會計室）
台灣分社：台北市西寧南路110號二樓
電話：三三〇三四六、台郵劃撥戶九二五二號

本報專論

艾其遜塵埃落地

‧侯立朝‧

十月十二日，在美國杜魯門時代做國務卿的艾其遜，死於馬里蘭州沙迪溫泉農莊，享年七十八歲。在艾其遜死前的一個月（九月十一），赫魯曉夫死於莫斯科，享年七十七歲。這兩個人當年都曾叱咤一時，臉色一變，世界就有風雨，一個是戰後美國力量佔絕對優勢時代的國務卿，一個是在太空競賽領先時代的蘇俄總理。然而，他們死後都很淒涼。

提起艾其遜這一位美國的費門神。三十歲以上的中國人，應該不會陌生，一九四九年美國對華關係白皮書就是從他手裏發表的。中國有史以來被外國人欺侮之後又被發表白皮書者，自此始，此乃奇恥大辱的歷史紀錄，中國人要雪恥圖強者，亦應自此始。

一九四五年四月十二日，「疲憊的老人」羅斯福逝世，死前他在雅爾達完成了一項秘密的出賣中國的交易。杜魯門接任總統時，歐州戰場已近結束階段，日本已成強弩之末。一九四五年四月二十五日在舊金山舉行首次聯合國大會，七月十七到八月二日有波次坦會議，此時美國的國務卿是貝爾納斯，而後因為貝爾納斯與華萊士吵架，雙雙掛冠，國務卿由馬歇爾繼任。不久，艾其遜接替馬歇爾出任國務卿。艾氏父親是聖公會會督，他本人原業律師，大戰時任職於國務院，以博覽羣書，精明幹練，恃才傲物知名。他在國務卿任內，直到共和黨於一九五二年競選勝利，艾森豪威爾任杜勒斯為國務卿以接替其職時，才結束他的政治生命。

戰後的世界，特別是從一九四五年二月到一九五三年三月這一階段的歷史期間，美國是民主黨執政，蘇俄是史太林執政，美國的外交大員有貝爾納斯、哈里曼、傑塞普、馬歇爾、艾其遜等人，對手方蘇俄有莫洛托夫、日丹諾夫、維辛斯基、馬立克等人，在當時這兩個國家而論，都堪稱為是上駟之才，鬥爭激烈，形成戰後冷戰的第一回合的高潮。

戰後的美國，在國際政治的戰略上，採取退縮主義；戰後的蘇俄，在國際政治的戰略上，採取擴張主義；在此一退縮彼一擴張之間，很多國家就大吃其苦頭，中國就是身受其苦最慘痛的一國。戰後的蘇俄，在史太林的調度下，左手收拾了東歐，右手赤化了中國大陸及北韓北越，由史太林一手加封的所謂「人民共和國」就有如此之多：（1）波蘭人民共和國。（2）匈牙利人民共和國。（3）捷克人民共和國。（4）保加利亞人民共和國。（5）阿爾巴尼亞人民共和國。（6）東德人民共和國。（7）外蒙古人民共和國。（8）朝鮮人民共和國。（9）北越人民共和國。（10）南斯拉夫人民共和國。（11）中華人民共和國。（12）羅馬尼亞人民共和國。

凡是打着「人民共和國」招牌的，都是史太林加封的。換句話說也都是美國一手奉送的。這些國家的命運，都不是命該如此，而是美國和蘇俄支配他們如此。反過來看，美國支持過一個新興的民主國家的誕生和成長沒有呢？沒有，沒有，一個都沒有，美國不插手還好，只要它一插手，這個國家早晚一定被赤化，戰後中國由美國插手被赤化是例子，戰後西班牙不讓美國插手未被赤化是例子。

中國大陸在戰後被赤化，有內外兩因：內因是我們自己不行。外因是美蘇支配勢力的消長，美國的出賣，蘇俄的收買，中國之命運被決定於美蘇的進退之間，演成悲劇。外因的力量大於內因的力量，在戰後第一個十年，世界上主要的國家未有不受美蘇支配而能得以平安無事的，例如希臘、土耳其及西歐各國，如果美國在當時也任意放手，沒有杜魯門主義和馬歇爾計劃，則早已淪亡。

而戰後的中國，美國既已干涉於先，如不放手於后，結局不會如此，例如當一九四九年春夏毛共渡江圍攻上海之時，毛澤東與周恩來還在考慮如果美國放一師在上海怎麼辦？可惜美國計不出此，連當年日軍阻擾北伐軍的歷史故事都不重溫一下，其愚可知，其出賣中國之決心可知，司徒雷登要留在南京等候承認中共，居心更可知了。

中國大陸的淪亡，是美國加速火油的結果，它不僅要在道義上負責任，而且要在行動上和事實上負責任，大家所熟知的雅爾達協定、史迪威事件、馬歇爾干涉內政、太平洋學會助共宣傳、及停止軍經援助的威脅、向美訂購物資受到國務院的政治條件干涉等，都是具體的事實，都是加速中國大陸赤化的行動，都是把中國大陸人民送進火坑的罪行。可是，就在一九四九年的七月，上海南京武漢俱已陷入毛共之手的同時，艾其遜於八月發表了美國對華關係白皮書，把這些歷史的責任推得一乾二淨，並大聲地指責國民政府說：

（1）國民政府在戰前，十年剿共沒有成功。

（2）美國在戰後對國民政府之援助有二十億。

（3）一九四八年重要年份中無一次得利是由於軍火缺乏。

（4）國軍不須被擊敗而已自行解體。

（5）中國內戰之惡果，非美國政府所能左右，此項結果，不因我國任何所為或我國能力合理範圍內之所能為，而即可使之改變者；亦不因我國之任何所未為，而致使之發出者。

當胡適之談到白皮書這一段文字時，他就在原文旁邊寫上了馬太福音第二十七章第二十四節：「彼那多看見說也無濟於事，反要生亂，就拿水在衆人面前洗手，說：流這義人的血，罪不在我，你們承當罷。」

在中國大陸「塵埃落地」之後，韓戰發生，杜魯門和艾其遜開始在東方給史太林釘子碰。結果，韓戰打死了史太林，這是美國意外的收獲，而這次意外的收獲，是其出賣中國大陸的代價，是由中國人支付的代價，血淋淋的代價換來的。

艾其遜死了，現在又輪到尼克遜來零賣中國在聯合國的代表權了。（完）

自由談

于樞機的讜論

樞機主教輔仁大學校長于斌先生在紐約的一個集會上，向美國友人宣稱：中國在聯合國中之戰，實際乃是保衛聯合國本身的生存之戰。他說：「倘若中華民國在此奮鬥中失敗，則將是聯合國的末日開始。因為此一發展的意義，是聯合國所代表的每一原則都被否定了。」

這眞是一針見血的至理名言，今天我們國家是為了自己的席位而爭，但這一奮鬥，後面的意義，也正如于樞機主教所指出的，而是反映聯合國成立的意義，這一鬥爭就是聯合國本身之爭。

聯合國的成立，絕不是要組織一個暴力集團，也不是湊在一齊的爭論戰場，一如四川吃講茶的茶館。如所週知的是要團結文明國家，發揚正義道德，而步入人類的大同理想，換句話說，這是一個有理想有正義的組織，正是我們中國老話「以文會友，以友輔仁」的一個組織。何況在創始時我國即曾提出道義的原則，而高標於憲章之首，這樣一個組織，縱全不能發揮道義的力量，起碼本身要維持道義的精神，則是確定不移的原則。

現在要牽引毛共入會，這不是一個普通國的入會問題，而是向暴力低頭，屈服在罪惡的組成事實之下，甚至自打嘴吧，無法向會通過的「譴責侵略議決案」交帳。尤其倒行逆施達於極點的，為了迎合這「公然與聯合國為敵的侵略者」毛共，竟爾不惜排斥創始國之一，並明文載於憲章的中華民國，此漸可作，則何事不可作。敵人可以歡迎，侵略罪行可以默認，甚至憲章規定可以不管，我們不知道這樣的聯合國還有什麼意義，還能起什麼作用。

因此今天以我們的角度看，當前聯合國之戰，是我們的席位之爭，但從全面原則正是聯合國能否繼續存在的生死考驗，假如竟爾排我容共，則聯合國雖存實亡，聯合國云者，還有什麼意義，國際友人，聯合國的會員們，可以不愛中華民國，但是不能不愛聯合國本身，否則縱然列名會籍，又有何趣。

馮五先生

昨日與明日

美國要做中間馬乎？

尼克遜在宣布朝毛聲明之後，他的狗頭軍師季辛吉經已二度入毛巢作朝毛程序之安排，看樣子朝毛一事挫折性不大，致於其收穫性如何？尚須等候歷史紀錄來裁判。

就在尼克遜朝毛聲明之後的兩個月，蘇俄也邀請尼克遜於明年五月左右訪問莫斯科，蘇俄似乎也在玩弄尼毛，以分散尼毛聯合戰綫的陣勢，出手相當辣。

在美、毛、俄這三頭馬車如此相交錯的情況下，美國是處於中間馬的地位，左手它想聯毛制俄，右手它想抑俄助毛，使俄毛之間出現一種彈性的平衡，以爭取美國的利益，使美國處於俄毛之間，如偏毛則毛勝，偏俄則俄勝的舉足輕重之地位，施展其所謂「均勢外交」的魔術。

目前出現這種三頭馬車的聯手陣勢，也就是赫魯曉夫當年提出的公式。儘管毛澤東直到現在還在一味地「反蘇修」，實際他已走上了赫魯曉夫早在十二年前替他安排的的道路。美國當年雖然也反對赫魯曉夫的三頭馬車領導聯合國之論，可是，現在也由「廚房辯論家」尼克遜來執行了赫魯曉夫的主意。當年在莫斯科與赫魯曉夫在廚房辯論的贏家，現在是輸了。而現在高唱反蘇修的毛澤東，也是輸了。尼、毛都走到「沒有赫魯曉夫的赫魯曉夫主義」的路綫去了。赫魯曉夫死矣矣了。

在尼克遜朝毛與訪俄之後，這三頭馬車的關係，可能出現一個新形勢，彈性大於硬性是可能的。

‧胡迭‧

小幽默

慧子

在匈牙利某個城市的一輛電車上，車掌叫道：

「先生們，請往前移一點。」

一個搭客糾正車掌的措辭，說：「是同志們，不是先生。」

車掌冒火了，大聲叫：「先生們，請往前移一點。同志們是不乘電車的──他們都乘美國轎車」

東德有一家工廠附近的飯店裏發生糾紛，人民警察進來調查，原來是三個車床工人，吃了東西不付錢。

「我們的工資太少了，不夠吃用。」三個人都這麼說。

警察看到隔壁桌子上有一個老頭子在那裏大吃大喝，就去問他。他說是已經退休了，現在由兒子養活。

「你怎麼有錢來大吃大喝呢？你兒子是幹什麼的？」

「他也是個車床工人。」老頭子說。

警察聽了得意洋洋，正要向那三個鬧事的工人責問的時候，不料老頭子又補充一句：

「不過，他是在英國的曼徹斯特鋼鐵公司做工。」

輔導僑生回國升學 必須積極加强措施

立委指出過去成果難滿意 力促當局今後應儘量收容

（自由報台北消息）立法委員鄭志齋就輔導僑生回國升學問題提出質詢，他說根據報載：行政院新聞局在記者會中曾經報告最近二十年來政府輔導僑生回國升學人數，總計爲三一、七九八人，其中外入大學者，有一五、五四三人。可見政府在近二十年中，實施輔導僑生回國升學的政策是正確的。但是，本席覺得這二十年來輔導僑生回國升學的成果，還不能夠十分令人滿意，政府當局對於此一成果，更不應該沾沾自喜。因爲，我們看到當前海外僑胞在國內國外對國家貢獻的重要性，而且這種重要性，一天要比一天增加，因此爲了解決海外僑胞子女回國就學問題，我們更應該重視，並須加强其種種措施。尤其是最近數年來國際情勢變動劇烈，爲了在海外留下祖國對僑胞子女教育的種子，更是具有十分迫切的重要性。因爲目前由於種種限制，海外華僑在住居國辦理教育多不能放手做去。例如：最近消息，菲律賓在上月三十日即有十幾個僑校自動同意歸化非國。此種事實演變的結果，雖然有好有壞，但是已足說明：僑胞在海外辦理學校，已經日趨困難，將來可能沒有辦法在住居國繼續辦理教育。因此，希望教育當局一定要從速設法補救，也就是加强並擴大輔導僑生回國升學。將來他們返回僑居國時，才能發揮其所學，將祖國的教育和文化在海外播種生根。

我們檢討近二十年來輔導僑生回國升學成果，未臻理想的原因，是由於名額的限制。凡是申請回國升學的僑生，我們不能儘量接受，也就是不准許他們全部保送，而經過考試後，更不能全部容納他們。這種限制是由於兩種原因：（一）大學要維持其一定的教育程度水準。（二）所需經費不够。誠然高等教育必須維持一定水準，但是由於實施九年國民教育的結果，我們中小學教育方面，已經到了「有教無類」的地步；在教學上並已採取了「能力分班」的措施。因此，在中等教育及國民教育方面，只要僑生回國升學，都應該大量收容。致於經費不敷問題，我們實施九年國民教育，既已花費龐大經費，則因增加僑生回國升學所需的少數經費，並非一大問題。況且僑生即使增加就學名額，亦不致有何困難。茲舉例言之：本年公立高中聯考，教育局估計有十八萬人參加，而實際上投考者並沒有這麼多。以台北市爲例，原估計有五萬餘人，實際上報名的祇有三萬五千人，相差近兩萬人；又公立職校預定錄取八千人，結果祇有五千多人。可見在整個教育方面來看，增加僑生回國升學名額，並無不能容納之事實。今天因時間所限，本席不能多說，只是希望教育當局對於今後輔導僑生回國升學一事，好好檢討一番。總之，在政策上必須高瞻遠矚，本着對僑胞子女愛護之精神，不但要繼續輔導，而且要加强輔導。這才是對於僑胞貢獻祖國之表現，致其殷切之關懷與撫慰。我們的政策在經濟上，既是鼓勵僑胞返國投資，而在教育上應該是鼓勵僑胞子女回國升學，此二者是缺一不可的。這樣，我們才能以祖國的教育來培植大量的幼苗，到海外發揚光大，繼續維持我們海外僑胞的生存和發展，對於祖國不斷作最大的貢獻。還望行政院各位先生多加檢討研究，務使今後能夠儘量收容海外僑生回國升學。

拓寬關渡迄未實施 若干村落蒙受災害

立委提出防洪問題質詢 指基隆河改道工程不當

（自由報台北消息）立法委員蔣肇周就大台北地區防洪問題向政院提出質詢，他說：大台北區防洪問題，八年以來，提出若干次質詢，言之諄諄，聽之藐藐，本無勇氣再問，然事關人民權益，應本知無不言，言無不盡之義，將歷年政府防洪措施，逐條提出，以供各位同仁之研討。

一、關於拓寬關渡口問題：北區防洪治本計劃，曾於民國五十二年冬經專家多次研究，始能定案，就是決採分流方案，就是將大科坎（上兩字山頭、以下同）溪洪水改由塭子圳疏洪道經關渡入海，不經淡水河台北橋，與新店溪分流，此項計劃，第一期工程拓寬關渡，由原有四百五十公尺拓寬爲五百五十公尺，其餘各項工程，均未實施，一拖八年，不特拓寬關渡口未見其利，而五股所屬興珍、更寮、洽華、成州、五股、德音、洲後等村數百公頃之良田，被水倒灌成爲澤國，反蒙其害，塭子圳疏洪道，專家顧及有回淤現象，致中途改變，而放棄大科坎溪新店溪分流計劃，五股各村人民之損失，責由誰負。

二、關於基隆河之改道問題，基隆河原經大龍峒河與淡水河相連，後將大龍峒河塞了，基隆河改道直入淡水河河段，在基隆河預定改道時，本人迭次提出質詢，請水利當局予以考慮，人民亦紛紛請願，未獲採擇，而一般水利專家，一意孤行，完成改道工程，其原有河道改爲成功湖，固湖水不能暢流，日積月累，臭氣沖天，所謂成功湖者，現已變成大肥湖，湖畔居民，談湖色變，咎由誰負。

三、關於石門水庫防洪問題：石門水庫防洪部分只有十公尺，因容量有限，如庫水超過飽和點時，爲保全水庫安全勢必大量洩洪，爲患至鉅。本人有鑒於此，已提出多次質詢，第一次民國五十二年九月二十七日第三十二會期，就是葛樂禮颱風來臨時，指責石門水庫放水失時，本人主張，若遇颱風來襲，發電以不影響灌溉效益之下，先將溢洪道以上全部水閘敞開，使庫水緩慢流出，（每秒五・五公尺）比較驟然開閘洩洪安全得多（每秒一千五百至三千立方公尺）。第二次民國五十八年十月十四日第四十四會期，提到關閉開庫水來源，疏導庫內泥沙，並注意石門洩洪時機，同時防範海水倒灌影響洩洪等問題。第三次民國五十九年十月十九日第四十六會期，行政院施政報告提到經濟部所提防洪措施第二項爲「降低石門水庫水位標高上限」，與本席在五十二年爲葛樂禮颱風質詢時提到，爲時八年，才對本人歷年質詢案，作局部之考慮如果該驗發生效力，誰負拖延之咎。

淡水河床泥沙淤塞 失去洩洪作用 即應予以疏浚

四、關於疏浚淡水河床問題：淡水河日久不疏，泥沙淤塞，河床漸高，堆成沙洲，積成平原，蓋有違建物，或栽種植物等等，凡經過中興大橋，可歷歷在目，本席五十七年七月十二日已向行政院質詢過，對防洪治本計劃草案中，所擬（甲）、（乙）、（丙）、（丁）、（戊）五案，如分流案之（丙）案不能實施，可採用（甲）、（乙）兩案合併實施，一則浚深淡水河河床，一則建築淡水河左岸主支流護岸堤防，導洪歸槽，當不失爲可行之方案，而政院竟視若無睹，不聞不問，仍任其發展，則淡水河焉能有洩洪作用，現在中興大橋河面，除河沙填塞大部分外，所餘儲水部分較台北大橋河面還狹，如大科坎溪，新店溪泥沙，無法阻止，仍原原流入淡水河，河洲增高，河道更狹，日久非疏浚不可，與其顧慮將來，不如早爲之計，專家以爲何如？請詳爲答復，以釋羣疑。

五、關於洪水平原管制問題：該項管制辦法，經行政院於民國五十七年五月三十日公佈，分一、二兩級管制區，面積共五七五四・〇九公頃，人口有二十八萬五千八百多人，鄉鎮有三重、新莊、五股、泰山、板橋等，一級管制區受嚴限制建築及發展。二級管制區受推行防洪措施限制，其管制時間，定爲五年至十年，現爲時將近四年，而北區防洪大計，仍在腹中，當時管制之目的，爲增進台北市之安全，及減少可能遭遇之洪水災害，四年以來，其實際影響如何？請有關部門予以指教。

六、關於闢疏洪道問題：本席上會期已質詢過，提出五點，一、變要地爲孤島，二、破壞鄉鎮完整體系，三、疏洪位置不當，四、製造回淤矛盾，五、勿依賴外國專家以自誤。行政院答非所問，更感惶惑。本席前多項質詢都提到新莊、三重沿淡水河一帶位置甚高，每次大颱風來襲，未越淡水河之洪水，並進入三重、新莊各鄉鎮，多由河口經蘆洲五股低窪地區倒灌爲患，與台北大橋河面流速無多大影響，如以中興大橋上游左岸開闢天然疏洪道，河寬六百五十公尺，河長七・七公里，面積僅五百八十五頃之孤島，在此狹小地區分洪，極不理想，本席大膽向專家們提出一個嚴重警告，如天然疏洪道開闢以後，淡水河左岸各鄉鎮，每遇颱風，仍是一片汪洋，你們向人民應提出如何保證，以明責任。

退役軍醫何去何從

——兼論佐醫班畢業之退役軍醫執業問題。

歐陽去非

退役軍醫分佈全省各大城市鄉鎮，繼續負起民間醫療工作，十餘年來癒人無數，在全民保健方面並未落於所謂「地方醫師」之後，此足徵前者具有執業之能力無疑，可是近幾年來某些經常不從事實際醫療正業者，却以搞群衆運動而成名的醫界人士（例如台灣省醫師公會理事長吳基福），連絡一些「有志一同」的好管閑事的醫界霸者，挾其財勢，爭取外行人士入夥，專門阻擾退役軍醫執業，不斷製造矛盾與糾紛，並以似是而非的理論混淆視聽，甚至企圖操縱輿論，（例如將賺自病人的大量金錢寧肯投資幾家報紙。）

其間雖經立委諸公在三讀通過新醫師法同時，附帶決議從寬解決退除役軍醫執業問題，才能實行新醫師法，然吳基福又改變戰術，復利用其旗下刊物「台灣醫界」登出向中央黨部等單位的陳情書，（陳情一方應爲弱者，今竟有强者大陳其「情」，不亦怪乎！）表面似對大陸來台的老軍醫憐憫，實際分析，乃是製造對立，（老軍醫與佐醫班）。擴大矛盾，目前已見「功效」，一些被愚弄的老軍醫，似已「高枕無憂」了。由矛盾必然產生糾紛，最後則必然個別「修理」。這不但徒增社會問題，抑且帶給政府不必要的困擾——敬望政府當局及立委諸公，洞燭機先，使千餘退役軍醫及其眷屬，眞能有權自强，有力不竭，茲就事論事，舉出鐵的事證，請年高德劭的長者賜予審閱並主持公道。

（一）退役軍醫實際只有千人左右，吳基福及其收買的鄭某，（老退役軍醫，曾公然登報以退役軍醫「總代表」自居，替吳氏拉票助選），並曾領着一大羣退伍的衛勤技術官、司藥、護理員、看護士官，及民間開藥房的密醫，跪在立法院門口請願出足洋相，丟盡臉面，兩人却信口雌黃，故意擴大數字，使立委先生因見人多而產生「良莠不齊」的錯覺，吳鄭用心之毒可見一斑。

（二）吳基福的「傳聲筒」刊物，在情書裏建議政府，從寬解決大陸來台老軍醫的執業問題，以酬庸彼等之忠貞與抗戰功勞，反言之，這是否暗示程度、經驗、能力均優的佐醫班畢業生「不忠貞」「無功勞」呢？以現實論佐醫班校友都是受了領袖的召喚而投筆從戎的，在台海歷次戰役中，成仁、成殘、力疾從公者，不知凡幾。其忠貞與功勞絕不稍遜於老軍醫，當然更不比吳基福差勁，更何況反攻在即，佐醫班同學較年青用處尚多，爲了激勵士氣，焉能不顧慮其切身權益。

（三）倘謂退役軍醫不能爲老百姓治病，試想：軍民的生理同、病理同、病源細菌並無不同，所用藥物也是一樣，何尊民而賤軍？依法言之，退役軍醫皆持有總統頒發之任官令及國防部專長令，一國之內政令豈可抵觸？

（四）如說退役軍醫程度參差不齊，此不容否認，但優秀卓越者亦大有人在。反過來看，地方醫師的程度如何？內行人知之甚詳，其中有替老醫生作藥局生者，有替日本軍閥作看護者，亦有替藥廠作推銷員者，更有在醫院幹清潔雜務者。這些曾替日本天皇效忠的不學無術者，倘能甄訓一張醫師證書，我堂堂中華民國政府培養的訓練的專業退役軍醫，反而得不到執業資格。試問天理何在？國法何存？

（五）若謂甄訓已在大陸辦過，爲臨時變通辦法不應再辦，但撤退來台後又辦了一次，誰曰不宜？目前居心叵測之士，僅片面示惠於老軍醫，期使新醫師法實施，故陷佐醫班畢業生於「萬劫不復」之境，這種「半身不遂」式的政客佈袋戲，顯然違反憲法，第十五條「人民之生存權及財產權，應予保障」的立法意旨。

以上所列五項祇是最顯而易見的小部份事證而已，其他見不得天日的事尚多，例如：有人花鈔票向日本購買「醫學博士」頭銜，「」外行人。又有些人常愛東奔西跑，對病家無責任感，把診所交給別人代診，高雄某診所，請的代診醫師就是老軍醫。）

總之，要甄訓老軍醫有份，佐醫班畢業生更該有份，因爲後者尚有餘力報效黨國，要考老醫生，年青醫生、老退役軍醫、佐醫班畢業生統統都有（連吳基福在內），民主法治國家決不容許特權份子緊抓着一張二十年前發黃的證書，「一勞永逸」地「吃」定社會大衆。

最後我們全體佐醫班退役軍醫鄭重聲明：只有在以下兩個條件之下，我們甘願放棄醫師執業資格。就是：

（1）請吳基福及其同路人，再向中央「陳情」，使當局明令規定：退役軍醫「永不錄用」——現在不准行醫民間，反攻大陸亦不准回任軍醫。（這樣倒也乾脆，我們可以「改行」拿起槍桿當敢死隊。）

（2）反攻聖戰，一觸即發，請吳基福保證他的同路人，夾着他們的醫師執業證書，立即投效三軍，「換掉他們認爲軍中那批不合格的軍醫。」

苟能確切實現以上兩點，我們退役軍醫寧肯自戕，以謝國人，以報　總統栽培之德，並呈請國防部治我等以草菅「軍命之罪」，且誓死不再爲執業問題[illegible]口舌。

王任遠，一年有成。

·文國樑·

由立法委員轉任司法行政部長的王任遠部長，到職以來，忽已一年有奇，在這一年中舉國上下，對他的新作風屢獲喝彩，本報執筆同仁（均爲國內名學者教授），基於望治深切特爲此作了一次例行的羅漢請觀音，由王部長報告一年來革新司法的概況。

王部長到職時曾揭櫫人事公開，建立制度，榮譽心責任感等三項目標勉勵同人，因此他首先着手整頓司法風氣，對於違法亂紀的司法人員不論大小一律嚴懲，使社會人士爲之耳目一新，同時並實施人事評議制度及首長職期輪調制度，以期做到人事公開，建立制度，由此他的決心與魄力，接着展開改進民刑事審判業務，積極清理久懸未結的重大刑案，並協調改進訴訟案件如何達到迅速，確實，妥適的目標，避免最高法院一再發回，以期疏減訟累。此外如防制竊盜方案的執行，少年事件法的實施，還建監所及改進獄政，辦理罪犯減刑等業務等等，使台灣人民對這位來自民意代表的部長，刮目相看。

這話並不是本報有意溢獎，讀者也許還記得，今年春間，立法院第四十七會期總質詢開始時，大家對王部長一致好評，其中比較突出的是非國民黨籍的立法委員李公權說得最爲響亮，李委員在六會上質詢中說，王部長到任後半年，他爲了瞭解司法改進實況，曾隨全體司法委員會委員作環島考察，認爲半年多來，王部長對於積習已久的司法風氣及民刑審判業務有了長足的進步，使我們不得不對王部長表示欽佩，他說從王部長的成功看來，革新政治是事在人爲，希望行政院以次各級政府首長均應向王部長看齊，惟有這樣，我們反攻復國前途才大有可爲。

最近某報國會春秋中題爲「有聲有色」有這麼一段：略以本會期總質詢有一非常特別的現象，那就是沒有一位立委提出有關司法方面的質詢，據說這是行憲以來從未有過的事，以往每個會期或多或少，總有提出司法問題的質詢，惟獨這個會期司法方面的質詢連一個都沒有，倒是幾位委員對王部長着實表揚一番，足見王部長在這一年多來確實表現得有聲有色，使司法面貌一新，獲得國人一致的讚響。我們希望在這國際局勢逆轉的此時此地，政府應加强各項革新，收攬人心，團結奮鬥，也像年來司法革新工作一樣，劍及履及，才能使海內外同胞大加振奮！

中醫真的不科學嗎？（二）

·本報資料室·

爲何知道明天還要吃飯？爲何知道天天要吃飯、年年要吃飯？爲何知道晚上在睡眠以後又不要吃飯？關于這連串的吃飯問題，因爲人類從古至今就知道這個生活規律了，不必用科學公式與精密儀器來證實它，即或用公式儀器來求證，也仍然不會變更這個吃飯的規律。如果我們以這種觀點來看中醫學術問題，可以肯定中醫學術合乎科學的。

因爲中醫學術有數千年文字記載的歷史，它是中華民族自古以來在治病保健過程中實踐經驗的積累，歷代祖先甚至不惜生命的代價，以身試藥（如神農試百草的故事），發明了醫療方法，而且建立了醫學理論及治療學的規律。古老的中醫學理論（如黃帝內經……等）看起來雖然沒有現代醫學（一般所謂西方醫學）那樣科學，但是深入研究，其實很精神，且有過之。例如：將人體各種生理現象，看成是對立而統一；將人體臟器的功能，理解爲相互依存、相互制約的。認爲人與自然環境是一個整體，有不可分割的關係；認爲疾病的發生不是單純地決定於病原體（邪），而是更重要地取決於機體的抗病力（正）的強弱，並且重視精神因素在發病學上的重要位置。在治療方面，以調整生理機能及扶助機體的抗病力爲主，所謂「扶正即可祛邪」，着眼於病者的整體，而不是「頭痛醫頭，腳痛醫腳」地只顧病變的局部。

中醫的治療方法有：藥物療法——內服外敷的多種劑型，有物理療法——針灸、推拿、氣功等，有飲食療法及精神治療等等。

在療效方面，也是肯定的。凡是精通中醫理論善於「辨症論治」的，莫不奏效。它以「辨症論治」，把各種疾病症狀，歸納成爲陰、陽、虛、實、寒、熱、表、裏等八個綱領，代表矛盾的兩極，以對立統一的觀點來認識病機轉和生理機轉的規律，從而決定治療方法。這樣把「理、法、方、藥」結合起來，不僅達到療效的保證，也創造了許多療效極高的良方成藥，受稱道。例如：中醫治療傳染性肝炎，以「茵陳蒿黃湯」（茵陳、梔子、車前子、木通、澤瀉、鬱金、茯苓等藥）爲主方隨症加減，其療效達百分之百；又如高血壓病用石決明、黃芩、桑枝、地龍、雙勾藤、連翹、酸棗仁、龍膽草等驗方治療，亦有效率達百分之九十以上；用針灸或中藥複方治療風濕性關節炎，其有效率亦達到百分之八十以上；中醫運用溫熱病的原則治療流行性乙型腦炎，具有顯著療效；上海市第十一人民醫院用「白頭翁湯」治療細菌痢疾，療效高達百分之百，認爲比磺胺類西藥效果更好，且無副作用；遼寧省瘋病院用中醫治療四百多例各種類型的瘋病者，都有顯著療效，僅「掃瘋丸」一種成藥的療效就達百分之八十；山西省永濟縣史傳恩的祖傳秘方「五虎追風散」，治療破傷風，其療效高達百分之百。再如消化性潰瘍、淋巴腺結核（瘰癧）、毒瘤（癌症）、動脈塞（脫疽）、痔瘡等等，西醫多用手術割治或放射，而中醫則用藥物療法，簡便安全，療效都有超現代國際水平的記錄。（以上病例，見中國大陸一九五五年至一九六六年各地出版的中醫藥雜誌病案報告的摘要）這說明中醫不但能治好一般慢性病，而且對急性傳染病也有很高的療效。此外，我們根據歷史觀點來設想，中國採用西方醫學治病，乃是近百年來才有的事，而且只在城市流行，對廣大農村並未普遍，如果中醫沒有療效，中華民族能夠繁衍到今日而成爲七億多人口的世界大國嗎？否則早被疾病滅種了！

既然中醫的療效是肯定的（庸醫害人，又當別論），而療效又是根據中醫理論體系，通過「辨症論治」，從臨床實驗中產生的，爲什麼說中醫「不科學」呢？甚至於說它是「巫術」呢？也許譚醫生認爲：中醫的療效不過是像「巫術」那樣的偶中，而沒有科學理論根據，他指出「中醫完全不懂生理解剖，所以一切理論都毫無基礎」。現在就跟着談談這個問題吧。（未完）

名人小傳　二十一

左寶貴一門忠烈

·塞翁·

左寶貴號冠亭，山東費城人，由太平軍首義始，自小兵從戎，歷剿洪楊，捻匪，馬賊，木匪，金匪累立戰功，獲清廷金牌，黃馬掛，雙眼花翎，頭品頂戴，官拜總兵。左氏性忠勇善戰，孝義天生，其家亦滿門忠烈。

光緒二十年五月，日軍進兵朝鮮，左寶貴率兵參戰，在牙山設伏，打得日軍潰敗，旋轉攻平壤。時清軍將領多腐敗，惟左氏毫不畏縮，率其親自訓練三千驍騎奉軍，浴血抗日，其他友軍皆走，僅他一枝孤軍奮戰。一日他母親見其憂心忡忡，心知兒子之以己爲念，立語之曰：「汝父臨終時遺言：此子將來成人，應教其爲國爭光，切不可因他處境艱險而痛惜」！左氏曰：「萬一兒子爲國犧牲你老人家怎麼辦？」母悖然變色曰：「國土不保，豈能念及私事嗎」！左氏抱必死之心又與妻兒訣絕：「我決心爲國犧牲，你如何打算？」其妻正色曰：「你放心，如果你爲國犧牲，我不會使你受到玷辱，後花園有井，那就是我母子的死所」！她說完立咬手指，寫下「赤心保國」四字交給丈夫，叫他帶在身邊，時刻勿忘。於是向全軍宣誓決心、日軍數次招降殺其使者，卒以衆寡不敵，彈盡援絕，被彈身亡。其老母妻子聞之，均隨之自殺。壯哉！左氏滿門忠烈，實可敬也！

讀書雜鈔　三十四

·林儔·

亦必患惡疾痛苦而終。軍閥如張敬堯，政客如唐紹儀，漢奸如齊燮元，均已年登壽域，仍不免死於非命。汪精衛當年刺攝政王被執，如被清廷棄市，則流芳百世，入祀忠烈祠。即在九一八後死於孫鳳鳴行刺之時，仍不廢爲國犧牲之美名。竟中彈不死，因有糖尿病又不敢開刀割取彈頭，留置肋骨中間。抗戰後在重慶負氣出走，南京組織僞府，自爲領袖，身上子彈忽又作怪，去日本動手術而喪命，漢奸之名，雖有孝子賢孫百世不能改，豈命中注定耶？以其所行當於是也。

滄州一帶海濱斥鹵之地，謂之海泡，延數百里，並斥鹵不可耕種，荒草粘天，黑如塞外。故狼多窟穴於其間，捕之者掘地爲穽，深數尺，廣三四尺，以板覆其上，中鑿圓穴，如盂大，略如枷狀，人蹲穽中，携犬子或豚子，擊使嗥叫，狼聞而至，必以足探穴中攫之，人即握其足立起，肩以歸。狼隔一板，爪牙無所施其利也。然或遇其羣行，則亦能搏噬，見人則以喙據地嗥，羣狼則集若若號令，然亦頗爲行客道途患。有富室偶得二小狼，與家犬雜畜，亦與犬相安，稍長亦頗馴，竟忘其爲狼。一日晝寢廳事，聞羣犬嗚嗚作怒聲，驚起周視無一人。再就枕將寐，犬又如前。乃偽睡以俟，則二狼伺其未覺，將齧其喉，犬阻之不使前也。乃殺而取其革。（未完）

抗倭名將戚繼光

馬識途

四曰禁所伍越序文移，無印白呈，以霸軍政。

五曰諭以忠義，厚恤戰亡，以勸親上使民之念。

六曰清查戶口，均編差役，以養荷戈之力。

另外請求關於軍中應興應革之事，可以隨機處理，不必事事請示，延誤戎機。重大事故，則聽合兵巡道施行。所有軍糧，按月徵放。如此兩三年之內，若果沿海官軍不不能堂堂一戰者，願當誤國之罪。

繼光的上書，深切時弊，立即獲得胡宗憲的照准。胡的批示：

「本官爲一方大將，既肯挺身任事，則一方軍務，悉以委托，俱許便行事。」

因此繼光乃得放手去做，倍加努力，加緊訓練，改革軍備。不到一年，煥然有成。就在嘉靖四十年，公元一五六一年，繼光的新兵訓練完成了。而倭寇也正在此時大舉侵犯台州海澳的桃渚，圻頭，建立了他所練的新軍第一次的牛刀小試。

戚家軍牛刀小試

戚繼光的新軍訓練已經完成，而不知死活的倭寇來的正好。於是率領了這枝一手訓練出來的新軍直搗甯海，扼住桃渚的倭寇，在龍山展開一場大戰。倭寇以爲和從前一樣，不把官軍放在眼下，但一見陣，即潰不成軍，其殘餘之寇，紛紛竄到雁門嶺上，據險而守。雁門嶺在雁蕩山的東支，峯巒起伏，路徑崎嶇，嶺口之小，只容一人一騎通過。倭寇憑藉此險，以爲其奈何我，不知戚家軍之利害。繼光殺敵報國心切，乘寇據山未固，喘息未定之時，便率軍進攻。三千健兒好似猛將軍，個個如同生龍活虎，精銳神速，那樣險要之地，半日功夫，一舉攻破。倭寇除被殺墜崖死外，一部分奪路走脫。又以爲戚繼光的軍隊全部開赴前方，後方台州一定空虛，乃乘機侵台州。繼光聞報，毫不遲疑，旋踵而至，在台州附近，截住倭寇襲擊，繼光親自出馬當先，親斬倭一個頭目，餘無頭而不能竄，一戰潰散，各自逃命。繼光揮軍追擊，追至爪陵江畔，將所有的殘餘倭寇全部殲滅殆盡。造成剿倭以來空前的勝利。

桃渚倭寇雖已殲滅，但在圻頭的倭寇非常猖狂。繼光得報，乃乘其未發，以精兵一千五百人前往剿殺。就在仙居，把倭寇重重包圍，加以殲滅之。往日的倭寇數百人可以橫行沿海地區，這一下遇到戚繼光，乃如喪家之狗，東也被打，西也被宰，一夥隊伍完全殲滅，連伙伕都沒有漏網的。總共繼光這次牛刀小試，一連九戰，無不捷克。繼光與戚家軍的威名，從此震驚全國，倭寇聞風喪膽。繼光得功最大，特予進升三級。

明代倭寇之患，如同漢、唐此方的游牧民族，十分猖狂。而且勾結有漢人，以海外爲根地，乘機侵擾。繼光剛平定了浙江的倭寇，江西的倭寇又猖狂起來。原來狂倭在寧港突圍以後，竄往福建，在福建沿海登陸，先後攻陷泉州，同安，惠安，甯南，福清，永福各縣。而廣東也有倭寇侵擾。爲什麼倭寇有如此猖狂？其實並非他們有什麼大本領。原來是那時候沿海各省根本沒有防倭的邊防設施，有的防衛隊伍，乃是形同虛設，因此倭寇一到，不加抵抗，有數名倭寇追殺千名官兵者，竟無一人敢反戈相向，眞是天大笑話。

倭寇到了江西，地方政府紛紛向總督胡宗憲求救。胡總督只得仍命繼光前往江西剿倭，繼光於台州大捷後，奉到這一命令，連休息都沒有，便立即出發，率領人馬直往江西進發。（五）

安徽十三傑

管仲　李時　莊周　曹操　華佗　包拯　朱熹　朱元璋　戚繼光　李鴻章　段祺瑞　胡適　楊振寧

巨變歷險記！

聯合國席位撤退（二六一）

胡慶蓉

段希文堅決的不撤，唐副總指揮也無可如何。從此中部撤的不撤的已成定局，撤退首都與不撤退首都也逐漸的明朗化。撤退首都在忙着他的撤退，不撤退首都在團結他們的力量，丁博士可以離開了。為避免段希文與唐副總指揮的磨擦，為不使段希文為難，丁博士暫將離一下也是明智之舉。

丁博士的下一目標是曼谷。曼谷有四位撤退大員，第一位是台灣國防部大陸工作處派來的衣復得，第二位是將總統的老參軍兼李彌的副總指揮李文彬，第三位是李彌的又一副總指揮李處夫（號則芬），第四位就是李國輝了。衣復得口銜天憲，自然是撤退大員，李文彬也是負有中央使命的，李處夫也希望參加，分一杯羹，在謀求一份撤退的工作，李國輝是衣復得，李文彬，李則芬攜以自重的奇貨，可居的奇貨，對於他，層層的包圍，陷入深淵而不自知，還以為吾計得售，豈不大可哀哉！

丁博士到了曼谷，是不是還有利用的價值，大家對他還是禮貌有加，雖說不是三日一小宴，五日一大宴，但應酬是頻繁的。大家拿很多的方法動慰丁博士或誘引丁博士，但他是不能動搖的，他倒是動搖主張撤退的人。他對於主張撤退的大員們，總在苦口婆心的在講，雖聽者藐藐，但依然不變。當時大員們的想法，與丁博士最不同的一點，是關於我在聯合國的位置。當時大員們都勸丁博士以國家為重，以中華民國在聯合國的位置為重，他們的想法，我游擊隊的撤不撤足以影響我在聯合國的地位，詳言之，我游擊隊撤出緬甸，則我的聯合國位置才可保，否則就要喪失。這個看法，丁博士不以為然，他告訴他：中華民國在聯合國的位置能不能保，與游擊隊撤不撤出緬甸無關。假如中華民國在聯合國的位置成問題的話，其原因應從別的地方去求。從美國的政策上去求是不是比較正確些。即我們的聯合國位置完全繫於美國的外交政策，假若他是反共的，當然要維護我在聯合國的位置，否則的話，他變成了親共，他就不會來維護我在聯合國的位置。這也就是說，用不着拿我在聯合國位置的大帽子來壓迫游擊隊自緬甸撤退。可惜都不同意丁博士的看法，大員們正相反的天天宣傳我游擊非自緬甸撤退不可，否則中華民國在聯合國的位置即將喪失。誰阻撓撤退，誰就是國家的罪人，誰就是中華民國的罪人。撤退的大員們以此嚇唬丁博士，但他並沒有被嚇倒。他還是不斷的開導大員們。這已經是無補了。曼谷一片撤的空氣，是沒法挽回的了。

丁博士住在曼谷是隆路的中華民國大使館武官署。當時的武官是仲偉成，他很同意丁博士的看法。

創業哲學

真理與事實（十五）

・丁熊照・

，在八一三滬戰初起之際，我國人民的愛國熱忱，表現得非常熱烈，上海市民送去慰勞將士的花籃和食品等，在集收處所，堆集如山，但我認為鮮花既不適用，食品也易腐壞，這種慰勞只是表面上的好看，並無甚麼實際價值，所以在戰爭初期，我除掉將滙明廠早期購入的一批百分之九十九點九電紫銅料售出得欵，認購三萬元的愛國公債之外，並沒有參加這一類慰勞的工作。等到戰事拖長，天氣轉涼時，我看前方的戰士還是穿着單衣進行浴血的戰爭，我乃盡自己的微力，訂製幾千件毛絨背心，本沒有掛帶，我在衣上附一張布條掛帶，寫着：「此衫敬贈抗敵英雄，願以大無畏精神，保衛疆土」，捐獻給前方將士，我覺得還有點意思。

等到國軍撤出上海，戰事不利的消息，不斷傳來，那時候的上海人，初期對於抗戰熱烈興奮的心情，都已冷下來了，同時在敵偽的威力壓迫下，大多抱着明哲保身的態度，[illegible]於國事都不敢多[illegible]，留在上海租界裏，許多未及撤走的傷兵，也就無人過問了。我有一天偶然有事走到設在清涼寺的傷兵醫院，遇到了一個四川籍的傷兵，告訴我他在崑山以東一帶作戰負傷下來的經過，談到當戰事激烈之中，曾先後被改編五次，最後連直屬的營長姓什麼都不知道，現時身發寒熱，那種英勇衛國的精神，令我十分感動，我回去之後，便發動幾位同業中意氣相投的好友，有錢出錢，有力出力，出錢的為天發協記電器行，趙魯卿捐二百元，同茂公司的李獎卿捐一百元，出力的為林超，符志峯，沈蝦揚，沈覲揚，顧成學，華祥助，饒于飛和我，一共捐出現金四千餘元，以兩天的時間，顧用三部汽車，跑遍留在上海的十三個傷兵醫院去慰勞，按傷兵人數每人派給現鈔一元，我們分成若干組，每組派四個人去辦理，一個人點名，一個人發錢，一個人記數，另外一個人代表我們致詞。雖然這件事是出自我個人所發動，但表面上我們還是用上海電器製造業同仁的名義，我記得那時候，我們對這些傷兵所講的話是：「同志們辛苦了，我們是上海電器製造業同仁來慰問你們的，我們本想帶些食品來，但因不知道你們是喜歡吃冷，還是吃熱的，況且不便攜帶，所以改發每人一元的現鈔，讓你們目己去購買喜歡的食物，數目很少，只略表我們的意思，祝你們早日恢復健康」。有一間醫院裏的傷兵聽到我們的講話後，當時就十分激動的說：「我們中國人如果都能像你們各位一樣，中國一定不會亡」，令我尤其印象極深。我們在慰勞之後，大家再去到五馬路，福建路鴻運樓去聚餐，當衆將發出的四千七百餘元計算數額清楚後將單據焚燬，算是結束，這也可說是當時很少人肯做的事。

日軍佔領上海初期，還未進入租界，滙明廠的發行所，設在法租界內，我也從不到華界去，雖然精神苦悶，暫時還可相安無事，等到一九四一年底，太平洋戰爭爆發，日本軍進入租界，我們留在淪陷區內的廠商和老百姓所受的痛苦也就日甚一日，尤其是我，既不想發國難財，又不得不維持滙明廠的生產，在當時物資乏之，用電限制，幣值日跌的特殊困難環境下，內心更感矛盾，為着愛國，我不想購存外滙，所以一直到勝利之日，滙明廠本身並無分文外滙的存項，眼看通貨澎漲，鈔票一天比一天不值錢，我祇有派員向內地採購木材等物資和投資房地產，以保存幣值，所以在這一個時期，購入滬市的房地產為數不少。又為着愛國，在汪政府成立後，滙明廠的大無畏牌商標，並沒有向南京偽政權的實業部去註冊，在戰時冒牌大無畏的出品很多，對於滙明的信譽不無影響，我們既未註冊，如用法律手續，正牌反有可能被認為冒牌的危險，我想來想去，結果想到了冒牌者之所以要冒牌，無非因為有利可圖，我如果將大無畏眞牌子出品，不計利潤，按成本價格發售，冒牌者也就無假冒之必要了。果然這個釜底抽薪的辦法獲得了成功，使得許多冒牌者，竟然要找我商量，將設備傢生轉讓給我，不願再做下去，從此也沒有人再想冒大無畏的牌子，不過為我所意料不及的，就是同業廠商也受到大無畏牌減價的不利影響，令我很覺抱歉。

在太平洋戰事發生後，雖然滙明存備的原物料素來很多，但經過幾年的戰事，來源不繼，也感受匱有點亟絀，更以滙明的地位，又不便到市面上公開搜購，引起物價上漲，祇有斂費苦心，轉請同業小廠代為購買，方能勉強解決，又在此時之電力與器材供應均感不足之下為着打破環境困難，我們曾想出許多克難辦法，譬如蒸汽發電機，譬如二百噸磚塊磨粉機，都是這個時期滙明廠獨出心裁的發明，戰時工業之能夠苦撐下去，這些發明確有一些貢獻價值。

滙明廠的電池出品，因為可供軍事上收發無綫電報之用，有無售供予游擊隊，更為日軍所特別注意，萬一查出，也是在當時敵人統治下一項嚴重的罪名，我雖已十分謹慎，對於批發購貨的客戶都有登記並且採售貨不代送貨的辦法，但仍不時引起日本人來以麻煩。有一次日本便衣憲兵，一定要到滙明廠參觀，為我拒絕發生衝突，後來還被邀到嵩山警局去，有一位林姓巡官看到我在日本憲兵面前維護公理的情形，特地和我握手說，他在上海租界巡捕房工作過幾十年，從未見到過中國人有敢和外國人如此爭論像我這樣的硬漢。

然而到了勝利前夕，於一九四五年七月廿八日，我還是為日本貝當路憲兵隊捕去，一直關到日本人投降前夕——八月十三日才被放出來。

在抗戰發生之前，我在上海辦工業，本也認識有不少日本朋友，戰事發生後，我已不願再與往來，其中祇有一位岡村小太郎先生，我向素欽佩他自困苦環境奮鬥出來的勇氣精神，仍然維持友誼，他自在上海同文書院畢業後，先在久孚洋行服務，後轉到規模極大的亞細亞鋼鐵廠工作，已有相當地位，岡村先生不但做事甚有精神，且為人公正，極有義氣，與我私交甚為相得，我記得為着中日間的戰事問題，彼此時常因爰國立場的不同，而爭得面紅耳赤。

（未完）

語言的改革

江蘇籍的代表，吳敬恆的大名是人所共知的了，他在國語運動上的貢獻，其實也應該大書一筆。早在一九〇九年，他就在巴黎出版的「新紀週刊」上撰文強調注音字母在通俗教育上的重要（見「書神州日報東學西漸篇後」一文），他把注音字母比喻為草鞋，著「草鞋與皮鞋」一文，說明注音字母更適于國情需要。一九二〇年他會同王璞、陳懋治審定「國音字典」出版，這是我國第一部國音字典。

浙江的代表，胡以魯著「國語學草創」，不失為早期開創性的著作。汪怡是推行國語運動的熱心份子，一九一一年他著國語音標概說」，開始寫文章鼓吹國語。一九一三年他參加了全國讀音統一會使這個會網羅全國各省的語言文學學者和省區代表四十多人，開了三個多月會。關於讀音標準，有北音、南音、中部音之爭，記音符號有偏旁派、符號派、羅馬字派之爭。聚訟紛紜，相持不下。汪氏熟悉浙滬鄂湘贛方言，又久任職於關外，以他坦夷明朗的性格排難解紛，折衷調和，此會終於製定了三十九個記音字母，還審定了六千五百多常用字的標準讀音，給國語教育確立了初步基礎。

國語羅馬字的製定，主要起草人也是汪怡。他以為這種拼音法，是最適合國語特質，最便於辭類連書，最宜於外人和華僑學習我國語言的。

一九二〇年起，北京高師創設國音科目，由汪怡講授。一九二四年商務印書館印行他所著的「國語發音學」，這是他四年中所編的講義。他又研究速記。從一九二九年起他就在北京國語統一籌備委員會所設的國語速記講習所裏担任所長，傳習他的國語速記術。他以一九六〇年七月在台北逝世，距生於清光緒三年十二月，享壽八十四歲。他在國語界是僅次於吳稚暉的一位長老。

直隸八人中，王照與王璞都是近代語文改革的健將。王璞所著國語會話課本，風行全國。王照則是清末有名的維新黨人。他生於清咸豐九年（一八五九），卒於一九三三年，年七十五。他曾創有「官話合聲字母」，摹仿日本的「片假名」，並採用漢字的某一部份。他因參加「新政」之故，戊戌變起，逃往日本；光緒二十六年，始潛行回國，宣傳他的官話字母。二十九年，他在北京，貨屋於東城胡背同，創立「官話字母義塾」，以木刻活字排印其書。他又印行有「拼音官話報」這份最早的通俗報紙，是全部用「官話字母」拼音的。當時翰林院編修嚴修，桐城派古文家吳摯甫，都竭力替他吹噓。此外，直隸總督袁世凱，兩江總督周馥等人，都成了王照的大護法。他們先後在保定，天津、南京等地設立簡字學堂，而「拼官話報社」出版的「拼音官話」，他銷行到六萬多份。至宣統二年，載灃當國，因拼音官話報觸其忌諱，才下令禁止傳習官話字母，並封閉「拼音官話書報社」。

福建代表盧戇章，在清末就致力於切音運動。他生在一八五四年，死在一九二八年。他認為中國在文字上不應該「自異於萬國」，所以提倡切音，著有「一目了然初階」等書。

以下我們就辛亥革命時語文會議各省代表作一檢討，就可知當時學者為了求取國家的強盛，已很注意到中國語文改革這麼一回事。辛亥革命之後，去舊求新，因而各學者都盡量發抒所見，以期改革後的中國語文，能達善美之境。時至今日，中國語文改革工作，仍在繼續推行，但回想當年開創者的艱辛，及辛亥時期的一番改革銳氣，是很值得我們記取的。（完）

錢一劍談相

談聲音（下）（卅五）

・錢一劍・

敗鼓之鳴，又如如寒鴉啣雛鵝：鵝雁哽咽，或如病猿求侶，孤雁失羣，細如蚯蚓發吟。狂如青蛙夜噪，有如犬之吠如羊之鳴，皆賤薄之相也，男有女聲單貧賤，女有男聲亦妨害，然身大而聲小者凶，或乾溼而不齊，謂之網鑼，聲大小不均，謂之雌雄聲，或先遲而後急急，或先急而後遲遲，或聲未止而氣先絕，或言未舉而色先變，皆賤之相也，夫神定於內氣和於外，然後可以接物，非難，言有先後之序，而色亦不變也，苟神不安而意不和，則其言失先後之敘，辭色撓奕，此小人相也，夫人稟五行之形，則氣聲亦配五行之象也，故土聲深厚，木聲高唱，火聲焦烈，水聲緩急，金聲和潤，又曰聲輕者斷事無能，聲破者作事無成，聲濁者謀運不發，聲低者鹵鈍無文，清吟如澗中流水者極貴，發聲滔亮自覺如應中之響者主五福全備之人也。

聽聲篇

聲小亮高，賢貴之極，語聲細嫩，必主貧寒，兼須危困，女人雄聲，終身不榮，良人早喪多兒，虛有夫名，男子雌聲妨殛，女急聲切妨夫一絕。

詩曰

木聲高唱火聲焦，和潤金聲最富饒，土語却如深甕裏，水聲圓急又飄飄

貴人音韻出丹田，氣實喉寬響又堅，貧賤不離脣舌上，一生奔走不堪言。（聲大無形托氣而發，賤者浮濁，貴者清越，太柔則怯，大剛則折，隔山相聞，圓長不缺斯乃貴人，遠見風節）。

（完）

中國郵政台字第一二八二號執照登記爲第一類新聞紙

自由報

（第一一二一期）

（半週刊每星期三、六出版）
每份港幣壹角・台幣零售價新台幣二元
督印黃行　社長李運鵬
社址：香港九龍官塘康寧道117號後座二樓
117 HONG NING RD, 1/F REAR, KWUN TONG, KOWLOON, H.K.
TEL: K-433653
電報掛號：7191
郵箱：官塘郵政信箱9583
承印：晨星印刷公司
地址：嘉咸街廿九號地下
台灣區業務管理中心：台北市許昌街廿六號
電話：三八〇〇〇二
台灣區直接訂戶　台灣劃撥戶
第五〇五六號張萬有（自由報會計室）
台灣分社：台北市西寧南路110號二樓
電話：三三〇三四六、台郵劃撥戶九二五二號

六十年來的反共思想戰
——躍中國爲世界思想大國

本報專論

貞蒼

一、赤禍箭頭指向東方

馬克斯三十歲時，發表了他的「共產黨宣言」，他自一八一八年出生自一八八三年屆六十五歲時逝世，終其生只認爲：「共產主義只可在資本發達的國家實行。」但自一九一七年俄國大革命成功，共產主義反而先在資本不發達的國家實行。列寧又把共產主義的發展，引向更荒謬的道路，那就是：「由莫斯科到巴黎，是經由北平到加爾各答的路綫最近」。列寧推翻了馬克斯自定的原則，却以詭謀向東方的中國，印度推銷赤禍。半個世紀來，共黨赤禍已泛濫了整個世界。馬克斯留下的主義在他百年誕辰後，因中國大陸一九四九年之赤化而達於高潮。

列寧把共產主義向東方中國作首度的推銷，究竟是他的聰明還是他的愚蠢呢？單從環境因素看，列寧是聰明的，因爲貧窮、愚昧、疾病的落後地區，是共產主義繁殖的溫床。這一點，一九一七年代的中國和俄國，情形正復相同。所以，從民國十年（一九二一）共產國際代表馬林來中國，民國十二年（一九二三年）　孫中山先生與越飛發表聯合宣言，鮑羅廷抵廣州，受聘爲國民黨執委會顧問。到民國三十八年共匪竊據中國大陸。列寧的政策，似乎獲得了初期成功。若就文化因素而言，列寧此一發展路綫，却將共產主義引進了墳墓。因爲中華民族悠久的五千年歷史文化，其主仁愛講信義，敎忠敎孝的精神，均具有剋制共產主義的巨大力量。

二、社會主義走進中國

共產主義之進入中國，是由於當時中國知識份子學識經驗不足的結果。自民國前九年起，最初是由亡命日本的同盟會員及中國知識份子介紹社會主義：

一九〇二年：梁啓超最早言及馬克斯之名，楊篤生爲俄國無政府黨鼓吹，發表於新湖南。

一九〇三年：文明、羅大維譯日人村井知至著社會主義。趙必振譯福井準造著近世社會主義、島田三郎著社會主義概評。楊篤生主張學習俄國民粹派之革命。

一九〇四年：金松岑譯日本烟山專太郎著近世無政府主義。

一九〇六年：朱執信摘譯共產黨宣言。淵實譯無政府主義與社會主義（日本久津見厥著）

一九〇七年：李石岑宣傳巴枯寧學說和暗殺主義。章太炎發表無政府主義序。淵實譯烟山專太郎著虛無黨小史。江亢虎再赴日研究社會主義。

一九〇八年：劉師培節譯恩格斯之共產黨宣言序文及一、二章。

一九一〇年：江亢虎發表無家庭主義意見書。

一九一一年：江亢虎與吳敎士馬林創農賑會試驗地稅歸公學說。

一九一二年：施仁榮譯恩格斯著理想社會主義與實行社會主義。

一九一三年：江亢虎集印社會主義論文，組織社會主義研究會。

一九一七年：蘇俄大革命成功，國民日報，太平洋雜誌均詳加報導。

一九一八年：李大釗發表法俄革命之比較觀，庶民的勝利，BOLSHEVISM的勝利。創馬克斯主義研究會。並受蘇俄之助，建立馬克斯主義小組。

一九一九年：陳獨秀發表二十世紀俄羅斯革命。新青年出版馬克斯主義專號載有李大釗、顧孟餘、黃凌霜（文山）、陳啓修、劉秉麟等人之文。中國[illegible]巴黎和會失敗加拉罕發表致中國國民和南北政府宣言。戴季陶譯考茨基著馬克斯資本論解說、商品生產的性質。又譯威廉里布列希著馬克斯傳。著資本論用語釋意、勞動問題的研究、社會主義綱要。胡漢民著唯物史觀批評之批評、經濟的倫理觀、廖仲凱著合作社的研究、譯亨利喬治的進步與貧困。陳望道譯有馬克斯、恩格斯著共產黨宣言、恩格斯著烏托邦社會主義與科學社會主義、界利彥著男女爭鬥史、E. Carperter著女性中心與同性愛。淵泉譯有何上肇著馬克斯的唯物史觀、柯祖基作馬氏資本論釋意、資本論解說、文化上的馬克斯、郭泰著唯物史觀解說、著馬克斯之奮鬥生涯。　李澤彰譯馬恩共產黨宣言。食力轉譯何上肇譯馬克斯作勞動與資本。農報節譯日人之馬克斯唯物史觀的批評。紹虞著馬克斯年表。TTS著馬克斯逸話一節。衡石譯有科學的社會主義、志津野義郎作馬克斯逸話。一瑚譯有納肯著馬克斯派的社會主義、燕格士著空想的與科學的社會主義。西谿譯有何上肇著馬克斯社會主義理論的體系、界利彥、山川均著馬克斯傳附燕格士傳。品今譯有格華尼芝著馬克斯呢？康德呢？柏倫修太因著修正派社會主義。金侶琴著建設中的蘇維埃、譯列寧著鮑爾雪佛克之排斥與要求、可叔譯地底的俄羅斯。志希譯美國寫克作俄國革命史。農報發表俄國過激派首領列寧、托洛斯基自述周炳琳譯鮑爾錫維克主義的研究。慰慈作俄國的新憲法，俄國的婚姻制度。王連譯俄國的社會思想歷史。沈乃人作到民間去。今井政吉作超然[illegible]譯列寧與托洛斯基之人物及其主義之實現。舍我譯托洛斯基作廣義派與世界和平。顏譯新共產黨宣言。星期評論刊列寧的談話。君勱譯俄羅斯蘇維埃聯邦共和國憲法全文。公展譯俄羅斯之新法令三種。新潮元月創刊、羅家倫、傅斯年鼓吹社會革命，俄國式革命。

一九二〇年：雁冰譯廣義派政府下之敎育。公展譯俄國之土地法。民心周刊載列寧之人物。俄國發表第一次對華宣言。北京大學成立社會主義青年團。陳獨秀成立上海機器工會。蔡元培贊成陳獨秀張國燾組成共產黨。

一九二一年：七月一日，中國共產黨在馬林策劃下召開成立大會。七月十日於嘉興南湖大畫艇上成立中國共產黨，出席者有陳獨秀、李大釗、張國燾、陳潭秋、包惠僧、周佛海、劉仁靜、李達、王盡美、鄧恩銘（王、鄧爲中學生）、陳公博（列名未至）、李漢俊（列名未至）等十二人。中國共產黨成立宣言，據說由戴季陶起草，戴氏以忠於孫中山先生爲理由，聲明不參加共黨，該日未赴南湖。

所有參加共黨發起會議的人，都對共黨的主義與作法只有皮毛的認識。王盡美和鄧恩銘是山東省的中學生，根本不懂什麼主義，只有救國一念而已。李漢俊反對列寧主義式的政黨，一九二二年即離開共黨。陳公博、周佛海後來都領先脫黨，參加國民黨並反共。包惠僧後來也脫黨轉到國民黨。陳潭秋後來被盛世才殺死。李達發現中共的路綫與他心中的馬克斯主義不同時，即行脫黨。劉仁靜參加托派後即脫離中共。陳獨秀在民國十七年共黨八七會議時，被開除黨籍。張國燾至民國二十三年西竄甘孜後，主力被國軍消滅，受毛澤東敵視，因知中共受斯太林控制時，乃脫離共黨。

中國知識份子當時之傾向共產主義，是因對國家出路的焦急，而孫中山先生的三民主義尙未出版加上美國杜威於民國八年來華，其實證主義與無神論思想，正好作了馬克斯主義繁殖的營養基礎英國羅素於民國九年十月十二日來華講學後，更以「中國人到自由之路」一文，指出「中國政治改革，……最好經過俄國共產黨專政的階段」。如此方可「容納西方的長處，而又不像歐美人做機械的奴隸」。陳獨秀、胡適、李大釗、吳虞一干人，敢於肯定孔孟思想及一切傳統該被打倒，全由杜威、羅素之影響而來。所惜者，黨國元老吳稚暉竟附合其說。如果中國文化的仁愛、信義、忠孝精神，不在這反傳統聲浪下，予以破壞，共產邪說是決無法在中國青年羣中滋蔓的。

三、中國人心趨向反共

自從民國十二年元月　國父孫中山先生與越飛發表聯合宣言，八月鮑羅廷抵廣州，十一月二十九日鄧澤如等即提出彈劾共產黨。十二月十五日　蔣公中正赴俄考察返上海，揭發俄共陰謀，上書　國父，並陳因應對策。

（下轉第二版）

昨日與明日

鐵籬豈如心籬

美國陸軍正在金蘭灣的美軍基地，採取一項新的措施，他們圍繞着一個共有四千人口的越南村莊，建立起一道九英尺高的鐵絲網圍牆，藉以阻止娼妓和毒品在基地內的蔓延。

這一可笑的措施，告訴我們美國軍紀的廢弛已到嚴重而無法約束的程度了，軍隊就是軍隊，絕不因古今中外的環境而異其趣。軍隊應不應有，戰爭該不該打，那是另外一件事。但既有了軍隊，當然就要軍紀第一，軍紀而不能維持，試問還那能在兩軍陣前拚死効命，爲國犧牲，所以古今名將治軍無不嚴格有致，令出必行，尤其精神能够上下一致，振奮剛强，這就是名將之所以爲名將了，當年岳武穆治軍，眞是可以作到凍死不佔民宅，餓死不取民食，而其意志堅定處致使金兵傳稱：「撼山易，撼岳家軍難」，這是古之名將，自不必言，假如不講軍紀，任性亂來，那只有是土匪了。

但美軍的軍風紀，若衡以傳統的標準，實在令人有莫名其妙的感覺，自二次大戰以來，凡是美軍所到之處便是酒吧林立，娼妓叢集的地方，傷風敗德，招災賈怨，莫此爲甚，人家說：人馬未動，糧草先行，美軍今天則是，美兵未到，妓女先來，許多有經驗的人，只有在港口機場，看就知道當天有沒有美軍到達。因爲有無妓女雲集迎候，便是最準確的說明，自越戰以來，花樣越發翻新，除了醇酒婦人外，還添上了毒品，試問這樣的軍隊，還怎能作戰，甚至還怎麼行動保密。越戰所以勞師無功，這是其基本原因之一。因此美軍若還想成爲一個健全能作戰的軍隊，勢必要痛下決心，整頓軍紀，以振軍魂，但美軍不此之圖，反而把老百姓的住處圍起來，以加限制，這才是：寫不好字摔硯台，生意賠了賴櫃枱，眞是本末倒置，可笑之至，不知那位先生想的辦法，我們猜想設計的人大概也是共諜吧，因爲這辦法既解決不了問題，又可帶來軍民美越的更多磨擦和仇恨，假如不是共諜，誰又能這麼高明的設計呢。

·成公·

自由談

談作官

作官有作官之道，懂得其中訣竅的人，那怕是皂隸之材，庸愚之資，亦可以飛黃騰達，位居顯要，乃至於擅專威柄，炙手可熱。如滿清乾隆朝的宰相和坤，原是個替皇帝抬轎的「鑾儀衛」隸役，因爲懂通作官的三昧，終致位極人臣，官運亨通，權傾中外，而其財富亦可敵國。這便是很好的例證。

作官的要訣因時因人而有出入，概言之：其未得之也，相度當時的權貴人物，體察其個性與癖好，百計逢迎，悉力貢獻，嗜財者餌之以厚利，好色者誘之以女色，附庸風雅者應之以珍貴古玩。總在結其歡心，構成親信門客的關係，自不愁沒有居官之日了。其既得之也，對上奴顏婢膝，烟視媚行，但求迎合意旨，邀取寵信，以博得忠貞份子的身份，雖昧廉寡恥，賣友滅親，亦在所不顧也。對下驕倨作態，拒人，言談行動皆摹仿在上者的聲容姿式，表現自己係一不折不扣的當代顯要之流，決非尋常官吏可比。對於本位的職務，隨時採取推、拖、騙的技術，肆應各方，圓滑備至，而以經常開會議，造表報，喊口號爲能事，表面上十分忙碌，實質一無所有。但到了在上者檢討稽考庶政績效之時，工作報告書盈尺，統計圖表俱備，說頭頭是道，看來像煞有介事，自然弋獲信任，許爲不可多得的幹練之才，超擢升遷，可立而致也。

作官有數忌：一忌個人有抱負，必期見諸實施，遇事勇於負責，要致君於堯舜，努力興利除弊，福國利民，二忌有所不爲，凡是卑鄙齷齪，昧良黑心之事，不特不屑爲，而且不願看，表着重視人格的個性，三忌說實話，是則是，非則非，不文過護短，不矇上欺下，可以行則行，可以止則止，四忌不貪污，要以廉吏自任，以致影響同寅僚屬，減少「紅包主義」的普遍性，損害集體貪污的前程。作官的的人有一於此，包管他走投無路，一敗塗地，如能免於撤職查辦，身繫囹圄之災，那就是萬幸了。

如果有人問：你既然深諳作官之道，何以不設身處地，施展其法術言之鑿鑿，以躋於達官顯宦之列呢？此無他，我不該多認識幾個字，多讀幾句綫裝書，中了孔聖人垂敎的毒而不能自拔，祇好自甘淪落了。

馬丑先生

尼克遜的和平幻想

輿論精華

在「談判代替對抗」的觀念之下，尼克遜作出了訪問北平、莫斯科的決定。尼氏這一觀念，顯然是一種機械邏輯，以機械邏輯對共黨的辯證法，等於同「撈女」講戀愛。

尼克遜於廿四日在慶祝退役軍人節所發表的全國性廣播中說，他之訪問北平莫斯科是為了「建立永久和平」，他認為現在較其他時間有更佳的機會，理由是：「美國政府與蘇聯中共政府之間有歧見，但美國人民與蘇聯及中國人民皆有共同認識，包括了解戰爭的無益」。還有事實是他列舉禁止核子擴散條約，宣佈放棄細菌戰爭，美蘇停止核子武器競賽談判，取得重大進展，以及東西方有關的柏林問題的歷史性協定。因此，他之訪問北平、莫斯科，是要「採取更多的步驟，以求終止分裂世界許多人民，威脅世界所有人民的衝突」。但他也說：「我們不存虛假的希望，而且我們亦不希望美國人存着不切實際的期望（幻想）」。尼克遜不明白共黨的本質，及共黨對國際運動的法則，所以他有着這樣的認識和作出這樣的決定。——當然，他也明白對共黨談判是困難的，因而他勸告美國人不要存有幻想。

何止不要存有幻想，尼克遜應該清楚：

一、「和平」、「永久和平」、「反對戰爭」，正是共黨國際運動的習用口號，正如「我愛你」，正是「撈女」們的口頭禪。

二、共黨不長於戰爭，長於談判，他們利用談判來代替戰爭，利用談判來取得戰爭所取得的更大果實。其次，共黨發動武裝奪取，它怕的是對方以戰爭對抗，所以，發出「反戰」、「和平」宣傳，以消減對方的敵意。

三、共黨的侵略方式（即所謂國際運動），極力避免直接戰爭，而採取所謂「人民革命鬥爭」、「民族解放鬥爭」，實行內部顛覆和傀儡政策。

這三者說明了共黨的本質，及其所謂國際運動法則，那麼，尼克遜要從對共談判中實現世界永久和平的希望，也就等於希望同「撈女」永結同心，同諧偕老。

誠然，美國、俄國、中國人民、全世界人類，都有和平的共同認識，但共黨的認識，並不等於人民的認識，拿美國民主國家和俄國、中國大陸鐵幕統治來相提並論，那是不合邏輯的，難道中俄共統治下的人民要自由，中俄共就給他們自由嗎？同樣，中俄共統治下的人民對和平的認識，同美國人民對和平的認識一樣，難道中俄，共會贊成嗎？顯然，還是尼克遜的幻想。

尼克遜抱着和平幻想到北平去，抱着和平幻想到莫斯科去，直如一心想着到「撈女」香閨尋好夢去，結果是：

多情自古空餘恨，好夢由來最易醒。

摘自快報

補救對日貿易逆差 採措施提高出口額

立委促政府誘導國內廠商 在日本各大都市設立機構

（自由報台北消息）立法委員黃宗焜就有關對日貿易逆差問題質詢稱：自從美國新經濟措施發表後，我們對國際經濟應如何因應，本席認為是中華民國國民大家應該要關心的重大問題，尤其是對日、對美貿易問題。

台灣經濟如希望其快速高度的健全成長，必需賴政治及社會各方面相配合，可以說正如人體一樣，某一部位有病症，有欠陷即影響全身之健康，嚴重時又會發生生命危險，經濟問題亦然，所以部位小病應該及早醫治以防擴大惡化。

鑑於這點論說本席要建議政府，以現在國際經濟情勢及國內經濟發展情況綜合看起來，政府應該注意輔導國人經營國際貿易之重要性等於醫治人體之部位病。貿易等於人體之血液通流。

現在台灣之經濟發展有相當的成就，但其貿易業務力量可說等於零，絕大多數是借人家（特別是日商）力量來幫助達成的因此一旦國家間發生利害相反或有關他們個人之利害得失（如媚匪政策）時我們的病症就抬頭起來，即進出口量發生衰退，等於人體血液循環不良現象發生，所以希望政府各有關單位從速慎密研究策劃，誘導民間投資於對日出口貿易業務，擴張我們對日出口能力，提高出口額，來補救對日貿易之逆差。這些逆差事實以兩方之經濟狀態估計要予改善已感困難，加之日圓升值後，其問題則更為嚴重。而自美國發表新經濟措施之後日圓升值問題，已成為必然，所以切望國內各界特別是政府有關單位對貿易上發生逆差情況下，加以對方幣值提高之事實的趨勢，萬勿輕視。蓋日圓升值即自然增加逆差額，亦即增重國貨出口成本，使國貨在國際市場之競爭力量減少。

本席鑑在這裏向政府提出若干具體可行的因應方案，如能得政府重視採納本席感為最大欣慰。

希望政府儘速促進誘導國內廠商——向來續有出口實績者——在日本消費大都市處設貿易公司，專辦出台灣進口物資，以國人自己力量推消國貨於日本市場，過去這些工作大多數是由日商承辦的。惟自從美國總統發表要訪問匪區之後，日益傾向媚匪政策。

所以政府應該及早策劃因應措施，將我們在此大變亂中所遭受的影響，減至最小的範圍。

獎勵投資條例 執行不無偏差

甚至以子法否定了母法 立委質詢要求予以改善

（自由報台北消息）立法委員韓中石，頃提出質詢，就獎勵投資問題謂：查獎勵投資條例，係為吸引外資，培植民族資本，發展國家經濟而制訂，用意至善，惟政府執行此項政策，不無偏差，甚至以子法否定母法，以命令否定法律，有違制訂此項條例之原意，特提出質詢：

所得稅法第四十三條，一、二、五項：「股份有限公司組織之營利事業，其屬於公用事業、工業、礦業、農業、林業、漁業、畜牧業、運輸業、及國際觀光旅館業而合於政府獎勵標準者，得減徵稅額百分之十，前項事業屬於新投資創立之股份有限公司組織者，自其產品銷售之日，或開始提供勞務之日起，連續五年內免徵營利事業所得稅，其係增加資金，擴展設備者，其新增設備，使其生產能力大於增擴展前百分之三十以上時，自該增資擴展部份之機器設備開始作業之日，或開始提供勞務之日起，就其事業全部所得核算新增之所得，同受免徵五年之待遇。」

復獎勵投資條例第三條：「本條例所稱生產事業係指生產物品或提供勞務，並依公司法股份有限公司組織之事業。第五條第一項：合於第三條獎勵標準之生產事業，其係新投資創立者，自其產品開始銷售之日，或開始提供勞務之日起，連續五年內，免徵營利事業所得稅，其係經增加資金擴展設備者，應自該項增資擴展部份之機器設備，開始作業或開始提供勞務之日起，該部份新增所得，同受連續五年免稅待遇。」

但行政院台五十八財字第八二三七號令釋，依據條例制頒之獎勵標準第二條第三項稱：「在獎勵類目廢止或修正之日起三年內開始營業之事業，仍得享受獎勵者有二、一為在獎勵類目廢止或修正前，各該事業已依華僑回國投資條例及外國人投資條例之規定，申請投資經核准者，一為已依公司法之規定，成立股份有限公司並已開始建廠及購置生產設備，或已依法取得生產設備之使用權者」。

前開條例第四條第一款，及外國人投資條例第四條第一款，均規定所稱投資，包括增加資本擴充設備在內，故適用上兼及於增加資本擴充設備之事業，不以出資創設新事業為限，後者即非由華僑或外國人投資之事業（即國人投資事業）在適用上自以新創設之事業為限，不包括增資擴充設備在內」。

依上令釋，如為外國人或華僑設立之公司，無論為新投資創立，或增資擴充設備，均予獎勵，如為國人設立之公司，則其增資擴充設備，不予獎勵，此種解釋，無論就法條言，或就投資政策言，均屬重大錯誤，是不僅誤解條文，且欲以子法否定母法，以行政命令否定法律，其歧視民族資本，抑抑國人企業心理，違犯獎勵投資政策，莫此為甚。

由於上項令釋錯誤，致使國人公司之依獎勵標準及類目增資擴充設備者，均未獲減稅之待遇，則不服財稅機關此種處分而在行訴中者尚不乏人，政府應設法救濟，迅謀解決，以維法律尊嚴而符政策。

交通建設顯有進步 改進之處仍多

新店大橋應速完成 立委促勿在附近挖沙石

近來政府對交通建設，確在不遺餘力的進行，如鐵路公路電信航運等均有顯著成績，惟進步中仍多應予改進之處，例如台北縣新店觀光大橋之建造，自籌備到施工，將近五年僅完成十之三、四，現又停工半年有餘，究竟原因安在？是否經費不足，抑係另有其他因素。

新店為觀光區，每日外僑及各地觀光人士前來遊歷者絡繹不絕，若不迅速完成，且將貽笑外人，尤其艾妮絲颱風侵襲後，新店過水橋被水激底冲毀無法修復，而新建之觀光大橋橋墩亦被冲斜部份，須重新整修，考其原因，係距橋數十丈處，挖掘沙石，以致如此，河床下落，政府應即下令限期完成觀光大橋之工程，並嚴禁橋之附近挖掘沙石，以策安全。

教育為立國之本，教育工作人員應如何熱忱，如何清廉，如何有修養，才能負起此神聖責任，年來教育方面發生不法事件層出不窮，如出賣考題問題，出買學籍問題，冒名頂替問題……不一而足，最近又出現虛設學校詐財，涉牽到政府官員，民意代表，教育之敗壞一至如此，言之痛心，我政府有無決心整頓教育，如何整頓，有無具體計劃。

蘇聯擴張艦隊力量 與美爭奪海上霸權

美國海軍就心實力衰退

（自由報紐約消息）據紐約時報通訊社報導：美國指揮海軍的將官們，高級職業人員，船上的職業老兵都很憂心美國海軍在世界海洋的力量衰退。

作戰部長察瓦德上將憂心美海軍的實力一路的減退，而蘇聯的海軍實力則一路增強，此消彼長的現象，一旦在海上攤牌，優劣立見。

英國海軍在海洋的綿蓁，美國海軍稱雄一時，現在蘇聯海軍抬頭？

美國海軍的憂慮問題，不是士氣，而是船隻。美海軍不似美陸軍有吸毒與種族歧視問題。美海軍有四點基本事實須加注意：

（一）美海軍的戰略上核子防堵力。

（二）控制航線與海面區域。

（三）美國海軍在海岸的實力，

（四）美海軍旗幟在世界海上的飄揚。

美國海軍的攻擊性航空母艦，必須用它的戰鬥機與轟炸機去支持歐洲的陸上作戰。強大的護衛艦隻必須維持北大西洋的海路暢通，以利海上的增援。

因為蘇聯的海軍實力，已擴到太平洋與印度洋。美國海軍除了防止蘇聯海上威脅北大西洋之外，并須兼顧到日本與澳洲。

但是，今日美海軍的艦隻有七一四艘，其中二〇〇艘在隨時下令後，即可担起戰鬥行動。艦隊男女官兵共計有六二〇，〇〇〇人。兩年前，美海軍的戰艦是八八六艘，人間是七七〇，〇〇〇人。

一九六九年，美海軍預算，不計陸戰隊支撥，是二三，三〇〇，〇〇〇，〇〇〇美元。一九七二年預算二五，五〇〇，〇〇〇，〇〇〇美元。新的預算中的三，〇〇〇，〇〇〇，〇〇〇元是在建艦用的，這是一筆非常可觀的錢。主張維持實力的人，價值七五，〇〇〇，〇〇〇，〇〇〇美元的海軍，每二十五年要完全由新艦隻代替，每年便用三十億。

察瓦德上將指出：在越戰最高幾年，海軍支撥是很大，但鈔票用在飛機、炸彈、子彈、砲彈、戰鬥費上，而不是用於建造新艦，一九六四——一九七一年間建艦便每年得不到三十億，一九六九年後，降到 [illegible] 元之多。護航艦與護艦，由於預算減削，受到打擊最大。現時服役僅得十六艘——十年前已有二十四艘。

護航機勤艦隻是反潛戰最基本的武器，因而須針對蘇聯三四〇柴油行駛的潛艦，核能行駛的九五艘。（蘇聯核子潛艦有五六艘是能放遠洋飛彈的）。另一邊，蘇聯現有能力，每年可造核能潛艦二十艘，另一批較小的潛艇。蘇聯造艦目標有兩點：（一）戰略的核能艦隻與美國抗衡。（二）具有切斷海運的實力。

蘇聯現時的海面艦隻有二一六艘大的戰鬥艦——包括兩艘直升機母艦，一一一艘放飛彈戰艦；一一一艘炮艦且部份已改為放射飛彈的艦隻，且都是巡洋艦改的，三七艘放飛彈驅逐艦，四五艘通常的驅逐艦，一一〇艘護航艦隻。

此外，還有一三〇〇艘以上的次級艦隻——一六〇艘導飛彈巡艇。在海面服役的蘇聯官兵有一七五，〇〇〇人。海軍航空隊四〇，〇〇〇人。海岸輔助部隊的二〇，〇〇〇人。在訓練中的海軍人員一七五，〇〇〇人。

與研究蘇聯海軍的演變力與速率，蘇聯艦隻平均時比美國的三四強，——八海里，蘇聯艦隊中，艦齡二十年的只兩艘。美國的戰鬥艦隻與潛艦，超過二十年以上的佔百份四十七。

徐中齊表現出眞川味

·文園樓主·

四川籍的立法委員徐中齊，最近一篇質詢，顯出道地川味，辣到不能再辣，但也都是老百姓要講的話。他指出：「嚴院長的施政報告，撰寫得四平八穩，在一切都有進步的說明之下，掩飾了「外交」危機，掩飾了「內政」敗壞，使人於讀了之後，渾然忘憂，似乎忘記了「戰時生活」，忘記了「革新政治」，忘記了「革命精神」，更忘記了我們局蹙台海二十二年來的身心痛楚，作為一劑安眠藥而論，誠屬質佳量足，但，這並非一般憂國之士，所願聽樂聞的……」不過嚴院長所表現出的民主風度，也值得人家欽佩。有關外交財政等質詢（從略）對「今日遠東」雜誌受到行政處分事，將予節錄如後：

「監察院對於內政部版管處之濫用職權，動輒以發行旨趣不合為借口，停刊雜誌，曾數次提案糾正。即本院院會，亦經常有發行人請願之事實。版管處視若無睹，我行我素，不但輿論界羣情譁然，即國際上亦有摧殘新聞自由之譏。

例如：「今日遠東」雜誌，為了刊載本席及莊靜委員質詢案，近日亦受到版管處停刊一年之處分。究其原因，一則曰：「所報之發行旨趣中，並無教育與僑務二項，是以不合。」

再則曰：「涉及人身攻擊」，（指教育詐騙。）三則曰：使用「請以甲級流氓列管某某」之標題簽條。論教育與僑務，乃國家之政事，百姓都可以議論，雜誌如何反不能談。涉及人身攻擊，可以訴諸司法，倘為事實，則法所不禁，倘非事實，司法自有處分，版管處何能代庖，加貼標題簽條，並無明文禁例，讀者文摘，恩恩雜誌，都有標題簽條之先例，為何不禁而獨禁「今日遠東」呢？倘其內情是為了護官，為了不可告人的隱密版管處之行為，尚可問乎！國事如斯，正需諍論，多方箝制，實有未宜。非總統控告時代雜誌，國際間引為美談，我們的政府官員，為什麼不取法呢？」又聞「星期日論壇」也受到「今日遠東」式同樣處分云。

文滙樓副刊

中醫眞的不科學嗎？（三）

·本報資料室·

二、「中醫完全不懂生理剖解」嗎？

現代中醫不但懂得生理解剖（如指不學無術的個別中醫師不懂生理解剖又當別論），而且在三千多年前的商代就懂得生理解剖，並由於形成中醫的生理和病理的學說。試看「黃帝內經」（卷三第十二「靈樞經水篇」的經文中可以證實。（考「黃帝內經」係公元前三六〇——五〇年代的作品）

經文說：「且夫人生於天地之間，六合之內，此天之高地之廣也，非人力所度量而至也。若夫八尺之士，皮肉在此，外可度量切循而得之，其死可解剖而視之，其藏之堅脆，府之大小，谷之多少，脈之長短，血之清濁，氣之多少，十二經之多血少氣，與其少血多氣，與其皆多血氣，與其皆少血氣，皆有大數。」這說明當時的醫學家確曾做過人體解剖的研究，而且從「皆有大數」一句中，更可知道當時搞人體解剖很有成績，因為「大數」就是平均數，如果沒有大量的解剖資料，怎會得出平均數字？

在二十多年前，梁伯強教授曾作過關於「內經」腸胃度的研究，證實「內經」所載食道和腸道的比例是正確的，現將梁氏所述摘錄於下：

「內經靈樞中有消化道長度的測量：據內經靈樞腸胃篇第三十一所載，黃帝向伯高詢問：「……六府傳谷者腸胃之大小長短受谷之多少……」伯高答曰：「咽門至胃（即今之食道）長一尺六寸……。小腸（即今十二指腸和空腸）後附脊，左環迴周疊，其注於迴腸者外附於臍上，迴運環反十六曲……長三丈三尺……。迴腸（即今之迴腸和結腸上段）當臍左環迴周葉積而下，迴運環反十六曲……長二丈一尺。廣腸（即今之S狀結腸和直腸）附脊，以受迴腸，左環葉脊上下辟……長二尺八寸。」研究上述消化長度的測量，第一段當然指食道，如認為第二段「小腸」即現今的小腸，第三段「迴腸」即現今的結腸，第四段「廣腸」即現今的直腸；那麼小腸太短，結腸太長，這當然不符合事實。……內經所稱丈、尺，係古代的度量，和現代的不同。我們如果想知道這些測量的數目準確與否，那就要另想辦法了。普通食道長度可說是很少參差的。查近代斯巴德何嚼辭所著的人體解圖所載食道的長度為二十五厘米，小腸（七百五十厘米）和結腸（一百七十五厘米）的長度合計為九百二十五厘米。如將內經和近代解　圖所記載食道和腸道的長度比例對照（比較表略），內經的為一比三十六，而近代解圖的為一比三十七，可說幾乎相等。這還表示內經所載消化道長度的測量是準確的。

又根據內經和近代解圖雙方食道長度的比例（20:16-15.6厘米），我們還可以計算出我國古代的一尺約相當現代的十五點六厘米，比較我國現代的尺（約三十二厘米）僅及其半（這自然僅屬一種約數）。」

按以上梁氏研究的推算，古今對比之下，為何相差一個厘米呢？譚醫生又會認為這是不符合「科學」精神的。那末這又牽涉到中國每個朝代度量衡的問題了。據羅福頤所著「傳世歷代古尺圖錄」載稱：商代骨尺（傳出安陽、藏南京博物館）當今公尺〇．一六九五，而周代銅尺為〇．二二七公尺，足見商周兩代的度量衡是不同的。梁氏推算作腸度解剖時的尺應合公尺十五．六厘米，而商代骨尺為十六點九五厘米，相差一個多厘米，但梁氏只是用食道的長度換算而得，如果我們再用腸道比較一下，應為925:56.8-16.29厘米，兩者僅差半厘米多，這就更相近了。何況古代的用尺，不像現代用公尺那樣有統一的標準，人體亦有差異，所以「差之毫厘」，不能視為「謬之千里」了。因此，可以斷定內經所載的腸尺度，乃是根據商代文獻編寫的。又由此可以看出商代解剖歷代之冠，推動了中醫學術的大發展。（未完）

×　×　×

讀書雜鈔（三十六）

·林僑·

此事從姪虞惇言，狼子野心，信不誣！然野心不過遁逸耳。為親暱，而陰懷不測，更不止於野心矣。獸不足道，此人何取而自貽患也。（閱微草堂筆記卷十四）

時論曰：狼非善類，人人皆知，而富室竟忘其為狼與犬雜畜，及其野心暴露，幸為犬阻，富室得保生命，亦云幸矣。人為萬物之靈，用之正足可濟世。如其包藏禍心，出以機械，偽裝恭順，即不可勝防矣！故君子慎與交，其始也，察其性體，觀其所行，勿自取詒患耳！孔子曰：「巧巧言令色，鮮矣仁。」又曰：「剛毅木訥，近仁。」

桐城耿守愚，狷介自好，而喜與人爭禮數，余嘗與論此事曰：「儒者每盛氣凌人，以邀人敬謂之自重。不知重與不重，視所自為。苟道德無愧於聖賢，雖王侯擁篲不能榮，雖胥靡版築不能辱，可貴者在我，則在外者不足計耳！如必以在外為重輕，是待人敬我，我乃榮；人不敬我，我即辱。輿台僕妾，皆可操我之榮辱，毋乃自視太輕歟！」守愚曰：「公生長富貴，故持論如斯，寒士不貧賤驕人，則崖岸不立，益為人所賤矣！」余曰：「此田子方之言，朱子已駁之，其為傲氣不待辯，即就其說論，亦謂道德本重，不以貧賤自屈。非毫無道德，但貧賤即可驕人也。信如君言，則乞丐較君為更貧，奴隸較為君為更賤，乃起而驕君，君亦謂能立品乎」？先師陳白崖先生，嘗手題一聯於室曰：「事能知足心多愜，人到無求品自高」，斯眞探本之論，七字可以千古矣！（閱微草堂筆記卷十五）

（未完）

六十年來的反共思想戰

（上接第一版）

民國十三年元月二十七日　國父開始演講三民主義。六月一日廣州市黨部呈請制止共黨活動。十八日張繼、鄧澤如等彈劾共產黨。七月七日國民黨發表黨務宣言，聲明容共原則。八月三日　國父演講民生主義開始批判馬克斯之為「病理學家」，指出其「唯物史觀」「剩餘價值」「階級鬥爭」均為不通之說。早在民國十一年元月講軍人精神教育時已批判唯物論之不當。對於反傳統的妄見，　國父早於民國七年，在「孫文學說」中主張中國文字之不當廢。在「詩學偶談」「治學雜談」中讚美中國詩詞之美，至民國十三年講民族主義時，明白指出中國「現在受外來民族的壓迫，侵入了新文化，那些新文化的勢力，此刻橫行中國，一般醉心新文化的人，便排斥舊道德，以為有了新文化，便可以不要舊道德，不知道我們固有的東西，如果是好的，當然是要保存，不好的才可以放棄。此刻中國正是新舊潮流相衝突的時候，一般國民都無所適從」。只有先造成中國思想界的混亂，方可使共產邪說乘隙而入，這是共產黨徒們，當時所深知的。

民國十四年，共黨乘「五卅」慘案的發生，發展其羣衆組織，進而和國民黨爭取國民革命之領導權，此種鬥爭，正是帝國主義者所希望的，因其足以延緩中國的統一運動，帝國主義者決不願中國成為富強統一的大國。民國十六年共黨「八七會議」後，成為一公然武裝叛亂團體。並開除陳獨秀黨籍民國十八年中俄中東路之戰發生中國共黨竟提出「擁護祖國（蘇聯）」之口號。民國十六年，吳稚暉提出「共產黨聯結寄生於國民黨內之共產黨員，共同謀叛證據」之檢舉案。蔡元培主張反共。七月卅一日共匪暴動於江西。乃製造寧漢分裂。十二月十一日廣州共黨大暴動。十四日我宣布對俄絕交。民國十八年江西開始剿匪。民國二十二年十一月二十日共匪教唆閩變發生。二十三年十一月江西克服瑞金，共匪向甘陝流竄。廿五年共匪教唆楊虎臣等劫持蔣委員長，發生西安事變。二十六年七七事變，抗日戰爭開始。共匪乘機喘息並以「一分抗日，九分壯大自己」謀發展。卅四年八月六日美國原子彈投廣島。九日蘇俄對日宣戰。十日日本無條件投降。廿一日共匪全面叛亂。二十八日蘇俄佔我東北全境。將所俘日軍武器資助共匪叛亂。三十八年，共匪竊據大陸，十月一日共匪成立偽「中華人民共和國」。

共匪竊據大陸後之暴政奴役，已使中國人心對之普遍厭惡。這種情景正與國際共黨罪行之受民主人士厭惡，相互呼應，相映成趣。（完）

抗倭名將戚繼光

馬識途

衛枚夜渡五千兵

繼光大軍抵達江西上坊巢，乘夜進攻，倭寇未料到戚家軍如此神速，竟被殺得大敗而逃。三四個月功夫，把江西的倭寇剿滅。但是殘部又退到福建去了。

嘉靖四十一年六月，倭寇由兩路進攻福建，一路由浙江溫州而來，會合於福甯，連江攻陷了壽德政和，甯德各縣，一路由廣東南澳而來，會合於福淸，長樂的倭寇，攻陷了玄鍾所，一直到龍巖，大田，莆田，古田，松溪各縣，聲勢浩大空前，整個福建為之騷動。福建駐的官兵，不敢抵抗，作上壁觀，人民所受掠劫慘重。

在福建甯德十里之地有一小島，名叫橫嶼，四面環水，形勢險要，倭寇遂以之為根據地，乘機出掠，敗則退守。官兵不敢去攻。另一股倭寇在中田盤踞，與橫嶼互為呼應，其頭目駐於興化東南，與環嶼互為犄角之勢。

福建正在危急存之際，戚繼光又奉命援閩。繼光的軍隊由江西回到浙江仍未得休兵，即刻出發。戚軍到了甯德之後，乃策劃剿滅倭寇根據地。因為這一次非同平常，如不把巢穴掃平，實難平定的。橫嶼地險，潮來潮退，水的深淺不定，用水、陸軍都很困難。戚繼光了解地形水性之後，便下令士兵每人各帶一束稻草，在退潮之際開始進攻，命士兵將稻草投下，便在淺水中塡成一條進攻之路，一聲令下，一齊衝過去。倭寇以為天險，出乎意料之外，蒼惶應戰，一個目瞪口呆完全失去戰鬥能力。戚家軍一個生龍活虎，斬殺的，落海溺死的，一共消滅了二千六百倭寇。據以老巢的橫嶼，半日之內全被攻破。這是一次機智謀略的勝利，也是驚人勇敢的表現。明人沈明臣的詩就為此役而歌詠：「衛枚夜渡五千兵，密領軍符號令明，狹港短兵相接處，殺人如草不聞聲。」

橫嶼老穴一破，其餘十幾縣的倭寇聞風逃走。橫嶼大捷，人心大悅。繼光乃進兵福淸，為攻牛田之準備。

當繼光到達福淸的時候，當地人民簞食壺漿予以熱烈的歡迎。而繼光命令士兵一律放下武器，大張宴飲，表示休兵。有老百姓問他什麼時候進攻倭寇。繼光笑道：「我們的戰士連日苦戰行軍，大家很倦，應該休息幾天，再行計劃進剿的事。有勞父老熱望，實在慚愧得很！」

在歡迎羣中的倭寇探子聽到了，馬上去報告，因此倭寇信以為眞，未即準備。不料繼光就在當夜率兵夜攻牛田，倭寇在夢中驚醒之時，一下就作了斷頭之鬼，有的措手不及，不戰即逃，戚軍痛快地大殺一陣，斬首三千級。其餘跑得快的，竄到興化，又被戚軍追擊。

福建的醉石亭與紀功碑

竄往興化的殘倭，企圖久據興化，再作頑抗。可是繼光不待倭寇進城，便馬不停蹄趕到興化，一夜之間，連破六十座倭營，及至天明，興化已經無倭寇蹤跡。等繼光整隊入城時，興化人民才知道倭寇已經被剿平了。人民大悅，爭相犒勞戚軍。興化士民邀宴繼光於平遠台上，就在那塊地方建立起一座紀功碑，以紀念此次立大功的戚將軍。而福建的倭寇遂告平息。沒被消滅的倭寇，亦紛紛浮海而去。戚繼光乃旋師返浙江。

（六）

安徽十三傑

管仲　李時　莊周　曹操　華佗　包拯　朱熹　朱元璋　戚繼光　李鴻章　段祺瑞　胡適　楊振寧

菊壇奇葩章遏雲（一）

·周燕謀·

歌聲嘹亮遏行雲，薊北江南幾度聞；三叠霓裳無恙在，又來瑞島競芳芬。

開頭這一首詩，是一位譚派名票兼胡琴高手——李重明爲一代名伶章遏雲寫的。平劇名坤伶章遏雲女士之成爲菊壇奇葩並非偶然的事。我們聽她的戲，眞所謂「字正腔圓」，看她的戲，聲、色、藝具佳，但是她却不是北方嬌娃，乃是廣東姑娘，長在北平而已。行家們都知道，章女士的成功，一半基於天賦，一半由於努力。一個平劇演員，尤其是旦行，除了努力之外，還靠嗓音、身材，扮相的天賦。章女士的聲、色、藝都具備了「全能」的坤旦。

章遏雲女士是廣東人，父親在北京做的是京官，母親鄧氏向居廣州，有一個妹妹叫逸雲，小伊十三歲，現居香港。她生長在北平，北平是中國有名的「戲劇城」，上自帝后貴族，下至販夫走卒，不論男女老幼，差不多百分之九十都是「戲迷」！大大小小的「戲園」，不下二三十處，而各機關，團體以及私人組織的「票房」，更是不可勝舉。自朝至夕，到處都可以聽到管弦啞呀，檀板鏗鏘，「西皮」，「二簧」，「梆子」，「崑腔」，抑揚宛轉之音，不斷的播入人們的耳鼓，使他（她）們不期而然的隨聲附和，手之舞之，足之蹈之。那時的章小妹也不例外，她只不過九歲，便對於平劇有了非常的愛好，加上她有一位姨夫，卽當時名武生張德俊之故，所以常常有便聽他說戲，有暇時又跟姨夫學武打，當時也不過以爲是好玩而已，有了這一點環境，別人還以爲天才呢！學得玩兒沒有多久，她就學會了「汾河灣」，「孝感天」，「桑園寄子」等戲。後來她父親辭官經商，移居津門，她就讀於文昌宮小學。恰巧她的老師就是「天津三王」之一的王庾生，（三王卽王君直、王頌臣、王庾生）對於她平劇根底非常賞識，因此在小學課餘之外，又對她說「衫子戲」，並爲她原來所學的戲加以修正，又教了她武家坡，三娘教子，六月雪，玉堂春，寶蓮燈等戲。由於她的天賦極佳，藝亦猛晉。這是章小姐平劇生涯的開端，年齡雖小，玩藝兒已大有可觀了。她父親見她小小年紀，已經學會十幾齣戲，並且彩排起來，很相那回會，於是決定讓她正式學戲。（未完）

創業哲學

眞理與事實

·丁熊照·

十六

有一次爭論時，他和我說，國家與國家之間與私人朋友不同，祇有強權沒有公理，我當時表面自是大大不以爲然，但內心却覺得他的政治常識比我高。當時英美雖說是同情中國，但不久我看到美國政府通過禁運法案，對於中日雙方同時禁運，祇有自備艀隻才可運貨的辦法，顯然是對日本偏袒而對中國爲不利，嗣又看到英國封鎖滇緬公路的消息，更覺到世界上並無公理之可言。再過不久，珍珠港事件爆發，我每晚睡覺時帶着耳機偷聽內地的廣播消息，（因爲那時日軍禁止人民收聽短波廣播，將所有收音機上的短波部都予封鎖。）聽到昆明電台廣播出英國的主力艦威斯親王號在星嘉坡爲日本神風敢死隊自殺飛機炸沉的消息，證實了白天在報紙上我所看到還不敢見信的，以爲日本人的誇大宣傳，當時我眞覺得心灰意懶，對於世界和人類前途有無比的失望，一直到美軍在太平洋上反攻節節勝利之後，我才逐漸恢復了公理必將戰勝強權的信念。

日本投降，岡村先生在上海幾十年的事業，當然全部犧牲，當他待遣返國的時候，我雖已來港，但還命上海同事不時接濟，等到他遣送回國之後，幾乎無事可做，而且幾十年在上海的經營，又已全部犧牲，落得兩袖淸風，我又貸款投資幫忙他在京都開設開明伸銅廠，最近幾年來，雖然該業在競爭之下，不甚發展，但開明廠由於岡村先生之悉心努力，無論人事、業務與盈利，都較其他日本人本國資本開設的工廠高出一籌，現又增設製鋁部門，今日開明廠已可說是很有基礎，就是岡村先生本人也已有相當成就，這正是我助人成功的一個事實例子，每當我想起這一段不平常的異國友誼，心中着實有幾分快慰之感。

我在戰時所遇到的益友良師

我因童年赴滬就在上海虹口寧波人開設的綢緞洋布莊學生意，所接觸到的，也以寧波人爲多，無錫同鄉反而甚少往來，一直到我創業之後，還是以寧波朋友爲多數，抗戰時我加入無錫同鄉會之後，方與旅滬的無錫工商人士，熟識較多。在寧波人朋友中，首先令我想起的，便是裘由辛先生了，裘先生是個典型的風流才子，文筆極好，曾在商報館任職，眞是下筆千言，倚馬可待，又曾一度出任過浙江龍游縣長，但因他爲人過於爽朗，並有點書生性格，所以儘管他與政府要人頗多熟識，而他自已也是有新思想的人，但他在政治上，始終不曾得意。戰事發生時，他還閒居在滬，對漢奸等種種不合理之事多爲批評，後來雖接受友人勸告，間關萬里，前往重慶，到了內地來信謂，已在總公司做事，（即是軍委會秘書處，因該時與上海通信中，不便直述。）但不久就聽說他在川病故，殊覺可惜。裘先生學問淵博，且極富愛國思想，我與他在過從之中，確實獲益不少。由於裘先生的介紹，我認識了一位監察委員的劉覺民先生，劉老先生雖未入過學校，全自修出身，確是與孫中山先生一道參加革命的前輩軍事人物，戰時到滬，也曾替政府做些策反的工作，如請許崇智先生由滬還港，對於國家頗有貢獻。後來我又由裘先生介紹，認識了一位翟守華先生，翟先生是廣東中山人，旅滬多年，於社會情形，甚爲熟識，人極正直清高，不要做官，也不好名，做過廣肇公所等理事，很熱心公益，如辦理助學金，幫助貧寒學生出國深造，過去馮少山做市商會會長，後台全由他一手支持，翟先生極富國家意識，我從他那裏獲得益更多，在抗戰八年期中，我幾乎每隔四五週，必定前往一次，拜候請益。另有一位錢孫卿先生更是我最欽佩的前輩人物之一，錢先生是無錫商會會長，他與他的學生兒弟基博先生，都是自幼已負文名，甚有學問，基博先生在上海武漢各大學任教，極負時譽，孫卿先生雖然在學術界無乃弟之著名，但他的道德文章，事實上也決不會較基博先生爲差，祇因他生性不慕名利，做了一任無錫師範學校校長之後，便隱跡市廛之中，淡薄自甘，但他在地方上聲望極高，一言一行，對社會上無形影響力甚大，在商會中也做過很多工作。抗戰發生，他恐爲日本人利用，不願在鄉間久留，避居上海租界，任無錫同鄉會會長，我因加入同鄉會之後，才獲與孫卿先生相識，看到他雍容爾雅，處事對人的器度與談吐，眞有如坐春風之感，衷心欽佩，從此我有機會便常向他請益，如隔二三週未去拜候，心中即有說不出的鬱結，必待一談之後，才覺痛快。他大約比我大二十歲左右，但承他不棄，折節下交，上至國家大事，下至做人處世之道，無不掏誠指示，我記得他曾告訴我，當民國初年，他還年青時，有一次章太炎先生到無錫，問他當茲末世，人心甚壞，應如何應付，他很恭敬回答，小子無知，願聽老師指示，太炎先生說，對於壞人現時如不揭破他的面皮，仍當他好人看待，至少可以不讓他太走極端，少做點壞事，由這個故事，可以看出太炎先生之高明，也可以看到孫卿先生深體師言，做到爐火純青之境，也給我啓發不少，於此後做人處世，很有用處。（未完）

尼克森怎樣保衛美元

美國總統尼克森於八月十六日突然發表保衛美金的八項非常措施，不僅宣言美國經濟進入「非常狀態」而且宣告IMF（國際貨幣基金）體制的根本動搖。

因此，尼尼克森這個非常措施發表之後，歐洲金融市場立刻陷入鎖閉狀態，與美國有着最密切經濟關係的日本所受衝擊尤大。

四十年來的新政策

八月十六日尼克森宣佈的八項措施，主要是：

（一）美金與黃金的兌換一時停止。

（二）對外國輸入品加徵一〇％的輸入稅。

（三）工資和物價凍結九十天。

（四）設立生活費部長委員會，厘定長期的工資和物價的安定對策。

（五）投資稅免除的復活。

（六）汽車消費制的廢止。

（七）預定於七三年實施的個人所得稅的減稅提前一年實施。

（八）聯邦政府預算削減十億美元。

據尼克森總統宣佈後美國政府的說明，這個緊急措施的目標有四：

（一）雇用的增大。

（二）及早安定物價。

（三）強化美國在世界經濟中的地位。

（四）國際通貨與貿易制度的改善。

換句話說，這是一個爲着保衛美元所採取一個包括改善國際通貨體制，抑制國內通貨膨脹和促進景氣的大胆的綜合經濟政策。尼克森在宣佈這措施的廣播演說中自己說：「這是過去四十年間，美國所採取的最廣泛的新經濟政策」。

切斷美元與黃金的關係

在尼克森八項非常措施中，最重要的當然是（一）（二）（三）的三項。第一項美金與黃金的兌換一時停止。雖說是「一時」的停止，但戰後以黃金爲中心國際通貨現體制，是在美元與黃金隨時可以兌換（黃金一盎斯等美元三十五元）的保證下建立起來的。現在宣告兌換黃金的停止，即意味着美元與黃金斷了關係，而使現行國際通貨體制根本動搖。

詹森總統時代的經濟諮詢委員會委員長奧康在聽尼克森的演說後說：「布列頓森林體制（即IMF體制）現在宣告結束了」日本經濟同友會代表幹事木川田也說：「布列頓森林體制由此崩潰了！」

三年前一九六八年實行黃金兩重價格制時，各國央行雖同意對兌換黃金予以自肅，但必要時還許可兌換。現在宣告一時停止，表示了美金與黃金的連帶關係暫時切斷，各國對於維持美元的平價也就失去興趣了。因此，事實上等於實行美元的活動滙率制，同美元貶值的效果一樣。（未完）

看相十訣竅（上）

卅六

·錢一劍·

錢一劍談相

一、取威儀。如虎下山，百獸自驚。如鷹升騰，狐兔自戰。不怒而威，不但在眼亦觀顴骨，神氣取之。

二、看敦重及精神。身如萬斛之舟，駕於巨浪之中。搖而不動。引之不來。坐臥，起居，神氣淸鑒。久坐不昧，愈加精彩。如日東升，刺人眼目。如秋月懸鏡，光輝皎潔。面神，眼神，俱如日月之明。輝輝皎皎，自然可愛。明明潔潔，久看不昏。如此相者。不大貴，亦當小貴。富亦可許。不可妄談定。

三、取淸濁。但人體厚者，自然富貴。淸者，縱瘦神長，必以貴推之。濁者，有神謂之厚，厚者多富。濁而無神謂之軟，軟者必孤，不孤則夭。

四、看頭圓頂額高。但人頭爲一身之主。四肢之元。頭方者頂高則爲居尊天子。額方者，頂起則爲輔佐良臣，頭圓者，富而有壽。額闊者，貴亦堪誇。頂平者，福壽綿遠。頭扁者，早歲迍邅。額塌者，少年虛耗。額低者刑尅愚頑。額門殺重者，早年困苦。部位傾陷，髮際參差，照依刑尅兼觀，不可一例而言。有惧相訣。

五、看五岳及三停。左顴爲東岳，俱要中正，不粗露傾塌。額爲南岳，亦喜方正，不宜攙竹低塌。右顴爲西岳，亦與左顴相同。地閣爲北岳，喜杜，方圓，隆滿，不可尖削，歪斜，捲窊，兜上。土星爲中岳，亦宜方正，聳上印堂。五岳成也。書云五岳俱朝，貴壓朝班，亦且錢財自旺。三停者，額門，準頭，地角，此面部三停也。「又爲三財。又爲三主又名三表。俱要平等。上停長，少年忙。中停長，福祿昌。下停長，老呈祥。三停平等，一生衣祿無虧。若三停尖削歪斜，粗露，俱不利也。可照流年，部位氣色，而推，不可一體而斷。

六、取五官，六府。眉爲保壽官。喜淸高疎秀彎長，亦宜高目一寸，尾拂天倉，主聰明富貴機巧福壽。此保壽官成也。若粗濃，黃，淡泊，散亂，低壓，乃刑傷破敗。此一官不成也。（未完）

拙集刊成海內賢儁紛投珠玉賦此統謝

勞天庇

郊寒賀病杜陵飢，往事淒涼倘過之。血淚鑄成詩兩卷，江湖夢破鬢千絲。原無後世名山念，竟荷通儒逸士辭。瘦墨苦吟終不枉，臨風一一謝相知。

寒操詞長見和拙詩再用元韻奉謝呈政并乞分轉寄華白翔雨吟壇

勞天庇

未親風雅愍如飢，流誦瘦詩稍慰之。博得文儒稱錦樣，已酹織女力機絲。平生不挾驚人語，落筆唯書素位辭。獨學蠻方頭欲白，項斯畢竟荷揚知。

次均奉和

墨齋　梁寒操

固知黃字不療饑，可奈耽詩自樂之。心契冥冥堅一信，情抽乙乙幻千絲。難除煩惱甘呆想，不事雕[illegible]有妙辭。一卷在山堂到手，牙琴寧少子期知。

中華民國內政部登記證內警台報字第〇三一號
中華民國僑務委員會登記證僑新字第三二三號

自由報

中國郵政台字第一二八二號執照登記為第一類新聞紙

（第一二一二期）

（半週刊每星期三、六出版）
每份港幣壹角，台幣零售價新台幣二元
社長李運鵬・督印黃行齊
社址：香港九龍官塘鴻寧道117號後座二樓
117 HONG NING RD, 1/F REAR, KWUN TONG, KOWLOON, H.K.
TEL: K-433653
電報掛號：7191
郵箱：官塘郵政信箱9583
承印：景星印刷公司
地址：嘉咸街廿九號地下
台灣區業務管理中心：台北市許昌街廿六號
電話：三八〇〇〇二
台灣區直接訂戶　台灣劃撥戶
第五〇五六號張萬有（自由報會計室）
台灣分社：台北市西寧南路110號二樓
電話：三三〇三四六、台郵劃撥戶九二五二號

六十年來的反共思想戰
——躍中國為世界思想大國（續文）

・貞蒼・

四、國際共黨為禍世界

國際共黨的行為之被世人注目者，已有：民國四十一年二月一日聯合國大會以廿六票對九票（廿四票棄權）通過我國控訴蘇俄違約案。四十二年三月六日蘇俄宣佈史大林死亡，史大林政策乃被鞭屍批判。四十五年二月十一日俄酋清算史大林，發動貶史運動。十月廿三日，匈牙利首都布達佩斯掀起反共革命，駐匈境俄軍展開鎮壓，匈軍多倒戈轉與俄軍作戰。二十九日聯合國安理會舉行緊急會議，將「俄軍屠殺匈牙利人民案」，列入聯合國大會議程。十二月十日匈牙利萬餘自由鬥士襲擊俄軍，全國工人開始罷工。十一日波蘭斯德丁港發生反俄示威，羣衆與警察衝突，多人被捕。十二日聯大以五十五票對八票，通過譴責蘇俄對匈暴行案。十三日波蘭等十一個城市，發生示威運動。六月十七日匈牙利前總統納琪，慘遭匈共殺害，自由世界紛加指責抗議。民國五十六年八月十五日柏林局勢緊張，東德悍拒西方國家對於其封鎖東西柏林間交通之抗議，並揚言四國協議無效。十一月十日克姆林宮展開整肅，前外長莫洛托夫被開除黨籍，並被免除駐維也納大使之職務。民國五十六年元月十九日共匪與蘇俄在新疆邊界發生大規模衝突。三月十一日史大林女兒史薇拉娜自印度經義大利逃日內瓦，請求瑞士政府予以政治庇護。民國五十七年三月十一日波蘭人民抗暴，華沙街頭展開混戰。八月二十一日蘇俄及保加利亞、波蘭、匈牙利、東德等國軍隊入侵捷克全境。民國五十八年三月二日共匪與蘇俄在烏蘇里江珍寶島流血衝突。四月十七日捷克共黨改革派頭目杜布西克遭罷黜，由蘇俄支持胡薩克接任。八月二十八日敘利亞游擊隊刼持美國客機，逮捕六名猶太籍乘客，交付巴勒斯坦「革命法庭」審訊。民國五十九年，三月十二日巴西恐怖份子綁架日本駐聖保羅總領事大口信失，威脅釋放五名政治犯以為交換條件。十七日菲律賓左傾份子再度發動示威活動。三十一日，日本航空公司客機一架，遭十五名日本左派學生刼持擬飛往北韓，於途中迫降南韓金浦機場，暴徒以乘客為人質，要求飛往北韓，雙方僵持三天。四月六日，西德駐瓜地馬拉大使翁斯普瑞地因瓜政府拒絕釋放政治犯及付出贖金而慘遭匪徒殺害，西德政府宣佈凍結兩國關係。六月二十三日捷克駐丹麥大使瓦西克向丹麥請求政治庇護。民國六十年六月初，蘇俄太空專家費多謝夫投誠英國，帶給英國許多有關蘇俄太空與國防計劃的秘密。七月五日，蘇俄訪問瑞典的體育隊通譯賈科金向瑞典請求政治庇護。

從這些國際共黨的行為，可以見出：馬克斯主義的黨徒，是世界和平的破壞者，已被自由人士所唾棄。蘇俄在共產國家中，已不再是「無產階級的祖國」，附庸國家開始對之反抗，蘇俄的領導地位已被這些反抗所動搖。蘇俄方式的領導，不但不受其附庸國家的歡迎，甚且不受其國內人民的歡迎。蘇俄只憑強權與組織在竭力鎮壓與控制。反抗鎮壓與控制的風暴正在鐵幕內醞釀。

五、共匪暴政失掉民心

共匪自竊據大陸後，民國三十九年六月二十五日共匪嗾助北韓共黨侵略南韓，共匪欺騙中國人民展開抗美援朝運動，威脅青年參軍赴韓作戰。民國四十年一月三十日，聯合國大會政治委員會，以四十四票通過「譴責朱毛匪幫為侵略者案」。民國四十二年，七月二十七日，韓境停戰協定在板門店簽字。民國四十三年，一月二十三日，一萬四千二百零九名反共義士，投奔自由，由韓國板門店首途返回自由祖國，廿五日抵達基隆。民國四十四年一月二十日共匪猛犯一江山，守軍七百二十人全部壯烈成仁。民國四十六年，十月十日，蔣總統在國慶文告中鄭重提出反共復國共同行動的六大目標，並提出三項保證，號召匪軍來歸。民國四十七年八月二十三日，匪軍猛射金門，守軍英勇還擊。九月二日，金門海戰大捷，擊沉匪艇十二艘。九日空軍大捷，擊落匪機七架。十八日，金門空戰，擊落匪機五架。二十四日，擊落匪機十四架。民國四十八年三月二十一日，西藏反共抗暴進入高潮，拉薩發生戰火，達賴喇嘛出走。十月二十三日，共匪在印藏邊境，不斷侵擾印度，印人反匪情緒高漲。民國四十九年一月十二日，共匪米格十五噴射機一架，向自由中國投誠，因不悉地形，撞毀於宜蘭山麓，軍方予以厚葬。民國五十年十月八日，反共義士邵希濂和高佑宗，於九月十五日駕機向南韓投奔自由，志願來台重返自由祖國，經予接運來台，報告飛出鐵幕經過。民國五十一年三月三日，劉承司義士駕匪機米格十五投奔自由，安全降落桃園。五月二十日，中國大陸難民大批逃亡，湧入香港。六月二十七日，大陸逃港難胞，開始分批接運來台。十一月二日，共匪駐瑞典外交官趙福投奔自由，獲美政治庇護。民國五十二年，十月二十一日，聯合國大會以五十七票對四十一票，拒絕匪偽政權入會。民國五十四年五月十五日，共匪壓榨大陸人民，「不穿褲子，只要原子」舉行核爆，舉世斥匪係與全人類為敵。七月四日，青海、新疆、西藏各地人民，紛起反抗共匪，活動熾烈。九月十一日，亞盟大會在馬尼拉發表宣言，強調共匪為禍亂根源，盼美支援中、韓、越，解放亞洲鐵幕。十一月十一日，匪空軍李顯斌、李才旺反共義士，駕噴射轟炸機起義來歸。民國五十五年一月六日，中非共和國破獲匪顛覆陰謀，宣佈與共匪絕交。二月一日，共匪勾結越共，悍拒和平努力。三月二十二日，共匪宣佈拒絕參加俄共第二十三屆大會。四月十五日，印尼華裔青年，舉行反共示威，搗毀匪偽大使館。六月十六日，共匪發動「文化革命」，以破四舊（舊文化，舊思想，舊生活，舊習慣）為口號，「紅衛兵」之瘋狂行徑，蔓延十數城市。匪黨內部發生權力鬥爭，匪區陷入混亂。八月二十九日，共匪驅使二十萬青年，在北平蘇俄大使館前舉行示威。九月十日，「紅衛兵」遭普遍反抗，暴亂蔓延大陸各地，匪軍實施警戒備戰。十五日，共匪被迫對農工讓步，要求「紅衛兵」在農村暫時停止暴亂運動。十一月二十四日，毛匪嗾使「紅衛兵」鬥爭劉少奇。民國五十六年一月十九日，匪俄在新疆邊界發生大規模軍事衝突。四月二十二日，共匪策動印尼華人暴亂，耶加達城印尼人舉行反匪示威，毀華人產業。二十四日，印尼政府宣布驅逐匪偽外交人員。五月十五日，共匪公開介入港九暴動事件。六月二十三日，九龍共匪利用暴徒事件再起暴動。九月十一日，共匪與印度軍在西藏與錫金邊境炮戰。十月十五日，共匪武工隊滲透香港，進行暴亂活動。十一月二十五日，反共游擊隊突擊平潭，毀匪米格十九型八架。民國五十九年二月二十一日，共匪煽動菲律賓人舉行反美、反華示威運動，菲政府採取強硬態度制止。五月五日，共匪承認被黜的柬埔寨元首施亞努的流亡政府。六日，柬埔寨宣布撤回駐共匪北平使節團。七月八日，中日合作策進委員會發表聯合公報，駁斥周匪恩來發表所謂「日匪貿易四原則」，乃共匪對日本經濟與商業社會所作之敲詐與恫嚇，為破壞亞洲自由國家友好關係的政治陰謀。九月十七日，世界反共聯盟在日本閉幕時，發表聯合聲明：決支持中華民國光復大陸，堅決反對共匪入聯合國。十一月四日，匪區消息洩露傳抵台北，共匪九月六日在「九屆二中全國會」通過匪偽「憲法修改草案」，實施嚴酷極權政治，明定毛匪掌握黨政軍大權，剝削匪偽機構權力，顯示內部嚴重危機。民國六十年五月，大陸人民逃亡又形成高潮，共匪在港澳邊境實施槍殺攔截，阻止逃亡。泅水逃亡者多為十六歲至三十歲受共匪教育之青年。足證大陸人心已普遍唾棄共產主義之奴役暴政。尤其大陸青年反共抗暴運動此起彼落，自一九四九年至一九六六年，大小抗暴事件超過一百六十萬件，「文革」以後，更難計其數。像「五一六兵團」「武漢「百萬雄獅」」「湘無聯」，使毛偽震驚不已。湘無聯發表「中國向何處去」？指出共產黨是新的官僚階級，必推翻其統治，中國方有前途。該文出自毛黨高級幹部子弟，年方十九歲。由此可證明青年心理的反共，已在大陸普遍形成。

（未完）

昨日與明日

聯合國的死亡

十月二十六日，台灣光復節剛剛過去，聯合國大會又給中華民國帶來了不幸的消息，即美國對「中國代表權」問題應為「重要問題」的提案，被大會否決，中華民國遂即宣布退出聯合國。中華民國保衛代表權的英勇行動固然是失敗了，而美國在聯合國的歷史紀錄中，也必將留下了千秋萬世的臭名。因為，此次中華民國保衛代表權之戰，是三面作戰：一面是毛共陰謀，一面是毛共的雇傭兵急先鋒阿爾巴尼亞，一面是毛共的幫兇出賣中華民國的尼克森和季辛吉。阿爾巴尼亞是「排我納匪案」的提案人，美國是「貶我納匪案」的提案人，即使能打敗阿爾巴尼亞之案，也難以打敗美國這一案，而美國之提案又是支持了阿爾巴尼亞之提案，故中華民國仍與美國共同奮鬥的結果，等於是與虎同行的結果，落得慘敗，不得不宣布退出聯合國。其實，當美國提出「貶我納匪案」時，中華民國應立即反對，不能連署美國案，寧為玉碎，不為瓦全。惜乎，由於我們官府一向有依美賴美心理，乃希望作一時之權宜，而美國在演雙簧，唱做俱佳，結果又騙了我們，也騙了日本，現在還有人寄望美國來保衛我們協防台灣，這是執迷不悟的想法，由於聯合國大會失去了正義，也就等於聯合國精神的死亡，得之不足喜，失之不足惜，希望全國團結在一起，爭取明天的勝利。

・胡迭・

自由談

齊大非偶

齊國，在春秋戰國時代，有其顯揚之世。例如「齊大非偶」的故事，就代表了齊國之顯赫，同時也表現了鄭太子忽的獨立自主精神。事情發生於北戎伐齊之時，鄭公子忽率師救齊，大敗戎師，救了齊國。在此事之前，齊侯欲以文姜妻鄭太子忽，太子忽辭。人問其故？太子曰：人各有偶，齊大非吾偶也。詩云：自求多福在我而已。君子曰：善自為謀。這是做人哲學，同時也是立國哲學，一味依靠別人來發展自己的懷抱，是永遠發展不出來的；一味依靠別國來保衛自己的國家，是終久要亡國的。在齊國的後期，即在秦國日夜攻三晉燕楚之際，齊國四十餘年不受兵，正應該整軍修武，作西征的準備，或最起碼要作自保之準備。無奈齊國則不然，后勝相齊，多受秦國金，賓客入秦，秦又多與金，客皆為反間，勸齊王朝秦，不修攻戰之備，不助五國攻秦，秦以故得滅五國。齊王將入朝，雍門司馬前曰：所為立王者，為社稷耶？為王耶？王曰為社稷。司馬曰：為社稷立王，王何以去社稷而入秦？齊王還車而返。即墨大夫聞之，見齊王曰：齊地方數千里，帶甲數百萬，夫三晉大夫皆不便秦，而在阿甄之間者百數，王收之而與百萬人之衆，使收三晉之故地，即臨晉之關可以入矣。鄢郢大夫不欲為秦，而在城南下者百數，王收而與之百萬之師，使收楚故地，即武關可以入矣。如此，則齊威可立，秦國可亡，豈特保其國家而已哉！齊王不聽。於秦始皇二十六年，秦將王賁自燕南攻齊，猝入臨淄，民莫敢格者。秦使人誘齊王，約封以五百里之地，齊王遂降，秦遷之共處之松柏間，餓而死。這是歷史紀錄的事實。

嗚呼！齊國之亡，是自取滅亡也。而五國之亡，亦齊國看死不救之過也。杜牧在阿房宮賦中謂：「滅六國者，六國也，非秦也。」而蘇老泉在「六國論」中謂「齊人未嘗賂秦，終繼五國遷滅何哉？與嬴而不助五國也，五國既喪，齊亦不免矣。」所見極是。齊國四十餘年不受兵，稷下學風甚盛，各國學生都到齊國去留學。惜乎都是些「不治而議的空學之士」，既不能支援三晉楚燕的流亡之士以復國，又不能助齊重振桓公之霸業，終於最後一任齊王餓死於松柏間，雖曰天意，豈非人事哉？

鳴玉先生

傳聞民意代表仗勢違法取得學歷證件

立委要求查究以正視聽

（自由報台北消息）立法院四十八會期第五項會議，立委趙文藝就教育問題，向行政院提出再質詢，他說：聞某民意代表仗勢欺人，違法取得學歷證件，請教育部澈底查究以正視聽。

查十月五日，立院舉行院會，向行政院總質詢時，侯委員庭督，在發言時讚揚教育部將設學籍室一事曾謂：「學籍是國家典章制度名器的一種，必須重視，讓青年們知道，必須皓首窮經，才能得來這個名器，也是一種榮譽。在閻振興作教育部長時，曾經發生過一件事，據說一位民意代表，在大陸求學時期，因為未繳畢業論文，學分沒有修完，教育部當然不發畢業證書。到台灣以後，這位沒有畢業的大學生作了民意代表，仗勢欺人，到教育部連吵帶鬧，閻前部長懾於淫威，准其補繳論文，補發一張畢業證書。政府首長應依法令施政，教育部無權審查大學生的畢業論文，這是違法的，今後教育部有了學籍室，應不受權勢的威脅，執行法令。」聽了侯委員的高論，使人且驚且佩，侯委員如此重視法治，嚴守法令，大公無私，仗義執言，非但可以整肅官常，抑止弊竇，在今日革新圖強聲中，實為我國國會紀錄上留下一段可傳佳話。近年來政治及社會風氣日趨敗壞，考其原因，少數不知自愛之民意代表，利用職權，仗勢欺人，壓迫官員，圖利自身，實有以啟之。教育部為國家最高之教育行政機關，如某民意代表，果有非法取得大學畢業證書之可靠證據，而部長及部內有關官員，又違法循情核准發給，此不但應受行政處分，亦為刑法所不容許，實有澈底究查之必要。想侯委員學識修養，向極為人推崇，在莊嚴之議壇，絕不至發出毫無事實根據之誣衊言詞，侯委員此一質詢，惜羅部長未能當場及時答覆，深引為憾。惟民意代表，非法取得學籍者，究屬何人？實有公開宣布姓名之必要，否則，將使大多數清風亮節之民意代表，遭受不白之冤。敬希教育部羅部長為教育部官員辦案之風紀計，暨大多數民意代表之清白計，請對侯委員所稱之憑藉權勢，違法取得學歷證件一事，嚴飭詳查該民意代表取得大學畢業證書詳細經過，而維法紀。

關於刷新政治一事，這次委員們發表的高見很多，此實為我朝野當前一致之熱切願望。所以今日整飭政風，勵精圖治，是刻不容緩的自強要道，希望政府官員，能因侯委員之正義的呼聲，從此下定決心，再不「懾於民意代表的淫威」，認清是非，辯別黑白，使好人得以出頭，使壞人繩之以法，申張公道，除惡務盡，以此來收拾人心，振奮人心。這樣，我們的國家才會永遠矗立於這無正義，無公道之混濁滔滔的世界逆流之中，而不至被惡浪所淹沒。因此，本席聽到「民意代表仗勢欺人」之警語，內心疾惡如仇之情緒，不禁油然而生，敬希羅部長從速嚴查，以正視聽，而釋羣疑！

地層下陷情形嚴重 致使北區常遭水患

立委促當局速謀改善之道 并修正石門水庫經營政策

（自由報台北消息）立法院四十八會期第五次會議立委劉振東就空氣污染地層下陷等問題向行政院提出質詢如下：

一、空氣污染、水源污染及台北地層下陷問題：

在上會期，本席曾提「趕快搶救台北」質詢行政院，包含空氣污染、飲水污染及地層下陷等三個問題，行政院對該質詢之答復，本席難盡滿意，特再提出質詢。不過，在原則上行政院接受本席的見解，那就是行政院在答復中承認空氣污染、水源污染及地層下陷皆肇因於工廠太多之故，不應在市區及水源地設立工廠，行政院並承認今後將逐漸縮小工業區域。當然解決空氣污染、飲水水源污染及台北地層下陷問題，並非一朝一夕之事，但是，至少行政院應禁止在現有工廠外，再增設新的工廠，以免情形再趨惡化。但是行政院在答復中又謂：「新設工廠祇要能自行處理其廢水，亦可許其設立。」本席對此難予同意。行政院對以上三項嚴重問題，若無法立即改善，至少不應准設新的工廠，若有申請設廠者，應令其在工業區內設立工廠，絕對不許其在台北市及近郊設廠。縱然新設工廠有自行處理廢水能力，亦不應許其設立，因處理廢水只能作到不污染水源，可是多一工廠，必然多抽取地下水，使地層下陷。

至於在水源地設立工廠，去年省政府曾公布在台北飲水水源地之新店區設有工廠十八家，大量放出污水及毒水，確有對水源污染之情形，應行改善。事隔一年，據報載，根據經濟部及衛生署聯合調查新店地區現有工廠已增為五十八家，何以一年時間，竟增加了這麼多工廠？

二、台北地區防洪問題：

這是一個非常嚴重的問題，近年台北水災之所以如此嚴重，其主要原因，就是由於地層下陷。本席從民國三十九年至五十一年春，在新莊居住了十二年之久，未曾遭受一次水災，每當颱風過後，常至淡水河邊看水，引為一件樂事。但是自五十一年秋葛樂禮颱風過後，十年以來，每遇颱風，新莊、五股、蘆洲一帶盡成澤國，此種水災之造成，主要原因是地層下陷，現據專家報告：十餘年來台北地層下降達兩公呎之多，請想兩公呎是何等高度？地層下降如此，豈有不淹水之理？若再試想將台北地層提高兩公呎，我想即不會有此嚴重水災。而地層下陷，就是由於工廠太多，不斷抽取地下水的緣故！

三、石門水庫經營政策應速修正：

石門水庫建設之初，原是具有防洪、灌溉、發電、給水及觀光等多項目標，所以，不應專課其防洪責任。不過，根據十餘年放水經驗，其「放水」辦法應予修正。在平時石門水庫可以作多目標運用，但當進入颱風季節後，則應以防洪為第一目標。現在石門水庫每屆颱風來臨之前雖然亦先放水，惟所放水量不多，難收防洪效益。本席曾詢一位石門水庫過去的負責人「何以不多放些水」？據他說，水放光了，三個月都灌不滿。這種心理可說都是受了多目標的影響，希望今後改善石門水庫管理辦法，在颱風時期，應以防洪為第一，其他目標次之。

培育華僑青年幹部 展開海外反共運動

擬具長期發展僑務方案 使能成為復國建國後盾

四、積極推進華僑愛國救國運動使其成為復國建國之後盾：

國父曾說：「華僑為革命之母」。本席早年留學美國，知道僑界派別甚多，國父所領導的只是其中一部份。我曾見到一些當年追隨國父革命的華僑志士，這些華僑志士雖贊助本黨革命運動，但是他們祇是華僑羣衆中的一部份，然而，就靠這一部份的華僑力量，就鑄成了我們中華民國革命建國的大業。六十年來，我政府雖想推展華僑愛國運動，但是未能統率全部僑民，此次國慶全球各國僑民以偉大的陣營，回國慶祝，更在國外展開反共運動，可說給國際上一個非常深刻的印象，大大增強我國國際地位。希望政府好好利用華僑力量，以作為我反攻復國的動力。並希能把握此難得的機運，擬具長期發展僑務的方案，使能羣策羣力，團結一致，成為反共建國的後盾。

十數年前本席曾去歐美各國考察，回國後曾撰「僑務改革方案」呈送政府，僑務當局對本席之報告頗為欣賞。過去華僑遇有事故，祇是派人員前往僑居地宣慰一番了事，今後，對於華僑運動不能祇靠派幾位大員前往宣慰，應作有計劃的訓練優秀青年人才，長期在海外發展事業，與僑胞協力合作，應坐地生根；並且培育華僑青年幹部，使之與祖國多生連繫，庶幾內外一致，衆志成城，成為反共復國的後盾。

五、僑大先修班改建問題：

雖然這是一個小問題，可是，對華僑卻具有深遠的影響。現在僑大先修班校址，每屆颱風來臨，則泡在水裏，這些華僑青年都是遠從幾千里外回國讀書，如果讓其家長知道，其子女處境如此，豈能安心？他們所以遣其年幼子女，遠道返國讀書，完全是出於熱愛祖國的赤誠；若知其年幼子女，遭遇如此，必將發生不良印象！因此，本席懇切要求行政院從速另覓校址遷建。雖然政府財力不裕，但對另建一所三百餘人的僑大先修班，當不致感到困難。

六、整頓地方金融及經濟制度以蘇民困：

對此問題本席曾多次為文呼籲，也曾在前年中央全會中提出此一問題為民請命。我們的國家銀行對一般人民不發生關係，真正與平民所生關係的是合會、是農會、係是各行各業的地方會社，這些不正常的金融機構，在農村製造了很多很大的問題，妨害國民經濟的發展。上月曾有人向財政部檢舉，合會放款利息高達二分以上，而這種高利貸的收入，並非繳歸國庫，而是經由種種名義盡入私囊。最近揭發的農會貪污案，數達千萬元以上，農會負責人、法官、書記官、調查人員，均牽連在內。前年宜蘭農會發生弊案，貪污數字亦達數千萬之多。本席要求行政院對地方金融制度從速設法改革。此外，各種公會亦應予以改善。前年香蕉公會弊案發生，其理事長吳振瑞，自承於不數年間除奢用度外，所治私產多達三億元以上，其理事長一人如此，其下尚有理事及各級人員，剝削蕉農，貪墨之數，必然十分驚人！這些錢都是來自民脂民膏，如果政府對這些地方會社不謀改善，人民所受痛苦將永難解除，國民經濟亦永不能合理發展。

國父當年倡導革命，曾將剷除貪官汚吏與打倒土豪劣紳相提並論。如以兩者相比，則土豪劣紳為害人民之深，實十倍於貪官汚吏，因為貪官汚吏是外路人，祇是撈幾個錢就走了，可是，土豪劣紳，是在地方生根的一羣壞人，根深蒂固，去之不易。現在的一些公會、農會就是被這些土豪劣紳的集團所霸持，若不從制度根本設法改善，是永遠無法澄清，以蘇民困的。

七、公教人員穿着制服問題：

報載台灣省府已經決定公教人員穿着制服。對於這個問題，本席想表示一點個人的意見。公教人員穿制服，如果由政府各發四季衣服兩套，本席認為施行起來尚不致發生問題；如果歸由個人自備，可能就有困難了。現時各級公教人員的薪給，只能維持清苦生活，政府若責其衣履整潔，他們可以心服；若責其放棄現有衣服另製制服恐不容易作到。公教人員穿制服，省政府主席及廳長是否也穿？省級公教人員穿制服，中央公教人員是否也穿？如果省主席不穿，或者是中央公教人員不穿，將如何塞悠悠之口！穿制服施之於公務員尚可，施之於教育界恐有困難；一般大學教授是否肯於接受，不能說是沒有問題。不知行政院對省政府此項決定有何看法？政府法令，令出惟行，必須慎之於始；若行之不通，必將有損政府威信。

復興中華文化 須有具體作法

制禮作樂應為先務 融會貫通中西思想

八、復興文化要從復興禮樂作起：

現在大家都在高談復興民族文化，不過，談到復興民族文化，必須要有系統有辦法，有具體有步驟的作法，絕不是寫幾篇文章，開幾次會就可竟其功的。

我們的民族文化就是儒家思想，國父之三民主義就是繼承堯、舜、禹、湯、文、武、周、孔的思想，所以國父說要將中國文化年根立起來，鑒於西洋科學文明的優點，所以又說對西洋科學文明應迎頭趕上去。所謂儒家思想就是「禮樂射御書數」，其中更是以禮樂為先，而歷代建國，亦莫不以制禮作樂為先務。因此，我們復興民族文化，首先應該復興中國的禮樂。當然，此項主張，並非全部的抄襲古代的禮樂，而是要貫通西洋新的思想與精神，使中華民族的新文化能以融會中西文化於一爐，成為世界最美善的文化。

多少年來我們的禮非常凌亂，衣服亂穿，各行其是；禮節亂行更是沒有統一的辦法。這種凌亂局面，必須早日澄清。報紙近曾披露內政部邀集專家研討擬成立禮樂司，本席非常支持此項意見，因為政府有此機構後，對於復興民族禮樂，始可專負其責任，悉心籌劃。所謂禮就是國家的制度，社會的秩序，國民行為的規範。我國古代從廟堂的禮節乃至人民婚喪喜慶，皆有其一定的規範，我細讀三禮，覺得沒有一點不對，不過現在是工業社會，人民工作繁忙，對於那些太繁復的禮儀難盡適應，但是，總可從其中找出一些適合現代需要，可以遵行的禮節，制成一套共同遵行的禮，不可任其長此雜亂無章。

談到樂，更是令人痛心，不但樂教未興，台灣全省竟無一所合乎國際標準的音樂廳。以往我國曾邀請各國大音樂家來演奏，但因為沒有音樂廳，他們都不肯來，就是我們的郭美貞女士也只能在外國流浪，而無法在台灣久演。「工欲善其事，必先利其器」，如果連一所標準的音樂廳都沒有，還談什麼樂教？台北至少應建立一所具備國際標準的音樂廳，使外國的大樂師可以來我國演奏，以供我國音樂界的觀摩學習，並啟導我國青年。國家遇有重大慶典，也不至無處演奏與歌唱。

樂記曰：「樂者音之所由生也，感於物而後動，故先王慎所以感之者，故禮以道其志，樂以和其聲，政以一其行，刑以防其奸。」故曰：「聲音之道，與政通矣。」化民成俗，禮樂並重，故歷代建國，首重制禮作樂，我政府如欲復興中華文化，樂教實不可偏廢也。

樂記又曰：「人心感於物而動，故形於聲，聲相應故生變，變成方謂之音，比音而樂之及干戚羽旄，謂之樂。」可見欲發展樂教，必先有樂具，則標準音樂廳之建立，實為發展樂教不可缺之事也。

社會服務工作

·文圖樓主·

湖南中華時報爲中國西南幾省唯一民營大報，創刊於民國三十二年三月廿九日，董事長是賴璉，社長李運鵬，總編輯程曉華。兪頌華（上海申報主筆，東方雜誌主筆）張起鈞（老子哲學權威現任國立台灣師範大學教授）皆曾在該報做過總主筆。

該報除以敢說話得民心外，社會服務工作做得最受人欽道，民國三十四年冬與民國三十五年春，湖南缺糧，餓屍載道，其悲慘情形不忍目睹，該報發動救災工作，每天蒸饅頭數卡車，沿公路綫散發，連續半年之久，據說活人若干萬，又成立兒童保育院，收檢垂死難童一千六百五十餘人，直到善後救濟分署成立才移交出去，全靠該報自行勸募，未向政府借助分文，因不伸手，報紙的態度也才強硬得起來。

他如發行滅鼠獎券將近十期，一個老鼠換一張獎券，錢由報館向社會募來，交湖南省立民衆教育館執行，同時每年年終風雪交加之際，報館將積餘的錢移作放粮，委託當地基督教會辦理，民國卅六年放出白米約五百石，（有經手或知悉內幕的人現住台灣有好幾位）贈醫贈藥，施衣施棺，列爲中華時報社會服務部經常工作之一種，民國廿九年對日抗戰期間，李運鵬任職湖南大剛報總經理時，有感前綫藥物缺乏，乃發起勸募十萬救急包運動，就是他的傑作，受到薛岳長官一再嘉獎，李向毛健吾社長（大剛報）開玩笑說：「以我之血汗，成爾之功名」，毛亦厚黑學一派，投匪後據說很慘。

香港自由報在一羣正統學人支持下，由於報紙銷數激增，收支漸漸步向平衡，單以台灣區來說，四年前接辦時，台灣祇銷到一千七百份（仍爲僑報進口之冠）現在增加到一萬幾千份，南非洲區域原來一份報沒有，現已發展到一百幾十份，香港自由報社址從前很像吉卜賽人的事業，現在台灣區就化了幾十萬台幣弄一固定門面，兼做副業，從事以報養報工作，一洗「秀才造反三年不成」的恥辱，中華基金會一位學人說的對，「大厦應當是自由報來蓋的，別說一棟，三棟也蓋得起來」，憑良心這都是書讀通了的人，不過我們不打算向這條路上發展，我們的目標仍是加強社會服務，幫助社會安定，直到光復大陸而後已，有人會問馬膺雲自己衣履都不週每月賠幾萬貼到自由報，究竟是爲了甚麼？馬的答案，于右任描寫一代報人張季鸞（前大公報總主筆）「北風凜冽，季鸞猶着紗衫，仍怡然自得……」這也就叫作人各有志。

中醫眞的不科學嗎？（四）

·本報資料室·

這個論斷，有何根據呢？茲舉以下事實，即可理解：

（一）、商代爲青銅器時代，已確立了奴隸制度，農業與手工業的發展，自然對治病保健的實用醫學有所提高。如在殷墟出土的甲骨文上所刻的卜辭，就有很多關於醫學的記載，其中病名，計有頭病、耳病、眼病、鼻病、口病、牙病、舌病、喉病、心病、腸胃病、手病、臂病、關節病、骨病、足病、瘤病、跌傷病、產婦病、小兒病、流行病等。尤其對心、腸胃、骨等處的疾病，若不是經過解剖，那能有此認識。

（二）、一九五〇年中共曾在安陽縣武官村北發掘了一座商代晚期的大墓和鄰近的小墓，在大小墓中，已發現殉葬人數達三百三十多具，這可見商代殉葬的風氣之盛，這些殉葬者，當然都是奴僕。此外，在殷墟遺址中，亦發現沒有固定葬坑的奴隸遺骸。這可想見，當時奴隸死了以後，是任意棄置的，是任人宰割的，而醫學家們毋需盜屍就可隨時隨地進行人體解剖工作，在這樣賤視奴隸的社會中，用活生生的奴隸施以解剖，亦有可能，故「靈樞經水篇」對解剖的記載，「血之清濁、氣之多少……」也有說明：如果不用活人解剖，那能看到「血」「氣」的情況呢。這雖然很殘忍，但對於解剖學是有貢獻的。由於解剖學的精細，自然提高了醫學的發展。

爲什麼說商代的解剖學爲歷代之冠呢？因爲到了周代，任意殺害奴隸和殉葬的現象了改變。當周朝開國初，周公鑒於「殷鑑」，提出以「德」來治天下，重視人命而大力發展生產，由奴隸社會進入到封建社會，從周穆王以後，連殉葬也用「俑」來代替，而孔子對「始作俑者」也要痛罵，主張施行「仁政」，一切以「仁」爲中心，從此儒家思想盛行至今，自然對人體解剖的工作，視爲不道德的行爲了。就是現代醫學實驗室進行人體解剖研究工作，也沒有像商代那樣取材便宜，俯拾即是。

（三）、據「史記殷本紀」載稱，帝辛（即商紂王）暴虐無道，比干諫，紂怒曰：「吾聞聖人心有七竅，剖比干，觀其心。」紂王「剖比干之心」以及「割朝涉之脛、剔孕婦」的故事，至今人人皆知。這說明紂王曾做過解剖活人的暴行。在「史記扁鵲傳」載有虢國的中庶子對扁鵲的一段話：「中庶子曰：臣聞上古之時，醫有俞附，治病不以湯液、醴酒、鑱石、橋引、案杌、毒熨、一拔見病之應。因五藏之輸，乃割皮、解肌、訣脈、結筋、搦髓腦、揲荒、爪幕、湔浣腸胃、漱滌五藏，練精易形。先生能若是則太子可生也。」這段話用現代語文解釋爲：上古（指周代以前）有位名叫俞附的醫生，曾作過剖腹療病的手術，先割皮，再解肌（肌是皮下結締組織），辨別（訣）血管（脈），結束肌肉（結筋），拉開神經（搦髓腦），分開膈膜（荒爪幕），然後洞浣腸胃，漱滌五臟。這樣從外到裏的手術程序，若是不懂解剖學，怎能做此剖腹滌腸的大手術。中庶子是不相信扁鵲能醫好虢國太子的病，除非你扁鵲先生能有古時俞醫先生那樣的本領，太子才可得救，所以說出上面這段話來。

根據上述，就可肯定遠在三千多年前的商代，對於生理解剖已有研究，以後由於社會的變遷，禮教的束縛，才影響到醫學解剖學的發展，但並非完全停止（另有各代的解剖文獻可證，本文限於篇幅不贅述）。由此可以說明，中醫學術是建立在實踐的基礎上的，從實踐綜合起來的中醫理論體系，難道是「不科學」嗎！即或現在香港有混飯吃的中醫學生，難道就沒有飽學之士「業精岐黃」的人物嗎！

三、有了「現代醫學」，中醫就要絕跡嗎？

譚醫生主張把「西醫」這個名詞改稱爲「現代醫學」，是否合理，不在本文討論的範圍。但他認爲只有「現代醫學」才是「科學」的，「到了中醫科學化的那一天，就是中醫自這個世界絕跡的一天，因爲中醫一旦科學化，就成爲現代醫學了。」這個論斷，確是值得討論。

試問「現代醫學」是否萬能，完善無缺呢？事實上，如今還有許多疾病，「現代醫學」還是無能爲力或是療效不高；有許多經過「現代醫學」治療無效而改用中醫方法治療者，却有很好的效果。這種病例，中外皆知，事實勝於雄辯，無須誇大。我們平心而論，中醫學和「現代醫學」是各有長短的，都不是萬能之神，都有實用的價值，兩者併行不悖，取長補短，相得益彰，無論那一方都不能代替另一方。如果有「取而代之」的思想，它就變成楚霸王了！（未完）

讀書雜鈔　三十七

·林倚·

時論曰：耿守愚雖然狷介，而喜與人爭禮數，是其自卑心理不能盡去也。故必自立崖岸，自高聲價，以待人之敬重，此種心理無非讀書未通，人情世故亦未曉暢所致。常見有人小才而大用，一旦得志，自卑心理依然作祟，處事不免愚而自用，又故作神秘，好弄玄虛，意在使人莫測高深，免爲人輕視。此與藏拙，又自不同。此蓋藏拙者尚含有謙虛心理成分也。此正其不學無術，胸襟偏狹之卑鄙行爲耳。陶靖節不爲五斗米折腰，是不願爲富貴作牛馬，維持其清高獨立人格，非爭禮數者也。

宋人詠蟹詩曰：「水清詎免雙螯黑，秋老難逃一背紅」。藉寓朱之貪婪必敗也。然他物供庖廚，一死而已。惟蟹則生投釜甑，徐受蒸煮，由初沸至熟，至速亦逾數刻，其楚毒有求死不得者，意非夙孽深重，不墮其中。相傳趙公宏燮，官直隸巡撫時，一夜，夢家中已死僮僕婢媪數十人，環跪階下，皆叩額乞命，「奴輩生受豢恩，互結朋黨，蒙蔽主人，久而枝蔓牽纏，根深蒂固，成牢不可破之局。即稍有敗露，亦衆口一音，巧爲解結。使心知之，而無如何。又久而陰相掣時，使不如家人之意，則不能行一事。坐是罪惡，墮入水族，使世世罹湯鑊之苦。明日主人供膳蟹，即奴輩後身，乞見救宥。」公故仁慈，天曙，以夢告司庖，飭舉蟹投水，且爲禮懺作功德。時甫盤遲膂。奴輩皆竊笑曰：「老翁狡獪，造此語怖人耶？吾輩豈受汝者，竟效人之烹。」而以已放告，又乾沒其功德錢，而以佛事已畢告趙公，竟終不知也。此輩作姦，固其常態，要亦此數十僮僕媪婢者，留此緇習，適以自戕。請君入甕，此之謂歟！（閱微草堂筆記卷十五）（未完）

「文天祥史蹟考」自序（一）

·李安·

我在未寫本書之前，曾以多年時間，研究岳飛言行史實。於考證史乘之外，他對劉、宗澤、李綱、張所、張浚、趙鼎、暨奸人秦檜，萬俟卨等史料，亦多用心瀏覽，以便明瞭岳飛所處時代背景與人事環境。而於冤獄之後，在南宋當時有兩篇爲其大鳴不平文章，更平常一再細讀，敬服其爲學者正義之聲。第一篇是紹興三十一年（一一三一年）五月程宏圖大學士上書高宗請雪岳飛之冤（見李心傳撰建炎以來繫年要錄卷一百九十）；第二篇是寶祐四年（一二五六年）五月文天祥參加朝廷殿試，理宗閱試卷親擢爲進士第一名，其在試卷中提到紹興初年史官失職，斥對岳飛史事疏於紀錄之策論（見羅洪先編文山先生文集卷三）。輒經反覆研究，深以南宋初年設如岳飛忠於國家民族之主張得以實現，則河山可復，宋恥可復。爾後偏安局面維持到理宗，度宗兩朝，設如文天祥應試策論所舉各事及其請殺董宋臣，呂師孟等主張能以施行，則幼主可能不致被執。（未完）

抗倭名將戚繼光

馬識途

不料在師返浙江之途中，有一股新到的倭寇，由東營澳登陸，至福清附近，恰巧與繼光之軍相遇。繼光令佈陣迎擊，不料這一股倭寇一見是戚家軍，嚇的膽怯，不敢交戰便行潰散。只殺了二百倭寇。這一股倭寇活該倒霉，一頭便碰到戚家軍的回程。繼光旋師途中，他自己作了一首歌，教士兵唱，一路唱到浙江合州。歌詞是：

萬人一心兮，泰山可撼！
惟忠與義兮，氣冲牛斗！
主將親愛兮，勝如父母；
干犯軍法兮，身不自由，
號令嚴明兮，賞罰信；
赴水火兮，敢遲留？
上報天子兮，下救黔首；
殺盡寇奴兮，覓個封侯。

戚家軍一路上唱着這支軍歌，雄心萬丈，壯志淩雲；把戰爭辛苦一掃而空。一路之上，沿途均受到百姓的熱烈歡迎，光榮地回到浙江合州。

相傳在繼光旋師路經福州時，百姓爲表其平倭大功，在福州城內歡宴，後來就在宴所建了一亭，名叫「醉石亭」。又城內有戚公祠，也是福建百姓爲報繼光之功而建的。足見一個人爲大衆謀幸福者，也是享受大衆的崇德報功者。

明代到了嘉慶年間，國勢衰微已極，國防更談不上，所以明代倭寇的猖狂，成了一種極爲頭痛的大患。他們飢則來，來則刼掠，官兵勢大則去，勢小則吃掉。

繼光返浙未久，就在同年的十一月，倭寇又大舉犯福建。，邵武，羅源，玄鍾所，甯德先後被陷，且將興化包圍，困了數月之久，卒被倭寇假裝官兵混入城中，夜半開城納入倭寇，於是興化被破，副使翁時器，參將畢高等棄城走，以通判署理府事的奚世亮獨力抵抗，結果被殺成仁。廣東總兵官劉顯遠引兵來援時，聞報興化已破，也不敢進攻，只引兵駐紮城外，以待援兵。

平海衛大捷

倭寇自犯中國以來，從來沒有攻下過府城的，這一次把興化攻破，明廷大震，百姓不安更甚於往昔。因此朝廷不得不派遣名將前來圍剿。乃起用正在丁憂的譚倫爲福建巡撫，俞大猷爲總兵官，戚繼光爲副總兵官，三將皆爲一時抗倭名將，足見朝廷之重視。

三將尚未到達福建，倭寇已攻佔平海衛，政和，壽甯，作爲必要時的退路的海道。譚倫首先趕到福建，知倭寇企圖，他不去興化，一直往平海附近海岸下營，以阻其歸路。俞大猷一軍亦到，與劉顯遠之軍取得連絡，只待繼光之軍一到便開始行。

另外一股倭寇進犯福清，企圖與平海衛之寇取得呼應，而後頑抗。卒被劉顯遠，俞大猷合力一擊，在退派地方將其悉數殲滅之。平海之倭見犯福清之倭被殲，大爲恐慌，企圖奪路逃往海外，不料却被許朝光邀擊大敗。同時倭寇在海邊準備的船隻，被許朝光一火焚光，倭寇無法，只得仍回平海衛作困獸之門。（七）

巨變歷險記！

反共會議（二六二）

胡慶蓉

丁博士在曼谷除繼續努力不撤外，並召開東南亞自由人民反共會議。

這是在泰國華僑陳廣深的海濱別墅。這個別墅遠在曼谷郊區，遠在通曼谷河流入海的地方。他這個地方很彷彿上海的吳淞，坐船當然可以到達，坐火車也可以到達，坐公路車更是方便。這個別墅，陳廣深又給他起了個名字——白雲山莊。陳廣深雖是華僑，但中文的底子很不壞，詩詞歌賦，他全來得，他有一本書，專門是咏這白雲山莊的。陳廣深也是游擊隊的一個領袖，游擊隊的一個師長，常往來曼谷——猛撤之間，其他的白雲詩集，差不多都送的有。有兩行直直的馬尾松一類的樹在去別墅的路兩旁，若是從公路前往，這兩行大樹是最好的標記，別墅的四週是一望無際的椰子林。這是陳廣深先父遺留下來的財產。別墅分兩層，開會在上層，扶欄遠眺，全海在望。因爲這是出入口的地方，大的輪船，小的帆船，往來如織，在陽光照耀的海水上，在夕霞襯托的海面上，眞是別有一番風味。這個別墅的旁邊，開了一道小河，安裝着閘，每朝潮來的時候，把海裏的魚引進來，然後關上閘，魚就無所逃遁了。每天捕獲留下來的魚爲數很大，除吃的以外，還送到市上去賣。此地還有很大的蟹很肥蟹很鮮很嫩的蟹。每當潮水退去的時候，就可以抓一批。用開水一冲，和以醬汁，美味無比。水菓有椰子。此地的椰子水特別的好吃。椰子圍繞着別墅，別墅更加美麗。還有很多的鳳凰樹，開着燦爛的鳳凰花，眞是氣派非凡。今香港自由報的社長，當他任曼谷世界日報，中國日報社長時期，也曾不斷的到過此地。

就在這個優美的環境丁博士召開東南亞的反共會議，這次到會有（一）緬甸民主黨的副黨魁蘇山波陣，緬甸民主黨的秘書長德欽進，（二）緬甸吉倫大理國的代表財政部長魏爾爵，（三）緬甸單邦代表民族革命委員會主席戴瑞夫，（四）緬甸蒙代表武裝部隊總司令陳爾嘉，（五）緬甸卡欽代表政治委員會主席棠森，（六）寮反共軍代表，（七）泰反共軍代表，（八）高棉反共代表，（九）越南反共代表，（十）……濟濟一堂，發言非常熱烈。大家都認爲反共是世界性的，力量越大越好，還應該分別分頭接洽其他所有一切反共的力量團結起來共同奮鬥。其次，現在到會的應該切實的友好合作互親互助。中國的游擊隊，在東南亞方面的，應堅持不撤，並與地方打成一片，共策前程。公推丁博士會議主席並爲東南亞自由人民反共聯軍的總代表，代表東南亞自由人民反共聯軍對外發言。會後並攝影留念。這個寶貴的照片，丁博士至今還珍藏着。以今視昔，能不慨然。當日的東南亞，整個是反共的東南亞。

創業哲學

眞理與事實

十七

・丁熊照・

孫卿先生平日生活極爲簡樸，自奉之薄更非常人可及，然對桑梓及國家大事，則甚留意，我去拜候時，常見有無錫地方上與各界人士向其請教種種疑難，每由其一言而解決。勝利後本縣鄉人爲紀念孫卿先生兄弟之貢獻，發起爲他弟兄六十歲雙慶，在無錫至黿頭渚間建一「二錢橋」之舉，我在無錫雖無事業關係，但我爲佩服他的道德人格，也認捐全部造價十分之一，可惜該時法幣貶值太快，此橋後來祇建成一半。中共過江時，孫卿先生以年事已高，未有走避，在中共政權成立初期，聽說也曾一度捧他出來做政協代表，和江蘇省副省長，但我知道孫卿先生正直的個性，是絕對不適合共產黨的做法，文化大革命前一年，他還特地將生平文稿一集，寄來我處，在來信中字裏行間，頗可看到他生活困苦之痕跡，我本想將他文集在港出版，以碍於種種牽制，未有付印。文化大革命後，迄今再未通信，計年，孫卿先生現當在八十歲以上，不知尚在人間否？

游擊隊的形形色色

中日戰爭發生國軍自滬撤退後，京滬沿綫各縣也就相繼淪陷了，各地游擊隊風起雲湧，其實這些游擊隊中，雖有少數眞正爲國家流血犧牲，然大部份祇是掛一國抗日的招牌，游而不擊，幹着打家刼舍的勾當。那時住在鄉下的富戶，很多遭遇過綁票勒索的經驗，都是這班游擊隊的傑作。我當時事業已有點成就，在家鄉也畧有點名氣，但因我在鄉間祇有簡陋住屋一所，並無如何有價值的值產，而我又素居滬，戰時從未回鄉，游擊隊雖早已動我念頭，却一直沒奈我何。到了一九三八年陰曆正月初一，我到寫字間去，突然收到了一封鄉間游擊隊寄來的勒索信，說是如果在三天內不幫助多少軍費，便要將我在鄉間父母之墳掘掉，這確是他們想出的一個辦法，經我與友人研究之後，認爲做人子者，固然要顧及先人之廬墓，但在此種亂時環境下，任何人也無辦法，如太表現着急，反被壞人鉗制，決非善策，於是決定不接受勒索，由我寫信給鄉間替我代管鄉下事務的梅初族叔，告以如果他們要掘，也無辦法，假如在初四日尚未掘掉，便請他於初五日依鄉間習慣，代我在墳上祭奠一番，以表小輩之心意。這封信寄到鄉間，據云在茶店內早就先給游擊隊人看到了，他們見我如此態度，一時也未下手，但隔了數星期，又有我族姊阿寶自鄉間嚴家堂（該村有游擊隊首領嚴文耀）來信，說游擊隊仍要掘我父母之墳，並說嚴文耀要親自到上海來和我商談，大約化五萬元可了此事，希我不要太走極端云云。另並聽說，鄉間已有不少人賣鷄賣米，作路費趕來上海，滿心以爲有大財可發。到時，我在鴻運樓，請人代我設宴招待，我到晚上十時前去，用講故事的方式，說明事實，我告訴他們我在十四歲喪父時，因家庭貧苦便請一位本家木匠公公在村後一塊大約分許面積之崗頭上，看過風水後下葬入土，俟我廿一歲經營皮包業失敗回鄉小住，經過木匠公公屋前，聽到木匠公公正在和本村玉泉叔叔等人談論地理風水事情，我插口一問我先父墳墓之風水如何？他說，此乃絕地，我就說，當初是請你公公看的，何以現又說是絕地，他即轉口說當時並沒有其他地方可以選擇，但我記得他確說過此地較我祖父母之墳風水爲好，因他究是年高長輩，也不想爭辯，祇有一笑置之，此事我親身經手，記得甚是淸楚。後來我事業畧有成功。

（未完）

尼克森怎樣保衛美元

加徵一〇%的進口稅

第二項的加徵一〇%輸入稅的措施，實際上等於輸出國貨幣升值一〇%。這與兌金的停止結合起來，可以說是爲着獲取「美元事實上的貶值」的效果的一個盾的兩面。

美元的貶值，在美國一直是句避諱的話，現在，美國的廣播，電視公開談「美元貶值」的事了。這實在是一個重大的轉變。因爲經這一變動之後，美元事實上已從基軸通貨的「王座」降下來，而漸變爲一個地區通貨了。

爲什麼尼克森下這樣大的決心不惜事實上的貶值呢？八月七日到十三日這一星期中在歐洲再度發生的拋美金，搶黃金的風潮，應該說是一個最大的刺激。美國再不採取非常措施，美元事實上也已到了難以維持的地步了。

八月上旬的美元風潮

八月九日美金在歐洲金融市場大跌特跌，黃金時價漲到一盎斯四十四美元（公價三十五元），爲六八年實行兩重金價以來最高的價格。美元的短期資金大量流入英國、西德、法國、瑞士等市場。僅瑞士一地在九日一天之內即流入四億美元，一個星期中流入二十億美元之多。

在倫敦市場，除美元之外，什麼貨幣都成爲搶購的對象，美元信用已落到如此地步。在紐約市場，九日所有外幣如馬克、瑞士法郎和荷蘭盾一律猛脹。法國法郎在過去被稱爲「弱幣，危機重重，現在也變成「强幣」了。在這次風波中。爲購法郎流入法國的美金達一億八千萬元，使法國不能不予以阻止。

這次歐洲的美金風潮，比較五月馬克風潮時還要嚴重而使美國不能不採取措施，是因爲這項風潮表現了如下兩個特徵：第一是風波直接指向美元，人們已不想再要美元了。第二是人們對黃金更加珍貴。即在美國也內也有這種情形。七月底加州交易所就會作黃金的交易，嗣經美財政部發覺，認爲應速下令禁止，足見美國人也有以黃金代替美鈔的心理。

國會報告提起美元貶值

這裏應該指出的是，歐洲這次美元風潮的發生，直接原因是起於八月七日美國上下兩院聯合經濟委員會國際金融小組的一項報告。這個小組的組長羅伊斯的議會的提出的報告，公開指出美元的價值被過高評價，如强幣（指西德馬克和日元）不自動調整，美元貶值也屬不得已的事。羅伊斯的報告雖然不是直接主張美元貶值，但「美元貶值」的字句出現於議會的報告，這是初次。因此，在歐洲發生極大反響而爆發一陣暴風雨。

羅伊斯的報告，主要有她下四點：

（一）IMF應負責使美國以外的其他工業國家（特別是西德與日本）實行對美元的升值。

（二、未完）

菊壇奇葩章遏雲（二）

・周燕謀・

正式拜師學藝

起初打算去拜琴雪芳（即馬金鳳）爲師，接談的條件非常苛刻，必須從師十年方得獨立，乃父大以爲不然，於是改投李寶琴門下。李爲青衣高手，因苦於生得肥胖，人們以胖皮球呼之。其實李雖肥胖，尚不致如皮球那樣，因感於體胖演戲不便，乃改以教戲維生。李得章小妹爲徒，甚喜其聰明伶俐，且已紮好了相當根基，遂將個人心得悉以傳授之，同時並向余玉琴、陳秀雲、李壽山諸名伶請益，由此兼工青衣、花旦，及刀馬，戲路之廣，前所未有。後來又向老武旦陶玉枝習武功，文武兼具，進步一日千里，到了十五歲的時候，乃正式登台，獻藝於北平城南遊藝園，初演十天，唱女起解，玉堂春，汾河灣，以及二本「霓虹關」等劇。由此就一炮而紅，老伶工王瑤卿尤賞識不已，即欲收爲弟子，但因條件不合，未能達成。

後來章女士欲演「雁門關」一齣時，王瑤卿認爲此乃他的私房戲，章遏雲不是他弟子，不得演出此戲，乃多方阻撓。章女士心甚不平，更多請名角配搭，又請她老師李寶琴爲之奔走，所有角色均已聘齊，惟蕭太后一角向無人扮演，寶琴無奈，竟不惜以胖體受累，剃去鬍子，飾演蕭太后，如此一來，竟將此戲演紅，閱動北平，而章遏雲之名遂不脛而走。至此，王瑤卿以後就無條件收她爲徒，並將其高深之劇藝傳授於遏雲，漸漸地她就成了四大坤旦之一。所謂「四大坤旦」者，即章遏雲，雪艷琴，新艷秋，胡碧蘭是也。人們以她爲名門之千金，名師高徒，爭以欣賞其藝爲榮，因此香巖道上，車水馬龍，由是一炮而紅，成了燕京女界的新聞人物。

（未完）

看相十訣竅（二卅七）

・錢一劍・

錢一劍談相

眼爲監察官。黑白分明。或鳳眼，象眼，牛眼，龍虎，猴眼，鶴眼，孔雀，鴛鴦眼，獅眼，喜鵲眼，神藏不露黑如漆，白如玉，波長射耳，自然清秀有威。此監察官成也。若蛇，蜂，羊鼠鷄豬魚，馬，火輪，四白等，眼赤白紗侵，睛圓黑白混雜，兼神光太露，昏昧不清。此監察官不成也。又且愚頑兇敗。

耳爲採聽官。不論大小，止要輪廓分明。喜白過面。水耳。土耳，金耳。牛耳。員棋耳。貼腦耳。對面不見耳。高眉一寸。輪厚，廓堅。紅潤姿色。內有長毫。孔大不反。此採聽官成也。或鼠耳，木耳，火耳，箭羽耳，豬耳，輪飛，廓反，不好之耳。或低小軟弱。此採聽官不成也。不利少年，損六親。

鼻爲審辨官。亦宜豐隆，聳直，有肉。伏犀，龍虎鼻。截同，盛囊，懸膽鼻端正，不歪，不偏，不粗，不小。此審辨官成也。若狗鼻，鯽魚，鷹嘴，劍峯，反吟，復吟，三曲，三灣，露孔，仰灶，褊弱，露脊，露骨。太大孤峯，況又兇惡。貧苦無成。刑惡奸貪。此審辨官不成也。

口爲出納官。唇紅齒白。兩唇齊豐。人中深長。仰月灣弓。四字口方。牛，龍，虎口。兩唇不反。不昂，不掀，不尖。此出納官成也。或豬，狗，羊口。覆船，魚，鼠食，羊餐。唇短齒露。唇黑，唇皺。上唇薄，下唇反。鬚黃焦枯粗濁。此出納官不成也。書云：但一官成者，掌十年之貴祿富豐。不成者，必主十年困苦。

六府者，天庭日月二角爲天府。宜方圓明淨。不宜露骨。天府成也。或欹，削，低塌，偏尖，天府不成也。主初年運蹇。

兩顴爲人府。宜方方正插鬢。不粗，不露，齊揖，方拱，此人府成也。若粗露，高低，尖圓，顴鼓，此人府不成也。主中年運否。

地角邊腮爲末景地府。喜地閣懸壁，不昏。不慘，不尖，不歪，不粗，不大，地府成也。若高低，粗露，削尖，耳後見重腮，地府不成也。書云，一府就，掌十年之富貴，相反者，主十年之兇敗。

自由報

中華民國內政部登記證內版台誌字第三一號
中華民國僑務委員會登記證台僑新字第三二三號
中國郵政台字第一二八二號執照登記為第一類新聞紙

（第一二一三期）

（半週刊每星期三、六出版）
每份港幣壹角・台幣零售價新台幣二元
督印兼發行・李運鵬社長
社址：香港九龍官塘康寧道117號後座二樓
117 HONG NING RD, 1/F REAR, KWUN TONG, KOWLOON, H.K.
TEL: K-433653
電報掛號：7191
郵箱：官塘郵政信箱9583
承印：景星印刷公司
地址：嘉咸街廿九號地下
台灣區業務管理中心：台北市許昌街廿六號
電話：三八〇〇〇二
台灣區直接訂戶　台灣劃撥戶
第五〇五六號張萬有（自由報會計室）
台灣分社：台北市西寧南路110號二樓
電話：三三〇三四六、台郵劃撥戶九二五二號

本報專論

論聯合國我們的席位

·丁作韶·

按：丁作韶博士這篇文章八月四日寄到，句句真言，祇是調低一點，未敢冒然發出，學人的痛苦也在此，雖然看遠幾步棋，但不會被人欣賞的，真到事實與判斷吻合時，已明日黃花了。

我想這是國人當前心目中的一個大問題。

本來這個問題的答案繫於拒「中華人民共和國」入聯合國。其意若曰：拒「中華人民共和國」入聯合國成功，中華民國在聯合國的席位就仍能保有，拒「中華人民共和國」入聯合國不成功，中華民國在聯合國的席位就難仍能保有。這個意思是正確的。故所以拒「中華人民共和國」入聯合國的聲浪彌漫了台灣，彌漫了國際，彌漫了美國。總統　蔣公七月八日頒訓詞勉勵中華民國各界支援被奴役國家週暨保衛人類自由反對牽引共匪進入聯合國大會全體與會人員，號召全世界人士，提高道德勇氣，團結正義力量，共同達成維護聯合國與世界安全的崇高目標。七月廿一日谷正綱在世盟大會發表演講，呼籲發揚人類正義力量，粉碎牽匪入聯合國陰謀。七月廿三日高華德參議員（一九六四年美國共和黨總統候選人）演說，反對匪入聯合國。八月二日中華民國駐美大使沈劍虹對舊金山記者會說：我們仍反對中共入聯合國，這等於一個警察要求罪犯來協助他們。但，就在這一天，美國政府中午在華盛頓宣佈：放棄廿年來反對毛共進入聯合國政策。國務卿羅吉斯並代表美國政府宣稱：美國將支持毛共進入聯合國，並認為毛共進入聯合國問題不是重要問題。他說：「美國將在今秋聯合國大會中採取支持毛共的入會行動」，「美國將支持今秋聯合國大會要「中華人民共和國」入會的行動」。支持北平的國家將於今年九月開始的聯大會議中，推動阿爾巴尼亞建議案，該案要求讓中共入會。美國既放棄廿年來反對毛共進入聯合國政策，支持毛共進入聯合國，支持毛共的入會行動，阿爾巴尼亞等二十二國的建議案——要求讓中共入會，再加上認毛共進入聯合國問題不是重要問題而是一般的問題，不需要三分之二的多數票，只需要過半數的多數票就可以通過，毛共進入聯合國是一定的。我們的反對，我們政府的反對，我們國會的反對，我們各團體的反對，國際獅子會中華民國總會四百萬的簽名反對，美國友人的反對，高華德的反對，國際世盟的反對……是否能抵擋得住，期待事實證明。

毛共能進入聯合國，對中華民國在聯合國的席位將受到如何的影響，殊有研究之餘地。中華民國在聯合國的席位將受到如何的影響，已經瞭如指掌，並沒有什麼可研究的。但因為美國玩弄權術，故佈疑陣，仍不得不加以說明。就美國國務卿羅吉斯的宣布，「將反對任何排除中華民國或剝奪其代表權的行動」。這初看起來，很明顯是兩個中國政策。但若再深一步作詳細的分析，又令人覺得這是一句面子話，人情話，實際上說等於不說，說了等於沒說。照美國國務卿羅吉斯的宣布，美國不過是反對任何排除中華民國或剝奪其代表權的行動，但僅僅反對能反對得掉嗎？這是不可能的，實際上排華納匪是一件事；排華就是納匪，納匪就是排華。納匪排華不能不納匪，納匪不能不排華。納匪排華是一個東西的兩面，要這一面就不能要那一面，要那一面就不能要這一面。納匪排華也就是一件事，納匪就必須排華，排華一定要納匪。既納匪矣而說不排華，這是不通的，這是行不通的；這不是事實，這不可能是事實；這是順手人情的話，這是純粹的外交詞令！特別羅吉斯的宣佈，關於美國對中共取代中華民國在重要的聯合國安理會的地位一事將採取何種立場，他並作明白表示，不過他說，美國準備由聯合國會員國的決定來解決此項問題。所謂由聯合國會員國的決定來解決此項問題，也就等於由聯合國會員國的投票解決此項問題。

聯會員會員國既投票來解決納匪入會，又來投票來決定排除，實在是多餘的。排華是納匪的反面，排華就在納匪之中，納匪就為的排華，納匪就一定排華，如影之隨形，响之隨聲，因果循環，勢所必至，亦理有固然。由聯合國會員國的決定來解決中共取代中華民國在重要的聯合國安理會的地位，中共取代中華民國在重要的聯合國安理會的地位，已無問題。中共取代中華民國在重要的聯合國的地位，乃中共的必然要求，也是美國必然答應的，美國不能不答應的。其結果自然是中華民國在聯合國安理會席位的喪失，中華民國如何仍能保有聯合國的席位？可不可以給中華民國另外的一個席位？我看也是不可能的。必須排除中華民國在聯合國的地位，這是中共進聯合國的先決條件。美國既支持中共進聯合國，當然要排除中華民國出聯合國。

雖然在宣布中，羅吉斯說，中華民國——受華府長期支持的一個美國的盟邦——應留在聯合國內，因為「自聯合國創立以來，中華民國一直在此一組織中負起忠實與正直的任務」，這也不過是貓哭老鼠假慈悲了。

若從羅吉斯下邊對記者說的話：「關於美國入會問題，美國將遵守聯合國大會的多數願望。但是美國贊成排除中華民國至少需要三分之二的多數票」，美國還像過去二十年似的來維護中華民國在聯合國的席位，但這是在納匪入會後。過去都是拒匪入會後。現在的形勢與過去完全不同，納匪入會以後，三分之二的多數票，聯合國會員國裏邊不難得到，甚至於可以說很容易就得到了。回顧過去，回顧去年，最後只有兩票之差，今年這兩票之差也沒有了，甚至於是一面倒的趨勢，是排除中華民國出聯合國也是沒有問題的了。

要想擊敗阿爾巴尼亞「排我納匪」案，現在唯一的一個方法是大多數會員國寄予同情與支持。八月三日報載我外交部發表之聲明：「在以往二十年之歷屆聯合國大會中……在大多數會員國之正義支持下，粉碎敵人陰謀」，「……今後亦必仍能繼續發揮正義力量」中華民國政府及人民堅決認為當前聯合國首要之工作，厥為糾合所有愛好自由，和平及正義之會員國同心協力，以徹底擊敗阿爾巴尼亞等二十一國所提之「排我納匪案」。但由於政治是一個現實的東西，愛好自由，和平及正義之會員國逐漸減少，我中華民國政府及人民尚能糾合幾許，尚能不能糾合，大成問題，排除我出聯合國三分之二的多數票已經形成，我在聯合國之席位，欲仍能保有，戛戛乎難矣！

六十年八月四日

昨日與明日

干卿底事？

中華民國政府於十月二十六日宣佈退出聯合國，二十七日的香港股市大跌，恒生香港指數跌一〇〇・〇四，遠東指數跌四七・九〇，滙豐銀行跌四元，會德豐跌七角，屈臣氏跌一元半，九龍倉跌一元半，怡和跌一元半，九巴跌一元半，電話跌一元半，電車跌八角，大酒店跌一元，……冷門股固然下跌，許多開門股亦紛紛下跌，這是經濟的政治心理的反應。

香港商人有一個現實的計算，即認為如果毛共進入聯合國，美國又承認毛共之後，對香港貿易一定有相當大的打擊，因為如此一來，美國可與毛共直接貿易，根本不必從香港轉口，由此即使得香港變為死市，不復有今日之繁榮，乃紛紛拋售股票，另作打算。這一遠景的觀察有幾分道理，但是別忘了遠景是很遠的，不一定會到來也未必一定會來，杞人憂天，而天不憂，可作參考。

商人是講究現實的，反應也是最現實而敏感不過的，這是必然的現象。但是，商人最怕的是幻想，尤其最怕的是對政治的幻想，遠不如對現實的計算來得實際。因此，香港的股票商及經紀人們玩票者，別把明天害今天，還是現實一點好。美國與毛共的貿易的行為，還遠得很，談判也不是一蹴可即，美國是資本主義貿易的能手，毛共也會以全國之力作一件交易，在爾虞我詐的條件下，貿易談何容易？是以，香港商業在最近的將來，仍是有為的，不必過早驚慌也。

·胡逸·

自由談

馳逐於名利場中的政治人物，其窮通貴賤之際遇，每為意料所不及，而有幸與不幸的結果自古已然，於今未替。

吾國對日抗戰時期，潘宜之受命為經濟部次長，住家重慶上清寺一帶，宅第雖非宏敞而頗輝煌，僮僕三數，日常勤於灑掃庭除，侍應賓朋，不失為侯服玉食人家氣象。某日，最高當局赴司法院長王寵惠私邸訪晤，乘車經過潘氏住宅，以其外表精緻，且有傭保在庭苑中修整花木，知非尋常百姓所居之地，乃詢侍從人員係何人住此？答以潘次長宜之公館。繼抵王院長寓所，入門見一老嫗佝僂執帚掃地，別無僕役接待訪客，即逕趨堂奧尋晤王院長，談次語以雇用高年老嫗服役，得無失職之處耶？王謂：「寒舍生活簡單，並未雇用傭僕，適間打掃庭除者，乃係老妻，彼每日固以此習勞，久成慣例，亦無所苦也。」當時聆悉其情，印象甚深，亦未作他語，但憶及潘次長公館之豪華景色，深以王院長之刻苦精神，足以矜式羣倫，激勵流俗，而認潘氏之家庭生活，實非戰時公務人員所應爾。未幾，經濟部改組，潘氏即告去職，從此不復再起矣。

談運氣

三民主義青年團在重慶創立之初，以康澤為書記長兼組織處長，康氏曾請白崇禧推薦桂省籍之幹部人物來青年團服務，白氏即舉程思遠以應之。蓋程適從意大利游學歸來，時方壯年，而桂林省政界尚無相當職位可以安置也。程被派任青年團組織處副處長，然職務極清閒，伴食而已。久之甚感無聊，乃蕭然引退，遄返桂林居住，別謀出路。逾年後，康澤辭去青年團職務，改由張治中承其乏，對於團本部人事，擬加以調整，報告團長請示，團長問曰：「有個名叫甚末『遠』的人，還在組織處供職嗎？」張答以回團部查看名冊方知。迨稽考檔卷，原係副處長程思遠，屬於所謂「桂系」人士。張揣摹團長意旨，是在網羅各方人才，共赴事功，即急電程氏速來渝，派為團本部視導室主任，超升一級，程當然樂於從命。洎是於役中樞，得周旋於黨政顯要人物之間，迨復員後，黨團合併，程亦位列中委，且担任中央黨部政策委員會副秘書長，隱然代表李宗仁白崇禧發言，成為時代寵兒，幸運非常，殊出意外也。

筆者曰：信乎曾國藩之言：「不信書，信運氣」。彼昕夕患得患失之官僚份子，日唯腐心於邀寵固位以自苦者，觀此可以憬悟矣。

馮五先生

小幽默

張發奎幽默

哈公

張發奎在北伐期中因汀泗橋一戰，將吳佩孚的富雙部鐵軍，全部殲滅，因此煊赫一時，其部號稱「鐵軍」。

抗戰勝利後，張任廣東省主席，有人問他的鐵軍現在情況如何」。張道：「我的鐵軍已許久不用，都生銹了！現在成了銹軍了。」

張任廣州行轅主任時，值三八婦女節，其夫人主持開會，張為指導席致詞說：今天是你們的節，指導不敢當，平日有事，都請我太太指導，今天雖然也有小姐，將來也是太太，現在我如泥菩薩過河，自身難保，還指導什麼？

雖大必削

胡迭

毛共一向好大喜功，大而無當，雖大必削，功不在民，雖大必亡。以毛共政治組織為例，它的所謂全國人民大會代表即有一千二百二十六人，第一次大會主席團九十七人，這還是個小例子。最能夠表現毛共虛偽之大者，是其國務院，在人數上及部會數字上眞要打破世界紀錄，「總理」周恩來做了終身總理，其下有十二個「副總理」，九個辦公室，九個委員會，十八個局，一社（新華社），一行（人民銀行），四十一個部，在古今中外那一個國家的政府組織也沒有如此龐大浪費過。最有趣的是這些「部長」，現在要來一個逐一點名，百分之九九都被削掉了，例如「外交部長」陳毅、「國防部長」彭德懷、「公安部長」羅瑞卿、「文化部長」沈雁冰、「糧食部長」章乃器、「商業部長」陳雲、「森林部長」羅隆基、「水利部長」傅作義、都無有矣。而當年人大代表也早以被削掉不知去向。狡兔死，走狗烹，飛鳥盡，良弓藏，可以共患難不可共享安樂者，毛澤東之謂也。

得名

齊時，祖廷字孝徵，與黃門侍郎劉狄友善，疏侍中尚書趙彥琛及侍中和士開等，專弄威權，控制朝廷，與吏部尚書尉瑾，內外交通，共為表裏，賣官鬻獄，政以賄成，若陛下不以意，臣恐大齊之業墮矣。帝曰：爾乃誹謗我。廷曰：不敢誹謗陛下取人女。帝曰：我以其饑，故收養之。廷曰：何不開倉賑給，乃買取將入後宮。帝益怒，以刀鐶築口，鞭杖亂下，將撲殺之。廷大呼曰：不殺臣，陛下得名。殺臣，臣得名！

立委檢討九年國教
促為教育樹新風氣
指出縣市教育經費負担重
以致影響其他建設之發展

（自由報台北消息）立法院第四十八會期第三次會議，立委謝建華就九年國教問題，向行政院提出質詢，教長羅雲平即席答覆，原文分誌於后：

謝委員質詢說：九年國民教育之實施，是我國教育史上空前創擧。是 總統德意，將永垂後世。第一期三年計劃，業已告成。嚴兼院長報告時指出「為了考查成效，求得第二期實施改進，已由教育部邀集全國學者專家，國民中小學校長，以及各級教育行政機關主管，擧行總檢討會。就有關國民教育的學制、政策、師資、課程、教材、設備等，全盤加以研討，發現不理想的或有缺點者，加以改善，以期至善」。這一措施，值得讚揚。惟關於經費一點，未經提示，似覺美中不足。緣萬事非錢莫擧，查第一期經費為三十六億四千萬元，其來源包括中央、省、中美基金補助，以及教育捐等。第二期經費在總檢討時未見加以研討，以本席所知，就台灣省論，據財政廳報告各縣市文化教育經費，平均為百分之五十三點四，最高者達百分之六十以上。以六十一年度台灣省九年國民教育所需經費估計收入，約十四億零二百萬元，支出約計為十五億四千五百萬元。收支兩抵外，計短差一億四千三百萬元。台灣各縣市財政普遍困難，其癥結為教育經費負担過重，以致影響其他建設之發展。一般縣市財政首長常嘆其預算除人事費與教育經費外，已所剩無幾。諷刺者每言此種預算為「吃飯與讀書的預算」。實際情形確然如此。台北市當亦不例外。

教育為百年大計，我公立學校（包括所有學校）政府負担過重。（外國公立學校收費大致與私立同）私立學校固非均為學店，但類皆年有盈餘，則為確切之事實。

政府當局是否考慮（一）九年國民教育「六年」義務，「三年」酌收學費（清寒學生免費。據台南縣財政科長報告：國小學生，每人每年由政府負担一、一一九．八五元，國中學生每人每年由政府負二、四四七．六〇元）。（二）公立高中以及大專學校比照私立高中大專八折收費（清寒子弟給予獎學金）。據估計大專學生，每人每年平均由政府負担一萬元）。雖然不能為國庫繳盈餘，最低限度，可減輕國家負担不少。當然，茲事體大，必須縝密研究。

羅部長升任部長，為各方所稱贊，以新人進入新廈，希望能把革新風氣，帶入新廈，為教育事業樹立新的風氣。

羅雲平部長答覆說：各位委員。剛才謝委員質詢中提到九年國民教育經費問題，對謝委員的高見非常欽佩。謝委員憂慮教育經費如此不斷增加，政府負担一定不勝負荷。教育經費的逐年增加是事實，不過，根據教育部研究統計，此種增加趨勢，到了某一時間是會趨向穩定的，據估計在四至五年以後，教育經費直綫上升的情勢是會穩定的，所謂「穩定」，並非教育經費減少，而是由於國民總收入與總生產的增加，而使教育經費在預算上趨向穩定。就目前來說教育經費卻是政府一大負担。謝委員為此建議九年國民教育，前六年作為義務教育，後三年則酌予收費，這項意見是非常值得考慮的。目前各方面對此問題也迭有反應，所以，教育部對此問題一直在作審愼的研究。

是誰出賣了中國代表權？

・葉琳・

十月二十六日，是聯合國精神毀滅的日子。在這一天，聯合國大會表決了所謂「中國代表權」問題，由美國提出的「重要問題」案，以五十五票對五十九票四票之差，遭到否決的命運，中華民國在失望之餘，宣布退出聯合國。就在美案被否決之後，阿爾巴尼亞排華納毛案表決之前這一短短的幾分之際，整個聯合國大會會場，充滿了流氓的行徑，有的跳腳，有的頓足，有的拍桌，有的打板，有的鼓掌，有的揮拳，有的捧東西，有的在狂叫，使整個莊嚴的會場，頓時變成了地獄般的鬼鬧，這正如毛澤東導演的紅衛兵之亂，傳染到聯合國大會。就在這如此的胡鬧中，阿案表決的結果，以七十六票對三十五票，十七票棄權之下，終於完成了人類有史以來最骯髒最大場面的一幕醜劇。

歷史已經明明記載着這樣的規律：邪惡勢力往往可能戰勝正義勢力，但不能終久佔領勝利；野蠻可能侵畧文明，但必被文明吞蝕。因此，面對着歷史的經驗，我們沒有什麼詫異；面對着歷史的教訓，我們沒有什麼驚奇。從往昔的「國聯」，到今日的「聯合國」，它們所顯示的紀錄，是流氓成羣，黑漆一團，誰要是相信它能主持正義，誰必滅亡。而這兩大國際政治組織，又都是美國促成的，其毀滅與死亡，也都是美國一手送終的。在東方，誰與美國為友，最後必被美國出賣，屠殺與滅亡，中國是一例子，日本是一例子。中國被美國連續出賣六次（威爾遜出賣山東、羅斯福出賣東北、外蒙、大陸、尼克遜出賣琉球、聯合國中國代表權），李承晚被逐，吳廷琰被殺，都是美國一手導演的，它本是一個瘦門神，誰同它泡在一起，終久必吃大虧，韓國越南是吃足了美國的苦頭，中國是吃足了美國的苦頭，現在就讓毛共去喝喝美國的苦水罷！誰越早離開它誰就越早得救，誰要是泡進它的苦湯，誰就加速死亡，毛共聯美，是加速其死亡的命運而已。）

現在整個世界歷史的流向，表面上看起來是走向了赫魯曉夫所謂「三頭馬車」的時代，由美、俄、毛三分天下；其實，這不過是世界歷史的外在形相，眞正的歷史主流，是走向反毛、反美、反蘇三權支配的時代。從一九五六年開始的波、匈反俄革命，延續到一九六八年的捷克自由化運動，這都是反俄的潮流。從一九五六年開始的蘇伊士運河事件美國干涉英法行動之後，全世界開始了反美潮，連美國人自己也反對這個罪惡成籬的國家，直到現在不會停息。從一九五七年「鳴放」運動開始，中國大陸的青年一代即開始了反毛潮，紅衛兵之亂是表現了大陸青年一代反毛高潮，雖然被毛澤東轉化，而毛朝也就此一病不起了。毛澤東之所以不能在一九六四年之後在世界舞台上出風頭，毛語錄之所以能在巴黎、紐約被高擧者，原因之一是因為他「反蘇修」與「反美帝」，迎合了歐美青年的心理，並不是他眞有什麼鬼符咒。現在情況不同了，他右手聯美，做「美帝」的幫兇，左手使用「蘇修」的政策，已經沒有理論前提去「反蘇修」，而且希望由尼克遜到莫斯科去代為接頭修好，他又變成了「美帝」加「蘇修」，是全世界人民反對的對相，同時也引發了他自己陣營中兩面的鬥爭，走向死亡。

了解了世界歷史的主流，我們才能保持自己的冷靜，也才能不隨波逐流被外在形相所嚇倒。有人認為中華民國在聯合國的失敗，是毛共外交的成功，這只是皮相的看法。更不必把周恩來捧得過高，他把毛共變成了「蘇修」加「美帝」的雙重形相，正說明他的黔驢技窮。毛共一變成了「蘇修」加「美帝」，它也就變成了「蘇修」的兒子和「美帝」的兒子，從「一面倒」到「兩面搖」，這有什麼希奇的本領呢？這正是證明毛共是下三濫二毛子。

「國聯」的死亡，是由於美國當仁而不退，見義無勇的怯懦；而「聯合國」的死亡，是因為美國出賣中國捨義就利的陰謀。我們必須記住：美國的提案是「貶華納毛」案，阿爾巴尼亞的提案是「排華納毛」案，美案在實質上等於是阿案的補充，阿案如先獲通過，美案自然消失；美案如被通過，亦等於阿案勝利百分之八十；美案如先遭否決，即加速了阿案的勝利。算來算去，中華民國能通過阿關，也通不過美關，前面有敵人攻來，後面有友人攻來，腹背受敵，怎能不敗？中華民國連署美案，自始就有僥倖心理而失策了。

不僅此也，正當聯合國辯論中國代表權之時，尼克遜的狗頭軍師季辛吉又再度赴平與周恩來會談，表面的理由是安排尼克遜朝毛的程序問題，實際這正與中國代表權有關。從十月二十一日到二十六日，季辛吉在北平停留之日，也正是聯合國辯論和表決中國代表權之時，阿案被通過後，季辛吉才起身回國，這不能說是巧合，只能說是安排。歷史有責任記下這一筆帳。

做為一個中國人，我們感覺最羞恥的，是把中國代表權由國際流氓去票決，一方面是委屈而不能求全，一方面是假流氓者之手來攫奪中國代表權，這都是對中國的侮辱，對中國人的侮辱。都不是中華民族的優秀傳統精神之光。阿案被通過，證明了超級大國如美國之被棄，毛共之被進聯合國，亦將促成毛共之被棄。世界的歷史正向弱小的民族及國家靠攏，誰能聯合弱小民族共同奮鬥者，誰就是世界歷史的主人。毛共已與「紙老虎」排在一起，它也就變成了紙老虎，不是長，中國人一定會在最近的將來改變它，去担任世界歷史的任務，做世界歷史的主人。

似詞集

季辛吉的把戲

・白下大夫・

季辛吉第二次去北平，正是聯合國大會對中國代表權辯論的時候，他原先預計的日程是四天，而後延長了兩天，等候排我納匪案通過後才離開北平。在此六天期中，阿爾巴尼亞原來準備拖延表決的戰術，突然改為速決戰術，把準備發言的都撤銷了，結果美國提案被否決，排我納匪案被通過，中華民國宣布退出聯合國。這說明什麼呢？這不是季辛吉代表尼克遜出賣中華民國的勾當嗎？

君子絕交，不出惡聲。台北民間對美國人很透了，而官方對美國仍存有某些幻想，不到他們被出賣精光是不會醒覺的，哀哉。

林彪生死傳說不一
可能遭到整肅
也可能病情重

（自由報本港消息）據鑑通人士分析說：關於林彪的消息，近來國際上有很多傳說，有人說他死了，有人說他病了，也有人說他遭到了整肅，還有人說中共當局決定取消林彪的繼承人地位，而改為集體領導，作為將來對毛澤東的地位的繼承。這個集體領導集團，包括了周恩來、林彪、康生、姚文元等人。

首先，我們必須肯定一個原則，那就是，經過這場權力鬥爭之後，中國大陸上什麼事情都可以發生。以劉少奇為例，他不僅是毛澤東的繼承人，而且其地位大有直迫毛澤東之勢。像這樣的人也會受到整肅，其他的人更不用說了。

其次，還有一點必須予以肯定，那就是，中共當局要整肅某一個人，主要不是因為某人在某一政策上持着不同的看法，而是因為這個人的存在脅威到中共最高領袖的地位和權力。又以劉少奇為例，他的受到整肅，主要不是由於他眞正執行了修正主義路線，而是由於他的權力日益擴張，威脅到毛澤東的地位。所以，毛澤東就借所謂「路線鬥爭」為名，對劉少奇進行整肅。

有些外國觀察家說，林彪可能是遭到了整肅，因為在與美國修好這個問題上，他提出了相反的意見。這種說法是完全沒有根據的！假如林彪眞的已遭到整肅，則眞正的原因一定不是因為林彪反對與美國修好的外交政策，而是因為他的權力已擴張到足以威脅毛澤東的地位。

那麼，林彪究竟是不是遭到了整肅呢？前面提到，經過「文革」之後，中共發生任何事都有可能，即使林彪遭整肅，也不足為怪！但是，迄今為止，只有兩點事實，值得懷疑：第一，黃永勝、吳法憲、李作鵬等重要軍事將領已一個多月沒有露面，如果這些人在政治上有了問題，則極可能牽連到林彪。或者反過來說，是林彪出了問題，所以牽連到黃、吳、李等人。第二，自從九月十一日，中共發行五十張毛像時，附帶地大肆頌揚了林彪一番之後，中共的宣傳機構即甚少提到林彪的名字；甚至北韓電台在廣播一次宴會新聞時，曾提到向林彪祝酒的事，而新華社在發佈該新聞時，竟然刪去了這一段。不過，除此之外，暫時仍然沒有足夠的資料足以證明林彪已遭清算。說到林彪已經死亡，一則是根本不可能的；一來中共並無對林彪死諱的必要，二來根本無此可能。誠然，林彪一向有病，如今突然病情加劇，那是有可能的，但是，這和中共近來的反常局勢卻無太大關係。至於說中共改變繼承人，這種看法也不可靠；林彪的繼承人地位如遭取消，這就意味着他的政治前途的完蛋，又豈會再參加集體領導？

廖明耀等擺脫「台獨」

・文園樓主・

台北官方報紙有關廖明耀，簡文介，施清香一段報導，特予轉載並證明無訛。

廖明耀等三人發表正式聲明解散非法組織決為反共奮鬥，決心放棄「台獨」活動，並解散「台獨」組織，而於國慶前夕連袂回到祖國懷抱的廖明耀、簡文介和施清香，當昨晚返抵國門時發表了正式聲明表示他們徹底覺悟，決心在　蔣總統英明領導之下，奉獻出所有力量，為建設台灣及反共復國大業而堅強奮鬥。

聲明中說：

「今天，在這中華民國建國六十年的國慶前夕，我們終於回到濶別多年的故鄉，內心的歡欣，實在不是言語所能表達的。

「二十多年來，我們在海外奔走活動，唯一的希望，就是自己的故鄉，能夠很快的繁榮進步，使我們的同胞，能夠豐衣足食，享受着現代人的生活。這些年來，無數的事實證明，以往我們所想望的目標，現在都已逐漸實現了，這是我們一千五百萬同胞，二十多年來共同努力的結果，也證明了這些年來我們的政府，在　蔣總統領導之下所進行的種種改革措施，確實是正確的、有效的，同樣的也更證明了，我們在海外的一切想望和行動，不但是不切實際，而且還是多餘的，所以我們這次下定決心，把二十多年歷史的「台獨」組織，予以解散，回到台灣，希望能在有生之年，好好地為自己生長的地方，為反攻復國的大業多盡一分應盡的責任。

「我們僑居海外多年，深切了解，不論世局如何變化，台灣有一千五百萬同胞和六十萬的國軍，始終居於舉足輕重的地位，特別是中華民國在台灣屹立不搖，已遏阻了大陸中共對亞洲其他地區進一步的擴張，因此，中共無時無刻不在進行分化台灣攫取台灣的陰謀，過去我們在海外所進行的「台獨」活動，就正好給予中共可乘之機，這是什麼做法呢？因此，我們鄭重聲明，從今天起，解散我們所有海外的「台灣獨立運動」組織，停止一切活動。

「這次，我們返回台灣，是經過多年的觀察，長期的考慮以後所作的決定，特別是我們　總統今年六月十五日在國家安全會議所講的「我們國家的立場和國民的精神」，一字一句，深深的感召了我們，因此，決定選擇在我們中華民國建國六十年的國慶前夕，回到國門，現在，我們將要重回自己的故土，眞正的要為建設自己生長的地方，貢獻出自己我有的力量，我們內心，實在有說不出的快樂！」

三位解散「台獨」叛國組織，反正歸來的人士簡介如下：

廖明耀，台中市人，現年六十一歲。卅年前畢業於台中一中。民國四十年赴日經商，不久後即參加「台獨」叛國組織，會歷充偽「台灣民主獨立黨」統制委員、組織部長，偽「臨時議會」議員，偽「台灣共和國臨時政府」副主席，五十四年七月起担任偽「台灣共和國臨時國民議會」議長迄今。

簡文介，嘉義縣大林人，現年四十七歲。卅年前畢業於嘉義農校。台灣光復後，曾一度服務於台糖公司。民國卅六年潛往香港，參加謝雪紅所組織之「台灣再解放同盟」。民國卅九年赴日擴建叛國組織，歷充偽「台灣民主獨立黨」中央委員、情報部長，偽「臨時政府」秘書長、外務省長，偽「臨時議會」議員，復任偽「台灣獨立聯盟」中央委員迄今。

施清香台南縣歸仁鄉人，現年四十二歲，淡江英專畢業。五十一年赴日後，攻讀於私立東洋大學經濟部及中國哲學研究所，獲碩士學位。五十八年轉入二松學舍大學院修博士課程，在日期間即加入偽「台灣青年獨立聯盟「為秘密盟員，並任該聯盟外　組織偽「在日台灣學生聯盟會」幹事，返國前在日本東海大學担任教授。

中醫眞的不科學嗎？（五）

・本報資料室・

就「現代醫學」本身來說吧，它也是由很多先進國家的醫學組合而成的，「早已不限於西方國家了」（筆者完全同意譚醫生的這個說法），其中有日本的醫學、美國的醫學、英國的醫學、以色列的醫學、蘇聯的醫學……等等。但是這些國家的醫學，各有它的特點。例如：日本的醫學和英國醫學就不盡相同，各有其風格；美國及其他歐西國家的醫學同蘇聯醫學懸殊更大。一方面這是由於各國的醫學必須適本國民族生活環境的特點；另一方面是因各國政治制度與學術思想不同而反映到醫學的理論體系。如蘇聯的醫學是辯證唯物主義的巴甫夫神經學說為醫學指導思想，而英、美資本主義國家則以機械唯物論的細胞學為指導醫學的思思想。這究竟誰是誰非呢？誰也不能作結論。

由此說明，即使「現代醫學」完美無缺，也不可能完全代替某一國家的原有醫學。這如同聯合國組織一樣，決不可能將各會員國的國號廢掉，由聯合國代行其國家權力；又如同現在以為人也上了月球，就可以把地球毀掉，這是不切實際的幻想。

中國醫學既有幾千年的歷史，又有豐富的內容，更有實際的療效，對中華民族的保健和繁衍所起的作用，乃無可懷疑的事實。近百年來，雖然遭受「崇洋派」的詆譭凌辱、冠以「不科學」的罪名企圖否定，但是，它並未被廢除，它經得起考驗，到中共「解放」大陸的時候，全國仍有五十萬以上的中醫生從事五億多人口的治病保健工作；當中共建國之初「以俄為師」的六十年代，不但不廢棄中醫，而且以「中醫掛帥」，「西醫學習中醫」，這難道是中共頑固守舊，厚愛於中醫嗎？事實上不會這麼簡單，而是中醫確有存在的價值，它能適應中國的環境與廣大病者的所需要所致，所以沒有任何力量可以將它廢除掉。「適者生存」，「優勝劣敗」，誰也不能違反這個公例。因此，主張以「現代醫學」代替中醫學，有了「現代醫學」就可以廢除中醫學的說法，是不符合實際情況與中國國情的。將來中醫學完全科學化之後，那是中學進入到一個新的水平，中醫工作者更必大行其道，這這是可以預見的事。

四、今後中醫學術應發展的道路

治學之道，如逆水行舟，不進則退，醫學更為現實。因此，我們絕不能自我陶醉，滿足於中國醫學現有的成就，必須精益求精，發揚光大，使之成為完全科學化的中國新醫學。不容諱言，中醫學與中醫工作者都有些缺點尚待改正，缺點代表落後進步代表科學化，改正了缺點就會進步的。

（未完）

讀書雜鈔　三十七

・林偉・

時論曰：僮僕婢媼乃世間所謂小人，人皆小人視之，自亦甘居小人而不以為恨。「小人羣居終日為不善」，孔子亦慨乎言之矣！「君子惡居下流」，小人則甘居下流。益天性使然，亦環境使其然也。人既不以大義相責，彼鬻隨亦作姦為態爾，蒙蔽主人不被發覺而自為得計。小人之可怕，防不勝防，故曰：「如其防之，不如遠之」！

司蠡五蠶言：「有樵者，伐木山嶺，力倦小憩，遙見一人持衣數襲，沿途棄之，不省其何故？諦視之，履險阻如坦途，其行甚速，非人可及，貌亦慘淡不似人，疑為妖魅。登高樹瞰之，人已不見。由其棄衣之路，宛轉至山坳，則一虎伏焉。知人為倀鬼，衣所食者之遺也。急棄柴，自岡後遁。次日，聞某村某甲，於是地死於虎矣！路非人徑所必經，知其以衣為餌，導之至是也。為莫靈於人，人恆以餌取物，今物乃以餌取人，豈人無靈哉。利沚其靈，故智出物下耳。然是事一傳，獵者因循衣所在，得虎窟，合銃羣擊，殪其三焉。則虎又智敗矣。輾轉倚伏，機械又安有窮歟！」或又曰：「虎至悍而愚，心計萬萬不到此。聞倀役於虎，必得代乃轉生，是殆倀誘人自代，因引人捕虎報冤也。倀者人所化，揆諸人事，固亦有之，又惜虎知倀助己，不知即倀害己矣！」（閱微草堂筆記卷十七）

時論曰：鬼役使於虎，稱為倀鬼，屈於勢其心固不甘。虎自為得計，焉知倀亦將計就計，引人殺虎雪恥報冤。世間憑勢施巧，反致挫敗者多矣。

（未完）

「文天祥史蹟考」自序（二）

・李安・

宋室可能不致覆亡。而其取義成仁之忠烈與岳飛精忠報國之精神，在同一時代，堪稱先後媲美。兩人之事功雖不相同，但愛國家，救國赴難，宏揚民族精神之凜然正氣則全相若。錢賓四先生在「史學導言」第二講有云：「我認為治史只有八個字最重要：一曰「世運興衰」，一曰「人物賢奸」。」按兩人畢生之遭遇，可謂咸與「世運興衰」有關，而兩人之言行，又同屬賢者之典型，此為我於寫成「岳飛史蹟考」後，續寫本書之初衷。

全書共分十四章，乃依信國公生平事蹟區分為時代背景，身世、故里。求學與狀元及第，任職中央，出任地方，文山之樂，奮赴國難，取義成仁，以及軼事，手跡，故物等分別考證叙述，且儘可能按各事發生時間先後排列，諸凡人與時，地，皆力求得誌其詳。其中關係文書，如狀元及第論文，建言請殺董宋臣書，知瑞州時講授「進德修業忠信篤敬」要義以為教化根本之全文等，則多在有關章節之末，分別以加註方式錄入藉便參考。又其自撰「紀年錄」係元始史料，最足重視，爰以之與宋史列傳等一併列為本書附錄。書內刋誌照片多幀，其中手跡與故物玉帶生硯，承珍藏者林有福先生與國立故宮博物院惠允攝製，均當感謝。

（未完）

抗倭名將戚繼光

馬識途

繼光的軍隊在嘉靖四十二年四月才到福建，官兵實力比前浩大。譚倫乃命繼光為中軍指揮，担任正面攻擊，劉顯遠，俞大猷二將為左右翼担任側擊，譚倫居中軍之後，以為策應。三路進攻平海衛。

平海衛乃興化府莆田縣屬的海口，位於東海濱。自明太祖洪武二十一年建為衛所後，遂成為福建沿海之重鎮。不意此一重鎮却被倭人佔據，足見倭寇勢之大。譚倫認清了倭寇企圖，故不直接攻打興化府城，直指平海，以排山倒海之勢，全面攻擊，以期能徹底消滅。此一作戰計劃很正確。譚倫知戚家新軍戰鬥力強，故以之為正面攻擊。繼光不負所期，首先攻入衛城，左右二軍見中軍得手，也鼓勇攻入城中，不過一日功夫，將衛城倭寇殺的大敗，平衛完全克服。此役斬首二千二百級，其他燒死，　死者不計其數，將倭掠刦人民三千餘人解救出來。此役又以繼光的功勞最大，威名遠播在俞大猷之上。

明世宗聞捷，非常高興，特別行了一次告郊廟典禮，可見朝廷對此役大捷之重視。繼光之功最大，升為都督同知，子孫世襲千戶。不久俞大猷調任廣東，譚倫推薦繼光為福建總兵。此時繼光年僅三十有六歲。其感於朝廷之恩，矢志肅清倭寇他在福建總兵任內，先後將仙遊，同安五倉坪，漳蒲蔡丕嶺，福寧，永寧地方，將來犯之倭寇一一剿平。同時與俞大猷合作，剿滅了福、廣交界之南澳及閩、粵邊境的巨盜吳平，繼光又兼廣東潮惠二府及仲威諸戎務。

調鎮薊門建敵台

戚繼光自嘉靖四十一年入閩剿倭以來，至四十五年平定吳平巨盜止，前後不及五年，竟將猖狂不可一世的倭寇剿平，扭轉了見倭就逃的衰勢，以後倭寇聞名喪胆，繼光如無卓越之軍事才幹，怎能建此偉功！難怪當時有人說：「微（無）繼光幾無閩」。此一讚譽，實非過言。

繼光正在福建撫輯流亡之時，忽又奉命調往北方的薊門，（北京德勝門西北，又名土城關）担當鞏衛京輔之責。隆慶二年，繼光到了薊門，首先巡視邊關要塞隘口，並檢閱戍邊軍隊。他所得到的結論是邊防壞敝，邊将形同虛設。非徹底改革，則不足以抵抗外侮，保衛京畿。於是一面訓練軍隊，一面整修邊塞關隘。在訓練方面，改革裝備，設立軍營，重新製造戰車，以四人推挽一車。戰時將戰車集結，連成方陣，而令步，騎兵在車陣之中，以戰車為壁壘，以抵抗游牧民族兵的衝攻。

由於北方民族的騎兵的厲害，他又設計了一種「拒馬器」。敵騎來時，先用火器射擊，至近以步兵持拒馬器排列而前，使寇騎不能衝鋒繼進，然後以跟在後面的步兵手執長槍和狼牙的兵向前衝殺。執狼牙之兵，專砍騎兵的馬脚。敵兵如敗，然後用騎兵衝鋒。

又創設「輜重營」，隨同軍隊前進，使士卒無乏食之虞。又以各省入衛的兵担任策應。本鎮之兵則專任守衛。此外更立訂各種規條，規定各級幹部士卒各人職責，辨別各種旗幟顏色各動作的符號。如此一加整頓，始將不堪一擊的邊兵，一變而為精銳的勁旅了。

（八）

安徽十三傑

管仲　李聃　莊周　曹操
華佗　包拯　朱熹　朱元璋
戚繼光　李鴻章
段祺瑞　胡適　楊振寧

巨變歷險記

忽遭逮捕（二六三）

胡慶蔭

在東南亞自由人民各地區代表舉行會議之後，剛要準備繼續前往緬甸南部進行阻止撤運逆流之際，丁博士忽遭泰國逮捕。

這事來得很突然，誰使爲之？誰令致之？不能不令人有很多揣測。是不是住的地方人士報的？丁博士每到曼谷，經常是住在中國游擊隊的曼谷辦事處。這辦事處在是隆路的後邊一個街道巷子裏，進去左轉不遠便是。這是一個兩層樓的房子，樓上有不少床位可供游擊人士往來暫住之用，主其事的是一位李先生。直接受一位副總指揮的指揮。李彌一共有四個副總指揮。在李彌沒回台灣之前他自己作總指揮的時期，在曼谷的副總指揮就是今天的代總指揮唐鞏。這位代總指揮貌似和善，心懷叵測，總在說是給李彌看攤攤的，他現在攤攤不看了，要把貨物全搬運到台灣，對於丁博士的不合作，他非常憤激。他已經命令段希文把我交給他來處置或予就地正法了，他現在得乘丁博士到了曼谷，正是他借刀殺人最好的時候，他會不會命令辦事處報告泰國當局把丁博士逮捕起來，這是非常可能的。正好，丁博士自投羅網，爲什麼不叫人把他捉起來？

還有的人懷疑是不是美國方面壓迫我大使館搞的？美國一心一意要撤我們東南亞的游擊隊，對於丁博士的火燒東南亞，改組不友善政府的政策，認爲非常危險，因而他這個人物，也認爲是一位非常危險的人物，能把他收拾起來，有裨於東南亞和平者必大。我駐泰大使館，對於丁博士行踪也非常注意，未始沒有可能與美國呼成一氣，拔去這個禍根。而且大使館有電話給丁博士。在接到大使館電話不久，就發生丁博士被捕的情事，又安得不令人懷疑。

並且有人懷疑到是陳廣深少爺秉承某方面的意思搞的。陳廣深有兩位夫人，兩個女兒，兩個男兒。兩個女兒都非常的好，有一個並且跟過丁博士學習英文。兩個男兒，一個小的，也非常好，大的就壞了，什麼都幹。陳廣深的白雲山莊，實權握在大兒子的手中，他同地方或其他方面的惡勢力都有聯繫。在事情發生之前，這位少爺就鬼鬼祟祟的往來丁博士的屋子。

是在東南亞自由人民各地區代表會議不久之後發生的。丁博士沒有到曼谷辦事處住，也沒有住別的地方，特別的白雲山莊，原以爲可以多休息兩天，原以爲安全不會成什麼問題，但竟有大謬不然者，事情就在這個時候發生，就在海濱別墅發生。來逮捕丁博士的人看樣子是特二一流的人，隨帶來廿幾名武裝警察一類的人立刻散開，將白雲山莊全部予以包圍，進行搜捕丁博士。丁博士並沒有在房間，在海濱洗澡，正在與海博鬥，正在載沉載浮，正在……正在……。

創業哲學

眞理與事實　十八

·丁熊照·

先母逝世後，也在該處合葬，化去約二三千元買入接連地皮，共計不過一畝餘地，再修建兩三丈對徑的圍牆，種些樹木，不過略盡人子之心而已，鄉下人至此時又傳說是龍池，是佳地，是活地，甚至說出在我父母墳地傍之小溪，大冷天氣時，也無結冰之現象，活靈活現，其實經我親自去研究後，才知不過背有高崗，遮住西北風，而溪向西開闊，地勢高燥，冬天時長時受陽光照射，所以不會結冰，鄉下人傳說活地云云，純屬無知迷信之談，我本人素不相信風水之說，現在你們如一定要掘，我也聽之，雖然我未嘗不可利用外人的勢力來干涉，但我在本鄉立場，却不願如此做。這些人聽到後，面面相覷，不知所措，我也不願做得太過火，次日，原再約請吃飯，因他們要提前回鄉，我乃送兩百元法幣去，作爲他們的路費，他們之中有一位姚君講，嚴文耀認爲我做得極其漂亮，他回鄉後決定約徐梅初君（掘墳主腦，另一個游擊隊首領）一同來滬，由他請客介紹，和我交個朋友。後來徐君果然來了，我也畧予敷衍；徐君後以僞軍接受改編，已升到相當高的職位，但不久便聽說過世了，嚴君正在中共佔據大陸後，改易名逃到北京去，據說，後爲中共捉到而處死，當年鄉間游擊隊首領的下場，大致如此。我對於風水之說，始終還是不信，不但從未感覺到我在事業上之成功與祖墳風水之好，有什麼關係，而且我一直也感覺到我們中國人墳地，佔據農田及可以利用地皮太多，十分可惜，實在需要改革。但在當年，我們無錫鄉間風水之說，甚流行，抗戰期中，由於游擊隊的騷擾，城裏富戶和較有地位人家的祖墳，十之八九皆遭損壞，而我先父母之墳到勝利時尚能保持完好，已算是很難得了。

在整個中國大陸爲中共佔據後，約在六七年前，國內流行土法煉鋼時期，我父母墳牆的鐵門與圍牆之磚石，都被拆毀去作煉鋼之用，後來由上海代理人崔君去修復，尚有照片寄來，當時中共政府，還要將修建欵項撥還給我，爲我所拒收，現在又過多年，在經過文化大革命後，國內秩序更亂，是否還能讓我先人之墳保存完好，自非我之所知了。

十、勝利後的徬徨

一九四五年八月十五日，勝利和平消息傳到上海後，人人歡喜若狂，我特地將朋友平時饋贈存下來的幾箱洋酒和八九紹興佳釀，在國慶日拿出來與友好同事們痛飲幾天，表示慶祝，也似可一舒八年抗戰積聚的苦悶了，但國家雖說是得到最後勝利，主要還是靠盟邦幫助所獲來，事實上中國經過了八年戡亂，不但淪陷區內人心已壞，就在自由區內的人心，也已變壞，造成了社會風氣普遍不良的現象，而此時政府並未依中國傳統政治哲學治亂世用重典的方式，大刀闊斧去整頓，反受時代環境壓迫，高談民主自由，加以共產黨的滲透破壞，遂造成人人自私自利，人人都想「五子登科」，（即金子，房子，車子，女子和官架子），因此，物價日漲，民不聊生。我本來在勝利之初，還抱着一腔愛國熱誠，聯絡同業中幾位熱心的朋友，孫鼎，鮑國樑和現已去世的葉友才諸君，籌設接收隊打算將我們所知道的日本人在太平洋戰爭爆發後，接收上海英美資本事業的經驗方法，貢獻給政府，嗣見重慶來的官員，看待淪陷區內的工商業人士，總像戴着一副有色的眼鏡，我們也就灰心不願多事了。

一九四六年春間國府財政部長王雲五先生，到上海邀約滬市工商業公會人士，在市商會談話，提出「殺鷄取卵」一點，我因看到當時社會情形實覺痛心，因此忍不住即席發言，力陳政府對工商業政策之不當，並將所看到有關接收的弊端，毫不顧忌的說出來，我提出政府接收敵僞產業，表面上固然都有封條貼在大門上，但還有邊門，後門與窗戶，並不能阻止財物「不翼而飛」的怪現象，那麼，表面的加封，又有什麼用呢！雖然在當時環境之下，我這番話，很令聽者動容，但對整個局勢之改善，也並無如何實際的作用，我之說出這番話，祇不過盡我做人之責任而已。

滙明廠在抗戰期間，因爲我不願與敵僞合作，加以戰時原料缺乏，爲着維持原有職工之生活，僅有設在租界內新廠部份開工。勝利之後，我看到環境如此之壞而灰心，也祇將南市老廠一部份恢復開工，並沒有積極去求擴展。但我在戰爭期中，雖不願與日本人合作，且在幣値變動甚巨下，亦不願購存外滙，以損害國家經濟，但尚以運用得宜，換成物資保存，還能夠保持事業財產的原有價値，總還想爲國家做點有益社會工業的工作，盡我做人之責。我記得最初想到的是開設硫酸廠和玻璃廠等計劃，皆因環境關係，未能實現，最後才爲着原有電筒電池事業上品質之改良，想到向新興的塑膠工業去發展，決定設立塑膠廠，但在計劃確定時，恰遇政府凍結外滙，而建立一個新事業，必需要向海外購備新型機器設備和原料，在滬設廠，殊有不便，幾經研究考慮，不得已之下，廠址乃改爲設於香港，隨即派員前來調查，積極籌備，本意開達在港成立之後，如獲成功，再向國內擴充，香港改爲分廠。

自動限價：在一九四六〔一九四七年間，滙明電池廠的業務，在幣値跌落物價高漲之下，不但需要推銷，每日所出的百餘箱電池，（每箱一百二十打），事實上已達供不應求，引起搶購的現象，我記得當年大無畏電池，定價每打法幣五千四百元，但市面上售價，則爲每打九千元。（未完）

尼克森怎樣保衛美元

（二）今秋IMF全會應採取步驟改正協定，使滙率有浮動可能性。

（三）如IMF不能克盡上述責任，則美國將片面廢止美金與黃金連結的承諾。而爲求過大評價的美元平衡點，改行有限度的浮動滙率制。

（四）與此併行，各國的黃金及外滙儲備，一律寄存IMF，設立一世界中央相互決算帳目，各國間的決算都通過IMF實行，用以防止要黃金不要美鈔的風潮。

大衛營裏商大計

由於羅伊斯報告中提到設立IMF相互決算帳的辦法，暗示美元將脫離基軸通貨的地位，所以，一般都認爲沒有實現的可能。特別是作爲IMF體制的基根的美金兌換黃金的停止，美金改行浮動滙率制，根本推翻了現行美元本位制，天下必大亂，更認爲沒有實現的可能。日本金融當局也認爲「羅伊斯的報告無法實行，他的目標在壓日元升値而已」。

歐洲發生美元風波之後

尼克森在大衛營夏天行營召集財長康納利，聯邦儲備局主席班斯，經濟諮詢委員會委員長麥克拉肯和行政預算局長蕭滋四個財經高級官員共商對策。當時由華盛頓發出的電訊，也認爲這次的會商，可能對加徵輸入稅有所決定，但將不至於談到通貨的問題。

擬建立新平價體制

十六日尼克森的發表，說明人們的預測都錯了。尼克森幾乎完全接受了羅伊斯報告的提議，而其目的在於「設立必要的新通貨體制，改變各國通貨的平價，俾主要國在世界上公平競爭」。一時停止兌金以及加徵一〇％輸入稅，不過達到這個目的的手段而已。

從尼克森的決心看來，一般國際金融問題專家認爲，美國企圖在九月廿七是的IMF全會提出新平價的問題，迫強幣國家（西德及日本）實行升値，以建立新的平價體制。一旦這新體制建立起來，一時停止的黃金兌換也就恢復過來，一〇％的加徵稅率也廢止了。他們認爲這一〇％的加徵稅率，即給予強幣升値一〇％的一種暗示。（三、未完）

菊壇奇葩章遏雲（三）

·周燕謀·

與章遏雲　顧維鈞、梅蘭芳

第二年正式「下海」，組織戲班，演出於「開明」戲院，叫座力之强，令人想像以外，又比「開明」「客串時殆又過之。不久又受天津「春和大戲院」之聘，帶了武生姜桂鳳，花旦胡碧蘭，小生金妙聲等同往獻技，博得社會無上的好評。接着又與王又宸，言菊明等先後合作，結果獲得了非常良好的聲譽。

同年九月應天昇之聘，再度赴天津，同行者有程繼先（又作繼仙），是已故名伶程長庚之孫，小生之宗匠也。李壽山，諸茹香，羅福山諸名伶，袁寒雲客串潘必正（玉堂春）程繼先去王金龍，遏雲去蘇三，庚生去劉秉義，配搭之佳，一時無雙，以故上座特盛，除了增出位外，還有出錢買站票的觀衆，票張聊止先生曾口占一絕以贈之云：

急管繁絃子夜聲，
遏雲迴雪總關情；
遙知車馬紛馳後，
尚有餘音逐耳鳴。

（未完）

看相十訣竅（三）卅八

·錢一劍·

七、取腰圓背厚，胸垣腹垂三甲，三壬，體膚細嫩可也。背厚胸潤腰硬，腰圓，最嫌背脊成坑，背薄肩垂，肩昂頸削。腰宜圓，宜硬，宜大，宜平，不可細瘦軟弱，崎嶇無臀，薄尖削露。臀宜平厚，不宜大竅。胸宜平滿，骨莫粗露。項下雙縧。心窩不陷。腹宜有托如葫蘆，臍下肉橫生，不宜尖削，或如鵝肚，雞胸，狗肚，此不堪也。書云腰圓背厚，方保玉帶朝衣，驟然不過豫慷慨人。必主發達富盛。胸平腹囊，故宜紫袍掛體，雖不出前，不入凡流，必須發達。背如三甲，項後肉厚，兩肩繃肉厚。腹如三壬，臍下肉長，兩腿邊肉長。書云背負三山如護甲，臍深納李腹垂箕如此之相必大貴，不貴之時，富可誇。但頭大無角，腹大無囊，不是農夫，必是屠傳。不是粗人，定是木作，若尖削陷軟，狗肚雞胸，縱富必無結果。書云，男子腰小雞主家財，亦且夭折。凸胸露臀，富成窮酸。男子爲僕，女子爲婢，相中最宜推詳，不可忽畧。

取手足宜細嫩隆厚。掌有八卦。紋路鮮明。或如噴血。起三峯，奇紋，異紋。節如鷄蛋。指尖相稱。指大相停。掌平如鏡。或軟如綿。龍虎相吞。掌厚，脊厚。腕扁，肘圓。足背有肉。足底有紋有悲。掌客帶潤。手背不宜粗露筋骨。指節不宜漏縫。神昏，神懶，浮筋，露骨，身樂心憂。掌紅噴血，富貴綿綿。手軟如綿，閒且有錢。尖起三峯，福生晚景。掌平如鏡，白手興家。紋路粗率，晚年衣祿平常。但相掌訣法有載于後，宜與前後兼觀。

史地傳記類　PC0288

自由人（二十）

編　　者／陳正茂
責任編輯／邵亢虎
圖文排版／彭君浩
封面設計／陳佩蓉

法律顧問／毛國樑　律師
印製經銷／秀威資訊科技股份有限公司
114台北市內湖區瑞光路76巷65號1樓
電話：+886-2-2796-3638　傳真：+886-2-2796-1377
http://www.showwe.com.tw
劃撥帳號／19563868　戶名：秀威資訊科技股份有限公司
讀者服務信箱：service@showwe.com.tw
展售門市／國家書店（松江門市）
104台北市中山區松江路209號1樓
電話：+886-2-2518-0207　傳真：+886-2-2518-0778
網路訂購／秀威網路書店：http://www.bodbooks.com.tw
國家網路書店：http://www.govbooks.com.tw

2012年12月復刻版
定價：2500元

國家圖書館出版品預行編目

自由人 / 陳正茂編. -- 一版. -- 臺北市 : 秀威資訊科技,
2012. 12-
冊； 公分. -- (史地傳記類)
BOD版
ISBN 978-986-326-020-2(第1冊 : 精裝). --
ISBN 978-986-326-016-5(第2冊 : 精裝). --
ISBN 978-986-326-017-2(第3冊 : 精裝). --
ISBN 978-986-326-018-9(第4冊 : 精裝). --
ISBN 978-986-326-019-6(第5冊 : 精裝). --
ISBN 978-986-326-022-6(第6冊 : 精裝). --
ISBN 978-986-326-023-3(第7冊 : 精裝). --
ISBN 978-986-326-024-0(第8冊 : 精裝). --
ISBN 978-986-326-025-7(第9冊 : 精裝). --
ISBN 978-986-326-026-4(第10冊 : 精裝). --
ISBN 978-986-326-034-9(第11冊 : 精裝). --
ISBN 978-986-326-035-6(第12冊 : 精裝). --
ISBN 978-986-326-036-3(第13冊 : 精裝). --
ISBN 978-986-326-037-0(第14冊 : 精裝). --
ISBN 978-986-326-038-7(第15冊 : 精裝). --
ISBN 978-986-326-039-4(第16冊 : 精裝). --
ISBN 978-986-326-040-0(第17冊 : 精裝). --
ISBN 978-986-326-041-7(第18冊 : 精裝). --
ISBN 978-986-326-042-4(第19冊 : 精裝). --
ISBN 978-986-326-043-1(第20冊 : 精裝). --

1. 報紙 2. 香港特別行政區

059.92 101021409

讀者回函卡

感謝您購買本書，為提升服務品質，請填妥以下資料，將讀者回函卡直接寄回或傳真本公司，收到您的寶貴意見後，我們會收藏記錄及檢討，謝謝！
如您需要了解本公司最新出版書目、購書優惠或企劃活動，歡迎您上網查詢或下載相關資料：http:// www.showwe.com.tw

您購買的書名：______________________________

出生日期：________年________月________日

學歷：□高中（含）以下　□大專　□研究所（含）以上

職業：□製造業　□金融業　□資訊業　□軍警　□傳播業　□自由業
　　　□服務業　□公務員　□教職　□學生　□家管　□其它_____

購書地點：□網路書店　□實體書店　□書展　□郵購　□贈閱　□其他

您從何得知本書的消息？

□網路書店　□實體書店　□網路搜尋　□電子報　□書訊　□雜誌
□傳播媒體　□親友推薦　□網站推薦　□部落格　□其他__________

您對本書的評價：（請填代號　1.非常滿意　2.滿意　3.尚可　4.再改進）

封面設計____　版面編排____　內容____　文／譯筆____　價格____

讀完書後您覺得：

□很有收穫　□有收穫　□收穫不多　□沒收穫

對我們的建議：______________________________

____

____

____

請貼
郵票

11466
台北市內湖區瑞光路 76 巷 65 號 1 樓

秀威資訊科技股份有限公司 收

BOD 數位出版事業部

（請沿線對折寄回，謝謝！）

姓　　名：＿＿＿＿＿＿＿＿　年齡：＿＿＿＿　性別：□女　□男

郵遞區號：□□□□□

地　　址：＿＿＿＿＿＿＿＿＿＿＿＿＿＿＿＿

聯絡電話：(日)＿＿＿＿＿＿＿＿(夜)＿＿＿＿＿＿＿＿

E-mail：＿＿＿＿＿＿＿＿＿＿＿＿＿＿＿＿